Inhaltsverzeichnis

G000162608

Siehe - See : SARDEGNA 650 - SICILIA 664
CANTONE TICINO (Svizzera) 691

Contents

4

PRINCIPALES ROUTES

Autoroute _____
N° de route d'État _____ S 10
Distance en kilomètres _____ 12
Hôtels et restaurants d'autoroute :
- Hôtel _____ ■
- Self-Service ou restaurant _____ ■
Seuls les hôtels sont cités dans le guide
Station-service avec essence
sans plomb sur autoroute _____ ■

HAUPTVERKEHRSSTRASSEN

Autobahn _____
Nummer der Staatsstraße _____ S 10
Entfernung in Kilometern _____ 12
Hotels und Restaurants an der Autobahn :
- Motel _____ ■
- Selbstbedienungsrestaurant oder
Restaurant _____ ■
In diesem Führer werden nur die Motels
erwähnt
Bleifrei-Tankstelle an der Autobahn ■

MAIN ROADS

Motorway _____
State road number _____ S 10
Distance in kilometres _____ 12
Hotels and restaurants on motorways :
- Motel _____ ■
- Self-service or restaurant _____ ■
Only the motels are listed in the guide
Motorway petrol station selling
unleaded petrol _____ ■

2   5

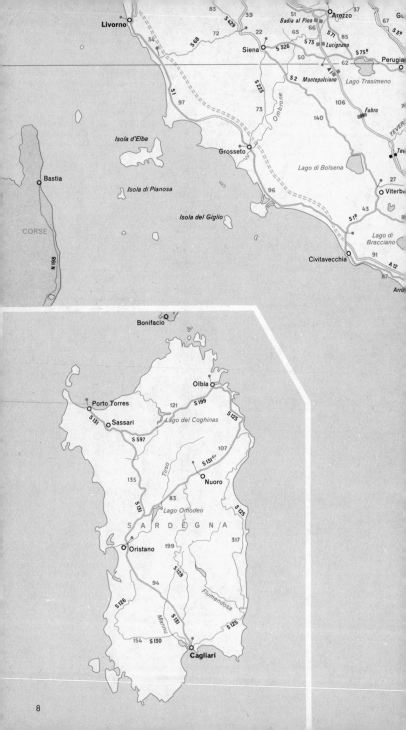

9

DISTANZE
DISTANCES
ENTFERNUNGEN

Qualche chiarimento :

Nel testo di ciascuna località troverete la distanza dalle città limitrofe e da Roma. Quando queste città sono quelle della tabella a lato, il loro nome è preceduto da una losanga ♦.

Le distanze fra le città di questa tabella completano quelle indicate nel testo di ciascuna località. La distanza da una località ad un'altra non è sempre ripetuta in senso inverso : vedete al testo dell'una o dell'altra. Utilizzate anche le distanze riportate a margine delle piante.

Le distanze sono calcolate a partire dal centro delle città e seguendo la strada più pratica, ossia quella che offre le migliori condizioni di viaggio ma che non è necessariamente la più breve.

Quelques précisions :

Au texte de chaque localité vous trouverez la distance des villes environnantes et celle de Rome. Lorsque ces villes sont celles du tableau ci-contre, leur nom est précédé d'un losange noir ♦.

Les distances intervilles de ce tableau complètent ainsi celles données au texte de chaque localité.

La distance d'une localité à une autre n'est pas toujours répétée en sens inverse : voyez au texte de l'une ou de l'autre. Utilisez aussi les distances portées en bordure des plans.

Les distances sont comptées à partir du centre-ville et par la route la plus pratique, c'est-à-dire celle qui offre les meilleures conditions de roulage, mais qui n'est pas nécessairement la plus courte.

Einige Erklärungen :

In jedem Ortstext finden Sie Entfernungen zu größeren Städten in der Umgebung und nach Rom. Wenn diese Städte auf der nebenstehenden Tabelle aufgeführt sind, sind sie durch eine schwarze Raute ♦ gekennzeichnet. Die Kilometerangaben dieser Tabelle ergänzen somit die Angaben des Ortstextes.

Da die Entfernung von einer Stadt zu einer anderen nicht immer unter beiden Städten zugleich aufgeführt ist, sehen Sie bitte unter beiden entsprechenden Ortstexten nach. Eine weitere Hilfe sind die am Rande der Stadtpläne erwähnten Kilometerangaben.

Die Entfernungen gelten ab Stadtmitte unter Berücksichtigung der günstigsten (nicht immer kürzesten) Strecke.

Commentary :

The text on each town includes its distance from its immediate neighbours and from Rome. Those cited opposite are preceded by a diamond ♦ in the text.

The kilometrage in the table completes that given under individual town headings for calculating total distances.

A town's distance from another is not necessarily repeated in the text under both town names, you may have to look, therefore, under one or the other to find it. Note also that some distances appear in the margins of the town plans.

Distances are calculated from centres and along the best roads from a motoring point of view - not necessarily the shortest.

DISTANZE TRA LE PRINCIPALI CITTÀ

DISTANCES ENTRE PRINCIPALES VILLES

ENTFERNUNGEN ZWISCHEN DEN GRÖSSEREN STÄDTEN

DISTANCES BETWEEN MAJOR TOWNS

Esempio / Exemple / Beispiel / Example: *Bergamo – Lugano* 90 km

	Ancona	Bari	Bergamo	Bern	Bologna	Bolzano	Brescia	Brindisi	Cosenza	Ferrara	Firenze	Foggia	Genève	Genova	Innsbruck	Livorno	Lugano	Milano	Modena	Napoli	Nice	Padova	Parma	Perugia	Pescara	Ravenna	Reggio di Calabria	Roma	La Spezia	Taranto	Torino	Trieste	Venezia	Verona	Zagreb
Bari	464
Bergamo	455	907
Bern	788	1240	370
Bologna	215	667	239	572
Bolzano	495	947	242	482	279
Brescia	389	841	52	445	173	180
Brindisi	578	113	1021	1354	781	1061	955
Cosenza	699	271	1114	1447	892	1154	1048	271
Ferrara	258	710	206	614	47	256	155	824	936
Firenze	263	720	327	660	105	367	261	834	790	149
Foggia	344	132	787	1120	547	827	721	246	350	590	595
Genève	751	1203	365	165	535	601	411	1317	1398	577	611	1083
Genova	511	944	199	449	295	414	230	1058	1014	337	227	843	386
Innsbruck	613	1065	360	514	397	118	298	1179	1272	374	485	945	719	532
Livorno	350	788	332	624	180	430	286	902	858	243	87	682	561	177	548
Lugano	508	960	90	281	292	355	165	1074	1167	334	380	840	377	217	323	376
Milano	426	878	47	357	210	283	93	992	1085	252	298	758	323	142	401	294	77
Modena	258	710	199	532	39	239	133	824	917	84	130	590	495	255	357	224	252	170
Napoli	399	261	814	1147	592	854	748	375	313	636	490	175	1098	714	972	558	867	785	617
Nice	686	1136	374	552	470	589	405	1250	1206	512	419	1018	489	194	707	369	392	317	430	906
Padova	297	749	193	586	115	182	147	863	1004	73	217	629	552	365	300	311	306	234	152	704	540
Parma	312	764	160	484	96	242	114	878	971	138	184	644	447	198	360	189	204	122	56	671	382	181
Perugia	166	615	478	811	256	518	412	729	685	300	154	453	762	378	636	222	531	449	281	385	570	368	335
Pescara	156	300	599	932	359	639	533	414	548	402	407	180	895	655	757	494	652	570	402	248	830	441	456	281
Ravenna	161	613	314	647	74	354	248	727	848	74	136	493	610	370	472	276	367	285	117	548	545	134	171	196	305
Reggio di Calabria	885	457	1300	1633	1078	1340	1234	457	190	1122	976	536	1584	1200	1458	1044	1353	1271	1103	499	1392	1190	1157	871	734	1034
Roma	319	449	601	934	379	641	535	563	519	423	277	363	885	501	759	321	654	572	404	219	693	491	458	172	209	366	705
La Spezia	426	861	258	550	210	356	212	975	931	252	144	758	487	103	474	94	302	220	170	631	295	295	115	295	570	285	1117	418
Taranto	547	94	990	1323	750	1030	924	72	205	793	803	215	1286	1027	1148	871	1043	961	793	344	1219	832	847	698	383	696	391	532	944
Torino	545	997	182	315	329	418	228	1111	1182	371	395	877	252	170	536	345	194	140	289	882	220	369	241	546	689	404	1368	669	271	1080
Trieste	449	901	367	760	293	356	321	1015	1182	251	395	781	726	539	390	489	480	408	330	882	714	178	355	546	593	286	1368	669	469	984	543
Venezia	308	760	226	619	152	215	180	874	1041	110	254	640	585	398	333	348	339	267	189	741	573	37	214	405	452	145	1227	528	328	843	402	158
Verona	357	809	116	509	141	154	66	923	1016	102	229	689	475	288	272	289	229	157	101	716	463	81	101	380	501	216	1202	503	215	892	292	255	114
Zagreb	670	1122	588	981	514	577	542	1236	1403	472	616	1002	947	760	571	710	701	629	551	1103	935	399	576	767	814	507	1589	890	690	1205	764	236	379	476
Zürich	725	1177	307	124	509	358	382	1291	1384	551	597	1057	288	434	390	593	218	294	469	1084	609	523	421	748	869	584	1570	871	519	1260	411	697	556	446	918

SICILIA

	Agrigento	Caltanissetta	Catania	Messina	Palermo	Siracusa
Caltanissetta	58
Catania	167	109
Messina	264	206	97
Palermo	128	127	208	235
Siracusa	214	156	61	158	255
Trapani	175	233	314	341	104	361

SARDEGNA

	Nuoro	Olbia	Oristano	Sassari
Cagliari	182	268	93	211
Nuoro		102	92	120
Olbia			178	103
Oristano				121

Scoprite
la guida…

e sappiatela utilizzare per trarne il miglior van-
taggio. La Guida Michelin è un elenco dei migliori alberghi e ristoranti, naturalmente. Ma
contiene anche una serie di utili informazioni
per i Vostri viaggi !

La « chiave »

Leggete le pagine che seguono e comprenderete !
Sapete che uno stesso simbolo o una stessa parola in rosso o in nero, in
carattere magro o grasso, non ha lo stesso significato ?

La selezione degli alberghi e ristoranti

Attenzione ! La guida non elenca tutte le risorse alberghiere. E' il risultato
di una selezione, volontariamente limitata, stabilita in seguito a visite ed
inchieste effettuate sul posto. E, durante queste visite, amici lettori,
vengono tenute in evidenza le Vs. critiche ed i Vs. apprezzamenti !

Le piante di città

Indicano con precisione : strade pedonali e commerciali, il modo migliore
per attraversare od aggirare il centro, l'esatta ubicazione degli alberghi e
ristoranti citati, della posta centrale, dell'ufficio informazioni turistiche,
dei monumenti più importanti e poi ancora altre utili informazioni per
Voi !

Per la Vs. automobile

Nel testo di molte località sono elencati gli indirizzi delle sedi, filiali o
concessionari delle principali case automobilistiche. Così, in caso di
necessità, saprete dove trovare il « medico » per la Vs. vettura.

Su tutti questi punti e su altri ancora, gradiremmo conoscere il Vs.
parere. Scriveteci e non mancheremo di risponderVi !

**MICHELIN - Servizio Turismo
Corso Sempione 66 - 20154 MILANO**

Grazie e buon viaggio.

La scelta di un albergo, di un ristorante

La nostra classificazione è stabilita ad uso dell'automobilista di passaggio. In ogni categoria gli esercizi vengono citati in ordine di preferenza.

CLASSE E CONFORT

🏰	Gran lusso e tradizione	XXXXX
🏛	Gran confort	XXXX
🏠	Molto confortevole	XXX
🏠	Di buon confort	XX
🏚	Abbastanza confortevole	X
🏠	Semplice, ma conveniente	
senza rist	L'albergo non ha ristorante	
	Il ristorante dispone di camere	con cam

INSTALLAZIONI

Le camere degli alberghi che raccomandiamo possiedono, generalmente, delle installazioni sanitarie complete. È possibile, tuttavia, che nell' ambito delle categorie 🏠, 🏚 e 🏠 alcune camere ne siano sprovviste.

30 cam o **30 cam**	Numero di camere (vedere p. 19 : La cena in albergo)
🛗	Ascensore
🗔	Aria condizionata
TV	Televisione in camera
⇔	Albergo completamente o in parte riservato ai non fumatori
⇔ cam	Camere riservate ai non fumatori
⇔ rist	Ristorante riservato ai non fumatori
☎	Telefono in camera collegato con il centralino
☎	Telefono in camera comunicante direttamente con l'esterno
♿	Camere d'agevole accesso per i minorati fisici
🍽	Pasti serviti in giardino o in terrazza
⚕	Cura termale
⚊ 🏊	Piscina : all'aperto, coperta
🏖	Spiaggia attrezzata
🌳	Giardino da riposo
🎾	Tennis appartenente all'albergo
⛳	Golf e numero di buche
🐎	Cavalli da sella
🏛 25 a 150	Sale per conferenze (capienza minima e massima delle sale)
🚗	Garage gratuito (una notte) per chi presenta la guida dell'anno
🚗	Garage a pagamento
Ⓟ	Parcheggio
🐕	E' vietato l'accesso ai cani : ovunque
🐕 rist	soltanto al ristorante
🐕 cam	soltanto nelle camere
Fax	Trasmissione telefonica di documenti (= Telefax) Il prefisso interurbano dovrà essere composto prima del numero indicato nel testo dell'esercizio
20 aprile- 5 ottobre	Periodo di apertura comunicato dall'albergatore
stagionale	Apertura in stagione, ma periodo non precisato. Gli esercizi senza tali indicazioni sono aperti tutto l'anno.

AMENITÀ

Il soggiorno in alcuni alberghi può rivelarsi particolarmente ameno o riposante.

Ciò può dipendere sia dalle caratteristiche dell'edificio, dalle decorazioni non comuni, dalla sua posizione, dall'accoglienza e dal servizio offerti, sia dalla tranquillità dei luoghi.

Questi esercizi sono così contraddistinti :

🏨🏨🏨 ... 🏨	Alberghi ameni
XXXXX ... X	Ristoranti ameni
« Parco fiorito »	Un particolare piacevole
🦢	Albergo molto tranquillo o isolato e tranquillo
🦢	Albergo tranquillo
⟨ mare	Vista eccezionale
⟨	Vista interessante o estesa

Consultate le carte da p. 47 a 55 e p. 691.

Non abbiamo la pretesa di aver segnalato tutti gli alberghi ameni, nè tutti quelli molto tranquilli o isolati e tranquilli.

Le nostre ricerche continuano. Le potrete agevolare facendoci conoscere le Vostre osservazioni e le Vostre scoperte.

LA TAVOLA

Le Stelle : vedere le carte da p. 47 a p. 55 e p. 691.

Tra i numerosi esercizi raccomandati in questa guida alcuni meritano di essere segnalati alla Vostra attenzione per la qualità della cucina, di tipo prevalentemente regionale. Questo è lo scopo delle « stelle di ottima tavola ».

Per questi esercizi indichiamo quasi sempre tre specialità culinarie : provatele, tanto per Vostra soddisfazione quanto per incoraggiare l'abilità del cuoco.

ॐ **Un'ottima tavola nella sua categoria**

La stella indica una tappa gastronomica sul Vostro itinerario.

Non mettete però a confronto la stella di un esercizio di lusso, dai prezzi elevati, con quella di un piccolo esercizio dove, a prezzi ragionevoli, viene offerta una cucina di qualità.

ॐॐ **Tavola eccellente : merita una deviazione**

Specialità e vini scelti... AspettateVi una spesa in proporzione.

ॐॐॐ **Una delle migliori tavole : vale il viaggio**

Tavola meravigliosa, grandi vini, servizio impeccabile, ambientazione accurata... Prezzi conformi.

Pas 20/25000 **Pasti accurati a prezzi contenuti**

Oltre alle ottime tavole contrassegnate con stelle, abbiamo pensato potesse interessarVi conoscere degli esercizi che, per un rapporto qualità-prezzo particolarmente favorevole, offrono un pasto accurato spesso a carattere tipicamente regionale.

Consultate le carte da p. 47 a 55

ed aprite la Vostra guida in corrispondenza della località prescelta.

L'esercizio che cercate richiamerà la Vostra attenzione grazie alla sigla **Pas** evidenziata in rosso.

I vini e le vivande : vedere p. 56 e 57.

I PREZZI

I prezzi riportati, che devono essere considerati come prezzi base indicativi, sono stati stabiliti alla fine dell'anno 1988 e possono venire modificati nel corso dell'anno su autorizzazione degli Organismi competenti.

Entrate nell'albergo o nel ristorante con la guida alla mano, dimostrando in tal modo la fiducia in chi Vi ha indirizzato.

Gli alberghi e ristoranti figurano in carattere grassetto quando gli albergatori ci hanno comunicato tutti i loro prezzi e si sono impegnati, sotto la propria responsabilità, ad applicarli ai turisti di passaggio in possesso della nostra pubblicazione.

Segnalateci eventuali maggiorazioni che Vi sembrino ingiustificate.

Quando i prezzi non sono indicati, Vi consigliamo di chiedere preventivamente le condizioni.

I prezzi indicati nella guida sono calcolati servizio compreso (salvo specifica indicazione es. 15 %) ed I.V.A. compresa.

Pasti

◂	Esercizio che presenta un pasto semplice per meno di 19000 (bevande escluse)
Pas 15/20000	**Pasto a prezzo fisso** -minimo 15000 e massimo 20000, per pasti serviti ad ore normali (dalle 12 alle 14 e dalle 19,30 alle 21,30)
Pas 22000	Pasto accurato a **prezzo contenuto**
bc	Bevande comprese
Pas carta 20/25000	**Pasto alla carta** — Il 1° prezzo corrisponde ad un pasto semplice comprendente : coperto, primo piatto, piatto del giorno con contorno, dessert Il 2° prezzo corrisponde ad un pasto più completo (con specialità) comprendente : coperto, antipasto, due piatti, formaggio, dessert Salvo indicazione specifica bc, le bevande non sono comprese nei prezzi
⊊ 7000	Prezzo della prima colazione eventualmente servita in camera

Camere

cam 25/40000	Prezzo minimo 25000 per una camera singola e prezzo massimo 40000 per una camera occupata da due persone
appart 150/200000	Prezzo minimo e massimo per un appartamento
cam ⊊ 30/50000	Il prezzo della prima colazione è compreso nel prezzo della camera

Pensione

P 50/60000	Prezzo minimo e massimo della pensione completa per persona e per giorno in alta stagione (vedere dettagli pag. 19)
b.s. 40/50000	Prezzi di pensione in bassa stagione
	Riscaldamento ed aria condizionata — I prezzi della camera e della pensione indicati nella guida si intendono riscaldamento compreso, ma l'aria condizionata può essere talvolta addebitata a parte
▤ 5000	Importo da pagare al giorno e per camera, per l'aria condizionata
AE Ⓢ ⓪ E *VISA*	**Carte di credito.** — Principali carte di credito accettate da un albergo o ristorante : American Express — CartaSi — Diners Club — Eurocard — Visa (BankAmericard)

QUALCHE CHIARIMENTO UTILE

I prezzi sono indicati in lire, o in franchi svizzeri per le località del Cantone Ticino.

Al ristorante. — I prezzi fissi corrispondono a menu regolarmente presentati, quelli dei pasti alla carta ad una lista con i rispettivi prezzi.

Nel caso l'esercizio non abbia nè menu nè carta, i piatti del giorno vengono annunciati verbalmente : i prezzi minimi e massimi sono stati direttamente controllati.

All'albergo. — Il prezzo della prima colazione è talvolta incluso nel prezzo della camera : cam ⌂. In alcuni alberghi la prima colazione non viene servita : senza ⌂.

Il prezzo di una camera doppia può essere maggiorato del 35 % se viene richiesto un letto supplementare.

La cena in albergo. — Indichiamo le camere in carattere grassetto : **30 cam** quando l'albergatore accetta di darVi alloggio per una notte anche se non cenate presso di lui.

Se le camere sono in carattere magro (30 cam) occorre cenare nell'albergo dove si pernotta.

La pensione. — Comprende la camera, la piccola colazione e i due pasti.

I prezzi di pensione sono generalmente applicabili a partire da 3 giorni di permanenza : è comunque consigliabile prendere accordi preventivi con l'albergatore per stabilire le condizioni definitive.

I prezzi di bassa stagione (b.s.) sono praticati nei periodi non indicati come di alta stagione nel testo delle località.

Per le persone sole che occupano una camera doppia i prezzi indicati possono essere suscettibili di maggiorazione.

La tassa di soggiorno varia, secondo la categoria dell'albergo, da 180 a 1800 lire al giorno per persona.

La caparra. — Alle volte alcuni albergatori chiedono il versamento di una caparra. E' un deposito-garanzia che impegna tanto l'albergatore quanto il cliente. Chiedete all'albergatore di fornirVi, nella sua lettera di conferma, ogni dettaglio sulla prenotazione e sulle condizioni di soggiorno.

L'AUTOMOBILE, I PNEUMATICI

Nel testo di molte località citate, dopo gli alberghi e ristoranti, sono elencati gli indirizzi delle sedi, filiali o concessionari delle principali case automobilistiche, in grado di effettuare il soccorso stradale e di eseguire riparazioni nelle proprie officine.

FIAT (sede)   Sede o filiale di un costruttore
CITROËN   Officina di un concessionario

Per informazioni sui pneumatici consultate le pagine bordate di blu o indirizzateVi ai nostri centri di distribuzione per ottenere gli indirizzi dei concessionari rivenditori di pneumatici.

Gli indirizzi dei centri di distribuzione Michelin figurano nel testo delle seguenti località :
Ancona — Bari — Bologna — Bolzano — Brescia — Cagliari — Catania — Cosenza — Firenze — Genova — Milano — Napoli — Padova — Palermo — Parma — Perugia — Pisa — Roma — Torino — Verona.

LE CURIOSITÀ

Grado d'interesse

★★★	Vale il viaggio
★★	Merita una deviazione
★	Interessante

Situazione

Vedere :	Nella città
Dintorni :	Nei dintorni della città
Escursioni :	Nella regione
N, S, E, O	La curiosità è situata : a Nord, a Sud, a Est, a Ovest
per ② o ④	Ci si va dall'uscita ② o ④ indicata con lo stesso segno sulla pianta
6 km	Distanza chilometrica
	I musei sono generalmente chiusi il lunedì

LE CITTÀ

20100	Codice di Avviamento Postale
✉ 28042 Baveno	Numero di codice e sede dell'Ufficio Postale
✆ 0371	Prefisso telefonico interurbano. Dall' estero non formare lo 0
Ⓟ	Capoluogo di Provincia
Piacenza	Provincia alla quale la località appartiene
🎲🎲🎲 ②	Numero della carta Michelin e numero della piega
108 872 ab	Popolazione residente al 31-12-1987
alt. 175	Altitudine
Stazione termale ⎫ Stazione climatica ⎪ Stazione balneare ⎬ Genere della stazione St. di villeggiatura ⎪ Sport invernali ⎭	
1500/2000	Altitudine della località e altitudine massima raggiungibile con le risalite meccaniche
⛷ 3	Numero di funivie o cabinovie
⛷ 7	Numero di sciovie
⛷	Sci di fondo
a.s. luglio-settembre	Periodo di alta stagione
EX A	Lettere indicanti l'ubicazione sulla pianta
🏌 18	Golf e numero di buche
☀ ≼	Panorama, vista
✈	Aeroporto
🚗	Località con servizio auto su treno. Informarsi al numero di telefono indicato
🚢	Trasporti marittimi
⛴	Trasporti marittimi (solo passeggeri)
🛈	Ufficio informazioni turistiche
A.C.I.	Automobile Club d'Italia

LE PIANTE

Viabilità

Autostrada, strada a carreggiate separate
    svincolo : parziale, completo, numero
Grande via di circolazione
Senso unico - Via impraticabile
Via pedonale - Tranvia
Pasteur   P P   Via commerciale - Parcheggio
Porta - Sottopassaggio - Galleria
Stazione e ferrovia
Battello per auto - Ponte mobile

Curiosità — Alberghi - Ristoranti

Edificio interessante ed entrata principale
Costruzione religiosa interessante :
    Cattedrale, chiesa o cappella
Mulino a vento - Curiosità varie
Castello - Ruderi
B   Lettera che identifica una curiosità
● e ● n   Albergo, Ristorante. Lettera di riferimento che li identifica
sulla pianta

Simboli vari

MICHELIN   Centro di distribuzione Michelin
Ufficio informazioni turistiche
Ospedale - Mercato coperto - Moschea - Sinagoga
Giardino, parco, bosco - Cimitero - Calvario
Stadio - Golf
Piscina : all'aperto, coperta
Aeroporto - Ippodromo - Vista - Panorama
Funicolare - Funivia, Cabinovia
Monumento, statua - Fontana
Porto per imbarcazioni da diporto - Faro
Trasporto con traghetto :
    passeggeri ed autovetture, solo passeggeri
Edificio pubblico indicato con lettera :
H   J   P   Municipio - Palazzo di Giustizia - Prefettura
M   T   POL.   Museo - Teatro - Polizia (Questura, nelle grandi città)
U   Università, grande scuola
③   Simbolo di riferimento comune alle piante ed alle carte
Michelin particolareggiate
Ufficio centrale di fermo posta - Telefono
A.C.I.   Autostazione - Automobile Club d'Italia
Metropolitana
Concessionari auto :
    Alfa Romeo, Fiat, Innocenti, Lancia, Autobianchi

21

Découvrez
le guide...

et sachez l'utiliser pour en tirer le meilleur profit.
Le Guide Michelin n'est pas seulement une
liste de bonnes tables ou d'hôtels, c'est aussi
une multitude d'informations pour faciliter vos
voyages.

La clé du Guide

Elle vous est donnée par les pages explicatives qui suivent.

Sachez qu'un même symbole, qu'un même caractère, en rouge ou en
noir, en maigre ou en gras, n'a pas tout à fait la même signification.

La sélection des hôtels et des restaurants

Ce Guide n'est pas un répertoire complet des ressources hôtelières, il en
présente seulement une sélection volontairement limitée. Cette sélection
est établie après visites et enquêtes effectuées régulièrement sur place.
C'est lors de ces visites que les avis et observations de nos lecteurs sont
examinés.

Les plans de ville

Ils indiquent avec précision : les rues piétonnes et commerçantes,
comment traverser ou contourner l'agglomération, où se situent les
hôtels (sur de grandes artères ou à l'écart), où se trouvent la poste,
l'office de tourisme, les grands monuments, les principaux sites, etc.

Pour votre véhicule

Au texte de la plupart des localités figure une liste de représentants des
grandes marques automobiles avec leur adresse et leur numéro d'appel
téléphonique. En route, vous pouvez ainsi faire entretenir ou dépanner
votre voiture, si nécessaire.

Sur tous ces points et aussi sur beaucoup d'autres, nous souhaitons
vivement connaître votre avis. N'hésitez pas à nous écrire, nous vous
répondrons.

Merci par avance.

Services de Tourisme Michelin
46, avenue de Breteuil, 75341 PARIS CEDEX 07

Bibendum vous souhaite d'agréables voyages.

Le choix d'un hôtel, d'un restaurant

Notre classement est établi à l'usage de l'automobiliste de passage. Dans chaque catégorie les établissements sont cités par ordre de préférence.

CLASSE ET CONFORT

🏨	Grand luxe et tradition	XXXXX
🏨	Grand confort	XXXX
🏨	Très confortable	XXX
🏨	De bon confort	XX
🏠	Assez confortable	X
🏠	Simple mais convenable	
senza rist	L'hôtel n'a pas de restaurant	
	Le restaurant possède des chambres	con cam

L'INSTALLATION

Les chambres des hôtels que nous recommandons possèdent, en général, des installations sanitaires complètes. Il est toutefois possible que dans les catégories 🏨, 🏠 et 🏠 certaines chambres en soient dépourvues.

30 cam o **30 cam**	Nombre de chambres (voir p. 27 : le dîner à l'hôtel)
🛗	Ascenseur
▤	Air conditionné
TV	Télévision dans la chambre
⟨⟩	Hôtel entièrement ou en partie réservé aux non-fumeurs
⟨⟩ cam	Chambres réservées aux non-fumeurs
⟨⟩ rist	Salle de restaurant réservée aux non-fumeurs
☎	Téléphone dans la chambre relié par standard
☎	Téléphone dans la chambre, direct avec l'extérieur (cadran)
🚹	Chambres accessibles aux handicapés physiques
🌳	Repas servis au jardin ou en terrasse
♨	Cure thermale
🏊 🏊	Piscine : de plein air ou couverte
🏖	Plage aménagée
🌳	Jardin de repos
⚡	Tennis à l'hôtel
⛳	Golf et nombre de trous
🐴	Chevaux de selle
🏛 25 à 150	Salles de conférences (capacité des salles)
🚗	Garage gratuit (une nuit) aux porteurs du Guide de l'année
🚗	Garage payant
🅿	Parc à voitures réservé à la clientèle
🐕	Accès interdit aux chiens : dans tout l'établissement
🐕 rist	au restaurant seulement
🐕 cam	dans les chambres seulement
Fax	Transmission téléphonique de document (= Telefax) L'indicatif interurbain devra être composé avant le numéro figurant au texte de l'établissement
20 aprile-5 ottobre	Période d'ouverture communiquée par l'hôtelier
stagionale	Ouverture probable en saison mais dates non précisées
	Les établissements ouverts toute l'année sont ceux pour lesquels aucune mention n'est indiquée.

L'AGRÉMENT

Le séjour dans certains hôtels se révèle parfois particulièrement agréable ou reposant.

Cela peut tenir d'une part au caractère de l'édifice, au décor original, au site, à l'accueil et aux services qui sont proposés, d'autre part à la tranquillité des lieux.

De tels établissements se distinguent dans le guide par les symboles rouges indiqués ci-après.

🏠🏠🏠 … 🏠	Hôtels agréables
XXXXX … X	Restaurants agréables
« Parco fiorito »	Élément particulièrement agréable
🐾	Hôtel très tranquille ou isolé et tranquille
🐾	Hôtel tranquille
≤ mare	Vue exceptionnelle
≤	Vue intéressante ou étendue

Consultez les cartes p. 47 à 55 et p. 691, elles faciliteront vos recherches.

Nous ne prétendons pas avoir signalé tous les hôtels agréables, ni tous ceux qui sont tranquilles ou isolés et tranquilles.

Nos enquêtes continuent. Vous pouvez les faciliter en nous faisant connaître vos observations et vos découvertes.

LA TABLE

Les étoiles : voir les cartes p. 47 à 55 et p. 691.

Parmi les nombreux établissements recommandés dans ce Guide certains méritent d'être signalés à votre attention pour la qualité de leur cuisine. C'est le but des étoiles de bonne table.

Pour l'attribution de ces étoiles nous avons tenu compte des habitudes culinaires propres au pays et à chaque région. Nous indiquons presque toujours, pour ces établissements, trois spécialités culinaires et des vins locaux. Essayez-les à la fois pour votre satisfaction et aussi pour encourager le chef dans son effort.

    ❀   **Une très bonne table dans sa catégorie**

         L'étoile marque une bonne étape sur votre itinéraire.

         Mais ne comparez pas l'étoile d'un établissement de luxe à prix élevés avec celle d'une petite maison où, à prix raisonnables, on sert également une cuisine de qualité.

    ❀❀   **Table excellente, mérite un détour**

         Spécialités et vins de choix, attendez-vous à une dépense en rapport.

    ❀❀❀ **Une des meilleures tables, vaut le voyage**

         Table merveilleuse, grands vins, service impeccable, cadre élégant… Prix en conséquence.

Pas 20/25000   **Les repas soignés à prix modérés**

         Tout en appréciant les bonnes tables à étoiles, vous souhaitez parfois trouver sur votre itinéraire, des restaurants plus simples à prix modérés. Nous avons pensé qu'il vous intéresserait de connaître des maisons qui proposent, pour un rapport qualité-prix particulièrement favorable un repas soigné, souvent de type régional.

             Consultez les cartes p. 47 à 55

         et ouvrez votre guide au nom de la localité choisie. La maison que vous cherchez se distingue des autres par les lettres **Pas** inscrites en rouge.

Les vins et les mets : voir p. 56 et 57.

LES PRIX

Les prix que nous donnons, doivent être considérés comme des prix de base indicatifs ; ils ont été établis en fin d'année 1988 et peuvent être modifiés en cours d'année sur décision des autorités compétentes.

Entrez à l'hôtel le Guide à la main, vous montrerez ainsi qu'il vous conduit là en confiance.

Les hôtels et restaurants figurent en gros caractères lorsque les hôteliers nous ont donné tous leurs prix et se sont engagés, sous leur propre responsabilité, à les appliquer aux touristes de passage porteurs de notre guide.

Prévenez-nous de toute majoration paraissant injustifiée.

Si aucun prix n'est indiqué, nous vous conseillons de demander les conditions.

Les prix s'entendent tout compris, c'est-à-dire service (sauf indication spéciale, ex. 15 %) et T.V.A. inclus.

Repas

←	Etablissement proposant un repas simple à moins de 19000 (sans boisson)
Pas 15/20000	**Repas à prix fixe** — minimum 15000 et maximum 20000 pour les repas servis aux heures normales (12 h à 14 h et 19 h 30 à 21 h 30)
Pas 22000	Repas soignés à **prix modérés**
bc	Boisson comprise
Pas carta 20/25000	**Repas à la carte** — Le premier prix correspond à un repas simple comprenant : petite entrée, plat du jour garni et dessert Le 2e prix concerne un repas plus complet (avec spécialité) comprenant : hors-d'œuvre, deux plats, fromage et dessert Sauf indication spéciale bc, la boisson est payée en supplément aux prix fixes et à la carte
☕ 7000	Prix du petit déjeuner servi dans la chambre

Chambres

cam 25/40000	Prix minimum 25000 d'une chambre pour une personne et prix maximum 40000 de la chambre occupée par deux personnes
appart 150/200000	Prix minimum et maximum d'un appartement
cam ☕ 30/50000	Le prix du petit déjeuner est inclus dans le prix de la chambre

Pension

P 50/60000	Prix minimum et maximum de la pension complète par personne et par jour en saison (voir détails p. 27)
b.s. 40/50000	Prix de pension hors saison
	Chauffage et air conditionné — les prix des chambres et pensions indiqués dans le Guide comprennent le chauffage mais l'air conditionné est parfois facturé en plus du prix de la chambre
🖩 5000	Somme à payer par jour et par chambre pour l'air conditionné
AE S ① E *VISA*	Principales **cartes de crédit** acceptées par l'établissement : American Express — CartaSi — Diners Club — Eurocard — Visa (carte bleue)

QUELQUES PRÉCISIONS UTILES

Les prix sont indiqués en lires, ou en francs suisses pour les localités helvétiques.

Au restaurant. — Les prix correspondent à des menus présentés s'il s'agit de prix fixes et à une carte chiffrée s'il s'agit de repas à la carte.

Lorsque la maison n'a ni menu ni carte, les plats du jour sont annoncés verbalement ; dans ce cas, les prix minimum et maximum ont été contrôlés sur place par nos soins.

A l'hôtel. — Le prix du petit déjeuner est parfois inclus dans le prix de chambre : cam ⌂. Dans certains hôtels on ne sert pas le petit déjeuner : senza ⌂.

Le prix d'une chambre pour deux personnes peut être majoré de 35 % maximum si l'on demande un lit supplémentaire.

Le dîner à l'hôtel. — Lorsque l'hôtelier accepte de vous loger une nuit sans que vous dîniez chez lui, nous indiquons ses chambres en caractères gras : **30 cam**. Lorsque les chambres sont indiquées en caractère maigre (30 cam) l'hôtelier demande que vous preniez un repas.

La pension. — Elle comprend la chambre, le petit déjeuner et deux repas. Les prix de pension sont donnés à titre indicatif et sont généralement applicables à partir de trois jours mais il est indispensable de s'entendre à l'avance avec l'hôtelier pour conclure l'arrangement définitif. Les prix hors saison (b.s.) sont applicables en dehors de la période figurant au texte général de la localité.

Pour les personnes seules occupant une chambre pour deux personnes, les prix indiqués peuvent parfois être majorés.

La taxe de séjour en Italie varie selon la catégorie de l'hôtel de 180 à 1800 lires par jour et par personnne.

La « Mancia ». — En dehors du service, compris ou non dans la note, il est d'usage de laisser au personnel une gratification (la mancia) variable selon les régions et les services rendus.

Les réservations. — Chaque fois que c'est possible, la réservation préalable est souhaitable. Demandez à l'hôtelier de vous fournir dans sa lettre d'accord toutes précisions utiles sur la réservation et les conditions de séjour.

A toute demande écrite il est conseillé de joindre un coupon-réponse international.

Certains hôteliers demandent parfois le versement d'arrhes. Il s'agit d'un dépôt-garantie qui engage l'hôtelier comme le client.

LA VOITURE, LES PNEUS

Au texte de la plupart des localités citées, figure une liste de sièges, filiales ou concessionnaires des principales marques de voitures en mesure d'effectuer dépannage et réparations dans leurs propres ateliers.

FIAT (sede)   Siège ou filiale d'un constructeur
CITROËN   Atelier d'agent de marque

Pour tous renseignements sur vos pneus, consultez les pages bordées de bleu ou adressez-vous à nos agences et dépôts afin d'obtenir les adresses des concessionnaires revendeurs de pneus.

Les adresses des agences Michelin et de leurs dépôts figurent au texte des localités suivantes :

Ancona — Bari — Bologna — Bolzano — Brescia — Cagliari — Catania — Cosenza — Firenze — Genova — Milano — Napoli — Padova — Palermo — Parma — Perugia — Pisa — Roma — Torino — Verona.

LES CURIOSITÉS

	Intérêt
★★★	Vaut le voyage
★★	Mérite un détour
★	Intéressant
	Situation
Vedere :	Dans la ville
Dintorni :	Aux environs de la ville
Escursioni :	Excursions dans la région
N, S, E, O	La curiosité est située : au Nord, au Sud, à l'Est, à l'Ouest
per ① o ④	On s'y rend par la sortie ① ou ④ repérée par le même signe sur le plan du Guide et sur la carte
6 km	Distance en kilomètres
	Les musées sont généralement fermés le lundi

LES VILLES

20100	Numéro de code postal
⊠ 28042 Bavano	Numéro de code postal et nom du bureau distributeur du courrier
✆ 0371	Indicatif téléphonique interurbain (de l'étranger ne pas composer le zéro)
ℙ	Capitale de Province
Piacenza	Province à laquelle la localité appartient
988 ②	Numéro de la Carte Michelin et numéro du pli
108 872 ab	Population résidente au 31-12-1987
alt. 175	Altitude de la localité
Stazione termale	Station thermale
Stazione climatica	Station climatique
Stazione balneare	Station balnéaire
St. di villeggiatura	Station de villégiature
Sport invernali	Sports d'hiver
1500/2000 m	Altitude de la station et altitude maximum atteinte par les remontées mécaniques
⛷ 3	Nombre de téléphériques ou télécabines
⛷ 7	Nombre de remonte-pentes
⛷	Ski de fond
a.s. luglio-settembre	Période de haute saison
EX A	Lettres repérant un emplacement sur le plan
⛳₁₈	Golf et nombre de trous
※ ≼	Panorama, point de vue
✈	Aéroport
🚗	Localité desservie par train-auto. Renseignements au numéro de téléphone indiqué
⛴	Transports maritimes
⛴	Transports maritimes pour passagers seulement
🛈	Information touristique
A.C.I.	Automobile Club d'Italie

LES PLANS

Voirie

Autoroute, route à chaussées séparées
échangeur : complet, partiel, numéro
Grande voie de circulation
Sens unique - Rue impraticable
Rue piétonne - Tramway
Pasteur Rue commerçante - Parc de stationnement
Porte - Passage sous voûte - Tunnel
Gare et voie ferrée
Bac pour autos - Pont mobile

Curiosités — Hôtels Restaurants

Bâtiment intéressant et entrée principale
Édifice religieux intéressant :
Cathédrale, église ou chapelle
Moulin à vent
Curiosités diverses
Château - Ruines
Lettre identifiant une curiosité
Hôtel, restaurant. Lettre les identifiant

Signes divers

Information touristique - Agence Michelin
Hôpital - Marché couvert - Mosquée - Synagogue
Jardin, parc, bois - Cimetière - Calvaire - Golf
Stade - Piscine de plein air, couverte
Aéroport - Hippodrome - Vue - Panorama
Funiculaire - Téléphérique, télécabine
Monument, statue - Fontaine - Port de plaisance - Phare
Transport par bateau :
passagers et voitures, passagers seulement
Bâtiment public repéré par une lettre :
H   Hôtel de ville
J   Palais de justice
M   T   Musée - Théâtre
P   Préfecture
POL.   U   Police (commissariat central) - Université, grande école
③   Repère commun aux plans et aux cartes Michelin détaillées
Bureau principal de poste restante - Téléphone
Gare routière - Station de métro
A.C.I.   Automobile Club
Garage : Alfa Romeo, Fiat, Innocenti, Lancia, Autobianchi

Les plans de villes sont disposés le Nord en haut.

Der
Michelin-Führer...

Er ist nicht nur ein Verzeichnis guter Restaurants und Hotels, sondern gibt zusätzlich eine Fülle nützlicher Tips für die Reise. Nutzen Sie die zahlreichen Informationen, die er bietet.

Zum Gebrauch dieses Führers

Die Erläuterungen stehen auf den folgenden Seiten.
Beachten Sie dabei, daß das gleiche Zeichen rot oder schwarz, fett oder dünn gedruckt, verschiedene Bedeutungen hat.

Zur Auswahl der Hotels und Restaurants

Der Rote Michelin-Führer ist kein vollständiges Verzeichnis aller Hotels und Restaurants. Er bringt nur eine bewußt getroffene, begrenzte Auswahl. Diese basiert auf regelmäßigen Überprüfungen durch unsere Inspektoren an Ort und Stelle. Bei der Beurteilung werden auch die zahlreichen Hinweise unserer Leser berücksichtigt.

Zu den Stadtplänen

Sie informieren über Fußgänger- und Geschäftsstraßen, Durchgangs- oder Umgehungsstraßen, Lage von Hotels und Restaurants (an Hauptverkehrsstraßen oder in ruhiger Gegend), wo sich die Post, das Verkehrsamt, die wichtigsten öffentlichen Gebäude und Sehenswürdigkeiten u. dgl. befinden.

Hinweise für den Autofahrer

Bei den meisten Orten geben wir Adresse und Telefonnummer der Vertragshändler der großen Automobilfirmen an. So können Sie Ihren Wagen im Bedarfsfall unterwegs warten oder reparieren lassen.

Ihre Meinung zu den Angaben des Führers, Ihre Kritik, Ihre Verbesserungsvorschläge interessieren uns sehr. Zögern Sie daher nicht, uns diese mitzuteilen... wir antworten bestimmt.

MICHELIN - Servizio Turismo
Corso Sempione 66 - I-20154 MILANO

Vielen Dank im voraus und angenehme Reise !

Wahl eines Hotels, eines Restaurants

Unsere Auswahl ist für Durchreisende gedacht. In jeder Kategorie drückt die Reihen-
folge der Betriebe eine weitere Rangordnung aus.

KLASSENEINTEILUNG UND KOMFORT

🏨	Großer Luxus und Tradition	XXXXX
🏨	Großer Komfort	XXXX
🏠	Sehr komfortabel	XXX
🏠	Mit gutem Komfort	XX
🏠	Mit ausreichendem Komfort	X
🏠	Bürgerlich	
senza rist	Hotel ohne Restaurant	
	Restaurant vermietet auch Zimmer	con cam

EINRICHTUNG

Die meisten der empfohlenen Hotels verfügen über Zimmer, die alle oder
doch zum größten Teil mit einer Naßzelle ausgestattet sind.

In den Häusern der Kategorien 🏠, 🏠 und 🏠 kann diese jedoch in
einigen Zimmern fehlen.

30 cam o **30 cam**	Anzahl der Zimmer (siehe S. 35: Abendessen im Hotel)
🛗	Fahrstuhl
🖥	Klimaanlage
📺	Fernsehen im Zimmer
⚡	Hotel ganz oder teilweise reserviert für Nichtraucher
⚡ cam	Hotelzimmer für Nichtraucher
⚡ rist	Restauranträume für Nichtraucher
☎	Zimmertelefon mit Außenverbindung über Telefonzen-trale
☎	Zimmertelefon mit direkter Außenverbindung
♿	Für Körperbehinderte leicht zugängliche Zimmer
🌿	Garten-, Terrassenrestaurant
♨	Thermal-Kur
🏊 🏊	Freibad, Hallenbad
🏖	Strandbad
🌳	Liegewiese, Garten
· ✗	Hoteleigener Tennisplatz
⛳	Golfplatz und Lochzahl
🐎	Reitpferde
🏛 25 a 150	Konferenzräume (Mindest- und Höchstkapazität)
🚗	Garage kostenlos (nur für eine Nacht) für die Besitzer des Michelin-Führers des laufenden Jahres
🚗	Garage wird berechnet
Ⓟ	Parkplatz reserviert für Gäste
	Das Mitführen von Hunden ist unerwünscht:
🐕	im ganzen Haus
🐕 rist	nur im Restaurant
🐕 cam	nur im Hotelzimmer
Fax	Telefonische Dokumentenübermittlung (= Telefax) Die Vorwahlnummer (Ortsnetzkennzahl) ist wie bei Tele-fongesprächen zu wählen.
20 aprile-5 ottobre	Öffnungszeit vom Hotelier mitgeteilt
stagionale	Unbestimmte Öffnungszeit eines Saisonhotels. Die Häuser, für die wir keinerlei Schließungszeiten angeben, sind das ganze Jahr hindurch geöffnet.

ANNEHMLICHKEITEN

In manchen Hotels ist der Aufenthalt wegen der schönen, ruhigen Lage, der nicht alltäglichen Einrichtung und Atmosphäre und dem gebotenen Service besonders angenehm und erholsam.

Solche Häuser und ihre besonderen Annehmlichkeiten sind im Führer durch folgende rote Symbole gekennzeichnet:

🏛🏛🏛 ... 🏠	Angenehme Hotels
XXXXX ... X	Angenehme Restaurants
« Parco fiorito »	Besondere Annehmlichkeit
🐦	Sehr ruhiges, oder abgelegenes und ruhiges Hotel
🐦	Ruhiges Hotel
≼ mare	Reizvolle Aussicht
≼	Interessante oder weite Sicht

Die Übersichtskarten S. 47 bis 55 und S. 691 helfen Ihnen bei der Suche nach besonders angenehmen und ruhigen Häusern.

Wir wissen, daß diese Auswahl noch nicht vollständig ist, sind aber laufend bemüht, weitere solche Häuser für die Sie zu entdecken; dabei sind uns Ihre Erfahrungen und Hinweise eine wertvolle Hilfe.

KÜCHE

Die Sterne: Siehe Karten S. 47 bis 55 und S. 691.

Unter den zahlreichen, in diesem Führer empfohlenen Häusern verdienen einige wegen der Qualität ihrer Küche Ihre besondere Aufmerksamkeit. Auf diese Häuser weisen die Sterne hin.

Bei der Vergabe der Sterne haben wir die landesüblichen und regionalen Eß- und Kochgewohnheiten berücksichtigt. Wir geben drei kulinarische Spezialitäten und regionale Weine an, die Sie probieren sollten.

   ❀   **Eine sehr gute Küche: verdient Ihre besondere Beachtung**

       Der Stern bedeutet eine angenehme Unterbrechung Ihrer Reise.

       Vergleichen Sie aber bitte nicht den Stern eines sehr teuren Luxusrestaurants mit dem Stern eines kleineren oder mittleren Hauses, wo man Ihnen zu einem annehmbaren Preis eine ebenfalls vorzügliche Mahlzeit reicht.

  ❀❀ **Eine hervorragende Küche: verdient einen Umweg**

       Ausgesuchte Spezialitäten und Weine… angemessene Preise.

 ❀❀❀ **Eine der besten Küchen: eine Reise wert**

       Ein denkwürdiges Essen, edle Weine, tadelloser Service, gepflegte Atmosphäre… entsprechende Preise.

Pas 20/25000 **Sorgfältig zubereitete, preiswerte Mahlzeiten**

       Wir glauben, daß es für Sie interessant ist, außer den Stern-Restaurants auch solche Häuser kennenzulernen, die ein besonders preisgünstiges, gutes, vorzugsweise landesübliches Essen bieten.

       Orte mit solchen Häusern finden Sie auf den Karten Seite 47 bis 55.

       Im Text sind die betreffenden Häuser durch die roten Buchstaben Pas kenntlich gemacht.

       Welcher Wein zu welcher Speise: siehe S. 56 und S. 57.

PREISE

Die genannten Preise sind als Richtpreise zu betrachten. Sie sind uns Ende 1988 angegeben worden und können nur nach amtlicher Entscheidung Veränderungen unterliegen.

Halten Sie beim Betreten des Hotels den Führer in der Hand. Sie zeigen damit, daß Sie aufgrund dieser Empfehlung gekommen sind.

Die Namen der Hotels und Restaurants, die ihre Preise genannt haben, sind fett gedruckt. Gleichzeitig haben sich diese Häuser verpflichtet, die von den Hoteliers selbst angegebenen Preise den Benutzern des Michelin-Führers zu berechnen.

Informieren Sie uns bitte über jede unangemessen erscheinende Preiserhöhung.

Wenn keine Preise angegeben sind, raten wir Ihnen, sich bei dem Hotelier danach zu erkundigen.

Die angegebenen Preise sind Inklusivpreise, sie enthalten Bedienung (wenn kein besonderer Hinweis gegeben wird, z. B. 15 %) und Mehrwertsteuer.

Mahlzeiten

←	Mahlzeiten unter 19000 (ohne Getränke)
Pas 15/20000	**Feste Menupreise:** Mindest- (15000) und Höchstpreis (20000) für die Mahlzeiten, die zu den normalen Tischzeiten serviert werden (12-14 Uhr und 19.30-21.30 Uhr)
Pas 22000	Sorgfältig zubereitete, **preiswerte Mahlzeiten**
bc	Getränke inbegriffen
Pas carta 20/25000	**Mahlzeiten « à la carte »:** Der erste Preis entspricht einer einfachen Mahlzeit und umfaßt Vorspeise, Tagesgericht mit Beilage, Nachtisch Der zweite Preis entspricht einer reichlicheren Mahlzeit (mit Spezialgericht) bestehend aus: Vorgericht, zwei Hauptgängen, Käse, Nachtisch Wenn bc nicht vermerkt ist, sind Getränke in den Preisen nicht inbegriffen
⌁ 7000	Frühstückspreis (Frühstück im Zimmer serviert)

Zimmer

cam 25/40000	Mindestpreis (25000) für ein Einzelzimmer und Höchstpreis (40000) für zwei Personen
appart 150/200000	Mindest- und Höchstpreis für ein Appartement
cam ⌁ 30/50000	Übernachtung mit Frühstück

Pension

P 50/60000	Mindestpreis und Höchstpreis für Vollpension pro Person und Tag während der Hauptsaison (s. S. 35)
b.s. 40/50000	Pensionspreis außerhalb der Saison
	Heizung und Klimaanlage: Die im Führer angegebenen Zimmer- und Pensionspreise enthalten die Heizungskosten. Manchmal wird jedoch für die Klimaanlage ein Zuschlag berechnet
▤ 5000	Zuschlag für Klimaanlage pro Tag und pro Zimmer
AE ⑤ ⓪ E VISA	**Kreditkarten.** — Von Hotels und Restaurants akzeptierte Kreditkarten: American Express - CartaSi - Diners Club - Eurocard (Access-MasterCard) - Visa (Bank Americard)

EINIGE NÜTZLICHE HINWEISE

Die Preise sind in Lire (bzw. für die Schweizer Orte in Schweizer Franken) angegeben.

Im Restaurant. — Unsere Preisangaben entsprechen den Menu- bzw. „à la carte" -Preisen.

Falls in einem Hotel oder Restaurant weder eine Menu- noch eine „à la carte"-Karte vorhanden ist, wird das Tagesgericht mündlich angeboten. Auch in diesem Fall sind die Mindest- und Höchstpreise von uns überprüft worden.

Im Hotel. — Der Frühstückspreis ist manchmal im Übernachtungspreis inbegriffen: cam ⊡. In manchen Hotels wird kein Frühstück serviert: senza ⊡.

Der Preis eines Doppelzimmers kann sich um 35 % (maximal) erhöhen, wenn ein zusätzliches Bett aufgestellt wird.

Abendessen im Hotel. — Wenn der Hotelier bereit ist, Sie für eine Nacht zu beherbergen, ohne daß Sie abends bei ihm speisen müssen, geben wir die Zahl der Zimmer in Fettdruck an: **30 cam**. Ist die Zahl der Zimmer nicht in Fettdruck angegeben, 30 cam, so erwartet der Hotelier, daß Sie im Restaurant des Hotels eine Mahlzeit einnehmen.

Pension. — Die Vollpension umfaßt Zimmer, Frühstück und zwei Mahlzeiten. Die angegebenen Vollpensionspreise sind Richtpreise und gelten im allgemeinen bei einem Aufenthalt ab 3 Tage.

Es empfiehlt sich jedoch, sich zuvor mit dem Hotelier über den endgültigen Pensionspreis zu einigen.

Hauptsaisonpreise werden nur für die im Ortstext angegebene Zeitspanne berechnet.

Für Personen, die ein Doppelzimmer allein belegen, werden die Preise manchmal erhöht.

In Italien beträgt die Kurtaxe, je nach Kategorie des Hotels, zwischen 180 und 1800 Lire pro Tag und pro Person.

„Mancia". — Es ist üblich, dem Bedienungspersonal außer dem allgemein berechneten Bedienungsgeld ein Trinkgeld *(mancia)* zu geben, das je nach Dienstleistung und Gegend verschieden ist.

Zimmerreservierung. — Es ist ratsam, wenn irgend möglich, die Zimmer reservieren zu lassen. Bitten Sie den Hotelier, daß er Ihnen in seinem Bestätigungsschreiben alle seine Bedingungen mitteilt.

Bei schriftlichen Zimmerbestellungen empfiehlt es sich, einen Freiumschlag oder einen internationalen Antwortschein beizufügen.

Manche Hoteliers verlangen eine Anzahlung. Diese ist als Garantie für beide Seiten anzusehen.

DAS AUTO, DIE REIFEN

Bei den meisten Orten geben wir den Hauptsitz, die Filialen oder Vertretungen und Werkstätten der wichtigsten Automarken an, die einen Abschleppdienst unterhalten bzw. Reparaturen durchführen.

FIAT (sede) Hauptsitz oder Filiale
CITROËN Vertragswerkstatt

Auskünfte über Reifenfragen erhalten Sie auf den im Führer blau umrandeten Seiten oder direkt in unseren Niederlassungen und Auslieferungslagern, die Ihnen auch gern die Adressen von Reifenhändlern nennen.

Die Adressen der Michelin-Niederlassungen und -Auslieferungslager sind im Führer unter den betreffenden Orten aufgeführt.

HAUPTSEHENSWÜRDIGKEITEN

Bewertung

★★★ Eine Reise wert
★★ Verdient einen Umweg
★ Sehenswert

Lage

Vedere :	In der Stadt
Dintorni :	In der Umgebung der Stadt
Escursioni :	Ausflugsziele
N, S, E, O	Die Sehenswürdigkeit liegt im Norden (N), Süden (S), Osten (E), Westen (O) der Stadt
per ① o ④	Zu erreichen über Ausfallstraße ①, auf dem Stadtplan durch das gleiche Zeichen gekennzeichnet
6 km	Entfernung in Kilometern
	Museen sind im allgemeinen montags geschlossen

STÄDTE

20100	Postleitzahl
✉ 28042 Baveno	Postleitzahl und zuständiges Postamt
✆ 0371	Vorwahlnummer (bei Gesprächen vom Ausland wird die erste Null weggelassen)
Ⓟ	Provinzhauptstadt
Piacenza	Provinz, in der der Ort liegt
988 ②	Nummer der Michelin-Karte und Faltseite
108 872 ab	Einwohnerzahl (Volkszählung vom 31.12.1987)
alt. 175	Höhe
Stazione termale	Heilbad
Stazione climatica	Luftkurort
Stazione balneare	Seebad
St. di villeggiatura	Sommerfrische
Sport invernali	Wintersport
1500/2000 m	Höhe des Wintersportortes und Maximal-Höhe, die mit Kabinenbahn oder Lift erreicht werden kann
⛷ 3	Anzahl der Kabinenbahnen
⛷ 7	Anzahl der Schlepplifts
⛷	Langlaufloipen
a.s. luglio-settembre	Hauptsaison von... bis ...
ᴇх A	Markierung auf dem Stadtplan
⛳ 18	Golfplatz und Lochzahl
※ ←	Rundblick, Aussichtspunkt
✈	Flughafen
🚗	Ladestelle für Autoreisezüge - Nähere Auskünfte unter der angegebenen Telefonnummer
⛴	Autofähre
⛴	Personenfähre
🛈	Informationsstelle
A.C.I.	Automobilclub von Italien

STADTPLÄNE

Straßen

Autobahn, Straße mit getrennten Fahrbahnen

Anschlußstelle: Autobahneinfahrt und/oder -ausfahrt, Nummer

Hauptverkehrsstraße

Einbahnstraße - nicht befahrbare Straße

Fußgängerzone - Straßenbahn

Pasteur Einkaufsstraße - Parkplatz

Tor - Passage - Tunnel

Bahnhof und Bahnlinie

Autofähre - Bewegliche Brücke

Sehenswürdigkeiten — Hotels — Restaurants

Sehenswertes Gebäude mit Haupteingang

Sehenswerter Sakralbau :

Kathedrale, Kirche oder Kapelle

Windmühle

Sonstige Sehenswürdigkeiten

Schloß, Burg - Ruine

B Referenzbuchstabe einer Sehenswürdigkeit

• e • n Hotel, Restaurant - Referenzbuchstabe

Sonstige Zeichen

MICHELIN Informationsstelle - Michelin-Niederlassung

Krankenhaus - Markthalle - Moschee - Synagoge

Garten, Park, Wäldchen - Friedhof - Bildstock - Golfplatz

Stadion - Freibad - Hallenbad

Flughafen - Pferderennbahn - Aussicht - Rundblick

Standseilbahn - Seilschwebebahn

Denkmal, Statue - Brunnen - Jachthafen - Leuchtturm

Schiffsverbindungen: Autofähre - Personenfähre

Öffentliches Gebäude, durch einen Buchstaben gekennzeichnet :

H Rathaus

J Gerichtsgebäude

M T Museum - Theater

P Präfektur

POL. Polizei (in größeren Städten Polizeipräsidium)

U Universität, Hochschule

③ Straßenkennzeichnung (identisch auf Michelin-Stadtplänen und -Abschnittskarten)

Hauptpostamt (postlagernde Sendungen) - Telefon

Autobusbahnhof - U- Bahnstation

A.C.I. Automobilclub von Italien

Reparaturwerkstätten :

Alfa Romeo, Fiat, Innocenti, Lancia, Autobianchi

Using the guide...

To make the most of the guide know how to use it. The Michelin Guide offers in addition to the selection of hotels and restaurants a wide range of information to help you on your travels.

The key to the guide

...is the explanatory chapters which follow.
Remember that the same symbol and character whether in red or black or in bold or light type, have different meanings.

The selection of hotels and restaurants

This book is not an exhaustive list of hotels but a selection which has been limited on purpose. The final choice is made only after regular on the spot visits during which we examine closely the comments and opinions of our readers.

Town plans

These plans accurately indicate pedestrian and shopping streets ; major through routes in built up areas ; exact location of hotels either on main or side streets ; post offices ; tourist information centres ; the principal historic buildings and other tourist sights.

For your car

The addresses and telephone numbers of dealers for major car manufacturers are to be found in most towns listed, so that while away from home you know where you can have your car serviced or repaired.

Your views or comments concerning the above subjects or any others, are always welcome. Your letter will be answered.

Thank you in advance.

MICHELIN - Servizio Turismo
Corso Sempione 66 - I-20154 MILANO

Bibendum wishes you a pleasant journey.

Choosing your hotel or restaurant

We have classified the hotels and restaurants with the travelling motorist in mind. In each category they have been listed in order of preference.

CATEGORY, STANDARD OF COMFORT

🏨	Luxury in the traditional style	XXXXX
🏨	Top class comfort	XXXX
🏛	Very comfortable	XXX
🏠	Good comfort	XX
🏠	Quite comfortable	X
⛫	Simple comfort	
senza rist	The hotel has no restaurant	
	The restaurant also offers accommodation	con cam

HOTEL FACILITIES

In general the hotels we recommend have full bathroom and toilet facilities in each room. However, this may not be the case for certain rooms in categories 🏠, 🏠 and ⛫.

30 cam o **30 cam**	Number of rooms (See page 43 : Dinner at the hotel)
🛗	Lift (elevator)
▤	Air conditioning
TV	Television in room
✶	Hotel either partly or wholly reserved for non-smokers
✶ cam	Rooms reserved for non-smokers
✶ rist	Restaurant reserved for non-smokers
☏	Telephone in room : outside calls connected by the operator
☎	Telephone in room : direct dialling for outside calls
♿	Rooms accessible to the physically handicapped
⛲	Meals served in garden or on terrace
⚓	Hydrotherapy
⊿ ⊡	Outdoor or indoor swimming pool
🏖	Beach with bathing facilities
❀	Garden
⚲	Hotel tennis court
⛳	Golf course and number of holes
🐎	Horse riding
🎤 25 a 150	Equipped conference hall (minimum and maximum capacity)
⊂	Free garage (one night) for those having the current Michelin Guide.
⊂	Charge made for garage
Ⓟ	Car park, customers only
⨯	Dogs are not allowed : in any part of the hotel
⨯ rist	in the restaurant
⨯ cam	in the bedrooms
Fax	Telephone document transmission (= Telefax)
	The STD code for the town should be dialled before the number given in the text of each establishment
20 aprile-5 ottobre	Dates when open, as indicated by the hotelier
stagionale	Probably open for the season, precise dates not available
	Where no date or season is shown, establishments are open all year round.

PEACEFUL ATMOSPHERE AND SETTING

Certain establishments are distinguished in the guide by the red symbols shown below. Your stay in such hotels will be particularly pleasant or restful, owing to the character of the building, the decor, the setting, the welcome and services offered, or simply the peace and quiet to be enjoyed there.

🏨🏨🏨 ... 🏠	Pleasant hotels
XXXXX ... ✕	Pleasant restaurants
« Parco fiorito »	Particularly attractive feature
🐾	Very quiet or quiet, secluded hotel
🐾	Quiet hotel
≤ mare	Exceptional view
≤	Interesting or extensive view

By consulting the maps on pp. 47 to 55 and p. 691 you will find it easier to locate them.

We do not claim to have indicated all the pleasant, very quiet or quiet, secluded hotels which exist.

Our enquiries continue. You can help us by letting us know your opinions and discoveries.

CUISINE

The stars : refer to the maps on pp. 47 to 55 and p. 691.

Among the numerous establishments recommended in this Guide certain of them merit being brought to your particular attention for the quality of their cooking. That is the aim of the stars for good food.

When awarding the stars we have borne in mind the culinary customs particular to the country and its individual regions. We show 3 speciality dishes and some of the local wines. Try them, both for your own pleasure and to encourage the chef in his work.

     ❀   **An especially good restaurant in its category**

            The star indicates a good place to stop on your journey.

            But beware of comparing the star given to a « de luxe » establishment with accordingly high prices, with that of a simpler one, where for a lesser sum one can still eat a meal of quality.

    ❀❀   **Excellent cooking, worth a detour**

            Specialities and wines of first class quality... this will be reflected in the price.

   ❀❀❀   **Some of the best cuisine, worth a journey**

            Superb food, fine wines, faultless service, elegant surroundings... One will pay accordingly !

Pas 20/25000   **Good food at moderate prices**

            Apart from those establishments with stars, we have felt that you might be interested in knowing of other establishments which offer good value for money with a high standard of cooking, often of regional dishes.

            Refer to the map on pp. 47 to 55 and turn to the appropriate pages in the text. The establishments in this category are shown with the word **Pas** in red.

            Food and wine : see pp. 56 and 57.

PRICES

The rates given should be regarded as indicatory basic charges. Valid for late 1988, they may be liable to revision only on the decision of the authority concerned.

Your recommendation is self-evident if you always walk into a hotel, Guide in hand.

Hotels and restaurants whose names appear in bold type have supplied us with their charges in detail and undertaken, on their own responsability, to abide by them if the traveller is in possession of this year's Guide.

If you think you have been overcharged, let us know.

Where no rates are shown it is best to enquire about terms in advance.

Prices shown are inclusive, that is to say service (unless otherwise indicated, e.g. 15 %) and V.A.T. included.

Meals

←	Establishment serving meals for less than 19000 (drinks not included)
Pas 15/20000	**Set meals** — Lowest price 15000 and highest price 20000 served at normal hours (noon to 2 p.m. and 7.30 to 9.30 p.m.)
Pas 22000	Good meals at **moderate prices**
bc	Drink included
Pas carta 20/25000	« A la carte » meals — The first figure is for a plain meal and includes light entrée, main dish of the day with vegetables and dessert The second figure is for a fuller meal (with «spécialité») and includes hors-d'œuvre, 2 main courses, cheese, dessert Except where specifically stated bc, drinks are payable in addition to the fixed and « à la carte » prices
⌘ 7000	Price of continental breakfast served in the bedroom

Rooms

cam 25/40000	Lowest price 25000 for a comfortable single and highest price 40000 for a double room
appart 150/200000	Lowest and highest price for a suite
cam ⌘ 30/50000	Breakfast is included in the price of the room

Full-Board

P 50/60000	Lowest and highest prices per person, per day in the season (see p. 43)
b.s. 40/50000	Off-season full board rates
	Central heating and air conditioning — Room prices and full board prices indicated in this Guide include heating but a charge for air conditioning is sometimes added to the room price
▤ 5000	Price per room per day for air conditioning
AE ⑤ ⓪ ᴇ 𝘝𝘐𝘚𝘈	**Credit cards.** — Principal credit cards accepted by establishments : American Express — CartaSi — Diners Club — Eurocard (Access - MasterCharge) — Visa (Barclaycard)

Choosing your hotel or restaurant

A FEW USEFUL DETAILS

Prices are given in lire or in Swiss francs for towns near the Swiss border.

Meals. — Ordinarily the meal prices relate to printed "set meal" or "à la carte" menus.

When the establishment has neither table d'hôte nor "à la carte" menus, the dishes of the day are given verbally. In this case the lowest and highest prices have been carefully checked by us on the spot.

Hotels. — Breakfast is sometimes included in the price of the room : cam ⊆. Some hotels do not serve breakfast : senza ⊆.

The price for a double room may be increased by a maximum of 35 % if an extra bed is required.

Dinner at the hotel. — When the hotelier agrees to let you a room without obliging you to take dinner in his hotel, the number of rooms appears in bold type, e.g. **30 cam.** When the number of rooms is given in light type (e.g. 30 cam) you are expected to have dinner in the hotel.

Full board. — Full board comprises : bedroom, breakfast and two meals. Terms usually only apply to a stay of three days or longer. It is advisable to agree terms in advance with the hotelier.

"Out of season" prices (b.s.) are generally applicable before and after the dates given in the text of the general information of each town.

For one person occupying a double room the price given may sometimes be increased.

Local hotel taxes vary according to the class of hotel from 180 to 1800 lire per person per day.

Tipping : "mancia". — As well as the service charge, it is the custom to tip employees. The amount can vary with the region and the service given.

Reservations. — Reserving in advance, when possible, is advised. Ask the hotelier to provide you, in his letter of confirmation, with all terms and conditions applicable to your reservation.

It is advisable to enclose an international reply coupon with your letter.

Certain hoteliers require the payment of a deposit. This constitutes a mutual guarantee of good faith.

CAR, TYRES

In the text of the majority of towns included in the Guide can be found a list of Head offices, Branch offices and agents of the principal car manufacturers capable of carrying out breakdown repairs and other servicing in their own workshops.

FIAT (sede)   Head office or Branch office of a manufacturer

CITROËN   Garage belonging to a manufacturer

Should you wish for information concerning your tyres, consult the blue pages or contact our agencies and depots to obtain the addresses of our tyre dealers.

Addresses for Michelin agencies and depots can be found in the text for the following towns :
Ancona — Bari — Bologna — Bolzano — Brescia — Cagliari — Catania — Cosenza — Firenze — Genova — Milano — Napoli — Padova — Palermo — Parma — Perugia — Pisa — Roma — Torino — Verona.

Seeing a town and its surroundings

SIGHTS

Star-rating

★★★	Worth a journey
★★	Worth a detour
★	Interesting

Finding the sights

Vedere :	Sights in town
Dintorni :	On the outskirts
Escursioni :	In the surrounding area
N, S, E, O	The sight lies north, south, east or west of the town
per ①, ④	Sign on town plan indicating the road leading to a place of interest
6 km	Distance in kilometres
	Museums and art galleries are generally closed on Mondays

TOWNS

20100	Postal number
⊠ 28042 Baveno	Postal number and name of the post office serving the town
✆ 0371	Telephone dialling code. Omit O when dialling from abroad.
P	Provincial capital
Piacenza	Province in which a town is situated
988 ②	Number of the appropriate sheet and section of the Michelin road map.
108 872 ab	Population (figures from 31-12-87 census)
alt. 175	Altitude (in metres)
Stazione termale	Spa
Stazione climatica	Health resort
Stazione balneare	Seaside resort
St. di villeggiatura	Summer resort
Sport invernali	Winter sports
1500/2000 m	Altitude (in metres) of resort and highest point reached by lifts
✂ 3	Number of cable-cars
✦ 7	Number of ski lifts
✗	Cross-country skiing
a.s. luglio-settembre	High season period
EX A	Letters giving the location of a place on the town plan
⏀18	Golf course and number of holes
✳ ≤	Panoramic view, viewpoint
✈	Airport
⇋	Place with a motorail connection ; further information from phone no. listed
⛴	Shipping line
⛴	Passenger transport only
⛾	Tourist Information Centre
A.C.I.	Italian Automobile Club

Seeing a town and its surroundings

TOWN PLANS

Roads

Motorway, dual carriageway
   Interchange : complete, limited, number
Major through route
One-way street - Unsuitable for traffic
Pedestrian street - Tram
Shopping street - Car park
Gateway - Street passing under arch - Tunnel
Station and railway
Car ferry - Lever bridge

Sights — Hotels — Restaurants

Place of interest and its main entrance
Interesting place of worship :
   Cathedral, church or chapel
Windmill
Other sights
Castle - Ruins
Reference letter locating a sight
Hotel, restaurant with reference letter

Various signs

Tourist Information Centre - Michelin Branch
Hospital - Covered market - Mosque - Synagogue
Garden, park, wood - Cemetery - Cross
Stadium - Golf course
Outdoor or indoor swimming pool
Airport - Racecourse - View - Panorama
Funicular - Cable-car
Monument, statue - Fountain
Pleasure boat harbour - Lighthouse
Ferry services : passengers and cars, passengers only
Public buildings located by letter :
   H   Town Hall
   J   Law Courts
   M T Museum - Theatre
   P   Prefecture
   POL. Police (in large towns police headquarters)
   U   University, colleges
Reference number common to town plans and detailed Michelin maps
Main post office with poste restante - Telephone
Coach station - Underground Station
Italian Automobile Club
Garage : Alfa Romeo, Fiat, Innocenti, Lancia, Autobianchi

LE STELLE DIE STERNE	Testo e carta
LES ÉTOILES THE STARS	Texte et carte
	Ortstext und Karte
	Text and map

		il testo	la carta
AMENITÀ	ANNEHMLICHKEIT	le texte	la carte
	PEACEFUL ATMOSPHERE	Ortstext	Karte
L'AGRÉMENT	AND SETTING	text	map

PASTI ACCURATI A PREZZI CONTENUTI

SORGFÄLTIG ZUBEREITETE PREISWERTE MAHLZEITEN

REPAS SOIGNÉS A PRIX MODÉRÉS

GOOD FOOD AT MODERATE PRICES

Pas **25 000** —

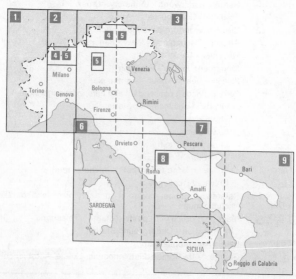

46

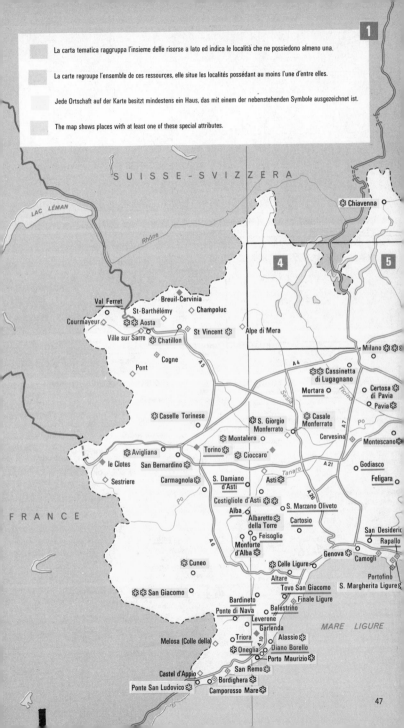

La carta tematica raggruppa l'insieme delle risorse a lato ed indica le località che ne possiedono almeno una.

La carte regroupe l'ensemble de ces ressources, elle situe les localités possédant au moins l'une d'entre elles.

Jede Ortschaft auf der Karte besitzt mindestens ein Haus, das mit einem der nebenstehenden Symbole ausgezeichnet ist.

The map shows places with at least one of these special attributes.

1

SUISSE – SVIZZERA

LAC LÉMAN

Rhône

❋ Chiavenna

4

5

Val Ferret
Breuil-Cervinia
St-Barthélémy ◇ Champoluc
Courmayeur ◇
❋❋ Aosta
Ville sur Sarre ❋ Chatillon ❋ St Vincent ❋ ◇ Alpe di Mera
Milano ❋❋❋
Cogne
Pont
A 5
A 4
❋❋ Cassinetta di Lugagnano
Mortara ○
Certosa ❋ di Pavia
○ Pavia ❋
Sesia
❋ Caselle Torinese
❋ S. Giorgio Monferrato
❋ Casale Monferrato
A 7
Cervesina ○
Po
Montescano ❋
❋ Montalero ○
❋ Avigliana
❋ Torino ❋ Cioccaro
Tanaro
A 21
Godiasco ○
le Clotes San Bernardino ❋
Sestriere ◇
Carmagnola ❋
S. Damiano d'Asti
Asti ❋
Feligara ○
FRANCE
Po
Costigliole d'Asti ❋❋
Alba ○
Albaretto ❋❋ della Torre
◇ Feisoglio
Monforte d'Alba ❋
A 26
S. Marzano Oliveto
Cartosio ○
San Desiderio
Rapallo
A 6
❋ Cuneo ○
❋ Celle Ligure ○
Genova ○ Camogli ○
Altare
❋ San Giacomo ○
Tovo San Giacomo ❋
Finale Ligure ◇
Portofino
S. Margherita Ligure ❋
Bardineto ○
Ponte di Nava ○ Balestrino ❋
Leverone ○
Garlenda ◇
MARE LIGURE
Melosa (Colle della) ◇ ○ Triora ❋
10
Alassio ❋
❋ Oneglia ○ Diano Borello ○
Porto Maurizio ❋
Castel d'Appio ◇ ○
San Remo ❋
Ponte San Ludovico ❋ ○ Bordighera ❋
Camporosso Mare ❋

47

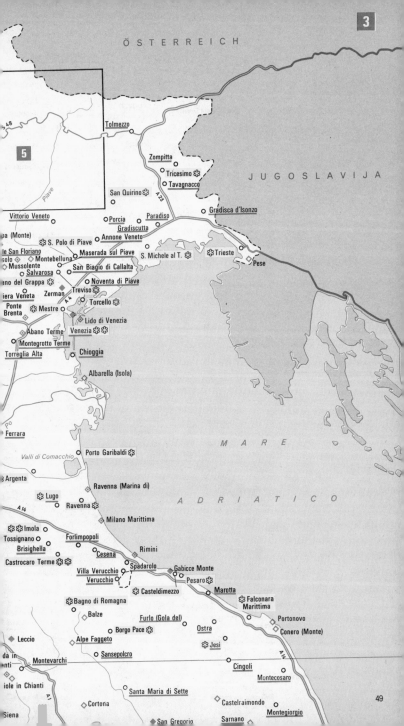

ÖSTERREICH

5

S 48

Piave

Tolmezzo

Zompitta
Tricesimo ❄

San Quirino ❄   Tavagnacco
                     A 23

Vittorio Veneto   Porcia   Paradiso   Gradisca d'Isonzo
                                        Gradiscutta

pa (Monte)   ❄ S. Polo di Piave   Annone Veneto
le San Floriano   Maserada sul Piave   S. Michele al T.   ❄ Trieste
solo ◇ ◇ Montebelluna   Pese
     ◇ Mussolente   San Biagio di Callalta
        Salvarosa ◇   S. Michele al T.
ano del Grappa ❄   Noventa di Piave
iera Veneta   Zerman ◇ Treviso ❄
Ponte   ❄ Mestre ◇   Torcello ❄
Brenta
◇ Abano Terme   ◇ Lido di Venezia
  ◇ Montegrotto Terme   Venezia ❄ ❄
Torreglia Alta   Chioggia

                        Albarella (Isola)

Po
Ferrara

Valli di Comacchio   Porto Garibaldi ❄

Argenta
                    Ravenna (Marina di)   M   A   R   E

❄ Lugo
            Ravenna ❄   A   D   R   I   A   T   I   C   O
A 14
❄ ❄ Imola ◇
Tossignano ◇   Milano Marittima
  Brisighella   Forlimpopoli
Castrocaro Terme ❄ ❄   ◇ Cesena   Rimini
                    Villa Verucchio ◇ Spadarolo
                       Verucchio   Gabicce Monte
                                      Pesaro ❄
❄ Bagno di Romagna   ❄ Casteldimezzo   Marotta
     ◇ Balze   ❄ Falconara
                   Furlo (Gola del)   Marittima
◇ Leccio   ◇ Borgo Pace   Ostra   Portonovo
   ◇ Alpe Faggeto   Conero (Monte)
da in   ❄ Jesi
nti ◇ Montevarchi   ◇ Sansepolcro
iole in Chianti   Cingoli
                                                Montecosaro
A 1   ◇ Cortona   ◇ Santa Maria di Sette   49
Siena   ◇ San Gregorio   ◇ Castelraimondo
                                     Sarnano   Montegiorgio

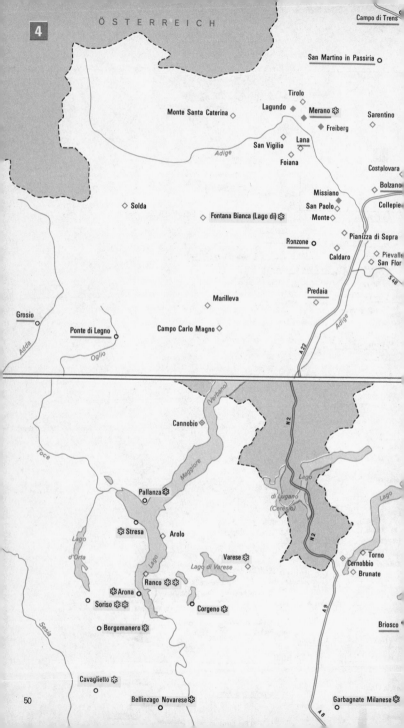

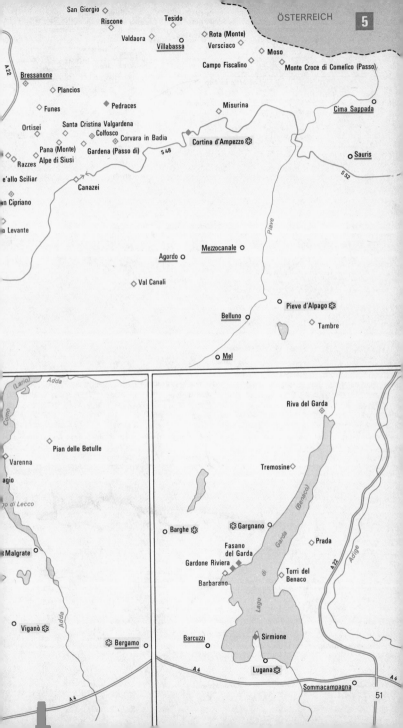

San Giorgio

Riscone

Tesido

Valdaora

Rota (Monte)

Villabassa

Versciaco

Moso

Campo Fiscalino

Monte Croce di Comelico (Passo)

Bressanone

Plancios

Funes

Pedraces

Misurina

Cima Sappada

Ortisei

Santa Cristina Valgardena

Colfosco

Corvara in Badia

Cortina d'Ampezzo ✿

Pana (Monte)

Alpe di Siusi

Gardena (Passo di)

S 48

Sauris

Razzes

e'allo Sciliar

Canazei

n Cipriano

a Levante

Piave

S 52

Agordo

Mezzocanale

Val Canali

Pieve d'Alpago ✿

Belluno

Tambre

Mel

(Lario)

Adda

Riva del Garda

Pian delle Betulle

Tremosine

Varenna

agio

o di Lecco

Barghe ✿

✿ Gargnano

Garda (Benaco)

Prada

Fasano del Garda

Malgrate

Gardone Riviera

Torri del Benaco

Barbarano

Lago di

Adige

A 22

Viganò ✿

Adda

Barcuzzi

Sirmione

✿ Bergamo

Lugana ✿

A 4

Sommacampagna

A 4

A 4

51

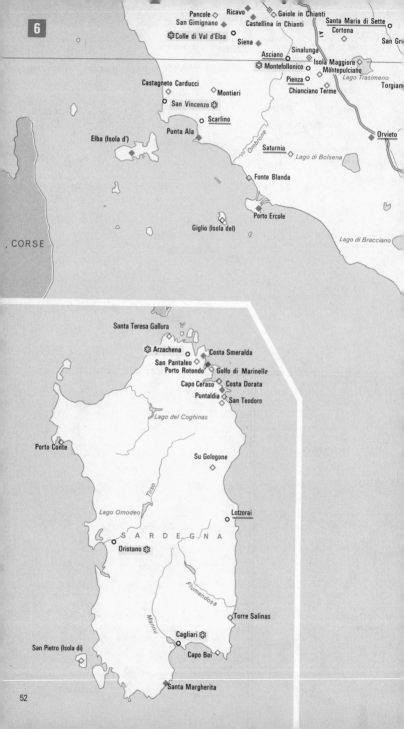

Pancole ◇ Ricavo ◆ ◇ Gaiole in Chianti
San Gimignano ◆ Castellina in Chianti
❀ Colle di Val d'Elsa ◆ Siena ◆ Santa Maria di Sette ○
Cortona
San Gre

Asciano ○ Sinalunga
❀ Montefollonico ○ Isola Maggiore ◇
Montepulciano
Pienza ○ Lago Trasimeno
Chianciano Terme Torgian

Castagneto Carducci ◇ Montieri
San Vincenzo ❀
Scarlino
Punta Ala Saturnia ◇ Lago di Bolsena
Elba (Isola d') ◆ Orvieto
◇ Fonte Blanda
Porto Ercole ◼
Giglio (Isola del) ◇ Lago di Bracciano

CORSE

Santa Teresa Gallura ◇
❀ Arzachena ○ Costa Smeralda
San Pantaleo ◇ ◇
Porto Rotondo ◇ Golfo di Marinella
Capo Ceraso ◇ Costa Dorata
Puntaldia ◇
San Teodoro ◇

Lago del Coghinas

Porto Conte ◇

Su Gologone ◇

Lotzorai ○

S A R D E G N A

Oristano ○ ❀

Flumendosa

Torre Salinas ◇

San Pietro (Isola di) ◇
Cagliari ❀
Capo Boi ◇
Santa Margherita ◼

52

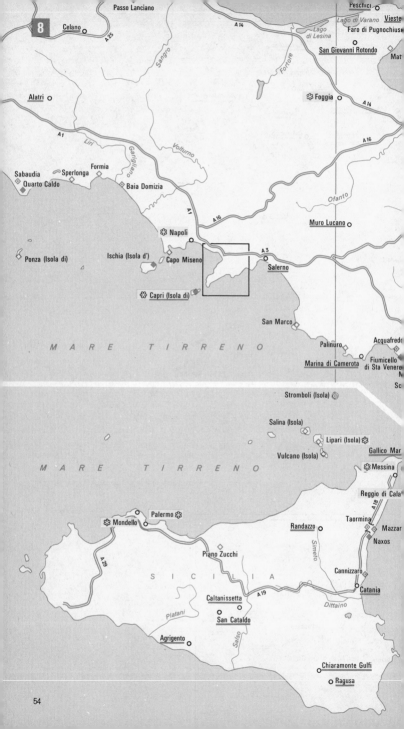

MARE ADRIATICO

...etta ✿
Trani
Santo Spirito
A 14
Bari ✿
Castel del Monte
✿ Altamura
Alberobello
Selva ✿
Carovigno
A 14
Brindisi
Bradano
Massafra
S 407
Riva dei Tessali
Agri
S 106
S 534
...ella
Crati
◇ Cetraro
A 3
Pizzo
Montepaone Lido
Vibo Valentia
Parghelia
MARE JONIO
A 3
...a ✿
Gallico Marina
Bovalino Marina

I VINI e le VIVANDE

Vivande e vini di una stessa regione si associano molte volte con successo.

Un piatto preparato con una salsa al vino si accorda, se possibile, con lo stesso vino.

Qualche consiglio sull' accostamento vini - vivande :

Les VINS et les METS

Cuisine et vins d'une même région s'associent souvent harmonieusement.

Un mets préparé avec une sauce au vin s'accommode, si possible, du même vin.

Voici quelques suggestions de vins selon les mets :

Vini bianchi secchi

Vins blancs secs

Herbe Weißweine

Dry white wines

1 Cortese di Gavi — Erbaluce di Caluso
2 Lugana — Pinot Oltrepò — Riesling Oltrepò
3 Gewürztraminer — Pinot Bianco — Sylvaner
4 Sauvignon — Soave — Tocai — Colli Orientali
5 Albana secco — Trebbiano
6 Montecarlo — Vernaccia di S. Gimignano
7 Colli Albani — Frascati — Torgiano Bianco
8 Martina Franca — Ostuni
9 Nuragus di Cagliari — Vermentino
10 Alcamo — Etna Bianco — Mamertino

Vini rossi leggeri

Vins rouges légers

Leichte Rotweine

Light red wines

1 Dolcetto — Ghemme — Grignolino
2 Barbacarlo — Bonarda d'Oltrepò — Chiaretto del Garda — Franciacorta Rosso
3 Blauburgunder — Caldaro — Lagrein Kretzer
4 Pinot Nero — Valpolicella
5 Gutturnio — Lambrusco
6 Rosato di Bolgheri
7 Cerveteri Rosso — Colli del Trasimeno Rosso
8 Castel del Monte
9 – –
10 Ciclopi — Faro

Vini rossi robusti

Vins rouges corsés

Kräftige Rotweine

Full bodied red wines

1 Barbaresco — Barbera — Barolo — Gattinara
2 Barbera d'Oltrepò — Inferno — Sassella
3 Santa Maddalena — Teroldego Rotaliano
4 Amarone — Cabernet — Merlot — Refosco
5 Sangiovese
6 Brunello — Chianti — Montecarlo
7 Cesanese del Piglio — Torgiano Rosso
8 Primitivo di Gioia
9 Campidano di Terralba — Cannonau — Oliena
10 Cerasuolo di Vittoria — Corvo

Vini da dessert

Vins de dessert

Dessertweine

Dessert wines

1 Brachetto — Caluso Passito — Moscato
2 Moscato Oltrepò
3 Moscato — Vin Santo di Toblino
4 Picolit — Ramandolo — Recioto Bianco
5 Albana amabile
6 Aleatico di Portoferraio
7 Aleatico di Gradoli
8 Aleatico di Puglia — Moscato di Trani
9 Ogliastra — Torbato Passito
10 Malvasia di Lipari — Marsala — Passito

WELCHER WEIN ZU WELCHER SPEISE

FOOD and WINE

Speisen und Weine aus der gleichen Region harmonieren oft geschmacklich besonders gut.

Wenn die Sauce eines Gerichts mit Wein zubereitet ist, so wählt man nach Möglichkeit diesen als Tischwein.

Nebenstehend Vorschläge zur Wahl der Weine:

Food and wines from the same region usually go very well together.

Dishes prepared with a wine sauce are best accompanied by the same kind of wine.

Here are a few hints on selecting the right wine with the right dish:

PRINCIPALI REGIONI VINICOLE
PRINCIPALES RÉGIONS VINICOLES
HAUPTWEINBAUGEBIETE
MAIN WINE REGIONS

1 Piemonte
2 Lombardia
3 Trentino Alto Adige
4 Friuli Veneto
5 Emilia Romagna
6 Toscana
7 Umbria Lazio
8 Puglia
9 Sardegna
10 Sicilia

Oltre ai vini più conosciuti, esistono in molte regioni d'Italia dei vini locali che, bevuti sul posto, Vi riserveranno piacevoli sorprese.

Neben den bekannten Weinen gibt es in manchen italienischen Regionen Landweine, die Sie am Anbauort trinken sollten. Sie werden angenehm überrascht sein.

En dehors des vins les plus connus, il existe en maintes régions d'Italie des vins locaux qui, bus sur place, vous réserveront d'heureuses surprises.

In addition to the fine wines there are many Italian wines, best drunk in their region of origin and which you will find extremely pleasant.

Nelle pagine seguenti :

le località sono in ordine alfabetico,

gli esercizi in ordine di preferenza.

Da non confondere :

la classe degli alberghi .... 🏨 ... 🎱

la classe dei ristoranti .... XXXXX ... X

l'amenità, la tranquillità .... 🏛, « Parco », 🐾

la qualità della cucina .... ✿✿✿, ✿✿, ✿, Pas

Dans les pages suivantes :

les localités sont présentées par ordre alphabétique,

les établissements hôteliers par ordre de préférence.

Mais ne confondez pas :

le confort des hôtels .... 🏨 ... 🎱

le confort des restaurants .... XXXXX ... X

l'agrément, la tranquillité .... 🏛, « Parco », 🐾

la qualité de la table .... ✿✿✿, ✿✿, ✿, Pas

Auf den folgenden Seiten :

sind die Orte alphabetisch,

die Betriebe innerhalb jeder Kategorie nochmals
nach Rangordnung aufgeführt.

Verwechseln Sie nicht :

den Komfort von Hotels .... 🏨 ... 🎱

den Komfort von Restaurants .... XXXXX ... X

die Annehmlichkeiten, ruhige Lage .... 🏛, « Parco », 🐾

die Qualität der Küche .... ✿✿✿, ✿✿, ✿, Pas

In the following pages :

the towns are listed in alphabetical order,

the hotels and restaurants by order of preference.

Do not mix up :

comfort of hotels .... 🏨 ... 🎱

comfort of restaurants .... XXXXX ... X

**Peaceful atmosphere and setting,
    quietness** .... 🏛, « Parco », 🐾

quality of the cuisine .... ✿✿✿, ✿✿, ✿, Pas

LOCALITÀ
LOCALITÉS
ORTSVERZEICHNIS
PLACES

ABANO TERME 35031 Padova 🔢 ⑤ – 17 354 ab. alt. 14 – Stazione termale, a.s. aprile-ottobre e Natale – ⊗ 049.

Vedere Guida Verde.

🖪 via Pietro d'Abano 18 ℰ 669455, Telex 431417.

Roma 485 ③ – ◆Ferrara 69 ③ – ◆Milano 246 ① – ◆Padova 12 ① – Rovigo 35 ③ – ◆Venezia 49 ① – Vicenza 44 ①.

Pianta pagina seguente

🏨🏨 **Gd H. Orologio,** viale delle Terme 66 ℰ 669111, Telex 430254, Fax 669072, « Grande parco con ⌁ riscaldata », ♨, 🔲, ﹪ – ﹩☰ 🔟 ☎ 😃 ⇌ ℗ – 🔏 100. 🖭 🗟 ⓞ 🖲 🌇. ﹪ rist
23 marzo-5 novembre – Pas 58000 – **165 cam** ⊈ 185/350000 – P 164/237000, b.s. 138/212000.
AY **a**

🏨🏨 **La Residence** ⍓, via Monte Ceva 8 ℰ 668333, Telex 431368, ♨, ⌁ riscaldata, 🔲, 🛋, ﹪ – ﹩☰ ☎ ℗. 🖭 🗟 ⓞ 🖲 🌇. ﹪ rist
5 marzo-19 novembre – Pas 45000 – ⊈ 11000 – **116 cam** 100/130000 appartamenti 165/195000 – P 117/150000, b.s. 99/132000.
AY **d**

🏨🏨 **Bristol Buja,** via Montirone 2 ℰ 669390, Telex 430210, Fax 667910, « Giardino con ⌁ riscaldata », ♨, 🔲, ﹪ – ﹩☰ ☎ ⇌ ℗. 🖭 🗟 ⓞ 🖲 🌇. ﹪ rist
chiuso dal 20 novembre al 20 dicembre – Pas 40/45000 – ⊈ 11000 – **148 cam** 93/126000 appartamenti 150/180000 – P 101/129000.
AY **g**

🏨🏨 **President,** via Montirone 31 ℰ 668288, Telex 430280, Fax 667909, ♨, ⌁ riscaldata, 🔲, 🛋 – ﹩☰ 🔟 ☎ ℗. 🖭 🗟 ⓞ 🖲 🌇. ﹪ rist
Pas 35/40000 – ⊈ 10000 – **115 cam** 88/132000 appartamenti 176/200000 – P 115/138000, b.s. 105/120000.
AY **t**

🏨🏨 **Gd H. Magnolia,** via Volta 6 ℰ 667233, Telex 430241, Fax 668021, ♨, ⌁ riscaldata, 🔲, 🛋 – ﹩☰ 🔟 ☎ 😃 ℗. 🖭 🗟 ⓞ 🖲 🌇 – 🔏 60 a 250. 🖭 🗟 ⓞ 🖲 🌇. ﹪ rist
Pas 40000 – **148 cam** ⊈ 125/188000 – P 118/185000, b.s. 97/123000.
BZ **t**

🏨🏨 **Trieste e Victoria,** via Pietro d'Abano 1 ℰ 669101, Telex 430250, « Parco-giardino con ⌁ riscaldata », ♨, 🔲, ﹪ – ﹩☰ 🔟 ☎ 😃 ℗. 🖭 🗟 ⓞ 🖲 🌇. ﹪ rist
marzo-novembre – Pas 35/40000 – **90 cam** ⊈ 85/135000 appartamenti 185/225000 – P 99/144000, b.s. 88/128000.
AZ **v**

🏨🏨 **Savoia,** via Pietro d'Abano 49 ℰ 667111, Telex 430225, Fax 667046, « Parco giardino », ♨, ⌁ riscaldata, 🔲, ﹪ – ﹩☰ 🔟 ☎ 😃 ℗. 🖭 🗟 ⓞ 🖲 🌇. ﹪ rist
marzo-ottobre – Pas (solo per clienti alloggiati) 40000 – **180 cam** ⊈ 125/195000 – P 95/130000, b.s. 90/95000.
AZ **q**

🏨🏨 **Ritz,** via Monteortone 19 ℰ 669990, Telex 430222, Fax 667549, ♨, ⌁ riscaldata, 🔲, 🛋, ﹪ – ﹩☰ ☎ ℗ – 🔏 80. 🖭 🗟 ⓞ 🖲 🌇. ﹪ rist
Pas 35/38000 – ⊈ 11000 – **149 cam** 56/92000 – P 116/125000, b.s. 102/109000.
AY **f**

🏨🏨 **Mioni Pezzato,** via Marzia 34 ℰ 668377, Telex 430082, « Giardino con ⌁ riscaldata », ♨, 🔲, ﹪ – ﹩☰ 🔟 ☎ 😃 ℗. 🖭 🗟 ⓞ 🖲 🌇. ﹪ rist
chiuso dal 7 gennaio al 4 marzo e dal 19 novembre al 22 dicembre – Pas 35000 – ⊈ 10000 – **197 cam** 70/105000 – P 85/113000, b.s. 72/98000.
AZ **u**

🏨🏨 **Metropole** ⍓, via Valerio Flacco 99 ℰ 668622, Telex 431509, ♨, ⌁ riscaldata, 🔲, 🛋, ﹪ – ﹩☰ ☎ ⇌ ℗. ﹪ rist
chiuso dal 6 gennaio al 27 febbraio – Pas 30/40000 – **145 cam** ⊈ 77/120000, 🍽 5000 – P 105/126000, b.s. 80/96000.
AY **n**

🏨🏨 **Terme Astoria,** piazza Cristoforo Colombo 1 ℰ 669030, Telex 430215, « Parco-giardino con ⌁ riscaldata », ♨, 🔲, ﹪ – ﹩☰ ℗. 🖭 🗟 ⓞ 🖲 🌇. ﹪ rist
chiuso dal 3 dicembre al 25 febbraio – Pas 25000 – ⊈ 12000 – **93 cam** 55/90000 appartamenti 97000 – P 92/99000, b.s. 70/89000.
BZ **m**

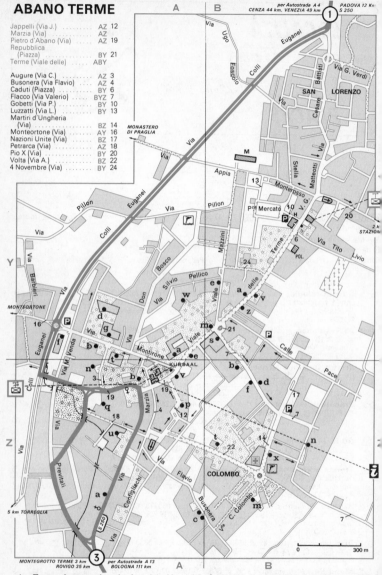

ABANO TERME

🏨 **Terme Internazionale** ♨, viale Mazzini 5 ℘ 8600300, Telex 430039, Fax 667444, « Parco
ombreggiato », ♨, ⌷ riscaldata, 🏊, ✂, 🔥, 🅿, 🝙 🖇 🕥 🅴 *VISA*, ⚘ rist   AY **w**
marzo-20 novembre e 23 dicembre-6 gennaio – Pas 35/40000 – ⊇ 12000 – **140 cam** 70/130000.
📷 5000 – P 88/104000, b.s. 79/95000.

🏨 **Centrale,** via Jappelli 37 ℘ 669860, Telex 431806, ♨, ⌷ riscaldata, 🏊, ≈, ✂ – 🛗 🍽 rist ☎
🔥, 🅿, 🝙 🖇 🕥 🅴 *VISA*. ⚘ rist   AZ **p**
20 dicembre-3 gennaio e marzo-novembre – Pas 27/35000 – ⊇ 10000 – **136 cam** 52/90000 –
P 84/96000, b.s. 67/88000.

🏨 **Universal,** via Valerio Flacco 28 ℘ 669349, ♨, ⌷ riscaldata, 🏊, ≈ – 🛗 🍽 rist ☎ 🅿, 🝙
🅴 *VISA*. ⚘ rist   BZ **b**
Pas 30000 – ⊇ 8500 – 115 cam 41/70000 – P 82/89000, b.s. 63/73000.

🏨🏨 **Panoramic Hotel Plaza,** piazza Repubblica 23 𝒫 669333, Telex 430230, ⚓, ⌧ riscaldata, ⌧, 🌼 – 📱 🖾 ☎ 📞, 🖭 *VISA*, 🍽 rist
chiuso dal 9 gennaio al 4 marzo – Pas 30/38000 – ⊆ 10000 – **126 cam** 54/90000, 🖮 3000 – P 75/93000, b.s. 55/72000.
BY s

🏨🏨 **Ariston Molino,** via Augure 5 𝒫 669061, Telex 431513, « Giardino con ⌧ riscaldata », ⚓, ⌧, 🌼 – 📱 🖾 ☎ 📞 – 🔒 60. 🍽 rist
marzo-novembre – Pas 38000 – ⊆ 13000 – **175 cam** 54/89000, 🖮 5000 – P 78/103000, b.s. 68/99000.
AZ n

🏨🏨 **Alexander,** via Martiri d'Ungheria 24 𝒫 668300, Telex 431370, ⚓, ⌧ riscaldata, ⌧ – 📱 🖮 rist 🚡 – 🔒 120. 🖾 ⓞ *VISA*. 🍽 rist
chiuso dal 7 gennaio all'8 febbraio – Pas 30/37000 – ⊆ 12000 – **221 cam** 71/115000 – P 107/120000, b.s. 93/108000.
BZ x

🏨🏨 **Quisisana Terme,** viale delle Terme 67 𝒫 669301, Telex 430285, « Giardino », ⚓, ⌧ riscaldata, ⌧, 🌼 – 📱 🖾 ☎ 📞, 🖾 🖺 ⓞ 🇪 *VISA*. 🍽 rist
19 dicembre-10 gennaio e marzo-20 novembre – Pas 25/35000 – ⊆ 12000 – **95 cam** 55/90000, 🖮 3000 – P 79/90000, b.s. 69/83000.
BY v

🏨🏨 **Due Torri-Morosini,** via Pietro d'Abano 18 𝒫 669277, Telex 430460, « Giardino-pineta », ⚓, ⌧ riscaldata, ⌧, 🌺, 🌼 – 📱 ⟿ cam ☎ 📞, 🖾 🖺 ⓞ 🇪 *VISA*. 🍽 rist
marzo-novembre – Pas 30/35000 – ⊆ 10000 – **91 cam** 92/131000, 🖮 5000 – P 95/116000, b.s. 79/92000.
AZ b

🏨 **Harrys',** via Marzia 50 𝒫 668500, ⚓, ⌧ riscaldata, ⌧, 🌺 – 📱 ⟿ cam 🖮 rist ☎ 📞, 🖾 🖺 🇪 *VISA*.
20 dicembre-6 gennaio e marzo-novembre – Pas 20/24000 – ⊆ 6000 – **66 cam** 52/81000 – P 70/79000, b.s. 58/72000.
AZ a

🏨 **Smeraldo** 🦢, via Flavio Busanera 174 𝒫 669865, ⚓, ⌧ riscaldata, ⌧, 🌺, 🌼 – 📱 🖮 rist 🚡 📞, 🖾 *VISA*. 🍽 rist
20 dicembre-7 gennaio e 13 marzo-novembre – Pas 33000 – **73 cam** ⊆ 69/120000 – P 78/83000, b.s. 67/72000.
ABZ c

🏨 **All'Alba,** via Valerio Flacco 32 𝒫 669244, ⚓, ⌧ riscaldata, ⌧, 🌺, 🌼 – 📱 ⟿ ☎ ⚕ 📞. 🖾 🖺 ⓞ 🇪 *VISA*. 🍽 rist
Pas 17/18000 – ⊆ 5000 – **132 cam** 40/70000 – P 65/70000, b.s. 62/65000.
BZ f

🏨 **Terme Columbia,** via Augure 15 𝒫 669606, ⌧ riscaldata, ⌧ – 📱 🖾 ☎ 📞, 🖾 *VISA*. 🍽 rist
20 dicembre-6 gennaio e 13 marzo-novembre – Pas 33000 – **102 cam** ⊆ 69/120000, 🖮 7000 – P 79/83000, b.s. 68/70000.
AY b

🏨 **Terme Italia,** viale Mazzini 7 𝒫 8600400, « Parco ombreggiato », ⚓, ⌧ riscaldata, ⌧, 🌺 – 📱 🖾 ⚕ 📞, 🖾 🖺 ⓞ 🇪 *VISA*. 🍽 rist
marzo-novembre – Pas 30/35000 – ⊆ 10000 – **132 cam** 60/105000 – P 70/87000, b.s. 63/80000.
BY e

🏨 **Terme Milano,** viale delle Terme 169 𝒫 669444, ⚓, ⌧ riscaldata, ⌧, 🌺, 🌼 – 📱 🖮 rist 🚡 📞, 🖾 🖺 *VISA*. 🍽 rist
chiuso dal 7 gennaio al 1° marzo – Pas 29000 – ⊆ 7500 – **101 cam** 42/72000 – P 70/75000, b.s. 59/64000.
AY e

🏨 **Terme Verdi** 🦢, via Flavio Busonera 200 𝒫 667600, ⌧ riscaldata, ⌧, 🌺 – 📱 🖮 rist 🚡 📞. 🌼
Pas 22000 – ⊆ 10000 – **90 cam** 42/72000 – P 71/77000, b.s. 58/71000.
ABZ c

🏨 **Bologna,** via Valerio Flacco 29 𝒫 669178, Telex 431878, ⚓, ⌧ riscaldata, ⌧, 🌺 – 📱 🖮 rist 🚡 ⚕ 📞, 🖾 🖺 *VISA*. 🍽 rist
marzo-novembre – Pas 24000 – ⊆ 6500 – **123 cam** 42/72000 – P 63/68000, b.s. 57/62000.
BZ d

🏨 **Terme Patria,** viale delle Terme 56 𝒫 669079, Telex 431879, 🌺, ⚓, ⌧ riscaldata, ⌧, 🌺 – 📱 🖮 rist 🚡 📞. 🍽 rist
chiuso dal 5 gennaio al 28 febbraio e dal 4 al 20 dicembre – Pas 24/26000 – ⊆ 7000 – **95 cam** 40/68000 – P 54/58000, b.s. 46/49000.
BY a

🏨 **Principe,** viale delle Terme 89 𝒫 669278, ⚓, ⌧ riscaldata, ⌧, 🌺 – 📱 ⟿ rist 🚡 ⚕ 📞. 🖾 *VISA*. 🍽 rist
marzo-novembre – Pas 28000 – ⊆ 7000 – **70 cam** 42/72000 – P 62/67000, b.s. 48/53000.
BY z

🏨 **Villa Pace,** viale delle Terme 64 𝒫 668100, ⚓, ⌧ riscaldata, ⌧, 🌺 – 📱 🖮 rist 🚡 📞. 🖺 🇪 *VISA*. 🍽 rist
marzo-novembre – Pas 25000 – ⊆ 6000 – **84 cam** 40/70000 – P 52/66000, b.s. 46/59000.
ABY m

a Monteortone O : 2 km AY – ✉ **35030** :

🏨🏨 **Leonardo da Vinci** 🦢, 𝒫 9935057, Telex 430390, ⚓, ⌧ riscaldata, ⌧, 🌺, 🌼 – 📱 ⟿ cam 🖮 🖾 📞, 🖾 🖺 ⓞ 🇪 *VISA*. 🍽 rist
marzo-novembre – Pas (solo per clienti alloggiati) 33000 – ⊆ 15000 – **105 cam** 75/130000 appartamenti 110/150000 – P 90/96000, b.s. 80/90000.

🏨🏨 **Michelangelo** 🦢, 𝒫 9935111, Fax 9935236, ⚓, ⌧ riscaldata, ⌧, 🌺, 🌼 – 📱 🖾 ☎ 📞 – 🔒 100. 🖾 🖺 ⓞ 🇪 *VISA*. 🍽 rist
marzo-novembre – Pas (solo per clienti alloggiati) 33000 – ⊆ 15000 – **111 cam** 50/82000 appartamenti 112000 – P 95/110000, b.s. 77/90000.

🏨 **Reve Monteortone** 🦢, 𝒫 668633, Telex 431832, ⚓, ⌧ riscaldata, ⌧, 🌺, 🌼 – 📱 🖮 rist ☎ 📞, 🖾 🖺 ⓞ 🇪 *VISA*. 🍽 rist
marzo-novembre e 20 dicembre-15 gennaio – Pas 30/60000 – ⊆ 8000 – 114 cam 50/81000 – P 79000, b.s. 72000.

Vedere anche : **Torreglia** SO : 5 km AZ.

ABBADIA SAN SALVATORE 53021 Siena 988 ⑮⑯ – 7 527 ab. alt. 825 – Stazione di villeggiatura – Sport invernali : al Monte Amiata : 1 350/1 730 m ≰8, ⰰ – ✿ 0577.

🛈 via Mentana 97-La Piazzetta ℘ 778608.

Roma 181 – ◆Firenze 143 – Grosseto 80 – Orvieto 65 – Siena 75 – Viterbo 82.

 🏨 **Giardino,** via 1° Maggio 63 ℘ 778106, 🐎 – 🛗 🕾
  42 cam.

 🏨 **K 2** ⬟, via del Laghetto 15 ℘ 778609, ≤ – 🕾 🅿. 🛠
  chiuso dal 15 al 30 settembre – Pas *(chiuso giovedì)* carta 22/30000 – 🖃 4000 – 14 cam 50/70000 – P 60/65000.

 🏨 **Adriana,** via Serdini 76 ℘ 778116 – 🛗 ↤ rist 🕾. 🛠 rist
  Pas carta 20/26000 – 🖃 7000 – **39 cam** 42/55000 – P 55/65000.

 🏨 **Roma,** via Matteotti 32 ℘ 778015, 🐎 – 🕾
 ➖ Pas 15000 – 20 cam 🖃 15/30000 – P 50000.

 al monte Amiata O : 14 km – alt. 1 738 :

 🏨 **La Capannina** ⬟, ✉ 53021 ℘ 789713, ≤ – 🕾. 🛠 cam
  Natale-Pasqua e luglio-settembre – Pas carta 20/33000 (10%) – 🖃 8000 – **38 cam** 43/60000 – P 60/85000.

VW-AUDI via Esasseta ang. via Arno ℘ 778409

ABBAZIA Vedere nome proprio dell'abbazia.

ABBIATEGRASSO 20081 Milano 988 ③, 219 ⑱ – 27 643 ab. alt. 120 – ✿ 02.

Roma 590 – Alessandria 74 – ◆Milano 23 – Novara 29 – Pavia 33.

 🏨 **Italia** senza rist, piazza Castello 31 ℘ 9462871, Fax 9462873 – 🛗 🖃 📺 🕾. 🖭 🖽 VISA. 🛠
  chiuso dal 24 dicembre al 7 gennaio ed agosto – 🖃 12000 – **38 cam** 65/95000.

 XX **Da Oreste,** piazza Castello 29 ℘ 94966457, prenotare, « Servizio estivo sotto un pergolato » – 🖃
  chiuso mercoledì ed agosto – Pas carta 30/50000.

 a Cassinetta di Lugagnano N : 3 km – ✉ 20080 :

 XXX ✿✿ **Antica Osteria del Ponte,** ℘ 9420034, Coperti limitati; prenotare – 🖃 🅿. 🖭 ⓓ. 🛠
  chiuso domenica, lunedì, dal 1° al 15 gennaio ed agosto – Pas carta 90/130000
  Spec. Fois gras caldo di anitra su insalata di rucola (primavera), Ravioli di aragosta nella sua salsa (estate), Filetto di agnello al profumo di aglio e timo. **Vini** Franciacorta, Chianti.

FIAT via Palestro 35 ℘ 9467195
GM-OPEL via Ada Negri 2 ℘ 9468291
LANCIA-AUTOBIANCHI viale De Sanctis 21/23 ℘ 9469787

PEUGEOT-TALBOT via Dante 108 ℘ 9463216
RENAULT viale Sforza 140 ℘ 9463532

ABETONE 51021 Pistoia 988 ⑭ – 804 ab. alt. 1 388 – Stazione di villeggiatura, a.s. Pasqua, 15 luglio-agosto e Natale – Sport invernali : 1 388/1 892 m ≰10 ≰8, ⰰ – ✿ 0573.

🛈 piazzale delle Piramidi ℘ 60383, Telex 572495.

Roma 361 – ◆Bologna 109 – ◆Firenze 90 – Lucca 65 – ◆Milano 271 – ◆Modena 96 – Pistoia 51.

 🏨 **Bellavista,** ℘ 60028, ≤, « Giardino » – 🕾 🅿. 🛠 rist
  15 dicembre-15 aprile e 15 giugno-15 settembre – Pas 22000 – 🖃 6000 – 17 cam 44/68000 – P 72000, b.s. 64000.

 🏨 **Regina,** ℘ 60007, ≤ – 🕾 🚗 🅿. ⓓ VISA. 🛠 rist
  20 dicembre-15 aprile e 25 giugno-15 settembre – Pas 25/27000 – 🖃 5000 – **26 cam** 42/64000 – P 58/68000, b.s. 55/62000.

 XX **La Capannina** con cam, ℘ 60562, ≤ – 🖭 🛗 ⓓ E VISA. 🛠
  chiuso martedì sera, mercoledì, dal 15 al 31 maggio e dal 1° al 15 ottobre – Pas carta 32/41000 (10%) – 🖃 5000 – **7 cam** 35/65000 – P 70/80000, b.s. 60/70000.

 XX **Da Pierone,** ℘ 60068, ≤ – 🖭 🛗 ⓓ E VISA. 🛠
  chiuso giovedì, dal 15 al 30 giugno e dal 10 al 22 ottobre – Pas carta 26/44000.

 a Le Regine SE : 2,5 km – ✉ 51020 :

 🏨 **Da Tosca,** ℘ 60317, ≤ – 🅿. 🛠
  20 dicembre-20 aprile e luglio-10 settembre – Pas 20/22000 – 🖃 5000 – 13 cam 32/60000 – P 48/52000, b.s. 43/46000.

ABRUZZI (Massiccio degli) ✭✭✭ L'Aquila 988 ㉗ – Vedere Guida Verde.

ABTEI = Badia.

ACCEGLIO 12021 Cuneo 988 ⑪, 81 ⑨ – 281 ab. alt. 1 200 – a.s. Pasqua-15 giugno, luglio-agosto e Natale – ✿ 0171.

Roma 698 – Cuneo 55 – ◆Milano 269 – ◆Torino 118.

 🏨 **Le Marmotte** ⬟, località Frere E : 1,5 km ℘ 99041, ≤, 🐎 – 🚗 🅿. 🛠
 ➖ *chiuso novembre* – Pas carta 18/34000 – 🖃 6500 – **9 cam** 41/66000 – P 68/73000, b.s. 56/61000.

ACCETTURA 75011 Matera 🇳🇧🇧 ㉘ – 2 850 ab. alt. 799 – ⊕ 0835.
Roma 433 – Matera 81 – Potenza 76 – ◆Taranto 134.

  🏠 **Croccia** ⌘, ℘ 675394 – 🎬
  ◆ chiuso dal 1° al 15 febbraio – Pas (chiuso venerdì) carta 18/25000 – � 4000 – 10 cam 18/30000
   – P 42000.

ACCIAROLI 84041 Salerno 🇳🇧🇧 ㉘㉙ – a.s. luglio e agosto – ⊕ 0974.
Roma 344 – Agropoli 31 – Battipaglia 62 – ◆Napoli 137 – Salerno 86 – Sapri 102.

  🏨 **La Playa,** ℘ 904002, ≤, 🏖, 🎾 – 🛗 ▤ cam ☎ ❷. 🎬 rist
  giugno-settembre – Pas carta 26/41000 – ⊡ 7000 – **77 cam** 40/48000, ▤ 2000 – P 63/70000,
  b.s. 53/60000.

  ✗ **La Scogliera** con cam, ℘ 904014, ≤, 🌳 – ▤ rist ❷. ①
  chiuso dal 15 dicembre al 15 gennaio – Pas carta 20/31000 (15%) – ⊡ 5000 – 14 cam 19/23000
   – P 45/51000, b.s. 40/45000.

ACI CASTELLO Catania 🇳🇧🇧 ㉗ – Vedere Sicilia alla fine dell'elenco alfabetico.

ACIREALE Catania 🇳🇧🇧 ㉗ – Vedere Sicilia alla fine dell'elenco alfabetico.

ACI TREZZA Catania 🇳🇧🇧 ㉗ – Vedere Sicilia alla fine dell'elenco alfabetico.

ACQUABONA Livorno – Vedere Elba (Isola d') : Portoferraio.

ACQUAFREDDA Potenza – Vedere Maratea.

ACQUAPARTITA Forlì – Vedere Bagno di Romagna.

ACQUARIA Modena – Vedere Montecreto.

ACQUASANTA TERME 63041 Ascoli Piceno 🇳🇧🇧 ⑯ – 3 894 ab. alt. 392 – a.s. luglio-settembre –
⊕ 0736.
Roma 173 – L'Aquila 98 – Ascoli Piceno 18.

  ✗✗ **La Casaccia,** ℘ 984141 – ⇖⇗. ⒶⒺ. 🎬
  ◆ chiuso lunedì e gennaio – Pas carta 19/32000.

ACQUASERIA 22010 Como 🇳🇧🇧 ⑨ – alt. 208 – ⊕ 0344.
Roma 665 – Como 39 – ◆Lugano 32 – ◆Milano 87 – Sondrio 64.

  🏠 **Da Luigi,** ℘ 50057 – ☎ ❷. 🅑. 🎬
  chiuso novembre – Pas (chiuso mercoledì) carta 24/38000 – ⊡ 4000 – **20 cam** 38/45000.

ACQUASPARTA 05021 Terni 🇳🇧🇧 ㉖ – 4 534 ab. alt. 320 – ⊕ 0744.
Roma 111 – Orvieto 61 – ◆Perugia 61 – Spoleto 24 – Terni 22 – Viterbo 70.

  🏠 **Villa Stella** senza rist, ℘ 930758, 🌼 – ☎ ❷. ①. 🎬
  aprile-settembre – ⊡ 3500 – **10 cam** 32/48000.

ACQUAVIVA PICENA 63030 Ascoli Piceno – 2 888 ab. alt. 360 – ⊕ 0735.
Roma 239 – ◆Ancona 96 – Ascoli Piceno 42 – Macerata 76 – ◆Pescara 75 – Teramo 57.

  🏠 **Abbadetta** ⌘, ℘ 764041, ≤, 🏊, 🌼, 🎾 – 🛗 ☎ ❷. 🎬 rist
  ◆ giugno-settembre – Pas 16/22000 – ⊡ 5000 – 53 cam 30/45000 – P 60000.

ACQUI TERME 15011 Alessandria 🇳🇧🇧 ㉒㉓ – 21 100 ab. alt. 164 – Stazione termale – ⊕ 0144.
🛈 corso Bagni 9 ℘ 52142.
Roma 573 – Alessandria 34 – Asti 47 – ◆Genova 75 – ◆Milano 130 – Savona 59 – ◆Torino 106.

  🏨 **Ariston,** piazza Matteotti ℘ 52996 – 🛗 📺 ☎ – 🔏 60. ⒶⒺ 🅑 ① Ⓔ 🆅🆂🅰. 🎬 rist
  chiuso dal 20 dicembre al 31 gennaio – Pas carta 21/29000 – ⊡ 6000 – **36 cam** 40/60000 –
  P 48/58000.

  🏠 **Pineta,** passeggiata dei Colli ℘ 50688, ≤, 🏊 – 🛗 ☎ ❷. 🎬 rist
  ◆ aprile-ottobre – Pas 18000 – ⊡ 4000 – **100 cam** 31/50000 – P 50000.

  🏠 **Mignon,** via Monteverde 34 ℘ 52594 – ☎ ❷. 🅑 ① 🆅🆂🅰
  ◆ chiuso febbraio – Pas 18/30000 – ⊡ 5000 – **25 cam** 32/50000 – P 40/45000.

  🏠 **Piemonte,** viale Einaudi 19 ℘ 52382, 🌼 – 🚗 ❷. 🎬 rist
  15 aprile-ottobre – Pas 18/22000 – ⊡ 6000 – **23 cam** 20/38000 – P 35/40000.

  ✗✗ **Piero Parisio,** via Circonvallazione 1 ℘ 57034 – ❷. ⒶⒺ 🅑. 🎬
  chiuso lunedì, gennaio e dal 25 luglio al 10 agosto – Pas carta 23/42000.

  ✗✗ **Il Ciarlocco,** via Don Bosco 1 ℘ 57720, Coperti limitati; prenotare – 🅑 Ⓔ 🆅🆂🅰
  chiuso domenica, febbraio ed agosto – Pas carta 20/37000.

segue →

ACQUI TERME

XX **La Schiavia,** vicolo della Schiavia ☞ 55939, solo su prenotazione – 〓 ⓢ
chiuso domenica e dal 1° al 20 agosto – Pas carta 30/40000.

XX **Carlo Parisio,** via Mazzini 14 ☞ 56650, prenotare – 〓 ⓢ. ⬙
chiuso lunedì e dal 3 al 24 luglio – Pas carta 24/45000.

X **San Marco,** via Ghione 5 ☞ 52456 – ℗. ⬙
chiuso febbraio, dal 1° al 14 luglio e lunedì da dicembre a gennaio – Pas carta 21/34000.

ALFA-ROMEO via del Soprano ang. via Moriondo
☞ 51562
FIAT via Moriondo 53 ☞ 52871
GM-OPEL via Piave 8 ☞ 2635
INNOCENTI via Emilia 17 ☞ 52135

LANCIA-AUTOBIANCHI via Berlingieri 5 ☞ 54955
PEUGEOT-TALBOT via Romita 85 ☞ 2418
RENAULT via Defendente ang. corso Carlo Marx
☞ 548355
VW-AUDI corso Divisione Acqui 7 ☞ 53735

ADRIA 45011 Rovigo 🔢 ⑮ – 21 397 ab. alt. 4 – ✪ 0426.
🄔 piazza Bocchi 6 ☞ 42554.
Roma 478 – Chioggia 33 – ◆Ferrara 55 – ◆Milano 290 – ◆Padova 49 – Rovigo 22 – ◆Venezia 64.

X **Molteni** con cam, via Ruzzina 2 ☞ 21295, 🏠 – ⬙
chiuso dal 23 dicembre al 6 gennaio – Pas *(chiuso sabato)* carta 25/46000 – ☲ 3500 – **6 cam**
20/32000.

X **Laguna** con cam, via San Francesco 2 ☞ 22431 – ⬙
Pas *(chiuso sabato)* carta 21/27000 – ☲ 3000 – **15 cam** 24/37000 – P 45/48000.

AGARONE – Vedere Cantone Ticino alla fine dell'elenco alfabetico.

AGLIANO 14041 Asti 🔢 ⑮ – 1 731 ab. alt. 262 – ✪ 0141.
Roma 603 – Asti 19 – ◆Milano 139 – ◆Torino 79.

🏨 **Fons Salutis,** O : 2 km ☞ 954018, 🏠, « Parco ombreggiato », ♣ – ℗. 🆅🆂🅰. ⬙
chiuso gennaio – Pas *(chiuso lunedì e martedì di ottobre a marzo)* carta 25/43000 – ☲ 8000 –
30 cam 40/65000 – P 50/55000.

AGNO 🔢 ⑳, 🔢 ⑧ – Vedere Cantone Ticino alla fine dell'elenco alfabetico.

AGNONE 86061 Isernia 🔢 ㉗ – 6 171 ab. alt. 800 – ✪ 0865.
Roma 220 – Campobasso 71 – Isernia 45.

🏩 **Sammartino** ⬙, largo Pietro Micca 44 ☞ 78239 – 🛗 – 22 cam.

AGNUZZO 🔢 ⑧ – Vedere Cantone Ticino alla fine dell'elenco alfabetico.

AGOGNATE Novara 🔢 ⑦ – Vedere Novara.

AGORDO 32021 Belluno 🔢 ⑤ – 4 305 ab. alt. 611 – ✪ 0437.
Dintorni Valle del Cordevole★★ NO per la strada S 203.
🄔 piazza Libertà 3 ☞ 62105.
Roma 646 – Belluno 29 – ◆Bolzano 85 – Cortina d'Ampezzo 60 – ◆Milano 338 – ◆Venezia 135.

🏨 **Milano,** strada statale ☞ 62046, ←, 🦌 – ℗. 〓 ⓢ ⓞ 🅴 🆅🆂🅰. ⬙ rist
Pas carta 25/40000 – ☲ 6000 – **34 cam** 40/60000 – P 55000.

X **La Caneva,** via Carrera 28 ☞ 62037, Coperti limitati; prenotare – ⬙
chiuso mercoledì sera, giovedì e novembre – Pas carta 25/39000.

AGRATE BRIANZA 20041 Milano 🔢 ③, 🔢 ⑲ – 11 204 ab. alt. 162 – ✪ 039.
Roma 587 – ◆Bergamo 31 – ◆Brescia 77 – ◆Milano 18 – Monza 7.

XX **La Carbonara,** a Cascina Offelera SO : 3 km ☞ 651896, 🏠, Coperti limitati; prenotare – ℗.
ⓢ 🆅🆂🅰
chiuso domenica, lunedì sera, dal 25 dicembre al 6 gennaio ed agosto – Pas carta 40/60000.

AGRIGENTO ℗ 🔢 ㊱ – Vedere Sicilia alla fine dell'elenco alfabetico.

AGROPOLI 84043 Salerno 🔢 ㉘㊳ – 16 341 ab. – a.s. Pasqua e 15 giugno-15 settembre –
✪ 0974 – Dintorni Rovine di Paestum★★★ N : 11 km.
Roma 312 – Battipaglia 33 – ◆Napoli 107 – Salerno 57 – Sapri 110.

🏨 **Mare,** ☞ 823666, ←, ⬛, 🦌 – 🛗 ☎ ℗. 〓 ⓞ 🆅🆂🅰. ⬙
Pas *(chiuso martedì)* carta 25/35000 – ☲ 7000 – **41 cam** 35/50000 – P 64/66000, b.s. 50/54000.

🏨 **Carola,** ☞ 823005, « Servizio rist. estivo all'aperto », 🦌 – ⬛ ℗. 〓 🅴. ⬙
Pas *(chiuso lunedì)* carta 24/32000 (10%) – ☲ 5500 – **34 cam** *(aprile-ottobre)* 35/49000 –
P 67000, b.s. 58000.

🏩 **Serenella,** ☞ 823333 – 🛗 ⬛ ♿ ℗. ⬙ rist
Pas carta 20/32000 (10%) – ☲ 6000 – **32 cam** 29/43000 – P 54/60000, b.s. 52/56000.

64

XX **U' Saracino,** SO : 1,5 km ℰ 824063, 🍴 – **℗**. 🖭 🖪 ⓪ ᗴ 𝑉𝐼𝑆𝐴. ❄️
chiuso dal 10 al 30 novembre, martedì e a mezzogiorno dal 16 maggio al 10 novembre – Pas carta 31/39000.

XX **Il Ceppo,** SE : 1,5 km ℰ 824308 – **℗**. 🖪. ❄️
chiuso lunedì e dal 20 ottobre al 15 novembre – Pas carta 23/42000 (12%).

IAT via Pio X n° 68 ℰ 822413　　　　　　　　RENAULT via Madonna del Carmine 28 ℰ 823870

AGUGLIANO 60020 Ancona – 3 166 ab. alt. 203 – ✪ 071.
Roma 279 – ♦Ancona 16 – Macerata 44 – Pesaro 67.

🏠 **Al Belvedere,** ℰ 907190, 🍴 – 🛗 🗐 rist ☎ **℗**. 🖭 ᗴ 𝑉𝐼𝑆𝐴. ❄️
Pas *(chiuso mercoledì)* 15/25000 – 🖵 4500 – **22 cam** 25/39000 – P 35000.

AGUMS Bolzano – Vedere Prato allo Stelvio.

AHRNTAL = Valle Aurina.

AIROLO 427 ⑤, 218 ⑪ – Vedere Cantone Ticino alla fine dell'elenco alfabetico.

ALA DI STURA 10070 Torino 988 ⑫, 219 ⑫, 77 ⑩ – 502 ab. alt. 1 075 – a.s. luglio-agosto e Natale – ✪ 0123.
Roma 729 – Balme 7,5 – ♦Milano 177 – ♦Torino 51 – Vercelli 117.

🏠 **Raggio di Sole,** ℰ 55191, ≤, 🍴 – 🛗 ☎ 🖐 **℗**. 🖪 ᗴ. ❄️ rist
chiuso ottobre – Pas carta 25/35000 – 🖵 6000 – 29 cam 31/62000 – P 66000, b.s. 54000.

ALAGNA VALSESIA 13021 Vercelli 988 ②, 219 ④ – 431 ab. alt. 1 191 – a.s. Pasqua, luglio-5 agosto e Natale – Sport invernali : 1 191/3 590 m ≤3 ≤3, ⚜ – ✪ 0163.
Roma 715 – Biella 96 – ♦Milano 141 – Novara 95 – ♦Torino 155 – Vercelli 101.

🏠 **Cristallo,** ℰ 91285, ≤ – 🛗 ☎. 🖭 🖪 ⓪ ᗴ 𝑉𝐼𝑆𝐴. ❄️ rist
Pas *(chiuso ottobre e novembre)* 21000 – 🖵 6000 – **29 cam** 53/89000 – P 87000, b.s. 70000.

ALANNO 65020 Pescara – 3 812 ab. alt. 295 – ✪ 085.
Roma 188 – L'Aquila 84 – ♦Pescara 37.

X **Villa Alessandra** 🏖 con cam, ℰ 8573108, 🍴 – **℗**. ❄️
chiuso novembre – Pas *(chiuso martedì)* carta 17/28000 – 🖵 4000 – **7 cam** 35/48000 – P 45/55000.

ALASSIO 17021 Savona 988 ⑫ – 11 983 ab. – Stazione balneare – ✪ 0182.
🛆 (chiuso mercoledì) a Garlenda ⊠ 17030 ℰ 580012, NO : 17 km Y.
🛆 via Gibb 26 ℰ 40346.
Roma 597 ① – Cuneo 117 ① – ♦Genova 98 ① – Imperia 24 ② – ♦Milano 221 ① – San Remo 47 ② – Savona 52 ① – ♦Torino 160 ①.

Pianta pagina seguente

🏨 **Gd H. Diana,** via Garibaldi 110 ℰ 42701, Telex 270655, ≤, « Terrazza-giardino ombreggiata », 🏊, 🐾 – 🛗 📺 ☎ **℗** – 🔔 100. 🖭 🖪 ⓪ ᗴ 𝑉𝐼𝑆𝐴. ❄️ rist　　Y **a**
chiuso dicembre e gennaio – Pas carta 37/63000 – 🖵 18000 – **77 cam** 77/147000 – P 116/150000.

🏨 **Spiaggia,** via Roma 78 ℰ 43403, Telex 271617, ≤, « Terrazza-solarium », 🐾 – 🛗 🗐 📺 ☎. 🖭 🖪 ᗴ 𝑉𝐼𝑆𝐴. ❄️ rist　　Z **c**
chiuso dal 20 ottobre al 27 dicembre – Pas 30/50000 – 🖵 20000 – 83 cam 77/128000 – P 123/133000.

🏨 **Toscana,** via Flavio Gioia 4 ℰ 40657, 🐾 – 🛗 📺 ☎ – 🔔 120. 🖭 ⓪ ᗴ 𝑉𝐼𝑆𝐴. ❄️ rist　　Z **m**
chiuso dal 15 ottobre al 19 dicembre – Pas *(chiuso lunedì)* carta 25/37000 – **65 cam** 🖵 48/80000 – P 55/86000.

🏨 **Europa e Concordia,** piazza Partigiani 1 ℰ 43324, Telex 222663, ≤, 🐾 – 🛗 ☎. 🖭 🖪 ⓪ ᗴ 𝑉𝐼𝑆𝐴. ❄️ rist　　Y **f**
marzo-ottobre – Pas (solo per clienti alloggiati) 22/30000 – 🖵 7500 – **60 cam** 70/110000 – P 70/100000.

🏨 **Columbia,** passeggiata Cadorna 12 ℰ 40329, ≤, 🐾 – ❄️ cam ☎. 🖪 ᗴ 𝑉𝐼𝑆𝐴. ❄️ rist　　Y **n**
chiuso dal 21 ottobre al 20 dicembre – Pas *(chiuso lunedì)* 25/40000 – 🖵 6000 – 29 cam 45/90000 – P 75/90000.

🏨 **Nuovo Suisse,** via Mazzini 119 ℰ 40192, Telex 275535, 🐾 – 🛗 📺 ☎. 🖪 ⓪ ᗴ 𝑉𝐼𝑆𝐴. ❄️ rist
chiuso dal 10 novembre al 24 dicembre – Pas 20/30000 – 🖵 6000 – **49 cam** 44/70000 – P 68/85000.　　Y **b**

segue →

65

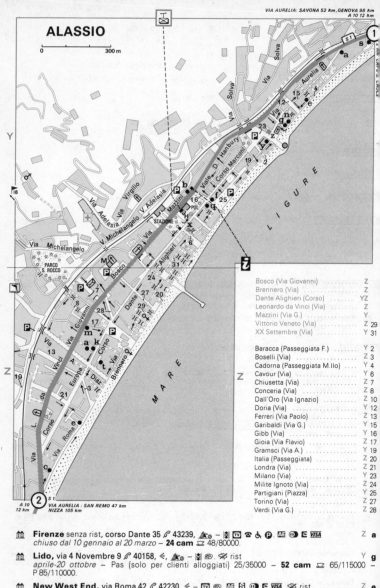

VIA AURELIA: SAVONA 52 km, GENOVA 98 km
A 10 12 km

ALASSIO

0   300 m

L I G U R E

M A R E

A 10
12 km   VIA AURELIA : SAN REMO 47 km
NIZZA 105 km

Firenze senza rist, corso Dante 35 ℘ 43239, 🚗 – 🛗 📺 ☎ ♿ 🅿. 🆎 ① Ɛ 𝘝𝘐𝘚𝘈   Z a
chiuso dal 10 gennaio al 20 marzo – **24 cam** ⇄ 48/80000.

Lido, via 4 Novembre 9 ℘ 40158, ≤, 🚗 – 🛗 ☎. 🚿 rist   Y g
aprile-20 ottobre – Pas (solo per clienti alloggiati) 25/35000 – **52 cam** ⇄ 65/115000 –
P 85/110000.

New West End, via Roma 42 ℘ 42230, ≤ – 📺 ☎. 🆎 🗋 ① Ɛ 𝘝𝘐𝘚𝘈. 🚿 rist   Z e
chiuso da novembre al 22 dicembre – Pas carta 32/50000 – ⇄ 8000 – **54 cam** 60/80000 –
P 70/90000.

Ideal, corso Dante 45 ℘ 40376, 🚗 – 🛗. 🚿 rist   Z k
maggio-15 ottobre – Pas 18/27000 – ⇄ 6500 – **64 cam** 38/65000 – P 49/69000.

Rosa, via Conti 10 ℘ 40821 – 🛗 ☎ 🅿. 🚿   Z t
chiuso da novembre al 9 dicembre – Pas 20/28000 – ⇄ 6500 – **45 cam** 40/70000 – P 75/
80000.

Lamberti senza rist, via Gramsci 57 ℘ 42747 – 🛗 ☎ 🅿. 🗋 Ɛ   Y y
aprile-20 ottobre – **21 cam** ⇄ 45/70000.

66

🏠 **Enrico,** corso Dante 368 𝒫 40000 – 🛗 🕾 🖭 🕃 ⓞ ⊑ 𝓥𝓘𝓢𝓐 𝒮𝒫   Y   q
chiuso novembre – Pas *(chiuso lunedì)* 25/27000 – 🍽 7000 – 32 cam 55/80000 – P 85000.

🏠 **Eden,** passeggiata Cadorna 20 𝒫 40281, ≼, « Servizio rist. estivo in terrazza », 🏊 – 🕾 🖭
🕃 ⊑ 𝓥𝓘𝓢𝓐. 𝒮𝒫 rist   Y   e
febbraio-ottobre – Pas (solo per clienti alloggiati) – **29 cam** 🍽 30/65000 – P 58/65000.

XXX ❀ **Palma,** via Cavour 5 𝒫 40314, Coperti limitati; prenotare – 🖭 🕃 ⓞ ⊑ 𝓥𝓘𝓢𝓐. 𝒮𝒫   Y   x
chiuso martedì e dal 3 novembre al 3 dicembre – Pas carta 50/81000
Spec. Ciuppin Provenzale, Branzino con carciofi o asparagi o pomodoro fresco e basilico, Triglie in salmì di vino
rosso con ratatuia. Vini Pigato, Ormeasco.

X **Trianon,** piazza San Francesco 1 𝒫 43968 – 🖭 ⓞ 𝓥𝓘𝓢𝓐. 𝒮𝒫   Y   z
chiuso lunedì sera, martedì e gennaio – Pas carta 26/60000.

ALATRI 03011 Frosinone 𝟵𝟴𝟴 ㉘ – 24 480 ab. alt. 502 – ✪ 0775.

Vedere Acropoli★ : ≼★★ – Chiesa di Santa Maria Maggiore★.

Roma 93 – Avezzano 89 – Frosinone 11 – Latina 65 – Rieti 125 – Sora 39.

X **La Rosetta** con cam, via Duomo 35 𝒫 450068 – 🖭 ⓞ. 𝒮𝒫
➡ *chiuso dal 5 al 30 novembre* – Pas *(chiuso venerdì)* carta 18/26000 – 🍽 3500 – **10 cam**
18/30000 – P 48000.

FIAT sulla statale 155 𝒫 442000

ALBA 12051 Cuneo 𝟵𝟴𝟴 ⑫ – 30 764 ab. alt. 172 – ✪ 0173.

Dintorni Strada panoramica★ delle Langhe verso Ceva.

Roma 644 – Alessandria 65 – Asti 30 – Cuneo 62 – ✦Milano 155 – Savona 99 – ✦Torino 59.

🏨 **Savona,** via Roma 1 𝒫 42381, Telex 222396 – 🛗 🍴 rist 📺 🕾 🅿 – 🔬 70. 🖭 🕃 ⓞ ⊑ 𝓥𝓘𝓢𝓐.
𝒮𝒫 rist
Pas *(chiuso martedì)* 20/28000 – **103 cam** 🍽 50/86000 – P 90000.

🏨 **Motel Alba** senza rist, corso Asti 5 𝒫 363251, 🏊 – 🍴 🕾 🕭 🅿 – 🔬 70. 🖭 🕃 ⓞ ⊑ 𝓥𝓘𝓢𝓐
🍽 7000 – **64 cam** 40/65000.

XX **Da Beppe,** corso Coppino 20 𝒫 43983 – 🍴. 🖭 🕃 ⓞ ⊑ 𝓥𝓘𝓢𝓐. 𝒮𝒫
chiuso martedì e luglio – Pas carta 29/48000.

XX **Daniel's,** corso Canale 28 (NO : 1 km) 𝒫 43969 – 🅿
chiuso martedì e dal 1° al 25 agosto – Pas carta 24/39000.

X **La Capannina,** borgo Moretta 𝒫 43952 – 🅿
chiuso lunedì (escluso i giorni festivi) – Pas carta 25/42000.

X **San Giorgio,** corso Europa 22/a 𝒫 35757 – 🍴. 𝒮𝒫
➡ *chiuso lunedì e dal 20 luglio al 15 agosto* – Pas carta 19/29000.

a Castelrotto NO : 4 km – ✉ 12050 :

XXX **La Villa,** 𝒫 361497, solo su prenotazione – 🍴 🅿. 🖭. 𝒮𝒫
chiuso domenica sera, lunedì e gennaio – Pas carta 40/50000.

ALFA-ROMEO corso Piave 148 𝒫 42508
FIAT corso Canale 2 𝒫 363956
FIAT corso Piave 94 𝒫 281321
FORD via Romita 7 𝒫 497126
GM-OPEL corso Asti 45/47 𝒫 613262

LANCIA-AUTOBIANCHI corso Europa 138 𝒫 280241
PEUGEOT-TALBOT via San Rocco 4 𝒫 42025
RENAULT corso Canale 68 𝒫 361717
VW-AUDI corso Asti 4-località Rondò 𝒫 363344
VOLVO via Rossini 12 𝒫 497811

ALBA ADRIATICA 64011 Teramo 𝟵𝟴𝟴 ⑰ – 9 366 ab. – Stazione balneare, a.s. luglio e agosto –
✪ 0861.

🛈 piazza Aldo Moro 6 𝒫 72426.

Roma 219 – ✦Ancona 104 – L'Aquila 110 – Ascoli Piceno 36 – ✦Pescara 49 – Teramo 37.

🏨 **Meripol,** lungomare Marconi 390 𝒫 77744, ≼, 🏊, 🏊, 🛥 – 🛗 🍴 🐾 🅿. 𝒮𝒫 rist
13 maggio-22 settembre – Pas (solo per clienti alloggiati) 30000 – 🍽 8000 – **44 cam** 45/80000
– P 65/85000, b.s. 55/55000.

🏨 **Sporting,** lungomare Marconi 414 𝒫 72510, ≼, 🏊, 🏊 – 🛗 🐾 🅿. 𝒮𝒫 rist
➡ *maggio-20 settembre* – Pas 18/26000 – 🍽 5000 – **40 cam** 40/60000 – P 40/65000, b.s. 35/40000.

🏨 **Impero,** lungomare Marconi 134 𝒫 72422, ≼, 🏊, 🏊, 🛥 – 🛗 🐾 🅿 🖭 ⓞ 𝓥𝓘𝓢𝓐. 𝒮𝒫 rist
maggio-settembre – Pas 25000 – 🍽 8000 – **52 cam** 45/70000 – P 55/70000, b.s. 33/45000.

🏨 **Eden,** lungomare Marconi 438 𝒫 77251, ≼, 🏊, 🏊 – 🛗 🐾 🅿. 𝒮𝒫
maggio-settembre – Pas 20/27000 – 🍽 10000 – **52 cam** 45/70000 – P 50/80000, b.s. 45/60000.

🏨 **Boston,** lungomare Marconi 156 𝒫 72516, ≼, 🏊 – 🛗 🐾 🅿. 𝒮𝒫 rist
15 maggio-25 settembre – Pas (solo per clienti alloggiati) 25/35000 – 🍽 9000 – 56 cam
35/65000 – P 55/70000, b.s. 40/45000.

🏨 **Royal,** lungomare Marconi 208 𝒫 72644, ≼, 🏊 – 🛗 🐾 🅿. 𝒮𝒫 rist
10 maggio-20 settembre – Pas 22/30000 – 🍽 8000 – **64 cam** 40/60000 – P 45/68000,
b.s. 36/47000.

segue →

ALBA ADRIATICA

🏨 **Riccione,** viale della Vittoria 7 ℰ 72337, ⌇, ▲◦, 🛏, ✗ – 🛗 ☜ 🅿. ✇
  maggio-settembre – Pas 20/30000 – ⌸ 15000 – **70 cam** 50/80000 – P 50/65000, b.s. 35/43000

🏨 **Doge,** lungomare Marconi 392 ℰ 72508, ≼, ⌇, ▲◦ – 🛗 ☜ 🅿. ✇ rist
  maggio-settembre – Pas (solo per clienti alloggiati) 24000 – ⌸ 8000 – **48 cam** 38/55000 –
  P 50/67000, b.s. 38/45000.

🏠 **Joli,** via Olimpica 3 ℰ 77477, ▲◦ – 🛗 ☎ 🅿. ✇
◆ *15 maggio-15 settembre* – Pas (solo per clienti alloggiati) 12/15000 – ⌸ 5000 – 27 cam
  35/60000 – P 45/60000, b.s. 32/38000.

✗✗ **Atlante** con cam, via Vittorio Veneto 41 ℰ 72344 – 🛗 📺 ☜ 🅿 – 🚗 60. ▥. ✇
  Pas *(chiuso domenica sera e lunedì)* carta 23/39000 – **18 cam** ⌸ 45/65000.

VOLVO via Veneto ℰ 77533

ALBAIRATE 20080 Milano 🧮 ⑱ – 3 054 ab. alt. 125 – ✪ 02.
Roma 590 – ◆Milano 16 – Novara 36 – Pavia 37.

✗✗✗ **Charlie,** via Pisani Dossi 28 ℰ 9406635 – 🅿. 🛗 ▤ 𝚅𝙸𝚂𝙰. ✇
  chiuso mercoledì, dal 1° al 10 gennaio ed agosto – Pas carta 42/74000.

ALBANETO 02010 Rieti – alt. 1 052 – ✪ 0746.
Roma 126 – L'Aquila 57 – Ascoli Piceno 86 – Rieti 48 – Terni 53.

✗ **La Tana del Lupo,** ℰ 935042, 🛏 – 🖩 🅿. ✇
◆ *chiuso martedì* – Pas carta 17/25000.

ALBANO LAZIALE 00041 Roma 🧮 ⑱ – 30 474 ab. alt. 384 – Stazione di villeggiatura – ✪ 06.
Vedere Villa Comunale★ – Chiesa di Santa Maria della Rotonda★ – 🅱 via Olivella 2 ℰ 9321323.
Roma 26 – Anzio 33 – Frosinone 75 – Latina 43 – Terracina 77.

🏨 **Miralago** ⌇, via dei Cappuccini 12 (NE : 1,5 km) ℰ 9322253, « Servizio rist. estivo in giardino », 🛏 – ☎ 🚗 🅿 🛗 ✇
  Pas carta 30/41000 – ⌸ 7000 – **35 cam** 52/78000 – P 100/110000.

🏠 **Motel del Mare,** via Olivella 100/104 (O : 1 km) ℰ 9322335 – 🛗 ☜ 🅿. ✇
  Pas 20000 – ⌸ 5500 – **30 cam** 37/58000 – P 70000.

LANCIA-AUTOBIANCHI via Colonnelle 9/a ℰ 9314840

ALBARELLA (Isola) Rovigo – Vedere Rosolina.

ALBARETTO DELLA TORRE 12050 Cuneo – 255 ab. alt. 672 – ✪ 0173.
Roma 620 – Asti 50 – Cuneo 61 – ◆Milano 172 – Savona 76 – ◆Torino 80.

✗ ✿ **Da Cesare,** ℰ 520141, ≼, solo su prenotazione – 🅿.

ALBAVILLA 22031 Como 🧮 ⑨ – 5 357 ab. alt. 331 – ✪ 031.
Roma 628 – Como 11 – Lecco 20 – ◆Milano 48 – Varese 38.

✗✗ **Il Cantuccio,** ℰ 628736, Coperti limitati; prenotare – ▥. ✇
  chiuso lunedì e martedì a mezzogiorno – Pas carta 54/73000.

FIAT via Monte Bolettone ℰ 611232   RENAULT via Prealpi ℰ 611066

ALBENGA 17031 Savona 🧮 ⑫ – 22 264 ab. – ✪ 0182.
Vedere Città vecchia★.
Roma 589 – Cuneo 109 – ◆Genova 90 – Imperia 34 – ◆Milano 213 – San Remo 57 – Savona 44.

🏠 **Marisa,** via Pisa 28 ℰ 50241 – ☜. ▥ 🛗 ⓞ ▤ 𝚅𝙸𝚂𝙰. ✇
  chiuso ottobre – Pas 25/28000 – ⌸ 7000 – **16 cam** 38/58000 – P 58/60000.

✗✗ **Punta San Martino,** regione San Martino ℰ 51225, « Giardino » – 🅿. ⓞ
  chiuso lunedì e dal 2 gennaio al 7 febbraio – Pas carta 25/37000.

✗✗ **Minisport,** viale Italia 35 ℰ 53458 – ▥ 🛗 ⓞ ▤ 𝚅𝙸𝚂𝙰
  chiuso gennaio e mercoledì da ottobre a maggio – Pas carta 33/64000.

ALFA-ROMEO regione Poca 15 ℰ 51498
CITROEN via Dalmazia 288 ℰ 543346
FIAT via Dalmazia 166 ℰ 540015
FORD regione Cavallo 24 ℰ 540708
GM-OPEL regione Stanchere ℰ 50290
INNOCENTI regione Arrossia ℰ 52288

LANCIA-AUTOBIANCHI regione Stanchere ℰ
540121
PEUGEOT-TALBOT regione Doria 20 ℰ 53318
RENAULT salita Patrioti 10 ℰ 50480
VW-AUDI regione Poca 18 ℰ 51425

ALBEROBELLO 70011 Bari 🧮 ⑳ – 10 370 ab. alt. 416 – ✪ 080.
Vedere Località★★★ – Trullo Sovrano★.
Roma 502 – ◆Bari 55 – ◆Brindisi 68 – Lecce 106 – Matera 69 – ◆Taranto 45.

🏨 **Sovrano,** viale Alcide de Gasperi 35 ℰ 721711, 🛏 – ▤ ☜ 🚗 – 18 cam.

🏠 **Colle del Sole,** via Indipendenza 63 ℰ 721370 – ☜ 🚗. ▥ 🛗 ⓞ ▤ 𝚅𝙸𝚂𝙰. ✇
◆ Pas carta 16/28000 – ⌸ 4000 – 18 cam 30/48000 – P 48/55000.

XX **Il Poeta Contadino,** via Indipendenza 21 𝒫 721917 – 🆊 ⓞ
chiuso dal 7 gennaio al 14 febbraio e venerdì da ottobre a marzo – Pas carta 21/31000 (15%).

XX **Trullo d'Oro,** via Cavallotti 29 𝒫 721820 – ⌘ ▤. 🆊 🕻 ⓞ ⅇ 𝖵𝖨𝖲𝖠
chiuso lunedì – Pas carta 18/35000 (15%).

X **Il Torchio,** via Monte San Michele 57 𝒫 721888 – ▤. 🆊 🕻 ⓞ ⅇ 𝖵𝖨𝖲𝖠
chiuso martedì da ottobre a marzo – Pas carta 24/45000.

sulla strada statale 172 NO : 4 km :

XX **La Chiusa di Chietri,** ✉ 70011 𝒫 725481, 🚲 – ▤ ⓟ – 🅼 100. ⌘
chiuso martedì e novembre – Pas carta 21/43000 (15%).

▆▆ **ALBIGNASEGO** 35020 Padova – 17 192 ab. alt. 11 – ✪ 049.
Roma 487 – ♦Ferrara 71 – ♦Padova 7 – ♦Venezia 48.

sulla strada statale 16 SO : 5 km :

🏠 **Master** senza rist, ✉ 35020 𝒫 711611 – 🛗 ▤ 📺 ☎ ⓟ – 🅼 30. ⅇ
⇌ 6500 – **28 cam** 35/58000, ▤ 3000.

LANCIA-AUTOBIANCHI via Vespucci 2 𝒫 690322   RENAULT via dell'Artigianato 14/16 𝒫 712600

▆▆ **ALBINEA** 42020 Reggio nell'Emilia – 6 469 ab. alt. 259 – ✪ 0522.
Roma 437 – ♦Milano 159 – ♦Modena 35 – ♦Parma 37 – Reggio nell'Emilia 10.

X **L'Altra,** località Borzano E : 4 km 𝒫 910120 – ▤ ⓟ. 🆊 ⓞ. ⌘
chiuso martedì e dal 6 agosto al 4 settembre – Pas carta 23/32000.

▆▆ **ALBINIA** 58010 Grosseto 𝟡𝟠𝟠 ㉕ – a.s. Pasqua e 15 giugno-15 settembre – ✪ 0564.
Roma 155 – Civitavecchia 79 – ♦Firenze 173 – Grosseto 32 – Orbetello 11 – Orvieto 104.

🏠 **Corallo** senza rist, via Paolieri 27 𝒫 870065 – 🛗 ☎. 🆊 ⅇ. ⌘
⇌ 5000 – **25 cam** 40/68000.

X **Poggio al Pero,** via Maremmana 181 𝒫 870012 – 🆊 ⓞ 𝖵𝖨𝖲𝖠
chiuso mercoledì, gennaio e febbraio – Pas carta 21/38000 (10%).

▆▆ **ALBISANO** Verona – Vedere Torri del Benaco.

▆▆ **ALBISSOLA MARINA** 17012 Savona 𝟡𝟠𝟠 ⑬ – 5 992 ab. – Stazione balneare – ✪ 019.
Vedere Parco★ e sala da ballo★ della Villa Faraggiana.
🛈 via dell'Oratorio 2 𝒫 481648.
Roma 541 – Alessandria 90 – Cuneo 103 – ♦Genova 41 – ♦Milano 164 – Savona 4,5 – ♦Torino 146.

Pianta : vedere Savona

🏠 **Corallo,** via Repetto 116 𝒫 481784 – ☎ 🆊 🕻 ⓞ ⅇ 𝖵𝖨𝖲𝖠. ⌘ rist   CV a
marzo-novembre – Pas *(chiuso lunedì)* 25/30000 – ⇌ 8000 – 22 cam 50/65000 – P 58/67000.

🏠 **Villa Chiara e Garden,** viale Faraggiana 5 𝒫 485253, 🚲 – ▤ rist 📺 ☎ ⓟ. 🆊 🕻 ⓞ ⅇ 𝖵𝖨𝖲𝖠.   CV b
⌘ rist
chiuso dal 20 dicembre al 5 gennaio – Pas carta 23/33000 – ⇌ 8000 – 37 cam 48/65000 –
P 55/65000.

🏠 **Villa Verde,** via Gentile 16 𝒫 481771 – ☎ ⓟ. 🆊 🕻 ⅇ 𝖵𝖨𝖲𝖠. ⌘   CV e
🡐 *chiuso ottobre* – Pas 17/23000 – 29 cam ⇌ 35/48000 – P 53000.

XX **Ai Pescatori-da Gianni,** corso Bigliati 82/88 𝒫 481200 – ⌘   CV n
chiuso martedì e novembre – Pas carta 25/45000 (15%).

XX **Al Cambusiere,** via Repetto 86 𝒫 481663 – 🆊 🕻 ⓞ ⅇ 𝖵𝖨𝖲𝖠. ⌘   CV a
chiuso lunedì e dal 15 gennaio al 15 febbraio – Pas carta 27/52000 (15%).

XX **Lanterna Verde,** corso Bigliati 106 𝒫 486383 – 🆊 🕻 ⓞ 𝖵𝖨𝖲𝖠   CV a
chiuso lunedì – Pas carta 19/33000 (15%).

ad Albisola Superiore N : 1,5 km – ✉ 17013 :

X **Il Barbagianni,** via della Rovere 11 𝒫 489919, Coperti limitati; prenotare – 🕻   CV x
chiuso a mezzogiorno e mercoledì – Pas carta 35/45000.

▆▆ **ALCAMO** Trapani 𝟡𝟠𝟠 ㊱ – Vedere Sicilia alla fine dell'elenco alfabetico.

▆▆ **ALDESAGO** 𝟚𝟙𝟡 ⑧ – Vedere Cantone Ticino (Lugano) alla fine dell'elenco alfabetico.

▆▆ **ALESSANDRIA** 15100 ℙ 𝟡𝟠𝟠 ⑬ – 95 289 ab. alt. 95 – ✪ 0131.
▒ Margara (chiuso dicembre, gennaio e lunedì) a Fubine ✉ 15043 𝒫 778555 per ④ : 17,5 km;
▒ La Serra (marzo-novembre; chiuso lunedì) a Valenza ✉ 15048 𝒫 954778 per ① : 7 km.
🛈 via Savona 26 𝒫 51021 – **A.C.I.** corso Cavallotti 19 𝒫 60553.
Roma 575 ② – ♦Genova 81 ② – ♦Milano 90 ② – Piacenza 94 ② – ♦Torino 91 ④.

4

ALESSANDRIA

Alli Due Buoi Rossi, via Cavour 32 ℰ 445252, Telex 211397 – 🛗 🗏 📺 ☎ – 🔏 130 Z v
Pas vedere rist Red Oxen – 61 cam.

Lux senza rist, via Piacenza 72 ℰ 51661 – 🛗 🗏 📺 🖘 ← – 🔏 30 a 100. 🖭 🖪 ① 🖻 🚾 Y a
56 cam ☲ 78/114000.

Domus senza rist, via Castellani 12 ℰ 43305 – 🛗 📺 🖘 🅿. 🖭 🖪 ① 🖻 🚾 ❄️ Z t
chiuso agosto – ☲ 10000 – **27 cam** 60/90000.

Royal senza rist, corso Carlo Marx 20 ℰ 342284 – 📺 🖘 🅿 – 🔏 30. 🖭 🖪 Z a
☲ 4000 – **27 cam** 46/77000.

Europa, via Palestro 1 ℰ 446226 – 🛗 ☎ 🖘 – 🔏 30. 🖭 🖪 ① 🖻 🚾 ❄️ Y s
Pas (chiuso domenica ed agosto) carta 25/36000 (15%) – ☲ 9000 – **33 cam** 45/75000 –
P 86000.

XXX **Red Oxen**, via Cavour 32 ✆ 445050 – ▤ Z **v**

XX **Osteria degli Etruschi**, spalto Roveretto 52 ✆ 222579 – ▤. VISA Y **b**
chiuso mercoledì – Pas carta 26/48000.

XX **Il Grappolo**, via Casale 28 ✆ 53217 – AE. Y **e**
chiuso lunedì sera, martedì, dal 15 al 25 gennaio e dal 1° al 25 agosto – Pas carta 30/40000.

XX **Torino**, via Vochieri 108 ✆ 441991 – ▤. Y **n**
chiuso venerdì – Pas carta 27/40000.

X **Aeroporto**, viale Milite Ignoto 1 ✆ 222201, – P. E VISA Y **c**
chiuso lunedì e dal 10 al 30 gennaio – Pas carta 25/40000.

ALFA-ROMEO via Duccio Galimberti 62 ✆ 62865
BMW via della Maranzana D 3 ✆ 347131
CITROEN via dell'Artigianato 2 D 3 ✆ 347007
FIAT viale Massobrio 20 ✆ 444544
FIAT via Marengo 54 ✆ 43043
FORD via dell'Artigianato 8 D 3 ✆ 346515
GM-OPEL via Mascagni ✆ 446824
INNOCENTI via della Maranzana D 3 Z ✆ 347131
LANCIA-AUTOBIANCHI via Isonzo 47 ✆ 65456
LANCIA-AUTOBIANCHI via dell'Artigianato 35 Z ✆ 346206
MASERATI via della Maranzana D 3 ✆ 348392
MERCEDES-BENZ via Sclavo 90 ✆ 53161
PEUGEOT-TALBOT via della Maranzana D 3 ✆ 345931
RENAULT via Parma 40 ✆ 443649
RENAULT via dell'Artigianato 10 D 3 ✆ 345941
VW-AUDI via dell'Artigianato 36 D 3 ✆ 347079
VOLVO via Galimberti 29 ✆ 64770

ALFONSINE 48011 Ravenna 988 ⑮ – 12 237 ab. alt. 6 – 0544.

Roma 396 – •Bologna 73 – •Ferrara 57 – •Firenze 133 – Forlì 42 – •Milano 283 – •Ravenna 17.

X **Stella** con cam, corso Matteotti 12 ✆ 81148 – P. AE VISA.
chiuso dal 7 al 28 agosto – Pas *(chiuso sabato)* carta 20/31000 – ☐ 6000 – **10 cam** 32/45000.

ALGHERO Sassari 988 ㉝ – Vedere Sardegna alla fine dell'elenco alfabetico.

ALGUND = Lagundo.

ALLEGHE 32022 Belluno 988 ⑤ – 1 549 ab. alt. 979 – Stazione di villeggiatura, a.s. marzo-aprile, 15 luglio-15 settembre e Natale – Sport invernali : 979/2 100 m 1 5, (vedere anche Zoldo Alto) – 0437.

Vedere Lago★ – **Escursioni** Valle del Cordevole★★ Sud per la strada S 203.

piazza Kennedy 17 ✆ 723333, Telex 440053.

Roma 665 – Belluno 48 – •Bolzano 84 – Cortina d'Ampezzo 41 – •Milano 357 – •Venezia 154.

Sport Hotel Europa, ✆ 723362, ← – P.
15 dicembre-aprile e 20 giugno-settembre – Pas *(chiuso mercoledì)* carta 30/43000 – ☐ 8000 – 33 cam 60/100000 – P 70/115000, b.s. 55/65000.

Alleghe e Rist. N' Zunaia, ✆ 723527 e rist ✆ 723539, ← – . E VISA.
chiuso dal 1° al 15 maggio e dal 1° al 15 ottobre – Pas *(chiuso martedì)* carta 23/40000 – 16 cam ☐ 60/80000 – P 70/80000, b.s. 50/60000.

Coldai, ✆ 723305, ← – P.
chiuso maggio e ottobre – Pas *(chiuso martedì)* carta 20/34000 (10%) – ☐ 6000 – **29 cam** 45/70000 – P 45/70000.

a Caprile NO : 4 km – ✉ **32023** :

Alla Posta, ✆ 721132, Telex 440136 – P. AE.
20 dicembre-5 maggio e 15 giugno-15 settembre – Pas *(chiuso mercoledì)* carta 28/36000 – ☐ 7000 – **44 cam** 50/90000 – P 60/100000, b.s. 40/60000.

ALMENNO SAN SALVATORE 24031 Bergamo 219 ⑳ – 5 389 ab. alt. 325 – 035.

Roma 612 – •Bergamo 11 – Lecco 27 – •Milano 54 – San Pellegrino Terme 17.

X **Palanca**, ✆ 640800, ← – P. AE E VISA
chiuso martedì e dal 1° al 15 luglio – Pas carta 20/30000.

ALPE DI MERA Vercelli 219 ⑤ – Vedere Scopello.

ALPE DI SIUSI (SEISER ALM) 39040 Bolzano – alt. 1 826 – Stazione di villeggiatura, a.s. febbraio-15 aprile, luglio-settembre e 15 dicembre-15 gennaio – Sport invernali : 1 826/2 210 m 1 16, (vedere anche Castelrotto) – 0471.

Vedere Posizione pittoresca★★.

✆ 72904 – Roma 674 – •Bolzano 23 – Bressanone 28 – •Milano 332 – Ortisei 15 – Trento 89.

Plaza, ✆ 72973, Telex 400877, ←, – P. AE VISA. rist
dicembre-aprile e giugno-settembre – Pas 25/50000 – 42 cam (solo ½ P) 72/120000, b.s. 48/79000.

Steger Dellai, ✆ 72964, ←, in laghetto, – P. rist
18 dicembre-20 aprile e 10 giugno-settembre – Pas 28/35000 – 59 cam (solo pens) – P 80/100000, b.s. 70/85000.

ALPE FAGGETO Arezzo – Vedere Caprese Michelangelo.

ALPICELLA Savona – Vedere Varazze.

ALPINO Novara 🔢🔢🔢 ⑥ – alt. 800 – ✉ 28040 Gignese – 🟢 0323.

🔞 (aprile-novembre; chiuso martedì in bassa stagione) a Vezzo ✉ 28040 ♟ 20101, SE : 1,5 km.

Roma 666 – ♦Milano 89 – Novara 65 – Orta San Giulio 17 – Stresa 9 – ♦Torino 141.

   🏨 **Alpino Fiorente** ♨, ♟ 20103, ≤, 🐎 – 🛗 ☎ 🅿. 🛥
       15 giugno-15 settembre – Pas carta 22/36000 – 🔄 6000 – **39 cam** 44/70000 – P 60/70000.

ALSENO 29010 Piacenza – 4 525 ab. alt. 79 – 🟢 0523.

Roma 487 – ♦Milano 93 – ♦Parma 31 – Piacenza 29.

   a Cortina Vecchia SO : 5 km – ✉ **29010** :

   ✗ 🟢 **Da Giovanni,** ♟ 948304, Coperti limitati; prenotare – 🅿. 🆎 🅱 ⓞ 🅴 🆅🆂🅰. 🛥
       chiuso martedì, dal 2 al 18 gennaio e dal 16 agosto al 5 settembre – Pas carta 36/52000
       Spec. Salamino in crema di funghi, Pisarei e fasò, Medaglione di pollo alla macedonia di verdure. **Vini** Monterosso
       dei colli Piacentini, Gutturnio.

ALTAMURA 70022 Bari 🔢🔢🔢 ㉙ – 55 416 ab. alt. 473 – 🟢 080.

Vedere Rosone★ e portale★ della Cattedrale.

Roma 461 – ♦Bari 44 – ♦Brindisi 128 – Matera 19 – Potenza 102 – ♦Taranto 84.

   🏨 **Svevia,** via Matera 2A ♟ 8712570 – 🛗 ☎ 🅿. 🆅🆂🅰. 🛥 rist
       Pas carta 22/30000 – 🔄 7500 – **22 cam** 48/68000 – P 68000.

   ✗✗ 🟢 **Del Corso,** corso Federico di Svevia 76 ♟ 841453 – 🍽. 🆎 🆅🆂🅰
       chiuso mercoledì e dal 15 al 30 luglio – Pas carta 27/46000
       Spec. Spaghetti alla contadina, Scampi arrosto, Grigliata mista di pesce. **Vini** Sauvignon, Sassicaia.

FIAT sulla statale 96 al km 84 ♟ 841388   VW-AUDI via Vittorio Veneto 29/a ♟ 841759
FORD via Bari 72 ♟ 841674

📠   *Per l'iscrizione nelle sue Guide,*

     Michelin non accetta

     nè favori, nè denaro !

ALTARE 17041 Savona – 2 476 ab. alt. 397 – 🟢 019.

Roma 567 – Asti 101 – Cuneo 80 – ♦Genova 68 – ♦Milano 191 – Savona 14 – ♦Torino 123.

   ✗ **Quintilio** con cam, ♟ 58000 – 🛥
       chiuso settembre – Pas *(chiuso mercoledì)* carta 23/36000 – 🔄 3000 – **6 cam** 25/45000.

ALTAVILLA VICENTINA 36077 Vicenza – 7 286 ab. alt. 45 – 🟢 0444.

Roma 541 – ♦Milano 198 – ♦Padova 39 – ♦Venezia 73 – ♦Verona 44 – Vicenza 8.

   🏨 **Genziana,** località Selva SO : 2,5 km ♟ 572159, ≤, 🔺, ✗ – 🛥 rist 🍽 📺 ☎ 🅿. 🆎 🛥
       Pas 20/30000 – 🔄 5000 – **26 cam** 60/80000.

   a Tavernelle NO : 1,5 km – ✉ **36077** Tavernelle Vicentina :

   🏨 **Tre Torri,** ♟ 572411, Telex 430515 – 🛗 🍽 rist 📺 ☎ 🔥 ⇦ 🅿 – 🏛 20 a 100. 🆎 🅱 ⓞ 🅴
       🆅🆂🅰. 🛥 rist
       Pas carta 23/32000 – **76 cam** 🔄 69/109000 – P 102/114000.

   🏠 **Corona** senza rist, ♟ 573612 – 🍽 ☎ 🅿. 🆎 🅱 🅴 🆅🆂🅰
       chiuso agosto – 🔄 4000 – **24 cam** 28/44000, 🍽 3500.

ALTICHIERO Padova – Vedere Padova.

ALTIPIANO LACENO Avellino – Vedere Bagnoli Irpino.

ALTISSIMO 36070 Vicenza – 1 762 ab. alt. 672 – 🟢 0444.

Roma 568 – ♦Milano 218 – Trento 102 – ♦Verona 65 – Vicenza 36.

   ✗✗ **Casin del Gamba,** strada per Castelvecchio ♟ 687709, Coperti limitati; prenotare, ≤ – 🅿
       🆎 🆅🆂🅰. 🛥
       chiuso domenica sera, lunedì, dal 10 al 15 gennaio e dal 16 al 31 agosto – Pas carta 33/45000.

ALTOMONTE 87042 Cosenza – 4 930 ab. alt. 485 – 🟢 0981.

Vedere Tomba★ di Filippo Sangineto nella Cattedrale – San Ladislao★ di Simone Martini nel
museo.

Roma 482 – Castrovillari 38 – ♦Cosenza 71.

   🏨 **Barbieri,** via San Nicola 30 ♟ 948072, ≤, 🐎 – 📺 ☎ ⇦ 🅿. 🆎 🅱 ⓞ
       Pas carta 20/45000 – **24 cam** 🔄 37/65000 – P 75/80000.

ALTOPASCIO 55011 Lucca 988 ⑭ – 9 700 ab. alt. 19 – ۞ 0583.

Roma 332 – ◆Firenze 58 – ◆Livorno 60 – Lucca 18 – ◆Milano 288 – Pisa 36 – Pistoia 27 – Siena 86.

  🏛 **Cavalieri del Tau**, via Gavinana 32 ☎ 25131, 🍽 – 🛗 🗐 📺 ☎ 🅿. 🔊. 🎉
    Pas carta 24/37000 – ☲ 8000 – **30 cam** 50/75000.

FIAT via del Callone ☎ 24777

ALZANO LOMBARDO 24022 Bergamo – 11 542 ab. alt. 294 – ۞ 035.

Roma 608 – ◆Bergamo 7 – ◆Brescia 59 – ◆Milano 54.

  XX **Al Catenone** con cam, ☎ 511283, 🍽 rist. 🖭 🚷 ⓪ ᴇ 𝑽𝑰𝑺𝑨. 🎉
    chiuso dal 1° al 15 gennaio e dal 20 luglio al 20 agosto – Pas *(chiuso lunedì)* carta 35/54000 –
    ☲ 5000 – **8 cam** 32/42000 – P 55000.

ALZATE BRIANZA 22040 Como 219 ⑱ – 3 732 ab. alt. 371 – ۞ 031.

Roma 621 – ◆Bergamo 46 – Como 10 – ◆Milano 42.

  🏛 **Villa Odescalchi** 🦢, ☎ 630822, Fax 632079, « Villa del 17° secolo in un parco », 🏊, 🎾 –
    🅿 – 🏛 30 a 40. 🖭. 🎉 rist
    chiuso novembre – Pas carta 48/64000 – ☲ 12000 – **25 cam** 80/110000 – P 110/120000.

AMALFI 84011 Salerno 988 ㉗ – 6 013 ab. – Stazione climatica e balneare, a.s. Pasqua, giugno-settembre e Natale – ۞ 089.

Vedere Posizione e cornice pittoresche★★★ – Duomo di Sant'Andrea★ : chiostro del Paradiso★★ –
Vie★ Genova e Capuano – Atrani★ E : 1 km.

Dintorni Ravello★★★ NE : 6 km – Grotta dello Smeraldo★★ O : 5 km – Vallone di Furore★★ O :
7 km.

🛈 corso delle Repubbliche Marinare 25/27 ☎ 871107.

Roma 272 – Avellino 61 – Caserta 85 – ◆Napoli 62 – Salerno 25 – Sorrento 34.

  🏰 **Santa Caterina**, ☎ 871012, Telex 770093, Fax 871351, ≤ golfo, « Terrazze fiorite digradanti
    sul mare con ascensori per la spiaggia », 🏊, 🐚 – 🛗 🍽 cam 🗐 📺 ☎ 🚗 🅿 – 🏛 80. 🖭
    🚷 ⓪ ᴇ 𝑽𝑰𝑺𝑨. 🎉 rist
    Pas 45/55000 – ☲ 17000 – **70 cam** 180/340000 appartamenti 450/800000 – P 180/250000,
    b.s. 130/200000.

  🏛 **Luna Convento**, ☎ 871002, Telex 770161, ≤ golfo, « Soggiorno in un chiostro del 13°
    secolo », 🏊, 🐚 – 🛗 🚗 🅿. 🔊. 🎉 rist
    Pas 35/45000 – ☲ 10000 – 45 cam 80/130000 appartamenti 200000 – P 140/150000, b.s. 120000.

  🏛 **Miramalfi**, ☎ 871588, Telex 720325, ≤ Amalfi e golfo, « Sulla scogliera dominante il mare
    con ascensore per la spiaggia », 🏊, 🐚 – 🛗 🍽 ☎ 🅿. 🚷 ⓪ ᴇ 𝑽𝑰𝑺𝑨. 🎉 rist
    Pas carta 32/47000 – ☲ 10000 – 44 cam 49/80000 – P 85000, b.s. 70000.

  🏛 **Dei Cavalieri**, ☎ 871333, Telex 770073, ≤ Amalfi e golfo, « Terrazze fiorite digradanti sul
    mare » – 🛗 🗐 cam 🚗 🅿. 🖭 🚷 ⓪ ᴇ 𝑽𝑰𝑺𝑨. 🎉
    Pas (solo per clienti alloggiati) 20/25000 – ☲ 13000 – 60 cam 48/77000, 🗐 5000 – P 80/95000,
    b.s. 60/70000.

  🏛 **La Bussola**, ☎ 871533, Telex 721519, ≤ – 🛗 ☎ 🅿. 🖭 🚷 ᴇ 𝑽𝑰𝑺𝑨. 🎉 rist
    Pas 28000 – ☲ 6000 – 64 cam 49/80000 – P 85000, b.s. 70000.

  🏛 **Residence**, ☎ 871183, ≤ – 🛗 ☎ ᴦ. 🖭 𝑽𝑰𝑺𝑨. 🎉
    aprile-ottobre – Pas 23/25000 – ☲ 7000 – 27 cam 50/80000 – P 72/80000, b.s. 64/72000.

  🏛 **Aurora** senza rist, ☎ 871209, ≤, 🐚, ᴦ – 🛗 ☎ ᴦ 🚗 🅿. 🖭 🚷 ⓪ ᴇ 𝑽𝑰𝑺𝑨. 🎉
    aprile-15 ottobre – ☲ 6500 – **31 cam** 57/82000.

  🏠 **Lidomare** senza rist, ☎ 871332, ≤ – ☎. 🖭 🚷 ⓪ ᴇ 𝑽𝑰𝑺𝑨
    ☲ 6000 – **14 cam** 36/55000.

  XX **Amalfi Rendez-Vous**, ☎ 872755, ≤ – 🎉
    chiuso martedì da novembre a marzo – Pas carta 22/40000 (10%).

  X **Lo Smeraldino**, ☎ 871070, ≤, 🍽 – 🅿. 🖭 🚷 ⓪ ᴇ 𝑽𝑰𝑺𝑨
    chiuso dal 15 gennaio al 15 febbraio e mercoledì in bassa stagione – Pas carta 24/42000 (10%).

  X **Da Ciccio Cielo-Mare-Terra**, O : 3 km ☎ 831265, ≤ – 🅿.

  X **La Caravella**, ☎ 871029 – 🚷 𝑽𝑰𝑺𝑨
  ↦ chiuso dal 10 al 30 novembre e martedì da dicembre ad aprile – **Pas** carta 17/35000 (10%).

  X **La Taverna del Doge**, ☎ 872303 – 🗐. 🖭 🚷 ⓪ ᴇ 𝑽𝑰𝑺𝑨. 🎉
    chiuso gennaio e venerdì da novembre a marzo – Pas carta 24/33000 (10%).

  X **Il Tarì**, ☎ 871832 – 🗐
    chiuso martedì e dal 5 novembre al 5 dicembre – Pas carta 20/30000 (10%).

    verso Pogerola O : 5 km :

  🏛 **Gd H. Excelsior** 🦢, ✉ 84011 ☎ 871344, Telex 770194, ≤ golfo, costa ed Amalfi, 🍽,
    « Terrazze fiorite con 🏊 » – 🛗 ☎ 🅿 – 🏛 100. 🖭 🚷 ⓪ ᴇ 𝑽𝑰𝑺𝑨. 🎉
    aprile-ottobre – Pas 30/39000 – 97 cam ☲ 88/135000 appartamenti 195000 – P 122000,
    b.s. 96000.

AMALFI (Grotta di) Salerno – Vedere Smeraldo (Grotta dello).

AMALFITANA (Costiera) Napoli e Salerno – Vedere Costiera Amalfitana.

AMANDOLA 63021 Ascoli Piceno 988 ⑯ – 4 092 ab. alt. 550 – ☎ 0736.
Roma 215 – ♦Ancona 109 – Ascoli Piceno 42 – Macerata 50 – Porto San Giorgio 56.

Paradiso, ☎ 847468, ←, – ⓟ. – Pas carta 18/25000 – 3500 – **40 cam** 30/60000 – P 50/60000.

AMANTEA 87032 Cosenza 988 ㊴ – 12 149 ab. – ☎ 0982.
Roma 514 – Catanzaro 67 – ♦Cosenza 43 – ♦Reggio di Calabria 160.

Palmar, S : 1,5 km ☎ 41673, – ⓟ – 200. AE VISA. cam
Pas *(chiuso lunedì)* carta 22/36000 – 4500 – 40 cam 35/65000 – P 60/72000.

Socievole, ☎ 41388 – ⓟ.
chiuso novembre – Pas carta 20/30000 – 6000 – 52 cam 45/70000 – P 50/60000.

sulla strada statale 18 S : 4 km :

La Scogliera, ✉ 87032 ☎ 46219, Fax 46803, ←, – ⓟ – 60. AE VISA. rist
Pas carta 23/35000 – 4000 – 38 cam 50/90000 – P 40/100000.

AMATRICE 02012 Rieti 988 ㉖ – 3 184 ab. alt. 955 – ☎ 0746.
Roma 144 – L'Aquila 75 – Ascoli Piceno 57 – Rieti 66 – Terni 91.

Roma, ☎ 85035, ← – cam ⓟ. cam
Pas carta 18/27000 – 3500 – 34 cam 35/65000 – P 50/65000.

Lo Scoiattolo, S : 1,5 km ☎ 85086, ←, , « Laghetto con pesca sportiva », , – ⓟ
chiuso lunedì – Pas carta 21/28000.

AMBRIA Bergamo – Vedere Zogno.

Un conseil ***Michelin*** *:*
pour réussir vos voyages, préparez-les à l'avance.
Les ***cartes*** *et* ***guides Michelin,*** *vous donnent toutes indications utiles sur :*
itinéraires, visite des curiosités, logement, prix, etc.

ANCONA

Garibaldi (Corso)	ABZ
Stamira (Corso)	AZ
Bruno (Via Giordano)	CY 3
Carlo Alberto (Corso)	CY 4
Giovanni XXIII (Via)	AY 6
Marconi (Via)	AZ 8
Martiri d.Resistenza (V.)	CY 9
Pizzecolli (Via Ciriaco)	AYZ 13
Plebiscito (Piazza)	AZ 14
Raffaello Sanzio (Via)	CY 15
Repubblica (Piazza)	AZ 17
Ricostruzione (V. della)	CY 18
Roma (Piazza)	AZ 19
Stamira (Piazza)	BZ 20
Thaon de Revel (Via)	CZ 21
Vecchini (Via)	BZ 22
24 Maggio (Piazzale)	BZ 23

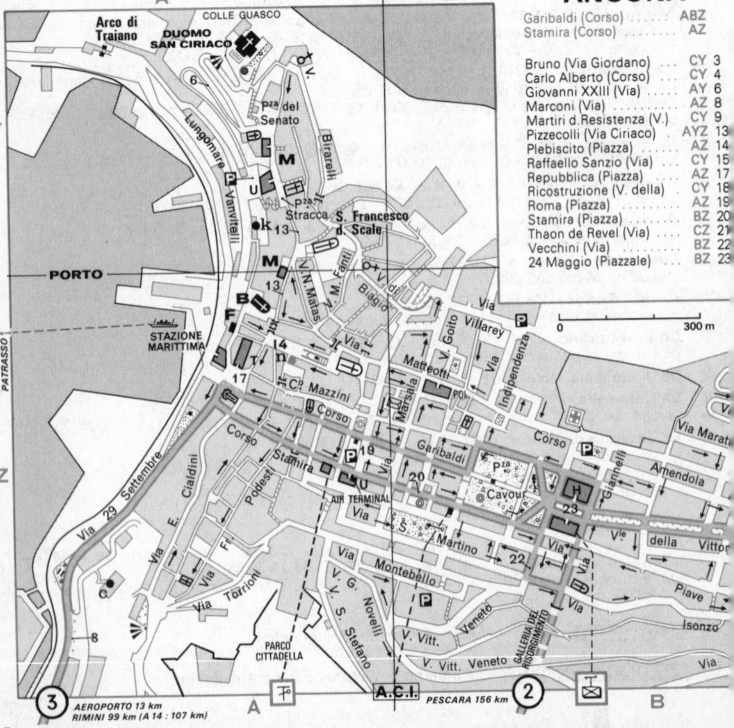

AMEGLIA 19031 La Spezia – 5 005 ab. alt. 80 – ☎ 0187.

Roma 400 – •Genova 107 – Massa 17 – •Milano 224 – Pisa 57 – •La Spezia 16.

- ✪ **Paracucchi-Locanda dell'Angelo**, SE : 3 km strada provinciale Sarzana-Marinella ✆ 64391, Fax 64393 – cam – 250. AE E VISA.
Pas carta 65/80000 – 16500 – **37 cam** 65/130000
Spec. Filetti di acciughe al tartufo nero, Zuppa di scampi e datteri, Terrina di pollo prosciutto e melone. Vini Pinot bianco, Dolcetto.

a Montemarcello S : 5,5 km – ✉ **19030** :

- X **Il Gabbiano** con cam, ✆ **600066**, « Servizio estivo in terrazza con ← », – .
marzo-ottobre – Pas *(chiuso lunedì)* carta 33/51000 – 9000 – 12 cam 35/48000 – P 65/70000.

AMELIA 05022 Terni 988 ㉕ ㉖ – 11 139 ab. alt. 406 – ☎ 0744.

via Orvieto 1 ✆ 981453 – Roma 93 – •Perugia 92 – Terni 24 – Viterbo 42.

- **Scoglio dell'Aquilone**, O : 2 km ✆ 983005, ←, « Giardino ombreggiato » – – 300.
Pas *(chiuso martedì)* carta 23/33000 – 8000 – **38 cam** 42/64000 – P 64000.
- XX **La Gabelletta,** via Tuderte 20 ✆ 982159 – . AE E VISA
chiuso lunedì e dal 15 luglio al 15 agosto – Pas carta 30/49000.

AMIATA (Monte) Siena e Grosseto – Vedere Abbadia San Salvatore.

ANACAPRI Napoli – Vedere Capri (Isola di).

ANCONA 60100 P 988 ⑯ – 104 255 ab. – a.s. luglio e agosto – ☎ 071 – **Vedere** Duomo di San Ciriaco★ AY – Loggia dei Mercanti★ AZ F – Chiesa di Santa Maria della Piazza★ AZ B.

✈ di Falconara per ③ : 13 km ✆ 56257 – Alitalia, Agenzia Cagidemetrio, piazza Roma 21 ✉ 60121 ✆ 58892 – Stazione Ferrovie Stato ✉ 60126 ✆ 41703 – via Thaon de Revel 4 ✉ 60124 ✆ 33249.

A.C.I. corso Stamira 78 ✉ 60122 ✆ 55335.

Roma 319 ③ – •Firenze 263 ③ – •Milano 426 ③ – •Perugia 166 ③ – •Pescara 156 ② – •Ravenna 161 ③.

- **Gd H. Palace,** lungomare Vanvitelli 24 ✉ 60121 ✆ 201813 – . AE E VISA
chiuso dal 22 dicembre al 7 gennaio – Pas *(chiuso domenica)* 35/40000 – 10000 – **41 cam** 98/155000 appartamento 310000. AY **k**

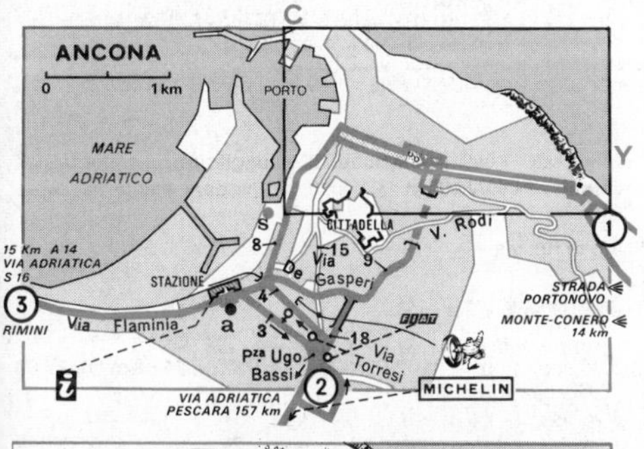

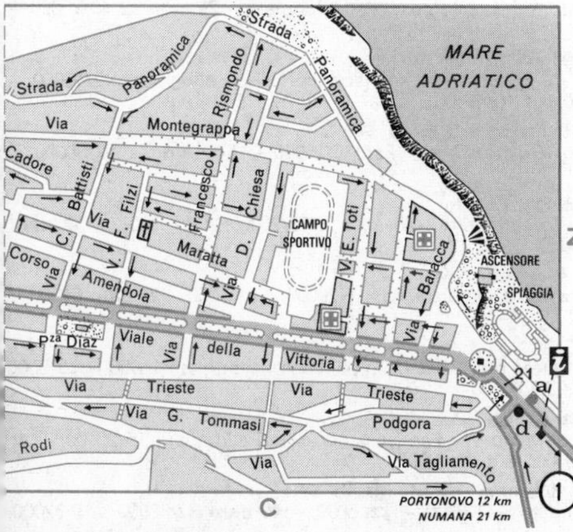

- **Jolly,** rupi di via 29 Settembre 14 ✉ 60122 ✆ 201171, Telex 560343, ← – – 100 a 200. AE E VISA. rist
Pas 40000 – **89 cam** 98/144000. AZ **c**
- **Gd H. Passetto** senza rist, via Thaon de Revel 1 ✉ 60124 ✆ 31307, ← – CZ **d**
45 cam.
- **Fortuna** senza rist, piazza Rosselli 15 ✉ 60126 ✆ 42662, Telex 561286 – . AE E VISA.
6000 – **58 cam** 49/80000. CY **a**
- XXX **Passetto,** piazza 4 Novembre ✉ 60124 ✆ 33214, ←, « Servizio estivo in terrazza » – – 200. AE VISA. CZ **a**
chiuso mercoledì – Pas carta 34/58000 (13%).
- XX **La Moretta,** piazza Plebiscito 52 ✉ 60122 ✆ 202317 – AE E VISA
chiuso domenica e dal 13 al 18 agosto – Pas carta 31/47000 (10%). AZ **n**
- XX **Miscia,** molo Sud ✉ 60125 ✆ 201376 – . CY **s**
chiuso domenica sera e da Natale al 1° gennaio – Pas (menu di soli piatti di pesce) 75000 (10%).

   a Torrette per ③ : 4 km – ⊠ 60020 :

🏨 **Sporting** senza rist, 🖋 888294 – 🛗 ☎ 🅟 – 🚗 50 a 100. 🆔 ⓪ 𝗩𝗜𝗦𝗔
   ⊊ 6000 – **100 cam** 50/80000.

✗ **Carloni,** 🖋 888239 – 🆔 🅱 ⓪ 🗲 𝗩𝗜𝗦𝗔
   chiuso lunedì – Pas carta 23/39000 (12%).

   a Palombina Nuova per ③ : 6 km – ⊠ 60020 :

🏨 **MotelAgip,** 🖋 888241, ≼ – 🛗 📺 ☎ 🅟. 🆔 🅱 ⓪ 🗲 𝗩𝗜𝗦𝗔. ✸ rist
   Pas (chiuso sabato) 26000 – ⊊ 11000 – **51 cam** 50/82000 – P 103/112000.

   a Portonovo per ① : 12 km – ⊠ 60020.
   Vedere Chiesa di Santa Maria★.

🏨 **Fortino Napoleonico** ⊛, 🖋 801124, 🐜≼, ✿ – 🍽 rist ☎ & 🅟. 🆔 🅱 ⓪ 🗲 𝗩𝗜𝗦𝗔. ✸ rist
   Pas (prenotare) carta 41/69000 (15%) – ⊊ 10000 – 29 cam 82000 – P 130000, b.s. 95000.

🏨 **Emilia** ⊛, in collina O : 2 km 🖋 801145, ≼, « Collezione di quadri d'arte moderna », 🔽, ✿,
   ✗ – 🛗 📺 ☎ & 🅟. ✸
   marzo-novembre – Pas (chiuso domenica e lunedì) carta 40/55000 (10%) – ⊊ 8500 – 30 cam
   50/80000 – P 125/135000, b.s. 100/110000.

🏠 **Internazionale** ⊛, 🖋 801001, ≼, ✿ – ☎ 🅟. 𝗩𝗜𝗦𝗔. ✸ rist
   Pas carta 32/46000 – ⊊ 9000 – **30 cam** 47/78000 – P 95000, b.s. 75000.

   al monte Conero (Badia di San Pietro) per ① : 21 km – alt. 572 :

🏠 **Monteconero** ⊛, ⊠ 60020 Sirolo 🖋 936122, ≼, 🔽, ✗ – ☜ 🅟. 🆔 🅱 ⓪ 𝗩𝗜𝗦𝗔. ✸ rist
   Pasqua-ottobre – Pas carta 27/37000 (10%) – ⊊ 5500 – **38 cam** 50/80000 – P 58/83000,
   b.s. 50/64000.

MICHELIN, strada statale 16 - Adriatica km 307, località Baraccola CY – ⊠ 60131, 🖋 8046319.

ALFA-ROMEO via del Commercio 1-Palombare per
② 🖋 84355
ALFA-ROMEO via 1° Maggio 10 🖋 804222
BMW via Flaminia 84 🖋 43545
CITROEN via dell'Industria 13 🖋 890208
FIAT corso Carlo Alberto 87 🖋 898000
FIAT via Flamina 220-Torrette per ③ 🖋 888201
FIAT via della Montagnola 3 per ③ 🖋 894961
GM-OPEL via Flaminia 67 🖋 43586

LANCIA-AUTOBIANCHI via Flaminia 220-Torrette
per ③ 🖋 888270
MERCEDES-BENZ via De Gasperi 45 🖋 85845, Telex
561882
PEUGEOT-TALBOT via Miano 43 🖋 82611
RENAULT via Miano 🖋 82669
VW-AUDI via De Gasperi 26 🖋 894695
VOLVO sulla statale 16 al km 306 🖋 8046132

ANDALO 38010 Trento 🗟🗟🗟 ④ – 974 ab. alt. 1 050 – Stazione di villeggiatura, a.s. febbraio-
15 marzo, Pasqua e Natale – Sport invernali : 1 050/2 103 m ≼1 ≼10, ⚹ (vedere anche Fai della
Paganella e Molveno) – ✪ 0461.

Dintorni ※★★ dal Monte Paganella 30 mn di funivia.

🖪 piazza Centrale 🖋 585836, Telex 401385.

Roma 625 – ♦Bolzano 60 – ♦Milano 214 – Riva del Garda 48 – Trento 38.

🏨 **Piccolo Hotel** ⊛, 🖋 585710, ≼ gruppo di Brenta – 🛗 ⇝ rist ☎ ⇦. 𝗩𝗜𝗦𝗔. ✸
   20 dicembre-20 aprile e 22 giugno-10 settembre – Pas 23/25000 – ⊊ 8000 – **24 cam** 50/85000
   appartamenti 105/130000 – P 68/72000, b.s. 48/52000.

🏨 **Dal Bon** ⊛, 🖋 585839, ≼ – 🛗 ☎ 🅟. ✸
   20 dicembre-marzo e luglio-agosto – Pas (solo per clienti alloggiati) – **29 cam** ⊊ 40/76000 –
   P 89000, b.s. 60000.

🏨 **Andalo,** 🖋 585849, ≼, ✿ – 🛗 ⇝ ⇦ 🅟. 𝗩𝗜𝗦𝗔. ✸
◆ 20 dicembre-marzo e 20 giugno-10 settembre – Pas (solo per clienti alloggiati) 12/16000 –
   36 cam ⊊ 40/75000 – P 60/66000, b.s. 40/45000.

🏨 **Splendid,** 🖋 585777, ≼ gruppo di Brenta – 🛗 ⇝ 🅟. ✸
◆ 15 dicembre-marzo e 20 giugno-10 settembre – Pas 18/25000 – **57 cam** ⊊ 52/85000 –
   P 55/70000, b.s. 40/55000.

🏠 **Cristallo,** 🖋 585744, ≼ – 🛗 ☎ & 🅟. 𝗩𝗜𝗦𝗔. ✸
   dicembre-23 aprile e 15 giugno-15 settembre – Pas carta 18/26000 – ⊊ 7000 – **30 cam**
   38/66000 – P 58/62000, b.s. 40/45000.

🏠 **Olimpia,** 🖋 585715, ≼, ✿ – 🛗 ⇝ ⇦ 🅟. ✸
   15 dicembre-22 aprile e 20 giugno-15 settembre – Pas 17/20000 – ⊊ 7000 – **27 cam** 64000 –
   P 48/70000, b.s. 40/48000.

🏠 **Alaska,** 🖋 585631, ≼ – 🛗 ☎ 🅟. ✸
◆ dicembre-marzo e 15 giugno-10 settembre – Pas (solo per clienti alloggiati) 15000 – ⊊ 5000
   – **26 cam** 70000 – P 50/60000, b.s. 30/40000.

🏠 **Serena,** 🖋 585727, ≼ – 🛗 ☎ ⇝ 🅟. 𝗩𝗜𝗦𝗔. ✸
◆ dicembre-aprile e 15 giugno-15 settembre – Pas (solo per clienti alloggiati) 15/20000 – ⊊
   8000 – **33 cam** 34/46000 – P 50/54000, b.s. 38/40000.

🏠 **Melchiori,** 🖋 585829, ≼ gruppo di Brenta – 🛗 ⇦ 🅟. 🅱. ✸
◆ chiuso ottobre – Pas (chiuso lunedì) 14/18000 – ⊊ 5000 – **45 cam** 32/53000 – P 52000,
   b.s. 40/42000.

ANDORA 17020 Savona – 6 455 ab. – Stazione balneare – © 0182.

🖼 via Fontana 9 ℘ 85796.

Roma 601 – ✦Genova 102 – Imperia 16 – ✦Milano 225 – Savona 56 – Ventimiglia 63.

a Marina di Andora – ✉ 17020 :

🏠 **Liliana,** via del Poggio 23 ℘ 85083 – 🕯 ☎ 🚗. ❄
✦ *aprile-15 ottobre* – Pas 17/25000 – ☲ 7500 – **38 cam** 35/48000 appartamenti 100000 – P 53000.

🏠 **Moresco,** via Aurelia 96 ℘ 85414, ≤ – 🕯 ☎. 🖭 🕃 ⓞ 🅴 🆅🆂🅰. ❄ rist
chiuso da novembre al 22 dicembre – Pas (solo per clienti alloggiati) 20/25000 – ☲ 5000 – 35 cam 40/60000 – P 60/65000.

✕✕ **Rocce di Pinamare,** via Aurelia 39 ℘ 85223, ≤, 🛋, « Terrazza fiorita sul mare », 🐾 – 🅿.
🖭 ⓞ 🆅🆂🅰
chiuso mercoledì e novembre – Pas carta 46/70000.

a San Pietro N : 4 km – ✉ **17020** Andora :

✕✕ **Pan de Cà,** via Conna 13 ℘ 80290 – 🅿
chiuso martedì e dal 15 ottobre al 15 novembre – Pas 33000 bc.

ANDRIA 70031 Bari 🔢🔢🔢 ☎ – 88 854 ab. alt. 151 – © 0883.

Roma 399 – Bari 58 – Barletta 12 – ✦Foggia 82 – Matera 78 – Potenza 119.

✕✕ **La Siepe,** via Bonomo 97/b ℘ 24413 – ⓞ 🆅🆂🅰. ❄
chiuso venerdì – Pas carta 20/30000 (10%).

Vedere anche : *Castel del Monte* S : 17 km.

FIAT via Macchie di Rose ℘ 81122   RENAULT via Alto Adige 73 ℘ 85113

ANGERA 21021 Varese 🔢🔢🔢 ②, 🔢🔢🔢 ⑦ – 5 422 ab. alt. 205 – © 0331.

Vedere Affreschi dei maestri lombardi✶✶ nella Rocca.

Roma 640 – ✦Milano 63 – Novara 47 – Stresa 33 – Varese 31.

🏠 Dei Tigli, ℘ 930836 – ☎ 🚗
stagionale – 28 cam.

✕ **Del Porto,** ℘ 930490, 🛋 – ❄
chiuso martedì sera, mercoledì e dal 25 dicembre al 30 gennaio – Pas carta 26/48000.

ANGOLO TERME 25040 Brescia – 2 556 ab. alt. 420 – a.s. luglio-settembre – © 0364.

Roma 618 – ✦Bergamo 55 – ✦Bolzano 174 – ✦Brescia 59 – Edolo 48 – ✦Milano 100.

🏛 **Terme,** ℘ 54066, ≤ – 🕯 ☎ ᕒ 🚗 🅿. ❄ rist
aprile-ottobre – Pas carta 20/30000 – ☲ 5000 – **80 cam** 60000 – P 42/56000, b.s. 42/48000.

ANGUILLARA SABAZIA 00061 Roma – 8 352 ab. alt. 175 – © 06.

Roma 32 – Civitavecchia 59 – Terni 90 – Viterbo 59.

✕ **Da Zaira,** ℘ 9018082, ≤, 🛋 – 🅿. 🖭. ❄
chiuso martedì e dal 20 dicembre al 10 gennaio – Pas carta 20/33000 (10%).

FIAT via Anguillarese ℘ 9014593   LANCIA-AUTOBIANCHI via Anguillarese al km 5 ℘ 9018724

ANITA 44010 Ferrara – alt. 3 – © 0532.

Roma 403 – ✦Bologna 78 – ✦Ferrara 64 – ✦Milano 291 – ✦Ravenna 24.

✕ **Spaventapasseri,** ℘ 801220 – 🅿. ❄
✦ *chiuso dal 15 gennaio al 28 febbraio, lunedì sera e martedì (escluso luglio-agosto)* – Pas carta 18/30000.

ANNONE (Lago di) Como 🔢🔢🔢 ⑨ – Vedere Oggiono.

ANNONE VENETO 30020 Venezia 🔢🔢🔢 ⑤ – 3 281 ab. alt. 11 – © 0422.

Roma 576 – Pordenone 24 – Treviso 42 – ✦Trieste 117 – Udine 78 – ✦Venezia 63.

✕ **Da Guido** con cam, ℘ 769193 – 🖻 rist ᕒ 🅿 ⓞ 🆅🆂🅰. ❄
chiuso gennaio – Pas (chiuso lunedì) carta 23/40000 – ☲ 4000 – **6 cam** 20/35000.

ANSEDONIA Grosseto 🔢🔢🔢 ㉓ – ✉ **58016** Orbetello Stazione – a.s. Pasqua e 15 giugno-15 settembre – © 0564.

Vedere Città antica di Cosa✶.

Roma 145 – Civitavecchia 69 – ✦Firenze 186 – Grosseto 45 – Orbetello 10 – Viterbo 81.

✕ **Vinicio** con cam, ℘ 881220, ≤ mare – 🖻 rist 🅿 🖭 🕃 ⓞ. ❄ rist
Pas (chiuso martedì e novembre) carta 31/43000 (10%) – ☲ 8000 – **8 cam** 35/55000 – P 90/95000, b.s. 75/80000.

ANTAGNOD Aosta 🔢🔢🔢 ④ – Vedere Ayas.

ANTERSELVA DI MEZZO e DI SOTTO (ANTHOLZ MITTERTAL und NIEDERTAL) Bolzano 988 ⑤
– Vedere Rasun Anterselva.

ANTEY-SAINT-ANDRÉ 11020 Aosta 219 ③ – 500 ab. alt. 1 080 – a.s. 15 febbraio-15 marzo,
Pasqua, 15 luglio-agosto e Natale – © 0166.

🖈 località Grand Moulin ℘ 48266.

Roma 729 – Aosta 33 – Breuil-Cervinia 20 – ◆Milano 167 – ◆Torino 96.

🏠 **Filey,** località Filey ℘ 48212, ≼, 🐾 – ⇞| 🚗 📵. ≉≉
    chiuso dal 18 settembre al 4 dicembre – Pas *(chiuso martedì)* carta 26/41000 – ⊈ 5000 –
    39 cam 33/66000 – P 55/69000.

🏠 **La Grolla,** località Filey ℘ 48277, ≼, 🐾 – 📵. ≉≉ rist
    20 dicembre-10 gennaio e 15 giugno-10 settembre – Pas carta 23/34000 – ⊈ 5000 – **12 cam**
    30/60000 – P 60/70000, b.s. 45/50000.

🏠 **Des Roses,** località Poutaz ℘ 48248, ≼, 🐾 – 🚗 📵. ≉≉ rist
✦   *6 dicembre-5 maggio e 25 giugno-20 settembre* – Pas 14/22000 – ⊈ 6000 – **21 cam** 38/51000
    – P 48/56000, b.s. 40/48000.

    Vedere anche : *Torgnon* O : 7 km.
                     La Magdeleine E : 8 km.

ANTIGNANO Livorno – Vedere Livorno.

ANZIO 00042 Roma 988 ㉖ – 31 403 ab. – Stazione balneare – © 06.

Vedere Guida Verde.

⚓ per Ponza 15 giugno-15 settembre giornaliero (2 h 30 mn) – Caremar-agenzia Vecchiarelli, via
Innocenziano 47/51 ℘ 9831231, Telex 610451.

⚓ per Ponza giornalieri (1 h 10 mn) – Aliscafi SNAV e Agenzia Helios, via Innocenziano 18 ℘
9845085, Telex 613086.

🖈 riviera Zanardelli 105 ℘ 9845147.

Roma 60 – Frosinone 81 – ╀Latina 25 – Ostia Antica 49.

🏨 **Gd H. dei Cesari,** via Mantova 3 ℘ 9874751, Fax 9874751, ≼, ⊒, 🐾, 🐾 – ⇞| ▤ ☎ 🚗 📵
    – 🔬 25 a 250. 🖭 🕄 ⓞ ∈ 𝖵𝖨𝖲𝖠. ≉≉
    Pas carta 25/50000 (15%) – **108 cam** ⊈ 110/170000 – P 124/144000.

🏨 **Lido Garda,** piazza Caboto 8 ℘ 9845389, ≼, ⊒, 🐾, 🐾 – ⇞| ⊛ 📵 – 🔬 30 a 300. 🖭 🕄 ⓞ
    ∈ 𝖵𝖨𝖲𝖠. ≉≉
    Pasqua-15 settembre – Pas *(chiuso sino al 31 maggio)* 30000 – ⊈ 5500 – **32 cam** 35/60000 –
    P 45/80000.

%%% **Flora,** via Flora 9 ℘ 9846001 – ▤. 🖭 🕄 ⓞ ∈. ≉≉
    chiuso martedì e dal 22 dicembre al 4 gennaio – Pas 60/80000.

%% **All'Antica Darsena,** piazza Sant'Antonio 1 ℘ 9845146, ≼ – 🕄 ⓞ 𝖵𝖨𝖲𝖠. ≉≉
    chiuso lunedì – Pas carta 25/44000 (12%).

% Al Turcotto, riviera Mallozzi 44 ℘ 9846340, ≼ – 📵.

    a Lavinio Lido di Enea NO : 8 km – ⊠ 00040 – a.s. 15 giugno-agosto :

🏨 **Succi** ⑤, località Tor Materno ℘ 9871798, ≼ – ⇞| 📺 ☎ 🚗. 🖭 🕄 ⓞ ∈ 𝖵𝖨𝖲𝖠. ≉≉
    Pas carta 32/43000 (15%) – ⊈ 10000 – **39 cam** 60/85000 – P 70/80000, b.s. 65/70000.

RENAULT via Nettunese ℘ 9872254   VW-AUDI via Nettunese 273 ℘ 9870145

ANZOLA DELL'EMILIA 40011 Bologna – 9 502 ab. alt. 40 – © 051.

Roma 381 – ◆Bologna 13 – ◆Ferrara 57 – ◆Modena 26.

🏨 **Alan** senza rist, via Emilia 46/b ℘ 733562, Fax 733562 – ⇞| ▤ 📺 ☎ 📵. 🖭 ⓞ 𝖵𝖨𝖲𝖠
    ⊈ 10000 – **61 cam** 70/100000.

🏨 **Lu King** senza rist, via Emilia 65 ℘ 734273, Telex 520327 – ⇞| 📺 ☎ 📵. 🖭 ⓞ 𝖵𝖨𝖲𝖠. ≉≉
    42 cam ⊈ 75/100000.

%% **Il Ristorantino-da Dino,** via 25 Aprile 11 ℘ 732364 – 🖭 ⓞ 𝖵𝖨𝖲𝖠. ≉≉
    chiuso domenica sera e lunedì – Pas carta 23/40000.

AOSTA (AOSTE) 11100 ℙ 988 ②, 219 ②, 74 ㉖ – 36 716 ab. alt. 583 – a.s. Pasqua, luglio-
settembre e Natale – Sport invernali : a Pila : 1 814/2 520 m ⟨🚡 2 🎿 10, 🎿 – © 0165.

Vedere Collegiata di Sant'Orso Y : capitelli** del chiostro* – Finestre* del Priorato di Sant'Orso Y
– Monumenti romani* : Porta Pretoria Y A, Arco di Augusto Y B, Teatro Y D, Anfiteatro Y E, Ponte
Y G.

Escursioni Valle d'Aosta** : ≼*** Est, Sud-Ovest.

🖈 piazza Chanoux 3 e 8 ℘ 40526 e 35655, Telex 210208.

A.C.I. piazza Roncas 7 ℘ 362208.

Roma 746 ② – Chambéry 197 ③ – ◆Genève 139 ③ – Martigny 72 ① – ◆Milano 184 ② – Novara 139 ② – ◆Torino
113 ②.

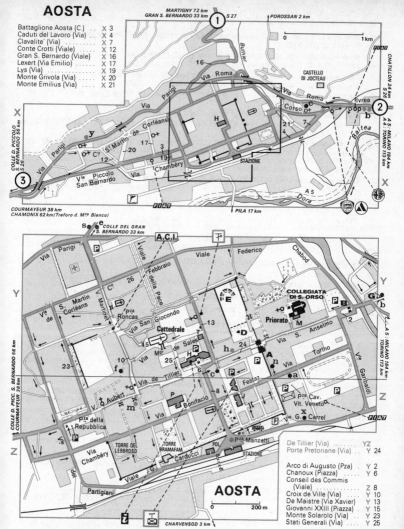

AOSTA

Battaglione Aosta (C.) .... X 3
Caduti del Lavoro (Via) ...... X 4
Clavalité (Via) .... X 7
Conte Crotti (Viale) .... X 12
Gran S. Bernardo (Viale) ..... X 16
Lexert (Via Emilio) .... X 17
Lys (Via) .... X 19
Monte Grivola (Via) .... X 20
Monte Emilius (Via) .... X 21

De Tillier (Via) .... YZ
Porte Pretoriane (Via) ..... Y 24

Arco di Augusto (Pza) ...... Y 2
Chanoux (Piazza) .... Y 6
Conseil des Commis
(Viale) .... Z 8
Croix de Ville (Via) .... Y 10
De Maistre (Via Xavier) .... Y 13
Giovanni XXIII (Piazza) .... Y 15
Monte Solarolo (Via) ...... Y 23
Stati Generali (Via) .... Y 25

AOSTA

🏨 **Valle d'Aosta** senza rist, corso Ivrea 146 ℰ 41845, Telex 212472, ⇐ – ⧉ 🆃🆅 ☎ 🅰 ⟺ 🅿 –
🛗 70. 🅰🅴 🕃 ⓞ 🅴 🆅🅸🆂🅰
☲ 8000 – **104 cam** 100/143000. X b

🏨 **Europe,** piazza Narbonne 8 ℰ 40566 – ⧉ 🍽 rist 🆃🆅 ☎. 🅰🅴 🕃 ⓞ 🅴 🆅🅸🆂🅰 Y c
Pas carta 24/35000 – ☲ 8000 – 72 cam 80/120000 appartamenti 140/180000 – P 120000,
b.s. 74/87000.

🏨 **Ambassador,** via Duca degli Abruzzi 2 ℰ 42230, ⇐ – ⧉ 🖥 🅰 ⟺ 🅿 🎤 X c
chiuso dal 4 al 28 gennaio – Pas carta 28/48000 – ☲ 8000 – 44 cam 60/80000 appartamenti
100/130000 – P 68/80000, b.s. 65/75000.

🏨 **Turin,** via Torino 14 ℰ 44593 – ⧉ 🖥 ⟺. 🅰🅴 🕃 ⓞ 🅴 🆅🅸🆂🅰 Y a
chiuso dal 15 novembre al 20 dicembre – Pas (chiuso lunedì) carta 24/38000 – ☲ 7000 –
51 cam 50/79000 – P 64/74000, b.s. 61/64000.

🏨 **Residence Montblanc** senza rist, viale Gran San Bernardo 2 ℰ 44522 – ⧉ ☎ 🅰 🅿. 🅰🅴 🕃
ⓞ 🅴 🆅🅸🆂🅰 🎤 Y e
☲ 5000 – **70 cam** 50/79000.

Mignon senza rist, viale Gran San Bernardo 7 ☎ 40980 – TV ☎ 🚗 P. AE ⓢ ⓞ E VISA — Y s
22 cam ⊐ 60/99000.

Bus, via Malherbes 18 ☎ 43645 – |♦| ☎ 🚗 P. AE ⓢ ⓞ E VISA — Y f
Pas 19000 – ⊐ 7000 – **39 cam** 50/80000 – P 70/80000, b.s. 60000.

Roma senza rist, via Torino 7 ☎ 40821 – |♦| ☎ 🚗. AE ⓢ ⓞ E VISA — Y n
chiuso dal 7 gennaio al 6 febbraio – ⊐ 7000 – **33 cam** 50/79000.

Le Pageot senza rist, via Carrel 31 ☎ 32433 – TV ☎ 🚗. AE ⓢ ⓞ E VISA. ✻ — Z x
⊐ 7000 – **18 cam** 50/81000.

Cecchin, via Ponte Romano 27 ☎ 45262 – ☎ 🚗. ✻ — Y b
chiuso dal 15 ottobre al 15 dicembre – Pas *(chiuso lunedì)* carta 22/37000 – ⊐ 5000 – **10 cam** 40/70000 – P 75000, b.s. 65000.

XXX ✿✿ **Cavallo Bianco,** via Aubert 15 ☎ 362214, Coperti limitati; prenotare – AE ⓞ VISA. ✻ — Z m
chiuso domenica sera e lunedì (escluso luglio-agosto) – Pas 65/90000
Spec. Pain Epicèe alla vellutata di cavolo con fonduta valdostana, Crèpe parmentiere ai sanguinecci, Filetto alla Carbonade. Vini Pinot noir, Chardonnay.

XX **Le Foyer,** corso Ivrea 146 ☎ 32136 – ▤ P. AE ⓢ ⓞ E VISA. ✻ — X b
chiuso martedì, dal 5 al 20 gennaio e dal 5 al 20 luglio – Pas carta 32/48000.

X **Agip,** corso Ivrea 138 ☎ 44565 – ▤ P. ✻ — X b
chiuso lunedì da ottobre a maggio – Pas carta 29/45000.

X **Piemonte,** via Porta Pretoria 13 ☎ 40111 – ⓢ ⓞ E VISA. ✻ — Y h
chiuso domenica, gennaio e giugno – Pas carta 26/33000.

X **Traforo-da Marino,** via Parigi 136 ☎ 553308, prenotare – P. ✻ — X y
chiuso lunedì, aprile ed ottobre – Pas carta 19/36000.

a Charvensod S : 3 km Z – alt. 746 – ✉ **11020** :

X **Borbey,** ☎ 41877 – ✻
chiuso lunedì, giugno ed ottobre – Pas carta 23/39000.

a Pila S : 17 km X – alt. 1 814 – ✉ **11020** Gressan :

Plan Bois ⛰, ☎ 521052, ≤ – TV ☎ 🚗 P – *stagionale* – 22 cam.

Vedere anche : ***Saint Christophe*** per ② : 4 km.
Quart-Villefranche per ② : 9 km.

ALFA-ROMEO corso Ivrea 132 ☎ 40029
BMW viale Carrel 41 ☎ 41042
CITROEN viale Garibaldi 9 ☎ 31322
FIAT corso Battaglione Aosta 103 ☎ 40146
FIAT via Mazzini 14/16 ☎ 40963
FIAT corso Ivrea 128 ☎ 34847
FORD a Quart-Villefranche, regione Amerique 125 ☎ 765122
INNOCENTI a Saint Christophe, località Grand Chemin per ② ☎ 32088
LANCIA-AUTOBIANCHI corso Ivrea 43 ☎ 362114
LANCIA-AUTOBIANCHI a Saint Christophe, località Grand Chemin 15 per ② ☎ 362345
MERCEDES-BENZ a Saint Christophe, località Grand Chemin ☎ 361947
PEUGEOT-TALBOT a Quart-Villefranche, regione Amerique ☎ 765008
RENAULT via Piccolo San Bernardo 28 ☎ 551534
VW-AUDI a Saint Christophe, località Grand Chemin ☎ 33324
VOLVO via Chambery 60 ☎ 42397

APPIANO (EPPAN) **39057** Bolzano **988** ④, **218** ⑳ – 10 539 ab. alt. (frazione San Michele) 418 – a.s. aprile e luglio-15 ottobre – ☎ 0471.
ℹ piazza Municipio 1 ☎ 52206 – Roma 641 – ♦Bolzano 10 – Merano 32 – ♦Milano 295 – Trento 57.

a San Michele (St. Michael) – ✉ **39057** San Michele Appiano :

Angerburg ⛰, ☎ 52107, « Grazioso giardino » – ☎ P. ✻ rist
aprile-2 novembre – Pas carta 23/35000 – 35 cam (solo pens) – P 60/66000, b.s. 53/59000.

XX **Zur Rose,** ☎ 52249
chiuso domenica e da gennaio al 15 febbraio – Pas carta 29/44000.

a Cornaiano (Girlan) NE : 2 km – ✉ **39050** :

XX **Marklhof-Bellavista,** ☎ 52407, ≤, « Servizio estivo in terrazza » – P. AE
chiuso lunedì e dal 25 giugno al 7 luglio – Pas carta 29/41000.

a Monte (Berg) NO : 2 km – ✉ **39057** San Michele Appiano :

Steinegger ⛰, ☎ 52248, ≤ vallata, ⛱, ⛱, 🌳, 🎾 – ☎ P. ✻ rist
aprile-novembre – Pas *(chiuso mercoledì)* carta 18/27000 – 21 cam ⊐ 38/76000 – P 40/48000, b.s. 40/46000.

a San Paolo (St. Pauls) N : 3 km – ✉ **39050** San Paolo Appiano :

Uli ⛰, ☎ 52503, ≤, ⛱ riscaldata, 🌳 – |♦| ☎ P. ✻
aprile-1° novembre – Pas (solo per clienti alloggiati e *chiuso a mezzogiorno*) 20/35000 – **25 cam** ⊐ 50/100000 – ½ P 55/63000, b.s. 51/59000.

a Missiano (Missian) N : 4 km – ✉ **39050** San Paolo Appiano :

Schloss Korb ⛰, ☎ 633222, ≤ vallate, « In un castello medioevale », ⛱, ⛱, 🌳, 🎾 – |♦| ☎ P – 🏛 30 a 100
aprile-5 novembre – Pas 40000 – **56 cam** ⊐ 79/148000 – P 92/117000.

APRICA 23031 Sondrio 𝟵𝟴𝟴 ③④ – 1 589 ab. alt. 1 181 – Stazione di villeggiatura – Sport invernali : 1 181/2 309 m ≰6 ≰11, ⫞ – ✿ 0342.

🖪 via Roma 156 ℰ 746113, Telex 312126.

Roma 674 – ♦Bolzano 141 – ♦Brescia 116 – ♦Milano 157 – Sondrio 30 – Passo dello Stelvio 79.

🏠 **Bozzi,** ℰ 746169, Fax 747766, ≼, « Giardino » – 🛗 ⊛ ⅙ ⇔ 🅿 – 🔬 50. ✿ rist
➡ dicembre-25 aprile e luglio-agosto – Pas 18/35000 – ⟲ 7000 – **45 cam** 70/100000 – P 80/110000.

🏠 **Cristallo,** ℰ 746159, ≼, ⋇ – 🛗 ⊛ 🅿 ⅣⅢ 𝘝𝘐𝘚𝘈 ✿ rist
➡ dicembre-aprile e 20 giugno-20 settembre – Pas 18/25000 – ⟲ 8000 – **30 cam** 35/56000 – P 65/95000.

🏠 **Larice Bianco,** ℰ 746275, ≼ – 🛗 ☎ 🅿 ✿ rist
➡ dicembre-aprile e giugno-settembre – Pas (chiuso mercoledì) 17/20000 – ⟲ 8000 – 25 cam 32/52000 – P 65/70000.

🏠 **Sport,** ℰ 746134 – 🛗 ☎ 🅿 ✿ rist
Pas (chiuso martedì) 20000 – ⟲ 7000 – **20 cam** 33/55000 – P 75000.

🏠 **Eden,** ℰ 746253, ≼ – 🛗 ⊛ ⅙ ⇔ 🅿 ⅣⅢ 𝘝𝘐𝘚𝘈 ✿ rist
dicembre-aprile e luglio-20 settembre – Pas (chiuso venerdì) carta 22/37000 – ⟲ 8000 – **18 cam** 38/59000 – P 70/73000.

✕✕ **Di Arrigo,** ℰ 746131 – ⅣⅢ ✿
chiuso martedì, dal 1° al 15 giugno e dal 15 al 30 settembre – Pas carta 23/35000 (10%).

APRICALE 18030 Imperia 𝟭𝟵𝟱 ⑨, 𝟴𝟰 ② – 463 ab. alt. 273 – ✿ 0184.

Roma 668 – ♦Genova 169 – Imperia 55 – ♦Milano 292 – San Remo 30 – Ventimiglia 16.

✕✕ **La Capanna-da Baci,** ℰ 208137, prenotare – ⅣⅢ 🛐 𝘝𝘐𝘚𝘈 ✿
chiuso lunedì sera, martedì, dal 10 giugno al 10 luglio e dal 10 novembre al 10 dicembre – Pas 20/26000.

✕ **La Favorita** ⏛ con cam, ℰ 208186 – 🅿
6 cam.

AQUILEIA 33051 Udine 𝟵𝟴𝟴 ⑥ – 3 493 ab. alt. 5 – ✿ 0431.

Vedere Basilica★★ : affreschi★★ della cripta carolingia, pavimenti★★ della cripta degli Scavi – Rovine romane★.

Roma 635 – Gorizia 32 – Grado 11 – ♦Milano 374 – ♦Trieste 45 – Udine 37 – ♦Venezia 124.

✕ **La Colombara,** NE : 2 km ℰ 91513 – 🅿 𝘝𝘐𝘚𝘈 ✿
chiuso lunedì – Pas carta 26/41000.

ARABBA 32020 Belluno 𝟵𝟴𝟴 ⑤ – alt. 1 602 – Stazione di villeggiatura, a.s. 15 febbraio-Pasqua, 15 luglio-agosto e Natale – Sport invernali : 1 602/2 950 m ≰2 ≰6 (anche sci estivo sulla Marmolada), ⫞ a Campolongo (Passo) – ✿ 0436.

🖪 ℰ 79130, Telex 440823.

Roma 709 – Belluno 74 – Cortina d'Ampezzo 37 – ♦Milano 363 – Passo del Pordoi 11 – Trento 127 – ♦Venezia 180.

🏨 **Sport Hotel Arabba,** ℰ 79321, Telex 440832, ≼ – 🛗 ⊛ 🅿 ✿
20 dicembre-10 aprile e luglio-15 settembre – Pas (chiuso mercoledì) 25/50000 – **45 cam** ⟲ 60/140000 – P 90/140000, b.s. 65/90000.

🏠 **Olympia,** ℰ 79235, ≼ – 🛗 ⊛ 🅿 ✿ rist
➡ 20 dicembre-aprile e 20 giugno-settembre – Pas 13/16000 – 35 cam ⟲ 45/80000 – P 48/79000, b.s. 48/60000.

✕ **Posta** con cam, ℰ 79105, ≼ – 🛗 ⊛ 🅿 𝘝𝘐𝘚𝘈 ✿ rist
dicembre-aprile e giugno-15 ottobre – Pas (chiuso lunedì) carta 20/29000 (10%) – ⟲ 4500 – **13 cam** 25/48000 – P 46/55000, b.s. 40/46000.

sulla strada statale 48 E : 3 km :

✕ **Al Forte,** ✉ 32020 ℰ 79150 – 🅿
➡ chiuso martedì e giugno – Pas carta 19/34000.

Vedere anche : *Campolongo (Passo di)* N : 4,5 km.

ARBATAX Nuoro 𝟵𝟴𝟴 ㉞ – Vedere Sardegna (Tortolì) alla fine dell'elenco alfabetico.

ARBOREA Oristano 𝟵𝟴𝟴 ㉝ – Vedere Sardegna alla fine dell'elenco alfabetico.

ARCETRI Firenze – Vedere Firenze.

ARCEVIA 60011 Ancona 𝟵𝟴𝟴 ⑯ – 6 076 ab. alt. 535 – ✿ 0731.

Roma 240 – ♦Ancona 73 – Foligno 83 – Pesaro 74.

🏠 **Park Hotel** ⏛, ℰ 9595, ⋇ – 🛗 ⋛⋚ rist ⊛ 🅿 – 🔬 80. ⅣⅢ 𝘝𝘐𝘚𝘈 ✿
chiuso dal 10 al 30 novembre – Pas (chiuso lunedì) carta 22/32000 – ⟲ 6000 – **38 cam** 32/46000 – P 44/50000.

ARCO 38062 Trento 988 ④ – 12 195 ab. alt. 91 – a.s. 15 dicembre-15 gennaio e Pasqua – ☼ 0464.
🖪 viale delle Palme 1 ♪ 516161.
Roma 576 – ♦Brescia 81 – ♦Milano 176 – Riva del Garda 6 – Trento 36 – Vicenza 95.

  🏛 **Palace Hotel Città,** ♪ 531100, Telex 401023, ⚒ riscaldata, 🐎 – 🛗 🕿 🕹 🅿 – 🔬 50. 🖾 🕃
    🅞 🖪 ⅥⅤⅣ. 🛇 rist
    Pas *(chiuso martedì)* carta 27/38000 – ⚌ 9000 – **80 cam** 80/120000 – P 105/115000,
    b.s. 80/90000.

  🏛 **Marchi,** ♪ 517171 – 🛗 📺 ☎. 🖪 🖪 ⅥⅤⅣ. 🛇 rist
    Pas carta 22/32000 – ⚌ 5000 – **17 cam** 35/60000 – P 60000.

  🏛 **Pace,** ♪ 516398 – 🛗 ☎. 🖾 ⅥⅤⅣ
    Pas carta 22/32000 – ⚌ 4000 – **42 cam** 30/60000 – P 40/42000.

  🏨 **Al Sole,** ♪ 516676 – 🛗 ☎. 🖾 🕃 🅞 🖪 ⅥⅤⅣ
    chiuso novembre – Pas *(chiuso lunedì)* carta 21/30000 – ⚌ 4000 – **16 cam** 35/60000 –
    P 42000.

  XX **La Lanterna,** località Prabi 10 (N : 2 km) ♪ 517013, Coperti limitati; prenotare – 🅿. 🕃 ⅥⅤⅣ
    chiuso martedì – Pas carta 24/42000.

  X **Alla Lega,** ♪ 516205, 🌮 – 🅞 ⅥⅤⅣ
    chiuso mercoledì e dal 25 ottobre al 30 novembre – Pas carta 21/32000.

  X **Da Gianni,** località Chiarano ♪ 516464 – ▦. 🖾 ⅥⅤⅣ. 🛇
  ◆ *chiuso lunedì e settembre* – Pas carta 17/28000.

FIAT via Cavallo 3 ♪ 520500   RENAULT via Santa Caterina 65 ♪ 516981

ARCORE 20043 Milano 219 ⑧ – 14 893 ab. alt. 193 – ☼ 039.
Roma 594 – ♦Bergamo 39 – Como 43 – Lecco 30 – ♦Milano 22 – Monza 7.

  🏛 **Sant'Eustorgio,** ♪ 6013718, 🌮, « Giardino ombreggiato » – 🛗 📺 ☎ 🅿. 🖾 🕃 🅞 🖪 ⅥⅤⅣ
    chiuso dal 26 dicembre al 7 gennaio e dal 7 agosto al 3 settembre – Pas *(chiuso venerdì e
    domenica sera)* carta 34/53000 – ⚌ 8000 – **29 cam** 73/99000 – P 130000.

ARDENNO 23011 Sondrio – 2 968 ab. alt. 290 – ☼ 0342.
Roma 682 – Chiavenna 43 – Lecco 64 – ♦Milano 120 – Sondrio 19.

  🏨 **Isola Masino,** strada statale ♪ 660348 – 🅿. ⅥⅤⅣ. 🛇
    chiuso dal 19 dicembre al 6 gennaio – Pas *(chiuso lunedì)* carta 22/32000 (10%) – ⚌ 6000 –
    32 cam 23/42000 – P 45000.

ARDESIO 24020 Bergamo – 3 661 ab. alt. 593 – a.s. luglio-agosto e Natale – Sport invernali : a
Valcanale 987/1 800 m ⩘4, ⅀ – ☼ 0346 – Roma 638 – ♦Bergamo 37 – ♦Brescia 89 – Edolo 83 – ♦Milano 84.

  a Valcanale NO : 7 km – alt. 987 – ✉ 24020 Ardesio :

  🏨 **Concorde** 🐾, ♪ 33050, ≤ – 🅿. 🛇 rist
  ◆ *chiuso dal 15 al 30 settembre* – Pas *(chiuso lunedì)* carta 19/27000 – ⚌ 2500 – **26 cam**
    25/30000 – P 30/50000, b.s. 25/40000.

ARDORE MARINA 89037 Reggio di Calabria – ☼ 0964.
Roma 711 – Catanzaro 107 – ♦Reggio di Calabria 89.

  🏛 **Euro Hotel,** S : 1 km ♪ 61025, ≤, ⚒, 🏖, 🞘 – 🛗 🛁 cam ▦ 📺 ☎ 🅿 – 🔬 70 a 1000. 🖾.
    Pas carta 32/48000 – ⚌ 6000 – 56 cam 45/85000 – P 80/92000.

  XX **L'Aranceto,** ♪ 62271 – 🅿. 🕃 🖪 ⅥⅤⅣ
    chiuso lunedì – Pas carta 20/36000.

AREMOGNA L'Aquila – Vedere Roccaraso.

ARENZANO 16011 Genova 988 ⑬ – 11 530 ab. – Stazione balneare, a.s. Pasqua, giugno-settembre
e Natale – ☼ 010.
📐 Della Pineta (chiuso martedì ed ottobre) a Punta San Martino ♪ 9111817, O : 1 km.
🖪 via Cambiaso 1 ♪ 9127581.
Roma 527 – Alessandria 77 – ♦Genova 28 – ♦Milano 151 – Savona 23.

  🏛 **Ena,** ♪ 9112941, ≤ – 🛗 ☎. 🖾 🕃 ⅥⅤⅣ. 🛇 rist
    Pas *(chiuso da ottobre ad aprile)* 25/34000 – ⚌ 7000 – 23 cam 41/59000 – P 55/65000.

  XX **Lazzaro e Gabriella,** ♪ 9124259, Coperti limitati; prenotare – ▦. 🖪 ⅥⅤⅣ
    chiuso lunedì e dal 7 al 31 gennaio – Pas carta 23/49000.

  X **Parodi,** ♪ 9126637 – ▦. 🖾 🕃 🖪 ⅥⅤⅣ
    chiuso martedì e dal 15 al 30 ottobre – Pas carta 24/38000.

ARESE 20020 Milano 219 ⑧ – 17 894 ab. alt. 160 – ☼ 02.
Roma 597 – Como 36 – ♦Milano 16 – Varese 50.

  XX **Castanei,** viale Alfa Romeo NO : 1,5 km ♪ 9380053 – 🅿. 🖾 🕃 🅞 🖪 ⅥⅤⅣ. 🛇
    chiuso domenica, dal 24 dicembre al 2 gennaio ed agosto – Pas carta 22/39000.

ALFA-ROMEO (Sede) via Alfa Romeo ♪ 93391

82

Vedere Affreschi di Piero della Francesca★★★ nella chiesa di San Francesco ABY – Chiesa di Santa
Maria della Pieve★ : facciata★★ BY B – Crocifisso★★ nella chiesa di San Domenico BY – Piazza
Grande★ BY – Portico★ e ancona★ della chiesa di Santa Maria delle Grazie AZ – Opere d'arte★ nel
Duomo BY – 🄱 piazza Risorgimento 116 ℘ 20839 – **A.C.I.** viale Luca Signorelli 24/a ℘ 25838.
Roma 214 ④ – ◆Ancona 211 ② – ◆Firenze 81 ④ – ◆Milano 376 ④ – ◆Perugia 74 ③ – Rimini 153 ①.

Cavour (Via) .... ABY 2	Madonna del Prato (V.) ... AYZ 13
Grande (Piazza) .... BY	Maginardo (Viale) .... AZ 14
Italia (Corso) .... ABYZ	Mecenate (Viale) .... AZ 16
	Mino da Poppi (Via) ...... BZ 17
Cesalpino (Via) .... BY 3	Mochi (Via F.) .... AY 19
Chimera (Via della) ...... AZ 5	Monaco (Via G.) .... AYZ 20
Fontanella (Via) .... BZ 6	Murello (Piaggia del) .... AY 22
Garibaldi (Via) .... ABYZ 8	Niccolò Aretino (Via) .... AZ 23
Giotto (Viale) .... BZ 9	Pellicceria (Via) .... BY 25

Pescioni (Via) .... BZ 26
Pileati (Via dei) .... BY 28
Ricasoli (Via) .... BY 30
S. Clemente (Via) .... AY 32
S. Domenico (Via) .... BY 33
Saracino (Via del) .... AY 35
Sasso Verde (Via) .... BY 36
Vittorio Veneto (Via) .... AZ 38
20 Settembre (Via) ...... AY 40

🏠 **Minerva,** via Fiorentina 6 ℘ 27891, Telex 573535 – 🛗 🍴 📺 ☎ 🕭 🚗 🅿 – 🔺 400. 🕮 ⓞ
🎴 💳 ⬦⬦
                                              AY n
    Pas (chiuso dal 1° al 18 agosto) carta 24/39000 (15%) – ☲ 8000 – **118 cam** 53/85000 –
    P 85000.

🏠 **Etrusco,** via Fleming 39 ℘ 381483, Telex 575098 – 🛗 🍴 📺 ☎ 🕭 🚗 🅿 – 🔺 400. 🕮 🕃 ⓞ
🎴 💳 ⬦⬦ rist
                                                1 km per ④
    Pas carta 22/34000 – ☲ 6000 – **80 cam** 53/80000.

🏠 **Continentale,** piazza Guido Monaco 7 ℘ 20251 – 🛗 🍴 rist ☎ 🕭 – 🔺 110 a 180. 🕮 🕃 ⓞ
🎴 💳 ⬦⬦ rist
                                                   AZ r
    Pas (chiuso domenica sera e dal 1° al 14 agosto) carta 22/35000 – ☲ 6500 – **74 cam** 50/82000
    – P 94000.

🏠 **Europa** senza rist, via Spinello 43 ℘ 357701 – 🛗 🍴 🕭. 🕮 💳 ⬦⬦   AZ u
    ☲ 8000 – **45 cam** 53/85000.

XX **Buca di San Francesco,** piazza San Francesco 1 🖉 23271, « Ambiente d'intonazior
  trecentesca » – 🖭 🚫 🕦 🎬 VISA   BY
  chiuso lunedì sera, martedì e luglio – Pas carta 28/39000 (12%).

XX **Le Tastevin,** via de' Cenci 9 🖉 28304, prenotare – 🍽️. 🖭 🚫 🎬 VISA. 🕸   AZ
  chiuso lunedì e dal 5 al 21 marzo – Pas carta 21/36000.

X **Spiedo d'Oro,** via Crispi 12 🖉 22873 – 🍽️. 🕸   AZ
  chiuso giovedì e dal 1° al 15 luglio – Pas carta 20/29000 (12%).

sulla superstrada dei 2 Mari per ② : 8 km :

X **Il Torrino,** ✉️ 52100 🖉 360264, ≪ – 🍽️ 🅿️. 🖭 🚫 🕦 🎬 VISA. 🕸
  chiuso lunedì – Pas carta 24/39000.

  Vedere anche : *Giovi* per ① : 8 km.
              Chiassa Superiore per ① : 9 km.

ALFA-ROMEO   via Calamandrei 97/d   per ④ 🖉   INNOCENTI via Pier della Francesca 45 🖉 33383
354901   LANCIA-AUTOBIANCHI viale Maginardo 5 🖉 3544
BMW via Calamandrei 🖉 381025   MASERATI via Pier della Francesca 45 🖉 24906
CITROEN via Matteucci 5/7 🖉 382082   MERCEDES-BENZ via Sette Ponti 71 🖉 380780
FIAT via Chiarini 23 per ③ 🖉 911828   PEUGEOT-TALBOT viale Perennio 28 🖉 26881
FIAT via Pacinotti 24/26 per ① 🖉 380666   RENAULT via Galvani 26 🖉 380701
FORD via del Gavardello 13 🖉 382215   VW-AUDI via Calamandrei 140 🖉 357613
GM-OPEL via Piave 20 🖉 20302   VOLVO via Edison 25/27 🖉 381481

ARGEGNO 22010 Como 🎟️ ⑨ – 681 ab. alt. 220 – 🕐 031.
Roma 645 – Como 20 – ◆Lugano 43 – Menaggio 15 – ◆Milano 68 – Varese 44.

🏨 **Belvedere,** 🖉 821116, ≤ lago e monti, 🍴, « Terrazza-giardino sul lago » – 🅿️. 🚫 🕦 ▮
  VISA. 🕸 rist
  Pasqua-ottobre – Pas carta 30/40000 – 🔄 6500 – 14 cam 40/58000 – P 65/85000.

X **Barchetta,** 🖉 821105, Coperti limitati; prenotare
  chiuso lunedì e gennaio – Pas carta 23/39000.

ARGELATO 40050 Bologna – 7 558 ab. alt. 21 – 🕐 051.
Roma 393 – ◆Bologna 17 – ◆Ferrara 34 – ◆Milano 223 – ◆Modena 41.

XX **L'800,** via Centese 33 🖉 893032 – 🅿️. 🖭 🕦 🎬 VISA. 🕸
  chiuso lunedì ed agosto – Pas carta 25/40000.

X **Bolognese,** via Centese 216 (NO : 4 km) 🖉 891553, 🍴, Coperti limitati; prenotare – ⇜ 🅿️
  🕸
  chiuso domenica e dal 1° al 15 agosto – Pas carta 22/32000.

ARGENTA 44011 Ferrara 🎟️ ⑮ – 23 058 ab. alt. 4 – 🕐 0532.
Roma 432 – ◆Bologna 50 – ◆Ferrara 34 – ◆Milano 261 – ◆Ravenna 40.

XXX 🕸 **Il Trigabolo,** piazza Garibaldi 🖉 804121 – 🍽️. 🖭 🚫 🕦 🎬 VISA. 🕸
  chiuso domenica sera, lunedì e luglio – Pas carta 60/75000
  Spec. Insalata di piccione ai canditi e aceto balsamico, Budino di cipolla al fegato grasso, Sfogliata con astice
  peperoni. Vini Chardonnay, Cabernet-Sauvignon.

  a Campotto S : 6 km – ✉️ 44010 :

X **Giannina,** 🖉 808300 – 🅿️. 🕸
  chiuso lunedì sera, martedì e dal 10 al 30 luglio – Pas carta 25/63000.

FIAT via Celletta 16 🖉 804061   RENAULT via Nazionale Ponente 53/b 🖉 804957

ARIANO NEL POLESINE 45012 Rovigo 🎟️ ⑮ – 5 329 ab. alt. 4 – 🕐 0426.
Roma 473 – ◆Ferrara 50 – ◆Milano 304 – ◆Padova 63 – ◆Ravenna 72 – Rovigo 36 – ◆Venezia 97.

XX **Due Leoni** con cam, corso del Popolo 21 🖉 71138 – ⇜ rist 🍽️ rist. 🖭
  chiuso dal 1° al 15 luglio – Pas (chiuso lunedì) carta 26/42000 – 🔄 5000 – **15 cam** 27/45000 –
  P 60000.

ARICCIA 00040 Roma – 17 370 ab. alt. 412 – 🕐 06.
Vedere Guida Verde.
Roma 26 – Latina 39.

🏛️ **Appian,** via Appia Nuova 55 (SE : 1 km) 🖉 9333026, 🔟, 🕸 – 🛗 ☎ 🅿️ – 🔬 80. 🖭 🚫 🕦 VISA.
  🕸 rist
  Pas (solo per clienti alloggiati e *chiuso il week-end*) 23/35000 – 🔄 7000 – **90 cam** 43/66000.

ARITZO Nuoro 🎟️ ㉝ – Vedere Sardegna alla fine dell'elenco alfabetico.

ARMA DI TAGGIA 18011 Imperia 🎟️ ⑳, 🔢 ⑳ – Stazione balneare – 🕐 0184.
Vedere Dipinti★ nella chiesa di San Domenico a Taggia★ N : 3,5 km.
🅘 Villa Boselli 🖉 43733.
Roma 631 – ◆Genova 132 – Imperia 15 – ◆Milano 255 – Ventimiglia 25.

🏠 **Vittoria Grattacielo,** Lungomare 𝒫 43495, Telex 271345, Fax 41484, ≼, « Giardino con
⛱, 🔲, 🐎 – 🛎 🚭 🖛 🅟 – 🚗 100. 🖭 🕃 🕦 E 𝘝𝘐𝘚𝘈. 🍴
chiuso dal 15 ottobre al 22 dicembre – Pas 43/50000 – 77 cam ⥂ 95/169000 – P 135/160000.

🏠 **Svizzera,** Lungomare 𝒫 43152 – 🛗 🔛 🕿 🅟 🖭. 🍴 rist
chiuso da ottobre al 18 dicembre – Pas (solo per clienti alloggiati) 25/35000 – ⥂ 7000 –
29 cam 37/63000 – P 55/75000.

✗✗ **La Conchiglia,** Lungomare 33 𝒫 43169.

✗ **Da Pino,** via Andrea Doria 66 𝒫 42463 – 🖭 🕃 🕦 E 𝘝𝘐𝘚𝘈
chiuso giovedì e dal 20 novembre al 20 dicembre – Pas carta 40/61000.

AROLA 28010 Novara 𝟤𝟣𝟫 ⑥ – 290 ab. alt. 615 – ✪ 0323.
Roma 667 – Domodossola 47 – ♦Milano 90 – Novara 52 – ♦Torino 125 – Varese 58.

✗ **La Tana della Volpe,** 𝒫 821119, ≼, Coperti limitati; prenotare, « In una vallata verdeggiante » – 🅟
chiuso lunedì – Pas carta 30/43000.

AROLO Varese 𝟤𝟣𝟫 ⑦ – alt. 225 – ✉ 21038 Leggiuno Sangiano – ✪ 0332.
Roma 651 – Laveno Mombello 8 – ♦Milano 74 – Novara 61 – Sesto Calende 22 – Varese 23.

✗✗ **Sasso Moro** 🌿 con cam, 𝒫 647230, ≼ lago, « Terrazza sul lago con servizio estivo », 🐎
– 🅟. 🖭 🕦
chiuso da gennaio al 15 febbraio – Pas *(chiuso martedì)* carta 29/44000 – 15 cam ⥂ 42/55000
– P 58000.

✗ **Campagna** con cam, 𝒫 647107 – 🕮 🅟 𝘝𝘐𝘚𝘈. 🍴
chiuso novembre – Pas *(chiuso martedì)* carta 21/42000 – ⥂ 5000 – **15 cam** 35/45000 –
P 48000.

ARONA 28041 Novara 𝟫𝟪𝟪 ②③, 𝟤𝟣𝟫 ⑦⑦ – 16 001 ab. alt. 212 – Stazione climatica, a.s. aprile e
giugno-15 settembre – ✪ 0322.
Vedere Lago Maggiore★★★ – Colosso di San Carlone★ – Polittico★ nella chiesa di Santa Maria –
≼★ sul lago e Angera dalla Rocca.
🚉 piazza Stazione 𝒫 3601.
Roma 641 – ♦Milano 64 – Novara 40 – Stresa 16 – ♦Torino 116 – Varese 32.

🏠 **Atlantic,** corso Repubblica 124 𝒫 46521, Telex 200482, Fax 48358, ≼ – 🛗 🗐 📺 🕿 🚿 – 🚗
30 a 100. 🖭 🕃 🕦 E 𝘝𝘐𝘚𝘈. 🍴 rist
Pas carta 40/65000 – ⥂ 12000 – **75 cam** 110/140000 appartamenti 175/215000 – P 98/125000.

🏠 **Giardino,** corso Repubblica 1 𝒫 45994, Telex 200444, ≼ – 🛗 📺 🕿 🚿 – 🚗 40. 🖭 🕃 🕦 E
𝘝𝘐𝘚𝘈
Pas carta 28/44000 – ⥂ 12000 – **50 cam** 80000 – P 84/90000.

🏠 **Antares** senza rist, via Gramsci 13 𝒫 3438 – 🛗 🕮 🚗 🖭 🕃 🕦 E 𝘝𝘐𝘚𝘈
⥂ 6000 – **50 cam** 60/90000.

🏠 **Florida** senza rist, piazza del Popolo 32 𝒫 46212, ≼ – 🛗 🕮. 🍴
11 marzo-7 novembre – ⥂ 7000 – **21 cam** 49/69000.

✗✗✗ ❀ **Taverna del Pittore,** piazza del Popolo 39 𝒫 3366, ≼, prenotare, « Terrazza sul lago con
servizio estivo » – 🖭 🕃 🕦 E 𝘝𝘐𝘚𝘈. 🍴
chiuso lunedì, dal 20 dicembre al 10 gennaio e dal 15 al 30 giugno – Pas carta 45/75000 (10%)
Spec. Patè ai due fegati, Tortellini di crostacei in salsa di aragosta, Scaloppa di rombo ai finferli. Vini Soave,
Dolcetto.

✗✗ **Al Cantuccio,** piazza del Popolo 1 𝒫 3343
chiuso domenica sera, lunedì ed agosto – Pas carta 38/55000.

✗✗ **Vecchia Arona,** lungolago Marconi 17 𝒫 42469, Coperti limitati; prenotare – 🖭 🕃 🕦 E
𝘝𝘐𝘚𝘈
chiuso venerdì, dal 15 al 30 giugno e dal 15 al 30 novembre – Pas 40000.

✗✗ **Del Barcaiolo,** piazza del Popolo 20/23 𝒫 3388, 🍴, « Taverna caratteristica » – 🖭 🕃 🕦
E 𝘝𝘐𝘚𝘈. 🍴
chiuso mercoledì e dal 20 luglio al 20 agosto – Pas carta 31/47000 (10%).

a Mercurago SO : 2 km – ✉ 28040 :

✗ **Dal Barba,** 𝒫 3589, 🍴 – 🕃. 🍴
chiuso lunedì sera e martedì – Pas carta 31/47000.

FIAT via Milano 99 𝒫 44206   VW-AUDI a Dormeletto, via Matteotti 3 𝒫 48290
FORD viale Baracca 6 𝒫 46907

ARQUÀ PETRARCA 35032 Padova – 1 955 ab. alt. 56 – ✪ 0429 – Vedere Guida Verde.
Roma 478 – Mantova 85 – ♦Milano 268 – ♦Padova 25 – Rovigo 27 – ♦Venezia 61.

✗✗ **La Montanella,** 𝒫 718200, ≼, « Servizio estivo all'aperto », 🌳 – 🗐 🅟 🖭 🕦. 🍴
chiuso martedì sera, mercoledì, dal 2 gennaio al 18 febbraio e dal 7 al 18 agosto – Pas
carta 31/45000.

✗✗ **Aganoor,** SO : 1,5 km 𝒫 718140, ≼, 🍴, 🌳 – 🅟. 🍴
chiuso martedì sera, mercoledì e da gennaio al 15 febbraio – Pas carta 25/35000.

ARTA TERME 33022 Udine – 2 323 ab. alt. 442 – Stazione termale (maggio-ottobre), a.s. luglio-15 settembre e Natale – ✪ 0433.

🛈 via Roma 22/24 ℰ 92002.

Roma 696 – ♦Milano 435 – Monte Croce Carnico 25 – Tarvisio 71 – Tolmezzo 8 – ♦Trieste 129 – Udine 60.

a Piano d'Arta N : 2 km – alt. 564 – ⌧ 33020 :

🏨 **Gardel,** ℰ 92588, ☞ – 📶 TV ☎ & 🅿 – 🔌 200. 🝙 🕃 VISA. ⋙
➡ chiuso da novembre al 20 dicembre – Pas *(chiuso giovedì)* carta 18/24000 – **50 cam** 🖙 35/60000 – P 50/55000, b.s. 40/45000.

🏠 **Belvedere,** ℰ 92006, ⇐ – 🅿. VISA. ⋙
Pas carta 20/29000 – 🖙 5000 – **33 cam** 35/60000 – P 40/45000, b.s. 36/39000.

✕✕ **Salon** con cam, ℰ 92003 – 📶 ☎ 🅿. 🝙 🕃 VISA. ⋙
chiuso dal 10 novembre al 10 dicembre – Pas carta 26/37000 – **24 cam** 🖙 47/79000 – P 60/66000, b.s. 50/55000.

ARTIMINO Firenze – Vedere Carmignano.

ARZACHENA Sassari 🗓🗓🗓 ㉓ – Vedere Sardegna alla fine dell'elenco alfabetico.

ASCIANO 53041 Siena 🗓🗓🗓 ⑮ – 6 270 ab. alt. 200 – ✪ 0577.

Roma 209 – ♦Firenze 124 – ♦Perugia 89 – Siena 25.

✕ **La Pievina,** località Pievina NO : 5,5 km ℰ 718368 – 🅿. ⋙
chiuso lunedì, martedì e dal 5 al 25 agosto – Pas carta 20/40000.

ASCOLI PICENO 63100 🅿 🗓🗓🗓 ⑯ – 52 923 ab. alt. 153 – ✪ 0736.

Vedere Piazza del Popolo★★ A : palazzo dei Capitani del Popolo★, chiesa di San Francesco★, Loggia dei Mercanti★ – Quartiere vecchio★ A : ponte di Solestà★, chiesa dei Santi Vincenzo ed Anastasio★ – Corso Mazzini★ AB – Polittico del Crivelli★ nel Duomo B A – Battistero★ B A.

🛈 corso Mazzini 229 ℰ 51115 – piazza del Popolo ℰ 55240.

A.C.I. viale Indipendenza 38/a ℰ 45920.

Roma 191 ③ – ♦Ancona 122 ② – L'Aquila 101 ② – ♦Napoli 331 ② – ♦Perugia 175 ③ – ♦Pescara 88 ② – Terni 150 ③.

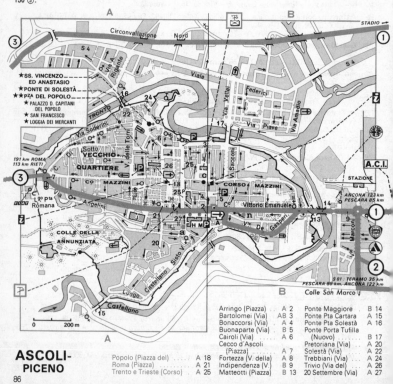

ASCOLI-PICENO

Marche, viale Kennedy 34 ℘ 45475 – ⊞. AE ⓢ ⓞ. ※ per ①
chiuso Pasqua, Natale e Capodanno – Pas 16000 – ☐ 2500 – **32 cam** 45/70000 – P 55000.

Pennile ⚘ senza rist, via Spalvieri ℘ 41645 – TV ☎ 🚗 P. AE ⓢ ⓞ. ※
☐ 2000 – **28 cam** 39/61000. per viale Marconi B

XX **Kursaal,** corso Mazzini 221 ℘ 53140 – ⊟. AE ⓢ ⓞ E VISA. ※ AB c
chiuso domenica – Pas carta 23/33000.

XX **Gallo d'Oro,** corso Vittorio Emanuele 13 ℘ 53520 – ⊟. AE ⓢ ⓞ VISA B n
chiuso domenica sera, lunedì e dal 20 dicembre al 5 gennaio – Pas carta 24/33000.

X **Tornasacco,** via Tornasacco 29 ℘ 54151 – AE ⓢ ⓞ E VISA A a
chiuso venerdì e dal 15 al 30 giugno – Pas carta 19/26000.

X **Pennile,** via Spalvieri 13 ℘ 42504 – P. ⓢ ⓞ per viale Marconi B
chiuso martedì – Pas carta 20/30000.

Vedere anche : *Folignano* SE : 8 km.

ALFA-ROMEO via Genova 2 ℘ 341057
CITROEN località Lu Battente ℘ 45540
FIAT via Oberdan 83 ℘ 62441
FORD via del Commercio 7 ℘ 41402
LANCIA-AUTOBIANCHI via Indipendenza 45/c ℘ 45532
MERCEDES-BENZ via del Commercio 1 ℘ 43615
RENAULT viale Napoli (Palazzo Corradetti) ℘ 42417
VW-AUDI via Fermo ℘ 43222

ASCONA 427 ㉔, 219 ⑦⑧ – Vedere Cantone Ticino alla fine dell'elenco alfabetico.

ASIAGO 36012 Vicenza 988 ④⑤ – 6 783 ab. alt. 1 001 – Stazione di villeggiatura, a.s. febbraio, luglio-agosto e Natale – Sport invernali : sull'Altopiano : 1 001/2 005 m ≰1 ≴45, ⛷ – ☎ 0424.

⛳ (giugno-ottobre) ℘ 62721.

ℹ piazza Carli 1 ℘ 62221, Telex 480828.

Roma 589 – ♦Milano 261 – ♦Padova 88 – Trento 63 – Treviso 83 – ♦Venezia 121 – Vicenza 55.

Paradiso, via Monte Valbella 33 ℘ 62660 – ⊞ ☎ – 🏃 100. ※
15 dicembre-15 aprile e giugno-settembre – Pas 28000 – ☐ 8500 – 42 cam 72/90000 – P 87000, b.s. 51/65000.

Bellevue ⚘, località Kaberlaba ℘ 63367, ≤ Altopiano, ※ – ⊞ ☎ 🚗 P. ※
Pas carta 25/34000 – ☐ 8000 – 22 cam 57/86000 – P 70/82000.

La Baitina ⚘ località Kaberlaba ℘ 62149, 🌳 – ⊞ ☎ P – 🏃 300. VISA. ※
chiuso novembre – Pas carta 23/33000 – ☐ 8000 – **37 cam** 57/86000 – P 85000, b.s. 60/70000.

Croce Bianca, via 4 Novembre 30 ℘ 462642 – ⊞ ☎ P. ※
15 dicembre-15 aprile e 15 giugno-15 ottobre – Pas *(chiuso mercoledì)* 25000 – ☐ 9000 – **36 cam** 55/85000 – P 50/85000.

Miramonti ⚘, località Kaberlaba ℘ 62526, ≤, 🌳, ※ – ⊞ ⇹ rist ☎ P. ※
dicembre-aprile e giugno-settembre – Pas 15/20000 – ☐ 8000 – **29 cam** 35/53000 – P 60/70000, b.s. 50/60000.

Erica, via Garibaldi 55 ℘ 62113, 🌳 – ⊞ ⇹ cam ☎ 🚗 P. ※
15 dicembre-5 aprile e 10 giugno-15 settembre – Pas 21/25000 – ☐ 7000 – **35 cam** 36/55000 – P 60/75000, b.s. 50/60000.

Europa, via 4 Novembre 65 ℘ 464259 – ☎. VISA. ※
chiuso ottobre – Pas *(chiuso martedì)* carta 23/35000 – ☐ 7000 – 27 cam 34/52000 – P 65/76000, b.s. 43/55000.

Vescovi ⚘, via Don Viero 80 ℘ 62614, ≤ – 🚗 P. ※ rist
20 dicembre-marzo e 15 giugno-15 settembre – Pas 20/23000 – ☐ 5000 – **21 cam** 35/60000 – P 45/75000.

X **Aurora** con cam, via Ebene 71 ℘ 62469 – P. ※
Pas *(chiuso lunedì)* carta 23/34000 – ☐ 4000 – **8 cam** 20/30000.

verso Gallio NE : 1 km :

XX **Da Pippo,** ✉ 36012 ℘ 462722 – P. AE ⓞ VISA. ※
chiuso mercoledì – Pas carta 28/42000.

ASOLO 31011 Treviso 988 ⑤ – 6 636 ab. alt. 204 – ☎ 0423.

Vedere Guida Verde.

Roma 559 – Belluno 65 – ♦Milano 255 – ♦Padova 47 – Trento 104 – Treviso 35 – ♦Venezia 65 – Vicenza 51.

Villa Cipriani ⚘, ℘ 55444, Telex 411060, Fax 52095, ≤ pianura e colline, 🌳 – ⊞ ⊟ TV ☎ ♿ 🚗 P. AE ⓢ ⓞ E VISA
Pas carta 67/93000 – ☐ 18500 – **32 cam** 230/297000 – P 272/305000.

Duse senza rist, ℘ 55241 – ⊞ ⊟ TV ☎. AE ⓢ ⓞ E VISA. ※
☐ 7500 – **12 cam** 50/80000.

segue →

ASOLO

XX **Charly's One**, ℰ 52201 – 🅰🅴 🆂 ⓪ 🅴 𝗩𝘐𝘚𝘈
chiuso venerdì e novembre – Pas carta 29/49000.

X **Hosteria Cà Derton**, ℰ 52730 – 🅰🅴 ⓪ 𝗩𝘐𝘚𝘈. ⁕⁕
chiuso lunedì sera, martedì, 17 al 28 febbraio e dal 17 al 28 agosto – Pas carta 22/35000.

sulla strada provinciale per Castelfranco Veneto S : 4 km :

X **Da Mario-Croce d'Oro**, ⊠ 31011 ℰ 564075 – 🅿. 𝗩𝘐𝘚𝘈. ⁕⁕
→ *chiuso martedì sera, mercoledì e dal 10 al 29 agosto* – Pas carta 18/27000.

ASSAGO Milano 𝟸𝟷𝟿 ⑲ – Vedere Milano, dintorni.

ASSERGI 67010 L'Aquila 𝟿𝟾𝟾 ㉖ – alt. 867 – 🕓 0862.
Escursioni Campo Imperatore** Est per 22 km : funivia per il Gran Sasso**.
Roma 134 – L'Aquila 17 – ♦Pescara 109 – Rieti 72 – Teramo 88.

🏠 **Picnic**, ℰ 606139, ← – 🛗 ⊚ ⇐ 🅿. 🅰🅴. ⁕ rist
Pas *(chiuso mercoledì)* carta 20/28000 – ⊇ 3500 – **27 cam** 23/35000 – P 60/65000.

ASSISI 06081 e 06082 Perugia 𝟿𝟾𝟾 ⑯ – 24 439 ab. alt. 424 – 🕓 075.
Vedere Basilica di San Francesco*** A : affreschi*** nella Basilica inferiore, affreschi di Giotto*** nella Basilica superiore.
Chiesa di Santa Chiara** BC – Rocca Maggiore** B : ⁕** – Duomo di San Rufino* C : facciata** – Piazza del Comune* B : tempio di Minerva* – Via San Francesco* AB – Chiesa di San Pietro* A.
Dintorni Eremo delle Carceri** E : 4 km C – Convento di San Damiano* S : 2 km C – Basilica di Santa Maria degli Angeli* SO : 5 km A.
🛈 piazza del Comune 12 ⊠ 06081 ℰ 812534, Telex 660122.
Roma 177 ② – Arezzo 99 ③ – ♦Milano 475 ③ – ♦Perugia 26 ③ – Siena 131 ③ – Terni 76 ②.

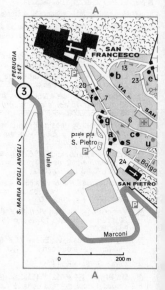

🏨🏨 **Subasio**, via Frate Elia 2 ⊠ 06081 ℰ 812206, Telex 662029, ←, 🍽, « Terrazze fiorite » – 🛗 ⇄ 🕾 🆂, 🆂 ⓪ 🅴 𝗩𝘐𝘚𝘈. ⁕ rist A f
Pas carta 40/53000 – ⊇ 15000 – **62 cam** 85/140000 – P 110/130000.

🏨🏨 **Giotto**, via Fontebella 41 ⊠ 06082 ℰ 812209, Telex 563259, ←, 🍽, 👓 – 🛗 ⇄ rist 🕾 🆂 ⇐ 🅿. 🅰🅴 🆂 ⓪ 🅴 𝗩𝘐𝘚𝘈. ⁕ rist A c
15 marzo-15 novembre – Pas carta 38/51000 – ⊇ 15000 – **70 cam** 70/120000 – P 145/155000.

🏛 **Fontebella**, via Fontebella 25 ⊠ 06082 ℰ 812883, Fax 812941, ← – 🛗 🕾 🅿. 🅰🅴 🆂 ⓪ 🅴 𝗩𝘐𝘚𝘈 B e
Pas vedere rist Il Frantoio – ⊇ 12000 – **37 cam** 90/140000 – P 105/150000.

🏛 **Umbra** ⑳, vicolo degli Archi 6 ⊠ 06081 ℰ 812240, « Servizio rist. estivo all'aperto » – 🕾 🆂. 🅰🅴 ⓪. ⁕ B x
chiuso dal 10 gennaio al 15 marzo – Pas *(chiuso martedì e dal 15 novembre al 15 dicembre)* carta 35/48000 – ⊇ 10000 – **25 cam** 45/65000.

🏛 **Dei Priori**, corso Mazzini 15 ⊠ 06081 ℰ 812237 – 🛗 ⊚ 🆂. 🅰🅴 🆂 ⓪ 🅴 𝗩𝘐𝘚𝘈. ⁕ B n
marzo-10 novembre – Pas *(solo per clienti alloggiati)* 20/30000 – ⊇ 7500 – **28 cam** 45/65000 – P 75/80000.

🏛 **Windsor Savoia**, viale Marconi 1 ⊠ 06082 ℰ 812210, Telex 564074, ←, 🍽 – 🛗 ⊚. 🅰🅴 🆂 ⓪ 🅴 𝗩𝘐𝘚𝘈 A g
Pas 30/36000 – ⊇ 10000 – **34 cam** 46/65000 – P 85/100000.

🏛 **San Francesco**, via San Francesco 48 ⊠ 06082 ℰ 812281, ← – 🛗 ⇄ cam ⊚ 🆂. 🅰🅴 🆂 ⓪ 🅴 𝗩𝘐𝘚𝘈. ⁕ rist A b
Pas *(solo per clienti alloggiati)* 22/29000 – ⊇ 11000 – **44 cam** 45/64000 – P 81/95000.

🏠 **San Pietro**, piazza San Pietro 5 ⊠ 06082 ℰ 812452 – 🛗 ▤ rist 🕾. 🅰🅴 𝗩𝘐𝘚𝘈 A s
Pas carta 20/32000 – ⊇ 8000 – **46 cam** 46/66000 – P 70/80000.

🏠 **Roma**, piazza Santa Chiara 15 ⊠ 06081 ℰ 812390 – 🛗 ⇄ cam 🆂. 🅰🅴 ⓪ 🅴 𝗩𝘐𝘚𝘈. ⁕ rist C t
→ Pas *(solo per clienti alloggiati)* 18000 – ⊇ 5000 – **29 cam** 32/47000 – P 55000.

🏠 **S. Giacomo**, via San Giacomo 6 ⊠ 06081 ℰ 816778 – 🛗 ⇄ 🕾. ⁕ A e
→ Pas carta 19/30000 – ⊇ 5000 – **28 cam** 30/45000 – P 53000.

🏠 **Berti** senza rist, piazza San Pietro 24 ⊠ 06081 ℰ 813466 – 🛗 ⊚. 🅰🅴 🆂 ⓪ 🅴 𝗩𝘐𝘚𝘈. ⁕ A a
⊇ 6000 – **10 cam** 34/50000.

88

🏠 **Sole,** corso Mazzini 35 ⊠ 06081 𝒫 812373 – ☎. ᴀᴇ 🅂 ⓘ ᴇ 𝚅𝙸𝚂𝙰. 🛇   **B z**
Pas *(chiuso da novembre a marzo e mercoledì)* carta 23/38000 – 🖵 6000 – **35 cam** 35/49000 –
P 50/55000.

🏠 **Posta Panoramic,** via San Paolo 17/19 ⊠ 06081 𝒫 812558, ≼ – 🛇   **B y**
20 marzo-6 novembre – Pas *(chiuso mercoledì)* carta 20/31000 – 🖵 5000 – **22 cam** 33/49000
– P 53000.

🏠 **Del Viaggiatore,** via Sant'Antonio 14 ⊠ 06081 𝒫 816297 – 🛗 ☎. ᴀᴇ ⓘ 𝚅𝙸𝚂𝙰. 🛇   **B g**
Pas vedere rist Del Viaggiatore – 🖵 5500 – **12 cam** 32/48000.

🟏🟏🟏 **Medio Evo,** via Arco dei Priori 4/b ⊠ 06081 𝒫 813068, « Rinvenimenti archeologici » – 🍽.
ᴀᴇ 🅂 ⓘ ᴇ 𝚅𝙸𝚂𝙰   **B h**
chiuso mercoledì, dal 7 gennaio al 1° febbraio e dal 3 al 21 luglio – Pas carta 30/40000.

🟏🟏 **Buca di San Francesco,** via Brizi 1 ⊠ 06081 𝒫 812204, 🏠 – ᴀᴇ 🅂 ⓘ ᴇ 𝚅𝙸𝚂𝙰   **B v**
chiuso lunedì e dal 7 gennaio al 28 febbraio – Pas carta 25/38000 (10%).

🟏🟏 **Il Frantoio,** vicolo Illuminati 1 ⊠ 06082 𝒫 812977, « Servizio estivo in terrazza con ≼ » – 🅿.
ᴀᴇ 🅂 ⓘ ᴇ 𝚅𝙸𝚂𝙰   **A u**
chiuso venerdì da novembre a marzo – Pas carta 44/65000.

🟏🟏 **La Fortezza,** vicolo della Fortezza 2/b ⊠ 06081 𝒫 812418 – ᴀᴇ 🅂 ⓘ ᴇ 𝚅𝙸𝚂𝙰   **B c**
chiuso giovedì – **Pas** carta 22/35000.

🟏 **Del Viaggiatore,** via Sant'Antonio 2 ⊠ 06081 𝒫 812424 – ᴀᴇ ⓘ 𝚅𝙸𝚂𝙰. 🛇   **B a**
chiuso martedì – Pas carta 20/30000.

a Santa Maria degli Angeli SO : 5 km A – ⊠ 06088 :

🏠 **Villa Elda,** via Patrono d'Italia 139 𝒫 8041756, 🌳 – 🛗 ☎ ⑤ & 🅿. ᴀᴇ 🅂 ⓘ ᴇ 𝚅𝙸𝚂𝙰
Pas *(chiuso venerdì)* carta 27/36000 – 🖵 6000 – 60 cam 35/48000 – P 65000.

segue →

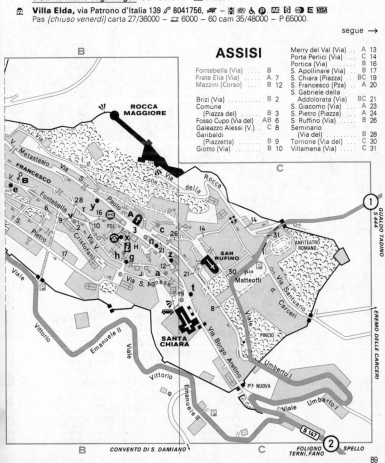

a Rocca Sant'Angelo NO : 12 km – ✉ 06081 Assisi :

✗ **La Rocchicciola,** ✆ 8038161, ☂ – VISA. ✻
chiuso martedì e dal 16 agosto al 2 settembre – Pas carta 27/64000.

a San Gregorio NO : 13 km – ✉ 06081 Assisi :

🏨 **Castel San Gregorio** ⛰, ✆ 8038009, ≤, ⛱ – ☎ ℗. AE ⓢ ⓞ E. ✻ cam
chiuso dal 15 al 30 gennaio – Pas (prenotare) 30000 – ☕ 6000 – **12 cam** 47/66000 – P 94000.

FIAT a Santa Maria degli Angeli A, via Los Angeles 183 ✆ 8040957

Prices For notes on the prices quoted in this Guide, see the introduction.

ASTI 14100 **P** 988 ⑫ – 75 245 ab. alt. 123 – ✆ 0141.
Vedere Battistero di San Pietro★ B.
Dintorni Monferrato★ per ①.
🅸 piazza Alfieri 34 ✆ 50357 – **A.C.I.** piazza Medici 21/22 ✆ 53534.
Roma 615 ② – Alessandria 37 ② – ♦Genova 116 ② – ♦Milano 127 ② – Novara 103 ② – ♦Torino 55 ④.

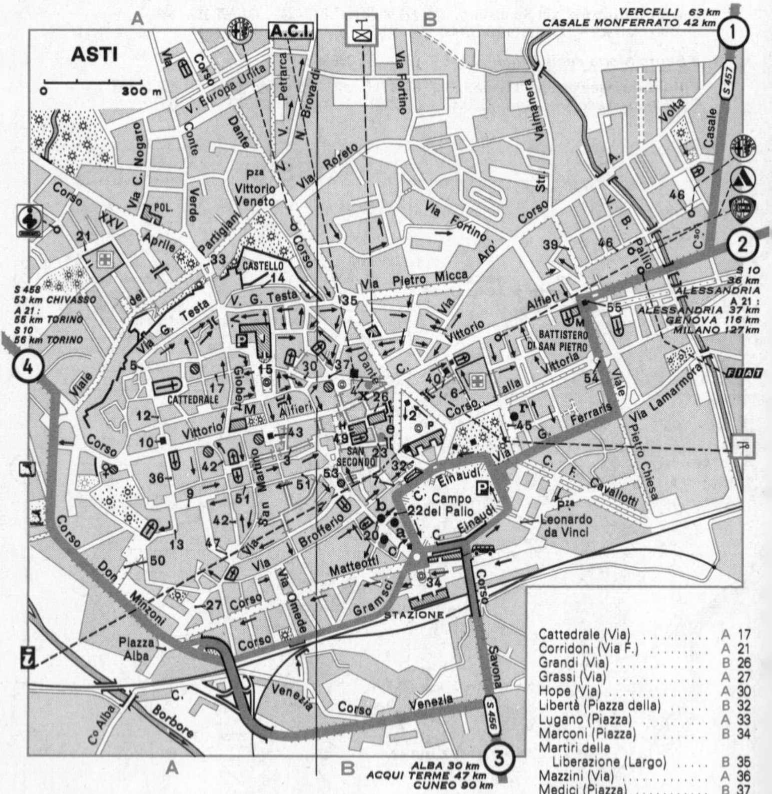

Alfieri (Corso Vittorio)	B	
Alfieri (Piazza Vittorio)	B	2
Brofferio (Via)	B	7
Cavour (Via)	B	20
Dante (Corso)	A	
Filiberto (Via E.)	B	22
Garibaldi (Via Giuseppe)	B	23
S. Secondo (Piazza)	B	49
Statuto (Piazza)	B	53
Aliberti (Via)	A	3
Battisti (Via Cesare)	B	4
Berruti (Via F.)	A	5
Bottallo (Via)	B	6
Cagni (Piazza)	A	9
Cairoli (Piazza)	A	10
Caracciolo (Via)	A	12
Carmine (Via del)	A	13
Castello (Via al)	A	14
Catena (Piazza)	A	15
Cattedrale (Via)	A	17
Corridoni (Via F.)	A	21
Grandi (Via)	B	26
Grassi (Via)	A	27
Hope (Via)	A	30
Libertà (Piazza della)	B	32
Lugano (Piazza)	A	33
Marconi (Piazza)	B	34
Martiri della Liberazione (Largo)	B	35
Mazzini (Via)	A	36
Medici (Piazza)	B	37
Monte Rainero (Via)	B	39
Ospedale (Via)	B	40
Roero (Via)	A	42
Roma (Piazza)	A	43
Rosselli (Viale F. III)	B	45
S. Evasio (Via)	B	46
S. Giuseppe (Piazza)	A	47
Santuario (Viale)	A	50
Sella (Via Quintino)	A	51
Vittoria (Piazzale)	B	54
1 Maggio (Piazza)	B	55

🏨 **Aleramo** senza rist, via Emanuele Filiberto 13 *⌀* 55661 – 📶 🖭 🖾 ☎ 🚗. 🏧 🛐 ◐ 🅴 *VISA*.
   ❄️
   ⚡ 8000 – **40 cam** 60/95000, 🖩 10000.
   B a

🏨 **Lis** senza rist, viale Fratelli Rosselli 10 *⌀* 55051, Fax 353845 – 🖭 ☎ 🚗 – 🔏 50. 🏧 🛐 ◐ 🅴
   VISA
   ⚡ 4500 – **30 cam** 45/75000.
   B r

🏨 **Palio** senza rist, via Cavour 106 *⌀* 34371, Fax 34373 – 📶 🖩 🖭 ☎ – 🔏 25. 🏧 🛐 ◐ 🅴 *VISA*
   ⚡ 12000 – **29 cam** 82/121000, 🖩 8000.
   B b

🏨 **Rainero** senza rist, via Cavour 85 *⌀* 353866 – 📶 🖩 🖭 🖾 ☎ 🚗 – 🔏 80. 🏧 🛐 ◐ 🅴 *VISA*
   ⚡ 6000 – **37 cam** 43/67000, 🖩 7000.
   B c

XXX ✿ **Gener Neuv,** lungo Tanaro 4 *⌀* 57270, Coperti limitati; prenotare – ❄️ 🅿. 🏧 🛐 ◐ *VISA*. ❄️
   chiuso domenica sera, lunedì, agosto e dicembre o gennaio – Pas carta 42/78000   per ③
   Spec. Antipasti regionali, Agnolotti alla piemontese, Rolata di faraona alle erbe. Vini Arneis, Grignolino.

XX **La Colonna,** via Cesare Battisti 14 *⌀* 32059, Coperti limitati; prenotare – ❄️. 🏧 🛐 ◐ 🅴
   VISA. ❄️
   B x
   chiuso domenica ed agosto – Pas carta 33/55000.

XX **La Grotta,** corso Torino 366 *⌀* 214168 – 🅿. 🏧 🛐 ◐ 🅴 *VISA*. ❄️   per ④
   chiuso lunedì sera, martedì ed agosto – Pas carta 21/35000.

X **La Greppia,** corso Alba 140 *⌀* 53262   A
   chiuso lunedì – Pas carta 21/34000.

X **Falcon Vecchio,** via San Secondo 8 *⌀* 53106   B e
   chiuso domenica sera, lunedì e dal 9 al 21 agosto – Pas carta 32/41000.

X **La Vigna,** via Guttuari 4 *⌀* 51668 – 🖩   B c
   chiuso domenica e dal 26 dicembre all'8 gennaio – Pas carta 25/42000.

   sulla strada statale 10 per ④ : 4 km (Valle Benedetta) :

🏨 **Hasta Hotel** 🐾, ✉️ 14100 *⌀* 213312, Fax 219580, ≼, 🌳, ❌ – ❄️ cam 🖩 🖭 ☎ 🚗 🅿 –
   🔏 40. 🏧 🛐 ◐ 🅴 *VISA*. ❄️
   Pas carta 40/67000 – ⚡ 14000 – **26 cam** 90/130000 – P 145/170000.

   a Castiglione per ② : 8 km – ✉️ **14100** Asti :

X Da Aldo, *⌀* 206008 – 🅿.

ALFA-ROMEO via Sant'Evasio 63 *⌀* 274066	INNOCENTI via Duca d'Aosta 50 *⌀* 215780
ALFA-ROMEO corso Dante 87 *⌀* 212735	LANCIA-AUTOBIANCHI via Sant'Evasio 31 *⌀* 55177
BMW via Fontaguzzi 27/29 *⌀* 215232	LANCIA-AUTOBIANCHI via Alfieri 141 *⌀* 352413
CITROEN via del Bosco 2 *⌀* 212790	PEUGEOT-TALBOT corso 25 Aprile 225 *⌀* 215607
FIAT corso Torino 177/179 per ④ *⌀* 219670	RENAULT piazza Leonardo da Vinci 29 *⌀* 56961
FIAT corso Alessandria 228/230 *⌀* 271866	RENAULT corso Torino 144/152 *⌀* 216305
FORD via della Vittoria 39 *⌀* 53034	VW-AUDI via San Francesco 1/a *⌀* 54306
GM-OPEL frazione San Marzanotto 322 *⌀* 53016	VOLVO via Scarampi 6 *⌀* 54002

ATRI 64032 Teramo 🕮🕮🕮 ㉗ – 11 466 ab. alt. 442 – ✪ 085.

Vedere Cattedrale★.

Dintorni Paesaggio★★ (Bolge) NO verso Teramo.

Roma 237 – ◆Ancona 145 – L'Aquila 76 – ◆Pescara 32 – Teramo 41.

X **Campana d'Oro,** piazza Duomo 23 *⌀* 870177 – 🖩
   chiuso lunedì – Pas carta 22/31000.

ATRIPALDA 83042 Avellino – 11 020 ab. alt. 280 – ✪ 0825.

Roma 249 – Avellino 4 – ◆Napoli 61 – Salerno 38.

XX **Al Cenacolo,** via Appia 67/s *⌀* 623586 – 🖩. 🛐 ◐
   chiuso martedì – Pas carta 22/40000 (12%).

ATTIGLIANO 05012 Terni 🕮🕮🕮 ㉕ – 1 708 ab. alt. 95 – ✪ 0744.

Dintorni Sculture★ nel parco della villa Orsini a Bomarzo SO : 6 km.

Roma 87 – Orvieto 34 – Terni 42 – Viterbo 26.

🏨 **Umbria,** in prossimità casello autostrada A1 S : 1 km *⌀* 994222, Telex 563218 – 📶 🖩 ☎ 🚗
   🅿 – 🔏 100. 🏧 🛐 ◐ 🅴 *VISA*. ❄️
   Pas *(chiuso lunedì da ottobre a giugno)* carta 22/35000 – ⚡ 7500 – **62 cam** 46/66000 –
   P 70/75000.

AUER = Ora.

AUGUSTA Siracusa 🕮🕮🕮 ㉗ – Vedere Sicilia alla fine dell'elenco alfabetico.

       L'EUROPA su un solo foglio
       Carta Michelin n° 🟨🟨🟨.

AURONZO DI CADORE 32040 e 32041 Belluno 🔤 ⑤ – 3 900 ab. alt. 864 – Stazione di villeggiatura – Sport invernali : 864/1 585 m ⟨4, ⟩ – ✿ 0435.

🏛 via Roma 10 ⊠ 32041 ℘ 9426.

Roma 663 – Belluno 62 – Cortina d'Ampezzo 34 – ◆Milano 402 – Tarvisio 135 – Treviso 123 – Udine 124 – ◆Venezia 152.

🏨 **Juventus** 🦢, ⊠ 32040 ℘ 9221, ≤, ☞ – ⧫ ☎ ℗. 𝘝𝘐𝘚𝘈. 🎯
chiuso novembre – Pas carta 22/31000 – � 5000 – **50 cam** 40/70000 – P 55/60000.

🏨 **Panoramic** 🦢, ⊠ 32040 ℘ 9398, ≤, ☞ – ℗. 🎯
20 giugno-20 settembre – Pas carta 21/31000 – ⊞ 5500 – **32 cam** 43/63000 – P 48/60000.

🏨 **Al Lago** 🦢, ⊠ 32040 ℘ 9314, ≤, « Piccolo giardino ombreggiato » – ℗. 🎯
giugno-settembre – Pas (chiuso giovedì) 24/30000 – ⊞ 6000 – **28 cam** 40/70000 – P 40/58000.

AVEGNO 16030 Genova – 1 950 ab. alt. 92 – ✿ 0185.

Roma 486 – ◆Genova 27 – ◆Milano 161 – Portofino 22 – ◆La Spezia 88.

✗ **Lagoscuro-da Ferreccio** 🦢 con cam, ℘ 79017 – 🎯
◆ chiuso dal 15 al 31 gennaio e dal 15 al 30 novembre – Pas (chiuso martedì) carta 17/28000 – ⊞ 2500 – **13 cam** 24/45000 – P 42/47000.

AVELENGO (HAFLING) 39010 Bolzano 🔤 ㉑ – 597 ab. alt. 1 290 – a.s. febbraio-aprile, 15 luglio-settembre e Natale – ✿ 0473.

Roma 680 – ◆Bolzano 43 – Merano 15 – ◆Milano 341.

🏨 **Messnerwirt** 🦢, ℘ 99493, ≤, 🌲 – ▤ rist ☎ ℗. 🖪
chiuso dal 15 novembre al 20 dicembre – Pas (chiuso lunedì) carta 21/35000 – ⊞ 6500 – 12 cam 40000.

AVELLINO 83100 🅿 🔤 ㉗㉛ – 56 274 ab. alt. 351 – ✿ 0825.

🏛 piazza Libertà 50 ℘ 35175.
A.C.I. viale Italia 217 ℘ 36459.

Roma 245 – Benevento 39 – Caserta 58 – ◆Foggia 118 – ◆Napoli 57 – Potenza 138 – Salerno 38.

🏨 **Jolly**, via Tuoro Cappuccini 97/a ℘ 25922, Telex 722584 – ⧫ ▤ 📺 ☎ ℗ – 🏛 100 a 250. 🆎 🖪 ⓞ 🖪 𝘝𝘐𝘚𝘈. 🎯 rist
Pas 41000 – **72 cam** ⊞ 110/150000.

✗✗ **La Caveja**, via Scandone 48 ℘ 38277 – ▤. 🆎 🖪 𝘝𝘐𝘚𝘈. 🎯
chiuso lunedì – Pas carta 24/39000 (15%).

✗ Martella, via Chiesa Conservatorio 10 ℘ 31117.

✗ **Malaga**, via Tedesco 347 ℘ 626045, Solo piatti di pesce – ▤. 🆎 🖪 ⓞ 🖪 𝘝𝘐𝘚𝘈. 🎯
chiuso martedì ed agosto – Pas carta 35/45000 (10%).

ALFA-ROMEO via Nazionale Torrette 125/a ℘ 681242
BMW via Raffaele Aversa 31/ab ℘ 33705
CITROEN via Pianodardine-zona Industriale ℘ 626010
FIAT via Tagliamento 41/a ℘ 30788
FIAT a Mercogliano, via Nazionale Torrette 74 ℘ 681652
INNOCENTI a Mercogliano, via Nazionale Torrette 28/b ℘ 681771

LANCIA-AUTOBIANCHI a Mercogliano, via Nazionale Torrette 125 ℘ 681801
MASERATI via Tagliamento 13 ℘ 26260
PEUGEOT-TALBOT via Terminio 11 ℘ 31119
PEUGEOT-TALBOT a Mercogliano, via Nazionale Torrette 147 ℘ 681746
RENAULT via Piave 40/42 ℘ 36092
VW-AUDI a Mercogliano, via Nazionale Torrette 139/a ℘ 682148

AVEZZANO 67051 L'Aquila 🔤 ㉘ – 36 169 ab. alt. 697 – ✿ 0863.

Roma 105 – L'Aquila 54 – Latina 133 – ◆Napoli 188 – ◆Pescara 107.

🏨 **Motel Belvedere** senza rist, strada statale Tiburtina Valeria al km 118 (NE : 2,5 km) ℘ 59171 – ☎ ⟵ ℗. 🆎 🖪 ⓞ 🖪 𝘝𝘐𝘚𝘈. 🎯
⊞ 6000 – **39 cam** 43/60000.

🏨 **Principe** senza rist, via Oslavia angolo via Corradini ℘ 551146 – ⧫ ☎ ⟵ – 🏛 200. 🆎 🖪 ⓞ 🖪 𝘝𝘐𝘚𝘈. 🎯
⊞ 3000 – **60 cam** 48/63000.

✗✗ **La Lanterna**, corso della Libertà 96/98 ℘ 555101, prenotare – 🆎 🖪 ⓞ 🖪 𝘝𝘐𝘚𝘈. 🎯
chiuso sabato – Pas carta 29/42000.

✗✗ **Aquila**, corso della Libertà 26 ℘ 554152 – ▤. 🆎. 🎯
chiuso lunedì – Pas carta 20/30000 (15%).

ALFA-ROMEO via Tiburtina Valeria al km 117 ℘ 36280
CITROEN via Tiburtina Valeria al km 113 ℘ 553183
FIAT via 20 Settembre 291 ℘ 555285
FIAT via Tiburtina Valeria al km 117,5 ℘ 22930
FORD via Tiburtina Valeria 375 ℘ 25041

GM-OPEL via Tiburtina Valeria al km 117 ℘ 21758
INNOCENTI via Colonna 126 ℘ 20734
LANCIA-AUTOBIANCHI via 20 Settembre 365 ℘ 22667
PEUGEOT-TALBOT via 20 Settembre 303 ℘ 20316
VW-AUDI via Cavour 63 ℘ 34250

AVIATICO 24020 Bergamo – 500 ab. alt. 1 022 – ⊕ 035.

Roma 624 – ♦Bergamo 23 – ♦Brescia 74 – ♦Milano 69.

🏨 **Cantül,** ℰ 761010, ≤, ☎ – ℗, ⚿ ⓑ ⓞ. ⚛
Pas *(chiuso lunedì)* carta 22/31000 – ⌧ 4500 – **20 cam** 50000 – P 50/55000.

AVIGLIANA 10051 Torino 🟨🟨🟨 ⑫, 🟥🟥 ⑩ – 9 451 ab. alt. 390 – ⊕ 011.

Dintorni Sacra di San Michele★★★ : ≤★★★ NO : 13,5 km.

🏇 Le Fronde (marzo-novembre; chiuso lunedì) ℰ 938053.

🚩 corso Laghi 240 ℰ 938650.

Roma 689 – ♦Milano 161 – Col du Mont Cenis 59 – Pinerolo 33 – ♦Torino 24.

🟩🟩 **Corona Grossa,** piazza Conte Rosso 38 ℰ 938371 – ⓑ ⴹ 𝘝𝘐𝘚𝘈
chiuso lunedì ed agosto – Pas carta 30/53000.

ai laghi S : 3 km :

🟩🟩🟩 ❀ **La Maiana,** ℰ 938805, ≤ lago e monti, « Terrazza », ☎ – ℗ – 🚗 80. ⚿ 𝘝𝘐𝘚𝘈. ⚛
chiuso domenica sera, lunedì, dal 15 gennaio al 15 febbraio ed agosto – Pas carta 50/70000
Spec. Tortino di verdura, Gnocchetti Maiana, Bue brasato al Barolo (inverno). **Vini** Cortese, Dolcetto d'Alba.

🟩🟩🟩 **Hermitage** con cam, ℰ 938150, ≤ lago e monti, ☎ – ☎ ℗. ⚿ ⓑ. ⚛
chiuso gennaio – Pas *(chiuso martedì)* carta 40/50000 – ⌧ 5000 – **8 cam** 65000 – P 80000.

🟩 **Caccia Reale,** ℰ 938717 – ℗. ⚛
chiuso mercoledì e settembre – Pas carta 22/40000.

AVIGLIANO 85021 Potenza 🟨🟨🟨 ㉘ – 11 683 ab. alt. 916 – ⊕ 0971.

Roma 383 – ♦Bari 143 – ♦Foggia 120 – ♦Napoli 178 – Potenza 20.

🏨 **Gala,** ℰ 82387, ≤ – ⛗ 𝘛𝘝 ☎ ⇔ ℗. ⚿. ⚛
Pas carta 20/28000 – ⌧ 5000 – **34 cam** 35/45000 – P 70/80000.

AYAS 11020 Aosta 🟩🟦🟩 ④ – 1 268 ab. alt. 1 453 – Stazione di villeggiatura – ⊕ 0125.

🚩 a Champoluc, via Varasch ℰ 307113.

Roma 732 – Aosta 58 – Ivrea 57 – ♦Milano 170 – ♦Torino 99.

ad Antagnod N : 3,5 km – alt. 1 699 – ✉ 11020 Ayas – a.s. febbraio-15 marzo, Pasqua, luglio-agosto e Natale :

🏨 **Chalet,** ℰ 306616, ≤, ☎ – ℗. ⚛
⇦ *chiuso maggio ed ottobre* – Pas *(chiuso martedì dal 15 settembre a giugno)* 16000 – ⌧ 5000
– **8 cam** 30/50000 – P 48/55000, b.s. 48000.

Vedere anche : *Champoluc* NE : 5,5 km.

AZZANO MELLA 25020 Brescia – 1 509 ab. alt. 95 – ⊕ 030.

Roma 560 – ♦Brescia 13 – Cremona 48 – ♦Milano 100 – ♦Verona 83.

🏨 **Niga,** via Milano 1 ℰ 9747915 e rist ℰ9748103 – ⛗ ☎ ⇔ ℗ – 🚗 60 a 150. ⓑ ⓞ ⴹ
𝘝𝘐𝘚𝘈. ⚛
Pas *(chiuso lunedì)* carta 24/40000 – ⌧ 5000 – **23 cam** 40/70000.

BACOLI 80070 Napoli 🟨🟨🟨 ㉗ – 25 953 ab. – a.s. luglio-settembre – ⊕ 081.

Vedere Cento Camerelle★ – Piscina Mirabile★.

Roma 242 – Formia 77 – ♦Napoli 24 – Pozzuoli 8.

🟩🟩 **La Misenetta,** ℰ 8679169 – ⚛
chiuso dal 23 dicembre al 3 gennaio, dal 12 al 28 agosto e lunedì – Pas carta 30/47000 (15%).

a Capo Miseno SE : 2 km – ✉ 80070 :

🏨 **Cala Moresca** ⚶, via del Faro 28 ℰ 8670595, ≤ golfo e costa, ☎ – ⛗ 𝘛𝘝 ☎ ℗ – 🚗 70.
⚿ ⓞ 𝘝𝘐𝘚𝘈. ⚛ rist
Pas carta 32/50000 – **28 cam** ⌧ 75/105000 – P 126000.

a Baia N : 3,5 km – ✉ 80070 :.
Vedere Terme★★.

🟩🟩🟩 **L'Altro,** ℰ 8687196, Coperti limitati; prenotare – ▤ ⚿. ⚛
chiuso domenica sera e lunedì – Pas carta 41/65000 (15%).

🟩🟩 **Arturo al Fusaro** con cam, ℰ 8543130, 🌴, ☎ – ▤ rist ℗. ⚿
chiuso Natale – Pas carta 30/53000 (15%) – ⌧ 3000 – **6 cam** 40000 – P 90000.

🟩🟩 **Dal Tedesco** ⚶ con cam, via Temporini 8 (N : 1,5 km) ℰ 8687175, ≤, « Servizio estivo in terrazza » – ⇥⇦ ⇔ ℗. ⚿ ⓞ
Pas *(chiuso martedì, dal 10 al 20 agosto e dal 20 dicembre al 6 gennaio)* carta 37/50000 (12%)
– ⌧ 12000 – **9 cam** 25/35000 – P 70/90000.

BADIA (ABTEI) Bolzano – 2 630 ab. – Stazione di villeggiatura, a.s. febbraio-aprile, 15 luglio-agosto e Natale – Sport invernali : 1 315/2 077 m ⊰2 ≲44, ⅀ – ☻ 0471.

Da Pedraces : Roma 712 – Belluno 92 – ◆Bolzano 71 – Cortina d'Ampezzo 55 – ◆Milano 366 – Trento 132.

a Pedraces (Pedratsches) – alt. 1 315 – ✉ **39036**.
🛈 ℰ 839695 :

🏨 **Sporthotel Teresa,** ℰ 839623, Telex 400518, Fax 839823, ≼, 🔲, 🐾, ✕ – ⌷ ✕ rist ▦ rist ⅏ ☎ ⟵ 🅿. ⅁. ✿ rist
chiuso maggio e novembre – Pas *(chiuso lunedì)* carta 28/40000 – ☲ 16000 – **48 cam** 65/120000 appartamenti 140000 – P 85/125000, b.s. 70/95000.

🏠 **Lech da Sompunt** ⑊, SO : 3 km ℰ 847015, ≼, « Parco con laghetto » – ☎ 🅿. ⅟ E
◆ *dicembre-15 aprile e 15 giugno-settembre* – Pas carta 19/29000 – **30 cam** ☲ 38/70000 – P 50/78000.

🏠 **Gran Ander** ⑊, ℰ 839718, ≼ Dolomiti – ☎ 🅿. ✿ rist
20 dicembre-25 aprile e 25 giugno-20 settembre – Pas carta 22/34000 – ☲ 10000 – **16 cam** 32/70000 – P 50/62000, b.s. 45/55000.

a La Villa (Stern) S : 3 km – alt. 1 484 – ✉ **39030**.
🛈 ℰ 847037, Telex 401005 :

🏨 **Christiania,** ℰ 847016, ≼ Dolomiti, 🟤, 🐾 – ⌷ ▦ 📺 ☎ 🅿. ⅁ ⓞ. ✿ rist
15 dicembre-marzo e luglio-settembre – Pas (solo per clienti alloggiati) – ☲ 12000 – **31 cam** 59/115000 – P 93/115000, b.s. 70/91000.

🏨 **Dolomiti,** ℰ 847143, ≼, 🐾, ✕ – ⌷ ▦ rist ⟐ 🅿. ⓞ. ✿ rist
chiuso maggio e novembre – Pas carta 23/33000 – ☲ 7000 – **45 cam** 31/56000 – P 83/88000, b.s. 50/55000.

🏨 **La Villa** ⑊, ℰ 847035, ≼ Dolomiti, « Giardino-pineta » – ⌷ ☎ 🅿. ✿
. *5 dicembre-10 aprile e 25 giugno-18 settembre* – Pas 20/30000 – ☲ 15000 – **39 cam** 50/90000 – P 74/89000, b.s. 55/74000.

🏠 **Ladinia,** ℰ 847044, 🐾 – 📺 ☎ 🅿. ⅟ ⓞ E 𝑽𝑰𝑺𝑨. ✿ rist
chiuso novembre, aprile o' maggio – Pas 20/30000 – **39 cam** ☲ 80000 – P 75/92000, b.s. 40/60000.

✕✕ **L' Fanà,** ℰ 847022, 🍴, Rist. e taverna caratteristica – ▦ 🅿. ⅟ E 𝑽𝑰𝑺𝑨
dicembre-aprile e giugno-ottobre – Pas carta 28/45000.

a San Cassiano (St. Kassian) SE : 6 km – alt. 1 535 – ✉ **39030**.
🛈 ℰ 849422 :

🏨 **Armentarola** ⑊, SE : 2 km ℰ 849500, Fax 849389, ≼ pinete e Dolomiti, 🔲, 🐾, ✕, 🐎 – ☎ ⟵ 🅿
18 dicembre-9 aprile e 12 giugno-15 ottobre – Pas carta 23/33000 – **52 cam** ☲ 65/120000 – P 75/115000, b.s. 66/95000.

🏨 **Ciasa Salares** ⑊, SE : 2 km ℰ 849445, ≼ pinete e Dolomiti, 🔲, 🐾 – ☎ ⟵ 🅿. ⓞ. ✿ rist
17 dicembre-10 aprile e 25 giugno-settembre – Pas carta 31/48000 – ☲ 15000 – **40 cam** 60/100000 appartamento 110000 – P 90/120000, b.s. 70/95000.

🏨 **Rosa Alpina,** ℰ 849500, Telex 400552, Fax 849377, 🔲 – ⌷ ☎ 👵 ⟵ 🅿. ✿ rist
dicembre-13 aprile e 21 giugno-settembre – Pas *(chiuso giovedì)* carta 27/39000 – **45 cam** ☲ 80/150000 – P 94/117000, b.s. 79/90000.

🏨 **Gran Paradiso,** SE : 1,5 km ℰ 849424, ≼ pinete e Dolomiti, 🐾 – ☎ ⟵ 🅿
3 dicembre-aprile e 25 giugno-settembre – Pas carta 22/36000 – 31 cam – ☲ 30/58000 – P 55/66000, b.s. 46/48000.

🏠 **La Stüa** ⑊, ℰ 849456, ≼ pinete e Dolomiti, 🔲 – ▦ rist ☎ 🅿. ✿ rist
◆ *15 dicembre-15 aprile e 30 giugno-settembre* – Pas 19/25000 – **25 cam** ☲ 40/90000 – P 70/100000, b.s. 50/60000.

🏠 **Ciasa Antersies** ⑊, ℰ 849417, ≼ pinete e Dolomiti, 🐾 – ✕ rist 📺 ☎ 🅿. ⅁ 𝑽𝑰𝑺𝑨. ✿ rist
4 dicembre-25 aprile e luglio-settembre – Pas (solo per clienti alloggiati) – **21 cam** ☲ 39/64000 – P 68/72000, b.s. 54/56000.

BADIA POLESINE 45021 Rovigo 𝟵𝟴𝟴 ⑭ ⑮ – 10 201 ab. alt. 11 – ☻ 0425.

Roma 455 – Mantova 65 – ◆Milano 216 – ◆Padova 56 – Rovigo 24 – ◆Venezia 97.

✕ **Fontana** con cam, ℰ 51421 – ✿
◆ Pas *(chiuso sabato)* carta 18/23000 – ☲ 2500 – **8 cam** 22/36000 – P 45/60000.

FIAT via Ca' Mignola Nuova 570/590 ℰ 51324

BAGNAIA 01031 Viterbo – alt. 441 – ☻ 0761.

Vedere Villa Lante**.

Roma 109 – Civitavecchia 63 – Orvieto 52 – Terni 57 – Viterbo 5.

✕ **Biscetti** con cam, via Gandin 11 ℰ 288252 – 🅿. ⅁. ✿
chiuso luglio – Pas *(chiuso giovedì)* carta 22/32000 (10%) – ☲ 3500 – **10 cam** 25/40000.

BAGNARA Perugia – Vedere Nocera Umbra.

94

BAGNARA CALABRA 89011 Reggio di Calabria 988 ⑨ – 11 867 ab. alt. 50 – ✿ 0966.
Roma 679 – Catanzaro 135 – ◆Cosenza 164 – ◆Reggio di Calabria 34.

　✗　**Taverna Kerkira,** ℰ 372260 – 🔄
　　chiuso lunedì, martedì, giugno, ottobre e novembre – Pas carta 30/46000.

BAGNI DEL MASINO Sondrio 988 ③, 218 ⑭ – alt. 1 172 – ✉ 23010 San Martino Valmasino –
✿ 0342.
Roma 699 – ◆Bergamo 115 – Lecco 82 – ◆Milano 138 – Sondrio 35.

　🏨　Terme Bagni Masino ⤵, ℰ 640803, ♨, 🐎, ✗ – 🔄 ☎ ⇦ 🅿
　　stagionale – 55 cam.

BAGNI DI LUCCA 55021 e 55022 Lucca 988 ⑭ – 7 715 ab. alt. 150 – Stazione termale
(15 maggio-15 ottobre), a.s. luglio-agosto e Natale – ✿ 0583.
🛈 via Umberto I n° 139 ℰ 87946.
Roma 375 – ◆Bologna 113 – ◆Firenze 101 – Lucca 27 – Massa 72 – ◆Milano 301 – Pistoia 53 – ◆La Spezia 101.

　🏨　**Bridge** senza rist, piazza di Ponte a Serraglio 10 (O : 1,5 km) ✉ 55021 ℰ 87147 – 🔄 ☎. 🆎 🔄
　　① 🄴 𝘝𝘐𝘚𝘈. ✗
　　⤓ 6500 – **12 cam** 35/50000.

　✗✗　**Circolo dei Forestieri,** piazza Jean Varraud ✉ 55022 ℰ 86038, 🏤 – ✗
　　chiuso lunedì e dal 6 al 30 gennaio – Pas carta 27/35000.

　✗✗　**La Ruota,** O : 2,5 km ✉ 55026 Fornoli ℰ 86071 – ✗
　　chiuso lunedì sera, martedì ed agosto – Pas carta 23/33000.

　　Se cercate un albergo tranquillo,
　　oltre a consultare le carte dell'introduzione,
　　rintracciate nell'elenco degli esercizi quelli con il simbolo ⤵

BAGNO A RIPOLI 50012 Firenze 988 ⑮ – 27 612 ab. alt. 77 – ✿ 055.
Roma 270 – Arezzo 74 – ◆Firenze 7 – Montecatini Terme 63 – Pisa 106 – Siena 71.

　✗✗　**Centanni,** ℰ 630122, ≼ colline, « Servizio estivo serale in giardino » – ▤ 🅿
　　chiuso sabato a mezzogiorno, domenica ed agosto – Pas carta 34/50000.

　✗✗　Villa l'Apparita, ℰ 632332, ≼, 🏤, solo su prenotazione, « In una villa cinquecentesca », 🐎
　　– 🅿.

BAGNO DI ROMAGNA 47021 Forlì 988 ⑮ – 6 332 ab. alt. 491 – Stazione termale (marzo-
novembre), a.s. luglio-15 settembre – ✿ 0543.
🛈 via Lungosavio 10 ℰ 911046.
Roma 289 – Arezzo 65 – ◆Bologna 125 – ◆Firenze 90 – Forlì 62 – ◆Milano 346 – ◆Ravenna 86 – Rimini 87.

　🏨　**Tosco Romagnolo,** ℰ 911260 – 🔄 ▤ cam 📺 ☎ ⓖ ⇦ 🅿. 🆎 🔄 ① 🄴 𝘝𝘐𝘚𝘈. ✗
　　Pasqua-ottobre – Pas 20000 – ⤓ 11000 – **51 cam** 60/90000 – P 50/65000, b.s. 42/45000.

　🏨　Euroterme, ℰ 917979, Telex 551131, Fax 911133, ♨, ⤨ riscaldata – 🔄 📺 ☎ 🅿
　　stagionale – 218 cam.

　🏩　**Balneum,** ℰ 911085, 🐎 – 🔄 ⴵ ⇦ 🅿. 🆎 🔄. ✗
　◆　*chiuso gennaio e febbraio* – Pas *(chiuso lunedì)* carta 19/27000 – ⤓ 5000 – **40 cam** 38/56000
　　– P 43/51000, b.s. 38/43000.

　🏩　**Al Tiglio,** ℰ 911032, 🐎 – 🔄 ⴶ cam ⴵ ⇦ 🅿. 🆎 🔄 ① 🄴 𝘝𝘐𝘚𝘈. ✗ rist
　◆　Pas *(chiuso giovedì)* carta 18/24000 – ⤓ 4500 – **16 cam** 40/55000 – P 38/41000, b.s. 29/33000.

　✗✗✗　❀ **Paolo Teverini,** ℰ 911260, Coperti limitati; prenotare – 🅿. 🆎 🔄 ① 🄴 𝘝𝘐𝘚𝘈. ✗
　　Pasqua-novembre – Pas carta 36/54000
　　Spec. Tortelli di patate al burro e salvia, Insalata di gamberi di fiume (giugno-settembre), Carrè di agnello al timo.
　　Vini Albana, Ronco delle Ginestre.

　　ad Acquapartita NE : 10 km – ✉ 47021 Bagno di Romagna :

　✗　**Belvedere-da Crescio** con cam, ℰ 917352, ≼ – ✗
　　Pas *(chiuso lunedì)* carta 26/41000 – 10 cam ⤓ 25/45000.

BAGNOLI IRPINO 83043 Avellino – 3 880 ab. alt. 670 – Sport invernali : all'Altipiano Laceno
1 054/1 665 m ⥾3, ⤨ – ✿ 0827.
Roma 289 – Avellino 43 – Benevento 64 – ◆Foggia 124 – ◆Napoli 100 – Potenza 116 – Salerno 75.

　🏩　**Belvedere,** ℰ 62050 – 🄴. ✗
　◆　Pas *(chiuso mercoledì)* carta 16/23000 (10%) – ⤓ 5000 – **18 cam** 22/38000 – P 44/48000.

　　all'Altipiano Laceno SE : 6 km – alt. 1 054 – ✉ 83043 Bagnoli Irpino :

　🏩　4 Camini ⤵, ℰ 68086, ≼, ⤨ riscaldata, 🐎, ✗ – 🔄 ☎ ⇦ 🅿 – 🏧 150
　　stagionale – 52 cam.

BAGNOLO Grosseto – Vedere Santa Fiora.

BAGNOLO SAN VITO 46031 Mantova – 5 260 ab. alt. 18 – ✆ 0376.
Roma 460 – Mantova 13 – ◆Milano 188 – ◆Modena 58 – ◆Verona 49.

a San Giacomo Po S : 2,5 km – ✉ 46031 Bagnolo San Vito :

✗ **Da Alfeo,** ℰ 414046 – ❄
◆ *chiuso martedì* – Pas carta 17/27000.

BAGNO VIGNONI Siena – Vedere San Quirico d'Orcia.

BAIA Napoli – Vedere Bacoli.

BAIA DOMIZIA 81030 Caserta – a.s. 15 giugno-15 settembre – ✆ 0823.
Roma 167 – Caserta 53 – Gaeta 29 – Abbazia di Montecassino 53 – ◆Napoli 67.

🏨 **Domizia Palace** ⌂, ℰ 930118, Telex 721379, ≤, « Giardino-pineta con ⊐ », 🏖 – |₴|
 ✻ cam 🍴 🛁 ❷ – 🛎 100 a 350. 🝙 ⓪ 𝘝𝘐𝘚𝘈. ❄
 20 febbraio-10 novembre – Pas 30000 – ⟐ 10000 – 110 cam 72/110000 – P 85/95000,
 b.s. 65/75000.

🏨 **Della Baia** ⌂, ℰ 721344, ≤, 🏖, 🏝, ❄ – ✻ cam ❷. 🝙 🎦 ⓪ ☰ 𝘝𝘐𝘚𝘈. ❄ rist
 maggio-settembre – Pas 40000 – ⟐ 10000 – 56 cam 65/95000 – P 100/105000, b.s. 82/85000.

BAIARDO 18031 Imperia 𝟷𝟿𝟻 ⑲⑳ – 381 ab. alt. 900 – ✆ 0184.
Roma 668 – ◆Genova 169 – Imperia 55 – ◆Milano 292 – San Remo 27 – Ventimiglia 23.

🏠 **La Greppia** ⌂, ℰ 93051, ≤, 🏝 – ❷. ❄ rist
 Pas *(chiuso venerdì)* carta 25/34000 – ⟐ 10000 – 10 cam 50000 – P 50/55000.

BAISO 42031 Reggio nell'Emilia – 3 220 ab. alt. 529 – ✆ 0522.
Roma 440 – ◆Milano 179 – ◆Modena 39 – Reggio nell'Emilia 30.

✗ **Monte Lusino** con cam, via per Reggio nell'Emilia N : 5 km ℰ 843678, 🏝 – ❷. 🝙. ❄
◆ *chiuso lunedì e dal 16 agosto al 15 settembre* – Pas carta 19/26000 – **8 cam** ⟐ 20/40000 –
 P 35000.

BAIA SARDINIA Sassari 𝟿𝟾𝟾 ㉒㉓ – Vedere Sardegna (Arzachena) alla fine dell'elenco alfabetico.

BALBANO Lucca – Vedere Lucca.

BALDISSERO TORINESE 10020 Torino – 2 637 ab. alt. 421 – ✆ 011.
Roma 656 – Asti 42 – ◆Milano 140 – ◆Torino 14.

✗✗ **Osteria del Paluc,** via Superga 44 ℰ 9408750, solo su prenotazione – ❷. 🝙
 chiuso a mezzogiorno, domenica e lunedì – Pas 43000.

BALESTRINO 17020 Savona – 507 ab. alt. 371 – ✆ 0182.
Roma 587 – ◆Genova 88 – Imperia 50 – ◆Milano 211 – Savona 42.

✗ **La Greppia,** ℰ 988020 – ❄
◆ *chiuso lunedì ed ottobre* – Pas carta 18/23000.

BALZE Forlì – Vedere Verghereto.

BARANO D'ISCHIA Napoli – Vedere Ischia (Isola d').

BARATTI Livorno – Vedere Piombino.

BARBARANO Brescia – Vedere Salò.

BARBERINO DI MUGELLO 50031 Firenze 𝟿𝟾𝟾 ⑭⑮ – 8 369 ab. alt. 268 – ✆ 055.
Roma 308 – ◆Bologna 79 – ◆Firenze 34 – ◆Milano 273 – Pistoia 49.

in prossimità casello autostrada A 1 SO : 4 km :

✗✗ **Cosimo de' Medici,** ✉ 50030 Cavallina ℰ 8420370 – ❷. 🝙 🎦 ⓪ ☰ 𝘝𝘐𝘚𝘈
 chiuso lunedì ed agosto – Pas carta 27/37000 (10%).

BARBERINO VAL D'ELSA 50021 Firenze – 3 336 ab. alt. 373 – ✆ 055.
Roma 266 – Arezzo 99 – ◆Firenze 31 – Pisa 81 – Siena 36.

🏠 **Primavera** senza rist, località San Filippo S : 2 km ℰ 8075584, ≤ – |₴| ✻ ☎ 🛁 🚗 ❷. ❄
 senza ⟐ – **29 cam** 34/53000.

✗ **La Collinetta,** località San Filippo S : 2 km ℰ 8075047 – 🍴 ❷. 🝙 🎦 ⓪ 𝘝𝘐𝘚𝘈. ❄
 chiuso giovedì – Pas carta 23/37000 (10%).

ALFA-ROMEO località Spadino ℰ 8078067 FIAT località Bosco ai Marzi ℰ 8078007

BARCELLONA POZZO DI GOTTO Messina 988 ㉔ – Vedere Sicilia alla fine dell'elenco alfabetico.

BARCUZZI Brescia – Vedere Lonato.

BARDASSANO Torino – Vedere Gassino Torinese.

BARDI 43032 Parma 988 ⑬ – 3 700 ab. alt. 625 – a.s. luglio e agosto – ✿ 0525.
Roma 500 – ◆Genova 123 – ◆Parma 67 – Piacenza 74 – ◆La Spezia 102.

  ✗ **Bue Rosso** con cam, ℘ 72260 – *VISA*. ⅍
    Pas *(chiuso venerdì da ottobre a maggio)* carta 25/35000 – ⊊ 5000 – **14 cam** 21/36000 –
    P 45/55000, b.s. 40/45000.

BARDINETO 17020 Savona 988 ⑫ – 723 ab. alt. 711 – ✿ 019.
Roma 604 – Cuneo 84 – ◆Genova 105 – Imperia 65 – ◆Milano 228 – Savona 59.

  🏨 **Piccolo Ranch,** ℘ 790038, ← – 🛗 🕊 🕾 ❷ – 🏡 80. 🝙 *VISA*. ⅍
  ◆ *chiuso dal 15 gennaio al 28 febbraio* – Pas *(chiuso mercoledì)* carta 16/30000 – ⊊ 5000 –
    23 cam 35/60000 – P 50/60000.

BARDOLINO 37011 Verona 988 ④ – 5 879 ab. alt. 68 – Stazione climatica – ✿ 045.
Vedere Chiesa★.
🛈 piazza Matteotti 53 ℘ 7210872.
Roma 517 – ◆Brescia 60 – Mantova 59 – ◆Milano 147 – Trento 84 – ◆Venezia 145 – ◆Verona 28.

  🏨 **San Pietro,** ℘ 7210139, ⌁, 🝙 – 🛗 🕾 ❷. ⅍
    12 marzo-ottobre – Pas *(chiuso venerdì)* 22/25000 – ⊊ 10000 – 44 cam 52/75000 – P 42/
    68000.

  🏨 **Cristina,** ℘ 7210339, ⌁, 🝙, ✗ – 🛗 🕾 ❷. ⅍ rist
    15 aprile-15 ottobre – 48 cam (solo ½ P) 63/67000.

  🏨 **Kriss,** ℘ 7212433, 🝙 – 🛗 🕾. 🝙 🛐 ① 🝙 *VISA*. ⅍ rist
    Pas *(chiuso martedì)* 21000 – ⊊ 10500 – **33 cam** 40/59000 – P 60000.

  🏠 **Speranza,** ℘ 7210355 – 🛗 ▤ rist 🕾. 🛐 🝙 *VISA*. ⅍
    chiuso gennaio – Pas *(chiuso mercoledì)* carta 26/35000 – 22 cam ⊊ 46/72000 – P 50/58000.

  🏠 **Bologna,** ℘ 7210003 – 🛗 🕾 ❷. ①. ⅍ rist
    10 marzo-20 ottobre – Pas *(chiuso venerdì)* 25000 – ⊊ 10000 – 21 cam 39/52000 – P 54000.

  🏠 **Santa Maria,** ℘ 7210101 – 🕾 ❷. ⅍
  ◆ *chiuso da novembre al 20 dicembre* – Pas carta 19/27000 – ⊊ 6500 – **19 cam** 30/50000 –
    P 45/50000.

  ✗✗ **Aurora,** ℘ 7210038 – 🝙 🛐 ① 🝙 *VISA*. ⅍
    chiuso lunedì e novembre – Pas carta 26/39000.

    a Cisano S : 2 km – ✉ 37010 :

  ✗✗ **Taverna Scalchi,** ℘ 7211917, 🛋 – 🝙 🛐 ① 🝙 *VISA*. ⅍
    chiuso lunedì, martedì a mezzogiorno e dal 20 gennaio al 20 febbraio – Pas carta 30/58000.

BARDONECCHIA 10052 Torino 988 ⑪, 77 ⑨ – 3 327 ab. alt. 1 312 – Stazione di villeggiatura,
a.s. febbraio-15 marzo, Pasqua, 15 luglio-agosto e Natale – Sport invernali : 1 312/2 750 m ⚡5 ⚡15,
⚡ – ✿ 0122.
🚙 ℘ 9171.
🛈 viale Vittoria 42 ℘ 99032.
Roma 754 – Briançon 46 – ◆Milano 226 – Col du Mont Cenis 51 – Sestriere 36 – ◆Torino 89.

  🏨 Riky, viale della Vittoria 22 ℘ 9353 – 🛗 ❷
    stagionale – 64 cam.

  🏨 **Des Geneys-Splendid** ⬗, viale Einaudi 21 ℘ 99001, 🝙 – 🛗 🕾 ❷ – 🏡 40. *VISA*. ⅍ rist
    15 dicembre-25 aprile e luglio-agosto – Pas 25/30000 – ⊊ 6000 – **57 cam** 65/86000 –
    P 100/110000, b.s. 52000.

  🏨 **La Betulla,** viale della Vittoria 4 ℘ 9846 – 🛗 🕾 ⇐⇒. 🝙 *VISA*. ⅍
    21 dicembre-marzo e 21 giugno-10 settembre – Pas carta 29/36000 – ⊊ 5000 – **40 cam**
    50/70000 – P 77/97000, b.s. 62/72000.

  🏨 **Asplenia,** viale della Vittoria 31 ℘ 9870 – 🛗 🕾 ❷. 🛐 🝙 *VISA*. ⅍ rist
  ◆ *15 dicembre-15 aprile e 15 giugno-agosto* – Pas 19/25000 – ⊊ 6000 – 25 cam 75/95000 –
    P 80/85000, b.s. 65/70000.

  🏠 **La Quiete** ⬗, via San Francesco d'Assisi 26 ℘ 9859, 🝙
  ◆ Pas *(solo per clienti alloggiati)* 12/25000 – **15 cam** ⊊ 30/50000 – P 48/60000, b.s. 40/50000.

  ✗✗ **Tabor** con cam, via Stazione 6 ℘ 9857 – 🕾. *VISA*
    Pas carta 27/43000 – ⊊ 7000 – **21 cam** 60/80000 – P 65/90000, b.s. 50/68000.

97

BAREGGIO 20010 Milano 🏙🎑 ⑱ – 12 953 ab. alt. 138 – ✪ 02.

Roma 590 – ◆Milano 16 – Novara 33 – Pavia 49.

  🏨 **Novara Fiera,** strada statale 🖉 90276541 – 🛗 ☎ 🅿 – 🔬 100. 🖭 ⑩ 𝘝𝘐𝘚𝘈. 🛠
    chiuso dal 12 al 18 agosto – Pas carta 25/33000 – **51 cam** ⏄ 73/106000.

BARGA 55051 Lucca – 10 553 ab. alt. 410 – ✪ 0583.

Roma 385 – ◆Firenze 111 – Lucca 37 – Massa 56 – ◆Milano 277 – Pistoia 71 – ◆La Spezia 95.

  🏨 **La Pergola,** 🖉 711239 – 🛗 ☏ 🅿. 🖭 🛠
    Pas vedere rist La Pergola – ⏄ 6000 – **23 cam** 37/58000 – P 58000.

  🏨 **Villa Libano,** 🖉 73059, 🌳 – 🅿. 🖭. 🛠
    chiuso novembre – Pas (chiuso venerdì) carta 20/27000 – ⏄ 3000 – **27 cam** 27/50000 –
    P 50/52000.

  ✗ **La Pergola,** 🖉 73086 – 🖭. 🛠
    chiuso dal 20 novembre al 20 dicembre e venerdì da ottobre a giugno – Pas carta 20/27000.

FIAT via Roma 10/a 🖉 73063   RENAULT via della Repubblica 🖉 75245

BARGECCHIA Lucca – Vedere Massarosa.

BARGHE 25070 Brescia – 1 027 ab. alt. 295 – ✪ 0365.

Roma 564 – ◆Brescia 32 – Gardone Riviera 23 – ◆Milano 122 – ◆Verona 79.

  ✗✗ ❀ **Da Girelli Benedetto,** 🖉 84140, prenotare, « Simpatico ambiente » – 🛠
    chiuso martedì, Pasqua, dal 15 giugno al 15 luglio e Natale – Pas 50/60000
    Spec. Casoncelli alla Benedetto, Capretto al forno con bacche di ginepro (novembre-maggio), Vitellino da latte al
    forno, Tagliata di manzo. **Vini** Lugana, Chiaretto del Garda.

En haute saison, et surtout dans les stations,
il est prudent de retenir à l'avance.

BARI 70100 🅿 🈲🎑 ㉘ – 358 906 ab. – ✪ 080.

Vedere Città vecchia★ CDY : basilica di San Nicola★★ DY A, Cattedrale★ DY B, castello★ CY –
Cristo★ in legno nella pinacoteca BX M.

🏌 di Palese per viale Europa : 9 km AX 🖉 374654 – Alitalia, via Calefati 37/41 🖂 70121 🖉 216609.
🚢 🖉 216801.

🅱 via Melo 253 🖂 70121 🖉 5242244 – corso Vittorio Emanuele 68 🖂 70121 🖉 219951.
A.C.I. via Serena 26 🖂 70126 🖉 331354.

Roma 449 ④ – ◆Napoli 261 ④.

Piante pagine seguenti

  🏰 **Palace Hotel,** via Lombardi 13 🖂 70122 🖉 216551, Telex 810111, Fax 5211499 – 🛗 🗏 📺 ☎
    🕭 🚗 – 🔬 50 a 450. 🖭 🚱 ⑩ 🗉 𝘝𝘐𝘚𝘈. 🛠 rist   CY **b**
    Pas (chiuso sabato sera, domenica ed agosto) 45000 – **204 cam** ⏄ 168/265000.

  🏰 **Gd H. Ambasciatori,** via Omodeo 51 🖂 70125 🖉 410077, Telex 810405, Fax 410077, ≤, ⤢,
    🌳 – 🛗 🗏 📺 ☎ 🕭 🚗 – 🔬 200 a 400. 🖭 🚱 ⑩ 🗉 𝘝𝘐𝘚𝘈. 🛠 rist   BX **v**
    Pas (chiuso domenica e lunedì a mezzogiorno) carta 34/48000 – ⏄ 16000 – **177 cam** 120/210000
    appartamenti 300/500000 – P 170/220000.

  🏰 **Jolly,** via Giulio Petroni 15 🖂 70124 🖉 364366, Telex 810274 – 🛗 🗏 📺 ☎ 🕭 – 🔬 50 a
    800. 🖭 🚱 ⑩ 🗉 𝘝𝘐𝘚𝘈. 🛠 rist   DZ **c**
    Pas 42000 – **164 cam** ⏄ 160/210000.

  🏰 **Villa Romanazzi-Carducci** senza rist, via Capruzzi 326 🖂 70124 🖉 227400, Telex 812292,
    « Parco », ⤢ – 🛗 🗏 📺 ☎ 🕭 🅿 – 🔬 150 a 300. 🖭 🚱 ⑩ 🗉 𝘝𝘐𝘚𝘈. 🛠   AX **c**
    89 cam ⏄ 148/236000 appartamenti 270/480000.

  🏦 **Executive Business** senza rist, corso Vittorio Emanuele 201 🖂 70122 🖉 216810, Telex
    810208, Fax 216810 – 🛗 🗏 📺 ☎ 🕭 🚗 – 🔬 70 a 80. 🖭 🚱 ⑩ 𝘝𝘐𝘚𝘈   CY **a**
    ⏄ 16000 – **21 cam** 98/164000.

  🏦 **Gd H. e d'Oriente** senza rist, corso Cavour 32 🖂 70121 🖉 544422, Telex 810024 – 🛗 🗏 📺
    ☎ 🕭 – 🔬 180 a 220. 🖭 ⑩ 𝘝𝘐𝘚𝘈   DYZ **p**
    172 cam ⏄ 90/150000 appartamenti 200000.

  🏨 **Gd H. Leon d'Oro,** piazza Aldo Moro 4 🖂 70122 🖉 235040, Telex 810311 – 🛗 ⚒ 🗏 📺 ☎
    🚗 – 🔬 60. 🖭 𝘝𝘐𝘚𝘈   DZ **h**
    Pas carta 30/45000 – ⏄ 6000 – **109 cam** 85/140000 – P 130/140000.

  🏨 **7 Mari** senza rist, via Verdi 60 🖂 70123 🖉 441500, ≤ – 🛗 🗏 📺 ☎ 🅿 – 🔬 80. 🖭 🚱 ⑩ 🗉
    𝘝𝘐𝘚𝘈. 🛠   AX **a**
    ⏄ 7500 – **56 cam** 75/99000.

  🏨 **Boston** senza rist, via Piccinni 155 🖂 70122 🖉 216633 – 🛗 🗏 📺 ☎ 🕭 🖭 🚱 ⑩ 🗉 𝘝𝘐𝘚𝘈
    ⏄ 10000 – **72 cam** 80/120000.   CY **e**

  🏨 **Plaza** senza rist, piazza Luigi di Savoia 15 🖂 70121 🖉 540077 – 🛗 ☏. 𝘝𝘐𝘚𝘈. 🛠   DZ **g**
    chiuso dal 1° al 24 agosto – ⏄ 9000 – **40 cam** 75/130000.

BAR, DUBROVNIK   CORFU, PATRASSO

BARI

0   1 km

MARE   ADRIATICO

Alighieri (Via Dante)	AX 2	Fanelli (Via Giuseppe)	BX 29	Papa Pio XII (Viale)	BX 59
Bellomo (Via Generale N.)	AX 6	Flacco (Via Orazio)	BX 34	Pasteur (Via Louis)	AX 60
Brigata Bari (Via)	AX 9	Japigia (Viale)	BX 42	Peucetia (Via)	BX 63
Brigata Regina (Via)	AX 10	Magna Grecia (Via)	BX 45	Repubblica (Viale della)	BX 67
Buozzi (Sottovia Bruno)	AX 12	Maratona (Via di)	AX 47	Starita (Lungomare	
Costa (Via Nicola)	AX 18	Oberdan (Via Guglielmo)	BX 52	Giambattista)	AX 77
Cotugno (Via Domenico)	AX 20	Omodeo (Via Adolfo)	BX 55	Van Westerhout (Viale)	AX 78
Crispi (Via Francesco)	AX 21	Orlando (Viale V. E.)	AX 56	Verdi (Via Giuseppe)	AX 80
De Gasperi (Corso Alcide)	BX 25	Papa Giovanni XXIII (Viale)	BX 58	2 Giugno (Largo)	BX 83

XXX **La Pignata,** via Melo 9 ⌧ 70122 ✆ 232481 – ■. 🆎 🕃 ① Ɛ 𝗩𝗜𝗦𝗔. ⅌   DY **n**
   chiuso mercoledì ed agosto – Pas carta 36/62000.

XX ✿ **Vecchia Bari,** via Dante Alighieri 47 ⌧ 70121 ✆ 5216496, « Caratteristiche decorazioni »
   – 🆎 ① 𝗩𝗜𝗦𝗔. ⅌   DZ **y**
   chiuso venerdì, domenica sera e dal 7 al 20 agosto – Pas carta 39/55000
   Spec. Strascinati, Braciole e Dolcetti caserecci : alla barese. **Vini** Castel del Monte, Martina Franca.

XX **Bougainvillea,** via Giovene 50 ⌧ 70124 ✆ 518303, « Servizio estivo all'aperto » – ■   BX **x**

XX **Marc'Aurelio,** via Fiume 1 ⌧ 70121 ✆ 212820 – ■. 🆎 🕃 ① Ɛ 𝗩𝗜𝗦𝗔   DY **r**
   chiuso lunedì – Pas carta 23/39000.

XX **La Serra,** via Amendola 197 ⌧ 70126 ✆ 339491 – ■ 🅿   BX **a**

XX **Sorso Preferito,** via Vito Nicola De Nicolò 46 ⌧ 70121 ✆ 235747 – ■. 🆎 🕃 ① Ɛ
   𝗩𝗜𝗦𝗔   DY **m**
   chiuso domenica – Pas carta 25/42000.

XX **Ai 2 Ghiottoni,** via Putignani 11 ⌧ 70121 ✆ 232240 – ■. 🆎 🕃 ① Ɛ 𝗩𝗜𝗦𝗔. ⅌   DY **d**
   chiuso domenica e dal 1° al 23 agosto – Pas carta 35/49000 (16%).

XX **La Panca,** piazza Massari 8 ⌧ 70122 ✆ 216096, « Caratteristiche decorazioni » – 🆎 🕃 Ɛ
   𝗩𝗜𝗦𝗔. ⅌   CY **f**
   chiuso mercoledì – Pas carta 23/41000 (15%).

X **La Lanterna Verde,** via Brigata Regina 69 ⌧ 70123 ✆ 347098 – ■   AX **b**

sulla tangenziale sud-complanare ovest SE : 5 km per ① :

🏨 **Majesty,** ⌧ 70126 ✆ 491099, Telex 811256, ⧉, ☞, ⅍ – ⫚ ■ 📺 ☎ 🅿 – 🛦 25 a 150. 🆎
   🕃 ① Ɛ 𝗩𝗜𝗦𝗔. ⅌
   chiuso dal 23 dicembre al 9 gennaio – Pas *(chiuso le sere di venerdì e domenica)* carta 28/40000
   – 🖃 7000 – **67 cam** 63/98000, ■ 6000 – P 103000.

segue →

99

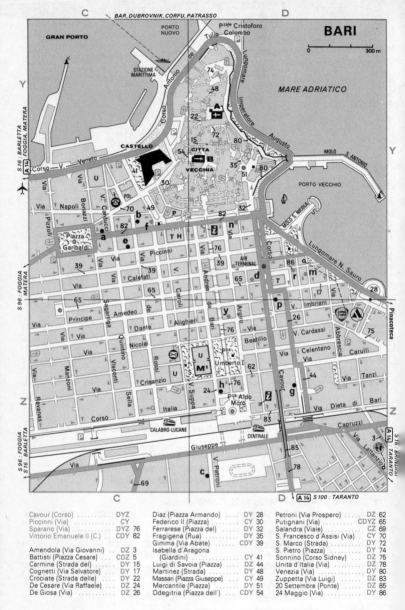

BAR, DUBROVNIK, CORFU, PATRASSO

BARI

MARE ADRIATICO

0   300 m

GRAN PORTO

PORTO NUOVO

P.zale Cristoforo
Colombo

STAZIONE
MARITTIMA

CASTELLO

CITTÀ
VECCHIA

MOLO S. ANTONIO

PORTO VECCHIO

Piazza
Garibaldi

AIR
TERMINAL

Lungomare N. Sauro

Pinacoteca

P.za Aldo
Moro

CALABRO-LUCANE

CENTRALE

a Carbonara di Bari S : 6,5 km BX – ⊠ 70012 :

XX **Taberna,** via Ospedale di Venere 6 ℰ 350557, « Insieme caratteristico » – ▥. ⅀⅀
chiuso lunedì ed agosto – Pas carta 25/40000.

Vedere anche : *Palese* per ⑥ : 9 km.
Modugno per ⑤ : 10 km.
Santo Spirito per ⑥ : 11 km.
Torre a Mare per ① : 12 km.

MICHELIN, contrada Prete 5 (zona Industriale) AX – ✉ 70123, ☎ 441511.

ALFA-ROMEO circonvallazione Sud al km 810 per ① ☎ 491033
ALFA-ROMEO viale Imperatore Traiano 4/a ☎ 331679
ALFA-ROMEO via Lattanzio 118 ☎ 580217
BMW via Saverio Lioce 9 ☎ 513443
CITROEN via F.lli Philips 11/13 ☎ 373535
CITROEN sulla statale 96 al km 120 ☎ 451233
FERRARI via Amendola 152 ☎ 330077
FIAT via Oberdan 2 ☎ 339336
FIAT via Napoli 357 ☎ 441180
FIAT corso De Gasperi 312 ☎ 5524210
FIAT via Amendola 152 ☎ 330077
FIAT sulla statale 96 al km 119,5 ☎ 454065
FORD viale Giovanni XXIII n° 169 ☎ 513617
FORD sulla statale 96 al km 118 ☎ 454733
GM-OPEL via Pasquale La Rotella 2 ☎ 444266

INNOCENTI via Ammiraglio Caracciolo 20/24 ☎ 444311
LANCIA-AUTOBIANCHI via Accolti Gil-zona Industriale ☎ 374848
LANCIA-AUTOBIANCHI via San Giorgio Martire 4/f ☎ 341571
LANCIA-AUTOBIANCHI via De Nicolò 36 ☎ 540315
MASERATI via Ammiraglio Caracciolo 22 ☎ 444311
MERCEDES-BENZ via Buozzi 88 ☎ 454655, Telex 810584
PEUGEOT-TALBOT via delle Murge 80 ☎ 518333
PEUGEOT-TALBOT via Zippitelli 2 ☎ 446444
PEUGEOT-TALBOT via Zanardelli 85 ☎ 228704
RENAULT via Amendola 220 ☎ 481055
RENAULT viale Japigia 180 ☎ 331746
VW-AUDI via De Gemmis 58 ☎ 227953
VOLVO via Amoruso 19 ☎ 510686

Avvertite immediatamente l'albergatore se non potete più occupare la camera prenotata.

BARLETTA 70051 Bari 𝟵𝟴𝟴 ㉘ ㉓ – 87 328 ab. – Stazione balneare – ✿ 0883.

Vedere Colosso★★ – Castello★ – Museo Civico★ – Reliquiario★ nella basilica di San Sepolcro.
🛈 via Gabbiani 4 ☎ 31373.
Roma 397 ③ – ♦Bari 62 ② – ♦Foggia 79 ③ – ♦Napoli 208 ③ – Potenza 128 ③ – ♦Taranto 145 ②.

Garibaldi (Corso)		Consalvo da Cordova (Via)	7	Nazareth (Via)	15
Vittorio Emanuele (Corso)		Conteduca (Piazza)	8	Pier delle Vigne (Via)	16
		Duomo (Via del)	9	Plebiscito (Piazza)	17
Baccarini (Via)	2	Giannone (Viale)	10	Principe Umberto (Piazza)	18
Caduti (Piazza dei)	4	Marina (Via)	12	Regina Margherita (Via)	19
Castello (Piazza)	5	Municipio (Via)	13	S. Andrea (Via)	20
Colombo (Via Cristoforo)	6	Nanula (Via A.)	14	3 Novembre (Via)	21

🏠 **Artù,** piazza Castello 67 ☎ 31721 – 🗏 📺 ☎ 🅿. 🖭 🕃 ⑩ 🇪 𝑉𝐼𝑆𝐴   **b**
Pas carta 30/44000 – ⊡ 9000 – **32 cam** 65/115000 – P 120000.

🏠 **Royal,** via Leontina de Nittis 13 ☎ 31139 – 🛗🗏 rist 📺 ☎ 🕭. 🖭 🕃 ⑩ 🇪 𝑉𝐼𝑆𝐴. ⌘ rist   **e**
Pas (solo per clienti alloggiati) 22/30000 – ⊡ 8000 – **34 cam** 50/80000 – P 90/98000.

XXX Bacco, via Sipontina 10 🖉 38398, Coperti limitati; prenotare – 🖾   c

XX Il Brigantino, litoranea di Levante 🖉 33345, ≤, 🛱, ⅃, 🗚o – ❶ – 🚑 100. ⓪   per ①
chiuso mercoledì e gennaio – Pas carta 28/45000 (15%).

X Hostaria la Casaccia, via Cavour 40 🖉 33719 – 🖾. 🕸   a
chiuso lunedì – Pas carta 23/34000.

ALFA-ROMEO sulla statale 16 per Trani per ① 🖉 36662
BMW via 3 Novembre 27 🖉 33652
FIAT sulla statale 16 per Trani per ① 🖉 35156
FORD via Andria 13 🖉 36710
GM-OPEL via Trani 193/195 🖉 34276
RENAULT sulla statale 16 per Trani 🖉 33067
VW-AUDI via Trani 8 🖉 31207

BAROLO 12060 Cuneo – 687 ab. alt. 301 – ✪ 0173.

Roma 627 – Asti 42 – Cuneo 56 – ♦Milano 164 – Savona 83 – ♦Torino 72.

X Del Buon Padre, località Vergne 🖉 56192, prenotare – ❶
chiuso mercoledì e dal 15 al 30 luglio – Pas carta 23/40000.

BARREA 67030 L'Aquila 988 ㉗ – 913 ab. alt. 1 066 – ✪ 0864.

Roma 185 – L'Aquila 130 – Isernia 42.

X Tana dell'Orso, 🖉 88125 – 🕸
chiuso martedì – Pas carta 20/29000.

BARZAGO 22061 Como 219 ⑲ – 2 101 ab. alt. 355 – ✪ 031.

Roma 613 – ♦Bergamo 33 – Como 22 – Lecco 16 – ♦Milano 42.

XX La Villa Ciardi 🍃 con cam, 🖉 860076, 🚗 – ❶ – 8 cam.

BARZANÒ 22062 Como 219 ⑱ – 4 371 ab. alt. 370 – ✪ 039.

Roma 605 – ♦Bergamo 36 – Como 28 – Lecco 19 – ♦Milano 35.

XX I Ronchi con cam, 🖉 957612, 🛱, prenotare – 📺 🕿. 🕸
chiuso dal 2 al 10 gennaio ed agosto – Pas *(chiuso lunedì)* carta 29/45000 – 🖙 6000 – **9 cam** 45/75000 – P 80000.

PEUGEOT-TALBOT via Milano 18 🖉 860272

BARZIO 22040 Como 988 ③, 219 ⑩ – 1 315 ab. alt. 770 – Stazione di villeggiatura – Sport invernali : a Piani di Bobbio 806/1 940 m ≰1 ≴9, ⚐ (vedere anche a Cremeno, Piani di Artavaggio) – ✪ 0341 – 🄴 piazza Garibaldi 8 🖉 996255.

Roma 636 – ♦Bergamo 48 – Como 44 – Lecco 15 – ♦Milano 71 – Sondrio 84.

🏨 Gd H. Ballestrin 🍃, 🖉 996111, ≤, ⅃, 🚗 – ⍾ ⍾ ❶. 🖾 🄴 ⓪ 💳. 🕸 rist
Natale-Pasqua e giugno-settembre – Pas 40/45000 – 🖙 8000 – **50 cam** 65/95000 – P 90/130000.

XX Esposito con cam, 🖉 996200, 🚗 – 🖾 💳. 🕸
Pas *(chiuso lunedì dal 16 settembre al 15 giugno)* carta 20/30000 – 🖙 5000 – 14 cam 30/50000 – P 45/50000.

BASELGA DI PINÈ 38042 Trento 988 ④ – 4 034 ab. alt. 964 – Stazione di villeggiatura, a.s. 15 dicembre-15 gennaio e Pasqua – ✪ 0461 – 🄴 via Cesare Battisti 11 🖉 557028.

Roma 606 – Belluno 116 – ♦Bolzano 75 – ♦Milano 260 – ♦Padova 136 – Trento 18 – ♦Venezia 169.

🏨 Nazionale, a Miola 🖉 557019, ≤, 🚗 – ⍾ ❶. 🕸 rist
♦ *chiuso dal 15 ottobre al 30 novembre* – Pas *(chiuso martedì)* 18/30000 – 🖙 5500 – 54 cam 40/80000 – P 58000.

🏠 Villa 2 Pini, a Vigo 🖉 557030, ≤, ⅃, 🚗 – ❶. 🕸 rist
♦ *10 giugno-20 settembre* – Pas 18/22000 – 🖙 7000 – **20 cam** 55000 – P 55000, b.s. 49000.

🏠 Serraia, a Serraia 🖉 557027 – ❶. 💳. 🕸 rist
♦ *chiuso novembre* – Pas 16/18000 – 🖙 5000 – **25 cam** 22/42000 – P 49000, b.s. 46000.

XX 2 Camini con cam, a Vigo 🖉 557200, 🚗 – 📺 ❶. 🄴 🅸 🄴 💳. 🕸
chiuso dal 15 ottobre al 15 novembre – Pas *(chiuso lunedì)* carta 21/31000 – 🖙 5500 – **10 cam** 60000 – P 60000, b.s. 50000.

XX La Scardola con cam, a Miola 🖉 557647 – ❶. 🕸
♦ *chiuso marzo* – Pas *(chiuso mercoledì in bassa stagione)* carta 17/28000 – 🖙 4000 – **9 cam** 20/40000 – P 44000.

X La Vecchia Segheria, 🖉 558004 – 🕸
chiuso mercoledì, dal 20 al 30 maggio e dal 1° al 15 novembre – Pas carta 21/30000.

BASSANO DEL GRAPPA 36061 Vicenza 988 ⑤ – 38 854 ab. alt. 129 – ✪ 0424.

Vedere Museo Civico★ – Escursioni Monte Grappa★★★ NE : 32 km – 🄴 viale delle Fosse 9 🖉 24351.

Roma 543 – Belluno 80 – ♦Milano 234 – ♦Padova 43 – Trento 88 – Treviso 47 – ♦Venezia 76 – Vicenza 35.

🏩 Belvedere, piazzale Generale Giardino 14 🖉 29845 e rist 🖉 26602, Telex 431216, Fax 29849 – ⍾ 🖾 📺 🕿 🕭 ⟷ – 🚑 120. 🖾 🅸 ⓪ 🄴 💳. 🕸
Pas *(chiuso domenica)* carta 30/47000 – 🖙 15000 – **96 cam** 85/120000 – P 90/120000.

🏨 Brennero senza rist, via Torino 7 🖉 212248 – 📺 🕭 🖾 🅸 ⓪ 🄴 💳
chiuso dal 24 dicembre al 6 gennaio – 🖙 6500 – **22 cam** 47/68000.

XXX **San Bassiano,** viale dei Martiri 36 🏖 212453 – 🖭 🕃 ◑ 🖻 𝒱𝒾𝒮𝒜. 🛠
chiuso domenica ed agosto – Pas carta 39/65000.

XX **Rugantino** con cam, viale Vicenza 85 🏖 24813, Solo piatti di pesce – 📺 ☎ 🚗 🄿. 🖭 🕃
◑ 𝒱𝒾𝒮𝒜
chiuso agosto – Pas *(chiuso domenica)* carta 40/60000 – 🖵 7000 – **10 cam** 35/55000.

XX **Al Sole-da Tiziano,** via Vittorelli 41/43 🏖 23206 – 🖭 🕃 ◑ 🖻 𝒱𝒾𝒮𝒜
chiuso lunedì e luglio – Pas carta 26/37000 (10%).

XX **Al Ponte-da Renzo,** via Volpato 60 🏖 25269, ≼, « Servizio estivo all'aperto » – 🍴 🄿. 𝒱𝒾𝒮𝒜
chiuso lunedì sera, martedì e gennaio – Pas (solo piatti di pesce) carta 29/42000 (10%).

sulla strada statale 47 :

🏛. **Al Camin,** SE : 2 km ✉ 36022 Cassola 🏖 212740, « Servizio rist. estivo in giardino » – 🛉 📧
📺 ☎ 🄿 – 🛝 50. 🕃. 🛠
Pas *(chiuso domenica e dal 7 al 19 agosto)* carta 40/55000 – 🖵 12000 – **50 cam** 70/110000 –
P 120000.

XXX ❀ **Cà 7,** N : 1,5 km ✉ 36061 Bassano del Grappa 🏖 25005, 🛋, « Villa veneta del 18°
secolo » – 🄿. 🖭 🕃 ◑ 🖻 𝒱𝒾𝒮𝒜
chiuso domenica sera, lunedì e dal 1° al 15 novembre – Pas carta 39/69000
Spec. Petto di piccione marinato, Trenette al granchio, Scaloppe di fegato d'oca al Madera. **Vini** Prosecco,
Venegazzù.

Vedere anche : *Romano d'Ezzelino* NE : 3 km.

ALFA-ROMEO viale Pecori Giraldi 71 🏖 27144
FIAT via Capitelvecchio 11 🏖 24281

FORD a Rosà, via Martiri di Belfiore 🏖 27426
RENAULT via Cà Rezzonico 71 🏖 212580

BASTIA 06083 Perugia – 15 702 ab. alt. 201 – 🕜 075.
Roma 176 – Assisi 9,5 – ♦Perugia 17 – Terni 77.

🏨 **Turim,** strada statale 147 Assisana E : 1 km 🏖 8001601, 🍳 – 🛉 🍴 cam ☎ 🄿. 🖭 🕃 ◑ 🖻
𝒱𝒾𝒮𝒜. 🛠
Pas *(chiuso venerdì)* carta 26/32000 – 🖵 7000 – **46 cam** 45/64000 – P 65/70000.

ad Ospedalicchio O : 5 km – ✉ **06083** Bastia :

🏨 **Lo Spedalicchio,** 🏖 809323, « In una fortezza trecentesca », 🌳 – 🛉 📧 rist 📺 ☎ 🄿 – 🛝
90. 🖭 ◑ 𝒱𝒾𝒮𝒜
Pas *(chiuso lunedì e dal 1° al 15 luglio)* carta 28/42000 – 🖵 8500 – **25 cam** 45/64000 –
P 78000.

BATTAGLIA TERME 35041 Padova 🔢 ⑤ – 4 192 ab. alt. 11 – Stazione termale (marzo-
novembre), a.s. maggio-15 giugno e agosto-ottobre – 🕜 049 – 🖪 traversa Terme 23/a 🏖 525269.
Roma 478 – Mantova 92 – ♦Milano 261 – Monselice 7 – ♦Padova 17 – Rovigo 28 – ♦Venezia 54.

🏩 **Residence Nuovo Regina,** 🏖 525255 – 📞. 🛠 rist
⟶ *25 marzo-novembre* – Pas *(chiuso mercoledì)* 17000 – 🖵 3500 – **20 cam** 25/40000 – P 33/43000.

🏩 **Terme Euganee,** 🏖 525055, 🏊, 🌳 – 🛉 🔥 🄿. 🛠
15 marzo-novembre – Pas 20000 – 🖵 6000 – **38 cam** 25/41000 – P 44/47000, b.s. 41/44000.

BAVENO 28042 Novara 🔢 ②, 🔢 ⑥⑦ – 4 424 ab. alt. 205 – Stazione climatica, a.s. Pasqua e
luglio-15 settembre – 🕜 0323 – Vedere Guida Verde.
🛥 per le Isole Borromee giornalieri (da 10 a 30 mn) – Navigazione Lago Maggiore 🏖 23552.
🖪 corso Garibaldi 16 🏖 24632.
Roma 661 – Domodossola 37 – Locarno 51 – ♦Milano 84 – Novara 60 – Stresa 4 – ♦Torino 137.

🏛🏛 **Gd H. Dino,** corso Garibaldi 52 🏖 22201, Telex 200217, Fax 24515, ≼ isole Borromee,
« Terrazza giardino sul lago », 🍳, 🏊, 🎾 – 🛉 🍴 cam 📧 📺 ☎ 🚗 🄿 – 🛝 50 a 1300. 🖭
🕃 ◑ 🖻 𝒱𝒾𝒮𝒜. 🛠 rist
chiuso gennaio e febbraio – Pas carta 51/70000 – 🖵 22000 – **262** 150/260000 – P 120/240000,
b.s. 80/180000.

🏨 **Splendid,** 🏖 24583, Telex 200217, ≼, « Giardino ombreggiato », 🍳, 🛶 – 🛉 ☎ 🄿. 🖭 🕃
◑ 🖻 𝒱𝒾𝒮𝒜. 🛠 rist
25 marzo-20 ottobre – Pas carta 46/63000 – 🖵 14500 – **106 cam** 90/130000 – P 65/120000,
b.s. 55/100000.

🏨 **Simplon,** 🏖 24112, Telex 200217, Fax 24515, ≼, « Parco ombreggiato con 🍳 e 🎾 » – 🛉
🍴 cam 📞 🄿 🖭 🕃 ◑ 🖻 𝒱𝒾𝒮𝒜. 🛠 rist
25 marzo-ottobre – Pas 28/40000 – 🖵 12500 – **90 cam** 75/110000 – P 48/95000, b.s. 40/80000.

🏨 **Romagna,** S : 1 km 🏖 24879, ≼ isole Borromee, 🛶 – 📺 ☎ 🄿. 🖭 🕃 ◑ 🖻 𝒱𝒾𝒮𝒜. 🛠 rist
marzo-dicembre – Pas carta 20/34000 – 🖵 6000 – **17 cam** 55/75000 – P 62000, b.s. 58000.

🏩 **Elvezia,** 🏖 24106, 🌳 – 🄿. ◑ 🖻 𝒱𝒾𝒮𝒜. 🛠
⟶ *aprile-15 ottobre* – Pas carta 17/26000 – 🖵 5000 – 17 cam 20/40000 – P 41/45000, b.s. 38/41000.

🏡 **La Ripa,** 🏖 24589, « Giardino in riva al lago con ≼ isole Borromee », 🛶 – 🄿. 🖻
⟶ *aprile-settembre* – Pas 17000 – 🖵 5000 – **9 cam** 22/40000 – P 42/47000.

Vedere anche : *Borromee (Isole)* SE : 10/30 mn di battello.
Feriolo NO : 3 km.

BAZZANO 40053 Bologna 988 ⑭ – 5 268 ab. alt. 93 – ✿ 051.

Roma 388 – ♦Bologna 24 – ♦Milano 192 – ♦Modena 23 – Pistoia 105 – Reggio nell'Emilia 49.

🏨 **Della Rocca,** ℰ 831217, 🏤, « Piccolo parco » – 🛗 ☎ 🅿 – 🔬 80. 🕃 ⓞ 🖪 ᴠ𝐈𝐒𝐀. 🧇 cam
   chiuso gennaio – Pas carta 26/47000 – ☲ 6000 – **24 cam** 60/90000 – P 85000.

PEUGEOT-TALBOT Circonvallazione Nord 33 ℰ 831192

BEDIZZOLE 25081 Brescia – 7 912 ab. alt. 184 – ✿ 030.

Roma 539 – ♦Brescia 17 – ♦Milano 111 – ♦Verona 54.

✗ **Al Borgo Antico,** località Masciaga ℰ 674291 – 🅿. 🕃 ⓞ 🖪
   chiuso lunedì sera e dal 5 al 20 agosto – Pas carta 22/36000.

   sulla strada statale 11 S : 6 km :

✗ La Pentolaccia, via Monteroseo 46 ☒ 25081 ℰ 674339 – 🅿.

BEDONIA 43041 Parma 988 ⑬ – 5 031 ab. alt. 500 – a.s. luglio e agosto – ✿ 0525.

Roma 483 – ♦Bologna 177 – ♦Genova 91 – ♦Milano 151 – ♦Parma 81 – Piacenza 87 – ♦La Spezia 85.

🏠 **Belvedere-u Rissu,** SO : 2,5 km ℰ 86659, ≼ – ⇐ 🅿. 🧇 rist
   chiuso gennaio – Pas *(chiuso lunedì)* carta 24/32000 – ☲ 7000 – 19 cam 24/38000 – P 45000.

✗✗ La Pergola, ℰ 86612, « Servizio estivo all'aperto ».

BELGIRATE 28040 Novara 219 ⑦ – 493 ab. alt. 200 – a.s. aprile e luglio-15 settembre – ✿ 0322.

Roma 651 – Locarno 61 – ♦Milano 74 – Novara 50 – Stresa 6 – ♦Torino 127.

🏨 **Villa Carlotta,** ℰ 76461, Telex 200490, Fax 76705, ≼, « Parco ombreggiato », ⌁ riscaldata,
   🐾, 🧇 – 🛗 🗐 📺 🅿 – 🔬 30 a 600. 🕃 ⓞ 🖪 ᴠ𝐈𝐒𝐀. 🧇 rist
   Pas carta 26/41000 – 110 cam ☲ 65/138000 – P 65/95000.

🏨 **Milano,** ℰ 76525, ≼, 🏤, 🐾 – 🛗 📺 🅿. 🖪 🕃 ⓞ 🖪 ᴠ𝐈𝐒𝐀
   Pas carta 26/40000 – 51 cam ☲ 52/110000 – P 55/69000.

BELLAGIO 22021 Como 988 ③, 219 ⑨ – 3 087 ab. alt. 216 – Stazione climatica – ✿ 031.

Vedere Posizione pittoresca★★★ – Giardini★★ di Villa Serbelloni – Giardini★★ di Villa Melzi.

🚢 per Cadenabbia (10 mn) e Varenna (15 mn), giornalieri – Navigazione Lago di Como, al
pontile ℰ 950180.

🛈 ℰ 950204.

Roma 643 – ♦Bergamo 55 – Como 31 – Lecco 22 – ♦Lugano 63 – ♦Milano 78 – Sondrio 104.

🏰 **Gd H. Villa Serbelloni** ⸱⸱, ℰ 950216, Telex 380330, Fax 950529, ≼ lago e monti, 🏤,
   « Parco con installazioni balneari e ⌁ riscaldata », 🐾, 🧇 – 🛗 ☎ ♿ 🅿 – 🔬 120. 🖪 🕃 ⓞ
   🖪 ᴠ𝐈𝐒𝐀. 🧇 rist
   15 aprile-20 ottobre – Pas 60000 – **82 cam** ☲ 220/315000 appartamenti 415/625000 –
   P 213/290000.

🏨 **Belvedere,** ℰ 950410, ≼ lago e Grigna, ⌁, 🏤 – 🛗 ☎ 🅿. 🖪 ᴠ𝐈𝐒𝐀. 🧇 rist
   aprile-10 ottobre – Pas carta 25/40000 – ☲ 9000 – **50 cam** 53/79000 – P 76000.

🏨 **Du Lac,** ℰ 950320, Telex 326299, ≼ lago e monti, « Terrazza roof-garden » – 🛗 ☎. 🖪 🕃 ⓞ
   🖪 ᴠ𝐈𝐒𝐀. 🧇 rist
   17 aprile-10 ottobre – Pas carta 28/47000 – ☲ 10000 – **48 cam** 60/85000 – P 70/80000.

🏨 **Florence,** ℰ 950342, ≼ lago e monti – 🛗 ☎. 🖪 🕃 🖪 ᴠ𝐈𝐒𝐀. 🧇 rist
   18 aprile-20 ottobre – Pas carta 30/50000 – **38 cam** ☲ 71/99000 – P 70/75000.

🏠 **Fioroni,** ℰ 950392 – ☎ 🅿. 🖪 🕃 ⓞ 🖪 ᴠ𝐈𝐒𝐀
   chiuso gennaio – Pas carta 21/31000 – ☲ 8000 – **16 cam** 40/65000 – P 65000.

🏠 **Silvio,** SO : 2 km ℰ 950322, ≼ – ☎ 🅿. 🖪
   chiuso gennaio – Pas carta 20/32000 – ☲ 5000 – **17 cam** 35/50000 – P 50/55000.

✗ **Bilacus,** ℰ 950480, 🏤 – 🅿. ᴠ𝐈𝐒𝐀
   15 marzo-ottobre; chiuso lunedì escluso luglio-settembre – Pas carta 22/34000 (10%).

   sulla strada per Civenna verso il passo del Ghisallo :

✗ **Il Perlo-Panorama** con cam, S : 3 km ☒ 22021 ℰ 950229, ≼ lago e monti, 🏤 – 🅿. 🖪 🕃
   ⓞ 🖪 ᴠ𝐈𝐒𝐀
   marzo-novembre – Pas *(chiuso giovedì escluso luglio ed agosto)* carta 21/38000 – ☲ 8000 –
   13 cam 35/60000 – P 60/65000.

✗ **La Busciona-da Teo,** S : 4,5 km ☒ 22021 ℰ 964831, 🏤 – 🅿
   chiuso lunedì – Pas carta 22/34000.

BELLAMONTE 38030 Trento – alt. 1 372 – a.s. febbraio-Pasqua – ✿ 0462.

Roma 668 – Belluno 73 – ♦Bolzano 62 – Cortina d'Ampezzo 90 – ♦Milano 322 – Trento 84.

🏨 Sole ⸱⸱, ℰ 56299, ≼, 🏤 – ☎ ♿ 🅿
   stagionale – 37 cam.

🏨 **Bellamonte,** ℰ 56116, ≼ gruppo delle Pale e pinete, 🏤 – ☎ 🅿. 🖪 🕃 ⓞ 🖪 ᴠ𝐈𝐒𝐀. 🧇
   chiuso ottobre e novembre – Pas *(chiuso mercoledì)* 16/20000 – ☲ 4000 – **31 cam** 75/120000
   – P 51/67000, b.s. 45/51000.

ⓜ **Stella Alpina,** ℰ 56114, ≤ – |≋| ℗. ❦
➡ Pas *(chiuso lunedì)* 16/18000 – ⊇ 5000 – **33 cam** 28/46000 – P 50/55000, b.s. 40/44000.

ⓜ **Margherita,** ℰ 56140, ≤ – |≋| ℗. ❦
➡ chiuso dal 30 aprile al 20 giugno, dal 30 settembre al 1° novembre e dal 15 novembre al 5 dicembre – Pas *(chiuso giovedì)* 17/19000 – ⊇ 6000 – **28 cam** 28/46000 – P 44/50000, b.s. 38/40000.

BELLANO 22051 Como ⒐⒏⒏ ③, ⒉⒈⒐ ⑨ – 3 479 ab. alt. 204 – ✪ 0341 – Vedere Guida Verde.
Roma 648 – ◆Bergamo 60 – Chiavenna 40 – Como 56 – Lecco 27 – ◆Milano 83 – Sondrio 55.

ⓜⓜ **Meridiana,** ℰ 821126, ≤, « Giardino in riva al lago », 🐾 – |≋| ⇔ ☎ ℗ – 🏊 40. ☐ ⓢ ⓞ
E 𝖵𝖨𝖲𝖠
chiuso dal 21 dicembre al 19 gennaio – Pas carta 24/38000 – ⊇ 7000 – **32 cam** 40/60000 – P 60000.

✕ **Al Cavallo Bianco** con cam, ℰ 821101 – ℗. E 𝖵𝖨𝖲𝖠. ❦
➡ Pas *(chiuso giovedì da ottobre a marzo)* carta 18/36000 – ⊇ 6000 – **9 cam** 25/45000 – P 40/60000.

BELLARIA IGEA MARINA Forlì ⒐⒏⒏ ⑮ – 12 551 ab. – Stazione balneare, a.s. 15 giugno-agosto – ✪ 0541.
Roma 350 – ◆Bologna 111 – Forlì 49 – ◆Milano 321 – Pesaro 55 – ◆Ravenna 38 – Rimini 14.

a Bellaria – ✉ 47041 – 🛈 via Leonardo da Vinci (Palazzo del Turismo) ℰ 44108 :

ⓜⓜ **Locanda delle Dune** ☜, viale di Villa Valducci ℰ 46496, ≤, « Parco giardino », 🐾, ✕ – ⬅ ℗ – *stagionale* – 38 cam.

ⓜⓜ **Miramare,** via Colombo 37 ℰ 44131, ≤, 🏊 – |≋| ☰ rist ☎ ℗. ☐ ⓞ 𝖵𝖨𝖲𝖠. ❦ rist
13 maggio-settembre – Pas 20/30000 – ⊇ 7000 – **55 cam** 45/80000 – P 45/80000, b.s. 40/55000.

ⓜⓜ **Elizabeth,** via Rovereto 11 ℰ 44119, ≤, 🏊 riscaldata – |≋| ☎ ⬅ ℗. ☐ ⓞ E 𝖵𝖨𝖲𝖠. ❦
Pasqua-20 ottobre – Pas 20/25000 – **50 cam** ⊇ 45/90000 appartamenti 100/120000 – P 55/70000, b.s. 45/60000.

ⓜⓜ **Gambrinus,** viale Panzini 101 ℰ 49421, ≤, 🏊, ✿ – |≋| ☎ ℗. ❦
maggio-settembre – Pas *(solo per clienti alloggiati)* 20/30000 – ⊇ 10000 – 63 cam 50/80000 – P 55/65000, b.s. 40/50000.

ⓜⓜ **Ermitage,** via Ala 11 ℰ 47633, ≤, 🏊 riscaldata – |≋| ☎ ℗. ☐ ⓞ E 𝖵𝖨𝖲𝖠. ❦
20 maggio-20 settembre – Pas 20/25000 – **60 cam** ⊇ 45/90000 – P 55/70000, b.s. 45/60000.

ⓜⓜ **Nautic-Riccardi,** viale Panzini 128 ℰ 47437, 🏊, ✿ – |≋| ☎ ℗. ❦
➡ maggio-settembre – Pas *(solo per clienti alloggiati)* 18/24000 – ⊇ 8000 – **66 cam** 65/80000 – P 60/65000, b.s. 45/50000.

ⓜⓜ **Giorgetti,** via Colombo 39 ℰ 49121, ≤ – |≋| ☎ ⓑ ℗. ❦ rist
➡ 15 maggio-settembre – Pas 15/20000 – ⊇ 8000 – **54 cam** 38/75000 – P 47/50000, b.s. 37/39000.

ⓜⓜ **Semprini,** via Volosca 18 ℰ 46337, ≤, 🐾 – |≋| ☎ ⬅ ℗. ❦ rist
15 maggio-settembre – 39 cam *(solo pens)* – P 47/55000, b.s. 38/45000.

ⓜⓜ **La Pace,** via Zara 10 ℰ 47519, ≤ – |≋| ☎ ℗. ❦
15 maggio-20 settembre – Pas *(solo per clienti alloggiati)* 20/40000 – ⊇ 7000 – 37 cam 55000 – P 45/55000, b.s. 39/45000.

ⓜⓜ **Roma,** via Arbe 13 ℰ 44225, ≤, 🏊 riscaldata – |≋| ☎ ℗. ❦
15 maggio-settembre – Pas *(solo per clienti alloggiati)* 20/40000 – ⊇ 7000 – 67 cam 40/58000 – P 45/55000, b.s. 39/45000.

ⓜⓜ **Orizzonte,** via Rovereto 10 ℰ 44298, ≤ – ℗. ☐ ⓢ E 𝖵𝖨𝖲𝖠. ❦ rist
maggio-settembre – Pas *(solo per clienti alloggiati)* – **28 cam** ⊇ 45/55000 – P 45/50000, b.s. 36/43000.

ⓜ **Miranda** senza rist, viale Italia 23 ℰ 46290, ✿ – |≋| ℗
15 maggio-settembre – **50 cam** ⊇ 35/57000.

ⓜ **Orchidea,** viale Panzini 37 ℰ 47425, « Giardino ombreggiato » – ☎ ℗. ☐ ⓞ. ❦ rist
maggio-settembre – Pas 20/25000 – ⊇ 6000 – **33 cam** 41/69000 – P 33/46000, b.s. 25/35000.

ⓜ **Elite,** viale Italia 29 ℰ 46615, ≤ – |≋| ☎ ℗. ❦ rist
➡ maggio-settembre – Pas 12/17000 – **30 cam** ⊇ 27/45000 – P 38/48000, b.s. 30/38000.

ⓜ **Le Pleiadi,** viale Panzini 102 ℰ 44636 – |≋| ℗. E. ❦
➡ 20 maggio-17 settembre – Pas *(solo per clienti alloggiati)* 14/20000 – ⊇ 8000 – **30 cam** 27/48000 – P 40/45000, b.s. 29/31000.

✕ **Rubicone da Virgilio** con cam, piazza Marcianò 19 ℰ 45116 – |≋| 📺 ☎. ☐ ⓞ. ❦ rist
Pas *(chiuso martedì)* carta 25/40000 – **25 cam** ⊇ 30/50000 – P 45/50000, b.s. 35/40000.

a Igea Marina – ✉ 47044 – 🛈 *(aprile-settembre)*, viale Pinzon 190 ℰ 630052 :

ⓜⓜ **Agostini,** viale Pinzon 68 ℰ 631510, ≤ – ☎ ℗. ❦ rist
15 maggio-25 settembre – Pas *(solo per clienti alloggiati)* 20/25000 – ⊇ 40/60000 – P 55000, b.s. 45000.

ⓜⓜ **Touring** senza rist, viale Pinzon 217 ℰ 631619, ≤, 🏊, 🐾, ✿, ✕ – |≋| ☎ ℗. ☐ 𝖵𝖨𝖲𝖠. ❦
15 giugno-15 settembre – **33 cam** ⊇ 45/80000.

segue →

🏨 **Globus,** viale Pinzon 193 *℘* 630195, ← – |≸| 🗏 rist 🕾 **🅿.** 🆎 ⑩ 🇪 ⅤⅠⅤⅠSA . ⅞ rist
 ➜ *maggio-25 settembre* – Pas 15/25000 – ⟱ 8000 – **54 cam** 30/50000 – P 38/45000, b.s. 32/38000.

🏨 **K 2,** viale Pinzon 212 *℘* 630064, ← – |≸| 🕾 **🅿.** ⅞
 ➜ *maggio-settembre* – Pas 18/21000 – ⟱ 7500 – **53 cam** 35/50000 – P 31/44000, b.s. 24/33000.

🏨 **Strand Hotel,** viale Pinzon 161 *℘* 631726, ← – |≸| 🕾 **🅿.** 🆎 ⑩ ⅤⅠSA . ⅞ rist
 ➜ *16-26 aprile e maggio-settembre* – Pas 18/20000 – ⟱ 10000 – **33 cam** 40/50000 – P 44/48000, b.s. 33/44000.

🏦 **Diplomatic,** viale Pinzon 248 *℘* 630254, ←, 🛋 – |≸| 🕾 **🅿.** ⅞
 ➜ *maggio-15 settembre* – Pas 14/18000 – **27 cam** ⟱ 30/45000 – P 40/45000, b.s. 35/40000.

🏦 **Elios,** viale Pinzon 116 *℘* 631300, ← – |≸| 🕾 **🅿.** 🆎. ⅞ rist
 aprile-ottobre – Pas 20/25000 – ⟱ 8000 – **29 cam** 40/60000 – P 40/58000, b.s. 40/45000.

🏦 **Victoria,** viale Pinzon 246 *℘* 630253, ← – |≸| 🕾 **🅿.** ⅞
 ➜ *aprile-15 ottobre* – Pas (solo per clienti alloggiati e *chiuso aprile ed ottobre*) 16/22000 – **29 cam** ⟱ 45/60000 – P 39/50000, b.s. 32/37000.

✗ **Tolmino,** viale Pinzon 8 *℘* 44031, ← – **🅿.**
 chiuso 2 al 25 gennaio e lunedì in bassa stagione – Pas carta 23/37000.

BELLARIVA Forlì – Vedere Rimini.

BELLINZAGO NOVARESE 28043 Novara 2️⃣1️⃣9️⃣ ⑰ – 8 124 ab. alt. 191 – 🕾 0321.
Roma 634 – ♦Milano 60 – Novara 15 – Varese 45.

XXX 🕸 **Grillo,** via Don Minzoni 48 *℘* 985523, Coperti limitati; prenotare – 🇪 ⅤⅠSA . ⅞
 chiuso domenica, lunedì a mezzogiorno, agosto e dal 24 al 31 dicembre – Pas carta 25/46000
 Spec. Mousse di piccione, Tagliolini ai funghi, Storione all'erba cipollina. **Vini** Tocai, Barbaresco.

BELLINZONA 4️⃣2️⃣7️⃣ ㉔㉕, 2️⃣1️⃣9️⃣ ⑧, 2️⃣1️⃣8️⃣ ⑫ – Vedere Cantone Ticino alla fine dell'elenco alfabetico.

BELLUNO 32100 🅿 9️⃣8️⃣8️⃣ ⑤ – 36 087 ab. alt. 389 – a.s. 15 luglio-agosto e Natale – 🕾 0437.
Vedere Piazza del Mercato★ – Piazza del Duomo★ : palazzo dei Rettori★ P, polittico★ nel Duomo –
Via del Piave : ←★.
🇿 via Psaro 21 *℘* 22043, Telex 440096 – piazza dei Martiri 27/e *℘* 25163, Telex 440077.
A.C.I. piazza dei Martiri 46 *℘* 213132.
Roma 617 ① – Cortina d'Ampezzo 71 ① – ♦Milano 320 ② – Trento 112 ② – Udine 117 ① – ♦Venezia 106 ① –
Vicenza 120 ②.

🏨 **Villa Carpenada** 🏖, via Mier 158 *℘* 28342, « In un bosco » – 📺 🕾 **🅿.** 🆎   per ②
 Pas carta 25/42000 – ⟱
 10000 – 28 cam 55/85000.

🏦 **Dolomiti** senza rist, via
 Carrera 46 *℘* 27077 – |≸|
 🕾   s
 32 cam ⟱ 45/70000.

🏦 **Astor** senza rist, piazza
 dei Martiri 26/e *℘* 24921,
 ← – |≸| 🕾 ♿. 🆎 🇸
 ⑩   n
 ⟱ 5000 – **32 cam**
 50/75000.

XX **Al Borgo,** via Anconetta
 8 *℘* 926755 – **🅿.** 🆎 🇸.
 ⅞   per ④
 *chiuso lunedì sera e
 martedì* – Pas carta 24/
 38000.

 Vedere anche : *Nevegal*
 SE :
 12 km.

ALFA-ROMEO via Tiziano Vecellio
(località La Rossa) per ① *℘* 30790
BMW via Fratelli Rosselli 104 *℘*
209346
FIAT viale Europa 10/12, per via In-
ternati e Deportati *℘* 940341
FORD via Tiziano Vecellio 79 *℘*
30490
GM-OPEL via Tiziano Vecellio 77 *℘*
30669
INNOCENTI via Tiziano Vecellio 77/b
per ① *℘* 30653
LANCIA-AUTOBIANCHI via Tiziano
Vecellio 85 per ① *℘* 30800
RENAULT via del Boscon 73 *℘*
296443

BELLUNO

★ PZA DEL MERCATO
★ PZA DEL DUOMO
← ≥ : VIA DEL PIAVE

BENACO Vedere Garda (Lago di).

BENEVENTO 82100 ℗ 988 ㉗ – 65 570 ab. alt. 135 – ✪ 0824.
Vedere Arco di Traiano★★ – Museo del Sannio★ : Chiostro★.
🛈 via Giustiniani 34 ℰ 25424.
A.C.I. via Salvator Rosa 24/26 ℰ 21582.
Roma 241 – ✦Foggia 111 – ✦Napoli 68 – Salerno 75.

  XX **Antica Taverna,** via Annunziata 134 ℰ 21212 – 🛱 ⓞ 𝘝𝘐𝘚𝘈 ⚶
      chiuso domenica sera da ottobre a giugno – Pas carta 20/32000.

  XX **Pedicini,** via Grimoldo Re 16 ℰ 21731 – ⓞ 𝘝𝘐𝘚𝘈 ⚶
      chiuso lunedì e Ferragosto – Pas carta 18/28000 (12%).

  sulla strada statale 7 - via Appia :

  🏨 **La Cittadella,** contrada Piano Cappelle SE : 4 km ⊠ 82100 ℰ 51419 – 🛗 ⭗ rist ☎ 🚗 ❷
      – 🔥 300. ⓞ ⚶
      Pas carta 23/43000 – � 6000 – **54 cam** 36/56000 – P 80/88000.

  XXX **Le Vecchie Carrozze,** contrada Piano Cappelle SE : 5 km ⊠ 82100 ℰ 78115 – ❷. ⓞ. ⚶
      chiuso lunedì – Pas carta 30/46000.

ALFA-ROMEO via Appia al Km 257 ℰ 64522
BMW viale Principe di Napoli 51/53 ℰ 24788
CITROEN viale Principe di Napoli 51/53 ℰ 24788
FIAT via Cassella 5 ℰ 24081
FIAT via Napoli 216 ℰ 61400
FORD contrada Roseto ℰ 25477
GM-OPEL via dei Mulini ℰ 28076
INNOCENTI via Napoli 181/185 ℰ 61200

LANCIA-AUTOBIANCHI via Torre della Catena 104 ℰ 24929
MERCEDES-BENZ Torre Palazzo-zona Industriale ℰ 874704
PEUGEOT-TALBOT via dei Mulini 81/93 ℰ 24090
RENAULT via Cocchia 2 ℰ 61122
VW-AUDI via Avellino (Parco dei Fiori) ℰ 21546
VOLVO via Porta Rettori 19/27 ℰ 43696

BERCETO 43042 Parma 988 ⑭ – 2 884 ab. alt. 790 – ✪ 0525.
Roma 463 – ✦Bologna 156 – Massa 80 – ✦Milano 165 – ✦Parma 60 – ✦La Spezia 65.

  🏨 **Il Poggio,** ℰ 60088, ≤ – ☜ ❷. 🄰🄴 🛱 ⓞ 𝘝𝘐𝘚𝘈 ⚶
      Pas (chiuso mercoledì) carta 38/52000 – � 10000 – 31 cam 25/45000 – P 55000.

  X **Vittoria-da Rino** con cam, piazza Micheli ℰ 64306 – 🄰🄴 🛱 ⓞ 🄴. ⚶ rist
      chiuso dal 20 dicembre al 31 gennaio – Pas (chiuso lunedì) carta 29/50000 – � 6000 –
      15 cam 22/35000 – P 60000.

BEREGUARDO 27021 Pavia 988 ⑬ – 2 208 ab. alt. 98 – ✪ 0382.
Roma 576 – Alessandria 65 – ✦Milano 29 – Novara 51 – Pavia 13.

  a Zelata NO : 2,5 km – ⊠ 27021 Bereguardo :

  XX **La Zelata,** ℰ 928178, prenotare – 🍽 ❷.

    Le continue modifiche ed il costante miglioramento apportato
    alla rete stradale italiana consigliano l'acquisto
    *dell' aggiornata **carta Michelin** 988 in scala 1/1 000 000.*

BERGAMO 24100 ℗ 988 ③ – 118 655 ab. alt. 249 – ✪ 035.
Vedere Città alta★★★ ABY – Piazza del Duomo★★ – Cappella Colleoni★★ – Basilica di Santa Maria
Maggiore★ : arazzi★★, arazzo della Crocifissione★★, pannelli★★, abside★ – Battistero★ AY D –
Piazza Vecchia★ – ≤★ dalla Rocca A – Città bassa★ : Accademia Carrara★★ BY M – Quartiere
vecchio★ BYZ – Piazza Matteotti★ BZ.
🏌 L'Albenza (chiuso dicembre, gennaio e lunedì) ad Almenno San Bartolomeo ⊠ 24030 ℰ 640028,
per ⑧ : 15 km;
🏌 La Rossera (chiuso martedì) a Chiuduno ⊠ 24060 ℰ 838600, per ② : 15 km.
✈ di Orio al Serio per ③ : 3,5 km ℰ 312315 – Alitalia, via Casalino 5 ℰ 224425.
🛈 via Paleocapa 4 ℰ 242226 – vicolo Aquila Nera ℰ 232730.
A.C.I. via Angelo Maj 16 ℰ 247621.
Roma 601 ④ – ✦Brescia 52 ④ – ✦Milano 47 ④.

Pianta pagina seguente

  🏩 **Cristallo Palace e Rist. L'Antica Perosa,** via Betty Ambiveri 35 ℰ 311211, Telex 304090,
     Fax 312031 – 🛗 🍽 📺 ☎ 🕭 🚗 ❷ – 🔥 500. 🄰🄴 🛱 ⓞ 🄴 𝘝𝘐𝘚𝘈. ⚶ rist
     Pas carta 52/75000 – � 18000 – **86 cam** 115/169000 appartamenti 250/270000 – P 175/205000.
                    per via Giovanni Bosco BZ

  🏩 **Excelsior San Marco e Rist. Tino Fontana,** piazza della Repubblica 6 ℰ 232132, Telex
     301295 – 🛗 🍽 📺 ☎ 🕭 – 🔥 30 a 250. 🄰🄴 ⓞ 𝘝𝘐𝘚𝘈 ⚶ rist
     Pas (chiuso domenica) carta 51/74000 – � 14000 – **151 cam** 123/191000 appartamenti 261000
     – P 188/211000.
                                       AZ **a**

segue →

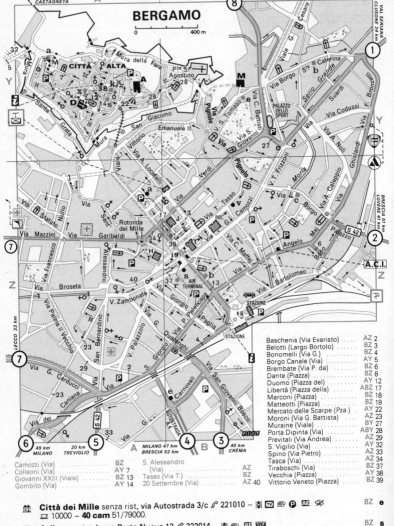

BERGAMO

0 ——— 400 m

🏨 **Città dei Mille** senza rist, via Autostrada 3/c 𝒫 221010 – 📶 📺 📞 🅿. 🖭 🎿
☑ 10000 – **40 cam** 51/79000. BZ **e**

🏨 **Arli** senza rist, largo Porta Nuova 12 𝒫 222014 – 📶 📞. 🖭 𝗩𝗜𝗦𝗔 BZ **s**
☑ 6500 – **48 cam** 51/75000.

🏨 **Commercio,** via Torquato Tasso 88 𝒫 243626, 🚗 – 📶 📞 🅿. 🔚 E 𝗩𝗜𝗦𝗔 BZ **v**
Pas (solo per clienti alloggiati) – ☑ 4500 – **31 cam** 35/45000 – P 70000.

XXX ✿ **Dell'Angelo-Antico Ristorante,** via Borgo Santa Caterina 55 𝒫 237103, « Servizio
estivo all'aperto » – 🖭 🔚 ① E 𝗩𝗜𝗦𝗔 BY **b**
chiuso lunedì – Pas carta 47/70000
Spec. Ravioli di branzino al basilico fresco, Filetti di triglia al rosmarino, Sella di agnello al timo e porcini. Vini
Franciacorta, Bricco Manzoni.

XX ✿ **Da Vittorio,** viale Papa Giovanni XXIII n° 21 𝒫 218060 – ▥. 🖭 🔚 ① E 𝗩𝗜𝗦𝗔 BZ **b**
chiuso mercoledì e dall'8 al 25 agosto – Pas carta 63/85000
Spec. Coda di rospo in carpaccio, Spaghetti all'astice, Triglie al vino rosso. Vini Ronco delle Acacie, Sassicaia.

XX **Lio Pellegrini,** via San Tomaso 47 𝒫 247813, Coperti limitati; prenotare – 🖭 ① BY **e**
chiuso lunedì, martedì a mezzogiorno, dal 9 al 16 gennaio e dal 3 al 24 luglio – Pas
carta 52/82000.

108

XX **Taverna Valtellinese,** via Tiraboschi 57 ℰ 243331   BZ **r**
chiuso domenica sera, lunedì ed agosto – Pas carta 27/39000.

XX **Öl Giopì e la Margì,** via Borgo Palazzo 25 ℰ 242366 – 🖂. ⚘   BZ **c**
chiuso lunedì, dal 1° al 10 gennaio ed agosto – **Pas** 28/34000.

alla città alta – alt. 366 :

XXX **Taverna del Colleoni,** piazza Vecchia 7 ℰ 232596, 🍽, « Ambiente d'intonazione cinquecentesca » – 🖿. ⚑ 🖂 ① 🄴 *VISA*. ⚘   AY **x**
chiuso lunedì e dal 1° al 20 agosto – Pas carta 45/77000.

XX **Il Pianone,** via per Castagneta ℰ 216016, « Servizio estivo in terrazza panoramica », 🍴 –
🅿   AY

XX **Gourmet** ⚘ con cam, via San Vigilio 1 ℰ 256110, « Servizio estivo in giardino » – 📺 ☎ 🅿.
⚑ 🖂 ① 🄴 *VISA*. ⚘   AY
Pas *(chiuso martedì)* carta 49/72000 – ⊒ 10000 – **10 cam** 51/76000 – P 138000.

XX **Trattoria del Teatro,** piazza Mascheroni 3 ℰ 238862 – 🖿   AY **a**
chiuso lunedì e dal 15 al 30 luglio – Pas carta 29/43000.

XX **Agnello d'Oro** con cam, via Gombito 22 ℰ 249883 – 📳 ☎. ⚑ 🖂 ① 🄴 *VISA*. ⚘ rist   AY **k**
Pas *(chiuso lunedì e gennaio)* carta 30/53000 – ⊒ 6000 – **20 cam** 33/56000 – P 100000.

XX **Valletta,** via Castagneta 19 ℰ 239587, prenotare, « Servizio estivo in terrazza » – ⚑. ⚘   AY
chiuso domenica sera, lunedì, dal 1° al 15 gennaio ed agosto – Pas carta 34/47000.   AY

X **Da Ornella,** via Gombito 15 ℰ 232736 – ⚑ 🖂 ① 🄴 *VISA*   AY **s**
chiuso giovedì, venerdì a mezzogiorno, dal 7 al 18 gennaio e luglio – Pas carta 24/36000.

Vedere anche : *Torre Boldone* per ① : 4,5 km.

ALFA-ROMEO via Cesare Correnti 23 per ① ℰ 343401
BMW via Campagnola 48/50 ℰ 311744
CITROEN via Ghislandi 10 ℰ 233811
FIAT via Daste e Spalenga 3 per ② ℰ 296022
FIAT via Tadini ℰ 212161
FIAT via Buttaro 16 per viale G. Cesare ℰ 343434
FORD via Carnovali 84 ℰ 210066
GM-OPEL via Suardi 40 ℰ 238278
GM-OPEL via Stendhal 3 ℰ 691278

INNOCENTI via Borgo Palazzo 193 per ② ℰ 299373
LANCIA-AUTOBIANCHI via Ghislandi 79 ℰ 248382
MASERATI via Borgo Palazzo 193 ℰ 299373
MERCEDES-BENZ ad Orio al Serio, via Aldo Moro 5 ℰ 201740
PEUGEOT-TALBOT via Grumello 59 ℰ 254046
RENAULT via Broseta 55/a ℰ 253211
RENAULT via San Fermo 25 ℰ 220440
VW-AUDI viale V° Alpini 8 ℰ 342442

BERGEGGI 17042 Savona – 978 ab. alt. 110 – ✪ 019.
Roma 556 – Cuneo 102 – ♦Genova 58 – Imperia 63 – ♦Milano 180 – Savona 11.

XXX **Claudio** con cam, ℰ 859750, prenotare, « Servizio estivo in terrazza con ≤ », ⊿ – 🖿 📺 ☎
🅿 – 🏖 50. ⚑. ⚘ cam
chiuso dal 5 al 30 gennaio – Pas *(chiuso lunedì)* carta 43/70000 – ⊒ 7000 – **12 cam** 50/85000.

BERGIOLA MAGGIORE Massa-Carrara – Vedere Massa.

BERTINORO 47032 Forlì 988 ⑮ – 8 379 ab. alt. 257 – ✪ 0543.
Vedere ≤* dalla terrazza vicino alla Colonna dell'Ospitalità.
Roma 343 – ♦Bologna 77 – Forlì 14 – ♦Milano 296 – ♦Ravenna 33 – Rimini 41.

🏨 **Panorama** ⚘ senza rist, piazza della Libertà 11 ℰ 445465, ≤ – 📳 📺 ☎ ♿. ⚑ ① *VISA*. ⚘
chiuso dicembre e gennaio – ⊒ 8000 – **16 cam** 50/70000.

X **Belvedere,** via Mazzini 7 ℰ 445127, 🍽 – ⚑ ① *VISA*. ⚘
chiuso mercoledì e novembre – Pas carta 28/42000.

BESANA BRIANZA 20045 Milano 219 ⑨ – 11 799 ab. alt. 336 – ✪ 0362.
Roma 603 – ♦Bergamo 33 – Como 33 – ♦Milano 35 – Monza 16.

a Calò SO : 5 km – ✉ 20050 Villa Raverio :

XX **Il Riservino,** ℰ 96187, Coperti limitati; prenotare – 🖿. 🖂. ⚘
chiuso domenica sera, lunedì, dal 1° al 10 gennaio e dal 1° al 20 agosto – Pas carta 26/42000
(12%).

BESNATE 21010 Varese 219 ⑦ – 4 625 ab. alt. 300 – ✪ 0331.
Roma 622 – Gallarate 7 – ♦Milano 45 – Novara 40 – Varese 17.

XX **La Maggiolina,** ℰ 274225 – 🖿 🅿. ⚑
chiuso martedì ed agosto – Pas carta 29/44000.

BETTOLA 29021 Piacenza 988 ⑬ – 3 736 ab. alt. 329 – ✪ 0523.
Roma 546 – ♦Bologna 184 – ♦Milano 99 – Piacenza 34.

X **Due Spade,** piazza Cristoforo Colombo 62 ℰ 917789, 🍽 – ⚘
chiuso martedì – Pas carta 25/36000.

BETTOLLE Siena 988 ⑮ – Vedere Sinalunga.

BIANCO 89032 Reggio di Calabria 988 ㊴ – 3 764 ab. – ✪ 0964.
Roma 722 – Catanzaro 118 – ✦Reggio di Calabria 78.

🏨 **Vittoria,** 🖉 911014 – |🛗| ☎ 🅿. 🖭 🕄 ⓞ 🗲 *VISA*. 🛠 rist
➡ aprile-ottobre – Pas 17/25000 – ⌑ 5000 – **64 cam** 40/60000 – P 65000.

BIASCA 427 ⑮, 218 ⑫ – Vedere Cantone Ticino alla fine dell'elenco alfabetico.

BIBIONE 30020 Venezia 988 ⑥ – Stazione balneare, a.s. 15 giugno-agosto – ✪ 0431.
🖪 viale Aurora 101 🖉 43362, Telex 450377.
Roma 613 – Latisana 19 – ✦Milano 352 – Treviso 89 – ✦Trieste 98 – Udine 67 – ✦Venezia 102.

🏨 **Principe,** via Ariete 41 🖉 43256, Telex 461075, ≼, ⬓, 🐾, ℁ – |🛗| ▤ rist 🅿. 🖭 🕄 ⓞ 🗲
VISA. 🛠 rist
15 maggio-15 settembre – Pas 25000 – **80 cam** ⌑ 85/150000 – P 85/93000, b.s. 62/80000.

🏨 **Palace,** via del Leone 44 🖉 43349, ≼, ⬓, 🐾, 🌴 – |🛗| ☎ 🅿. 🛠 rist
➡ 14 maggio-16 settembre – Pas (solo per clienti alloggiati) 18/22000 – 80 cam ⌑ 57/104000 –
P 65/72000, b.s. 49/56000.

🏨 **Leonardo da Vinci,** corso Europa 92 🖉 43416, 🐾 – |🛗| 🕾 🅿. 🛠 rist
➡ 20 maggio-15 settembre – Pas (solo per clienti alloggiati) 15/26000 – ⌑ 5000 – **54 cam**
50/90000 – P 55/63000, b.s. 45/55000.

🏨 **Concordia,** via Maia 149 🖉 43433, ≼, 🐾 – |🛗| ⅙ 🚗 🅿. 🖭. 🛠 rist
➡ 20 maggio-20 settembre – Pas 16000 – **44 cam** ⌑ 50/65000 – P 63000, b.s. 50/54000.

🏨 **Ariston,** corso Europa 98 🖉 43138, ⬓, 🐾, 🌴 – |🛗| ⅙ 🅿. 🛠
15 maggio-20 settembre – Pas 20000 – ⌑ 5000 – **39 cam** 50/70000 – P 67/70000, b.s. 46/57000.

🏨 **Nevada,** località Lido del Sole O : 2,5 km 🖉 43346, 🐾 – |🛗| ↷ ☎ ⅙ 🚗 🅿. 🖭 ⓞ. 🛠 rist
15 maggio-15 settembre – Pas carta 20/40000 – **40 cam** ⌑ 50/70000 – P 35/60000,
b.s. 35/50000.

✗ **Da Gianni,** corso del Sole 96 🖉 43609 – ↷ 🅿. *VISA*. 🛠
chiuso dal 2 ottobre al 15 dicembre e martedì im basse stagione – Pas carta 20/40000.

a Bibione Pineda O : 5 km – ✉ 30020 Bibione – 🖪 viale dei Ginepri 🖉 43362 :

🏨 **Esplanada** ⌂, via delle Dune 6 🖉 43260, « Pineta con ⬓ e ℁ », 🐾 – |🛗| ⅙ 🅿. 🛠
➡ 15 maggio-settembre – Pas 18/22000 – ⌑ 13000 – **80 cam** 55/90000 – P 75/90000,
b.s. 65/70000.

🏨 **San Marco** ⌂, via delle Ortensie 2 🖉 43301, Fax 438381, « Pineta con ⬓ », 🐾 – |🛗| 🕾 🅿.
🛠
15 maggio-15 settembre
– Pas 21/23000 – ⌑ 9000
– **57 cam** 60/95000 –
P 75/80000, b.s. 55/60000.

🏨 **Horizonte,** via degli
Ontani 31 🖉 43218, 🐾,
🌴 – 🕾 🅿. 🛠 rist
10 maggio-28 settembre
– Pas 18/22000 – ⌑ 5000
– **25 cam** 35/58000 –
P 54/59000, b.s. 45/53000.

BIELLA 13051 Vercelli 988 ②,
219 ⑮ – 51 566 ab. alt. 424 –
✪ 015.

🖪 Le Betulle (aprile-novembre;
chiuso lunedì) a Magnano ✉
13050 🖉 679151, per ④ : 18 km.
A.C.I. viale Matteotti 11 🖉 25225.
Roma 676 ② – Aosta 101 ④ – ✦Mi-
lano 102 ② – Novara 56 ② – Stresa
72 ① – ✦Torino 74 ③ – Vercelli 42
②.

🏨 **Astoria** senza rist, viale
Roma 9 🖉 20545, Telex
214083, Fax 8491691,
« Elegante arredamen-
to » – |🛗| ▤ 📺 ☎ – 🔬
50 a 70. 🖭 🕄 ⓞ 🗲 *VISA*
chiuso agosto – ⌑ 12000
– **49 cam** 95/130000 appartamento 225000. **v**

🏨 **Augustus** senza rist, via
Orfanotrofio 🖉 27554,
Telex 215860, Fax 29257
– |🛗| ▤ 📺 ☎ 🅿. 🖭 🕄
ⓞ 🗲 *VISA*. 🛠 **s**
36 cam ⌑ 98/130000.

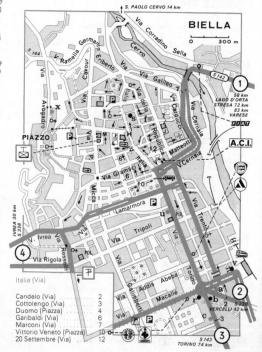

BIELLA
0   300 m

← S. PAOLO CERVO 14 km

58 km
LAGO D'ORTA
STRESA 72 km
83 km
VARESE

A.C.I.

Italia (Via)

Candelo (Via)	2
Cottolengo (Via)	3
Duomo (Piazza)	4
Garibaldi (Via)	6
Marconi (Via)	7
Vittorio Veneto (Piazza)	10
20 Settembre (Via)	12

VERCELLI 42 km

S 143
TORINO 74 km

🏠 **Michelangelo** senza rist, piazza Adua 5 ℰ 8492362, Telex 223177 – 📺 ☎ ⇔. 🆎 🔃 ⓪ ᴇ **r**
VISA. ❄
🍴 7000 – **19 cam** 50/80000.

🏠 **Coggiola** senza rist, via Cottolengo 5 ℰ 8491912, 🌞 – 📶 ☎. 🔃 ⓪ ᴇ VISA **b**
🍴 5000 – **32 cam** 50/85000.

XX **Prinz Grill**, via Torino 14 ℰ 30302, prenotare – 🍽. 🆎 🔃 ⓪ ᴇ VISA. ❄ **u**
chiuso domenica, dal 1° al 15 gennaio ed agosto – Pas carta 38/68000.

XX **Il Bagatto,** via della Repubblica 45 ℰ 28671 – 🆎 🔃 ⓪ ᴇ VISA **f**
chiuso lunedì ed agosto – Pas carta 26/41000.

XX **Grilli**, via Cottolengo 26 ℰ 8491623 – 🅿. 🔃 ⓪ ᴇ VISA. ❄ **c**
· chiuso lunedì – Pas carta 22/41000.

XX **San Paolo**, viale Roma 4 ℰ 22209 – 🍽. 🆎 🔃 ⓪ ᴇ VISA. ❄ **a**
chiuso venerdì ed agosto – Pas carta 30/53000.

XX **Taverna del Piazzo**, via Avogadro 10-rione Piazzo ℰ 22724 **x**

X **Trattoria della Rocca**, via della Vittoria 90-rione Chiavazza ℰ 351027 – 🅿 2 km per ①
chiuso martedì – Pas carta 22/35000.

a Vaglio NE : 4 km – ✉ **13050** :

X **Al Peschereccio**, ℰ 561351 – 🅿
chiuso lunedì e dal 25 agosto al 15 settembre – Pas carta 29/50000.

Vedere anche : **Pralungo** N : 5 km.
Sordevolo per ④ : 8 km.
Oropa NO : 13 km.
San Paolo Cervo N : 14 km.

ALFA-ROMEO via Macallè 45 ℰ 401745
BMW via Candelo 6 ℰ 8492216
CITROEN via Galimberti 12/14 ℰ 405385
FIAT via per Pollone 3 per ④ ℰ 590561
FIAT via Milano 13 ℰ 355484
FORD via Cavour 75/77 ℰ 542947
GM-OPEL via Macallè 14 ℰ 32276
INNOCENTI via Macallè 13 ℰ 8491885

LANCIA-AUTOBIANCHI via Torino 53 ℰ 25563
MERCEDES-BENZ via Rigola 9 ℰ 401842
PEUGEOT-TALBOT via Torino 5 ℰ 21849
RENAULT via Trieste 22 ℰ 22959
VW-AUDI via Galimberti 45 ℰ 401051
VW-AUDI via Cavour-strada Trossi ℰ 544041
VOLVO corso Europa 6 ℰ 29850

BIGOLINO Treviso – Vedere Valdobbiadene.

BINASCO 20082 Milano 🗺 ③⑬ – 6 384 ab. alt. 101 – ✆ 02.
Roma 573 – Alessandria 75 – ◆Milano 17 – Novara 63 – Pavia 19 – ◆Torino 152.

🏠 **Corona,** via Matteotti 20 ℰ 9052280, Fax 9054353 – 📶 ⇄ rist 🍽 📺 ☎ ㋐ 🅿. 🆎 ⓪. ❄ rist
chiuso agosto – Pas (chiuso sabato) carta 25/43000 – 🍴 8000 – **50 cam** 60/75000 – P 75/90000.

XX **Hosteria della Pignatta,** largo Loriga 5 ℰ 9054046 – 🆎
chiuso martedì ed agosto – Pas carta 25/35000 (10%).

BIODOLA Livorno – Vedere Elba (Isola d') : Portoferraio.

BIOGGIO 🗺 ⑳, 🗺 ⑧ – Vedere Cantone Ticino alla fine dell'elenco alfabetico.

BISSONE 🗺 ⑳, 🗺 ⑧ – Vedere Cantone Ticino alla fine dell'elenco alfabetico.

BIVIGLIANO 50030 Firenze – alt. 580 – a.s. luglio e agosto – ✆ 055.
Roma 295 – ◆Bologna 98 – ◆Firenze 18 – Forlì 105 – ◆Milano 292.

🏠 **Giotto Park Hotel** ⤫, ℰ 406608, ≼, « Parco ombreggiato », ❄ – ⇄ rist 📺 ⇔ ㋐ 🅿
🏛 100. 🆎 ⓪ ᴇ. ❄ rist
marzo-20 ottobre – Pas (chiuso martedì, mercoledì a mezzogiorno, marzo ed ottobre) 32/35000
– 35 cam 🍴 80/170000 – P 86/100000, b.s. 75/90000.

🏠 **Gli Scoiattoli** ⤫, ℰ 406610, ≼, 🌞 – 🅿. 🆎 VISA. ❄ rist
chiuso dicembre, gennaio e febbraio – Pas carta 22/34000 – 🍴 8000 – **20 cam** 33/61000 –
P 65000.

XX **Villa Vecchia,** verso Pratolino S : 3 km ℰ 409476, 🌲, « Parco ombreggiato » – 🅿. 🆎 🔃
⓪. ❄
chiuso mercoledì, giovedì a mezzogiorno e dal 2 gennaio al 14 febbraio – Pas carta 25/35000.

BIZZARONE 22020 Como 🗺 ⑧ – 1 264 ab. alt. 433 – ✆ 031.
Roma 644 – Como 20 – Varese 19.

X **Cornelio** con cam, via Milano 1 ℰ 948787 – ⇄ rist ⇔ 🅿 – 🏛 25. ❄
Pas (chiuso mercoledì) carta 28/45000 – 🍴 4500 – **9 cam** 34/53000 – P 52000.

BOARIO TERME Brescia 🗺 ④ – Vedere Darfo Boario Terme.

BOBBIO 29022 Piacenza 🔲🔲🔲 ⑬ – 4 085 ab. alt. 272 – Stazione termale (maggio-ottobre) – ✪ 0523.

🛈 piazza San Francesco 3 ℰ 936178.

Roma 558 – Alessandria 84 – ◆Bologna 196 – ◆Genova 94 – ◆Milano 110 – Pavia 88 – Piacenza 46.

🏠 **Piacentino,** ℰ 936266 – 🔢 🕮 📵. 🆎 🏠 Ɛ 𝘝𝘐𝘚𝘈. 🛇
　　Pas *(chiuso lunedì da novembre ad aprile)* carta 22/35000 – ⚍ 6000 – **20 cam** 41/58000 –
　　P 50/62000.

✕ **Dei Cacciatori** con cam, ℰ 936267
　　chiuso dal 7 gennaio al 18 marzo – Pas *(chiuso mercoledì)* carta 21/35000 – ⚍ 4000 – **11 cam**
　　34/53000 – P 45/52000.

　　a San Salvatore S : 3,5 km – ✉ 29022 Bobbio :

✕ **Rà Ca' Longa** con cam, ℰ 936948 – 📵. 🆎. 🛇
　　Pas *(chiuso lunedì)* carta 29/40000 – ⚍ 6000 – **11 cam** 31/52000.

BOCCA DI MAGRA 19030 La Spezia – ✪ 0187.

Roma 404 – ◆Genova 110 – Lucca 60 – Massa 21 – ◆Milano 227 – ◆La Spezia 21.

🏨 **Garden,** ℰ 65086 – 🔢 📵. 🆎 🏠 ⓞ Ɛ. 🛇 cam
　　chiuso gennaio – Pas *(chiuso lunedì)* carta 22/32000 – ⚍ 7000 – 12 cam 35/47000 – P 65000.

🏠 **Orsa Maggiore,** ℰ 65116, ≤, �іｔ, 🛥 – 🔢
　　27 marzo-settembre – Pas carta 20/32000 – ⚍ 7000 – 25 cam 22/41000 – P 60/63000.

✕✕ **La Lucerna di Ferro,** ℰ 601206, 🌖 – 📵. 🆎 🏠. 🛇
　　chiuso dal 15 dicembre al 1° marzo, lunedì sera e martedì da settembre a maggio – Pas
　　carta 40/65000.

✕✕ **Capannina Ciccio,** ℰ 65568, ≤, 🌖 – 🆎 🏠 ⓞ Ɛ 𝘝𝘐𝘚𝘈
　　chiuso martedì e novembre – Pas carta 29/46000 (12%).

BOGLIACO Brescia – Vedere Gargnano.

BOGLIASCO 16031 Genova – 4 757 ab. – ✪ 010.

Roma 491 – ◆Genova 13 – ◆Milano 150 – Portofino 23 – ◆La Spezia 92.

✕✕ **Il Tipico,** località San Bernardo N : 4 km ℰ 3470754, ≤ mare e costa – 📵. 𝘝𝘐𝘚𝘈. 🛇
　　chiuso lunedì e novembre – Pas carta 40/52000.

BOGNANCO (Fonti) 28030 Novara 🔲🔲🔲 ②, 🔲🔲🔲 ⑤ – 393 ab. alt. 986 – Stazione termale (giugno-
settembre) – ✪ 0324.

🛈 piazzale Giannini 5 ℰ 34127.

Roma 709 – Domodossola 11 – ◆Milano 132 – Novara 102 – Stresa 52 – ◆Torino 176.

🏠 **Pace,** ℰ 481359 – 📵. 🛇
　　giugno-settembre – Pas carta 23/31000 – 41 cam (solo pens) – P 42/47000.

BOISSANO 17020 Savona – 1 639 ab. alt. 121 – ✪ 0182.

Roma 583 – ◆Genova 83 – Imperia 49 – Savona 37 – ◆Torino 170.

✕ A Funtanetta, ℰ 98279.

BOLETO 28010 Novara 🔲🔲🔲 ⑥ – alt. 696 – ✪ 0322.

Vedere Santuario della Madonna del Sasso★★ NO : 4 km.

Roma 664 – Domodossola 54 – ◆Milano 87 – Novara 49 – ◆Torino 123 – Varese 55.

✕✕ **Panoramico** con cam, ℰ 981109, ≤ lago d'Orta e Mottarone, 🛥 – ⦆ rist 📵. 🆎 🏠 Ɛ 𝘝𝘐𝘚𝘈.
　　🛇
　　chiuso gennaio – Pas *(chiuso martedì)* carta 23/35000 (10%) – ⚍ 5000 – **12 cam** 50000 –
　　P 55000.

BOLLATE 20021 Milano 🔲🔲🔲 ⑱⑲ – 43 078 ab. alt. 154 – ✪ 02.

Roma 595 – Como 37 – ◆Milano 11 – Novara 45 – Varese 40.

🏨 **La Torretta,** via Varesina NO : 2 km ℰ 3505997, Telex 352815, 🌖 – 🔢 📺 ☎ 📵. 🆎 ⓞ 𝘝𝘐𝘚𝘈.
　　🛇 rist
　　Pas *(chiuso venerdì e dal 2 al 26 agosto)* carta 30/46000 – ⚍ 9000 – **45 cam** 65/92000 –
　　P 120/130000.

FIAT viale Repubblica 41 ℰ 3503355　　　　　　LANCIA-AUTOBIANCHI via Milano 169 ℰ 3561690
GM-OPEL via Milano 169 ℰ 3561690

When touring in Northern Lombardy and in the Valle d'Aosta,
use **Michelin Map 🔲🔲🔲** at a scale of 1:200 000.

BOLOGNA 40100 🅿 🐾🐾🐾 ⑭⑮ – 427 240 ab. alt. 55 – ✪ 051.

Vedere Piazze Maggiore e del Nettuno★★★ BY: fontana del Nettuno★★, basilica di San Petronio★★ BY A, palazzo Comunale★ BY H, palazzo del Podestà★ BY B – Piazza di Porta Ravegnana★★ CY: Torri Pendenti★★ (⛛★★) – Mercanzia★ – Chiesa di Santo Stefano★ CY F – Museo Civico Archeologico★ BY M – Pinacoteca Nazionale★★ CX M – Chiesa di San Giacomo Maggiore★ CX D – Strada Maggiore★ CY – Chiesa di San Domenico★ BZ K: arca★★ del Santo, tavola★ di Filippino Lippi – Palazzo Bevilacqua★ BY E – Postergale★ nella chiesa di San Francesco AX N.

Dintorni Madonna di San Luca: portico★, ≼★ su Bologna e gli Appennini SO : 5 km EU.

🛆 (chiuso lunedì) a Chiesa Nuova di Monte San Pietro ⊠ 40050 ℰ 969100, O : 16 km DU.

✈ di Borgo Panigale NO : 6 km DET ℰ 311578 – Alitalia, via Marconi 34 ⊠ 40122 ℰ 558585.

🚗 ℰ 372126.

🖪 piazza del Nettuno 1/d ⊠ 40124 ℰ 239660 – Stazione Ferrovie Stato ⊠ 40121 ℰ 246541.

A.C.I. via Marzabotto 2 ang. via Baracca ⊠ 40133 ℰ 389908.

Roma 379 ⑦ – ◆Firenze 105 ⑦ – ◆Milano 210 ⑨ – ◆Venezia 152 ①.

Piante pagine seguenti

🏨 **Gd H. Baglioni**, via dell'Indipendenza 8 ⊠ 40121 ℰ 225445, Telex 510242, Fax 234840 – 🛗
⛝ 🎬 📺 ☎ – 🔬 30 a 150. 🆑 🚫 ⑩ 🖿 🖾. 🛠   BX e
Pas vedere rist I Carracci – **125 cam** ⊆ 230/330000 appartamenti 410/520000 – P 310000.

🏨 **Royal Hotel Carlton**, via Montebello 8 ⊠ 40121 ℰ 249361, Telex 510356, Fax 249724 – 🛗
🎬 📺 ☎ ᕔ, ⇐⊋ – 🔬 30 a 800. 🆑 🚫 ⑩ 🖿 🖾. 🛠   BV g
Pas (chiuso domenica ed agosto) 55/75000 – **230 cam** ⊆ 230/310000 appartamenti 480000.

🏨 **Gd H. Elite**, via Aurelio Saffi 36 ⊠ 40131 ℰ 437417, Telex 510067 – 🛗 🎬 📺 ☎ ⇐⊋ – 🔬
120. 🆑 🚫 ⑩ 🖿 🖾. 🛠   AV c
chiuso dal 25 luglio al 25 agosto – Pas vedere rist Cordon Bleu – **84 cam** ⊆ 140/210000.

🏨 **Jolly**, piazza 20 Settembre 2 ⊠ 40121 ℰ 248921, Telex 510076, Fax 249764 – 🛗 🎬 📺 ☎ –
🔬 420. 🆑 🚫 ⑩ 🖿 🖾. 🛠 rist   CV a
Pas 44000 – **176 cam** ⊆ 164/248000.

🏨 **Pullman Hotel Bologna** senza rist, viale Pietramellara 59 ⊠ 40121 ℰ 248248, Telex 214822,
Fax 249421 – 🛗 🎬 📺 ☎ ᕔ – 🔬 80. 🆑 🚫 ⑩ 🖿 🖾. 🛠   BV q
244 cam ⊆ 159/238000.

🏨 **Al Cappello Rosso** senza rist, via de' Fusari 9 ⊠ 40123 ℰ 261891, Telex 583304 – 🛗 ⛝ 🎬
📺 ☎. 🆑 🚫 ⑩ 🖿 🖾   BY x
31 cam ⊆ 170/250000 appartamenti 250/325000.

🏨 **Internazionale** senza rist, via dell'Indipendenza 60 ⊠ 40121 ℰ 245544, Telex 511038, Fax
249544 – 🛗 🎬 📺 ☎ ⇐⊋ – 🔬 25. 🆑 🚫 ⑩ 🖿 🖾   BCV p
140 cam ⊆ 150/225000.

🏨 **Crest Hotel**, piazza della Costituzione 1 ⊠ 40128 ℰ 372172, Telex 510676, Fax 357662, ⏃,
🎋 – 🛗 ⛝ cam 🎬 📺 ☎ ⇐⊋ 🅿 – 🔬 350. 🆑 🚫 ⑩ 🖿 🖾. 🛠 rist   FT h
Pas (chiuso domenica) 37000 – **163 cam** ⊆ 150/250000.

🏨 **Roma**, via Massimo d'Azeglio 9 ⊠ 40123 ℰ 274400, Telex 583270 – 🛗 🎬 🆑 🚫 ⑩
🖾. 🛠 rist   BY x
Pas (chiuso dal 1° al 23 agosto) 30000 – ⊆ 10000 – **80 cam** 77/102000, 🎬 10000 – P 121/147000.

🏨 **Milano Excelsior**, viale Pietramellara 51 ⊠ 40121 ℰ 246178, Telex 510213, Fax 249448 – 🛗
🎬 📺 ☎ – 🔬 30 a 120. 🆑 🚫 ⑩ 🖿 🖾. 🛠 rist   BV s
Pas 25/30000 – **72 cam** ⊆ 140/190000 appartamenti 255/285000 – P 159000.

🏨 **Re Enzo** senza rist, via Santa Croce 26 ⊠ 40122 ℰ 523322, Telex 583308 – 🛗 📺 ☎ ⇐⊋. 🆑
🚫 🖿 🖾. 🛠   AX a
chiuso dal 29 luglio al 20 agosto – ⊆ 12000 – **51 cam** 80/110000.

🏨 **Corona d'Oro 1890** senza rist, via Oberdan 12 ⊠ 40126 ℰ 236456, Telex 224657, Fax 262679
– 🛗 🎬 📺 ☎ – 🔬 50. 🆑 🚫 ⑩ 🖿 🖾   CX a
chiuso agosto – **35 cam** ⊆ 155/225000.

🏨 **Dei Commercianti** senza rist, via de' Pignattari 11 ⊠ 40124 ℰ 233052, Fax 224733 – 🛗 📺
☎ ⇐⊋. 🆑 🚫 ⑩ 🖿 🖾. 🛠   BY n
⊆ 10000 – **31 cam** 80/110000.

🏨 **City Hotel** senza rist, via Magenta 10 ⊠ 40128 ℰ 372676, 🎋 – 🛗 🎬 📺 ⇐⊋ 🅿 – 🔬 35. 🆑
🚫 ⑩ 🖿 🖾. 🛠   FT e
⊆ 10000 – **50 cam** 70/96000, 🎬 2000.

🏨 **Palace** senza rist, via Montegrappa 9 ⊠ 40121 ℰ 237442, Telex 520696 – 🛗 🎬 📺 ☎ ⇐⊋. 🆑
🚫 ⑩ 🖿 🖾. 🛠   BX a
⊆ 8000 – **113 cam** 70/96000, 🎬 3000.

🏨 **Alexander** senza rist, viale Pietramellara 45 ⊠ 40121 ℰ 247118, Telex 520564 – 🛗 🎬 📺 ☎
– 🔬 60. 🆑 🚫 ⑩ 🖿 🖾   BV w
chiuso agosto – **108 cam** ⊆ 81/131000, 🎬 5000.

🏨 **Maggiore** senza rist, via Emilia Ponente 62/3 ⊠ 40133 ℰ 381634, Telex 226262 – 🛗 📺 ☎ 🅿
– 🔬 35. 🆑 🚫 ⑩ 🖿 🖾. 🛠   ET c
chiuso dal 1° al 21 agosto – **60 cam** ⊆ 85/120000.

🏨 **Donatello** senza rist, via dell'Indipendenza 65 ⊠ 40121 ℰ 248174 – 🛗 🎬 📺 ☎. 🆑 ⑩ 🖾
⊆ 8000 – **38 cam** 70/100000.   CV s

segue →
113

🏨 **San Felice** senza rist, via Riva di Reno 2 ⌧ 40122 ℰ 557457 – 📶 📺 ☎ 🕭. 🆎 𝗩𝗜𝗦𝗔. 🛇 AX **f**
🍽 10000 – **36 cam** 75/100000.

🏨 **Astoria** senza rist, via Fratelli Rosselli 14 ⌧ 40121 ℰ 521410, Fax 524739 – 📶 🍽 📺 ☎ 🚗.
🆎 ⑩ 𝗩𝗜𝗦𝗔. 🛇   BV **v**
🍽 7000 – **38 cam** 75/100000.

🏨 **Accademia** senza rist, via delle Belle Arti 6 ⌧ 40126 ℰ 232318 – 🕾 🅿   CX **t**
chiuso dal 1° al 26 agosto – 🍽 8000 – **28 cam** 50/75000.

🏨 **Astor** senza rist, via Fioravanti 42/2 ⌧ 40129 ℰ 356663 – 📶 🍽 📺 ☎ 🚗. 🆎 🕭 ⑩ 𝗘 𝗩𝗜𝗦𝗔.
🛇   BV **a**
chiuso dall' 8 al 21 agosto – **31 cam** 🍽 80/110000.

🏨 **Orologio** senza rist, via IV Novembre 10 ⌧ 40123 ℰ 231253 – 📶 ☎. 🆎 🕭 ⑩ 𝗘 𝗩𝗜𝗦𝗔. 🛇
🍽 10000 – **31 cam** 55/75000.   BY **x**

BOLOGNA
PIANTA D'INSIEME

Alberto Mario (Via)	FU 2	Barbieri (Via Francesco)	FT 9
Amaseo (Via Romolo)	FT 3	Barca (Via della)	EU 12
Arno (Via)	GU 5	Battaglia (Via della)	FU 13
Artigiano (Via dell')	FT 6	Bentivogli (Via Giuseppe)	FU 15
Bandiera (Via Irma)	EU 8	Beverara (Via della)	EFT 16

XXXX **I Carracci,** via Manzoni 2 ⊠ 40129 𝒫 270815, Rist. elegante; prenotare – 🍽, ⒜Ⓔ Ⓢ Ⓞ Ⓔ
🆅🅸🆂🅰. 🕉
chiuso domenica e dal 25 luglio al 25 agosto – Pas carta 55/84000.
BX **e**

XXXX **Pappagallo,** piazza della Mercanzia 3/c ⊠ 40125 𝒫 232807, Rist. elegante-confort accurato;
prenotare – 🍽, ⒜Ⓔ Ⓞ 🆅🅸🆂🅰. 🕉
chiuso domenica sera, lunedì, dal 12 al 18 gennaio e dal 1° al 22 agosto – Pas carta 40/57000.
CY **n**

XXX ❀ **Notai,** via de' Pignattari 1 ⊠ 40124 𝒫 228694, Rist. elegante-souper; prenotare – 🍽, ⒜Ⓔ
Ⓢ Ⓞ Ⓔ 🆅🅸🆂🅰
BY **n**
chiuso domenica – Pas carta 54/75000
Spec. Insalata di salmone fresco alle erbe aromatiche, Tagliatelle al profumo di cedro e prosciutto crudo, Tagliata
di filetto al pepe nero e midollo. **Vini** Trebbiano, Cabernet-Sauvignon.

segue →

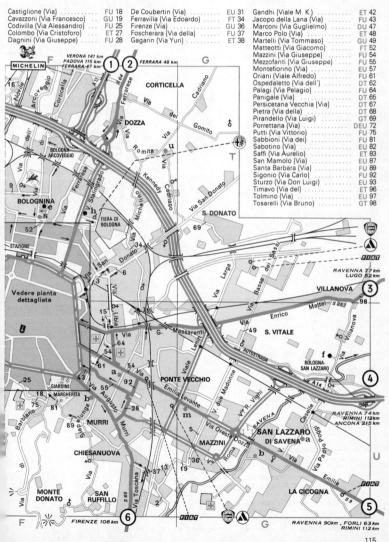

115

XXX ❀ **Cordon Bleu,** via Aurelio Saffi 38 ⊠ 40131 ℰ 423466, Rist. e piano-bar – 🍽. 🅰🅴 🅑 ⓞ Ⓔ 🆅🆂🅰 AV **c**
chiuso domenica, lunedì a mezzogiorno e dal 25 luglio al 25 agosto – Pas carta 55/77000
Spec. Crostino con mascarpone alla veneta, Passatelli in crema di sedano, Filettini di maiale alle mele renette. Vini Arneis, Ronco delle Ginestre.

XXX **Taverna 3 Frecce,** strada Maggiore 19 ⊠ 40125 ℰ 231200, « In un edificio del 13° secolo » – 🅰🅴 ⓞ 🆅🆂🅰 ❀ – *chiuso domenica sera, lunedì, dal 24 dicembre al 6 gennaio ed agosto* – Pas carta 41/68000 CY **a**

XXX **Silverio,** via Nosadella 37/a ⊠ 40123 ℰ 330604 – 🍽. 🅰🅴 ⓞ 🆅🆂🅰 ❀ AY **a**
chiuso lunedì ed agosto – Pas carta 45/61000.

XX **Bitone,** via Emilia Levante 111 ⊠ 40139 ℰ 546110, 🦐 – 🍽. 🅰🅴 ⓞ 🆅🆂🅰 ❀ GU **m**
chiuso lunedì, martedì, dal 15 al 31 gennaio ed agosto – Pas carta 35/65000.

XX **Rosteria Luciano,** via Nazario Sauro 19 ⊠ 40121 ℰ 231249, Rist. a coperti limitati; prenotare – 🍽. ❀
chiuso martedì sera, mercoledì, agosto e dal 24 dicembre al 1° gennaio – Pas carta 37/52000 (12%). BX **r**

XX **La Cesoia-da Pietro,** via Massarenti 90 ⊠ 40138 ℰ 342854, Rist. con specialità umbro-laziali – 🅰🅴 ⓞ 🆅🆂🅰 ❀ CY **c**
chiuso domenica sera, lunedì e dal 28 luglio al 22 agosto – Pas carta 31/50000.

XX **Franco Rossi,** via Goito 3 ⊠ 40126 ℰ 279959 – 🍽. 🅰🅴 🅑 ⓞ 🆅🆂🅰 ❀ BX **p**
chiuso luglio, domenica da maggio ad agosto e martedì negli altri mesi – Pas carta 47/77000.

XX **Risbo',** via Pietramellara 59/2 ⊠ 40121 ℰ 246270 – 🍽. 🅰🅴 ⓞ 🆅🆂🅰 ❀ CV **b**
chiuso sabato, domenica ed agosto – Pas carta 33/60000.

XX **Grassilli,** via dal Luzzo 3 ⊠ 40125 ℰ 222961, 🦐, Rist. a coperti limitati; prenotare – 🍽. 🅰🅴 ⓞ 🆅🆂🅰 CY **a**
chiuso dal 15 luglio al 15 agosto, dal 23 dicembre al 1° gennaio, mercoledì e le sere dei giorni festivi – Pas carta 46/70000 (14%).

XX **Battibecco,** via Battibecco 4 ⊠ 40123 ℰ 275845, Coperti limitati; prenotare – 🍽. 🅰🅴 ⓞ 🆅🆂🅰 ❀ – *chiuso sabato, domenica, dal 1° al 25 agosto e dal 24 al 31 dicembre* – Pas carta 43/58000 BY **v**

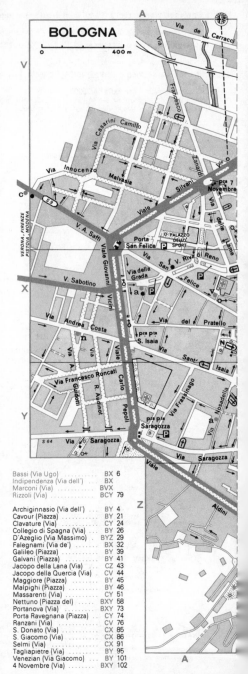

BOLOGNA

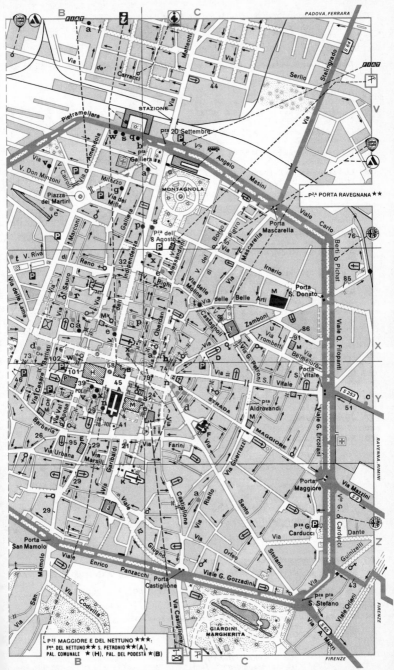

XX Guido, via Andrea Costa 34 ⊠ 40134 ℰ 418907, Rist. e rosticceria – ▤   AX n

XX **Antica Osteria Romagnola,** via Rialto 13 ⊠ 40124 ℰ 263699, Rist. a coperti limitati; prenotare – ▤. ᴀᴇ 🛐 ⓪   CZ a
chiuso lunedì, martedì a mezzogiorno, dal 24 dicembre al 6 gennaio ed agosto – Pas carta 38/52000.

XX **Dal Duttòur Balanzon,** via Fossalta 3 ⊠ 40125 ℰ 232098, Rist. e piano-bar – ▤. ᴀᴇ 🛐 ⓪ ᴇ 𝘷𝘪𝘴𝘢. ⅋⅋   BX x
chiuso sabato – Pas carta 29/42000.

XX **Rodrigo,** via della Zecca 2/h ⊠ 40121 ℰ 220445 – ▤. ᴀᴇ ⓪ 𝘷𝘪𝘴𝘢   BX w
chiuso domenica ed agosto – Pas carta 37/68000 (12%).

XX **Donatello,** via Righi 8 ⊠ 40126 ℰ 235438   CX e
chiuso sabato e domenica sera – Pas carta 22/31000 (13%).

XX **La Braseria,** via Testoni 2 ⊠ 40123 ℰ 264584 – ▤. ᴀᴇ ⓪ 𝘷𝘪𝘴𝘢   BX d
chiuso domenica e dal 20 dicembre al 10 gennaio – Pas carta 30/47000 (15%).

XX **Il Tartufo,** via del Porto 34 ⊠ 40122 ℰ 521057 – ▤. ᴀᴇ 🛐 ⓪ ᴇ 𝘷𝘪𝘴𝘢. ⅋⅋   BV e
chiuso sabato da giugno a luglio, domenica ed agosto – Pas carta 39/57000.

XX **La Fabbreria,** via Cadriano 15 ⊠ 40127 ℰ 500709, 🏛 – ⓟ. 🛐 𝘷𝘪𝘴𝘢. ⅋⅋   FT u
chiuso domenica sera, lunedì e dal 1° al 28 agosto – Pas carta 28/43000.

XX **Da Sandro al Navile,** via del Sostegno 15 ⊠ 40131 ℰ 6343100, 🏛 – ▤ ⓟ – 🍴 35. ᴀᴇ 🛐 ⓪ 𝘷𝘪𝘴𝘢. ⅋⅋   ET r
chiuso domenica e dal 1° al 26 agosto – Pas carta 34/51000.

XX Tiffany, via Laura Bassi Veratti 1/3 ⊠ 40137 ℰ 397547 – ▤   FU a

XX **Trattoria dello Sterlino,** via Murri 71 ⊠ 40137 ℰ 342751, 🏛 – ᴀᴇ ⓪. ⅋⅋   FU b
chiuso sabato ed agosto – Pas carta 21/31000.

XX **All'Abbadia,** via dell'Abbadia 4 ⊠ 40122 ℰ 236415 – ▤. ᴀᴇ ⓪ 𝘷𝘪𝘴𝘢. ⅋⅋   AX v
chiuso a mezzogiorno, domenica, lunedì ed agosto – Pas carta 27/40000.

X **Trattoria Leonida,** vicolo Alemagna 2 ⊠ 40125 ℰ 239742, 🏛 – ▤. ⅋⅋   CY d
chiuso domenica – Pas carta 27/42000 (12%).

X **Alla Grada,** via della Grada 6 ⊠ 40122 ℰ 523323, Rist. e rosticceria – ▤. ᴀᴇ ⓪ 𝘷𝘪𝘴𝘢. ⅋⅋   AX a
chiuso lunedì, dal 7 al 18 gennaio e dal 7 al 31 agosto – Pas carta 30/42000.

X **Da Carlo,** via Marchesana 6 ⊠ 40124 ℰ 233227, Trattoria con servizio estivo sotto una loggia – ▤. ᴀᴇ ⓪. ⅋⅋   BCY e
chiuso martedì, dal 1° al 20 gennaio e dal 23 agosto al 1° settembre – Pas carta 31/46000 (13%).

X **Nonno Rossi,** via dell'Aeroporto 38 ⊠ 40132 ℰ 401295 – ⓟ. ᴀᴇ ⓪ 𝘷𝘪𝘴𝘢. ⅋⅋   DT b
Pas carta 26/37000 (10%).

X **Buca San Petronio,** via de' Musei 4 ⊠ 40124 ℰ 224589 – ▤. ᴀᴇ 🛐 ⓪ 𝘷𝘪𝘴𝘢. ⅋⅋   BCY s
chiuso mercoledì sera e giovedì – Pas carta 24/34000 (15%).

X **Paolo,** piazza dell'Unità 9/d ⊠ 40128 ℰ 357858 – ᴀᴇ ⓪ 𝘷𝘪𝘴𝘢. ⅋⅋   FT s
chiuso martedì, venerdì sera, dal 23 dicembre al 7 gennaio e dal 26 luglio al 17 agosto – Pas carta 24/34000.

X **Birreria Lamma,** via de' Giudei 4 ⊠ 40126 ℰ 231832 – ⅋⅋   CXY h
chiuso mercoledì e dal 25 luglio al 25 agosto – Pas carta 17/26000.

X **Ruggero,** via degli Usberti 6 ⊠ 40121 ℰ 236056, Trattoria d'habitués – ᴀᴇ ⓪ 𝘷𝘪𝘴𝘢. ⅋⅋   BX c
chiuso sabato a mezzogiorno, domenica, dal 2 al 12 gennaio e dall'8 al 31 agosto – Pas carta 25/43000.

X **Da Bertino,** via delle Lame 55 ⊠ 40122 ℰ 522230, Trattoria d'habitués – ᴀᴇ 🛐 ⓪ ᴇ 𝘷𝘪𝘴𝘢. ⅋⅋   BX t
chiuso domenica, dal 24 dicembre al 2 gennaio e dal 1° al 22 agosto – Pas carta 20/27000 (10%).

a Casteldebole O : 7 km DT – ⊠ 40132 Bologna :

XX **Antica Trattoria del Cacciatore,** via Caduti di Casteldebole 25 ℰ 564203, Ambiente rustico – ⓟ. ᴀᴇ ⓪ 𝘷𝘪𝘴𝘢. ⅋⅋   DT a
chiuso domenica sera, lunedì, dal 2 al 9 gennaio e dal 5 al 28 agosto – Pas carta 34/46000 (13%).

a Borgo Panigale NO : 7,5 km DT – ⊠ 40132 Bologna :

🏨 **MotelAgip,** via Lepido 203 ℰ 401130, Telex 583187 – 📶 ▤ 📺 ☎ ⓟ – 🍴 35. ᴀᴇ 🛐 ⓪ ᴇ 𝘷𝘪𝘴𝘢. ⅋⅋ rist   DT h
Pas *(chiuso domenica)* 34000 – ⊊ 13500 – **64 cam** 80/110000 – P 136/161000.

a Villanova E : 7,5 km GU – ⊠ 40055 :

🏨 **Novotel,** via Villanova 31 ℰ 781414, Telex 213412, Fax 781752, 🏊, ⅋⅋ – 📶 ▤ 📺 ☎ ᴅ ⓟ – 🍴 400. ᴀᴇ 🛐 ⓪ ᴇ 𝘷𝘪𝘴𝘢. ⅋⅋ rist   GU f
Pas carta 34/50000 – **206 cam** ⊊ 153/223000.

Vedere anche : *San Lazzaro di Savena* SE : 6 km.
      Casalecchio di Reno SO : 7 km.
      Castel Maggiore N : 10 km.

MICHELIN, a Castel Maggiore (N : 10 km per via di Corticella FT), via Bonazzi 32 (zona Industriale) – ⊠ 40013 Castel Maggiore, ℰ 713157.

ALFA-ROMEO viale Aldo Moro 64 FT ℰ 505323, Telex 510373
ALFA-ROMEO viale Pietramellara 4 BV ℰ 520707
ALFA-ROMEO viale Berti Pichat 10 CX ℰ 244435
ALFA-ROMEO viale Carducci 26 CZ ℰ 397788
BMW a Quarto Inferiore, via del Lavoro 1 ℰ 767211
CITROEN via del Carrozzaio 2 ℰ 531094
FIAT via Emilia Levante 8/b FU ℰ 492213
FIAT via dell'Elettricista 5 GT ℰ 535583
FIAT via Milazzo 16 ang. via Amendola BV ℰ 551700
FIAT via Baracca 3 ET ℰ 383924
FIAT viale Masini 2 CV ℰ 344737
FORD via Emilia Ponente 351 ℰ 569310
FORD via Stalingrado 59/3 ℰ 373611
GM-OPEL via Bovi Campeggi 2 ℰ 551701
GM-OPEL via della Cooperazione 25 ℰ 325427
INNOCENTI via Mario De Maria 1/b BV ℰ 370434
LANCIA-AUTOBIANCHI via dell'Elettricista 7 GT ℰ 533305

LANCIA-AUTOBIANCHI via Po 2/a FU ℰ 492552
LANCIA-AUTOBIANCHI via De' Carracci 6 BV ℰ 372738
LANCIA-AUTOBIANCHI via Irnerio 12/5 CV ℰ 245181
MASERATI via Mario de Maria 1/B ℰ 370434
MASERATI via del Faggiolo 150 ℰ 566590
MERCEDES-BENZ a Casalecchio di Reno, via del Lavoro 50 ℰ 572326, Telex 510352
PEUGEOT-TALBOT via Masini 26 ℰ 240935
PEUGEOT-TALBOT a Borgo Panigale, via Panigale 1 ℰ 401210
RENAULT via di Corticella 187/3 ℰ 325532
RENAULT via Bernardi 5/7 ℰ 384888
RENAULT viale Berti Pichat 4 ℰ 240002
VW-AUDI piazza Trento e Trieste 4/a ℰ 344433
VW-AUDI via Ferrarese 34/e ℰ 368731
VW-AUDI via Agucchi 121/4 ℰ 387538
VW-AUDI via Calari 7 ℰ 421804
VOLVO via Zanardi 159 ℰ 6345650

BOLSENA 01023 Viterbo 🔢🔢🔢 ㉕ – 4 070 ab. alt. 348 – ☺ 0761.

Vedere Chiesa di Santa Cristina★.

Roma 138 – Grosseto 121 – Siena 109 – Viterbo 32.

🏨 **Columbus,** viale Colesanti ℰ 799009 – 🖥 📺 ☎ 🅿. 🆎 🕃 E 💳
Pas *(chiuso dal 16 novembre al 28 febbraio)* carta 24/35000 – **40 cam** ⊊ 59/92000 – P 74/76000.

✗ **Da Picchietto,** via Porta Fiorentina 15 ℰ 799158, 🍽 – ⊗
chiuso lunedì e dal 25 settembre al 15 ottobre – Pas carta 20/27000 (10%).

BOLZANO (BOZEN) 39100 🅿 🔢🔢🔢 ④, 🔢🔢 ㉘ – 101 230 ab. alt. 262 – ☺ 0471.

Vedere Via dei Portici★ – Duomo★ – Pala★ nella chiesa dei Francescani – Pala d'altare scolpita★ nella chiesa parrocchiale di Gries per corso Libertà A.

Dintorni Gole della Val d'Ega★ SE per ①.

Escursioni Dolomiti★★★ Est per ①.

🚗 ℰ 972072.

🅱 piazza Walther 8 ℰ 970660 Telex 400444 – piazza Parrocchia 11 ℰ 993808, Telex 400158.

A.C.I. corso Italia 19/a ℰ 280003.

Roma 641 ② – ♦Innsbruck 118 ① – ♦Milano 283 ② – ♦Padova 182 ② – ♦Venezia 215 ② – ♦Verona 154 ②.

Pianta pagina seguente

🏨 **Park Hotel Laurin e Rist. Belle Epoque,** via Laurino 4 ℰ 980500, Telex 401088, Fax 981208, 🍽, « Parco fiorito con 🏊 riscaldata » – 🛗 🖥 rist 📺 ☎ 🅿 – 🔬 35 a 50. 🆎 🕃 ⓞ E 💳. ⊗ rist   B e
Pas *(chiuso sabato e dal 15 novembre al 25 dicembre)* carta 43/69000 – ⊊ 18000 – **108 cam** 125/175000.

🏨 **Grifone-Greif,** piazza Walther 7 ℰ 977057, Telex 400081, Fax 981208, 🍽 – 🛗 🖥 rist 📺 ☎ ⟺ – 🔬 25 a 300. 🆎 🕃 E 💳   B c
Pas *(chiuso domenica)* carta 41/70000 – ⊊ 15000 – **131 cam** 120/160000 – P 110/180000.

🏨 **Luna-Mondschein,** via Piave 15 ℰ 975642, Telex 400309, « Giardino » – 🛗 ☎ ⟺ – 🔬 50. 🆎 🕃 ⓞ E 💳. ⊗ rist   B m
Pas *(chiuso domenica da novembre a marzo)* carta 26/45000 – ⊊ 7000 – **85 cam** 70/110000 – P 120000.

🏨 **Alpi,** via Alto Adige 35 ℰ 970535, Telex 400156 – 🛗 🖥 📺 ☎ – 🔬 100. 🆎 🕃 ⓞ E 💳. ⊗ rist   B u
Pas carta 24/36000 – ⊊ 10000 – **110 cam** 83/122000 – P 91/123000.

🏨 **Scala-Stiegl,** via Brennero 11 ℰ 976222, Fax 976222, « Servizio rist. estivo in giardino », 🏊 – 🛗 📺 ☎ ⟺ 🅿 – 🔬 45. 🆎 🕃 ⓞ E 💳   B r
Pas carta 23/38000 – ⊊ 10000 – **60 cam** 60/95000 – P 80/95000.

🏨 **Castel Guncina-Reichrieglerhof** 🐾, via Miramonti 9 ℰ 46345, ≤ monti e città, 🍽, « Parco con 🏊 », ⊗ – 🛗 📺 ☎ 🅿 – 🔬 200. 🆎 🕃 E. ⊗ rist
chiuso gennaio – Pas *(chiuso martedì)* carta 22/43000 – **19 cam** ⊊ 60/140000.
                                                                        O : 2 km per via Cadorna   A

🏨 **Asterix** senza rist, piazza Mazzini 35 ℰ 273301 – 🛗 📺 ☎ ⟺ 🅿. 🆎 🕃 ⓞ E 💳   A a
⊊ 5000 – **24 cam** 59/84000.

🏨 **Gurhof** 🐾, via Rafenstein 17 ℰ 975012, ≤, 🍽 – 🛗 ⟺ ⟺ 🅿. 🆎 🕃 💳
chiuso gennaio – Pas *(chiuso mercoledì)* 15/20000 – **18 cam** ⊊ 35/60000 – P 55000.
                                                                        N : 2 km per via Cadorna   A

119

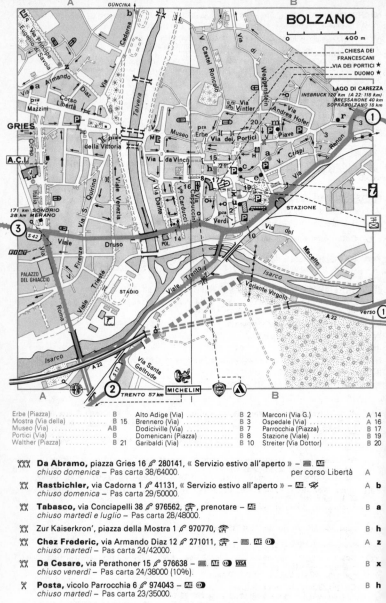

BOLZANO

0   400 m

— CHIESA DEI
   FRANCESCANI
 VIA DEI PORTICI ★
   DUOMO ★

LAGO DI CAREZZA
INSBRUCK 120 km (A 22: 118 km)
BRESSANONE 40 km
SOPRABOLZANO 18 km

Erbe (Piazza) . . . . B	Alto Adige (Via) . . . . B 2	Marconi (Via G.) . . . . A 14
Mostra (Via della) . . . . B 15	Brennero (Via) . . . . B 3	Ospedale (Via) . . . . A 16
Museo (Via) . . . . AB	Dodiciville (Via) . . . . B 7	Parrocchia (Piazza) . . . . B 17
Portici (Via) . . . . B	Domenicani (Piazza) . . . . B 8	Stazione (Viale) . . . . B 19
Walther (Piazza) . . . . B 21	Garibaldi (Via) . . . . B 10	Streiter (Via Dottor) . . . . B 20

XXX **Da Abramo,** piazza Gries 16 ℰ 280141, « Servizio estivo all'aperto » – ▤. 🅰🄴
chiuso domenica – Pas carta 38/64000.   per corso Libertà   A

XX **Rastbichler,** via Cadorna 1 ℰ 41131, « Servizio estivo all'aperto » – 🅰🄴. ❄
chiuso domenica – Pas carta 29/50000.   A **b**

XX **Tabasco,** via Conciapelli 38 ℰ 976562, 🍴, prenotare – 🅰🄴
chiuso martedì e luglio – Pas carta 28/48000.   B **a**

XX Zur Kaiserkron', piazza della Mostra 1 ℰ 970770, 🍴   B **h**

XX **Chez Frederic,** via Armando Diaz 12 ℰ 271011, 🍴 – ▤. 🅰🄴 ⓞ
chiuso martedì – Pas carta 24/42000.   A **z**

XX **Da Cesare,** via Perathoner 15 ℰ 976638 – ▤. 🅰🄴 ⓞ 𝖵𝖨𝖲𝖠
chiuso venerdì – Pas carta 24/38000 (10%).   B **x**

X **Posta,** vicolo Parrocchia 6 ℰ 974043 – 🅰🄴 ⓞ
chiuso martedì – Pas carta 23/35000.   B **h**

a San Giacomo (St. Jakob) per ② : 4 km – ✉ **39100** Bolzano :

🏨 **Park Hotel Werth** senza rist, ℰ 940103, 🏊, ⛱, ❀ – 🛗 ❄ 📺 ☎ 🚗 🅿 🅰🄴 𝖵𝖨𝖲𝖠 ❄
23 cam ⊡ 60/100000.

X **Lewald** con cam, ℰ 940330, « Servizio estivo all'aperto », ❀ – 🅿 🅰🄴 🄴 ❄
chiuso dal 10 al 25 febbraio e dal 21 giugno al 10 luglio – Pas *(chiuso domenica sera e lunedì)*
carta 35/50000 – ⊡ 5000 – **10 cam** 40/60000 – P 50/60000.

sulla strada statale 38 :

🏨 **Pircher,** via Merano 52 (per ③ : 4 km) ⊠ 39100 𝆎 917513, ⊐, 🐎 – 📱 📺 ☎ 🅿. 🆎 🕃 ⓪ 🇪.
⅏
Pas vedere rist Pircher – **22 cam** ⊑ 48/70000 – P 60000.

🏨 **Bagni di Zolfo-Schwefelbad,** via San Maurizio 93 (per ③ : 5 km) ⊠ 39100 𝆎 918412 – 📱
☎ 🅿. 🆎 🕃 ⓪ 🇪 𝘝𝘐𝘚𝘈. ⅏
Pas *(chiuso domenica)* carta 23/36000 – 39 cam ⊑ 40/70000 – P 55/60000.

🟆🟆 **Pircher,** via Merano 52 (per ③ : 4 km) ⊠ 39100 𝆎 917513 – ▤ 🅿. 🆎 🕃 ⓪ 🇪 𝘝𝘐𝘚𝘈. ⅏
chiuso martedì – Pas carta 27/41000.

🟆 **Moritzingerhof,** via Merano 113 (per ③ : 5 km) ⊠ 39100 𝆎 917491, 🏞 – 🅿. ⓪. ⅏
chiuso lunedì – Pas carta 21/30000.

MICHELIN, a Laives, via B. Franklin 9 per ② : 8 km – ⊠ 39055 Laives, 𝆎 954031.

ALFA-ROMEO via Galileo Galilei 37 𝆎 933334
BMW via Macello 53 𝆎 971617
CITROEN via Pacinotti 4 𝆎 930225
FIAT corso Italia 42 𝆎 43202
FIAT via Siemens 4 per ② 𝆎 932232
FORD via Galileo Galilei 6 𝆎 932419
GM-OPEL via Macello 13 𝆎 972016

LANCIA-AUTOBIANCHI via Cappuccini 10 𝆎 21661
LANCIA-AUTOBIANCHI via Di Vittorio 27 𝆎 930330
MERCEDES-BENZ via Galvani-zona Industriale 𝆎
933933, Telex 401519
PEUGEOT-TALBOT via Pacinotti 4 𝆎 930225
RENAULT via Siemens 4-zona Industriale 𝆎 933475
VW-AUDI via Lancia 3 𝆎 931181

BOLZANO VICENTINO 36050 Vicenza – 4 404 ab. alt. 44 – ✪ 0444.
Roma 539 – ✦Padova 38 – Treviso 54 – Vicenza 9.

🟆 **Locanda Grego** con cam, 𝆎 526588 – ☎ 🅿. 🆎 🕃 ⓪ 🇪 𝘝𝘐𝘚𝘈. ⅏
chiuso dal 20 luglio al 20 agosto – Pas *(chiuso domenica in luglio e mercoledì negli altri mesi)*
carta 25/37000 – ⊑ 6000 – **19 cam** 30/50000 – P 55/65000.

BONAGIA Trapani – Vedere Sicilia (Valderice) alla fine dell'elenco alfabetico.

BONASSOLA 19011 La Spezia 𝟿𝟾𝟾 ⑬ – 1 135 ab. – ✪ 0187.
Roma 456 – ✦Genova 83 – ✦Milano 218 – ✦La Spezia 42.

🏨 **Belvedere** 𝆎 813622, ≼, « Giardino » – ☎ 🅿. 🆎 🇪. ⅏
chiuso dal 10 gennaio al 15 febbraio – Pas 30000 – ⊑ 8000 – **24 cam** 35/50000 – P 60/70000.

🏨 **Delle Rose,** 𝆎 813713 – ☎. 🕃 🇪 𝘝𝘐𝘚𝘈. ⅏
aprile-15 ottobre – Pas carta 25/41000 – ⊑ 6000 – 30 cam 32/52000 – P 66/70000.

BONDENO 44012 Ferrara 𝟿𝟾𝟾 ⑭⑮ – 17 442 ab. alt. 11 – ✪ 0532.
Roma 443 – ✦Bologna 67 – ✦Ferrara 20 – Mantova 72 – ✦Milano 227 – ✦Modena 57 – Rovigo 52.

🟆🟆 **Tassi** con cam, viale Repubblica 23 𝆎 893030 – 🅿. ⅏ cam
chiuso dal 7 al 19 gennaio e dal 1° al 15 agosto – Pas *(chiuso lunedì)* carta 26/45000 – ⊑ 5000
– **13 cam** 55000 – P 65000.

🟆 **La Carioncella,** via Argine Traversogno O : 2 km 𝆎 894301, ⊐, 🐎 – 🅿.
FIAT via Zerbinate 15 𝆎 893648

BONDONE (Monte) Trento 𝟿𝟾𝟾 ④ – alt. 2 098 – Sport invernali : 1 350/2 098 m ✘1 ✘8, ✖ –
✪ 0461 – 🆉 (dicembre-aprile e luglio-agosto) a Vaneze 𝆎 47128.
Roma 611 – ✦Bolzano 78 – ✦Milano 263 – Riva del Garda 57 – Trento 23.

a Vason N : 2 km – alt. 1 680 – ⊠ 38040 Vaneze – a.s. 15 dicembre-15 gennaio :

🏨 **Montana** ⌂, 𝆎 47171, ≼ gruppo di Brenta, ⅌ – 📱 📺 ☎ 🔥 ⇐ 🅿. 🆎 🕃 ⓪ 🇪 𝘝𝘐𝘚𝘈.
⅏ rist
dicembre-15 aprile e 20 giugno-10 settembre – Pas 22/25000 – ⊑ 6000 – **50 cam** 36/65000 –
P 80000, b.s. 55000.

a Vaneze NE : 9 km – alt. 1 350 – ⊠ 38040 – a.s. 15 dicembre-15 gennaio :

🏔 Monte Bondone ⌂, 𝆎 47118, ≼ pinete, monti e Trento, ⅌ – 📱 ☎ ⇐ 🅿.
stagionale – 26 cam.

BONFERRARO 37060 Verona – alt. 20 – ✪ 045.
Roma 481 – ✦Ferrara 35 – Mantova 17 – ✦Modena 79 – ✦Verona 35.

🟆🟆 **Sarti,** 𝆎 7320233, « Servizio estivo in giardino » – ▤ 🅿. 🆎 𝘝𝘐𝘚𝘈. ⅏
chiuso martedì – Pas carta 24/45000.

BONORVA Sassari – Vedere Sardegna alla fine dell'elenco alfabetico.

BORBORE Cuneo – Vedere Vezza d'Alba.

BORCA DI CADORE 32040 Belluno – 713 ab. alt. 945 – a.s. 15 luglio-agosto e Natale – ✪ 0435.
🆉 via Roma 𝆎 82015 – Roma 657 – Belluno 56 – Cortina d'Ampezzo 15 – ✦Milano 399 – ✦Venezia 146.

🏠 **Bories** senza rist, 𝆎 82521, ≼ – 📱 ☎ 🅿. ⅏
⊑ 8000 – **33 cam** 35/55000.

121

BORDIGHERA 18012 Imperia 988 ⑫, 195 ㉓, 84 ㉓ – 11 578 ab. – Stazione climatica e balneare – ✪ 0184.

Vedere Località★★.

🖪 via Roberto 1 (palazzo del Parco) ℘ 262322.

Roma 654 – ◆Genova 155 – Imperia 35 – ◆Milano 278 – Monte Carlo 32 – San Remo 12 – Savona 109.

Gd H. del Mare ⑤, a Capo Migliarese E : 2 km ℘ 262201, Telex 270535, Fax 262394, ≼ mare, « Giardino pensile con ⊐ », 🏖, ⚘ – 🛗 🗏 📺 ☎ ☻ – 🛗 100 a 300. 🖭 🕄 🚾
%% rist
chiuso da ottobre al 22 dicembre – Pas *(chiuso lunedì)* 45/55000 – ☲ 18000 – **109 cam** 105/210000 appartamenti 410000, 🛏 7000 – P 180/220000.

Gd H. Cap Ampelio ⑤, via Virgilio 5 ℘ 264333, Telex 282553, ≼ mare e costa, « Giardino con ⊐ » – 🛗 🗏 📺 ☎ ⟵ ☻ – 🛗 170. 🖭 🕄 ☻ 🗉 🚾 %% rist
chiuso dal 20 novembre al 20 dicembre – Pas *(chiuso martedì)* carta 35/58000 – ☲ 14500 – **104 cam** 92/155000 – P 181000.

Parigi, lungomare Argentina 16 ℘ 261406, ≼, 🏖 – 🛗 📺 ☎ ᕦ. 🖭 🕄 ☻ 🗉 🚾 %% *chiuso da novembre al 19 dicembre* – Pas 30/35000 – **41 cam** ☲ 85/140000 – P 100/130000.

Britannique et Jolie, via Regina Margherita 35 ℘ 261464, « Giardino fiorito » – 🛗 ☎ ☻. 🕄 🗉 🚾 %% rist
chiuso dal 26 settembre al 19 dicembre – Pas 27/30000 – ☲ 5000 – **56 cam** 55/95000.

Villa Elisa, via Romana 70 ℘ 261313, 🍴 – 🛗 📺 ☎ ☻. 🖭 🕄 🗉 🚾 %% rist
chiuso da novembre al 20 dicembre – Pas *(solo per clienti alloggiati)* 25/40000 – ☲ 6500 – **30 cam** 51/81000 – P 100000.

Florida, via Vittorio Emanuele 310 ℘ 263545 – 🛗 ☎ ☻. 🖭 🕄 ☻ 🗉 🚾 %% rist
chiuso da ottobre a dicembre – Pas 30000 – ☲ 9000 – **83 cam** 56/88000 – P 80/105000.

Centrohotel senza rist, piazza Eroi della Libertà ℘ 265265 – 🛗 ᕦᕤ 📺 ☎. 🖭 🕄 ☻ 🗉 🚾 *chiuso dal 5 al 30 novembre* – ☲ 7000 – **32 cam** 45/72000.

Excelsior ⑤, via Generale Biamonti 30 ℘ 262970, « Giardino » – 🛗 ☎ ☻. %% rist
chiuso dal 20 ottobre al 20 dicembre – Pas 25000 – ☲ 8000 – **45 cam** 50/96000 – P 85000.

Astoria, via Torquato Tasso 2 ℘ 262906, « Giardino fiorito » – 🛗 📺 ☎ ☻. 🖭. %% rist
chiuso da novembre al 20 dicembre – Pas *(solo per clienti alloggiati)* 25/40000 – ☲ 6500 – **24 cam** 60/90000 – P 100000.

Della Punta senza rist, via Sant'Ampelio 27 ℘ 262555, ≼ – 🛗 ☎. 🖭 🕄 ☻ 🗉 🚾 *chiuso dal 21 ottobre al 18 dicembre* – ☲ 6500 – **18 cam** 62000.

Dei Fiori senza rist, via Arziglia 38 ℘ 262287, ≼ – 🛗 ☻. 🖭 🚾 %% *chiuso da novembre al 20 dicembre* – ☲ 5000 – **21 cam** 37/55000.

Michelin, via 1° Maggio 29 ℘ 266218, 🍴 – 🛗 ☎ ☻. 🖭 🕄 ☻ 🗉 🚾 %% rist
Pas carta 30/48000 – ☲ 10000 – **13 cam** 45/75000 – P 85000.

Sirena, via Regina Margherita 26 ℘ 262528, 🍴 – 🛗 📺 ☎ ☻. %% *chiuso ottobre e novembre* – Pas 20000 – 19 cam ☲ 35/60000 – P 60000.

Aurora, via Pelloux 42/b ℘ 261311 – 🛗 ☎ ☻. 🖭 🕄 🗉 🚾 %% *chiuso dal 21 ottobre al 19 dicembre* – Pas *(solo per clienti alloggiati)* 18/30000 – ☲ 7000 – **30 cam** 50/70000 – P 88000.

Mirelia, via Cesare Balbo 7 ℘ 262351 – ☎ ☻. 🖭 🕄 ☻ 🚾 %% *chiuso da novembre al 17 dicembre* – Pas *(solo per clienti alloggiati)* – ☲ 6000 – **14 cam** 32/60000 – P 56/68000.

XX ✿ **Carletto,** via Vittorio Emanuele 339 ℘ 261725 – 🖿. 🖭 🕄 ☻ 🗉 🚾 *chiuso mercoledì e dal 20 novembre al 20 dicembre* – Pas carta 41/60000 (10%)
Spec. Capesante all'erba cipollina, Tagliolini verdi agli scampi, Branzino ai carciofi. **Vini** Pigato.

XX **Il Nelson,** via Roberto 61 ℘ 266681, Coperti limitati; prenotare – 🖿. 🖭 🕄 🗉 🚾 *chiuso lunedì escluso luglio ed agosto* – Pas carta 30/51000.

XX **Mistral,** via Aurelia ℘ 262306, Coperti limitati; prenotare – 🖿. 🖭 🕄 🗉 🚾 *chiuso mercoledì, dal 21 gennaio al 7 febbraio e dal 15 al 30 giugno* – Pas carta 38/61000.

XX **La Reserve Tastevin,** via Arziglia 20 ℘ 261322, ≼, 🍴, 🏖 – ☻. 🖭 🕄 ☻ 🚾 *chiuso dal 2 novembre al 17 dicembre, domenica sera e lunedì (escluso 15 luglio-15 settembre)* – Pas carta 40/56000.

XX **Le Chaudron,** piazza Bengasi 2 ℘ 263592, Coperti limitati; prenotare – 🖭 🕄 ☻ 🗉 🚾 *chiuso lunedì, dal 15 al 30 gennaio e dal 1° al 15 luglio* – Pas carta 39/52000.

XX **Esperance,** via Pasteur 78 ℘ 290719, Coperti limitati; prenotare – ☻. ☻ 🗉 🚾 *chiuso lunedì* – Pas carta 27/51000.

XX **Chez Louis,** corso Italia 30 ℘ 261602 – 🖭 🕄 ☻ 🗉 🚾 *chiuso dal 2 novembre al 4 dicembre e martedì da ottobre a giugno* – Pas carta 24/45000 (15%).

X **Dei Marinai,** a Bordighera Alta, via dei Marinai 2 ℘ 261511, Solo piatti di pesce.

X **Piemontese,** via Roseto 8 ℘ 261651 – 🖭 ☻ 🚾 *chiuso martedì e dal 6 novembre al 17 dicembre* – Pas carta 21/35000 (10%).

Vedere anche : *Vallecrosia* O : 2 km.
Camporosso Mare O : 3 km.

122

BORGARO TORINESE 10071 Torino – 9 482 ab. alt. 254 – ✪ 011.
Roma 689 – ◆Milano 142 – ◆Torino 9.

🏨🏨 **Atlantic e Rist. Rubino,** via Lanzo 163 ✆ 4701947, Telex 221440, Fax 4701783, « Terrazza panoramica con 🏊 » – 🛗 🗏 📺 ☎ 🚗 📵 – 🔬 50 a 800. 🖭 🕃 ⓞ 🖪 🖽. 🛠 rist
Pas *(chiuso domenica e dal 6 al 19 agosto)* carta 32/52000 – **92 cam** 🛏 120/160000 – P 160/180000.

ALFA-ROMEO via Lanzo 177 ✆ 4702539   FIAT via Lanzo 42 ✆ 4704020

BORGHETTO Piacenza – Vedere Piacenza.

BORGHETTO Verona – Vedere Valeggio sul Mincio.

BORGHETTO D'ARROSCIA 18020 Imperia – 613 ab. alt. 155 – ✪ 0183.
Roma 604 – ◆Genova 105 – Imperia 31 – ◆Milano 228 – Savona 59.

a Gazzo NO : 6 km – alt. 610 – ✉ 18020 Borghetto d'Arroscia :

✗ **La Baita,** ✆ 31083
giugno-settembre; da ottobre a maggio aperto da venerdì a domenica e i giorni festivi – Pas 30000 bc.

a Leverone NE : 7 km – alt. 500 – ✉ 18020 Borghetto d'Arroscia :

✗ **Castagneto,** ✆ 382033, ≼ – 📵
→ *chiuso venerdì* – Pas 17/22000.

BORGIO VEREZZI 17022 Savona – 2 392 ab. – ✪ 019.
Roma 574 – ◆Genova 75 – Imperia 50 – ◆Milano 198 – Savona 29.

🏨 **Villa Rose,** ✆ 610461 – 🛗 ☎. 🛠
chiuso novembre e dicembre – Pas *(chiuso mercoledì)* carta 27/37000 – 🛏 7000 – **41 cam** 34/52000 – P 40/60000.

✗✗ **Doc,** ✆ 611477, Coperti limitati; prenotare – 🖭 🕃 ⓞ 🖽. 🛠
chiuso lunedì e martedì da ottobre a maggio – Pas 40/55000.

a Verezzi N : 3,5 km – alt. 200 – ✉ 17022 Borgio Verezzi :

✗ **Antica Osteria Saracena del Bergallo,** ✆ 610487, ≼ vallata e mare, 🍽 – 🛠
chiuso lunedì e novembre – Pas carta 20/33000.

BORGO A BUGGIANO 51011 Pistoia – alt. 41 – ✪ 0572.
Roma 326 – ◆Firenze 52 – ◆Livorno 68 – Lucca 24 – ◆Milano 296 – Pisa 44 – Pistoia 18.

✗✗ **Stranobar,** ✆ 32382, 🍽, prenotare – 📵
chiuso a mezzogiorno (escluso i giorni festivi), martedì ed agosto – Pas carta 28/46000.

✗✗ **Da Angiolo,** ✆ 32014, Solo piatti di pesce – 🗏. 🖭. 🛠
chiuso lunedì, martedì ed agosto – Pas carta 32/49000 (10%).

LANCIA-AUTOBIANCHI via F.lli Rosselli 2 ✆ 770394

BORGO A MOZZANO 55023 Lucca – 7 690 ab. alt. 97 – ✪ 0583.
Roma 368 – ◆Firenze 96 – Lucca 22 – ◆Milano 296 – Pistoia 65.

🏨 **Milano,** località Socciglia ✆ 88109, 🍽 – 🛗 ☎ 📵 🕃 🖽
chiuso novembre – Pas *(chiuso lunedì)* carta 20/37000 – 🛏 6000 – **22 cam** 25/40000 – P 60000.

BORGOFRANCO D'IVREA 10013 Torino 209 ⑭ – 3 743 ab. alt. 253 – ✪ 0125.
Roma 688 – Aosta 63 – Ivrea 6 – ◆Milano 121 – ◆Torino 56.

✗✗ **Casa Vicina-da Roberto,** località Ivozio N : 2,5 km ✆ 752180, ≼, prenotare a mezzogiorno, « Servizio estivo in terrazza » – 📵. 🖭 🖽
chiuso mercoledì e dal 15 al 30 novembre – Pas carta 30/48000.

BORGO MAGGIORE Forlì – Vedere San Marino.

BORGOMANERO 28021 Novara 988 ②, 209 ⑯ – 19 360 ab. alt. 306 – ✪ 0322.
Roma 647 – Domodossola 59 – ◆Milano 70 – Novara 32 – Stresa 28 – ◆Torino 106 – Varese 38.

🏨 **Ramoverde** senza rist, via Matteotti 1 ✆ 81479 – 🛗 ☎ 📵 – 🔬 40. 🖭 🕃 ⓞ 🖪 🖽
chiuso domenica, dal 22 dicembre al 7 gennaio e dal 7 al 23 luglio – **40 cam** 🛏 44/72000.

✗✗✗ ⚙ **Pinocchio,** via Matteotti 147 ✆ 82273, prenotare, « Giardino » – 📵. 🖭 🕃 ⓞ 🖪 🖽. 🛠
chiuso lunedì, martedì a mezzogiorno e dal 20 luglio al 12 agosto – Pas carta 45/70000
Spec. Insalatina tiepida di lumache all'aceto balsamico, Risotto con polpa di rane e verdure (estate), Petto di germano selvatico al Ghemme (inverno). Vini Arneis, Ghemme.

✗✗ **Atrium,** via Rossignoli 1 ✆ 846175, prenotare, « In un edificio ottocentesco » – ⤢. 🖭 🕃 ⓞ 🖽. 🛠
chiuso giovedì – Pas carta 41/55000.

✗✗ **San Pietro,** piazza Martiri 6 ✆ 82285 – 🖭 🕃 🖪. 🛠
chiuso mercoledì, dal 1° al 10 gennaio e dal 5 al 25 agosto – Pas carta 23/43000.

ⅩⅩ **San Francesco** con cam, via Maggiate 107 ℰ 845860, ☞ – ☜ ⇔ ❷. 🆑 🅵 🅴 🆅🅸🆂🅰
　　chiuso dal 6 al 31 agosto – Pas (chiuso lunedì) carta 26/44000 – ☲ 6000 – **16 cam** 45/64000 –
　　P 69000.

ⅩⅩ **Da Paniga,** via Maggiora 86 ℰ 82259 – ❷ – 🛦 60. 🆑 🕃 🆅🅸🆂🅰
➡ 　chiuso martedì, dal 1° al 12 gennaio e dal 5 al 17 agosto – Pas carta 19/34000.

ALFA-ROMEO　via Novara 142 ℰ 844992	LANCIA-AUTOBIANCHI　corso Sempione 56 ℰ 81822
BMW　via Novara 131 ℰ 845512	RENAULT　corso Roma 166/a ℰ 83387
FIAT　corso Sempione 135/149 ℰ 841834	VOLVO　via Novara 101 ℰ 845088

BORGO PACE 61040 Pesaro e Urbino – 790 ab. alt. 469 – a.s. luglio e agosto – ✪ 0722.

Roma 291 – ♦Ancona 134 – Arezzo 69 – Pesaro 74 – San Marino 67 – Urbino 38.

ⅩⅩ ✿ **Da Rodolfo-la Diligenza** con cam, ℰ 89124 – 🛦. 🆑 🆅🅸🆂🅰. 🕊 rist
　　chiuso dal 1° al 15 settembre – Pas (chiuso mercoledì) carta 28/45000 – ☲ 7500 – 7 cam
　　25/45000 – P 40/50000, b.s. 35/45000
　　Spec. Risotto zio Curzio, Carne alla brace, Cacciagione. Vini Verdicchio, Chianti.

Ⅹ **Oasi di San Benedetto** con cam, località Lamoli S : 5 km ℰ 80133, ☞ – ❷. 🕊
➡ 　chiuso dal 15 gennaio al 15 febbraio – Pas (chiuso martedì) carta 18/26000 – ☲ 4000 –
　　12 cam 25/37000 – P 30/37000.

BORGO PANIGALE Bologna – Vedere Bologna.

BORGO SAN DALMAZZO 12011 Cuneo 🟨🟨🟨 ⑫ – 10 712 ab. alt. 641 – ✪ 0171.

Roma 651 – Cuneo 8 – ♦Milano 224 – Savona 106 – Colle di Tenda 25 – ♦Torino 102.

🏤 **Oasis** senza rist, via Po 28 ℰ 262121 – 📳 📺 ☎ ⇔ ❷ – 🛦 50. 🆅🅸🆂🅰
　　☲ 8000 – **49 cam** 45/65000.

GM-OPEL　via Cuneo 104 ℰ 751650	PEUGEOT-TALBOT　via Tanaro 14 ℰ 76602
INNOCENTI　via Cuneo 103/127 ℰ 751609	RENAULT　corso Barale 41 ℰ 769656
LANCIA-AUTOBIANCHI　via Cuneo 90 ℰ 760975	VW-AUDI　via Gramsci 6 ℰ 751222
MASERATI　via Cuneo 127 ℰ 751609	

BORGOSESIA 13011 Vercelli 🟨🟨🟨 ②, 🟥🟥🟥 ⑱ – 15 230 ab. alt. 354 – ✪ 0163.

Roma 665 – Biella 45 – ♦Milano 91 – Novara 45 – ♦Torino 107 – Vercelli 51.

🏤 **La Campagnola,** via Varallo 244 (N : 2 km) ℰ 22676, Fax 25448, ☞ – 📳 📺 ☎ ⇔ ❷. 🆑 🕃
　　⓪ 🆅🅸🆂🅰. 🕊 cam
　　Pas (chiuso venerdì) carta 31/45000 – ☲ 8000 – **31 cam** 40/60000 – P 60000.

🏤 **Garden** senza rist, via Vittorio Veneto 62 ℰ 21968 – 📳 📺 ☎ ⇔ ❷. 🆑 🕃 ⓪ 🆅🅸🆂🅰
　　☲ 7000 – **37 cam** 44/64000.

ⅩⅩ **Unione,** via Marconi 1 ℰ 22500, 🏡 – 🆑 🕃 ⓪ 🆅🅸🆂🅰. 🕊
　　chiuso dal 20 luglio al 5 agosto – Pas carta 24/46000.

ALFA-ROMEO　via Marconi 42 ℰ 21482	GM-OPEL　via Varallo 127 ℰ 22883
BMW　via 25 Aprile 35 ℰ 25801	LANCIA-AUTOBIANCHI　via Montrigone 125 ℰ 2148⊠
FIAT　via Cesare Battisti 76 ℰ 24691	RENAULT　corso Vercelli 121 ℰ 25995

BORMIO 23032 Sondrio 🟨🟨🟨 ④, 🟥🟥🟥 ⑦ – 4 100 ab. alt. 1 225 – Stazione termale e di villeggiatura
– Sport invernali : 1 225/3 012 m ✂ 3 ⬳ 15, ⯁ – ✪ 0342.

🇮 via allo Stelvio 10 ℰ 903300, Telex 314389.

Roma 763 – ♦Bolzano 123 – ♦Milano 202 – Sondrio 64 – Passo dello Stelvio 20.

🏰 **Palace Hotel,** ℰ 903131, Telex 340173, Fax 903366, 🔄, ☞, 🕊 – 📳 📺 ☎ ⇔ ❷ – 🛦 11〇
　　🆑 ⓪. 🕊
　　chiuso novembre – Pas (chiuso da maggio al 15 giugno ed ottobre) 40/45000 – ☲ 20000 –
　　83 cam 120/230000 appartamenti 250000 – P 220/240000.

🏨 **Baita dei Pini,** ℰ 904346, ☞ – 📳 🕊 ⇔ ❷ – 🛦 100. 🆑 🆅🅸🆂🅰. 🕊 rist
　　dicembre-20 aprile e 15 giugno-20 settembre – Pas 28000 – ☲ 10000 – **46 cam** 50/80000 –
　　P 60/98000.

🏨 **Nazionale,** ℰ 903361, ☞ – 📳 🛦 ❷. 🆑 ⓪ 🕊
　　dicembre-aprile e giugno-ottobre – Pas 25000 – ☲ 7500 – **48 cam** 43/70000 – P 98000.

🏤 **Posta,** ℰ 904753, Fax 904484 – 📳 📺 ☎. 🆑 🕃 ⓪ 🆅🅸🆂🅰. 🕊
　　dicembre-15 aprile e luglio-20 settembre – Pas (chiuso lunedì) carta 27/36000 (15%) – ☲
　　10000 – **55 cam** 45/80000 – P 64/105000.

🏤 **Larice Bianco,** ℰ 904693, Fax 904614, ☞ – 📳 🛦 ❷. 🆑 🕃 🆅🅸🆂🅰. 🕊 rist
　　dicembre-Pasqua e giugno-settembre – Pas 28000 – ☲ 10000 – **45 cam** 50/83000 – P 97000.

🏤 **Rezia,** ℰ 904721, Fax 901170, ☞ – 📳 📺 ☎ ⇔ ❷. 🆑 🕃 ⓪ 🆅🅸🆂🅰. 🕊
　　Pas (chiuso lunedì) 25/30000 – **45 cam** ☲ 90/140000 – P 130000.

🏤 **San Lorenzo,** ℰ 904604 – 📳 ☎ 🛦 ❷. 🕊
　　chiuso novembre – Pas (chiuso martedì) 20/25000 – ☲ 7000 – **38 cam** 40/68000 – P 68/730〇

🏨 **Alù** 🦐, ℰ 904504, ≼ – 🛗 🍷 🕭 **Ⓟ** ⑨ _VISA_. ⅋⅋
➡ _4 dicembre-20 aprile e 30 giugno-15 settembre_ – Pas 16/25000 – ⊊ 6500 – **30 cam** 45/74000
– P 60/89000.

🏨 **Astoria,** ℰ 904541 – 🛗 🍷 🕭 ⟵ **Ⓟ** 🖭 🛏 ⑨ **E** _VISA_. ⅋⅋
➡ _dicembre-aprile e 10 giugno-20 settembre_ – Pas _(chiuso martedì)_ 17/22000 – ⊊ 6000 –
44 cam 42/72000 – P 93000.

🏨 **Everest,** ℰ 901291, ≼, 🍴 – 🛗 ⅏ rist ⟵ **Ⓟ**. ⅋⅋
20 dicembre-aprile e 20 giugno-settembre – Pas (solo per clienti alloggiati) 20000 – ⊊ 5000 –
26 cam 29/48000 – P 56/62000.

🏨 Cervo, ℰ 904744 – 🕿 – _stagionale_ – 23 cam.

🏨 **Vallecetta,** ℰ 904587, ≼, 🍴 – 🛗 🕿 🕭 ⟵ **Ⓟ** 🖭 🛏 ⑨ **E** _VISA_. ⅋⅋ rist
4 dicembre-29 aprile e 10 giugno-10 ottobre – Pas 21000 – ⊊ 7000 – 37 cam 29/50000 –
P 67000.

🏨 **Silene,** ℰ 901364 – 🛗 **Ⓟ**. ⅋⅋
chiuso maggio e novembre – Pas 20/25000 – ⊊ 5000 – 15 cam 30/56000 – P 50/63000.

🏨 **Dante,** ℰ 901329 – 🛗 🕿. ⅋⅋
➡ _dicembre-aprile e 15 giugno-settembre_ – Pas (solo per clienti alloggiati) 15/18000 – ⊊ 5000 –
19 cam 27/43000 – P 55/63000.

🏨 **La Baitina dei Pini** senza rist, ℰ 903022, 🍴 – 🍷 ⟵ **Ⓟ**
dicembre-20 aprile e giugno-20 settembre – ⊊ 6000 – **10 cam** 35/60000.

XX **Baiona,** via per San Pietro SE : 2 km ℰ 904243, prenotare – **Ⓟ**. 🖭 🛏. ⅋⅋
dicembre-20 aprile e luglio-15 settembre; chiuso a mezzogiorno e lunedì – Pas (menu a
sorpresa) 36000.

a Ciuk SE : 5,5 km o 10 mn di funivia – alt. 1 690 – ⊠ **23032** Bormio :

X **Baita de Mario** 🦐 con cam, ℰ 901424, ≼ – **Ⓟ**. ⅋⅋ cam
dicembre-25 aprile e luglio-20 settembre – Pas carta 25/36000 – ⊊ 5000 – **17 cam** 48000 –
P 58/65000.

Vedere anche : _Stelvio (Passo dello)_ NE : 20 km.

BORNO 25042 Brescia – 2 770 ab. alt. 903 – a.s. febbraio, 15 luglio-agosto e Natale – Sport
invernali : 903/1 695 m ⟋⟍ 1 ⟍⟋ 4, ⟍⟋ – ⓞ 0364.
Roma 634 – ◆Bergamo 72 – ◆Bolzano 171 – ◆Brescia 76 – ◆Milano 117.

🏨 Venturelli, ℰ 41010 – **Ⓟ** – 21 cam.

X **Belvedere** con cam, ℰ 41052 – **Ⓟ**. 🖭. ⅋⅋ cam
chiuso settembre – Pas _(chiuso mercoledì)_ carta 21/33000 – ⊊ 4000 – **24 cam** 26/36000 –
P 40/42000.

BORROMEE (Isole) ⋆⋆⋆ Novara ⓶⓵⓽ ⑦ – alt. 200 – a.s. aprile e luglio-15 settembre – ⓞ 0323.
Vedere Isola Bella⋆⋆⋆ – Isola Madre⋆⋆⋆ – Isola dei Pescatori⋆⋆.

⟵ per Baveno, Verbania-Pallanza e Stresa (da 10 a 30 mn), giornalieri – Navigazione Lago Maggiore: Isola Bella ℰ 30391 e Isola dei Pescatori ℰ 30392.

Piante delle Isole : vedere Stresa

Isola Bella – ⊠ 28050.

X **Elvezia,** ℰ 30043, ≼ – 🖭 🛏 ⑨ **E** _VISA_　　　　　　　　　　　Z **c**
aprile-ottobre – Pas carta 27/37000.

Isola Superiore o dei Pescatori – ⊠ 28049 Stresa

🏨 **Verbano** 🦐, ℰ 30408, ≼ Isola Bella e lago, « Servizio rist. estivo in terrazza », 🍴 – 🍷. 🖭
🛏 ⑨ **E** _VISA_　　　　　　　　　　　　　　　　　　　　　　　　　　　　　Z **e**
Pas _(chiuso mercoledì)_ carta 28/41000 (10%) – ⊊ 10000 – **12 cam** 60/90000 – P 110/120000.

BORSO DEL GRAPPA 31030 Treviso – 3 835 ab. alt. 279 – ⓞ 0423.
Roma 551 – Belluno 67 – ◆Milano 241 – ◆Padova 52 – Trento 55 – Treviso 52 – Vicenza 44.

XX **Chat qui Rit,** ℰ 561405 – **Ⓟ**. _VISA_
chiuso martedì e dal 5 al 25 agosto – Pas (solo piatti di pesce) 60000.

BOSA MARINA Nuoro ⓽⓼⓼ ㉝ – Vedere Sardegna alla fine dell'elenco alfabetico.

BOSCO CHIESANUOVA 37021 Verona ⓽⓼⓼ ④ – 2 989 ab. alt. 1 104 – Stazione di villeggiatura –
Sport invernali : 1 104/1 805 m ⟋⟍ 2 ⟍⟋ 9, ⟍⟋ – ⓞ 045 – 🏢 piazza della Chiesa 35 ℰ 7050088.
Roma 534 – ◆Brescia 101 – ◆Milano 188 – ◆Venezia 145 – ◆Verona 31 – Vicenza 82.

🏨 **Piccola Mantova** 🦐, via Aleardo Aleardi ℰ 7050135, 🍴, ⅋⅋ – ⟵ **Ⓟ**. ⅋⅋
chiuso ottobre – Pas _(chiuso mercoledì)_ carta 21/30000 – ⊊ 4000 – **16 cam** 22/35000 –
P 37/42000.

X **Lenci Tre,** via Marcello Piccoli ℰ 7050057 – **Ⓟ**. ⅋⅋
➡ _chiuso lunedì, dal 20 al 30 aprile e dal 25 settembre al 15 ottobre_ – Pas carta 17/24000 (5%).

BOSCO LUGANESE 219 ⑧ − Vedere Cantone Ticino alla fine dell'elenco alfabetico.

BOSCO MARENGO 15062 Alessandria − 2 420 ab. alt. 121 − ✪ 0131.
Roma 565 − Alessandria 16 − ♦Genova 60 − ♦Milano 96.

　XX　**Pio V,** ℰ 759666, Coperti limitati; prenotare, « Edificio settecentesco con giardino fiorito »
　　− ⌹ 🅑 ⓪ 𝗩𝗜𝗦𝗔
　　chiuso mercoledì − Pas 45/55000.

BOSCOTRECASE 80042 Napoli − 12 308 ab. alt. 86 − a.s. maggio-15 ottobre − ✪ 081.
Roma 233 − ♦Napoli 21 − Salerno 37.

　XX　**La Giara** ஃ con cam, via Panoramica 6 ℰ 8581117, ≤, « Servizio estivo all'aperto », ⤲ − ⊛
　　🅟
　　Pas carta 20/29000 (12%) − ⌸ 5000 − 18 cam 40/50000 − P 55000.

BOSNASCO 27040 Pavia − 583 ab. alt. 124 − ✪ 0385.
Roma 538 − Alessandria 69 − ♦Genova 123 − ♦Milano 66 − Pavia 28 − Piacenza 25.

　XX　**La Buta,** ℰ 72017 − 🅟. 🅑 ⓪ 🄴 𝗩𝗜𝗦𝗔. ❧
　　chiuso martedì sera, mercoledì ed agosto − Pas carta 34/49000.

BOSSOLASCO 12060 Cuneo − 662 ab. alt. 757 − ✪ 0173.
Roma 610 − Asti 57 − Cuneo 54 − ♦Milano 176 − Savona 64 − ♦Torino 85.

　🏠　Bellavista, ℰ 793102, ≤ − 🅟 − 16 cam.

BOTTICINO Brescia − 9 527 ab. alt. 160 − ✉ 25080 Botticino Mattina − ✪ 030.
Roma 560 − ♦Brescia 9 − ♦Milano 103 − ♦Verona 44.

　XX　Fausto Marchetti, a Botticino Mattina ℰ 2691368, Coperti limitati; prenotare, 🏡 − 🅟

BOVALINO MARINA 89034 Reggio di Calabria − ✪ 0964.
Roma 715 − Catanzaro 110 − ♦Reggio di Calabria 86.

　X　**Villa Franca,** ℰ 61402, 🏡 − ⇜. ⌹ 🅑 ⓪ 🄴 𝗩𝗜𝗦𝗔
　　Pas carta 21/34000.

BOVES 12012 Cuneo 988 ⑫ − 8 546 ab. alt. 590 − ✪ 0171.
Roma 645 − Cuneo 9 − ♦Milano 225 − Savona 100 − Colle di Tenda 32 − ♦Torino 103.

　🏠　Trieste, ℰ 680375, 🎄 − 🎙 ⊛ 🅟. ❧
　→　Pas *(chiuso lunedì)* carta 16/27000 − ⌸ 5000 − **19 cam** 35/55000 − P 45/55000.
　X　**La Taverna,** ℰ 680390 − ⌹ 🅑 ⓪ 🄴 𝗩𝗜𝗦𝗔
　　chiuso lunedì − Pas carta 20/32000 (10%).

　a Fontanelle O : 2 km − ✉ 12012 Fontanelle di Boves :

　🏠　Fontanelle-da Politano, ℰ 680383, 🎄 − ⊛ 🅟. 𝗩𝗜𝗦𝗔 ❧ rist
　→　Pas *(chiuso lunedì sera e martedì)* carta 16/28000 − ⌸ 3000 − **19 cam** 20/46000 − P 38/46000.
　XX　**Della Pace,** ℰ 680398, 🏡, Coperti limitati; prenotare − ⌹ 🅑 🄴 𝗩𝗜𝗦𝗔
　　chiuso domenica sera e lunedì − Pas carta 29/40000 (10%).

　a San Giacomo S : 6 km − ✉ 12012 San Giacomo di Boves :

　XXXX　✪✪ **Al Rododendro,** ℰ 680372, Confort accurato; solo su prenotazione − 🅟. ⌹ 🅑 ⓪ 🄴
　　𝗩𝗜𝗦𝗔 ❧
　　chiuso domenica sera, lunedì, martedì a mezzogiorno, dall'8 al 22 gennaio e dal 15 al
　　31 agosto − Pas carta 43/86000 (15%)
　　Spec. Bianco di piccione all'aceto balsamico con verdure di stagione, Branzino in salsa di pomodoro e basilico,
　　Pernice al Barbaresco (autunno). **Vini** Arneis, Cabernet-Sauvignon.

BOVOLONE 37051 Verona 988 ④ − 12 861 ab. alt. 24 − ✪ 045.
Roma 498 − ♦Ferrara 76 − Mantova 41 − ♦Milano 174 − ♦Padova 74 − ♦Verona 24.

　🏠　Sasso, via San Pierino SE : 3 km ℰ 7100433 − 🎙 🖵 📺 ☎ ⇌ 🅟. ⌹ 🅑 🄴 𝗩𝗜𝗦𝗔. ❧
　　Pas *(chiuso sabato e dal 2 al 20 gennaio)* 20/35000 − ⌸ 10000 − **33 cam** 45/80000 − P 60/80000.
　XX　**La Düja,** via Garibaldi ℰ 7102558, Coperti limitati; prenotare − 🅑 🄴 𝗩𝗜𝗦𝗔
　　chiuso lunedì, dal 2 al 10 gennaio e dal 10 al 30 agosto − Pas carta 21/39000.

FIAT　via Madonna 219 ℰ 7100077

BOZEN = Bolzano.

BOZZOLO 46012 Mantova 988 ⑭ − 4 368 ab. alt. 30 − ✪ 0376.
Roma 490 − Cremona 41 − Mantova 28 − ♦Milano 132 − ♦Parma 40.

　X　Croce d'Oro con cam, ℰ 91191 − ⇌ 🅟
　　chiuso dal 24 dicembre al 3 gennaio e dal 30 luglio al 21 agosto − Pas *(chiuso domenica)*
　　carta 20/27000 − ⌸ 4000 − **10 cam** 35/58000.

BRA 12042 Cuneo 🔲🔲🔲 ⑫ – 26 700 ab. alt. 280 – 🟢 0172.
Roma 648 – Asti 44 – Cuneo 46 – ♦Milano 170 – Savona 103 – ♦Torino 56.

🏨 **Elisabeth,** piazza Giolitti 8 🖉 422486 – 🕼 📺 ☎. ஊ ⓪ 𝚅𝙸𝚂𝙰. 🍴
  Pas *(chiuso venerdì ed agosto)* carta 20/30000 – 🖵 6000 – **27 cam** 43/70000.

🏨 **Cavalieri** senza rist, piazza Carlo Alberto 🖉 413304 – 🕼 📺 ☜ – 🔼 30 a 150
  🖵 3500 – **30 cam** 40/60000.

🍴🍴 **Badellino** con cam, piazza 20 Settembre 3 🖉 412335 – ☜ 🅿. ஊ 🕼 ⓪ 🄴 𝚅𝙸𝚂𝙰. 🍴 cam
  chiuso dal 1° al 22 agosto – Pas *(chiuso martedì)* carta 22/34000 – 🖵 3000 – **20 cam** 30/50000
  – P 60000.

🍴🍴 **Battaglino,** piazza Roma 18 🖉 412509 – 🅿. ஊ 🕼 ⓪ 🄴 𝚅𝙸𝚂𝙰
  chiuso lunedì, dal 2 al 15 gennaio e dal 16 agosto al 5 settembre – Pas carta 34/45000.

ALFA-ROMEO via Cuneo 158 🖉 423643   FIAT viale Madonna dei Fiori 20 🖉 423673

BRACCIANO 00062 Roma 🔲🔲🔲 ㉘ – 11 176 ab. alt. 280 – Stazione di villeggiatura – 🟢 06.
🅸 via Claudia 72 🖉 9024451.
Roma 39 – Civitavecchia 51 – Rieti 116 – Terni 100 – Viterbo 54.

🍴 **Casina del Lago** con cam, al lago 🖉 9024025, ≼, 🏠 – 🅿
  Pas *(chiuso martedì)* carta 25/35000 (15%) – 🖵 4000 – 20 cam 40/50000 – P 60/80000.

BRAIES (Lago di) (PRAGSER SEE) Bolzano 🔲🔲🔲 ⑤ – alt. 1 493.
Vedere Lago★★★.
Roma 744 – ♦Bolzano 106 – Brennero 97 – Cortina d'Ampezzo 48 – ♦Milano 405 – Trento 166.

BRALLO DI PREGOLA 27050 Pavia 🔲🔲🔲 ⑬ – 1 269 ab. alt. 951 – a.s. 15 giugno-agosto – 🟢 0383.
Roma 586 – ♦Genova 90 – ♦Milano 110 – Pavia 78 – Piacenza 74 – Varzi 17.

🏠 **Normanno,** al passo 🖉 500189 – ☎. 🍴 rist
  Pas *(chiuso mercoledì)* carta 20/33000 – 🖵 5000 – 25 cam 40/65000 – P 60/70000, b.s. 55/60000.

  a Feligara E : 2 km – ✉ 27050 Brallo di Pregola :

🍴 **Baly** con cam, 🖉 500118, 🍴 – 🍴
  Pas *(chiuso mercoledì)* 20/28000 – 🖵 6000 – 11 cam 24/30000 – P 48000.

BRANZI 24010 Bergamo – 805 ab. alt. 874 – a.s. luglio e agosto – 🟢 0345.
Roma 650 – ♦Bergamo 49 – Foppolo 9 – Lecco 71 – ♦Milano 91 – San Pellegrino Terme 24.

🏠 **Branzi,** 🖉 71121 – 🅿. ஊ 🕼 𝚅𝙸𝚂𝙰
➡ Pas *(chiuso martedì)* carta 18/25000 – 🖵 5000 – 22 cam 40000 – P 45/50000.

🏠 **Corona,** 🖉 71042 – 🅿 – 14 cam.

BRATTO Bergamo – Vedere Castione della Presolana.

BREGANZE 36042 Vicenza 🔲🔲🔲 ④ ⑤ – 7 348 ab. alt. 110 – 🟢 0445.
Roma 552 – Belluno 97 – ♦Milano 235 – ♦Padova 51 – Trento 78 – ♦Venezia 84 – Vicenza 20.

🍴 **Al Toresan** con cam, 🖉 873260 – ☜ 🅿. ⓪ 𝚅𝙸𝚂𝙰. 🍴
  chiuso luglio – Pas *(chiuso giovedì e venerdì a mezzogiorno)* carta 22/34000 – 🖵 4500 –
  14 cam 32/50000 – P 48/55000.

BREGANZONA 🔲🔲🔲 ⑧ – Vedere Cantone Ticino alla fine dell'elenco alfabetico.

BREGUZZO 38081 Trento – 553 ab. alt. 798 – a.s. 15 dicembre-15 gennaio – 🟢 0465.
Roma 617 – ♦Bolzano 107 – ♦Brescia 83 – ♦Milano 174 – Trento 47.

🏨 **Carlone,** 🖉 91014 – 🕼 🕭 🅿. 🄴 🍴
  chiuso dal 1° al 20 novembre – Pas *(chiuso martedì)* carta 23/35000 – 🖵 5000 – **60 cam**
  40/70000 – P 45/58000, b.s. 40/50000.

BRENDOLA 36040 Vicenza – 5 318 ab. alt. 156 – 🟢 0444.
Roma 547 – ♦Padova 47 – ♦Verona 45 – Vicenza 16.

🏨 **La Rocca,** piazza del Mercato 🖉 601444, Telex 481422 – 🕼 ▤ 📺 ☜ 🕭 – 🔼 50. ⓪
  Pas carta 21/33000 – 🖵 5500 – **27 cam** 34/52000, ▤ 4000 – P 64/67000.

BRENO 25043 Brescia 🔲🔲🔲 ④ – 5 608 ab. alt. 342 – a.s. febbraio, 15 luglio-15 agosto e Natale –
🟢 0364.
Dintorni Capo di Ponte: parco Nazionale delle Incisioni Rupestri★★ N : 10 km.
Roma 627 – ♦Bergamo 67 – ♦Bolzano 157 – ♦Brescia 69 – Passo di Gavia 66 – ♦Milano 112 – Sondrio 76.

🏨 **Castello,** 🖉 21421 – 🕼 ☎ 🅿. 🍴 rist
➡ Pas carta 17/25000 – 🖵 3000 – **42 cam** 25/50000 – P 55000.

BRENTA (Massiccio di) ★★★ Trento 🔲🔲🔲 ④ – Vedere Guida Verde.

127

BRENZONE 37010 Verona – 2 332 ab. alt. 75 – Stazione climatica – ✆ 045.

🅳 via Colombo 4 ℰ 7420076.

Roma 547 – ♦Brescia 85 – Mantova 86 – ♦Milano 172 – Trento 69 – ♦Venezia 172 – ♦Verona 60.

🏨 **Rely Hotel,** ℰ 7420025, ≤, « Parco con 🛏 » – ⬯ cam ☎ 🅟. ◭ 🕄 ⓞ ⋿ 𝑉𝑆𝐴. ⅏
20 aprile-5 ottobre – Pas 28000 – ⟂ 12000 – **31 cam** 50/75000 – P 106000.

🏨 **Piccolo Hotel,** ℰ 7420024, ≤, 🍴 – ☎. ⅏ rist
aprile-ottobre – Pas (chiuso mercoledì) carta 20/31000 – ⟂ 10000 – **22 cam** 35/55000 – ½ P 45000.

a Castelletto di Brenzone SO : 3 km – ✉ **37010** Brenzone.

🅳 (15 giugno-15 settembre) ℰ 602156 :

🏨 **Rabay,** ℰ 7430273, 🏊, 🦆, 🌳 – 📶 ☎ 🅟. ⅏ rist
10 marzo-20 ottobre – Pas 17/22000 – ⟂ 9500 – **30 cam** 39/58000 – P 40/54000.

BRESCIA 25100 🅿 𝟡𝟠𝟠 ④ – 198 839 ab. alt. 149 – ✆ 030.

Vedere Piazza della Loggia★ BY 9 – Pinacoteca Tosio Martinengo★ CZ – Via dei Musei★ CY – Museo romano★ costruito sulle rovine di un tempio Capitolino★ M1 – Avori★★ e Croce di Desiderio★★ nel museo d'Arte Cristiana M2 – Chiesa di San Francesco★ AY – Facciata★ della chiesa di Santa Maria dei Miracoli AYZ A – Incoronazione della Vergine★ nella chiesa dei SS. Nazaro e Celso AZ N – Annunciazione★ e Deposizione dalla Croce★ nella chiesa di Sant'Alessandro BZ G – Interno★, polittico★ e affresco★ nella chiesa di Sant'Agata BY R.

🏌 e 🏌 Franciacorta (chiuso martedì) a Nigoline di Corte Franca ✉ 25040 ℰ 984167 per ⑤ : 20 km.

🅳 corso Zanardelli 34 ✉ 25121 ℰ 43418.

A.C.I. via 25 Aprile 16 ✉ 25123 ℰ 40561.

Roma 535 ④ – ♦Milano 93 ⑤ – ♦Verona 66 ②.

🏨 **Vittoria,** via delle 10 Giornate 20 ✉ 25121 ℰ 280061, Telex 304514, Fax 280065 – 📶 🍴 rist 📺 ☎ 👍 – 🔬 35 a 100. ◭ 🕄 ⓞ ⋿ 𝑉𝑆𝐴. ⅏ rist   BY a
Pas carta 46/75000 – **65 cam** ⟂ 177/225000 appartamenti 295000.

🏨 **Master,** via Apollonio 72 ✉ 25124 ℰ 399037, Telex 304114, Fax 47284 – 📶 📺 ☎ 🅟 – 🔬 25 a 100. ◭ 🕄 ⓞ ⋿ 𝑉𝑆𝐴   BY m
Pas carta 30/48000 – ⟂ 10000 – **76 cam** 100/160000 – P 120/150000.

🏨 **Ai Ronchi-Motor Hotel,** viale Bornata 22 ✉ 25123 ℰ 362061 – 📶 📺 ☎ 🚙 🅟. ◭ 🕄 ⓞ 𝑉𝑆𝐴. ⅏ rist   2,5 km per ②
Pas (chiuso sabato a mezzogiorno, domenica ed agosto) carta 24/45000 – ⟂ 9000 – **41 cam** 55/92000 – P 85000.

🏨 **Ambasciatori,** via Santa Maria Crocifissa di Rosa 90 ✉ 25124 ℰ 308461, Fax 381883 – 📶 📺 ☎ 🚙 🅟 – 🔬 200. ◭ 🕄 ⓞ ⋿ 𝑉𝑆𝐴. ⅏   per via Lombroso ②
Pas (chiuso domenica e dal 13 al 25 agosto) carta 25/38000 – ⟂ 7000 – **66 cam** 58/90000 – P 95000.

🏨 **Alabarda,** via Labirinto 6 ✉ 25125 ℰ 341065, Telex 305388 – 📶 📺 ☎ 🅟. ◭ 🕄 ⓞ ⋿ 𝑉𝑆𝐴. ⅏ rist   2,5 km per ⑤
Pas (chiuso domenica) 15/25000 – ⟂ 6000 – **28 cam** 53/80000 – P 70/90000.

🏨 **Igea,** viale Stazione 15 ✉ 25122 ℰ 44221 – 📶 📺 ☎. ◭ 🕄 ⓞ ⋿ 𝑉𝑆𝐴 ⅏   AZ x
Pas (chiuso domenica) carta 21/29000 – ⟂ 6000 – **66 cam** 60/100000 – P 100000.

🏨 **Industria,** via Orzinuovi 58 ✉ 25125 ℰ 340521 – 📶 📺 ☎ 🅟 – 🔬 90. ◭ 🕄 ⓞ ⋿ 𝑉𝑆𝐴   per ⑤
Pas (chiuso domenica) carta 26/43000 – ⟂ 12000 – **70 cam** 55/90000 – P 75/90000.

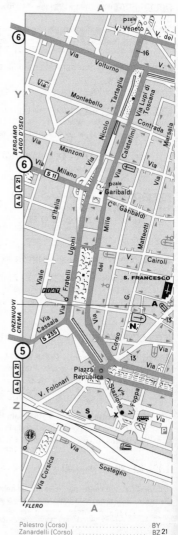

BRESCIA

🏠 **Capri** senza rist, sulla statale 11 ☒ 25080 S. Eufemia della Fonte 🖉 360149 – ☎ 🅿 🆎 🔆 ⓪
E 𝒱𝐼𝑆𝐴 2,5 km per ②
chiuso dal 20 luglio al 5 agosto – ☲ 7000 – **21 cam** 47/73000.

🏠 **Astron** senza rist, via Togni 14 ☒ 25128 🖉 48220 – ☜. 🛠 AZ **s**
☲ 4000 – **20 cam** 38/50000.

🛇🛇🛇 **La Sosta,** via San Martino della Battaglia 20 ☒ 25121 🖉 295603, « Edificio del 17° secolo »
– 🆎 ⓪ 𝒱𝐼𝑆𝐴 BZ **n**
chiuso lunedì e dal 1° al 22 agosto – Pas carta 40/60000.

🛇🛇🛇 **Castello Malvezzi,** via Colle San Giuseppe ☒ 25060 🖉 2004224, ≤, « Dimora cinquecentesca », � – 🅿 – 🔬 25 a 100. 🆎 ⓪ 𝒱𝐼𝑆𝐴 🛠 5 km per ①
chiuso domenica sera e lunedì – Pas carta 40/80000.

segue →

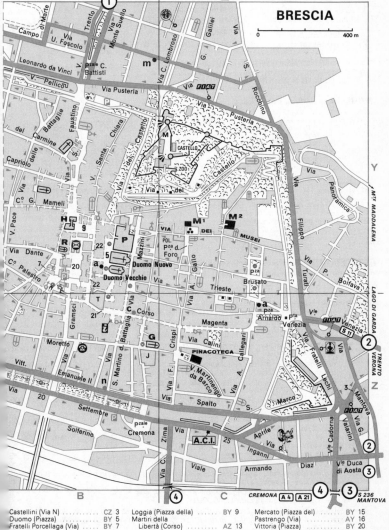

Castellini (Via N) .... CZ 3
Duomo (Piazza) .... BY 5
Fratelli Porcellaga (Via) ..... BY 7
Loggia (Piazza della) ...... BY 9
Martiri della
Libertà (Corso) .... AZ 13
Mercato (Piazza del) .... BY 15
Pastrengo (Via) .... AY 16
Vittoria (Piazza) .... BY 20

129

XX Olimpo-il Torricino, via Fura 131 ⊠ 20125 ℰ 347565 – **㉆** per ⑤

XX **Raffa,** corso Magenta 15 ⊠ 25121 ℰ 49037 – 🆎 ⓪ 🆅🆂🅰 BZ **c**
chiuso domenica ed agosto – Pas carta 29/46000 (10%).

XX La Stretta, via Stretta 63 ⊠ 25125 ℰ 2002367 – 🔳 **㉆** 3,5 km per ①

X **Gottardino,** via San Gottardo 4 ⊠ 25128 ℰ 43532, « Servizio estivo in terrazza con ≼ » –
㉆. 🏍 4 km per via Panoramica CY
chiuso domenica sera, lunedì ed agosto – Pas carta 31/42000.

X **Antica Fonte,** via Fontane 45 ⊠ 25060 Mompiano ℰ 2004480, « Servizio estivo sotto un
pergolato » – 🏍 2,5 km per via Lombroso CY
chiuso lunedì ed agosto – Pas carta 25/33000.

X **Nuovo Nando,** via Ambra d'Oro 119 ⊠ 25124 ℰ 364288 – **㉆**. 🆎 🅱 ⓪ 🅴 🆅🆂🅰 per ②
chiuso giovedì – Pas carta 26/37000.

X **Convento Sant'Anna,** via Sant'Anna 1 ⊠ 25128 ℰ 310875, ≼, 🍴 – **㉆**. 🆅🆂🅰 🏍
chiuso lunedì ed agosto – Pas carta 21/40000. 2,5 km per ⑥

X **La Mezzeria,** via Trieste 66 ⊠ 25121 ℰ 40306 – 🏍 CZ **a**
chiuso domenica, luglio ed agosto – **Pas** carta 25/36000.

a Roncadelle per ⑤ : 7 km – ⊠ **25030** :

🏨 **Continental** senza rist, ℰ 2782721, Telex 304132 – 🛗 🔳 📺 ☎ ৬ ⇦ **㉆** – 🅰 120. 🆎 🅱 ⓪
🅴 🆅🆂🅰 🏍
chiuso dall'8 al 24 agosto – 🍽 13000 – **52 cam** 70/115000.

🏨 **President,** ℰ 2780061, Telex 301144, Fax 2780260, 🍴, 🍴 – 🛗 🔳 📺 ☎ ⇦ **㉆** – 🅰 25 a
250. 🆎 🅱 ⓪ 🅴 🆅🆂🅰 🏍
Pas *(chiuso domenica)* carta 32/44000 – **67 cam** 🍽 75/120000 – P 110000.

MICHELIN, via Inganni 23 CZ – ⊠ 25123, ℰ 43562.

ALFA-ROMEO viale Sant'Eufemia 108 ℰ 366541
ALFA-ROMEO via Zara 12 ℰ 222141
ALFA-ROMEO via Chiassi 35 ℰ 304641
BMW via Creta 74 ℰ 220150
BMW via Triumplina 5/a ℰ 381963
CITROEN via della Volta 15 ℰ 348835
CITROEN via Triumplina 23/b ℰ 2002821
FIAT piazzale Canton Mombello 6 ℰ 58495, Telex 300042
FIAT via Malta 16 per via Aurelio Saffi BZ ℰ 220515
FIAT via Somalia 4 ℰ 292061
FIAT via Mantova 23 ℰ 280361
FIAT via Pusterla 45 ℰ 43261
FORD via Foro Boario 16/b ℰ 58300
GM-OPEL via Triumplina 33 ℰ 382061
INNOCENTI via F.lli Lechi 1 ℰ 40261
LANCIA-AUTOBIANCHI viale Venezia 98/100 per ②
ℰ 54514

LANCIA-AUTOBIANCHI via Foro Boario 7 per ④
ℰ 41490
LANCIA-AUTOBIANCHI via Dalmazia 1 per ⑤ ℰ 58483
MASERATI via Lechi 1 ℰ 40261
MERCEDES-BENZ viale Sant'Eufemia 28 ℰ 365561
PEUGEOT-TALBOT viale Sant'Eufemia 94/a ℰ 362261
RENAULT via Triumplina 41 ℰ 383356
RENAULT via Pusterla 3/a ℰ 51535
RENAULT via Valle Camonica 6/a ℰ 313439
VW-AUDI corso Cavour 31 ℰ 47515
VW-AUDI viale Sant'Eufemia angolo via Fenzi 1 ℰ 363361
VOLVO via 20 Settembre 46 ℰ 48209
VOLVO via Triumplina 23/S ℰ 2002861

BRESSANONE (BRIXEN) 39042 Bolzano 🗺🗺🗺 ④⑤ – 16 589 ab. alt. 559 – Stazione climatica e di
villeggiatura, a.s. aprile, luglio-15 ottobre e Natale – Sport invernali : a La Plose-Plancios :
1 900/2 505 m ≼1 ≼9, ⤋ – ✆ 0472.

Vedere Chiostro* e Tesoro* nel Duomo **A** – Cortile* e museo Diocesano* nel palazzo Vescovile:
sculture lignee**, ancone scolpite*, collezione di presepi*.

Dintorni Plose*** : 🚠*** SE per funivia – 🚡 viale Stazione 9 ℰ 22401, Telex 400638.

Roma 681 ② – ◆Bolzano 40 ② – Brennero 43 ① – Cortina d'Ampezzo 109 ② – ◆Milano 336 ② – Trento 100 ②.

Pianta pagina a lato

🏨 **Elefante,** via Rio Bianco 4 ℰ 32750, Telex 401277, « Costruzione del 16° secolo con arredamento antico; giardino con 🔽 riscaldata » – 🔳 rist 📺 ☎ ⇦ **㉆**. 🏍 rist **a**
Natale-7 gennaio e marzo-10 novembre – Pas *(chiuso lunedì escluso dal 10 luglio al
10 novembre)* carta 30/46000 (20%) – 🍽 12000 – **43 cam** 75/150000 – P 135000, b.s. 125000.

🏨 **Dominik** ⌾, via Terzo di Sotto 13 ℰ 30144, Telex 401524, ≼, 🔼, 🍴 – 🛗 🤽 cam ☎ ⇦ **㉆**.
🆎 🅱 🅴. 🏍 **b**
15 marzo-4 novembre – Pas carta 31/52000 – **29 cam** 🍽 100/200000 – P 110/150000,
b.s. 100/140000.

🏨 **Grüener Baum,** via Stufles 11 ℰ 32732, Telex 401643, « Giardino con 🔽 riscaldata », 🔼,
🍴 – 🛗 🔳 rist ☎ ⇦ – 🅰 150. 🆎 🅱 ⓪ 🅴 🆅🆂🅰 🏍 rist **e**
chiuso dal 12 novembre al 19 dicembre – Pas carta 16/29000 – 🍽 9000 – **70 cam** 44/72000 –
P 70/90000, b.s. 55/70000.

🏨 **Temlhof** ⌾, via Elvas 76 ℰ 35633, ≼ monti e città, « Giardino con 🔽 », 🔼, 🍴 – ☎ **㉆**. 🆎
🅱 ⓪. 🏍 rist **v**
chiuso dal 10 novembre al 23 dicembre – Pas *(chiuso a mezzogiorno escluso luglio-agosto)*
carta 33/44000 – **52 cam** 🍽 70/150000 – P 110000.

🏨 **Mirabel** ⌾ senza rist, via Guggenberg 4 ℰ 36058, 🍴 – 🛗 🤽 ☎ ⇦ **㉆**. 🆅🆂🅰 **h**
19 marzo-6 novembre – **19 cam** 🍽 45/79000.

🏨 **Corona d'Oro-Goldene Krone,** via Fienili 4 ℰ 35154 – 🛗 ☎ ৬ **㉆**. 🆎. 🏍 rist **d**
marzo-10 novembre – Pas *(chiuso martedì)* carta 20/35000 – **36 cam** 🍽 42/75000 – P 58/65000,
b.s. 54/60000.

BRESSANONE

Non fate rumore
negli alberghi :
i vicini vi saranno
riconoscenti.

Ne faites pas de bruit
à l'hôtel,
vos voisins
vous en sauront gré.

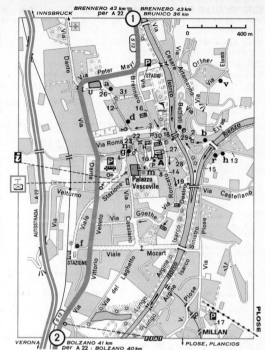

🏨 **Jarolim,** piazza Stazione 1 ℰ 36230, Fax 33155, « Giardino ombreggiato con ⌿ » – 📶
✤ ✤ cam 🍽 rist ☎ 🅿. ﷼ ① 𝘝𝘐𝘚𝘈 ⚙ rist **f**
Pas *(chiuso martedì)* carta 18/26000 – ⊑ 8000 – **35 cam** 36/57000 – P 65000, b.s. 55000.

🏨 **Sole-Sonne,** via Sant'Erardo 8 ℰ 36271 – 📶 📺 ☎. ﷼ ① 𝘝𝘐𝘚𝘈 **g**
✤ chiuso dal 7 gennaio al 15 febbraio – Pas 14/17000 – ⊑ 7000 – **16 cam** 37/56000 – P 60/66000,
b.s. 52/58000.

🏨 **Senoner,** lungo Rienza 22 ℰ 32525, ☕, ☞ – ☎ ⇦ 🅿. ﷼ 🅱 ① E 𝘝𝘐𝘚𝘈 ⚙ rist **r**
✤ chiuso dal 2 al 29 aprile e dal 7 novembre al 3 dicembre – Pas 17/26000 – **22 cam** ⊑ 50/90000
– P 60/75000, b.s. 55/65000.

❌❌ **Oste Scuro-Finsterwirt,** vicolo del Duomo 3 ℰ 35343, « Ambiente caratteristico con
arredamento antico » – ⚙ **m**
chiuso domenica sera, lunedì, dal 10 gennaio al 10 febbraio e dal 26 giugno al 10 luglio – Pas
carta 22/33000.

❌❌ **Fink,** via Portici Minori 4 ℰ 34883 – 🍽 **n**
chiuso dal 15 giugno al 5 luglio, giovedì e da ottobre a giugno anche mercoledì sera – Pas
carta 28/45000.

ad Elvas NE : 4 km – alt. 814 – ✉ **39042** Bressanone :

🏠 **Hofstatt** ☜, ℰ 35420, ≼ – ☜ ⇨ 🅿. ⚙ rist
✤ chiuso dal 15 gennaio al 28 febbraio – Pas 15000 – **18 cam** ⊑ 26/52000 – P 37/39000.

al bivio Plancios-Plose SE : 17,5 km – alt. 1 760 :

🏨 **Edith** ☜, ✉ 39040 Sant'Andrea in Monte ℰ 51307, ≼ Dolomiti e vallata, 🔲 – 🅿. ﷼. ⚙ rist
20 dicembre-20 aprile e giugno-ottobre – Pas *(chiuso mercoledì)* carta 22/31000 – ⊑ 5000 –
20 cam 31/49000 – P 53/63000, b.s. 45/55000.

a Plancios (Palmschoss) SE : 20 km – alt. 1 894 – ✉ **39040** Sant'Andrea in Monte :

🏠 **Sport Hotel-Rienzner** ☜, ℰ 51329, ≼ Dolomiti e vallata – ☎ 🅿. ⚙ rist
✤ 20 dicembre-aprile e 20 luglio-settembre – Pas (solo per clienti alloggiati e *chiuso dal 20 luglio*
al 30 settembre) 18/25000 – ⊑ 9000 – **21 cam** 25/50000 – P 66000, b.s. 60000.

Vedere anche : *Novacella* per ① : 3 km.

BMW via Vittorio Veneto 53 ℰ 21427   FORD zona Industriale ℰ 24066, Telex 401032
FIAT via Vittorio Veneto 57 ℰ 23277

BREUIL-CERVINIA 11021 Aosta 𝟗𝟖𝟖 ②, 𝟐𝟏𝟗 ③ – alt. 2 050 – Stazione di villeggiatura, a.s. febbraio-15 aprile, agosto e Natale – Sport invernali : 2 050/3 488 m ≤7 ≤16 (anche sci estivo), ⤜ – ✆ 0166.

Vedere Località★★.

🚡 Cervino (luglio-agosto) 🖉 949131.

🛈 via Carrel 29 🖉 949136, Telex 211822.

Roma 749 – Aosta 53 – Biella 104 – ♦Milano 187 – ♦Torino 116 – Vercelli 122.

🏨 **Cristallo** ⑤⑤, 🖉 948121, Telex 210626, ≤ Cervino e Grandes Murailles, 🔲, ☞, ⚒ – 🕼 📺 ☎ ⇦ – 🚗 60. 🖭 🕼 ⑩ 🗲 𝘝𝘐𝘚𝘈. ⚒ rist
3 dicembre-2 maggio e luglio-agosto – Pas 30000 – **85 cam** ⊇ 190/380000 appartamenti 260/460000 – P 250000, b.s. 150000.

🏨 **Hermitage** ⑤⑤, 🖉 948998, ≤ Cervino e Grandes Murailles, 🔲, ☞ – 🕼 📺 ☎ ⇦ 🅿. 🖭 🕼 🗲 𝘝𝘐𝘚𝘈. ⚒ rist
12 novembre-10 maggio e 8 luglio-15 settembre – Pas *(chiuso giovedì)* 35/40000 – ⊇ 20000 – 32 cam 100/180000 – P 100/180000, b.s. 80/120000.

🏨 **Europa**, 🖉 948660, ≤ Cervino – 🕼 ☎ ⇦ 🅿. 🖭 🕼 🗲 𝘝𝘐𝘚𝘈. ⚒
dicembre-10 maggio e luglio-settembre – Pas 25/30000 – ⊇ 10000 – **39 cam** 45/85000 – P 85/105000, b.s. 70/95000.

🏨 **Planet**, 🖉 949426, ≤ Cervino – 🕼 ☎ ⇦ 🅿. ⚒ rist
31 ottobre-1° maggio e luglio-15 settembre – Pas 25/30000 – ⊇ 8000 – **32 cam** 40/70000 – P 70/95000, b.s. 55/75000.

🏨 **Astoria**, 🖉 949062, ≤ Cervino – 🕼 ☎ ⇦
dicembre-aprile e 15 luglio-agosto – Pas carta 24/35000 (15%) – ⊇ 10000 – 27 cam 75000 – P 86/92000, b.s. 65/70000.

🏠 **Edelweiss**, 🖉 949078, ≤ Cervino e Grandes Murailles – 🕼 ☜ 🅿. ⚒ rist
chiuso giugno ed ottobre – Pas 20/25000 – ⊇ 13000 – 35 cam 45/75000 – P 60/95000, b.s. 50/75000.

🏠 **Breithorn**, 🖉 948363, ≤ Cervino e Grandes Murailles – 🕼 ☎ 🅿
24 cam.

🏠🏠 **Cime Bianche** ⑤⑤ con cam, 🖉 949046, ≤ Cervino e Grandes Murailles, « Ambiente tipico » – ☎ ⇦ 🅿. 🖭 ⑩. ⚒
Pas carta 26/45000 – ⊇ 8000 – 15 cam 40/75000 – P 95000, b.s. 60000.

sulla strada statale 406 :

🏨 **Chalet Valdôtain**, SO : 1,4 km ⊠ 11021 🖉 949428, ≤ Cervino e Grandes Murailles, ☞ – 🕼 ☎ ⇦ 🅿. 🖭 🕼 🗲 𝘝𝘐𝘚𝘈. ⚒ rist
dicembre-aprile e giugno-settembre – Pas carta 33/46000 – **35 cam** ⊇ 70/120000 – P 90/110000, b.s. 75/95000.

🏠 **Les Neiges d'Antan** ⑤⑤, SO : 4 km ⊠ 11021 🖉 948775, ≤ Cervino e Grandes Murailles – ☎ 🅿. 🖭 ⚒
6 dicembre-1° maggio e 3 luglio-4 settembre – Pas carta 37/64000 – ⊇ 10000 – 30 cam 48/77000 – P 65/90000.

🏠 **Lac Bleu**, SO : 1 km ⊠ 11021 🖉 949103, ≤ monti e Cervino – 🅿. ⚒ rist
3 dicembre-aprile e luglio-25 settembre – Pas *(chiuso lunedì)* carta 22/34000 – ⊇ 6500 – **20 cam** 35/58000 – P 52/63000, b.s. 48/56000.

BREZZO DI BEDERO 21010 Varese 𝟐𝟏𝟗 ⑦ – 811 ab. alt. 352 – ✆ 0332.
Roma 665 – Bellinzona 44 – ♦Lugano 27 – Luino 4 – ♦Milano 86 – Novara 84 – Varese 30.

verso Luino N : 3,5 km :

🏠 **Belvedere**, ⊠ 21010 🖉 531347, ≤ lago e monti, ☞ – ⚒
chiuso dal 21 dicembre al 7 marzo – Pas *(chiuso martedì)* 25/30000 – ⊇ 7000 – **11 cam** 35000 – P 55/58000.

BRIAN Venezia – Vedere Caorle.

BRIENNO 22010 Como 𝟐𝟏𝟗 ⑨ – 398 ab. alt. 204 – ✆ 031.
Roma 642 – Como 17 – ♦Milano 65.

🏠🏠 **Crotto dei Platani**, 🖉 814038, ☞ – 🅿. 🖭 𝘝𝘐𝘚𝘈
chiuso martedì ed ottobre – Pas carta 30/50000.

BRINDISI 72100 🅿 𝟗𝟖𝟖 ㉚ – 92 531 ab. – a.s. 15 luglio-settembre – ✆ 0831.
Vedere Colonna romana★ (termine della via Appia).
✈ di Casale per ① : 6 km 🖉 413231 – Alitalia, corso Garibaldi 53 🖉 223495.
🚗 🖉 21975.
🛈 piazza Dionisi 🖉 21944 – via Rubini 19 🖉 21091.
A.C.I. via Buozzi 🖉 83053.
Roma 563 ④ – ♦Bari 113 ④ – ♦Napoli 375 ④ – ♦Taranto 72 ③.

BRINDISI

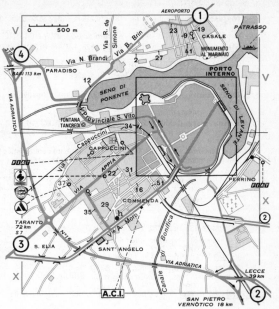

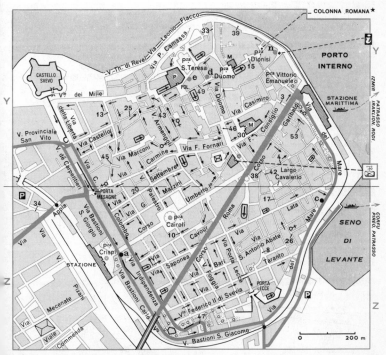

6

Majestic, corso Umberto I n° 151 *ℰ* 222941, Telex 813378, Fax 24071 – 劇 ⇔ 🖿 📺 🕾 **P** –
🚗 70 a 80. 🅰🅴 🛐 🕦 **E** *VISA*. 🛪　　　　　　　　　　　　　　　　　　　Z a
Pas *(chiuso venerdì)* 24/27000 – **68 cam** 🗀 82/128000 – P 104/125000.

Mediterraneo, viale Aldo Moro 70 *ℰ* 82811, Telex 813291 – 劇 🖿 📺 🕾 ☜ – 🚗 60. 🅰🅴 🛐
🕦 **E** *VISA*. 🛪 rist　　　　　　　　　　　　　　　　　　　　　　　　　　X h
Pas 22000 – 🗀 8000 – **66 cam** 73/112000 – P 117000.

L'Approdo senza rist, via del Mare 50 *ℰ* 29667, ← – 劇 ⇔ 📺 🕾 ☜ 🅰🅴 🛐 🕦 **E** *VISA*. 🛪
🗀 6000 – **23 cam** 55/80000.　　　　　　　　　　　　　　　　　　　　　　Z c

XXX **La Lanterna,** via Tarantini 14 *ℰ* 224026, « Servizio estivo in giardino » – 🖿. 🅰🅴 🛐 🕦 **E**
VISA. 🛪　　　　　　　　　　　　　　　　　　　　　　　　　　　　　　　　Y d
chiuso domenica ed agosto – Pas carta 40/50000.

X **Penny,** piazza Dionisi 5/6 *ℰ* 223013 – 🅰🅴 🛐 🕦 **E** *VISA*. 🛪　　　　　　　　　Y n
chiuso domenica sera, lunedì, dal 22 dicembre al 3 gennaio e dal 15 agosto al 2 settembre –
Pas carta 36/51000 (15%).

X **Il Cantinone,** via De Leo 4 *ℰ* 222122, « Ambiente caratteristico »　　　　　　　Y e
→ *chiuso martedì e dal 15 al 28 agosto* – Pas carta 18/25000.

BMW via Appia 8/14 *ℰ* 24438	INNOCENTI via Appia 8/30 *ℰ* 24438
CITROEN via Cappuccini 46/52 *ℰ* 26001	LANCIA-AUTOBIANCHI via Pontinia 10 *ℰ* 833998
FIAT viale Enrico Fermi 1 *ℰ* 472407	PEUGEOT-TALBOT via Appia 147 *ℰ* 882129
FIAT via Mogadiscio *ℰ* 86065	RENAULT via Pertusillo *ℰ* 471923
FORD viale Enrico Fermi-zona Industriale *ℰ* 473124	VW-AUDI strada per Pandi 2 *ℰ* 473090
GM-OPEL via Strabone 4 *ℰ* 2220444	

BRIONA 28072 Novara 🖽🖾🖿 ⑯ – 1 147 ab. alt. 216 – 🕲 0321.
Roma 636 – ♦Milano 63 – Novara 17 – Vercelli 32.

a Proh SE : 5 km – ✉ **28072** Briona :

X **Trattoria del Ponte,** *ℰ* 826282 – 🖿 **P**. 🛪
chiuso lunedì sera, martedì e dal 29 luglio al 14 agosto – Pas carta 21/35000.

BRIONE 🖽🖾🖿 ㉔, 🖽🖾🖿 ⑫ – Vedere Cantone Ticino (Locarno) alla fine dell'elenco alfabetico.

BRIOSCO 20040 Milano 🖽🖾🖿 ⑲ – 5 011 ab. alt. 271 – 🕲 0362.
Roma 611 – Como 21 – Lecco 23 – ♦Milano 33.

XX **La Rizulin,** *ℰ* 95014, 🜄 – **P**. 🅰🅴. 🛪
chiuso domenica sera, lunedì ed agosto – Pas carta 24/35000.

BRISIGHELLA 48013 Ravenna 🖽🖾🖿 ⑮ – 7 931 ab. alt. 115 – a.s. 15 luglio-settembre – 🕲 0546.
Roma 355 – ♦Bologna 62 – Faenza 13 – ♦Ferrara 110 – ♦Firenze 90 – Forlì 27 – ♦Milano 278 – ♦Ravenna 44.

Terme 🌑, *ℰ* 81144, ←, « Giardino ombreggiato », 🍴 – 劇 ⤠ 🔥 **P** – 🚗
maggio-15 ottobre – Pas *(chiuso mercoledì)* carta 23/32000 – 🗀 5000 – **56 cam** 38/55000 –
P 47000, b.s. 42000.

La Meridiana 🌑, *ℰ* 81590, 🜄 – 劇 ⤠ 🔥 **P** – 🚗 150. *VISA*. 🛪
aprile-ottobre – Pas 20/22000 – 🗀 5500 – **56 cam** 38/54000 – P 45/47000, b.s. 41/43000.

Valverde 🌑, *ℰ* 81388, 🜄 – 劇 ⤠ **P**. 🛪
maggio-ottobre – Pas 22000 – 🗀 5000 – **40 cam** 35/49000 – P 45000, b.s. 40000.

XX **Gigiolè** con cam, *ℰ* 81209 – 劇 🖿 rist ☜. 🛪 rist
chiuso febbraio – Pas *(chiuso lunedì)* carta 31/45000 – 🗀 5000 – **17 cam** 30/45000 –
P 40/47000.

X **La Grotta,** *ℰ* 81829 – 🖿. 🅰🅴 🛐 🕦 *VISA*. 🛪
→ *chiuso martedì, gennaio e dal 1° al 15 giugno* – Pas 16/25000.

BRISSAGO 🖽🖾🖿 ㉔, 🖽🖾🖿 ⑦ – Vedere Cantone Ticino alla fine dell'elenco alfabetico.

BRIVIO 22050 Como 🖽🖾🖿 ⑳ – 3 868 ab. alt. 207 – 🕲 039.
Roma 608 – ♦Bergamo 21 – Como 34 – Lecco 15 – ♦Milano 38.

X **Bella Venezia,** *ℰ* 5320007, « Servizio estivo in riva all'Adda » – **P**
chiuso lunedì sera e martedì – Pas carta 30/50000.

BRIXEN = Bressanone.

BRONI 27043 Pavia 🖽🖾🖿 ⑮ – 10 451 ab. alt. 88 – 🕲 0385.
Roma 548 – Alessandria 62 – ♦Milano 58 – Pavia 20 – Piacenza 37.

sulla strada statale 10 NE : 2 km :

XX **Liros** con cam, ✉ 27043 *ℰ* 51007 – **P**. 🅰🅴 🛐 🕦 **E** *VISA*. 🛪
chiuso dal 1° al 15 gennaio – Pas *(chiuso lunedì)* carta 26/46000 – 🗀 5000 – **19 cam** 35/47000
– P 65000.

FIAT via Roma 37 *ℰ* 51043　　　　　　　　　　　　　FORD via San Cipriano 2 bis *ℰ* 54356

BRUNATE 22034 Como 🔢🔢🔢 ⑨ – 1 682 ab. alt. 716 – ✪ 031.

Roma 631 – ♦Bergamo 62 – Como 6 km o 7 mn di funicolare – ♦Milano 54.

🏠 **Miramonti** ⸱ senza rist, ℰ 220260, « Terrazza con ⩽ lago e monti » – 🅿
20 maggio-10 ottobre – ⊑ 7000 – **11 cam** 40/70000.

✕ **Moro,** a San Maurizio N : 2 km ℰ 221003, Coperti limitati; prenotare – 🅱 𝓥𝓘𝓢𝓐
chiuso mercoledì – Pas carta 30/49000.

BRUNECK = Brunico.

BRUNICO (BRUNECK) 39031 Bolzano 🔢🔢🔢 ⑤ – 12 175 ab. alt. 835 – Stazione di villeggiatura, a.s.
febbraio, Pasqua, 15 luglio-15 settembre e Natale – Sport invernali : a Plan de Corones : 835/2 275 m
⩽4 ⩽23, ⩘ – ✪ 0474.

🄵 via Europa ℰ 85722, Telex 400350.

Roma 715 – ♦Bolzano 77 – Brennero 68 – Cortina d'Ampezzo 59 – Dobbiaco 28 – ♦Milano 369 – Trento 137.

🏨 **Andreas Hofer,** via Campo Tures 1 ℰ 85469, 🌲 – 🛗 ☎ ⇦ 🅿 🅱 ⁖% rist
chiuso dal 22 aprile al 13 maggio e dal 25 novembre al 16 dicembre – Pas *(chiuso sabato)*
carta 20/30000 – ⊑ 6000 – **54 cam** 35/65000 – P 50/60000, b.s. 45/55000.

🏠 **Bologna** senza rist, via Leonardo da Vinci 1 ℰ 85917 – 🛗 ☜ ⇦ 🅿. 🄰🄴 🅱 ⊙ 🅴 𝓥𝓘𝓢𝓐. ⁖%
chiuso dal 20 maggio al 10 giugno e dal 25 ottobre al 20 novembre – **25 cam** ⊑ 34/64000.

a San Giorgio (St. Georgen) N : 2 km – alt. 823 – ✉ 39031 :

🏨 **Sporthotel Gissbach** ⸱, ℰ 21273, 🞂 – 🛗 ☎ ⇦ 🅿. ⁖% rist
➙ *chiuso novembre* – Pas 14/16000 – **23 cam** ⊑ 45/80000 – P 63/69000, b.s. 56/62000.

a Riscone (Reischach) SE : 3 km – alt. 960 – ✉ 39031 :

🏨 **Royal Hotel Hinterhuber** ⸱, ℰ 21221, Telex 400650, ⩽, 🞂, 🌲, ⁂ – 🛗 ▤ rist 📺 ☎ ⅙
⇦ 🅿. 🄰🄴 🅱 🅴 𝓥𝓘𝓢𝓐. ⁖% rist
17 dicembre-2 aprile e giugno-14 ottobre – Pas carta 22/34000 – **56 cam** ⊑ 75/150000 appartamento 200000 – P 95/115000, b.s. 65/95000.

🏨 **Rudolf,** ℰ 21223, ⩽, 🞂 – 🛗 📺 ☎ ⇦ 🅿. 🄰🄴 🅱 ⊙ 🅴. ⁖% rist
Pas carta 24/37000 – **37 cam** ⊑ 60/125000 – P 870000, b.s. 50/67000.

🏨 **Petrus** ⸱, ℰ 84263, ⩽, 🌲 – 🛗 ☎ ⇦ 🅿. 🅴 𝓥𝓘𝓢𝓐. ⁖% rist
➙ *7 dicembre-13 aprile e 25 maggio-17 ottobre* – Pas carta 18/26000 – **28 cam** ⊑ 45/90000 –
P 62/77000, b.s. 52/62000.

🏨 **Majestic** ⸱, ℰ 84887, ⩽, 🞐 riscaldata, 🌲 – 🛗 ▤ rist ☎ 🅿. 🅱 🅴. ⁖% rist
22 dicembre-2 aprile e 31 maggio-15 ottobre – Pas *(chiuso lunedì)* carta 22/37000 – **33 cam**
⊑ 35/62000 – P 55/65000, b.s. 39/46000.

FIAT via Pacher 17/19 ℰ 84312
GM-OPEL via Anello Nord 3 ℰ 20200

LANCIA-AUTOBIANCHI via Galilei 2/A ℰ 21226
RENAULT via Stegona 15 ℰ 85543

BRUSSON 11022 Aosta 🔢🔢🔢 ②, 🔢🔢🔢 ④ – 906 ab. alt. 1 331 – Stazione di villeggiatura, a.s.
Pasqua, 15 giugno-15 settembre e Natale – ✪ 0125.

🄵 piazza Municipio 1 ℰ 300240.

Roma 726 – Aosta 52 – Ivrea 51 – ♦Milano 164 – ♦Torino 93.

🏠 **Moderno,** località Fontaine ℰ 300118 – 🛗 ☜ 🅿. ⁖%
chiuso dal 26 aprile al 7 giugno e dal 15 settembre al 31 ottobre – Pas *(chiuso lunedì)* 30000 –
⊑ 5000 – **24 cam** 50/60000 – P 55/60000.

🏠 **Laghetto,** località Diga ℰ 300179, ⩽ – 🅿. ⁖%
➙ Pas *(chiuso mercoledì)* 18000 – ⊑ 5500 – **17 cam** 25/45000 – P 50000, b.s. 45000.

BUBBIO 14051 Asti – 990 ab. alt. 224 – ✪ 0144.

Roma 589 – Alessandria 52 – Asti 38 – ♦Genova 89 – ♦Milano 142 – Savona 76.

✕ **Teresio,** ℰ 8128 – ⁖%
chiuso mercoledì e dal 26 settembre al 15 ottobre – Pas carta 20/37000.

BUCCINASCO 20094 Milano 🔢🔢🔢 ⑱ – 18 820 ab. alt. 112 – ✪ 02.

Roma 578 – ♦Milano 11 – Novara 54 – Pavia 37.

✕ **Rugantino-da Perilli,** strada Vecchia Vigevanese ℰ 4478140 – 🅿. 🄰🄴 🅱 ⊙ 🅴 𝓥𝓘𝓢𝓐. ⁖%
chiuso domenica sera, lunedì ed agosto – Pas carta 28/40000.

FIAT viale Lombardia 31 ℰ 4404352
GM-OPEL via della Resistenza 34/b ℰ 4402851

RENAULT via Caravaggio 15/17 ℰ 4476579

BUDOIA 33070 Pordenone – 2 016 ab. alt. 140 – a.s. febbraio, 1-15 agosto e Natale – ✪ 0434.

Roma 595 – Belluno 64 – ♦Milano 334 – Pordenone 16 – Treviso 55 – ♦Trieste 128 – Udine 66 – ♦Venezia 84.

✕ **Da Renè** con cam, ℰ 654017, 🍽, 🌲 – ▤ rist 📺 🅱 𝓥𝓘𝓢𝓐. ⁖%
➙ *chiuso dal 15 giugno al 15 luglio* – Pas *(chiuso lunedì)* carta 17/30000 – ⊑ 3000 – **6 cam**
25/50000 – P 38000.

BUDONI Nuoro – Vedere Sardegna alla fine dell'elenco alfabetico.

BUDRIO 40054 Bologna 🔢 ⑮ — 13 757 ab. alt. 25 — ✪ 051.
Roma 401 — ♦Bologna 19 — ♦Ferrara 46 — ♦Ravenna 66.

🏨 **Sport Hotel** senza rist, via Massarenti 10 ℘ 803515 — 📶 📧 **Ⓟ**. 🖭 **Ⓞ**. 🎺
chiuso dal 5 al 15 agosto e dal 24 dicembre al 1° gennaio — � 3000 — **31 cam** 55/75000.

✗ Giardino, via Gramsci 20 ℘ 801128, 🚗 — **Ⓟ**.

FIAT via Antonio Certani 1 ℘ 803169

BURANO Venezia — Vedere Venezia.

BURAGO DI MOLGORA 20040 Milano 🔢 ⑲ — 4 110 ab. alt. 182 — ✪ 039.
Roma 591 — ♦Bergamo 37 — Lecco 33 — ♦Milano 23 — Monza 9.

🏨 **Brianteo,** ℘ 682118, Telex 352650, 🍽 — 📶 ☎ **Ⓟ** — 🔌 70. 🖭 🖽 **Ⓞ** ☯ 𝗩𝗜𝗦𝗔. 🎺
chiuso dal 23 dicembre al 3 gennaio e dal 1° al 24 agosto — Pas (chiuso domenica)
carta 28/52000 — **52 cam** 80/115000 — P 130000.

BURGSTALL = Postal.

BURGUSIO (BURGEIS) Bolzano 🔢 ⑧ — Vedere Malles Venosta.

BUSCATE 20010 Milano 🔢 ⑰ — 4 322 ab. alt. 177 — ✪ 0331.
Roma 611 — Gallarate 15 — ♦Milano 37 — Novara 21.

✗✗ **Scià on Martin** con cam, ℘ 800558, 🍽, prenotare — ☎ **Ⓟ**. 🖭 📶 ☯. 🎺
chiuso Natale — Pas (chiuso sabato a mezzogiorno e domenica) carta 39/52000 — � 7000 —
13 cam 70/85000 — P 90/120000.

BUSSANA 18032 Imperia 🔢 ⑳ — ✪ 0184.
Roma 633 — ♦Genova 134 — Imperia 17 — ♦Milano 257 — Ventimiglia 23.

✗✗ **Ai Torchi,** via al Mare ℘ 52104, Coperti limitati; prenotare — 📧 **Ⓟ**. 𝗩𝗜𝗦𝗔
chiuso mercoledì da giugno a settembre, anche martedì negli altri mesi; in agosto chiuso solo
a mezzogiorno escluso i week-end — Pas 40/60000.

BUSSETO 43011 Parma 🔢 ⑭ — 7 186 ab. alt. 39 — ✪ 0524.
Roma 490 — ♦Bologna 128 — Cremona 25 — Fidenza 15 — ♦Milano 93 — ♦Parma 40 — Piacenza 31.

🏨 **I Due Foscari,** piazza Carlo Rossi 15 ℘ 92337, « Servizio rist. estivo in terrazza », 🚗 — 📶
☎ **Ⓟ**. 📶 ☯ 𝗩𝗜𝗦𝗔. 🎺
chiuso gennaio — Pas (chiuso lunedì) carta 29/49000 — � 8000 — **18 cam** 40/65000 — P 85000.

✗✗ **Ugo,** via Mozart 3 ℘ 92307 — 📶. 🖭 **Ⓞ**. 🎺
chiuso lunedì, martedì e gennaio — Pas carta 25/37000.

a Roncole Verdi SE : 4,5 km — ✉ **43010** :

✗✗ ✿ **Guareschi,** ℘ 92495, Coperti limitati; prenotare — **Ⓟ**. 🎺
chiuso la sera, venerdì, domenica, febbraio e luglio — Pas carta 39/57000
Spec. Cannelloni di ricotta alla Rigoletto, Anatra alla carbonara (ripiena di castagne e salsiccia), Pasta di salame
al burro e vino bianco. Vini Bianco e Lambrusco della Casa.

BUSSOLENGO 37012 Verona 🔢 ④ — 14 079 ab. alt. 127 — ✪ 045.
Roma 504 — Garda 20 — Mantova 43 — ♦Milano 150 — Trento 87 — ♦Venezia 128 — ♦Verona 12.

🏨 **Agnello d'Oro,** via Mazzini 13 ℘ 7150154 — 📶 📧 rist **Ⓟ**
chiuso dal 15 giugno al 6 luglio — Pas (chiuso domenica sera e lunedì) carta 20/29000 — �
4000 — **25 cam** 31/47000 — P 58/60000.

sulla strada statale 11 S : 3 km :

🏨 **Crocioni Hotel Rizzi** senza rist, ✉ 37012 ℘ 7151193, Telex 481435, Fax 7156986 — 📶 📧 📺
☎ 🔌 🚗 **Ⓟ** — 🔌 50 a 200. 🖭
chiuso dal 22 dicembre al 10 gennaio — � 7000 — **58 cam** 50/75000, 📧 7000.

BMW viale del Lavoro 17/19 ℘ 7153111   FIAT via Caduti sul Lavoro ℘ 7153985

BUSSOLINO GASSINESE Torino — Vedere Gassino Torinese.

BUSTO ARSIZIO 21052 Varese 🔢 ③, 🔢 ⑰ ⑱ — 78 005 ab. alt. 224 — ✪ 0331.
Roma 611 — Como 40 — ♦Milano 35 — Novara 30 — Stresa 51 — Varese 27.

🏨 **Astoria e Rist. Da Moreno,** viale Duca d'Aosta 14 ℘ 636422, Fax 679610 — 📶 📧 rist 📧 🔌
🚗 — 🔌 200. 🖭
Pas (chiuso sabato ed agosto) carta 26/41000 (15%) — � 7000 — **47 cam** 56/74000 — P 130000.

✗ **La Cantinaccia,** via Lombardia 44 ℘ 633009 — 🖭 📶 𝗩𝗜𝗦𝗔. 🎺
chiuso domenica e dal 6 al 22 agosto — Pas carta 24/45000.

Vedere anche : **Olgiate Olona** NE : 3 km.

CITROEN via Pirandello 1 ℘ 639025   FIAT viale Sardegna 23 ℘ 620011
FIAT via Magenta 48 ℘ 639313   INNOCENTI via Ferraris 13 ℘ 320500
FIAT via Gozzano 20 ℘ 679001   VOLVO via Arezzo 16 ℘ 634154

BUTTRIO 33042 Udine – 3 652 ab. alt. 79 – ۞ 0432.

Roma 641 – Gorizia 26 – ♦Milano 381 – ♦Trieste 57 – Udine 11.

  XX **Locanda alle Officine,** strada statale SE : 1 km ℰ 674047 – ℗. ⅍ 🕅 ⓞ 𝑉𝐼𝑆𝐴. ⅜
      chiuso lunedì – Pas carta 23/36000.

  X **Trattoria al Parco,** ℰ 674025, 🏠, 🐴 – ℗
  ◆ *chiuso martedì sera, mercoledì e dal 25 luglio al 25 agosto* – Pas carta 19/29000.

CADEMARIO 219 ⑧ – Vedere Cantone Ticino alla fine dell'elenco alfabetico.

CADENABBIA 22011 Como 988 ③, 219 ⑨ – alt. 201 – Stazione climatica – ۞ 0344.

Vedere Posizione pittoresca★★ – ≼★★ dalla cappella di San Martino (1 h e 30 mn a piedi AR).

Dintorni Villa Carlotta★★★ a Tremezzo.

🛥 (marzo-novembre; chiuso martedì) a Grandola ed Uniti ⊠ 22010 ℰ 32103, NO : 8 km.

⚓ per Bellagio (10 mn) e Varenna (30 mn), giornalieri – Navigazione Lago di Como ℰ 40479.

🅱 (aprile-settembre) via Regina 1 ℰ 40393.

Roma 656 – Chiavenna 53 – Como 31 – ♦Lugano 32 – ♦Milano 79 – Sondrio 72.

  🏨 **Riviera,** ℰ 40422, ≼ – ℗. 🕅 𝑉𝐼𝑆𝐴
  ◆ *chiuso gennaio e febbraio* – Pas 17000 – ⊔ 4000 – **14 cam** 25/44000 – P 47000.

CADEO 29010 Piacenza – 5 288 ab. alt. 48 – ۞ 0523.

Roma 500 – ♦Bologna 138 – Cremona 31 – ♦Milano 81 – ♦Parma 45 – Piacenza 15.

  X **Lanterna Rossa** 🦐 con cam, località Saliceto NE : 4 km ℰ 50163, 🐴 – ≽✕ rist 📺 ⇌ ℗.
      ⅜
      Pas *(chiuso martedì)* carta 28/47000 – **6 cam** ⊔ 35/48000 – P 45/60000.

CAERANO DI SAN MARCO 31031 Treviso – 6 381 ab. alt. 123 – ۞ 0423.

Roma 548 – Belluno 59 – ♦Milano 253 – ♦Padova 47 – Trento 109 – Treviso 26 – ♦Venezia 56 – Vicenza 48.

  🏨🏨 **Europa** senza rist, ℰ 858053, Fax 858897 – 🛗 🗏 📺 ☎ ఉ ⇌. ⅍ 🕅 𝑉𝐼𝑆𝐴. ⅜
      ⊔ 5000 – **20 cam** 40/60000, 🗏 2500.

CAFRAGNA Parma – Vedere Collecchio.

CAGLIARI ℗ 988 ㉝ – Vedere Sardegna alla fine dell'elenco alfabetico.

CAINO 25070 Brescia – 1 402 ab. alt. 398 – ۞ 030.

Roma 549 – ♦Brescia 14 – ♦Milano 107.

    sulla strada statale 237 E : 3 km :

  XX **Il Miramonti,** ⊠ 25070 ℰ 630023, 🐴 – ≽✕ ℗
      chiuso lunedì – Pas carta 40/60000 (10%).

CALAFURIA Livorno – Vedere Livorno.

CALA GONONE Nuoro 988 ㉞ – Vedere Sardegna (Dorgali) alla fine dell'elenco alfabetico.

CALALZO DI CADORE 32042 Belluno – 2 446 ab. alt. 806 – Stazione di villeggiatura, a.s. 15 luglio-agosto e Natale – ۞ 0435.

🐴 ℰ 2853.

🅱 bivio Stazione ℰ 32348.

Roma 646 – Belluno 45 – Cortina d'Ampezzo 32 – ♦Milano 388 – ♦Venezia 135.

  🏨 **Calalzo,** bivio Stazione ℰ 32248 – 🛗 📺 ☎ ⇌ ℗. ⅍ 𝑉𝐼𝑆𝐴
  ◆ *chiuso dal 21 settembre al 17 ottobre* – Pas *(chiuso venerdì)* carta 19/29000 – ⊔ 5000 –
      38 cam 35/60000 – P 50/60000, b.s. 45/50000.

  🏨 **Ferrovia,** bivio Stazione ℰ 31541 – 🛗 📺 ☎ ⇌ ℗. ⅜
  ◆ *chiuso dal 20 agosto al 2 settembre* – Pas *(chiuso domenica)* carta 18/32000 – **18 cam**
      ⊔ 60/80000 – P 50/70000.

CALAMANDRANA 14042 Asti – 1 444 ab. alt. 314 – ۞ 0141.

Roma 599 – Alessandria 36 – Asti 35 – ♦Genova 98 – ♦Milano 130 – ♦Torino 95.

  X **Il Torchio,** località San Vito E : 1,5 km ℰ 75621 – ≽✕ ℗ – ⚖ 80. ⅍ 🕅 E. ⅜
      chiuso martedì – Pas carta 20/40000.

  X **Violetta,** Valle San Giovanni N : 2,5 km ℰ 75151, prenotare – ℗. ⅜
      chiuso mercoledì e gennaio – Pas 35/45000 bc.

CALASETTA Cagliari 988 ㉝ – Vedere Sardegna alla fine dell'elenco alfabetico.

CALCERANICA AL LAGO 38050 Trento – 1 092 ab. alt. 463 – a.s. 15 dicembre-15 gennaio – ❸ 0461.

🅱 (giugno-settembre) 🕿 723301.

Roma 606 – Belluno 95 – ◆Bolzano 75 – ◆Milano 260 – Trento 18 – ◆Venezia 147.

🏠 **La Piroga,** 🕿 723150, ≤, 🚗, 🌳 – 📺 ☎ 📞 🍴
➜ *giugno-settembre* – Pas carta 19/25000 – **17 cam** 🛏 29/48000 – P 41/45000, b.s. 37/41000.

CALCINATE DEL PESCE Varese – Vedere Varese.

CALDARO (KALTERN) 39052 Bolzano 🔢 ④, 🔢 ㉒ – 6 134 ab. alt. 426 – a.s. aprile e luglio-15 ottobre – ❸ 0471.

🅱 piazza Principale 8 🕿 963169.

Roma 635 – ◆Bolzano 15 – Merano 37 – ◆Milano 292 – Trento 53.

🏠 **Cavallino Bianco-Weisses Rössl,** 🕿 963137 – 🛗 ☎ 📞
marzo-novembre – Pas *(chiuso marzo e novembre)* carta 24/33000 – **20 cam** 🛏 36/62000.

🏠 **Stella d'Oro-Goldener Stern,** 🕿 963153, 🏡 – ☎. 💳
aprile-ottobre – Pas *(chiuso lunedì)* carta 20/32000 – **27 cam** 🛏 38/62000 – P 53/59000, b.s. 43/52000.

🍴🍴 **Kaltererhof,** 🕿 962191
marzo-novembre ; chiuso domenica – Pas carta 25/39000.

a Pianizza di Sopra (Oberplanitzing) N : 3 km – ✉ 39052 Caldaro :

🏠 Tannhof 🌳, 🕿 52377, ≤, « In un bosco e servizio rist. estivo in terrazza panoramica », 🛝, 🌳 – 📞
stagionale – 21 cam.

al lago S : 5 km :

🏨 **Seeleiten,** ✉ 39052 🕿 960200, ≤, 🔲, 🚗, 🌳 – 🛗 📠 rist ☎ & 📞. 🅰🅴 ⅇ
marzo-15 novembre – Pas carta 23/32000 – **35 cam** 🛏 75/120000 – P 70/80000, b.s. 58/65000.

🏨 **Seehof-Ambach** 🌳, ✉ 39052 🕿 960098, ≤, « Prato-giardino », 🚗 – ☎ 📞. 🌺
aprile-2 novembre – Pas carta 28/41000 – 27 cam 🛏 70/130000.

🏠 **Seegarten,** ✉ 39052 🕿 960260, ≤, « Servizio rist. estivo in terrazza », 🚗, 🌳 – ☎ 📞
aprile-ottobre – Pas *(chiuso mercoledì)* carta 18/28000 – **22 cam** 🛏 40/80000.

🏠 **Seeberg** 🌳 senza rist, ✉ 39052 🕿 960038, ≤, 🛝, 🌳 – ☎ 📞
aprile-ottobre – **16 cam** 🛏 31/62000.

CALDIERO 37042 Verona – 4 773 ab. alt. 44 – ❸ 045.

Roma 517 – ◆Milano 174 – ◆Padova 66 – ◆Venezia 99 – ◆Verona 15 – Vicenza 36.

🍴 **Da Renato,** strada statale 11 (NO : 1,5 km) 🕿 982572 – 🗐 📞. 🅰🅴 ⓞ
chiuso lunedì sera, martedì, luglio ed agosto – Pas carta 31/45000.

CALDIROLA 15050 Alessandria 🔢 ⑬ – alt. 1 180 – Sport invernali : 1 180/1 137 m ✂1 – ❸ 0131.

Roma 577 – Alessandria 62 – ◆Genova 92 – ◆Milano 110 – Piacenza 81.

🍴🍴 **La Gioia,** 🕿 78912 – 📞. 🅰🅴 🅸 🌺
chiuso lunedì e novembre – Pas carta 27/44000.

CALDONAZZO 38052 Trento – 2 326 ab. alt. 485 – a.s. 15 dicembre-15 gennaio – ❸ 0461.

🅱 (giugno-settembre) 🕿 723192.

Roma 608 – Belluno 93 – ◆Bolzano 77 – ◆Milano 262 – Trento 20 – ◆Venezia 145.

🏠 **Due Spade,** 🕿 723113, 🛝, 🌳 – 🛗. 🌺
➜ *maggio-settembre* – Pas *(chiuso lunedì)* 15/20000 – 🛏 5000 – **24 cam** 25/45000 – P 40/45000, b.s. 30/35000.

CALENZANO 50041 Firenze – 14 906 ab. alt. 109 – ❸ 055.

Roma 290 – ◆Bologna 94 – ◆Firenze 13 – ◆Milano 288 – Prato 6.

Pianta di Firenze : percorsi di attraversamento

🏨 **Delta Florence,** via Vittorio Emanuele 1/A 🕿 8876302, Telex 571626 – 🛗 ✳ 🗐 📺 ☎ 📞 – ⛵ 30 a 200. 🅰🅴 🅸 ⓞ ⅇ 💳. 🌺   ET **a**
Pas 35/55000 – **238 cam** 🛏 110/175000.

🏨 **First Hotel,** via Ciolli 5 🕿 8876042, Telex 574036, 🛝, 🍴 – 🛗 🗐 📺 ☎ & 📞 – ⛵ 40 a 250. 🅰🅴 🅸 ⓞ ⅇ 💳. 🌺 rist   ET **b**
Pas *(chiuso lunedì ed agosto)* carta 30/43000 – 🛏 12000 – **102 cam** 98/145000 appartamenti 190000.

🏨 **Valmarina** senza rist, via Baldanzese 146 🕿 8825336, Telex 580543 – 🛗 🗐 📺 ☎ & 🚗. 🅰🅴 🅸 ⓞ ⅇ 💳. 🌺   ET **c**
🛏 10000 – **34 cam** 70/102000.

138

✗ **La Terrazza,** via del Castello 25 ✆ 8873302, ← – ⒜ ⑩
chiuso domenica, lunedì ed agosto – Pas carta 25/45000.

a Carraia N : 4 km – ✉ **50041** Calenzano :

✗ **Gli Alberi,** ✆ 8819912 – ⓟ. ✸
chiuso martedì e dal 15 al 28 gennaio – Pas carta 27/38000 (5%).

a Croci di Calenzano N : 11 km – alt. 427 – ✉ **50041** Calenzano :

✗✗ **Carmagnini del 500,** a Pontenuovo S : 3 km ✆ 8819930 – ⓟ – 🏛 40. ⒜ ⓢ ⑩. ✸
chiuso lunedì, dal 15 al 28 febbraio e dall'8 al 22 agosto – Pas carta 26/35000.

FIAT via Vittorio Emanuele 81 ET ✆ 8825158

CALICE (KALCH) Bolzano – Vedere Vipiteno.

CALICE LIGURE 17020 Savona – 1 333 ab. alt. 70 – ✿ 019.
Roma 575 – Cuneo 102 – ◆Genova 76 – Imperia 56 – ◆Milano 199 – Savona 30.

✗ **Viola** con cam, ✆ 65440, ☞ – ⓟ. ✸ rist
◆ *chiuso gennaio e febbraio* – Pas carta 19/34000 – ⌑ 5000 – 20 cam 40/50000 – P 45/50000.

CALLIANO 14031 Asti – 1 429 ab. alt. 271 – ✿ 0141.
Roma 628 – Alessandria 37 – Asti 16 – ◆Milano 103 – ◆Torino 69 – Vercelli 47.

✗ **Ciabôt del Grignölin,** strada Chiesetta 9 (S : 1,5 km) ✆ 928195, ☞ – ⓟ
chiuso mercoledì – Pas carta 35/45000.

CALLIANO 38060 Trento – 972 ab. alt. 186 – ✿ 0464.
Roma 570 – ◆Milano 225 – Riva del Garda 31 – Rovereto 9 – Trento 15.

🏠 **Aquila,** ✆ 84110, « Giardino con 🌳 » – 🍽 rist ☜ 🕭 ⓟ. ✸
◆ Pas *(chiuso domenica)* carta 18/28000 – ⌑ 5000 – **47 cam** 47/64000 – P 45/50000.

CALÒ Milano 🔲🔲🔲 ⑲ – Vedere Besana Brianza.

CALOLZIOCORTE 24032 Bergamo 🔲🔲🔲 ③, 🔲🔲🔲 ⑲ – 14 508 ab. alt. 237 – ✿ 0341.
Roma 616 – ◆Bergamo 26 – Como 36 – Lecco 7 – ◆Milano 47.

✗ **Lavello,** S : 1 km ✆ 641088, ←, « Servizio estivo in riva all'Adda » – ⓟ. ⒜ ⓢ ⑩. ✸
chiuso dal 1° al 20 dicembre, mercoledì e da novembre a marzo anche martedì sera – Pas
carta 25/38000.

✗ **Italia da Ezio,** via Galli 46 ✆ 641019 – ⓟ. ⓢ ⒠
chiuso lunedì ed agosto – Pas carta 23/44000.

CALOSSO 14052 Asti – 1 454 ab. alt. 399 – ✿ 0141.
Roma 636 – Alessandria 49 – Asti 24 – ◆Genova 112 – ◆Milano 142 – ◆Torino 84.

✗ **Da Elsa,** località San Bovo E : 1 km ✆ 853142 – ⇠ ⓟ. ⒜ ⓢ **VISA**
chiuso la sera da domenica a mercoledì – Pas carta 31/46000.

CALTAGIRONE Catania 🔲🔲🔲 ㊱㊲ – Vedere Sicilia alla fine dell'elenco alfabetico.

CALTANISSETTA Ⓟ 🔲🔲🔲 ㊳ – Vedere Sicilia alla fine dell'elenco alfabetico.

CALTIGNAGA 28010 Novara 🔲🔲🔲 ⑰ – 2 194 ab. alt. 179 – ✿ 0321.
Roma 633 – ◆Milano 59 – Novara 8,5 – ◆Torino 99.

✗✗ **Cravero** con cam, strada statale ✆ 52696, ☂ – 📺 ☎ 🛏 ⓟ. ⒜ ⓢ ⒠ **VISA**. ✸
chiuso dal 1° al 7 gennaio ed agosto – Pas *(chiuso lunedì sera e martedì)* carta 24/47000 – ⌑
6000 – **7 cam** 50/70000 – P 60/80000.

CALUSO 10014 Torino 🔲🔲🔲 ⑫ – 7 290 ab. alt. 303 – ✿ 011.
Roma 678 – Aosta 88 – ◆Milano 121 – Novara 75 – ◆Torino 34.

✗✗ **Gardenia,** corso Torino 9 ✆ 9832249, ☂, Coperti limitati; prenotare – ⓟ. ⒜ ✸
chiuso giovedì e dal 15 luglio al 15 agosto – Pas carta 25/43000.

CALVISANO 25012 Brescia – 6 650 ab. alt. 63 – ✿ 030.
Roma 523 – ◆Brescia 27 – Cremona 44 – Mantova 55 – ◆Milano 117 – ◆Verona 66.

✗✗✗ ✿ **Al Gambero,** ✆ 968009, Coperti limitati; prenotare – ✸
chiuso mercoledì e dal 6 al 29 agosto – Pas carta 36/54000
Spec. Tagliatelle al sugo d'anitra, Sella d'agnello al cartoccio, Storione al basilico. **Vini** Russiz, Franciacorta rosso.

CAMAIORE 55041 Lucca 988 ⑭ – 30 821 ab. alt. 47 – ☺ 0584.
Roma 376 – ♦Livorno 51 – Lucca 18 – ♦La Spezia 59.

XX **Emilio e Bona**, località Lombrici N : 3 km ℰ 989289, 🏠, « Vecchio frantoio in riva ad un torrente » – AE ⑤ ⓪ E *VISA*. ⁒⁒
chiuso lunedì e gennaio – Pas carta 38/50000.

X **Il Centro Storico**, via Cesare Battisti 66 ℰ 989786, 🏠 – AE ⑤ *VISA*. ⁒⁒
chiuso lunedì e dal 6 al 30 gennaio – Pas carta 20/35000.

a Capezzano Pianore O : 4 km – ⊠ 55040 :

X **Il Campagnolo**, via Italica 332 ℰ 913675, 🏠 – AE. ⁒⁒
chiuso mercoledì e novembre – Pas carta 23/34000.

Vedere anche : *Lido di Camaiore* SO : 8 km.

CAMALDOLI 52010 Arezzo 988 ⑮ – alt. 816 – ☺ 0575.
Vedere Località★★ – Eremo★ N :2,5 km.
Roma 261 – Arezzo 46 – ♦Firenze 71 – Forlì 90 – ♦Perugia 123 – ♦Ravenna 113.

a Moggiona SO : 5 km strada per Poppi – alt. 708 – ⊠ 52010 :

X **Il Cedro**, ℰ 556080
chiuso lunedì dal 16 settembre al 14 giugno – Pas carta 19/25000 (10%).

CAMANDONA 13050 Vercelli 219 ⑮ – 428 ab. alt. 792 – ☺ 015.
Roma 685 – Biella 17 – ♦Milano 111 – Novara 68 – Vercelli 60.

X **Renalda**, ℰ 748172.

CAMBIANO 10021 Torino – 5 664 ab. alt. 257 – ☺ 011.
Roma 651 – Asti 37 – Cuneo 90 – ♦Milano 162 – Savona 137 – ♦Torino 17.

Pianta d'insieme di Torino (Torino p. 3)

🏠 **Dei Cacciatori-da Mario**, strada statale ℰ 9440396, 🍴 – |🛗| ⁒⁒ rist ⇔ 🅿. ⑤. ⁒⁒
chiuso dal 1° al 28 agosto – Pas *(chiuso lunedì)* carta 25/35000 – ⊡ 7500 – 23 cam 45/62000
– P 68/75000.
HU **x**

CAMERINO 62032 Macerata 988 ⑯ – 7 629 ab. alt. 671 – a.s. 15 luglio-15 settembre – ☺ 0737.
🅱 vicolo del Comune 4 ℰ 2534.
Roma 207 – ♦Ancona 93 – Ascoli Piceno 91 – Macerata 48 – ♦Perugia 87 – Terni 104.

🏠 **Tourist**, via Varino Favorino 72 ℰ 3541 – |🛗| ☎ – 🔧 100
51 cam.

CAMIGLIATELLO SILANO 87052 Cosenza 988 ⑲ – alt. 1 272 – Sport invernali : 1 272/1 780 m
⛷ 1 ⛷2, ⛷ – ☺ 0984.
Escursioni Massiccio della Sila★★ Sud.
Roma 553 – Catanzaro 128 – ♦Cosenza 31 – Rossano 83.

🏠 **Sila**, ℰ 578484 – |🛗| 📺 ☎ 🔥 ⇔ 🅿. ⑤ ⓪ *VISA*. ⁒⁒
Pas carta 30/41000 – 32 cam ⊡ 60/100000 – P 70/90000.

🏠 **Aquila-Edelweiss**, ℰ 578044 – |🛗| ⁒⁒ 📠 🅿. ⑤ ⓪ E *VISA*. ⁒⁒
Pas carta 30/50000 (10%) – ⊡ 6000 – **40 cam** 71/96000 – P 60/95000.

🏠 **Cristallo**, ℰ 578013 – |🛗| 📠. AE ⑤ ⓪ *VISA*. ⁒⁒
Pas (solo per clienti alloggiati) 20000 – ⊡ 5000 – **52 cam** 55/88000 – P 50/80000.

🏠 **Lo Sciatore**, ℰ 578105 – |🛗| ☎. ⁒⁒
Pas carta 20/30000 – ⊡ 6000 – 31 cam 50/80000.

🏠 **Leonetti**, ℰ 578075 – ⁒⁒
Pas *(chiuso lunedì)* carta 24/40000 – ⊡ 5000 – **40 cam** 40/75000 – P 70/80000.

verso il lago di Cecita NE : 8 km :

X **La Tavernetta**, ⊠ 87052 Camigliatello Silano – 🅿. *VISA*. ⁒⁒
chiuso mercoledì e dal 15 al 30 novembre – Pas carta 23/35000.

CAMIN Padova – Vedere Padova.

CAMINO 15020 Alessandria – 922 ab. alt. 252 – ☺ 0142.
Roma 633 – Alessandria 54 – Asti 40 – ♦Milano 94 – ♦Torino 64 – Vercelli 25.

X **Del Peso**, ℰ 669122 – 🅿. ⁒⁒
chiuso giovedì – Pas carta 24/55000.

CAMNAGO VOLTA Como – Vedere Como.

CAMOGLI 16032 Genova 👥👥👥 ⑬ – 6 414 ab. – Stazione climatica e balneare, a.s. Pasqua, 15 giugno-settembre e Natale – 🅱 0185.

Vedere Località★★.

Dintorni Penisola di Portofino★★★ – San Fruttuoso★★ SE : 30 mn di motobarca.

🖪 via 20 Settembre 33/r ℰ 770235.

Roma 486 – ◆Genova 26 – ◆Milano 162 – Portofino 15 – Rapallo 11 – ◆La Spezia 88.

🏨🏨🏨 **Cenobio dei Dogi** 🦌, via Cuneo 34 ℰ 770041, Telex 281116, Fax 772796, ≼, « Parco e terrazze sul mare », 🏊, 🐾, ✵ – 🛗 ✵= cam 🖥 rist 📺 ☎ 🅿 – 🚹 200. 🖭. ☞ rist
chiuso dal 7 gennaio al 28 febbraio – Pas carta 55/82000 – **88 cam** ⇌ 150/290000 – P 210/250000, b.s. 200/240000.

🏩 **Casmona**, salita Pinetto 13 ℰ 770015, ≼ – ☜. 🛗 🕙 🗲 🎟 . ☞ rist
Pas (chiuso martedì in bassa stagione) carta 25/55000 – ⇌ 5000 – **34 cam** 35/62000 – P 60/65000, b.s. 58/60000.

🏩 **Riviera** senza rist, via Cuneo 5 ℰ 771420 – ☜. 🛗 🕙 🗲 🎟
chiuso dal 6 gennaio al 23 marzo e dal 24 ottobre al 21 dicembre – ⇌ 5000 – **27 cam** 35/62000.

🟡🟡 **Rosa**, largo Casabona 11 ℰ 771088, ≼ porticciolo e golfo Paradiso, � – 🖭
chiuso martedì, dal 15 al 28 febbraio e dal 6 novembre al 6 dicembre – Pas carta 39/60000.

🟡🟡 **Terrazza Bellini**, via 20 Settembre 62 ℰ 770737, Coperti limitati; prenotare, « Servizio estivo sotto un pergolato » – 🖭
chiuso lunedì, dal 1° al 15 febbraio e dal 1° al 15 novembre – Pas carta 34/55000.

🟡🟡 **Vento Ariel**, calata Porto ℰ 771080, solo piatti di pesce, Coperti limitati; prenotare – 🖭 🛗 🎟 🗲 🎟
chiuso mercoledì e febbraio – Pas carta 40/75000.

🟡 **Il Gattonero**, piazzetta Colombo ℰ 770242, 🌂, solo piatti di pesce, Coperti limitati; prenotare – 🖭 🛗 🎟 🗲 🎟
chiuso martedì e dal 7 gennaio al 7 febbraio – Pas carta 45/65000.

🟡 **Tony**, salita San Fortunato 9 ℰ 770110, solo piatti di pesce – 🖭 🛗 🎟
chiuso mercoledì e dal 4 al 30 novembre – Pas carta 35/45000.

a Ruta E : 4 km – alt. 265 – ⌧ 16030.
Vedere Portofino Vetta★★ S :2 km (strada a pedaggio) – Trittico★ nella chiesa di San Lorenzo a San Lorenzo della Costa E : 1 km.

🟡 **Bana**, località Bana N : 1,5 km ℰ 772478, ≼, 🌂, prenotare – 🅿. ☞
chiuso lunedì – Pas carta 23/35000.

a San Rocco S : 6 km – alt. 221 – ⌧ 16030 San Rocco di Camogli.
Vedere Belvedere★★ dalla terrazza della chiesa.

🟡🟡 **Rocca 82,** ℰ 772813, ≼ golfo, 🌂 – 🖥. 🖭 🛗 🎟 🎟 . ☞
chiuso martedì e dal 5 novembre al 5 dicembre – Pas carta 26/42000.

Vedere anche : *San Fruttuoso* SE : 30 mn di motobarca.

CAMPAGNANO DI ROMA 00063 Roma – 5 852 ab. alt. 270 – 🅱 06.

Roma 33 – Bracciano 28 – Terni 82 – Viterbo 50.

🟡 **Da Righetto**, ℰ 9041036, « Rist. tipico » – ☞
chiuso martedì escluso i giorni festivi – Pas 20/27000 (12%).

FIAT via Cassia al km 28 ℰ 9042042

CAMPEGINE 42040 Reggio nell'Emilia – 3 979 ab. alt. 34 – 🅱 0522.

Roma 442 – Mantova 59 – ◆Parma 18 – Reggio nell'Emilia 16.

in prossimità strada statale 9 - via Emilia SO : 3,5 km :

🟡🟡 🌼 **Trattoria Lago di Gruma**, ⌧ 42040 ℰ 679336, prenotare – 🅿. 🖭 🛗 🎟 . ☞
chiuso martedì, gennaio e dal 6 al 25 luglio – Pas carta 30/48000
Spec. Cocktail di anguilla allo zenzero, Mezzelune di pescatrice al timo, Storione all'aceto balsamico. **Vini** Sauvignon.

CAMPELLO SUL CLITUNNO 06042 Perugia – 2 304 ab. alt. 290 – 🅱 0743.

Vedere Fonti del Clitunno★ N : 1 km – Tempietto di Clitunno★ N : 3 km.

Roma 141 – Foligno 16 – ◆Perugia 53 – Spoleto 11 – Terni 42.

🏨 **Benedetti-da Raniero e Noemi,** in prossimità via Flaminia O : 1 km ℰ 520675 – 🖥 📺 ☎
🅿. 🛗 . ☞
Pas (chiuso martedì e dal 15 al 31 luglio) 20/30000 – ⇌ 7000 – 15 cam 35/55000 – P 55000.

🟡 **Le Casaline** 🦌 con cam, verso Silvignano E : 4 km ⌧ 06049 Spoleto ℰ 521113, 🌂, 🌳 –
🕭 🅿. 🖭 🛗 🎟 🗲 🎟
Pas (chiuso lunedì) carta 24/36000 – ⇌ 7000 – **7 cam** 45/50000 – P 60000.

CAMPESE Grosseto – Vedere Giglio (Isola del) : Giglio Porto.

141

CAMPIGLIA 19023 La Spezia – alt. 382 – 🏛 0187.

Roma 427 – ♦Genova 111 – ♦Milano 229 – Portovenere 15 – ♦La Spezia 9.

　※　**La Luna** ✗ 758051, prenotare – 🅱 Ɛ
　　　chiuso martedì e dal 15 gennaio al 5 marzo – Pas carta 29/42000.

　※　**La Lampara,** ✗ 758035, ≼, prenotare
　　　chiuso lunedì, dal 2 gennaio al 1° marzo e dal 25 settembre al 25 ottobre – Pas carta 28/36000.

CAMPIGLIO Modena – Vedere Vignola.

CAMPIONE D'ITALIA 22060 (e CH 6911) Como 🟦🟦🟦 ③, 🟦🟦🟦 ⑥ – 2 172 ab. alt. 280 – 🏛 091 di Lugano,dall'Italia 00.41.91.

🅱 via Volta 16 ✗ 685051.

Roma 648 – Como 27 – ♦Lugano 10 – ♦Milano 72 – Varese 30.

　※※　Taverna, ✗ 687201, 🏛.

CAMPITELLO DI FASSA 38031 Trento – 697 ab. alt. 1 442 – a.s. febbraio-Pasqua e Natale – Sport invernali : 1 442/2 389 m (passo Sella) ≼ 1, ⛷ – 🏛 0462.

🅱 ✗ 61137.

Roma 684 – ♦Bolzano 48 – Cortina d'Ampezzo 61 – ♦Milano 342 – Moena 13 – Trento 102.

　🏨　**Gran Paradis,** ✗ 67333, ≼ Catinaccio e pinete, 🔲 – 🛎 📺 📶 🅿. 🆎 🅱 Ɛ 𝘝𝘐𝘚𝘈. 𝒮𝒾
　➡　*18 dicembre-18 aprile e 10 giugno-15 ottobre* – Pas *(chiuso lunedì)* 14/18000 – 🚭 6000 –
　　　39 cam 36/97000 – P 67/72000, b.s. 55/59000.

　🏨　**Salvan,** ✗ 61427, ≼ Dolomiti, 🔲, 🌲 – 🛎 📶 ₤ 🅿. 🆎 🅱 Ɛ 𝘝𝘐𝘚𝘈. 𝒮𝒾
　　　20 dicembre-aprile e 20 giugno-settembre – Pas 20/24000 – 🚭 7000 – 26 cam 60/110000 –
　　　P 68/95000, b.s. 54/64000.

　🏨　**Alaska,** ✗ 61430, ≼ Dolomiti e pinete, 🔲 – ☎ 🅿. 𝒮𝒾 cam
　➡　*20 dicembre-aprile e luglio-25 settembre* – Pas 15/26000 – 🚭 8000 – **30 cam** 37/62000 –
　　　P 55/65000, b.s. 48/55000.

　🏠　**Crepes de Sela,** ✗ 61538, ≼ Dolomiti – 🅿. 𝒮𝒾
　➡　*15 dicembre-aprile e giugno-15 ottobre* – Pas 15/18000 – 16 cam 🚭 36/50000 – P 48/54000,
　　　b.s. 42/45000.

　🏠　**Villa Kofler,** ✗ 61244, ≼ Dolomiti – 🅿. 𝒮𝒾 rist
　　　20 dicembre-aprile e 20 giugno-settembre – Pas 20/25000 – 🚭 8000 – **22 cam** 34/60000 –
　　　P 52/56000, b.s. 48/52000.

CAMPITELLO MATESE Campobasso 🟦🟦🟦 ㉗ – alt. 1 429 – ✉ 86027 San Massimo – Sport invernali : 1 429/1 845 m ≼ 2 ≼ 3, ⛷ – 🏛 0874.

Roma 216 – Benevento 76 – Campobasso 43 – Caserta 114 – Isernia 39.

　🏨　**Kristall,** ✗ 784127, ≼ – 🛎 ☎ 🅿. 🅱 ⓞ. 𝒮𝒾 rist
　　　Pas carta 23/32000 – 🚭 15000 – 36 cam 85000 – P 75/85000.

CAMPO ALL'AIA Livorno – Vedere Elba (Isola d') : Marciana Marina.

CAMPOBASSO 86100 🅿 🟦🟦🟦 ㉗ – 50 919 ab. alt. 700 – 🏛 0874.

🅱 piazza della Vittoria 14 ✗ 95662.

A.C.I. via Cavour 8/12 ✗ 92941.

Roma 226 – Benevento 63 – ♦Foggia 88 – Isernia 49 – ♦Napoli 131 – ♦Pescara 161.

　🏩　**Roxy,** piazza Savoia 7 ✗ 91741 – 🛎 🖥 📺 ☎ 🅿 – 🛗 220. 🆎 ⓞ 𝘝𝘐𝘚𝘈. 𝒮𝒾 rist
　　　Pas carta 25/36000 – 🚭 6000 – **70 cam** 55/80000 appartamenti 90/100000 – P 80/90000.

　🏩　**Skanderbeg,** via Novelli ✗ 93341 – 🛎 📺 🅿 – 🛗 200. 🆎 ⓞ 𝘝𝘐𝘚𝘈. 𝒮𝒾
　　　Pas carta 22/32000 – 🚭 3500 – **68 cam** 40/65000 – P 55/60000.

　🏨　**Kappa,** via Sant'Antonio dei Lazzari 21 ✗ 67441 – 🛎 📺 📶 🅿 – 🛗 300. 𝒮𝒾
　　　Pas 20/40000 – **41 cam** 🚭 60/71000 – P 80/100000.

　🏠　**Eden,** contrada Colle delle Api N : 3 km ✗ 698441 – ☎ ✆ 🅿. 🆎 🅱 ⓞ 𝘝𝘐𝘚𝘈. 𝒮𝒾 rist
　　　Pas 25/30000 – 🚭 4000 – **60 cam** 40/70000 – P 70000.

　※　Il Potestà, vico Persichillo 1 ✗ 311101.

　　　a Ferrazzano SE : 4 km – alt. 872 – ✉ 86010 :

　※　**Da Emilio,** ✗ 978376 – ≼. 𝒮𝒾
　　　chiuso martedì e luglio – Pas carta 21/30000 (10%).

BMW　via Michele Romano 10 ✗ 97540
CITROEN　via San Giovanni in Golfo 139/c ✗ 698373
FIAT　via Calabria 29/31 ✗ 67990
FIAT　via Garibaldi 262 ✗ 311441
FORD　viale 24 Maggio 209/211 ✗ 60048
GM-OPEL　via Garibaldi 252 ✗ 311252
INNOCENTI　via Zuccarelli 22/24 ✗ 63378
LANCIA-AUTOBIANCHI　via San Giovanni dei Gelsi 130 ✗ 54752

MASERATI　via Puglia 24/32 ✗ 69369
MERCEDES-BENZ　zona Industriale Ripalimosani ✗ 698049
PEUGEOT-TALBOT　contrada Macchie 84 ✗ 98091
RENAULT　contrada Colle delle Api ✗ 67141
VW-AUDI　zona Industriale ✗ 698040

142

CAMPO CARLO MAGNO Trento 988 ④, 218 ⑱⑲ – Vedere Madonna di Campiglio.

CAMPOCATINO Frosinone – Vedere Guarcino.

CAMPO DI GIOVE 67030 L'Aquila 988 ㉗ – 932 ab. alt. 1 064 – Sport invernali : 1 064/2 400 m ≼ 1 ≰ 4 – ✿ 0864.
Roma 172 – L'Aquila 85 – ♦Pescara 91 – Sulmona 18.

🏨 Zeus, 🖉 40114, ≼ – ☎ 🅿
38 cam.

🏨 **Abruzzo,** 🖉 40105, ≼ – ⌖ 🅿. 🕸
⇤ Pas 15/20000 – 🖙 3000 – 22 cam 20/37000 – P 36/45000.

CAMPO DI TRENS (FREIENFELD) 39040 Bolzano – 2 310 ab. alt. 993 – ✿ 0472.
Roma 703 – ♦Bolzano 62 – Brennero 19 – Bressanone 25 – Merano 94 – ♦Milano 356.

🏨 **Bircher,** località Maria Trens O : 0,5 km 🖉 67122, �, ⬛ – 🛋 ☎ 🅿. 🕮 𝗩𝗜𝗦𝗔. 🕸
chiuso dal 9 gennaio al 1° febbraio – Pas *(chiuso martedì)* carta 22/32000 – **32 cam** 🖙 28/54000 – P 44/48000.

CAMPO FISCALINO (FISCHLEINBODEN) Bolzano – Vedere Sesto.

CAMPOGALLIANO 41011 Modena 988 ⑭ – 6 433 ab. alt. 43 – ✿ 059.
Roma 412 – ♦Milano 168 – ♦Modena 11 – ♦Parma 54 – ♦Verona 94.

✕ **Trattoria del Cacciatore,** località Saliceto Buzzalino 🖉 526227, � – 🅿. 🕸
chiuso lunedì – Pas carta 33/42000.

CAMPOLONGO (Passo di) Belluno – alt. 1 875 – a.s. 15 febbraio-15 aprile, 15 luglio-agosto e Natale – Sport invernali : 1 875/2 478 m ≰ 6, ≾.
Roma 711 – Belluno 78 – ♦Bolzano 70 – Cortina d'Ampezzo 41 – ♦Milano 367 – Trento 131.

🏨 **Boé,** ✉ 32020 Arabba 🖉 (0436) 79144, ≼ Dolomiti – 🛋 ☎ & ⇦ 🅿. 🕮 🕼 ⓞ 𝗘. 🕸
dicembre-aprile e giugno-settembre – Pas *(chiuso martedì)* carta 20/30000 – 🖙 14000 – **35 cam** 48/96000 – P 75/95000, b.s. 45/76000.

CAMPORA SAN GIOVANNI 87030 Cosenza 988 ㊴ – ✿ 0982.
Roma 522 – Catanzaro 59 – ♦Cosenza 56 – ♦Reggio di Calabria 152.

🏨 **Comfortable,** N : 2,5 km 🖉 46048, ⬛ – 🛋 ⌖ cam ☎ 🅿. 🕮 🕼 ⓞ 𝗘 𝗩𝗜𝗦𝗔. 🕸
⇤ *chiuso novembre* – Pas *(chiuso lunedì da ottobre a maggio)* 18/25000 – **38 cam** 🖙 40/60000 – P 60/70000.

FIAT strada statale 18 🖉 46020

CAMPOROSSO MARE 18030 Imperia 195 ㉓, 84 ㉟ – ✿ 0184.
Roma 655 – ♦Genova 156 – Imperia 42 – ♦Milano 278 – San Remo 15.

✕✕✕ ⸙ **Gino,** 🖉 291493, Coperti limitati; prenotare – 🅿. 🕮 🕼 ⓞ 𝗩𝗜𝗦𝗔
chiuso lunedì sera, martedì, dall'11 al 19 dicembre e dal 18 giugno al 14 luglio – Pas carta 38/54000 (15%)
Spec. Salmone fresco marinato al pepe verde, Trenette al pesto, Zuppetta di pesce, Branzino al profumo di basilico. **Vini** Vermentino, Rossese.

CAMPOSANTO 41031 Modena – 2 958 ab. alt. 20 – ✿ 0535.
Roma 409 – ♦Bologna 40 – ♦Ferrara 45 – Mantova 73 – ♦Modena 27.

🏨 **Gran Paradiso,** località Cadecoppi E : 4,5 km 🖉 87391, � – ▤ 📺 ☎ ⇦ 🅿. 🕸
⇤ Pas *(solo per clienti alloggiati, chiuso a mezzogiorno e domenica)* 17/23000 – 🖙 7000 – **24 cam** 43/65000.

CAMPOTOSTO 67013 L'Aquila – 1 018 ab. alt. 1 442 – ✿ 0862.
Roma 162 – L'Aquila 47 – ♦Pescara 111 – Rieti 92 – Teramo 63.

✕ **Valle** 🦢 con cam, 🖉 900119, ≼ lago e Gran Sasso – 🕸 cam
maggio-settembre – Pas *(chiuso lunedì)* carta 26/36000 – 🖙 6000 – 9 cam 40000 – P 45/50000.

CAMPOTTO Ferrara – Vedere Argenta.

Gli alberghi o ristoranti ameni sono indicati nella guida con un simbolo rosso.

Contribuite a mantenere
la guida aggiornata segnalandoci
gli alberghi e ristoranti dove avete soggiornato piacevolmente.

🏰🏨 ... 🏨

✕✕✕✕✕ ... ✕

143

CAMPO TURES (SAND IN TAUFERS) 39032 Bolzano 988 ⑤ – 4 374 ab. alt. 874 – a.s. aprile, 15 luglio-15 settembre e Natale – Sport invernali : a Monte Spico : 874/2 360 m ≤6, ₰ – ۞ 0474.

Roma 730 – ♦Bolzano 92 – Brennero 83 – Dobbiaco 43 – ♦Milano 391 – Trento 152.

🏨 **Feldmüllerhof** 🦢, ₰ 68127, 🏊, 🏞, 🐴 – 🖀 ☎ 🅿. 🍴 rist
   15 dicembre-20 aprile e 15 maggio-20 ottobre – Pas carta 23/30000 – 30 cam ⊊ 40/70000 –
   P 70000, b.s. 60000.

🏨 **Castello-Schrottwinkel**, ₰ 68100, 🏊, 🏞, 🍴 – 🖀 ☎ 🅿
   stagionale – 32 cam.

✕ **Peralba-Plankensteiner** con cam, ₰ 68029
   14 cam.

   a Molini di Tures (Mühlen) S : 2 km – ⊠ 39032 Campo Tures :

🏨 **Speikboden** 🦢, ₰ 68212, ≼, 🏞, 🏞 – 🖻 rist ☎ 🅿. 🍴
♠ *20 dicembre-16 aprile e 10 maggio-3 ottobre* – Pas *(chiuso lunedì)* 15/20000 – **21 cam**
   ⊊ 50/76000 – P 42/60000.

CAMUCIA 52042 Arezzo 988 ⑮ – alt. 265 – ۞ 0575.

Roma 195 – Arezzo 28 – Cortona 5 – ♦Firenze 113 – ♦Perugia 49 – Siena 65.

🏨 **Nuovo Centrale** senza rist, ₰ 603378 – 🖻. 🆎 🅱 ① Ɛ 𝗩𝗜𝗦𝗔
   ⊊ 5000 – **22 cam** 30/42000.

ALFA-ROMEO località Le Piagge ₰ 603061   RENAULT via Sandrelli 10 ₰ 603587
FIAT via Gramsci 66/68 ₰ 603155

CANAZEI 38032 Trento 988 ⑤ – 1 701 ab. alt. 1 465 – Stazione di villeggiatura, a.s. febbraio-Pasqua e Natale – Sport invernali : 1 465/2 850 m ≤4 ≤8, ₰ – ۞ 0462.

Dintorni Passo di Sella★★★ : 🏔★★★ N : 11,5 km – Passo del Pordoi★★★ NE : 12 km.

Escursioni ≼★★ dalla strada S 641 sulla Marmolada SE.

🛈 via Roma 24 ₰ 61113. Telex 400012.

Roma 687 – Belluno 85 – ♦Bolzano 51 – Cortina d'Ampezzo 58 – ♦Milano 345 – Trento 105.

🏨 **Croce Bianca**, ₰ 61111, ≼, 🏞 – 🖻 ☎ 🅿. 🆎 🅱 ① Ɛ 𝗩𝗜𝗦𝗔. 🍴 rist
   15 dicembre-5 maggio e 20 giugno-20 ottobre – Pas *(chiuso martedì)* carta 26/36000 – ⊊ 9000
   – **41 cam** 64/108000 – P 98000, b.s. 64000.

🏨 **Tyrol** 🦢, ₰ 61156, ≼ Dolomiti e pinete, 🏞 – 🖻 ☎ 🅿. 𝗩𝗜𝗦𝗔. 🍴
   20 dicembre-20 aprile e 20 giugno-settembre – Pas *(chiuso lunedì)* carta 20/27000 – ⊊ 8000 –
   36 cam 44/80000 – P 65/84000, b.s. 53/60000.

🏨 **Faloria**, ₰ 61118, ≼, 🏞 – 🖻 ☜ 🅿. 🅱 Ɛ 𝗩𝗜𝗦𝗔. 🍴
   dicembre-aprile e giugno-15 ottobre – Pas carta 21/32000 – ⊊ 12000 – **35 cam** 46/88000 –
   P 65/88000, b.s. 55/65000.

🏨 **Andreas**, ₰ 62106, ≼ – 🖻 ☎ 🅿. 🅱 Ɛ 𝗩𝗜𝗦𝗔. 🍴
   20 dicembre-6 aprile e luglio-settembre – Pas carta 21/50000 – ⊊ 15000 – **30 cam** 61/94000 –
   P 94/103000, b.s. 63/69000.

🏨 **Diana** 🦢, ₰ 61477, ≼ – 🖻 ☜ 🚗 🅿. 🍴 rist
   20 dicembre-aprile e luglio-20 settembre – Pas 20/23000 – ⊊ 12000 – **29 cam** 54/75000 –
   P 80000, b.s. 53/55000.

🏨 **Rosa**, ₰ 61107, ≼ – 🖻 ☎ 🅿. 🆎 🅱 ① Ɛ 𝗩𝗜𝗦𝗔. 🍴 rist
♠ *chiuso dal 16 ottobre al 19 dicembre* – Pas *(chiuso giovedì)* 16/24000 – ⊊ 10000 – **40 cam**
   40/72000 – P 60/80000, b.s. 45/56000.

🏨 **Chalet Pineta** 🦢, ₰ 61162, ≼ – 🚗 🚗 🅿. 🍴
♠ *20 dicembre-aprile e luglio 20 settembre* – Pas 15000 – ⊊ 5000 – **16 cam** 41/65000 – P 70000,
   b.s. 50000.

   a Penia S : 3 km – ⊠ 38030 Alba di Canazei :

🏨 **Dolomites Inn** 🦢, ₰ 62212, ≼ Dolomiti, 🏞 – ☎ 🅿. 🍴 rist
   Pas *(20 dicembre-15 aprile e 20 giugno-20 settembre)* carta 30/45000 – ⊊ 12000 – 16 cam
   45/68000 – P 80/85000, b.s. 65/70000.

CANDELI Firenze – Vedere Firenze.

CANDELO 13062 Vercelli 219 ⑮ – 7 583 ab. alt. 340 – ۞ 015.

Roma 671 – Biella 5 – ♦Milano 97 – Novara 51 – ♦Torino 77 – Vercelli 37.

✕✕ **Taverna del Ricetto**, ₰ 53066, « In un villaggio medioevale fortificato » – 🍴
   chiuso lunedì, martedì a mezzogiorno e dal 15 luglio al 15 agosto – Pas carta 36/60000 (15%).

CANDIA CANAVESE 10010 Torino 219 ⑬ – 1 322 ab. alt. 286 – ۞ 011.

Roma 681 – Aosta 83 – Asti 69 – ♦Milano 117 – ♦Torino 36 – Vercelli 47.

✕✕ **Da Tonio**, ₰ 9834656, Coperti limitati; prenotare – 🆎 🅱 Ɛ 𝗩𝗜𝗦𝗔. 🍴
   chiuso domenica sera, lunedì e dal 20 luglio al 15 agosto – Pas carta 28/38000.

CANELLI 14053 Asti 988 ⑫ – 10 500 ab. alt. 157 – ◉ 0141.

Roma 603 – Alessandria 41 – Asti 29 – ♦Genova 104 – ♦Milano 131 – ♦Torino 84.

🏠 **Asti** ᔐ senza rist, viale Risorgimento 44/b ℰ 834220 – 🔟 📞 📭. ⅋
chiuso dal 1° al 20 agosto – 🗜 6000 – **24 cam** 32/53000.

🏠 **Al Grappolo d'Oro,** viale Risorgimento 21 ℰ 833812 – 🍽 rist 📞 📭. ⅋
chiuso agosto – Pas (chiuso lunedì) carta 21/36000 – 🗜 5000 – 16 cam 27/45000 – P 40000.

🟉🟉 **San Marco,** via Alba 36 ℰ 833544 – 🅱 *VISA*. ⅋
chiuso martedì sera, mercoledì e dal 15 luglio al 15 agosto – Pas carta 25/41000.

FIAT viale Italia 80 ℰ 834421   PEUGEOT-TALBOT via Roma 35 ℰ 833112

CANICATTI Agrigento 988 ㊱ – Vedere Sicilia alla fine dell'elenco alfabetico.

CANINO 01011 Viterbo 988 ㉕ – 5 203 ab. alt. 229 – ◉ 0761.

Roma 133 – Civitavecchia 57 – Grosseto 92 – Viterbo 45.

🟉 Il Giardino ᔐ con cam, località Roggi O : 4,5 km ℰ 438415, 🚗 – 📭
8 cam.

CANNERO RIVIERA 28051 Novara 988 ②③, 219 ⑦ – 1 232 ab. alt. 225 – ◉ 0323.

Vedere Insieme★★.

Roma 687 – Locarno 25 – ♦Milano 110 – Novara 87 – Stresa 30 – ♦Torino 161.

🏨 **Cannero** ᔐ, ℰ 788046, ≤, 🍹 riscaldata, ⅋ – 🔟 📞 ♿ 📭. 🅰🅴 🅱 ⓞ 🅴 *VISA*. ⅋ rist
6 marzo-4 novembre – Pas 23/26000 – **36 cam** 🗜 46/70000 – P 60/64000.

CANNETO SULL'OGLIO 46013 Mantova – 4 591 ab. alt. 35 – ◉ 0376.

Roma 493 – ♦Brescia 51 – Cremona 32 – Mantova 38 – ♦Milano 123 – ♦Parma 43.

🟉 **Margot** con cam, ℰ 70129 – 📞 📭. ⅋
chiuso dal 1° al 20 agosto e dal 27 dicembre al 2 gennaio – Pas *(chiuso venerdì)* carta 23/33000
– **7 cam** 🗜 38/58000 – P 60000.

verso Carzaghetto NO : 3 km :

🟉🟉🟉 ⊛⊛ **Dal Pescatore,** ⊠ 46013 ℰ 70304, Coperti limitati; prenotare, « Servizio estivo in giardino » – 🍽 📭. 🅰🅴. ⅋
chiuso lunedì, martedì, dal 2 al 14 gennaio e dal 7 al 25 agosto – Pas carta 55/77000
Spec. Tortelli di pecorino dolce e parmigiano, Sella di agnello al Cabernet, Stracotto di cavallo al Barbera con polenta. Vini Bianco e rosso di Franciacorta.

CANNIGIONE Sassari – Vedere Sardegna (Arzachena) alla fine dell'elenco alfabetico.

CANNITELLO Reggio di Calabria – Vedere Villa San Giovanni.

CANNIZZARO Catania – Vedere Sicilia alla fine dell'elenco alfabetico.

CANNOBIO 28052 Novara 988 ②③, 219 ⑦ – 5 235 ab. alt. 224 – ◉ 0323.

Vedere Orrido di Sant'Anna★ O : 3 km.

Roma 694 – Locarno 18 – ♦Milano 117 – Novara 94 – ♦Torino 168.

🏨 **Pironi,** via Marconi 35 ℰ 70624, « In un antico palazzo » – 🔟 📞 – 🅿 80
chiuso novembre e dal 10 gennaio al 20 marzo – Pas *(chiuso lunedì)* carta 32/50000 – 10 cam
🗜 60/90000.

🏠 **Belvedere** ᔐ, O : 1 km ℰ 70159, 🍽, « Parco giardino con 🍹 riscaldata » – 📭. 🅱 🅴 *VISA*.
⅋
20 marzo-10 ottobre – 16 cam (solo ½ P) 55/65000.

🟉🟉 **Villa Maria,** via 27-28 Maggio ℰ 70160, « Servizio estivo in terrazza sul lago » – 🅰🅴 🅱 🅴
VISA
chiuso martedì e dal 15 gennaio al 15 febbraio – Pas carta 31/43000.

🟉🟉 **Scalo,** piazza Vittorio Emanuele ℰ 71480, 🍽 – 🅱
chiuso lunedì e novembre – Pas carta 25/43000.

sulla strada statale 34 :

🏠 **Campagna,** N : 1 km ⊠ 28052 ℰ 71481, ≤, 🚲 – 🔟 📞 ♿ 📭. 🅱 🅴 *VISA*
marzo-ottobre – Pas carta 22/32000 (15%) – 🗜 5000 – **36 cam** 50/80000 – P 75000.

🟉🟉🟉 **Del Lago** con cam, località Carmine Inferiore S : 3 km ⊠ 28052 ℰ 70595, ≤, prenotare,
« Terrazze-giardino in riva al lago », 🚲 – 🍽 rist 📞 📭. 🅰🅴 🅱 ⓞ 🅴 *VISA*. ⅋
marzo-ottobre – Pas *(chiuso martedì e mercoledì a mezzogiorno)* carta 38/69000 – 🗜 8000 –
10 cam 29/52000.

🟉 **Molinett,** S : 2 km ⊠ 28052 ℰ 70151, ≤, « Servizio estivo su terrazzino ombreggiato », 🚲
– 📭. ⅋
chiuso mercoledì e dal 19 dicembre al 21 febbraio – Pas carta 27/41000.

🟉 **Cà Bianca,** S : 5 km ⊠ 28052 ℰ 788038, ≤, 🍽, 🚗 – 📭 *VISA*
chiuso dal 15 dicembre al 28 febbraio e mercoledì – Pas carta 23/39000.

CANONICA D'ADDA 24040 Bergamo 🔢 ㉔ – 3 464 ab. alt. 143 – ☎ 02.

Roma 602 – ♦Bergamo 20 – ♦Brescia 66 – Lecco 43 – ♦Milano 31 – Piacenza 73.

XX **Adda-da Manzotti,** *⌔* 9094048 – 🎫
chiuso martedì e dal 16 al 24 agosto – Pas carta 27/40000.

CANONICA LAMBRO Milano 🔢 ⑲ – alt. 231 – ✉ **20050** Triuggio – ☎ 0362.

Roma 597 – ♦Bergamo 37 – Como 32 – Lecco 31 – ♦Milano 24 – Monza 9.

🏨 **Fossati** ⬟ senza rist, *⌔* 970402, Fax 971396 – 🛗 ✦ 📺 🕿 🚗 ❷ – 🏛 40. 🅰🅴 ⓞ 🎫
🗨 8000 – **45 cam** 60/86000 appartamento 105000.

XX **Canonica-Fossati,** *⌔* 970212, �, « Caratteristica antica costruzione in un sito verdeggiante » – ❷. 🅰🅴 🎫
chiuso lunedì, dal 3 al 10 gennaio e dall' 8 al 22 agosto – Pas carta 31/46000 (12%).

X **La Zuccona,** N : 1 km *⌔* 930786, prenotare – ❷
chiuso lunedì sera, martedì ed agosto – Pas carta 24/39000 (10%).

CANOVE DI ROANA 36010 Vicenza – alt. 1 001 – a.s. febbraio, luglio-agosto e Natale – ☎ 0424.

Roma 585 – Asiago 4 – ♦Milano 266 – Trento 63 – ♦Venezia 117 – Vicenza 51.

🏠 **Paradiso,** *⌔* 692037 – 📺 🕿 ❷. 🌟
➡ Pas (chiuso lunedì) carta 19/31000 – 🗨 5000 – **21 cam** 34/52000 – P 50/65000, b.s. 45/60000.

CANTELLO 21050 Varese 🔢 ⑧ – 3 896 ab. alt. 404 – ☎ 0332.

Roma 640 – Como 26 – ♦Lugano 29 – ♦Milano 59 – Varese 9.

XX **Madonnina** con cam, *⌔* 417731, 🌺 – 📺 🕿 ❷. 🅰🅴 ⓞ
Pas (chiuso lunedì) carta 37/48000 – 🗨 7000 – **10 cam** 70/100000 appartamento 180000 – P 85000.

CANTÙ 22063 Como 🔢 ③, 🔢 ⑲ – 36 464 ab. alt. 369 – ☎ 031.

Roma 608 – ♦Bergamo 53 – Como 10 – Lecco 33 – ♦Milano 36.

🏨 **Canturio** senza rist, via Vergani 28 *⌔* 703035 – 🛗 📶 📺 🕿 🕭 ❷ – 🏛 35. 🅰🅴 ⓞ 🎫 🌟
chiuso dal 1° al 21 agosto e dal 24 al 31 dicembre – 🗨 8000 – **28 cam** 65/95000.

🏨 **Sigma,** via Grandi 32 *⌔* 710589 – 🛗 📺 🕿 ❷ – 🏛 50. 🅰🅴 ⓞ. 🌟 rist
Pas (chiuso domenica ed agosto) carta 28/41000 – 🗨 7000 – **40 cam** 63/90000 – P 74/88000.

XX **Le Querce,** località Mirabello *⌔* 731336, 🌺, « Parco ombreggiato » – 📶 ❷. 🅰🅴
chiuso martedì e dal 1° al 25 agosto – Pas carta 29/50000.

XX **Al Ponte,** via Vergani 25 *⌔* 702561, 🌺 – 🅰🅴 ⓞ
chiuso lunedì ed agosto – Pas carta 27/48000.

ALFA-ROMEO via per Alzate 22 *⌔* 701010
FIAT via Ginevrina da Fossano 42 *⌔* 701072
FIAT via per Alzate 20 *⌔* 705574
FORD via provinciale per Como 23 *⌔* 710591

GM-OPEL via Borgognone 12 *⌔* 706057
PEUGEOT-TALBOT via Baracca 75 *⌔* 730607
RENAULT a Cascina Amata, via Monte Baldo 40 *⌔* 730434

CANZO 22035 Como 🔢 ⑨ – 4 422 ab. alt. 387 – Stazione di villeggiatura – ☎ 031.

🅱 piazza della Chiesa 4 *⌔* 682457.

Roma 620 – Bellagio 20 – ♦Bergamo 56 – Como 22 – Lecco 23 – ♦Milano 52.

🏨 **Croce di Malta** ⬟, *⌔* 681228, « Giardino ombreggiato » – 🛗 🕿 ❷ – 🏛 25 a 50. 🅰🅴. 🌟
chiuso dal 10 al 31 gennaio – Pas (chiuso venerdì) carta 27/41000 – 🗨 7500 – 36 cam 65/98000 – P 74/94000.

X **Zuppiera,** *⌔* 681431, 🌺 – ❷. 🅰🅴 🅱 ⓞ. 🌟
chiuso mercoledì – Pas carta 30/47000.

CAORLE 30021 Venezia 🔢 ⑤ – 11 530 ab. – Stazione balneare, a.s. 15 giugno-agosto – ☎ 0421.

🅱 piazza Giovanni XXIII n° 3 *⌔* 81401.

Roma 587 – ♦Milano 326 – ♦Padova 96 – Treviso 63 – ♦Trieste 112 – Udine 81 – ♦Venezia 76.

🏨 **Airone,** via Pola 1 *⌔* 81570, ≼, « Giardino ombreggiato e ⬥ », 🏖, 🌂 – 🛗 📶 ❷ – 🏛 60. ⓞ 🎫 🌟
20 maggio-20 settembre – Pas 30000 – 🗨 10000 – **62 cam** 59/84000, 📶 10000 – P 89/101000, b.s. 67/79000.

🏨 **Metropol,** via Emilia 1 *⌔* 82091, ⬥ riscaldata, 🏖, 🌂 – 🛗 ✦ rist 📶 rist 🕿 ❷. 🅰🅴 🅱 🅴 🎫 🌟
20 maggio-23 settembre – Pas 22/30000 – **44 cam** 🗨 40/80000 – P 61/75000, b.s. 45/55000.

🏨 **Savoy,** riviera Marconi 29 *⌔* 81879, ≼, 🏖 – 🛗 📶 🕿 🕭 ❷. 🌟 rist
maggio-25 settembre – Pas 20/23000 – 🗨 10000 – **44 cam** 60/100000 – P 58/62000, b.s. 48/56000.

🏨 **Garden,** piazza Belvedere 2 *⌔* 210036, ≼, 🏖, 🌺, 🌂 – 🛗 ✦ 📶 🕭 ❷. 🌟 rist
maggio-settembre – Pas 14/18000 – 🗨 5000 – **50 cam** 45/65000 – P 52/56000, b.s. 42/52000.

🏨 **Park Hotel Pineta al Mare,** lungomare Trieste 51 *⌔* 81090, ≼, 🏖, 🌺 – 🛗 ❷. 🅰🅴 🅱 ⓞ
➡ 🅴 🎫. 🌟 rist
10 maggio-settembre – Pas 15/25000 – 🗨 6000 – **45 cam** 45/70000 – P 39/55000, b.s. 30/39000.

🏨 **Excelsior,** via Vespucci 11 *⌔* 81515, ≼, 🏖 – 🛗 📶 ❷. 🅰🅴. 🌟 rist
11 maggio-22 settembre – Pas 24000 – **55 cam** 🗨 50/90000 – P 60/72000, b.s. 49/65000.

146

🏨 **Stellamare,** via del Mare 8 ℘ 81203, ≤, 🏖 – 🛗 ⇔ cam 🏧 🅿. 🆎 🕃 ⓓ 🄴 𝓥𝓘𝓢𝓐. 🎉
15 aprile-15 ottobre – Pas carta 26/34000 – ☲ 10000 – **30 cam** 50/70000 – P 55/60000, b.s. 44/52000.

🏨 **Panoramic,** lungomare Trieste 62 ℘ 81101, ≤, 🏖 – 🛗 ⇔ 🅿. 🎉
maggio-settembre – Pas (chiuso a mezzogiorno) carta 24/37000 – ☲ 10500 – **60 cam** 50/80000.

🏨 **Serena** senza rist, lungomare Trieste 39 ℘ 81133, ≤, 🏖 – 🛗 🏧 🅿 – 🛋 120. 🆎 🄴 𝓥𝓘𝓢𝓐
aprile-settembre – **36 cam** ☲ 40/80000.

✕✕ **Duilio** con cam, strada Nuova 19 ℘ 81087, prenotare – 🍽 rist 🏧 🅿 – 🛋 50. 🆎 🕃 ⓓ 🄴 𝓥𝓘𝓢𝓐. 🎉
chiuso dal 1° al 20 gennaio – Pas (chiuso lunedì dal 15 settembre al 15 maggio) carta 22/33000 – ☲ 7000 – **20 cam** 45/75000 – P 48/72000, b.s. 42/54000.

a Porto Santa Margherita SO : 6 km oppure 2 km e traghetto – ✉ 30021 Caorle.
🛈 (maggio-settembre) corso Genova 21 ℘ 82230 :

🏨 **San Giorgio,** ℘ 260050, ≤, 🏊, 🏖, 🌳, 🎾 – 🛗 🍽 🅿. 🎉 rist
24 maggio-23 settembre – Pas (solo per clienti alloggiati) 24/28000 – ☲ 12000 – 100 cam 66/90000, 🍽 15000 – P 88/103000, b.s. 62/77000.

🏨 **Oliver,** ℘ 260002, ≤, « Piccola pineta », 🏊, 🏖 – 🛗 🍽 rist 🏧 🕭 🅿. 🆎 🕃 ⓓ 🄴 𝓥𝓘𝓢𝓐. 🎉
maggio-settembre – Pas carta 28/41000 – ☲ 10000 – **66 cam** 60/95000 – P 52/80000, b.s. 40/65000.

a Brian O : 8 km – ✉ 30021 Caorle :

✕✕ **Brian,** ℘ 237444 – 🅿. 🎉
chiuso mercoledì e dal 15 gennaio al 15 febbraio – Pas carta 30/48000.

a Duna Verde SO : 10 km – ✉ 30021 Caorle :

🏨 **Playa Blanca** 🏖, ℘ 89282, ≤, 🏊, 🌳 – 🛗 🏧 🅿. 🎉
15 maggio-20 settembre – Pas 25/30000 – ☲ 7000 – **45 cam** 60/90000 – P 66/77000, b.s. 51/58000.

a San Giorgio di Livenza NO : 12 km – ✉ 30020 :

✕✕ **Al Cacciatore,** ℘ 80331, 🌳 – 🍽 🅿. 🎉
chiuso mercoledì – Pas carta 26/42000.

CAPALBIO 58011 Grosseto 𝟿𝟾𝟾 🖈 – 4 071 ab. alt. 217 – a.s. Pasqua e 15 giugno-15 settembre – 🕾 0564.

Roma 139 – Civitavecchia 63 – Grosseto 60 – Orbetello 25 – Viterbo 75.

🏨 **Valle del Buttero** 🏖 senza rist, località La Valle ℘ 896097, ≤ – 📺 🕾 🅿. 🎉
chiuso febbraio – ☲ 5500 – **42 cam** 44/74000.

✕ La Torre da Carla, ℘ 896070.

✕ **Da Maria,** ℘ 896014 – 🍽. 🎉
chiuso febbraio e martedì in bassa stagione – Pas carta 21/33000 (15%).

✕ **La Porta,** ℘ 896311 – 🆎 🕃 ⓓ 𝓥𝓘𝓢𝓐. 🎉
chiuso martedì in bassa stagione – Pas carta 22/32000 (15%).

CAPANNETTE DI PEJ Piacenza – Vedere Pian dell'Armà.

CAPANNOLI 56033 Pisa – 4 884 ab. alt. 51 – 🕾 0587.

Roma 344 – ✦Firenze 61 – ✦Livorno 39 – Pisa 32 – Siena 95.

✕✕ Lando e Lucia, via Volterrana 117 ℘ 609257.

CAPANNORI 55012 Lucca – 43 982 ab. alt. 16 – 🕾 0583.

Roma 344 – ✦Firenze 70 – ✦Livorno 52 – Lucca 6 – ✦Milano 280 – Pisa 28 – Pistoia 39.

✕✕ **Forino,** via Carlo Piaggia 15 ℘ 935302 – 🅿. 🆎 🕃 ⓓ 𝓥𝓘𝓢𝓐
chiuso lunedì sera, martedì ed agosto – Pas carta 33/48000.

sulla strada statale 435 :

🏨 **Country,** NE : 8 km ✉ 55010 Gragnano ℘ 974133, 🌳, 🏊 riscaldata – 🛗 🍽 📺 🕾 🅿 – 🛋 70. 🆎 🕃 ⓓ 🄴 𝓥𝓘𝓢𝓐. 🎉
Pas carta 26/43000 – ☲ 9500 – **60 cam** 52/75000, 🍽 7500 – P 58/80000.

✕✕ **Al Covo,** NE : 9 km ✉ 55010 Lappato ℘ 975853, 🌳 – 🅿. 🆎 🕃 𝓥𝓘𝓢𝓐
chiuso mercoledì sera, giovedì e dal 1° al 25 agosto – Pas carta 25/43000.

FIAT via Pesciatina 272/274 ℘ 935681
GM-OPEL a Gragnano, via Pesciatina 880 ℘ 974238

LANCIA-AUTOBIANCHI a Lunata, via Pesciatina 272 ℘ 935681

CAPEZZANO PIANORE Lucca – Vedere Camaiore.

CAPO BOI Cagliari 𝟿𝟾𝟾 🖈 – Vedere Sardegna (Villasimius) alla fine dell'elenco alfabetico.

147

CAPO CERASO Sassari – Vedere Sardegna (Olbia) alla fine dell'elenco alfabetico.

CAPO D'ORLANDO Messina 988 ⑰⑱ – Vedere Sicilia alla fine dell'elenco alfabetico.

CAPO D'ORSO Sassari – Vedere Sardegna (Palau) alla fine dell'elenco alfabetico.

CAPO LA GALA Napoli – Vedere Vico Equense.

CAPOLAGO Varese 219 ⑦ ⑧ – Vedere Varese.

CAPOLIVERI Livorno – Vedere Elba (Isola d').

CAPO MISENO Napoli – Vedere Bacoli.

CAPO TAORMINA Messina – Vedere Sicilia (Taormina) alla fine dell'elenco alfabetico.

CAPO VATICANO Catanzaro – Vedere Tropea.

CAPRAIA (Isola di) Livorno 988 ⑭ – 313 ab. alt. da 0 a 447 (monte Castello) – a.s. 15 giugno-15 settembre – ✪ 0586.

 Capraia – ⊠ 57032.

 ⚓ per Livorno giornaliero (2 h 30 mn); per l'Isola d'Elba-Portoferraio 15 giugno-settembre giornaliero, lunedì e mercoledì negli altri mesi (2 h) – Toremar-agenzia Della Rosa, via Assunzione ℰ 905069.

 🏠 Il Saracino ⅋, ℰ 905018 – |☎| 📺 🍴 – 30 cam.

CAPRESE MICHELANGELO 52033 Arezzo – 1 700 ab. alt. 653 – ✪ 0575.
Roma 260 – Arezzo 45 – ◆Firenze 123 – ◆Perugia 95 – Sansepolcro 26.

 ✗ **Buca di Michelangelo** ⅋ con cam, ℰ 793921, ← – ⋙
 ◆ chiuso dal 10 al 25 febbraio – Pas *(chiuso mercoledì)* carta 16/23000 – ⊡ 3000 – **19 cam** 30/45000 – P 38/45000.

 ad Alpe Faggeto O : 6 km – alt. 1 177 – ⊠ **52033** Caprese Michelangelo :

 ✗ **Fonte della Galletta** ⅋ con cam, ℰ 793925, ← val Tiberina, 🚗 – 🍴 🅿 🖭 ⋙
 ◆ Pas *(chiuso mercoledì da ottobre a giugno)* carta 19/29000 – ⊡ 4000 – **21 cam** 22/40000 – P 50000.

CAPRI (Isola di) ✱✱✱ Napoli 988 ⑰ – 12 507 ab. alt. da 0 a 589 (monte Solaro) – Stazione climatica e balneare, a.s. Pasqua e giugno-settembre – ✪ 081.
La limitazione d'accesso degli autoveicoli è regolata da norme legislative.
Vedere Marina Grande✱ BY – Escursioni in battello : giro dell'isola✱✱✱ BY, grotta Azzurra✱✱ BY (partenza da Marina Grande).

 ⚓ per Napoli (1 h 15 mn) e Sorrento (45 mn), giornalieri – Caremar-agenzia Catuogno, Marina Grande ℰ 8370700; per Napoli (1 h 15 mn) Sorrento (40 mn), giornalieri e Ischia giugno-settembre escluso i giorni festivi (1 h 20 mn) – Navigazione Libera del Golfo, Marina Grande ℰ 8370819; per Ischia aprile-ottobre giornaliero (1 h 15 mn) – Libera Navigazione Lauro, Marina Grande ℰ 8377577.

 🛥 per Sorrento giornalieri (20 mn) – Alilauro, Marina Grande 2/4 ℰ 8376995; per Napoli giornalieri (35 mn) – SNAV-agenzia Staiano, Marina Grande ℰ 8377577 – e Caremar-agenzia Catuogno, Marina Grande ℰ 8370700.

Pianta pagina a lato

 Anacapri ✱✱✱ – 5 056 ab. alt. 275 – ⊠ **80071**.
 Vedere Monte Solaro✱✱✱ BY : ⋇✱✱✱ per seggiovia 15 mn – Villa San Michele✱ BY : ⋇✱✱✱ – Belvedere di Migliara✱ BY 1 h AR a piedi – Pavimento in maiolica✱ nella chiesa di San Michele AZ.
 🇧 via Orlandi 19/a ℰ 8371524

 🏨 **Europa Palace**, via Capodimonte 2 ℰ 8370955, Telex 710397, ←, 🌴, « Terrazze fiorite con ⛲ » – |☎| 📺 ☎ – 🔒 400, 🖭 🕌 ⓘ Ⓔ 𝗩𝗜𝗦𝗔 ⋙   AZ **p**
 aprile-ottobre – Pas 40/50000 – 103 cam ⊡ 170/320000, 🔳 6000 – P 173/245000, b.s. 155/220000.

 🏠 Villa Patrizia, senza rist, via Pagliaro 55 ℰ 8371014, « Giardino-frutteto » – ☎   AZ **a**
 stagionale – 35 cam.

 🏠 **Bella Vista** ⅋, via Orlandi 10 ℰ 8371463, ←, 🚗 – 🍴 🅿 ⓘ ⋙   AZ **e**
 aprile-ottobre – Pas *(chiuso lunedì)* carta 26/38000 – 15 cam ⊡ 61/100000 appartamenti 105/110000 – P 94000, b.s. 82000.

 🏠 **Biancamaria** senza rist, via Orlandi 54 ℰ 8371000 – 🍴. 🖭 🕌 ⓘ 𝗩𝗜𝗦𝗔 ⋙   AZ **w**
 aprile-ottobre – **15 cam** ⊡ 60/90000.

 ✗✗ **La Rondinella,** via Orlandi 245 ℰ 8371223, 🌴 – 🖭 🕌 ⓘ Ⓔ 𝗩𝗜𝗦𝗔   AZ **d**
 chiuso giovedì in bassa stagione – Pas carta 25/44000.

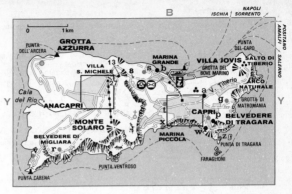

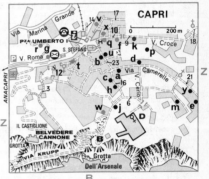

a Punta Carena SO : 4 km :

✗ **Lido del Faro,** ℰ 8371798, ≤ mare e scogli, 斧, ⏋, ⚓ - AE VISA. ⅜   BY **v**
maggio-ottobre – Pas carta 30/44000 (13%).

a Migliara SO : 30 mn a piedi :

✗ **Da Gelsomina,** ℰ 8371499, ≤ Ischia e golfo di Napoli, « Servizio estivo in terrazza panoramica »   BY **r**
chiuso martedì in bassa stagione – Pas carta 22/31000 (10%).

Capri ✱✱✱ 𝟵𝟴𝟴 ㉗ – 7 451 ab. alt. 142 – ⊠ 80073.

Vedere Belvedere Cannone✱✱ BZ accesso per la via Madre Serafina✱ BZ **12** – Belvedere di
Tragara✱✱ BY – Villa Jovis✱✱ BY : ❊✱✱, salto di Tiberio✱ – Giardini di Augusto ≤✱✱ BZ **B** –
Via Krupp✱ BZ – Marina Piccola✱ BY – Piazza Umberto I✱ BZ – Via Le Botteghe✱ BZ **10** –
Arco Naturale✱ BY.

🛈 piazza Umberto I n° 19 ℰ 8370686

🏨 **Gd H. Quisisana,** via Camerelle 2 ℰ 8370788, Telex 710520, Fax 8376080, ≤ mare e Certosa,
斧, « Giardino con ⏋ », ❊ – 🛗 🗐 📺 ☎ – 🔬 25 a 400. AE 🚺 ⓪ 🇪 VISA. ⅜   BZ **a**
Pasqua-ottobre – Pas carta 63/97000 – **150 cam** ⊇ 240/440000 appartamenti 600/900000 –
P 300/360000, b.s. 260/310000.

🏨 **Scalinatella** ⑤ senza rist, via Tragara 8 ℰ 8370633, Telex 721204, ≤ mare e Certosa,
⏋ riscaldata – 🛗 🗐 ☎   BZ **e**
15 marzo-5 novembre – **28 cam** ⊇ 220/400000.

🏨 **Luna** ⑤, viale Matteotti 3 ℰ 8370433, Telex 721247, ≤ mare, Faraglioni e Certosa, 斧,
« Terrazze e giardino con ⏋ » – 🛗 🗐 cam ☎. AE 🚺 ⓪ 🇪 VISA. ⅜ rist   BZ **j**
aprile-ottobre – Pas carta 45/55000 – ⊇ 18000 – 44 cam 110/230000, 🗐 7500 – P 170/220000,
b.s. 140/185000.

🏨 **La Palma e Rist. Relais la Palma,** via Vittorio Emanuele 39 ℰ 8370133, Telex 722015, Fax
8376966, 斧 – 🛗 🗐 📺 ☎ – 🔬 25 a 160. AE 🚺 ⓪ 🇪 VISA. ⅜ rist   BZ **u**
Pas *(chiuso a mezzogiorno dal 15 giugno al 15 settembre)* 40/60000 – **80 cam**
⊇ 200/300000 – ½ P 180/230000, b.s. 130/180000.

segue →

149

🏨 **La Pazziella** 🦢 senza rist, via Giuliani 4 🖉 8370044, « Giardino fiorito » – 🗐 🕿 🖭 ⓞ 𝘝𝘐𝘚𝘈.
    BZ **p**
19 cam �़ 140/230000 appartamenti 280/320000.

🏨 **Punta Tragara** 🦢, via Tragara 57 🖉 8370844, Telex 710261, Fax 8377790, ≤ Faraglioni e
costa, 🛋, « Terrazza panoramica con ⌁ riscaldata » – 🛗 🗐 📺 🕿 🖭 🕃 𝘝𝘐𝘚𝘈. ℅   BY **p**
22 marzo-22 ottobre – Pas carta 48/85000 – 33 appartamenti ⌱ 230/480000.

🏨 **La Pineta** 🦢, via Tragara 6 🖉 8370644, Telex 710011, Fax 8376445, ≤ mare e Certosa,
« Terrazze fiorite in pineta », ⌁ – 🗐 📺 🕿 🖭 🕃 ⓞ 𝘌 𝘝𝘐𝘚𝘈. ℅   BZ **y**
chiuso dal 10 gennaio al 28 febbraio – Pas snack – **54 cam** ⌱ 125/185000, 🗐 15000.

🏨 **Regina Cristina** 🦢, via Serena 20 🖉 8370744, Telex 710531, 🛋, ⌁, 🛏 – 🛗 🗐 cam 🕿 –
🛁 70. 🖭 🕃 ⓞ 𝘌 𝘝𝘐𝘚𝘈. ℅ rist   BZ **c**
Pas 40000 – 55 cam ⌱ 111/200000, 🗐 12000 – P 150/200000, b.s. 130/160000.

🏨 **Villa delle Sirene,** via Camerelle 51 🖉 8370102, ≤, 🛋, « Giardino-limonaia con ⌁ » – 🛗
🗐 🕿. 🖭 🕃 ⓞ 𝘌 𝘝𝘐𝘚𝘈   BZ **d**
aprile-ottobre – Pas *(chiuso martedì)* carta 27/44000 – 35 cam ⌱ 90/155000, 🗐 10000 –
P 130000, b.s. 118000.

🏨 **La Brunella** 🦢, via Tragara 24 🖉 8370122, Telex 721451, ≤ mare e costa, 🛋, « Terrazze
fiorite », ⌁ – 🕿. 🖭 🕃 ⓞ 𝘌 𝘝𝘐𝘚𝘈. ℅   BY **w**
19 marzo-5 novembre – Pas carta 28/47000 (12%) – **18 cam** ⌱ 85/150000 – P 145000.

🏨 **Gatto Bianco,** via Vittorio Emanuele 32 🖉 8370446, « Servizio rist. estivo sotto un pergolato » – 🛗 🗐 cam 🕿. 🖭 🕃 ⓞ 𝘌 𝘝𝘐𝘚𝘈. ℅   BZ **b**
aprile-ottobre – Pas 30/40000 (12%) – 44 cam ⌱ 85/150000, 🗐 15000 – P 130/155000,
b.s. 120/130000.

🏨 **Villa Sarah** 🦢 senza rist, via Tiberio 3/a 🖉 8377817, ≤, « Giardino ombreggiato » – 🗮. 🖭.
℅   BY **a**
Pasqua-ottobre – **18 cam** ⌱ 60/100000.

🏨 **Flora** 🦢 senza rist, via Serena 26 🖉 8370211, Fax 8370211, ≤ mare e Certosa, « Terrazza
fiorita » – 🗐 🕿. 🖭 🕃 ⓞ 𝘌 𝘝𝘐𝘚𝘈   BZ **h**
aprile-ottobre – ⌱ 25000 – **25 cam** 80/120000, 🗐 15000.

🏠 **La Vega** 🦢 senza rist, via Occhio Marino 10 🖉 8370481, ≤, « Terrazza panoramica con ⌁ »
– 🗮. 🖭 🕃 ⓞ 𝘌 𝘝𝘐𝘚𝘈   BZ **m**
Pasqua-ottobre – **24 cam** ⌱ 90/150000.

🏠 **Florida** 🦢 senza rist, via Fuorlovado 34 🖉 8370710, 🛏 – 🗮. 🖭 🕃 ⓞ 𝘌 𝘝𝘐𝘚𝘈   BZ **k**
⌱ 11500 – **19 cam** 50/85000.

XXX **La Certosella,** via Tragara 15 🖉 8370713, ≤, « Servizio estivo in terrazza con ⌁ riscaldata »
– 🖭 🕃 ⓞ 𝘝𝘐𝘚𝘈. ℅   BY **p**
28 marzo-ottobre; chiuso martedì (escluso luglio-settembre) – Pas carta 55/90000.

XX ❀ **La Capannina,** via Le Botteghe 14 🖉 8370732, prenotare la sera – 🗐. 🖭 𝘝𝘐𝘚𝘈. ℅ BZ **q**
15 marzo-6 novembre; chiuso mercoledì (escluso agosto) – Pas carta 32/52000 (15%)
Spec. Ravioli alla caprese, Linguine al sugo di scorfano, Grigliata mista di pesce (per 2 persone). Vini Capri.

XX **La Pigna,** via Roma 30 🖉 8370280, ≤ golfo di Napoli, « Servizio estivo in giardino-limonaia »
– 🖭 🕃 ⓞ 𝘌 𝘝𝘐𝘚𝘈   BY **t**
Pasqua-ottobre; chiuso martedì (escluso luglio-settembre) – Pas carta 36/50000 (15%).

XX **Casanova,** via Le Botteghe 46 🖉 8377642 – 🖭 🕃 ⓞ 𝘌 𝘝𝘐𝘚𝘈   BZ **f**
chiuso giovedì (escluso luglio-settembre) – Pas carta 30/51000 (15%).

XX **La Tavernetta,** via Lo Palazzo 23/a 🖉 8376864 – 🖭 🕃 𝘌 𝘝𝘐𝘚𝘈   BZ **g**
chiuso lunedì e dal 15 gennaio al 15 febbraio – Pas carta 28/55000 (12%).

X **Grottino,** via Longano 27 🖉 8370584 – 🗐   BZ **v**
chiuso martedì, dal 26 gennaio al 9 marzo e dall' 11 novembre al 28 dicembre – Pas
carta 21/31000 (15%).

X **La Sceriffa,** via Acquaviva 29 🖉 8377953, ≤   BZ **r**
aprile-ottobre; chiuso martedì e dal 15 luglio al 15 settembre anche a mezzogiorno – Pas
carta 33/44000.

X **Geranio,** viale Matteotti 8 🖉 8370616, 🛋 – 🖭 ⓞ 𝘝𝘐𝘚𝘈   BZ **w**
aprile-15 ottobre; chiuso giovedì – Pas carta 32/50000 (11%).

X **Da Gemma,** via Madre Serafina 6 🖉 8370461, ≤ mare – 🖭 🕃 ⓞ 𝘌 𝘝𝘐𝘚𝘈   BZ **t**
chiuso lunedì e da novembre al 5 dicembre – Pas carta 20/38000 (15%).

X Buca di Bacco-da Serafina, via Longano 25 🖉 8370723 – 🗐   BZ **x**

all'arco naturale E : 20 mn a piedi :

X **Le Grottelle,** 🖉 8370469, ≤ mare, 🛋   BY **g**
15 marzo-novembre; chiuso giovedì e la sera in ottobre e novembre – Pas carta 26/43000
(10%).

ai Faraglioni SE : 30 mn a piedi oppure 10 mn di barca da Marina Piccola :

X **Da Luigi,** 🖉 8370591, « Servizio estivo all'aperto con ≤ Faraglioni e mare », 🏖 – 🖭 𝘝𝘐𝘚𝘈.
℅   BY **z**
Pasqua-settembre; chiuso la sera – Pas carta 50/77000.

Marina Grande 80070.

🛱 banchina del Porto ℰ 8370634

🏨 **Palatium e Rist. La Camelia,** ℰ 8376144, Fax 8377564, ≤ golfo di Napoli, 佘, ⅀ – 🛗 🧱 📺 ☎. 盃 🖸 ⑨ E 𝘝𝘐𝘚𝘈. ℅   BY **b**
Pasqua-15 ottobre – Pas carta 38/51000 – **42 cam** ⊊ 220/240000 appartamenti 280/320000 – ½ P 280000, b.s. 240000.

✕ **Da Paolino,** ℰ 8376102, 佘 – ℅   BY **s**
marzo-novembre; chiuso mercoledì – Pas carta 39/55000 (10%).

Marina Piccola – ✉ 80073 Capri

✕✕✕ **Canzone del Mare,** ℰ 8370104, ≤ Faraglioni e mare, 佘, « Stabilimento balneare con ⅀ »
– 盃 🖸 𝘝𝘐𝘚𝘈. ℅   BY **x**
Pasqua-ottobre; chiuso la sera – Pas carta 55/85000.

CAPRIATE SAN GERVASIO 24042 Bergamo 𝟚𝟙𝟡 ⑳ – 6 708 ab. alt. 186 – 🕲 02.

Roma 601 – ✦Bergamo 17 – Lecco 38 – ✦Milano 30 – Treviglio 17.

🏨 **Cabina,** ℰ 9091100, 𝘳𝘪𝘴𝘵 – 🛗 🧱 rist ☎ 🅿. 盃 🖸 ⑨ E 𝘝𝘐𝘚𝘈. ℅ cam
Pas *(chiuso martedì)* carta 29/50000 – ⊊ 4000 – **23 cam** 45/55000 – P 65/80000.

✕✕✕ **Vigneto** ⅋ con cam, ℰ 90939351, ≤ Adda, « Servizio estivo all'aperto in riva al fiume », 𝘳𝘪𝘴𝘵
– 📺 ☎ 🅿 – 🛦 30. 盃 🖸 𝘝𝘐𝘚𝘈
chiuso agosto – Pas *(chiuso martedì)* carta 40/60000 – ⊊ 10000 – **12 cam** 64/90000.

✕✕ **Minitalia,** ℰ 9091341, « Grande parco con costruzioni in miniatura » – 🧱 🅿 – 🛦 200. 盃 🖸 ⑨ E 𝘝𝘐𝘚𝘈. ℅
chiuso mercoledì – Pas carta 24/41000.

CAPRILE Belluno – Vedere Alleghe.

CARAMANICO TERME 65023 Pescara 𝟡𝟠𝟠 ⑳ – 2 297 ab. alt. 700 – Stazione termale (15 marzo-novembre) – 🕲 085.

🛱 viale della Libertà 19 ℰ 9290348 – Roma 202 – L'Aquila 88 – Chieti 43 – ✦Pescara 54 – Sulmona 45.

🏛 **Petit Hotel Viola,** ℰ 9290250, ≤ – ⇆. ℅
➡ *15 aprile-novembre* – Pas *(chiuso venerdì)* 15/20000 – ⊊ 3000 – **28 cam** 32/60000 – P 40/50000.

CARANO 38033 Trento – 810 ab. alt. 1 086 – a.s. Pasqua e Natale – 🕲 0462.

Roma 648 – ✦Bolzano 46 – Cortina d'Ampezzo 100 – Trento 60.

🏨 **Bagni e Miramonti,** ℰ 30220, ≤, 𝘳𝘪𝘴𝘵 – 🛗 🅿 🅿. E. ℅
15 dicembre-15 aprile e 15 giugno-15 settembre – Pas carta 23/34000 – ⊊ 8000 – **33 cam** 60/80000 – P 70/75000, b.s. 50/55000.

CARATE BRIANZA 20048 Milano 𝟚𝟙𝟡 ⑱ – 15 220 ab. alt. 252 – 🕲 0362.

Roma 598 – ✦Bergamo 38 – Como 26 – ✦Milano 30 – Monza 12.

🏛 **Fossati,** via Donizetti 14 ℰ 901384, « Giardino ombreggiato » – ☎ 🅿 – 🛦 200. 盃 ℅ rist
Pas *(chiuso sabato e dal 1° al 20 agosto)* carta 26/39000 – ⊊ 6000 – **18 cam** 37/60000 – P 65000.

Vedere anche : *a Besana Brianza :* Calò.

CARATE URIO 22010 Como 𝟚𝟙𝟡 ⑨ – 1 269 ab. alt. 204 – 🕲 031.

Roma 636 – Como 11 – ✦Lugano 43 – Menaggio 24 – ✦Milano 59.

✕✕ **Concord** con cam, ℰ 400358, ≤ lago e monti – 🅿. 盃 𝘝𝘐𝘚𝘈. ℅ rist
chiuso gennaio – Pas *(chiuso mercoledì)* carta 30/48000 – ⊊ 7000 – **10 cam** 32/53000 – P 60/70000.

✕ **Giardino-Fioroni** con cam, ℰ 400141, ≤ lago, « Servizio estivo sotto un pergolato » – 盃 🖸 ⑨ 𝘝𝘐𝘚𝘈
marzo-15 novembre – Pas *(chiuso mercoledì escluso dal 15 giugno al 15 settembre)* carta 23/34000 (10%) – ⊊ 5500 – **6 cam** 42/52000 – P 60/70000.

CARAVAGGIO 24043 Bergamo – 13 820 ab. alt. 111 – 🕲 0363.

Roma 564 – ✦Bergamo 25 – ✦Brescia 55 – Crema 19 – Cremona 57 – ✦Milano 37 – Piacenza 57.

al Santuario SO : 1,5 km :

🏛 **Verri,** ✉ 24040 Misano di Gera d'Adda ℰ 84622, Fax 340350 – 🛗 ☎ ⇔ 🅿 – 🛦 200. 盃 🖸 E
Pas *(chiuso mercoledì e dal 1° al 21 agosto)* carta 23/39000 – ⊊ 5500 – **35 cam** 33/48000 – P 64000.

✕✕ **Dè Firem Rostec,** ✉ 24040 Misano di Gera d'Adda ℰ 84380 – 🅿. ℅
chiuso mercoledì e la sera escluso sabato e domenica – Pas carta 23/51000.

CARBONARA DI BARI Bari – Vedere Bari.

CARBONERI Asti – Vedere Montiglio.

CARCOFORO 13026 Vercelli 🔢🔢🔢 ⑤ – 83 ab. alt. 1 304 – ✪ 0163.
Roma 704 – Biella 85 – ✦Milano 132 – Novara 85 – ✦Torino 147 – Vercelli 91.

- ✗ Ristoro Valsesia, ✆ 95612, prenotare
    stagionale.

CARDADA 🔢🔢🔢 ⑦⑧, 🔢🔢🔢 ⑪ – Vedere Cantone Ticino (Locarno) alla fine dell'elenco alfabetico.

CARDANO AL CAMPO 21010 Varese 🔢🔢🔢 ⑦ – 11 449 ab. alt. 238 – ✪ 0331.
Roma 620 – Gallarate 3 – ✦Milano 43 – Novara 34 – Varese 21.

- 🏨 **Cardano** senza rist, superstrada della Malpensa ✆ 261011 – 🛗 🗏 📺 ☎ & 🛏 – 🛗 70. 🆑
    🗓 ⑩ 🅴 𝗩𝗜𝗦𝗔
    🗜 14000 – **33 cam** 89/118000.

FIAT viale Europa 54 ✆ 262444

CARESANABLOT 13030 Vercelli 🔢🔢🔢 ⑯ – 680 ab. alt. 134 – ✪ 0161.
Roma 637 – ✦Milano 80 – Novara 27 – ✦Torino 76 – Vercelli 4.

- ✗✗ **Osteria Cartamusica,** via Vercelli 40 ✆ 33020 – 🗏. 🗓. 🍴
    chiuso martedì – Pas carta 32/44000.

FORD statale per Biella 6 ✆ 33333   PEUGEOT-TALBOT via Vercelli 35 ✆ 33066
LANCIA-AUTOBIANCHI via Vercelli 15 ✆ 57195   VOLVO via Vercelli 39 bis ✆ 63787
MERCEDES-BENZ statale per Biella ✆ 58122. Telex
223060

CAREZZA AL LAGO (KARERSEE) Bolzano – alt. 1 609 – ✉ 39056 Nova Levante – a.s. febbraio-Pasqua, luglio-settembre e Natale – Sport invernali : vedere Costalunga (Passo di) e Nova Levante – ✪ 0471 – **Vedere Lago★★★**.
Roma 672 – ✦Bolzano 27 – Passo Costalunga 2 – ✦Milano 330 – Trento 91.

- 🏨 **Alpenrose** 🍴, ✆ 616839, ≤ – 🛗 ☎ 🛏 🅿. 🍴 rist
    dicembre-aprile e giugno-ottobre – Pas carta 20/30000 – **28 cam** 🗜 43/76000 – ½ P 58/63000,
    b.s. 46/50000.

- 🏨 **Similde-Simhild** 🍴, ✆ 616869, 🛏 – ⇔ rist 🅿. 🍴 rist
  ➡ *26 dicembre-20 aprile e 20 giugno-10 ottobre* – Pas carta 19/31000 – **9 cam** 🗜 35/60000 –
    P 52/55000, b.s. 50/52000.

CAREZZA (Passo di) (KARERPASS) Bolzano e Trento – Vedere Costalunga (Passo di).

CARIMATE 22060 Como 🔢🔢🔢 ⑲ – 3 335 ab. alt. 296 – ✪ 031.
🅙₈ (chiuso lunedì) ✆ 790226 – Roma 620 – Como 19 – ✦Milano 30.

- ✗✗ **Al Torchio del Castello,** ✆ 791486, prenotare – 🆑 ⑩ 𝗩𝗜𝗦𝗔 🍴
    chiuso lunedì sera, martedì, dal 21 dicembre al 3 gennaio ed agosto – Pas carta 36/53000.

CARINI Palermo 🔢🔢🔢 ㊟ – Vedere Sicilia alla fine dell'elenco alfabetico.

CARLOFORTE Cagliari 🔢🔢🔢 ㉝ – Vedere Sardegna (San Pietro, isola di) alla fine dell'elenco alfabetico.

CARMAGNOLA 10022 Torino 🔢🔢🔢 ⑫ – 24 428 ab. alt. 240 – ✪ 011.
Roma 663 – Asti 58 – Cuneo 71 – ✦Milano 184 – Savona 118 – Sestriere 92 – ✦Torino 27.

- ✗✗✗ ❀ **La Carmagnole,** via Sottotenente Chiffi 31 ✆ 9712673, solo su prenotazione – 🅿
    chiuso domenica sera, lunedì e dal 10 al 20 agosto – Pas 80000
    Spec. Suprême di pollo cotta a freddo, Salmerino al burro d'acciughe e nocciole, Gamberoni al prosciutto e Porto.
    Vini Arneis, Barbaresco.

- ✗✗ **San Marco** con cam, via San Francesco di Sales 18 ✆ 9770485 – 📺 🅿. 🆑 🗓 ⑩ 𝗩𝗜𝗦𝗔 🍴
  ➡ Pas *(chiuso domenica sera e lunedì)* carta 19/34000 – 🗜 5000 – **9 cam** 30/50000 – P 65000.

FORD via Chieri 103 ✆ 9716966   RENAULT a Salsasio, via Chieri ✆ 9773950

CARMIGNANO 50042 Firenze – 8 616 ab. alt. 200 – ✪ 055.
Roma 298 – ✦Firenze 22 – ✦Milano 305 – Pistoia 23 – Prato 15.

ad Artimino S : 7 km – alt. 260 – ✉ 50040 :

- 🏨 **Paggeria Medicea** 🍴, ✆ 8718081, Telex 571502, Fax 8718080, ≤, « Edificio del 500 », 🛏,
    🍴 – 🗏 📺 ☎ & 🅿 – 🛗 50 a 500. 🆑 🗓 ⑩ 🅴 𝗩𝗜𝗦𝗔
    Pas vedere rist Biagio Pignatta – 🗜 9500 – **37 cam** 95/160000. 🗏 3000.

- ✗✗ **Biagio Pignatta,** ✆ 8718086, ≤ – 🅿. 🆑 🗓 ⑩ 🅴 𝗩𝗜𝗦𝗔
    chiuso mercoledì e giovedì a mezzogiorno – Pas carta 27/46000 (10%).

- ✗✗ **Da Delfina,** ✆ 8718074, ≤, prenotare – 🅿. 🍴
    chiuso lunedì sera, martedì, dal 1° al 10 gennaio ed agosto – Pas carta 32/42000 (10%).

CARNELLO Frosinone – Vedere Isola del Liri.

CARNIA 33010 Udine 988 ⑥ – alt. 257 – ✪ 0432.
Roma 681 – ◆Milano 420 – Tarvisio 51 – ◆Trieste 114 – Udine 47 – ◆Venezia 170.

   🏨 **Carnia,** ℰ 978106, Fax 978187 – 🗐 rist ☎ ⇔ ❷ – 🔏 50 a 200. 🖭 🕄 ⓞ 🖻 ⟪⟫. ⟪⟫
   Pas *(chiuso lunedì da ottobre a maggio)* carta 27/38000 – � 5000 – **41 cam** 50/81000 –
   P 55/65000.

CARONA 219 ⑧ – Vedere Cantone Ticino alla fine dell'elenco alfabetico.

CAROVIGNO 72012 Brindisi 988 ㉚ – 14 156 ab. alt. 171 – ✪ 0831.
Roma 538 – ◆Bari 88 – ◆Brindisi 27 – ◆Taranto 61.

   🏨 **Villa Jole,** via Ostuni O : 1 km ℰ 991311 – 🛗 🗐 ☎ ❷. 🖭 ⓞ ⟪⟫. ⟪⟫
   Pas carta 21/30000 – ⊆ 6000 – **30 cam** 38/62000, 🗐 5000 – P 56/65000.

   ✗ **Gallo d'Oro,** via Benedetto Croce 51 ℰ 991640 – ⟪⟫
   ➡ chiuso martedì – Pas carta 16/25000.

CARPI 41012 Modena 988 ⑭ – 60 515 ab. alt. 28 – ✪ 059.
Vedere Piazza dei Martiri★ – Castello dei Pio★.

Roma 424 – ◆Bologna 62 – ◆Ferrara 73 – Mantova 53 – ◆Milano 176 – ◆Modena 18 – Reggio nell'Emilia 27 –
◆Verona 87.

   🏨 **Touring,** viale Dallai 1 ℰ 686111, 🏤, 🚗 – 🛗 🗐 cam 📺 ❷ – 🔏 50. 🖭 🕄 ⓞ 🖻 ⟪⟫.
   ⟪⟫ rist
   Pas *(chiuso venerdì ed agosto)* carta 37/53000 (15%) – ⊆ 12000 – **70 cam** 105/145000, 🗐 6000
   – P 155000.

   🏨 **Orizzonte** senza rist, viale Dallai 38 ℰ 680530, Telex 520237 – 🛗 🗐 ☎ ⇔. 🖭 🕄 ⓞ 🖻 ⟪⟫
   chiuso Natale, Pasqua e dal 23 luglio al 28 agosto – ⊆ 12000 – **27 cam** 60/85000 appartamenti
   90/200000, 🗐 5500.

   🏨 **Duomo** senza rist, via Cesare Battisti 25 ℰ 686745 – 🛗 🗐 📺 ⇔ ❷. 🖭 ⓞ ⟪⟫. ⟪⟫
   chiuso dal 3 al 26 agosto – ⊆ 13000 – **16 cam** 58/80000, 🗐 9000.

   ✗✗ **Da Magnani,** via Bellentanina 6 ℰ 686094 – 🖭 ⓞ. ⟪⟫
   chiuso sabato sera, domenica e dal 5 al 29 agosto – Pas carta 26/35000.

   ✗ **Da Giorgio** con cam, via Giuseppe Rocca 5 ℰ 685365 – 🗐 rist ☎. 🖭 ⓞ 🖻
   chiuso dal 1° al 26 agosto – Pas carta 23/32000 – ⊆ 3000 – 14 cam 28/44000.

ALFA-ROMEO via Cattaneo 2 ℰ 694490
BMW via Carlo Marx 115 ℰ 698088
FIAT via Giovanni XXIII n° 181 ℰ 680035
FIAT via Toscana 12/16 ℰ 699696
FORD via Carpi Ravarino 134 ℰ 567986
GM-OPEL via Guastalla 6/a ℰ 681190

LANCIA-AUTOBIANCHI viale Cavallotti 33 ℰ 691140
PEUGEOT-TALBOT via Meloni di Quartirolo 14 ℰ
698407
RENAULT via Ariosto 16 ℰ 690520
VW-AUDI via Carlo Marx 106 ℰ 690210
VOLVO via Liguria 5 ℰ 690295

CARPINELLI 55030 Lucca – alt. 842 – ✪ 0583.
Roma 420 – Carrara 66 – Lucca 74 – ◆Milano 236 – ◆La Spezia 54.

   🏨 Lo Scoiattolo ⟪⟫, ℰ 611071, ≼, « Pineta », ⟪⟫ – 📺 ☎ ❷
   22 cam.

CARRAIA Firenze – Vedere Calenzano.

CARRARA 54033 Massa-Carrara 988 ⑭ – 69 064 ab. alt. 80 – ✪ 0585.
Dintorni Cave di marmo di Fantiscritti★★ NE : 5 km – Cave di Colonnata★ E : 7 km.
🛈 piazza 2 Giugno 14 ℰ 70894.
Roma 400 – ◆Firenze 126 – Massa 7 – ◆Milano 233 – Pisa 55 – ◆La Spezia 33.

   🏨 **Michelangelo,** corso Carlo Rosselli 3 ℰ 777161 – 🛗 ⇔. 🖭 🕄 ⓞ 🖻 ⟪⟫
   Pas *(chiuso a mezzogiorno e domenica)* 20/25000 – ⊆ 5000 – 31 cam 55/85000.

   ✗✗ **Soldaini,** via Mazzini 11 ℰ 71459
   chiuso domenica sera e lunedì – Pas carta 27/44000.

   a Colonnata E : 7 km – ✉ **54030** :

   ✗✗ **Venanzio,** ℰ 73617, Coperti limitati; prenotare – ⟪⟫
   chiuso giovedì e domenica sera – Pas carta 28/43000.

FIAT via Mazzini 10 ℰ 70332
VW-AUDI via Aronte 1 ℰ 71836

VOLVO a Nazzano, via Aurelia ℰ 52585

EUROPE on a single sheet
Michelin map no 920.

CARRARA (Marina di) 54036 Massa-Carrara 988 ⑭ – Stazione balneare, a.s. Pasqua e luglio-agosto – ✪ 0585.

🛈 piazza Menconi 6/b ℰ 632218.

Roma 396 – Carrara 7 – ✦Firenze 122 – Massa 10 – ✦Milano 229 – Pisa 53 – ✦La Spezia 26.

🏨 **Mediterraneo** senza rist, via Genova 2/h ℰ 635222, Telex 501409, ☞ – 🛗 📺 ☎ ℗ – 🛆 80. 🖭 🕃 Ε 𝑉𝐼𝑆𝐴. ❀
⟳ 7000 – **48 cam** 60/80000.

🏨 **Carrara** senza rist, via Petacchi 21 ⊠ 54031 Avenza ℰ 52371, Fax 50344 – 🛗 📺 ☎. 🖭 🕃 ⓞ
Ε 𝑉𝐼𝑆𝐴
38 cam ⟳ 45/60000.

%% **Il Muraglione,** via del Parmignola 13 ⊠ 54031 Avenza ℰ 58771, Coperti limitati; prenotare
– ✸. ❀
chiuso domenica, dal 23 dicembre al 6 gennaio e dal 22 agosto al 7 settembre – Pas carta 50/71000.

%% **Da Gero,** viale 20 Settembre 305 ℰ 55255, ㎡ – ❀
chiuso domenica e dal 23 dicembre al 10 gennaio – Pas carta 26/46000.

BMW ad Avenza, via del Bravo 8 ℰ 58517   PEUGEOT-TALBOT ad Avenza, via Aurelia ℰ 56290
FORD ad Avenza, via Catagnina 12 ℰ 330777

CARRÙ 12061 Cuneo 988 ⑫ – 4 021 ab. alt. 364 – ✪ 0173.

Roma 620 – Cuneo 31 – ✦Milano 203 – Savona 75 – ✦Torino 74.

✕ **Vascello d'Oro,** ℰ 75478
➔ chiuso lunedì e luglio – Pas carta 19/30000.

CARSOLI 67061 L'Aquila 988 ㉖ – 4 864 ab. alt. 640 – ✪ 0863.

Roma 67 – L'Aquila 59 – Avezzano 45 – Frosinone 81 – Rieti 56.

%% **L'Angolo d'Abruzzo,** ℰ 997429, ㎡ – 🖭 🕃 ⓞ. ❀
chiuso lunedì – Pas carta 26/41000.

✕ **Al Caminetto,** ℰ 995105 – 🖭 🕃 ⓞ
chiuso lunedì dal 15 settembre al 15 giugno – Pas carta 20/29000.

CARTOCETO 61030 Pesaro e Urbino – 5 504 ab. alt. 235 – ✪ 0721.

Roma 280 – ✦Ancona 78 – Pesaro 30 – Urbino 33.

%%% **Symposium,** ℰ 898320, Coperti limitati; prenotare
chiuso a mezzogiorno e lunedì – Pas carta 33/46000.

CARTOSIO 15015 Alessandria – 838 ab. alt. 236 – ✪ 0144.

Roma 578 – Acqui Terme 13 – Alessandria 47 – ✦Genova 79 – ✦Milano 137 – Savona 46 – ✦Torino 115.

%% **Cacciatori** 🐾 con cam, ℰ 40123 – ℗. ❀
chiuso dal 1° al 20 febbraio e dal 1° al 15 luglio – Pas (chiuso giovedì) carta 24/39000 – ⟳
6000 – **10 cam** 35/45000 – P 50000.

sulla strada statale 334 S : 6 km :

✕ **La Cascata,** ⊠ 15015 ℰ 40143, ⇐ – ℗. ❀
chiuso mercoledì e dal 2 gennaio al 20 febbraio – Pas carta 25/35000.

CASACORBA Treviso – alt. 31 – ⊠ 31030 Albaredo – ✪ 0423.

Roma 535 – ✦Milano 247 – ✦Padova 35 – Treviso 18 – ✦Venezia 38.

%% **Al Munaron,** S : 1 km ℰ 451143, ☞ – ℗
chiuso lunedì e dal 7 al 21 agosto – Pas carta 22/38000.

CASALECCHIO DI RENO 40033 Bologna 988 ⑭ – 35 145 ab. alt. 60 – ✪ 051.

🛈 autostrada A 1-Cantagallo ℰ 572263.

Roma 372 – ✦Bologna 7 – ✦Firenze 98 – ✦Milano 205 – ✦Modena 36.

Pianta d'insieme di Bologna

🏠 **Pedretti,** ℰ 572149, ㎡ – ☎ ℗. 🖭 ⓞ. ❀   DU n
Pas (chiuso venerdì) carta 26/43000 (14%) – ⟳ 6000 – **24 cam** 60/90000 – P 90/110000.

INNOCENTI via del Lavoro 28 DU ℰ 572010   MERCEDES-BENZ via del Lavoro 50 ℰ 572326, Telex
LANCIA-AUTOBIANCHI via del Lavoro 88 DU ℰ   510352
758306   RENAULT via del Lavoro 67 ℰ 578947

CASALE CORTE CERRO 28022 Novara 219 ⑥ – 2 987 ab. alt. 372 – ✪ 0323.

Roma 671 – Domodossola 32 – Locarno 53 – ✦Milano 94 – Novara 61 – Stresa 14 – ✦Torino 135.

%% **Da Cicin** con cam, strada statale E : 1 km ℰ 846702 – ✸ cam ☞ ℗. 🕃 ⓞ Ε 𝑉𝐼𝑆𝐴. ❀
chiuso dal 1° al 18 agosto – Pas (chiuso lunedì) carta 22/33000 – ⟳ 4500 – **18 cam** 36/55000
– P 48/51000.

ALFA-ROMEO strada statale ℰ 846715   RENAULT via Novara 1/18 ℰ 848227

154

CASALE MONFERRATO 15033 Alessandria 988 ⑫ – 40 131 ab. alt. 116 – ✪ 0142.

Roma 611 – Alessandria 30 – Asti 42 – ♦Milano 75 – Pavia 66 – ♦Torino 70 – Vercelli 23.

🏨 **Garden** senza rist, viale Montebello 1/h ℰ 71701 – 🛗 🗏 ☜ 🚗 – 🛦 50. 🖭 🕄 ⓘ 🖪 𝓥𝓘𝓢𝓐.
⥀
chiuso agosto – ⌑ 7000 – **55 cam** 48/80000 appartamenti 110000.

XXX ✿ **La Torre,** via Garoglio 3 per salita Sant'Anna ℰ 70295 – 🅟. 🕄 ⓘ 🖪 𝓥𝓘𝓢𝓐
chiuso mercoledì e dal 1° al 20 agosto – Pas carta 39/65000
Spec. Salmone marinato nel pane alle erbe aromatiche, Risotto al peperone e gorgonzola, Filetto di bue al sedano. Vini Arneis, Grignolino.

XXX **Alfeo,** piazza Cesare Battisti 32 ℰ 2493 – 🗏. 🖭 🕄 ⓘ 🖪 𝓥𝓘𝓢𝓐. ⥀
chiuso lunedì ed agosto – Pas carta 25/48000.

X **Faro,** via Luparia 25 ℰ 54062 – 🗏. ⥀
chiuso domenica sera, lunedì ed agosto – Pas carta 21/32000.

Vedere anche : *San Giorgio Monferrato* SO : 7 km.

ALFA-ROMEO via Di Vittorio ℰ 75693
BMW via Brodolini 7 ℰ 76151
CITROEN via Monteverde 2/a ℰ 54490
FIAT corso Valentino 125 ℰ 72662
FORD via Massaia 114/116 ℰ 2662

GM-OPEL corso Indipendenza 16 ℰ 2130
LANCIA-AUTOBIANCHI strada Valenza 1 ℰ 76171
PEUGEOT-TALBOT strada Valenza ℰ 54547
RENAULT via Pastore 15/a ℰ 2851
VW-AUDI via Grandi 24 ℰ 781633

CASALE SUL SILE 31032 Treviso 988 ⑤ – 7 226 ab. alt. 7 – ✪ 0422.

Roma 540 – ♦Milano 272 – ♦Padova 50 – Treviso 12 – Udine 107 – ♦Venezia 25.

X **Ponte Stella** con cam, ℰ 820690 – 🅟. 🖭 𝓥𝓘𝓢𝓐
chiuso giovedì e dal 25 luglio al 15 agosto – Pas carta 22/33000 – ⌑ 5000 – **6 cam** 30/40000 – P 70000.

CASALMAGGIORE 26041 Cremona 988 ⑭ – 13 027 ab. alt. 26 – ✪ 0375.

Roma 474 – ♦Brescia 70 – Cremona 40 – Mantova 40 – ♦Milano 138 – ♦Parma 24 – Reggio nell'Emilia 45.

🏨 **City,** via Cavour 54 ℰ 42118, ☞ – ☜ 🅟. 🕄 ⓘ 🖪 𝓥𝓘𝓢𝓐. ⥀
chiuso dal 1° al 25 agosto – Pas *(chiuso domenica sera e lunedì)* carta 33/49000 – ⌑ 7000 – **20 cam** 43/70000 – P 80000.

FIAT via Beduschi 19 ℰ 42891
GM-OPEL via Beduschi 49 ℰ 42414

PEUGEOT-TALBOT via Beduschi 45 ℰ 40088

CASALPUSTERLENGO 20071 Milano 988 ⑬ – 14 017 ab. alt. 61 – ✪ 0377.

Roma 524 – Cremona 32 – ♦Milano 51 – Pavia 42 – Piacenza 16.

🏨 **Fiesta e Rist. Cà Rosada,** viale della Stazione ℰ 84871 e rist ℰ 833134 – 🛗 🗏 ☜ 🅟 – 🛦 50. ⥀ rist
Pas *(chiuso domenica)* carta 25/38000 – ⌑ 6000 – 36 cam 50/80000 – P 90000.

FIAT via Vittorio Emanuele 30 ℰ 84215

FORD via Mantova 56 ℰ 84208

CASAMICCIOLA TERME Napoli 988 ㉗ – Vedere Ischia (Isola d').

CASARSA DELLA DELIZIA 33072 Pordenone 988 ⑤ – 7 690 ab. alt. 44 – ✪ 0434.

Roma 608 – Pordenone 20 – Udine 31 – ♦Venezia 95.

🏨 **Al Posta,** ℰ 868921, 🍽, 🌫 – 🕠 ☎ 🅟 – 🛦 50. 🖭 🕄 ⓘ 𝓥𝓘𝓢𝓐. ⥀
Pas *(chiuso lunedì)* carta 27/40000 – ⌑ 6000 – **20 cam** 49/80000 – P 80000.

CASATEIA (GASTEIG) Bolzano – Vedere Vipiteno.

CASCIA 06043 Perugia 988 ⑯㉘ – 3 233 ab. alt. 645 – ✪ 0743.

🄱 piazza Garibaldi 1 ℰ 71147.

Roma 138 – Ascoli Piceno 94 – ♦Perugia 104 – Rieti 60 – Terni 66.

🏨 **Delle Rose,** ℰ 76241, Telex 563243, Fax 76240, 🌫 – 🛗 ☜ ⅍ 🅟 – 🛦 600. ⓘ. ⥀ rist
Pasqua-ottobre – Pas carta 22/32000 – ⌑ 6000 – **160 cam** 42/60000 – P 50/55000.

🏨 **Monte Meraviglia,** ℰ 76142, Telex 564007 – 🛗 ☎ ⅍ 🅟
130 cam.

🏨 **Cursula,** ℰ 76206 – 🛗 ☎ 🅟. 🖭 ⓘ 🖪
Pas *(chiuso mercoledì)* carta 25/42000 – ⌑ 4000 – **30 cam** 35/60000 – P 55/58000.

X **La Tavernetta-Mini Hotel** con cam, ℰ 71387 – ☜. ⓘ 𝓥𝓘𝓢𝓐. ⥀ cam
chiuso dal 20 dicembre al 10 gennaio – Pas *(chiuso martedì)* carta 20/31000 (10%) – ⌑ 5000 – **7 cam** 30/45000 – P 40/50000.

a Roccaporena O : 5 km – alt. 707 – ✉ 06043 Cascia :

🏨 **Casa del Pellegrino,** ℰ 71205, ≼, 🌫 – ☎ ⅍ 🅟. 🖭 ⓘ. ⥀
aprile-ottobre – Pas carta 18/25000 – ⌑ 3000 – **80 cam** 32/48000 – P 45/50000.

CASCIANA TERME 56034 Pisa 988 ⑭ – 3 068 ab. alt. 125 – Stazione termale (giugno-settembre) – ⚙ 0587.

🆔 via Galilei 2 ℰ 646258.

Roma 335 – ♦Firenze 77 – ♦Livorno 41 – Pisa 38 – Pistoia 61 – Siena 100.

🏨 **Villa Margherita,** via Marconi 20 ℰ 646113, « Giardino ombreggiato » – 🛗 ⊛ ৬ 🄿. 🄰🄴 🄾. 💱 cam
aprile-novembre – Pas 30/45000 – 🍴 5000 – **38 cam** 42/65000 – P 68000.

🏨 **La Speranza,** via Cavour 42 ℰ 646215, Fax 646355, 🛏 – 🛗 🍴 rist ⊛ 🄿. 🄰🄴. 💱 rist
aprile-novembre – Pas (chiuso venerdì) 24000 – 🍴 6000 – 45 cam 42/55000 – P 60000.

🏠 **Giuntini,** viale della Vittoria 21 ℰ 646247, 🛏 – 🍴 rist ⊛ ৬
maggio-ottobre – Pas 25/35000 – 🍴 5000 – **19 cam** 35/50000 – P 49000.

CASCIANO 53010 Siena – alt. 452 – ⚙ 0577.

Roma 244 – Grosseto 57 – ♦Perugia 117 – Siena 26.

🏠 **Mirella,** ℰ 817667, 🛏 – ☎ 🄿. 💱
chiuso dal 15 dicembre al 15 marzo – Pas (chiuso mercoledì) carta 19/28000 (10%) – 🍴 5000 – **24 cam** 50/79000 – P 55/65000.

CASEI GEROLA 27050 Pavia 988 ⑬ – 2 689 ab. alt. 81 – ⚙ 0383.

Roma 574 – Alessandria 35 – ♦Milano 57 – Novara 61 – Pavia 36.

🏨 **Motel K** senza rist, via Valloni ℰ 61821 – 🍴 📺 ⊛ 🄿. 🄰🄴 💱
🍴 7000 – **26 cam** 45/72000.

🏠 **Bellinzona,** via Mazzini 15 ℰ 61525 – 🍴 📺 ☎ 🄿. 🄰🄴 🛗 🄾 🄴 💱 💱
Pas (chiuso sabato) carta 25/38000 – **19 cam** 🍴 40/55000 – P 70000.

CASELLE TORINESE 10072 Torino 988 ⑫ – 12 903 ab. alt. 277 – ⚙ 011.

🛫 Città di Torino N : 1 km ℰ 5778361.

Roma 691 – ♦Milano 144 – ♦Torino 14.

🏩 ⚙ **Jet Hotel e Rist. Antica Zecca,** ℰ 9963733, Telex 215896, Fax 9961544, « Edificio del 16° secolo » – 🛗 🍴 📺 ☎ ৬ 🄿 – 🔬 50 a 80. 🄰🄴 🛗 🄾 🄴 💱 💱 rist
chiuso dal 3 al 19 agosto – Pas (chiuso lunedì) carta 43/71000 – 🍴 11000 – **77 cam** 80/115000, 🍴 8000
Spec. Ratatouille occitana in pasta di pane, Gratin di capesante e zucchine ai pistilli di zafferano, Rognoncino di vitello grigliato nel suo grasso e valeriana. **Vini** Erbaluce, Pelaverga.

CITROEN via della Zecca-regione Montrucca ℰ 9962777

CASERE (KASERN) Bolzano – Vedere Valle Aurina.

CASERTA 81100 🅿 988 ㉗ – 66 778 ab. alt. 68 – ⚙ 0823.

Vedere La Reggia★★.

Dintorni Caserta Vecchia★ NE : 10 km – Museo Campano★ a Capua NO : 11 km.

🆔 corso Trieste 39 (angolo piazza Dante) ℰ 321137.

A.C.I. via Nazario Sauro 10 ℰ 321442.

Roma 192 – Avellino 58 – Benevento 48 – Campobasso 114 – Abbazia di Montecassino 81 – ♦Napoli 33.

🏨 **Centrale** senza rist, via Roma 170 ℰ 321855 – 🛗 ⇦⇨ 🍴 ⊛. 🄰🄴 💱 💱
🍴 6000 – **41 cam** 45/63000, 🍴 2500.

🅇🅇 **Antica Locanda-Massa 1848,** via Mazzini 55 ℰ 321268, 🛏 – 🄰🄴 🄾 💱 💱
chiuso domenica sera, lunedì e dal 5 al 20 agosto – Pas carta 28/49000 (15%).

🅇🅇 **Leucio,** località San Leucio NO : 4 km ✉ 81020 San Leucio ℰ 301241 – 🄿. 🄰🄴 💱
chiuso lunedì ed agosto – Pas carta 26/41000 (12%).

🅇 **La Tegola,** viale Carlo III n° 3 ℰ 442689 – 🄿. 💱
chiuso mercoledì, domenica, Pasqua, agosto e Natale – Pas carta 30/45000 (10%).

a San Nicola la Strada S : 2 km – ✉ 81020 :

🏩 **Reggia Palace Hotel,** viale Carlo III ℰ 458500, Telex 720013, Fax 457611 – 🛗 🍴 📺 ☎ ⇦ 🄿 – 🔬 800 a 1000. 🄰🄴 🛗 🄾 🄴 💱 💱 rist
Pas 27/32000 – **160 cam** 🍴 84/121000 appartamenti 150/185000 – P 100/130000.

a Caserta Vecchia NE : 10 km – alt. 401 – ✉ 81020 :

🅇 **Al Ritrovo dei Patriarchi,** località Sommana ℰ 371510 – 🍴 🄿 🄰🄴 🄾
chiuso venerdì – Pas carta 23/34000 (10%).

ALFA-ROMEO via Tescione 57 ℰ 301162
BMW via Appia per Casagiove ℰ 466725
FIAT via Appia 16/a ℰ 467444
FIAT via Rossini-Parco Cerasole ℰ 341400
FORD a Casagiove, raccordo autostrada ℰ 491022

GM-OPEL via Roma 112 ℰ 325593
LANCIA-AUTOBIANCHI via Roma 168 ℰ 321455
RENAULT a Casapulla, via Appia 34 ℰ 466325
VW-AUDI a Casagiove, via Appia 147 ℰ 468870

CASIER 31030 Treviso – 6 434 ab. alt. 5 – ۞ 0422.
Roma 539 – ♦Padova 52 – Treviso 6 – ♦Venezia 32.

  a Dosson SO : 3,5 km – ⊠ 31030 :
  ✗ **Alla Pasina,** ℰ 382112 – 🖭 ⓞ 𝑉𝐼𝑆𝐴. ℁
  ⟷ *chiuso lunedì sera, martedì e dal 26 luglio al 17 agosto* – Pas carta 18/41000.

CASINALBO Modena – Vedere Modena.

CASLANO 𝟒𝟐𝟕 ۞, 𝟐𝟏𝟗 ⑧ – Vedere Cantone Ticino (Ponte Tresa) alla fine dell'elenco alfabetico.

CASOLE D'ELSA 53031 Siena – 2 666 ab. alt. 417 – ۞ 0577.
Roma 269 – ♦Firenze 63 – ♦Livorno 97 – Siena 39.

  ✗ **Gemini** con cam, ℰ 948622, ≼, ⌆, 🍴, 🐴 – ☏ 🅿. 🖭. ℁
     chiuso gennaio e febbraio – Pas *(chiuso martedì)* carta 20/28000 (10%) – ☷ 6000 – **9 cam**
     40/62000 – P 58/68000.

CASPOGGIO 23020 Sondrio 𝟐𝟏𝟖 ⑧ – 1 572 ab. alt. 1 098 – Sport invernali : 1 098/2 200 m ≰6
(vedere anche Chiesa in Valmalenco) – ۞ 0342.
Roma 713 – ♦Bergamo 130 – ♦Milano 153 – Sondrio 15.

  ✗ **Baita al Doss,** a Santa Elisabetta ℰ 451352, ≼ – 🅿. 🖭
  ⟷ *chiuso lunedì da aprile a giugno e da settembre a novembre* – Pas carta 19/30000.

CASSINASCO 14050 Asti – 645 ab. alt. 447 – ۞ 0141.
Roma 594 – Alessandria 44 – Asti 34 – ♦Genova 94 – ♦Milano 137 – ♦Torino 93.

  ✗✗ **Dei Caffi,** O : 2 km ℰ 851121, Coperti limitati; prenotare – 🖭 🛇 ⓞ 🄴 𝑉𝐼𝑆𝐴. ℁
     chiuso domenica sera, mercoledì e gennaio – Pas 40/50000 bc.

CASSINA VALSASSINA 22040 Como – 430 ab. alt. 849 – ۞ 0341.
Roma 634 – Como 42 – ♦Milano 69 – Lecco 13 – Sondrio 81.

  ✗ La Lucciola, ℰ 996525.

CASSINETTA DI LUGAGNANO Milano 𝟐𝟏𝟗 ⑧ – Vedere Abbiategrasso.

CASSINO 03043 Frosinone 𝟗𝟖𝟖 ⑦ – 34 296 ab. alt. 45 – ۞ 0776.
Dintorni Abbazia di Montecassino✶✶ – Museo dell'abbazia✶✶ O : 9 km.
🄱 via Condotti 7 ℰ 21292.
Roma 130 – Caserta 71 – Frosinone 56 – Gaeta 47 – Isernia 48 – ♦Napoli 98.

  🏤 **Forum Palace Hotel,** via Casilina Nord ℰ 301211, Telex 610641, Fax 302116 – 🛗 ▤ ☎ 🚗
     🅿 – 🛆 300. 🖭 ⓞ 𝑉𝐼𝑆𝐴. ℁
     Pas carta 28/41000 – ☷ 8500 – **104 cam** 78/100000 appartamenti 120/160000 – P 75/120000.
  🏠 **Rocca,** via Sferracavallo 105 ℰ 25427, ☉, ℁ – 🛗 📺 ☎ 🅿. ℁
     Pas carta 23/32000 – ☷ 7000 – **35 cam** 40/70000 – P 64000.
  🏠 **Al Boschetto,** via Ausonia 54 ℰ 301227, 🐴 – 🛗 ☏ 🅿. 🖭 ⓞ. ℁
     Pas carta 23/34000 – ☷ 8000 – **45 cam** 40/50000 – P 60/70000.
  🏠 **Diana** senza rist, via Ausonia 22 ℰ 300301, 🐴 – 🛗 ☏ 🚗 🅿. ℁
     ☷ 9000 – **33 cam** 33/50000.

ALFA-ROMEO via Casilina Nord ℰ 481101   PEUGEOT-TALBOT via Capocci ℰ 22826
FORD via Ausonia ℰ 481362   RENAULT via Varrone ℰ 24152
LANCIA-AUTOBIANCHI via Casilina Nord ℰ 301164

CASTAGNETO CARDUCCI 57022 Livorno – 8 330 ab. alt. 194 – a.s. 15 giugno-15 settembre –
۞ 0565.
Roma 272 – ♦Firenze 143 – Grosseto 84 – ♦Livorno 57 – Piombino 33 – Siena 119.

  🏠 **La Torre** ≶, SO : 6 km ℰ 775268, « In campagna » – ☏ 🅿. 🖭 ⓞ 𝑉𝐼𝑆𝐴. ℁
     Pas (solo per clienti alloggiati e *chiuso lunedì in bassa stagione*) carta 24/34000 (10%) – ☷
     7000 – **11 cam** 42/65000 – P 68/70000, b.s. 58/60000.

  a Donoratico NO : 6 km – ⊠ 57024 :
  🏠 **Cucciolo** senza rist, ℰ 775156 – 🅿. 🖭 🛇 ⓞ 𝑉𝐼𝑆𝐴. ℁
     chiuso dal 15 novembre al 15 dicembre – ☷ 3000 – **16 cam** 35/49000.
  ✗✗ **Bambolo,** N : 1 km ℰ 775055, 🐴 – 🅿. 🖭 𝑉𝐼𝑆𝐴. ℁
     chiuso gennaio e lunedì da ottobre ad aprile – Pas carta 22/35000 (10%).

  a Marina di Castagneto NO : 9 km – ⊠ 57024 Donoratico :
  🏨 **I Ginepri,** ℰ 744029, « Giardino ombreggiato », 🏖 – 🛗 ☎ 🖭 🛇 ⓞ 🄴. ℁
     marzo-ottobre – Pas carta 30/40000 (10%) – ☷ 8000 – **50 cam** 35/65000 – P 70/90000,
     b.s. 62/70000.

CASTAGNETO PO 10090 Torino – 1 113 ab. alt. 473 – ✪ 011.
Roma 685 – Aosta 105 – ♦Milano 122 – Novara 77 – ♦Torino 26 – Vercelli 59.

> ✗ **La Pergola,** ℰ 912933, 😄 – 𝔸𝔼 ⓪
> *chiuso martedì e dal 10 gennaio al 20 febbraio* – Pas carta 25/43000.

CASTAGNITO 12050 Cuneo – 1 534 ab. alt. 350 – ✪ 0173.
Roma 639 – Asti 26 – Cuneo 69 – ♦Milano 146 – ♦Torino 56.

> ✗ **Il Porto,** strada statale E : 3,5 km ℰ 211127 – 🅿
> *chiuso a mezzogiorno (escluso i giorni festivi) e lunedì* – Pas (solo piatti di pesce) 35/50000 bc.

CASTAGNOLA 219 ⑧ – Vedere Cantone Ticino (Lugano) alla fine dell'elenco alfabetico.

CASTELBELLO CIARDES (KASTELBELL TSCHARS) 39020 Bolzano 218, ⑱ – 2 319 ab. alt. 586 –
✪ 0473.
Roma 688 – ♦Bolzano 51 – Merano 23.

> *sulla strada statale 38* O : 4,5 km :
>
> 🏨 **Sand,** ✉ 39020 ℰ 624130, ≼, ⌡ riscaldata, 🔲, 🐾, ✗ – ▌🕴 ☎ 𝔸𝔼 🅱 ⓪ 🇪 𝑽𝑰𝑺𝑨. ✸ rist
> *chiuso dal 1° al 20 dicembre e dal 20 gennaio al 10 febbraio* – Pas *(chiuso mercoledì)*
> carta 28/38000 – **35 cam** ⊆ 40/80000 – P 60/80000.

CASTEL D'APPIO Imperia 195 ⑱⑲ – Vedere Ventimiglia.

CASTEL D'ARIO 46033 Mantova – 3 930 ab. alt. 24 – ✪ 0376.
Roma 478 – ♦Ferrara 96 – Mantova 15 – ♦Milano 188 – ♦Verona 49.

> ✗ **Stazione,** ℰ 660217 – ▤. ✸
> *chiuso lunedì sera, martedì e luglio* – Pas carta 22/30000.

CASTEL D'AZZANO 37060 Verona – 8 990 ab. alt. 44 – ✪ 045.
Roma 495 – Mantova 32 – ♦Milano 162 – ♦Padova 92 – ♦Verona 10.

> 🏨 **Cristallo** senza rist, ℰ 519000 – ▐▌▤ 📺 ☎ 🚗 🅿. 𝔸𝔼 🅱 ⓪ 🇪 𝑽𝑰𝑺𝑨. ✸
> *chiuso dal 15 dicembre al 15 gennaio* – ⊆ 8000 – **50 cam** 49/74000.

CASTELDEBOLE Bologna – Vedere Bologna.

CASTEL DEL MONTE Bari 988 ㉘㉙ – alt. 556 – ✉ 70031 Andria – ✪ 0883.
Vedere Castello★★.
Roma 416 – ♦Bari 55 – Barletta 29 – ♦Foggia 99 – Matera 71 – Potenza 103 – ♦Taranto 138.

> ✗✗ **Ostello di Federico** ﹦ con cam, ℰ 83043 – ▤ rist ☎ 🅿
> 7 cam.

CASTEL DEL PIANO 58033 Grosseto – 4 400 ab. alt. 632 – a.s. luglio-agosto e 15 dicembre-
15 gennaio – ✪ 0564.
Roma 201 – ♦Firenze 141 – Grosseto 60 – Orvieto 84 – Siena 73 – Viterbo 101.

> 🏨 **Impero,** ℰ 955337, 🐾, ✗ – ▐▌☎ 🅿. 𝔸𝔼 🅱. ✸ rist
> Pas carta 20/30000 – ⊆ 5000 – 53 cam 35/58000 – P 60/70000, b.s. 45/55000.
>
> *a Prato della Contessa* E : 12 km – alt. 1 500 – ✉ 58033 Castel del Piano :
>
> 🏨 **Contessa,** ℰ 955378, ≼ – ☎ 🚗 🅿 – ♨ 100. ✸
> *15 dicembre-10 aprile e luglio-15 settembre* – Pas carta 22/34000 – ⊆ 5000 – **28 cam** 45/75000
> – P 55/85000, b.s. 45/70000.

FIAT via del Gallaccino 24 ℰ 956335

CASTELDIMEZZO Pesaro e Urbino – alt. 197 – ✉ 61010 Fiorenzuola di Focara – ✪ 0721.
Roma 312 – ♦Milano 348 – Pesaro 12 – Rimini 29 – Urbino 41.

> ✗✗ ⊛ **Taverna del Pescatore,** ℰ 208116, ≼ mare, 😄 – 🅿. 𝔸𝔼 ⓪. ✸
> *marzo-2 novembre; chiuso martedì* – Pas carta 42/65000
> Spec. Taglioni al sapore di mare, Zuppa di pesce, Grigliata di pesce misto. Vini Bianchello del Metauro, Verdicchio.

CASTELFIDARDO 60022 Ancona 988 ⑯ – 14 984 ab. alt. 199 – ✪ 071.
Roma 303 – ♦Ancona 24 – Macerata 40 – ♦Pescara 125.

> 🏨 **Parco e Rist. Vito Pardo,** via Donizetti 2 ℰ 783605 – ▐▌▤ rist 📺 ☎ 🅿 – ♨ 400. 𝔸𝔼 ⓪.
> ✸ rist
> Pas *(chiuso martedì)* carta 26/47000 – ⊆ 8000 – **32 cam** 70/100000 appartamenti 130/165000
> – P 93000.
>
> ✗ **La Sorgente,** via Sardegna 3 (NE : 3 km) ℰ 789786 – 🅿
> *chiuso lunedì e gennaio* – Pas carta 22/45000.

CASTELFRANCO EMILIA 41013 Modena 🔢🔢🔢 ⑭ – 20 760 ab. alt. 42 – ✪ 059.

Roma 398 – ◆Bologna 26 – ◆Ferrara 69 – ◆Firenze 125 – ◆Milano 183 – ◆Modena 13.

✗ **La Lumira,** 🖉 926550 – 🅿. 🖭 🛏 ⓞ 🗲 𝑉𝐼𝑆𝐴 ✻
   chiuso domenica ed agosto – Pas carta 24/40000.

   sulla strada statale 9 - via Emilia SE : 6 km :

🏨 **Eurhotel,** ✉ 41010 Manzolino 🖉 932130 – 🛗 🗐 📺 🕾 🅿. 🖭 ⓞ. ✻
◆ Pas (solo per clienti alloggiati e *chiuso a mezzogiorno*) 15/25000 – **49 cam**
   ⊑ 55/77000 – ½ P 70/80000.

FIAT via Malpighi 6 🖉 924279

CASTELFRANCO VENETO 31033 Treviso 🔢🔢🔢 ⑤ – 29 101 ab. alt. 42 – ✪ 0423.
Vedere Madonna col Bambino★★ del Giorgione nella Cattedrale.

Roma 532 – Belluno 74 – ◆Milano 239 – ◆Padova 32 – Trento 109 – Treviso 27 – ◆Venezia 45 – Vicenza 34.

🏨 **Roma,** 🖉 495041 – 🛗 ✻⊹ cam 🗐 📺 🕾 & 🅿 – 🔬 50. 🖭 🗐 ⓞ 🗲 𝑉𝐼𝑆𝐴
◆ Pas carta 18/30000 – ⊑ 8000 – **68 cam** 47/75000 – P 77/86000.

✗✗ **Alle Mura,** 🖉 498098, Coperti limitati; prenotare – 🖭 🗐 ⓞ 🗲 𝑉𝐼𝑆𝐴
   chiuso giovedì ed agosto – Pas carta 28/42000.

✗✗ Antico Moretto, 🖉 492244, 🍽.

✗ **Osteria ai Due Mori,** 🖉 497174, 🍽, Coperti limitati; prenotare – 𝑉𝐼𝑆𝐴. ✻
   chiuso mercoledì e da giugno a settembre anche giovedì a mezzogiorno – Pas carta 24/37000.

✗ **Alla Torre,** 🖉 495445 – 🗐. 🖭 🗐 ⓞ 🗲 𝑉𝐼𝑆𝐴
   chiuso martedì, Natale, Capodanno, Pasqua e dal 1° al 20 agosto – Pas carta 28/44000.

   a Salvarosa NE : 3 km – ✉ 31033 Castelfranco Veneto :

🏨 **Ca' delle Rose,** 🖉 490232, 🌿 – 🛗 🗐 🕾 & 🅿. 🖭 🗐 🗲 𝑉𝐼𝑆𝐴
   chiuso dal 7 al 20 agosto – Pas vedere rist Barbesin – ⊑ 6500 – **20 cam** 33/60000 – P 67/70000.

✗✗ **Barbesin,** 🖉 490446, 🌿 – 🗐 🅿
   chiuso mercoledì sera, giovedì, dal 29 dicembre al 15 gennaio ed agosto – Pas carta 22/35000.

✗✗ **Da Rino Fior,** 🖉 490462, 🌿 – 🗐 🅿. 🛏. ✻
   chiuso lunedì sera, martedì e dal 25 luglio al 20 agosto – Pas carta 22/30000.

   Vedere anche : *Casacorba* E : 10 km.

BMW via Circonvallazione Est 6 🖉 493446
CITROEN via Circonvallazione Est 🖉 497001
GM-OPEL via Circonvallazione Est 6/B 🖉 491351
LANCIA-AUTOBIANCHI via Circonvallazione Est 8
🖉 493527

RENAULT via Matteotti 5 🖉 495612
VW-AUDI via San Pio X n° 140 🖉 493381

CASTEL GANDOLFO 00040 Roma 🔢🔢🔢 ㉘ – 6 934 ab. alt. 426 – Stazione di villeggiatura – ✪ 06.
Vedere Guida Verde.

🛝ₐ (chiuso lunedì) 🖉 9313084.
🎫 (aprile-ottobre) piazza della Libertà 🖉 9360340.

Roma 25 – Anzio 36 – Frosinone 76 – Latina 46 – Terracina 80.

🏨 **Garden e Rist. La Perla,** via Spiaggia al Lago 6 🖉 9360064, Telex 616244, Fax 4817912, 🍽
   – 🛗 📺 🕾 🅿 – 🔬 50. 🖭 🗐 ⓞ 🗲 𝑉𝐼𝑆𝐴 ✻
   Pas carta 30/46000 – 26 cam ⊑ 45/75000 appartamenti 100000 – P 75000.

🏠 **Castelvecchio** 🦢 senza rist, viale Pio XI 🖉 9360308, ≤, « Terrazza » – 🛗 🗐 📺 🕾 🅿. 🖭
   🗐 ⓞ 🗲 𝑉𝐼𝑆𝐴. ✻
   16 cam ⊑ 45/85000. 🗐 5000.

CASTELLABATE 84048 Salerno 🔢🔢🔢 ㉘㉘ – 7 559 ab. alt. 278 – a.s. luglio e agosto – ✪ 0974.
Roma 328 – Agropoli 13 – ◆Napoli 122 – Salerno 71 – Sapri 123.

   a Santa Maria NO : 5 km – ✉ 84072 :

🏨 **Gd H. Santa Maria,** 🖉 961001, Telex 722634, ≤, 🐚 – 🛗 🕾 🅿 – 🔬 60. ✻
   22 marzo-ottobre – Pas 20/25000 – ⊑ 6500 – **61 cam** 45/66000 – P 75/80000, b.s. 50/60000.

🏠 **Sonia,** 🖉 961172, ≤, 🐚 – ✻
   aprile-ottobre – Pas carta 21/30000 – ⊑ 6000 – **26 cam** 28/45000 – P 62/65000, b.s. 50/55000.

✗✗ **I Due Fratelli,** N : 1,5 km 🖉 961188, ≤, 🍽 – 🅿. 🖭 🗐 ⓞ 🗲 𝑉𝐼𝑆𝐴. ✻
   chiuso mercoledì e novembre – Pas carta 20/38000 (10%).

   a San Marco SO : 5 km – ✉ 84071 :

🏨🏨 **Castelsandra** 🦢, 🖉 966021, Telex 770032, ≤ mare e costa, « In un bosco », 🔧, ✻ – 🗐 📺
   🕾 🅿 – 🔬 350. 🖭 🗐 ⓞ 🗲 𝑉𝐼𝑆𝐴 ✻
   aprile-ottobre – Pas 25/50000 – 125 cam (solo pens) – P 125/135000, b.s. 85/115000.

🏨 **L'Approdo,** 🖉 966001, ≤, 🐚 – 🛗 ✻⊹ 🕾. 🖭 🗐 🗲 ✻ rist
   aprile-settembre – Pas carta 23/30000 (13%) – ⊑ 7500 – 52 cam 50/60000 – P 72/75000,
   b.s. 60/64000.

159

CASTELLAMMARE DEL GOLFO Trapani 988 ㉟ – Vedere Sicilia alla fine dell'elenco alfabetico.

CASTELLAMMARE DI STABIA 80053 Napoli 988 ㉗ – 68 324 ab. – Stazione termale, a.s. luglio-settembre – ✪ 081.

Vedere Antiquarium★.

Dintorni Scavi di Pompei★★★ N : 5 km – Monte Faito★★ : ※★★★ dal belvedere dei Capi e ※★★★ dalla cappella di San Michele (strada a pedaggio).

🛈 piazza Matteotti 34 ✆ 8711334.

Roma 238 – Avellino 50 – Caserta 55 – ♦Napoli 29 – Salerno 31 – Sorrento 19.

🏤 **Delle Terme,** via delle Terme ✆ 8716366, ⩩, ℀ – 📳 🗏 ❷ – 🛲 70. 🕮
marzo-ottobre – Pas 25/32000 – � 15000 – **105 cam** 75/145000 appartamenti 200000 – P 110/150000.

🏤 **Stabia,** corso Vittorio Emanuele 101 ✆ 8722577, Fax 8722577, « Rist roof-garden con ≤ mare e costa » – 📳 🗏 📺 ☎ 🚗. 🕮 🕃 ⓞ ᴇ 🝔. 🝔
Pas 30000 – **92 cam** ⊑ 75/120000 appartamenti 180000 – P 110/125000.

🏨 **La Medusa** 🐾, via Passeggiata Archeologica 5 ✆ 8712800, ≤, 🏠, ⩩, 🌳, 🛥 – 📳 ⅒ cam 📺 ⊛ ❷. 🝔
Pas 33/36000 – ⊑ 9000 – **54 cam** 47/77000 – P 88000.

🏨 **Torre Varano,** via Passeggiata Archeologica ✉ 80054 Gragnano ✆ 8718200, ≤, ⩩, ℀ – 📳 ☎ ❷ – 🛲 80. 🕮 🕃 ⓞ. 🝔 rist
Pas *(aprile-novembre)* 30000 – ⊑ 7000 – **67 cam** 43/66000 – P 85000.

ALFA-ROMEO viale Europa 71 ✆ 8718986
FIAT via Pioppaino 28 ✆ 8711314
FORD via Mantiello 16 ✆ 8711443
INNOCENTI viale Europa, traversa De Nicola ✆ 8705177
LANCIA-AUTOBIANCHI via Esposito 15 ✆ 8717184

LANCIA-AUTOBIANCHI via Bocchetti 2/14 ✆ 8711997
PEUGEOT-TALBOT via Tavernola 47 ✆ 8704406
RENAULT via Tavernola 155 ✆ 8717804
VW-AUDI via Tavernola 91 ✆ 8719171

CASTELLAMONTE 10081 Torino 988 ②, 219 ③⑭ – 8 933 ab. alt. 345 – ✪ 0124.
Roma 693 – Aosta 81 – Ivrea 18 – ♦Milano 131 – Novara 85 – ♦Torino 39.

℀℀ **Tre Re** con cam, piazza Martiri della Libertà 27 ✆ 585470 – ⊛ ❷ – 🛲 80. 🕮 🕃 ᴇ 🝔. 🝔 cam
Pas *(chiuso lunedì e martedì a mezzogiorno)* carta 33/51000 – ⊑ 7000 – **14 cam** 50/70000.

CASTELLANA GROTTE 70013 Bari 988 ㉙ – 17 707 ab. alt. 290 – ✪ 080.
Vedere Grotte★★★ SO : 2 km.

Roma 488 – ♦Bari 40 – ♦Brindisi 82 – Lecce 120 – Matera 65 – Potenza 154 – ♦Taranto 60.

🏨 **Le Soleil,** via Conversano N : 1 km ✆ 735133, Fax 787251 – 🗏 ☎ ⅃ ❷ – 🛲 120. 🕮 🕃 ⓞ 🝔. 🝔
Pas *(chiuso lunedì)* carta 21/44000 (10%) – ⊑ 8000 – **60 cam** 50/70000, 🗏 5000 – P 72/80000.

alle grotte SO : 2 km :

℀ **Da Ernesto e Rosa-Taverna degli Artisti,** ✉ 70013 ✆ 736234, 🏠 – 🗏. 🝔
chiuso dicembre e giovedì da ottobre a giugno – Pas carta 18/27000 (15%).

FIAT via Selva di Fasano ✆ 735747

CASTELLANETA MARINA 74011 Taranto – a.s. 15 giugno-agosto – ✪ 099.
🏌 (chiuso martedì da ottobre a maggio) a Riva dei Tessali ✉ 74025 Ginosa Marina ✆ 6439251, Telex 860086, SO : 10 km.

Roma 487 – ♦Bari 99 – Matera 57 – Potenza 128 – ♦Taranto 33.

🏨 **Villa Giusy** 🐾, ✆ 643036, « In pineta », ⩩, 🛥 – ⊛. 🝔
Pas 18/20000 – ⊑ 6000 – **24 cam** 60000 – P 68/75000, b.s. 58/61000.

a Riva dei Tessali SO : 10 km – ✉ 74025 Marina di Ginosa :

🏤 **Golf Hotel** 🐾, ✆ 6439251, Telex 860086, Fax 6439255, 🏠, « In un vasto parco », 🏖, 🛥, ℀, 🏌 – 🗏 📺 ☎ ❷ – 🛲 150. 🕮 🕃 ⓞ ᴇ 🝔. 🝔 rist
chiuso dall'11 gennaio all'11 febbraio e dall'8 novembre al 3 dicembre – Pas carta 50/70000 – ⊑ 25000 – 70 cam 142000 – P 188000, b.s. 128000.

CASTELLANZA 21053 Varese 219 ⑱ – 15 645 ab. alt. 217 – ✪ 0331.
Roma 606 – Como 33 – ♦Milano 29 – Novara 36 – Varese 31.

℀℀℀ **Manarini,** viale Borri 15 ✆ 549108 – 🗏 ❷.

℀℀ **Chalet dei Platani-da Terry,** via dei Platani 1 ✆ 504414, 🏠 – ❷
chiuso martedì sera e mercoledì – Pas carta 46/56000.

ALFA-ROMEO viale Borri 17 ✆ 592202
BMW via Alberto da Giussano 15 ✆ 500040

FORD viale Borri 30 ✆ 637577
LANCIA-AUTOBIANCHI viale Borri 29 ✆ 629006

160

CASTELL'ARQUATO 29014 Piacenza 988 ③ – 4 500 ab. alt. 225 – 🌣 0523.

Roma 495 – ◆Bologna 134 – Cremona 39 – ◆Milano 96 – ◆Parma 41 – Piacenza 32.

XX **La Rocca-da Franco,** 🖉 803154, ≼ – ❄️
    chiuso mercoledì, gennaio e luglio – Pas carta 27/42000.

X **Faccini,** località Sant'Antonio 🖉 896340, 🏤 – 🅿 ❄️
    chiuso mercoledì e dal 1° al 20 luglio – Pas carta 25/33000.

CASTELLETTO DI BRENZONE Verona – Vedere Brenzone.

CASTELLETTO D'ORBA 15060 Alessandria – 1 830 ab. alt. 187 – 🌣 0143.

Roma 558 – Alessandria 32 – ◆Genova 59 – ◆Milano 107 – Savona 70.

🔒 **De Negri,** 🖉 840008 – 🛗 🅿 – 🔼 200. 🇪
↝ Pas carta 18/28000 – 🖙 3000 – **48 cam** 25/45000 – P 40/45000.

CASTELLINA IN CHIANTI 53011 Siena 988 ⑭⑮ – 2 529 ab. alt. 578 – 🌣 0577.

Roma 251 – Arezzo 67 – ◆Firenze 50 – Pisa 98 – Siena 21.

🏨 **Villa Casalecchi** 🐾, S : 1 km 🖉 740240, ≼, 🔼, 🐎 – 🕿 🅿. 🅰🅴 🔣 ⑩ 🇪 🆅🇮🇸🇦. ❄️ rist
    28 marzo-ottobre – Pas carta 49/70000 – 🖙 17000 – 16 cam 145000 appartamenti 175/210000
    – P 185000.

🔒 **Salivolpi** 🐾 senza rist, 🖉 740484, 🔼, 🐎 – ☜ 🅿. ❄️
    🖙 6000 – **19 cam** 25/50000.

X **Antica Trattoria la Torre,** 🖉 740236 – ❄️
    chiuso venerdì e dal 1° al 15 settembre – Pas carta 24/36000.

    a Ricavo N : 4 km – 🖂 53011 Castellina in Chianti :

🏯 **Tenuta di Ricavo** 🐾, 🖉 740221, ≼, « Borgo rustico », 🔼, 🐎 – ☷☼ 🔥 🅿. ❄️
    aprile-ottobre – Pas (prenotare) carta 37/50000 – 25 cam (solo ½ P) 110/160000.

CASTELLINA MARITTIMA 56040 Pisa – 1 817 ab. alt. 375 – 🌣 050.

Roma 308 – ◆Firenze 105 – ◆Livorno 40 – Pisa 49 – Pistoia 89 – Siena 103.

🔒 **Il Poggetto** 🐾, 🖉 69205, ≼, « Giardino ombreggiato », 🔼, 🎾 – 🅿
    31 cam.

CASTELLO DI ANNONE 14030 Asti – 1 711 ab. alt. 109 – 🌣 0141.

Roma 612 – Alessandria 26 – Asti 11 – ◆Milano 121 – ◆Torino 65.

XX **La Fioraia,** 🖉 60106, Coperti limitati; prenotare – ❄️
    chiuso lunedì e dal 18 luglio al 7 agosto – Pas carta 37/58000.

CASTELLO DI CISTERNA 80030 Napoli – 5 762 ab. alt. 40 – 🌣 081.

Roma 221 – Avellino 42 – Benevento 53 – Caserta 34 – ◆Napoli 15 – Salerno 57.

    verso Pomigliano d'Arco :

🏨 **Quadrifoglio,** viale Kennedy 8 🖉 8844222 – 🛗 🗐 📺 🕿 🅿 – 🔼 150. 🅰🅴. ❄️ rist
    Pas *(chiuso agosto)* carta 33/60000 (12%) – **72 cam** 🖙 85/140000 – P 165000.

CASTELLO MOLINA DI FIEMME 38030 Trento – 2 018 ab. alt. 963 – a.s. Pasqua e Natale –
🌣 0462.

🛈 (luglio-settembre) 🖉 30045 e 30082.

Roma 645 – Belluno 95 – ◆Bolzano 39 – Cortina d'Ampezzo 100 – ◆Milano 303 – Trento 63.

🏨 **Los Andes** 🐾, 🖉 30098, 🗐, 🎾 – 🛗 ☜ 🔥 🅿. ❄️ rist
    chiuso novembre – Pas (solo per clienti alloggiati) 25000 – 🖙 15000 – 43 cam 55/90000 –
    P 85000, b.s. 65000.

🏨 **Olimpionico,** 🖉 30744, Fax 20188, ≼ – 🛗 🕿 🅿. 🅰🅴 ⑩ 🆅🇮🇸🇦. ❄️ rist
↝ *chiuso novembre* – Pas carta 15/24000 – 🖙 5000 – **33 cam** 43/72000 – P 63/75000,
    b.s. 43/60000.

CASTELLUCCHIO 46014 Mantova – 5 012 ab. alt. 26 – 🌣 0376.

Roma 478 – ◆Brescia 62 – Cremona 54 – Mantova 12 – ◆Milano 145 – ◆Parma 57.

X **Tre Re** con cam, 🖉 438034 – 🅿. 🅰🅴 ⑩. ❄️
    chiuso dal 10 luglio al 5 agosto – Pas *(chiuso lunedì sera e martedì)* carta 23/37000 – 🖙 6000
    – **7 cam** 30/47000 – P 50/55000.

CASTEL MADAMA 00024 Roma 988 ㉖ – 6 083 ab. alt. 453 – 🌣 0774.

Roma 43 – Avezzano 70.

X **Sgommarello,** a Collerminio SO : 4 km 🖉 449127, ≼, 🏤, 🐎 – 🅿. ❄️
    chiuso mercoledì e dal 15 luglio al 10 agosto – Pas carta 23/34000.

CASTEL MAGGIORE 40013 Bologna – 13 732 ab. alt. 20 – ✪ 051.

Roma 387 – ◆Bologna 10 – ◆Ferrara 38 – ◆Milano 214.

🏨 **Olimpic,** via Galliera 23 ℘ 700861 – |⊉| ⇔ cam 🚬 🖵 🕿 ⇌ ❷ – 🕍 40. ⌶
  Pas *(chiuso domenica ed agosto)* carta 25/31000 – ⊊ 3000 – **63 cam** 50/70000 – P 75/85000.

🏠 **Rally,** via Curiel 4 ℘ 711186 – |⊉| 🕾 ⇌ ❷. ⌶ ◑. 😿
  Pas *(chiuso agosto)* carta 23/35000 – ⊊ 8000 – **28 cam** 48/70000.

MICHELIN, via Bonazzi 32 (zona Industriale). ℘ 713157.

FIAT via Paolo Fabbri 2/4 ℘ 700651

CASTELMOLA Messina – Vedere Sicilia (Taormina) alla fine dell'elenco alfabetico.

CASTELNOVO DI SOTTO 42024 Reggio nell'Emilia – 7 020 ab. alt. 27 – ✪ 0522.

Roma 440 – ◆Bologna 78 – Mantova 56 – ◆Milano 142 – ◆Parma 22 – Reggio nell'Emilia 15.

🏨 **Poli** senza rist, via Puccini 1 ℘ 683168 – |⊉| 🖵 🕿 ⇌ ❷. ⌶ 🕅 ◑ 𝚅𝚂𝙰. 😿
  ⊊ 5000 – **28 cam** 45/75000.

✕✕ **Poli-alla Stazione,** via Repubblica 10 ℘ 682342 – ❷. ⌶ 🕅 ◑ 𝚅𝚂𝙰. 😿
  chiuso lunedì sera, martedì ed agosto – Pas carta 27/47000.

CASTELNOVO NE' MONTI 42035 Reggio nell'Emilia 𝟿𝟪𝟪 ⑭ – 9 618 ab. alt. 700 – a.s. luglio-15 settembre – ✪ 0522.

Roma 470 – ◆Bologna 108 – ◆Milano 180 – ◆Parma 58 – Reggio nell'Emilia 43 – ◆La Spezia 90.

🏠 **Bismantova,** ℘ 812218 – ⇔ cam 🕾. ⌶ 🕅 ☰ 𝚅𝚂𝙰. 😿
  chiuso ottobre – Pas *(chiuso martedì in bassa stagione)* carta 23/32000 – ⊊ 8000 – **18 cam** 30/60000 – P 55/60000, b.s. 50/55000.

ALFA-ROMEO via Micheli 1/3 ℘ 812383   FIAT via Enzo Bagnoli 89 ℘ 810015

CASTELNUOVO DI GARFAGNANA 55032 Lucca 𝟿𝟪𝟪 ⑭ – 6 416 ab. alt. 277 – ✪ 0583.

Roma 395 – ◆Bologna 141 – ◆Firenze 121 – Lucca 47 – ◆Milano 263 – ◆La Spezia 81.

✕✕ **La Lanterna,** località Piano Pieve N : 1,5 km ℘ 63364 – ❷.

✕ **Da Carlino** con cam, via Garibaldi 15 ℘ 62045, 🕳 – ❷
  chiuso dal 5 al 26 gennaio – Pas *(chiuso lunedì)* carta 20/27000 – ⊊ 4000 – **32 cam** 36/60000 – P 60/65000.

CASTELNUOVO VOMANO 64020 Teramo – alt. 118 – ✪ 0861.

Escursioni Valle del Vomano** Ovest.

Roma 196 – ◆Ancona 138 – L'Aquila 81 – Ascoli Piceno 57 – ◆Pescara 40 – Teramo 22.

🏠 **Motel Eden,** ℘ 57133, ≼, 🟰 (coperta d'inverno), 🕳, 😿 – |⊉| 🚬 rist 🕾 ❷ – 🕍 100. 𝚅𝚂𝙰
 ⬅ Pas 16/20000 – ⊊ 2500 – **28 cam** 30/50000 – P 45/60000.

CASTELRAIMONDO 62022 Macerata 𝟿𝟪𝟪 ⑯ – 4 128 ab. alt. 307 – ✪ 0737.

Roma 217 – ◆Ancona 85 – Fabriano 27 – Foligno 60 – Macerata 42 – ◆Perugia 93.

🏠 **Bellavista** 🦢, via Sant'Anna 11 ℘ 470717, ≼, 🕳 – |⊉| 🕾 🍴 ⇌ ❷. ⌶ 🕅 ◑. 😿
  chiuso dal 23 dicembre al 7 gennaio – Pas *(chiuso sabato)* carta 22/32000 – ⊊ 5500 – **22 cam** 29/49000 – P 49/55000.

CASTEL RIGONE 06060 Perugia – alt. 653 – ✪ 075.

Roma 208 – Arezzo 58 – ◆Perugia 28 – Siena 90.

🏨 **La Fattoria,** ℘ 845322, Fax 845197, 🕳 – |⊉| 🕾 ❷. ⌶ 🕅 ◑ ☰. 😿 cam
  chiuso novembre – Pas carta 23/32000 – ⊊ 7000 – **28 cam** 56/80000 – P 55/70000.

CASTELROTTO Cuneo – Vedere Alba.

CASTELROTTO (KASTELRUTH) 39040 Bolzano 𝟿𝟪𝟪 ④ – 5 522 ab. alt. 1 060 – Stazione di villeggiatura, a.s. febbraio-aprile, luglio-settembre e Natale – Sport invernali : 1 060/1 481 m ≰2, ≵ (vedere anche Alpe di Siusi) – ✪ 0471 – 🅱 ℘ 71333, Telex 400110.

Roma 667 – ◆Bolzano 26 – Bressanone 25 – ◆Milano 325 – Ortisei 12 – Trento 86.

🏨 **Cavallino d'Oro-Goldenes Rössl,** ℘ 71337, ≼ – 🕾. 𝚅𝚂𝙰
  chiuso dal 5 novembre al 15 dicembre – Pas *(chiuso martedì)* carta 21/42000 – **25 cam** ⊊ 60/120000 – P 54/80000, b.s. 48/54000.

🏨 **Agnello Posta-Lamm Post,** ℘ 71343, ≼, ☒, 🕳 – |⊉| 🕾 ❷. ⌶ 🕅 ◑ 𝚅𝚂𝙰
  Pas *(chiuso lunedì)* carta 22/42000 – ⊊ 8000 – 41 cam 74/144000 appartamenti 110/200000 – P 85/125000, b.s. 48/85000.

🏠 **Belvedere-Schönblick,** ℘ 71336, ≼ – 🕾 ❷. 😿 rist
  21 dicembre-Pasqua e giugno-20 ottobre – Pas *(solo per clienti alloggiati e chiuso a mezzogiorno)* – **38 cam** ⊊ 39/78000 – ½ P 42/58000, b.s. 42/49000.

Vedere anche : *Siusi* S : 3 km.
             Alpe di Siusi SE : 11 km.

CASTEL SAN GIOVANNI 29015 Piacenza 988 ⑬ – 12 007 ab. alt. 74 – ✪ 0523.

Roma 532 – Alessandria 76 – ◆Genova 130 – ◆Milano 62 – Pavia 34 – Piacenza 20.

🏨 **Palace Hotel** senza rist, via Emilia Pavese 4 ℰ 840641, Fax 840643 – 🛗 🗏 📺 ☎ 🅿. 🄰🄴 ⓪ 𝖵𝖨𝖲𝖠
chiuso agosto – ☲ 9000 – **52 cam** 84/108000.

FIAT piazza Gramsci 1 ℰ 840143

CASTEL SAN PIETRO TERME 40024 Bologna 988 ⑮ – 16 907 ab. alt. 75 – Stazione termale (aprile-novembre), a.s. luglio-15 settembre – ✪ 051.

🛢 viale Terme 150 ℰ 941457.

Roma 395 – ◆Bologna 22 – ◆Ferrara 67 – ◆Firenze 109 – Forlì 41 – ◆Milano 235 – ◆Ravenna 55.

🏨 **Park Hotel,** viale Terme 1010 ℰ 941101, 🏞, 🛋 – 🛗 📺 ☎ 🅿. 🄰🄴. 🕸
↝ chiuso dal 20 dicembre al 10 gennaio – Pas (solo per clienti alloggiati) 16/20000 – ☲ 5000 – **25 cam** 50/85000 – P 50/55000.

✗ **Terantiga** con cam, località Varignana O : 9 km ✉ 40060 Osteria Grande ℰ 945114, 🏞 – 🅿. 🕸
chiuso gennaio ed agosto – Pas (chiuso lunedì) carta 31/39000 – ☲ 3000 – **10 cam** 35/45000 – P 55000.

✗ **Trattoria Trifoglio,** località San Giovanni in Bosco N : 13 km ℰ 949066 – 🅿. 🕸
chiuso lunedì ed agosto – Pas carta 25/40000.

FIAT via Emilia Ponente 211 ℰ 941134

CASTELSARDO Sassari 988 ㉝ – Vedere Sardegna alla fine dell'elenco alfabetico.

CASTEL TOBLINO Trento – alt. 250 – ✉ 38070 Sarche – ✪ 0461.

Roma 605 – ◆Bolzano 78 – ◆Brescia 100 – ◆Milano 195 – Riva del Garda 25 – Trento 17.

✗✗ **Castel Toblino,** ℰ 44036, « In un castello medioevale; piccolo parco » – 🅿. 🕸
10 marzo-10 novembre – Pas carta 30/41000.

CASTELVERDE 26022 Cremona – 4 049 ab. alt. 53 – ✪ 0372.

Roma 526 – ◆Brescia 55 – Cremona 6 – ◆Milano 86.

a Livrasco E : 1 km – ✉ 26022 Castelverde :

✗ **Valentino,** ℰ 52557 – 🕸
chiuso martedì e dal 15 al 31 agosto – Pas carta 20/30000.

CASTELVETRANO Trapani 988 ㉟ – Vedere Sicilia alla fine dell'elenco alfabetico.

CASTELVETRO DI MODENA 41014 Modena – 7 555 ab. alt. 152 – ✪ 059.

Roma 406 – ◆Bologna 40 – ◆Milano 189 – ◆Modena 19.

🏠 **Zoello,** località Settecani N : 5 km ℰ 702635, 🏞 – 🛗 ☎ 🅿. 🕸
Pas (chiuso venerdì, dal 24 dicembre al 6 gennaio ed agosto) carta 20/28000 – ☲ 6000 – **38 cam** 35/55000 – P 55000.

CASTEL VITTORIO 18030 Imperia – 496 ab. alt. 430 – ✪ 0184.

Roma 683 – Imperia 65 – San Remo 42 – Ventimiglia 28.

✗ **Busciun,** ℰ 201073, prenotare – 🛗 𝖵𝖨𝖲𝖠
chiuso martedì e dal 30 settembre al 15 ottobre – Pas carta 21/30000.

CASTEL VOLTURNO 81030 Caserta 988 ㉗ – 14 769 ab. – a.s. 15 giugno-15 settembre – ✪ 081.

Roma 190 – Caserta 37 – ◆Napoli 40.

✗✗ **Scalzone,** via Domiziana al km 34,200 ℰ 851217 – 🅿
chiuso lunedì, Natale e Pasqua – Pas carta 23/40000 (15%).

CASTIGLIONCELLO 57012 Livorno 988 ⑭ – Stazione balneare, a.s. 15 giugno-15 settembre – ✪ 0586 – 🛢 (maggio-settembre) via Aurelia 967 ℰ 752017.

Roma 300 – ◆Firenze 137 – ◆Livorno 21 – Piombino 61 – Pisa 42 – Siena 109.

🏨 **Atlantico** 🦀, via Martelli 12 ℰ 752440, 🛋 – 🛗 ☎ 🦽 🅿. 🕸 rist
Pasqua-settembre – Pas carta 25/37000 – 41 cam ☲ 50/80000 – P 70/80000, b.s. 65/75000.

🏨 **Miramare** 🦀, via Pineta 2 ℰ 752435, ≤ mare, « In pineta » – 🛗 ⬒⬓ ☎ 🅿. 𝖵𝖨𝖲𝖠. 🕸 rist
aprile-settembre – Pas 30/36000 – ☲ 10000 – 64 cam 49/70000 – P 80/99000, b.s. 66/80000.

🏨 **Martini** 🦀, via Martelli 3 ℰ 752140, 🛋 – 🛗 ☎ 🦽 🅿. 🄰🄴. 🕸
Pasqua-15 settembre – Pas 30/50000 – ☲ 5000 – **35 cam** 45/70000 – P 70/75000, b.s. 65/70000.

🏨 **Residence San Domenico** 🦀 senza rist, via Martelli 22 ℰ 752116, 🛋 – 📺 ☎. 🕸
maggio-settembre – ☲ 6000 – **12 cam** 55/85000.

🏨 **Villa Saint Vincent** 🦀, via Aosta 3 ℰ 752445, 🛋 – ☎ 🅿. 🄴. 🕸
aprile-settembre – Pas (solo per clienti alloggiati) 25/30000 – ☲ 6500 – 17 cam 45/70000 – P 70/90000, b.s. 60/70000.

CASTIGLIONE Asti – Vedere Asti.

CASTIGLIONE DEL LAGO 06061 Perugia 988 ⑮ – 13 455 ab. alt. 304 – ☺ 075.

🛈 piazza Mazzini 10 ℰ 952184.

Roma 182 – Arezzo 46 – ✦Firenze 126 – Orvieto 74 – ✦Perugia 49 – Siena 78.

🏠 **Fazzuoli** senza rist, piazza Marconi ℰ 951119 – ☎. ⓞ 🆅🅸🆂🅰. ✀
  chiuso febbraio – ☴ 5000 – **27 cam** 35/50000.

XX **L'Acquario,** via Vittorio Emanuele 69 ℰ 952132 – ✀
➜ chiuso martedì, gennaio e febbraio – Pas carta 19/26000.

X Orti, viale Garibaldi 14/a ℰ 951230, 🍴 – ⓟ.

sulla strada statale 71 N : 7 km :

X **La Badiaccia,** ✉ 06061 ℰ 954188, 🍴 – ⓟ. 🅱. ✀
  chiuso lunedì e luglio – Pas carta 23/38000.

a Panicarola SE : 11 km – ✉ 06060 :

XX **Il Bisteccaro,** ℰ 9589327, 🍴 – 🅰🅴 🅱 ⓞ 🅴 🆅🅸🆂🅰. ✀
  chiuso martedì – Pas carta 24/40000.

Vedere anche : *Isola Maggiore* NE : 30 mn (circa) di battello.

CASTIGLIONE DELLA PESCAIA 58043 Grosseto 988 ㉔ – 8 031 ab. – Stazione balneare, a.s.
Pasqua e 15 giugno-15 settembre – ☺ 0564.

🛈 piazza Garibaldi ℰ 933678.

Roma 205 – ✦Firenze 162 – Grosseto 22 – ✦Livorno 114 – Siena 94 – Viterbo 141.

🏨 **Riva del Sole,** NO : 2 km ℰ 933625, Telex 500034, Fax 935607, « In pineta », ⤓ riscaldata,
  🐾, 🍴, ✗ – 🔳 ☎ ⅋ ⓟ – 🔬 220. 🅰🅴 🅱 ⓞ 🅴 🆅🅸🆂🅰. ✀
  maggio-ottobre – Pas carta 24/51000 – ☴ 10000 – **176 cam** 95/170000 – P 105/145000,
  b.s. 85/105000.

🏨 **L'Approdo,** via Ponte Giorgini 29 ℰ 933466, ≼ – 📶 🔳 ☎. 🅰🅴 ⓞ 🆅🅸🆂🅰. ✀
  chiuso novembre e dicembre – Pas 26000 – ☴ 10000 – 48 cam 80/107000 – P 85/111000,
  b.s. 66000.

🏦 **David** ⑤, località Poggiodoro N : 2 km ℰ 939030, ≼ mare e campagna, 🍴, ⤓, 🍴, ✗ – 🔳
  ☎ & ⓟ. 🅰🅴 🅱 ⓞ 🅴 🆅🅸🆂🅰. ✀ rist
  Pasqua-15 ottobre – Pas (solo per clienti alloggiati) 35/45000 – ☴ 12000 – 26 cam 130/160000
  – P 85/125000, b.s. 65/95000.

🏦 **Miramare,** via Veneto 35 ℰ 933524, ≼, 🐾 – 📶 ☎. 🅰🅴 ⓞ. ✀
  Pas carta 28/48000 – ☴ 7500 – **35 cam** 41/69000 – P 85000, b.s. 65000.

🏦 **Lucerna,** via 4 Novembre 27 ℰ 933620, 🍴, 🍴 – ☎ ⓟ. 🅱 ⓞ 🅴 🆅🅸🆂🅰
  Pas (chiuso dal 15 ottobre a Pasqua) 20/35000 – ☴ 6500 – **54 cam** 42/70000 – P 85000,
  b.s. 70/80000.

🏠 **Piccolo Hotel,** via Montecristo 7 ℰ 937081 – ☎ & ⓟ. ✀
  Pasqua e 15 maggio-settembre – Pas 26000 – ☴ 10000 – 22 cam 42/72000 – P 84000, b.s. 66000.

🏠 **Perla,** via Arenile 3 ℰ 938023 – ⓟ. ✀
  aprile-15 ottobre – Pas 25000 – ☴ 7000 – 14 cam 30/51000 – P 70/80000, b.s. 60/70000.

X **Da Romolo,** corso della Libertà 10 ℰ 933533 – ✀
  chiuso martedì e novembre – Pas carta 30/60000 (15%).

X **Il Fagiano,** piazza Garibaldi 4 ℰ 934037
  chiuso mercoledì e febbraio – Pas carta 21/30000.

a Tirli N : 17 km – alt. 400 – ✉ 58040 :

XX **Tana del Cinghiale** con cam, ℰ 945810, 🍴 – ⓟ. 🅰🅴 ⓞ. ✀
  chiuso dal 10 gennaio al 10 febbraio – Pas (chiuso mercoledì) carta 26/51000.

CASTIGLIONE DELLE STIVIERE 46043 Mantova 988 ④ – 16 070 ab. alt. 116 – ☺ 0376.

Roma 509 – ✦Brescia 28 – Cremona 57 – Mantova 38 – ✦Milano 122 – ✦Verona 49.

🏨 **Belvedere e Rist. Da Monica** ⑤, via Guardi 20 ℰ 638035, ≼ – 📶 🔳 📺 ☎ ⇦ ⓟ – 🔬
  60 a 150. 🅰🅴 ⓞ 🆅🅸🆂🅰. ✀
  Pas carta 24/34000 – ☴ 8000 – **39 cam** 72/105000 – P 80/95000.

🏦 **La Grotta** ⑤, senza rist, viale dei Mandorli 22 ℰ 632530, 🍴 – 📺 ☎ ⓟ – 🔬 25 a 40. 🅰🅴 🆅🅸🆂🅰.
  ✀
  ☴ 7000 – **27 cam** 51/80000.

X **Hostaria Viola,** località Fontane ℰ 638277, Coperti limitati; prenotare – ⓟ. ✀
  chiuso lunedì e dal 25 al 29 marzo – Pas carta 23/33000.

a Grole SE : 3 km – ✉ 46043 Castiglione delle Stiviere :

XX **Tomasi,** ℰ 630873, Coperti limitati; prenotare, « Servizio estivo in giardino » – ⓟ. 🅰🅴 ⓞ
  🆅🅸🆂🅰. ✀
  chiuso domenica ed agosto – Pas carta 32/48000.

FIAT via Cavour 109/111 ℰ 639901   RENAULT via La Casina 2 ℰ 638263

CASTIGLION FIORENTINO 52043 Arezzo 988 ⑮ – 11 274 ab. alt. 345 – ☻ 0575.

Roma 209 – Arezzo 17 – ♦Firenze 100 – ♦Perugia 60 – Siena 60.

🏨 **Park Hotel,** strada statale ♪ 658173, 🗻 – 劇 ◉ ᘒ 🚗 ⊕. 🛇 ☰
— Pas *(chiuso sabato)* 15/18000 – 🗢 6000 – **62 cam** 40/62000 – P 55/60000.

✕ **Da Muzzicone,** piazza San Francesco 7 ♪ 658403 – ✎ 👄. ⅍
chiuso martedì – Pas carta 21/37000.

CASTIGNANO 63032 Ascoli Piceno – 3 004 ab. alt. 474 – ☻ 0736.

Roma 225 – ♦Ancona 120 – Ascoli Piceno 34 – ♦Pescara 95.

🏠 **Teta,** via Borgo Garibaldi ♪ 91412, ← – 劇 ⊷ rist ☎ 🚗 ⊕. 🛇. ⅍
— Pas *(chiuso venerdì)* carta 15/21000 – **12 cam** 🗢 25/40000 – P 35/45000.

CASTIONE DELLA PRESOLANA 24020 Bergamo – 3 117 ab. alt. 870 – a.s. luglio-agosto e Natale – Sport invernali : al Monte Pora : 1 350/1 880 m ⚡10, ⚹ – ☻ 0346.

Roma 643 – ♦Bergamo 42 – ♦Brescia 89 – Edolo 80 – ♦Milano 88.

🏠 **Aurora,** ♪ 60004, ← – 劇 ⊷ cam ⊕. 👄 🛇 ◉. ⅍
— Pas *(chiuso martedì)* carta 19/32000 – 🗢 4000 – **24 cam** 40000 – P 43/53000.

a Bratto NE : 2 km – alt. 1 007 – ✉ 24020 :

🏨 **Milano e Rist. Al Caminone** ⑤, ♪ 31211, ←, 🍴 – 劇 ☎ ᘒ ⊕ – 🏛 30 a 160. 🛇 ☰ _VISA_
⅍
chiuso dal 5 al 25 ottobre – Pas *(chiuso lunedì)* carta 32/47000 – 🗢 7000 – 50 cam 40/65000 – P 80000, b.s. 60000.

🏠 **Pineta,** ♪ 31121, ←, 🍴 – 劇 ◉ ⊕. ⅍ rist
— Pas *(chiuso lunedì)* 18/25000 – 🗢 6000 – **40 cam** 31/46000 – P 50/65000, b.s. 45/50000.

🏠 **Eurohotel,** ♪ 31513, ← – 劇 ◉ ⊕. ⅍
— chiuso dal 15 settembre al 15 ottobre – Pas *(chiuso mercoledì)* 15/18000 – 🗢 7000 – **23 cam** 45/65000 – P 65000, b.s. 50000.

✕✕ **Cascina delle Noci,** ♪ 31251, prenotare, ←, 🍴 – ⊕
chiuso lunedì e da ottobre a maggio aperto solo sabato e domenica – Pas carta 31/41000.

a Dorga E : 3 km – alt. 1 000 – ✉ 24020 Bratto :

🏨 **Presolana** ⑤, ♪ 30198, Telex 301553, ←, 🍴, ⅍ – 劇 ▤ rist ☎ 🚗 ⊕ – 🏛 30 a 200. 👄 🛇
◉ ☰.
Pas *(chiuso lunedì)* 35/40000 – 🗢 8000 – **51 cam** 42/60000 – P 84/120000.

CASTROCARO TERME 47011 Forlì 988 ⑮ – 5 165 ab. alt. 68 – Stazione termale (aprile-novembre), a.s. 15 luglio-settembre – ☻ 0543.

🅐 via Garibaldi 1 ♪ 767162.

Roma 342 – ♦Bologna 74 – ♦Firenze 98 – Forlì 11 – ♦Milano 293 – ♦Ravenna 38 – Rimini 60.

🏨 **Gd H. Terme,** ♪ 767114, Telex 550272, « Parco ombreggiato », ♒ – 劇 ⊷ cam 📺 ᘒ ⊕ – 🏛 100. 👄 🛇 ◉. ⅍ rist
15 aprile-ottobre – Pas 30/50000 – 🗢 10000 – **100 cam** 80/130000 – P 70/84000, b.s. 63/75000.

🏨 **Ambasciatori,** ♪ 767345, 🗻, 🍴 – 劇 ⊷ 📺 ☎ ⊕. 👄 ◉ ☰ _VISA_. ⅍
— Pas 18/40000 – **28 cam** 🗢 50/70000 – P 39/43000, b.s. 37/39000.

🏨 **Garden,** ♪ 766366, 🗻, 🍴, ⅍ – 劇 📺 ☎ ⊕ – 🏛 50
stagionale – 29 cam.

🏨 **Piccolo Hotel,** ♪ 767139, 🍴 – 劇 ◉ ⊕. ⅍ rist
maggio-ottobre – Pas 25000 – 🗢 6000 – **40 cam** 40/70000 – P 45000, b.s. 40000.

🏨 **Eden,** ♪ 767600, ←, 🍴 – 劇 ◉ ⊕. 👄 🛇 ◉ ☰ _VISA_. ⅍
— aprile-15 novembre – Pas 18/22000 – **32 cam** 🗢 35/58000 – P 41/45000, b.s. 38/41000.

✕✕✕ ☺☺ **La Frasca,** ♪ 767471, Coperti limitati; prenotare, « Servizio estivo in giardino », 🍴 –
⊕. 👄 ◉. ⅍
chiuso martedì, dal 2 al 20 gennaio e dal 1° al 15 agosto – Pas carta 60/90000
Spec. Fricassea di rombo con piccole verdure al vapore, Garganelli con pesce e rucola, Faraona con asparagi
Vini Albana, Sangiovese.

✕✕ **La Cantinaza,** ♪ 767130 – ▤. 👄 🛇 ◉ ☰ _VISA_. ⅍
chiuso mercoledì – Pas carta 33/50000.

✕ **Al Laghetto,** ♪ 767230 – ⊕. 🛇 ◉ _VISA_. ⅍
chiuso lunedì ed ottobre – Pas carta 30/43000.

CASTRO MARINA 73030 Lecce – a.s. luglio e agosto – ☻ 0836.

Roma 660 – ♦Bari 199 – ♦Brindisi 87 – Lecce 48 – Otranto 23 – ♦Taranto 125.

alla grotta Zinzulusa N : 2 km – Vedere Guida Verde :.

🏨 **Orsa Maggiore** ⑤, ✉ 73030 ♪ 97029, ←, « Fra gli olivi » – 劇 ◉ ⊕. 👄 🛇 ◉ _VISA_
Pas carta 23/36000 – 🗢 9000 – 30 cam 77000 – P 96000, b.s. 80000.

La carta stradale Michelin è costantemente aggiornata.

CASTROVILLARI 87012 Cosenza 988 ㉙ – 22 184 ab. alt. 350 – ✆ 0981.

Roma 453 – Catanzaro 168 – ◆Cosenza 75 – ◆Napoli 247 – ◆Reggio di Calabria 261 – ◆Taranto 152.

🏨 **President Joli Hotel,** corso Luigi Saraceni 22 ✆ 21122 – 🕴 ☰ 📺 ☎ 🅿. 🆎 🍽
Pas carta 22/35000 – ☑ 5500 – **49 cam** 55/90000 – P 70/75000.

🍴🍴 **Alìa,** via Jetticelle 69 ✆ 46370 – 🍽 ☰ 🅿. 🆎 🅂. 🍽
chiuso domenica – Pas carta 32/49000.

FIAT corso Calabria 103 ✆ 21605
FORD viale del Lavoro ✆ 44251
PEUGEOT-TALBOT viale del Lavoro 126 ✆ 44345

RENAULT viale del Lavoro ✆ 44317
VW-AUDI piazza Vittorio Emanuele ✆ 21692

CATANIA 🅿 988 ㊲ – Vedere Sicilia alla fine dell'elenco alfabetico.

CATANZARO 88100 🅿 988 ㊱ – 103 004 ab. alt. 343 – ✆ 0961.
Vedere Villa Trieste★ – Pala★ della Madonna del Rosario nella chiesa di San Domenico.
⛴ Porto d'Orra (chiuso lunedì), a Catanzaro Lido ✉ 88063 ✆ 791045, NE : 7 km.
🅱 piazza Prefettura ✆ 45530 – **A.C.I.** viale dei Normanni 99 ✆ 74131.
Roma 612 ③ – ◆Bari 364 ③ – ◆Cosenza 97 ③ – ◆Napoli 406 ③ – ◆Reggio di Calabria 161 ③ – ◆Taranto 298 ③.

CATANZARO

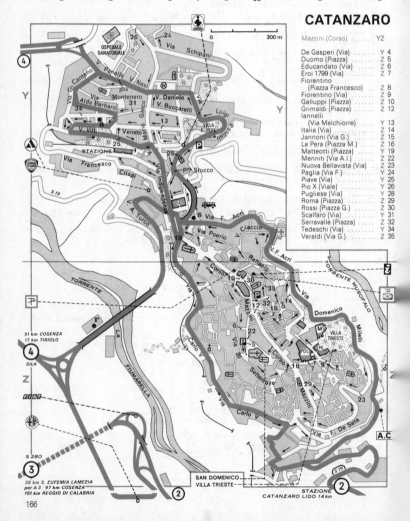

Mazzini (Corso)	YZ
De Gasperi (Via)	Y 4
Duomo (Piazza)	Z 5
Educandato (Via)	Z 6
Eroi 1799 (Via)	Z 7
Fiorentino (Piazza Francesco)	Z 8
Fiorentino (Via)	Z 9
Galluppi (Piazza)	Z 10
Grimaldi (Piazza)	Z 12
Iannelli (Via Melchiorre)	Y 13
Italia (Via)	Y 14
Jannoni (Via G.)	Y 15
Le Pera (Piazza M.)	Z 16
Matteotti (Piazza)	Y 19
Menniti (Via A.I.)	Z 22
Nuova Bellavista (Via)	Z 23
Paglia (Via F.)	Y 24
Piave (Via)	Y 25
Pio X (Viale)	Y 26
Pugliese (Via)	Y 28
Roma (Piazza)	Z 29
Rossi (Piazza G.)	Z 30
Scalfaro (Via)	Y 31
Serravalle (Piazza)	Z 32
Tedeschi (Via)	Y 34
Veraldi (Via G.)	Z 35

166

🏨 **Guglielmo,** via Tedeschi 1 ℰ 26532, Telex 880025, Fax 41900 – 🛗 🖿 📺 ☜ 🚗 – 🏢 50 a
200. 💳 🕃 🌒 **E** 𝘝𝘐𝘚𝘈. 🍴 rist   Y a
Pas carta 35/47000 – 🛏 12000 – **46 cam** 90/130000 – P 130000.

🏨 Grand Hotel, senza rist, piazza Matteotti ℰ 25605 – 🛗 🖿 ☎ 🅟 – **79 cam**.   Y s

🏨 **MotelAgip,** viadotto sulla Fiumarella ✉ 88044 Gagliano ℰ 51791, Telex 912543 – 🛗 🖿 📺
☎ 🅟 – 🏢 60. 💳 🕃 🌒 **E** 𝘝𝘐𝘚𝘈. 🍴 rist   Z r
Pas *(chiuso venerdì)* 30000 – 🛏 13000 – **76 cam** 62/96000 – P 120/134000.

a Catanzaro Lido per ② : 14 km – ✉ 88063 :

🏨 **Stillhotel** 🐾, via Melito Porto Salvo 102/A ℰ 32851, ≼ – 🖿 📺 ☜ 🅟. 💳 🕃 🌒 𝘝𝘐𝘚𝘈. 🍴
Pas vedere rist La Brace – 🛏 7000 – **30 cam** 65/85000 – P 90/100000.

XXX **La Brace,** via Melito di Porto Salvo 102 ℰ 31340, 😃 – 🖿 🅟. 🕃 🌒 𝘝𝘐𝘚𝘈. 🍴
chiuso lunedì – Pas carta 31/42000 (10%).

ALFA-ROMEO viale De Filippis 126 ℰ 51480
BMW via Lucrezia della Valle ℰ 61821
CITROEN piazza Matteotti 8 ℰ 23767
FIAT via Lucrezia della Valle ℰ 74321
FORD viale Cassiodoro 3 ℰ 71885
GM-OPEL via Lucrezia della Valle 75 ℰ 72267
INNOCENTI via De Gasperi 26 ℰ 27235
LANCIA-AUTOBIANCHI via Fontana Vecchia 36
ℰ 23098

MASERATI viale dei Normanni 35 ℰ 27235
PEUGEOT-TALBOT via Lucrezia della Valle 84 ℰ
72621
RENAULT via Conti di Loritello 20 ℰ 61021
VW-AUDI viale Emilia 88 ℰ 61722
VOLVO via Lucrezia della Valle ℰ 72824

CATTOLICA 47033 Forlì 🔢 ⑯ – 15 682 ab. – Stazione balneare, a.s. 15 giugno-agosto – ☎ 0541.
🖹 piazza Nettuno ℰ 963341.

Roma 315 – ♦Ancona 92 – ♦Bologna 130 – Forlì 69 – ♦Milano 341 – Pesaro 17 – ♦Ravenna 74 – Rimini 22.

🏨 **Caravelle,** via Padova 6 ℰ 962416, Telex 551084, ≼, 🏊, 🐾, 🍴 – 🛗 🔆 cam ☎ ⅊ 🚗. 💳
🕃 🌒 **E** 𝘝𝘐𝘚𝘈. 🍴 rist
chiuso dal 10 novembre al 20 dicembre – Pas *(chiuso dal 20 settembre al 20 maggio)*
carta 39/54000 – **45 cam** 🛏 80/160000 – P 120/150000, b.s. 100/110000.

🏨 **Negresco,** viale del Turismo 6 ℰ 963281, Telex 551228, ≼, 🏊 riscaldata – 🛗 ☎ ⅊ 🅟. 🍴 rist
10 maggio-settembre – Pas 20/22000 – 🛏 10000 – **80 cam** 60/90000 – P 69/77000,
b.s. 44/59000.

🏨 **Victoria Palace,** viale Carducci 24 ℰ 962921, Telex 550074, ≼ – 🛗 🖿 rist 🅟. 💳 🕃 🌒 **E**
𝘝𝘐𝘚𝘈. 🍴 rist
maggio-settembre – Pas 25/35000 – **88 cam** 🛏 83/145000 – P 71/85000, b.s. 41/49000.

🏨 **Savoia,** viale Carducci 38 ℰ 961174, Telex 551084, 📺 – 🛗 🖿 rist ☜ 🅟. 🍴 rist
maggio-ottobre – Pas 30000 – 🛏 7000 – **53 cam** 55/90000 – P 85000, b.s. 60000.

🏨 **Napoleon,** viale Carducci 52 ℰ 963439, ≼, 😃 – 🛗 ☎ 🅟. 💳 🌒. 🍴 rist
20 maggio-20 settembre – Pas 25/30000 – 🛏 5000 – **52 cam** 40/50000 – P 65/80000,
b.s. 44/65000.

🏨 **Beaurivage,** viale Carducci 82 ℰ 963101, ≼, 😃 – 🛗 🅟. 💳 🕃 🌒 𝘝𝘐𝘚𝘈. 🍴 rist
maggio-settembre – Pas 25/30000 – 🛏 9000 – **69 cam** 42/72000 – P 46/72000, b.s. 42/55000.

🏨 **Diplomat,** viale del Turismo 9 ℰ 967442, ≼, 🐾 – 🛗 🔆 ☜ ⅊ 🅟. 🕃 **E** 𝘝𝘐𝘚𝘈. 🍴 rist
3 giugno-10 settembre – Pas *(chiuso a mezzogiorno)* 20/35000 – **90 cam**
🛏 61/110000 – ½ P 60/86000, b.s. 47/58000.

🏨 **Royal,** viale Carducci 30 ℰ 954133, ≼, 🏊 riscaldata, 😃 – 🛗 ☜ 🅟. 🍴
14 maggio-17 settembre – Pas *(solo per clienti alloggiati)* 33000 – 🛏 11500 – **65 cam** 73/121000
– P 88/108000, b.s. 75/84000.

🏨 **Europa Monetti,** via Curiel 39 ℰ 954159, 🏊 – 🛗 ☜ 🚗 🅟. 🍴 rist
↝ *15 maggio-20 settembre* – Pas *(solo per clienti alloggiati)* 18/21000 – **77 cam** 🛏 40/72000 –
P 50/65000, b.s. 36/48000.

🏨 **Moderno-Majestic,** via D'Annunzio 15 ℰ 954169, ≼, 🐾 – 🛗 ☜ 🅟. 💳. 🍴 rist
↝ *15 maggio-25 settembre* – Pas 15/20000 – 🛏 5000 – **60 cam** 30/50000 – P 50/60000,
b.s. 40/50000.

🏨 **Splendid** viale Carducci 84 ℰ 961520, ≼, 🏊, 😃 – ☎ 🅟. 𝘝𝘐𝘚𝘈. 🍴 rist
aprile-ottobre – Pas carta 23/34000 – 50 cam *(solo pens)* – P 45/80000, b.s. 40/60000.

🏨 **Mediterraneo,** viale Carducci 141/b ℰ 963468 – 🛗 ☜ 🚗. 🍴 rist
25 maggio-25 settembre – Pas 20/25000 – 🛏 8000 – **60 cam** 42/75000 – P 52/65000,
b.s. 38/46000.

🏨 **Astoria,** viale Carducci 22 ℰ 961328, ≼ – 🛗 ☜ 🚗 🅟. 🍴 rist
Pas *(solo per clienti alloggiati)* – 🛏 10000 – **54 cam** 50/75000 – P 55/65000, b.s. 42/50000.

🏨 **Regina,** viale Carducci 40 ℰ 961167, ≼ – 🛗 ☜ 🅟. 🍴 rist
↝ *13 maggio-23 settembre* – Pas 18000 – 🛏 8000 – **62 cam** 50/72000 – P 64/72000, b.s. 44/49000.

🏨 Nord Est, viale Carducci 60 ℰ 961293, ≼ – 🛗 🅟 – *stagionale* – 71 cam.

🏨 **La Rosa,** viale Carducci 80 ℰ 963275, ≼ – 🛗 ☜ ⅊ 🅟. 🌒. 🍴 rist
↝ *20 maggio-20 settembre* – Pas 16/18000 – 🛏 5000 – **53 cam** 30/50000 – P 52/60000,
b.s. 38/45000.

segue →

🏨 **Columbia,** lungomare Rasi Spinelli 36 ℰ 961493, ← – 🛊 ☎ 🅿. 🖪. ⅙ rist
maggio-settembre – 47 cam (solo pens) – P 45/60000, b.s. 30/45000.

🏨 **Maxim,** via Facchini 7 ℰ 962137 – 🛊 ☜ 🅿. ⅙
➡ *20 maggio-20 settembre* – Pas 15/22000 – **55 cam** ⊒ 35/58000 – P 38/57000, b.s. 30/43000.

🏨 **Renzo,** lungomare Rasi Spinelli 44 ℰ 963312, ← – 🛊 ⅙⇔ cam ☜ 🖒 🅿. ⅋ 𝘝𝘐𝘚𝘈. ⅙
maggio-settembre – Pas carta 22/34000 – **48 cam** ⊒ 40/70000 – P 45/65000, b.s. 28/45000.

🏨 **Belsoggiorno,** viale Carducci 88 ℰ 963133, ←, ≪ – 🛊 ☜ 🅿. ⅙
20 maggio-20 settembre – Pas 22000 – ⊒ 7000 – **44 cam** 40/70000 – P 48/63000, b.s. 36/45000.

🏢 **Suisse,** viale Bovio 67 ℰ 953675 – 🛊 ☜ 🅿. ⅋ 🖪 ⚫ 𝘝𝘐𝘚𝘈. ⅙
➡ *Pasqua-settembre* – Pas 15/19000 – ⊒ 8000 – **18 cam** 29/56000 – P 36/57000, b.s. 26/39000.

✕ **Moro da Osvaldo** con cam, via Mazzini 91 ℰ 962438 – 🛊 📺 ☜ 🖒 ⇌ – 🏦 40. ⅋ 🖪 ⚫
🖪 ⅙
chiuso dal 20 al 28 dicembre – Pas *(chiuso mercoledì)* carta 21/41000 – ⊒ 5000 – **29 cam**
35/55000 – P 35/50000, b.s. 30/45000.

✕ **Al Dollaro** con cam, via Fiume 7 ℰ 962791 – 🖪 📺 ☎. ⅋ 🖪 ⚫ 🖪 𝘝𝘐𝘚𝘈. ⅙ cam
➡ *chiuso gennaio* – Pas *(chiuso lunedì da ottobre a maggio)* carta 19/37000 – ⊒ 5000 – **7 cam**
35/50000 – P 40/50000, b.s. 30/38000.

✕ **Protti** con cam, via Emilia Romagna 185 ℰ 963757 – ☜ 🅿. 𝘝𝘐𝘚𝘈. ⅙ rist
Pas *(chiuso lunedì da ottobre al 15 maggio)* carta 21/37000 – ⊒ 3000 – **20 cam** 28/44000.

VW-AUDI via Del Prete 4 ℰ 967807

CAVA DE' TIRRENI 84013 Salerno 🔢🔢🔢 ㉗ – 52 139 ab. alt. 196 – Stazione di villeggiatura, a.s.
Pasqua, giugno-settembre e Natale – 🕻 089.

🛈 corso Umberto I n° 208 ℰ 341572.

Roma 254 – Avellino 43 – Caserta 76 – ♦Napoli 45 – Salerno 8.

🏨 **2 Torri** ⬙, a Rotolo E : 2 km ℰ 843830, ←, ⬙, ⅍ – 🛊 🖪 ☎ ⇌ 🅿. ⅋ 🖪 ⚫ 𝘝𝘐𝘚𝘈. ⅙
Pas 25000 – ⊒ 5000 – 35 cam 50/70000 – P 70/75000, b.s. 60/65000.

🏨 **Victoria Maiorino,** corso Mazzini 4 ℰ 464022 – 🛊 ☎ ⇌ 🅿. ⅋ 🖪 ⚫ 𝘝𝘐𝘚𝘈. ⅙ rist
➡ Pas 15/18000 – ⊒ 5000 – **61 cam** 49/70000 – P 63/70000, b.s. 59/63000.

✕✕ **Le Bistrot,** corso Umberto I n° 203 ℰ 341617 – 🖪. ⅋ 𝘝𝘐𝘚𝘈. ⅙
chiuso lunedì – Pas carta 25/40000.

✕ Da Vincenzo, via Garibaldi 7 ℰ 464654.

a Corpo di Cava SO : 4 km – alt. 400 – ✉ **84010** Badia di Cava de' Tirreni :

🏨 **Scapolatiello** ⬙, ℰ 463911, ←, 🌫, « Terrazza-giardino », ⬙ – 🛊 📺 ☎ 🅿 – 🏦 100. ⅋
🖪 ⚫ 𝘝𝘐𝘚𝘈. ⅙
Pas carta 19/27000 (15%) – ⊒ 6000 – **48 cam** 50/70000 – P 70/80000, b.s. 60/70000.

FIAT corso Mazzini 227 ℰ 463833

CAVAGLIA 13042 Vercelli 🔢🔢🔢 ② ⑫, 🔢🔢 ⑮ – 3 541 ab. alt. 272 – 🕻 0161.
Roma 657 – Aosta 99 – ♦Milano 93 – ♦Torino 55 – Vercelli 28.

sulla strada statale 143 :

🏨 **Green Park Hotel,** SE : 3,5 km ✉ 13042 ℰ 966771, 🌫 – 🛊 ⅙⇔ 🖪 📺 ☎ 🅿 – 🏦 80. ⅋ 🖪
⚫ 🖪 𝘝𝘐𝘚𝘈. ⅙
Pas 30000 – ⊒ 10000 – **38 cam** 99/132000 – P 135/148000.

✕✕ **Dei Fiori,** SE : 3,5 km ✉ 13042 ℰ 966395 – 🅿. ⅙
chiuso martedì ed agosto – Pas carta 20/33000.

ALFA-ROMEO sulla statale 143 ℰ 966122

CAVAGLIETTO 28010 Novara 🔢🔢 ⑯ – 415 ab. alt. 233 – 🕻 0322.
Roma 647 – ♦Milano 74 – Novara 22.

✕✕ 🕻 **Arianna** con cam, ℰ 806134 – 🅿. 𝘝𝘐𝘚𝘈. ⅙ cam
chiuso dal 1° al 16 gennaio e dal 10 luglio al 5 agosto – Pas *(chiuso martedì)* carta 35/55000 –
⊒ 5000 – **6 cam** 35/45000
Spec. Flan di cardi al burro di aglio (novembre-dicembre), Coniglio al basilico (luglio-settembre), Zabaione
ghiacciato alla Malvasia (giugno-settembre). Vini Chardonnay, Ghemme.

CAVAGNANO Varese 🔢🔢 ⑧ – Vedere Cuasso al Monte.

CAVAION VERONESE 37010 Verona – 3 459 ab. alt. 190 – 🕻 045.
Roma 521 – ♦Brescia 81 – ♦Milano 169 – Trento 74 – ♦Verona 31.

🏢 **Andreis,** ℰ 7235035 – 🅿. ⅙
Pas *(chiuso lunedì)* 20/27000 – ⊒ 5000 – 15 cam 30/44000 – P 50000.

CAVALESE 38033 Trento 988 ④ – 3 581 ab. alt. 1 000 – Stazione di villeggiatura, a.s. Pasqua e Natale – Sport invernali : ad Alpe Cermis : 1 000/2 250 m ⬳2 ⬴7, ⬲ – 🟢 0462.

🅱 via Fratelli Bronzetti 4 ℘ 30298, Telex 400096.

Roma 648 – Belluno 92 – ◆Bolzano 42 – Cortina d'Ampezzo 97 – ◆Milano 302 – Trento 64.

🏠 **San Valier**, ℘ 31285, ◫ – 🛗 🖹 ☎ ♿ 🟢
42 cam.

🏨 **Trunka Lunka**, ℘ 30233, 🍴 – 📺 ☎ 🟢 ⛧ ◉ ❄
20 dicembre-Pasqua e 15 giugno-settembre – Pas 28/35000 – ☲ 15000 – **18 cam** 70/150000 – P 80/96000, b.s. 68/84000.

🏨 **Park Hotel Azalea** 🐾, ℘ 30109, « Giardino fiorito » – 🛗 ☎ 🟢 ⛧ 🔯 ◉ 🇪 𝐕𝐈𝐒𝐀 ❄
dicembre-aprile e giugno-novembre – Pas 25/40000 – ☲ 7000 – **35 cam** 60/100000 – P 75000, b.s. 65000.

🏡 **Panorama** 🐾, ℘ 31636, ≤ monti e vallata, 🍴 – 🟢 ⛧ 🔯 🇪 𝐕𝐈𝐒𝐀 ❄
— 20 giugno-20 settembre e 2 dicembre-25 aprile – Pas (solo per clienti alloggiati) 18000 – **28 cam** ☲ 37/64000 – P 70000, b.s. 50000.

🏡 **Fiemme** 🐾 senza rist, ℘ 31720, ≤ monti e vallata – 📺 ☜ 🟢 ❄
☲ 6000 – **15 cam** 65000.

❌❌ **Mas del Saügo,** località Masi SO : 4 km ℘ 30788, ≤, solo su prenotazione, « In un maso del '700 » – ⬳❂ 🟢 𝐕𝐈𝐒𝐀 ❄
chiuso giovedì – Pas (menu suggeriti dal proprietario) 70/90000.

❌❌ **Primola,** ℘ 32933, prenotare – ⛧ 🔯 ◉ 🇪 𝐕𝐈𝐒𝐀 ❄
chiuso martedì (escluso dal 24 dicembre al 2 gennaio, luglio ed agosto) – Pas carta 24/36000.

❌❌ **La Stua** con cam, ℘ 30235 – 📺 ☜ 🔯 ◉ 🇪 𝐕𝐈𝐒𝐀
chiuso novembre – Pas carta 21/30000 – ☲ 12000 – 19 cam 34/60000 – P 70000, b.s. 50000.

CAVALLINO 30013 Venezia – a.s. 15 giugno-agosto – 🟢 041.

🚢 da Treporti (O : 11 km) per : Burano (20 mn), Torcello (25 mn), Murano (1 h) e Venezia-Fondamenta Nuove (1 h), giornalieri – Informazioni a Punta Sabbioni ℘ 966015.

Roma 571 – Belluno 117 – ◆Milano 310 – ◆Padova 80 – Treviso 61 – ◆Trieste 136 – Udine 105 – ◆Venezia 51.

🏨 **Fenix** 🐾, via Francesco Baracca 45 (E : 2 km) ℘ 968040, ≤, 🐾, ❄ – 🛗 ☜ 🟢 ❄ rist
— 15 maggio-settembre – Pas 18/20000 – ☲ 10000 – **64 cam** 48/86000 – P 68/82000, b.s. 43/67000.

❌❌ **Trattoria Laguna,** via Pordelio 444 ℘ 968058 – 🟢 ⛧ 🔯 ◉ 🇪 𝐕𝐈𝐒𝐀 ❄
chiuso giovedì a mezzogiorno da maggio a settembre, tutto il giorno negli altri mesi – Pas carta 30/53000.

❌ **Da Achille,** piazza Santa Maria Elisabetta 16 ℘ 968005 – ❄
chiuso dicembre e lunedì da settembre a maggio – Pas carta 26/38000.

a Treporti O : 11 km – ✉ **30010** :

❌ **Al Pescatore,** ℘ 966196, ≤, 🍴 – 🟢 ❄
marzo-novembre; chiuso martedì – Pas carta 16/29000.

CAVALLIRIO 28010 Novara 219 ⑥ – 982 ab. alt. 367 – 🟢 0163.
Roma 654 – Biella 36 – ◆Milano 80 – Novara 34 – ◆Torino 97.

sulla strada statale 142 S : 2 km :

❌❌ **Imazio,** ✉ 28010 ℘ 80144 – 🟢 ⛧ 🔯 ◉ 🇪 𝐕𝐈𝐒𝐀 ❄
chiuso martedì e dall'11 al 31 gennaio – Pas carta 24/40000.

CAVANELLA D'ADIGE Venezia – Vedere Chioggia.

CAVAZZALE Vicenza – Vedere Vicenza.

CAVERNAGO 24050 Bergamo – 1 225 ab. alt. 202 – 🟢 035.
Roma 600 – ◆Bergamo 13 – ◆Brescia 45 – ◆Milano 54.

🏨 **Giordano** senza rist, via Leopardi ℘ 840266 – ☎ 🟢 ⛧ ❄
☲ 7000 – **22 cam** 30/45000.

CAVI Genova – Vedere Lavagna.

CAVO Livorno 988 ㉔ – Vedere Elba (Isola d') : Rio Marina.

CAVRIAGO 42025 Reggio nell'Emilia – 8 277 ab. alt. 78 – 🟢 0522.
Roma 436 – ◆Milano 145 – ◆Parma 23 – Reggio nell'Emilia 9.

❌❌ ❄ **Picci,** ℘ 57201 – 🖹 ⛧ 🔯 ◉ 🇪 𝐕𝐈𝐒𝐀 ❄
chiuso lunedì sera, martedì, dal 26 dicembre al 20 gennaio e dal 5 al 25 agosto – Pas carta 41/56000
Spec. Bottoni aromatici su fonduta di tartufo (settembre-marzo), Capriccio di funghi al parmigiano reggiano, Insalata di filetto all'aceto balsamico e frutta. Vini Malvasia, Sangiovese.

CAVRIANA 46040 Mantova – 3 496 ab. alt. 170 – ✪ 0376.
Roma 502 – ◆Brescia 39 – Mantova 32 – ◆Milano 131 – ◆Verona 45.

XX **La Capra-Vecchia Fornace,** ℰ 82101 – 🅟 – 🏛 120. ❄
   chiuso martedì – Pas carta 36/51000.

CAVRIGLIA 52022 Arezzo – 6 325 ab. alt. 308 – ✪ 055.
Roma 240 – Arezzo 45 – ◆Firenze 58 – Siena 39.

X **Pitena,** E : 3 km ℰ 966016, 🍽, 🛋 – 🅟. ❄
← *chiuso martedì sera, mercoledì ed agosto* – Pas carta 18/25000.

CECCANO 03023 Frosinone 988 ㉖ – 21 826 ab. alt. 229 – ✪ 0775.
Roma 89 – Frosinone 14 – Latina 49 – ◆Napoli 150.

X **Delle Rose,** piazza Mancini 14 ℰ 600050 – ⱺ. ❄
← *chiuso martedì ed agosto* – Pas carta 16/29000.

FIAT via Monti Lepini ℰ 641278

CECINA 57023 Livorno 988 ⑭ – 24 671 ab. alt. 15 – ✪ 0586.
Roma 285 – ◆Firenze 122 – Grosseto 98 – ◆Livorno 36 – Piombino 46 – Pisa 55 – Siena 98.

🏨 **Il Palazzaccio** senza rist, via Aurelia Sud 300 ℰ 682510 – 🍽 🅟. ❄
   ⊐ 7000 – **30 cam** 48/69000.

XX **Scacciapensieri,** via Verdi 22 ℰ 680900, Coperti limitati; prenotare – 🆎 ⓞ 𝘝𝘐𝘚𝘈 ❄
   chiuso lunedì – Pas carta 36/55000.

XX **Trattoria Senese,** via Diaz 23 ℰ 680335 – ▤. ❄
   chiuso martedì e dal 10 dicembre al 10 gennaio – Pas carta 26/43000 (10%).

ALFA-ROMEO via Aurelia Sud, località Palazzaccio
ℰ 684271
FIAT via Susa 62/68 ℰ 681749
FORD via dell'Industria 8 ℰ 660384
INNOCENTI a San Pietro in Palazzi, via Guerrazzi 4
ℰ 660157

LANCIA-AUTOBIANCHI a San Pietro in Palazzi, via
Guerrazzi 24 ℰ 661018
RENAULT via Aurelia Sud 352 ℰ 684341
VW-AUDI via Caravaggio 9 ℰ 681326

CECINA (Marina di) 57023 Livorno – a.s. 15 giugno-15 settembre – ✪ 0586.
Roma 288 – Cecina 3 – ◆Firenze 125 – ◆Livorno 39 – Pisa 58.

🏨 **Il Gabbiano,** viale della Vittoria 109 ℰ 620248, ≼, 🦺 – 🍽 🅟. ❄
   Pas carta 30/40000 – ⊐ 7000 – **26 cam** 48/69000 – P 60/75000, b.s. 43/60000.

🏨 **Massimo,** via Zaccaria 3 ℰ 620216, « Giardino ombreggiato » – 📺 🅟. ⑱ ⓞ 🅴 𝘝𝘐𝘚𝘈. ❄
   Pas (solo per clienti alloggiati) 25/30000 – ⊐ 7000 – 36 cam 50/70000 – P 75000, b.s. 60/65000.

X **El Faro,** viale della Vittoria 70 ℰ 620164, ≼, 🦺 – 🆎 ⓞ 🅴 𝘝𝘐𝘚𝘈. ❄
   chiuso mercoledì e da novembre al 5 dicembre – Pas carta 38/56000.

CEFALÙ Palermo 988 ㊱ – Vedere Sicilia alla fine dell'elenco alfabetico.

CEGLIE MESSAPICO 72013 Brindisi 988 ㉚ – 21 069 ab. alt. 303 – ✪ 0831.
Roma 564 – ◆Bari 92 – ◆Brindisi 38 – ◆Taranto 38.

X **Al Fornello-da Ricci,** contrada Montevicoli ℰ 977104 – 🅟. 🆎 ⑱ ⓞ 𝘝𝘐𝘚𝘈. ❄
   chiuso lunedì sera e martedì – Pas carta 28/42000.

CELANO 67043 L'Aquila 988 ㉖ – 10 683 ab. alt. 800 – ✪ 0863.
Roma 118 – Avezzano 16 – L'Aquila 67 – Pescara 94.

XX **Gole di Celano-da Guerrinuccio,** borgo Sardellino S : 1,5 km ✉ 67041 Aielli ℰ 791471 –
← 🅟. 🆎 ⑱ ⓞ. ❄
   chiuso lunedì – Pas carta 19/28000.

CELLE LIGURE 17015 Savona 988 ⑬ – 5 060 ab. – Stazione balneare – ✪ 019.
🛈 largo Giolitti 7 ℰ 990021.
Roma 538 – Alessandria 86 – ◆Genova 39 – ◆Milano 162 – Savona 7,5.

🏨 **San Michele,** via Monte Tabor 26 ℰ 990017, ⊼, 🛋 – 📺 🍽 🅟. ❄ rist
   giugno-settembre – Pas 40/45000 – ⊐ 13000 – 52 cam 80000 – P 85000.

🏨 **Riviera,** via Colla 55 ℰ 990541 – 📺 🛋 ⚴. 🆎 ⑱ ⓞ 🅴 𝘝𝘐𝘚𝘈. ❄ rist
   chiuso da novembre al 20 dicembre – Pas 30/40000 – ⊐ 6000 – **48 cam** 55/75000 – P 60/70000.

🏨 **Felice** senza rist, via Mulino a Vento 26 ℰ 990174, ⊼, 🍽 – 🍽 🅟. ❄
   Pasqua-settembre – ⊐ 6000 – **17 cam** 45/65000.

🏨 **Piccolo Hotel,** via Lagorio 25 ℰ 990015 – 📺 🍽 🅟. ❄
   aprile-settembre – Pas 20/25000 – ⊐ 5000 – 26 cam 50/65000 – P 60/70000.

🏨 **Ancora,** via De Amicis 3 ℰ 990052 – 🍽 🅟. 🆎 ⑱ 🅴. ❄
   aprile-settembre – Pas (chiuso martedì) 30/34000 – ⊐ 8000 – **41 cam** 45/60000 – P 52/65000.

XX **Mosè,** via Colla 30 ℰ 991560 – 🆎 ⑱ ⓞ 🅴 𝘝𝘐𝘚𝘈
   chiuso mercoledì e dal 15 ottobre al 15 dicembre – Pas carta 40/50000.

sulla strada statale 1 - via Aurelia E : 1,5 km :

🏮 ⊕ **Villa Alta,** ⊠ 17015 𝒫 990939, ≼, 🍴, Coperti limitati; prenotare, 🚗 – 𝔸𝔼
chiuso martedì e dal 7 gennaio al 10 marzo – Pas carta 50/70000 (15%)
Spec. Spaghetti o riso all'aragosta, Sogliola Bercy, Pasticceria della Casa. Vini Pigato, Rossese.

CEMBRA 38034 Trento – 1 519 ab. alt. 677 – a.s. dicembre-aprile – ⊕ 0461.
🏧 𝒫 683110.
Roma 611 – Belluno 130 – ✦Bolzano 63 – ✦Milano 267 – Trento 23.

🍴 **Al Caminetto** con cam, 𝒫 683007 – 🍽 rist ℗. ⁒
↠ Pas *(chiuso lunedì)* carta 14/21000 – 27 cam ⊊ 26/46000 – P 36/38000, b.s. 34/36000.

CENTO 44042 Ferrara 𝟵𝟴𝟴 ⑭⑮ – 29 145 ab. alt. 15 – ⊕ 051.
Roma 410 – ✦Bologna 33 – ✦Ferrara 35 – ✦Milano 207 – ✦Modena 37 – ✦Padova 103.

🏨 **Europa,** via 4 Novembre 16 𝒫 902213 – 🛗 🍽 📺 🚗 ℗. 𝘝𝘐𝘚𝘈
Pas carta 24/33000 – ⊊ 7000 – **44 cam** 42/70000, 🍽 7000 – P 72000.

🏨 **Al Castello,** via Giovannina 57 (O : 2 km) 𝒫 906053, ⁒ – 🛗 ↬ rist 🍽 📺 🚗 ℗ – 🏆 400.
⁒
Pas 23000 – ⊊ 11000 – 68 cam 42/72000, 🍽 7000 – P 80000.

ALFA-ROMEO   via Ferrarese 37/39 𝒫 901504
BMW   via Ferrarese 𝒫 902755
FIAT   via Ferrarese 9 𝒫 901106
FORD   via Don Minzoni 8 𝒫 904500
LANCIA-AUTOBIANCHI   via Bologna 29 𝒫 904029
RENAULT   via Bologna 9 𝒫 906527

In questa guida
uno stesso simbolo, uno stesso carattere
stampati in rosso o in nero, *in magro o in* **grassetto**
hanno un significato diverso.
Leggete attentamente le pagine esplicative.

CENTRALE Vicenza – Vedere Zugliano.

CEPARANA 19020 La Spezia – alt. 36 – ⊕ 0187.
Roma 415 – ✦Genova 98 – ✦Parma 107 – ✦La Spezia 11.

🍴 **Mileo,** NO : 3 km 𝒫 945096, « Servizio estivo all'aperto » – ℗. ⁒
chiuso lunedì sera, martedì e dal 17 agosto al 7 settembre – Pas carta 24/38000.

CEPRANO 03024 Frosinone 𝟵𝟴𝟴 ㉗ – 8 608 ab. alt. 120 – ⊕ 0775.
Roma 99 – Avezzano 84 – Frosinone 25 – Isernia 78 – Latina 71 – ✦Napoli 122.

🏨 **Ida,** in prossimità casello autostrada A 2 𝒫 950040 – 🛗 🍽 rist ☎ 🚗 ℗. 𝔸𝔼 ⓞ. ⁒
chiuso dal 24 dicembre al 2 gennaio – Pas carta 20/29000 – ⊊ 5000 – **36 cam** 35/54000 –
P 50/70000.

CERBAIA Firenze – Vedere San Casciano in Val di Pesa.

CERCENASCO 10060 Torino – 1 599 ab. alt. 256 – ⊕ 011.
Roma 689 – Cuneo 60 – ✦Milano 183 – Sestriere 70 – ✦Torino 31.

🍴 **Centro,** 𝒫 9809247 – 🍽
↠ *chiuso mercoledì e dal 1° al 10 agosto* – Pas carta 17/33000.

CERESE DI VIRGILIO Mantova – Vedere Mantova.

CERESOLE REALE 10080 Torino 𝟵𝟴𝟴 ⑫, 𝟮𝟭𝟵 ⑫ – 166 ab. alt. 1 620 – ⊕ 0124.
Roma 738 – Aosta 126 – ✦Milano 176 – ✦Torino 81.

🏠 **Blanchetti** ⁒, 𝒫 95126, ≼ – 🚗. ⁒
Pas *(chiuso mercoledì da ottobre a marzo)* carta 23/35000 – ⊊ 6000 – **11 cam** 48/68000 –
P 66000.

CERIALE 17023 Savona – 5 323 ab. – ⊕ 0182.
Roma 577 – ✦Genova 82 – Imperia 31 – ✦Milano 205 – Savona 36.

🏮 Harmony, con cam, via Aurelia 292 𝒫 932227 – 📺 ℗
8 cam.

CERMENATE 22072 Como 𝟮𝟭𝟵 ⑱ – 7 988 ab. alt. 332 – ⊕ 031.
Roma 612 – Como 16 – ✦Milano 30 – Varese 28.

🍴 **Castello,** via Castello 16 𝒫 771563 – ℗. 𝔸𝔼. ⁒
chiuso lunedì, dal 24 al 29 dicembre ed agosto – Pas carta 29/40000.

CERNOBBIO 22012 Como 988 ③, 219 ⑥ ⑨ – 7 397 ab. alt. 202 – Stazione climatica e di villeggiatura – ✿ 031.

Vedere Località** – Giardino** di Villa d'Este (hotel).

📷 Villa d'Este (chiuso gennaio e febbraio) a Montorfano ✉ 22030 ℘ 200200, SE : 11 km.

🖪 via Regina 33/b ℘ 510198.

Roma 630 – Como 5 – ♦Lugano 33 – ♦Milano 53 – Sondrio 98 – Varese 30.

🏨 **Gd H. Villa d'Este** ♨, ✉ 22010 ℘ 511471, Telex 380025, Fax 512027, ≤, « Grande parco digradante sul lago », ⊒ riscaldata, 🔲, ✻ – 📳 ▤ rist ☎ ₺ ₽ – 🔬 250. ⅍ 🚺 ⑨ ⅀ 𝐕𝐈𝐒𝐀. ✿ rist
aprile-ottobre – Pas carta 65/140000 – **180 cam** ⊊ 355/560000 appartamenti 760/1160000.

🏨 **Regina Olga,** ℘ 510171, Telex 380821, Fax 514604, ≤, ⊒ riscaldata, ⇝ – 📳 ▣ ☒ ⇌ ₽ – 🔬 120. ⅍ 🚺 ⑨ ⅀ 𝐕𝐈𝐒𝐀. ✿ rist
Pas vedere rist Cenobio – **80 cam** ⊊ 144/217000 appartamenti 317000 – P 160/195000.

🏨 **Miralago,** ℘ 510125, Telex 380321, ≤ – 📳 ☎. ⅍ 🚺 ⑨ ⅀ 𝐕𝐈𝐒𝐀. ✿ rist
aprile-ottobre – Pas *(chiuso lunedì)* carta 28/41000 – ⊊ 10000 – 30 cam 70/95000 – P 75/79000.

XX Terzo Crotto, ℘ 512304, 🍽 – ₽.

XX Cenobio, ℘ 512710 – ▤.

CERNUSCO SUL NAVIGLIO 20063 Milano 219 ⑲ – 26 340 ab. alt. 133 – ✿ 02.

📷 Molinetto (chiuso lunedì) ℘ 9238500.

Roma 583 – ♦Bergamo 38 – ♦Milano 14.

XX **Lo Spiedo da Odero,** via Verdi 48 ℘ 9242781, 🍽 – ✻
chiuso domenica sera, lunedì, dal 1° al 15 gennaio ed agosto – Pas carta 33/54000.

ALFA-ROMEO via Torino 37 ℘ 9231906	INNOCENTI via Dante Alighieri 33 ℘ 9241318
FIAT strada Padana Superiore 15 ℘ 9240280	PEUGEOT-TALBOT via Torino 41 ℘ 9232956
GM-OPEL via Torino 5/7 ℘ 9248830	RENAULT via La Malfa 2 ℘ 9041414

CERRINA MONFERRATO 15020 Alessandria – 1 548 ab. alt. 225 – ✿ 0142.

Roma 626 – Alessandria 46 – Asti 37 – ♦Milano 98 – ♦Torino 58 – Vercelli 40.

a Montalero O : 3 km – ✉ 15020 :

XX ✿ **Castello di Montalero,** ℘ 94146, solo su prenotazione, « Costruzione settecentesca in un parco ombreggiato » – ₽. ⑨. ✻
chiuso lunedì – Pas 60000
Spec. Mousse di formaggio al tartufo (settembre-dicembre), Fagottini di frutti di mare, Sella di vitello ai funghi. **Vini** Gavi, Grignolino.

CERTALDO 50052 Firenze 988 ⑭ – 16 104 ab. alt. 67 – ✿ 0571.

Roma 270 – ♦Firenze 56 – ♦Livorno 75 – Siena 40.

XX Charlie Brown, via Guido Rossa 13 ℘ 664534.

CERTOSA DI PAVIA 27012 Pavia 988 ③⑬ – 2 985 ab. alt. 91 – ✿ 0382.

Vedere Certosa*** E : 1,5 km.

Roma 572 – Alessandria 76 – ♦Bergamo 84 – ♦Milano 27 – Pavia 9 – Piacenza 62.

XX ✿ **Vecchio Mulino,** via al Monumento 5 ℘ 925894, Coperti limitati; prenotare, « Servizio estivo in giardino » – ₽. ⅍ 🚺 ⑨ ⅀ 𝐕𝐈𝐒𝐀. ✻
chiuso domenica sera e lunedì – Pas carta 40/60000
Spec. Terrina di coniglio con rucola all'aceto balsamico, Risotto alla vogherese, Sella di coniglio disossata al Riesling. **Vini** Pinot nero vinificato in bianco, Oltrepò Pavese.

XX **Chalet della Certosa,** sul piazzale antistante il Monastero ℘ 925615, « Servizio estivo in giardino » – ₽. ⅍ 🚺 ⑨ ⅀ 𝐕𝐈𝐒𝐀
chiuso lunedì e gennaio – Pas carta 30/47000.

CERVESINA 27050 Pavia – 1 260 ab. alt. 72 – ✿ 0383.

Roma 580 – Alessandria 46 – ♦Genova 102 – ♦Milano 72 – Pavia 25.

XXX **Il Castello di San Gaudenzio** ♨, con cam, S : 3 km ℘ 75025, Telex 311399, Fax 75025, prenotare, « Castello del 14° secolo in un parco » – ▤ ☒ ☎ ₽ – 🔬 80. ⅍ 🚺 ⑨ ⅀ 𝐕𝐈𝐒𝐀. ✻
Pas *(chiuso martedì)* carta 25/43000 – ⊊ 10000 – **12 cam** 85/150000 appartamenti 175/200000 – P 120/170000.

CERVETERI 00052 Roma 988 ㉖ – 17 752 ab. alt. 81 – ✿ 06.

Vedere Necropoli della Banditaccia** N : 2 km.

Roma 51 – Civitavecchia 33 – Ostia Antica 42 – Tarquinia 52 – Viterbo 72.

X **L'Oasi-da Pino,** ℘ 9953482, 🍽 – ▤. ✻
chiuso lunedì e dal 5 al 30 novembre – Pas carta 23/33000.

FIAT via Italo Chirieletti ℘ 9951066

CERVIA 48015 Ravenna 🔟🔟🔟 ⑮ – 24 795 ab. – Stazione termale (aprile-ottobre) e balneare, a.s. luglio-agosto – ✪ 0544.

🔟 (chiuso gennaio, febbraio e martedì da ottobre a maggio) ✎ 992786.

🔟 piazza Garibaldi (maggio-settembre) ✎ 971013.

Roma 382 – ♦Bologna 96 – ♦Ferrara 98 – Forlì 28 – ♦Milano 307 – Pesaro 76 – ♦Ravenna 22 – Rimini 30.

🏨 **Gd H. Cervia,** lungomare Grazia Deledda 9 ✎ 970500, Telex 550394, ← – 🛗 📼 📺 ☎ 🅿 – 🛄 200. 🆎 🕥 ⓪ 🗲 𝘝𝘐𝘚𝘈 ✻
aprile-settembre – Pas 40000 – **56 cam** ⇆ 92/144000 appartamenti 200/248000 – P 148000, b.s. 100/110000.

🏨 **Nettuno,** lungomare D'Annunzio 34 ✎ 971156, ←, ☒ riscaldata, ⚓ – 🛗 ⊕ 🅿. ✻
maggio-settembre – Pas 25/30000 – ⇆ 10000 – **45 cam** 35/60000 – P 60/70000, b.s. 40/55000.

🏨 **Strand,** lungomare Grazia Deledda 104 ✎ 72325, ← – 🛗 ☎ 🅿. 🆎 🕥 ⓪ 🗲 𝘝𝘐𝘚𝘈 ✻ rist
25 maggio-15 settembre – Pas 22000 – ⇆ 6000 – **33 cam** 35/52000 – P 63000, b.s. 44000.

🏨 **Bristol,** lungomare D'Annunzio 22 ✎ 71518, ←, ⚓ – 🛗 ▤ rist ☜ 🅿. ✻ rist
maggio-20 settembre – Pas 20/30000 – ⇆ 7000 – **51 cam** 35/60000 – P 55/60000, b.s. 40/45000.

🏨 **K 2 Cervia,** viale dei Mille 98 ✎ 971025, ⚓ – 📼 ☒ 🖐 🅿. 🆎 🕥 ⓪ 🗲 𝘝𝘐𝘚𝘈 ✻ rist
marzo-ottobre – Pas 20/30000 – ⇆ 7000 – **40 cam** 45/60000 – P 65/73000, b.s. 47/55000.

🏨 **Beau Rivage,** lungomare Grazia Deledda 116 ✎ 971010, ←, ⚓ – 🛗 ☜ 🅿. ✻ rist
marzo-settembre – Pas 20/26000 – ⇆ 9000 – **40 cam** 40/60000 – P 55/70000, b.s. 35/55000.

🏨 **Buenos Aires,** lungomare Grazia Deledda 130 ✎ 973174, ← – 🛗 ✕➤ ▤ rist ☜ 🅿 – 🛄 120. 🆎 🕥 ⓪ 🗲 𝘝𝘐𝘚𝘈 ✻ rist
aprile-ottobre – Pas (chiuso lunedì) 25/36000 – ⇆ 7500 – **62 cam** 37/65000 – P 57/63000, b.s. 38/42000.

🏦 **Trevi,** viale Roma 102 ✎ 970079, ☒ riscaldata, ⚓ – 🛗 ☜ 🅿. 𝘝𝘐𝘚𝘈 ✻ rist
15 maggio-15 settembre – Pas (solo per clienti alloggiati) 22000 – ⇆ 9000 – **47 cam** 42/65000 – P 52/56000, b.s. 37/46000.

🏦 **Ascot,** viale Titano 14 ✎ 72318, ⚓ – 🛗 ▤ rist ☜ 🅿. ✻
maggio-15 settembre – Pas (solo per clienti alloggiati) 15/25000 – ⇆ 7000 – 30 cam 50000 – P 44/48000, b.s. 34/39000.

🏦 **Gadames,** viale Cristoforo Colombo 40 ✎ 970461 – 🛗. 🆎 𝘝𝘐𝘚𝘈 ✻ rist
maggio-settembre – Pas 20000 – ⇆ 10000 – **35 cam** 33/56000 – P 53/56000, b.s. 37/38000.

✕✕ **I Rubini,** viale Nettuno 3 ✎ 72327, 🏠 – 🕥 🗲 𝘝𝘐𝘚𝘈 ✻
chiuso a mezzogiorno e lunedì – Pas carta 40/61000.

a Pinarella S : 2 km – ✉ **48015** Pinarella di Cervia

🔟 viale Emilia 58 ✎ 988869 :

🏨 **Antares,** viale Italia 282 ✎ 987414, ⚓ – 🛗 ▤ rist ☜ 🖐 🅿. 🆎 🕥 ⓪ 🗲. ✻
maggio-settembre – Pas (solo per clienti alloggiati) – ⇆ 10000 – **30 cam** 35/55000 – P 50/55000, b.s. 37/44000.

🏦 **Buratti,** viale Italia 194 ✎ 987549, ⚓ – 🛗 ☜ 🅿. 🆎 🕥 🗲 𝘝𝘐𝘚𝘈 ✻
Pasqua-settembre – Pas (solo per clienti alloggiati) 20/25000 – ⇆ 8000 – 40 cam 40/55000 – P 46/55000, b.s. 38/46000.

🏦 **Everest,** viale Italia 230 ✎ 987214, ⚓ – 🛗 🅿
stagionale – 42 cam.

a Milano Marittima N : 2 km – ✉ **48016** Cervia - Milano Marittima.

🔟 viale Romagna 107 ✎ 993435 :

🏨 **Mare e Pineta,** viale Dante 40 ✎ 992262, Telex 550869, Fax 992739, « Parco pineta », ☒ riscaldata, 🐾, ✕, ⚓ – 🛗 ☎ 🅿 – 🛄 250. 🆎 🕥 ⓪ 🗲 𝘝𝘐𝘚𝘈 ✻ rist
14 maggio-19 settembre – Pas 50000 – ⇆ 15000 – **197 cam** 150/190000 – P 180/220000, b.s. 120/160000.

🏨 **Exclusive Waldorf,** VII Traversa ✎ 994343, Telex 550834, ←, « Giardino con ☒ riscaldata » – 🛗 ▤ 🖐 🅿. 🆎 ⓪ 🗲 𝘝𝘐𝘚𝘈 ✻ rist
20 aprile-settembre – Pas 45/50000 – ⇆ 20000 – **23 cam** 85/150000 – P 145/195000, b.s. 95/135000.

🏨 **Rouge,** III Traversa 26 ✎ 992201, ←, ☒ riscaldata, ⚓, ✕ – 🛗 ▤ rist ☎ 🅿. 🆎 🕥 ⓪ 🗲 𝘝𝘐𝘚𝘈. ✻ rist
aprile-settembre – Pas carta 40/60000 – ⇆ 15000 – **84 cam** 70/110000 – P 95/115000, b.s. 75/85000.

🏨 **Aurelia,** viale 2 Giugno 34 ✎ 992082, Telex 550339, ←, « Giardino », ☒ riscaldata, 🐾, ✕ – 🛗 ▤ rist ☎ 🅿 – 🛄 150. 🆎 🕥 ⓪ 🗲 𝘝𝘐𝘚𝘈. ✻ rist
maggio-settembre – Pas 35000 – ⇆ 10000 – **105 cam** 85/130000 – P 120/130000, b.s. 70/80000.

🏨 **Miami,** III Traversa 31 ✎ 991628, Telex 550270, ←, ☒ riscaldata, 🐾, ⚓ – 🛗 ▤ rist 🅿. 🆎 🕥 ⓪ 🗲 𝘝𝘐𝘚𝘈. ✻ rist
aprile-ottobre – Pas (solo per clienti alloggiati) 35000 – **81 cam** ⇆ 110/180000 – P 90/114000, b.s. 60/95000.

🏨 **Bellevue Beach,** XIX Traversa ✎ 994233, Telex 550546, ←, ☒ riscaldata, 🐾, ⚓ – 🛗 ✕➤ cam 🅿. 🆎 🕥 🗲 𝘝𝘐𝘚𝘈. ✻ rist
13 maggio-17 settembre – Pas 38/45000 – ⇆ 16000 – **70 cam** 73/115000 appartamenti 170/190000 – P 105/120000, b.s. 85/100000.

segue →

🏨 **Deanna Golf Hotel,** viale Matteotti 131 ✆ 991365, « Giardino », 🏊 riscaldata – 🛗 ☎ 🅿. 🅰🅴
🅱 ⓘ 🄴 𝘝𝘐𝘚𝘈. 🕎 rist
aprile-ottobre – Pas 40000 – 🍴 15000 – **66 cam** 65/90000 – P 85/90000, b.s. 60/70000.

🏨 **Le Palme,** VII Traversa 12 ✆ 994660, Telex 563052, ≤, 🏊 riscaldata, 🐎, 🎾 – 🛗 🍽 ☎ 🅿.
🕎 rist
maggio-settembre – Pas 25/30000 – 🍴 15000 – **84 cam** 65/100000 – P 100/120000,
b.s. 80/90000.

🏨 **Doge,** viale 2 Giugno 36 ✆ 992071, Telex 551223, ≤, 🏊 riscaldata, 🐎 – 🛗 ♿ 🅿. 🅰🅴 🅱 ⓘ 🄴
𝘝𝘐𝘚𝘈. 🕎 rist
maggio-settembre – Pas carta 30/40000 – 🍴 15000 – **78 cam** 70/110000 – P 90/105000,
b.s. 65/80000.

🏨 **Michelangelo,** viale 2 Giugno 113 ✆ 994470, « Giardino », 🏊 riscaldata – 🛗 🍽 ♿ 🅿. 🅱 ⓘ
𝘝𝘐𝘚𝘈. 🕎 rist
Pas 35000 – **47 cam** 🍴 85/140000 – P 120000, b.s. 75000.

🏩 **Kent,** viale 2 Giugno 142 ✆ 992048, « Piccolo giardino ombreggiato » – 🛗 ☕ 🅿. 🕎 rist
10 maggio-settembre – Pas 35/48000 – 🍴 10000 – **45 cam** 45/72000 – P 70/80000,
b.s. 60/70000.

🏩 **Globus,** viale 2 Giugno 59 ✆ 992115, 🏊 riscaldata, 🐎 – 🛗 🍴 cam 🍽 rist ☎ ♿ 🅿. 🅰🅴. 🕎
Pasqua-settembre – Pas 25/35000 – 🍴 10000 – **48 cam** 50/70000 – P 74/78000, b.s. 48/55000.

🏩 **Ariston,** viale Cesare Battisti 16 ✆ 994659, ≤, 🐎 – 🛗 🍴 cam ☕ 🅿. 🅰🅴 🅱 ⓘ 𝘝𝘐𝘚𝘈. 🕎 rist
20 maggio-15 settembre – Pas 25/30000 – 59 cam 🍴 50/95000 – P 75/85000, b.s. 65/70000.

🏩 **Mazzanti,** via Forlì 51 ✆ 991207, ≤ – 🛗 ☕ 🅿. 🅱 🄴 𝘝𝘐𝘚𝘈. 🕎 rist
maggio-settembre – Pas (solo per clienti alloggiati) 25/30000 – 🍴 7500 – 42 cam 45/70000 –
P 65/70000, b.s. 49/53000.

🏩 **Parco,** viale 2 Giugno 49 ✆ 991130 – 🛗 ♿ 🅿. 🕎 rist
15 maggio-20 settembre – Pas (solo per clienti alloggiati) 25/35000 – 🍴 9000 – 33 cam
42/65000 – P 60/80000, b.s. 50/60000.

🏩 **Acapulco,** VI Traversa 19 ✆ 992396, ≤ – 🛗 ☕. 🕎
15 maggio-20 settembre – Pas 30000 – 🍴 10000 – **49 cam** 45/80000 – P 80000, b.s. 60000.

🏩 **Sahara,** anello del Pino 4 ✆ 992001, 🏊 riscaldata, 🐎 – 🛗 🍴 ☎ 🅿. 𝘝𝘐𝘚𝘈. 🕎
maggio-settembre – Pas 25000 – 🍴 10000 – 56 cam 45/70000 – P 60/70000, b.s. 50/55000.

🏩 **Nadia,** viale Puccini 1 ✆ 991421, 🐎 – ☎ 🅿. 🅱 🄴. 🕎 rist
chiuso gennaio – Pas (solo per clienti alloggiati e *chiuso da ottobre ad aprile*) 24000 – 🍴 6500
– **28 cam** 50000 – P 56/62000, b.s. 43/48000.

🏩 **Sorriso,** VIII Traversa 19 ✆ 994063, 🏊 riscaldata, 🐎 – 🛗 🍽 rist ☕ 🅿. 🅱 𝘝𝘐𝘚𝘈. 🕎 rist
maggio-settembre – Pas 32000 – 🍴 15000 – **32 cam** 43/70000 – P 70/90000, b.s. 52/70000.

🏩 **Fenice,** XVII Traversa 6 ✆ 991497, 🐎 – 🛗 ☕ 🅿. 🅰🅴 ⓘ. 🕎
15 maggio-20 settembre – Pas (solo per clienti alloggiati) 25000 – 🍴 8000 – **46 cam** 50/70000
– P 58/65000, b.s. 43/55000.

🏩 **King,** XII Traversa 14 ✆ 994323, ≤ – 🛗 🍽 ☕ 🅿. 🕎 rist
10 maggio-25 settembre – Pas 20/30000 – 🍴 8000 – **42 cam** 40/70000 – P 65/75000,
b.s. 55/60000.

🏩 **Majestic,** X Traversa 23 ✆ 994122, ≤, 🐎 – 🛗 🍽 rist ☕ ♿ 🅿. 🅱 𝘝𝘐𝘚𝘈. 🕎
maggio-settembre – Pas 22000 – **50 cam** 🍴 35/65000 – P 63/70000, b.s. 49/54000.

🏩 **Saratoga,** viale 2 Giugno 156 ✆ 994216 – 🛗 🍽 ☕ 🅿. 🕎 rist
aprile-settembre – Pas 16/21000 – 🍴 10000 – **41 cam** 40/65000 – P 57/63000, b.s. 42/48000.

🏩 **Monaco,** XV Traversa 9 ✆ 994400, « Giardino » – 🛗 ☕ 🅿. 🕎
maggio-settembre – Pas 25/30000 – 🍴 9000 – 50 cam 45/62000 – P 49/57000, b.s. 40/44000.

🏩 **Savini,** XVIII Traversa 14 ✆ 994719, ≤, 🍴 – 🛗 ♿ 🅿. 🅰🅴 🅱 🄴 𝘝𝘐𝘚𝘈. 🕎 rist
10 maggio-20 settembre – Pas 25000 – 🍴 10000 – **64 cam** 48/75000 – P 77/78000, b.s. 60/62000.

🏩 Mirage, XVI Traversa 9 ✆ 994322, 🐎 – 🛗 ☎ 🅿
stagionale – 39 cam.

🏠 **Saraceno,** viale 2 Giugno 37 ✆ 992099, 🐎 – 🛗 ☕ 🅿. 🕎 rist
14 maggio-25 settembre – Pas 27000 – 🍴 10000 – 45 cam 38/64000 – P 59/62000, b.s. 44/46000.

🏠 **Silver,** via Spalato 10 ✆ 992312 – 🛗 ☕ 🅿. 🕎
5 maggio-settembre – Pas (solo per clienti alloggiati) 19000 – 🍴 7500 – **52 cam** 60000 –
P 47/55000, b.s. 37/42000.

🏠 **Santiago,** viale 2 Giugno 42 ✆ 992392 – 🛗 ☕. 🅰🅴 𝘝𝘐𝘚𝘈. 🕎 rist
20 marzo-15 ottobre – Pas 22000 – 🍴 10000 – **27 cam** 37/51000 – P 50/55000, b.s. 38/43000.

🍴🍴 **Al Caminetto,** viale Matteotti 44 ✆ 994292, 🍽, prenotare – 🅰🅴 🅱 ⓘ 🄴 𝘝𝘐𝘚𝘈
*chiuso dal 15 gennaio al 28 febbraio, novembre e a mezzogiorno (escluso domenica e i giorni
festivi)* – Pas carta 49/80000.

🍴 **Dal Marinaio,** viale Puccini 8 ✆ 992458 – 🅰🅴 🅱 ⓘ 🄴 𝘝𝘐𝘚𝘈. 🕎
chiuso giovedì e gennaio – Pas (solo piatti di pesce) carta 35/58000.

🍴 Kalumet, via Molo Nord ✆ 992138, 🍽, « Padiglione sul mare »
stagionale.

FIAT via Romea Nord 233 ✆ 927943   LANCIA-AUTOBIANCHI statale 16 ✆ 72322

CERVIGNANO DEL FRIULI 33052 Udine 🆀🆀🆀 ⑥ – 12 052 ab. alt. 3 – 🟠 0431.

Roma 627 – Gorizia 28 – ◆Milano 366 – ◆Trieste 47 – Udine 29 – ◆Venezia 116.

🏨 **Internazionale e Rist. La Rotonda,** via Ramazzotti 🖉 30751 – 🛉 🕿 🅟 – 🛆 150. 🖭 🛐
　🕔 🝙 ₥. 🛵
　Pas *(chiuso domenica)* carta 25/40000 – 🖾 10000 – **40 cam** 50/81000 – P 75/85000.

✗ **Al Campanile** con cam, località Scodovacca E : 1,5 km 🖉 32018 – 🅟. 🛵
　chiuso settembre ed ottobre – Pas *(chiuso lunedì sera e martedì)* carta 21/30000 – 🖾 4000 –
　12 cam 30/48000 – P 55000.

ALFA-ROMEO　via Gorizia 29 🖉 3082　　　　FIAT　via Venezia 2/8 🖉 2130
CITROEN　località Vini 2 🖉 31612　　　　RENAULT　via Aquileia 108 🖉 32620

CERVINIA Aosta 🆀🆀🆀 ②, 🆀🆀🆀 ③ – Vedere Breuil-Cervinia.

CERVO 18010 Imperia – 1 253 ab. alt. 66 – 🟠 0183.

Roma 605 – Alassio 12 – ◆Genova 106 – Imperia 12 – ◆Milano 228 – San Remo 35.

✗✗ **San Giorgio,** centro storico 🖉 400175, �, Coperti limitati; prenotare, « Raccolta di quadri »
　– 🛵
　chiuso martedì e dal 10 gennaio al 20 febbraio; in novembre aperto solo sabato e domenica a
　mezzogiorno – Pas carta 30/50000.

✗ **Da Serafino,** centro storico 🖉 408185, ≼
　chiuso martedì e novembre – Pas carta 33/65000.

CESANA TORINESE 10054 Torino 🆀🆀🆀 ⑪, 🆀🆀 ⑧ ⑨ – 946 ab. alt. 1 354 – a.s. febbraio, Pasqua,
luglio-agosto e Natale – Sport invernali : a Sansicario, Monti della Luna e Claviere : 1 360/2 700 m
🚠7 ≤19, 🎿 – 🟠 0122.

🛈 (dicembre-Pasqua e luglio-settembre) piazza Vittorio Amedeo 3 🖉 89202.

Roma 752 – Bardonecchia 25 – Briançon 21 – ◆Milano 224 – Sestriere 11 – ◆Torino 87.

🏨 **Edelweiss,** 🖉 897121, ≼ – 🕿 🅟. 🛵 rist
　20 dicembre-10 aprile e luglio-10 settembre – Pas carta 23/37000 – 19 cam 🖾 49000 – P 60000,
　b.s. 50000.

🏠 **Chaberton,** 🖉 897163, ₥ – 🕿 ⇌ 🅟. 🛐 🝙 ₥. 🛵
　chiuso maggio e novembre – Pas *(chiuso martedì)* carta 21/34000 – 🖾 7000 – **27 cam** 35/70000
　– P 70000, b.s. 50000.

a Mollières N : 2 km – ✉ 10054 Cesana Torinese :

✗ **La Selvaggia,** 🖉 89290 – 🅟
　stagionale.

a San Sicario E : 5 km – alt. 1 700 – ✉ 10054 Cesana Torinese :

🏨 **Rio Envers** 🌤, 🖉 811333, ≼ monti – 🛉 📺 ⇌ 🅟 – *stagionale* – 46 cam.

CESANO Ancona – Vedere Senigallia.

CESENA 47023 Forlì 🆀🆀🆀 ⑮ – 89 837 ab. alt. 44 – 🟠 0547.

Vedere Biblioteca Malatestiana★.

Roma 336 – ◆Bologna 89 – Forlì 19 – ◆Milano 300 – ◆Perugia 168 – Pesaro 69 – ◆Ravenna 33 – Rimini 30.

🏩 **Casali,** via Benedetto Croce 81 🖉 22745, Telex 550480 – 🛉 🗐 📺 🕭 ⇌ 🅟 – 🛆 200. 🝙.
　🛵 rist
　Pas *(chiuso lunedì)* carta 36/58000 (10%) – 🖾 6000 – **38 cam** 75/120000.

🏩 **Meeting Hotel** senza rist, via Romea 545 🖉 333160 – 🛉 🗐 📺 🕿 ⇌ 🅟 – 🛆 60. 🖭 🛐 🝙
　🝙. 🛵
　chiuso dal 20 al 30 dicembre – 🖾 8000 – **26 cam** 60/90000, 🗐 5000.

✗✗ **Da Gianni,** via Dell'Amore 9 🖉 21328 – 🛵
　chiuso giovedì – Pas carta 28/48000.

✗✗ **La Grotta,** vicolo Cesuola 19 🖉 22734 – 🛐 🕔 🝙 ₥
　chiuso lunedì, martedì, luglio ed agosto – Pas carta 23/34000.

✗✗ **Circolino,** corte Dandini 10 🖉 21875, Coperti limitati; prenotare – 🛵
　chiuso martedì – Pas carta 35/45000.

sulla strada provinciale per Sorrivoli S : 2,5 km :

✗✗ Don Chisciotte, via Celincordia 2285 ✉ 47023 🖉 24824, ₥ – 🅟.

a San Vittore SO : 4 km – ✉ 47020 :

✗ **Cerina,** 🖉 346115 – 🗐. 🖭 🛐 🕔 🝙 ₥. 🛵
　chiuso martedì, dal 1° al 15 gennaio e dal 15 luglio al 15 agosto – Pas carta 23/33000.

ALFA-ROMEO　via Romea 565 🖉 331715　　　GM-OPEL　via Cesare Battisti 22 🖉 21577
BMW　via Curiel 13 🖉 24319　　　　　　　LANCIA-AUTOBIANCHI　via Marinelli 27 🖉 22389
FIAT　via Venezia 271 🖉 384064　　　　　PEUGEOT-TALBOT　via Guarnieri 129 🖉 300322
FIAT　via Guarneri 241 🖉 302524　　　　RENAULT　via del Mare 100 🖉 300558
FIAT　viale Oberdan 481 🖉 22000　　　　VW-AUDI　via Polesine 130 🖉 382418
FORD　via Cavalcavia 82 🖉 24832　　　　VW-AUDI　via Cavalcavia 216 🖉 22250

CESENATICO 47042 Forlì 🔢🔢🔢 ⑮ – 20 158 ab. – Stazione balneare, a.s. 15 giugno-agosto – ✪ 0547.

🅩 viale Roma 112 ✆ 80091.

Roma 358 – ◆Bologna 98 – ◆Milano 309 – ◆Ravenna 30 – Rimini 22.

🏨 **Pino,** via Anita Garibaldi 7 ✆ 80645, Fax 84788, 🚗 – |🛗 ▤ ☎ – 🅰 40. 🆑 🅗 🅴 𝑉𝐼𝑆𝐴. ᏸ
Pas *(chiuso lunedì)* carta 29/56000 – 🍴 10000 – **53 cam** 65/100000 appartamenti 110/145000.
▤ 2500 – P 50/85000, b.s. 40/65000.

🏨 **Internazionale,** via Ferrara 7 ✆ 80231, ≼, 🏊 riscaldata, 🐾, ᏽ – |🛗 ▤ rist 🅟. ᏸ rist
giugno-settembre – Pas *(solo per clienti alloggiati)* 20/25000 – 🍴 6000 – **51 cam** 45/70000 –
P 70/110000, b.s. 60/70000.

🏨 **Britannia,** viale Carducci 129 ✆ 80041, ≼, « Giardino-terrazza », 🏊, 🐾 – |🛗 ♿ 🚗 🅟. 🆑
🅗 🅞 🅴 𝑉𝐼𝑆𝐴. ᏸ
26 aprile-11 settembre – Pas *(chiuso sino al 25 maggio)* 26/32000 – 🍴 12000 – **44 cam**
48/80000 appartamenti 100/160000 – P 75/110000, b.s. 60/80000.

🏨 **Esplanade,** viale Carducci 120 ✆ 82405 – |🛗 ▤ rist 🚗. 🅗 🅴 𝑉𝐼𝑆𝐴. ᏸ rist
15 maggio-settembre – Pas 25/30000 – 🍴 9000 – 56 cam 49/84000 – P 47/77000, b.s. 32/54000.

🏨 **San Pietro,** viale Carducci 194 ✆ 82496, ≼, 🏊 – |🛗 ♿ 🅟 – 🅰 100. ᏸ
Pasqua e 10 maggio-settembre – Pas *(solo per clienti alloggiati)* 20/28000 – 🍴 6000 –
80 cam 49/75000 – P 55/62000, b.s. 40/45000.

🏨 **Torino,** viale Carducci 55 ✆ 80044, ≼, 🏊 riscaldata – |🛗 ♿ 🅟. 🆑 🅗 🅞 🅴 𝑉𝐼𝑆𝐴. ᏸ
15 maggio-settembre – Pas *(solo per clienti alloggiati)* 25/30000 – 🍴 7000 – **45 cam** 60/78000
– P 64/80000, b.s. 43/52000.

🏨 **Sporting,** viale Carducci 191 ✆ 83082, ≼, 🐾 – |🛗 ▤ rist ♿ 🅟. ᏸ
20 maggio-20 settembre – Pas *(solo per clienti alloggiati)* – 🍴 7500 – **40 cam** 50/75000 –
P 50/60000, b.s. 40/46000.

🏨 **Roxy,** viale Carducci 193 ✆ 82004, 🏊 riscaldata – |🛗 ▤ rist ♿ 🅟. ᏸ
➡ *15 maggio-20 settembre* – Pas *(solo per clienti alloggiati)* 15/35000 – 🍴 6000 – **40 cam**
45/70000 – P 45/60000, b.s. 40/45000.

🏨 **Des Bains,** viale dei Mille 52 ✆ 81119 – |🛗 ♿ 🅟. ᏸ
➡ *15 maggio-20 settembre* – Pas carta 19/36000 – 🍴 4000 – **30 cam** 33/60000 – P 48/51000,
b.s. 36/39000.

🏨 **Atlantica,** viale Bologna 28 ✆ 83630, ≼ – |🛗 ♿ 🅟. ᏸ
maggio-settembre – Pas carta 25/36000 – 🍴 9000 – **30 cam** 30/60000 – P 48/55000,
b.s. 35/43000.

🏨 **Miramare,** viale Carducci 2 ✆ 80006, ≼ – |🛗 ☎ 🅟. 🆑 🅗 🅞 🅴 𝑉𝐼𝑆𝐴. ᏸ rist
➡ *15 dicembre-10 gennaio e marzo-25 ottobre* – Pas *(chiuso martedì)* 18/30000 – 🍴 10000 –
30 cam 65/95000 – P 50/75000, b.s. 35/55000.

🏨 **Bisanzio,** via Montegrappa 3 ✆ 82565, ≼, 🚗 – |🛗 ☎ 🅟. ᏸ
maggio-20 settembre – Pas *(solo per clienti alloggiati)* – **34 cam** 🍴 50/75000 – P 45/56000,
b.s. 37/45000.

🏨 **Ori,** viale da Verrazzano 14 ✆ 81880 – |🛗 🅟. ᏸ
maggio-settembre – Pas 20/30000 – 🍴 7000 – **27 cam** 40/55000 – P 40/50000, b.s. 38/45000.

🏨 **Domus Mea** senza rist, via del Fortino 7 ✆ 82119 – |🛗 🅟. 🆑 🅗 🅞 🅴 𝑉𝐼𝑆𝐴. ᏸ
maggio-settembre – **29 cam** 🍴 37/63000.

🏨 **Rondinella,** viale Zara 86 ✆ 83106, 🚗 – |🛗 ⤬⤬ ☎ 🅟. 🆑 𝑉𝐼𝑆𝐴. ᏸ rist
➡ *maggio-settembre* – Pas 16/20000 – 🍴 7000 – **34 cam** 40/60000 – P 40/52000, b.s. 28/38000.

🏨 **Tiboni** ⤵, via Abba 86 ✆ 82089 – 🆑. ᏸ
➡ *15 maggio-15 settembre* – Pas 13/16000 – 🍴 4500 – **13 cam** 22/40000 – P 30/37000,
b.s. 25/30000.

🏨 **Zanotti,** viale Roma 44 ✆ 80039 – ☎. 𝑉𝐼𝑆𝐴. ᏸ
8 aprile-23 settembre – Pas carta 21/35000 – 🍴 4500 – **30 cam** 35/53000 – P 43/49000,
b.s. 35/40000.

✕✕ **Al Gallo-da Giorgio,** via Baldini 21 ✆ 81067 – 🆑 🅗 🅞 𝑉𝐼𝑆𝐴
chiuso mercoledì, ottobre e novembre – Pas carta 39/61000.

✕✕ **Gambero Rosso,** molo Levante ✆ 81260, ≼ – 🆑 🅗 🅞 🅴 𝑉𝐼𝑆𝐴
marzo-ottobre; chiuso martedì sino al 15 maggio e dal 10 settembre – Pas carta 37/57000
(15%).

✕✕ **Teresina,** viale Trento ✆ 81108, ≼ – 🅟. 🆑 🅗 🅞 🅴 𝑉𝐼𝑆𝐴. ᏸ
chiuso mercoledì e dal 7 al 18 gennaio – Pas carta 38/53000.

✕ **Titon,** via Marino Moretti 8 ✆ 80622, 🍴.

✕ **Federico,** via Nino Bixio 3 ✆ 82461 – 🅟.

✕ **La Buca,** corso Garibaldi 41 ✆ 82474, 🍴 – 🆑 🅗 🅞 🅴 𝑉𝐼𝑆𝐴. ᏸ
chiuso lunedì – Pas carta 27/44000.

✕ **Da Marchino** con cam, via Mazzini 95 ✆ 83777, 🏊, 🚗 – ▤ rist ♿ 🅟
Pas *(chiuso lunedì da ottobre a maggio)* carta 23/51000 – 🍴 5000 – **35 cam** 40/60000 –
P 47/54000, b.s. 42/46000.

✕ **Marengo,** via Canale Bonificazione 71 ✆ 83200, 🚗 – 🅟. ᏸ
chiuso martedì – Pas carta 25/35000.

a Valverde S : 2 km – ⊠ **47042** Cesenatico :

🏨 **Caesar,** viale Carducci 290 ℰ 86500, ≤, 🏊 riscaldata – 🛗 ☜ ᕪ 🅿. 🕮 🕄 ⓞ 🗉 𝘝𝘐𝘚𝘈 ℱℱ rist
↦ *maggio-settembre* – Pas 15/25000 – ☷ 5000 – **51 cam** 35/55000 – P 54/65000, b.s. 30/48000.

🏨 Royal, viale Carducci 292 ℰ 86140, ≤ – 🛗 ☜ 🅿
stagionale – 70 cam.

🏠 **Metropolitan,** via Canova 76 ℰ 86266 – 🛗 🅿. 🕮 ⓞ 🗉 𝘝𝘐𝘚𝘈 ℱℱ
20 maggio-20 settembre – Pas (solo per clienti alloggiati) – ☷ 4000 – 30 cam 30/50000 – P 33/43000, b.s. 25/32000.

a Zadina Pineta N : 2 km – ⊠ **47042** Cesenatico :

🏨 **Beau Soleil** ◔, viale Mosca 43 ℰ 82209 – 🛗 ▤ rist ☎ 🅿. 🕄. ℱℱ rist
Pasqua-settembre – Pas (solo per clienti alloggiati) 22/27000 – **48 cam** ☷ 55/70000 – P 50/70000, b.s. 38/50000.

🏨 **Renzo** ◔, viale dei Pini 55 ℰ 82316 – 🛗 ▤ rist ☜ ᕪ 🅿. 𝘝𝘐𝘚𝘈. ℱℱ rist
↦ *maggio-settembre* – Pas (solo per clienti alloggiati) 15/25000 – ☷ 8000 – **24 cam** 40/65000 – P 52/60000, b.s. 42/48000.

🏠 **Wonderful** ◔ senza rist, viale Mosca 45 ℰ 81241 – ☎ 🅿. ⓞ. ℱℱ
maggio-settembre – **32 cam** ☷ 55/70000.

✕ **La Scogliera-da Roberto,** via Londra 36 ℰ 83281 – ℱℱ
chiuso lunedì e settembre – Pas carta 26/55000.

a Villamarina S : 3 km – ⊠ **47042** Cesenatico :

🏨 **Park Hotel Grilli** ◔, viale Torricelli 12 ℰ 87174, Telex 900134, Fax 87255, 🏊 riscaldata, 🥀,
ℱℱ – 🛗 ☎ ☜ ᕪ 🚗 – 🔬 90. 🕮 🕄 ⓞ 🗉 𝘝𝘐𝘚𝘈 ℱℱ rist
Pas *(7 maggio-1° ottobre)* 28/35000 – **44 cam** ☷ 65/156000 appartamenti 123/185000 – P 95/119000, b.s. 66/82000.

🏨 **David,** viale Carducci 297 ℰ 86154, ≤ – 🛗 ☎ ᕪ 🅿. 🕄 ⓞ. ℱℱ rist
maggio-settembre – Pas 25/40000 – ☷ 10000 – **38 cam** 65/100000 – P 65/75000, b.s. 55/65000.

ALFA-ROMEO via Aurelio Saffi 74 ℰ 82061   GM-OPEL via della Costituzione 1 ℰ 85733

CESIOMAGGIORE 32030 Belluno – 4 099 ab. alt. 479 – ✪ 0439.
Roma 606 – Belluno 22 – Feltre 13 – ♦Milano 301 – ♦Padova 106 – Trento 94 – ♦Venezia 96.

🏠 **Posta,** ℰ 43035 – ☜ 🅿. 𝘝𝘐𝘚𝘈. ℱℱ
Pas *(chiuso lunedì)* carta 23/35000 – **12 cam** ☷ 64/80000 – P 38/70000.

CESSALTO 31040 Treviso 𝟵𝟴𝟴 ⑤ – 3 120 ab. alt. 5 – ✪ 0421.
Roma 562 – Belluno 81 – ♦Milano 301 – Treviso 33 – Udine 77 – ♦Venezia 51.

🏠 **Romana** senza rist, ℰ 327194 – ☜ 🅿. 🕮 ⓞ. ℱℱ
☷ 3000 – **18 cam** 28/45000.

✕✕ **Al Ben Vegnù,** ℰ 327200 – ↤, 🕮 ⓞ 𝘝𝘐𝘚𝘈. ℱℱ
chiuso martedì, mercoledì a mezzogiorno, dal 7 al 20 gennaio e dal 5 al 31 luglio – Pas carta 26/44000.

CESUNA 36010 Vicenza – alt. 1 052 – a.s. febbraio, luglio-agosto e Natale – ✪ 0424.
Roma 582 – Asiago 8 – ♦Milano 263 – Trento 67 – ♦Venezia 114 – Vicenza 48.

🏠 **Belvedere,** ℰ 67000, 🥀 – ☜ 🅿
24 cam.

CETONA 53040 Siena – 3 029 ab. alt. 384 – ✪ 0578.
Roma 155 – Orvieto 62 – ♦Perugia 50 – Siena 89.

🏠 **Belverde,** ℰ 238003, 🥀 – ☜ 🅿
↦ Pas carta 19/27000 – ☷ 5500 – **20 cam** 36/41000 – P 41/45000.

CETRARO 87022 Cosenza 𝟵𝟴𝟴 ㊳ – 11 187 ab. alt. 120 – ✪ 0982.
Roma 466 – Catanzaro 115 – ♦Cosenza 55 – Paola 21.

sulla strada statale 18 NO : 6 km :

🏨 **Gd H. San Michele** ◔, ⊠ 87022 ℰ 91012, Fax 91430, ≤, 🥀, « Giardino-frutteto », 🏊,
🏖, ℱℱ – 🛗 ▤ 📺 🅿 – 🔬 40 a 160. 🕮 🕄 ⓞ 🗉 𝘝𝘐𝘚𝘈 ℱℱ rist
chiuso novembre – Pas 30/60000 – ☷ 15000 – **65 cam** 110/215000 appartamenti 320000,
▤ 5000 – P 180/215000.

CEVA 12073 Cuneo 𝟵𝟴𝟴 ⑫ – 5 719 ab. alt. 388 – ✪ 0174.
Roma 595 – Cuneo 52 – ♦Milano 219 – Savona 50 – ♦Torino 95.

✕ **Italia,** ℰ 71340
chiuso giovedì e dal 1° al 25 luglio – Pas carta 27/39000.

CHALLAND-SAINT-ANSELME 11020 Aosta 𝟚𝟙𝟗 ⑭ – 707 ab. alt. 1 050 – a.s. Pasqua, 15 giugno-15 settembre e Natale – ✪ 0125.

Roma 721 – Aosta 47 – Ivrea 45 – ◆Milano 159 – ◆Torino 88.

- 🏠 **La Torretta,** località Torretta ℰ 965218, ≤ – ⅏ & ℗. ⸙
- ➔ Pas (chiuso lunedì) carta 18/26000 – ☲ 5000 – 24 cam 53000 – P 35/53000.

- ✗ **Le Soleil** con cam, frazione Corliod ℰ 965204, ≤, 🍴 – ℗. ℀ 🅴 𝑉𝐼𝑆𝐴. ⸙
  Pas (chiuso giovedì) carta 21/33000 – ☲ 4500 – **9 cam** 25/50000 – P 50000.

CHAMPOLUC 11020 Aosta 𝟡𝟠𝟠 ②, 𝟚𝟙𝟗 ④ – alt. 1 570 – Stazione di villeggiatura, a.s. 15 febbraio-15 marzo, Pasqua, luglio-agosto e Natale – Sport invernali : 1 570/2 714 m ⭰1 ⭲6, ⚓ – ✪ 0125 – 🅱 via Varasch ℰ 307113.

Roma 737 – Aosta 63 – Biella 92 – ◆Milano 175 – ◆Torino 104.

- 🏨 **Anna Maria** ⸙, ℰ 307109, ≤, « Giardino e pineta » – ☎ ℗. ⸙
  6 dicembre-10 aprile e 20 giugno-agosto – Pas 25/35000 – ☲ 10000 – 20 cam 46/74000 – P 80/85000.

- 🏨 **Castor,** ℰ 307117, 🍴 – ⅏ ☎ ℗. 🅱 𝑉𝐼𝑆𝐴. ⸙
  4 dicembre-26 aprile e 20 giugno-20 settembre – Pas carta 22/42000 – ☲ 8000 – **32 cam** 50/85000 – P 75/85000, b.s. 65/75000.

CHAMPORCHER 11020 Aosta 𝟡𝟠𝟠 ②, 𝟚𝟙𝟗 ⑬ – 415 ab. alt. 1 427 – a.s. febbraio, Pasqua, 15 luglio-agosto e Natale – ✪ 0125.

Roma 716 – Aosta 59 – Ivrea 43 – ◆Milano 156 – ◆Torino 85.

- 🏠 **Beau Séjour** ⸙, frazione Mellier ℰ 37122, ≤ – ⸬ rist ℗. ⸙ rist
- ➔ Pas 12/15000 – **21 cam** ☲ 20/40000 – P 44/46000, b.s. 40/42000.

CHANAVEY Aosta 𝟚𝟙𝟗 ⑪ ⑫ – Vedere Rhêmes Notre Dame.

CHARVENSOD Aosta 𝟚𝟙𝟗 ②, 𝟟𝟜 ⑳ – Vedere Aosta.

CHATILLON 11024 Aosta 𝟡𝟠𝟠 ②, 𝟚𝟙𝟗 ③ – 4 602 ab. alt. 549 – a.s. luglio e agosto – ✪ 0166.

Roma 723 – Aosta 26 – Breuil-Cervinia 27 – ◆Milano 160 – ◆Torino 89.

- 🏨 **Rendez Vous e Rist. Da Beppe,** prossimità casello autostrada ℰ 61662, ≤ – ⅏ ☎ & 🚗 ℗. ℀ 🅱 ⓘ 🄴 𝑉𝐼𝑆𝐴
  Pas (chiuso martedì) carta 25/36000 – ☲ 6000 – 35 cam 40/60000 – P 55/60000, b.s. 50/55000.

- 🏨 **Marisa,** via Pellissier 10 ℰ 61845, ≤, 🍴 – ⅏ 📺 ☎ & 🚗 ℗. ℀ 🅱 ⓘ 🄴 𝑉𝐼𝑆𝐴. ⸙
  chiuso dal 30 ottobre al 15 novembre – Pas (chiuso lunedì) carta 22/37000 – ☲ 6000 – **28 cam** 45/65000 – P 55/65000.

- 🏠 **Le Verger** senza rist, via Tour de Grange 53 ℰ 62314, ≤ – ⅏ ⸬ ☎ ℗
  ☲ 5000 – **14 cam** 31/46000.

- 🅇🅇🅇 ✿ **Parisien,** regione Panorama 1 ℰ 37053, Coperti limitati; prenotare – ℗. ℀ 🅱 🄴 𝑉𝐼𝑆𝐴
  chiuso a mezzogiorno (escluso i giorni festivi e prefestivi), giovedì e dal 5 al 25 luglio – Pas carta 37/60000
  Spec. Rigatoni all'amatriciana, Trota alla fiamma in salsa Principessa, Filetto di bue al forno con salsa alla crema di dragoncello. **Vini** Morgex, Chambave.

- 🅇🅇 **La Terrazza,** regione Panorama 3 ℰ 2548, « Servizio estivo in terrazza » – ℗. ℀ 🅱 ⓘ 🄴 𝑉𝐼𝑆𝐴. ⸙
  chiuso giovedì – Pas carta 26/46000.

CHERASCO 12062 Cuneo – 6 386 ab. alt. 288 – ✪ 0172.

Roma 646 – Asti 51 – Cuneo 46 – Savona 97 – ◆Torino 54.

- ✗ **Vittorio Veneto-da Aldo,** via San Pietro 32 ℰ 48003, « Servizio estivo all'aperto » – ℀ 🅱. ⸙
  chiuso mercoledì – Pas carta 25/40000.

CHIANCIANO TERME 53042 Siena 𝟡𝟠𝟠 ⑮ – 7 350 ab. alt. 550 – Stazione termale (15 aprile-ottobre) – ✪ 0578 – Vedere Guida Verde – 🅱 piazza Italia 67 ℰ 63167 – piazza Gramsci ℰ 31292 – parco Stabilimento Acqua Santa (maggio-ottobre) ℰ 64054.

Roma 167 – Arezzo 73 – ◆Firenze 132 – ◆Milano 428 – ◆Perugia 65 – Siena 85 – Terni 120 – Viterbo 104.

- 🏩 **Gd H. Excelsior,** via Sant'Agnese 6 ℰ 64351, Telex 572640, ⊥ riscaldata – ⅏ ▤ 📺 ☎ ℗ – 🔬 50 a 250. ℀ 𝑉𝐼𝑆𝐴. ⸙
  Pasqua-ottobre – Pas 40/50000 – ☲ 15000 – 78 cam 100/150000 appartamenti 280/300000 – P 130/140000.

- 🏨 **Michelangelo** ⸙, via delle Piane 146 ℰ 64004, Telex 574278, ≤, « Parco ombreggiato », ⊥ riscaldata, ✗ – ⅏ 📺 ☎ & ℗. ℀ 🅱 ⓘ 🄴 𝑉𝐼𝑆𝐴. ⸙
  26 dicembre-4 gennaio, Pasqua e 25 aprile-26 ottobre – Pas 40000 – ☲ 10000 – **63 cam** 75/105000 – P 105000.

- 🏨 **Grande Alb. Fortuna** ⸙, via della Valle 76 ℰ 64661, ≤, « Giardino », ⊥ riscaldata, ✗ – ⅏ ⸬ cam ▤ rist 📺 ☎ ℗ – 🔬 500. ℀ 🅱 ⓘ. ⸙ rist
  15 aprile-5 novembre – Pas 25/35000 – ☲ 9000 – **88 cam** 58/93000 – P 88/95000.

178

🏨 **Ambasciatori,** viale della Libertà 512 *&* 64371, Telex 570102, Fax 64371, ⼀ riscalda – |‡|
🖭 🔟 🆎 ⟵ 🅿 – 🏛 300. 🆎 🕃 ⓪ *VISA*. 🕸
Pas 28000 – ☲ 7000 – **116 cam** 60/95000, ▤ 5000 – P 75/93000.

🏨 **Gd H. Terme,** piazza Italia 8 *&* 63254, Telex 575456, Fax 63524, ⼀, 🔳, 🚗 – |‡| ▤ 🔟 ☎ 🅿
– 🏛 90. 🆎 🕃 ⓪ 🄴 *VISA*. 🕸
Pas carta 35/45000 – ☲ 10000 – 69 cam 70/90000 appartamenti 150000 – P 100/116000.

🏨 **Moderno,** viale Baccelli 10 *&* 63754, ⼀ riscaldata, 🚗, 🌿 – |‡| ▤ 🔟 ☎ 🅿. *VISA*. 🕸 rist
Pas 30/35000 – ☲ 7000 – **70 cam** 70/100000 – P 100/115000.

🏨 **Gd H. Boston,** piazza Italia 5 *&* 63472 – |‡| ▤ 🔟 ☎ 🛁 🚗 – 🏛 100. 🆎 🕃 ⓪ 🄴 *VISA*. 🕸
aprile-ottobre – Pas 35000 – ☲ 8000 – **97 cam** 60/90000 – P 95000.

🏨 **Grande Alb. Le Fonti,** viale della Libertà 523 *&* 63701, Telex 583069, ≼ – |‡| 🕸 rist ▤ ☎
🚗. 🆎. 🕸 rist
Pas 25/40000 – ☲ 15000 – **68 cam** 70/100000 appartamenti 130/155000, ▤ 5000 – P 100000.

🏨 **Gd H. Capitol,** viale della Libertà 492 *&* 64681, ⼀ – |‡| 🔟 ☎ 🛁 🚗 – 🏛 110. 🆎 ⓪ *VISA*.
🕸
Pasqua-ottobre – Pas 25/30000 – ☲ 6000 – **68 cam** 55/90000 – P 85/90000.

🏨 **Raffaello** ⧂, via dei Monti 3 *&* 64633, « Giardino », ⼀ riscaldata, 🌿 – |‡| ▤ rist 🔟 ☎ 🛁
🚗 🅿. 🆎 🕃 ⓪ 🄴 *VISA*. 🕸 rist
15 aprile-ottobre – Pas 30/35000 – ☲ 7000 – **70 cam** 65/90000 appartamenti 110/120000 –
P 90/96000.

🏨 **President,** viale Baccelli 260 *&* 64131, « ⼀ riscaldata su terrazza panoramica », 🚗 – |‡| ☎
🅿. 🆎 ⓪. 🕸
15 aprile-ottobre – Pas (solo per clienti alloggiati) – ☲ 9000 – **78 cam** 65/90000 – P 90000.

🏨 **Continentale,** piazza Italia 56 *&* 63272, ⼀ riscaldata – |‡| ▤ 🔟 🖭. 🆎 🕃. 🕸 rist
Pas *(chiuso martedi)* carta 26/36000 – ☲ 6000 – 45 cam 55/82000 – P 70/89000.

🏨 **Sole** ⧂, via delle Rose 40 *&* 60194, 🚗 – |‡| ▤ rist ☎ 🅿. 🕸 rist
Pasqua-ottobre – Pas 30000 – ☲ 6000 – **72 cam** 42/68000 – P 70/85000.

🏨 **Milano,** viale Roma 46 *&* 63227, 🚗 – |‡| ▤ rist 🔟 🖭 🅿. 🆎 ⓪ *VISA*. 🕸 rist
15 aprile-15 novembre – Pas 30000 – ☲ 8000 – **61 cam** 65/99000 – P 70/88000.

🏨 **Alba,** viale della Libertà 288 *&* 64300, 🚗 – |‡| ▤ rist 🔟 ☎ 🅿 – 🏛 200. 🕃 🄴 *VISA*. 🕸 rist
Pas 30/35000 – ☲ 10000 – **66 cam** 55/78000 – P 81000.

🏨 **Ricci,** via Giuseppe di Vittorio 51 *&* 63906, 🚗 – |‡| ▤ rist ☎ 🅿 – 🏛 250. 🆎 🕃 🄴. 🕸 rist
Pas 28000 – ☲ 6000 – **61 cam** 38/60000 – P 50/65000.

🏨 **Carlton Elite,** via Ugo Foscolo 21 *&* 64395, ⼀, 🚗 – |‡| 🕸 rist 🖭 🛁 🅿. 🕸 rist
aprile-ottobre – Pas 25000 – ☲ 5000 – 54 cam 43/63000 – P 66000.

🏨 **Minerva,** via Ingegnoli 31 *&* 64640, ⼀ riscaldata – |‡| ▤ ☎ 🅿. 🆎 ⓪. 🕸 rist
Pasqua-ottobre – Pas 23/26000 – ☲ 6500 – **58 cam** 40/60000, ▤ 5000 – P 60/68000.

🏨 **Macerina,** via Macerina 27 *&* 64241, 🚗 – |‡| 🖭 🅿. 🕸 rist
maggio-ottobre – Pas (solo per clienti alloggiati) 23000 – ☲ 4500 – **80 cam** 46/70000 –
P 58/67000.

🏨 **Atlantico Palace Hotel,** viale della Libertà 494 *&* 63881, 🚗 – |‡| 🕸 cam ▤ 🖭 🚗 🅿. 🆎
🕃 🄴 *VISA*. 🕸 rist
aprile-ottobre – Pas 28/30000 – ☲ 8000 – **70 cam** 55/80000, ▤ 5000 – P 90000.

🏨 **Firenze** ⧂, via della Valle 52 *&* 63706 – |‡| 🕸 rist ▤ 🖭 🅿. 🕸
Pasqua-ottobre – Pas 25/30000 – ☲ 4500 – 33 cam 35/53000 – P 55/60000.

🏨 **Irma,** viale della Libertà 302 *&* 63941, 🚗 – |‡| ▤ rist ☎ 🅿. 🕸 rist
16 aprile-ottobre – Pas 25/30000 (16%) – ☲ 6000 – **70 cam** 48/60000 – P 70/78000.

🏨 **San Paolo,** via Ingegnoli 22 *&* 60221 – |‡| ▤ rist ☎ 🅿. 🆎. 🕸
aprile-ottobre – Pas 18/25000 – ☲ 4000 – **38 cam** 32/55000 – P 57000.

🏨 **Cosmos,** via delle Piane 44 *&* 60496, ⼀ – |‡| 🕸 rist 🔟 🖭 🚗 🅿 🆎 🕃 ⓪ 🄴 *VISA*. 🕸 rist
aprile-ottobre – Pas 26000 – ☲ 7000 – **37 cam** 40/56000 – P 60000.

🏨 **Montecarlo,** viale della Libertà 478 *&* 63903, 🚗 – |‡| ▤ rist 🖭 🅿. 🕸 rist
maggio-ottobre – Pas 23/28000 – ☲ 4000 – **25 cam** 40/65000 – P 70000.

🏨 **Patria,** viale Roma 56 *&* 64506 – |‡| 🔟 🖭. 🆎 ⓪ *VISA*. 🕸 rist
15 aprile-15 novembre – Pas 28000 – ☲ 7000 – **36 cam** 50/73000 – P 60/78000.

🏨 **Bellaria,** via Verdi 57 *&* 64691 – |‡| ▤ rist 🖭 🅿. 🕸 rist
aprile-ottobre – Pas 22000 – ☲ 5000 – **54 cam** 33/52000 – P 63000.

🏨 **Suisse,** via delle Piane 62 *&* 63820, Fax 60424 – |‡| 🔟 ☎ 🅿. 🆎 ⓪ *VISA*. 🕸 rist
aprile-ottobre – Pas 20/22000 – ☲ 5000 – 34 cam 35/48000 – P 55000.

🏨 Santa Chiara, via dei Colli 50 *&* 63312, ⼀ riscaldata – |‡| ▤ rist ☎ 🅿 – 🏛 100
stagionale – 60 cam.

🏨 Elda, via Giuseppe Di Vittorio 110 *&* 64596 – |‡| 🖭 – *stagionale* – 28 cam.

🏮 **La Casanova,** strada della Vittoria 10 (SO : 2,5 km) *&* 60449, ≼, prenotare – 🅿. 🆎 ⓪ *VISA*.
🕸
chiuso mercoledì, gennaio e febbraio – Pas carta 77/90000.

🏮 **Al Casale,** via delle Cavine 36 (E : 2,5 km) *&* 30445, 🚗 – 🅿. 🆎 🕃 ⓪. 🕸
chiuso martedì è dal 2 gennaio al 15 marzo – Pas carta 33/48000.

FIAT viale della Libertà 274 *&* 63113   RENAULT via Adige 5 *&* 60416

CHIARAMONTE GULFI Ragusa 988 ⑰ − Vedere Sicilia alla fine dell'elenco alfabetico.

CHIARAVALLE MILANESE Milano 219 ⑲ − Vedere Milano, dintorni.

CHIARI 25032 Brescia 988 ③ − 16 840 ab. alt. 148 − ✪ 030.
Roma 578 − ◆Bergamo 41 − ◆Brescia 29 − Cremona 74 − ◆Milano 82 − ◆Verona 93.

XX **La Graticola,** viale Teosa 20 ℰ 7101800
  chiuso mercoledì ed agosto − Pas carta 27/45000.

XX **Zucca,** via Andreoli 10 ℰ 711739 − ▤ ⓟ ⅋ ⅋ ⓞ ⅋ ⅋ *VISA*
  chiuso lunedì e dal 1° al 20 agosto − Pas carta 24/39000.

FIAT via Brescia 20 ℰ 712631   GM-OPEL via Milano 11 ℰ 711474
FORD via per Castelcovati ℰ 7187497

CHIASSA SUPERIORE 52030 Arezzo − alt. 266 − ✪ 0575.
Roma 224 − Arezzo 9 − ◆Firenze 87 − Sansepolcro 25.

X **Il Mulino,** ℰ 361878, ⅋ − ⓟ ⅋ ⅋ *VISA*. ⅋
  chiuso martedì e dal 1° al 25 agosto − Pas carta 20/31000.

CHIASSO 427 ㉘㉙, 219 ⑧ − Vedere Cantone Ticino alla fine dell'elenco alfabetico.

CHIAVARI 16043 Genova 988 ③ − 29 009 ab. − Stazione balneare − ✪ 0185.
Vedere Basilica dei Fieschi★.
🛈 corso Assarotti 1 ℰ 310241.
Roma 467 − ◆Genova 38 − ◆Milano 173 − ◆Parma 134 − Portofino 22 − ◆La Spezia 69.

🏨 **Giardini,** via Vinelli 9 ℰ 313951 − ⅋ ⅋ ⅋ ⓟ − ⅋ 35. ⅋ ⅋ ⓞ ⅋ *VISA*. ⅋ rist
  Pas 25/30000 − ⅋ 9000 − 54 cam 64/104000 − P 100/105000.

🏨 **Monterosa,** via Monsignor Marinetti 6 ℰ 300321 − ⅋ ⅋ ⅋. ⅋
  Pas *(chiuso lunedì)* carta 24/40000 (12%) − ⅋ 7000 − 72 cam 35/46000 − P 70/72000.

🏨 **Torino** senza rist, corso Colombo 151 ℰ 312231 − ▤ ⅋ ⅋ ⅋ ⅋. ⅋ ⅋ ⓞ ⅋ *VISA*
  ⅋ 8000 − **32 cam** 48/79000.

🏨 **Moderno,** piazza Nostra Signora dell'Orto 26 ℰ 305571 − ⅋ ⅋ ⓟ. ⅋ *VISA*. ⅋ rist
  chiuso novembre − Pas 20/25000 − ⅋ 7000 − **45 cam** 35/55000 − P 50/65000.

🏨 **Mignon,** via Salietti 7 ℰ 309420 − ⅋ ⅋. ⅋ ⅋ *VISA* ⅋ rist
  Pas *(chiuso novembre)* 25/30000 − ⅋ 4500 − **32 cam** 37/57000 − P 60/68000.

XXX **Lord Nelson Pub,** corso Valparaiso 27 ℰ 302595, ≼, Coperti limitati; prenotare, « Veranda in riva al mare » − ⅋ ⓞ *VISA*. ⅋
  chiuso lunedì e dal 5 novembre al 5 dicembre − Pas carta 56/93000.

XX **L'Armia,** corso Garibaldi 68 ℰ 305441 − ▤. ⅋. ⅋
  chiuso lunedì e febbraio − Pas carta 30/46000.

XX **Copetin,** piazza Gagliardo 15/16 ℰ 309064, ⅋ − ⅋ ⅋ ⓞ ⅋ *VISA*. ⅋
  chiuso martedì sera, mercoledì, dicembre e gennaio − Pas (solo piatti di pesce) carta 37/68000 (10%).

XX **Il Girarrosto,** via Tappani 26 ℰ 309682, ⅋, prenotare − ⅋ ⓞ *VISA*
  chiuso lunedì e novembre − Pas (solo piatti di pesce) carta 30/69000.

XX **Piazzetta,** piazza Cademartori 34 ℰ 301419, Coperti limitati; prenotare − ⅋ ⅋ ⅋
  chiuso lunedì da giugno a settembre anche domenica sera negli altri mesi; da luglio ad agosto chiuso a mezzogiorno da martedì a venerdì − Pas carta 45/60000.

X **Da Felice,** via Risso 71 ℰ 308016, Coperti limitati; prenotare − ⅋
  chiuso lunedì − Pas carta 24/39000.

  a Leivi N : 6,5 km − alt. 300 − ✉ 16040 :

XX ✪ **Cà Peo** ⅋ con cam, sulla strada panoramica E : 2 km ℰ 319090, ≼ mare e città, solo su prenotazione − ⓟ. *VISA*. ⅋ rist
  chiuso dal 4 al 18 gennaio e novembre − Pas *(chiuso lunedì e martedì a mezzogiorno)* carta 55/80000 − ⅋ 8000 − 5 appartamenti 120000
  Spec. Ravioli di triglia, Tomaxelle (involtini tipici), Mele alla fiamma con uvetta pinoli e gelato di castagne. Vini Sciacchetrà, Rossese.

X **Pepèn,** largo Marconi 1 ℰ 319010, Ambiente caratteristico − ⅋
  chiuso lunedì sera, martedì ed ottobre − Pas 35000 bc.

ALFA-ROMEO via Fiume 10 ℰ 308113   PEUGEOT-TALBOT viale Kasman 17 ℰ 304155
FIAT via G. Bontà 60 ℰ 301141   RENAULT via Parma 2 ℰ 306734
FORD corso Lavagna 40 ℰ 313233   VW-AUDI via Piacenza 532 ℰ 307162
LANCIA-AUTOBIANCHI piazza Sonfront 25 ℰ
307727

I prezzi del pernottamento e della pensione possono subire aumenti
in relazione all'andamento generale del costo della vita ;
quando prenotate fatevi precisare il prezzo dall'albergo.

CHIAVENNA 23022 Sondrio 🔢 ③, 🔢 ⑭ – 7 575 ab. alt. 333 – ✪ 0343.
Vedere Fonte battesimale★ nel battistero – ≤★ dalla rupe del Paradiso.
Roma 684 – ◆Bergamo 96 – Como 85 – ◆Lugano 77 – ◆Milano 115 – Saint-Moritz 49 – Sondrio 61.

🏨 **Crimea,** ℰ 34343 – 🛎 🕮. 🝙 🚫 ⓞ 𝘝𝘐𝘚𝘈. ✖ rist
   chiuso dal 1° al 15 ottobre – Pas *(chiuso giovedì)* carta 24/39000 – ⌾ 7000 – 30 cam 35/57000
   – P 55/62000.

🏨 **Aurora,** ℰ 32708 – ⤆ rist 🗐 rist ☎ ❶. 🝙 ⓞ 𝘝𝘐𝘚𝘈. ✖
   Pas *(chiuso giovedì da ottobre a maggio)* carta 20/37000 – ⌾ 7000 – **41 cam** 35/60000 –
   P 50/60000.

🍴🍴 ✿ **Al Cenacolo,** ℰ 32123 – 🝙 𝘝𝘐𝘚𝘈
   chiuso martedì sera, mercoledì e giugno – Pas carta 28/40000
   Spec. Pizzoccheri alla chiavennasca, Capretto arrosto (primavera), Capriolo alla panna (autunno-inverno), Sorbetto
   di prugne al Calvados. Vini Grumello.

   a Mese SO : 2 km – ✉ 23020 :

🍴 **Crotasc,** ℰ 41003, « Servizio estivo in terrazza ombreggiata » – ❶
   chiuso martedì da Pasqua a novembre; negli altri mesi anche lunedì, mercoledì e giovedì –
   Pas carta 22/35000.

RENAULT a Mese, via San Mamete 12 ℰ 41175

CHIENES (KIENS) 39030 Bolzano – 2 416 ab. alt. 778 – a.s. aprile, luglio-15 settembre e Natale –
✪ 0474.
Roma 705 – ◆Bolzano 67 – Brennero 58 – Brunico 10 – ◆Milano 366 – Trento 127.

   a San Sigismondo (St. Sigmund) O : 2,5 km – ✉ 39030 :

🏨 **Rastbichler,** ℰ 55363, ≤, 🔲, 🐎 – 🛎 🗐 rist 🕮 ♨. ⇦ ❶. ⓞ. ✖
◆ *chiuso da novembre al 17 dicembre* – Pas 18/22000 – **37 cam** ⌾ 40/80000 – P 54/58000.

☞ *Pour être inscrit au guide Michelin*
   – *pas de piston,*
   – *pas de pot-de-vin !*

CHIERI 10023 Torino 🔢 ⑫ – 30 964 ab. alt. 315 – ✪ 011.
Roma 649 – Asti 35 – Cuneo 96 – ◆Milano 159 – ◆Torino 18 – Vercelli 77.

🏨 **La Maddalena,** via Fenoglio 4 ℰ 9472729, 🐎 – 🙁 ❶. ✖
   chiuso dal 4 al 20 agosto – Pas *(chiuso sabato)* 20/22000 – ⌾ 5000 – **17 cam** 55/70000 –
   P 70/75000.

🏨 **Tre Re,** corso Torino 64 ℰ 9471029 – 🛎 🗐 rist 🕮 ⇦ ❶. ✖
   chiuso agosto – Pas *(chiuso sabato sera e domenica)* carta 24/39000 – ⌾ 7000 – **30 cam**
   52/68000 – P 65/75000.

ALFA-ROMEO corso Cibrario 1 ℰ 9425131   LANCIA-AUTOBIANCHI strada Roaschia 4 ℰ
CITROEN via San Silvestro 4 ℰ 9470272   9425925
FIAT via Padana Inferiore 110 ℰ 9478455   PEUGEOT-TALBOT via Padana Inferiore 114 ℰ
GM-OPEL via Padana Inferiore 18 ℰ 9422875   9472255
INNOCENTI via Padana Inferiore 18 ℰ 9472126   RENAULT via Padana Inferiore 54 ℰ 9478388

CHIESA IN VALMALENCO 23023 Sondrio 🔢 ③, 🔢 ⑮ – 2 829 ab. alt. 1 000 – Stazione di
villeggiatura – Sport invernali : 1 000/2 336 m ≴2 ≴3, ⚶ (vedere anche Caspoggio) – ✪ 0342.
🛈 piazza Santi Giacomo e Filippo 1 ℰ 451150.
Roma 712 – ◆Bergamo 129 – ◆Milano 152 – Sondrio 14.

🏨 **Rezia** ♨, ℰ 451271, ≤, 🔲, 🐎 – 🛎 ☎ ❶. 🝙. ✖
   20 dicembre-15 aprile e 20 giugno-15 settembre – Pas *(chiuso lunedì)* 24000 – ⌾ 6000 –
   30 cam 33/55000 – P 48/65000.

🏨 **Tremoggia,** ℰ 451106, ≤, 🐎 – 🛎 ☎ ❶. 🝙 🚫 ⓞ 🄴 𝘝𝘐𝘚𝘈. ✖
   6 dicembre-25 aprile e 16 giugno-24 settembre – Pas *(chiuso mercoledì)* carta 22/33000 – ⌾
   7000 – **35 cam** 40/70000 – P 66/72000.

🏨 **La Betulla** senza rist, ℰ 451100, ≤ – 🛎 🕮 ♨. ⇦ ❶. ✖
   dicembre-aprile e 20 giugno-settembre – **30 cam** ⌾ 35/56000.

🏨 **La Lanterna,** ℰ 451438 – 🝙. ✖ rist
   dicembre-10 maggio e 25 giugno-10 ottobre – Pas carta 20/28000 – ⌾ 5000 – **17 cam** 25/45000
   – P 45/50000.

🏨 **Pigna d'Oro,** ℰ 451401 – 🛎. ✖
◆ *dicembre-maggio e luglio-agosto* – Pas carta 15/25000 – ⌾ 4000 – **20 cam** 20/34000 –
   P 40/45000.

   a Primolo N : 4 km – alt. 1 274 – ✉ 23020 :

🏨 **Roseg,** ℰ 451293, ≤ vallata e Pizzo Scalino, 🐎 – ⤆ rist ❶. ✖ rist
◆ *chiuso novembre* – Pas *(chiuso martedì)* 19/22000 – ⌾ 6000 – **28 cam** 18/45000 – P 41/44000.

CHIESSI Livorno – Vedere Elba (Isola d') : Marciana.

181

CHIETI 66100 🅿 988 ㉗ – 56 051 ab. alt. 330 – a.s. 15 giugno-agosto – ✆ 0871.

Vedere Giardini★ della Villa Comunale – Guerriero di Capestrano★ nel museo Archeologico degli Abruzzi.

🛈 via Spaventa 29 ✆ 65231.

A.C.I. piazza Garibaldi 3 ✆ 32307.

Roma 205 ③ – L'Aquila 101 ③ – Ascoli Piceno 103 ① – ◆Foggia 186 ① – ◆Napoli 244 ③ – ◆Pescara 14 ①.

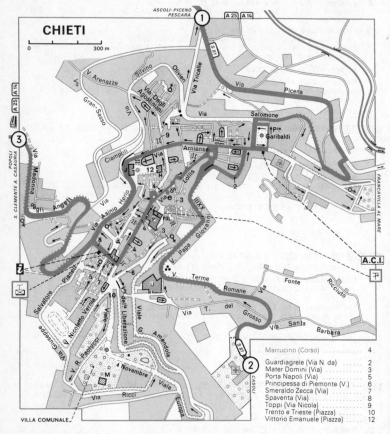

🏨 **D'Angiò,** via Solferino 20 ✆ 347358, ≤, 🐚 – 🛗 ▤ rist ☎ 🅿 – 🔏 50 a 300. 🆎 🆂 ⑩ 🗲 💳 🏵
                                                                3 km per ①
    Pas carta 27/47000 – 🖙 5000 – **38 cam** 45/65000 – P 70000.

🍴🍴 **Venturini,** via De Lollis 10 ✆ 65863 – 🆎 🆂 ⑩. 🏵   **e**
    chiuso martedì – Pas carta 25/35000.

ALFA-ROMEO alla stazione, via Pomilio per ③ ✆ 50048
FIAT alla stazione, viale Benedetto Croce 538 per ① ✆ 57141

FORD viale Abruzzo 332 ✆ 582260
LANCIA-AUTOBIANCHI via Colonnetta 242 per ③ ✆ 57100
VW-AUDI via Madonna degli Angeli ✆ 69241

CHIGGIOGNA 427 ⑮, 218 ⑫ – Vedere Cantone Ticino alla fine dell'elenco alfabetico.

CHIGNOLO PO 27013 Pavia – 3 003 ab. alt. 71 – ✆ 0382.

Roma 537 – Cremona 48 – Lodi 22 – ◆Milano 55 – Pavia 30 – Piacenza 29.

    sulla strada statale 234 NE : 3 km :

🍴🍴 **Da Adriano,** ✉ 27013 ✆ 76119, 🏡, 🐚 – 🅿
    chiuso lunedì sera, martedì e dal 2 al 24 agosto – Pas carta 30/45000.

CHIOGGIA 30015 Venezia 🔢🔢🔢 ⑤ – 53 688 ab. – Stazione balneare, a.s. 15 giugno-agosto – ✪ 041.

Vedere Duomo★.

Roma 510 – ◆Ferrara 93 – ◆Milano 279 – ◆Padova 42 – ◆Ravenna 98 – Rovigo 55 – ◆Venezia 53.

⨉⨉ **Bella Venezia,** calle Corona 51 ℰ 400500, ⌂ – 🄰🄴 ⬤
chiuso giovedì e dall'8 gennaio al 1° febbraio – Pas carta 21/36000.

⨉⨉ **El Gato,** campo Sant'Andrea 653 ℰ 401806, ⌂ – 🖃. 🄰🄴 🕄 ⬤ 🄴 𝗩𝗜𝗦𝗔. ⅀⅀
chiuso lunedì e gennaio – Pas carta 30/52000.

⨉ **Mano Amica,** piazzetta Vigo ℰ 401721, ⌂ – 🄰🄴 🕄 ⬤ 🄴 𝗩𝗜𝗦𝗔
chiuso lunedì e dal 1° al 15 febbraio – Pas carta 28/35000.

⨉ **Al Bersagliere,** via Cesare Battisti 293 ℰ 401044 – 🄰🄴 ⬤ 𝗩𝗜𝗦𝗔
chiuso martedì – Pas carta 22/33000.

a Lido di Sottomarina E : 1 km – ✉ **30019** Sottomarina.

🅱 lungomare Adriatico Centro ℰ 401068 :

🏨 **Ritz,** largo Europa ℰ 491700, Telex 433216, ≼, ⅃, 🐾, 🚗 – 🔁 ☎ 🄿. 🄰🄴 ⬤ 𝗩𝗜𝗦𝗔. ⅀⅀
maggio-settembre – Pas carta 36/51000 – **84 cam** ⚌ 70/100000 – P 65/75000, b.s. 55/60000.

🏨 **Vittoria Palace,** lungomare Adriatico 28 ℰ 400848, Telex 410415, ≼, 🐾 – 🔁 📺 ☺ 🄿.
➤ 🄰🄴 🕄 ⬤ 𝗩𝗜𝗦𝗔. ⅀⅀ rist
Pas 18/25000 – **66 cam** ⚌ 70/115000 – P 52/72000, b.s. 47/60000.

🏨 **Bristol,** lungomare Adriatico 46 ℰ 5540389, Telex 433201, ≼, ⅃, 🐾, 🚗 – 🔁 ⅄ cam ☎
🄿. 🄰🄴 🕄 ⬤ 🄴 𝗩𝗜𝗦𝗔. ⅀⅀ rist
maggio-settembre – Pas 25/30000 – ⚌ 8000 – 68 cam 50/100000 – P 65/70000, b.s. 58/63000.

🏠 **Stella d'Italia,** viale Veneto 37 ℰ 400600 – 🔁 ☎. 🄰🄴 🕄 ⬤ 🄴 𝗩𝗜𝗦𝗔. ⅀⅀ cam
Pas *(chiuso venerdì e novembre)* carta 23/36000 – 27 cam ⚌ 40/65000 – P 50/60000,
b.s. 40/45000.

🏠 **Park Hotel,** lungomare Adriatico ℰ 490740, ≼, 🐾, 🚗 – 🔁 ☎ ☺ 🄿. 🄰🄴 🕄 ⬤ 🄴 𝗩𝗜𝗦𝗔.
⅀⅀ rist
marzo-ottobre – Pas *(chiuso lunedì)* 25000 – **41 cam** ⚌ 46/70000 – P 50/57000, b.s. 40/50000.

🏠 **Capinera,** lungomare Adriatico 12 ℰ 400961, ≼, 🐾 – 🔁 ☎ 🄿. 🄰🄴 ⬤ 🄴 𝗩𝗜𝗦𝗔. ⅀⅀
Pas 23/25000 – ⚌ 6000 – 46 cam 45/70000 – P 61/65000, b.s. 45/50000.

🏠 **Florida,** viale Mediterraneo 9 ℰ 491505, Telex 433278, 🐾 – 🔁 ☎ 🚗 🄰🄴 🕄 ⬤ 𝗩𝗜𝗦𝗔.
⅀⅀ rist
chiuso da novembre a gennaio – Pas *(chiuso martedì)* carta 22/35000 – ⚌ 6000 – **55 cam**
40/70000 – P 47/58000, b.s. 38/40000.

⨉⨉ **Ai Vaporetti,** campo Traghetto 1256 ℰ 400841, ≼ – 🄰🄴 🕄 ⬤ 🄴 𝗩𝗜𝗦𝗔. ⅀⅀
chiuso martedì e dal 10 al 30 gennaio – Pas carta 29/40000.

⨉ **Garibaldi,** via San Marco 1924 ℰ 5540042, ⌂ – ⅀⅀
chiuso lunedì e dal 1° al 20 ottobre – Pas carta 30/55000.

⨉ **Al Granso Stanco,** lungomare Adriatico Sud ℰ 491192, ≼, 🐾 – 🄿.

sulla strada statale 309 S : 8 km :

⨉⨉ **Al Bragosso del Bepi el Ciosoto,** via Romea 294/4 ✉ 30010 Sant'Anna di Chioggia
ℰ 4950395 – 🖃 🄿. ⅀⅀
chiuso mercoledì e novembre – Pas carta 24/32000.

a Cavanella d'Adige S : 12 km – ✉ **30010** :

⨉ **Al Centro da Toni,** ℰ 497501
chiuso lunedì e dal 7 al 31 gennaio – Pas carta 29/50000.

CITROEN via Madonna Marina 280 ℰ 491777
FIAT Ridotto Madonna 31 ℰ 491124
FORD via Borgo San Giovanni 158 ℰ 4966577

PEUGEOT-TALBOT via Borgo San Giovanni ℰ
5540905
RENAULT via Borgo San Giovanni 1195 ℰ 4965313

CHIRIGNAGO Venezia – Vedere Mestre.

CHIUGIANA Perugia – Vedere Corciano.

CHIURO 23030 Sondrio – 2 385 ab. alt. 390 – ✪ 0342.

Roma 708 – Edolo 37 – ◆ Milano 148 – Sondrio 10.

⨉ San Carlo, ℰ 482272 – 🄿.

CHIUSA (KLAUSEN) Bolzano 🔢🔢🔢 ④ – 4 187 ab. alt. 525 – ✉ **39043** Chiusa d'Isarco – a.s. aprile e
luglio-15 ottobre – ✪ 0472.
Vedere Guida Verde.

Roma 671 – ◆Bolzano 30 – Bressanone 11 – Cortina d'Ampezzo 98 – ◆Milano 329 – Trento 90.

🏠 **Posta-Post,** piazza Thinne ℰ 47514, « Giardino con ⅃ » – 🔁 ☎ 🚗. 𝗩𝗜𝗦𝗔. ⅀⅀
Pas *(chiuso giovedì)* carta 22/32000 – ⚌ 6000 – **60 cam** 30/56000 – P 45/50000, b.s. 44/49000.

183

CHIUSA DI PESIO 12013 Cuneo 988 ② – 3 424 ab. alt. 585 – a.s. luglio e agosto – ✪ 0171.
Roma 633 – Cuneo 15 – ◆Milano 229 – Savona 88 – ◆Torino 97.

   ✗ **Dell'Angelo,** ℰ 734591, 🦌 – 🅿 ⚡
     chiuso martedì e novembre – Pas carta 18/28000.

CHIUSI 53043 Siena 988 ⑮ – 9 220 ab. alt. 375 – ✪ 0578.
Vedere Museo Etrusco★.
Roma 159 – Arezzo 67 – Chianciano Terme 12 – ◆Firenze 126 – Orvieto 51 – ◆Perugia 54 – Siena 79.

   ✗✗ **Zaira,** via Arunte 12 ℰ 20260 – 🆎 🚻 ⓘ 🝔 *VISA*. ⚡
     chiuso dal 2 al 16 novembre e lunedì (escluso luglio-settembre) – Pas carta 27/40000.

   a Querce al Pino O : 4 km – ✉ **53043** Chiusi :

   🏨 **Il Patriarca** ⚡, ℰ 274007, ≼, « Parco » – 🕿 🅿. ⚡ rist
     Pas *(chiuso mercoledì)* carta 27/37000 – ⇆ 7000 – **22 cam** 50/60000 – P 70000.

   🏨 **Ismaele,** ℰ 274077, ⤵, ⚡ – 🔲 rist 🕿 🚐 🅿 – ♨ 200. *VISA*. ⚡ rist
     marzo-novembre – Pas *(chiuso lunedì)* 17/19000 – ⇆ 5000 – **46 cam** 36/50000 – P 48000.

   🏠 **Rosati,** ℰ 274008, ≼, 🦌 – 🕿 🚐 🅿. *VISA*
     chiuso dal 20 dicembre al 10 gennaio – Pas *(chiuso sabato)* carta 19/28000 – ⇆ 5000 –
     29 cam 37/61000 – P 55000.

   al lago N : 3,5 km :

   ✗✗ **La Fattoria** ⚡ con cam, ✉ 53043 ℰ 21407, ≼ – 🅿. 🆎 ⓘ *VISA*. ⚡ cam
     chiuso febbraio – Pas *(chiuso lunedì escluso luglio-settembre)* carta 24/40000 – ⇆ 8000 –
     7 cam 60000 – P 62/70000.

ALFA-ROMEO sulla statale 146-Poggio Olivo ℰ
274097
FORD località Pobadino ℰ 20694

INNOCENTI via Montegrappa 92 ℰ 20591
PEUGEOT-TALBOT via Fondovalle ℰ 20406

CHIVASSO 10034 Torino 988 ② – 25 700 ab. alt. 183 – ✪ 011.
Roma 684 – Aosta 103 – ◆Milano 120 – ◆Torino 24 – Vercelli 57.

   ✗ **Centauro** con cam, via Torino 90 ℰ 9102169 – 🖭 🅿. 🚻. ⚡ cam
     chiuso agosto – Pas *(chiuso sabato)* carta 30/37000 (15%) – ⇆ 5000 – **9 cam** 42/60000 –
     P 64/68000.

ALFA-ROMEO stradale Torino 161 ℰ 9106425
FIAT via Torino 11 ℰ 9101423
FORD stradale Torino 91 ℰ 9102707
GM-OPEL stradale Torino 111/115 ℰ 9111579

INNOCENTI via Momo 12 ℰ 9101413
LANCIA-AUTOBIANCHI via Orti 36 ℰ 9112062
PEUGEOT-TALBOT corso Ferraris 16 ℰ 9101447
RENAULT corso Ferraris 49/59 ℰ 9102182

CIAMPINO Roma – Vedere Roma.

CICAGNA 16044 Genova – 2 575 ab. alt. 87 – ✪ 0185.
Roma 480 – ◆Genova 33 – ◆La Spezia 82.

   ✗ **La Taverna Lina,** località Monleone ℰ 92179, Coperti limitati; prenotare – ⚡
     chiuso lunedì ed agosto – Pas carta 14/27000.

CICOGNARA Mantova – Vedere Viadana.

CIGLIANO 13043 Vercelli 988 ②②, 219 ⑮ – 4 585 ab. alt. 237 – ✪ 0161.
Roma 666 – Aosta 95 – Asti 71 – ◆Milano 102 – ◆Torino 40 – Vercelli 32.

   ✗ **Del Moro** con cam, ℰ 43186 – 🅿
     chiuso agosto – Pas *(chiuso lunedì)* carta 22/35000 – ⇆ 5000 – **10 cam** 30/50000 – P 65000.

CIMA SAPPADA Belluno – Vedere Sappada.

CIMOLAIS 33080 Pordenone – 526 ab. alt. 575 – a.s. febbraio, 15 luglio-agosto e Natale –
✪ 0427.
Roma 636 – Belluno 35 – Cortina d'Ampezzo 70 – ◆Milano 378 – Pordenone 51 – Treviso 96.

   🏠 **Margherita,** ℰ 87060, ≼ – 🅿. 🆎. ⚡
     Pas *(chiuso lunedì)* carta 21/30000 – ⇆ 5000 – **12 cam** 27/45000 – P 42/50000.

CINGOLI 62011 Macerata 988 ⑮ – 10 093 ab. alt. 631 – a.s. 15 luglio-15 settembre – ✪ 0733.
🖪 via Ferri 17 ℰ 612444.
Roma 250 – ◆Ancona 52 – Ascoli Piceno 122 – Gubbio 96 – Macerata 30.

   🏠 **Miramonti** ⚡, via dei Cerquatti 31 ℰ 612239, ≼ vallata e monti, « Giardino ombreggiato »,
     ⚡ – 🕿 🅿. 🆎 ⓘ *VISA*. ⚡
     chiuso novembre – Pas *(chiuso lunedì)* carta 23/31000 – ⇆ 6000 – **22 cam** 34/54000 –
     P 49000, b.s. 46000.

   ✗✗ **Diana** con cam, via Cavour 21 ℰ 612313 – 🔲 🕿 🅿. *VISA*. ⚡ rist
     chiuso ottobre – Pas *(chiuso lunedì)* carta 22/34000 – ⇆ 6000 – **15 cam** 35/50000 – P 45/50000,
     b.s. 40/45000.

CINISELLO BALSAMO 20092 Milano **219** ⑯ – 79 003 ab. alt. 154 – ✿ 02.

Roma 583 – ◆Bergamo 42 – Como 41 – Lecco 44 – ◆Milano 13 – Monza 7.

Pianta d'insieme di Milano (Milano p. 4 e 5)

🏨 **Go-Garden** senza rist, viale Brianza 50 ✆ 6187955 – 🛗 📺 ☎ ❷ – 🛬 25 a 200. ◱ 🕄 ➀ 🗲
    VISA   HK **e**
    ⊆ 8500 – **50 cam** 78/125000.

🏨 **La Serenissima** senza rist, viale Romagna 33 ✆ 6181841 – 🛗 ▤ 📺 ☎. ◱ 🕄 ➀ 🗲 **VISA**. 🛠
    chiuso dal 31 luglio al 23 agosto – ⊆ 10000 – **42 cam** 75/110000.   HK **c**

🏨 **Lincoln** senza rist, via Lincoln 65 ✆ 6172657 – 🛗 ▤ 📺 ⊚ ❷. 🕄 🗲. 🛠
    chiuso dal 10 al 16 agosto – ⊆ 8000 – **18 cam** 82/115000.   HK **b**

XX **L'Orchidea**, via Lincoln 65 ✆ 6173511 – ▤. ◱ 🕄 🗲 **VISA**   HK **b**
    chiuso domenica ed agosto – Pas carta 29/40000.

XX **La Cambusa**, via Ferri 11 ✆ 6180975 – ▤. 🕄   HK **a**
    chiuso domenica sera, lunedì, dal 24 dicembre al 4 gennaio ed agosto – Pas carta 37/55000
    (10%).

ALFA-ROMEO via Lincoln 19 HK ✆ 6182414   FIAT via Sirtori angolo viale Fulvio Testi HK ✆
FIAT via 25 Aprile 231 GK ✆ 6127031   2406380
    RENAULT via Paisiello ✆ 61290331

CINQUALE Massa – Vedere Montignoso.

CIOCCARO Asti – Vedere Moncalvo.

CIRELLA 87020 Cosenza – ✿ 0985.

Roma 440 – Castrovillari 84 – Catanzaro 141 – ◆Cosenza 82 – Sapri 56.

🏨 **Guardacosta** 🅢, ✆ 86012, ≤ mare e costa, « Giardino ombreggiato », 🏊, 🐎, 🛠 – 🛗 ▤
    ☎ ❷. 🛠 rist
    aprile-settembre – Pas carta 27/37000 – ⊆ 7000 – **58 cam** 65/80000, ▤ 3000 – P 75/90000.

CIRIÈ 10073 Torino **988** ⑫ – 18 441 ab. alt. 344 – ✿ 011.

Roma 698 – Aosta 113 – ◆Milano 144 – ◆Torino 21 – Vercelli 74.

XXX **Mario**, corso Martiri della Libertà 41 ✆ 9203203, prenotare – ▤. ◱. 🛠
    chiuso lunedì sera, martedì ed agosto – Pas carta 29/49000.

X **Roma**, via Roma 17 ✆ 9203572 – 🛠
    chiuso mercoledì e domenica sera – Pas carta 25/40000.

FIAT via Dante 19 ✆ 9207777   PEUGEOT-TALBOT via Torino 119/121 ✆ 9204500
FORD via Torino 68/70 ✆ 9208736   RENAULT via Lanzo 58/60 ✆ 9204984

CIRÒ MARINA 88072 Catanzaro **988** ㊳㊵ – 14 396 ab. – ✿ 0962.

Roma 561 – Catanzaro 114 – ◆Cosenza 136 – Crotone 36 – ◆Taranto 210.

🏨 **Il Gabbiano** 🅢, N : 2 km ✆ 31338, ≤, 🐎 – ≡⇔ cam 📺 ☎ ❷. 🛠 cam
    chiuso novembre – Pas carta 27/37000 – 40 cam ⊆ 59/92000 – P 85000.

CISANO Verona – Vedere Bardolino.

CISANO BERGAMASCO 24034 Bergamo **219** ⑳ – 5 367 ab. alt. 275 – ✿ 035.

Roma 619 – ◆Bergamo 18 – Como 38 – Lecco 15 – ◆Milano 41.

XX **La Sosta**, ✆ 781066, ≤, 🍽 – ⇔ ❷. 🕄 **VISA**
    chiuso mercoledì e dal 1° al 7 gennaio – Pas carta 27/51000.

XX **Fatur**, ✆ 781287, 🍽 – ❷. 🕄 **VISA**. 🛠
    chiuso martedì e dal 1° al 15 agosto – Pas carta 27/45000.

CISTERNINO 72014 Brindisi **988** ㉙㉚ – 11 888 ab. alt. 393 – ✿ 080.

Roma 524 – ◆Bari 74 – ◆Brindisi 49 – Lecce 87 – Matera 87 – ◆Taranto 42.

🏨 **Aia del Vento**, ✆ 718388, Telex 813892, ≤ – ▤ rist ☎ ⇆ ❷ – 🛬 100. ◱ 🕄 ➀ **VISA**. 🛠
    marzo-ottobre – Pas *(chiuso venerdì)* carta 21/35000 – ⊆ 5000 – **27 cam** 50/70000 –
    P 70/80000.

X **Arcobaleno**, ✆ 718247 – ❷
    chiuso martedì – Pas carta 22/34000 (15%).

CITARA Napoli – Vedere Ischia (Isola d') : Forio.

CITTADELLA 35013 Padova **988** ⑤ – 17 800 ab. alt. 49 – ✿ 049.

Vedere Cinta muraria★.

Roma 527 – Belluno 94 – ◆Milano 227 – ◆Padova 28 – Trento 102 – Treviso 38 – ◆Venezia 61 – Vicenza 22.

🏨 **2 Mori**, borgo Bassano 143 ✆ 5970338, « Giardino » – 👌 ❷. 🛠
    Pas *(chiuso lunedì e dal 5 al 20 agosto)* carta 25/35000 – ⊆ 5000 – **26 cam** 40/70000 –
    P 60/80000.

ALFA-ROMEO viale del Commercio 10/12 ✆ 5974252   FIAT borgo Bassano 36/38 ✆ 5972021

CITTÀ DELLA PIEVE 06062 Perugia 988 ⑮ – 6 472 ab. alt. 508 – ✪ 0578.
Roma 154 – Arezzo 77 – Chianciano Terme 23 – Orvieto 47 – ◆Perugia 43 – Siena 89 – Viterbo 94.

🏠 **Vannucci,** viale Vanni 1 🖉 298063, 🚗 – ℗
→ Pas *(chiuso giovedì)* carta 16/28000 – 🖵 3500 – **16 cam** 25/40000 – P 45000.

CITTÀ DI CASTELLO 06012 Perugia 988 ⑮ – 38 085 ab. alt. 288 – ✪ 075.
🖪 viale De Cesare 2/b 🖉 8554817.
Roma 258 – Arezzo 42 – ◆Perugia 56 – ◆Ravenna 137.

🏨 **Garden,** viale Bologni NE : 1 km 🖉 8550593 – 🎮 ╬╾ cam ▤ 📺 ☎ ⇐ ℗ – 🛎 100. ◭ ⑤
→ ⓪ 🖹 𝘝𝘐𝘚𝘈. ⅍ rist
Pas carta 19/30000 – 🖵 6000 – **57 cam** 48/65000, ▤ 5000 – P 66/78000.

🏨 **Tiferno,** piazza Sanzio 13 🖉 8550331, Telex 661040 – 📺 ☎ – 🛎 40. ◭ ⑤ ⓪ 🖹 𝘝𝘐𝘚𝘈. ⅍
Pas *(chiuso lunedì)* carta 28/41000 – 🖵 8000 – **18 cam** 45/70000 – P 75/85000.

XX **Il Bersaglio,** viale Orlando 14 🖉 8555534 – ℗. 🖹. ⅍
chiuso mercoledì – Pas carta 24/36000.

ALFA-ROMEO via Antognucci 🖉 8510978
BMW via Roma-località Casella 🖉 8557823
FIAT viale Zampini 2 🖉 8559818
FORD via Tiberina 3/b-località Rosecco 🖉 8510577

LANCIA-AUTOBIANCHI a Cerbara, via Tiberina 3/bis
🖉 8510658
PEUGEOT-TALBOT via Di Vittorio-zona Industriale
🖉 8553278

CITTADUCALE 02015 Rieti 988 ㉖ – 6 314 ab. alt. 450 – ✪ 0746.
Roma 88 – L'Aquila 47 – Ascoli Piceno 103 – Rieti 10.

🏠 **Pace,** 🖉 62127 – ⓪
Pas carta 21/30000 – 🖵 3500 – **16 cam** 25/37000 – P 40000.

CITTANOVA Modena – Vedere Modena.

CITTÀ SANT'ANGELO 65013 Pescara 988 ㉗ – 9 747 ab. alt. 320 – a.s. luglio e agosto – ✪ 085.
Roma 223 – L'Aquila 120 – Chieti 34 – ◆Pescara 20 – Teramo 58.

in prossimità casello autostrada A 14 E : 9,5 km :

🏨 **MotelAgip,** ✉ 65013 🖉 95321 – 🎮 ▤ 📺 ☎ ℗ – 🛎 30 a 150. ◭ ⑤ ⓪ 🖹 𝘝𝘐𝘚𝘈. ⅍ rist
Pas 28000 – 🖵 12000 – **85 cam** 54/90000 – P 113/122000.

🏨 **Motel Amico,** ✉ 65013 🖉 95174 – 🎮 ☜ ⅙ ⇐ ℗ – 🛎 60. 🖹 𝘝𝘐𝘚𝘈. ⅍ rist
Pas carta 22/33000 – 🖵 7000 – **62 cam** 40/67000.

CIUK Sondrio 218 ⑰ – Vedere Bormio.

CIVATE 22040 Como 219 ⑨ – 3 418 ab. alt. 269 – ✪ 0341.
Roma 619 – Bellagio 23 – Como 24 – Lecco 5 – ◆Milano 51.

X **Cascina Edvige,** località Roncaglio 🖉 550350 – ℗. ⅍
→ *chiuso martedì ed agosto* – Pas carta 19/30000.

CIVIDALE DEL FRIULI 33043 Udine 988 ⑥ – 10 954 ab. alt. 138 – ✪ 0432.
Vedere Tempietto★★ – Museo Archeologico★.
🖪 largo Boiani 4 🖉 731398.
Roma 655 – Gorizia 30 – ◆Milano 394 – Tarvisio 102 – ◆Trieste 65 – Udine 17 – ◆Venezia 144.

🏠 **Roma** senza rist, piazza Picco 🖉 731871 – 🎮 ℗ – 🛎 100. 𝘝𝘐𝘚𝘈. ⅍
🖵 6000 – **49 cam** 39/63000.

XX **Alla Frasca,** via De Rubeis 10 🖉 731270 – ◭ ⓪ 𝘝𝘐𝘚𝘈. ⅍
chiuso lunedì – Pas carta 28/40000.

XX **Al Fortino,** via Carlo Alberto 46 🖉 731217 – ℗. ⅍
chiuso lunedì sera, martedì, dal 10 al 30 gennaio e dal 10 al 25 luglio – Pas carta 25/35000.

X **Zorutti,** borgo di Ponte 7 🖉 731100 – ℗.

CIVITA CASTELLANA 01033 Viterbo 988 ㉖ – 15 799 ab. alt. 145 – ✪ 0761.
Vedere Portico★ del Duomo.
Roma 79 – ◆Perugia 119 – Terni 50 – Viterbo 51.

a Quartaccio NO : 5,5 km – ✉ 01034 Fabrica di Roma :

🏠 **Aldero,** 🖉 514757 – 📺 ☜ ℗ – 🛎 25. ⅍
chiuso dal 5 al 20 agosto – Pas *(chiuso domenica)* carta 25/40000 – 🖵 8000 – **26 cam**
45/70000 – P 80000.

FIAT via Flaminia al km 57 🖉 540065

LANCIA-AUTOBIANCHI via Flaminia al km 58 🖉
540479

CIVITANOVA MARCHE 62012 Macerata 988 ⑱ – 36 820 ab. – Stazione balneare, a.s. luglio e agosto – 😊 0733.

🏢 piazza 20 Settembre 95 ♂ 73967.

Roma 276 – ♦Ancona 47 – Ascoli Piceno 79 – Macerata 27 – ♦Pescara 113.

🏨 **Miramare,** viale Matteotti 1 ♂ 770888, Telex 561431 – 🛗 📺 ☎ 👤 🚗 – 🅰 150. 🅰🅴 🅱 🆗
   E 𝘝𝘐𝘚𝘈. ⚞
   Pas *(chiuso domenica)* carta 40/55000 – ☐ 15000 – **61 cam** 70/90000.

🏨 **Pamir,** via Santorre di Santarosa 17/19 ♂ 771777 – 🛗 📺 🅰🅴 🅱 🆗 E. ⚞
   Pas *(chiuso lunedì ed in bassa stagione)* 25/30000 – ☐ 6000 – **26 cam** 38/65000 – P 67000.

🏨 **Tortuga,** senza rist, viale Vittorio Veneto 134 ♂ 771844 – 🛗 🏨
   18 cam.

✗ **Girasole** con cam, via Cristoforo Colombo 204 ♂ 771316 – 📺 🏨 🚗 🅿. 🅰🅴 🆗. ⚞
   Pas *(chiuso venerdì e dal 1° al 15 settembre)* carta 21/31000 – ☐ 3500 – **22 cam** 36/62000 –
   P 60000, b.s. 55000.

ALFA-ROMEO via Martiri di Belfiore 23/41 ♂ 761349
FIAT via Fontanella ♂ 761341
INNOCENTI via Silvio Pellico ♂ 771600
MASERATI via Silvio Pellico ♂ 775342
MERCEDES-BENZ via Silvio Pellico ♂ 771600

PEUGEOT-TALBOT via Silvio Pellico ♂ 771600
RENAULT via Silvio Pellico ♂ 770788
VW-AUDI via De Amicis 22 ♂ 770545
VOLVO via Einaudi ♂ 773948

CIVITAVECCHIA 00053 Roma 988 ㉕ – 50 832 ab. – 😊 0766.

Vedere Guida Verde.

⛴ per Cagliari giornaliero (13 h), Olbia giornaliero (8 h) ed Arbatax mercoledì e venerdì (9 h) –
Tirrenia Navigazione, Stazione Marittima ♂ 28801, Telex 610376.

🏢 viale Garibaldi 40 ♂ 25348.

Roma 78 – Grosseto 111 – ♦Napoli 293 – ♦Perugia 186 – Terni 117.

✗✗ **Villa dei Principi,** via Borgo Odescalchi 11/a ♂ 21200, ≤ – 🅿 – 🅰 100. 🅰🅴 🆗
   chiuso martedì e luglio – Pas carta 30/60000.

✗✗ **La Scaletta,** lungoporto Gramsci 65 ♂ 24334 – 🅰🅴. ⚞
   chiuso martedì e settembre – Pas carta 31/50000.

✗ **Alla Lupa,** via Santa Fermina 5 ♂ 25703
   chiuso martedì, dal 1° al 15 settembre e dal 22 al 28 dicembre – Pas carta 22/30000 (10%).

   sulla strada statale 1 - via Aurelia S : 3 km :

🏨 **Sunbay Park Hotel,** ✉ 00053 ♂ 22801, ≤, ⤓, 🐾, 🌊 – 🛗 🍽 📺 ☎ 👤 🅿 – 🅰 25 a 100.
   🅰🅴 🅱 🆗 E 𝘝𝘐𝘚𝘈. ⚞
   Pas carta 24/43000 – ☐ 6500 – **59 cam** 88/132000 – P 113000.

ALFA-ROMEO viale della Vittoria 10/cd ♂ 22641
FIAT via Tevere ♂ 24621
FIAT via del Bricchetto ♂ 35632
FORD via Braccianese Claudia ♂ 20848
GM-OPEL via Antonini 10 ♂ 21746

LANCIA-AUTOBIANCHI via Tarquinia 19/27 ♂ 24760
PEUGEOT-TALBOT via Gobetti 1/3 ♂ 23260
RENAULT via Aurelia Sud 11 ♂ 22796
VW-AUDI viale Etruria 6 ♂ 22865

CIVITELLA ALFEDENA 67030 L'Aquila – 305 ab. alt. 1 121 – 😊 0864.

Roma 184 – L'Aquila 130 – Campobasso 98 – Chieti 116 – ♦Pescara 127 – Sulmona 60.

🏨 **Valdirose** ⚞, ♂ 89110, ≤ lago di Barrea, 🏡 – 🛗 🏨 🚗 🅿. ⚞ rist
➡ Pas 18/20000 – ☐ 5000 – 59 cam 36/43000 – P 65000.

CIVITELLA DEL TRONTO 64010 Teramo 988 ⑱ – 5 719 ab. alt. 580 – 😊 0861.

Roma 200 – ♦Ancona 123 – Ascoli Piceno 21 – ♦Pescara 75 – Teramo 18.

✗ **Zunica** con cam, ♂ 91319, ≤ vallata – 🛗 👤. ⚞
➡ *chiuso dal 2 al 15 novembre* – Pas *(chiuso mercoledì)* carta 17/25000 – ☐ 3000 – **21 cam**
   25/40000 – P 35/38000.

CLAVIERE 10050 Torino 988 ⑫, 77 ⑧⑱ – 183 ab. alt. 1 760 – Stazione di villeggiatura, a.s.
febbraio, Pasqua, luglio-agosto e Natale – Sport invernali : ai Monti della Luna, Cesana Torinese e
San Sicario : 1 360/2 700 m ≼7 ≴9, ≵ – 😊 0122.

🎿 (luglio-settembre) ♂ 878917 o ♂ (011) 23981.

🏢 via Nazionale 30 ♂ 878856.

Roma 758 – Bardonecchia 31 – Briançon 15 – ♦Milano 230 – Sestriere 17 – Susa 40 – ♦Torino 93.

🏨 **Miramonti** ⚞, ♂ 878804, ≤ – ☎ 🅿. ⚞ rist
   dicembre-aprile e luglio-agosto – Pas *(solo per clienti alloggiati)* 20000 – ☐ 5000 – **21 cam**
   45/60000 – P 55/65000, b.s. 45/55000.

🏨 **Piccolo Chalet,** ♂ 878806, ≤ – 🅿. 🅰🅴. ⚞
   dicembre-aprile – Pas 20000 – ☐ 5000 – 23 cam 31/49000 – P 55/65000, b.s. 50/60000.

CLES 38023 Trento 𝟵𝟴𝟴 ④, 𝟮𝟭𝟴 ⑱ – 6 001 ab. alt. 658 – a.s. Pasqua e Natale – ✿ 0463.
Dintorni Lago di Tovel★★★ SO : 15 km.

Roma 626 – ◆Bolzano 54 – Passo di Gavia 73 – Merano 57 – ◆Milano 284 – Trento 44.

⌂ **Cles,** ☎ 21300, ☞ – ⧚ ☎ ⇌ 🅿. ஊ 🏵 E 𝗩𝗜𝗦𝗔. 𝒮𝒮 rist
↔   chiuso dal 15 al 30 giugno – Pas carta 19/27000 – � 5000 – **40 cam** 36/55000 – P 50/55000,
    b.s. 44/48000.

✗ **Antica Trattoria da Bepi** con cam, ☎ 21631
    chiuso giugno – Pas (chiuso sabato) carta 21/32000 – � 3000 – 7 cam 25/59000 – P 49000.

CLUSANE SUL LAGO 25040 Brescia – alt. 195 – ✿ 030.

Roma 580 – ◆Bergamo 34 – ◆Brescia 31 – Iseo 5 – ◆Milano 75.

✗✗ **La Punta-da Dino,** ☎ 989037, 🏠 – 🅿. 𝒮𝒮
    chiuso mercoledì e novembre – Pas carta 25/38000.

LANCIA-AUTOBIANCHI via Risorgimento 61 ☎ 989098

CLUSONE 24023 Bergamo 𝟵𝟴𝟴 ③ – 8 101 ab. alt. 648 – a.s. luglio e agosto – ✿ 0346.
Roma 635 – ◆Bergamo 34 – ◆Brescia 81 – Edolo 74 – ◆Milano 80.

⌂ **Erica,** ☎ 21667 – ⧚ 📺 ☎ ⇌ 🅿 – 🏊 100. 𝒮𝒮
    Pas (chiuso martedì) carta 30/45000 – ⊒ 6000 – 23 cam 32/49000 – P 70000.

✗✗ **Aquiletta** 🐾 con cam, località Ponte Selva SO : 3 km ☎ 701196 – 📺 🅿. ஊ. 𝒮𝒮
    chiuso dal 10 gennaio al 10 febbraio – Pas carta 33/62000 – ⊒ 5000 – 9 cam 35/47000 –
    P 60/80000.

Vedere anche : **Rovetta** E : 3 km.

COAREZZA Varese 𝟮𝟭𝟵 ⑦ – Vedere Somma Lombardo.

COAZZE 10050 Torino 𝟳𝟳 ⑩ – 2 455 ab. alt. 747 – ✿ 011.
Roma 694 – ◆Milano 174 – Pinerolo 28 – Susa 42 – ◆Torino 37.

✗✗ **Piemonte** con cam, ☎ 9349130, ☞ – ⧚ ☎ 🅿. 🏵 E. 𝒮𝒮
    chiuso settembre – Pas (chiuso mercoledì) carta 28/42000 – ⊒ 7000 – **29 cam** 50/80000 –
    P 55/80000.

COCCAGLIO 25030 Brescia – 6 222 ab. alt. 162 – ✿ 030.
Roma 573 – ◆Bergamo 36 – ◆Brescia 24 – Cremona 69 – ◆Milano 77 – ◆Verona 88.

⌂ **Touring,** ☎ 721084, Fax 721084 – ☎ ⇌ 🅿. 🏵 E 𝗩𝗜𝗦𝗔. 𝒮𝒮 cam
    Pas (chiuso martedì) carta 23/36000 (10%) – ⊒ 6000 – **33 cam** 35/60000 – P 60000.

INNOCENTI via Marconi 26 ☎ 721520   RENAULT via per Chiari ☎ 722482
PEUGEOT-TALBOT via per Palazzolo ☎ 723658

COCCONATO 14023 Asti – 1 574 ab. alt. 491 – ✿ 0141.
Roma 649 – Alessandria 67 – Asti 32 – ◆Milano 118 – ◆Torino 45 – Vercelli 50.

✗ **Cannon d'Oro** con cam, ☎ 907024 – ஊ 🏵 ⑩ 𝒮𝒮
    chiuso gennaio – Pas (chiuso martedì) carta 25/40000 – ⊒ 5000 – **9 cam** 22/40000 – P 45000.

CODIGORO 44021 Ferrara 𝟵𝟴𝟴 ⑮ – 14 352 ab. alt. 4 – ✿ 0533.
Dintorni Abbazia di Pomposa★★ E : 6 km.

Roma 466 – ◆Bologna 90 – ◆Ferrara 43 – ◆Milano 295 – ◆Ravenna 56 – Rovigo 54 – ◆Venezia 103.

✗ **Pomposa,** con cam, via Roma 21 ☎ 713125 – ▤ rist
    11 cam.

CODOGNO 20073 Milano 𝟵𝟴𝟴 ③ – 14 442 ab. alt. 58 – ✿ 0377.
Roma 522 – Cremona 28 – ◆Milano 67 – ◆Parma 72 – Pavia 46 – Piacenza 14.

✗ **Tre Re,** via Roma 31 ☎ 32420, Coperti limitati; prenotare la sera
    chiuso domenica sera, lunedì ed agosto – Pas carta 35/43000.

✗ **Leoncino,** piazza della Repubblica ☎ 32238
    chiuso giovedì e dal 22 giugno al 14 luglio – Pas carta 20/30000.

ALFA-ROMEO strada provinciale 126 ☎ 32514   INNOCENTI viale Manzoni 19 ☎ 34495
FIAT località Mirandolina ☎ 33178   RENAULT viale Risorgimento 11 ☎ 32244
GM-OPEL località Mirandolina ☎ 30890

☞   When in a hurry use the **Michelin Main Road Maps** :
    𝟵𝟮𝟬 Europe, 𝟵𝟴𝟬 Greece, 𝟵𝟴𝟰 Germany, 𝟵𝟴𝟱 Scandinavia-Finland,
    𝟵𝟴𝟲 Great Britain and Ireland, 𝟵𝟴𝟳 Germany-Austria-Benelux, 𝟵𝟴𝟴 Italy,
    𝟵𝟴𝟵 France, 𝟵𝟵𝟬 Spain-Portugal and 𝟵𝟵𝟭 Yugoslavia.

CODROIPO 33033 Udine 🟧🟧🟧 ⑤ⓖ – 14 199 ab. alt. 44 – 🟢 0432.

Roma 612 – Belluno 93 – ♦Milano 351 – Treviso 86 – ♦Trieste 77 – Udine 24.

a Iutizzo S : 2 km – ⊠ **33033** Codroipo :

✗ **Da Bosco,** 🗝 900190 – 🅿 ✻
➜ *chiuso mercoledì sera, giovedì ed agosto* – Pas carta 16/37000.

a Passariano SE : 2 km – ⊠ **33033** Codroipo :

✗✗ **Del Doge,** 🗝 906591 – 🅿 ✻
chiuso lunedì – Pas carta 30/43000.

sulla strada statale 13 E : 5 km :

🏨 **Frecce Tricolori,** ⊠ 33033 Codroipo 🗝 906237 – 🚗 🅿
➜ Pas (solo per clienti alloggiati) carta 19/27000 – ⊊ 4000 – **24 cam** 35/60000 – P 45/50000.

FORD viale Venezia 🗝 900672   RENAULT viale Venezia 120 🗝 900777

COGGIOLA 13013 Vercelli 🟧🟧🟧 ⑮ – 2 758 ab. alt. 454 – 🟢 015.

Roma 672 – Biella 31 – ♦Milano 98 – ♦Torino 114 – Vercelli 58.

🏨 **Italia,** 🗝 78230 – ⇔ cam 🐖 🚗 🅿 ✻
➜ Pas *(chiuso venerdì)* carta 18/30000 – ⊊ 6000 – **11 cam** 25/45000 – P 45/50000.

COGNE 11012 Aosta 🟧🟧🟧 ②, 🟧🟧🟧 ⑱, 🟥🟥 ② – 1 449 ab. alt. 1 534 – Stazione di villeggiatura, a.s. Pasqua, luglio-agosto e Natale – Sport invernali : 1 534/2 245 m ⛷1 ⛷3, ⛷ – 🟢 0165.

🎿 piazza Chanoux 38 🗝 74040.

Roma 774 – Aosta 27 – Courmayeur 52 – Colle del Gran San Bernardo 60 – ♦Milano 212.

🏨🏨 **Bellevue,** 🗝 74825, ⇐ Gran Paradiso, 🔲 – 🛗 ☎ 🕿 🅿 – 🛋 150. ✻ rist
22 dicembre-2 aprile e 2 giugno-settembre – Pas *(chiuso mercoledì)* 28/32000 – ⊊ 10000 –
45 cam 80/120000 appartamenti 130/140000 – P 100/135000, b.s. 85/98000.

🏨🏨 **Miramonti,** 🗝 74030, ⇐, 🚗 – 🛗 ☎ 🕿 🅿 ✻ rist
23 dicembre-aprile e 2 giugno-14 ottobre – Pas 24/28000 – ⊊ 7000 – 25 cam 50/81000 –
P 86000, b.s. 66000.

🏨 **Mont Blanc,** 🗝 74211, ⇐, 🚗 – 🛗 ☎ 🕿 🅿 ⒶⒺ 🕒 Ɛ 𝘝𝘐𝘚𝘈 ✻
➜ *20 dicembre-Pasqua e 15 giugno-settembre* – Pas 17/20000 – ⊊ 6000 – 20 cam 37/64000 –
P 60/67000, b.s. 54/58000.

🏨 **Grand Paradis,** 🗝 74070, 🚗 – 🛗 🐖. ⓞ 𝘝𝘐𝘚𝘈 ✻ rist
23 dicembre-8 gennaio, 5 febbraio-2 aprile e 10 giugno-24 settembre – Pas 20000 – ⊊ 7500 –
27 cam 49/73000 – P 70000, b.s. 57000.

🏨 **Sant'Orso,** 🗝 74821, ⇐ Gran Paradiso – 🛗 ☎ 🚗 🅿 ⒶⒺ 🕒 𝘝𝘐𝘚𝘈. ✻ rist
➜ *chiuso dal 7 novembre al 1° dicembre* – Pas 19000 – **30 cam** ⊊ 48/78000 – P 70/82000,
b.s. 62/72000.

🏨 **Petit Hotel,** 🗝 74010, ⇐ – 🛗 ☎ 🕿 🚗 🅿 ✻ rist
➜ *chiuso dall'8 gennaio al 4 febbraio e dal 2 aprile al 25 giugno* – Pas *(chiuso mercoledì)*
15/22000 – 19 cam ⊊ 30/60000 – P 54/60000, b.s. 45/48000.

🏨 **La Madonnina del Gran Paradiso,** 🗝 74078, ⇐, 🚗 – ☎ 🅿 ✻ rist
dicembre-aprile e giugno-settembre – Pas 20/25000 – 22 cam ⊊ 35/70000 – P 58/61000,
b.s. 51/54000.

✗✗ **Lou Ressignon,** 🗝 74034 – 🅿 ⒶⒺ 🕒 ⓞ Ɛ 𝘝𝘐𝘚𝘈
chiuso lunedì sera, martedì, dal 15 al 25 giugno e dal 15 al 30 novembre – Pas carta 22/31000
(5%).

a Cretaz N : 1,5 km – ⊠ **11012** Cogne :

✗✗ **Notre Maison** con cam, 🗝 74104, ⇐, « Caratteristico arredamento, giardino-solarium », 🚗
– 🛗 🐖 🕿 🚗 🅿. ✻
chiuso ottobre e novembre – Pas *(chiuso lunedì)* carta 25/37000 – ⊊ 5000 – **12 cam** 40/75000
– P 75/80000, b.s. 65/70000.

a Lillaz SE : 4 km – alt. 1 615 – ⊠ **11012** Cogne :

🏨 **L'Arolla** 🗝, 🗝 74052 – ☎. ✻
febbraio-aprile e giugno-settembre – Pas carta 28/44000 – ⊊ 7500 – 14 cam 65000 – P 68000,
b.s. 60000.

✗✗ **Lou Tchappè,** 🗝 74379 – 🅿. ✻
chiuso lunedì, gennaio e ottobre o novembre – Pas carta 21/32000.

COGNOLA Trento – Vedere Trento.

COGOLETO 16016 Genova – 9 539 ab. – 🟢 010.

Roma 527 – Alessandria 75 – ♦Genova 28 – ♦Milano 151 – Savona 19.

✗✗ **Gustin,** 🗝 9181925 – 🍽 🅿 ⒶⒺ ⓞ 𝘝𝘐𝘚𝘈
chiuso mercoledì e dal 15 al 28 febbraio – Pas carta 26/47000.

189

COLFIORITO 06030 Perugia 988 ⑯ − alt. 760 − ✪ 0742.

Roma 182 − ◆Ancona 121 − Foligno 26 − Macerata 66 − ◆Perugia 61.

  🏨 **Villa Fiorita,** ✆ 681125, ≼, ⊥, ℀ − ≣ 📺 ☎ & 🅿. 𝘝𝘐𝘚𝘈
  ◆ *chiuso dal 24 gennaio al 7 febbraio* − Pas *(chiuso martedì)* carta 17/33000 − � 10000 −
  30 cam 50/70000 − P 60/70000.

COLFOSCO (KOLFUSCHG) Bolzano − Vedere Corvara in Badia.

COLICO 22050 Como 988 ③, 219 ⑩ − 5 669 ab. alt. 209 − ✪ 0341.

Vedere Lago di Como★★★.

  ⛴ per Bellagio-Tremezzo-Como aprile-settembre giornalieri (3 h) − Navigazione Lago di Como,
via Cavour ✆ 940815.

  ⛴ per Bellagio-Tremezzo-Como giornalieri (1 h 30 mn) − Navigazione Lago di Como, via Cavour,
✆ 940815.

Roma 661 − Chiavenna 26 − Como 68 − Lecco 41 − ◆Milano 97 − Sondrio 41.

  🏠 Isolabella, ✆ 940101 − 🅿
  42 cam.

  XX **Da Gigi** con cam, ✆ 940268 − 🅢 E 𝘝𝘐𝘚𝘈
  chiuso maggio ed ottobre − Pas *(chiuso giovedì)* carta 21/35000 (15%) − � 6000 − **12 cam**
  35/60000 − P 60000.

*Entrate nell'albergo con la Guida alla mano, dimostrando in tal
modo la fiducia in chi vi ha indirizzato.*

COLLALBO (KLOBENSTEIN) Bolzano − Vedere Renon.

COLLE Vedere nome proprio del colle.

COLLECCHIO 43044 Parma 988 ⑭ − 10 862 ab. alt. 106 − ✪ 0521.

Roma 469 − ◆Bologna 107 − ◆Milano 126 − ◆Parma 11 − Piacenza 65 − ◆La Spezia 101.

  🏠 **La Pineta,** ✆ 805226 − ⊜ cam ☎ 🅿. ℀
  Pas carta 24/39000 − ⊌ 6000 − **20 cam** 32/55000 − P 65/75000.

  XXX **Villa Maria Luigia-di Ceci,** ✆ 805489, « Giardino ombreggiato » − ≣ 🅿. ℀
  chiuso giovedì, dall'11 al 31 gennaio e dal 9 al 24 agosto − Pas carta 38/54000.

  sulla strada statale 62 NE : 5 km :

  XX Hostaria Cavalli-il Baule, ✉ 43044 ✆ 804110, « Servizio estivo sotto un pergolato » − 🅿.

  a Cafragna SO : 9 km − ✉ **43030** Talignano :

  X Cafragna-Camorali, ✆ (0525) 2363, Coperti limitati; prenotare, 🌳 − 🅿.

COLLE DI VAL D'ELSA 53034 Siena 988 ⑭⑮ − 16 447 ab. alt. 223 − ✪ 0577.

Roma 255 − Arezzo 88 − ◆Firenze 49 − Pisa 87 − Siena 25.

  🏨 **La Vecchia Cartiera,** via Oberdan 5/9 ✆ 921107 − ≣ 📺 ☎ ⇐ 🅿 − 🔺 70. 🅐🅔 🅢 🅞 E
  𝘝𝘐𝘚𝘈. ℀
  Pas vedere rist La Vecchia Cartiera − ⊌ 6000 − **40 cam** 41/70000 − P 79000.

  🏨 **Villa Belvedere** ⅏, località Belvedere E : 2 km ✆ 920966, 🌳, « Villa settecentesca », ◢
  − ☎ 🅿 − 🔺 80. 🅐🅔 🅢 🅞 E 𝘝𝘐𝘚𝘈. ℀
  Pas *(chiuso mercoledì)* carta 34/49000 − **15 cam** ⊌ 92/100000.

  🏨 **Arnolfo,** via Campana 8 ✆ 922020 − ≣ 📺 ☎. 🅐🅔 🅢 🅞 E 𝘝𝘐𝘚𝘈. ℀
  chiuso dal 10 gennaio al 10 febbraio − Pas vedere rist Arnolfo − ⊌ 5500 − 28 cam 38/61000 −
  P 59/61000.

  XXX ✿ **Arnolfo,** piazza Santa Caterina 2 ✆ 920549, 🌳, Coperti limitati; prenotare − 🅐🅔 🅞. ℀
  chiuso martedì e dal 10 gennaio al 10 febbraio − Pas carta 42/59000
  Spec. Terrina di coniglio alle erbe aromatiche (primavera), Risotto con gamberi e pinoli (estate), Filetto di bue in
  crosta. **Vini** Pinot Grigio, Chianti.

  XX **La Vecchia Cartiera,** via Oberdan 5 ✆ 921107 − 🅿. 🅐🅔 🅢 🅞 E 𝘝𝘐𝘚𝘈. ℀
  chiuso domenica sera, lunedì e dal 4 al 23 luglio − Pas carta 26/37000 (10%).

  XX L'Antica Trattoria, piazza Arnolfo 23 ✆ 923747, 🌳.

FIAT via dello Spuntone 10 ✆ 921306   VW-AUDI via Livini ang. via Masson ✆ 920037

COLLEFERRO 00034 Roma 988 ㉖ − 20 595 ab. alt. 238 − ✪ 06.

Roma 52 − Fiuggi 33 − Frosinone 39 − Latina 48 − Tivoli 44.

  🏠 **Astoria,** viale Savoia 69/71 ✆ 974724, ◢ − ≣ ☎ 🅿. 🅢 🅞 𝘝𝘐𝘚𝘈. ℀
  Pas carta 18/27000 (10%) − ⊌ 6000 − **27 cam** 30/48000 − P 50000.

FORD via Nazioni Unite 20 ✆ 9781313   LANCIA-AUTOBIANCHI via Carpinetana Sud
                                        102/104 ✆ 9780197

COLLE ISARCO (GOSSENSASS) 39040 Bolzano 🌑🌑🌑 ④ – alt. 1 098 – Stazione di villeggiatura, a.s. febbraio-aprile, 15 luglio-agosto e Natale – Sport invernali : 1 098/2 706 m ≰6, ⚐ – ⊕ 0472.

🚩 piazza Ibsen ℰ 62372, Telex 400286.

Roma 714 – ◆Bolzano 76 – Brennero 7 – Bressanone 36 – Merano 64 – ◆Milano 375 – Trento 136.

🏠 **Erna,** ℰ 62307, 🍽️ – ⊕. 🕸️
  chiuso da ottobre al 15 dicembre – Pas *(chiuso giovedì)* carta 23/30000 – 🍽️ 7000 – **15 cam** 29/50000 – P 48/55000, b.s. 45/49000.

COLLEPIETRA (STEINEGG) 39050 Bolzano – alt. 820 – ⊕ 0471.

Roma 656 – ◆Bolzano 15 – ◆Milano 314 – Trento 75.

🏠 **Steineggerhof** ⌂, N : 1 km ℰ 676573, ≼ Dolomiti, ◩ – 🛗 ☎ ⊕. 🕸️ cam
◆ *aprile-ottobre e 20 dicembre-7 gennaio* – Pas *(chiuso giovedì)* carta 19/23000 – **34 cam**
  🍽️ 21/33000 – P 40/44000.

COLLIO 25060 Brescia 🌑🌑🌑 ④ – 2 361 ab. alt. 884 – Stazione di villeggiatura, a.s. febbraio, 15 luglio-15 agosto e Natale – ⊕ 030.

🚩 piazza Zanardelli (Municipio) ℰ 927330.

Roma 576 – ◆Bergamo 90 – ◆Brescia 41 – Edolo 80 – ◆Milano 131.

🏠 **Maniva,** ℰ 927274, 🌁 – 📺. 🆎 🛅 ⓪ ☰ 📖. 🕸️
  Pas *(chiuso lunedì)* carta 21/39000 – **15 cam** 🍽️ 30/50000 – P 40/45000, b.s. 35/38000.

COLLODI 51014 Pistoia 🌑🌑🌑 ⑭ – alt. 120 – ⊕ 0572.

Vedere Giardini* del castello Garzoni.

Roma 337 – ◆Firenze 63 – Lucca 17 – ◆Milano 293 – Pistoia 32 – Siena 99.

✗ **All'Osteria del Gambero Rosso,** ℰ 429364 – ▤
  chiuso lunedì sera, martedì e novembre – Pas carta 22/33000 (10%).

COLLOREDO DI MONTE ALBANO 33010 Udine – 2 261 ab. alt. 213 – ⊕ 0432.

Roma 652 – Tarvisio 80 – ◆Trieste 85 – Udine 14 – ◆Venezia 141.

✗✗ **La Taverna,** ℰ 859045, 🌁 – 🆎 🛅 ⓪ ☰ 📖
  chiuso mercoledì e dal 15 luglio al 15 agosto – Pas carta 35/52000.

COLOGNOLA AI COLLI 37030 Verona – 6 494 ab. alt. 177 – ⊕ 045.

Roma 519 – ◆Milano 176 – ◆Padova 68 – ◆Venezia 101 – ◆Verona 17 – Vicenza 38.

  sulla strada statale 11 :

✗✗ **Posta Vecia** con cam, SO : 2,5 km ⌧ 37030 ℰ 7650243, « Piccolo zoo » – ▤ rist 📺 ⊕ –
  🛗 80. 🆎. 🕸️
  chiuso agosto – Pas *(chiuso domenica sera e lunedì)* carta 34/58000 – 🍽️ 10000 – **12 cam**
  35/53000 – P 65/85000.

COLOMBARE Brescia – Vedere Sirmione.

COLONNATA Massa-Carrara – Vedere Carrara.

COLORNO 43052 Parma 🌑🌑🌑 ⑭ – 7 324 ab. alt. 29 – ⊕ 0521.

Roma 466 – ◆Bologna 104 – ◆Brescia 79 – Cremona 49 – Mantova 47 – ◆Milano 130 – ◆Parma 15.

🏠 **Versailles** senza rist, ℰ 814557 – ☎ ⊕. 🛅 ⓪ ☰ 📖. 🕸️
  🍽️ 5000 – **33 cam** 40/60000.

  a Sacca N : 4 km – ⌧ 43052 Colorno :

✗✗ **Stendhal-da Bruno,** ℰ 815493, « Servizio estivo all'aperto » – ⊕. 🆎 🛅 ⓪ ☰ 📖. 🕸️
  chiuso martedì, dal 1° al 15 gennaio e dal 22 luglio all'8 agosto – Pas carta 29/41000 (15%).

COL SAN MARTINO Treviso – Vedere Farra di Soligo.

COMABBIO 21020 Varese 🌑🌑🌑 ⑦ – 795 ab. alt. 307 – ⊕ 0331.

Roma 634 – Laveno Mombello 20 – ◆Milano 57 – Sesto Calende 10 – Varese 23.

  al lago S : 1,5 km :

✗✗ **Da Cesarino,** ⌧ 21020 ℰ 979072 – ⊕
  chiuso martedì sera, mercoledì, dal 3 al 18 febbraio e dal 12 al 30 agosto – Pas carta 33/57000.

Michelin cura il costante e scrupoloso aggiornamento delle sue
pubblicazioni turistiche, in vendita nelle librerie.

COMACCHIO 44022 Ferrara 🔢🔢🔢 ⑮ – 21 341 ab. – Stazione balneare ai Lidi, a.s. 15 giugno-agosto – ✪ 0533.

Dintorni Regione del Polesine★ Nord.

Roma 419 – ♦Bologna 93 – ♦Ferrara 53 – ♦Milano 298 – ♦Ravenna 36 – ♦Venezia 121.

a Porto Garibaldi E : 5 km – ✉ **44029**.
🇮 (giugno-agosto) viale dei Mille ℘ 327580 :

XXX ✿ **Il Sambuco,** via Caduti del Mare 30 ℘ 327478, 🌴 – 🗐. 🝙 ① E 𝘝𝘐𝘚𝘈
chiuso lunedì e dal 10 novembre al 10 dicembre – Pas carta 50/90000
Spec. Filetto di rombo con salsa al pepe rosa, Tagliolini con calamari e rucola, Fritto di calamari e zanchette, Crema inglese con pasticceria calda. **Vini** Sauvignon.

XX **Pacifico-da Franco,** via Caduti del Mare 10 ℘ 327169.

X **La Baita da Ivan,** via Calatafimi 52 ℘ 327426 – ① 𝘝𝘐𝘚𝘈 ⅍
chiuso martedì – Pas carta 45/65000.

a Lido degli Estensi SE : 7 km – ✉ **44024**.
🇮 viale Carducci 31 ℘ 327574 :

🏨 **Conca del Lido,** viale Pascoli 42 ℘ 327459, Telex 216149, 🏊 riscaldata – 🛗 🕿 ఉ ➋ – 🔏
➡ 200. 🝙 ① 𝘝𝘐𝘚𝘈 ⅍ rist
aprile-settembre – Pas 15/26000 – ⊆ 7000 – **59 cam** 40/52000 – P 46/66000, b.s. 35/51000.

🏨 **Tropicana,** via Ugo Foscolo 2 ℘ 327301, 🏊 – 🛗 🕿 ➋. 🝙 ① ⅍ rist
➡ *marzo-settembre* – Pas *(chiuso sino a giugno e settembre)* 15/24000 – ⊆ 7000 – **65 cam** 40/70000 – P 40/74000, b.s. 34/50000.

🏨 **Logonovo,** viale delle Querce 109 ℘ 327520, Telex 226406, 🏊 – 🛗 🕿 ➋. ⅍ rist
Pas *(aprile-settembre)* carta 29/37000 – ⊆ 7000 – 41 cam 40/65000 – P 55/68000, b.s. 45/55000.

a Lido di Pomposa NE : 8 km – ✉ **44020** San Giuseppe di Comacchio.
🇮 (giugno-agosto) via Alpi Orientali ℘ 380228 :

🏠 **Lido,** viale Mare Adriatico 23 ℘ 380136, ≤, 🏖 – 🛗 🕿 ➋. 🝙 🛏 ① E 𝘝𝘐𝘚𝘈 ⅍
15 maggio-settembre – Pas 20/30000 – ⊆ 6500 – 44 cam 32/48000 – P 50/60000, b.s. 40/45000.

a Lido di Spina SE : 9 km – ✉ **44024** Lido degli Estensi.
🇮 (giugno-agosto) viale degli Etruschi ℘ 330250 :

🏨 **Gallia,** viale Leonardo ℘ 330318, Fax 330318, 🏊, ☞ – 🛗 🗐 rist 🕿 ➋. 🝙 ① E 𝘝𝘐𝘚𝘈 ⅍
Pas 23/30000 – ⊆ 5000 – 48 cam 65000 – P 65/69000, b.s. 38/55000.

🏨 **Continental,** viale Tintoretto 71 ℘ 330120, ≤, 🏊 – 🛗 🕿 ➋. 𝘝𝘐𝘚𝘈 ⅍
➡ Pas carta 18/27000 – ⊆ 7000 – 41 cam 45/65000 – P 48/65000, b.s. 35/48000.

🏠 **Caravel,** viale Leonardo 56 ℘ 330106, « Giardino ombreggiato » – 🛗 🕿 ➋. 🝙 🛏 ① E 𝘝𝘐𝘚𝘈
⅍ rist
chiuso dal 24 dicembre al 6 gennaio – Pas *(solo su prenotazione in bassa stagione)*
carta 20/28000 – ⊆ 7000 – **22 cam** 38/60000 – P 50/60000, b.s. 40/50000.

a Lido delle Nazioni NE : 10 km – ✉ **44020** San Giuseppe di Comacchio.
🇮 (giugno-agosto) viale Inghilterra ℘ 890683 :

🏠 **Quadrifoglio,** viale Inghilterra 2 ℘ 39316, Telex 510073, Fax 39185, ≤, 🏊 – 🛗 🕿 ఉ ➋. 🝙
🛏 ① E 𝘝𝘐𝘚𝘈 ⅍ rist
aprile-settembre – Pas 20/25000 – ⊆ 6000 – **68 cam** 40/70000 – P 55/65000, b.s. 45/55000.

FIAT a San Giuseppe, via Romea ℘ 380296

COMANO TERME Trento – alt. 395 – ✉ **38077** Ponte Arche – Stazione termale, a.s. 15 dicembre-15 gennaio – ✪ 0465.

Roma 598 – ♦Brescia 102 – ♦Milano 193 – Riva del Garda 28 – Trento 28.

🏨 **Grande Alb. Terme,** ℘ 71421, « Grande parco-pineta », ♯ – 🛗 🕿 ఉ ➋. ⅍
aprile-ottobre – Pas 28000 – ⊆ 10000 – **62 cam** 57/106000 – P 77/82000, b.s. 63/66000.

Vedere anche : *Stenico* NO : 5 km.

COMAZZO 20060 Milano – 1 054 ab. alt. 99 – ✪ 02.

Roma 566 – ♦Bergamo 38 – ♦Milano 26 – Piacenza 70.

X **Da Bocchi,** località Bocchi SO : 1,5 km ℘ 9061038, 🌴 – ➋. ⅍
➡ *chiuso lunedì sera, martedì e dal 22 agosto al 6 settembre* – Pas carta 18/26000.

COMELICO SUPERIORE 32040 Belluno – 3 039 ab. alt. (frazione Candide) 1 210 – ✪ 0435.

Roma 678 – Belluno 77 – Cortina d'Ampezzo 64 – Dobbiaco 32 – ♦Milano 420 – ♦Venezia 167.

a Padola NO : 4 km da Candide – ✉ **32040** – a.s. 15 luglio-agosto e Natale :

🏠 **D'la Varda** ⌂, ℘ 67031, ≤ – ➋. ⅍
➡ *15 dicembre-15 aprile e 15 giugno-settembre* – Pas carta 19/27000 – ⊆ 4000 – **13 cam**
27/52000 – P 42/46000, b.s. 40/44000.

COMERIO 21025 Varese 219 ⑦ – 2 120 ab. alt. 382 – ☎ 0332.

Roma 642 – ♦Milano 64 – Varese 8.

Bel Sit, ☎ 743706 – |♦| ⇔ cam ☎ 🅟 – 🏊 200. AE 🅢 ⓓ E VISA. ⛌ rist
chiuso agosto – Pas carta 25/39000 – ☕ 8000 – **32 cam** 53/70000 – P 60/75000.

COMO 22100 🅿 988 ③, 219 ⑧⑨ – 90 799 ab. alt. 202 – Stazione climatica – ☎ 031.

Vedere Lago★★★ – Duomo★★ – Broletto★★ – Chiesa di San Fedele★ AZ – Basilica di Sant'Abbondio★ AZ – ≤★ su Como e il lago da Villa Olmo 3 km per ④.

18 Villa d'Este (chiuso gennaio e febbraio) a Montorfano ✉ 22030 ☎ 200200, per ② : 6 km;

18 e 18 (chiuso lunedì) a Monticello di Cassina Rizzardi ✉ 22070 ☎ 928055, per ③ : 10 km;

18 (chiuso lunedì) a Carimate ✉ 22060 ☎ 790226, per ③ : 18 km;

18 La Pinetina (chiuso martedì) ad Appiano Gentile ✉ 22070 ☎ 933202, per ③ : 15 km.

⛴ per Tremezzo-Bellagio-Colico aprile-settembre giornalieri (3 h); per Tremezzo-Bellagio-Lecco aprile-settembre giornalieri (2 h 45 mn) – Navigazione Lago di Como, piazza Cavour ☎ 272278.

⛴ per Tremezzo-Bellagio-Colico (1 h 30 mn) e Tremezzo-Bellagio-Lecco aprile-settembre (1 h 15 mn), giornalieri – Navigazione Lago di Como, piazza Cavour ☎ 272278.

ℹ piazza Cavour 16 ☎ 262091 – Stazione Centrale ☎ 267214.

A.C.I. viale Masia 79 ☎ 556755.

Roma 625 ③ – ♦Bergamo 56 ② – ♦Milano 48 ③ – Monza 42 ② – Novara 76 ③.

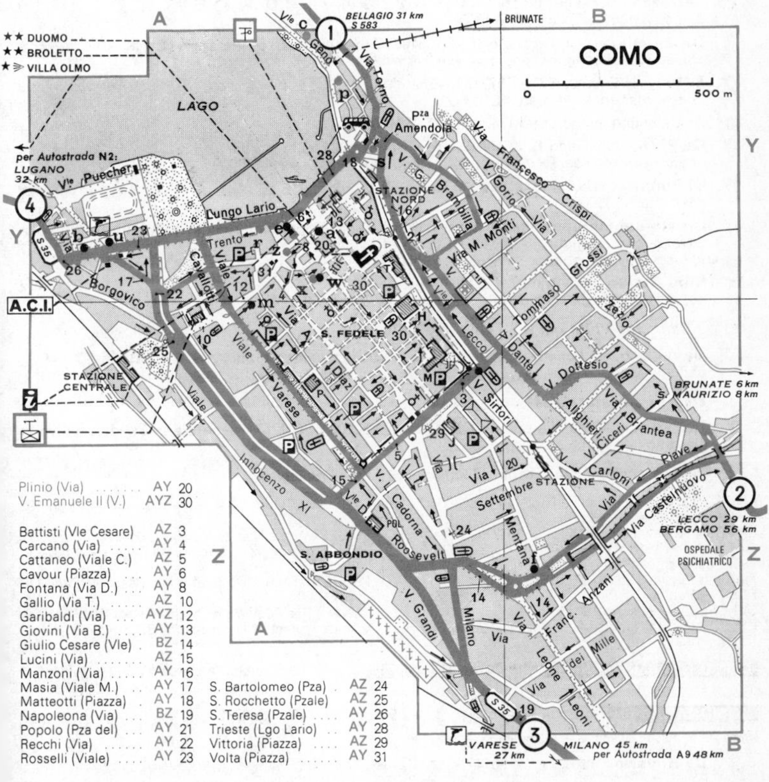

COMO
★★ DUOMO
★★ BROLETTO
★ ⋟ VILLA OLMO
BELLAGIO 31 km S 583
BRUNATE
LAGO
per Autostrada N2: LUGANO 32 km
STAZIONE NORD
S. FEDELE
STAZIONE CENTRALE
A.C.I.
BRUNATE 6 km S. MAURIZIO 8 km
LECCO 29 km BERGAMO 56 km
OSPEDALE PSICHIATRICO
S. ABBONDIO
VARESE 27 km
MILANO 45 km per Autostrada A9 48 km
0 500 m
Plinio (Via) AY 20
V. Emanuele II (V.) AYZ 30
Battisti (Vle Cesare) AZ 3
Carcano (Via) AY 4
Cattaneo (Viale C.) AZ 5
Cavour (Piazza) AY 6
Fontana (Via D.) AY 8
Gallio (Via T.) AZ 10
Garibaldi (Via) AYZ 12
Giovini (Via B.) AY 13
Giulio Cesare (Vle) BZ 14
Lucini (Via) AZ 15
Manzoni (Via) AY 16
Masia (Viale M.) AY 17
Matteotti (Piazza) AY 18
Napoleona (Via) BZ 19
Popolo (Pza del) AY 21
Recchi (Via) AY 22
Rosselli (Viale) AY 23
S. Bartolomeo (Pza) AZ 24
S. Rocchetto (Pzale) AZ 25
S. Teresa (Pzale) AY 26
Trieste (Lgo Lario) AY 28
Vittoria (Piazza) AZ 29
Volta (Piazza) AY 31

Barchetta Excelsior, piazza Cavour 1 ☎ 266531, Telex 380435, ≤ – |♦| ▤ ☎ ♿ – 🏊 25 a 50. AE 🅢 ⓓ E VISA. ⛌ rist — AY **a**
Pas *(chiuso domenica)* carta 45/76000 – ☕ 15000 – **59 cam** 111/162000 appartamenti 273000 – P 152/191000.

Metropole Suisse senza rist, piazza Cavour 19 ☎ 269444, Telex 350426, ≤, 🌴 – |♦| TV ♿. AE 🅢 ⓓ E VISA — AY **e**
chiuso dal 18 dicembre al 14 gennaio – ☕ 15000 – **71 cam** 100/130000 appartamenti 180000.

🏨 **Villa Flori,** strada per Cernobbio 12 ℰ 557642, ⩽ lago, monti e città, « Giardino e terrazze »
– 📳 ⅃ ⇐ ❷ – 🅰 100. 🖭 🕃 ⓘ 🖾 *VISA* . ⅍ rist — ☲ 10000 – **49 cam** 100/145000. per ④
chiuso dal 3 al 31 gennaio – Pas carta 30/50000 – ☲ 10000 – **49 cam** 100/145000.

🏨 **Como** senza rist, via Mentana 28 ℰ 266173, « Terrazza fiorita e panoramica con 🏊 riscaldata » – 📳 ⅃ ⇐ ❷. 🖭 ⓘ *VISA*   BZ **f**
☲ 10000 – **68 cam** 90/130000.

🏛 **Plinius** senza rist, via Garibaldi 33 ℰ 273067 – 📳 ☎. 🖭 🕃 ⓘ 🖾 *VISA*   AYZ **m**
marzo-novembre – ☲ 7500 – **31 cam** 62/93000.

🏛 **Park Hotel** senza rist, viale Rosselli 20 ℰ 556782 – 📳 ☎. 🖭 🕃 ⓘ 🖾 *VISA*   AY **u**
marzo-ottobre – ☲ 9000 – **40 cam** 62/91000.

🏠 **Tre Re,** via Boldoni 20 ℰ 265374 – ☎ ⇐ ❷. 🕃 🖾 *VISA*. ⅍ rist   AY **w**
chiuso dal 10 dicembre al 9 gennaio – Pas 26/28000 – ☲ 7000 – 31 cam 52/80000 – P 76/80000.

🏠 **Engadina** senza rist, viale Rosselli 22 ℰ 550415 – 📳 👜. ⅍   AY **b**
marzo-ottobre – ☲ 6000 – **21 cam** 48/64000.

XXX **Sant'Anna,** via Turati 1/3 ℰ 505266, prenotare la sera – 🍽. 🖭 🕃 ⓘ 🖾 *VISA*. ⅍   per ③
chiuso venerdì, sabato a mezzogiorno e dal 25 luglio al 25 agosto – Pas carta 46/62000 (10%).

XXX **Villa Maderni,** via Cardano 53 ℰ 210660, prenotare – 🍽 ❷. 🖭 🕃 ⓘ 🖾 *VISA*. ⅍
chiuso lunedì, dal 2 al 20 gennaio ed agosto – Pas carta 40/58000.   4 km per ④

XX **Imbarcadero,** piazza Cavour 20 ℰ 277341 – 🖭 🕃 ⓘ 🖾 *VISA*. ⅍   AY **e**
chiuso lunedì e dal 1° al 7 gennaio – Pas carta 33/55000.

XX **Terrazzo Perlasca,** piazza De Gasperi 8 ℰ 260142 – 🍽. 🖭 🕃 ⓘ 🖾 *VISA*   AY **p**
chiuso lunedì – Pas carta 37/49000.

XX **Da Angela,** via Ugo Foscolo 16 ℰ 263460, Coperti limitati; prenotare – 🖭 ⓘ. ⅍   AY **s**
chiuso lunedì e luglio o agosto – Pas carta 42/54000.

XX **Er Più,** via Castellini 21 ℰ 272154 – *VISA*. ⅍   per via Milano
chiuso martedì – Pas carta 32/48000.

XX **Da Celestino,** lungo Lario Trento 11 ℰ 263470, ⩽ – 🍽   AY **r**

XX **Da Pizzi,** viale Geno 12 ℰ 266100, ⩽, « Servizio estivo in giardino »   AY **c**
chiuso giovedì e dal 28 dicembre al 20 febbraio – Pas carta 34/49000.

XX **Ul Pinchett,** via Fontana 19 ℰ 263266 – 🖭 🕃 ⓘ 🖾 *VISA*. ⅍   AY **z**
Pas carta 30/39000.

XX **Crotto del Lupo,** via Pisani Dossi-Cardina ℰ 556706, prenotare la sera, « Servizio estivo in terrazza ombreggiata » – ❷. 🖭 🕃 🖾 *VISA*. ⅍   3 km per ④
chiuso lunedì ed agosto – Pas carta 28/41000.

X **Rino Alpino,** via Vittani 7 ℰ 273028   AY **x**
chiuso lunedì e dal 10 al 31 luglio – Pas carta 25/38000 (10%).

a Camnago Volta per ② : 3 km – ✉ 22030 :

XXX **Navedano,** via Pannilani ℰ 261080, « Servizio estivo in terrazza », 🌺 – ❷. 🖭 🕃 ⓘ. ⅍
chiuso martedì e dal 1° al 15 agosto – Pas carta 37/58000 (10%).

sulla strada statale 342 per ③ : 4 km :

X **Trattoria del Mosè,** via privata Lazzago 8 ✉ 22100 ℰ 502757, prenotare, « Servizio estivo in giardino » – ❷.

Vedere anche : *Brunate* NE : 6 km oppure 7 mn di funicolare.

AUDI a Rebbio, via Pasquale Paoli 114 ℰ 504608
BMW via Asiago 37 ℰ 550616
CITROEN viale Innocenzo XI 51 ℰ 267275
FIAT via Don Minzoni 16 ℰ 273142
FIAT via Asiago 37 per ④ ℰ 556904
FIAT via Cecilio 3 per ③ ℰ 501526
FORD a Rebbio, via Pasquale Paoli 47 ℰ 506036
GM-OPEL via Palestro 7 ℰ 261073
INNOCENTI via Napoleona 50 per ③ ℰ 266027

LANCIA-AUTOBIANCHI a Rebbio, via Varesina 199 per ③ ℰ 501812
MASERATI via Napoleona 50 ℰ 266027
MERCEDES-BENZ a Rebbio, via Cecilio 4 ℰ 591403, Telex 380671
PEUGEOT-TALBOT a Rebbio, via Pasquale Paoli 118 ℰ 502774
RENAULT a Rebbio, via Pasquale Paoli 53 ℰ 591503
VOLVO a Rebbio, via Scalabrini 87 ℰ 501745

▪ **COMO (Lago di) o LARIO** ★★★ Como 🆇🅑🅑 ③, 🆈🅑🅑 ④⑨ – Vedere Guida Verde.

▪ **COMUNANZA** 63044 Ascoli Piceno 🆇🅑🅑 ⑯ – 2 945 ab. alt. 448 – 🕿 0736.
Roma 206 – Ascoli Piceno 33 – Macerata 59 – Rieti 130.

X **Da Roverino** con cam, ℰ 96242 – ☎. 🕃. ⅍
Pas carta 21/30000 – ☲ 4000 – **13 cam** 25/50000 – P 45000.

▪ **CONCA DEI MARINI** 84010 Salerno – 712 ab. – a.s. Pasqua, giugno-settembre e Natale – 🕿 089.
Roma 272 – Amalfi 5 – ♦Napoli 57 – Salerno 30 – Sorrento 35.

🏨 **Belvedere,** ℰ 831282, Telex 770184, ⩽ mare e costa, « Terrazza con 🏊 », 🏖 – 📳 ☎ ❷. 🖭 🕃 🖾 *VISA*. ⅍
aprile-ottobre – Pas 40000 – ☲ 7000 – 34 cam 60/110000 – P 120000, b.s. 90000.

CONCESIO 25062 Brescia – 12 130 ab. alt. 218 – ✪ 030.

Roma 544 – ◆Bergamo 50 – ◆Brescia 9 – ◆Milano 91.

XXX **Miramonti l'Altro,** località Costorio ℰ 2751063 – ▤ 🅿 🖭 ⑩. ⅍
    chiuso lunedì ed agosto – Pas carta 45/60000.

XX **Il Brigantino,** località Campagnola ℰ 2751026, ㄍ – ⅍
    chiuso lunedì ed agosto – Pas carta 20/32000.

CONEGLIANO 31015 Treviso 🔢 ⑤ – 35 992 ab. alt. 65 – ✪ 0438.

Vedere Sacra Conversazione★ nel Duomo – ⅍★ dal castello – Affreschi★ nella Scuola dei Battuti.

🟦 viale Carducci 32 ℰ 21230.

Roma 571 – Cortina d'Ampezzo 109 – ◆Milano 310 – Treviso 28 – Udine 81 – ◆Venezia 60 – Vicenza 88.

🏨 **Sporting Hotel** ⤸ senza rist, via Diaz 37 ℰ 24955, ⤫, ㄒ, ⅍ – 🖭 ☎ ⇦ 🅿 – 🔏 50. 🖭
    🕃 🄴 𝘝𝘐𝘚𝘈. ⅍
    ⌸ 6000 – **17 cam** 65/98000.

🏨 **Città di Conegliano,** via Parrilla 1 ℰ 21440 – 🛗 ▤ 🖭 ☎ 𝟔 ⇦ 🅿. 🖭 🕃 ⑩ 🄴 𝘝𝘐𝘚𝘈
    chiuso dal 3 al 23 agosto – 58 cam (solo ½ P) 55/65000.

🏨 **Cristallo,** corso Mazzini 45 ℰ 35445 – ☜ 🅿 – 🔏 25. 🖭 🕃 ⑩ 🄴. ⅍
    Pas *(chiuso domenica e dal 19 luglio al 10 agosto)* carta 31/44000 – ⌸ 7000 – **42 cam**
    55/89000 – P 88/93000.

🏨 **Cima,** via 24 Maggio 61 ℰ 22648, ㄍ – 🛗 ▤ rist ☜ ⇦ 🅿 – 🔏 100. ⅍
    chiuso dal 18 luglio al 16 agosto – Pas *(chiuso martedì)* 20/22000 – ⌸ 4000 – **18 cam**
    34/60000 – P 75000.

🏛 **Canon d'Oro,** via 20 Settembre 131 ℰ 34246, « Terrazze fiorite con fontana » – 🛗 ☎ 🅿. 🖭
    🕃 🄴 𝘝𝘐𝘚𝘈. ⅍ rist
    Pas *(chiuso sabato)* carta 23/35000 – ⌸ 7000 – **26 cam** 48/90000.

XX **Tre Panoce,** via Vecchia Trevigiana 50 (O : 2 km) ℰ 60071, ㄍ – ▤ 🅿 – 🔏 50. 🖭 ⑩ 𝘝𝘐𝘚𝘈.
    ⅍
    chiuso domenica sera, lunedì, dal 1° al 9 gennaio ed agosto – Pas carta 27/38000.

XX **Al Salisà,** via 20 Settembre 2 ℰ 24288, ㄍ, prenotare – 🖭 🕃 ⑩ 🄴 𝘝𝘐𝘚𝘈. ⅍
    chiuso martedì sera, mercoledì ed agosto – Pas carta 25/38000.

    sulla strada statale 13 NE : 4 km :

🏛 **Palladio,** ⊠ 31020 San Fior ℰ 400089 – ☜ ⇦ 🅿. ⅍
    Pas *(chiuso domenica ed agosto)* carta 18/27000 – ⌸ 6500 – **27 cam** 30/60000 – P 57000.

ALFA-ROMEO viale Venezia 97 ℰ 61121
BMW a San Fior, via Brandolini 14 ℰ 401241
CITROEN viale Maggiore Piovesana 168 ℰ 31842
FIAT a Susegana, via Conegliano 49 ℰ 738041
FORD a San Vendemiano, via Cadore 9 ℰ 400446
FORD a San Vendemiano, via Longhena 46 ℰ 401045
INNOCENTI viale Spallanzon 40 ℰ 61553

LANCIA-AUTOBIANCHI viale Venezia 20 ℰ 60661
MERCEDES-BENZ a Susegana, via Conegliano 75 ℰ 63890, Telex 433389
PEUGEOT-TALBOT viale Italia 311 ℰ 23723
RENAULT viale Italia 305 ℰ 24355
VW-AUDI viale Italia 286 ℰ 370000
VOLVO a San Fior, via Bradolini 4 ℰ 401462

CONERO (Monte) Ancona – Vedere Ancona.

CONSELICE 48017 Ravenna 🔢 ⑮ – 9 234 ab. alt. 6 – ✪ 0545.

Roma 407 – ◆Bologna 48 – ◆Ferrara 50 – Forlì 54 – ◆Ravenna 43.

XX **Selice** con cam, ℰ 89798, ㄍ – 🛗 ▤ rist ☎ 🅿. ⅍
    chiuso agosto – Pas *(chiuso lunedì)* carta 24/41000 – **14 cam** ⌸ 40/60000 – P 55/60000.

CONSUMA 50060 Firenze ed Arezzo 🔢 ⑮ – alt. 1 058 – ✪ 055.

Roma 279 – Arezzo 57 – ◆Firenze 34 – Pontassieve 16.

X **Sbaragli** con cam, ℰ 8306500 – 🅿. 🖭 𝘝𝘐𝘚𝘈
    aprile-ottobre – Pas *(chiuso martedì)* carta 22/31000 – ⌸ 5000 – **32 cam** 28/45000 – P 50/56000.

CONTURSI TERME 84024 Salerno 🔢 ㉘ – 3 104 ab. alt. 180 – Stazione termale, a.s. luglio-settembre – ✪ 0828.

Roma 313 – Avellino 88 – ◆Napoli 107 – Potenza 66 – Salerno 56.

🏛 **Parco delle Querce** ⤸, ℰ 991047, ✣, ⤫, ㄍ – 🛗 ☜ 🅿 – 🔏 150. ⅍
    Pas 15000 – ⌸ 4000 – **60 cam** 28000 – P 38000, b.s. 31000.

CONVENTO Vedere nome proprio del convento.

COPPARO 44034 Ferrara 🔢 ⑮ – 20 105 ab. alt. 5 – ✪ 0532.

Roma 443 – ◆Ferrara 20 – ◆Milano 274 – ◆Ravenna 82 – ◆Venezia 103.

X **Regolino,** ℰ 861955.

FIAT via Leonardo da Vinci 4 ℰ 861666

COPPITO L'Aquila – Vedere L'Aquila.

CORATO 70033 Bari 🔢 ⊛ – 42 836 ab. alt. 232 – ✪ 080.
Roma 414 – ♦Bari 49 – Barletta 27 – ♦Foggia 97 – Matera 64 – ♦Taranto 132.

sulla strada statale 98 S : 3 km :

🏛 **Appia Antica,** ✉ 70033 ℰ 822504, 🚗 – 📶 ⇆ cam 🍽 🕿 Ꮬ 🅿 ⑩ 𝘝𝘐𝘚𝘈
➡ Pas *(chiuso sabato)* 18/38000 – ⌸ 3500 – **54 cam** 51/72000 – P 80/84000.

CORCIANO 06073 Perugia – 12 702 ab. alt. 368 – ✪ 075.
Roma 185 – Arezzo 65 – ♦Perugia 13 – Siena 97 – Terni 96.

✗ **Il Convento,** ℰ 6978946, « Taverna caratteristica » – 🅿. ⅍
  chiuso lunedì e dal 15 gennaio al 15 febbraio – Pas carta 22/35000 (10%).

a Chiugiana S : 3 km – ✉ 06073 Corciano :

🏛 **Conca del Sole,** ℰ 79249, ≤, « Villini indipendenti nel verde », ⤢, ⅍ – 🕿 Ꮬ 🅿 – ⚘ 200.
  🆎 🕃 E 𝘝𝘐𝘚𝘈 ⅍ rist
  Pas *(chiuso martedì e dal 15 novembre al 15 febbraio)* carta 30/42000 – ⌸ 8000 – 35 cam
  48/64000 appartamenti 84/150000 – P 90/105000.

ad Ellera S : 4 km – ✉ 06074 Ellera Umbra :

🏛 Il Perugino, ℰ 798741 – 📶 🍽 📺 🕿 🅿
  50 cam.

a San Mariano S : 7 km – ✉ 06070 :

✗✗ **Ottavi,** ℰ 774718 – 🆎 🕃 E 𝘝𝘐𝘚𝘈 ⅍
  chiuso domenica ed agosto – Pas carta 35/45000.

LANCIA-AUTOBIANCHI a Ellera Umbra, via Gramsci   VOLVO strada statale 75 bis-Taverne ℰ 6978168
42 ℰ 798341

CORDIGNANO 31016 Treviso – 5 705 ab. alt. 56 – ✪ 0438.
Roma 577 – Belluno 48 – Treviso 42 – Udine 70 – ♦Venezia 71.

✗ **Da Piero,** ℰ 999139 – 🅿
➡ *chiuso lunedì e luglio* – Pas carta 16/24000.

COREDO 38010 Trento – 1 325 ab. alt. 831 – a.s. Pasqua e Natale – ✪ 0463.
Roma 624 – ♦Bolzano 50 – Sondrio 130 – Trento 38.

✗ **Roen,** ℰ 36295, Coperti limitati; prenotare – 🆎
  chiuso lunedì sera, martedì e novembre – Pas carta 22/34000.

CORGENO Varese 🔢 ⑰ – alt. 270 – ✉ 21029 Vergiate – ✪ 0331.
Roma 631 – Laveno Mombello 25 – ♦Milano 54 – Sesto Calende 7 – Varese 22.

✗✗ ❀ **La Cinzianella** 🏖 con cam, ℰ 946337, ≤, 🚗 – 🅿. ⑩. ⅍
  chiuso gennaio – Pas *(chiuso lunedì sera da ottobre ad aprile e martedì negli altri mesi)*
  carta 44/63000 – ⌸ 8000 – **10 cam** 45/70000 – P 70000
  Spec. Sformato di verdure alle due salse, Bianco di pollo farcito in salsa al Pinot nero, Parfait di gianduia e
  nocciole in salsa tropicale. **Vini** Riesling Italico, Gattinara.

CORLO Modena – Vedere Formigine.

CORMONS 34071 Gorizia 🔢 ⑥ – 7 637 ab. alt. 56 – ✪ 0481.
Roma 645 – Gorizia 13 – ♦Milano 384 – ♦Trieste 49 – Udine 24 – ♦ Venezia 134.

🏛 **Felcaro** 🏖, via San Giovanni 45 ℰ 60214, « Servizio rist. estivo all'aperto », ⤢, 🚗, ⅍ –
  ⇆ 📺 🕿 🅿 – ⚘ 50. 🆎 🕃 ⑩ E 𝘝𝘐𝘚𝘈
  Pas *(chiuso lunedì)* 20/35000 – ⌸ 5000 – **38 cam** 27/54000 – P 49/54000.

✗✗ **Al Cacciatore-alla Subida,** NE : 2 km ℰ 60531, 🏡, « Ambiente caratteristico », 🚗, ⅍
  – 🅿
  chiuso martedì, mercoledì e febbraio – Pas carta 27/46000.

✗✗ **Al Giardinetto,** via Matteotti 54 ℰ 60257, 🏡 – 𝘝𝘐𝘚𝘈
  chiuso lunedì sera, martedì e luglio – Pas carta 21/40000.

FIAT viale Venezia Giulia 53 ℰ 60118   MERCEDES-BENZ via Isonzo 83 ℰ 60175

CORNAIANO (GIRLAN) Bolzano 🔢 ⊛ – Vedere Appiano.

CORNEDO VICENTINO 36073 Vicenza – 9 320 ab. alt. 200 – ✪ 0445.
Roma 559 – ♦Milano 212 – ♦Venezia 93 – ♦Verona 59 – Vicenza 29.

✗✗ **Al Serraglio,** località Spagnago N : 2 km ℰ 402540 – 🅿. ⅍
  chiuso martedì sera, mercoledì e dal 1° al 20 agosto – Pas carta 27/41000.

PEUGEOT-TALBOT via Monte Ortigara 9 ℰ 951451

CORNUDA 31041 Treviso 988 ⑤ – 5 082 ab. alt. 163 – ✪ 0423.

Roma 553 – Belluno 54 – ◆Milano 258 – ◆Padova 52 – Trento 109 – Treviso 28 – ◆Venezia 53 – Vicenza 58.

XX **Cavallino,** ℰ 83301, Solo piatti di pesce – **℗**. ⚐ ⓪
chiuso domenica sera, lunedì e dal 6 al 28 agosto – Pas carta 30/42000.

X **Da Armando,** ℰ 83390, prenotare la sera – **℗**
chiuso martedì e settembre – Pas carta 28/45000.

CORPO DI CAVA Salerno – Vedere Cava de' Tirreni.

CORTEMILIA 12074 Cuneo 988 ⑫ – 2 697 ab. alt. 247 – ✪ 0173.

Roma 613 – Alessandria 71 – Cuneo 106 – ◆Milano 166 – Savona 68 – ◆Torino 90.

🏠 **San Carlo,** corso Divisione Alpini 11 ℰ 81546, 🐎 – ⌷ 🕾 ⟵ **℗**. ⒮ ⴺ ⱱⱮ. 🍽 cam
chiuso dal 23 al 27 dicembre – Pas carta 20/32000 – ⊊ 7000 – **16 cam** 38/58000 – P 55000.

CORTINA D'AMPEZZO 32043 Belluno 988 ⑤ – 7 645 ab. alt. 1 224 – Stazione di villeggiatura, a.s. febbraio-15 marzo, Pasqua, agosto e Natale – Sport invernali : 1 224/2 918 m ⨪20 ⨪16, ⨪ – ✪ 0436.

Vedere Posizione pittoresca★★★.

Dintorni Tofana di Mezzo : ⛰★★★ 15 mn di funivia – Tondi di Faloria : ⛰★★★ 20 mn di funivia – Belvedere Pocol : ⛰★★ 6 km per ④ – **Escursioni** Dolomiti★★★ per ④.

🛈 piazza Roma ℰ 2711, Telex 440004.

Roma 672 ③ – Belluno 71 ③ – ◆Bolzano 133 ① – ◆Innsbruck 165 ① – ◆Milano 411 ③ – Treviso 132 ③.

🏰🏰 **Miramonti Majestic** 🍹, località Pezziè 103 ℰ 4201, Telex 440069, Fax 867019, ⩽ conca di Cortina e Dolomiti, « Parco con 🐟 », 🏊, 🍽 – ⌷ 📺 🚗 **℗** – ⬚ 50 a 150 ⚐ ⒮ ⓪ ⴺ ⱱⱮ 🍽 rist 2 km per ③ 20 dicembre-2 aprile e luglio-agosto – Pas carta 70/90000 – ⊊ 19000 – 121 cam 230/380000 appartamenti 480/550000 – P 200/340000, b.s. 157/260000.

🏰🏰 Cristallo 🍹, via Menardi 42 ℰ 4281, Telex 440090, ⩽ conca di Cortina e Dolomiti, 🏊 riscaldata, 🐎, 🍽 – ⌷ 📺 🕾 🚗 **℗** – ⬚ 80 Z x stagionale 81 cam.

🏰🏰 **Gd H. Savoia,** via Roma 62 ℰ 3201, Telex 440811, « Parco e terrazza con 🏊 e ⩽ Dolomiti », 🍽 – ⌷ 🕭 ⟵ **℗** – ⬚ 150. ⚐ ⒮ ⓪ ⴺ ⱱⱮ. 🍽 rist 20 dicembre-12 aprile e 15 luglio-5 settembre – Pas 44/60000 – ⊊ 20000 – **142 cam** 190/320000 – P 183/295000, b.s. 119/190000. Z w

🏰🏰 **De la Poste,** piazza Roma 14 ℰ 4271, Telex 440044, Fax 3589, ⩽ Dolomiti – ⌷ 🕭 🕭 ⟵ **℗**. ⚐. 🍽 Z s chiuso dal 20 ottobre al 19 dicembre – Pas carta 50/93000 – ⊊ 18000 – 80 cam 180/280000 appartamenti 380000 – P 190/280000, b.s. 140/190000.

segue →

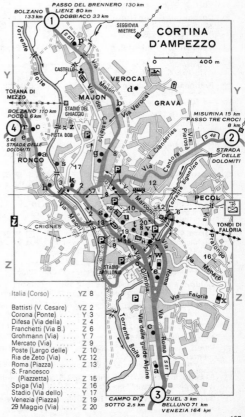

PASSO DEL BRENNERO 130 km
LIENZ 80 km
BOLZANO 133 km   DOBBIACO 33 km

CORTINA D'AMPEZZO

SEGGIOVIA MIETRES

0   400 m

BOLZANO 110 km
POCOL 6 km

MISURINA 15 km
PASSO TRE CROCI 8 km

STRADA DELLE DOLOMITI

TONDI DI FALORIA

CAMPO DI SOTTO 2.5 km
ZUEL 3 km
BELLUNO 71 km
VENEZIA 164 km

Italia (Corso) . . . . . . YZ 8

🏨🏨 **Splendid Hotel Venezia,** corso Italia 209 ☞ 3291, Telex 440817, ← Dolomiti – 📶 📺 ☎ 🕭
🅿 AE ⓞ VISA. 🕱 rist   Y
                                                                                                       g
20 dicembre-1° aprile e luglio-settembre – Pas 48/65000 – **92 cam** ⌑ 180/310000 –
P 165/280000, b.s. 95/160000.

🏨🏨 **Parc Hotel Victoria,** corso Italia 1 ☞ 3246, « Arredamento rustico elegante; piccolo parco
ombreggiato » – 📶 📺 ☎ 🕭 🅿 AE 🕭 ⓞ E VISA. 🕱 rist   Z y
20 dicembre-12 aprile e 10 luglio-25 settembre – Pas carta 41/57000 – ⌑ 15000 – **45 cam**
130/220000 appartamenti 240/330000 – P 153/260000, b.s. 89/150000.

🏨🏨 **Europa,** corso Italia 207 ☞ 3221, Telex 440043, ← Dolomiti – 📶 📺 ☎ 🕭 🅿 AE 🕭 ⓞ E VISA.
🕱 rist   Y
                                                                                                       g
chiuso da novembre al 10 dicembre – Pas 50/60000 – 52 cam ⌑ 170/295000 – P 170/270000,
b.s. 97/165000.

🏨🏨 **Sporting Hotel Villa Blu** 🕭, località Verocai ☞ 867541, Fax 868129, ←, 🌬, 🛁 – 📶 📺 ☎
🚗 🅿 AE ⓞ VISA. 🕱   Y d
20 dicembre-10 aprile e 28 giugno-25 settembre – Pas carta 48/66000 – 49 cam ⌑ 260000 –
P 220/260000, b.s. 110/180000.

🏨🏨 **Cortina,** corso Italia 94 ☞ 4221, Telex 328507 – 📶 ☎ 🕭. AE 🕭 ⓞ E VISA. 🕱 rist   Z u
18 dicembre-10 aprile e 15 giugno-20 settembre – Pas 35/70000 – 48 cam ⌑ 190/260000 –
P 120/230000, b.s. 115/165000.

🏨🏨 **Ancora,** corso Italia 62 ☞ 3261, ←, « Servizio rist. estivo in terrazza » – 📶 ☎ 🅿 AE 🕭 ⓞ
VISA. 🕱 rist   Z t
20 dicembre-marzo e luglio-15 settembre – Pas carta 35/55000 – ⌑ 15000 – 71 cam 170/310000
– P 170/250000, b.s. 110/200000.

🏨 **Menardi,** via Majon 112 ☞ 2400, ← Dolomiti, « Elegante arredamento; parco ombreggiato »
– 📶 ☎ 🚗 🅿 VISA. 🕱   Y p
21 dicembre-2 aprile e 17 giugno-17 settembre – Pas 25/35000 – **48 cam** ⌑ 65/109000 –
P 80/120000, b.s. 60/90000.

🏨 **Corona,** via Cesare Battisti 15 ☞ 3251, ← Dolomiti – 📶 ✂ 🚗 🕭 🅿. 🕭 ⓞ E VISA. 🕱 rist
20 dicembre-marzo e luglio-10 settembre – Pas 25/40000 – **47 cam** ⌑ 110/198000 –
P 110/190000, b.s. 80/130000.   Y h

🏨 **Concordia Parc Hotel,** corso Italia 28 ☞ 4251, « Parco ombreggiato » – 📶 ☎ 🚗 🅿. AE
🕭 E VISA. 🕱 rist   Z v
22 dicembre-marzo e 10 luglio-agosto – Pas 30/50000 – ⌑ 7000 – 60 cam 110/198000 –
P 115/190000, b.s. 95/130000.

🏨 **Franceschi,** via Cesare Battisti 86 ☞ 867041, ← Dolomiti, « Parco », 🛁 – 📶 ☎ 🚗 🅿. 🕱
17 dicembre-9 aprile e 22 giugno-1° ottobre – Pas 25/38000 – ⌑ 10000 – 44 cam 120/210000
– P 90/180000, b.s. 65/130000.   Y k

🏨 **Trieste,** via Majon 28 ☞ 2245, ← Dolomiti – 📶 ⊛ 🅿. 🕱   Y b
20 dicembre-marzo e 20 giugno-20 settembre – Pas carta 31/46000 – ⌑ 10000 – **28 cam**
65/110000 – P 80/110000, b.s. 75/80000.

🏨 **Nord Hotel,** via La Verra 1 ☞ 4707, ← Dolomiti e conca di Cortina – ⊛ 🅿. 🕱 rist
6 dicembre-10 aprile e 20 giugno-settembre – Pas 25/43000 – ⌑ 10000 – **34 cam** 60/104000 –
P 75/100000, b.s. 60/80000.   2 km per ①

🏨 **MotelAgip,** via Roma 70 ☞ 861400, ← – 📶 ☎ 🚗 🅿. AE 🕭 ⓞ E VISA. 🕱 rist   Z c
Pas *(chiuso domenica in bassa stagione)* 23/32000 – ⌑ 8500 – **42 cam** 91/157000 –
P 133/164000, b.s. 97/133000.

🏨 **Pontechiesa,** via Marangoni 3 ☞ 867342, Fax 867343, ← Dolomiti, 🌬 – 📶 ☎ 🕭 🅿. 🕱
dicembre-13 aprile e 15 giugno-21 settembre – Pas 23/28000 – ⌑ 9000 – 35 cam 70/130000 –
P 110/125000, b.s. 72/84000.   Y s

🏠 **Fanes,** via Roma 136 ☞ 3427, ← Dolomiti, 🌬 – 📺 ☎ 🅿. AE 🕭 ⓞ E VISA. 🕱 rist   Z a
20 dicembre-5 aprile e 13 giugno-4 novembre – Pas carta 25/44000 (15%) – ⌑ 8000 – **21 cam**
90/130000 – P 102/130000, b.s. 70/84000.

🏠 **Panda** senza rist, via Roma 64 ☞ 860344, ← Dolomiti – ☎ 🅿. AE 🕭 ⓞ E VISA. 🕱   Z e
chiuso maggio e novembre – ⌑ 7500 – **19 cam** 48/85000.

🏠 **Columbia** senza rist, via Ronco 75 ☞ 3607, ← Dolomiti – ☎ 🅿. 🕱   Y c
3 dicembre-aprile e giugno-ottobre – ⌑ 7500 – **21 cam** 50/84000.

🏠 **Villa Nevada** senza rist, via Ronco 64 ☞ 4778, ← conca di Cortina e Dolomiti – 🅿. E. 🕱
dicembre-15 aprile e luglio-settembre – **14 cam** ⌑ 52/89000.   Y a

XXX **El Toulà,** via Ronco 123 ☞ 3339, prenotare, ← conca di Cortina e Dolomiti – 🅿. AE ⓞ VISA
20 dicembre-15 aprile e 15 luglio-15 settembre – Pas carta 55/75000 (15%).   Y r

XX **Tivoli,** località Lacedel ☞ 866400, ← Dolomiti, Coperti limitati; prenotare, « Servizio estivo
in terrazza » – AE ⓞ   2 km per ④
dicembre-aprile e luglio-settembre; chiuso lunedì – Pas carta 35/50000.

XX **Al Lago,** località Lago Ghedina ☞ 860376, prenotare, « Rifugio in riva al lago » – 🅿
chiuso giugno e novembre – Pas carta 29/44000.   9 km per ④

XX Da Leone e Anna, via Alverà 112 ☞ 2768, Cucina sarda, prenotare – 🅿   2,5 km per ②
stagionale.

XX **Da Beppe Sello** con cam, via Ronco 68 ℘ 3236, ⩽ Dolomiti – ☜ 🅿, 🆎 ⓞ 𝒱𝐼𝒮𝐴. ⍥ rist
chiuso dal 10 aprile al 15 maggio e dal 20 settembre al 31 ottobre – Pas *(chiuso martedì)*
carta 29/45000 – ⌑ 7000 – **12 cam** 45/110000 – P 100/110000, b.s. 80/90000.   Y **e**

XX **Tana della Volpe,** via dello Stadio 27 a/b ℘ 867494, 🎛 – 🅿, 🆎. ⍥   Y **z**
chiuso gennaio, giugno e mercoledì in bassa stagione – Pas carta 43/58000.

X ✿ **Bellavista-il Meloncino,** località Gillardon ℘ 861043, Coperti limitati; prenotare, ⩽ conca
di Cortina e Dolomiti, « Servizio estivo in terrazza » – 🅿   5 km per ④
chiuso martedì, giugno e novembre – Pas carta 34/49000
Spec. Zuppa ai funghi, Filetto di capriolo alle erbe, Faraona alle mele acerbe, Capretto ai funghi gratinato. Vini
Pinot bianco, Tignanello.

X **El Zoco,** via Cademai 18 ℘ 860041, Coperti limitati; prenotare – 🅿, 🆎 ⓞ 𝒱𝐼𝒮𝐴. ⍥
5 dicembre-Pasqua e 15 giugno-10 novembre; chiuso lunedì – Pas carta 36/55000.

1,5 km per ①

a Pocol per ④ : 6 km – alt. 1 530 – ✉ **32043** Cortina d'Ampezzo :

🏨 **Sport Hotel Tofana,** ℘ 3281, Telex 440073, ⩽ Dolomiti, 🚗, ⍨ – ▧ ☎ 🚙 🅿, 🆎 🅢 ⓞ 🄴
𝒱𝐼𝒮𝐀. ⍥ rist
21 dicembre-8 aprile e luglio-8 settembre – Pas *(chiuso lunedì in bassa stagione)* carta 24/35000
– ⌑ 8000 – **88 cam** 80/160000 – P 90/120000, b.s. 65/70000.

🏨 **Villa Argentina,** ℘ 5641, ⩽ Dolomiti, 🚗 – ▧ ☜ 🅿, 🆎. ⍥ rist
20 dicembre-8 aprile e luglio-10 settembre – Pas *(chiuso martedì)* 24/32000 – ⌑ 10000 –
106 cam 80/140000 – P 100/132000, b.s. 70/85000.

In this guide,
a symbol or a character,
printed in red or **black,** *in light or* **bold** *type,*
does not have the same meaning.
Pay particular attention to the explanatory pages.

CORTINA VECCHIA Piacenza – Vedere Alseno.

CORTONA 52044 Arezzo 🄈🄆🄆 ⑮ – 22 631 ab. alt. 650 – ✿ 0575.
Vedere Museo Diocesano★★ – Museo dell'Accademia Etrusca★ nel palazzo Pretorio – Tomba
della Santa★ nel santuario di Santa Margherita **B** – Chiesa di Santa Maria del Calcinaio★ 3 km
per ②.
🄳 via Nazionale 72 ℘ 603056.

Roma 200 ② – Arezzo 29 ② – Chianciano Terme 55 ② – ◆Firenze 117 ② – ◆Perugia 54 ② – Siena 70 ②.

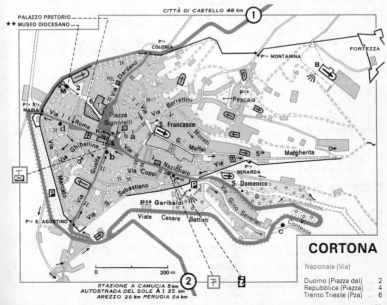

CORTONA

Nazionale (Via)

🏛 **Oasi G. Neumann** ⚲, via Contesse 1 ☞ 603188, ≤ vallata, « Parco ombreggiato » – ☎ 🅿
 – 🛁 100 a 250. ⚫
 aprile-settembre – Pas 22000 – 🍴 5000 – **36 cam** 40/65000 – P 65/70000. **c**

🏛 **San Michele** senza rist, via Guelfa 15 ☞ 604348 – 🛗 🔛 📺 ☎ 🚭 ᴴᴸ 🕙 ⓘ 🄴 ꌗ. ⚫ **b**
 chiuso dal 12 gennaio a febbraio – 🍴 6000 – **34 cam** 46/68000 appartamenti 96000.

🏛 **Sabrina** senza rist, via Roma 37 ☞ 604188 – ᴴᴸ 🕙 ⓘ ꌗ **d**
 🍴 3500 – **7 cam** 40/58000.

✕✕ **La Loggetta,** piazza Pescheria 3 ☞ 603777, 🌳 – ᴴᴸ 🕙 ⓘ ꌗ **a**
 chiuso lunedì, da ottobre a marzo anche domenica sera e dal 2 gennaio al 2 febbraio – Pas
 carta 24/41000 (10%).

 Vedere anche : *Camucia* per ② : 5 km.

CORVARA IN BADIA 39033 Bolzano 🛑🛑🛑 ⑤ – 1 234 ab. alt. 1 568 – Stazione di villeggiatura, a.s.
febbraio-aprile, 15 luglio-agosto e Natale – Sport invernali : 1 568/2 800 m ⚞2 ≮44, ⚞ – ☺ 0471.
🛈 Municipio ☞ 836176, Telex 401555.

Roma 704 – Belluno 85 – ◆◆Bolzano 65 – Brunico 37 – Cortina d'Ampezzo 47 – ◆◆Milano 364 – Trento 125.

🏛🏛 **Sassongher** ⚲, a Pescosta ☞ 836085, Fax 836542, ≤ gruppo Sella e vallata, 🔲 – 🛗 ☰ rist
 📺 ☎ 🅿 – 🛁 90. ᴴᴸ. ⚫
 20 dicembre-20 aprile e luglio-settembre – 50 cam (solo pens) – P 130/155000, b.s. 80/115000.

🏛🏛 **La Perla,** ☞ 836132, Telex 401685, Fax 836568, ≤ Dolomiti, « Giardino con ⚓ riscaldata » –
 🛗 ☰ rist 📺 ☎ 🅿 ᴴᴸ 🕙 🄴 ꌗ. ⚫
 16 dicembre-15 aprile e 24 giugno-settembre – Pas 32/55000 – 🍴 15000 – **50 cam** 85/160000
 appartamenti 140/200000 – P 104/148000, b.s. 69/129000.

🏛🏛 **Sport Hotel Panorama** ⚲, ☞ 836083, Telex 401220, ≤ gruppo Sella e vallata, 🔲, ✕✕ – 🛗
 📺 ☎ 🅿 ᴴᴸ ꌗ
 15 dicembre-10 aprile e 10 luglio-19 settembre – Pas carta 23/33000 – 🍴 16000 – **32 cam**
 50/91000 – ½ P 88/142000, b.s. 75/108000.

🏛🏛 **Posta-Zirm,** ☞ 836175, Telex 400844, ≤ gruppo Sella, 🔲 – 🛗 ☰ rist ☎ 🅿 🕙 ꌗ rist
 chiuso novembre – Pas carta 23/33000 – **74 cam** 🍴 120000 appartamenti 130/140000 –
 P 99/118000, b.s. 85/94000.

🏛 **Salvan,** ☞ 836015, ≤ gruppo Sella e Sassongher, 🔲, ✕✕ – ☎ 🅿 ᴴᴸ 🕙 🄴 ꌗ
 3 dicembre-15 aprile e giugno-10 ottobre – Pas carta 27/43000 – 36 cam (solo ½ P) 90/100000,
 b.s. 65/75000.

🏛 **Tablè,** ☞ 836144, ≤ gruppo Sella – 🛗 📺 ☎ 🅿 ᴴᴸ ꌗ rist
 20 dicembre-15 aprile e 20 maggio-20 ottobre – Pas (solo per clienti alloggiati) 25/40000 – 🍴
 16000 – 27 cam 45/68000 – P 85/105000, b.s. 45/75000.

🏛 **Col Alto,** ☞ 836009, Telex 400209, ≤ gruppo Sella, 🔲 – 🛗 ☎ 🅿 ꌗ rist
 chiuso novembre – Pas 18/23000 – **62 cam** 🍴 50/80000 – P 77/105000, b.s. 53/67000.

🏛 **Villa Eden,** ☞ 836041, ≤ gruppo Sella e Sassongher – 🛗 📺 ☎ 🅿 ꌗ rist
 5 dicembre-20 aprile e 15 giugno-20 settembre – Pas carta 20/28000 – **33 cam** 🍴 55/90000 –
 P 65/97000, b.s. 50/75000.

✕ **La Tambra** con cam, ☞ 836281, ≤ gruppo Sella, Rist. e self-service – ☎ 🅿
 6 dicembre-aprile e 10 giugno-settembre – Pas carta 20/33000 – **18 cam** 🍴 42/75000 –
 P 66/82000, b.s. 39/67000.

 sulla strada statale 244 S : 2,5 km :

🏛 **Planac** ⚲, ✉ 39033 ☞ 836210, ≤ gruppo Sella – ☎ 🅿 ꌗ ꌗ rist
 20 dicembre-10 aprile e 8 luglio-10 ottobre – Pas 20/24000 – **34 cam** 🍴 50/100000 – P 70/90000,
 b.s. 60/80000.

 a Colfosco (Kolfuschg) O : 3 km – alt. 1 645 – ✉ 39030 – 🛈 ☞ 836145 :

🏛🏛 **Cappella,** ☞ 836183, Telex 400643, ≤ gruppo Sella e vallata, « Giardino », 🔲 – 🛗 ☰ rist 📺
 ☎ 🚭 – 🅿 ᴴᴸ 🕙 ⓘ ꌗ. ⚫
 18 dicembre-2 aprile e 17 giugno-1° ottobre – Pas (chiuso lunedì) carta 24/45000 – 🍴 18000 –
 40 cam 80/140000 appartamenti 125/160000 – P 100/140000, b.s. 77/125000.

 Vedere anche : *Campolongo (Passo di)* S : 6,5 km.

COSENZA 87100 🄿 🛑🛑🛑 ㊴ – 105 913 ab. alt. 237 – ☺ 0984.
Vedere Tomba d'Isabella d'Aragona★ nel Duomo Z A.
🛈 via Pasquale Rossi ☞ 390595 – **A.C.I.** via Tocci 2/a ☞ 74381.
Roma 519 ⑤ – ◆Napoli 313 ⑤ – ◆Reggio di Calabria 190 ⑤ – ◆Taranto 205 ⑤.

Pianta pagina a lato

🏛 **Centrale,** via del Tigrai 3 ☞ 73681, Telex 912599 – 🛗 ☰ 📺 ☎ 🚗 🅿 ᴴᴸ 🕙 🄴 ꌗ **Y s**
 Pas carta 23/32000 – 🍴 7000 – **48 cam** 65/95000 – P 95000.

✕✕ **La Calavrisella,** via Gerolamo De Rada 11/a ☞ 28012 – 🛗 🕙 ⓘ 🄴 **Y t**
 chiuso le sere di sabato e domenica – Pas carta 20/36000 (10%).

✕ **Da Giocondo,** via Piave 53 ☞ 29810 – ꌗ **Y n**
 chiuso sabato o domenica ed agosto – Pas carta 25/43000.

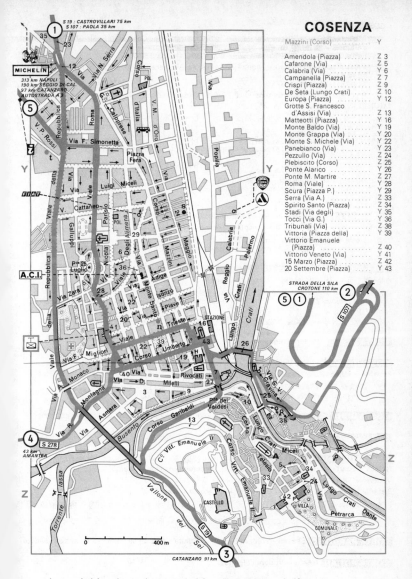

COSENZA

in prossimità uscita nord autostrada A 3 o sulla strada statale 19 per ① :

Europa, contrada Roges ✉ 87036 Rende ✆ 465064, Telex 800075, ⛱ – |‡| ▤ TV ☎ P – 🏛 120. AE ⓢ ⦿ E VISA. ✗ rist
Pas carta 32/45000 – 79 cam ☕ 83/122000 – P 100/120000.

San Francesco, contrada Commenda ✉ 87036 Rende ✆ 861721, Telex 800048, ⛱ – |‡| ▤ ☎ P – 🏛 500. AE ⓢ ⦿ E VISA. ✗ rist
Pas carta 28/40000 – **144 cam** ☕ 79/128000 – P 108/113000.

Domus Residence, via Bernini 4 ✉ 87030 Castiglione Cosentino Scalo ✆ 839652 – |‡| ✗ rist ▤ ☎ ♿ 🚗 P – 🏛 30 a 50. AE VISA. ✗
Pas carta 24/38000 – ☕ 6000 – **64 cam** 56/89000 – P 92000.

segue →

🏨 **MotelAgip,** bivio strada statale 107 ⊠ 87030 Castiglione Cosentino Scalo 𝒫 839101, Telex 912553 – 📳 🗐 📺 ☎ 🅿 – 🛂 50. 🆎 ⑤ ⑩ 🔄 **VISA**. 🕸 rist
Pas 31000 – ☲ 11000 – **65 cam** 83/121000 – P 134/156000.

🏨 **Sant'Agostino** senza rist, contrada Roges, via Modigliani 49 ⊠ 87036 Rende 𝒫 861782 –
📺 ☎ 🅿. 🕸
☲ 5000 – **24 cam** 60/80000.

XX Archestrato, contrada Commenda ⊠ 87036 Rende 𝒫 862117 – 🗐.

MICHELIN, via degli Stadi 77 Y, 𝒫 31521.

ALFA-ROMEO contrada Commenda, viale della Resistenza 19/27 per ① 𝒫 863893
BMW via Panebianco 248/256 𝒫 392845
CITROEN via dell'Autostazione 5/a 𝒫 411233
FIAT Roges-Rende, via Kennedy 57 per ① 𝒫 465408, Telex 800030
FIAT via Mario Mari 45 𝒫 26082
FORD viale Medaglie d'Oro 48 𝒫 33965
INNOCENTI a Rende, via Allende per ① 𝒫 861551
LANCIA-AUTOBIANCHI strada statale 19 bis per ① 𝒫 393672

LANCIA-AUTOBIANCHI via Napoli 40 𝒫 411573
PEUGEOT-TALBOT contrada Roges-Rende, via Molinella 20 𝒫 32068
PEUGEOT-TALBOT via Panebianco 259 𝒫 393678
RENAULT contrada Roges-Rende, via Po 27/37 𝒫 861824
RENAULT via Sicilia 𝒫 393453
VW-AUDI a Rende, via Kennedy 110 𝒫 863253

COSSANO BELBO 12054 Cuneo – 1 198 ab. alt. 244 – ✪ 0141.
Roma 614 – Alessandria 52 – Asti 31 – Cuneo 89 – ♦Genova 114 – ♦Milano 142 – ♦Torino 86.

X **Della Posta-da Camulin,** 𝒫 88126
chiuso lunedì e dal 15 luglio al 13 agosto – Pas carta 23/37000.

COSSATO 13014 Vercelli 𝟡𝟠𝟠 ②, 𝟚𝟙𝟡 ⑮ – 15 508 ab. alt. 253 – ✪ 015.
Roma 668 – Biella 11 – ♦Milano 94 – ♦Torino 82 – Vercelli 43.

XX **Tina** con cam, via Matteotti 21 𝒫 93403 – **VISA**
Pas *(chiuso sabato e dal 13 al 30 agosto)* carta 26/48000 – ☲ 7000 – **10 cam** 39/60000 – P 60000.

ALFA-ROMEO via Paietta 10/a 𝒫 922243

RENAULT via Mazzini 12 𝒫 925841

COSTA Trento – Vedere Folgaria.

COSTABISSARA 36030 Vicenza – 4 711 ab. alt. 51 – ✪ 0444.
Roma 546 – ♦Milano 209 – ♦Padova 45 – ♦Venezia 78 – Vicenza 7.

X **Da Lovise,** 𝒫 557062, « Servizio estivo sotto un pergolato » – 🅿
chiuso lunedì e dal 29 luglio al 15 agosto – Pas carta 22/29000.

COSTA DORATA Sassari – Vedere Sardegna (Porto San Paolo) alla fine dell'elenco alfabetico.

COSTALOVARA (WOLFSGRUBEN) Bolzano – Vedere Renon.

COSTALUNGA (Passo di) (KARERPASS) Trento 𝟡𝟠𝟠 ④⑤ – alt. 1 753 – a.s. febbraio-15 aprile e Natale – Sport invernali : 1 753/2 035 m ⟋3, ⋌ (vedere anche Nova Levante).
Vedere ≤★ sul Catinaccio – Lago di Carezza★★★ O : 2 km.
Roma 674 – ♦Bolzano 29 – Cortina d'Ampezzo 81 – ♦Milano 332 – Trento 93.

🏨 **Savoy,** ⊠ 38039 Vigo di Fassa 𝒫 (0471) 616824, ≤ Dolomiti e pinete, 🖼 – ☎ 🚗 🅿. 🆎
↖ 🕸 rist
Pas 18/30000 – 35 cam ☲ 55/110000 – P 65/80000, b.s. 48/58000.

COSTA PARADISO Sassari – Vedere Sardegna (Trinità d'Agultu) alla fine dell'elenco alfabetico.

COSTA ROTIAN Trento – Vedere Folgarida.

COSTA SMERALDA Sassari 𝟡𝟠𝟠 ㉓㉔ – Vedere Sardegna (Arzachena) alla fine dell'elenco alfabetico.

COSTA VOLPINO 24062 Bergamo – 8 365 ab. alt. 251 – ✪ 035.
Roma 608 – ♦Bergamo 43 – ♦Brescia 49 – ♦Milano 88 – Sondrio 102.

XX **Franini** con cam, 𝒫 971017 – 📺 🅿. 🆎 ⑤ ⑩ 🔄 **VISA**. 🕸 cam
Pas *(chiuso mercoledì)* carta 31/44000 – ☲ 7500 – **14 cam** 40/55000 – P 80/90000.

ALFA-ROMEO via Cesare Battisti 79 𝒫 970543
LANCIA-AUTOBIANCHI via Nazionale 57 𝒫 972222

PEUGEOT-TALBOT via Pio 20 𝒫 970306

COSTIERA AMALFITANA ★★★ Napoli e Salerno 𝟡𝟠𝟠 ㉗㉘ – Vedere Guida Verde.

COSTIGLIOLE D'ASTI 14055 Asti 988 ⑫ – 5 927 ab. alt. 242 – ☎ 0141.

Roma 629 – Acqui Terme 34 – Alessandria 51 – Asti 15 – •Genova 108 – •Milano 141 – •Torino 70.

XXX ✿✿ **Guido,** piazza Umberto I n° 27 ✆ 966012, solo su prenotazione – ⊟. ✻
chiuso a mezzogiorno, domenica e i giorni festivi – Pas 90/120000
Spec. Sformati di verdure, Insalata tiepida con fegati d'anitra, Agnolotti alla costigliolese, Sella di coniglio al vino.
Vini Arneis, Barbaresco.

COSTOZZA Vicenza – Vedere Longare.

COTIGNOLA 48010 Ravenna – 7 071 ab. alt. 19 – ☎ 0545.

Roma 396 – •Bologna 53 – Forlì 28 – •Ravenna 25.

X **Da Giovanni** con cam, ✆ 40138 – AE VISA. ✻
Pas *(chiuso sabato)* carta 24/36000 – ☐ 8000 – **10 cam** 27/41000 – P 60000.

COURMAYEUR 11013 Aosta 988 ①, 219 ①, 74 ⑨ – 2 788 ab. alt. 1 228 – Stazione di villeggiatura, a.s. 15 febbraio-Pasqua, 15 luglio-agosto e Natale – Sport invernali : 1 228/2 736 m 6 15, ; anche sci estivo : 1 370/3 460 m 3 – ☎ 0165.

Vedere Località**.

Escursioni Valle d'Aosta** : <*** per ②.

(luglio-settembre) a Planpincieux ✉ 11013 ✆ 89103, NE : 6 km BX.

piazzale Monte Bianco ✆ 842060, Telex 215871, Fax 842072.

Roma 784 ② – Aosta 38 ② – Chamonix 24 ① – Colle del Gran San Bernardo 70 ② – •Milano 222 ② – Colle del Piccolo San Bernardo 28 ②.

Pianta pagina seguente

Royal e Golf, via Roma 83 ✆ 843621, Telex 214312, Fax 842093, < monti e ghiacciai, riscaldata, – ⊟ TV ☎ & P – 25 a 70. AE ⊟ ◑ E VISA. ✻ rist AZ **a**
dicembre-aprile e luglio-agosto – Pas 65000 ed al Rist. **Grill Cipriani** *(chiuso a mezzogiorno)* carta 80/100000 – **92 cam** ☐ 236/449000 appartamenti 874/1367000 – P 258/279000, b.s. 165/187000.

Pavillon, strada Regionale 60 ✆ 842420, Telex 210541, < monti, – ⊟ TV ☎ & P – 40. AE ⊟ ◑ E VISA. ✻ rist BY **t**
dicembre-aprile e giugno-settembre – Pas 40000 ed al Rist. **Grill Le Bistroquet** *(chiuso a mezzogiorno)* carta 35/50000 – ☐ 16000 – 40 cam 120/220000 appartamenti 220/260000 – P 150/220000, b.s. 120/160000.

Palace Bron ⛰, a Plan Gorret E : 2 km ✆ 842545, < Dente del Gigante e vallata, « Posizione panoramica in pineta », – ⊟ TV ☎ P – 50. ◑ VISA. ✻ BY **u**
20 dicembre-aprile e 27 giugno-6 settembre – Pas *(chiuso lunedì)* 50/60000 – ☐ 16000 – 27 cam 120/220000 appartamento 540000 – P 150/200000, b.s. 125/140000.

Del Viale, viale Monte Bianco 74 ✆ 842227, < monti, – TV ☎ P. AE ⊟ ◑ E VISA. ✻ rist BY **c**
chiuso dal 2 maggio al 16 giugno e dal 1° novembre al 5 dicembre – Pas carta 32/49000 – ☐ 10000 – 23 cam 50/81000 – P 80/120000, b.s. 55/85000.

Cresta et Duc, via Circonvallazione 7 ✆ 842585, < monti – ⊟ ☎ P. AE ⊟ ◑ E VISA. ✻ rist
18 dicembre-21 aprile e 24 giugno-9 settembre – Pas 25/32000 – ☐ 10000 – **39 cam** 50/80000 – P 75/120000, b.s. 55/85000. AZ **e**

Bouton d'Or senza rist, superstrada Traforo del M.te Bianco ✆ 842380, < monti e vallata, – ⊟ TV ☎ P. AE ⊟ ◑ E VISA AZ **x**
3 dicembre-7 maggio e 24 giugno-5 novembre – ☐ 8000 – **21 cam** 51/80000.

Courmayeur, via Roma 158 ✆ 842323 – ⊟ TV ☎ P. ⊟ E VISA. ✻ rist AZ **h**
chiuso ottobre e novembre – Pas *(chiuso lunedì)* 26/31000 – ☐ 10000 – 25 cam 50/80000 – P 70/108000, b.s. 55/85000.

Chetif, strada la Villette ✆ 843503, < monti – ⊟ TV ☎ P. AE ⊟ ◑ E VISA. ✻ rist AZ **f**
dicembre-aprile e giugno-settembre – Pas 30/33000 – ☐ 9000 – 18 cam 50/82000 – P 80/110000, b.s. 60/80000.

Crampon senza rist, strada la Villette 8 ✆ 842385, < monti e vallata, – ⊟ ☎ P. ⊟ E VISA. ✻ AZ **b**
20 dicembre-aprile e luglio-15 settembre – ☐ 8000 – **24 cam** 51/80000.

Majestic, strada Regionale 36 ✆ 841025, Telex 211065, Fax 844705, < monti, – ⊟ cam TV ☎ P. AE ⊟ ◑ E VISA. ✻ rist BY **t**
5 dicembre-aprile e giugno-settembre – Pas 25/40000 – ☐ 10000 – 56 cam 50/88000 – P 100/135000, b.s. 75/100000.

Centrale, via Mario Puchoz 7 ✆ 842944, <, – ⊟ TV ☎ & P. AE ◑ VISA. ✻ rist
dicembre-Pasqua e 20 giugno-15 settembre – Pas (solo per clienti alloggiati) – ☐ 10500 – **32 cam** 50/81000 – P 73/110000, b.s. 60/85000. AZ **t**

Croux senza rist, via Circonvallazione 94 ✆ 842437, < monti, – ⊟ ☎ P. AE ⊟ E VISA. ✻
20 dicembre-15 aprile e 27 giugno-25 settembre – ☐ 8000 – **30 cam** 51/80000. AZ **d**

segue →

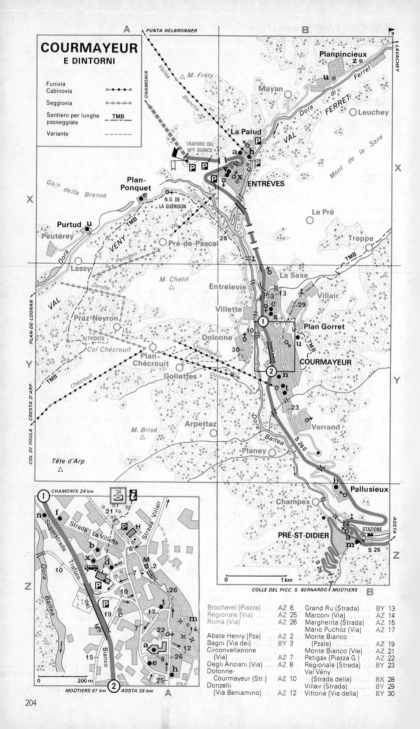

COURMAYEUR
E DINTORNI

Funivia
Cabinovia
Seggiovia
Sentiero per lunghe passeggiate   TMB
Variante

PUNTA HELBRONNER

Valle Blanche

CHAMONIX

M. Fréty

TRAFORO DEL MTE BIANCO

La Palud

Planpincieux

Mayan

Dora di FERRET

VAL FERRET

Leuchey

LAVACHEY

ENTRÈVES

Mont de la Saxe

Ghio della Brenva

Plan-Ponquet

N.D. DE LA GUÉRISON

Le Pré

Purtud

Peutérey

VAL VENY

Val Veny

Pré-de-Pascal

Trappe

Dora

Lassy

Peindein

Zerotta

M. Chétif

Entrelevie

La Saxe

Villair

VAL

PLAN-DE-LOGNAN

Praz-Neyron

Altiporto

Villette

Entrelevie

Plan Gorret

Dolonne

COURMAYEUR

Col Chécrouit

Plan-Chécrouit

Chécrouit

Gollettes

Dolonne

COL DU YOULA / CRESTA D'ARP

M. Brisé

Arpettaz

Verrand

Planey

Dora Baltea

S 26d

Tête d'Arp

Champex

Pallusieux

PRÉ-ST-DIDIER

STAZIONE

AOSTA

S 26

COLLE DEL PICC. S. BERNARDO / MOÛTIERS

0   1 km

Courmayeur (inset)

CHAMONIX 24 km

Strada La Villette

Strada Villair

Strada Superstrada

Dora Baltea

Traforo del Mte Bianco

MOÛTIERS 87 km   AOSTA 38 km

0   200 m

204

Svizzero e Rist. Le Talus, superstrada Traforo del M.te Bianco ✆ 842035 e rist ✆ 842920, ≤ monti, – ☎ Ⓟ. AE ⓢ VISA. AZ **n**
chiuso giugno e dal 5 novembre al 20 dicembre – Pas *(chiuso lunedì in bassa stagione)* carta 29/43000 – ☐ 9000 – **29 cam** 40/75000.

Select, strada Regionale 27 ✆ 842460, ≤ monti – TV Ⓟ. ⓢ E VISA. rist BY **n**
dicembre-25 aprile e 15 giugno-settembre – Pas 28000 – ☐ 8000 – 15 cam 55/88000 – P 80/105000, b.s. 60/80000.

Panei-Fiocco di Neve, viale Monte Bianco 64 ✆ 842358, ≤ monti, – ☎ Ⓟ. AE ⓢ ⓞ E VISA. BY **s**
chiuso dal 2 al 26 giugno e dal 3 novembre al 2 dicembre – Pas *(chiuso a mezzogiorno)* 30/35000 – ☐ 10000 – 12 cam 55/85000.

XX **Pierre Alexis 1877,** via Marconi 54 ✆ 843517 – VISA AZ **m**
chiuso ottobre e novembre, lunedì (escluso agosto) e da settembre a marzo anche martedì a mezzogiorno – Pas carta 26/48000.

X **Le Vieux Pommier,** piazzale Monte Bianco 25 ✆ 842281 – Ⓟ. AE ⓢ ⓞ E VISA. AZ **c**
chiuso lunedì ed ottobre – Pas carta 24/37000.

ad Entrèves N : 4 km – alt. 1 306 – ✉ **11013** Courmayeur :

Pilier d'Angle, ✆ 89129, ≤ Monte Bianco, – ☎ Ⓟ. AE ⓢ E VISA. BX **v**
chiuso maggio, ottobre e novembre – Pas carta 30/44000 – ☐ 10000 – **24 cam** 50/82000 – P 65/110000, b.s. 60/84000.

La Grange senza rist, ✆ 89274 – ☎ Ⓟ. AE ⓢ ⓞ E VISA BX **v**
dicembre-aprile e luglio-settembre – ☐ 7500 – **23 cam** 52/85000.

La Brenva, ✆ 89285 – TV ☎ Ⓟ. AE VISA ABX **v**
Pas carta 40/66000 – ☐ 9000 – 14 cam 60/77000 – P 60/100000.

X **Maison de Filippo,** ✆ 89968, « Caratteristica locanda valdostana » – Ⓟ. AE ⓢ E VISA BX **x**
chiuso martedì, da giugno al 15 luglio e novembre – Pas 35/38000.

in Val Ferret :

Astoria, a La Palud N : 5 km alt. 1 360 ✉ 11013 ✆ 89910, ≤ – Ⓟ. rist BX **h**
15 dicembre-aprile e luglio-20 settembre – Pas *(chiuso giovedì)* carta 25/40000 – ☐ 8000 – 33 cam 40/65000 – P 55/70000, b.s. 55/60000.

Vallée Blanche senza rist, a La Palud N : 5 km alt. 1 360 ✉ 11013 ✆ 89933, ≤ – Ⓟ. BX **a**
chiuso giugno e novembre – ☐ 5000 – **23 cam** 32/48000.

XX **La Clotze,** a Planpincieux N : 7 km alt. 1 600 ✉ 11013 ✆ 89928, – Ⓟ. BX **u**
chiuso mercoledì e dal 15 giugno al 15 luglio – Pas carta 26/39000.

XX **La Palud-da Pasquale,** a La Palud N : 5 km alt. 1360 ✉ 11013 ✆ 89169 – Ⓟ. AE ⓢ. BX **c**
chiuso mercoledì, dal 5 al 26 giugno e novembre – Pas carta 27/41000.

X Proment-da Floriano, a Planpincieux N : 8 km alt. 1 600 ✉ 11013 ✆ 89947 – Ⓟ BX **z**
stagionale.

in Val Veny :

Purtud , a Purtud NO : 6 km alt. 1 492 ✉ 11013 ✆ 89960, ≤, – ☎ Ⓟ. rist AX **u**
26 giugno-20 settembre – Pas 20/25000 – ☐ 8000 – 29 cam 42/75000 – P 70/85000, b.s. 62/70000.

Val Veny , a Plan-Ponquet NO : 4 km alt. 1 480 ✉ 11013 ✆ 89904, ≤, – Ⓟ. rist AX **e**
luglio-agosto – Pas carta 22/33000 – ☐ 6000 – **20 cam** 33/58000 – ½ P 45/53000.

X **Chalet del Miage,** a Plan-de-Lognan NO : 12 km alt. 1 689 ✉ 11013, ≤, – Ⓟ. AY
luglio-settembre – Pas 26/30000.

CREAZZO 36051 Vicenza – 9 700 ab. alt. 112 – ☎ 0444.

Roma 541 – •Milano 203 – •Padova 40 – •Venezia 73 – Vicenza 6,5.

XX **Alla Rivella,** N : 2 km ✆ 520794 – Ⓟ
chiuso martedì sera e mercoledì – Pas carta 20/27000.

CREMA 26013 Cremona 988 ③ – 33 652 ab. alt. 79 – ☎ 0373.

Roma 546 – •Bergamo 40 – •Brescia 51 – Cremona 38 – •Milano 44 – Pavia 52 – Piacenza 38.

Palace Hotel senza rist, via Cresmiero 10 ✆ 81487 – TV ☎. AE ⓢ E VISA.
☐ 10000 – **46 cam** 60/99000.

XX **Il Barbarossa,** via Cresmiero 6 ✆ 81864 – .
chiuso giovedì ed agosto – Pas carta 24/32000.

XX ✿ **Guada'l Canal,** località Santo Stefano ✆ 200133, Coperti limitati; prenotare - Trattoria rustica in un vecchio cascinale – Ⓟ. AE ⓞ VISA.
chiuso domenica sera, lunedì ed agosto – Pas carta 35/55000
Spec. Tortelli cremaschi, Pesci di mare in brodetto, Fricassea di interiora, Bavaresi alla frutta. Vini Lugana, Franciacorta rosso.

Vedere anche : *Offanengo* NE : 5 km.

segue →

BMW via Milano 67/bis 🖉 31235
FIAT viale Europa 3 🖉 57333
FIAT via Mercato 28 🖉 56295
FORD a Madignano, via Provinciale 70/72 🖉 65511
GM-OPEL via Piacenza 61 🖉 57947
INNOCENTI via F.lli Bandiera 4 🖉 56864

LANCIA-AUTOBIANCHI via Dogali 12/14 🖉 81237
PEUGEOT-TALBOT via Milano 67 🖉 30752
RENAULT via Giardini 11 🖉 57548
VW-AUDI via Milano 67/b 🖉 31133
VOLVO via Milano 67 🖉 30752

CREMENO 22040 Como 𝟚𝟙𝟡 ⑩ – 810 ab. alt. 797 – Sport invernali : a Piani di Artavaggio : 1 649/1 910 m – 彡 1 ⤲ 5 (vedere anche a Barzio, Piani di Bobbio) – ❀ 0341.

Roma 635 – ◆Bergamo 47 – Como 43 – Lecco 14 – ◆Milano 70 – Sondrio 83.

%% **Al Clubino** con cam, 🖉 996145, ⇶ – ☜ Ⓟ, 📺 𝘝𝘐𝘚𝘈, ⸙ cam
　　chiuso settembre o ottobre – Pas *(chiuso martedì da novembre a marzo)* carta 32/49000 (15%)
　　– ⟷ 5000 – 21 cam 80/100000 – P 85/95000.

　　a Maggio SO : 2 km – ✉ 22040 :

🛏 **Maggio,** 🖉 996440, ⇶ – Ⓟ. ⸙
　　Pas *(chiuso martedì)* carta 21/30000 – ⟷ 4000 – **22 cam** 25/55000 – P 50/59000.

CREMIGNANE Brescia – alt. 214 – ✉ 25049 Iseo – ❀ 030.

Roma 578 – ◆Bergamo 37 – ◆Brescia 26 – ◆Milano 78.

% **Zucca 2,** bivio per Clusane 🖉 981520 – Ⓟ. ⸙
　　chiuso mercoledì e novembre – Pas carta 20/38000.

CREMNAGO 22040 Como 𝟚𝟙𝟡 ⑨ – alt. 335 – ❀ 031.

Roma 605 – ◆Bergamo 44 – Como 17 – Lecco 23 – ◆Milano 37.

%% **Vignetta,** 🖉 607280, 🌳, ⇶ – Ⓟ. ⸙
　　chiuso martedì e dal 1° al 25 agosto – Pas carta 31/48000.

%% **Letizia,** 🖉 607188 – Ⓟ. ⸙
　　chiuso martedì – Pas carta 30/40000.

CREMOLINO 15010 Alessandria – 801 ab. alt. 405 – ❀ 0143.

Roma 559 – Alessandria 50 – ◆Genova 61 – ◆Milano 124 – Savona 71 – ◆Torino 135.

%% **Bel Soggiorno,** 🖉 879012 – Ⓟ. 🕮 📺 Ⓞ. ⸙
　　chiuso mercoledì, dal 10 al 30 gennaio e dal 20 al 30 luglio – Pas carta 29/47000.

CREMONA 26100 ℗ 𝟡𝟠𝟠 ③⑭ – 76 522 ab. alt. 45 – ❀ 0372.

Vedere Piazza del Comune★★ BZ : campanile del Torrazzo★★★, Duomo★★, Battistero★ BZ L – Palazzo Fodri★ BZ D – Museo Civico★ ABY M – Ritratti★ e ancona★ nella chiesa di Sant'Agostino AZ B – Interno★ della chiesa di San Sigismondo 2 km per ③.

🅗 piazza del Comune 5 🖉 23233.

A.C.I. corso 20 Settembre 19 🖉 39601.

Roma 517 ④ – ◆Bergamo 98 ② – ◆Brescia 52 ② – ◆Genova 180 ④ – Mantova 66 ② – ◆Milano 95 ④ – Pavia 86 ④ – Piacenza 34 ④.

Pianta pagina a lato

🏨 **Continental,** piazza della Libertà 26 🖉 434141, Telex 325353 – 🛗 ▤ cam 📺 Ⓟ – 🔼 100. 🕮
�{🕮} Ⓞ 🎦 𝘝𝘐𝘚𝘈   BY x
　　Pas carta 30/45000 – ⟷ 10000 – **57 cam** 75/115000 – P 100/115000.

🛏 **Astoria** senza rist, via Bordigallo 19 🖉 30260 – 🛗 ☜. 🕮 �{🕮} Ⓞ 🎦 𝘝𝘐𝘚𝘈   BZ v
　　⟷ 6500 – **32 cam** 44/63000.

%%% 🌼 **Ceresole,** via Ceresole 4 🖉 23322, Coperti limitati; prenotare – 🕮 �{🕮} Ⓞ 🎦 𝘝𝘐𝘚𝘈. ⸙
　　chiuso domenica sera, lunedì, dal 22 al 30 gennaio e dal 6 al 28 agosto – Pas carta 43/67000
　　Spec. Zuppa di funghi con orzo (ottobre-marzo), Branzino con zucchine al basilico, Spuma di torrone in salsa di
　　nocciole. Vini Pinot Franciacorta, Sassella.   BZ u

%%% **Aquila Nera,** via Sicardo 3 🖉 25646, Coperti limitati; prenotare – 🕮 �{🕮} Ⓞ 🎦 𝘝𝘐𝘚𝘈. ⸙
　　chiuso domenica sera e lunedì – Pas carta 40/60000.   BZ y

%% **Dordoni,** via del Sale 58 🖉 22703 – Ⓟ – 🔼 80. 🕮 �{🕮} Ⓞ 🎦 𝘝𝘐𝘚𝘈. ⸙   AZ g
　　chiuso lunedì sera e martedì – Pas carta 27/41000.

%% **Il Ceppo,** via Casalmaggiore Bassa 224 🖉 434259 – Ⓟ 🕮 �{🕮}. ⸙
　　chiuso martedì, dal 7 al 21 gennaio e dal 1° al 15 luglio – Pas carta 22/33000.
　　　　　　　　　　　　　　　　　　　　　　　　　　　　　　　　　4 km per via San Rocco BZ

% **La Botte,** vicolo Pertusio 17 🖉 29640   BZ e
　　chiuso lunedì ed agosto – Pas carta 29/41000.

% **Alba,** via Persico 40 🖉 433700, Coperti limitati; prenotare – ⸙   BY b
　　chiuso domenica, lunedì, dal 24 dicembre al 7 gennaio ed agosto – Pas carta 20/30000.

% **La Trappola,** via Cavitelli 10 🖉 28509   BYZ n
　　chiuso lunedì, martedì e dal 16 agosto al 16 settembre – Pas *(solo piatti di pesce)* carta 24/33000.

% **In Cittadella,** via Bissolati 38 🖉 30510, 🌳   AZ h
　　chiuso giovedì, dal 10 al 25 febbraio e dal 1° al 22 agosto – Pas carta 23/35000.

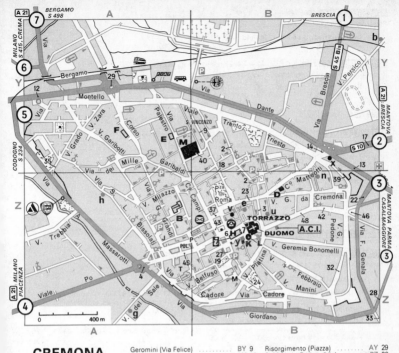

CREMONA

Campi (Corso)	BZ
Cavour (Piazza)	BZ 6
Garibaldi (Corso)	AYZ
Matteotti (Corso)	BYZ
Aselli (Via)	BYZ 2
Boccaccino (Via)	BZ 3
Cadorna (Piazza L.)	AZ 4
Comune (Piazza del)	BZ 7

Geromini (Via Felice)	BY 9
Ghinaglia (Via F.)	AY 12
Ghisleri (Via A.)	BY 13
Libertà (Piazza della)	BY 14
Mantova (Via)	BY 17
Manzoni (Via)	BY 18
Marconi (Piazza)	BZ 19
Marmolada (Via)	BZ 22
Mazzini (Corso)	BZ 23
Melone (Via Altobello)	BZ 24
Monteverdi (Via Claudio)	BZ 27
Novati (Via)	BZ 28

Risorgimento (Piazza)	AY 29
S. Maria in Betlem (Via)	BZ 32
S. Rocco (Via)	BZ 33
Spalato (Via)	AY 35
Stradivari (Via)	BZ 37
Tofane (Via)	BZ 39
Ugolani Dati (Via)	BY 40
Vacchelli (Corso)	BZ 42
Verdi (Via)	BZ 43
Vittorio Emanuele II (Corso)	AZ 45
4 Novembre (Piazza)	BZ 46
20 Settembre (Corso)	BZ 48

a Migliaro per ⑦ : 2,5 km – ☒ 26100 Cremona :

XX **Alla Borgata,** via Bergamo 205 ☎ 25648 – 🕭
chiuso lunedì sera, martedì ed agosto – Pas carta 26/50000.

sull'autostrada A 21 o in prossimità casello per ② : 3 km :

🏨 **MotelAgip,** ☒ 26100 ☎ 434045, Telex 340620 – 🛗 🔲 📺 ☎ 🅿 – 🛦 30 a 50. 🖭 🕭 ⓞ ⋿
VISA. ⊘ rist
Pas 31000 – ☒ 13500 – **77 cam** 61/99000 – P 125/136000.

ALFA-ROMEO via Ghinaglia 142 ☎ 20228
ALFA-ROMEO via Vecchio Passeggio 2 ☎ 36575
BMW via Giordano 109 ☎ 28329
CITROEN via Dante 228 ☎ 37477
FIAT via Dante 78 ☎ 21200
FIAT via Brescia 227 per ① ☎ 434871
FIAT viale Po 119 per ④ ☎ 21227
FORD via Mantova 19 ☎ 451151
GM-OPEL via Castelleone 77/79 ☎ 20343
INNOCENTI via Eridano 4 per ④ ☎ 20225

LANCIA-AUTOBIANCHI via Massarotti 48/a ☎ 23913
LANCIA-AUTOBIANCHI via Giuseppina 5/7 per ③
☎ 434911
MASERATI via Eridano 2 ☎ 38284
MERCEDES-BENZ via Mantova 45 ☎ 432087
PEUGEOT-TALBOT via Eridano 2 ☎ 24459
RENAULT via Eridano 15 ☎ 23898
RENAULT via Dante 190 ☎ 31422
VW-AUDI via Castelleone 134 ☎ 21292
VOLVO via Giuseppina 8/G ☎ 434808

CRESPANO DEL GRAPPA 31017 Treviso – 3 713 ab. alt. 300 – ✆ 0423.
Roma 555 – Bassano del Grappa 12 – Belluno 64 – ◆Milano 252 – ◆Padova 54 – Treviso 41 – ◆Venezia 71 –
Vicenza 47.

X **Alla Campana,** con cam, ☎ 53056, 🍴 – 🅿
10 cam.

☞ *Questa Guida non contiene pubblicità a pagamento.*

CRESPELLANO 40056 Bologna – 6 785 ab. alt. 64 – ✪ 051.
Roma 385 – ♦Bologna 19 – ♦Modena 28.

❌ **San Savino,** S : 1 km 🖉 964148 – **℗** 𝑉𝐼𝑆𝐴 . 🎸
chiuso martedì e dal 3 al 23 agosto – Pas carta 21/28000.

CRESPINO 45030 Rovigo 𝟵𝟴𝟴 ⑮ – 2 472 ab. alt. 1 – ✪ 0425.
Roma 460 – ♦Ferrara 39 – ♦Padova 58 – Rovigo 17.

❌❌ **Rizzi,** via Passodoppio 31 (O : 3 km) 🖉 77238, Coperti limitati; prenotare – **℗** 𝑉𝐼𝑆𝐴 . 🎸
chiuso martedì – Pas carta 35/59000.

CRETAZ Aosta 𝟮𝟭𝟵 ⑫ – Vedere Cogne.

CREVALCORE 40014 Bologna 𝟵𝟴𝟴 ⑭ – 11 588 ab. alt. 20 – ✪ 051.
Roma 402 – ♦Bologna 31 – ♦Ferrara 49 – ♦Milano 195 – ♦Modena 25.

❌ **Trattoria Papi,** via Paltrinieri 62 🖉 981651, 🏡 – **℗** 𝐀𝐄 ⓞ
chiuso lunedì, venerdì sera, Natale ed agosto – Pas carta 20/29000.

CREVOLADOSSOLA 28035 Novara 𝟮𝟭𝟵 ⑥ – 4 630 ab. alt. 337 – ✪ 0324.
Roma 703 – Locarno 48 – ♦Milano 126 – Novara 96 – Stresa 46.

❌❌ **Continental,** statale Sempione 210 🖉 33200 – 🍴 𝐀𝐄 🅱 🅴
chiuso lunedì e dal 1° al 15 gennaio – Pas carta 24/35000.

CROCI DI CALENZANO Firenze – Vedere Calenzano.

CRODO 28036 Novara 𝟮𝟭𝟳 ⑲ – 1 686 ab. alt. 508 – ✪ 0324.
Roma 712 – Domodossola 14 – ♦Milano 136 – Novara 105 – ♦Torino 179.

a Viceno NO : 4,5 km – alt. 896 – ✉ **28036** Crodo :

🏠 **Pizzo del Frate** 🏖, località Foppiano NO : 3,5 km alt. 1 250, 🖉 61233, ≤ monti, 🎄 – **℗**
← *chiuso dal 10 gennaio al 30 aprile* – Pas *(chiuso martedì dal 15 settembre al 15 giugno)*
carta 17/25000 – 🍴 4000 – 16 cam 21/38000 – P 38/40000.

🏠 **Edelweiss** 🏖, 🖉 61027, ≤, 🎄 – **℗**
← *chiuso dal 15 al 31 ottobre* – Pas *(chiuso martedì dal 15 settembre al 15 giugno)* carta 17/25000
– 🍴 3500 – **18 cam** 19/38000 – P 38/40000.

CROSA Vercelli 𝟮𝟭𝟵 ⑥ – Vedere Varallo.

CROTONE 88074 Catanzaro 𝟵𝟴𝟴 ㊴㊵ – 61 326 ab. – Stazione balneare – ✪ 0962.
🅱 via Torino 148 🖉 23185.
Roma 593 – Catanzaro 73 – ♦Napoli 387 – ♦Reggio di Calabria 228 – ♦Taranto 242.

🏨 **Casarossa** 🏖, lungomare SE : 4 km 🖉 29825, Telex 890038, ≤, « Spiaggia attrezzata con
🛶 », ❌ – 🛗 🍴 **℗**. 🎸
31 maggio-27 settembre – Pas (solo per clienti alloggiati) – 🍴 12000 – 182 cam 65/95000 –
P 85/130000.

🏠 **Tortorelli,** viale Gramsci 🖉 29930 – 📺 **℗**. 𝐀𝐄 ⓞ . 🎸
← Pas (solo per clienti alloggiati) 15/19000 – 🍴 3000 – 16 cam 34/49000 – P 50/58000.

❌❌ **Bella Romagna,** via Poggioreale 87 🖉 21943 – 🍴 𝐀𝐄 🅱 ⓞ
chiuso lunedì – Pas carta 25/45000 (10%).

❌❌ **La Sosta,** via Corrado Alvaro 🖉 23831 – 🍴 . 🎸
chiuso domenica sera da ottobre a marzo e negli altri mesi anche domenica a mezzogiorno –
Pas carta 32/53000 (10%).

ALFA-ROMEO sulla statale 106 al km 241 🖉 26526
FIAT viale Stazione 158 🖉 21695
FIAT strada statale 106 al km 245 🖉 29006
GM-OPEL sulla statale 106-zona Industriale 🖉 62079
LANCIA-AUTOBIANCHI sulla statale 106 al km 246
🖉 26414

PEUGEOT-TALBOT viale Cristoforo Colombo 54 🖉
22852
VW-AUDI via Tito Minniti 63/65 🖉 21322

CUASSO AL MONTE 21050 Varese 𝟮𝟭𝟵 ⑧ – 2 963 ab. alt. 532 – ✪ 0332.
Roma 648 – Como 43 – ♦Lugano 31 – ♦Milano 72 – Varese 16.

a Cavagnano SO : 2 km – ✉ **21050** Cuasso al Monte :

❌❌ **Alpino** 🏖 con cam, 🖉 939083, 🎄 – 🛗 ✖✖ rist ☎ **℗**. 𝑉𝐼𝑆𝐴 . 🎸
Pas *(chiuso lunedì)* carta 30/45000 – 🍴 3000 – 18 cam 50/68000 – P 55/60000.

CUNEO 12100 🅿 𝟵𝟴𝟴 ⑫ – 55 807 ab. alt. 543 – ✪ 0171.
🅱 corso Nizza 17 🖉 693258.
A.C.I. corso Brunet 19/b 🖉 55961.
Roma 643 ② – Alessandria 126 ① – Briançon 198 ① – ♦Genova 144 ② – ♦Milano 216 ① – ♦Nice 126 ③ – San
Remo 111 ③ – Savona 98 ② – ♦Torino 94 ①.

CUNEO

曲 **Principe** senza rist, via Cavour 1 ⓟ 693355 – 📶 📺 ☎. ⒜Ⓔ 🅢 ⓞ Ⓔ 𝘝𝘐𝘚𝘈   Y c
☲ 8000 – **41 cam** 43/73000.

曲 **Royal Superga** senza rist, via Pascal 3 ⓟ 693223 – 📺 🕾 Ⓟ. ⒜Ⓔ 🅢 Ⓔ 𝘝𝘐𝘚𝘈   Y d
☲ 8000 – **26 cam** 43/73000.

🏠 **Smeraldo** senza rist, corso Nizza 27 ⓟ 56367 – 📺 🕾. ⒜Ⓔ 🅢 ⓞ 𝘝𝘐𝘚𝘈. 🍽   Z f
☲ 8500 – **19 cam** 48/73000.

🏠 **Siesta**, via Vittorio Amedeo 2 ⓟ 61960 – 📺 ☎ 🕾. ⒜Ⓔ 🅢 ⓞ Ⓔ 𝘝𝘐𝘚𝘈   Y x
Pas *(chiuso domenica)* carta 20/31000 – ☲ 5000 – **20 cam** 40/65000 – P 65/75000.

🏠 **Torrismondi**, via Coppino 33 ⓟ 66025 – 📶 ⤳ cam 📺 ☎. ⒜Ⓔ 🅢 Ⓔ 𝘝𝘐𝘚𝘈   Z e
➔ Pas *(chiuso sabato)* carta 19/36000 – ☲ 7000 – **25 cam** 48/70000 – P 70/80000.

🏠 **Ligure**, via Savigliano 11 ⓟ 61942 – ⤳ rist ☎. ⒜Ⓔ 🅢 ⓞ Ⓔ 𝘝𝘐𝘚𝘈   Y v
chiuso dal 10 gennaio al 10 febbraio – Pas *(chiuso venerdi)* carta 20/35000 – ☲ 5000 –
26 cam 30/48000 – P 42/45000.

segue →

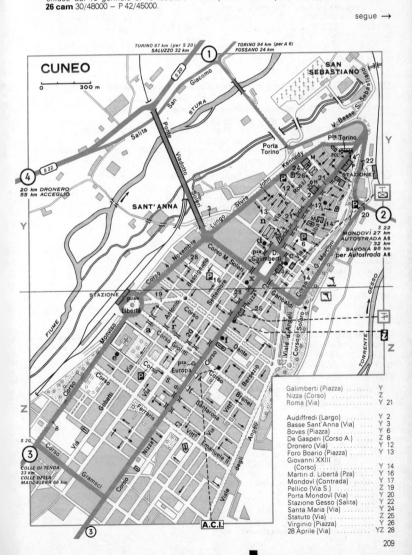

209

✕✕ **Tre Citroni**, via Bonelli 2 🏠 62048 – 🄰🄴 🕃 🄞 🄔 *VISA*. 🞉   **Y c**
   chiuso mercoledì, dal 15 al 30 giugno e dal 15 al 30 settembre – Pas carta 40/55000.

✕✕ ❀ **Le Plat d'Etain**, corso Giolitti 18 🏠 61918, Cucina francese; Coperti limitati, prenotare –
   🗐. 🄰🄴 🕃 🄞 🄔 *VISA*. 🞉   **Z r**
   chiuso domenica – Pas carta 58/81000
   Spec. Terrine de saumon au Chablis, Feuilleté au jambon ou aux oignons, Filet flambé Plat d'Etain. **Vini** Arneis, Barbaresco.

✕✕ **Cervino**, corso Giolitti 27 🏠 62000 – 🕃 🄔 *VISA*   **Z a**
➜ *chiuso sabato* – Pas carta 18/27000.

✕ **Cavallo Nero** con cam, piazza Seminario 8 🏠 62017 – 🗐 rist 🕾 🄿. 🞉 cam   **Y n**
   Pas *(chiuso lunedì a mezzogiorno da settembre al 15 giugno)* carta 18/31000 (15%) – 🖙 5000
   – **25 cam** 35/54000 – P 48000.

   a Madonna dell'Olmo per ① : 3 km – ✉ 12020 :

✕ **Locanda da Peiu**, 🏠 412174 – 🄿. 🞉
➜ *chiuso lunedì ed agosto* – Pas carta 18/35000.

ALFA-ROMEO via Savona 83 per ② 🏠 402788
BMW corso Gramsci 20 🏠 2053
CITROEN via Savona (borgo San Giuseppe) 🏠 401295
FIAT a Madonna dell'Olmo, via Bra 2 🏠 412241
FIAT via Savona 77 per ② 🏠 403434

FORD a Madonna dell'Olmo, via Valle Po 145 🏠 412112
MERCEDES-BENZ a Madonna dell'Olmo, via Torino 234 🏠 411777, Telex 215863
RENAULT corso 4 Novembre 19 🏠 65983

CUPRA MARITTIMA 63012 Ascoli Piceno – 4 443 ab. – a.s. luglio e agosto – ❀ 0735.
Dintorni Montefiore dell'Aso : polittico⁑ del Crivelli nella chiesa NO : 12 km.
Roma 240 – ◆Ancona 80 – Ascoli Piceno 43 – Macerata 60 – ◆Pescara 78 – Porto San Giorgio 19.

🏨 **Giosuè**, 🏠 777149, ≼, 🐾, – 🖳 🕾. 🄰🄴 🄞 *VISA*. 🞉 rist
   maggio-15 settembre – Pas 20000 – **33 cam** 🖙 33/44000 – P 50000, b.s. 40000.

🏨 **Europa**, 🏠 778034, 🐾, 🍴 – 🖳 🕾 🄿. 🄰🄴. 🞉
   chiuso dal 15 al 30 ottobre – Pas *(chiuso lunedì)* carta 21/33000 – 🖙 4000 – **25 cam** 28/45000
   – P 36/48000, b.s. 28/36000.

CUREGLIA 🔢🔢 ⑧ – Vedere Cantone Ticino (Lugano) alla fine dell'elenco alfabetico.

CURINO 13060 Vercelli 🔢🔢 ⑮⑯ – 530 ab. alt. 355 – ❀ 015.
Roma 669 – Biella 25 – ◆Milano 95 – Novara 49 – ◆Torino 85 – Vercelli 45.

   a San Nicolao E : 2,5 km – ✉ 13060 Curino :

✕ **La Birola**, 🏠 958126, prenotare, ≼
   chiuso lunedì, martedì e dal 6 gennaio al 1° marzo – Pas carta 27/37000.

CUSANO MILANINO 20095 Milano 🔢🔢 ⑲ – 21 862 ab. alt. 151 – ❀ 02.
Roma 600 – ◆Bergamo 46 – Como 36 – ◆Milano 10.

Pianta d'insieme di Milano (Milano p. 4 e 5)

✕✕ **Da Chiara**, via Manzoni 36 🏠 6193622, 🏕 – 🄿. 🄰🄴 🄞   **GK b**
   chiuso lunedì sera, martedì e dal 3 al 31 agosto – Pas carta 30/46000.

FIAT via Bellini 1/3 GK 🏠 6196570

CUTIGLIANO 51024 Pistoia – 1 889 ab. alt. 670 – Stazione di villeggiatura, a.s. Pasqua, luglio-agosto e Natale – Sport invernali : a Doganaccia : 1 600/1 850 m ⛷1 ⥥3, ⥥; a Pian di Novello : 1 125/1 770 m ⥥4, ⥥ – ❀ 0573.
🛈 via Tigri 24 🏠 68029, Telex 572490.
Roma 348 – ◆Firenze 74 – Lucca 52 – ◆Milano 285 – ◆Modena 111 – Montecatini Terme 44 – Pistoia 38.

🏨 **Italia**, 🏠 68008, « Giardino ombreggiato » – 🕾. 🞉
   chiuso dal 30 aprile al 20 giugno e dal 15 ottobre al 20 dicembre – Pas carta 30/38000 – 🖙 5000 – 33 cam 40/60000 – P 65/75000, b.s. 55/65000.

🏨 **Miramonte**, 🏠 68012, ≼, « Giardino ombreggiato » – 🕾. 🞉
   20 dicembre-aprile e giugno-settembre – Pas 20/30000 – 🖙 5000 – 36 cam 33/60000 – P 60/70000, b.s. 50/60000.

🏨 **Villa Patrizia**, 🏠 68024, ≼, 🍴 – 🕾 🄿. 🄰🄴. 🞉 rist
   20 dicembre-aprile e 25 giugno-15 settembre – Pas *(solo per clienti alloggiati)* 20/30000 – 🖙 6000 – **19 cam** 45/70000 – P 70/80000, b.s. 55/69000.

✕ **Trattoria da Fagiolino**, 🏠 68014
➜ *chiuso martedì sera, mercoledì e novembre* – Pas carta 19/33000.

   a Pian di Novello NO : 9 km – alt. 1 125 – ✉ 51020 Piano degli Ontani :

🏨 **Piandinovello** 🐌, 🏠 673076, ≼, 🍴, 🞉 – 🖳 🕾 ⅄ 🛋 🄿 – 🕿 200. 🄰🄴 🕃 🄞 🄔 *VISA*. 🞉
   20 dicembre-15 aprile e luglio-agosto – Pas 22/25000 – **66 cam** 🖙 42/73000 – P 63/75000.

   Vedere anche : *Pianosinatico* NO : 6 km.

CUVIO 21030 Varese 🔢 ⑦ – 1 373 ab. alt. 309 – ⛲ 0332.
Roma 652 – Luino 16 – ♦Milano 75 – Novara 67 – Varese 20.

  ✗   **Corona** con cam, 🖉 650106 – 🕾 ℗ ⓞ 𝓥𝓘𝓢𝓐 ⚒
  ➡   Pas *(chiuso lunedì)* carta 18/28000 – 🖵 2500 – 22 cam 30/40000 – P 45000.

DALMINE 24044 Bergamo 🔢 ③, 🔢 ⑳ – 17 415 ab. alt. 207 – ⛲ 035.
Roma 604 – ♦Bergamo 8 – ♦Brescia 58 – ♦Milano 40.

  🏨   **Touring** senza rist, via Puccini 14 🖉 563466 – ▦ 🕾 ℗
      🖵 8000 – **19 cam** 35/49000.

DARFO BOARIO TERME 25047 Brescia 🔢 ④ – 13 191 ab. alt. 221 – Stazione termale, a.s.
giugno-settembre – ⛲ 0364.
🛈 a Boario Terme, piazzale Autostazione 🖉 531609.
Roma 613 – ♦Bergamo 54 – ♦Bolzano 170 – ♦Brescia 56 – ♦Milano 99 – Sondrio 89.

    a Boario Terme – ✉ 25041 :

  🏨   **Rizzi,** 🖉 531617, � – ▦ ▤ rist 📺 🚗, 🖭 ⓞ 𝓥𝓘𝓢𝓐 ⚒ rist
      15 maggio-10 ottobre – Pas 30000 – 🖵 3000 – **55 cam** 65/90000 – P 60/90000.

  🏨   **Brescia,** 🖉 531409 – ▦ 📺 🕾 🚗 ℗ – 🛁 50. 🖭 𝓥𝓘𝓢𝓐
      Pas *(chiuso venerdì da novembre a maggio)* carta 25/35000 – 🖵 5000 – **50 cam** 55/90000 –
      P 55/60000, b.s. 50/55000.

  🏨   **Terme,** 🖉 531061, « Parco con ⚊ riscaldata », ≄, ✗ – ▦ 🚗 ℗. 🖭 ⚒
      15 maggio-15 ottobre – Pas 30/40000 – **77 cam** 🖵 65/90000 – P 70/90000.

  🏨   **Bossi,** 🖉 531057, ≤, � – ▦ ▤ rist 📺 🕾 🚗 ℗. 🖭 ⓞ. ⚒ rist
      aprile-ottobre – Pas *(chiuso lunedì)* 29/32000 – 🖵 8000 – **55 cam** 50/80000 – P 48/58000,
      b.s. 46/48000.

  🏨   **San Martino,** 🖉 531209 – ▦ 🕾 ♿ ℗ – 🛁 100. ⚒
      Pas 20/22000 – 🖵 4000 – **38 cam** 34/58000 – P 48/55000, b.s. 46/48000.

  🏨   **Mina,** 🖉 531098 – ▦ 📺 🕾 🚗 ℗. ⚒
      aprile-ottobre – Pas 20/30000 – 🖵 2000 – **42 cam** 42/65000 – P 44/53000, b.s. 43/47000.

  ✗   **Mignon,** 🖉 531043 – ℗
      chiuso domenica e dal 20 luglio al 20 agosto – Pas carta 28/43000.

CITROEN via Albera 40-Darfo 🖉 534560   VW-AUDI via San Martino 99/101-Darfo 🖉 531134
INNOCENTI via Marconi 18-Darfo 🖉 532769

DEIVA MARINA 19013 La Spezia 🔢 ③ – 1 585 ab. – ⛲ 0187.
Roma 450 – Passo del Bracco 14 – ♦Genova 67 – ♦Milano 202 – ♦La Spezia 52.

  🏨   **Lido,** località Fornaci 🖉 815997, ≤ – 📺 🕾 🚗 ℗. 🖭 ▦ ⓞ 𝐄 𝓥𝓘𝓢𝓐 ⚒
      aprile-settembre – Pas carta 32/51000 – 🖵 8000 – 12 cam 70/110000 – P 95000.

  🏨   **Clelia,** 🖉 815827, Telex 272524, Fax 816234, ✗ – 🕾 🚗 ℗. 🖭 ▦ ⓞ 𝐄 𝓥𝓘𝓢𝓐. ⚒ rist
      chiuso dal 15 ottobre al 15 dicembre – Pas *(chiuso lunedì sino al 31 marzo)* carta 20/35000 –
      24 cam 🖵 35/55000 – P 56/66000.

  🏠   **Marinella,** 🖉 815832 – 🕾 ℗. 𝐄 𝓥𝓘𝓢𝓐. ⚒ rist
  ➡   *marzo-ottobre* – Pas carta 18/25000 – 🖵 5000 – **33 cam** 55000 – P 60/65000.

  🏠   **Riviera,** località Fornaci 🖉 815805, 🌢 – 🕾 ℗. ⚒
      Pasqua-settembre – Pas carta 27/35000 – 🖵 6500 – **28 cam** 37/49000 – P 58/67000.

  🏠   **Caravella,** 🖉 815833, ≤, 🏛, 🌢 – 📺 🕾 🖭 ▦ ⓞ 𝐄 𝓥𝓘𝓢𝓐
      Pas *(chiuso martedì)* carta 24/47000 – 🖵 7000 – 20 cam 55000 – P 50/71000.

  ✗✗   **Il Maestrale-da Tullio,** 🖉 815850, 🏛 – 🖭 ⓞ
      marzo-settembre; chiuso mercoledì – Pas carta 26/45000.

DEMONTE 12014 Cuneo – 2 151 ab. alt. 778 – a.s. dicembre-marzo e luglio-agosto – ⛲ 0171.
Roma 669 – Barcellonette 74 – Cuneo 26 – ♦Milano 242 – Colle di Tenda 42 – ♦Torino 120.

  ✗   **Moderno** con cam, 🖉 95116, � – 🚗 ℗. 🖭 ⚒
      Pas *(chiuso martedì)* carta 16/26000 – 🖵 3000 – **15 cam** 28/43000 – P 35/42000.

DENICE 15010 Alessandria – 297 ab. alt. 387 – ⛲ 0144.
Roma 608 – Alessandria 56 – Asti 62 – ♦Genova 93 – ♦Milano 147 – ♦Torino 122.

  ✗   **Cacciatori,** 🖉 92025, solo su prenotazione – 🖭 ▦ ⓞ 𝐄 𝓥𝓘𝓢𝓐
      chiuso a mezzogiorno escluso i giorni festivi e dal 15 al 31 luglio – Pas carta 24/48000.

DERUTA 06053 Perugia 🔢 ⑮⑯ – 7 596 ab. alt. 218 – ⛲ 075.
Roma 153 – Assisi 33 – Orvieto 54 – ♦Perugia 20 – Terni 63.

  🏨   **Melody,** strada statale 3 bis-E 7 (SO : 1,5 km) 🖉 9711186, Fax 9711018 – ▦ 📺 🕾 ♿ 🚗 ℗
      – 🛁 60. 🖭 ⓞ 𝐄 𝓥𝓘𝓢𝓐 ⚒ rist
      Pas carta 20/29000 – 🖵 5000 – 47 cam 44/62000 – P 60/70000.

DESENZANO DEL GARDA 25015 Brescia 988 ④ – 20 500 ab. alt. 96 – Stazione climatica, a.s. Pasqua e luglio-15 settembre – ✪ 030.

Vedere Ultima Cena★ del Tiepolo nella chiesa parrocchiale – Mosaici romani★ nella Villa Romana.

🔟 Gardagolf (chiuso lunedì), a Soiano del Lago ⊠ 25080 ℰ 674707, SE : 10 km.

🛂 piazza Matteotti 27 ℰ 9141510, Fax 9144209.

Roma 528 – ✦Brescia 31 – Mantova 67 – ✦Milano 118 – Trento 130 – ✦Verona 43.

🏨 **Park Hotel**, lungolago Cesare Battisti 19 ℰ 9143494, Telex 302059, Fax 9142280 – 📳 🆖 📺
☎ – 🛗 80. ◪ 🆖 ① Ⅎ Ⅶ丂A
Pas 25/29000 (15%) – ⊆ 8000 – **65 cam** 68/90000 – P 80000, b.s. 70000.

🏨 **City** senza rist, via Nazario Sauro 29 ℰ 9141098, Telex 304073 – 📳 🆖 📺 ☎ 丂 ⇦ 📭. 🆖
chiuso dal 20 dicembre al 3 gennaio – ⊆ 10000 – **32 cam** 60/80000.

🏨 **Piccola Vela**, viale Dal Molin 20 ℰ 9141134, 🚬, 🛥 – 📳 📺 ☎ 丂 ⇦ 📭 – 🛗 30 a 50. ◪
🆖 ① Ⅎ ⅦⅠⅣ丂A
chiuso dal 30 gennaio al 1° marzo – Pas (chiuso mercoledì) carta 28/42000 (da marzo ad ottobre al rist La Vela) – ⊆ 9000 – 34 cam 55/72000 – P 70/80000.

🏨 **Sole e Fiori** rist, via Gramsci 40 ℰ 9121021 – 📳 🆖 📺 ☎ ⇦. 🆖 Ⅎ ⅦⅠⅣ丂A. 🛠
⊆ 10000 – **45 cam** 80/110000.

🏨 **Tripoli** senza rist, piazza Matteotti 18 ℰ 9144333 – 📳 🆖 📺 ☎. ◪ 🆖 ① Ⅎ ⅦⅠⅣ丂A
⊆ 10000 – **24 cam** 60/80000.

🏨 **Miralago** senza rist, viale Dal Molin 27 ℰ 9141185, ≼, 🛥 – 📳 📺 ☎ 📭. ◪ 🆖 Ⅎ
chiuso dicembre – ⊆ 9000 – **28 cam** 60/80000.

🏨 **Villa Rosa** senza rist, lungolago Cesare Battisti 89 ℰ 9141974, 🛥 – 📳 🆖 📺 ☎ ⇦ 📭. ◪
🆖 ① Ⅎ ⅦⅠⅣ丂A
⊆ 9000 – **38 cam** 60/80000.

🏨 **Nazionale** senza rist, viale Marconi 23 ℰ 9141501, 🚬 – 📳 📺 ☜ 📭. ⅦⅠⅣ丂A
chiuso dicembre e gennaio – ⊆ 8500 – **28 cam** 48/65000.

🏨 **Piroscafo,** via Porto Vecchio 11/17 ℰ 9141128, ≼, 🍽 – 📳 📺 ☎. ◪ 🆖 ① Ⅎ ⅦⅠⅣ丂A. 🛠
Pas (chiuso giovedì) carta 26/41000 (15%) – ⊆ 8500 – 32 cam 60/70000 – P 70/75000, b.s. 65/70000.

🏨 **Benaco** senza rist, viale Cavour 30 ℰ 9141710, 🚬, 🛥 – 📺 ☎ 📭. ◪ 🆖 ① Ⅎ ⅦⅠⅣ丂A
marzo-novembre – ⊆ 8000 – **23 cam** 52/65000.

XX **Esplanade**, via Lario 10 ℰ 9143361, ≼, 🍽 – 📭. ◪ ① ⅦⅠⅣ丂A. 🛠
chiuso mercoledì – Pas carta 32/52000 (10%).

XX **Antico Chiostro**, via Anelli ℰ 9141319, Coperti limitati; prenotare – 🆖 Ⅎ ⅦⅠⅣ丂A
chiuso mercoledì e dal 20 dicembre al 7 gennaio – Pas carta 32/51000 (10%).

XX **Antica Hostaria Cavallino**, via Gherla 22 (ang. via Murachette) ℰ 9120217, « Servizio estivo all'aperto » – 🆖. 🛠
chiuso lunedì e martedì a mezzogiorno – Pas carta 30/49000.

XX **Il Molino,** piazza Matteotti 16 ℰ 9141340 – 🛠
chiuso lunedì e dal 15 dicembre al 15 gennaio – Pas carta 24/46000 (10%).

XX **La Vela** con cam, viale Dal Molin 25 ℰ 9141318, ≼, 🛥 – ☜ 📭 🆖 Ⅎ ⅦⅠⅣ丂A. 🛠 rist
marzo-ottobre – Pas (chiuso mercoledì) carta 28/42000 – ⊆ 8000 – 12 cam 53/70000 – P 70/80000.

XX **Taverna Tre Corone,** via Stretta Castello 16 ℰ 9141962, prenotare – 🛠
chiuso dicembre e martedì da ottobre a giugno – Pas carta 26/36000 (20%).

X **Toscana,** via San Benedetto 10 ℰ 9121586, 🍽 – ◪ 🆖 Ⅎ ⅦⅠⅣ丂A. 🛠
chiuso venerdì e novembre – Pas carta 27/37000.

FIAT via Marconi 25 ℰ 9141100
FORD via Marconi ℰ 9144435

GM-OPEL via Colli Storici 8/10 ℰ 9110842
VW-AUDI via Marconi 17 ℰ 9140220

DESIO 20033 Milano 988 ③, 219 ⑲ – 33 539 ab. alt. 196 – ✪ 0362.

Roma 590 – Bergamo 49 – Como 32 – Lecco 35 – ✦Milano 22 – Novara 62.

🏨 **Selide,** via Matteotti 1 ℰ 624441 – 📳 📺 ☜ ⇦ – 🛗 100. ◪ ① ⅦⅠⅣ丂A
Pas (chiuso domenica ed agosto) carta 26/41000 – ⊆ 6000 – **71 cam** 64/94000 – P 80/90000.

CITROEN via Ferravilla 47 ℰ 626710
FIAT corso Italia 183 ℰ 625701

VW-AUDI via Nuova Valassina 129 ℰ 624662

DEUTSCHNOFEN = Nova Ponente.

DIAMANTE 87023 Cosenza 988 ㊳ – 5 243 ab. – ✪ 0985.

Roma 444 – Castrovillari 88 – Catanzaro 137 – ✦Cosenza 77 – Sapri 60.

🏨 **Ferretti,** ℰ 81428, ≼, 🚬, 🛥, 🍽 – 📳 💳 cam 🆖 ☜ 📭. ◪ 🆖 ① ⅦⅠⅣ丂A. 🛠 rist
aprile-settembre – Pas carta 37/49000 – ⊆ 6000 – 45 cam 60/98000 – P 90/128000.

🏨 **Riviera Bleu,** ℰ 81363, ≼, 🛥 – 🆖 ☜ 📭. ◪ 🆖 Ⅎ ⅦⅠⅣ丂A. 🛠 rist
⇥ aprile-settembre – Pas carta 19/30000 – ⊆ 5000 – **54 cam** 85000 – P 75/86000.

🏛 **Solemare,** sulla strada statale 18 (E : 1 km) ℰ 81609, ≼, 🛥 – ☜ 📭 ◪ 🆖 ① ⅦⅠⅣ丂A. 🛠 rist
⇥ Pas (chiuso ottobre) carta 19/32000 – ⊆ 4000 – **16 cam** 38/60000 – P 60/65000.

Vedere anche : Cirella N : 4 km.

FIAT contrada Monaca, strada statale 18 ℰ 81571

DIANO MARINA 18013 Imperia 📯 ⑫ – 6 704 ab. – Stazione balneare – ☎ 0183.

Vedere Guida Verde.

🚩 corso Garibaldi 60 (Giardini Ardissone) ♟ 496956.

Roma 608 – ♦Genova 109 – Imperia 8 – ♦Milano 232 – San Remo 31 – Savona 63.

🏔 **Gd H. Majestic** ﹩, via degli Oleandri 15 ♟ 495445, Telex 271025, ≼, « Piccolo parco-oliveto », ⤓ riscaldata, 🏖 – 📳 🅿 🆎 🕪 ⓞ 🗲 𝖵𝖨𝖲𝖠. ℅ rist
marzo-ottobre – Pas 30/48000 – � 15000 – **80 cam** 95/125000 appartamenti 125/185000 – P 100/125000.

🏨 **Bellevue-Mediterranée,** via Generale Ardoino 2 ♟ 495089, ≼, ⤓ riscaldata, 🏖 – 📳 🅿. 🆎 🕪 🗲 𝖵𝖨𝖲𝖠. ℅ rist
chiuso da novembre al 20 dicembre – Pas 28/33000 – ⊡ 11000 – **71 cam** 59/90000 – P 63/95000.

🏨 **Caravelle** ﹩, via Sausette 24 ♟ 496033, ≼, ⤓, 🏖, 🚴, ℅ – 📳 ☎ ⇔ 🅿 ℅ rist
maggio-settembre – Pas (solo per clienti alloggiati) – ⊡ 16000 – 48 cam 79000 – P 86/98000.

🏨 **Golfo e Palme,** viale Torino 12 ♟ 495096, ≼, 🏖 – 📳 ☎ 🅿 🆎 🕪 ⓞ 🗲 𝖵𝖨𝖲𝖠. ℅ rist
maggio-10 ottobre – Pas 30000 – ⊡ 12000 – **41 cam** 55/70000 – P 66/93000.

🏨 **Gabriella** ﹩, via dei Gerani 9 ♟ 403131, « Giardino », 🏖 – 📳 ☎ 🅿. ℅ rist
10 maggio-10 ottobre – Pas (solo per clienti alloggiati) 25/30000 – ⊡ 12000 – **52 cam** 43/70000 – P 70/85000.

🏨 **Sasso,** via Biancheri 7 ♟ 494319 – 📳 ⇔ 🅿. 🆎 🕪 🗲 𝖵𝖨𝖲𝖠. ℅ rist
➤ *chiuso dal 18 ottobre al 19 dicembre* – Pas 18/25000 – ⊡ 8000 – **39 cam** 32/69000 – P 48/75000.

🏨 **Palace,** viale Torino 2 ♟ 495479, Telex 273885, ≼ – 📳 ☎. 🆎 🕪 ⓞ 🗲 𝖵𝖨𝖲𝖠. ℅ rist
chiuso da novembre al 22 dicembre – Pas 24/27000 – ⊡ 10000 – **46 cam** 54/75000 – P 54/76000.

🏨 **Tiziana,** via Sant'Elmo 12 ♟ 495435 – 📳 ⇔. 🆎 🕪 ⓞ 🗲 𝖵𝖨𝖲𝖠. ℅ rist
aprile-ottobre – Pas 20/32000 – ⊡ 9000 – **48 cam** 45/70000 – P 55/80000.

🏚 **Napoleon,** via Oleandri 1 ♟ 495374, ⤓ – 📳 ☎ 🅿 𝖵𝖨𝖲𝖠. ℅
➤ *15 febbraio-15 ottobre* – Pas 16000 – ⊡ 7000 – **39 cam** 40/60000 – P 60/70000.

🏚 **Metropol** senza rist, via Divina Provvidenza 2 ♟ 495545, ≼, « Giardino con ⤓ » – 📳 ⇔ 🅿
aprile-ottobre – ⊡ 10000 – **34 cam** 45/65000.

🏚 **Piccolo Hotel,** via Sant'Elmo 10 ♟ 495422 – 📳 ⇆ rist 🍽 ☎. 🆎 🕪 ⓞ 🗲 𝖵𝖨𝖲𝖠. ℅
chiuso dal 10 novembre al 26 dicembre – Pas 25000 – ⊡ 13000 – **29 cam** 57/68000 – P 58/80000.

🏚 **Riviera,** viale Torino 8 ♟ 495888, ≼ – 📳 🆎 🕪 🗲 𝖵𝖨𝖲𝖠. ℅
19 marzo-12 ottobre – Pas 20/28000 – ⊡ 5000 – 35 cam 43/78000 – P 64/77000.

🏚 **Palm Beach,** via 20 Settembre 5 ♟ 495284, ≼, 🚴 – 📳 ⇔. 🆎 🕪 🗲 𝖵𝖨𝖲𝖠. ℅
19 marzo-12 ottobre – Pas 22/28000 – ⊡ 6000 – **25 cam** 43/79000 – P 64/77000.

🏚 **Caprice,** corso Roma 19 ♟ 495061 – 📳 ⇆ cam ☎ 🆎 🕪 🗲 𝖵𝖨𝖲𝖠. ℅
chiuso novembre – Pas carta 28/53000 – ⊡ 6500 – **21 cam** 37/53000 – P 60/80000.

🍽🍽 **Il Caminetto,** via Olanda 1 ♟ 494700, 🚴 – 🅿. 🆎 🕪 ⓞ 🗲 𝖵𝖨𝖲𝖠
chiuso lunedì, dal 25 febbraio al 10 marzo e dal 15 al 30 ottobre – Pas carta 35/55000.

a Diano Borello NO : 5 km – alt. 194 – ✉ **18013** Diano Marina :

🍽 **Candidollo,** ♟ 43025, Coperti limitati; prenotare – ℅
➤ *Pasqua, maggio-settembre, Natale; chiuso lunedì a mezzogiorno e martedì* – Pas carta 18/27000.

DIGONERA Belluno – Vedere Rocca Pietore.

DIMARO 38025 Trento 📯 ⑲ – 1 047 ab. alt. 766 – a.s. febbraio-15 marzo, Pasqua e Natale – Sport invernali : vedere Folgarida – ☎ 0463.

Roma 646 – Bolzano 70 – Madonna di Campiglio 18 – ♦Milano 233 – Passo del Tonale 26 – Trento 64.

🏚 **Vittoria** ﹩, ♟ 94113, ≼, 🚴 – ⇆ rist ⇔ 🅿. ℅ rist
5 dicembre-maggio e luglio-ottobre – Pas *(chiuso mercoledì in bassa stagione)* 21/25000 – ⊡ 12000 – **25 cam** 78/124000 – P 60/73000, b.s. 50/54000.

Vedere anche : *Folgarida* SO : 6 km.

DOBBIACO (TOBLACH) 39034 Bolzano 📯 ⑤ – 2 991 ab. alt. 1 243 – Stazione di villeggiatura, a.s. febbraio, marzo, 15 luglio-15 settembre e Natale – Sport invernali : 1 243/1 625 m ⥮5, 🎿 – ☎ 0474 – Vedere Guida Verde.

🚩 via Roma ♟ 72132, Telex 400569.

Roma 705 – Bolzano 104 – ♦Bolzano 105 – Brennero 96 – Lienz 47 – ♦Milano 404 – Trento 165.

🏨 **Cristallo Walch,** ♟ 72138, ≼ Dolomiti, 🗓, 🚴 – ⇔ 🅿 🆎. ℅ rist
➤ *18 dicembre-marzo e giugno-settembre* – Pas 15/20000 – ⊡ 9000 – 29 cam 50/92000 – P 76/90000, b.s. 38/50000.

🏨 **Park Hotel Bellevue,** ♟ 72101, « Piccolo parco ombreggiato » – ⇔ 🅿. 🆎 ⓞ. ℅ rist
➤ *20 dicembre-marzo e giugno-settembre* – Pas 18/26000 – **36 cam** ⊡ 60/120000 – P 70/90000, b.s. 50/70000.

🏨 **Santer,** ♟ 72142, ≼, 🗓 – 📳 ⇔ 🚻 🅿
chiuso da novembre al 15 dicembre – Pas carta 26/46000 – **43 cam** ⊡ 50/90000 – P 78/83000, b.s. 42/47000.

213

Sole-Sonne, ℘ 72225, ← – |≱| ☎ 🚗 Ⓟ. ✗
chiuso da novembre al 15 dicembre – Pas *(chiuso lunedì)* carta 23/33000 – ☐ 15000 – 50 cam 35/60000 – P 62/65000, b.s. 50/55000.

Moritz, ℘ 72510 – ☎ Ⓟ. ✗
chiuso dal 21 aprile al 21 maggio e novembre – Pas *(chiuso giovedì)* carta 24/34000 – ☐ 7000 – **18 cam** 35/65000 – P 64000, b.s. 49000.

Urthaler ℘ 72241 – |≱| ☎ Ⓟ. AE E
chiuso novembre – Pas *(chiuso martedì)* 13/14000 – **23 cam** ☐ 30/50000 – P 49/60000, b.s. 45/55000.

Toblacher Hof, ℘ 72217, ←, ✿ – |≱| 🚗 Ⓟ. ✗
chiuso dal 1° al 15 maggio e novembre – Pas *(chiuso martedì)* 13/18000 – 23 cam ☐ 40/80000 – P 55/70000, b.s. 45/55000.

Monica ⛰, ℘ 72216, ← – ☎ Ⓟ. ✗ cam
chiuso da novembre al 20 dicembre – Pas *(chiuso martedì)* 13/16000. – 25 cam ☐ 31/47000 – P 35/65000, b.s. 25/48000.

sulla strada statale 49 :

Hubertus Hof, SO : 1 km ✉ 39034 ℘ 72276, ← Dolomiti, ✿ – ☎ Ⓟ. ✗
20 dicembre-10 aprile e giugno-15 ottobre – Pas 15/25000 – 27 cam ☐ 40/60000 – P 60/65000, b.s. 50/55000.

XX **Gratschwirt** con cam, SO : 1,5 km ✉ 39034 ℘ 72293, ✿ – TV ☎ Ⓟ. Ⓓ E VISA
20 dicembre-Pasqua, maggio-15 giugno e luglio-15 ottobre – Pas *(chiuso martedì)* carta 21/32000 – **10 cam** ☐ 40/65000 – P 55/70000, b.s. 45/60000.

a Santa Maria (Aufkirchen) O : 2 km – ✉ **39034** Dobbiaco :

Oberhammer ⛰, ℘ 72195, ← Dolomiti – ☎ Ⓟ
20 cam.

al monte Rota (Radsberg) NO : 5 km o 10 mn di seggiovia alt. 1 650 :

Alpino Monte Rota-Alpen Ratsberg ⛰, ✉ 39034 ℘ 72213, ← Dolomiti, ▣ – ▤ rist ☎ Ⓟ. ✗ rist
16 dicembre-9 aprile e 13 maggio-28 ottobre – Pas carta 18/25000 – ☐ 6000 – 25 cam 30/40000 – P 50/65000, b.s. 50/55000.

Per i grandi viaggi d'affari o di turismo,
Guida MICHELIN rossa : Main Cities EUROPE.

DOGANA NUOVA Modena – Vedere Fiumalbo.

DOLCEACQUA 18035 Imperia 195 ⑲, 84 ⑳ – 1 914 ab. alt. 57 – ☎ 0184.
Roma 662 – •Genova 163 – Imperia 49 – •Milano 286 – San Remo 23 – Ventimiglia 9,5.

XX **Castel Doria,** ℘ 206158, ☂ – AE. ✗
chiuso mercoledì dal 15 settembre a giugno – Pas carta 24/38000.

XX **La Vecchia,** ℘ 206024, ✿, ✗ – Ⓟ. AE E VISA. ✗
chiuso mercoledì – Pas (menu suggerito) 28000.

DOLEGNA DEL COLLIO 34070 Gorizia – 539 ab. alt. 88 – ☎ 0481.
Roma 656 – Gorizia 25 – •Milano 396 – •Trieste 61 – Udine 27.

XX **Da Venica,** via Mernico 37 ℘ 60177, ☂, ✗, 🐎 – Ⓟ. AE Ⓓ VISA
chiuso martedì, mercoledì, gennaio e febbraio – Pas carta 26/35000.

a Ruttars S : 6 km – ✉ **34070** Dolegna del Collio :

XXX **Al Castello dell'Aquila d'Oro,** ℘ 60545, prenotare, « Servizio estivo all'aperto » – Ⓟ – 🏛 150. Ⓓ VISA. ✗
chiuso lunedì e martedì – Pas carta 38/56000 (10%).

DOLO 30031 Venezia 988 ⑤ – 13 861 ab. alt. 8 – ☎ 041.
Dintorni Villa Nazionale* di Strà : Apoteosi della famiglia Pisani** del Tiepolo SO : 6 km.
Escursioni Riviera del Brenta** Est per la strada S 11.
Roma 510 – Chioggia 38 – •Milano 249 – •Padova 19 – Rovigo 60 – Treviso 35 – •Venezia 22.

Villa Ducale, E : 2 km ℘ 420094, « Villa veneta dell'ottocento con parco » – ☎ Ⓟ. AE Ⓓ E VISA. ✗
chiuso gennaio e febbraio – Pas *(chiuso a mezzogiorno)* carta 29/46000 – ☐ 8000 – 13 cam 65/90000.

FIAT via Cà Tron 41 ℘ 410555

DOLOMITI *** Belluno, Bolzano e Trento 988 ④⑤ – Vedere Guida Verde.

DOMAGNANO Forlì – Vedere San Marino.

DOMODOSSOLA 28037 Novara 988 ②, 219 ⑥ – 19 715 ab. alt. 277 – ✪ 0324.

A.C.I. via De Gasperi 12 ✆ 42008.

Roma 698 – Locarno 78 – ◆Lugano 79 – ◆Milano 121 – Novara 92.

🏨 **Sempione,** via Galletti 53 ✆ 43869 – 🛗 ⇌ ℗
  chiuso dal 24 dicembre al 10 gennaio – Pas *(chiuso venerdì sera, sabato e domenica)*
  carta 18/29000 (10%) – ⊊ 5500 – **30 cam** 31/62000 – P 55000.

✗ **Sciolla,** piazza Convenzione 5 ✆ 42633 – ⇖. ⅏
  chiuso mercoledì, dall'8 al 20 gennaio e dal 23 agosto all'11 settembre – Pas carta 20/30000.

✗ **Pattarone,** via Gentinetta 14 ✆ 43666
◆ *chiuso domenica e luglio* – Pas carta 19/33000.

  sulla strada statale 33 S : 2 km :

🏨 **Europa,** ⊠ 28037 ✆ 481032 – 🛗 📺 ☎ 🕭 ⇌ ℗. 🗚 🕄 ⓸ ☰ 𝘝𝘐𝘚𝘈. ⅏ rist
  chiuso dicembre – Pas 20000 – ⊊ 7000 – **34 cam** 55/75000.

ALFA-ROMEO piazza Matteotti 16 ✆ 42525
CITROEN via Papa Giovanni XXIII 8 ✆ 42417
FIAT piazza Orsi Mosé 4 ✆ 40982
FORD regione Nosere 65 ✆ 42778
GM-OPEL regione Nosere ✆ 41210

LANCIA-AUTOBIANCHI via Cimitero 2 ✆ 44417
PEUGEOT-TALBOT via Papa Giovanni XXIII 87 ✆ 42540
RENAULT via Sant'Antonio 9 ✆ 2460

DONNALUCATA Ragusa – Vedere Sicilia alla fine dell'elenco alfabetico.

DONNAS 11020 Aosta 219 ⑭ – 2 531 ab. alt. 322 – ✪ 0125.

Vedere Fortezza di Bard★ NO : 2,5 km.

Roma 701 – Aosta 48 – Ivrea 26 – ◆Milano 139 – ◆Torino 68.

✗ **Les Caves de Donnas,** via Roma 99 ✆ 82737 – ℗. 🗚 🕄 ☰. ⅏
◆ *chiuso giovedì e dal 15 al 30 giugno* – Pas carta 18/29000.

DONORATICO Livorno – Vedere Castagneto Carducci.

DORGA Bergamo – Vedere Castione della Presolana.

DORGALI Nuoro 988 ㉞ – Vedere Sardegna alla fine dell'elenco alfabetico.

DORMELLETTO 28040 Novara 219 ⑰ – 2 499 ab. alt. 235 – ✪ 0322.

Roma 639 – ◆Milano 62 – Novara 38 – Stresa 19.

✗ **Locanda Anna,** ✆ 497113 – ℗. 🗚
  chiuso lunedì, giugno e dal 15 novembre al 1° dicembre – Pas carta 24/42000.

VW-AUDI via Matteotti 3 ✆ 48290

DOSSON Treviso – Vedere Casier.

DOZZA 40050 Bologna – 4 737 ab. alt. 190 – ✪ 0542.

Roma 392 – ◆Bologna 31 – ◆Ferrara 76 – Forlì 38 – ◆Milano 244 – ◆Ravenna 52.

✗✗ **Canè** con cam, ✆ 678120, ≼, 🍽 – ⇖ 📺 ☜ ℗. 🗚. ⅏
  Pas *(chiuso lunedì)* carta 23/36000 – ⊊ 4000 – **10 cam** 50000 – P 50/60000.

  a Toscanella N : 5 km – ⊠ 40060 :

🏨 **Gloria** senza rist, via Emilia 46 ✆ 673438 – 🛗 🍴 📺 ☎ ℗. 🗚 ⓸ 𝘝𝘐𝘚𝘈. ⅏
  24 cam ⊊ 100/160000.

DRAGA SANT'ELIA Trieste – Vedere Pese.

DRAPIA 88030 Catanzaro – 2 442 ab. alt. 265 – ✪ 0963.

Roma 642 – Catanzaro 98 – ◆Cosenza 127 – Reggio di Calabria 146.

🏨 **Maddalena** ⑤, ✆ 67025, ≼, ⊐, ⅏ – ℗. 🕄 ⓸ ☰. ⅏ rist
  Pas carta 22/31000 – 16 cam ⊊ 35/42000 – P 65000.

DRO 38074 Trento – 2 969 ab. alt. 123 – a.s. dicembre-aprile – ✪ 0464.

Roma 579 – ◆Brescia 86 – ◆Milano 181 – Trento 31 – ◆Verona 93.

🏨 **Eden** ⑤, N : 1,5 km ✆ 504375, ≼, ⊐, 🖼, 🌿, ⅏ – 🛗 ℗. 🗚 ☰. ⅏ rist
  chiuso da novembre al 20 dicembre – Pas *(chiuso lunedì sera e martedì)* carta 21/35000 –
  28 cam ⊊ 36/62000 – P 40/46000, b.s. 37/43000.

DRUOGNO 28030 Novara 219 ⑥ – 976 ab. alt. 835 – ✪ 0324.

Roma 713 – Domodossola 15 – Locarno 34 – ◆Milano 137 – Novara 106 – ◆Torino 180.

🏨 **Colombo,** ✆ 94343, ≼ – ℗. ⅏ rist
◆ *chiuso ottobre e novembre* – Pas *(chiuso martedì)* carta 19/29000 – ⊊ 7000 – 26 cam 40/42000
  – P 45/50000.

DUINO AURISINA 34013 Trieste 988 ⑥ – 8 268 ab. – ✿ 040.

🛈 (maggio-settembre) sull'autostrada A 4-Duino Sud ✆ 208281.

Roma 649 – Gorizia 23 – Grado 32 – ♦Milano 388 – ♦Trieste 22 – Udine 51 – ♦Venezia 138.

🏦 **Duino Park Hotel** senza rist, ✆ 208184, ⏋ – 🛗 📺 ☎ 🅿. 🝾 🛅 ⑩ 🄴 𝗩𝗜𝗦𝗔. 🍴
    ⌁ 14000 – **18 cam** 64/92000.

🏦 **MotelAgip,** sull'autostrada A 4 o statale 14 ✆ 208273, Telex 461098 – 🛗 ▤ 📺 ☎ 🅿. 🝾 🛅
    ⑩ 🄴 𝗩𝗜𝗦𝗔. 🍴 rist
    Pas 36000 – ⌁ 13000 – **80 cam** 60/93000 – P 131/144000.

✕ **Al Pescatore** con cam, ✆ 208188 – 🅿. 🍴
    Pas *(chiuso giovedì dal 15 settembre al 15 giugno)* carta 27/40000 – ⌁ 4000 – **8 cam** 39/65000
    – P 65/70000.

    Vedere anche : *Sistiana* E : 3 km.

DUNA VERDE Venezia – Vedere Caorle.

EBOLI 84025 Salerno 988 ㉘ – 33 864 ab. alt. 115 – ✿ 0828.

Roma 292 – Avellino 67 – ♦Napoli 86 – Potenza 77 – Salerno 35.

🏦 **Grazia,** ✆ 38038 – 🛗 ☎ 👌 🚗 🅿 – 🔬 200. 🝾 🛅 ⑩ 🄴 𝗩𝗜𝗦𝗔. 🍴 rist
    Pas carta 18/31000 (10%) – ⌁ 7000 – **45 cam** 39/52000 – P 60000.

GM-OPEL Palazzina Della Piana 348 ✆ 32118   RENAULT via Statale 19 ✆ 32877
PEUGEOT-TALBOT via Amendola 111 ✆ 32601

EDOLO 25048 Brescia 988 ④ – 4 419 ab. alt. 699 – Stazione di villeggiatura, a.s. luglio e agosto –
✿ 0364.

🛈 piazza Martiri della Libertà 2 ✆ 71065.

Roma 653 – ♦Bergamo 96 – ♦Bolzano 126 – ♦Brescia 100 – ♦Milano 141 – Sondrio 45.

🏦 **Dei Larici,** ✆ 71006 – 🛗. 🝾 ⑩. 🍴 rist
↢   *chiuso dal 31 ottobre al 15 novembre* – Pas *(chiuso domenica)* carta 19/31000 – ⌁ 6000 –
    21 cam 32/47000 – P 48/54000, b.s. 36/40000.

EGADI (Isole) Trapani 988 ㉟ – Vedere Sicilia alla fine dell'elenco alfabetico.

ELBA (Isola d') ★ Livorno 988 ㉔ – 28 345 ab. alt. da 0 a 1 019 (monte Capanne) – Stazione balneare (e termale a San Giovanni, dal 20 aprile al 31 ottobre), a.s. 15 giugno-15 settembre – ✿ 0565.

🛪 dell'Acquabona (chiuso lunedì in bassa stagione) ✉ 57037 Portoferraio ✆ 940066, Telex 590220,
SE : 8 km da Portoferraio.

⛴ vedere Portoferraio e Porto Azzurro.

🛈 vedere Portoferraio

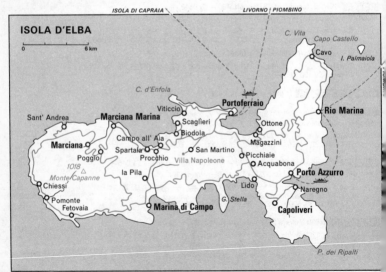

ISOLA DI CAPRAIA   LIVORNO | PIOMBINO

ISOLA D'ELBA

0 _____ 6 km

C. Vita

Capo Castello

Cavo

I. Palmaiola

C. d'Enfola

Viticcio

Portoferraio

Rio Marina

Sant' Andrea

Marciana Marina

Scaglìeri

Ottone

Biodola

Campo all' Aia

Marciana

Spartaia

San Martino

Magazzini

Poggio

Procchio

Villa Napoleone

Picchiaie

Acquabona

1018
Monte Capanne

la Pila

Porto Azzurro

Chiessi

Lido

Naregno

Pomonte
Fetovaia

G. Stella

Marina di Campo

Capoliveri

P. dei Ripalti

216

Capoliveri – 2 589 ab. – ⊠ 57031.

Vedere ⁂** dei Tre Mari.

Porto Azzurro 5 – Portoferraio 16.

✗ **Il Chiasso,** ✆ 968709, Coperti limitati; prenotare, « Ambiente caratteristico » – 🖭 ⓪
Pasqua-15 ottobre; chiuso a mezzogiorno e in bassa stagione anche martedì – Pas
carta 36/54000 (10%).

a Naregno NE : 3 km – ⊠ 57031 Capoliveri :

🏥 **Villa Rodriguez** 🐾, ✆ 968423, ≼, 🐾, 🌴 – ⓟ. ✸
aprile e giugno-settembre – Pas carta 25/40000 – ⊊ 7000 – 31 cam 39/53000 – P 57/69000,
b.s. 45/56000.

a Lido NO : 7,5 km – ⊠ 57031 Capoliveri :

🏨 **Antares** 🐾, ✆ 940131, ≼, 🐾 – ☎ ఆ ⓟ. 🖭 ⓪ 𝑉𝐼𝑆𝐴. ✸ rist
aprile-ottobre – Pas 35000 – ⊊ 12000 – **31 cam** 48/72000 – ½ P 98/105000, b.s. 55/88000.

Marciana – 2 277 ab. alt. 375 – ⊠ 57030.

Vedere ≼*.

Dintorni Monte Capanne** : ⁂**.

Porto Azzurro 37 – Portoferraio 28.

a Poggio E : 3 km – alt. 300 – ⊠ 57030 :

✗✗ **Publius,** ✆ 99208, « Servizio estivo all'aperto con ≼ » – 🖭 🆂 ⓪ 🄴 𝑉𝐼𝑆𝐴
15 giugno-15 settembre; chiuso lunedì – Pas carta 25/49000.

✗ **Monte Capanne** con cam, ✆ 99083, ≼, 🕮 – 🖭 🆂 ⓪. ✸ cam
aprile-settembre – Pas *(chiuso mercoledì)* carta 23/35000 (15%) – ⊊ 4500 – **11 cam** 42000 –
P 50/56000, b.s. 45/50000.

✗ **Da Luigi,** località Lavacchio S : 2 km ✆ 99413 – ⓟ. 🖭 🆂 ⓪
22 aprile-settembre; chiuso lunedì – Pas carta 29/38000 (10%).

a Sant'Andrea NO : 6 km – ⊠ 57030 Marciana :

🏨 **Cernia** 🐾, ✆ 908194, ≼, « Giardino », ⅀, ✸ – ☎ ⓟ. ✸ rist
20 marzo-25 ottobre – Pas carta 24/41000 (10%) – ⊊ 12000 – 20 cam 50/72000 – P 75/95000,
b.s. 45/65000.

🏨 **Piccolo Hotel Barsalini** 🐾, ✆ 908013, « Piccolo giardino e terrazza fiorita » – ఆ ⓟ. 🖭
✸ rist
20 marzo-20 ottobre – Pas carta 24/39000 – 20 cam ⊊ 48/69000 – P 65/78000, b.s. 45/52000.

🏨 **Gallo Nero** 🐾, ✆ 908017, ≼, ⅀, 🌴, ✸ – ఆ ⓟ. 🖭. ✸ rist
20 marzo-25 ottobre – Pas carta 27/41000 (10%) – ⊊ 9000 – 21 cam 52/72000 – P 66/86000,
b.s. 48/68000.

a Chiessi SO : 12 km – ⊠ 57030 Pomonte :

✗✗ **Perseo** con cam, ✆ 906010 – ☎ ⓟ
chiuso dal 15 gennaio al 15 febbraio – Pas carta 20/28000 (5%) – **15 cam** ⊊ 65000 – P 50/60000,
b.s. 35/45000.

a Spartaia E : 12 km – ⊠ 57030 Procchio :

🏨 **Désirée** 🐾, ✆ 907502, Telex 590649, Fax 907884, ≼, « Giardino », ⅀, 🐾, ✸ – 🖵 ☎ ఆ ⓟ.
🖭 🆂 ⓪ 🄴 𝑉𝐼𝑆𝐴. ✸ rist
15 maggio-10 ottobre – Pas 40000 – **69 cam** ⊊ 120/200000 appartamenti 270/400000 –
P 140/180000, b.s. 97/120000.

🏨 **Valle Verde,** ✆ 907545, « Giardino », 🐾 – ఆ ⓟ. 🖭 ⓪. ✸ rist
maggio-15 ottobre – Pas 25/35000 – ⊊ 15000 – 36 cam 60/80000 – P 90/115000, b.s. 68/86000.

a Procchio E : 13,5 km – ⊠ 57030 :

🏠 **Edera,** ✆ 907525, 🌴 – ⓟ. 🖭 𝑉𝐼𝑆𝐴. ✸
Pas (solo per clienti alloggiati e *chiuso a mezzogiorno*) 25/35000 – ⊊ 7000 – 18 cam 50/72000.

🏠 **Delfino** 🐾 senza rist, ✆ 907455, 🌴 – ఆ ⓟ. 🖭. ✸
⊊ 6000 – **14 cam** 39/68000.

✗ **Lo Zodiaco,** ✆ 907630, 🕮 – 🖭 ⓪. ✸
maggio-5 ottobre – Pas carta 29/44000 (10%).

a Campo all'Aia E : 15 km – ⊠ 57030 Procchio :

🏠 **Brigantino** 🐾, ✆ 907453, ⅀, 🐾, 🌴, ✸ – ఆ ⓟ. ✸ rist
aprile-5 ottobre – Pas (solo per clienti alloggiati) 19/25000 – ⊊ 8000 – 30 cam 41/68000 –
P 74/85000, b.s. 54/69000.

a Pomonte SO : 15 km – ⊠ 57030 :

🏠 Da Sardi 🐾, ✆ 906045 – ⓟ
18 cam.

segue →

Marciana Marina 988 ㉔ – 2 034 ab. – ⊠ 57033.
Porto Azzurro 29 – Portoferraio 20.

🏠 **Gabbiano Azzurro** senza rist, ℰ 99226, ⊾, ☞ – ✱ ☜ 👪 🅿. 🕮 🖼 E 𝘝𝘐𝘚𝘈. ✹
40 cam ☞ 50/76000.

🏠 **Marinella**, ℰ 99018, ≼, ⊾, ☞, ✕ – ☜ 🅿. 🕮 🖼 E. ✹
↦ aprile-ottobre – Pas 18/20000 – ☞ 8000 – 57 cam 40/70000 – P 75/83000, b.s. 50/65000.

🏠 Imperia, senza rist, ℰ 99082
21 cam.

✕✕ Rendez-Vous da Marcello, ℰ 99251, ≼, ⌂.

✕ **La Fiaccola**, ℰ 99094, ≼, ⌂
aprile-settembre; chiuso giovedì – Pas carta 26/36000 (10%).

Marina di Campo 988 ㉔ – ⊠ 57034.
Marciana Marina 13 – Porto Azzurro 26 – Portoferraio 17.

🏠 **Montecristo** senza rist, ℰ 976861, Fax 97597, ⊾ – 🛗 🗏 📺 ☎ 👪 🅿. 🕮 🖼 ⓘ E 𝘝𝘐𝘚𝘈. ✹
23 marzo-21 ottobre – **43 cam** ☞ 150/240000.

🏠 **Barcarola 2,** ℰ 97255, ☞ – ☜ 🅿. ✹ rist
aprile-settembre – Pas (solo per clienti alloggiati) 35000 – ☞ 18000 – **28 cam** 50/72000 – P 83/94000, b.s. 65/77000.

🏠 **Punto Verde** senza rist, ℰ 977482 – 📺 ☎ 🅿. 🕮 ⓘ
Pasqua-15 ottobre – **32 cam** ☞ 98000.

🏠 **Dei Coralli** ⓢ senza rist, ℰ 97336, ⊾, ☞, ✕ – 🛗 ☎ 🅿. 🕮 🖼 E 𝘝𝘐𝘚𝘈
giugno-settembre – **60 cam** ☞ 91/110000.

🏠 **Santa Caterina,** ℰ 97452, Fax 590220, ☞ – 🛗 ☎ 🅿. ✹
↦ 16 aprile-settembre – Pas (solo per clienti alloggiati) 15/20000 – ☞ 10000 – 41 cam 50/71000 – P 78/88000, b.s. 50/65000.

🏠 **Barracuda,** ℰ 976893, Telex 501589, ⊾, ☞ – ✱ cam ☎ 🅿. 🕮 🖼 ⓘ E. ✹
↦ aprile-settembre – Pas (chiuso a mezzogiorno) 17/26000 – ☞ 10000 – **44 cam** 47/72000 – ½ P 85000, b.s. 38000.

✕ **Bologna,** ℰ 97105 – 🕮 🖼 ⓘ E 𝘝𝘐𝘚𝘈
aprile-15 ottobre; chiuso martedì – Pas carta 27/43000 (10%).

✕ **La Triglia,** ℰ 97059 – 🗏 🕮 🖼 ⓘ E 𝘝𝘐𝘚𝘈
10 marzo-ottobre; chiuso giovedì in bassa stagione – Pas carta 26/35000 (10%).

a La Pila N : 2,5 km – ⊠ 57034 Marina di Campo :

✕ **Da Gianni,** all'aeroporto ℰ 976965 – 🅿
marzo-ottobre – Pas carta 22/28000.

a Fetovaia O : 8 km – ⊠ 57030 Seccheto :

🏠 **Lo Scirocco** ⓢ, ℰ 987060 – 🛗 ☎ 🅿. ✹ rist
aprile-20 ottobre – Pas carta 24/35000 – 28 cam ☞ 64/98000 – P 50/98000.

🏠 **Galli** ⓢ, ℰ 987065, ☞ – ☎ 🅿. ✹
aprile-ottobre – Pas 33000 – ☞ 11000 – 18 cam 52/75000 – P 62/95000, b.s. 50/62000.

Porto Azzurro 988 ㉔ – 3 048 ab. – ⊠ 57036.
↠ per Rio Marina-Piombino giornalieri (1 h 20 mn) – Toremar-agenzia Giovannoni, banchina IV Novembre ℰ 95004.
Marciana Marina 29 – Portoferraio 15.

🏠 **Belmare,** ℰ 95012, ≼ – ☜. 🕮 🖼 ⓘ E 𝘝𝘐𝘚𝘈. ✹
Pas (chiuso venerdì) carta 20/32000 – ☞ 7000 – 27 cam 40/70000 – P 60/65000, b.s. 48/58000.

✕✕ **Longone Inn,** ℰ 957995
chiuso lunedì e novembre – Pas carta 27/44000.

Portoferraio 988 ㉔ – 11 675 ab. – ⊠ 57037.
Dintorni Villa Napoleone di San Martino★ SO : 6 km.
Escursioni Strada per Cavo e Rio Marina : ≼★★.

↠ per Piombino giornalieri (1 h); per Livorno 15 giugno-settembre giornaliero (3 h); per l'Isola di Capraia 15 giugno-settembre giornaliero, lunedì e giovedì negli altri mesi (2 h) – Toremar-agenzia Lari e Palombo, calata Italia 22 ℰ 918080, Telex 590018; per Piombino giornalieri (1 h) – Navarma, viale Elba 2 ℰ 92133, Telex 590590.

🛈 calata Italia 26 ℰ 92671.
Marciana Marina 20 – Porto Azzurro 15.

🏡 **Crystall** senza rist, 𝒸 917971 – 🔳 📺 ☎. 𝔸𝔼 𝕊 𝘝𝘐𝘚𝘈. ❀
⌑ 20000 – **15 cam** 100/155000.

🏠 **Villa Ombrosa,** 𝒸 915672, ≼, ♨ – ☎ 🅿. 𝔸𝔼 𝕊 ① 𝕰 𝘝𝘐𝘚𝘈. ❀
Pas (solo per clienti alloggiati) 22/30000 – ⌑ 12000 – 47 cam 52/74000 – P 75/85000,
b.s. 45/57000.

🏠 **Nuova Padulella,** O : 1 km 𝒸 92742, Telex 502148, ≼ – 🖥 ☎ 👌 🅿. 𝔸𝔼 𝕊 ① 𝕰 𝘝𝘐𝘚𝘈. ❀ rist
chiuso da dicembre al 15 gennaio – Pas *(chiuso da novembre a marzo)* 20000 – ⌑ 7000 –
37 cam 75000 – P 65/75000, b.s. 50/60000.

🏠 **Touring** senza rist, 𝒸 915851 – 🖥 📺 ⊛. 𝔸𝔼 𝕊 ① 𝕰 𝘝𝘐𝘚𝘈. ❀
⌑ 4000 – **25 cam** 45/70000.

✕ **La Ferrigna,** 𝒸 92129 – 𝔸𝔼 ①
15 marzo-15 novembre – Pas carta 24/38000 (10%).

a San Giovanni S : 3 km – ✉ **57037** Portoferraio :

🏡 **Airone** ⊛, 𝒸 917447, Telex 501829, Fax 917484, ♨, ⤨, ♨, ❀ – 🖥 🔳 📺 ☎ 🅿 – 🏾 180.
𝔸𝔼 𝕊 ① 𝕰 𝘝𝘐𝘚𝘈
Pas carta 25/50000 – **85 cam** ⌑ 121/168000 – ½ P 106000, b.s. 68/83000.

a Viticcio O : 5 km – ✉ **57037** Portoferraio :

🏠 **Soggiorno Paradiso** ⊛, 𝒸 915385, ≼, ⊶, ❀ – ⊛ 🅿. ❀ rist
aprile-settembre – Pas carta 21/33000 (10%) – ⌑ 12000 – 34 cam 51/73000 – P 78000,
b.s. 54/65000.

a San Martino SO : 6 km – ✉ **57037** Portoferraio :

🏠 **Il Caminetto,** 𝒸 915700 – ☎ 🅿. 𝔸𝔼 ①
aprile-settembre – Pas carta 20/43000 (10%) – ⌑ 8000 – **17 cam** 49/72000 – P 70/72000,
b.s. 45000.

a Picchiaie S : 7 km – ✉ **57037** Portoferraio :

🏡 **Picchiaie Residence** ⊛, 𝒸 966072, ≼ colline e golfo, ⤨, ⊶, ❀ – 🅿. 𝔸𝔼 ①. ❀
14 maggio-25 settembre – Pas 30/45000 – ⌑ 12000 – 81 cam 87/139000 – P 107/133000,
b.s. 78/107000.

a Magazzini SE : 8 km – ✉ **57037** Portoferraio :

🏡 **Fabricia** ⊛, 𝒸 966181, Telex 590033, ≼ golfo e Portoferraio, ⤨, ♨, ⊶, ❀ – ☎ 🅿. 𝔸𝔼
①. ❀ rist
22 aprile-1° ottobre – Pas 35/60000 – ⌑ 16000 – **75 cam** 176000 – P 161000, b.s. 87000.

ad Acquabona SE : 8,5 km – ✉ **57037** Portoferraio :

✕ **Al Vecchio Papa,** 𝒸 940056
chiuso lunedì in bassa stagione – Pas carta 33/53000 (15%).

a Biodola O : 9 km – ✉ **57037** Portoferraio :

🏡 **Hermitage** ⊛, 𝒸 969932, Telex 500219, Fax 969984, ≼, « Piccole costruzioni in pineta », ⤨,
♨, ⊶, ❀ – 🖥 🔳 📺 ☎ 🅿. 𝔸𝔼 ❀ rist
maggio-settembre – Pas 45/60000 – 90 cam (solo pens) – P 160/235000, b.s. 108/151000.

🏨 **Biodola** ⊛, 𝒸 969966, ≼, ⤨ riscaldata, ▣, ♨, ⊶, ❀ – 🖥 🔳 rist ☎ 🅿. 𝔸𝔼. ❀ rist
aprile-20 ottobre – Pas 40/55000 – 68 cam (solo pens) – P 132/186000, b.s. 91/124000.

a Scaglieri O : 9 km – ✉ **57037** Portoferraio :

🏠 **Danila** ⊛, 𝒸 969915, ⊶ – ☎ 🅿. 𝔸𝔼. ❀ rist
aprile-15 ottobre – Pas carta 22/42000 – 25 cam ⌑ 60/79000 – P 75/80000, b.s. 48/55000.

✕ **Da Luciano,** 𝒸 969952, ≼ – 𝔸𝔼 𝕊 ①
Pasqua-ottobre; chiuso mercoledì in bassa stagione – Pas carta 21/30000.

ad Ottone SE : 11 km – ✉ **57037** Portoferraio :

🏡 **Villa Ottone** ⊛, 𝒸 966042, Fax 966376, « Parco ombreggiato », ⤨, ♨, ❀ – 🖥 👌 🅿. 𝔸𝔼
𝕊 ① 𝕰 𝘝𝘐𝘚𝘈. ❀ rist
aprile-2 ottobre – Pas *(chiuso sino al 10 maggio)* 30/50000 – ⌑ 16000 – 70 cam 110/190000 –
P 130/160000, b.s. 84/130000.

ALFA-ROMEO località Antiche Saline 𝒸 917140   FIAT località Antiche Saline 𝒸 917831
CITROEN località Carpani 𝒸 915019   RENAULT via Teseo Tesei 𝒸 92790

 Rio Marina – 2 433 ab. – ✉ **57038** – Porto Azzurro 12 – Portoferraio 20.

🏠 **Rio,** 𝒸 962016, Telex 501832, Fax 962662 – 🖥 ⊛. 𝔸𝔼. ❀ rist
aprile-settembre – Pas *(chiuso a mezzogiorno)* 24/31000 – ⌑ 10000 – 35 cam 50/72000.

✕ **La Canocchia,** 𝒸 962432 – 🔳.

a Cavo N : 7,5 km – ✉ **57030** :

🏨 **Marelba** ⊛, 𝒸 949900, ⊶ – ☎ 🅿. ❀
20 aprile-settembre – Pas 25/35000 – ⌑ 10000 – **52 cam** 68000 – P 92000, b.s. 58000.

🏠 **Pierolli,** 𝒸 949812, ≼ – 🅿. 𝔸𝔼 𝕊 ① 𝕰 𝘝𝘐𝘚𝘈. ❀
aprile-settembre – Pas carta 24/35000 – ⌑ 10000 – 22 cam 50/72000 – P 80000, b.s. 58000.

ELLERA Perugia – Vedere Corciano.

ELVAS Bolzano – Vedere Bressanone.

EMPOLI 50053 Firenze 988 ⑭ – 43 819 ab. alt. 27 – ✆ 0571.
Roma 302 – ♦Firenze 33 – ♦Livorno 60 – ♦Milano 321 – Montecatini Terme 35 – Pisa 50 – Pistoia 35 – Siena 66.

🏠 **Tazza d'Oro,** via Giuseppe del Papa 46 ℰ 72129 – 🛒 ☎ – 🛗 80. 🆎 🕃 ⓞ 🟢 𝘝𝘐𝘚𝘈
   Pas *(chiuso agosto)* carta 20/29000 – ☲ 4000 – **51 cam** 35/60000 – P 53000.

🏠 **Il Sole** senza rist, piazza Don Minzoni 18 ℰ 73779 – 🛒 ☞. 𝘝𝘐𝘚𝘈
   ☲ 7000 – **12 cam** 42/72000.

✕ **Bianconi,** via Tosco Romagnola 70 ℰ 90558 – 🕃 🅟. 🆎 𝘝𝘐𝘚𝘈 ⌘
→ *chiuso mercoledì e dal 20 luglio al 3 agosto* – Pas carta 16/27000.

BMW viale Giotto angolo via Boccaccio ℰ 81605
CITROEN a Sovigliana, via Fabio Filzi 40 ℰ 509442
FIAT viale Tripoli 38/a ℰ 76183
FORD via G.B. Vico 32 ℰ 78293
GM-OPEL a Terrafino, via Santi 7 ℰ 82262
INNOCENTI via 20 Settembre 24 ℰ 76020

LANCIA-AUTOBIANCHI a Terrafino, via I Maggio ℰ 82131
RENAULT via Ippolito Nievo 24 ℰ 76780
VW-AUDI via della Repubblica 29/31 ℰ 78448
VOLVO via Tosco Romagnola 96 ℰ 92522

ENNA 🅿 988 ㊱ – Vedere Sicilia alla fine dell'elenco alfabetico.

ENTRACQUE 12010 Cuneo 195 ⑦ – 875 ab. alt. 904 – a.s. luglio-agosto e Natale – ✆ 0171.
Roma 667 – Cuneo 24 – ♦Milano 240 – Colle di Tenda 40 – ♦Torino 118.

🏠 Miramonti, senz rist, ℰ 978222 – ☞ 🅟
   14 cam.

ENTRÈVES Aosta 988 ①, 219 ①, 74 ⑨ – Vedere Courmayeur.

EOLIE (Isole) Messina 988 ㊱㊲㊳ – Vedere Sicilia alla fine dell'elenco alfabetico.

EPPAN = Appiano.

EQUI TERME 54022 Massa Carrara – alt. 250 – ✆ 0585.
Roma 437 – ♦La Spezia 45 – Massa 48 – ♦Parma 122.

✕ **La Posta** con cam, ℰ 97937
→ *chiuso dal 10 gennaio al 1° marzo* – Pas *(chiuso martedì)* carta 19/26000 – **8 cam** ☲ 30/50000
   – P 45000.

ERACLEA 30020 Venezia 988 ⑤ – 11 822 ab. alt. 2 – a.s. 15 giugno-agosto – ✆ 0421.
Roma 569 – Belluno 102 – ♦Milano 308 – ♦Padova 78 – Treviso 45 – ♦Trieste 120 – Udine 89 – ♦Venezia 58.

ad Eraclea Mare SE : 10 km – ✉ 30020 :

🏨 **Park Hotel Pineta** ⌕, ℰ 66063, « Giardino ombreggiato », 🐾 – ☞ 🅟. ⌘
→ *20 maggio-25 settembre* – Pas 17/20000 – **34 cam** ☲ 50/85000 – P 52/60000, b.s. 44/48000.

🏠 Aurora, ℰ 66045, 🐾, 🚤 – 🛒 ☞ 🅟
   stagionale – 36 cam.

ERBA 22036 Como 988 ③, 219 ⑨ – 16 036 ab. alt. 323 – ✆ 031.
Roma 622 – Como 14 – Lecco 15 – ♦Milano 44.

🏨 **Castello di Pomerio,** via Como 5 ℰ 627516, Telex 380463, Fax 628245, ⅃, ⃞, 🚤, ✕ – 🛒
   📺 🅿 ☎ 🅟 – 🛗 200. 🆎 🕃 ⓞ 🟢 𝘝𝘐𝘚𝘈 ⌘ rist
   Pas carta 57/87000 (15%) – **58 cam** ☲ 190/250000 appartamenti 275/330000.

🏠 Erba, via Milano 12/d ℰ 640681 – 📺 ☞ 🚗 🅟. 🆎 🕃 ⓞ 🟢 𝘝𝘐𝘚𝘈 ⌘ rist
   Pas carta 21/34000 – ☲ 4000 – 22 cam 40/60000 – P 70000.

ALFA-ROMEO via Lecco 4 ℰ 641114
FIAT via 25 Aprile 163 ℰ 641125

INNOCENTI via Milano 2 ℰ 641470
LANCIA-AUTOBIANCHI viale Prealpi 4 ℰ 640220

ERBUSCO 25030 Brescia – 6 249 ab. alt. 251 – ✆ 030.
Roma 578 – ♦Bergamo 28 – ♦Brescia 23 – ♦Milano 69.

✕✕✕ **Club XVII Miglio,** via Baluccanti 12 ℰ 7267166, Rist. e piano bar, Coperti limitati; prenotare
   – 🕃. 🆎 🕃 ⓞ 𝘝𝘐𝘚𝘈 ⌘
   chiuso a mezzogiorno, domenica ed agosto – Pas carta 42/62000.

✕✕ **Da Bertoli,** via per Iseo 29 (SE : 5 km) ℰ 7241017, 🎪, 🚤 – 🅟. 🆎 🕃 ⓞ 🟢 𝘝𝘐𝘚𝘈
   chiuso lunedì e dal 7 al 21 agosto – Pas carta 31/60000.

Benutzen Sie für Ihre Ausflugsfahrten in die Nordlombardei und das Aostatal
die gelbe **Michelin-Abschnittskarte**
Nr. **219** im Maßstab 1:200 000.

ERCOLANO 80056 Napoli 988 ⑰ – 63 354 ab. – ✪ 081.

Vedere Terme*** – Casa a Graticcio** – Casa dell'Atrio a mosaico** – Casa Sannitica** – Casa del Mosaico di Nettuno e Anfitrite** – Pistrinum** – Casa dei Cervi** – Casa del Tramezzo carbonizzato* – Casa del Bicentenario* – Casa del Bel Cortile* – Casa del Mobilio carbonizzato* – Teatro* – Terme Suburbane*.

Dintorni Vesuvio*** NE : 14 km e 45 mn a piedi AR.

Roma 224 – ♦Napoli 11 – Pozzuoli 26 – Salerno 46 – Sorrento 39.

  ▲ **Puntaquattroventi,** via Marittima 59 ℰ 7773041, ⇐ – |📶| ▤ 📺 ☎ 🅿 – ▲ 60 a 160. ဩ ⑩ 𝘝𝘐𝘚𝘈. ⋘ cam
    Pas carta 35/55000 (15%) – ⟷ 8000 – **37 cam** 83/156000, ▤ 7000 – P 160000.

  XX **La Piadina,** via Cozzolino 10 ℰ 7717141 – 🅿. ဩ 🕃 ⑩ E. ⋘
    chiuso martedì – Pas carta 23/36000 (12%).

ALFA-ROMEO a Portici, piazza privata Luigi Sapio ℰ 7397781   FIAT a Portici, via Libertà 173 ℰ 7753856

ERICE Trapani 988 ㉟ – Vedere Sicilia alla fine dell'elenco alfabetico.

ESANATOGLIA 62023 Macerata – 1 914 ab. alt. 441 – ✪ 0737.

Roma 230 – ♦Ancona 82 – Macerata 56 – ♦Perugia 108.

  X **La Cantinella,** ℰ 89585.

ESTE 35042 Padova 988 ⑤ – 17 975 ab. alt. 15 – ✪ 0429.

Vedere Museo Nazionale Atestino* – Mura*.

Roma 480 – ♦Ferrara 64 – Mantova 76 – ♦Milano 220 – ♦Padova 32 – Rovigo 29 – ♦Venezia 69 – Vicenza 45.

  🏨 **Beatrice d'Este,** viale delle Rimembranze 1 ℰ 3681 – ▤ rist ☛ 🅿 – ▲ 35. ဩ. ⋘ rist
    Pas *(chiuso domenica sera)* carta 20/27000 – ⟷ 4000 – **30 cam** 28/46000 – P 45000.

  🏨 Centrale, piazza Beata Beatrice 14 ℰ 3930 – |📶| ☜ ⅋
    21 cam.

ALFA-ROMEO via Atheste 38 ℰ 2643
FIAT via Padana Inferiore 13 ℰ 2914
FORD via Principe Umberto 33 ℰ 50330

LANCIA-AUTOBIANCHI via Atheste 44 ℰ 4915
RENAULT via Padana Inferiore 11 ℰ 3122

ETNA Catania 988 ⑰ – Vedere Sicilia alla fine dell'elenco alfabetico.

ETROUBLES 11014 Aosta 219 ② – 404 ab. alt. 1 280 – a.s. Pasqua, 15 giugno-15 settembre e Natale – ✪ 0165.

Roma 760 – Aosta 14 – Colle del Gran San Bernardo 18 – ♦Milano 198 – ♦Torino 127.

  🏠 **Col Serena,** ℰ 78218, ⇐ – 📺 ☎ 🅿. ဩ 🕃 E 𝘝𝘐𝘚𝘈
    chiuso maggio e novembre – Pas *(chiuso giovedì)* carta 24/39000 – ⟷ 6000 – **16 cam** 40/62000 – P 73000.

  XX **Croix Blanche,** ℰ 78238 – 🅿. ဩ 🕃 E 𝘝𝘐𝘚𝘈
    chiuso maggio, dal 15 novembre al 15 dicembre e lunedì – Pas carta 25/43000.

FABRIANO 60044 Ancona 988 ⑯ – 28 683 ab. alt. 325 – ✪ 0732.

Vedere Piazza del Comune* – Piazza del Duomo*.

Dintorni Grotte di Frasassi** N : 11 km..

Roma 216 – ♦Ancona 76 – Foligno 58 – Gubbio 36 – Macerata 69 – ♦Perugia 72 – Pesaro 116.

  ▲ **Janus Hotel Fabriano,** piazza Matteotti 45 ℰ 4191, Fax 5714 – |📶| ▤ ☎ 🚙 🅿 – ▲ 200. ဩ 🕃 ⑩ E 𝘝𝘐𝘚𝘈. ⋘
    Pas *(chiuso sabato e dal 1° al 24 agosto)* carta 28/43000 – ⟷ 8000 – **82 cam** 68/100000 appartamento 130/140000. ▤ 6000 – P 90000.

  🏨 Aristos, senza rist, via Cavour 103 ℰ 22308 – 📺 ☎
    8 cam.

  X **Il Cantoncino,** piazza dei Partigiani 10 ℰ 24455 – ⬳. ဩ 🕃 ⑩ E 𝘝𝘐𝘚𝘈. ⋘
    chiuso dal 1° al 22 agosto, lunedì e da maggio a settembre anche domenica sera – Pas carta 35/60000.

  X **Pollo,** via Corridoni 22 ℰ 24584 – ဩ. ⋘
    chiuso martedì – Pas carta 23/32000.

ALFA-ROMEO via 13 Luglio ℰ 5732
FIAT via Dante 274 ℰ 627345
INNOCENTI via Dante 32 ℰ 3452

LANCIA-AUTOBIANCHI via Dante 229 ℰ 24525
PEUGEOT-TALBOT via Dante 39/41 ℰ 3311
RENAULT via Cortina San Venanzo 25 ℰ 5503

FABRO 05015 Terni – 2 798 ab. alt. 364 – ✪ 0763.

Roma 144 – Arezzo 83 – ♦Perugia 50 – Siena 95 – Terni 94.

  X **La Bettola del Buttero** con cam, in prossimità casello autostrada A 1 ℰ 82446 e hotel ℰ 82063, 🍽, 🎇 – ☜ 🅿. ဩ. ⋘
    Pas *(chiuso dal 24 dicembre al 3 gennaio, dal 5 al 24 agosto, sabato sera e domenica)* carta 23/38000 – ⟷ 6500 – **15 cam** 42/60000.

FAENZA 48018 Ravenna ⑨⑧⑧ ⑮ – 54 445 ab. alt. 35 – ✆ 0546.

Vedere Museo Internazionale della Ceramica★★ – Pinacoteca Comunale★ M1.

Roma 368 ② – ✦Bologna 49 ④ – ✦Firenze 104 ③ – ✦Milano 264 ① – ✦Ravenna 31 ① – Rimini 67 ①.

FAENZA

Garibaldi (Corso)	
Matteotti (Corso)	
Mazzini (Corso Giuseppe)	
Saffi (Corso)	

Libertà
(Piazza della) 2
Martiri della Libertà
(Piazza) 3
Martiri Ungheresi
(Via) 5
Popolo (Piazza del) 8

🏨 **Vittoria,** corso Garibaldi 23 🖉 21508 – 📶 📺 ☎ – 🛜 200. 🖭 🕸 ⓞ 🅴 𝘝𝘐𝘚𝘈. ❀   **n**
   Pas vedere rist Canon d'Oro – ☲ 6000 – **41 cam** 45/70000 – P 85/90000.

✕✕✕ **Amici Miei,** corso Mazzini 54 (Galleria Gessi) 🖉 661600 – 🖭. ❀   **a**
   chiuso lunedì ed agosto – Pas carta 32/45000.

✕✕ **Canon d'Oro,** vicolo Cannone 9 🖉 663993, 🎪 – 🖭 🕸 ⓞ 🅴 𝘝𝘐𝘚𝘈. ❀   **n**
   chiuso domenica ed agosto – Pas carta 31/41000.

   a Santa Lucia delle Spianate SE : 6,5 km per via Mons. Vincenzo Cimatti – ✉ 48018 Faenza :

✕ **Monte Brullo,** 🖉 42014 – ⓟ. ❀
   chiuso martedì, febbraio e novembre – Pas carta 19/28000.

ALFA-ROMEO via Emilia Ponente 13/a per ④
🖉 620344
BMW via Pietro de' Crescenzi 40 🖉 29076
FIAT via Galileo Galilei 5 per ④ 🖉 21650
FORD via Boaria 14 🖉 620620
GM-OPEL via Galileo Galilei 20 🖉 661255

LANCIA-AUTOBIANCHI via Meucci 2 per ④
661661
PEUGEOT-TALBOT viale 4 Novembre 32 🖉 21518
RENAULT via Galileo Galilei 8 🖉 620917
VW-AUDI via Emilia Ponente 22 🖉 620328

FAI DELLA PAGANELLA 38010 Trento – 816 ab. alt. 958 – Stazione di villeggiatura, a.s. feb-braio-15 marzo, Pasqua e Natale – Sport invernali : 958/2 120 m ✫4 (vedere anche Andalo e Mol-veno) – ✆ 0461.

🛈 via Cesare Battisti 🖉 583130.

Roma 616 – ✦Bolzano 55 – ✦Milano 222 – Riva del Garda 57 – Trento 34.

🏨 **Santellina,** O : 1,5 km 🖉 583120, Telex 401152, ≤, ❀ – 📶 ▤ rist ☎ ⓟ. 🕸 ⓞ 🅴 𝘝𝘐𝘚𝘈. ❀
   20 dicembre-25 aprile e giugno-settembre – Pas *(chiuso mercoledì)* carta 25/35000 – ☲ 7000
   – **40 cam** 35/45000 – P 55/68000, b.s. 45/55000.

🏚 **Negritella,** 🖉 583145, ≤ – ⓟ. ❀
   dicembre-Pasqua e giugno-10 settembre – Pas *(chiuso lunedì)* 17000 – ☲ 5000 – 21 cam
   26/47000 – P 49000, b.s. 44000.

FAIDO 427 ⑮, 218 ② – Vedere Cantone Ticino alla fine dell'elenco alfabetico.

FAITO (Monte) ★★ Napoli – alt. 1 103.
Vedere ❀★★★ dal Belvedere dei Capi – ❀★★★ dalla cappella di San Michele.
Roma 253 – Castellammare di Stabia 15 (per strada a pedaggio) oppure 10 mn di funivia – ◆Napoli 44 – Salerno 46 – Vico Equense 15.

FALCADE 32020 Belluno 988 ⑤ – 2 357 ab. alt. 1 145 – Stazione di villeggiatura, a.s. 15 luglio-agosto e Natale – Sport invernali : 1 145/2 550 m ≰1 ≰10, ⅔ – ✪ 0437.
🏢 piazza Municipio 1 ℰ 59241, Telex 440821.
Roma 667 – Belluno 50 – ◆Bolzano 64 – ◆Milano 348 – Trento 108 – ◆Venezia 156.

　　🏨 **Stella Alpina** ॐ, ℰ 599046, ← – 🛗 ☎ ♿ Ⓟ. ❀
　　　　dicembre-maggio e 15 giugno-settembre – Pas carta 21/28000 – ☲ 3500 – **37 cam** 55/65000
　　　　– P 40/70000, b.s. 35/50000.

FALCONARA MARITTIMA 60015 Ancona 988 ⑯ – 31 043 ab. – a.s. luglio e agosto – ✪ 071.
✈ di Falconara O : 0,5 km ℰ 56257.
🏢 via Cavour 3 ℰ 910458.
Roma 279 – ◆Ancona 13 – Macerata 61 – Pesaro 63.

　　🏨 **Touring e Rist. Da Ilario** ॐ, via degli Spagnoli ℰ 9160005, ☲ riscaldata – 🛗 🍽 rist 🕮 Ⓟ
　　　　– 🛎 200. ㏅ ⒷⒺ 𝐕𝐈𝐒𝐀. ❀ rist
　　　　Pas (chiuso lunedì) carta 30/40000 – ☲ 3500 – **75 cam** 44/68000 – P 62/69000.

　　🏨 **Avion** ॐ, via Caserme 6 ℰ 9170444, 🌤, ❀ – 🛗 🕮 Ⓟ. ㏅ ⓞ. ❀
　　　　Pas (chiuso sabato) carta 24/39000 – ☲ 5000 – **33 cam** 38/60000 – P 60000, b.s. 52000.

　　🍴 ✪ **Villa Amalia**, via degli Spagnoli 4 ℰ 912045 – Ⓟ. ㏅ ⓞ 𝐕𝐈𝐒𝐀. ❀
　　　　chiuso martedì – Pas carta 40/50000
　　　　Spec. Spuma di San Pietro e salmone fresco marinato, Fagottini di ostriche olio e limone (primavera-autunno),
　　　　Scampi al Verdicchio. Vini Verdicchio, Vernaccia.

　　　　Vedere anche : **Marina di Montemarciano** O : 4 km.

FALERNA 88042 Catanzaro 988 ㊴ – 3 688 ab. alt. 550 – ✪ 0968.
Roma 576 – Catanzaro 64 – ◆Cosenza 61 – ◆Reggio di Calabria 157.

　　a Falerna Scalo SO : 10 km – ✉ **88040** :

　　🍴 **Vesuvio 1** con cam, ℰ 97094 – ❀ rist. ㏅ ⓞ 𝐕𝐈𝐒𝐀. ❀
　　　　Pas (chiuso martedì) carta 15/37000 (20%) – ☲ 5000 – 12 cam 20/40000.

　　a Falerna Marina O : 11 km – ✉ **88042** :

　　🏨 **Torino 2**, N : 1 km ℰ 93053, ←, 🏖, ❀ – 🛗 ❀ cam 📺 🕮 Ⓟ
　　　　Pas carta 28/38000 – ☲ 7500 – **47 cam** 58/75000 – P 68/75000.

FALZAREGO (Passo) Belluno 988 ⑤ – alt. 2 117 – a.s. 15 febbraio-15 aprile, 15 luglio-agosto e
Natale – Sport invernali : vedere Cortina d'Ampezzo.
Roma 688 – Belluno 87 – ◆Bolzano 93 – Cortina d'Ampezzo 16 – ◆Milano 430 – ◆Venezia 177.

　　al monte Lagazuoi N : 5 mn di funivia – alt. 2 750 :

　　🍴 Rifugio Lagazuoi, ✉ 32043 Cortina d'Ampezzo ℰ (0436) 867303, ❀ Dolomiti, « Ampia terrazza
　　　　solarium »
　　　　stagionale.

FALZES (PFALZEN) 39030 Bolzano – 1 959 ab. alt. 1 022 – ✪ 0474.
Roma 711 – ◆Bolzano 65 – Brunico 5.

　　🏨 **Edy,** ℰ 58141, ←, ☲, 🏊, 🌤 – 🚋 Ⓟ. ❀
　　　　chiuso da novembre al 18 dicembre – Pas (solo per clienti alloggiati) 14/16000 – **30 cam**
　　　　☲ 34/63000 – P 50000.

　　ad Issengo (Issing) NO : 1,5 km – ✉ 39030 Falzes :

　　🍴 **Al Tanzer** ॐ, con cam, ℰ 55366 – ☎ Ⓟ. Ⓑ
　　　　Pas (chiuso martedì) carta 32/40000 – ☲ 5000 – **23 cam** 35/60000 – P 50/65000.

Les hôtels ou restaurants agréables sont indiqués
dans le guide par un signe rouge.
Aidez-nous en nous signalant les maisons où, par expérience,
vous savez qu'il fait bon vivre.
Votre guide Michelin sera encore meilleur.

🏨🏨🏨 ... 🏨

XXXXX ... X

223

FANO 61032 Pesaro e Urbino 988 ⑯ – 52 579 ab. – Stazione balneare, a.s. luglio e agosto – ☎ 0721.

Vedere Corte Malatestiana★ – Dipinti del Perugino★ nella chiesa di Santa Maria Nuova.

ℹ viale Cesare Battisti 10 ☎ 803534.

Roma 289 ③ – ♦Ancona 65 ② – ♦Perugia 123 ③ – Pesaro 11 ④ – Rimini 51 ②.

Matteotti (Corso) 5

Arco d'Augusto (Via) . 2
Buozzi 4
Montegrappa (Via) .. 6
1º Maggio (Viale) 7
20 Settembre (Pza) ... 8

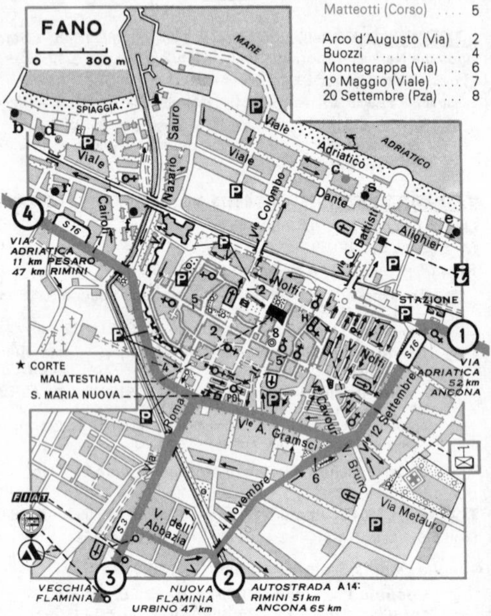

Elisabeth Due, piazzale Amendola 2 ☎ 866146, ≤, – |‡| ▤ TV ☎ P. AE ⓞ VISA. ✂ **d**
Pas 30/60000 – ☕ 8000 – **32 cam** 100/150000 – P 150000, b.s. 100000.

Gd H. Elisabeth, viale Carducci 12 ☎ 804241, – |‡| TV. AE ⓞ VISA. ✂ **r**
Pas 30/60000 – ☕ 8000 – **37 cam** 100/150000 – P 150000, b.s. 100000.

Continental, viale Adriatico 148 ☎ 84670, ≤, – |‡| ☎ ♿ P. ✂ **e**
20 maggio-20 settembre – Pas (solo per clienti alloggiati) – ☕ 6000 – **52 cam** 39/57000 – P 40/58000, b.s. 33/40000.

Excelsior, via Simonetti 21 ☎ 803558, ≤ – ☎ P. ✂ rist **b**
giugno-15 settembre – Pas carta 26/43000 – ☕ 9000 – 30 cam 57000 – P 55/60000, b.s. 40/48000.

Augustus, via Puccini 2 ☎ 809781 – ☎ **f**
24 cam.

Corallo, via Leonardo da Vinci 3 ☎ 804200 – |‡| TV ☎. VISA. ✂ **s**
chiuso dal 24 dicembre al 6 gennaio – Pas *(chiuso le sere di sabato e domenica)* carta 30/40000 – ☕ 5000 – **22 cam** 39/58000 – P 42/52000, b.s. 38/42000.

✕ **Il Ristorantino-da Giulio,** viale Adriatico 100 ☎ 805680 – ✂ **c**
chiuso martedì, dal 1° all'8 gennaio e dal 15 settembre al 5 ottobre – Pas carta 28/42000.

Vedere anche : *Marotta* per ① : 13 km.

ALFA-ROMEO via del Fiume 62 per via Metauro ☎ 874041
FIAT via Torquato Tasso 31 ☎ 865387
FIAT via Flaminia 1 ☎ 201453
FORD viale Enrico Mattei 11 ☎ 807336
GM-OPEL via Flaminia 22/d ☎ 862140
LANCIA-AUTOBIANCHI via Roma 187 ☎ 865465
PEUGEOT-TALBOT via Fragheto 19 ☎ 805334
RENAULT via Roma angolo via Castelfidardo ☎ 804845

FARA NOVARESE 28073 Novara 988 ②, 219 ⑯ – 2 117 ab. alt. 211 – ☎ 0321.

Roma 638 – Biella 44 – ♦Milano 64 – Novara 18 – ♦Torino 86 – Vercelli 31.

Tre Re, S : 1 km ☎ 829271 – |‡| TV ☎ 🚗 P. ✂
Pas (solo per clienti alloggiati e *chiuso a mezzogiorno e dal 1° al 25 agosto*) 22/30000 – ☕ 4000 – **16 cam** 25/40000.

FARA SAN MARTINO 66015 Chieti – 1 819 ab. alt. 440 – ☎ 0872.

Roma 224 – Chieti 52 – Isernia 78 – ♦Pescara 71.

Del Camerlengo, E : 1 km ☎ 980136, – |‡| rist ☎ P. AE
Pas carta 18/25000 – ☕ 5000 – **44 cam** 37/50000 – P 40/58000.

FARDELLA 85030 Potenza – 1 024 ab. alt. 756 – ☎ 0973.

Roma 434 – Matera 129 – Potenza 153 – Sapri 76 – ♦Taranto 141.

Borea, ☎ 572004 – |‡| P. AE. ✂
Pas *(chiuso lunedì)* carta 15/18000 – ☕ 2000 – 40 cam 17/30000 – P 44000.

FARINI 29023 Piacenza 988 ⑬ – 2 505 ab. alt. 426 – ☎ 0523.

Roma 560 – ♦Genova 123 – Piacenza 43.

✕✕ **Locanda Cantoniera,** S : 4,5 km ☎ 919113, solo su prenotazione –
aprile-ottobre; chiuso mercoledì – Pas carta 40/55000.

FARO DI PUGNOCHIUSO Foggia – Vedere Vieste.

FARO DI TORRE CERVIA Latina – Vedere San Felice Circeo.

FARRA DI SOLIGO 31010 Treviso – 7 196 ab. alt. 163 – ✪ 0438.
Roma 590 – Belluno 71 – Treviso 35 – ♦ Venezia 72.

　　a Col San Martino O : 3 km – ⊠ **31010** :
✗　**Adamo,** ℰ 989360 – ℗. ⅏
　　chiuso martedì e dal 15 luglio al 10 agosto – Pas carta 22/34000.

FASANO 72015 Brindisi 🔲🔳🔳 ② – 38 034 ab. alt. 111 – a.s. 15 giugno-agosto – ✪ 080.
Dintorni Regione dei Trulli★★★ Sud.
🛈 piazza Ciaia 9 ℰ 713086.
Roma 507 – ♦Bari 57 – ♦Brindisi 58 – Lecce 96 – Matera 86 – Taranto 49.

✗　**Rifugio dei Ghiottoni,** via Nazionale dei Trulli 116 ℰ 714800
🡒　*chiuso mercoledì e luglio* – Pas carta 16/29000 (10%).

　　a Selva O : 5 km – alt. 396 – ⊠ **72010** Selva di Fasano.
　　🛈 (giugno-settembre) via Toledo ℰ 799182 :
🏨　**Sierra Silvana** ⬧, ℰ 799322, Telex 813344, ⤳, ⬛ – ⧉ ☰ ☎ ⅙ ℗ – 🔏 40 a 350. ⅍ ⑩
　　𝘝𝘐𝘚𝘈. ⅏
　　15 marzo-15 novembre – Pas 29/35000 – � 9000 – **120 cam** 70/95000 – P 88/120000, b.s. 78000.
🏠　**La Silvana** ⬧, ℰ 799161, ⇐ – 🏤 ⬅🚳 ℗. ⅏
　　Pas *(chiuso venerdì)* carta 22/32000 (15%) – � 6000 – 18 cam 45/67000 – P 65/69000,
　　b.s. 60/64000.
✗✗✗　❀ **Fagiano,** ℰ 799157, « Servizio estivo all'aperto » – ☆☆ ℗. ⅍ ⑩ 𝘝𝘐𝘚𝘈. ⅏
　　chiuso novembre e martedì da ottobre a giugno – Pas carta 32/43000 (15%)
　　Spec. Orecchiette alla crudaiola (estate), Tortelloni alla Ebe (primavera), Zuppa di datteri (estate). Vini Locorotondo,
　　Salice Salentin.

　　Vedere anche : *Savelletri* NE : 7 km.
　　　　　　　　 Torre Canne E : 13 km.

FASANO DEL GARDA Brescia – Vedere Gardone Riviera.

FAUGLIA 56043 Pisa – 2 822 ab. alt. 91 – ✪ 050.
Roma 323 – ♦Firenze 83 – ♦Livorno 24 – Pisa 22 – Siena 106.

✗✗　**Vallechiara,** NO : 2 km ℰ 65553, ⬛ – ☰ ℗. 𝘝𝘐𝘚𝘈. ⅏
　　chiuso lunedì sera, martedì e novembre – Pas carta 24/32000.

FAVER 38030 Trento – 816 ab. alt. 673 – a.s. dicembre-aprile – ✪ 0461.
Roma 611 – ♦Bolzano 65 – Cortina d'Ampezzo 133 – Trento 24.

✗　All'Olivo, E : 1,5 km ℰ 683121 – ℗.

FAVIGNANA (Isola di) Trapani – Vedere Sicilia (Egadi, isole) alla fine dell'elenco alfabetico.

FEISOGLIO 12050 Cuneo – 484 ab. alt. 706 – ✪ 0173.
Roma 616 – Alessandria 69 – Cuneo 60 – ♦Milano 163 – Savona 75 – ♦Torino 87.

✗✗　**Piemonte-da Renato,** ℰ 831116, solo su prenotazione – ℗. ⅏
　　Pasqua-15 dicembre – Pas (menu suggeriti dal proprietario) 20/40000.

FELIGARA Pavia – Vedere Brallo di Pregola.

FELTRE 32032 Belluno 🔲🔳🔳 ⑤ – 20 143 ab. alt. 324 – ✪ 0439.
Vedere Piazza Maggiore★ – Via Mezzaterra★.
🛈 largo Castaldi ℰ 2540.
Roma 593 – Belluno 31 – ♦Milano 288 – ♦Padova 93 – Trento 81 – Treviso 58 – ♦Venezia 88 – Vicenza 84.

🏨　**Nuovo** senza rist, vicolo Fornere Pazze 5 ℰ 2110 – ⧉ ☎ ⅙ ℗. ⅍ 𝘝𝘐𝘚𝘈
　　⊒ 6000 – **30 cam** 38/60000.
🏠　**Park Hotel** senza rist, via Trevigiana 1 ℰ 83725 – ☎. ⅏
　　⊒ 5000 – **14 cam** 35/50000.

ALFA-ROMEO via Luciani 1 ℰ 89868　　　　　　LANCIA-AUTOBIANCHI viale Montegrappa 28 ℰ
FIAT via Mazzini 7 ℰ 303000　　　　　　　　　81946

FENEGRÒ 22070 Como 🔳🔳🔳 ⑧ – 2 264 ab. alt. 290 – ✪ 031.
Roma 615 – Como 18 – ♦Milano 38.

✗✗　**In,** via Monte Grappa 20 ℰ 935702 – ☰ ℗. ⅍ ⧉ ⑩ 𝘝𝘐𝘚𝘈
　　chiuso domenica sera, lunedì, dal 1° al 26 agosto e dal 24 al 31 dicembre – Pas carta 30/48000.

225

FENER 32030 Belluno 988 ⑤ – alt. 198 – ✪ 0439.

Roma 564 – Belluno 43 – ♦Milano 269 – ♦Padova 63 – Treviso 39 – ♦Venezia 69.

  ✗ **Tegorzo** con cam, al ponte 𝒫 779547, ✗ – ☎ ➋ ❄
    chiuso dal 14 al 30 giugno – Pas *(chiuso mercoledì)* carta 20/30000 – ☲ 5000 – **25 cam** 40/60000 – P 38/45000.

FENESTRELLE 10060 Torino 988 ⑪, 77 ⑨ – 715 ab. alt. 1 154 – ✪ 0121.

Roma 727 – ♦Milano 219 – Sestriere 21 – ♦Torino 72.

  🏠 **Camoscio**, via Umberto I n° 67 𝒫 83940 – ❄
    chiuso settembre – Pas *(chiuso giovedì)* carta 21/31000 – ☲ 4000 – **18 cam** 22/49000 – P 42/48000.

FERENTINO 03013 Frosinone 988 ㉖ – 18 762 ab. alt. 393 – ✪ 0775.

Dintorni Anagni : cripta*** nella cattedrale**, quartiere medioevale*, volta* del palazzo Comunale NO : 15 km – Roma 75 – Fiuggi 23 – Frosinone 12 – Latina 66 – Sora 42.

  🏛 **Bassetto**, via Casilina Sud al km 74,600 𝒫 244931, ☂ – 🟦 TV ➋ AE 🟦 ⓞ E VISA ❄
    Pas carta 32/49000 – ☲ 10000 – **72 cam** 60/100000 – P 90/110000.

  ✗✗ **Primavera**, via Casilina Nord al km 70 𝒫 395021, 🍽 – ➋ AE 🟦 ⓞ E VISA ❄
    chiuso lunedì – Pas carta 25/33000 (10%).

FERIOLO 28040 Novara 219 ⑥ – alt. 195 – a.s. aprile e luglio-15 settembre – ✪ 0323.

Roma 664 – Domodossola 35 – Locarno 48 – ♦Milano 87 – Novara 63.

  🏛 **Carillon** senza rist, 𝒫 28115, ≤, « Giardino in riva al lago », 🛥 – 🔰 ☎ 👃 ➋ AE 🟦 ⓞ E VISA
    Pasqua-settembre – ☲ 6000 – **25 cam** 50/70000.

  🏠 **Oriente** senza rist, 𝒫 28143, ☂ – ➋
    15 marzo-10 ottobre – ☲ 5000 – **8 cam** 38000.

  ✗✗ **Serenella** con cam, 𝒫 28112, 🍽, ☂, ☂ – ➋. AE 🟦 ⓞ E VISA
    chiuso dal 7 gennaio al 28 febbraio – Pas *(chiuso mercoledì)* carta 22/36000 (10%) – ☲ 4500 – **14 cam** 45/55000 – P 55/60000.

  ✗ **Mirafiori**, 𝒫 28128, ≤, « Servizio estivo in terrazza »
    marzo-ottobre; chiuso mercoledì – Pas carta 21/33000 (10%).

FERMO 63023 Ascoli Piceno 988 ⑯ – 35 224 ab. alt. 321 – a.s. luglio-15 settembre – ✪ 0734.

Vedere Posizione pittoresca* – ≤** dalla piazza del Duomo* – Facciata* del Duomo.

🛈 piazza del Popolo 5 𝒫 23205.

Roma 263 – ♦Ancona 69 – Ascoli Piceno 67 – Macerata 41 – ♦Pescara 102.

  ✗ **Da Nasò**, via di Crollalanza 45 𝒫 229661 – ➋ AE ⓞ VISA
    chiuso lunedì – Pas carta 20/31000.

FIAT via Mossa 54 𝒫 210312   LANCIA-AUTOBIANCHI Borgo Diaz 194 𝒫 219282

FERRARA 44100 P 988 ⑮ – 143 049 ab. alt. 10 – ✪ 0532.

Vedere Duomo** BYZ – Castello Estense* BY B – Palazzo Schifanoia* BZ E : affreschi** – Palazzo dei Diamanti* BY F : pinacoteca nazionale*, affreschi** nella sala d'onore – Corso Ercole I d'Este* BY – Palazzo di Ludovico il Moro* BZ M – Casa Romei* BZ L – Palazzina di Marfisa d'Este* BZ N.

🛈 piazza Municipale 19 𝒫 35017 – **A.C.I.** via Padova 17/17a 𝒫 52723.

Roma 423 ③ – ♦Bologna 47 ③ – ♦Milano 252 ③ – ♦Padova 73 ④ – ♦Venezia 110 ④ – ♦Verona 102 ④.

Pianta pagina a lato

  🏨 **De la Ville** senza rist, piazzale Stazione 11 𝒫 53101 – 🔰 ⇆ 🟦 👃 – 🔼 200. VISA   AY **s**
    ☲ 15000 – **80 cam** 95/165000.

  🏨 **Ripagrande**, via Ripagrande 21 𝒫 34733, Telex 226461, « Palazzo dell'11° secolo; servizio rist. estivo in cortile » – 🔰 🟦 ☎ ➋ – 🔼 30 a 120. AE 🟦 ⓞ E VISA ❄ rist   ABZ **a**
    Pas *(chiuso lunedì e dal 25 luglio al 25 agosto)* carta 30/41000 (10%) – **40 cam** ☲ 120/200000.

  🏨 **Astra**, viale Cavour 55 𝒫 26234, Telex 226150 – 🔰 🟦 ☎ 👃. AE 🟦 ⓞ E VISA ❄ rist   AY **w**
    Pas *(chiuso domenica ed agosto)* carta 36/53000 – ☲ 16000 – **77 cam** 100/160000 appartamenti 220/320000 – P 120/160000.

  🏛 **Touring** senza rist, viale Cavour 11 𝒫 26096 – 🔰 ☎ 👃 ➋. AE 🟦 ⓞ VISA   BY **c**
    ☲ 10000 – **39 cam** 48/80000.

  ✗✗✗ **Italia-da Giovanni**, largo Castello 32 𝒫 35775 – 🟦. ⓞ VISA   BY **r**
    chiuso martedì ed agosto – Pas carta 31/52000.

  ✗✗ **La Provvidenza**, corso Ercole I d'Este 92 𝒫 21937 – ➋. AE ⓞ VISA ❄   BY **e**
    chiuso lunedì e dall'11 al 17 agosto – Pas carta 24/41000 (10%).

  ✗✗ **Grotta Azzurra**, piazza Sacrati 43 𝒫 37320 – 🟦. AE 🟦 ⓞ E VISA   AY **u**
    chiuso mercoledì, dal 2 al 10 gennaio e dal 1° al 15 luglio – Pas carta 21/35000 (10%).

  ✗✗ **Buca San Domenico**, piazza Sacrati 22 𝒫 37006 – 🟦. ⓞ VISA ❄   AY **u**
    chiuso lunedì e luglio – Pas carta 22/41000 (13%).

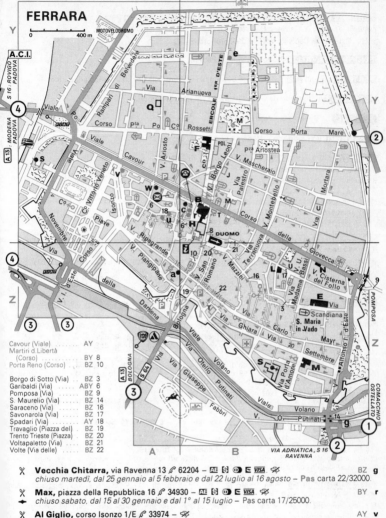

FERRARA

✗ **Vecchia Chitarra,** via Ravenna 13 ℰ 62204 – ᴀᴇ Ⓢ ⓞ ᴇ 𝚅𝙸𝚂𝙰. ⚘   BZ **g**
    chiuso martedì, dal 25 gennaio al 5 febbraio e dal 22 luglio al 16 agosto – Pas carta 22/32000.

✗ **Max,** piazza della Repubblica 16 ℰ 34930 – ᴀᴇ Ⓢ ⓞ ᴇ 𝚅𝙸𝚂𝙰 ⚘   BY **r**
    chiuso sabato, dal 15 al 30 gennaio e dal 1° al 15 luglio – Pas carta 17/25000.

✗ **Al Giglio,** corso Isonzo 1/E ℰ 33974 – ⚘   AY **v**
    chiuso lunedì e dal 15 al 31 gennaio – Pas carta 17/40000.

    a Marrara per ② : 17 km – ⊠ **44040** :

✗✗ **Trattoria da Ido,** ℰ 421064, Coperti limitati; prenotare – ⚘⚘ Ⓟ. ᴀᴇ ⓞ 𝚅𝙸𝚂𝙰. ⚘
    *chiuso domenica, lunedì, dal 1° al 15 gennaio, dal 1° al 15 luglio e dal 1° al 10 settembre – Pas
    carta 25/37000 (10%).*

ALFA-ROMEO via Modena 17 per ④ ℰ 55202
BMW via Paganini 24 ℰ 91675
CITROEN via Modena 28 ℰ 53132
FIAT via della Darsena 67 ℰ 25434
FIAT viale Po 49 ℰ 54560
FORD via Bologna 306 ℰ 93375
GM-OPEL via Bologna 138 ℰ 94291
INNOCENTI via Eridano 9 per ④ ℰ 55403
LANCIA-AUTOBIANCHI via Bologna 464 per ③
 ℰ 900010

LANCIA-AUTOBIANCHI via Compagnoni 82 ℰ
903232
PEUGEOT-TALBOT via Modena 28 ℰ 53685
RENAULT via Bologna 296 ℰ 902161
VW-AUDI via Eridano 1 ℰ 52650
VW-AUDI via Ponchielli 19/21 ℰ 94374
VOLVO via Luzzaschi 9/11 ℰ 903740

FERRAZZANO Campobasso – Vedere Campobasso.

FERRERA DI VARESE 21030 Varese 209 ⑦ – 546 ab. alt. 299 – ✪ 0332.
Roma 651 – Lugano 21 – ♦Milano 73 – Varese 17.

 ✗ Osteria dei Cacciatori, ✐ 716290, prenotare – **ₚ**.

FERRO DI CAVALLO Perugia – Vedere Perugia.

FERTILIA Sassari 988 ㉝ – Vedere Sardegna (Alghero) alla fine dell'elenco alfabetico.

FETOVAIA Livorno – Vedere Elba (Isola d') : Marina di Campo.

FEZZANO La Spezia – Vedere Portovenere.

FIASCHERINO La Spezia – Vedere Lerici.

FIDENZA 43036 Parma 988 ⑭ – 23 217 ab. alt. 75 – ✪ 0524.
Vedere Duomo* : portico centrale**.
Roma 478 – ♦Bologna 116 – Cremona 47 – ♦Milano 103 – ♦Parma 23 – Piacenza 42.

 🏠 **Astoria** senza rist, via Gandolfi 5 ✐ 524314 – ▨ ▤ 🕮. VISA
  chiuso dal 1° al 17 agosto – ⌧ 7000 – **30 cam** 36/56000.

 ✗✗ **Astoria,** via Gandolfi 7 ✐ 524588 – ▤. AE ▨ ⓪ E VISA
  chiuso lunedì e dal 4 al 18 agosto – Pas carta 25/38000.

 ✗✗ **Ugolini** con cam, via Malpeli 90 ✐ 522422
  chiuso dal 24 dicembre al 15 gennaio – Pas (chiuso giovedì) carta 26/35000 – ⌧ 5000 –
  10 cam 25000 – P 45/60000.

BMW via Martiri della Libertà 27 ✐ 83744
FIAT via Gramizzi 13 ✐ 523208
FORD via Abate Zani 39 ✐ 82598
INNOCENTI via Martiri della Libertà 27 ✐ 83744

LANCIA-AUTOBIANCHI via Emilia Ovest 62 ✐ 84544
RENAULT via 24 Maggio 24 ✐ 83748
VW-AUDI via San Faustino 37 ✐ 84194

FIÉ ALLO SCILIAR (VÖLS AM SCHLERN) 39050 Bolzano – 2 596 ab. alt. 880 – a.s. febbraio-aprile,
luglio-settembre e Natale – ✪ 0471.
Roma 657 – ♦Bolzano 16 – Bressanone 40 – ♦Milano 315 – Trento 76.

 🏨 **Emmy** 🦢, ✐ 72006, ≤ Dolomiti, ▨, ▨ – ▨ ▤ rist ▥ ☎ ₚ. ✲ rist
  chiuso da novembre al 18 dicembre – Pas carta 32/49000 – 30 cam ⌧ 89/148000 – P 84/111000,
  b.s. 75/91000.

 🏨 **Turm,** ✐ 72014, ≤, « Raccolta di quadri d'autore », ▨, ▨, ✿ – ▨ ☎. VISA. ✲ rist
  chiuso dal 7 novembre al 19 dicembre – Pas (chiuso giovedì) carta 34/61000 – 23 cam
  ⌧ 64/118000 – P 82/87000, b.s. 63/70000.

 🏠 **Rose-Wenzer,** ✐ 72016, ≤, 🍽, ▨, ✿ – ▨ ☎
  chiuso dal 15 gennaio al 7 febbraio – Pas (chiuso mercoledì) 15/25000 – **34 cam** ⌧ 42/72000
  – P 48/70000, b.s. 38/60000.

 🏠 **Heubad** 🦢, ✐ 72020, ≤, 🍽, ✿ riscaldata, ✿ – ▨ ☎ 🚲 ₚ. ✲ cam
  chiuso da novembre al 20 dicembre – Pas (chiuso mercoledì escluso luglio ed agosto)
  carta 22/30000 – **32 cam** ⌧ 28/56000 – P 56/60000, b.s. 50/56000.

 ✗✗ **Tschafon,** ✐ 72024, solo su prenotazione – ₚ. ▨ ⓪ E
  chiuso dal 10 al 25 gennaio, dal 2 al 20 novembre, lunedì e a mezzogiorno escluso i giorni
  festivi – Pas carta 34/47000.

FIERA DI PRIMIERO 38054 Trento 988 ⑤ – 545 ab. alt. 717 – Stazione di villeggiatura, a.s.
Pasqua e Natale – ✪ 0439.
🅱 piazza Municipio ✐ 62407 – Roma 616 – Belluno 66 – ♦Bolzano 99 – ♦Milano 314 – Trento 101 – Vicenza 103.

 🏨 **Iris,** ✐ 62000, ≤, « Giardino ombreggiato » – ▨ 🕮 🚲 ₚ. AE ▨ ⓪ E VISA. ✲ rist
  5 dicembre-24 aprile e giugno-settembre – Pas carta 17/25000 – ⌧ 6000 – **90 cam** 50/90000
  – P 70/84000, b.s. 60/65000.

 🏨 **Mirabello,** ✐ 64241, ≤, ▨ – ▨ ☎ ♿ ₚ. ✲
  20 dicembre-Pasqua e giugno-15 settembre – Pas 22/28000 – **43 cam** ⌧ 60/96000 – P 85000,
  b.s. 50/70000.

 🏨 **Tressane,** ✐ 62205, ✿ – ▨ 🕮 🚲 ₚ. AE ▨ ⓪ E VISA. ✲ rist
  Pas carta 17/25000 – ⌧ 6000 – **37 cam** 40/68000 – P 60/68000, b.s. 45/54000.

 🏠 **Astoria,** ✐ 62256, ≤ – ▨ ☎ ₚ. ✲
  chiuso ottobre e novembre – Pas carta 19/27000 – ⌧ 5000 – 24 cam 38/61000 – P 56/57000
  b.s. 46/47000.

 🏠 **Aurora,** ✐ 62386 – ▨ 🏧 ☎ ₚ. AE. ✲ rist
  20 dicembre-6 gennaio e giugno-settembre – Pas (chiuso mercoledì) 15/17000 – ⌧ 4500 –
  26 cam 50/70000 – P 55/60000, b.s. 50/55000.

 🏠 **La Perla,** ✐ 62115 – ▨ ☎ ₚ
  Pas carta 16/25000 – ⌧ 5500 – **24 cam** 38/63000 – P 53000, b.s. 40000.

in Val Canali NE : 7 km :

✗ **Rifugio Chalet Piereni** ⛰, con cam, alt. 1 100 ✉ 38054 ✆ 62348, ≤ Pale di San Martino – Ⓟ. E VISA. ✻
maggio-ottobre – Pas carta 20/30000 – ☕ 5000 – **15 cam** 40/60000 – P 60000, b.s. 55000.

FIESOLE 50014 Firenze 988 ⑭⑮ – 15 226 ab. alt. 295 – ☎ 055.

Vedere Paesaggio★★★ – ≤★★ su Firenze – Convento di San Francesco★ – Interno★ e opere di Mino da Fiesole★ nel Duomo – Zona archeologica : sito★, Teatro romano★, museo★ **M1** – Madonna con Bambino e Santi★ del Beato Angelico nella chiesa di San Domenico SO : 2,5 km FT (pianta di Firenze).

ℹ piazza Mino da Fiesole 45 ✆ 598720.

Roma 285 – Arezzo 89 – ♦Firenze 8 – ♦Livorno 124 – ♦Milano 307 – Pistoia 45 – Siena 76.

Pianta di Firenze : percorsi di attraversamento

🏨 **Villa San Michele** ⛰, via Doccia 4 ✆ 59451, Telex 570643, ≤ Firenze e colli, 🌳, « Costruzione quattrocentesca con parco e giardino », 🏊 – ▤ cam ☎ Ⓟ. AE 🅂 ⓓ E VISA. ✻ rist FT **b**
marzo-novembre – Pas carta 80/100000 – 28 cam ☕ 560/860000 appartamento 1400000.

🏨 **Aurora,** piazza Mino da Fiesole 39 ✆ 59100, ≤, 🌳, 🍽 – ▤ cam 📺 ☎ Ⓟ – 🏛 25 a 180. AE 🅂 ⓓ E VISA. ✻ **a**
Pas *(chiuso domenica sera, lunedì e novembre)* carta 28/50000 (10%) – ☕ 16000 – **26 cam** 130/210000.

🏨 **Villa Bonelli,** via Francesco Poeti 1 ✆ 59513 – 🛗 ☎ 🚗. AE 🅂 ⓓ E VISA. ✻ rist
Pas *(chiuso a mezzogiorno)* – 23 cam (solo ½ P) 57/67000. **b**

a San Domenico S : 2,5 km FT – ✉ **50016** :

🏨 **Bencistà** ⛰, ✆ 59163, ≤ Firenze e colli, « Fra gli oliveti », 🍽 – ☎ Ⓟ. ✻ rist FT **c**
15 marzo-ottobre – 40 cam (solo ½ P) 70/88000.

a Maiano S : 3 km FT – ✉ **50016** San Domenico :

✗ **Trattoria le Cave di Maiano,** ✆ 59133, prenotare, « Servizio estivo in terrazza con ≤ colli » – Ⓟ. AE ⓓ VISA FT **e**
chiuso domenica sera, giovedì ed agosto – Pas carta 31/43000.

ad Olmo NE : 9 km FT – ✉ **50014** Fiesole :

🏨 **Dino,** ✆ 548932, ≤ – 🍽 rist ☎ Ⓟ. AE 🅂 ⓓ E VISA. ✻ rist
Pas *(chiuso mercoledì escluso giugno-settembre)* carta 19/32000 (12%) – ☕ 9000 – **18 cam** 42/63000 – P 75000.

FIESSO D'ARTICO 30032 Venezia – 5 783 ab. alt. 9 – ☎ 041.

Roma 508 – ♦Milano 247 – ♦Padova 14 – Treviso 42 – ♦Venezia 25.

🏨 **Villa Giulietta,** via Riviera del Brenta 169 ✆ 5161500 – ▤ 📺 ☎ Ⓟ – 🏛 200. AE 🅂 ⓓ E VISA. ✻
Pas vedere rist Da Giorgio – ☕ 8000 – **27 cam** 64/100000.

✗✗ **Da Giorgio,** via Riviera del Brenta 228 ✆ 5160204 – ▤ Ⓟ. AE 🅂 ⓓ E VISA. ✻
chiuso mercoledì ed agosto – Pas carta 32/46000.

FIGINO SERENZA 22060 Como 219 ⑲ – 4 349 ab. alt. 330 – ☎ 031.

Roma 622 – Como 14 – ♦Milano 34.

🏨 **Park Hotel e Villa Argenta,** ✆ 780792, Fax 780117, 🍽 – ☎ Ⓟ. AE 🅂 ⓓ E VISA
chiuso agosto – Pas carta 30/46000 – ☕ 8000 – **40 cam** 71/99000.

FIGLINE VALDARNO 50063 Firenze 988 ⑮ – 15 858 ab. alt. 126 – ☎ 055.

Roma 241 – Arezzo 45 – ♦Firenze 37 – ♦Perugia 121 – Siena 59.

✗✗ Principe, via Roma 2 ✆ 951923 – ▤.

✗ **Papillon,** piazza Ficino 83 ✆ 952676 – AE ⓓ
chiuso domenica ed agosto – Pas carta 21/35000.

FIAT viale Petrarca 27 ✆ 953048

FILOTTRANO 60024 Ancona 988 ⑯ – 8 972 ab. alt. 270 – ✪ 071.
Roma 277 – ♦Ancona 41 – Macerata 22 – ♦Perugia 136.

🏠 7 Colli ⌂, via Gemme 2 🖉 723833 – |自| 🔳 rist ☎ 🅿 – 22 cam.

FINALE DI RERO 44030 Ferrara – alt. 2 – ✪ 0533.
Roma 445 – ♦Bologna 69 – ♦Ferrara 22 – ♦Ravenna 65.

✗ Al Pescatore, 🖉 50180 – 🅿.

FINALE LIGURE 17024 Savona 988 ⑫ – 13 234 ab. – Stazione balneare – ✪ 019.
Vedere Finale Borgo ★ NO : 2 km.
Escursioni Castel San Giovanni : ≼★ 1 h a piedi AR (da via del Municipio).
🖪 via San Pietro 14 🖉 692581.
Roma 571 – Cuneo 116 – ♦Genova 72 – Imperia 52 – ♦Milano 195 – Savona 26.

🏯 **Punta Est,** via Aurelia 1 🖉 600611, ≼, « Antica dimora in un parco ombreggiato », 🔥, 🦶
– |自| ☎ 🅿 – 🔥 100. 🆎 𝑽𝑰𝑺𝑨 ⏧
maggio-settembre – Pas 40/50000 – ⴐ 10000 – 37 cam 70/140000 appartamenti 160/200000 –
P 130/135000.

🏯 **Moroni,** viale delle Palme 20 🖉 692222, Telex 271305, ≼, 🦶 – |自| ⬒. ⏧ rist
maggio-settembre – Pas 25/35000 – ⴐ 14000 – **113 cam** 70/110000 – P 85/110000.

🏩 **Miramare,** via San Pietro 9 🖉 692467, ≼ – |自| 📺 ☜ 🔥, 🆎 🅱 ⑩ 🅴 𝑽𝑰𝑺𝑨. ⏧
chiuso dal 24 ottobre al 20 dicembre – Pas carta 33/46000 – ⴐ 11000 – **35 cam** 55/85000 –
P 75/95000.

🏩 **Internazionale,** via Concezione 3 🖉 692054, 🦶 – 📺 ☎. 🅱. ⏧ rist
chiuso dal 20 ottobre al 28 dicembre – Pas 28/35000 – ⴐ 9500 – **32 cam** 51/82000 – P 85000.

✗✗ **La Lampara,** vico Tubino 4 🖉 692430, Coperti limitati; prenotare – ⏧
chiuso mercoledì e dal 20 ottobre al 30 novembre – Pas carta 35/60000.

✗ Il Mare in Tavola-da Nene, via Concezione 64 🖉 692495, prenotare.

✗ **Negro,** via Concezione 15/16 🖉 691657, prenotare – 🆎 🅱 ⑩ 🅴. ⏧
chiuso a mezzogiorno in luglio-agosto, lunedì e gennaio – Pas carta 32/60000.

a Perti Alto NO : 6 km – alt. 145 – ✉ 17024 Finale Ligure :

✗ **Osteria del Castel Gavone,** 🖉 692277, « Servizio estivo in terrazza con ≼ colline e mare »
– 🆎
chiuso martedì e dal 10 al 30 gennaio – Pas carta 26/37000.

Vedere anche : *Varigotti* E : 5 km.

FIAT via Dante Alighieri 7 🖉 692061   RENAULT via Dante Alighieri 62 🖉 690269
LANCIA-AUTOBIANCHI via Torino 59 🖉 691832

FINO DEL MONTE 24020 Bergamo – 914 ab. alt. 662 – ✪ 0346.
Roma 639 – ♦Bergamo 38 – ♦Brescia 85 – Edolo 76 – ♦Milano 84.

✗ **Stavros Grill,** 🖉 72116, prenotare – 🅿. ⏧
chiuso martedì e dal 1° al 15 settembre – Pas carta 25/38000.

Vedere anche : *Rovetta* O : 1 km.

FINO MORNASCO 22073 Como 219 ⑱ – 7 788 ab. alt. 334 – ✪ 031.
Roma 617 – Como 10 – ♦Milano 35.

✗✗ **La Madunina,** 🖉 927496 – 🅿. 🆎 🅱 ⑩ 🅴 𝑽𝑰𝑺𝑨. ⏧
chiuso mercoledì – Pas carta 25/34000.

FIORANO MODENESE 41042 Modena – 15 073 ab. alt. 155 – ✪ 059.
Roma 421 – ♦Modena 15 – Reggio nell'Emilia 35.

🏯 **Executive,** circondariale San Francesco 2 🖉 (0536) 832010, Telex 224667, Fax 830229 – |自| ▤
📺 ☎ ☜ 🅿 – 🔥 150. 🆎 🅱 ⑩ 🅴 𝑽𝑰𝑺𝑨. ⏧
chiuso agosto – Pas carta 29/42000 – ⴐ 10000 – **60 cam** 98/144000 appartamenti 190/230000.

FIORENZUOLA D'ARDA 29017 Piacenza 988 ⑬ ⑭ – 13 533 ab. alt. 82 – ✪ 0523.
Roma 495 – Cremona 31 – ♦Milano 87 – ♦Parma 37 – Piacenza 23.

✗✗ **La Campana,** via Emilia 🖉 943833 – 🅿. 🆎 ⑩ 𝑽𝑰𝑺𝑨. ⏧
chiuso lunedì – Pas carta 23/35000.

Segnalateci il vostro parere sui ristoranti che
raccomandiamo, indicateci le loro specialità
ed i vini di produzione locale da essi serviti.

FIRENZE 50100 ⓟ 🅶 988 ⑮ – 421 299 ab. alt. 49 – ❀ 055.

Vedere Duomo** : esterno dell'abside***, cupola*** (✳**) – Campanile** : ✳** – Battistero** : porte***, mosaici*** – Museo dell'Opera del Duomo** – Piazza della Signoria** – Loggia della Signoria** : Perseo*** di B. Cellini – Palazzo Vecchio*** – Galleria degli Uffizi*** – Palazzo e museo del Bargello*** – San Lorenzo*** : chiesa**, Biblioteca Laurenziana**, tombe dei Medici*** nelle Cappelle Medicee** – Palazzo Medici-Riccardi** : affreschi di Benozzo Gozzoli***, sala di Luca Giordano** – Chiesa di Santa Maria Novella** : affreschi del Ghirlandaio***, Crocifisso di Brunelleschi**, affreschi** della cappella degli Spagnoli nel Chiostro Verde* – Ponte Vecchio* – Palazzo Pitti** : galleria Palatina***, museo degli Argenti**, opere dei Macchiaioli** nella galleria d'Arte Moderna* – Giardino di Boboli** : ✳** dal forte del Belvedere ABZ – Convento e museo di San Marco** : opere di Fra Angelico*** – Galleria dell'Accademia** : grande galleria*** – Piazza della Santissima Annunziata* CX : affreschi* nella chiesa E, portico* ornato di medaglioni** nell'Ospedale degli Innocenti M3 – Chiesa di Santa Croce** : Cappella dei Pazzi** – Passeggiata ai Colli** : chiesa di San Miniato al Monte**.

Palazzo Strozzi** BY F – Affreschi di Masaccio** nella chiesa di Santa Maria del Carmine AY G – Cenacolo di San Salvi** FU K – Orsanmichele* : tabernacolo dell'Orcagna** BCY L – La Badia CY S : campanile*, bassorilievo in marmo**, tombe*, Apparizione della Vergine a San Bernardo* di Filippino Lippi – Cappella Sassetti** e cappella dell'Annunciazione* nella chiesa di Santa Trinità BY N – Chiesa di Santo Spirito* ABY R – Cenacolo di Sant'Apollonia* CVX V – Cenacolo del Ghirlandaio* AX X – Loggia del Mercato Nuovo* BY Y – Casa Buonarroti* DY Z – Musei : Archeologico* (Chimera d'Arezzo**) CX M4, dell'Antica Casa Fiorentina* BY M5, di Storia della Scienza* CY M6, Opificio delle Pietre Dure* CX M7.

Dintorni Ville Medicee** : giardino* di villa della Pretaia FT B – Villa di Poggio a Caiano* per ⑥ : 17 km – Chiostro* nella Certosa del Galluzzo EFU.

🛦 Dell'Ugolino (chiuso lunedì), a Grassina ⊠ 50015 𝒫 2051009, S : 12 km FU.

✈ di Peretola NO : 4 km ET 𝒫 373498 – Alitalia, lungarno Acciaiuoli 10/12 r, ⊠ 50123 𝒫 27889.

🛈 via Manzoni 16 ⊠ 50121 𝒫 2478141 – via de' Tornabuoni 15 ⊠ 50123 𝒫 216544, Telex 572263.

A.C.I. viale Amendola 36 ⊠ 50121 𝒫 24861, Telex 571202.

Roma 277 ③ – ◆Bologna 105 ⑥ – ◆Milano 298 ⑧.

Piante pagine seguenti

🏨 **Excelsior,** piazza Ognissanti 3 ⊠ 50123 𝒫 264201, Telex 570022, Fax 210278, « Servizio rist. estivo in terrazza con ≤ » – 🛗 🗏 🔟 ☎ 🕭 – 🔬 50 a 350. 🖭 🔂 ⓸ 🛭 🗸🗸🖪 🛠 rist   AY **g**
Pas carta 85/130000 – 🖙 22500 – **205 cam** 344/500000 appartamenti 830/1420000.

🏨 **Savoy,** piazza della Repubblica 7 ⊠ 50123 𝒫 283313, Telex 570220, Fax 284840 – 🛗 🗏 🔟 ☎ 🕭 – 🔬 150. 🖭 🔂 ⓸ 🛭 🗸🗸🖪 🛠 rist   BY **e**
Pas *(chiuso a mezzogiorno)* carta 48/74000 – **101 cam** 🖙 330/520000 appartamenti 790/970000.

🏨 **Villa Medici e Rist. Lorenzaccio,** via II Prato 42 ⊠ 50123 𝒫 261331, Telex 570179, 🏡, 🏊 – 🛗 🗏 🔟 ☎ – 🔬 30 a 90. 🖭 🔂 ⓸ 🛭 🗸🗸🖪 🛠 rist   AX **g**
Pas carta 45/80000 – 🖙 15000 – **107 cam** 266/450000 appartamenti 602/702000.

🏨 **Regency e Rist. Relais le Jardin,** piazza Massimo D'Azeglio 3 ⊠ 50121 𝒫 245247, Telex 571058, Fax 2342938, « Grazioso giardino » – 🛗 ✸✸ 🗏 🔟 ☎ ⟷. 🖭 🔂 ⓸ 🛭 🗸🗸🖪 🛠 rist
Pas *(chiuso domenica)* carta 60/85000 – 🖙 18000 – **40 cam** 300/420000 appartamenti 600/850000 – P 386000.   DX **c**

🏨 **Brunelleschi,** piazza Santa Elisabetta 4 ⊠ 50122 𝒫 562068, Telex 575805, Fax 219653 – 🛗 ✸✸ cam 🗏 🔟 ☎ – 🔬 100. 🖭 🔂 ⓸ 🛭 🗸🗸🖪 🛠 rist   CY **p**
Pas carta 41/62000 – **94 cam** 🖙 200/280000 appartamenti 350/440000 – P 200/270000.

🏨 **Grand Hotel Baglioni,** piazza Unità Italiana 6 ⊠ 50123 𝒫 218441, Telex 570225, « Rist roof-garden con ≤ » – 🛗 ✸✸ cam 🗏 🔟 ☎ 🕭 – 🔬 60 a 280. 🖭 🔂 ⓸ 🛭 🗸🗸🖪 🛠 rist   BX **e**
Pas carta 47/62000 – 195 cam 🖙 178/250000.

🏨 **Grand Hotel** senza rist, piazza Ognissanti 1 ⊠ 50123 𝒫 278781, Telex 570055, Fax 217400 – 🛗 🗏 🔟 ☎. 🖭 🔂 ⓸ 🛭 🗸🗸🖪   AXY **a**
🖙 24000 – **38 cam** 347/504000.

🏨 **Jolly,** piazza Vittorio Veneto 4/a ⊠ 50123 𝒫 2770, Telex 570191, Fax 2770, « 🏊 su terrazza panoramica » – 🛗 🗏 🔟 ☎ – 🔬 30 a 100. 🖭 🔂 ⓸ 🛭 🗸🗸🖪 🛠 rist   AX **u**
Pas 45000 – **167 cam** 🖙 180/250000.

🏨 **Majestic,** via del Melarancio 1 ⊠ 50123 𝒫 264021, Telex 570628, Fax 268428 – 🛗 🗏 🔟 ☎ ⟷ – 🔬 80. 🖭 🔂 ⓸ 🛭 🗸🗸🖪 🛠 rist   BX **u**
Pas *(chiuso domenica)* 40/45000 – 🖙 20000 – **104 cam** 165/220000 appartamenti 300/350000 – P 150/230000.

🏨 **Plaza Hotel Lucchesi,** lungarno della Zecca Vecchia 38 ⊠ 50122 𝒫 264141, Telex 570302, Fax 2480921, ≤ – 🛗 🗏 🔟 ☎ – 🔬 100. 🖭 🔂 ⓸ 🛭 🗸🗸🖪 🛠 rist   DY **f**
Pas *(chiuso domenica)* carta 44/61000 – **97 cam** 🖙 196/272000 appartamenti 387000.

🏨 **De la Ville,** piazza Antinori 1 ⊠ 50123 𝒫 261805, Telex 570518, Fax 261809 – 🛗 🗏 🔟 ☎ – 🔬 60. 🖭 🔂 ⓸ 🛭 🗸🗸🖪 🛠 rist   BX **n**
Pas (solo per clienti alloggiati e *chiuso a mezzogiorno e domenica*) carta 35/45000 – **75 cam** 🖙 195/270000 appartamenti 350/540000.

🏨 **Berchielli** senza rist, piazza del Limbo 6 r ⊠ 50123 𝒫 264061, Telex 575582, ≤ – 🛗 🗏 🔟 ☎ – 🔬 80. 🖭 🔂 ⓸ 🛭 🗸🗸🖪   BY **b**
74 cam 🖙 178/251000 appartamenti 356/429000.

Bernini senza rist, piazza San Firenze 29 ⌗ 50122 ℰ 278621, Telex 573616, Fax 268272 – 🛗
🍽 ▤ 📺 ☎ – 🔼 40. 🆎 🗲 ⓞ 🗲 *VISA*   CY **x**
86 cam ⌁ 196/272000 appartamenti 350/450000.

Montebello Splendid, via Montebello 60 ⌗ 50123 ℰ 298051, Telex 574009, Fax 211867, 🌳
– 🛗 ▤ 📺 ☎. 🆎 🗲 ⓞ 🗲 *VISA* ✂ rist   AX **e**
Pas *(chiuso a mezzogiorno e domenica)* 30000 – **41 cam** ⌁ 190/280000.

Michelangelo, via Fratelli Rosselli 2 ⌗ 50123 ℰ 278711, Telex 571113, Fax 278717 – 🛗 ▤
📺 ☎ 🚗 – 🔼 50 a 200. 🆎 🗲 ⓞ 🗲 *VISA* ✂ rist   AX **w**
Pas carta 38/52000 – **138 cam** ⌁ 185/260000 – P 143/193000.

Anglo American, via Garibaldi 9 ⌗ 50123 ℰ 282114, Telex 570289, Fax 268513 – 🛗 ▤ 📺
☎ 🔥 – 🔼 50 a 150. 🆎 🗲 ⓞ 🗲 *VISA* ✂ rist   AX **d**
Pas *(chiuso domenica)* 44/52000 – **107 cam** ⌁ 180/250000 appartamenti 300/350000.

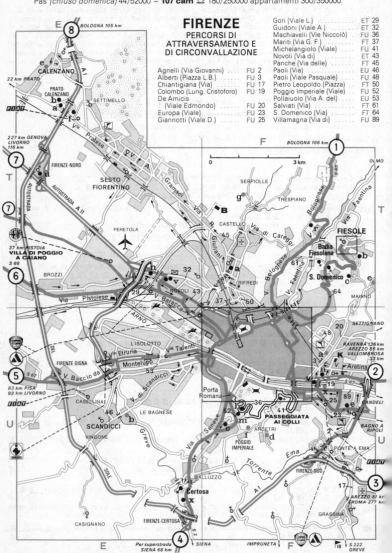

FIRENZE
PERCORSI DI ATTRAVERSAMENTO E DI CIRCONVALLAZIONE

🏩 **Gd H. Minerva,** piazza Santa Maria Novella 16 ⊠ 50123 ℰ 284555, Telex 570414, Fax 268281, ⌁ – 🛗 🗏 📺 ☎ ₰ – 🛤 30 a 90. 🖭 🕃 ⓘ ⋿ 𝘝𝘐𝘚𝘈. ⚄ rist   BX **s**
Pas carta 41/60000 – ⌸ 18000 – **107 cam** 173/227000 appartamenti 275/450000 – P 171/247000.

🏩 **Pullman Astoria Palazzo Gaddi,** via del Giglio 9 ⊠ 50123 ℰ 298095, Telex 571070, Fax 214632 – 🛗 🗏 📺 ☎ ₰ – 🛤 50 a 130. 🖭 🕃 ⓘ ⋿ 𝘝𝘐𝘚𝘈 ⚄ rist   BX **f**
Pas *(chiuso domenica)* carta 38/56000 – **88 cam** ⌸ 180/270000 appartamenti 430/540000 –
P 225000.

🏩 **Augustus** senza rist, piazzetta dell'Oro 5 ⊠ 50123 ℰ 283054, Telex 570110, Fax 268557 – 🛗
🗏 📺 ₰ ₳, 🖭 🕃 ⓘ ⋿ 𝘝𝘐𝘚𝘈   BY **a**
⌸ 13000 – **67 cam** 150/205000 appartamenti 315000.

🏩 **Kraft,** via Solferino 2 ⊠ 50123 ℰ 284273, Telex 571523, Fax 298267, « Rist. roof-garden con
≼ », ⌁ – 🛗 🗏 📺 ☎. 🖭 🕃 ⓘ ⋿ 𝘝𝘐𝘚𝘈. ⚄ rist   AX **c**
Pas 30/35000 – **68 cam** ⌸ 193/267000.

🏩 **Londra,** via Jacopo da Diacceto 16 ⊠ 50123 ℰ 262791, Telex 571152, Fax 210682, ⌖ – 🛗
📺 ☎ ₳ ⇌ – 🛤 200. 🖭 🕃 ⓘ ⋿ 𝘝𝘐𝘚𝘈 ⚄ rist   AX **n**
Pas carta 42/63000 – ⌸ 19000 – **101 cam** 165/217000 – P 190/248000.

🏩 **Lungarno** senza rist, borgo Sant'Jacopo 14 ⊠ 50125 ℰ 264211, Telex 570129, Fax 268437, ≼,
« Collezione di quadri moderni » – 🛗 🗏 📺 ☎ – 🛤 30. 🖭 🕃 ⓘ ⋿ 𝘝𝘐𝘚𝘈   BY **d**
⌸ 13000 – **66 cam** 150/215000 appartamenti 305/325000.

🏩 **Raffaello,** viale Morgagni 19 ⊠ 50134 ℰ 439871, Telex 580035, Fax 434374 – 🛗 🗏 📺 ☎ –
🛤 120. 🖭 🕃 ⓘ ⋿ 𝘝𝘐𝘚𝘈. ⚄ rist   FT **a**
Pas carta 32/46000 – **141 cam** ⌸ 185/245000 appartamenti 380/450000.

🏩 **Alexander,** viale Guidoni 101 ⊠ 50127 ℰ 4378951, Telex 574026, Fax 416818 – 🛗 🗏 📺 ☎
🄿 – 🛤 50 a 400. 🖭 🕃 ⓘ ⋿ 𝘝𝘐𝘚𝘈. ⚄ rist   ET **v**
Pas carta 35/45000 – **88 cam** ⌸ 170/230000.

🏩 **Crest e Rist. La Tegolaia,** viale Europa 205 ⊠ 50126 ℰ 686841, Telex 570376, Fax 686806,
⌁ riscaldata, ⌖ – 🛗 ⇌ cam 🗏 📺 ☎ ₳ 🄿 – 🛤 50 a 100. 🖭 ⓘ ⋿ 𝘝𝘐𝘚𝘈. ⚄ rist   FU **e**
Pas carta 33/58000 – **92 cam** ⌸ 180/210000.

🏩 **Principe** senza rist, lungarno Vespucci 34 ⊠ 50123 ℰ 284848, Telex 571400, ≼, ⌖ – 🛗 🗏
☎. 🖭 🕃 ⓘ ⋿ 𝘝𝘐𝘚𝘈   AX **b**
⌸ 15000 – **22 cam** 135/210000 appartamento 300000.

🏩 **Pierre** senza rist, via de' Lamberti 5 ⊠ 50123 ℰ 217512, Telex 573175 – 🛗 🗏 ☎. 🖭 ⓘ 𝘝𝘐𝘚𝘈
⌸ 15500 – **39 cam** 225000.   BY **k**

🏨 **Continental** senza rist, lungarno Acciaiuoli 2 ⊠ 50123 ℰ 282392, Telex 580525, « Terrazza
fiorita con ≼ » – 🛗 🗏 📺 ☎ ₳. 🖭 🕃 ⓘ ⋿ 𝘝𝘐𝘚𝘈   BY **a**
⌸ 13000 – **61 cam** 120/175000 appartamenti 200/280000.

🏨 **Fleming** senza rist, viale Guidoni 87 ⊠ 50127 ℰ 4376331, Telex 574027 – 🛗 🗏 📺 ☎ ₳ – 🛤
100. 🖭 🕃 ⓘ ⋿ 𝘝𝘐𝘚𝘈. ⚄   ET **v**
100 cam ⌸ 87/137000.

🏨 **Goldoni** senza rist, via Borgo Ognissanti 8 ⊠ 50123 ℰ 284080 – 🛗 🗏 📺 ☎. 🖭 🕃 ⓘ ⋿ 𝘝𝘐𝘚𝘈
20 cam ⌸ 80/125000.   AY **x**

🏨 **Calzaiuoli** senza rist, via Calzaiuoli 6 ⊠ 50122 ℰ 212456, Telex 580589 – 🛗 🗏 📺 ☎. 🖭 🕃
ⓘ ⋿ 𝘝𝘐𝘚𝘈   CY **s**
⌸ 9000 – **37 cam** 73/109000.

🏨 **Ville sull'Arno** senza rist, lungarno Colombo 5 ⊠ 50136 ℰ 670971, Telex 573297, ≼, ⌁ – 🗏
☎ ₳ ⇌ 🄿 🖭 🕃 ⓘ ⋿ 𝘝𝘐𝘚𝘈   FU **v**
⌸ 13500 – **47 cam** 115/198000.

🏨 **Golf** senza rist, viale Fratelli Rosselli 58 ⊠ 50123 ℰ 293088, Telex 571630 – 🛗 🗏 📺 ☎ 🄿. 🕃
ⓘ ⋿ 𝘝𝘐𝘚𝘈. ⚄   AV **k**
⌸ 14500 – **39 cam** 73/110000.

🏨 **Columbus,** lungarno Colombo 22/a ⊠ 50136 ℰ 677251, Telex 570273 – 🛗 🗏 ☎ 🄿. 🖭 🕃
ⓘ ⋿ 𝘝𝘐𝘚𝘈. ⚄ rist   FU **n**
Pas (solo per clienti alloggiati) carta 28/43000 – ⌸ 9000 – **99 cam** 70/105000.

🏨 **Della Signoria** senza rist, via delle Terme 1 ⊠ 50123 ℰ 214530, Telex 571561 – 🛗 ⇌ 🗏 📺
☎. 🖭 🕃 ⓘ ⋿ 𝘝𝘐𝘚𝘈   BY **z**
27 cam ⌸ 157/198000.

🏨 **Ambasciatori** senza rist, via Alamanni 3 ⊠ 50123 ℰ 287421, Telex 571390, Fax 212360 – 🛗
🗏 📺 ☎ – 🛤 50. 🖭 🕃 ⓘ ⋿ 𝘝𝘐𝘚𝘈   AX **s**
⌸ 20000 – **94 cam** 75/110000, 🗏 3500.

🏨 **Balestri** senza rist, piazza Mentana 7 ⊠ 50122 ℰ 214743 – 🛗 🗏 ⊜. 🖭 𝘝𝘐𝘚𝘈. ⚄   CY **m**
marzo-novembre – ⌸ 18000 – **50 cam** 73/105000 appartamento 175000, 🗏 4000.

🏨 **Villa Azalee** senza rist, viale Fratelli Rosselli 44 ⊠ 50123 ℰ 214242 – 🗏 📺 ☎. 🖭 🕃 ⓘ ⋿
𝘝𝘐𝘚𝘈   AVX **y**
⌸ 15000 – **25 cam** 74/110000.

🏨 **David** senza rist, viale Michelangiolo 1 ⊠ 50125 ℰ 6811696, Telex 574553 – 🛗 🗏 ☎ ₳ 🄿. 🖭
🕃 ⓘ ⋿ 𝘝𝘐𝘚𝘈. ⚄   DZ **a**
⌸ 12000 – **25 cam** 73/110000.

FIRENZE

0   300 m

★★ S. LORENZO
★★ STA MA NOVELLA

234

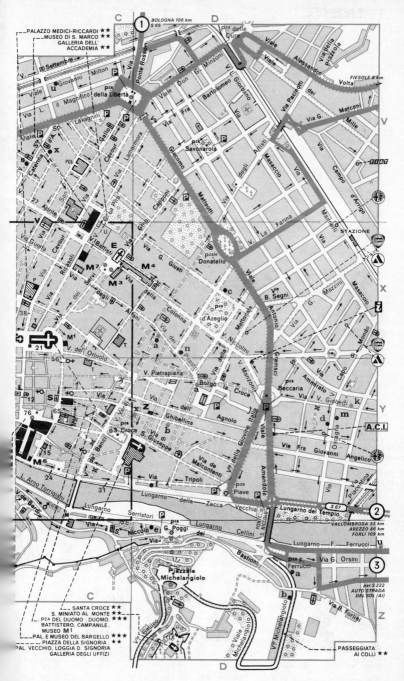

PALAZZO MEDICI-RICCARDI ★★
MUSEO DI S. MARCO
GALLERIA DELL'
ACCADEMIA ★★

BOLOGNA 106 km
S 65

Pza delle
Cure

FIESOLE 8 km

STAZIONE

A.C.I.

Lungarno del Tempio
S 67
VALLOMBROSA 33 km
AREZZO 86 km
FORLI 109 km

Piazzale
Michelangiolo

per S 222
AUTOSTRADA
DEL SOL (A1)

PASSEGGIATA
AI COLLI ★★

SANTA CROCE ★★
S. MINIATO AL MONTE ★★
PZA DEL DUOMO: DUOMO, ★★★
BATTISTERO, CAMPANILE,
MUSEO M1
PAL. E MUSEO DEL BARGELLO ★★★
PIAZZA DELLA SIGNORIA ★★
PAL. VECCHIO, LOGGIA D. SIGNORIA
GALLERIA DEGLI UFFIZI

235

FIRENZE

★★ PALAZZO MEDICI-RICCARDI
★★★ S. LORENZO
★★ SANTA MARIA NOVELLA

PIAZZA DEL DUOMO ★★★ · DUOMO ★★ A
BATTISTERO ★★ C CAMPANILE ★★ B
MUSEO DELL'OPERA DEL DUOMO ★★ M1

S. MARCO (MUSEO) ★★
GALLERIA DELL'
ACCADEMIA ★★

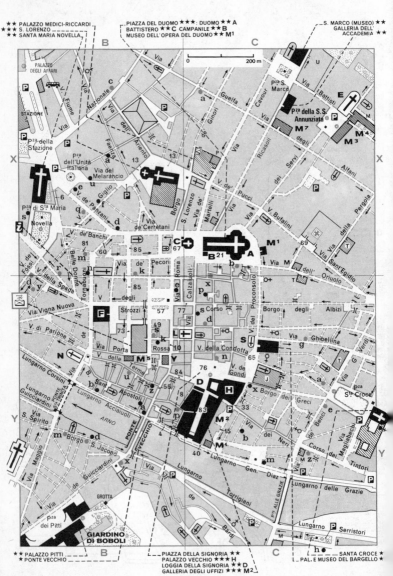

★★ PALAZZO PITTI ___ B
★ PONTE VECCHIO

PIAZZA DELLA SIGNORIA ★★
PALAZZO VECCHIO ★★★ H
LOGGIA DELLA SIGNORIA ★★ D
GALLERIA DEGLI UFFIZI ★★★ M2

SANTA CROCE ★
PAL. E MUSEO DEL BARGELLO ★

🏨 **Caravel** senza rist, via Alamanni 9 ✉ 50123 ✆ 217651 – 🛗 ▤ 🕾. 𝘝𝘐𝘚𝘈. 🛠   AX **s**
🖵 12000 – **59 cam** 75/110000.

🏨 **Milano Terminus** senza rist, via de' Cerretani 68 r ✉ 50123 ✆ 283372, Telex 580515 – 🛗 ▤   BX **d**
📺 🕾 &. ⬛ 🄱 ⓞ ⒠ 𝘝𝘐𝘚𝘈
🖵 14000 – **82 cam** 126/200000.

🏨 **Royal** senza rist, via delle Ruote 52 ✉ 50129 ✆ 483287, « Giardino » – 🛗 🕾 & 🄿. ⬛ 🄱 ⒠
𝘝𝘐𝘚𝘈   CV **x**
29 cam 🖵 80/123000.

🏨 **City** senza rist, via Sant'Antonino 18 ✉ 50123 ✆ 211543, Telex 573389 – 🛗 ▤ 📺 🕾. ⬛ 🄱
ⓞ ⒠ 𝘝𝘐𝘚𝘈   BX **a**
18 cam 🖵 83/128000.

🏨 **Villa Liberty** senza rist, viale Michelangiolo 40 ✉ 50125 ✆ 6810581, 🚗 – 🛗 ▤ 📺 🕾. ⬛ 🄱
ⓞ ⒠ 𝘝𝘐𝘚𝘈   DZ **b**
16 cam 🖵 83/128000.

🏠 **Rapallo,** via di Santa Caterina d'Alessandria 7 ✉ 50129 ✆ 472412, Telex 574251 – 🛗 ▤ 🕾
🚗. ⬛ 🄱 ⒠ 𝘝𝘐𝘚𝘈. 🛠   CV **s**
Pas (solo per clienti alloggiati) carta 26/38000 (12%) – 🖵 9500 – **30 cam** 73/109000 –
P 96/125000.

🏠 **Franchi** senza rist, via Sgambati 28 ✉ 50127 ✆ 372425, Telex 580425 – 🛗 🕾 🄿. ⬛ 🄱 ⓞ ⒠
𝘝𝘐𝘚𝘈   ET **n**
🖵 9000 – **35 cam** 60/90000.

🏠 **Arizona** senza rist, via Farini 2 ✉ 50121 ✆ 245321, Telex 575572 – 🛗 📺 🕾. ⬛ 🄱 ⓞ ⒠ 𝘝𝘐𝘚𝘈
🛠   DX **n**
21 cam 🖵 85/130000.

🏠 **Astor** senza rist, viale Milton 41 ✉ 50129 ✆ 483391, Telex 573155 – 🛗 📺 🕾. ⬛ 🄱 ⓞ ⒠
𝘝𝘐𝘚𝘈. 🛠   CV **u**
🖵 12000 – **23 cam** 70/99000.

🏠 **Fiorino** senza rist, via Osteria del Guanto 8 ✉ 50122 ✆ 210579 – ▤ 🕾   CY **b**
🖵 8000 – **23 cam** 50/78000, ▤ 3500.

🏠 **Jane** senza rist, via Orcagna 56 ✉ 50121 ✆ 677383 – 🛗 🕾 – 🛢 120. 🛠   DY **m**
🖵 7500 – **28 cam** 45/67000.

🏠 **Orcagna** senza rist, via Orcagna 57 ✉ 50121 ✆ 670500 – 🛗 🕾. 🄱 ⓞ ⒠. 🛠   DY **d**
🖵 7000 – **18 cam** 41/61000.

🏠 **San Remo** senza rist, lungarno Serristori 13 ✉ 50125 ✆ 2342823 – 🛗 ▤ 🕾. ⬛ 🄱 ⒠ 𝘝𝘐𝘚𝘈
20 cam 🖵 69/104000, ▤ 3000.   DZ **e**

🏠 **Ariston** senza rist, via Fiesolana 40 ✉ 50122 ✆ 2476980, Telex 571603 – 🕾. ⬛ 🄱 ⓞ ⒠ 𝘝𝘐𝘚𝘈
🖵 8000 – **29 cam** 40/59000.   DX **a**

🏠 **Silla** senza rist, via dei Renai 5 ✉ 50125 ✆ 2342888 – 🕾. ⬛ 🄱 ⓞ ⒠ 𝘝𝘐𝘚𝘈   CY **h**
32 cam 🖵 67/100000.

XXXX ۞۞ **Enoteca Pinchiorri,** via Ghibellina 87 ✉ 50122 ✆ 242777, Coperti limitati; prenotare,
« Servizio estivo in un fresco cortile » – ▤. ⬛ 𝘝𝘐𝘚𝘈   CDY **x**
chiuso domenica, lunedì a mezzogiorno, agosto e dal 24 al 28 dicembre – Pas carta 80/90000
(12%)
Spec. Strozzapreti al pomodoro e salvia fritta, Triglie con acciughe, Scaloppe di branzino impanate. Vini Nosiola,
Cannaio di Montevertine.

XXXX **Sabatini,** via de' Panzani 9/a ✉ 50123 ✆ 282802, Gran tradizione – ▤. ⬛ 🄱 ⓞ ⒠ 𝘝𝘐𝘚𝘈
chiuso lunedì – Pas carta 50/75000 (13%).   BX **q**

XXX **Da Dante-al Lume di Candela,** via delle Terme 23 r ✉ 50123 ✆ 294566, Coperti limitati;
prenotare – ▤. ⬛ 🄱 ⓞ ⒠ 𝘝𝘐𝘚𝘈   BY **u**
chiuso domenica, lunedì a mezzogiorno e dal 10 al 25 agosto – Pas carta 38/60000 (16%).

XXX **Harry's Bar,** lungarno Vespucci 22 r ✉ 50123 ✆ 296700, Coperti limitati; prenotare – ▤. ⬛
𝘝𝘐𝘚𝘈   AY **x**
chiuso domenica e dal 15 dicembre al 10 gennaio – Pas carta 41/58000 (16%).

XXX **Al Campidoglio,** via del Campidoglio 8 r ✉ 50123 ✆ 287770 – ▤. ⬛ 🄱 ⓞ ⒠ 𝘝𝘐𝘚𝘈   BXY **k**
chiuso giovedì – Pas carta 30/60000 (12%).

XX **Don Chisciotte,** via Ridolfi 4 r ✉ 50129 ✆ 475430 – ▤. ⬛ 🄱 🄱 ⓞ ⒠ 𝘝𝘐𝘚𝘈. 🛠   BV **u**
chiuso domenica e lunedì – Pas carta 43/61000.

XX **La Posta,** via de' Lamberti 20 r ✉ 50123 ✆ 212701 – ▤. ⬛ 🄱 ⓞ ⒠ 𝘝𝘐𝘚𝘈. 🛠   BY **s**
chiuso martedì – Pas carta 28/67000 (13%).

XX **La Loggia,** piazzale Michelangiolo 1 ✉ 50125 ✆ 2342832, « Servizio estivo all'aperto con
⬗ » – ▤ 🄿 – 🛢 100. ⬛ 🄱 ⓞ ⒠ 𝘝𝘐𝘚𝘈. 🛠   DZ **r**
chiuso mercoledì e dal 10 al 25 agosto – Pas carta 33/51000 (13%).

XX ۞ **Da Noi,** via Fiesolana 46 r ✉ 50122 ✆ 242917, Coperti limitati; prenotare – 🛠   DX **a**
chiuso domenica, lunedì ed agosto – Pas carta 47/60000
Spec. Insalata calda di faraona e nocciole, Ravioli di seppie nel loro nero, Gamberoni su peperoni, Coniglio in
crema di basilico e menta, Gelato alla lavanda. Vini Chardonnay, Chianti.

segue →

XX **13 Gobbi,** via del Porcellana 9 r ✉ 50123 ✆ 298769, Rist. con specialità toscane – ▥. ᴀᴇ ⦿
⦿ ᴇ 𝘝𝘐𝘚𝘈 AX **v**
chiuso domenica, lunedì e dal 31 luglio al 30 agosto – Pas carta 31/46000 (10%).

XX **Buca Mario,** piazza Ottaviani 16 r ✉ 50123 ✆ 214179, Trattoria caratteristica – ▥. ᴀᴇ ⦿ ⦿
ᴇ 𝘝𝘐𝘚𝘈 ⚸ BXY **d**
chiuso mercoledì, giovedì a mezzogiorno e dall'8 luglio al 1° agosto – Pas carta 36/50000
(10%).

XX **Acquerello,** via Ghibellina 156 r ✉ 50122 ✆ 2340554 – ᴀᴇ ⦿ ⦿ ᴇ 𝘝𝘐𝘚𝘈 CY **g**
chiuso martedì – Pas carta 29/42000 (12%).

XX **Pierot,** piazza Taddeo Gaddi 25 r ✉ 50142 ✆ 702100 – ▥. ᴀᴇ ⦿ ⦿ ᴇ 𝘝𝘐𝘚𝘈 AX **p**
chiuso domenica e dal 15 al 31 luglio – Pas carta 25/36000 (12%).

XX **Leo in Santa Croce,** via Torta 7 r ✉ 50122 ✆ 210829 – ▥. ᴀᴇ ⦿ ⦿ ᴇ 𝘝𝘐𝘚𝘈 . ⚸ CY **a**
chiuso lunedì e dal 20 luglio al 20 agosto – Pas carta 28/43000 (12%).

XX **La Vecchia Cucina,** viale Edmondo De Amicis 1 r ✉ 50137 ✆ 660143, Coperti limitati;
prenotare – ▥. ᴀᴇ ⦿ 𝘝𝘐𝘚𝘈 . ⚸ FU **a**
chiuso domenica – Pas carta 40/55000.

XX Il Profeta, borgo Ognissanti 93 r ✉ 50123 ✆ 212265 – ▥ AX **r**

XX **Mamma Gina,** borgo Sant'Jacopo 37 r ✉ 50125 ✆ 296009 – ▥. ᴀᴇ ⦿ ⦿ ᴇ 𝘝𝘐𝘚𝘈 . ⚸ BY **d**
chiuso domenica e dal 7 al 21 agosto – Pas carta 32/52000 (12%).

XX **Le Fonticine,** via Nazionale 79 r ✉ 50123 ✆ 282106 – ▥. ᴀᴇ 𝘝𝘐𝘚𝘈 . ⚸ BX **c**
chiuso lunedì e dal 22 luglio al 22 agosto – Pas carta 36/57000 (12%).

XX **Osteria n. 1,** via del Moro 20 r ✉ 50123 ✆ 284897 BY **y**
chiuso domenica ed agosto – Pas carta 30/40000.

XX **Paoli,** via dei Tavolini 12 r ✉ 50122 ✆ 216215, Rist. caratteristico, « Decorazioni imitanti lo
stile trecentesco » – ᴀᴇ ⦿ ⦿ ᴇ 𝘝𝘐𝘚𝘈 . ⚸ CY **d**
chiuso martedì – Pas carta 29/48000.

XX **Il Giardino di Barbano,** piazza Indipendenza 3 r ✉ 50129 ✆ 486752, « Servizio estivo in
giardino » – ᴀᴇ ⦿ ⦿ ᴇ 𝘝𝘐𝘚𝘈 BV **w**
chiuso mercoledì – Pas carta 26/39000 (12%).

XX **La Greppia,** lungarno Ferrucci 8 ✉ 50126 ✆ 6812341, Rist. rustico e pizzeria, « Servizio
estivo in terrazza con ⇔ » – ᴀᴇ ⦿ ⦿ ᴇ 𝘝𝘐𝘚𝘈 DZ **u**
chiuso lunedì – Pas carta 29/44000 (12%).

XX **Cibreo,** via dei Macci 118 ✉ 50122 ✆ 2341100, Coperti limitati; prenotare – ᴀᴇ ⦿ ⦿ ᴇ 𝘝𝘐𝘚𝘈
chiuso domenica, lunedì, dal 1° al 7 gennaio, dal 4 al 10 aprile e da agosto al 5 settembre –
Pas carta 33/50000 (15%). DY **a**

XX **Dino,** via Ghibellina 51 r ✉ 50122 ✆ 241452 – ▥. ᴀᴇ ⦿ ⦿ ᴇ 𝘝𝘐𝘚𝘈 . ⚸ DY **b**
chiuso domenica sera, lunedì e dal 30 luglio al 27 agosto – Pas carta 27/40000 (12%).

XX **Ottorino,** via delle Oche 12-16 r ✉ 50122 ✆ 218747 – ⇔ ▥. ᴀᴇ ⦿ ⦿ ᴇ 𝘝𝘐𝘚𝘈 CXY **x**
chiuso domenica – Pas carta 36/58000.

XX **La Capannina di Sante,** piazza Ravenna ang. Ponte da Verrazzano ✉ 50126 ✆ 688345, ⇔,
⛱, Rist. con soli piatti di pesce – ᴀᴇ ⦿ ⦿ 𝘝𝘐𝘚𝘈 . ⚸ FU **x**
chiuso domenica, lunedì a mezzogiorno, dal 10 al 20 agosto e dal 24 al 31 dicembre – Pas
carta 48/60000.

XX **Buca Lapi,** via del Trebbio 1 r ✉ 50123 ✆ 213768, Taverna caratteristica – ▥. ᴀᴇ ⦿ 𝘝𝘐𝘚𝘈
chiuso domenica e lunedì a mezzogiorno – Pas carta 33/45000 (12%). BX **m**

X **Celestino,** piazza Santa Felicita 4 r ✉ 50125 ✆ 296574 – ▥. ᴀᴇ ⦿ 𝘝𝘐𝘚𝘈 BY **x**
chiuso domenica e dal 5 al 20 agosto – Pas carta 26/45000 (12%).

X **Il Tirabusciò,** via de' Benci 34 r ✉ 50122 ✆ 2476225, Coperti limitati; prenotare – ▥
chiuso giovedì e venerdì – Pas carta 20/27000 (12%). CY **e**

X **Le Quattro Stagioni,** via Maggio 61 r ✉ 50125 ✆ 218906, Coperti limitati; prenotare – ▥.
ᴀᴇ ⦿ ⦿ ᴇ 𝘝𝘐𝘚𝘈 ABY **b**
chiuso domenica, dal 21 dicembre al 4 gennaio e dal 9 al 31 agosto – Pas carta 29/40000.

X **Cavallino,** via delle Farine 6 r ✉ 50122 ✆ 215818, Rist. d'habitués, « Servizio estivo all'aperto
con ⇔ » – ▥. ᴀᴇ ⦿ ⦿ ᴇ 𝘝𝘐𝘚𝘈 . ⚸ CY **n**
chiuso mercoledì sera, mercoledì e dal 1° al 26 agosto – Pas carta 23/39000 (12%).

X **La Martinicca,** via del Sole 27 r ✉ 50123 ✆ 218928 – ▥. ᴀᴇ ⦿ 𝘝𝘐𝘚𝘈 BX **r**
chiuso martedì – Pas carta 28/48000.

X **La Carabaccia,** via Palazzuolo 190 r ✉ 50123 ✆ 214782 – ⚸ AX **x**
chiuso domenica, lunedì a mezzogiorno ed agosto – Pas carta 27/39000.

X **Trattoria Vittoria,** via della Fonderia 52 r ✉ 50142 ✆ 225657, Specialità di mare – ▥. ᴀᴇ
⦿ ⦿ ᴇ 𝘝𝘐𝘚𝘈 AX **a**
chiuso mercoledì ed agosto – Pas carta 35/50000 (12%).

X **Cammillo,** borgo Sant'Jacopo 57 r ✉ 50125 ✆ 212427, Trattoria tipica fiorentina – ▥. ᴀᴇ
⦿ ᴇ 𝘝𝘐𝘚𝘈 BY **m**
chiuso mercoledì, giovedì, dal 20 dicembre al 15 gennaio e dal 1° al 21 agosto – Pas
carta 38/71000.

X **Antico Fattore,** via Lambertesca 1 ✉ 50122 ✆ 261215 – ᴀᴇ . ⚸ BY **p**
chiuso domenica e lunedì – Pas carta 22/42000 (12%).

✕ **Cafaggi,** via Guelfa 35 r ✉ 50129 ✆ 294989 – ▦ CX **a**
chiuso domenica sera, lunedì, dal 9 al 30 gennaio e dal 23 luglio al 22 agosto – Pas carta 27/50000 (12%).

✕ **Baldini,** via il Prato 96 r ✉ 50123 ✆ 287663 – ≪≫ ▦ ▥ ▣ ⓞ ▤ *VISA* ❀ AX **m**
chiuso sabato, dal 24 dicembre al 3 gennaio e dal 1° al 20 agosto – Pas carta 26/36000.

✕ **La Conchiglia,** via Gioberti 46 r ✉ 50121 ✆ 669957, Rist. con specialità di mare – ▦ ▥ ▣
ⓞ ▤ *VISA* DY **k**
chiuso domenica – Pas carta 30/50000 (12%).

✕ **Del Carmine,** piazza del Carmine 18 r ✉ 50124 ✆ 218601 AY **s**
chiuso agosto, domenica da settembre ad aprile e negli altri mesi anche sabato – Pas carta 21/35000.

✕ **Il Fagioli,** corso Tintori 47 r ✉ 50122 ✆ 244285, Trattoria tipica toscana CY **z**
chiuso agosto, domenica e in estate anche sabato – Pas carta 25/37000.

✕ Il Caminetto, via dello Studio 34 r ✉ 50122 ✆ 296274, ☕ CX **b**

✕ **Alla Vecchia Bettola,** viale Ludovico Ariosto 32 r ✉ 50124 ✆ 224158, « Ambiente caratteristico » – ❀ AY **a**
chiuso domenica, lunedì ed agosto – Pas carta 22/40000.

ai Colli S : 3 km FU :

🏨 **Gd H. Villa Cora e Rist. Taverna Machiavelli** ⑤, viale Machiavelli 18 ✉ 50125 ✆
2298451, Telex 570604, Fax 229086, ☕, « Parco fiorito con ⤢ » – ▮ ▤ ▦ ☎ ❸ – ⚒ 50 a
150. ▥ ▣ ⓞ ▤ *VISA* ❀ rist FU **b**
Pas carta 43/65000 (15%) – ☄ 17000 – **48 cam** 270/430000 appartamenti 653/820000.

🏨 **Villa Carlotta** ⑤, via Michele di Lando 3 ✉ 50125 ✆ 220530, Telex 573485, ➶ – ▮ ≪≫ ▦
▦ ☎ ❸ ▥ ▣ ⓞ ▤ *VISA* ❀ rist AZ **a**
Pas 30/40000 – **26 cam** ☄ 193/270000 – P 185/273000.

🏨 **Villa Belvedere** ⑤ senza rist, via Benedetto Castelli 3 ✉ 50124 ✆ 222501, Telex 575648, ≪
città e colli, « Parco-giardino con ⤢ », ❀ – ▮ ▦ ▦ ☎ ❸ ❸ ❸. ▥ ▣ ⓞ ▤ *VISA* ❀ FU **c**
marzo-novembre – **27 cam** ☄ 140/210000.

🏨 Villa Betania ⑤ senza rist, via del Poggio Imperiale 23 ✉ 50125 ✆ 222243, ➶ – ☎ ❸ ❸
15 cam FU **m**

✕✕ **Antico Crespino,** largo Enrico Fermi 15 ✉ 50125 ✆ 221155, ≪ – ▥ ▣ ⓞ ▤ *VISA* FU **f**
chiuso mercoledì – Pas carta 37/58000 (13%).

ad Arcetri S : 5 km FU – ✉ **50125** Firenze :

✕ **Omero,** via Pian de' Giullari 11 r ✆ 220053, Trattoria di campagna con ≪, « Servizio estivo in terrazza » – ▥. ❀ FU **d**
chiuso martedì ed agosto – Pas carta 26/40000 (13%).

a Galluzzo S : 6,5 km EU – ✉ **50124** Firenze :

🏨 **Relais Certosa,** via Colle Ramole 2 ✆ 2047171, Telex 574332, ≪, ➶, ✕ – ▮ ≪≫ ▦ ☎
❸ – ⚒ 30. ▥ ▣ ⓞ ▤ *VISA* ❀ rist EU **x**
Pas carta 36/60000 – **69 cam** ☄ 188/255000 appartamenti 320/365000 – P 168/198000.

a Candeli per ③ : 7 km FU – ✉ **50010** :

🏨 **Villa La Massa e Rist. Il Verrocchio** ⑤, ✆ 630051, Telex 573555, Fax 632579, ≪, ☕,
« Dimora settecentesca con arredamento in stile », ⤢, ➶ – ▮ ▦ ▦ ❹ ❸ – ⚒ 100. ▥ ▣
ⓞ ▤ *VISA* ❀ rist
Pas *(chiuso lunedì e martedì a mezzogiorno da novembre a marzo)* carta 46/70000 – **39 cam**
☄ 219/384000 appartamenti 395/510000 – P 260/312000.

verso Trespiano N : 7 km FT :

🏨 **Villa le Rondini** ⑤, via Bolognese Vecchia 224 ✉ 50139 Firenze ✆ 400081, Telex 575679,
Fax 268212, ≪ città, « Ville fra gli olivi », ⤢, ➶, ✕ – ❸ ❹ ❸ – ⚒ 80. ▥ ▣ ⓞ ▤ *VISA*
❀ rist FT **r**
Pas 38000 – 33 cam ☄ 85/135000 – P 138/161000.

a Serpiolle N : 8 km FT – ✉ **50142** Firenze :

✕✕ **Lo Strettoio,** ✆ 403044, ☕, solo su prenotazione, « Villa seicentesca fra gli olivi » – ▦ ❸
❀ FT **g**
chiuso domenica, lunedì ed agosto – Pas carta 38/50000.

sull'autostrada al raccordo A 1 - A 11 NO : 10 km ET :

🏨 **MotelAgip,** ✉ 50013 Campi Bisenzio ✆ 4211881, Telex 570263 – ▮ ▦ ▦ ☎ ❹ ❸ – ⚒
200. ▥ ▣ ⓞ ▤ *VISA* ❀ rist ET **u**
Pas *(chiuso domenica)* 33000 – ☄ 18000 – **163 cam** 119/197000.

Vedere anche : *Scandicci* SO : 6 km EU.
  Bagno a Ripoli E : 7 km FU.
  Fiesole NE : 8 km FT.
  Calenzano NO : 13 km ET.
  Bivigliano per ① : 18 km.

MICHELIN, viale Belfiore 41 AV – ⊠ 50144. ℰ 356641.

ALFA-ROMEO via Giotto 31 DY ℰ 677428
ALFA-ROMEO via Pratese 145 ET ℰ 375496
ALFA-ROMEO via Mannelli 119/c DX ℰ 244041
ALFA-ROMEO via Del Sansovino 117 AX ℰ 706402
BMW via Ferrarin 34 ℰ 317187
BMW lungarno del Tempio 44 ℰ 676215
CITROEN via del Ronco Corto 28/30 ℰ 706092
FERRARI via Baracca 148/c ℰ 412611
FIAT viale Belfiore 51/61 AV ℰ 360093
FIAT via della Fonderia 71 AX ℰ 223023
FIAT via Frusa 43/49 DV ℰ 577577
FIAT via Datini 21 FU ℰ 686161
FIAT via Ponte alle Mosse 136 AV ℰ 362555
FORD via Valdera 13 ℰ 416603
FORD via Scipione Ammirato 94 ℰ 671551
GM-OPEL via Cialdini 6/12 ℰ 600229
INNOCENTI via Lunga 131 EU ℰ 710805
LANCIA-AUTOBIANCHI via Baracca 199/n ET ℰ 415575

LANCIA-AUTOBIANCHI via G. B. Vico 10 DX ℰ 677878
LANCIA-AUTOBIANCHI via Boccherini 39 ET ℰ 360007
LANCIA-AUTOBIANCHI via Fortini 122/e FU ℰ 64576
LANCIA-AUTOBIANCHI via della Mattonaia 74 r DX ℰ 2479022
MASERATI via Scipione Ammirato 13 ℰ 675679
MASERATI via di San Quirico 24/g ℰ 710805
MERCEDES-BENZ via Baracca 148/c ℰ 417111
PEUGEOT-TALBOT via Lanzi 29 ℰ 480113
PEUGEOT-TALBOT via Toselli 101/c ℰ 360502
RENAULT viale Corsica 15/23 ℰ 353233
RENAULT via Pollaiolo 16/18 r ℰ 704192
RENAULT via Elia della Costa 23 ℰ 689307
VW-AUDI via Pratese 166 ℰ 373741
VOLVO via Lunga 131 ℰ 715741

FISCHLEINBODEN = Campo Fiscalino.

FIUGGI 03014 Frosinone ⠀ ㉘ – 8 120 ab. alt. 747 – Stazione termale (aprile-novembre) – ✪ 0775.

☒ (chiuso martedi) a Fiuggi Fonte ⊠ 03015 ℰ 55250, S : 4 km.

🛈 (aprile-novembre) piazza Frascara 4 ℰ 55019.

Roma 82 – Avezzano 94 – Frosinone 32 – Latina 88 – ◆Napoli 183.

🖼 **Anticoli,** via Verghetti 70 ℰ 55667, ✳ – 🛗 ⊛. ⫸ ⓪. ⇗
Pas 26000 – ⇌ 8000 – 18 cam 16/31000 – P 45000.

XX **Il Rugantino,** via Diaz 300 ℰ 55400, 🍽 – ⇗
◆ chiuso lunedi – Pas carta 15/24000.

a Fiuggi Fonte S : 4 km – alt. 621 – ⊠ 03015 :

🏩 **Silva Hotel Splendid,** corso Nuova Italia 40 ℰ 55791, « Giardino ombreggiato con ⤢ » –
🛗 ▤ cam 📺 ⑆ ⓟ – 🛗 240. ⫸ 🅱 ⓪. ⇗ rist
maggio-ottobre – Pas 45000 – ⇌ 13500 – **120 cam** 110/139000 – P 95/145000.

🏩 **Vallombrosa e Majestic,** via Vecchia Fiuggi 209 ℰ 55531, « Giardino ombreggiato », ⤢ riscaldata – 🛗 ▤ ⓟ – 🛗 60 a 80
stagionale – 80 cam.

🏩 **Villa Igea,** corso Nuova Italia 32 ℰ 55435, ⤢, ✳ – 🛗 ⓟ. ⫸ ⓪. ⇗ rist
15 maggio-15 ottobre – Pas 30/45000 – ⇌ 8000 – 65 cam 98/120000 – P 110/130000.

🏩 **Imperiale,** via Prenestina 29 ℰ 55055, ✳ – 🛗 ⇌ ⓟ – 🛗 150. ⫸ ⓪ VISA. ⇗
21 maggio-23 ottobre – Pas 28/30000 – ⇌ 7000 – **97 cam** 45/75000 – P 79/87000.

🏨 **San Giorgio,** via Prenestina 31 ℰ 55313, ✳ – 🛗 ▤ rist ⊛ ⓟ. ⫸ VISA. ⇗
aprile-novembre – Pas 25/35000 – ⇌ 7000 – **85 cam** 40/60000 – P 77000.

🏨 **Tripoli,** via 4 Giugno 13 ℰ 55136, 🍽 – 🛗 ▤ rist ⊛ ⓟ. ⫸ VISA
aprile-novembre – Pas carta 26/38000 – ⇌ 8000 – **90 cam** 35/56000 – P 69000.

🏨 **Moderno,** via dei Villini 11 ℰ 55005, ✳ – 🛗 ▤ rist ⊛ ⓟ ⇗
giugno-settembre – Pas 25000 – ⇌ 6000 – 48 cam 44/70000 – P 80000.

🏨 **Alfieri,** viale Fonte Anticolana 49 ℰ 55646 – 🛗 ⇌ cam ⊛ ⇌ ⓟ
aprile-ottobre – Pas 22/30000 – ⇌ 8000 – 40 cam 35/50000 – P 65/69000.

🏨 **Fiuggi Terme,** via Prenestina 9 (SE : 0,5 km) ℰ 55212, ⤢, ✳, ⤬ – 🛗 ⓟ – 🛗 250. ⫸ 🅱 ⓪ 🅴 VISA. ⇗
aprile-ottobre – Pas 34000 – ⇌ 8000 – **53 cam** 45/66000 – P 80000.

🏨 **Mondial Park Hotel,** via Sant'Emiliano 82 ℰ 55848, ⤢ – 🛗 ⇌ ▤ rist ⊛ ⇌ ⓟ – 🛗 80. ⇗ rist
maggio-ottobre – Pas 22/35000 – **43 cam** ⇌ 45/68000 – P 70000.

🏨 **Casina dello Stadio e del Golf,** via 4 Giugno 19 ℰ 55027, ✳ – 🛗 ⊛ ⇌ ⓟ. ⫸. ⇗
aprile-ottobre – Pas 29/32000 – ⇌ 8000 – **49 cam** 42/59000 – P 73000.

🏨 **Michelangelo,** via Rettifilo 24 ℰ 55601 – 🛗 ⊛
stagionale – 72 cam.

🏨 **Iris Crillon,** via Fiume 7 ℰ 55077 – 🛗 ⊛ ⓟ. ⫸ ⓪. ⇗
aprile-ottobre – Pas 25000 – ⇌ 5000 – **40 cam** 38/57000 – P 60000.

🏨 **Daniel's,** via Prenestina SE : 1 km ℰ 55759, ⤬ – 🛗 ▤ rist ⊛ ⓟ ⫸ 🅱 ⓪. ⇗
15 maggio-10 ottobre – Pas 28000 6000 – **38 cam** 40/56000 – P 68000.

🏨 **Fiore,** via XV Gennaio 5 ℰ 55126 – 🛗 ⊛ ⓟ. ⫸ ⓪. ⇗
maggio-ottobre – Pas 25/30000 – ⇌ 6000 – 38 cam 40/57000 – P 60/70000.

🏠 **Sporting,** circonvallazione Macchiadoro 2 ℰ 55965 – 🖹 🐕 ➊ ⬜ 🕸
maggio-settembre – Pas carta 27/40000 – ⚏ 6500 – **37 cam** 39/55000 – P 68000.

🏠 **Edison** 🦫, via De Medici 33 ℰ 55875, 🍴 – 🖹 ↔ cam 🐕 ➊ 🅰🅴 ⓪
aprile-ottobre – Pas 20/25000 – ⚏ 4000 – **24 cam** 32/47000 – P 50000.

🏠 **Mirage,** via Diaz 295 ℰ 55496 – 🖹 🐕 ➊ ⓪ 🅰🅴. 🕸 rist
➡ *15 maggio-15 ottobre* – Pas 18/20000 – ⚏ 2500 – **33 cam** 30/42000 – P 54000.

XX **Le Sorgenti,** via Diaz 289 ℰ 54101, 🍽 – ➊ 🅰🅴 🅱 ⓪ 🅴 🆅🅸🆂🅰 🕸
chiuso martedì – Pas carta 27/40000 (14%).

FIUMALBO 41022 Modena – 1 570 ab. alt. 935 – a.s. 15 luglio-agosto e Natale – 🕐 0536.

Roma 369 – ♦Bologna 104 – Lucca 73 – Massa 101 – ♦Milano 263 – ♦Modena 88 – Pistoia 59.

X Da Dario, S : 1 km ℰ 73958, ← – ➊.

a Dogana Nuova S : 2 km – ✉ 41020 :

🏠 **Val del Rio,** ℰ 73901, ← – 🖹 ➊. 🕸
Pas carta 20/31000 – ⚏ 6000 – **27 cam** 29/52000 – P 53/57000, b.s. 45/48000.

🏠 **Bristol,** ℰ 73912, ← – ➊. 🅰🅴 ⓪. 🕸 rist
➡ Pas 17/20000 – ⚏ 5000 – 23 cam 30/56000 – P 45/53000, b.s. 40/45000.

FIUMARA Messina – Vedere Sicilia (Capo d'Orlando) alla fine dell'elenco alfabetico.

FIUMICELLO DI SANTA VENERE Potenza – Vedere Maratea.

FIUMICINO 00054 Roma 🆈🆇🆇 ㉕㉖ – 🕐 06.
✈ Leonardo da Vinci, NE : 3,5 km ℰ 60121.

Roma 28 – Anzio 52 – Civitavecchia 66 – Latina 78.

🏛 **Mach 2,** via Portuense 2467 ℰ 6442149 – 🖹 🍽 🐕 ➊. 🅰🅴 🅱 ⓪ 🅴 🆅🅸🆂🅰. 🕸
Pas *(chiuso dal 12 al 31 agosto)* carta 23/32000 (30%) – ⚏ 6500 – **34 cam** 75/133000.

XX **Bastianelli al Molo,** via Torre Clementina 312 ℰ 6440118, ← – 🧊 50. 🅰🅴 🅱 ⓪ 🅴 🆅🅸🆂🅰. 🕸
chiuso lunedì – Pas carta 42/60000.

XX Gina al Porto, viale Traiano 141 ℰ 6820422, ←, 🍽, Solo piatti di pesce.

XX **Bastianelli al Centro,** via Torre Clementina 88 ℰ 6440095 – 🅰🅴 🅱 ⓪ 🅴 🆅🅸🆂🅰. 🕸
chiuso lunedì – Pas carta 32/50000.

XX **La Perla** con cam, via Torre Clementina 214 ℰ 6440038, 🍽, Solo piatti di pesce – ➊. 🅰🅴
chiuso dal 20 agosto al 15 settembre – Pas *(chiuso martedì)* carta 35/52000 – ⚏ 5000 – 7 cam
37/56000.

X **Arenella da Zi Pina,** via Torre Clementina 180 ℰ 6440080, 🍽, Solo piatti di pesce – 🅰🅴 🅱
⓪ 🅴 🆅🅸🆂🅰
chiuso mercoledì – Pas carta 25/45000 (10%).

FIVIZZANO 54034 Massa-Carrara 🆈🆇🆇 ⑭ – 10 902 ab. alt. 373 – 🕐 0585.

Roma 437 – ♦Firenze 163 – Massa 41 – ♦Milano 221 – ♦Parma 116 – Reggio nell'Emilia 94 – ♦La Spezia 39.

🏠 **Il Giardinetto,** ℰ 92060, « Terrazza-giardino ombreggiata » – 🕸
➡ *chiuso dal 1° al 20 ottobre* – Pas *(chiuso lunedì)* carta 19/29000 – ⚏ 3500 – **18 cam** 17/32000
– P 45000.

FOGGIA 71100 🄿 🆈🆇🆇 ㉘ – 159 192 ab. alt. 70 – a.s. agosto-ottobre – 🕐 0881.
Vedere Guida Verde.

🄸 via Senatore Emilio Perrone 17 ℰ 23650 – **A.C.I.** via Mastelloni (rione Pio X) ℰ 36833.

Roma 363 ④ – ♦Bari 132 ① – ♦Napoli 175 ④ – ♦Pescara 180 ①.

Pianta pagina seguente

🏨 ✿ **Cicolella,** viale 24 Maggio 60 ℰ 3890, Telex 810273, Fax 78984 – 🖹 📺 🕾 & – 🧊 50 a
200. 🅰🅴 🅱 ⓪ 🅴 🆅🅸🆂🅰   Y c
Pas *(chiuso sabato, domenica, dal 23 dicembre al 6 gennaio e dal 5 al 20 agosto)* carta 35/59000
(15%) – ⚏ 11000 – **125 cam** 90/175000 appartamenti 250000 – P 170000
Spec. Troccoli (pasta) alla foggiana, Involtini alla foggiana, Agnello cutturiello (spezzatino). Vini Lupinello, Torre
Quarto.

🏨 **White House** senza rist, via Monte Sabotino 24 ℰ 21644, Telex 812043 – 🖹 📺 🕾. 🅰🅴 🅱
⓪ 🅴 🆅🅸🆂🅰   Y b
⚏ 11000 – **40 cam** 93/185000.

🏨 **President,** via degli Aviatori 80 ℰ 79648, 🏊, – 🖹 📺 🕾 🛏 ➊ – 🧊 200 a 700. 🅰🅴 🅱 ⓪
🅴 🆅🅸🆂🅰. 🕸   X a
Pas *(chiuso venerdì)* carta 27/39000 (10%) – ⚏ 7000 – **136 cam** 65/95000, 🍴 5000 –
P 90/100000.

🏨 **Palace Hotel Sarti** senza rist, viale 24 Maggio 48 ℰ 23321, Telex 810615 – 🖹 ↔ 📺 🕾.
🅰🅴 🅱 ⓪ 🅴 🆅🅸🆂🅰   Y u
⚏ 5000 – **78 cam** 55/85000, 🍴 10000.

FOGGIA

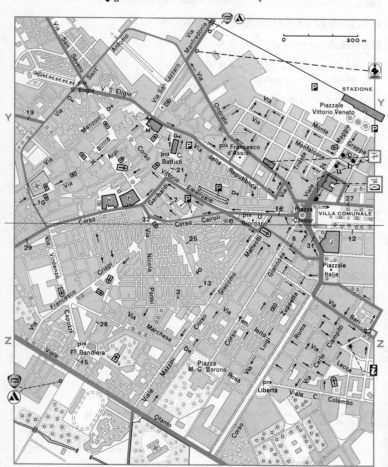

✗✗ **In Fiera-Cicolella,** corso Di Vittorio angolo viale Fortore 🖉 32166 – 🔲 🅿 – 🏛 300. 🚗 📵
 ⓪ 🇪 *VISA*.
 chiuso lunedì e martedì – Pas carta 36/53000 (15%). X r

✗✗ **La Mangiatoia,** viale Virgilio 🖉 34457, 🍽 – 🔲 🅿. 🚗 📵 ⓪ 🇪 *VISA*.
 chiuso lunedì – Pas carta 27/57000. 2 km per ③

✗ Nuova Bella Napoli-da Amerigo, via Azzarita 28 🖉 26188, 🍽 Y e

ALFA-ROMEO statale 16 per ③ 🖉 87221
BMW via Gioberti 🖉 611032
CITROEN Tratturo Castiglione (Casermette) 🖉 71901
FIAT piazza Puglia 14 🖉 71987
FIAT via Trinitapoli 3 🖉 20335
FIAT corso del Mezzogiorno 44/46 🖉 37537
FIAT Tratturo Castiglione-II traversa 🖉 72839
FORD via delle Casermette 8/10 🖉 21005

GM-OPEL Tratturo Castiglione- II Traversa 🖉 77463
INNOCENTI via Manfredonia 11 🖉 29022
LANCIA-AUTOBIANCHI via Manfredonia 🖉 22774
LANCIA-AUTOBIANCHI via Gioberti 🖉 611321
RENAULT via Napoli 🖉 41602
RENAULT viale Fortore 61 🖉 20336
VW-AUDI viale Fortore (Salnitro) 🖉 22293

FOIANA (VOLLAN) Bolzano 🈂🈁 ㉗ – Vedere Lana.

FOLGARIA 38064 Trento 🈙🈚🈚 ④ – 3 021 ab. alt. 1 168 – Stazione di villeggiatura, a.s. febbraio-15 marzo, Pasqua e Natale – Sport invernali : 1 168/1 987 m ⛷1 ⛷19, ⛷ – ⬡ 0464.
🛈 via Roma 60 🖉 71133.
Roma 582 – ♦Bolzano 87 – ♦Milano 236 – Riva del Garda 42 – Rovereto 20 – Trento 27 – ♦Verona 95 – Vicenza 73.

🏨 **Villa Wilma,** 🖉 71278, ≼ – 🍴 🅿. 🇪. ⚶
 dicembre-marzo e 15 giugno-20 settembre – Pas *(chiuso venerdì)* 20/22000 – ⌑ 6000 –
 22 cam 50/88000 – P 68/76000, b.s. 45/53000.

🏨 **Vittoria,** 🖉 71122, ≼ – 🍴 ⬀ ⇔ 🅿. 🚗 🇪 *VISA*. ⚶ rist
➟ *15 dicembre-15 aprile e 10 giugno-settembre* – Pas carta 19/25000 – ⌑ 7000 – **38 cam**
 40/70000 – P 50/85000, b.s. 35/50000.

🏠 **Aquila,** 🖉 71103 – ☎ 🅿. ⚶
 chiuso maggio e novembre – Pas *(chiuso giovedì)* carta 20/37000 – ⌑ 8000 – **29 cam** 41/52000
 – P 50/58000, b.s. 40/50000.

🏠 **Genzianella,** 🖉 71371 – ⬀ rist. 🚗. ⚶
➟ Pas *(chiuso giovedì)* 17/25000 – **16 cam** ⌑ 30/50000 – P 51/62000, b.s. 45/51000.

 a Costa NE : 2 km – alt. 1 257 – ✉ 38064 Folgaria :

🏨 **Sayonara,** 🖉 71186, ≼, 🍽, ⚶ – 🍴 📺 ⇔ 🚗 🅿. ⚶
➟ *20 dicembre-15 marzo e 25 giugno-5 settembre* – Pas 18/30000 – ⌑ 6000 – **32 cam** 37/70000
 – P 70000.

🏠 **Garden,** 🖉 71482, ≼ – 🍴 📺 🅿. ⚶
➟ *10 dicembre-15 aprile e 15 giugno-15 settembre* – Pas *(chiuso martedì)* 19000 – ⌑ 6000 –
 27 cam 64000 – P 60/68000, b.s. 40/50000.

🏠 **Nevada,** 🖉 71495, ≼ – ⬀ cam 📺 🅿. *VISA*. ⚶
➟ *15 dicembre-marzo e 25 giugno-15 settembre* – Pas 14/18000 – **24 cam** ⌑ 40/80000 –
 P 50/85000, b.s. 35/55000.

 a Fondo Grande SE : 3 km – alt. 1 335 – ✉ 38064 Folgaria :

🏨 **Cristallo** ⚲, 🖉 71320, ≼ – 🍴 📺 🚗 ⇔ 🅿. ⚶
 dicembre-10 aprile e luglio-10 settembre – Pas carta 40/45000 – ⌑ 5000 – 34 cam 50/80000 –
 P 80000, b.s. 70000.

 a Serrada SO : 5 km – alt. 1 250 – ✉ 38060 Serrada di Folgaria :

🏠 **Villa Cristina** ⚲, 🖉 77117, ≼ – 🅿. ⚶
➟ *15 dicembre-15 aprile e 15 giugno-15 settembre* – Pas *(chiuso lunedì)* 16000 – ⌑ 7000 –
 18 cam 45/65000 – P 40/60000.

FOLGARIDA Trento 🈂🈁 ⑬ – alt. 1 302 – ✉ 38025 Dimaro – Stazione di villeggiatura, a.s.
febbraio-15 marzo, Pasqua e Natale – Sport invernali : 1 302/2 160 m ⛷2 ⛷5; a Marilleva :
900/2 234 m ⛷4 ⛷3, ⛷ – ⬡ 0463.
Roma 653 – ♦Bolzano 75 – Madonna di Campiglio 11 – ♦Milano 225 – Passo del Tonale 33 – Trento 71.

🏩 **Gran Baita,** 🖉 96263, ≼ – 🍴 🚗 ⇔ 🅿. 🚗 🇪 *VISA*. ⚶
 19 dicembre-10 aprile e luglio-6 settembre – Pas 22/25000 – **50 cam** ⌑ 70/120000 –
 P 60/100000, b.s. 50/70000.

🏨 **Sun Valley,** 🖉 96208, ≼, 🍽 – 📺 📺 ⇔ 🅿. ⚶
 dicembre-aprile e 15 giugno-15 settembre – Pas carta 20/33000 – **20 cam** ⌑ 51/89000 –
 P 60/93000, b.s. 49/59000.

🏨 **Derby,** 🖉 96163, ≼ – 🍴 📺 🅿. ⚶
➟ *5 dicembre-marzo e luglio-agosto* – Pas 15/20000 – ⌑ 6000 – 58 cam 38/64000 – P 50/80000,
 b.s. 40/70000.

🏠 **Piccolo Hotel Taller,** 🖉 96234, ≼ – 🅿. ⚶
 dicembre-Pasqua e luglio-15 settembre – Pas 22000 – ⌑ 7000 – **16 cam** 41/65000 – P 70/75000,
 b.s. 48/56000.

segue →

FOLGARIDA

a Costa Rotian N : 5 km – alt. 950 – ⊠ **38025** Dimaro :

🏨 **Costa Rotian,** ℰ 94307, ≼, ⬛, ⚒ – 🛗 ☕ 🚗 Ⓟ, ℒ rist
18 dicembre-2 aprile e 24 giugno-10 settembre – Pas 25000 – � 12000 – 35 cam 45/73000 –
P 78/85000, b.s. 50/59000.

FOLIGNANO 63040 Ascoli Piceno – 7 415 ab. alt. 319 – ✪ 0736.

Roma 252 – ◆Ancona 119 – ◆Pescara 84 – Ascoli Piceno 8 – Teramo 29.

🏩 Villa Pigna ⬙, via Assisi 33 (N : 4 km) ℰ 491868, Telex 561318, ☞ – 🛗 📺 ☎ Ⓟ – 🛥 30 a
300 – 52 cam.

FOLIGNO 06034 Perugia 🗓 ⑯ – 53 545 ab. alt. 234 – Vedere Guida Verde – ✪ 0742.

Dintorni Spello★ : affreschi★★ nella chiesa di Santa Maria Maggiore NO : 6 km – Montefalco★ :
✳★★★ dalla torre Comunale, affreschi★★ nella chiesa di San Francesco (museo), affresco★ di
Benozzo Gozzoli nella chiesa di San Fortunato SO : 12 km.

🛈 porta Romana 126 ℰ 60459.

Roma 158 – ◆Ancona 134 – Assisi 18 – Macerata 92 – ◆Perugia 35 – Terni 59.

🏨 **Nuovo Poledrini** senza rist, viale Mezzetti 2 ℰ 60259 – 🛗 🍽 📺 ☕ 🕭 ﹠ 🅰🅴 ⓪
42 cam ⊡ 68/98000.

🏨 **Umbria,** via Cesare Battisti 1 ℰ 52821 – 🛗 ☎ ﹠ 🅰🅴 🆂 ⓪ 🅴 𝘝𝘐𝘚𝘈, ℒ rist
Pas *(chiuso agosto)* 20000 – ⊡ 5500 – **43 cam** 45/65000 – P 65/75000.

🟲 **Villa Roncalli** ⬙ con cam, via Roma 25 (S : 1 km) ℰ 670291, ☞ – 📺 ☎ Ⓟ – 🛥 50. 🅰🅴 🆂
⓪, ℒ
Pas *(chiuso dall'8 al 28 agosto)* carta 29/42000 – ⊡ 5000 – **10 cam** 42/60000 – P 90000.

🟲 **Da Remo,** via Cesare Battisti 49 ℰ 50079, 🍴
chiuso domenica sera e lunedì – Pas carta 25/36000 (10%).

🟲 **Le Mura** con cam, via Bolletta 27 ℰ 57344 – 📺 ☎ 🅰🅴 🆂, ℒ cam
chiuso luglio – Pas *(chiuso martedì)* carta 20/28000 – ⊡ 5000 – **9 cam** 47/67000 – P 87000.

ALFA-ROMEO via Flaminia al km 148 ℰ 670227
BMW via Fiamenga ℰ 22600
CITROEN via Spineto 16 ℰ 20393
FIAT a Sant'Eraclio, via Santocchia 22 ℰ 67643
FIAT via Fiamenga 51 ℰ 20916
FORD via Fiamenga 74 ℰ 25516

GM-OPEL via Cagliari 25/29 ℰ 670197
LANCIA-AUTOBIANCHI a Sant'Eraclio, via Roma 82
ℰ 67641
PEUGEOT-TALBOT viale Ancona 12 ℰ 55741
RENAULT via Fiamenga 3 ℰ 20775
VW-AUDI viale Firenze 79 ℰ 20212

FOLLONICA 58022 Grosseto 🗓 ⑭⑳ – 21 590 ab. – Stazione balneare, a.s. Pasqua e 15 giugno-
15 settembre – ✪ 0566.

🛈 viale Italia ℰ 40177 – Roma 234 – ◆Firenze 152 – Grosseto 47 – ◆Livorno 91 – Pisa 110 – Siena 84.

🏨 Giardino, piazza Vittorio Veneto 10 ℰ 41546 – 🛗 🍽 rist ☎ – 48 cam.

🏩 **Parco dei Pini,** via delle Collacchie 7 ℰ 53280 – 🛗 ☎ Ⓟ, 🅰🅴 🆂 ⓪ 🅴 𝘝𝘐𝘚𝘈, ℒ rist
Pas carta 22/32000 – ⊡ 8000 – 23 cam 44/74000 – P 70/85000, b.s. 60/65000.

🏩 **Aziza** senza rist, lungomare Italia 142 ℰ 44441, 🏖, ☞ – ☕ 🅴
maggio-ottobre – **20 cam** ⊡ 70/100000.

🏩 **Miramare** senza rist, lungomare Italia 84 ℰ 41521, ≼, ☞ – ℒ
Pasqua-ottobre – ⊡ 8000 – **25 cam** 35/55000.

🟲 **Leonardo Cappelli già Paolino,** piazza 25 Aprile 33 ℰ 44637 – 🅰🅴 🆂 ⓪ 🅴 𝘝𝘐𝘚𝘈, ℒ
*chiuso gennaio, febbraio, lunedì (in luglio-agosto solo lunedì a mezzogiorno) e da ottobre a
maggio anche domenica sera* – Pas carta 27/35000 (10%).

🟲 **Martini,** via Pratelli 14 ℰ 44102 – ℒ
chiuso novembre e lunedì in bassa stagione – Pas carta 23/40000 (10%).

🟲 **Il Veliero,** SE : 3 km ℰ 45122 – ⚒ 🍽, 🅰🅴 🆂 🅴
chiuso mercoledì in bassa stagione – Pas carta 26/35000 (15%).

FIAT via dell'Artigianato-zona Industriale ℰ 51286
GM-OPEL via dell'Artigianato-zona Industriale ℰ
51700
LANCIA-AUTOBIANCHI via del Fonditore 18-zona
Industriale ℰ 53553

RENAULT via del Fonditore-zona Industriale ℰ
53168

FONDI 04022 Latina 🗓 ⑳ – 30 649 ab. alt. 8 – ✪ 0771.

Roma 131 – Frosinone 64 – Latina 59 – ◆Napoli 110.

🟲 **Vicolo di Mblò,** corso Italia 126 ℰ 502385, « Rist. caratteristico »
chiuso martedì – Pas carta 25/44000.

FONDO 38013 Trento 🗓 ④, 🗓 ⑳ – 1 415 ab. alt. 988 – a.s. 15 febbraio-15 marzo, 15 luglio-
agosto e Natale – ✪ 0463.

Roma 637 – ◆Bolzano 36 – Merano 39 – ◆Milano 294 – Trento 55.

🏩 **Alla Pineta,** ℰ 81176 – ☕ Ⓟ – 🛥 80. 🅰🅴 🆂 ⓪ 🅴 𝘝𝘐𝘚𝘈
◆ *chiuso novembre* – Pas *(chiuso giovedì)* 12/14000 – ⊡ 6000 – **21 cam** 30/54000 – P 36/48000,
b.s. 32/40000.

FONDO GRANDE Trento – Vedere Folgaria.

FONDOTOCE Novara 🗵🗵🗵 ⑥ – Vedere Verbania.

FONNI Nuoro 🗵🗵🗵 ㉝ – Vedere Sardegna alla fine dell'elenco alfabetico.

FONTANA BIANCA (Lago di) (WEISSBRUNNER SEE) Bolzano 🗵🗵🗵 ⑲ – Vedere Ultimo-Santa Gertrude.

FONTANAFREDDA 33074 Pordenone – 8 991 ab. alt. 42 – ✪ 0434.
Roma 590 – Belluno 59 – ◆Milano 329 – Pordenone 7 – Treviso 50 – ◆Trieste 120 – Udine 58 – ◆Venezia 79.

   ✕ **Fassina,** 𝒫 99196, 🍽, « Giardino ombreggiato in riva ad un laghetto » – 🅿. 🆎 🅢 ⓞ 🄴
      𝑉𝐼𝑆𝐴. 🍴
      chiuso mercoledì e sabato a mezzogiorno – Pas carta 28/38000 (10%).

FONTANE BIANCHE Siracusa – Vedere Sicilia (Siracusa) alla fine dell'elenco alfabetico.

FONTANEFREDDE (KALTENBRUNNEN) Bolzano – alt. 950 – ⊠ 39040 Montagna – a.s. aprile e luglio-15 ottobre – ✪ 0462.
Roma 638 – Belluno 102 – ◆Bolzano 32 – ◆Milano 296 – Trento 56.

   🏠 **Pausa,** sulla statale NO : 1 km 𝒫 87035, ≼ – 🛗 🅿. 🍴 rist
   ➡ *chiuso dal 15 al 30 giugno* – Pas *(chiuso mercoledì)* carta 17/27000 – 🍽 6000 – **30 cam**
      22/40000 – P 40/52000, b.s. 34/45000.

FONTANELLATO 43012 Parma – 6 118 ab. alt. 43 – ✪ 0521.
Vedere Affresco★ del Parmigianino nella Rocca di San Vitale.
Roma 477 – Cremona 58 – ◆Milano 109 – ◆Parma 19 – Piacenza 49.

    sulla strada statale 9 - via Emilia S : 5 km :

   🏠 **Tre Pozzi,** ⊠ 43012 𝒫 825347 e rist 𝒫 825119 – 🛗 ▤ cam ☎ 🅿 – 🔏 60. 𝑉𝐼𝑆𝐴. 🍴
      Pas *(chiuso dal 20 luglio al 20 agosto)* carta 26/36000 – 🍽 5000 – **40 cam** 48/75000.

FONTANELLE Cuneo – Vedere Boves.

FONTANELLE Treviso – 4 987 ab. alt. 19 – ⊠ 31043 Fontanelle di Oderzo – ✪ 0422.
Roma 576 – Belluno 59 – Treviso 36 – ◆Trieste 133 – Udine 102 – ◆Venezia 65.

   ✕ **La Giraffa-da Gigi,** NO : 2 km 𝒫 749018 – 🅿. 🍴
      chiuso lunedì sera, martedì, dal 2 al 12 gennaio e dal 10 al 25 agosto – Pas carta 28/50000.

FONTE BLANDA 58010 Grosseto – alt. 10 – a.s. Pasqua e 15 giugno-15 settembre – ✪ 0564.
Roma 163 – Civitavecchia 87 – ◆Firenze 164 – Grosseto 24 – Orbetello 19 – Orvieto 112.

   🏠 **Cala di Forno,** 𝒫 885573 – ☎. 🍴
      chiuso novembre – Pas *(chiuso mercoledì)* 25/35000 – 🍽 5000 – 21 cam 40/70000 – P 50/75000,
      b.s. 40/60000.

   ✕ **Dono il Bracconiere,** NE : 2 km 𝒫 885523, 🍽, 🍴 – 🅿. 🆎 ⓞ. 🍴
      chiuso martedì e novembre – Pas carta 25/40000.

    sulla strada statale 1-via Aurelia S : 2 km :

   🏨 **Corte dei Butteri** 🍽 ⊠ 58010 𝒫 885546, Telex 580103, Fax 886282, ≼, « Parco con 🏊 e
      🦌 », 🏖 – 📺 ☎ 🔬 🚗 🅿 – 🔏 35. 🆎 🄴 𝑉𝐼𝑆𝐴. 🍴 rist
      29 aprile-20 ottobre – Pas 30/45000 – 80 cam 🍽 220/460000 appartamenti 600/800000 –
      P 150/255000, b.s. 115/125000.

    a Talamone SO : 4 km – ⊠ 58010 :

   🏠 **Capo d'Uomo** senza rist, 𝒫 887077, ≼, 🍽 – 🖭 🔬 🅿. 🍴
      aprile-settembre – 🍽 5000 – **24 cam** 44/75000.

   ✕ **La Buca,** 𝒫 887067, 🍽, Solo piatti di pesce – ▤ 🆎 ⓞ 𝑉𝐼𝑆𝐴. 🍴
      chiuso a mezzogiorno (escluso sabato-domenica), gennaio e febbraio – Pas carta 35/60000.

FOPPOLO 24010 Bergamo 🗵🗵🗵 ③ – 201 ab. alt. 1 515 – a.s. luglio-agosto e Natale – Sport invernali : 1 515/2 167 m ≤9, 🎿 – ✪ 0345.
Roma 659 – ◆Bergamo 58 – ◆Brescia 110 – Lecco 80 – ◆Milano 100.

   🏨 **Des Alpes,** a Cortivo 𝒫 74037, ≼ – 🛗 🖭 🅿. 🍴 rist
      8 dicembre-20 aprile e luglio-agosto – Pas 23000 – 🍽 7000 – **30 cam** 39/61000 – P 80000,
      b.s. 65/72000.

   🏠 **Rododendro,** via Piave 2 𝒫 74015, ≼ – 🛗
      Pas carta 24/35000 – 🍽 5000 – 12 cam 35/55000 – P 74000, b.s. 60000.

FORIO Napoli 988 ㉗ – Vedere Ischia (Isola d').

FORLÌ 47100 **P** 988 ⑮ – 110 334 ab. alt. 34 – ☎ 0543.
Vedere Guida Verde.

✈ Luigi Ridolfi per ② : 6 km ☎ 780049.

ℹ corso della Repubblica 23 ☎ 25532.

A.C.I. corso Garibaldi 45 ☎ 32313.

Roma 354 ③ – •Bologna 63 ④ – •Firenze 109 ③ – •Milano 282 ① – •Ravenna 27 ① – Rimini 49 ②.

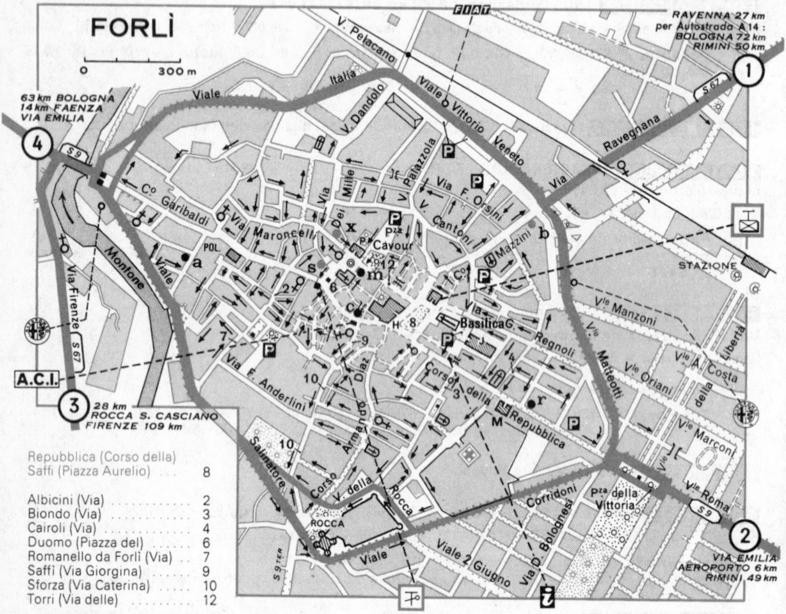

Repubblica (Corso della)
Saffi (Piazza Aurelio) . . . 8

Albicini (Via) 2
Biondo (Via) 3
Cairoli (Via) 4
Duomo (Piazza del) 6
Romanello da Forlì (Via) . . 7
Saffì (Via Giorgina) 9
Sforza (Via Caterina) 10
Torri (Via delle) 12

Della Città, via Fortis 8 ☎ 28297 – |‡| ▤ TV ☎ P – 100 a 300. AE ⊙ E VISA. ✗ — **r**
Pas carta 20/31000 – ☕ 6500 – **50 cam** 90/135000 appartamenti 155000, ▤ 20000 – P 100/130000.

Air Hotel senza rist, via Morandi 7 ☎ 781470 – ▤ TV P. AE ⊙ E VISA — 3 km per ②
☕ 5000 – **24 cam** 49/88000.

Masini, corso Garibaldi 28 ☎ 28072, – |‡| ▤ rist ☎ ♿. AE ⊙ VISA. ✗ — **c**
Pas carta 22/30000 – ☕ 5000 – **42 cam** 39/64000 – P 58/64000.

Lory senza rist, via Lazzarini 20 ☎ 25007 – ▤ ♿ P — **a**
senza ☕ – **30 cam** 26/45000, ▤ 5000.

Astoria senza rist, piazza Ordelaffi ☎ 26220 – |‡| . AE — **m**
☕ 3000 – **36 cam** 27/46000.

Porta San Pietro, vicolo Porta San Pietro 2 ☎ 32061, Coperti limitati; prenotare – ▤ — **b**
chiuso domenica, lunedì a mezzogiorno ed agosto – Pas carta 33/51000.

Vecchia Forlì, via Maroncelli 4 ☎ 26104, — **x**

A m'arcörd..., via Solferino 1/3 ☎ 27349, – AE ⊙. ✗ — **s**
chiuso mercoledì – Pas carta 25/38000.

sulla strada statale 9 - via Emilia per ④ : 2 km :

Principe, ✉ 47100 ☎ 701570 – |‡| ▤ TV P – 100. AE ⊙. ✗
Pas *(chiuso a mezzogiorno, venerdì, domenica ed agosto)* carta 26/40000 – ☕ 8000 – **46 cam** 65/110000.

in prossimità casello autostrada A 14 per ① : 4 km :

S. Giorgio, via Ravegnana ✉ 47100 ☎ 722300 – |‡| ▤ TV ☎ ♿ P – 25 a 110. AE ⊙ E VISA. ✗ rist
Pas carta 33/47000 – ☕ 12000 – **36 cam** 85/130000 – P 125/140000.

ALFA-ROMEO viale Salinatore 93 ✆ 32528
ALFA-ROMEO viale Matteotti 65 ✆ 34248
BMW via Dragoni 59/a ✆ 50330
CITROEN via Edison 20 ✆ 721384
FIAT via Meucci 8-zona Industriale per ① ✆ 727111
FIAT viale Vittorio Veneto 46 ✆ 35000
FIAT via Correcchio 2/B per ① ✆ 722464
FORD via Cervese 117 ✆ 724449
GM-OPEL via Bertini 4 ✆ 721350
INNOCENTI via Ravegnana 403 per ① ✆ 723303
LANCIA-AUTOBIANCHI viale Bologna 140 per ④ ✆ 33334
LANCIA-AUTOBIANCHI via Balzella 26 per ① ✆ 724566
MERCEDES-BENZ viale 2 Giugno 10 ✆ 66306
PEUGEOT-TALBOT via Decio Raggi 393 ✆ 62025
RENAULT viale Roma 127 ✆ 61546
RENAULT viale Italia 22 ✆ 34420
VW-AUDI via Valzania 67 ✆ 32068
VOLVO via Ravegnana 403 ✆ 723303

FORLIMPOPOLI 47034 Forlì 988 ⑮ – 11 225 ab. alt. 30 – ☎ 0543.
Roma 362 – •Bologna 71 – Cesena 11 – Forlì 8 – •Milano 290 – Pesaro 80 – •Ravenna 35 – Rimini 41.

XX **Edo** con cam, via Emilia 10 ✆ 741245 – rist – 150. AE VISA.
Pas *(chiuso sabato)* carta 20/30000 – 5000 – **20 cam** 32/46000, 2000.

a Selbagnone SO : 3 km – ✉ **47034** Forlimpopoli :

XX **Al Maneggio,** SO : 1 km ✆ 742042, prenotare, « Antica villa patrizia di campagna » – Ⓟ.
chiuso lunedì – Pas carta 50/70000.

FORMAZZA 28030 Novara 988 ②, 217 ⑲ – 498 ab. alt. 1 280 – a.s. 15 luglio-15 agosto e Natale – Sport invernali : 1 280/1 754 m 4, – ☎ 0324.
Roma 735 – Domodossola 37 – Iselle 45 – Locarno 115 – •Milano 159 – Novara 128 – •Torino 200.

X **Rotenthal** con cam, frazione Ponte ✆ 63060, ← – ☎ Ⓟ. AE E VISA.
chiuso novembre – Pas *(chiuso mercoledì)* carta 19/29000 – 5000 – **9 cam** 24/42000 – P 50000, b.s. 42000.

FORMIA 04023 Latina 988 ㉖㉗ – 33 045 ab. – Stazione balneare, a.s. Pasqua e luglio-agosto – ☎ 0771.
per Ponza giornaliero (2 h 30 mn) – Caremar-agenzia Jannaccone, banchina Azzurra ✆ 22710.
ℹ via Unità d'Italia 30/34 ✆ 21490.
Roma 153 – Caserta 71 – Frosinone 79 – Latina 76 – •Napoli 86.

Castello Miramare, località Pagnano ✆ 700138, ← golfo di Gaeta, – ☎ Ⓟ – 80. AE E VISA.
chiuso novembre – Pas 25/40000 (15%) – 12000 – 10 cam 58/95000 – P 130/140000, b.s. 105/115000.

Caposele, via Porto Caposele ✆ 21925, ← – – 100. AE VISA.
Pas 18/25000 (5%) – 52 cam 42/67000, 6000 – P 80/85000, b.s. 75/80000.

X **Conchiglia e Corallo,** lungomare Repubblica 9 ✆ 22120 – Ⓟ. AE VISA
chiuso martedì – Pas carta 22/40000.

sulla strada statale 7 - via Appia :

Grande Alb. Miramare, via Appia 44 (E : 2 km) ✉ 04023 ✆ 267181, Telex 680010, Fax 267188, ←, « Parco fiorito », – ☎ Ⓟ – 80. AE E VISA.
Pas 25/40000 (15%) – 12000 – 70 cam 58/95000 appartamento 128000 – P 130/140000, b.s. 105/115000.

Fagiano Palace, via Appia 80 (E : 3 km) ✉ 04023 ✆ 266681, ←, – ☎ Ⓟ – 200
57 cam.

Bajamar, a Marina di Santo Janni E : 4 km ✉ 04023 ✆ 28110, Telex 680292, ←, – ☎ Ⓟ
45 cam.

XX **Italo,** viale Unità d'Italia O : 2,5 km ✉ 04023 ✆ 21529, – Ⓟ. AE VISA.
chiuso lunedì e dal 23 dicembre al 4 gennaio – Pas carta 32/54000.

XX **Sirio,** viale Unità d'Italia O : 3,5 km ✉ 04023 ✆ 21917, – Ⓟ. AE VISA.
chiuso martedì e dal 14 al 30 novembre – Pas carta 26/50000.

ALFA-ROMEO via Marziale 9 ✆ 21625
BMW via Togliatti 21 ✆ 23655
FIAT via Appia per Napoli ✆ 21726
FIAT viale Unità d'Italia ✆ 267246
FORD via Vitruvio 102 ✆ 22111
GM-OPEL via Appia al km 148 ✆ 36036
INNOCENTI via Matteotti ✆ 21391
PEUGEOT-TALBOT via Olivastro Spaventola ✆ 22540
VW-AUDI via Appia per Napoli 231 ✆ 23125

FORMIGINE 41043 Modena 988 ⑭ – 24 201 ab. alt. 82 – ☎ 059.
18 e 9 (chiuso lunedì), a Colombaro di Formigine ✉ 41050 ✆ 553597.
Roma 415 – •Bologna 50 – •Milano 181 – •Modena 11.

a Corlo O : 3 km – ✉ **41040** :

Globo senza rist, ✆ 557131, Fax 572759 – Ⓟ – 50. E VISA.
10000 – **70 cam** 55/75000.

FORNI AVOLTRI 33020 Udine 🔟🔟🔟 ⑤ – 881 ab. alt. 888 – a.s. 15 luglio-agosto e Natale – ✪ 0433.

Roma 691 – Belluno 91 – Cortina d'Ampezzo 77 – ♦Milano 433 – Tolmezzo 36 – ♦Trieste 158 – Udine 88.

    ☎ **Samassa** �, ✆ 72020 – 🚗 🅿 🕱
    aprile-ottobre – Pas *(chiuso martedì)* carta 23/34000 – 🖙 6000 – **36 cam** 30/45000 – P 37/42000,
    b.s. 33/37000.

FORNI DI SOPRA 33024 Udine 🔟🔟🔟 ⑤ – 1 244 ab. alt. 907 – Stazione di villeggiatura, a.s.
15 luglio-agosto e Natale – Sport invernali : 907/2 065 m ⚑7, ⚐ – ✪ 0433.

🛈 via Cadore 1 ✆ 88024.

Roma 676 – Belluno 75 – Cortina d'Ampezzo 62 – ♦Milano 418 – Tolmezzo 43 – ♦Trieste 165 – Udine 95.

    🏠 **Edelweiss,** ✆ 88017, ≤, 🍽 – 🛗 🅿 🕱
    chiuso ottobre e novembre – Pas *(chiuso martedì)* carta 24/34000 – 🖙 6000 – 23 cam 23/55000
    – P 35/55000.

FORNO DI ZOLDO 32012 Belluno 🔟🔟🔟 ⑤ – 3 207 ab. alt. 848 – ✪ 0437.

Roma 638 – Belluno 37 – Cortina d'Ampezzo 44 – ♦Milano 380 – Pieve di Cadore 31 – ♦Venezia 127.

    🏨 **Corinna,** ✆ 78564, ≤, 🍽 – 🕱 rist 🕮 🚗 🅿 🕔 🕱
    chiuso maggio e settembre – Pas *(chiuso lunedì)* carta 25/34000 – 🖙 6000 – 27 cam 48/76000
    – P 50/80000.

    🏠 **De Feo,** ✆ 78191, 🍽 – 🅿 🕔 🕱
    chiuso da aprile al 15 giugno – Pas *(chiuso lunedì)* 17/30000 – 🖙 4500 – **28 cam** 27/49000 –
    P 46/51000.

    a Mezzocanale SE : 10 km – alt. 620 – ✉ **32012** Forno di Zoldo :

    ✗ **Mezzocanale-da Ninetta,** ✆ 78240 – 🅿 🕱
    chiuso mercoledì, dal 20 al 30 giugno e settembre – Pas carta 21/27000.

FORTE DEI MARMI 55042 Lucca 🔟🔟🔟 ⑭ – 10 048 ab. – Stazione balneare, a.s. febbraio, Pasqua,
15 giugno-15 settembre e Natale – ✪ 0584.

🛈 piazza Marconi ✆ 80091.

Roma 378 – ♦Firenze 104 – ♦Livorno 54 – Lucca 34 – Massa 10 – ♦Milano 241 – Pisa 35 – ♦La Spezia 41 –
Viareggio 14.

    🏨 **Augustus** ⍣, viale Morin 169 ✆ 80202, Telex 590673, « Parco-giardino con graziose ville »,
    🏊 riscaldata, 🐾 – 🛗 📺 🅿 – 🔬 150. 🆎 🕔 🕑 🅴 💳 🕱 rist
    20 maggio-settembre – Pas 50/58000 – 🖙 22000 – 67 cam 180/340000 appartamenti
    390/420000 – P 230/265000, b.s. 140/175000.

    🏨 **Ritz,** via Flavio Gioia 2 ✆ 84131, Telex 590524, Fax 89019, 🍽, 🍽 – 🛗 🕱 rist 📺 ☎ 🅿 🆎
    🕔 🕑 🅴 💳 🕱
    Pas 45/55000 – 🖙 13500 – 32 cam 180/240000 – P 140/190000, b.s. 110/150000.

    🏨 **Augustus Lido** senza rist, viale Morin 72 ✆ 81442, « Giardino ombreggiato », 🐾 – 🛗 ☎
    🅿 🆎 🕔 🕑 🅴 💳
    20 maggio-settembre – 🖙 22000 – **19 cam** 160/280000.

    🏨 **Villa Roma Imperiale** ⍣, via Corsica 9 ✆ 80841, « Parco-pineta » – 📺 ☎ 🆎 🕔 💳 🕱
    Pas 35/60000 – **18 cam** 🖙 180/200000 – P 160/190000, b.s. 110/140000.

    🏨 **California Park Hotel** ⍣, via Colombo 32 ✆ 82222, « Giardino ombreggiato con 🏊 » – 🛗
    ☎ 🅿 🔬 200. 🆎 🕔 🅴 💳 🕱
    maggio-settembre – Pas 45/55000 – **41 cam** 🖙 150/200000 – P 150/160000, b.s. 110/120000.

    🏨 **Hermitage** ⍣, via Cesare Battisti ✆ 80022, « Giardino con 🏊 », 🐾 – 🛗 🍽 ☎ 🅿 🆎 🕔
    🕑 🅴 💳 🕱 rist
    25 maggio-25 settembre – Pas 45/50000 – 🖙 18000 – 66 cam 135/245000 – P 170/190000,
    b.s. 110/135000.

    🏨 **Raffaelli Park Hotel,** via Mazzini 37 ✆ 81494, Telex 590239, Fax 81498, « Piccolo giardino »,
    🏊 alla 🐾 – 🛗 📺 ☎ 🅿 – 🔬 90. 🆎 🕔 🕑 🅴 💳 🕱 rist
    Pas 40/50000 (da giugno a settembre all'Hotel Raffaelli-Villa Angela) – 34 cam 🖙 150/250000
    – P 130/160000, b.s. 110/120000.

    🏨 **St. Mauritius,** via 20 Settembre 28 ✆ 82131, Fax 64443, 🍽, « Giardino ombreggiato » – 🛗
    🅿 🕔 🕱
    giugno-settembre – Pas 35/40000 – 🖙 18000 – **39 cam** 90/160000 – P 130/160000,
    b.s. 80/100000.

    🏨 **Grand Hotel,** via Giorgini 1 ✆ 82031, Telex 502074, ≤, 🏊 – 🛗 🍽 📺 ☎ 🅱 🆎 🕔 💳 🕱
    15 marzo-15 ottobre – Pas 45/50000 – 🖙 14000 – **63 cam** 140/175000 – P 140/165000,
    b.s. 120/140000.

    🏨 **Il Negresco,** lungomare Italico 82 ✆ 83533, Telex 590319, Fax 89655, ≤, 🏊 – 🍽 📺 ☎ 🅿 –
    🔬 60. 🆎 🕔 🕑 🅴 💳 🕱
    Pas 35/55000 – 🖙 15000 – **35 cam** 180/240000 – P 180/220000, b.s. 150/180000.

    🏨 **Atlantico,** via Torino 2 ✆ 81422, 🍽 – 🛗 🍽 rist 🅿 🕱 rist
    15 marzo-15 ottobre – Pas (solo per clienti alloggiati) 48000 – 🖙 9500 – **45 cam** 100/130000 –
    P 90/150000.

🏔 **Adams Villa Maria,** viale Italico 110 𝄞 80901, Fax 83666, ≤, « Giardino ombreggiato », 🍸,
🅰️ – 📶 🅿️ Œ 🔳 🔾 E *VISA*. ⚡ rist
giugno-settembre – Pas 25/40000 – **41 cam** ⚏ 100/200000 – P 120/160000, b.s. 100/130000.

🏔 **Alcione,** viale Morin 137 𝄞 89952, 🍸 – 📶 ☎ 🅿️ Œ 🔾 *VISA*. ⚡
25 maggio-settembre – Pas 30/45000 – ⚏ 12000 – **45 cam** 100/130000 – P 80/140000.

🏚 **Tirreno,** viale Morin 7 𝄞 83333, 🍴, « Giardino ombreggiato » – ☎ Œ 🔳 🔾 🔾 E *VISA* ⚡
aprile-ottobre – Pas 44000 – ⚏ 12500 – **59 cam** 52/77000 – P 80/128000, b.s. 60/94000.

🏚 **Raffaelli-Villa Angela,** via Mazzini 64 𝄞 80652, « Parco ombreggiato », 🍸 alla 🅰️ – 📶
☎ 🅿️ Œ 🔳 🔾 E *VISA*. ⚡ rist
10 maggio-10 ottobre – Pas 40/50000 – 38 cam ⚏ 64/99000 – P 130/140000, b.s. 85/100000.

🏚 **Astoria Garden** ⚚, via Leonardo da Vinci 16 𝄞 80754, « In pineta », 🍴 – ☎ 🅿️ Œ 🔳 🔾
E *VISA*. ⚡ rist
25 maggio-settembre – Pas 30/40000 – ⚏ 10000 – **25 cam** 70/85000 – P 80/120000,
b.s. 70/90000.

🏚 **La Pineta al Mare,** via Mazzini 65 𝄞 81043, « Terrazza-giardino in pineta » – 📶 📺 ☎ 🅿️.
Œ 🔳 🔾 E *VISA*. ⚡ rist
Pasqua-settembre – Pas 30/40000 – ⚏ 15000 – **28 cam** 100/140000 – P 100/140000,
b.s. 80/100000.

🏚 **Piccolo Hotel,** viale Morin 24 𝄞 80332, 🍴 – 📶 📺 ☎ 🅿️. 🔳 E *VISA*. ⚡ rist
aprile-settembre – Pas (solo per clienti alloggiati) 30/45000 – ⚏ 12000 – 32 cam 80/120000 –
P 100/140000, b.s. 75/95000.

🏚 **Le Pleiadi** ⚚, via Civitali 51 𝄞 881188, « Giardino-pineta » – 📶 🕿 🅿️. Œ 🔳 🔾 E *VISA*. ⚡
maggio-settembre – Pas 25/48000 – ⚏ 13000 – **30 cam** 54/80000 – P 100/120000, b.s. 60/80000.

🏚 **Bandinelli,** via Torino 3 𝄞 80391 – ☎. ⚡ rist
chiuso novembre e dicembre – Pas (solo per clienti alloggiati) 25/40000 – ⚏ 8000 – 52 cam
50/75000 – P 70/110000, b.s. 55/80000.

🏚 **Kyrton** ⚚, via Raffaelli 14 𝄞 81341, « Giardino ombreggiato » – 🕿 🅿️. ⚡ rist
aprile-settembre – Pas (solo per clienti alloggiati) 22/30000 – ⚏ 10000 – **18 cam** 50/77000 –
P 90/110000, b.s. 60/70000.

🏚 **Sonia,** via Matteotti 42 𝄞 81247, 🍴 – ☎. ⚡
Natale-6 gennaio e Pasqua-ottobre – Pas (solo per clienti alloggiati) 30/40000 – ⚏ 7000 –
24 cam 55/85000 – P 75/90000, b.s. 55/70000.

🏚 **Olimpia,** via Marco Polo 4 𝄞 81046 – 🕿
stagionale – 28 cam.

🏚 **Viscardo,** via Cesare Battisti 4 𝄞 82588, 🍴 – ⌖ cam 🕿 🅿️. ⚡
20 maggio-settembre – Pas (solo per clienti alloggiati) 40000 – ⚏ 5000 – **20 cam** 40/74000 –
P 60/90000.

XX ❀ **Lorenzo,** via Carducci 61 𝄞 84030, prenotare – 🍴. Œ 🔳 🔾 E *VISA*. ⚡
chiuso lunedì e dal 15 dicembre al 31 gennaio – Pas carta 60/70000 (10%)
Spec. Carpaccio tiepido di branzino, Farfalline al ragu di pesce, San Pietro primavera. **Vini** Vermentino, Montecarlo.

XX **La Barca,** viale Italico 3 𝄞 89323, 🍴 – 🅿️
*chiuso dal 10 novembre al 5 dicembre, martedì da giugno al 15 settembre ed anche lunedì sera
negli altri mesi* – Pas carta 42/62000 (15%).

X **Tre Stelle,** via Montauti 6 𝄞 80220.

in prossimità casello autostrada A 12 - Versilia :

🏔 **Versilia Holidays e Rist. La Vela,** SE : 3 km ✉ 55042 𝄞 84001, Telex 590575, Fax 84005,
🍸, 🍴, 🕱 – 📶 🍴 📺 ☎ 🅿️ – 🏛 120 Œ 🔳 🔾 E *VISA*. ⚡ rist
Pas carta 53/75000 – **79 cam** ⚏ 220000 – P 150/180000, b.s. 120/150000.

XX **Madeo,** SE : 3 km ✉ 55042 𝄞 84068, « Servizio estivo in giardino » – 🅿️
chiuso martedì e gennaio – Pas carta 36/77000.

FIAT via Provinciale 63 𝄞 89464   RENAULT via Provinciale 87 𝄞 83700

FORTEZZA (FRANZENSFESTE) 39045 Bolzano – 1 001 ab. alt. 801 – a.s. aprile e luglio-settembre
– ❀ 0472.

Roma 688 – ♦Bolzano 50 – Brennero 33 – Bressanone 10 – Brunico 33 – ♦Milano 349 – Trento 110.

🏚 **Posta-Reifer,** 𝄞 48605, 🍴, 🍴 – 📶 🅿️. Œ *VISA*
chiuso dal 16 novembre al 19 dicembre – Pas *(chiuso lunedì)* carta 33/44000 – ⚏ 8000 –
26 cam 27/38000 – P 55000, b.s. 50000.

FOSSACESIA MARINA 66020 Chieti – ❀ 0872.

Roma 249 – Chieti 56 – ♦Pescara 39.

🏚 **Levante,** 𝄞 60169 – ☎ 🅿️. 🔳 *VISA*. ⚡
Pas *(chiuso domenica da ottobre a marzo)* carta 24/42000 – ⚏ 6000 – **24 cam** 38/50000 –
P 48/58000.

FOSSALTA MAGGIORE Treviso – alt. 7 – ✉ **31040** Chiarano – ☎ 0422.

Roma 568 – ◆Milano 307 – Pordenone 34 – Treviso 36 – ◆Trieste 115 – Udine 84 – ◆Venezia 57.

XX **Tajer d'Oro,** 𝒫 746392, Solo piatti di pesce, « Arredamento stile Vecchia America » – 🍽 🅟. 🏵
chiuso martedì e dall'8 al 20 agosto – Pas carta 45/65000.

FOSSANO 12045 Cuneo 🆂🆃🆃 ⑫ – 23 019 ab. alt. 377 – ☎ 0172.

Roma 631 – Asti 65 – Cuneo 24 – ◆Milano 191 – Savona 87 – Sestriere 112 – ◆Torino 70.

XX **Apollo,** viale Regina Elena 19 𝒫 62417, Coperti limitati; prenotare – 🏵
chiuso lunedì sera, martedì e luglio – Pas carta 25/35000.

FIAT strada Mondovì 19 𝒫 61963   GM-OPEL piazza Romanisio 10 𝒫 60220

FOSSATO DI VICO 06022 Perugia – 2 386 ab. alt. 581 – ☎ 075.

Roma 201 – ◆Ancona 88 – Gubbio 22 – Macerata 83 – ◆Perugia 58 – Pesaro 103.

ad Osteria del Gatto SO : 2 km – ✉ **06022** Fossato di Vico :

🏠 **Camino Vecchio,** 𝒫 919231 – ☎ 🅟 – 🛗 40. 🆀🅴 🎚 🕚 🅴 🎟 🏵
chiuso dal 16 al 30 novembre – Pas *(chiuso lunedì escluso luglio-agosto)* carta 24/38000 – 🛏 4000 – **22 cam** 30/45000 – P 50000.

FOSSOMBRONE 61034 Pesaro e Urbino 🆂🆃🆃 ⑯ – 9 968 ab. alt. 118 – a.s. luglio e agosto – ☎ 0721.

Roma 261 – ◆Ancona 87 – Fano 28 – Gubbio 53 – Pesaro 39 – San Marino 68 – Urbino 19.

sulla strada statale 3 - via Flaminia O : 3 km :

🏠 **Al Lago,** ✉ 61034 𝒫 726129 – ☎ 🛗 🅟. 🎟
↔ Pas *(chiuso sabato)* carta 19/26000 – 🛏 3500 – **26 cam** 37/54000 – P 42/52000.

FOXI Cagliari – Vedere Sardegna (Quartu Sant'Elena) alla fine dell'elenco alfabetico.

FRABOSA SOPRANA 12082 Cuneo 🆂🆃🆃 ⑫ – 1 065 ab. alt. 891 – Stazione di villeggiatura, a.s. 15 luglio-15 agosto e Natale – Sport invernali : 891/1 741 m ⤊1 ⤉5, ⤒ – ☎ 0174.
🛈 piazza del Municipio 129 𝒫 34010.

Roma 632 – Cuneo 32 – ◆Milano 228 – Savona 87 – ◆Torino 96.

🏨 **Miramonti,** 𝒫 344533, ≤, « Terrazza », 🏊, 🦯 – 🛗 🍽 ⇔ 🅟. 🎟. 🏵 rist
↔ *20 dicembre-10 aprile e 15 giugno-25 settembre* – Pas 18000 – 🛏 5000 – **50 cam** 38/55000 – P 60/65000, b.s. 40000.

🏠 **Bossea,** 𝒫 34012 – 🛗 📺 🍽. 🏵 rist
↔ *20 dicembre-Pasqua e giugno-ottobre* – Pas 15/25000 – 🛏 5000 – **28 cam** 40/60000 – P 50/65000, b.s. 45/50000.

🏠 **Gildo,** 𝒫 34009 – 🛗 ⇅ rist ☎. 🎟
Pas carta 20/31000 – 🛏 4500 – **18 cam** *(20 dicembre-15 aprile e 15 giugno-15 settembre)* 35/60000 – P 50/60000, b.s. 40/50000.

FRABOSA SOTTANA 12083 Cuneo – 1 202 ab. alt. 641 – a.s. Natale-aprile e luglio-settembre – Sport invernali : a Prato Nevoso : 1 497/1 928 m ⤊12, ⤒; ad Artesina : 1 315/2 080 m ⤊11 – ☎ 0174.

Roma 629 – Cuneo 29 – ◆Milano 225 – Savona 84 – ◆Torino 93.

🏠 **Italia,** 𝒫 34000 – 🛗 🅟. 🎟. 🏵 rist
↔ *15 dicembre-aprile e luglio-15 settembre* – Pas carta 16/23000 – **28 cam** 🛏 25/45000 – P 35/45000, b.s. 30/35000.

a Prato Nevoso S : 11 km – alt. 1 497 – ✉ **12083** Frabosa Sottana – a.s. 15 dicembre-Epifania, febbraio-marzo e luglio-agosto :

🏠 **La Capanna,** 𝒫 334134, ≤ monti – 🛗. 🎚 🎟. 🏵
15 novembre-10 aprile e luglio-agosto – Pas carta 22/30000 – 30 cam 🛏 50/70000 – P 65/75000, b.s. 48/58000.

FRANCAVILLA AL MARE 66023 Chieti 🆂🆃🆃 ㉗ – 19 875 ab. – Stazione balneare, a.s. 15 giugno-agosto – ☎ 085.
🛈 piazzale Sirena 𝒫 817169.

Roma 216 – L'Aquila 115 – Chieti 19 – ◆Foggia 171 – ◆Pescara 8.

🏨 **Punta de l'Est,** viale Alcione 188 𝒫 4910474, ≤, 🦯 – 🍽 rist 🍽 🅟. 🕚 🎟. 🏵
10 maggio-25 settembre – Pas 22000 – 🛏 6000 – **44 cam** 40/55000 – P 55/70000, b.s. 40/50000.

🏠 **Mare Blu,** viale Alcione 159 𝒫 816038, 🦯 – 🛗 🍽 🅟 🛗 🅟. 🆀🅴 🎚 🕚 🎟. 🏵
aprile-settembre – Pas 20/23000 – 🛏 6000 – **27 cam** 36/50000, 🍽 3000 – P 50/62000, b.s. 35/45000.

🏠 **Royal,** largo Modesto della Porta 𝒫 817465, ≤, 🦯 – 🛗 🍽. 🆀🅴 🕚 🎟. 🏵
Pas *(solo per clienti alloggiati e chiuso da ottobre a Pasqua)* 20/26000 – 🛏 6000 – **44 cam** 38/52000 – P 60/70000, b.s. 35/55000.

※※ **La Nave,** viale Kennedy 2 ℰ 817115, 綾 – 益 60. ᴁ 🕄 ⑩ Ε 𝘝𝘐𝘚𝘈
chiuso mercoledì, dal 15 al 30 settembre e dal 20 al 30 dicembre – Pas carta 30/57000 (10%).

※※ Casa Mia, viale Alcione 115 ℰ 817147, 綾.

※ **Apollo 12,** viale Nettuno 45 ℰ 817177 – ᴁ 🕄 ⑩ Ε 𝘝𝘐𝘚𝘈
chiuso martedì, dal 24 dicembre al 15 gennaio e dal 22 al 30 settembre – Pas carta 26/42000
(10%).

FRANZENSFESTE = Fortezza.

FRASCATI 00044 Roma 🗓🗓🗓 ㉖ – 19 832 ab. alt. 322 – Stazione di villeggiatura – 🕸 06.
Vedere Villa Aldobrandini★.
Escursioni Castelli romani★★ Sud, SO per la strada S 216 e ritorno per la via dei Laghi (circuito di
60 km).
🛈 piazza Marconi 1 ℰ 9420331.
Roma 22 – Castel Gandolfo 10 – Fiuggi 66 – Frosinone 68 – Latina 51 – Velletri 22.

🏨 **Eden Tuscolano,** via Tuscolana O : 2,5 km ℰ 9424001, 綿 – 🅿 ᴁ 🕄 ⑩
Pas carta 22/35000 – ⊑ 6000 – **32 cam** 40/60000 – P 60000.

※※ **Cacciani,** via Diaz 13 ℰ 9420378, « Servizio estivo in terrazza » – ᴁ ⑩. 綉
chiuso la sera dei giorni festivi da novembre a marzo e martedì – Pas carta 36/49000.

※ La Frasca, via Lunati 3 ℰ 9420311.

ALFA-ROMEO via Vittorio Veneto 26 ℰ 9420318
FIAT via Fermi 44 ℰ 9424781
FORD via Gregoriana 22 ℰ 9422165

PEUGEOT-TALBOT via Sciadonna ℰ 9424983
RENAULT via Sciadonna 28 ℰ 9423490

FREGENE 00050 Roma 🗓🗓🗓 ㉓ – a.s. 15 giugno-agosto – 🕸 06.
Roma 38 – Civitavecchia 52 – Rieti 106 – Viterbo 97.

🏨 **La Conchiglia,** ℰ 6460229, ≤, « Rist. estivo in giardino » – 🍽 ☎ 🅿 – 益 40. ᴁ 🕄 ⑩ Ε
𝘝𝘐𝘚𝘈. 綉
Pas carta 26/47000 – ⊑ 10000 – **36 cam** 70/83000 – P 98000, b.s. 85000.

FREIBERG Bolzano – Vedere Merano.

FREIENFELD = Campo di Trens.

FRONTIGNANO Macerata – Vedere Ussita.

FROSINONE 03100 🅿 🗓🗓🗓 ㉖ – 47 102 ab. alt. 291 – 🕸 0775.
Dintorni Abbazia di Casamari★★ E : 15 km.
🛈 piazzale De Mattheis 41 ℰ 872525.
A.C.I. via Firenze 49 ℰ 850006.
Roma 83 – Avezzano 78 – Latina 55 – ◆Napoli 144.

🏨 **Henry,** via Piave 10 ℰ 854321, Telex 613406, Fax 854325 – 🍽 📺 ☎ 🅿 – 益 40 a 80. ᴁ 🕄
⑩ Ε 𝘝𝘐𝘚𝘈. 綉
Pas carta 34/49000 – **63 cam** ⊑ 80/130000, 🍽 10000 – P 110/130000.

🏨 **Cesari,** in prossimità casello autostrada A 2 ℰ 83321, Telex 613047 – 🛗 🍽 📺 ☎ 🅿 – 益 30
a 200. ᴁ. 綉 rist
Pas carta 31/52000 – **56 cam** ⊑ 70/110000 – P 125000.

🏨 **Palombella,** via Maria 234 ℰ 873549, 綿 – 🛗 ⇔ 📺 🚗 🅿. 綉
Pas carta 23/35000 – ⊑ 7000 – **34 cam** 40/65000 – P 85000.

※※ Il Quadrato, piazzale De Mattheis 53 ℰ 874474 – 🍽 🅿.

※※ **Le Tre Stelle,** sulla strada statale 155 N : 3,5 km ✉ 03011 Alatri ℰ 407833 – 🍽 🅿 – 益 60.
ᴁ. 綉
chiuso lunedì – Pas carta 25/35000.

※ **Hostaria Tittino,** vicolo Cipresso 2/4 ℰ 851227 – 綉
chiuso domenica ed agosto – Pas carta 21/35000.

ALFA-ROMEO via Marittima 204 ℰ 852391
BMW via dei Tumoli ℰ 82271
CITROEN via dei Tumoli ℰ 82271
FIAT statale Monti Lepini ℰ 870394
GM-OPEL statale Monti Lepini 158 ℰ 80701
INNOCENTI via Piave 63 ℰ 851283
LANCIA-AUTOBIANCHI statale Monti Lepini 22
ℰ 874211

MERCEDES-BENZ via Casilina Nord 180 ℰ 873094
PEUGEOT-TALBOT via Maria 369 ℰ 874340
RENAULT statale Monti Lepini ℰ 641278
VW-AUDI via Piave 13/17 ℰ 851218
VOLVO via Piave 63 ℰ 851283

Europe	Se il nome di un albergo è stampato in carattere magro, chiedete al vostro arrivo le condizioni che vi saranno praticate.

251

FUCECCHIO 50054 Firenze 𝟗𝟖𝟖 ⑭ – 20 587 ab. alt. 55 – ✆ 0571.

Roma 313 – ♦Firenze 44 – ♦Livorno 49 – Lucca 33 – Montecatini Terme 23 – Pisa 39 – Pistoia 32 – Siena 71.

✗ **Da Renato,** via Trento 13 ✎ 20209 – ▤. 🕲
➡ *chiuso sabato e dal 7 agosto al 7 settembre* – Pas carta 18/28000.

a Ponte a Cappiano NO : 4 km – ✉ 50050 :

✗✗ **Le Vedute,** NO : 3 km ✎ 297201, ♨, ☞ – ℗ Ⅲ 🕲 ⓞ E. ✗
chiuso martedì ed agosto – Pas carta 31/51000 (12%).

FIAT via provinciale Fiorentina 61 ✎ 23773

FUIPIANO VALLE IMAGNA 24030 Bergamo 𝟐𝟏𝟗 ⑩ – 245 ab. alt. 1 001 – ✆ 035.

Roma 633 – ♦Bergamo 31 – Lecco 46 – ♦Milano74.

✗ **Antica Locanda Canella** 🐂 con cam, ✎ 866042, ≤ – ℗
➡ Pas *(chiuso martedì)* carta 17/23000 – ⊊ 5000 – **7 cam** 18/28000 – P 35/38000.

FUMO Pavia – alt. 87 – ✉ 27050 Corvino San Quirico – ✆ 0383.

Roma 559 – Alessandria 50 – ♦Genova 106 – ♦Milano 59 – Pavia 21 – Piacenza 50 – Voghera 13.

✗✗ **Nazionale da Angelo** con cam, ✎ 86370 – ▤ rist ℗. Ⅲ 🕲 ⓞ E 𝘝𝘐𝘚𝘈
Pas *(chiuso martedì)* carta 27/42000 – ⊊ 6000 – **18 cam** 35/45000 – P 55/65000.

FUNES (VILLNOSS) 39040 Bolzano 𝟗𝟖𝟖 ④⑤ – 2 266 ab. alt. 1 159 – a.s. luglio-settembre e Natale
– ✆ 0472.

Roma 680 – ♦Bolzano 38 – Bressanone 19 – ♦Milano 337 – Ortisei 33 – Trento 98.

🏨 **Sport Hotel Tyrol** 🐂, località Santa Maddalena ✎ 40104, ≤ gruppo delle Odle e pinete,
🎿 riscaldata, ☞ – 🛗 ☎ ➅ ℗ E. ✗ rist
27 maggio-21 ottobre – Pas carta 20/29000 – **28 cam** ⊊ 44/80000 – P 66000, b.s. 57000.

🏨 **Kabis** 🐂, località San Pietro ✎ 40126, ≤, ☞ – 🛗 ☆ rist ☎ ➡ ℗. ✗ rist
aprile-ottobre – Pas *(chiuso mercoledì in bassa stagione)* carta 22/33000 – **40 cam** ⊊ 40/75000
– P 48/54000, b.s. 43/48000.

FURCI SICULO Messina – Vedere Sicilia alla fine dell'elenco alfabetico.

FURLO (Gola del) Pesaro e Urbino – alt. 177 – a.s. luglio e agosto.

Roma 259 – ♦Ancona 97 – Fano 38 – Gubbio 43 – Pesaro 49 – Urbino 19.

✗✗ **La Ginestra** con cam, ✉ 61040 Furlo ✎ (0721) 700046, « Servizio estivo all'aperto », 🎿, ✗
– 📺 ☎ ℗. Ⅲ ⓞ 𝘝𝘐𝘚𝘈. ✗
chiuso gennaio – Pas *(chiuso lunedì da febbraio ad aprile)* carta 27/43000 – ⊊ 8000 –
10 cam 40/60000 – P 60/70000.

FURORE 84010 Salerno – 708 ab. alt. 300 – a.s. luglio e agosto – ✆ 089.
Vedere Vallone★★.

Roma 264 – ♦Napoli 52 – Salerno 35 – Sorrento 40.

✗ **Hostaria di Bacco** con cam, ✎ 874583, ≤, « Servizio estivo in terrazza » – ℗. Ⅲ 🕲 ⓞ E
𝘝𝘐𝘚𝘈. ✗
Pas *(chiuso venerdì)* carta 18/31000 (10%) – ⊊ 5000 – **12 cam** 30/40000 – P 55000, b.s. 50000.

GABBIA Verona – Vedere Isola della Scala.

GABICCE MARE 61011 Pesaro e Urbino 𝟗𝟖𝟖 ⑯ – 5 555 ab. – Stazione balneare, a.s. luglio e
agosto – ✆ 0541.
🛈 viale della Vittoria 41 ✎ 961375.

Roma 316 – ♦Ancona 93 – Forlì 70 – ♦Milano 342 – Pesaro 16 – Rimini 23.

🏨 **Alexander,** via Panoramica 35 ✎ 954166, ≤, 🎿, ☞ – 🛗 ☎ ➅ ℗. Ⅲ ⓞ. ✗ rist
maggio-settembre – Pas 20/25000 – ⊊ 8000 – **46 cam** 50/75000 – P 70/90000, b.s. 50/60000.

🏨 **Losanna,** piazza Giardini Unità d'Italia 3 ✎ 950367, 🎿, ☞ – 🛗 ☜ ℗. ✗ rist
10 maggio-settembre – Pas 20000 – ⊊ 7000 – **67 cam** 40/60000 – P 50/70000, b.s. 35/53000.

🏨 **Majestic,** via Balneare 10 ✎ 953744, ≤, 🎿, ☞ – 🛗 ☜ ℗. ✗ rist
10 maggio-settembre – Pas 25000 – ⊊ 7000 – **55 cam** 40/70000 – P 50/85000, b.s. 40/57000.

🏨 **Giovanna Regina,** via Vittorio Veneto 173 ✎ 961181, ≤ – 🛗 ☜ Ⅲ ⓞ 𝘝𝘐𝘚𝘈. ✗ rist
➡ *27 maggio-20 settembre* – Pas 18/20000 – **43 cam** ⊊ 45/70000 – P 67000, b.s. 55000.

🏨 **Nobel,** via Vittorio Veneto 99 ✎ 950640, ≤ – 🛗 ☜ ➅ ℗. ✗ rist
15 maggio-settembre – Pas 20/30000 – ⊊ 7000 – **37 cam** 41/60000 – P 59/69000, b.s. 42/47000.

🏨 **Bellavista,** piazza Giardini Unità d'Italia 9 ✎ 961640, ≤ – 🛗 ☜ ➡ ℗. ✗
20 aprile-25 settembre – Pas 23/35000 – ⊊ 6500 – 58 cam 39/57000 – P 58/65000, b.s. 45/50000.

🏠 **Marinella,** via Vittorio Veneto 127 ℰ 950453, Fax 950426, ≼, ⌘ – 📳 📺 ☜. ￼ ⚿ ◑ ⊑ 𝑉𝐼𝑆𝐴.
⚘ rist
Pasqua-settembre – Pas 20/30000 – 🍽 10000 – **40 cam** 40/60000 – P 55/75000, b.s. 45/55000.

🏠 **Sans Souci,** via Mare 9 ℰ 950164, ≼ – 📳 ☜ ❶. ⚘
aprile-settembre – Pas carta 30/50000 – 🍽 7000 – **39 cam** 39/58000 – P 45/77000,
b.s. 32/50000.

🏠 **Stelle,** via Gabriele D'Annunzio 12 ℰ 954697 – 📳 ☜ ❶. ⚘
maggio-settembre – Pas 20/30000 – 50 cam 🍽 35/51000 – P 35/52000, b.s. 25/37000.

🏠 **Augusta,** via Vittorio Veneto 77 ℰ 950001, ≼ – 📳. ⚘
25 maggio-25 settembre – 30 cam (solo pens) – P 46/49000, b.s. 36/38000.

a Gabicce Monte E : 2,5 km – alt. 144 – ✉ 61011 Gabicce Mare :

🏠 **Capo Est** ⚲, località Vallugola ℰ 953333, Telex 550637, ≼ mare e porticciolo, « Terrazze
fiorite e panoramiche con ⚲ e ⚘ », Ascensore per la spiaggia, ⚲ – 📳 ❶ – ⚿ 25 a 100.
⚘ rist
maggio-settembre – Pas 50/60000 – 🍽 12000 – **84 cam** 130/220000 – P 124/160000,
b.s. 92/124000.

✗ **Grottino,** ℰ 953195, ≼, ☆ – 𝑉𝐼𝑆𝐴. ⚘
chiuso da gennaio al 15 febbraio e mercoledì da ottobre a maggio – Pas carta 33/46000.

*Your recommendation is self-evident if you always walk into a
hotel Guide in hand.*

GABRIA Gorizia – alt. 39 – ✉ 34070 Savogna d'Isonzo – ✪ 0481.
Roma 648 – Gorizia 8 – ◆Milano 387 – ◆Trieste 36 – Udine 40.

✗✗ **Da Tommaso** con cam, S : 1 km ℰ 882004, ☆, ⌘, ⌘ – ❶. 📳 ⊑ 𝑉𝐼𝑆𝐴
Pas *(chiuso domenica sera, lunedì e luglio)* carta 21/30000 – 🍽 4000 – **9 cam** 28/50000.

GAETA 04024 Latina 𝟵𝟴𝟴 ③⑦ – 24 123 ab. – Stazione balneare, a.s. Pasqua e luglio-agosto –
✪ 0771.

Vedere Golfo✱ – Candelabro pasquale✱ nel Duomo.
🄴 piazza Traniello 19 ℰ 462767 – (luglio-agosto) piazza 24 Maggio ℰ 461165.
Roma 141 – Caserta 79 – Frosinone 87 – Latina 74 – ◆Napoli 94.

🏠 **Sèrapo,** a Sèrapo ℰ 460067, Telex 680441, ≼, ☆, ⬛, ⚲, ⌘, ⚘ – 📳 ⚘ ☎ ❶ – ⚿ 100.
￼ 📳 ◑ ⊑ 𝑉𝐼𝑆𝐴. ⚘
Pas carta 31/46000 – 🍽 6000 – **179 cam** 44/74000 – P 69/80000, b.s. 58/63000.

✗✗ **La Salute,** piazza Caboto 1 ℰ 460050 – ▤. ￼ 📳 ◑ ⊑ 𝑉𝐼𝑆𝐴. ⚘
chiuso mercoledì – Pas carta 43/68000.

✗ **Taverna del Marinaio,** via Faustina 43 ℰ 461342, ☆
chiuso mercoledì dal 15 settembre al 15 giugno – Pas carta 20/28000 (15%).

sulla strada statale 213 O : 7 km :

🏠 **Summit,** ✉ 04024 ℰ 463087, Telex 680333, Fax 462340, ≼ mare e costa, « Terrazza-
giardino », ⚲ – 📳 ▤ rist 📺 ☎ ❶ – ⚿ 150. ⚘
chiuso gennaio e febbraio – Pas 33000 – **69 cam** 🍽 52/100000 – P 97/123000, b.s. 80/86000.

RENAULT lungomare Caboto 59 ℰ 461142

GAIOLE IN CHIANTI 53013 Siena – 2 345 ab. alt. 356 – ✪ 0577.
Roma 252 – Arezzo 56 – ◆Firenze 69 – Siena 28.

✗✗ **Castello di Spaltenna** ⚲ con cam, ℰ 749483, ≼, Coperti limitati; prenotare, « In un antico
castello » – 📺 ☎ ❶. ￼
Pas carta 40/70000 – 🍽 10000 – **7 cam** 130000.

✗ **Badia,** località Coltibuono NE : 5,5 km ℰ 749424, ≼, « Servizio estivo all'aperto » – ❶. ￼
📳 ◑ ⊑ 𝑉𝐼𝑆𝐴
chiuso lunedì e da novembre al 15 dicembre – Pas carta 28/41000 (10%).

GALATINA 73013 Lecce 𝟵𝟴𝟴 ㉚ – 29 217 ab. alt. 78 – ✪ 0836.
Vedere Chiesa di Santa Caterina d'Alessandria✱.
Dintorni Facciata✱ della chiesa del Crocifisso della Pietà a Galatone SO : 9 km.
Roma 628 – ◆Bari 171 – ◆Brindisi 59 – Lecce 20 – Otranto 30 – ◆Taranto 93.

🏠 **Maurhotel,** via Pavia ℰ 61971 – 📳 ▤ rist 📺 ☎ ⬅. ◑ 𝑉𝐼𝑆𝐴. ⚘
➡ Pas *(chiuso domenica)* 18/25000 – 🍽 4000 – **24 cam** 37/55000 – P 66/70000.

GALEATA 47010 Forlì 𝟵𝟴𝟴 ⑮ – 2 287 ab. alt. 235 – ✪ 0543.
Roma 308 – ◆Firenze 99 – Forlì 34 – ◆Perugia 134 – Rimini 75.

✗ **Locanda Romagna,** ℰ 981695
chiuso sabato, dal 2 al 10 gennaio e dal 1° al 21 luglio – Pas carta 22/39000.

GALLARATE 21013 Varese 988 ③, 219 ⑦ – 46 573 ab. alt. 238 – ✪ 0331.
Roma 617 – Como 50 – ♦Milano 40 – Novara 34 – Stresa 42 – Varese 18.

🏠 **Jet Hotel** senza rist, via Tiro a Segno 22 ☎ 785534, Fax 772686, ⎓ riscaldata – 🛗 🗐 📺 ☎ 🖐
🚗 🅿 ⚠ 🕃 ⑩ 🖃 𝘝𝘐𝘚𝘈
⛉ 12000 – **30 cam** 85/115000.

🏠 **Astoria,** piazza Risorgimento 9/a ☎ 791043, Telex 351005, Fax 772671 – 🛗 ☎ 🖐 – 🔬 50 a
200. ⚠ 🕃 ⑩ 🖃 𝘝𝘐𝘚𝘈
Pas vedere rist Astoria – ⛉ 12000 – **49 cam** 60/80000.

XX **Edoardo,** via Trombini 3 ☎ 793384, Coperti limitati; prenotare – ⚠ 🕃 ⑩ 🖃 𝘝𝘐𝘚𝘈
chiuso domenica, lunedì a mezzogiorno, dal 1° al 10 gennaio ed agosto – Pas carta 36/60000.

XX **Risorgimento-da Damiano,** piazza Risorgimento 8 ☎ 793594 – 🗐. 🕃
chiuso domenica e dal 5 al 25 agosto – Pas carta 37/60000.

XX **Astoria,** piazza Risorgimento 9 ☎ 786777 – 🗐 ⚠ 🕃 ⑩ 🖃 𝘝𝘐𝘚𝘈
chiuso venerdì e domenica sera – Pas carta 35/53000.

XX **Trattoria Fornasetta,** località Crenna ☎ 798682, prenotare – ⚠ 🕃
chiuso lunedì, dal 1° al 7 gennaio e dal 4 al 25 agosto – Pas carta 35/59000.

X El Graspo, via Tiro a Segno 24 ☎ 786355, prenotare.

ALFA-ROMEO viale Milano 31 ☎ 794793
BMW via Buonarroti 21 ☎ 793019
FIAT viale Carlo Noé 39 ☎ 795037
FORD via Torino 14 ☎ 796216

INNOCENTI via Ambrosoli 16 ☎ 795345
LANCIA-AUTOBIANCHI via Cappuccini 40 ☎ 786041
MASERATI via Ambrosoli 16 ☎ 795345

GALLIATE 28066 Novara 988 ③, 219 ⑦ – 13 457 ab. alt. 154 – ✪ 0321.
Roma 617 – Como 68 – ♦Milano 43 – Novara 7 – Stresa 53 – ♦Torino 100 – Varese 45.

al Ponte di Turbigo NE : 4 km – ✉ **28066** Galliate :

XX **Chalet Bovio,** ☎ 861664, 🌤 – 🗐 🅿 ⚠
chiuso lunedì sera, martedì e dal 17 al 29 agosto – Pas carta 25/42000 (10%).

GALLICO MARINA 89055 Reggio di Calabria – ✪ 0965.
Roma 700 – Catanzaro 156 – Gambarie d'Aspromonte 32 – ♦Reggio di Calabria 9 – Villa San Giovanni 7.

🏠 **Fata Morgana,** ☎ 370009, ≤, ⎓ – 🛗 🗐 📺 ☎ 🅿 – 🔬 100. ⚠ 🕃 ⑩ 🖃 𝘝𝘐𝘚𝘈
Pas vedere rist Fata Morgana – ⛉ 4000 – **32 cam** 65/100000 – P 90000.

X **Fata Morgana,** ☎ 370012, ≤ – ⚠ 🕃 ⑩ 🖃 𝘝𝘐𝘚𝘈
chiuso martedì dal 15 settembre a giugno – Pas carta 18/26000 (15%).

GALLIERA VENETA 35015 Padova – 6 253 ab. alt. 30 – ✪ 049.
Roma 535 – ♦Padova 36 – Trento 109 – Treviso 32 – Vicenza 34.

XX **Al Palazzon,** località Mottinello Nuovo ☎ 5965020, 🌳 – 🗐 🅿. 🍽
chiuso domenica e lunedì – Pas carta 24/35000.

GALLINARO 03040 Frosinone – 1 100 ab. alt. 550 – ✪ 0776.
Roma 134 – Frosinone 51 – Isernia 66.

🏚 **Tramp's** 🐾, bivio Settefrati NE : 3 km ☎ 65135, ≤, ⎓, 🌤, 🍽 – ☎ 🅿. ⚠ 🕃 🖃. 🍽
Pas carta 21/35000 – ⛉ 6000 – **36 cam** 32/45000 – P 55/65000.

GALLIPOLI 73014 Lecce 988 ㉚ – 20 784 ab. – a.s. luglio e agosto – ✪ 0833.
Vedere Interno★ della chiesa della Purissima.
Roma 628 – ♦Bari 190 – ♦Brindisi 76 – Lecce 37 – Otranto 47 – ♦Taranto 93.

X **Marechiaro,** lungomare Marconi ☎ 476143, ≤ – ⚠ 🕃 ⑩ 🖃 𝘝𝘐𝘚𝘈
chiuso martedì da ottobre a maggio – Pas carta 19/27000 (14%).

Vedere anche : *Sannicola* NE : 8 km.

FIAT sulla strada statale 101 ☎ 22220

FORD sulla strada statale 101 n° 113 ☎ 22034

GALLUZZO Firenze – Vedere Firenze.

Discover **ITALY** with the Michelin Green Guide

Picturesque scenery, buildings
History and geography
Works of art
Touring programmes
Town plans

GALZIGNANO TERME 35030 Padova – 4 206 ab. alt. 22 – Stazione termale (marzo-novembre), a.s. aprile-15 giugno e 15 agosto-ottobre – ✆ 049.

🔞 (chiuso gennaio, febbraio e lunedì), a Valsanzibio ⊠ 35030 Galzignano ✆ 9130078, S : 3 km.

Roma 477 – Mantova 94 – ♦Milano 255 – ♦Padova 21 – Rovigo 34 – ♦Venezia 60.

🏨 **Sporting Hotel Terme** ⟨⟩, ✆ 525500, Telex 430248, ≼, ≄, ☳ riscaldata, ⬛, 🐎, 🎇, 🐎 –
🔄 ⟨⟩ cam ▤ ♿ ⟨⟩ ♿ ✆. 🎇 rist
marzo-15 novembre – Pas 38000 – � 11500 – **106 cam** 53/88000 appartamenti 145000 –
P 106/116000, b.s. 82/91000.

🏨 **Majestic Hotel Terme** ⟨⟩, ✆ 525444, Telex 430223, ≼, ≄, ☳ riscaldata, ⬛, 🐎, 🎇, 🐎 –
🔄 ▤ rist ☎ ♿ ⟨⟩ ♿ – 🔺 200. 🎇 rist
marzo-ottobre – Pas 38000 – ⊐ 11500 – **125 cam** 53/88000 appartamenti 124/133000 –
P 89/98000, b.s. 72/81000.

🏨 **Splendid Hotel Terme** ⟨⟩, ✆ 525333, ≼, ≄, ☳ riscaldata, ⬛, 🐎, 🎇, 🐎 – 🔄 ▤ rist ⟨⟩
♿. 🎇 rist
marzo-12 novembre – Pas 38000 – ⊐ 11500 – **108 cam** 53/88000 – P 89/98000, b.s. 72/81000.

🏨 **Green Park Hotel Terme** ⟨⟩, ✆ 525511, ≼, ≄, ☳ riscaldata, ⬛, 🐎, 🎇, 🐎 – 🔄 ▤ rist
♿. 🎇 rist
marzo-10 novembre – Pas 38000 – ⊐ 11500 – **92 cam** 53/88000 appartamenti 124/132000 –
P 84/93000, b.s. 68/76000.

GAMBERALE 66040 Chieti – 631 ab. alt. 1 343 – ✆ 0872.

Roma 211 – Chieti 95 – Isernia 65 – ♦Pescara 107.

🏨 **La Fonte** ⟨⟩, ✆ 946102, ≼, 🎇 – 🍽 ♿ ⟨⟩. 🎇
🔄 Pas carta 18/37000 – ⊐ 5000 – 34 cam 35/60000 – P 40/60000.

GAMBOLÒ 27025 Pavia – 7 660 ab. alt. 106 – ✆ 0381.

Roma 595 – Alessandria 48 – ♦Milano 42 – Novara 34 – Pavia 32 – Vercelli 42.

✗ **Al Castello**, ✆ 938136 – ♿. 𝔸𝔼 ⓪ 𝘝𝘐𝘚𝘈. 🎇
chiuso martedì sera, mercoledì, dal 1° al 20 gennaio ed agosto – Pas carta 28/40000.

GANDRIA 427 ㉔, 219 ⑧ – Vedere Cantone Ticino alla fine dell'elenco alfabetico.

GANNA Varese 219 ⑧ – alt. 456 – ⊠ 21039 Valganna – ✆ 0332.

Roma 644 – ♦Lugano 21 – Luino 17 – ♦Milano 67 – Varese 11.

✗✗ **3 Risotti 3,** ✆ 719720 – ▤ ♿. 𝔸𝔼 🔲 ⓪ 𝙴 𝘝𝘐𝘚𝘈
chiuso mercoledì (escluso dal 16 luglio al 15 settembre) – Pas carta 30/45000.

GARBAGNATE MILANESE 20024 Milano 219 ⑱ – 24 727 ab. alt. 179 – ✆ 02.

Roma 588 – Como 33 – ♦Milano 16 – Novara 48 – Varese 36.

✗✗✗ ❀ **La Refezione,** via Milano 166 ✆ 9958942, Coperti limitati; prenotare – ♿. 𝔸𝔼
chiuso domenica, lunedì a mezzogiorno, dal 1° al 10 gennaio ed agosto – Pas carta 44/66000
Spec. Insalata tiepida di polipo e patate, Pasticcio di parmigiano al pesto, Sella di coniglio disossata e fritta alle
erbe aromatiche. Vini Chardonnay, Barbaresco.

a Santa Maria Rossa SO : 2 km – ⊠ 20024 Garbagnate Milanese :

✗✗ **Alle Magnolie,** ✆ 9955640, « Servizio estivo in giardino » – ♿. 𝔸𝔼 🔲 ⓪ 𝘝𝘐𝘚𝘈
chiuso lunedì sera, martedì ed agosto – Pas carta 38/55000.

GARDA 37016 Verona 988 ④ – 3 474 ab. alt. 68 – Stazione climatica – ✆ 045.

Vedere Punta di San Vigilio★★ O : 3 km.

🅱 lungolago Regina Adelaide ✆ 7255194.

Roma 527 – ♦Brescia 64 – Mantova 65 – ♦Milano 151 – Trento 82 – ♦Venezia 151 – ♦Verona 39.

🏨 **Regina Adelaide,** ✆ 7255013, Telex 341078, « Giardino » – 🔄 ♿. 𝔸𝔼 🔲 𝙴 𝘝𝘐𝘚𝘈. 🎇 rist
Pas *(chiuso dal 15 gennaio all'8 marzo e dal 15 ottobre al 19 dicembre)* carta 24/40000 – ⊐
11500 – 54 cam 62/132000 – P 95/105000.

🏨 **Du Parc,** via Marconi 3 ✆ 7255343, 🐎 – 🔄 🍽 ▤ rist ☎ ♿ – 🔺 100. 𝔸𝔼 🔲 ⓪ 𝙴 𝘝𝘐𝘚𝘈. 🎇
15 *giugno-settembre* – Pas *(chiuso a mezzogiorno)* 30/45000 – ⊐ 20000 – **26 cam**
55/80000 – ½ P 80/100000.

🏨 **Flora** ⟨⟩, ✆ 7255348, « Giardino con ☳ riscaldata e 🎇 » – 🔄 🍽 cam 🚗 ♿ – 🔺 40. 🎇
aprile-15 ottobre – Pas carta 26/34000 – ⊐ 11000 – 63 cam 54/78000 – P 70/88000.

🏨 **Terminus,** ✆ 7255030, ≼, 🌴, 🐎 – 🔄 ㊍ ♿. 🎇
aprile-20 ottobre – Pas carta 27/40000 (15%) – 40 cam ⊐ 80/110000 – P 90000.

🏨 **Cortina** senza rist, ✆ 7255433 – ㊍ ♿. 🎇
marzo-ottobre – ⊐ 8500 – **27 cam** 40/60000.

🏨 **Giardinetto,** ✆ 7255051, ≼, 🌴 – 🔄 ☎. 🎇 cam
aprile-ottobre – Pas *(chiuso giovedì)* carta 21/32000 – ⊐ 8500 – **24 cam** 60000 – P 60/62000.

🏨 **Bel Sito,** ✆ 7255290 – ☎. 🔲 𝙴 𝘝𝘐𝘚𝘈. 🎇 rist
marzo-ottobre – Pas carta 23/34000 – ⊐ 11500 – 37 cam 39/58000 – P 63000.

segue →

🏛 **Tre Corone,** *🕿* 7255033, ≤, 🏛 – 🛉 ⇔ cam. 🏖
  marzo-ottobre – Pas *(chiuso mercoledì)* carta 25/41000 – ⚁ 9000 – **26 cam** 39/59000 –
  P 66/68000.

🏛 **San Marco,** *🕿* 7255008 – 🕭 **❷**. 🏖
  marzo-ottobre – Pas carta 26/35000 – ⚁ 8000 – 15 cam 58000 – P 59000.

🏛 **Conca d'Oro,** *🕿* 7255275, ≤ – **❶**. 🏖 rist
  marzo-novembre – Pas *(chiuso martedì, marzo e novembre)* carta 23/33000 – **19 cam**
  ⚁ 47/80000 – P 59/64000.

verso Costermano :

✗ **Cipriani-da Remigio** con cam, E : 2 km ✉ 37010 Costermano *🕿* 7200064, Fax 7200275,
  « Servizio estivo in terrazza con ≤ », 🏛 – 🛉 **❷** 🖭 🛠 **❶** **E** *VISA*. 🏖
  Pas *(chiuso giovedì da ottobre a marzo)* carta 20/30000 – **30 cam** ⚁ 40/70000 – ½ P 70000.

✗ **Stafolet,** E : 1,5 km ✉ 37016 *🕿* 7255427, 🏛, 🛏 – **❷**
  chiuso lunedì, gennaio e febbraio – Pas carta 23/37000.

GARDA (Lago di) o BENACO ∗∗∗ Brescia, Trento e Verona 🄈🄇🄇 ④ – Vedere Guida Verde.

GARDENA (Passo di) (GRÖDNER JOCH) Bolzano – alt. 2 137 – a.s. febbraio-aprile, 15 luglio-
agosto e Natale – Sport invernali : vedere Selva di Val Gardena.
Roma 695 – Belluno 96 – ♦Bolzano 54 – Brunico 46 – Cortina d'Ampezzo 58 – ♦Milano 353 – Trento 114.

🏛 **Cir** ♨, ✉ 39048 Selva di Val Gardena *🕿* (0471) 75127, ≤ Dolomiti e vallata – 🕭 **❷**. 🏖
  15 dicembre-25 aprile e luglio-settembre – Pas 23/33000 – ⚁ 10000 – 34 cam 30/50000 –
  P 60/65000, b.s. 58/60000.

GARDOLO Trento – Vedere Trento.

GARDONE RIVIERA 25083 Brescia 🄈🄇🄇 ④ – 2 532 ab. alt. 85 – Stazione climatica, a.s. Pasqua e
luglio-15 settembre – 🔂 0365.
Vedere Posizione pittoresca∗∗ – Tenuta del Vittoriale∗ (residenza e tomba di Gabriele d'Annunzio)
NE : 1 km.
🏌 (chiuso martedì) a Bogliaco ✉ 25080 *🕿* 643006, NE : 10 km – 🅱 corso Repubblica 35 *🕿* 20347.
Roma 551 – ♦Bergamo 88 – ♦Brescia 34 – Mantova 90 – ♦Milano 129 – Trento 91 – ♦Verona 66.

🏨 **Grand Hotel,** *🕿* 20261, Telex 300254, Fax 20261, ≤, 🏛, « Terrazza fiorita sul lago con 🏊
  riscaldata », 🛥 – 🛉 ⇔ 🕭 cam 🕿 **❷** – 🔧 30 a 300. 🖭 🛠 **❶** **E**. 🏖 rist
  aprile-ottobre – Pas 40000 – **180 cam** ⚁ 120/210000 – P 105/155000, b.s. 88/125000.

🏛 **Montefiore** ♨, *🕿* 21118, Fax 21488, ≤ lago, 🏛, « Villette in un parco », 🏊, 🏖 – 📺 🕿 **❷**
  – 🔧 200. 🖭 🛠 **❶** **E** *VISA*. 🏖 rist
  chiuso novembre – Pas carta 28/49000 – **36 cam** ⚁ 85/115000 – P 100000, b.s. 95000.

🏛 **Parkhotel Villa Ella** ♨, *🕿* 21030, ≤ lago, « Parco ombreggiato con 🏊 » – 🛉 **❷**. 🖭 🛠 **❶**
  E *VISA*. 🏖 rist
  aprile-settembre – Pas 30000 – **48 cam** ⚁ 70/120000 – P 60/75000, b.s. 50/60000.

🏛 **Monte Baldo,** *🕿* 20951, ≤, « Terrazza-giardino sul lago con 🏊 », 🛥 – 🛉 🕿 **❷**. 🖭 *VISA*.
  🏖 rist
  20 aprile-settembre – Pas 25/29000 – ⚁ 8500 – 46 cam 49/80000 – P 70/79000, b.s. 65/72000.

🏛 **Villa Capri** senza rist, *🕿* 21537, « Giardino sul lago », 🛥 – 🕿 **❷**. 🏖
  aprile-15 ottobre – **36 cam** ⚁ 60/100000.

🏛 **Bellevue,** *🕿* 20235, ≤, « Giardino » – 🛉 **❷**. *VISA*. 🏖 rist
  aprile-10 ottobre – Pas 22000 – ⚁ 6500 – **31 cam** 40/59000 – P 60000, b.s. 52000.

✗✗✗ **Villa Fiordaliso** con cam, *🕿* 20158, ≤, « Villa storica con servizio estivo all'aperto », 🛏 –
  📺 🕿 **❷** 🖭 **❶** *VISA*. 🏖
  Pas *(chiuso domenica sera e lunedì)* carta 43/77000 (10%) – ⚁ 22000 – 6 cam 88000.

✗✗ **Casinò,** al bivio per il Vittoriale *🕿* 20387, « Servizio estivo in terrazza sul lago » – **❷**. 🖭 **❶**
  E *VISA*. 🏖
  chiuso lunedì, gennaio e febbraio – Pas carta 28/43000.

✗✗ **La Stalla,** strada per il Vittoriale *🕿* 21038, 🏛, 🛏 – **❷** 🖭 **❶** *VISA*. 🏖
  chiuso martedì (escluso luglio-settembre) – Pas carta 30/50000.

a Fasano del Garda NE : 2 km – ✉ 25080 :

🏨 **Gd H. Fasano,** *🕿* 21051, ≤ lago, « Terrazza-giardino sul lago con 🏊 riscaldata », 🛥, 🏖
  – 🛉 **❷** – 🔧 100. 🏖 rist
  maggio-settembre – Pas carta 36/51000 – **70 cam** ⚁ 103/180000 – ½ P 93/124000,
  b.s. 80/102000.

🏛 **Villa del Sogno** ♨, *🕿* 20228, ≤ lago, « Parco e terrazze con 🏊 » – 🛉 🕿 **❷**. 🖭 🛠 **❶** **E**
  VISA. 🏖 rist
  aprile-15 ottobre – Pas 45000 – **25 cam** ⚁ 115/200000 – P 115/135000, b.s. 95/115000.

🏛 **Il Riccio,** *🕿* 21987, ≤, « Giardino », 🛥 – 🛉 🕭 **❷**. 🏖
  15 maggio-settembre – Pas 20/30000 – ⚁ 9000 – **25 cam** 44/62000 – P 60/65000, b.s. 49/57000.

  Vedere anche : *Salò* (Barbarano).

GARESSIO 12075 Cuneo 🔢🔢🔢 ㉒ – 4 120 ab. alt. 621 – Stazione termale (giugno-settembre) e di villeggiatura – ✪ 0174.

🅱 via al Santuario 🕿 81122.

Roma 615 – Cuneo 72 – Imperia 62 – ♦Milano 239 – Savona 70 – ♦Torino 115.

🏠 **Ramo Verde,** via Garibaldi 108 🕿 81075 – 🔌 🄿. ⌘
    15 marzo-ottobre – Pas *(chiuso venerdì)* carta 20/33000 – ☐ 5000 – 23 cam 40/55000 – P 48/52000.

🏠 **Italia,** corso Paolini 28 🕿 81027, 🍴 – 🔌 🕭 🄿. ⌘ rist
➡ *giugno-settembre* – Pas carta 17/28000 – ☐ 2000 – **54 cam** 27/45000 – P 44/52000.

GARGANO (Promontorio del) ★★★ Foggia 🔢🔢🔢 ㉘ – Vedere Guida Verde.

GARGAZON = Gargazzone.

GARGAZZONE (GARGAZON) 39010 Bolzano 🔢🔢🔢 ㉙ – 1 092 ab. alt. 267 – a.s. aprile-maggio e 15 luglio-ottobre – ✪ 0473.

Roma 654 – ♦Bolzano 17 – Merano 11 – ♦Milano 315 – Trento 75.

🏠 **Alla Torre-Zum Turm,** 🕿 292325, « Giardino-frutteto con 🛋 riscaldata » – 🕿 🄿
    chiuso febbraio – Pas *(chiuso giovedì)* carta 22/32000 – **15 cam** ☐ 30/60000 – P 40/45000, b.s. 38/43000.

GARGNANO 25084 Brescia 🔢🔢🔢 ④ – 3 270 ab. alt. 98 – a.s. Pasqua e luglio-15 settembre – ✪ 0365.
Vedere Guida Verde.

🏌 (chiuso martedì) a Bogliaco ✉ 25080 🕿 643006, S : 1,5 km.

Roma 563 – ♦Bergamo 100 – ♦Brescia 46 – ♦Milano 141 – Trento 79 – ♦Verona 78.

🏨 **Palazzina,** 🕿 71118, ≤, « 🛋 su terrazza panoramica », 🍴 – 🔌 🄿. 🆎 VISA ⌘
    aprile-settembre – Pas *(chiuso lunedì)* carta 20/31000 – ☐ 8000 – **25 cam** 45/60000 – P 60000, b.s. 55000.

🏠 **Giulia** ⚲, 🕿 71022, ≤, 🍽, « Giardino in riva al lago », 🛋 riscaldata, 🛶 – 🄿. VISA
    aprile-ottobre – Pas carta 32/48000 (10%) – ☐ 7000 – 18 cam 55/90000 – P 70/75000, b.s. 65/70000.

🏠 **Bartabel,** 🕿 71330, ≤ – 🔌. ⌘ cam
    chiuso novembre – Pas carta 20/27000 – ☐ 5000 – **11 cam** 30/45000 – P 48000, b.s. 43000.

XXX ⚙ **La Tortuga,** 🕿 71251, Coperti limitati; prenotare – 🔳 🆎 VISA ⌘
    chiuso lunedì sera (escluso giugno-settembre), martedì e da gennaio al 15 marzo – Pas carta 60/85000 (10%)
    Spec. Soufflé di verdura, Capriccio di pasta ai funghi, Filetti di lavarello al Lugana, Bocconcini di vitello tartufati. Vini Lugana, Franciacorta rosso.

a Villa S : 1 km – ✉ **25084** Gargnano :

🏠 **Livia,** 🕿 71233, 🛋, 🍴 – 🕿 🄿. 🆎 VISA ⌘
    Pasqua-15 ottobre – Pas carta 24/33000 – ☐ 8500 – 25 cam 38/53000 – P 60000, b.s. 54000.

XX **Baia d'Oro** ⚲ con cam, 🕿 71171, ≤, « Servizio estivo in terrazza sul lago » – 🕿 🚗 🆎 ①
    VISA
    15 marzo-novembre – Pas carta 37/61000 (15%) – 11 cam ☐ 55/85000.

a Bogliaco S : 1,5 km – ✉ **25080** :

XX **Allo Scoglio,** 🕿 71030, 🍽 – ⌘
    chiuso venerdì, gennaio e febbraio – Pas carta 31/47000.

GARGONZA Arezzo – Vedere Monte San Savino.

GARLASCO 27026 Pavia 🔢🔢🔢 ⑬ – 9 765 ab. alt. 94 – ✪ 0382.
Roma 585 – Alessandria 61 – ♦Milano 44 – Novara 40 – Pavia 22 – Vercelli 48.

🏨 **I Diamanti** senza rist, via Leonardo da Vinci 59 🕿 822777, Telex 352539 – 🔌 🔳 📺 🕿 🕭 🚗
    🄿 – 🅿 50. 🆎 VISA ⌘
    ☐ 7000 – **39 cam** 61/85000, 🔳 7500.

XX **Le Rotonde,** via Leonardo da Vinci 48 🕿 821171, 🛋, 🍴, ⌘ – 🔳 🄿. 🆎 ⌘
    chiuso lunedì ed agosto – Pas carta 32/50000.

GARLATE 22050 Como 🔢🔢🔢 ⑨ – 2 386 ab. alt. 212 – ✪ 0341.
Roma 615 – ♦Bergamo 29 – Como 34 – Lecco 6 – ♦Milano 47.

🏨 **Nuovo,** 🕿 680243 – 🔳 📠 🚗 🄿 – 🅿 60. 🆎 ① VISA ⌘
    Pas *(chiuso agosto)* carta 38/58000 – ☐ 10000 – **50 cam** 42/69000, 🔳 5000 – P 90000.

XX **Kalcherin,** 🕿 681326, 🍽 – 🄿. 🆎 🔝 ① ⌇ VISA ⌘
    chiuso lunedì e novembre – Pas carta 35/56000.

VW-AUDI via Statale 85 🕿 680248

GARLENDA 17033 Savona – 685 ab. alt. 70 – ✪ 0182.

⟦8⟧ (chiuso mercoledì) ✆ 580012.

Roma 592 – Albenga 10 – ◆Genova 93 – Imperia 37 – ◆Milano 216 – Savona 47.

🏨 **La Meridiana** ⟍, ✆ 580271, Telex 272123, Fax 580150, 🍽, 🏊, 🎾 – ⧈ ⟶ cam 📺 ☎ 🕭 🅿.
ᴀᴇ 🅱 ⓞ 🅴 𝗩𝗜𝗦𝗔. 🕸 rist
chiuso dall'8 gennaio al 1° marzo – Pas *(chiuso a mezzogiorno; prenotare)* carta 50/70000 –
⊏⊐ 17000 – **18 cam** 170/230000 appartamenti 220/270000 – ½ P 170/190000.

XX **Claro de Luna,** strada per Caso E : 3 km ✉ 17038 Villanova d'Albenga ✆ 580348, Solo
piatti di pesce – 🅿. ᴀᴇ 🅱 🅴 𝗩𝗜𝗦𝗔
chiuso a mezzogiorno (escluso i giorni festivi), martedì ed ottobre – Pas carta 35/54000.

GASSINO TORINESE 10090 Torino 🟊🟊🟊 ⑰ – 8 434 ab. alt. 219 – ✪ 011.

Roma 665 – Asti 52 – ◆Milano 130 – ◆Torino 15 – Vercelli 60.

a Bussolino Gassinese E : 2,5 km – ✉ **10090** :

X **Defilippi,** ✆ 9606274, 🎾 – 🅿
chiuso martedì – Pas carta 25/40000.

a Bardassano SE : 5 km – ✉ **10090** Gassino Torinese :

X **Ristoro Villata,** via Chieri S : 1 km ✆ 9605818, solo su prenotazione, 🍽 – 🅿. 🕸
chiuso venerdì ed agosto – Pas (menu a sorpresa) 50/80000.

GATTEO A MARE 47043 Forlì – a.s. 15 giugno-agosto – ✪ 0547.

Roma 353 – ◆Bologna 102 – Forlì 41 – ◆Milano 313 – ◆Ravenna 35 – Rimini 17.

🏨 **Flamingo,** viale Giulio Cesare 31 ✆ 87171, ≼, 🏊 riscaldata, 🕷 – ⧈ 🍽 rist ☎ ⟵ 🅿. 🅱.
🕸 rist
maggio-settembre – Pas (solo per clienti alloggiati) 20000 – ⊏⊐ 7000 – **46 cam** 49/63000 –
P 54/69000, b.s. 44/55000.

🏨 **Miramare,** viale Giulio Cesare 63 ✆ 87313, ≼, 🏊 – ⧈ ☜ 🅿. 🕸 rist
◆ *maggio-settembre* – Pas (solo per clienti alloggiati) 18000 – ⊏⊐ 7000 – **52 cam** 48/80000 –
P 48/60000, b.s. 40/48000.

🏨 **Capitol,** viale Giulio Cesare 27 ✆ 86553, ≼, 🏊 – ⧈ ☜ 🅿. 🕸 rist
◆ *10 maggio-27 settembre* – Pas 15/30000 – **50 cam** ⊏⊐ 38/75000 – P 46/56000, b.s. 39/46000.

🏨 **Imperiale,** viale Giulio Cesare 82 ✆ 86875 – ⧈ 🅿 🅴. 🕸 rist
◆ *maggio-settembre* – Pas (solo per clienti alloggiati) 18/25000 – **37 cam** ⊏⊐ 40/70000 –
P 50/55000, b.s. 35/40000.

🏨 **Magnolia,** via Trieste 31 ✆ 86814, 🎾 – ⧈ ☜ 🅿. 🕸 rist
maggio-settembre – Pas (solo per clienti alloggiati) 24/26000 – ⊏⊐ 4500 – **38 cam** 43/62000 –
P 39/52000, b.s. 37/46000.

🏨 **Estense,** via Gramsci 30 ✆ 87068 – ⧈ ☜ 🅿. ᴀᴇ ⓞ 🅴 𝗩𝗜𝗦𝗔. 🕸 rist
◆ *chiuso novembre* – Pas 15/18000 – ⊏⊐ 6000 – **37 cam** 40/70000 – P 30/50000, b.s. 25/40000.

🏨 Park Hotel Miriam, via Bologna 8 ✆ 86136, 🎾 – ⧈ ☎
stagionale – 42 cam.

🏨 **Simon,** viale Matteotti 41 ✆ 85224, 🏊 – ⧈ 🍽 rist ☜ 🅿. 🕸 rist
◆ *aprile-ottobre* – Pas carta 19/27000 – 43 cam ⊏⊐ 39/75000 – P 39/46000, b.s. 30/35000.

🏨 **Fantini,** viale Matteotti 10 ✆ 87009 – ⟶ rist 🕭 🅿. 🕸 rist
◆ *20 maggio-20 settembre* – Pas 17/21000 – ⊏⊐ 6500 – **35 cam** 28/44000 – P 36/42000,
b.s. 28/30000.

🏨 **Sant'Andrea,** viale Matteotti 66 ✆ 85360 – 🅿. 🕸 rist
20 maggio-20 settembre – Pas (solo per clienti alloggiati) – 18 cam ⊏⊐ 30/45000 – P 40/46000,
b.s. 35/37000.

GATTINARA 13045 Vercelli 🟊🟊🟊 ②, 🟦🟦🟦 ⑯ – 8 959 ab. alt. 265 – ✪ 0163.

Roma 653 – Biella 29 – ◆Milano 79 – Novara 33 – ◆Torino 91 – Vercelli 35.

XX **Dui Camin,** corso Garibaldi 165 ✆ 834446 – 🅿. ᴀᴇ 🅴 𝗩𝗜𝗦𝗔. 🕸
chiuso lunedì, dall'8 al 24 gennaio e dall'8 al 24 agosto – Pas carta 38/55000.

X **Impero** con cam, corso Garibaldi 81 ✆ 833232 – 🅿. 🅱 🅴 𝗩𝗜𝗦𝗔
chiuso dall'8 al 20 agosto – Pas *(chiuso venerdì)* carta 26/41000 – ⊏⊐ 7000 – **20 cam** 30/45000
– P 48/50000.

X **Dei Passeggeri,** corso Valsesia 244 ✆ 833183
chiuso giovedì – Pas carta 30/41000.

GAVERINA TERME 24060 Bergamo – 853 ab. alt. 511 – a.s. luglio e agosto – ✪ 035.

Roma 605 – ◆Bergamo 26 – ◆Brescia 56 – ◆Milano 72.

🏨 **Grande Alb. Terme** ⟍, alle fonti E : 1,5 km ✆ 810020, ⚐, 🎾, 🕷 – ⧈ ☜ ⟵. 🕸
maggio-ottobre – Pas 25/37000 – ⊏⊐ 6500 – 80 cam 31/45000 – P 48/61000, b.s. 43/54000.

GAVI 15066 Alessandria 988 ⑬ – 4 470 ab. alt. 215 – ✿ 0143.

Roma 554 – ◆Acqui Terme 42 – Alessandria 33 – ◆Genova 48 – ◆Milano 97 – Savona 84 – ◆Torino 136.

XX **Cantine del Gavi,** via Mameli 50 ℰ 642458, Coperti limitati; prenotare – ✍
chiuso lunedì, dal 6 al 25 gennaio e dal 10 al 25 luglio – Pas carta 32/43000.

verso Tassarolo NO : 5 km :

X **Da Marietto,** ⊠ 15066 Rovereto di Gavi ℰ 682118, 🐎 – ℗. ✍
chiuso lunedì e gennaio – Pas carta 25/35000.

GAVINANA 51025 Pistoia – alt. 820 – a.s. luglio e agosto – ✿ 0573.

🖪 piazza Ferrucci ℰ 66191.

Roma 337 – ◆Bologna 87 – ◆Firenze 63 – Lucca 53 – ◆Milano 288 – Pistoia 27.

🏠 **Villa Ada,** ℰ 66034, 🐎 – ℗. ✍
◆ *giugno-settembre* – Pas (solo per clienti alloggiati) 15/20000 – ⊐ 4000 – **41 cam** 30/60000 –
P 50/70000, b.s. 40/50000.

GAVIRATE 21026 Varese 988 ③, 219 ⑦ – 9 049 ab. alt. 261 – ✿ 0332.

Roma 641 – ◆Milano 66 – Varese 10.

X **Tipamasaro,** ℰ 743524, prenotare i festivi – ⇔ ℗. 🖪. ✍
chiuso lunedì – Pas carta 20/29000.

GAVOI Nuoro 988 ㉝ – Vedere Sardegna alla fine dell'elenco alfabetico.

GAZOLDO DEGLI IPPOLITI 46040 Mantova – 2 460 ab. alt. 35 – ✿ 0376.

Roma 490 – ◆Brescia 58 – Mantova 21 – ◆Verona 45.

XX **Casa Nodari,** ℰ 657122, prenotare – ℗
chiuso i giorni festivi e domenica – Pas carta 24/36000.

GAZZANIGA 24025 Bergamo – 4 966 ab. alt. 386 – ✿ 035.

Roma 620 – ◆Bergamo 19 – ◆Brescia 71 – ◆Milano 66.

X **Giardino,** via Dante 64 ℰ 711265, « Servizio estivo in giardino » – ℗. 🆎 ⓪
chiuso mercoledì e dal 15 al 30 ottobre – Pas carta 21/31000.

FIAT via Cesare Battisti 171/173 ℰ 711023

GAZZO Imperia – Vedere Borghetto d'Arroscia.

GELA Caltanissetta 988 ㊱ – Vedere Sicilia alla fine dell'elenco alfabetico.

GEMONA DEL FRIULI 33013 Udine 988 ⑥ – 11 259 ab. alt. 272 – ✿ 0432.

Roma 665 – ◆Milano 404 – Tarvisio 64 – ◆Trieste 98 – Udine 29.

🏨 **Park Hotel e Rist. Ai Celti,** via Divisione Julia 23 ℰ 980915, Telex 451031, 🏡 – 🛗 🗏 rist
☎ 🕭 ⇔ ℗ – 🏛 80. 🆎 🖪 ☰ ✍ rist
Pas *(chiuso domenica)* carta 24/43000 (10%) – ⊐ 6000 – **40 cam** 45/75000.

🏠 **Da Willy,** via Bariglaria 72 ⊠ 33010 Ospedaletto di Gemona ℰ 981671 – 🛗 ⇔ cam 📺 ☎
🕭 ℗. 🆎 🖪 ☰ 𝗩𝗜𝗦𝗔. ✍ rist
Pas *(chiuso lunedì escluso luglio, agosto e dicembre)* carta 21/30000 – ⊐ 4000 – **18 cam**
38/60000 – P 50/60000.

verso Osoppo SO : 3,5 km :

X **Al Boschetto** con cam, ⊠ 33013 Gemona Piovega ℰ 980910 – ℗. 🆎 🖪 ⓪ ☰ 𝗩𝗜𝗦𝗔. ✍
Pas *(chiuso lunedì)* carta 26/37000 (15%) – **12 cam** ⊐ 25/40000 – P 40000.

GM-OPEL via Lessi 101 ℰ 981411
LANCIA-AUTOBIANCHI via Campagnola 44 ℰ
981220

RENAULT via Taboga 77/79 ℰ 981097
VW-AUDI via Taboga 41 ℰ 980172

GEMONIO 21036 Varese 219 ⑦ – 2 418 ab. alt. 325 – ✿ 0332.

Roma 647 – Lugano 39 – ◆Milano 73 – Varese 15.

XX **Antico Vedani,** ℰ 601458, 🏡 – ℗. 🆎
chiuso martedì – Pas carta 36/60000.

GENAZZANO 00030 Roma – 4 928 ab. alt. 374 – ✿ 06.

Roma 49 – Frosinone 56 – Latina 62 – Palestrina 11.

sulla strada statale 155 SE : 5 km :

XX **Da Rossi,** ⊠ 00030 ℰ 9579058, 🏡, 🐎 – ℗ – 🏛 80. 🖪
chiuso martedì – Pas carta 20/28000.

GENEROSO (Monte) 427 ㉔㉕, 219 ⑧ – Vedere Cantone Ticino alla fine dell'elenco alfabetico.

GENOVA 16100 ⓅⒺ 988 ⑬ – 722 026 ab. – ✪ 010.

Vedere Porto★★ AXY – Quartiere dei marinai★ BY – Piazza San Matteo★ BY 85 – Cattedrale di San Lorenzo★ : facciata★★ BY K – Via Garibaldi★ : galleria dorata★ nel palazzo Cataldi BY B, pinacoteca★ nel palazzo Bianco BY D, galleria d'arte★ nel palazzo Rosso BY E – Palazzo dell'Università★ AX U – Galleria Nazionale di palazzo Spinola★ : Adorazione dei Magi★★ di Joos Van Cleve BY – Campanile★ della chiesa di San Donato BY L – San Sebastiano★ di Puget nella chiesa di Santa Maria di Carignano BZ N – Villetta Di Negro CXY : ≤★ sulla città e sul mare, museo Chiossone★ M – ≤★ sulla città dal Castello BX R per ascensore – Cimitero di Staglieno★ F.

Escursioni Riviera di Levante★★★ Est e SE.

➳ Cristoforo Colombo di Sestri Ponente per ④ : 6 km ℰ 566532 – Alitalia, via 12 Ottobre 188 r ⊠ 16121 ℰ 531091.

🚗 ℰ 2695 (int. 2451).

🚢 per Cagliari giugno-settembre martedì, giovedì e sabato, negli altri mesi venerdì e domenica (20 h 30 mn) ed Olbia lunedì, mercoledì e venerdì (13 h); per Arbatax 20 luglio-agosto lunedì e venerdì, negli altri mesi mercoledì e venerdì (18 h 30 mn), Porto Torres giornaliero (12 h 30 mn) e Palermo martedì, giovedì, sabato e domenica (23 h) – Tirrenia Navigazione, Stazione Marittima, Pontile Colombo ⊠ 16126 ℰ 258041, Telex 270186; per Palermo mercoledì e sabato (22 h) – Grandi Traghetti, via Fieschi 17 ⊠ 16128 ℰ 589331, Telex 271132.

🛈 Stazione Principe ⊠ 16126 ℰ 262633 – Stazione Brignole ⊠ 16121 ℰ 562056 – all'Aeroporto ⊠ 16154 ℰ 26905247.

A.C.I. viale Brigate Partigiane 1 ⊠ 16129 ℰ 567001.

Roma 501 ② – ♦Milano 142 ⑦ – ♦Nice 194 ⑤ – ♦Torino 170 ⑤.

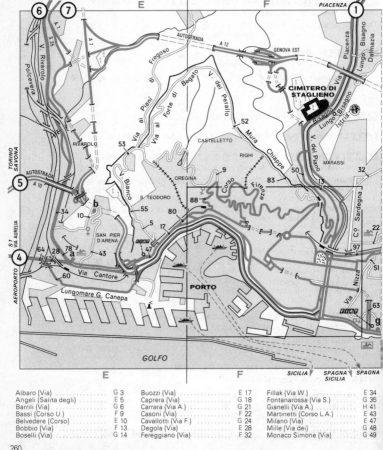

🏨🏨🏨 **Colombia,** via Balbi 40 ⊠ 16126 ℘ 261841, Telex 270423 – 📳 ⇔ cam 🔲 📺 👌 – 🔬 300 a 350. 🖭 🗐 ⓞ 🖪 𝘝𝘐𝘚𝘈. ⋘ rist
Pas carta 61/96000 – ⚏ 21500 – **172 cam** 207/272000 appartamenti 592/828000.
AX **m**

🏨🏨 **Savoia Majestic** (dipendenza **Londra e Continentale**), via Arsenale di Terra 5 ⊠ 16126 ℘ 261641, Telex 270426, Fax 261883 – 📳 ⇔ 🔲 📺 ☎ 👌 – 🔬 100. 🖭 🗐 ⓞ 🖪 𝘝𝘐𝘚𝘈. ⋘ rist
Pas carta 38/56000 – ⚏ 12000 – **123 cam** 146/208000 appartamenti 274000 – P 184/226000.
AX **h**

🏨🏨 **Bristol** senza rist, via 20 Settembre 35 ⊠ 16121 ℘ 592541, Telex 286550, Fax 592541 – 📳 ⇔ 🔲 📺 ☎ – 🔬 200. 🖭 🗐 ⓞ 🖪 𝘝𝘐𝘚𝘈
CY **n**
130 cam ⚏ 160/230000 appartamenti 350000.

🏨🏨 **Astoria** senza rist, piazza Brignole 4 ⊠ 16122 ℘ 873316, Telex 275009, Fax 817326 – 📳 📺 ☎ – 🔬 100. 🖭 🗐 ⓞ 🖪 𝘝𝘐𝘚𝘈
CY **d**
⚏ 7500 – **73 cam** 88/112000.

🏨🏨 **Plaza,** via Martin Piaggio 11 ⊠ 16122 ℘ 893642, Telex 283142, Fax 876079 – 📳 🔲 📺 ☎ 🅿 – 🔬 80 a 160. 🖭 🗐 ⓞ 🖪 𝘝𝘐𝘚𝘈. ⋘ rist
CY **q**
Pas (chiuso sabato e domenica) 22/35000 – ⚏ 15000 – **97 cam** 130/200000 appartamenti 280/300000 – P 159/189000.

🏨 **Alexander** senza rist, via Bersaglieri d'Italia 19 ⊠ 16126 ℘ 261371 – 📳 🔲 📺 ☎. 🖭 🗐 ⓞ 🖪 𝘝𝘐𝘚𝘈
AX **u**
⚏ 8000 – **35 cam** 62/87000.

🏨 **City Hotel** senza rist, via San Sebastiano 6 ⊠ 16123 ℘ 592595, Telex 271686, Fax 586301 – 📳 📺 ☎ 👌 – 🔬 25. 🖭 🗐 ⓞ 🖪 𝘝𝘐𝘚𝘈
CY **e**
75 cam ⚏ 140/180000.

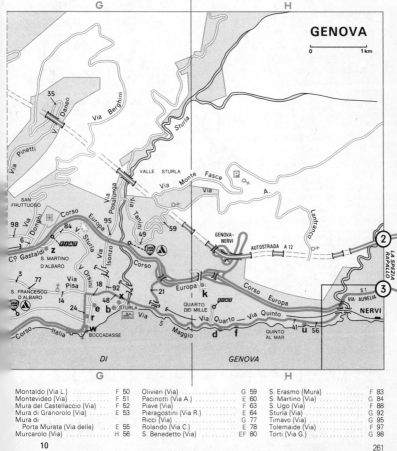

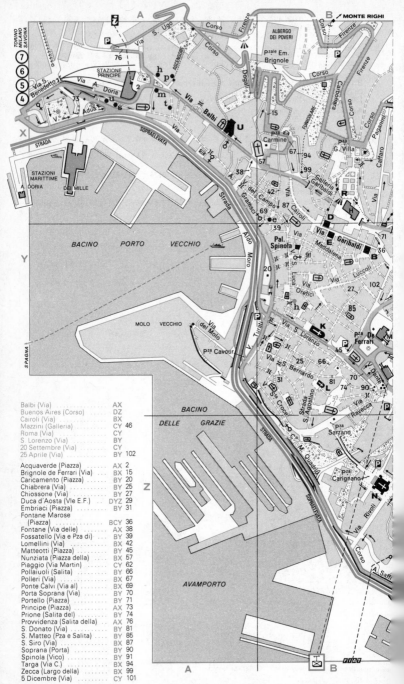

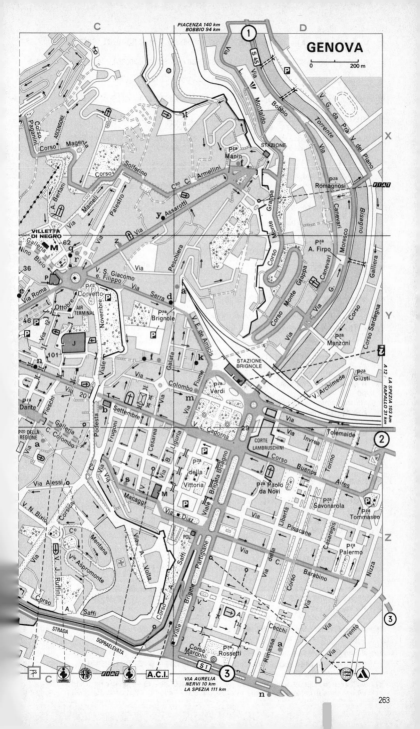

🏨 **Viale Sauli** senza rist, viale Sauli 5 ⊠ 16121 🤍 561397 – 📶 🗐 📺 ☎. 🕮 🕃 ⓘ ⋿ 𝚅𝙸𝚂𝙰   CY **f**
49 cam ⟷ 70/100000.

🏨 **Rio,** via al Ponte Calvi 5 ⊠ 16124 🤍 290551, Telex 270481, Fax 290554 – 📶 📺 ☎. 🕮 🕃 ⓘ ⋿
𝚅𝙸𝚂𝙰. ⫇ rist   BX **e**
chiuso gennaio – Pas *(chiuso a mezzogiorno e domenica)* carta 28/38000 – ⟷ 8000 – **47 cam**
54/75000.

🏨 **Galles** senza rist, via Bersaglieri d'Italia 13 ⊠ 16126 🤍 262820 – 📶 📺 ☎ ᴕ. 🕮 𝚅𝙸𝚂𝙰   AX **s**
⟷ 8000 – **20 cam** 60/80000.

🏨 **Vittoria,** via Balbi 33/45 ⊠ 16126 🤍 261923 – 📶 📺 ☎. 🕮 🕃 ⓘ ⋿ 𝚅𝙸𝚂𝙰   AX **p**
Pas 20/25000 – ⟷ 6000 – **56 cam** 50/75000 – P 80/90000.

🏠 **Agnello d'Oro,** vico delle Monachette 6 ⊠ 16126 🤍 262084 – 📶 ☜. 🕃 ⓘ ⋿ 𝚅𝙸𝚂𝙰   AX **t**
Pas *(solo per clienti alloggiati e chiuso da ottobre a marzo)* – ⟷ 8500 – **38 cam** 55/75000 –
P 80000.

🏠 **Assarotti** senza rist, via Assarotti 40/c ⊠ 16122 🤍 885822 – ☎. 🕮   CX **y**
⟷ 8000 – **24 cam** 35/60000.

🏠 **Brignole** senza rist, vico del Corallo 13 r ⊠ 16122 🤍 561651 – 🗐 📺 ☜. ⫇   DY **k**
⟷ 8000 – **26 cam** 60/90000, 🗐 12000.

XXX **Da Giacomo,** corso Italia 1 r ⊠ 16145 🤍 369647, 🍽, Rist. elegante moderno – 🗐 Ⓟ. 🕮 🕃
ⓘ ⋿ 𝚅𝙸𝚂𝙰. ⫇   DZ **n**
chiuso domenica – Pas carta 50/80000.

XXX **Vittorio al Mare,** a Boccadasse, belvedere Firpo 1 ⊠ 16146 🤍 312872, Rist. a mare con ≼
– 🗐. 🕮 🕃 ⓘ ⋿ 𝚅𝙸𝚂𝙰   G **w**
chiuso lunedì – Pas carta 57/83000.

XXX **Saint Cyr,** piazza Marsala 8 ⊠ 16122 🤍 886897, Rist. elegante moderno – 🗐. 🕮 🕃 ⓘ ⋿
𝚅𝙸𝚂𝙰   CY **r**
chiuso sabato, domenica, dal 23 dicembre al 7 gennaio e dal 6 al 31 agosto – Pas carta 43/59000
(16%).

XX **Mata Hari,** via Gropallo 1 r ⊠ 16122 🤍 870027, Coperti limitati; prenotare – ⫷⫸ 🗐. 🕮 🕃
ⓘ ⋿ 𝚅𝙸𝚂𝙰   DY **a**
chiuso sabato a mezzogiorno e domenica – Pas carta 33/58000.

XX **Zeffirino,** via 20 Settembre 20 ⊠ 16121 🤍 591990, Rist. rustico moderno – ⫷⫸. 🕮 🕃 ⓘ ⋿
𝚅𝙸𝚂𝙰   CY **b**
chiuso mercoledì – Pas carta 50/85000.

XX ✿ **Gran Gotto,** via Fiume 11 r ⊠ 16121 🤍 564344 – 🗐. 🕮 🕃 ⋿ 𝚅𝙸𝚂𝙰   DY **m**
chiuso domenica, i giorni festivi e dal 10 al 31 agosto – Pas carta 46/67000 (10%)
Spec. Antipasto caldo di mare, Tagliolini all'Orazio, Scaloppe di orata alla ligure. **Vini** Pigato.

XX **Il Melograno,** via Macaggi 62 r ⊠ 16121 🤍 546407, Rist. d'habitués a coperti limitati – 🗐.
⫇   CZ **s**
chiuso domenica e dall'8 al 31 agosto – Pas carta 28/45000.

XX **Del Mario,** via Conservatori del Mare 35 r ⊠ 16123 🤍 297788 – 🕮 🕃 ⋿ 𝚅𝙸𝚂𝙰   BY **h**
chiuso sabato – Pas carta 26/45000.

XX **Santa Chiara,** a Boccadasse, via Capo Santa Chiara 69 r ⊠ 16146 🤍 3770081, ≼, « Servizio
estivo in terrazza sul mare » – 🕮   G **w**
chiuso domenica – Pas carta 43/67000.

XX **Gheise,** via Boccadasse 29 ⊠ 16146 🤍 3770086, « Servizio estivo in giardino » – 🕮   G **e**
chiuso lunedì e dal 28 luglio al 31 agosto – Pas carta 29/46000.

XX **La Bitta,** via San Martino 11 r ⊠ 16131 🤍 311052 – 🕮 🕃 ⓘ ⓘ 𝚅𝙸𝚂𝙰. ⫇   G **z**
chiuso lunedì e dal 10 agosto al 10 settembre – Pas (solo piatti di pesce) carta 38/70000.

XX **Il Cucciolo,** viale Sauli 33 ⊠ 16121 🤍 546470, Rist. con specialità toscane – Ⓟ. 🕮   CY **f**
chiuso lunedì e dal 1° al 27 agosto – Pas carta 33/49000.

XX **Cardinali-da Ermanno,** via Assarotti 60 r ⊠ 16122 🤍 870380, Rist. a coperti limitati – 🗐.
🕮 🕃 ⓘ ⋿ 𝚅𝙸𝚂𝙰   CY **z**
chiuso domenica e dal 28 luglio al 22 agosto – Pas carta 40/59000 (15%).

XX **La Champagne,** via Boccadasse 15 r ⊠ 16146 🤍 310391   G **r**
chiuso a mezzogiorno.

XX **Da Tiziano,** corso Italia 34 r ⊠ 16145 🤍 314165, ≼ – 🕮 🕃 ⋿ 𝚅𝙸𝚂𝙰   F **g**
chiuso mercoledì – Pas carta 35/58000.

XX **La Pergola,** via Casaregis 52 r ⊠ 16129 🤍 546543 – 🕮 🕃 ⋿ 𝚅𝙸𝚂𝙰. ⫇   DZ **a**
chiuso sabato, domenica sera e dal 10 agosto al 6 settembre – Pas carta 29/46000.

X **Da Genio,** salita San Leonardo 61 r ⊠ 16128 🤍 546463   CZ **a**
chiuso domenica ed agosto – Pas carta 24/52000.

X **Antola,** piazza Manin 16 r ⊠ 16122 🤍 885737, 🍽 – ⫇   DX **f**
chiuso lunedì ed agosto – Pas carta 26/37000.

a San Pier d'Arena per ④ : 5 km E – ⊠ **16149** Genova :

XX **La Torre del Mangia,** piazza Montano 24 r 🤍 465607 – 🗐. 🕮 🕃 ⓘ ⋿ 𝚅𝙸𝚂𝙰   E **a**
chiuso domenica sera, lunedì ed agosto – Pas carta 40/58000.

XX **Al Tartufo,** salita Forte Crocetta 1 (N : 3 km) 🤍 460139 – Ⓟ – ᴕ 40 a 60. 🕮 🕃 ⋿ 𝚅𝙸𝚂𝙰
chiuso lunedì, dal 2 all'8 gennaio e dal 30 luglio al 14 agosto – Pas carta 35/54000.   E **b**

a Sturla per ② o ③ : 6 km G – ⊠ **16147** Genova :

XX **Gianni,** via del Tritone 4 🖉 388379 – 🖭 ⓪ 🎫　　　　　　　　　　　　　G **x**
chiuso martedì – Pas carta 30/46000.

X **La Madia,** via del Tritone 20 r 🖉 388327, 🏤 – 🕸　　　　　　　　　　　G **b**
chiuso martedì ed agosto – Pas carta 29/45000.

a Quarto dei Mille per ② o ③ : 7 km GH – ⊠ **16148** Genova :

XX **Antica Osteria del Bai,** via Quarto 12 🖉 387478, ≤ – 🖭 🕃 ⓪ 🍴 🎫. 🕸　　H **d**
chiuso lunedì, dal 10 al 20 gennaio e dal 20 luglio al 10 agosto – Pas carta 41/68000.

XX **Antica Osteria della Castagna,** via Romana della Castagna 20 r 🖉 332676, 🏤 – 🖭
chiuso domenica sera, lunedì e dal 1° al 15 luglio – Pas (solo piatti di pesce) carta 37/
67000.　　　　　　　　　　　　　　　　　　　　　　　　　　　　　　　　　　　　　　G **k**

XX **7 Nasi,** via Quarto 16 🖉 337357, Rist. a mare con ≤, 🏊, 🐎 – 🅿. 🖭 ⓪ 🍴 🎫　　H **f**
chiuso martedì – Pas carta 27/40000 (12%).

a Quinto al Mare per ② o ③ : 8 km H – ⊠ **16166** Genova :

X **Cicchetti 1860,** via Gianelli 41 r 🖉 331641, Trattoria tipica　　　　　　　　　　H **u**
chiuso martedì ed agosto – Pas carta 32/45000.

a San Desiderio NE : 8 km per via Maggiolo G – ⊠ **16133** Genova :

X **Bruxaboschi,** via Francesco Mignone 8 🖉 3450302, « Servizio estivo in giardino » – 🅿 –
🏡 30. 🖭
chiuso domenica sera, lunedì, agosto e Natale – Pas carta 27/44000.

a Sestri Ponente per ④ : 10 km – ⊠ **16154** Genova :

X **Baldin,** piazza Tazzoli 20 r 🖉 671095 – 🖭 🕃 ⓪ 🎫. 🕸
chiuso domenica ed agosto – Pas carta 26/46000.

a Pegli per ④ : 13 km – ⊠ **16155** Genova :

🏨 **Mediterranée,** Lungomare 69 🖉 683041, Telex 271312, ≤, 🐎 – 🛗 📺 ☎ 🕭 🅿 – 🏡 120. 🖭
🕃 🎫
Pas carta 35/48000 – 🍽 8500 – **88 cam** 78/120000.

X **Nanni,** via Benedetto Zaccaria 12 r 🖉 680377, ≤ – 🖭 ⓪ 🎫. 🕸
chiuso martedì – Pas carta 32/48000.

Vedere anche : *Nervi* per ② : 10 km.

MICHELIN, a San Quirico in Val Polcevera per ⑥ : 12 km, lungo torrente Secca 36/L nero –
⊠ 16163 Genova, 🖉 710871.

ALFA-ROMEO via Alessi 1-Cancello CZ 🖉 561205
ALFA-ROMEO lungobisagno Istria 20 F 🖉 858812
BMW viale Pio VII 169 r 🖉 396072
BMW via Rivale 5/17 r 🖉 593757
CITROEN via Timavo 5a/5b 🖉 391767
CITROEN corso Sardegna 6 z/r 🖉 511941
FERRARI via al Forte di San Giuliano 24 r 🖉 300053
FIAT via Dino Col 4/6 E 🖉 252151
FIAT via Piave 5 F 🖉 311333
FIAT via Granello 69 r CZ 🖉 565033
FIAT viale Des Geneys 1 r H 🖉 388241
FIAT via Adamoli 341 per ① 🖉 852841
FIAT a Sestri Ponente, via Puccini 3 per ④ 🖉 670205
FIAT via Corsica 1/a BZ 🖉 580853
FIAT piazza Zerbino 5 DX 🖉 870801
FIAT corso Europa 25 G 🖉 315461
FORD via Fratelli Rosselli 18 r 🖉 300430
FORD via Dondero 34 🖉 451531
GM-OPEL via Trento 11/a 🖉 302222
INNOCENTI vicolo dei Sansoni 2 CY 🖉 543037
INNOCENTI corso Aurelio Saffi 21 r CZ 🖉 564294
LANCIA-AUTOBIANCHI corso Europa 582/616 G 🖉 3993649

LANCIA-AUTOBIANCHI via Cornigliano 189 r per ④
🖉 602898
LANCIA-AUTOBIANCHI via Gobetti 22 r G 🖉 313884
LANCIA-AUTOBIANCHI via Maddaloni 26 r DZ 🖉 580643
LANCIA-AUTOBIANCHI viale Brigate Partigiane 36 r
DZ 🖉 565537
MASERATI corso Aurelio Saffi 21 🖉 564294
MERCEDES-BENZ via Rivarolo 57 🖉 448841, Telex 271036
MERCEDES-BENZ via Pisacane 138 🖉 592821
PEUGEOT-TALBOT corso Marconi 62 r 🖉 562003
PEUGEOT-TALBOT via Manuzio 11 🖉 352366
RENAULT viale Aspromonte 1 🖉 585429
RENAULT via Vezzani 4 r 🖉 444003
RENAULT salita vecchia Nostra Signora del Monte
3 🖉 518179
RENAULT a Cornigliano, via Siffredi 65 r 🖉 602771
VW-AUDI via Alghero 5 r 🖉 589208
VW-AUDI via Santa Zita 12 🖉 562438
VOLVO via Dassori 143 🖉 303607

GENZANO DI ROMA 00045 Roma 🔟🔟🔟 ② – 19 423 ab. alt. 435 – 🕓 06.
Roma 30 – Anzio 33 – Castel Gandolfo 7 – Frosinone 71 – Latina 39.

🏠 **Villa Robinia,** viale Fratelli Rosselli 25 🖉 9396409, 🐎 – 🛗 🐕 🅿. 🕸
Pas 20000 – 🍽 6000 – **30 cam** 30/48000 – P 50/56000.

XX **Osteria dell'Infiorata,** via Italo Belardi 55 🖉 9399933, 🏤 – 🗐. 🖭 🕃 ⓪ 🍴 🎫
chiuso lunedì – Pas carta 24/39000 (15%).

XX **Dal Bracconiere,** piazza Frasconi 16 🖉 9396621, 🏤
chiuso mercoledì – Pas carta 38/50000.

GERA LARIO 22010 Como 🆉🆉🆉 ⑩ – 930 ab. alt. 203 – ✪ 0344.
Roma 685 – Como 59 – ◆Lugano 52 – Menaggio 24 – ◆Milano 107 – Sondrio 44.

  ✗ **Pace** con cam, 🖉 84141, ≤, ✗ – 🄿. 🄰🄴 🕃 ⓘ 🄴 𝘝𝘐𝘚𝘈
     chiuso dal 15 gennaio al 15 febbraio – Pas (chiuso lunedì escluso giugno-settembre)
     carta 25/30000 – ⇌ 5000 – **14 cam** 30/42000 – P 42000.

GERENZANO 21040 Varese 🆉🆉🆉 ⑩ – 7 808 ab. alt. 225 – ✪ 02.
Roma 603 – Como 24 – ◆Lugano 53 – ◆Milano 26 – Varese 27.

  🏨 **Concorde** senza rist, strada statale 🖉 9682317, Telex 340237, Fax 9681002 – ▐≑▌ ▤ 📺 ☎ ⇌
    🄿. 🄰🄴 🕃 ⓘ 🄴 𝘝𝘐𝘚𝘈
    ⇌ 14000 – **42 cam** 69/94000.

  ✗✗ **La Croce d'Oro,** strada statale 🖉 9689550, 🍽, prenotare – 🄿. 🄰🄴 ⓘ
     chiuso domenica, lunedì a mezzogiorno, dal 24 dicembre al 6 gennaio ed agosto – Pas
     carta 35/50000.

GEROLA ALTA 23010 Sondrio 🆉🆉🆉 ③, 🆉🆉🆉 ⑩ – 308 ab. alt. 1 050 – ✪ 0342.
Roma 689 – Lecco 71 – ◆Lugano 85 – ◆Milano 127 – Sondrio 38 – Passo dello Spluga 80.

  🏠 **Pineta** ⤢, località Fenile SE : 3 km alt. 1 238, 🖉 690050, ≤ – 🄿
     chiuso ottobre – Pas carta 20/30000 – ⇌ 4500 – **20 cam** 19/30000 – P 47000.

GHIFFA 28055 Novara 🆉🆉🆉 ⑦ – 2 320 ab. alt. 202 – ✪ 0323.
Roma 679 – Locarno 33 – ◆Milano 102 – Novara 78 – Stresa 22 – ◆Torino 153.

  🏨 **Park Hotel Paradiso,** 🖉 59548, ≤, 🍽, « Piccolo parco con ⌇ riscaldata », 🛏 – ▐≑▌
    ⤢≑ rist ☎ 🄿
     15 marzo-ottobre – Pas carta 23/33000 – 15 cam ⇌ 45/85000 – P 80000.

  🏠 **Ghiffa,** 🖉 59285, Fax 59585, ≤, 🍽, « Terrazza-giardino sul lago », 🛥 – ▐≑▌ ⤢≑ rist 🕮 🄿.
    🄰🄴 🕃 🄴 𝘝𝘐𝘚𝘈 ⤢≑ rist
     aprile-settembre – Pas 25/30000 – ⇌ 10000 – 24 cam 55/75000 – P 62/73000.

GIANICO 25040 Brescia – 1 698 ab. alt. 281 – ✪ 0364.
Roma 612 – ◆Bergamo 55 – ◆Bolzano 176 – ◆Brescia 55 – ◆Milano 102.

  ✗✗ **Rustichello,** via Tadini 12 🖉 532976 – ▤. 🄰🄴 𝘝𝘐𝘚𝘈. ⤢≑
     chiuso lunedì e martedì – Pas carta 32/40000.

FIAT via Nazionale 1 🖉 531709

GIARDINI NAXOS Messina 🆉🆉🆉 ㊲ – Vedere Sicilia alla fine dell'elenco alfabetico.

GIAVENO 10094 Torino 🆉🆉🆉 ⑫ – 12 367 ab. alt. 506 – a.s. luglio e agosto – ✪ 011.
Roma 698 – ◆Milano 169 – Susa 38 – ◆Torino 33.

  ✗ **San Roch,** via Parco Abbaziale 1 🖉 9376913, prenotare – 🕃 🄴 𝘝𝘐𝘚𝘈
     chiuso lunedì – Pas carta 35/50000.

GIGLIO (Isola del) Grosseto 🆉🆉🆉 ㉔ – 1 633 ab. alt. da 0 a 498 (Poggio della Pagana) – Stazione balneare, a.s. Pasqua e 15 giugno-15 settembre – ✪ 0564.
La limitazione d'accesso degli autoveicoli è regolata da norme legislative.

    Giglio Porto 🆉🆉🆉 ㉔ – ✉ 58013.
    ⛴ per Porto Santo Stefano giornalieri (1 h) – Toremar-agenzia Cavero, al porto 🖉 809349.
    🖪 via Umberto I n° 44 🖉 809265

  🏨 **Arenella** ⤢, NO : 2,5 km 🖉 809340, ≤ mare e costa, 🛏 – 🕮 🄿. ⤢≑
     Pas (chiuso dal 25 settembre al 31 maggio) carta 28/39000 – ⇌ 6000 – 24 cam 43/72000 –
     P 75/86000, b.s. 60/68000.

  ✗ La Vecchia Pergola, 🖉 809080, ≤, « Servizio estivo in terrazza » – stagionale.

  ✗ Da Meino, 🖉 809228, ≤, « Veranda sul mare »

    a Giglio Castello NO : 6 km – ✉ 58012 Giglio Isola :

  ✗ **Da Maria,** 🖉 806062
     chiuso mercoledì, gennaio e febbraio – Pas carta 35/45000.

    a Campese NO : 8,5 km – ✉ 58012 Giglio Isola :

  🏠 **Campese** ⤢ senza rist, 🖉 804003, ≤, 🛥 – 🕮 🛆 🄿 ⤢≑
     19 aprile-settembre – ⇌ 5000 – **39 cam** 41/69000.

GINOSA MARINA 74025 Taranto – a.s. luglio e agosto – ✪ 099.
🖪 (chiuso martedì da ottobre a maggio) a Riva dei Tessali ✉ 74025 Ginosa Marina 🖉 6439251,
Telex 860086 – Roma 481 – ◆Bari 106 – Matera 51 – Potenza 122 – ◆Taranto 40.

  🏠 **Emiliano** ⤢, 🖉 627001, « In pineta » – 🕮 🄿
  ⬅ Pas carta 18/27000 – ⇌ 4500 – 20 cam 38/52000 – P 60/65000, b.s. 50/55000.

GIOIA DEL COLLE 70023 Bari 988 ㉚ – 27 571 ab. alt. 360 – ✪ 080.

Roma 480 – ✦Bari 42 – ✦Brindisi 96 – Matera 38 – Potenza 129 – ✦Taranto 56.

　　XX **Gran Gala,** via per Acquaviva NO : 1 km 𝒫 833432, 🐎 – ❷ – 🏛 120
　　✦ *chiuso venerdì* – Pas carta 19/27000.

FIAT via Variante 86 𝒫 830955　　　　　　　　　　　RENAULT via per Santeramo 120 𝒫 830417
PEUGEOT-TALBOT via Giovanni XXIII 98/a 𝒫 830776

GIOVI 52010 Arezzo – alt. 335 – ✪ 0575.

Roma 223 – Arezzo 8 – ✦Firenze 86 – Sansepolcro 29.

　　XX **Antica Trattoria al Principe,** 𝒫 362046, 🍃 – ⚘
　　chiuso lunedì e dal 25 luglio al 20 agosto – Pas carta 28/47000.

GIOVINAZZO 70054 Bari 988 ㉚ – 21 294 ab. – ✪ 080.

Dintorni Cattedrale★ di Bitonto S : 9 km.

Roma 432 – ✦Bari 18 – Barletta 37 – ✦Foggia 115 – Matera 62 – ✦Taranto 106.

　　X **Toruccio,** 𝒫 8942432, ≤, 🍃 – ⇦ ❷ ⓘ
　　chiuso martedì – Pas carta 21/32000 (15%).

　　　sulla strada statale 16 SE : 3 km :

　　🏨 **Gd H. Riva del Sole,** ⊠ 70054 𝒫 8943166, Telex 810430, Fax 8943260, ⌇, 🐎, 🐎, ⚘ – 🛗
　　🏊 📺 ☎ ❷ – 🏛 80 a 150. 🅰 🕃 ⓘ 🖅 🗺 ⚘
　　Pas carta 26/40000 – **90 cam** ⇌ 74/130000, 🏚 9500 – P 90/138000.

GIUBIASCO 427 ㉔㉕, 219 ⑧ – Vedere Cantone Ticino alla fine dell'elenco alfabetico.

GIULIANOVA LIDO 64022 Teramo 988 ⑰ – 22 253 ab. – Stazione balneare, a.s. luglio e agosto –
✪ 085.

🛈 piazza Roma 𝒫 862226 o 8003226.

Roma 209 – ✦Ancona 113 – L'Aquila 100 – Ascoli Piceno 45 – ✦Pescara 39 – Teramo 27.

　　🏨 **Gd H. Don Juan,** lungomare Zara 97 𝒫 867341, Telex 600061, ≤, ⌇, 🐎, 🐎, ⚘ – 🛗 🖃 ☎
　　🔥 ❷ – 🏛 80. 🅰 🕃 ⓘ 🖅 🗺 ⚘ rist
　　12 maggio-25 settembre – Pas 30/32000 – **148 cam** ⇌ 75/112000 appartamenti 132/152000 –
　　P 105/130000, b.s. 65/98000.

　　🏨 **Promenade,** lungomare Zara 119 𝒫 8003338 o 8003344, ≤, « Giardino ombreggiato », ⌇,
　　🐎 – 🛗 🖃 🗺 ⚘ rist
　　15 maggio-settembre – Pas 25000 – ⇌ 13000 – **50 cam** 45/65000 – P 45/78000, b.s. 35/60000.

　　🏨 **Atlantic,** lungomare Zara 117 𝒫 863029, ≤, « Giardino ombreggiato », 🐎 – 🛗 ☎ ❷.
　　✦ ⚘ rist
　　maggio-settembre – Pas 18/36000 – ⇌ 7000 – **38 cam** 45/70000 – P 65/75000, b.s. 40/50000.

　　🏨 **Ritz,** via Quinto 3 𝒫 863470, 🐎 – 🛗 ⇦ rist 🖃 rist ☎ ❷. ⚘ rist
　　maggio-settembre – Pas 20000 – ⇌ 7000 – **40 cam** 40/60000 – P 46/70000, b.s. 40/46000.

　　🏨 **Baltic,** lungomare Zara 𝒫 867242, « Giardino ombreggiato », 🐎 – 🛗 ❷ ❷ 🗺 ⚘
　　maggio-settembre – Pas (solo per clienti alloggiati) 20000 – ⇌ 8000 – **42 cam** 65000 –
　　P 55/75000, b.s. 40/55000.

　　🏨 **Cristallo,** lungomare Zara 73 𝒫 862780 o 8003780, ≤, 🐎 – 🛗 ⇦ cam ☎ – 🏛 60. 🅰 🕃
　　ⓘ 🗺 ⚘
　　Pas *(chiuso dal 20 dicembre al 14 gennaio)* carta 21/41000 – ⇌ 5500 – **54 cam** 48/73000 –
　　P 48/74000, b.s. 38/48000.

　　🏨 **Fabiola,** lungomare Zara 𝒫 862908, 🐎 – 🛗 ❷ ❷. 🕃 🖅 🗺 ⚘
　　Pasqua-settembre – 28 cam (solo pens) – P 50/64000, b.s. 33/39000.

　　XX **Del Torrione,** piazza Buozzi 63 ⊠ 64021 Giulianova Alta 𝒫 863895, « Servizio estivo in
　　terrazza con ≤ » – 🕃 ⓘ 🗺
　　chiuso lunedì, martedì a mezzogiorno e dall'8 gennaio al 16 febbraio – Pas carta 26/50000.

　　XX ❀ **Da Beccaceci,** via Zola 18 𝒫 8003550 – 🖃, 🅰 🕃 ⓘ 🖅 🗺
　　chiuso lunedì sera, martedì e dal 15 al 31 dicembre – Pas carta 35/51000
　　Spec. Antipasto imperiale di pesce, Bocconcini alla Beccaceci, Scampi alla catalana. **Vini** Trebbiano, Montepul-
　　ciano.

　　XX **Martin Pescatore,** via La Spezia 5 𝒫 862782 o 8003782, 🍃 – ⓘ. ⚘
　　chiuso lunedì e dal 25 settembre al 15 ottobre – Pas carta 26/40000.

　　X **Lucia** con cam, via Lampedusa 12 𝒫 863807 – 🕃 ⚘
　　Pas carta 27/38000 – **7 cam** ⇌ 15/35000 – P 40/60000, b.s. 40/50000.

ALFA-ROMEO statale 80-Collenaresco 𝒫 8649280　　　LANCIA-AUTOBIANCHI viale Galileo Galilei 272
FIAT viale Galileo Galilei, angolo via Leopardi 𝒫　　　　𝒫 862649
362263　　　　　　　　　　　　　　　　　　　　　　PEUGEOT-TALBOT zona Industriale-Colleranesco
GM-OPEL viale Galileo Galilei 180 𝒫 862771　　　　　𝒫 865683
INNOCENTI via Cermignani 1 𝒫 865074　　　　　　　VW-AUDI viale Galileo Galilei 347 𝒫 865226

GIZZERIA LIDO 88020 Catanzaro – ✪ 0968.

Roma 576 – Catanzaro 39 – ◆Cosenza 61 – Lamezia Terme (Nicastro) 13 – Paola 57 – ◆Reggio di Calabria 132.

✗ **Pesce Fresco** con cam, strada statale NO : 2 km ✆ 51105 – **ⓟ** 🅰🅴 🕃 **⓪** **E** 𝖵𝖨𝖲𝖠. ⚸ cam
Pas *(chiuso venerdì da ottobre a marzo)* carta 27/36000 – ⚌ 4000 – **23 cam** 32/56000 –
P 53/60000.

GLORENZA (GLURNS) 39020 Bolzano 🛈🛈🛈 ⑧ – 790 ab. alt. 920 – a.s. luglio-15 settembre e Natale
– ✪ 0473.

Roma 720 – ◆Bolzano 83 – ◆Milano 260 – Passo di Resia 24.

🏠 **Posta,** ✆ 81208 – 🚗 **ⓟ**. ⚸ rist
➡ *chiuso dall'11 gennaio al 14 marzo* – Pas *(chiuso venerdì)* carta 19/28000 – ⚌ 6500 – **25 cam**
24/42000 – P 46/50000.

GLURNS = Glorenza.

GNOSCA 🛘🛘🛘 ②③, 🛈🛈🛈 ⑫ – Vedere Cantone Ticino alla fine dell'elenco alfabetico.

GODIASCO 27052 Pavia – 2 354 ab. alt. 194 – ✪ 0383.

Roma 587 – Alessandria 48 – ◆Genova 105 – ◆Milano 83 – Pavia 48 – Piacenza 75.

✗ **Italia** con cam, ✆ 90958 – **ⓟ**. 🕃
chiuso gennaio – Pas *(chiuso martedì)* 20/35000 – ⚌ 5000 – 12 cam 35/45000 – P 55000.

GODO Ravenna – Vedere Russi.

GOITO 46044 Mantova 🛘🛘🛘 ④⑭ – 9 165 ab. alt. 30 – ✪ 0376.

Roma 487 – ◆Brescia 50 – Mantova 16 – ◆Milano 141 – ◆Verona 35.

✗✗✗ ✿ **Al Bersagliere,** via Statale 258 ✆ 60007, 🚗 – 🗏 **ⓟ**. 🅰🅴 **⓪** 𝖵𝖨𝖲𝖠. ⚸
chiuso lunedì, martedì a mezzogiorno, dal 2 al 12 gennaio e dal 7 al 27 agosto – Pas
carta 50/70000
Spec. Anguilla marinata, Risotto con tinca, Piccione novello alle olive nere. **Vini** Custoza, Prendina dei Colli
Morenici.

LANCIA-AUTOBIANCHI strada statale Goitese 433 ✆ 60014

GOLFO ARANCI Sassari 🛘🛘🛘 ㉔ – Vedere Sardegna alla fine dell'elenco alfabetico.

GOLFO DI MARINELLA Sassari – Vedere Sardegna (Olbia) alla fine dell'elenco alfabetico.

GONZAGA 46023 Mantova – 7 421 ab. alt. 22 – ✪ 0376.

Roma 446 – Mantova 30 – ◆Milano 173 – ◆Modena 44 – ◆Parma 51 – Reggio nell'Emilia 38.

🏠 Villa Gina, piazza Matteotti 35 ✆ 58491 – 🗏 rist ☎ **ⓟ**
14 cam.

GORGO AL MONTICANO 31040 Treviso – 3 715 ab. alt. 11 – ✪ 0422.

Roma 574 – Treviso 32 – ◆Trieste 116 – Udine 85 – ◆Venezia 63.

🏨 **Revedin** ⚘, via Palazzi 4 ✆ 740669, 🚗, « Villa veneta del 15° secolo in un parco » – 📺 ☎
ⓟ – 🏃 50. 🅰🅴 🕃 **⓪** **E** 𝖵𝖨𝖲𝖠. ⚸
Pas *(chiuso lunedì e da ottobre ad aprile anche domenica sera)* 30/58000 – ⚌ 10000 – **32 cam**
48/80000 – P 148000.

GORIZIA 34170 �ℙ 🛘🛘🛘 ⑥ – 39 839 ab. alt. 86 – ✪ 0481.

🏦 (chiuso gennaio, febbraio e lunedì), a San Floriano del Collio ✉ 34070 ✆ 884131.
✈ di Ronchi dei Legionari SO : 25 km ✆ 7731 – Alitalia, Agenzia Appiani, corso Italia 60 ✆
530266.
🅰 corso Verdi 100/e ✆ 83870.
A.C.I. via Trieste 171 ✆ 21266.

Roma 649 – Ljubljana 113 – ◆Milano 388 – ◆Trieste 45 – Udine 37 – ◆Venezia 138.

🏨 **Palace Hotel e Rist. Kappa,** corso Italia 63 ✆ 82166, Telex 461154 – 🛗 🗏 📺 ☎ **ⓟ** – 🏃
80. 🅰🅴 🕃 **E** 𝖵𝖨𝖲𝖠. ⚸ rist
Pas *(chiuso sabato e domenica sera)* carta 20/30000 – ⚌ 7000 – **70 cam** 53/82000 appartamento
130000, 🗏 10000.

🏠 **Alla Transalpina,** via Caprin 30 ✆ 530038 – 🛗 🗏 rist ☎ **ⓟ**. 𝖵𝖨𝖲𝖠
Pas *(chiuso mercoledì)* carta 23/45000 – ⚌ 3500 – **55 cam** 30/54000.

✗✗ **Lanterna d'Oro,** borgo del Castello ✆ 85565, 🚗
chiuso domenica sera, lunedì e dal 2 al 20 gennaio – Pas carta 22/32000.

✗ Antica Trattoria Stella d'Oro, piazza Sant'Antonio 3/1 ✆ 530079 – 🗏

sulla strada statale 351 SO : 4 km :

✗✗ **Al Fogolar,** ✉ 34070 Lucinico ✆ 390107, 🚗, 🚗 – **ⓟ**. ⚸
chiuso lunedì – Pas carta 24/42000.

268

ALFA-ROMEO via Trieste 157 *℘* 521255
BMW via Trieste 145 *℘* 521025
CITROEN via Terza Armata 188 *℘* 20742
FIAT via Terza Armata 145 *℘* 20466
FORD via Aquileia 42 *℘* 520121

INNOCENTI via Monte Hermada 10 *℘* 20445
LANCIA-AUTOBIANCHI viale 24 Maggio 4 *℘* 84642
RENAULT via Terza Armata *℘* 20877
VW-AUDI via Lungo Isonzo Argentina 9/11 *℘* 83771
VOLVO via Terza Armata 180 *℘* 21073

GORO 44020 Ferrara 988 ⑮ – 4 431 ab. alt. 1 – ✪ 0533.

Roma 487 – ♦Padova 87 – ♦Ravenna 65 – ♦Venezia 98.

✗ **Da Primon,** via Cesare Battisti *℘* 996071 – **ℙ**. ⌘
chiuso martedì – Pas carta 25/42000.

GOSSENSASS = Colle Isarco.

GOZZANO 28024 Novara 988 ②, 219 ⑮ – 6 033 ab. alt. 359 – ✪ 0322.

Dintorni Santuario della Madonna del Sasso★★ NO : 12,5 km.

Roma 653 – Domodossola 53 – ♦Milano 76 – Novara 38 – ♦Torino 112 – Varese 44.

🏨 **Nuova Italia,** *℘* 94393, 😃, 🏊, – 🛗 ⇔ 📺 ☎ 👌 **ℙ** – 🏛 150. 🅱 *VISA*
chiuso gennaio – Pas carta 24/36000 – ⊂⊃ 8000 – **36 cam** 56/78000 – P 64/68000.

sulla strada statale 229 N : 2,5 km :

✗ **Poncetta,** ✉ 28024 *℘* 94392, ⇐ – **ℙ**. ⌘
chiuso mercoledì e settembre – Pas carta 23/38000.

GRADARA 61012 Pesaro e Urbino 988 ⑯ – 2 498 ab. alt. 142 – ✪ 0541.

Vedere Rocca★.

Roma 315 – ♦Ancona 89 – Forlì 76 – Pesaro 15 – Rimini 30 – Urbino 44.

✗✗ **Mastin Vecchio di Adriano,** *℘* 964024, « Tipico ambiente medioevale; servizio estivo in terrazza »
chiuso lunedì e dal 1° al 20 novembre – Pas carta 32/45000.

✗ **La Botte,** *℘* 964404, 😃, « Ambiente caratteristico » – 🆑 ① *VISA*
chiuso mercoledì e dal 7 al 25 novembre – Pas carta 23/37000.

GRADISCA D'ISONZO 34072 Gorizia 988 ⑥ – 6 206 ab. alt. 32 – a.s. agosto e settembre –
✪ 0481 – 🖪 via Ciotti, Palazzo Torriani *℘* 99217.

Roma 639 – Gorizia 12 – ♦Milano 378 – ♦Trieste 42 – Udine 31 – ♦Venezia 128.

🏨 **Franz,** viale Trieste 45 *℘* 99211, Telex 461254 – 🛗 📺 ☎ **ℙ**. 🆑 ① *VISA*. ⌘
Pas carta 20/33000 – ⊂⊃ 6000 – **37 cam** 52/85000 – P 80/92000.

✗✗ **Al Ponte,** viale Trieste 122 (SO : 2 km) *℘* 99213, « Servizio estivo sotto un pergolato » – **ℙ**.
🆑 ①. ⌘
chiuso lunedì sera, martedì e dal 1° al 28 luglio – Pas carta 25/43000.

✗ **Al Commercio,** via della Campagnola 6 *℘* 99358 – *VISA*. ⌘
chiuso domenica sera, lunedì, dal 1° all'11 febbraio e dal 1° al 20 agosto – Pas carta 21/33000.

GRADISCUTTA Udine – alt. 22 – ✉ 33030 Varmo – ✪ 0432.

Roma 606 – ♦Milano 345 – Pordenone 35 – ♦Trieste 88 – Udine 32 – ♦Venezia 95.

✗✗ **Da Toni,** *℘* 778003, « Giardino » – **ℙ** – 🏛 100. 🆑 🅱 *VISA*. ⌘
chiuso lunedì e dal 15 luglio al 14 agosto – Pas carta 23/33000.

GRADO 34073 Gorizia 988 ⑥ – 9 348 ab. – Stazione termale (giugno-settembre) e balneare, a.s.
luglio e agosto – ✪ 0431.

Vedere Quartiere antico★ : postergale★ nel Duomo.

🖪 viale Dante Alighieri 68 *℘* 80277, Telex 460502.

Roma 646 – Gorizia 43 – ♦Milano 385 – Treviso 122 – ♦Trieste 54 – Udine 48 – ♦Venezia 135.

🏨 **Savoy,** via Carducci 33 *℘* 81171, 🏊, ⌘ – 🛗 ☎ **ℙ**. ①. ⌘ rist
25 marzo-2 novembre – Pas 30000 – **80 cam** ⊂⊃ 69/115000 – P 74/105000, b.s. 69/93000.

🏨 **Adria,** viale Europa Unita 18 *℘* 80656, Telex 460594 – 🛗 ⇔ ☎ **ℙ**. 🅱 ① ⅇ *VISA*. ⌘ rist
aprile-ottobre – Pas 25/30000 – **73 cam** ⊂⊃ 65/120000 – P 80/100000, b.s. 65/80000.

🏨 **Diana,** via Verdi 3 *℘* 82247, Fax 83330 – 🛗 ⇔ cam ☎. 🆑 🅱 ① ⅇ *VISA*. ⌘ rist
aprile-4 novembre – Pas 22/29000 – ⊂⊃ 10000 – **63 cam** 62/99000 – P 66/89000, b.s. 60/79000.

🏨 **Tiziano Palace,** riva Slataper 8 *℘* 80884, ⇐ – 🛗 🖫 ▥. 🆑 🅱 ① ⅇ *VISA*. ⌘ rist
maggio-settembre – Pas 33000 – ⊂⊃ 8000 – **94 cam** 50/90000 appartamenti 179000, ▤ 5000 –
P 90000, b.s. 80000.

🏨 **Friuli,** riva Ugo Foscolo 14 *℘* 80841, ⇐ – 🛗 ☎ **ℙ**. ⌘ rist
5 maggio-25 settembre – Pas 22000 – ⊂⊃ 7000 – **45 cam** 40/60000 – P 60/70000, b.s. 50/60000.

🏨 **Il Guscio** senza rist, via Venezia 2 *℘* 82200, « Giardino » – 🛗 ▥ **ℙ**. ① ⅇ. ⌘
20 maggio-20 settembre – **12 cam** ⊂⊃ 42/69000.

segue →

🏨 **Cristina,** viale Martiri della Libertà 11 ✆ 80989, ⛱ – ☎ Ⓟ. AE Ⓢ ⓞ E VISA
aprile-settembre – Pas 20000 – ☕ 5500 – **26 cam** 30/55000 – P 52/55000, b.s. 45/48000.

🏨 **Villa Rosa** senza rist, via Carducci 12 ✆ 81100 – |ǂ| ☎
15 aprile-ottobre – ☕ 7000 – **27 cam** 27/45000.

XX **Serena** con cam, riva Sant'Andrea 31 ✆ 80697 – ☎. AE Ⓢ ⓞ E VISA
11 marzo-15 ottobre – Pas *(chiuso mercoledì in bassa stagione)* carta 24/36000 – ☕ 5000 – **16 cam** 38/68000 – P 56/64000, b.s. 48/56000.

X **Alla Fortuna-da Nico,** via Marina 10 ✆ 80470 – ⓞ
chiuso giovedì e gennaio – Pas carta 30/50000 (10%).

X Colussi, con cam, piazza Carpaccio 1 ✆ 80471 – 15 cam.

X **Adriatico,** campiello della Torre 3 ✆ 80002, 🍽 – ✻
marzo-novembre; chiuso mercoledì – Pas carta 27/35000.

alla pineta E : 4 km :

🏨 **Al Bosco,** località La Rotta ✆ 80485, 🏖 – |ǂ| ☎ Ⓟ. ✻
maggio-settembre – Pas 26000 – ☕ 8000 – **47 cam** 42/76000 – P 70/79000, b.s. 64/73000.

🏨 **Plaza,** via Pegaso 1 ✆ 80226, Telex 460336, 🏊, 🏖 – |ǂ| ▤ ☎. AE Ⓢ ⓞ E VISA. ✻ rist
20 maggio-20 settembre – Pas 20000 – ☕ 8000 – **45 cam** 47/72000, ▤ 4000 – P 65/72000, b.s. 58000.

🏨 **Mar del Plata,** viale Andromeda 5 ✆ 81081, « Giardino-pineta », 🏖 – |ǂ| ☎ ♿ Ⓟ. Ⓢ ⓞ E VISA. ✻ rist
15 maggio-settembre – Pas 25000 – ☕ 8000 – 35 cam 47/77000 – P 69/72000, b.s. 54/59000.

GRANCONA 36040 Vicenza – 1 561 ab. alt. 36 – ☎ 0444.
Roma 553 – •Padova 32 – •Verona 42 – Vicenza 24.

a Pederiva E : 1,5 km – ✉ **36040** Grancona :

X **Isetta,** ✆ 889521 – Ⓟ. ✻
chiuso martedì sera, mercoledì e luglio – Pas carta 21/39000.

GRAN SAN BERNARDO (Colle del) Aosta 988 ①②, 219 ②, 74 ⑩ – alt. 2 469 – a.s. luglio e agosto.
Roma 778 – Aosta 32 – •Genève 148 – •Milano 216 – •Torino 145 – Vercelli 151.

🏨 **Italia,** ✉ 11010 Saint Rhémy ✆ (0165) 780908, ≤ – Ⓟ. AE Ⓢ VISA
giugno-settembre – Pas carta 22/36000 – ☕ 7000 – 15 cam 30/52000.

GRAPPA (Monte) Belluno, Treviso e Vicenza 988 ⑤ – alt. 1 775.
Vedere Monte★★★.
Roma 575 – Bassano del Grappa 32 – Belluno 63 – •Milano 271 – •Padova 74 – Trento 120 – •Venezia 107 – Vicenza 67.

X **Casa Armata del Grappa** 🐦 con cam, a Cima Grappa ✉ 36061 Bassano del Grappa ✆ (0423) 53101, ≤ Dolomiti e pianura – Ⓟ. ✻
20 aprile-20 novembre – Pas carta 25/34000 (10%) – ☕ 8000 – **15 cam** 30/50000 – P 40000.

sulla strada statale 141 O : 4,5 km :

X **Rifugio Scarpon** 🐦 con cam, ✉ 36020 Cismon del Grappa ✆ (0424) 80287, ≤ vallata – Ⓟ.
◆ ✻
dicembre-15 aprile e 20 giugno-settembre – Pas carta 17/23000 – ☕ 4000 – **9 cam** 20/40000 – P 38/43000.

GRAVEDONA 22015 Como 988 ③, 219 ⑨ – 2 694 ab. alt. 202 – ☎ 0344.
Vedere Chiesa di Santa Maria del Tiglio★.
Roma 678 – Chiavenna 32 – Como 52 – Menaggio 17 – •Milano 100 – Sondrio 51.

🏨 **Turismo,** ✆ 85227, ≤, ⛱ – Ⓟ. VISA
marzo-novembre – Pas carta 22/30000 – ☕ 5000 – 12 cam 35/54000 – P 60000.

GRAZZANO BADOGLIO 14035 Asti – 731 ab. alt. 299 – ☎ 0141.
Roma 616 – Alessandria 33 – Asti 25 – •Milano 101 – •Torino 68 – Vercelli 47.

XX **Natalina,** località Madonna dei Monti N : 2 km ✆ 925185, 🍽, Coperti limitati; prenotare – Ⓟ. AE VISA. ✻
chiuso giovedì e gennaio – Pas carta 30/40000.

X **Il Bagatto,** ✆ 925110, 🍽 – AE
chiuso martedì, dal 6 al 25 gennaio e dal 1° al 20 luglio – Pas carta 20/33000.

GRAZZANO VISCONTI 29020 Piacenza – alt. 113 – ☎ 0523.
Roma 526 – •Genova 130 – •Milano 78 – Piacenza 14.

XX **Biscione,** ✆ 870149, « In un borgo caratteristico » – AE Ⓢ. ✻
chiuso martedì e gennaio – Pas carta 38/54000.

GRECCIO 02040 Rieti 988 ② – 1 511 ab. alt. 705 – ✿ 0746.

Vedere Convento★.

Roma 94 – Rieti 16 – Terni 24.

XX **Il Nido del Corvo,** ✆ 753181, ← – **Ⓟ**. **AE ⓞ**. 彩
  Pas carta 20/31000 (10%).

GRESSONEY-LA-TRINITÉ 11020 Aosta 988 ②, 219 ④ – 261 ab. alt. 1 637 – Stazione di villeggia-tura, a.s. febbraio-15 marzo, Pasqua, 15 luglio-agosto e Natale – Sport invernali : 1 637/2 861 m ⚡1 ⚡12 – ✿ 0125.

ℬ Municipio ✆ 366143.

Roma 733 – Aosta 85 – Ivrea 58 – ◆Milano 171 – ◆Torino 100.

🏨 **Residence Hotel,** località Edelboden ✆ 366148, ← – 🛗 ☎ **Ⓟ**. **AE ⑤ ⓞ E VISA**. 彩 rist
  dicembre-aprile e luglio-settembre – Pas carta 26/41000 – ☲ 6000 – 35 cam 50/81000 –
  P 70/95000, b.s. 60/70000.

🏨 **Lo Scoiattolo,** ✆ 366313, ←, 🌳 – ⇔ **Ⓟ**
  14 cam.

GRESSONEY-SAINT-JEAN 11025 Aosta 988 ②, 219 ④ – 758 ab. alt. 1 385 – Stazione di villeg-giatura, a.s. febbraio-15 marzo, Pasqua, 15 luglio-agosto e Natale – Sport invernali : 1 385/2 020 m ⚡3, ⚡ – ✿ 0125.

ℬ Villa Margherita ✆ 355185.

Roma 727 – Aosta 79 – Ivrea 52 – ◆Milano 165 – ◆Torino 94.

🏨 **Lyskamm,** ✆ 355436, ←, 🌳 – 🛗 ☎ **Ⓟ**. **AE VISA**. 彩
  3 dicembre-15 aprile e 20 maggio-ottobre – Pas 22/35000 – ☲ 6000 – 23 cam 47/69000 –
  P 70/75000, b.s. 60/65000.

🏨 **Gran Baita,** ✆ 355241, ← – ☎ **Ⓟ**. 彩
  chiuso dall'11 maggio al 20 giugno ed ottobre – Pas (chiuso mercoledì) carta 24/37000 – ☲
  7000 – **14 cam** 36/68000 – P 66000, b.s. 60000.

🏨 **Flora Alpina,** località Belciucken ✆ 355179, ← – ⇔ **Ⓟ**. 彩
  ◆ dicembre-aprile e giugno-settembre – Pas 15/20000 – ☲ 3000 – 15 cam 25/50000 – P 45/55000,
  b.s. 30/50000.

GREVE IN CHIANTI 50022 Firenze 988 ⑮ – 11 097 ab. alt. 241 – ✿ 055.

Roma 260 – Arezzo 64 – ◆Firenze 27 – Siena 40.

🏨 **Del Chianti** senza rist, ✆ 853763, ⊐, – 🛗 🍽 ☎. **AE ⓞ VISA**
  ☲ 5000 – **16 cam** 61/90000.

🏨 **Giovanni da Verrazzano,** ✆ 853189, 🍴 – ☎. **AE ⑤ ⓞ E VISA**. 彩
  chiuso dal 7 gennaio al 7 febbraio – Pas (chiuso domenica sera e lunedì) carta 26/41000 – ☲
  7000 – **11 cam** 55/90000 – P 80000.

  a Panzano S : 6 km – alt. 478 – ✉ **50020 :**

🏨 **Villa Sangiovese,** ✆ 852461, « Servizio rist. estivo all'aperto » – ☎ **Ⓟ**. 彩
  Pas (chiuso mercoledì) carta 23/37000 – **17 cam** ☲ 90/120000 appartamenti 150000.

GRIGNASCO 28075 Novara 219 ⑯ – 4 624 ab. alt. 348 – ✿ 0163.

Roma 657 – Biella 38 – ◆Milano 83 – Novara 37 – ◆Torino 100 – Vercelli 44.

X **La Baracca,** ✆ 417103 – **Ⓟ**. **AE ⑤ ⓞ E VISA**
  ◆ chiuso lunedì ed agosto – Pas carta 16/29000.

GRINZANE CAVOUR 12060 Cuneo – 1 655 ab. alt. 260 – ✿ 0173.

Roma 633 – Alessandria 75 – Asti 39 – Cuneo 60 – ◆Milano 163 – Savona 88 – ◆Torino 67.

XX **Trattoria Enoteca del Castello,** ✆ 62159, « Castello-museo del XIII secolo » – **Ⓟ**. 彩
  chiuso martedì e gennaio – Pas carta 35/42000.

GRÖDNER JOCH = Gardena (Passo di).

GROLE Mantova – Vedere Castiglione delle Stiviere.

GROMLONGO DI PALAZZAGO 24030 Bergamo 219 ② – alt. 300 – ✿ 035.

Roma 615 – ◆Bergamo 14 – ◆Brescia 66 – ◆Milano 61.

X **Osteria dei Brüder,** ✆ 540216, « Fra il verde » – **Ⓟ**
  chiuso mercoledì e dal 4 al 24 agosto – Pas carta 27/37000.

GRONDONA 15060 Alessandria – 491 ab. alt. 303 – ✿ 0143.

Roma 552 – Alessandria 31 – ◆Genova 61 – ◆Milano 99.

X **Taverna del Fungo,** con cam, ✆ 680128
  6 cam.

GROSIO 23033 Sondrio 𝟡𝟠𝟠 ④, 𝟚𝟙𝟠 ⑦ – 4 913 ab. alt. 653 – ✪ 0342.
Roma 739 – ✦Milano 178 – Sondrio 40 – Passo dello Stelvio 44 – Tirano 14.

XX **Sassella** con cam, ℘ 845140 – ▯ 📺 ☎ 🕭 ⟸ 🅟 – 🏛 50. 🆎 ⓞ 𝘝𝘐𝘚𝘈
Pas *(chiuso lunedì dal 15 settembre al 15 giugno)* carta 24/37000 – ☲ 7000 – **14 cam** 40/75000
– P 75000.

GROSSETO 58100 🅿 𝟡𝟠𝟠 ㉔㉕ – 70 677 ab. alt. 10 – ✪ 0564.
Vedere Museo Archeologico e d'Arte della Maremma★.
🅸 viale Monterosa 206 ℘ 22534.
A.C.I. via Mazzini 109 ℘ 21071.

Roma 187 – ✦Livorno 134 – ✦Milano 428 – ✦Perugia 176 – Siena 73.

🏩 **Bastiani Grand Hotel** senza rist, piazza Gioberti 64 ℘ 20047, Telex 502051 – ▯ 🖃 📺 ☎. 🆎
🕄 🅴 𝘝𝘐𝘚𝘈 ✄
☲ 13500 – **48 cam** 92/185000.

🏩 **Lorena,** via Trieste 3 ℘ 25501 – ▯ 🖃 📺 ☎ 🕭 ⟸ 🅟 – 🏛 80. 🆎 🕄 ⓞ 🅴 𝘝𝘐𝘚𝘈. ✄
Pas *(chiuso domenica)* carta 30/42000 – ☲ 9000 – **55 cam** 100/160000 appartamenti
160/220000.

🏨 **Nalesso** senza rist, via Senese 35 ℘ 412441, Fax 412442 – ▯ ☎ 🅟. ✄
☲ 7000 – **33 cam** 40/65000.

🏠 **La Maremma** senza rist, via Fulceri Paolucci de' Calboli 11 ℘ 22293 – ▯ 📧. 🆎 🕄 ⓞ 𝘝𝘐𝘚𝘈.
✄
☲ 6000 – **30 cam** 32/52000.

🏠 **Leon d'Oro,** via San Martino 46 ℘ 22128 – ☎. 🆎 🕄. ✄ cam
✦ Pas *(chiuso domenica)* carta 19/26000 – ☲ 6000 – **31 cam** 30/50000 – P 50/65000.

XX **Buca di San Lorenzo,** via Manetti 1 ℘ 25142 – ✄
chiuso lunedì – Pas carta 40/70000 (10%).

XX **La Maremma,** via Fulceri Paolucci de' Calboli 5 ℘ 21177 – 🖃. 🆎 🕄 ⓞ 𝘝𝘐𝘚𝘈
chiuso martedì, domenica sera e dal 1° al 20 agosto – Pas carta 22/33000.

XX **Canapone,** piazza Dante 3 ℘ 24546 – 🆎 🕄 ⓞ
chiuso domenica e dal 1° al 20 luglio – Pas carta 25/38000.

X **Antiche Mura,** via Mazzini 29 ℘ 414589, Coperti limitati; prenotare – 🆎 🕄 ⓞ 🅴 𝘝𝘐𝘚𝘈 ✄
chiuso lunedì – Pas carta 31/43000 (10%).

sulla strada statale 1 - via Aurelia S : 2 km :

🏨 **MotelAgip,** ✉ 58100 ℘ 24100 – ▯ 🖃 ☎ 🅟 – 🏛 30. 🆎 🕄 ⓞ 🅴 𝘝𝘐𝘚𝘈. ✄ rist
Pas *(chiuso lunedì)* 26000 – ☲ 11000 – **32 cam** 36/65000 – P 84/98000.

ALFA-ROMEO largo Menotti 3 ℘ 25520
BMW piazza Marconi 3 ℘ 25322
CITROEN via Aurelia Nord 229 ℘ 451398
FIAT via Orcagna 28/30 ℘ 491430
FIAT via Scansanese 281 ℘ 21414
FIAT via Aurelia Nord 95/99 ℘ 27052
FORD via Monterosa 56 ℘ 20016
GM-OPEL viale Emilia 20/26 ℘ 23289
INNOCENTI via Etruria 11 ang. via Privata Curiazi
℘ 23000

LANCIA-AUTOBIANCHI via Orcagna 32 ℘ 494275
MASERATI via Etruria 11 ang. via Privata Curiazi
℘ 23000
MERCEDES-BENZ via Aurelia Nord 231 ℘ 451353
PEUGEOT-TALBOT via Orcagna 22/24 ℘ 493070
RENAULT via Aurelia Nord 205 ℘ 455317
VW-AUDI via Aurelia Nord al Km 185 ℘ 451318
VOLVO via Etruria 11 ang. via Privata Curiazi ℘ 23000

GROSSETO (Marina di) 58046 Grosseto 𝟡𝟠𝟠 ㉔ – a.s. Pasqua e 15 giugno-15 settembre – ✪ 0564.
Roma 196 – ✦Firenze 153 – Grosseto 13 – ✦Livorno 125 – Orbetello 53 – Siena 85.

🏨 **Mediterraneo,** viale 24 Maggio 70 ℘ 34500, Fax 34500, ≤, 🐾 – ▯ ☎ 🅟. 🆎 𝘝𝘐𝘚𝘈. ✄
chiuso dal 7 novembre al 9 dicembre – Pas carta 25/37000 – ☲ 9000 – 52 cam 65/72000 –
P 75/90000, b.s. 60/75000.

🏠 **Rosmarina,** via delle Colonie 35 ℘ 34408 – ☎. ⓞ ✄
Pas carta 28/38000 – ☲ 7000 – 16 cam 50/73000 – P 74/85000, b.s. 55/74000.

X **Da Mario,** via Baracca 2 ℘ 34472, 🎪 – 🆎 🕄 ⓞ 🅴 𝘝𝘐𝘚𝘈
marzo-15 settembre; chiuso lunedì – Pas carta 25/37000 (10%).

a Principina a Mare S : 6 km – ✉ 58046 Marina di Grosseto :

🏨 **Grifone** 🦢, ℘ 34300, « In pineta », 🐎 – ▯ 🖃 ☎. 🆎 🕄 ⓞ 𝘝𝘐𝘚𝘈. ✄
aprile-15 ottobre – Pas carta 27/41000 – ☲ 10000 – 40 cam 50/79000, 🖃 2500 – P 85/95000,
b.s. 75/85000.

GROTTA... GROTTE Vedere nome proprio della o delle grotte.

Teilen Sie uns Ihre Meinung
über die von uns empfohlenen Restaurants,
ihre Spezialitäten und die angebotenen Landweine mit.

GROTTAFERRATA 00046 Roma – 16 495 ab. alt. 329 – ✿ 06.

Vedere Guida Verde.

Roma 21 – Anzio 44 – Frascati 3 – Frosinone 71 – Latina 49 – Terracina 83.

🏠 Gd H. Villa Fiorio, viale Dusmet 28 ℰ 9459276, Fax 9459279, ㍼, « Piccolo parco con 🍃 » – 📺 ☎ – 🛗 40. 🖭 🔅 ⬡ 🔋 ⅥⅯ. ⅏ rist
Pas carta 35/57000 – ⇌ 12000 – **20 cam** 90/120000 – P 110/130000.

%% **Taverna dello Spuntino,** via Cicerone 20 ℰ 9459366 – 🍽. ⅏
chiuso mercoledì e dal 29 luglio al 13 agosto – Pas carta 32/51000.

%% **Al Fico,** via Anagnina 134 ℰ 9459214, « Giardino-pineta con servizio estivo » – ⬡ 🖭 ⬡. ⅏
chiuso mercoledì – Pas carta 35/50000.

%% **Da Mario-La Cavola d'Oro,** via Anagnina 35 ℰ 9459955, ㍼ – ⬡ 🖭 🔅 ⅥⅯ
chiuso lunedì – Pas carta 30/38000.

GROTTAMMARE 63013 Ascoli Piceno 🔢🔢🔢 ⑯⑰ – 12 068 ab. – Stazione balneare, a.s. luglio e agosto – ✿ 0735.

🗓 via Cairoli ℰ 631087.

Roma 236 – ♦Ancona 84 – Ascoli Piceno 39 – Macerata 64 – ♦Pescara 72 – Teramo 53.

🏠 **Roma,** ℰ 631145, ≤, 🛶, – 🛗 ☞ ⬡ 🖭 🔅 ⅥⅯ. ⅏
giugno-20 settembre – Pas 20000 – ⇌ 5000 – **60 cam** 50/60000 – P 45/65000, b.s. 30/45000.

verso San Benedetto del Tronto S : 2 km :

%% **Tropical,** ✉ 63013 ℰ 581000, 🛶 – 🖭 🔅 ⬡ ⅥⅯ
chiuso domenica sera (escluso giugno, luglio ed agosto) e lunedì – Pas carta 30/53000.

BMW via Ischia 24/28 ℰ 581557

GRUMELLO DEL MONTE 24064 Bergamo – 5 693 ab. alt. 208 – ✿ 035.

Roma 583 – ♦Bergamo 21 – ♦Brescia 35 – Cremona 80 – ♦Milano 62.

%% **Cascina Fiorita,** N : 1 km ℰ 830005, ≤, 🐎 – ⬡. ⅏
chiuso lunedì ed agosto – Pas carta 30/45000.

GUALTIERI 42044 Reggio nell'Emilia – 6 010 ab. alt. 22 – ✿ 0522.

Roma 450 – Mantova 36 – ♦Milano 152 – ♦Modena 48 – ♦Parma 30 – Reggio nell'Emilia 25.

🏠 ✿ **A. Ligabue,** ℰ 828120 – 🍽 📺 ☎ ⬡ – 🛗 70. 🖭 ⬡. ⅏
chiuso dal 31 luglio al 19 agosto – Pas *(chiuso domenica sera, lunedì e dal 24 dicembre al 5 gennaio)* carta 30/45000 – ⇌ 8000 – **36 cam** 50/72000 appartamenti 110000, 🍽 5000 – P 75000
Spec. Spaghetti all'astice, San Pietro ai porcini, Petto d'anitra ai lamponi. Vini Gavi, Rubesco.

GUARCINO 03016 Frosinone – 1 800 ab. alt. 625 – Sport invernali : a Campocatino : 1 787/1 889 m ⚡2, ⚡ – ✿ 0775.

Roma 91 – Avezzano 99 – Frosinone 22 – Latina 76.

a Campocatino N : 18 km – alt. 1 787 – ✉ 03016 Guarcino :

🏠 **Roby** ⚘, ℰ 441351, ≤ monti – ☜. 🖭 🔅 ⬡ 🔋 ⅥⅯ. ⅏
10 dicembre-aprile – Pas carta 32/49000 – ⇌ 10000 – 23 cam 60/100000 – P 90/110000.

GUARDAMIGLIO 20070 Milano – 2 526 ab. alt. 49 – ✿ 0377.

Roma 516 – Cremona 34 – ♦Milano 58 – Pavia 49 – Piacenza 7.

% **Hostaria il Cavallo,** località Valloria E : 4 km ℰ 51016, ㍼ – ⬡. ⅏
chiuso martedì – Pas carta 33/46000.

GUARDIA PIEMONTESE MARINA 87020 Cosenza – ✿ 0982.

Roma 473 – Castrovillari 105 – Catanzaro 108 – ♦Cosenza 48 – Paola 14.

🏠 **Mediterraneo,** ℰ 94122, 🛶 – 🛗 ☞ ⬡. 🖭 ⬡. ⅏ rist
giugno-settembre – Pas 20/30000 – ⇌ 8000 – **58 cam** 45/80000 – P 54/76000.

Vedere anche : *Terme Luigiane* NE : 2 km.

ALFA-ROMEO sulla statale 18 n° 193 ℰ 94409

GUARDIA VOMANO 64020 Teramo – alt. 192 – ✿ 085.

Roma 200 – ♦Ancona 137 – L'Aquila 85 – Ascoli Piceno 62 – ♦Pescara 39 – Teramo 26.

sulla strada statale 150 S : 1,5 km :

% **3 Archi,** ✉ 64020 ℰ 898140 – 🔅 ⅥⅯ. ⅏
chiuso mercoledì e novembre – Pas carta 21/28000.

GUASTALLA 42016 Reggio nell'Emilia 988 ⑭ – 13 244 ab. alt. 25 – ✿ 0522.

Roma 453 – ✦Bologna 91 – Mantova 33 – ✦Milano 156 – ✦Modena 51 – ✦Parma 34 – Reggio nell'Emilia 28.

🏨 **Old River,** viale Po 🖉 824676, 🏖 – 🛗 🍽 rist 🕿 🚗 🅿 – 🔏 150. 🆎 ⑩ 🆅🆂🅰
Pas *(chiuso venerdì ed agosto)* carta 28/40000 – 🖙 6000 – **30 cam** 48000 – P 65000.

🕱🕱 **La Barriera,** piazza Martiri e Patrioti 3 🖉 825597 – 🛠
chiuso lunedì, martedì sera e dal 15 al 30 giugno – Pas carta 30/45000.

sulla strada per Novellara S : 5 km :

🕱🕱 **La Briciola,** 🖉 831378, Coperti limitati; prenotare, 🌳 – 🅿 🆎 ⑩. 🛠
chiuso mercoledì, dal 6 al 20 gennaio e dal 13 luglio al 31 agosto – Pas (solo piatti di pesce)
carta 28/41000.

ALFA-ROMEO via Cisa Ligure 26 🖉 822548
FIAT via Ugo Foscolo 3 🖉 826847
FORD via Cisa Ligure 14 🖉 826043

LANCIA-AUTOBIANCHI via Cappuccini 13 🖉 822494
RENAULT via Cisa Ligure 62 🖉 826114

In alta stagione, e soprattutto nelle stazioni turistiche,
è prudente prenotare con un certo anticipo.

GUBBIO 06024 Perugia 988 ⑮⑯ – 32 292 ab. alt. 529 – ✿ 075.

Vedere Città vecchia★★★ – Palazzo dei Consoli★★ B – Palazzo Ducale★ D – Teatro romano★ R – Affreschi★ di Ottaviano Nelli nella chiesa di San Francesco F – Affresco★ di Ottaviano Nelli nella chiesa di Santa Maria Nuova K.

🅸 piazza Oderisi 6 🖉 9273693.

Roma 217 ② – ✦Ancona 109 ② – Arezzo 92 ④ – Assisi 54 ③ – ✦Perugia 39 ③ – Pesaro 92 ④.

Baldassini (Via) 2
Consoli (Via dei)
Popolo (Via del)
Repubblica (Via della) 21
Signoria (Piazza della) 24

Barbi (Via) 3
Bruno
(Piazza Giordano) 4
Camignano (Via del) 7
Dante (Via) 8
Fabiani (Via) 9
Falcucci (Via) 12
Galeotti (Via dei) 13
Giove Pennino (Via di) 17
Piccardi (Via) 18
S. Lucia (Borgo) 23
Tifernate (Via) 27
Vantaggi (Via) 28

🏛 **Bosone,** via 20 Settembre 22 *⌀* 9272008 – 🛗 ☎ &. 💳 🅱 ⓞ 🄴 *VISA*　　　　　**d**
　chiuso febbraio – Pas vedere rist Taverna del Lupo – ⊊ 6000 – **35 cam** 45/65000 – P 65000.

🏛 **San Marco,** via Perugino 5 *⌀* 9272349 – ☎. 💳 🅱 ⓞ 🄴 *VISA*　　　　　**x**
　chiuso gennaio – Pas 21000 – ⊊ 5000 – **52 cam** 40/60000 – P 58000.

🏠 **Oderisi-Balestrieri** senza rist, via Mazzatinti 2 *⌀* 9273747 – 🚗　　　　　**a**
　⊊ 5000 – **37 cam** 33/44000.

🏠 **Gattapone,** via Beni 11 *⌀* 9272489 – 💳 🅱 ⓞ 🄴 *VISA*. ⌘　　　　　**n**
　chiuso dal 7 gennaio al 6 febbraio – Pas vedere rist Taverna del Lupo – ⊊ 5000 – **15 cam**
　32/49000 – P 55000.

XX **Alla Fornace di Mastro Giorgio,** via Mastro Giorgio 2 *⌀* 9275740, « In un edificio trecen-
　tesco » – 💳 ⓞ *VISA*. ⌘　　　　　**g**
　chiuso lunedì e dal 4 al 28 febbraio – Pas carta 25/44000.

XX **Taverna del Lupo,** via Ansidei 21/a *⌀* 9271269 – 🍴 🏛. 💳 🅱 ⓞ 🄴 *VISA*　　　　　**f**
　chiuso lunedì e dal 7 gennaio al 6 febbraio – Pas carta 33/45000 (15%).

XX **Federico da Montefeltro,** via della Repubblica 35 *⌀* 9273949, 🌳 – 💳 ⓞ *VISA*. ⌘　　　　　**e**
　chiuso febbraio e giovedì da ottobre a marzo – Pas carta 21/33000 (15%).

XX **Alla Balestra,** via della Repubblica 41 *⌀* 9273810, « Servizio estivo in giardino con ⬿ » –
　🏛. 💳 🅱 ⓞ 🄴 *VISA*　　　　　**f**
　chiuso martedì e febbraio – Pas carta 31/42000 (15%).

XX **Porta Tessenaca,** via Piccardi 21 *⌀* 9272765 – 🏛. 💳 🅱 ⓞ 🄴 *VISA*　　　　　**v**
　chiuso mercoledì e dal 10 gennaio al 10 febbraio – Pas carta 19/42000 (15%).

X **Dei Consoli,** con cam, via dei Consoli 59 *⌀* 9273335 – 🕾　　　　　**c**
　10 cam.

X **Grotta dell'Angelo,** via Gioia 47 *⌀* 9271747, 🌳 – 💳 🅱 ⓞ 🄴 *VISA*. ⌘　　　　　**s**
　chiuso martedì e dal 10 al 31 gennaio – Pas carta 20/31000.

　　a Padule per ② : 3 km – ✉ 06020 :

🏠 **Padule,** *⌀* 9291327 – 🛗 🕾 &. ⓟ ⓞ
　Pas *(chiuso mercoledì)* carta 21/29000 – ⊊ 6000 – **16 cam** 44/64000 – P 55/65000.

CITROEN via San Lazzaro *⌀* 9273760　　　　　FORD frazione Spada, sulla statale 219 *⌀* 9271506
FIAT via Perugina 44 *⌀* 9273689

GUIDONIA MONTECELIO 00012 Roma 🟨🟨🟨 ⊛ – 54 525 ab. alt. 105 – ✆ 0774.
Roma 24 – L'Aquila 108 – Rieti 71 – Terni 100.

　　a Montecelio NE : 5 km – alt. 389 – ✉ 00014 :

X **Spadaro,** *⌀* 510042 – 💳 🅱 ⓞ 🄴. ⌘
　chiuso martedì ed agosto – Pas carta 27/36000 (15%).

LANCIA-AUTOBIANCHI via delle Genziane 46 *⌀* 303117

GUSANA (Lago di) Nuoro – Vedere Sardegna (Gavoi) alla fine dell'elenco alfabetico.

HAFLING = Avelengo.

IDRO 25074 Brescia 🟨🟨🟨 ④ – 1 410 ab. alt. 391 – a.s. Pasqua e luglio-15 settembre – ✆ 0365.
Roma 577 – ✦Brescia 45 – ✦Milano 135 – Salò 33.

XX **Alpino** con cam, località Crone *⌀* 83146 – 🛗 ☎ 🚗. ⌘
　chiuso dal 5 gennaio al 15 febbraio – Pas *(chiuso martedì)* carta 25/37000 – ⊊ 8500 – **24 cam**
　39/58000 – P 50000, b.s. 45000.

IGEA MARINA Forlì – Vedere Bellaria Igea Marina.

IL GIOVO Savona – Vedere Pontinvrea.

IMOLA 40026 Bologna 🟨🟨🟨 ⑮ – 61 664 ab. alt. 47 – ✆ 0542.
Roma 384 – ✦Bologna 33 – ✦Ferrara 81 – ✦Firenze 98 – Forlì 30 – ✦Milano 249 – ✦Ravenna 44.

🏛 **Gd H. Donatello e Rist. Nettuno,** via Rossini 25 *⌀* 680800, Telex 226153, ⤢ – 🛗 🏛 📺 ☎
　ⓟ – 🛗 30 a 350. 💳 🅱 ⓞ 🄴 *VISA*. ⌘ rist
　Pas 34000 – ⊊ 13500 – **150 cam** 204000 – P 159000.

XXXX ⍟⍟ **San Domenico,** via Sacchi 1 *⌀* 29000, Coperti limitati; prenotare – 🏛. 💳 🅱 ⓞ *VISA*
　chiuso lunedì, dal 1° al 16 gennaio e dal 24 luglio al 16 agosto – Pas carta 72/102000 (10%)
　Spec. Terrina di fegato con tartufi, Riso mantecato, Petto d'anatra in salsa di olive nere. Vini Trebbiano, Sangiovese.

XX **Naldi,** via Santerno 13 *⌀* 29581 – 🏛 ⓟ 💳 🅱 ⓞ 🄴 *VISA*. ⌘
　chiuso domenica – Pas carta 30/45000.

X **Ziô** con cam, viale Nardozzi 14 *⌀* 35274 – 🏛 📺 ☎. 💳 🅱 *VISA*. ⌘
　Pas *(chiuso sabato e domenica sera)* carta 26/37000 – 15 cam ⊊ 50/90000 – P 60/75000.

X **Locanda Moderna,** via 20 Settembre 22 *⌀* 23122 – 🏛. 💳 🅱 *VISA*. ⌘
　chiuso lunedì e dal 2 al 16 agosto – Pas carta 24/34000.

in prossimità casello autostrada A 14 N : 4 km :

🏨 **Molino Rosso**, ✉ 40026 ✆ 640300, Telex 520147, Fax 640249, ✎ – ⧉ 🖾 🖵 ☎ ⇦ 🅿 🖭 ⓑ ⓞ 🄴 𝑉𝐼𝑆𝐴. ✸
Pas carta 33/52000 (15%) – ⌚ 9000 – **80 cam** 85/100000.

a Sasso Morelli N : 1,5 km – ✉ **40020** :

✗ **Trattoria Sterlina**, N : 1,5 km ✆ 55030 – 🅿 ✸
chiuso mercoledì e dal 1° al 24 settembre – Pas carta 22/28000.

Vedere anche : *Tossignano* SO : 17 km.

ALFA-ROMEO via Selice 100 ✆ 35375
BMW via Selice 207 ✆ 23708
CITROEN via Pola 23 ✆ 42600
FIAT via Selice 17 ✆ 640593
FIAT viale Marconi 5 ✆ 35105

FORD via Melloni 13 ✆ 29062
GM-OPEL via Togliatti 29 ✆ 25084
INNOCENTI viale De Amicis 93 ✆ 26500
LANCIA-AUTOBIANCHI via Selice 209 ✆ 23439
VW-AUDI via Pola 17 ✆ 43464

I nomi delle principali vie commerciali sono scritti in rosso all'inizio dell'indice toponomastico delle piante di città.

IMPERIA 18100 🄿 ⑨⑧⑧ ⑫ – 41 411 ab. – ✪ 0183.

🛈 viale Matteotti 54 bis ✆ 24947 – viale Matteotti 22 ✆ 60730.

A.C.I. piazza Unità Nazionale 23 ✆ 25742.

Roma 615 ② – ◆Genova 116 ② – ◆Milano 239 ② – San Remo 23 ④ – Savona 70 ② – ◆Torino 178 ②.

Pianta pagina a lato

ad Oneglia – ✉ 18100 Imperia :

🏨 **Centro**, senza rist, piazza Unità Nazionale 4 ✆ 273771 – ⧉ 🖵 ⊛   AX **n**
21 cam.

🏨 **Kristina**, spianata Borgo Peri 8 ✆ 23564 – ⊛. ⓑ 🄴 𝑉𝐼𝑆𝐴   AX **b**
chiuso dal 20 ottobre al 20 dicembre – Pas carta 21/39000 – ⌚ 7500 – **23 cam** 50/68000 –
P 58/68000.

✗✗ **Salvo-Cacciatori**, via Vieusseux 14 ✆ 23763 – 🖾. ⓑ   AX **e**
chiuso lunedì e dal 1° al 16 novembre – **Pas** carta 20/41000 (12%).

✗✗ ✧ **Albatros**, piazza Nino Bixio ✆ 24611 – 🖾. 🖭 ⓑ ⓞ 🄴 𝑉𝐼𝑆𝐴   AX **r**
chiuso lunedì – Pas carta 23/50000
Spec. Antipasto di mare caldo, Risotto al nero di seppie, Gamberoni al forno. **Vini** Vermentino.

✗ **Da Clorinda**, via Garessio 96 ✆ 21982   BX **u**
← *chiuso lunedì e dal 7 al 23 agosto* – Pas carta 19/32000.

✗ **Beppa**, via Doria 24 ✆ 24286 – 🖭 ⓑ ⓞ 🄴 𝑉𝐼𝑆𝐴   AX **s**
chiuso martedì e dal 10 al 30 novembre – Pas carta 25/46000.

✗ **Chez Braccio Forte**, calata Cuneo 33 ✆ 24752 – 🖭 ⓑ ⓞ 🄴 𝑉𝐼𝑆𝐴   AX **a**
chiuso lunedì e gennaio – Pas carta 30/50000 (10%).

a Porto Maurizio – ✉ 18100 Imperia :

🏨 **Corallo**, corso Garibaldi 29 ✆ 61980, ≼ – ⧉ 🖵 ⊛ 🅿 – ⚖ 40 a 70. 🖭 ⓑ ⓞ 🄴 𝑉𝐼𝑆𝐴
✸   BZ **c**
Pas *(chiuso venerdì e dal 10 ottobre al 15 dicembre)* carta 27/40000 – ⌚ 7000 – **42 cam**
48/95000 – P 55/82000.

🏛 **Croce di Malta**, via Scarincio 142 ✆ 63847, ≼ – ⧉ 🖵 ☎ 🅿. 🖭 ⓑ ⓞ 🄴 𝑉𝐼𝑆𝐴   BZ **v**
Pas *(chiuso lunedì e da novembre al 20 dicembre)* carta 22/40000 – ⌚ 8000 – **42 cam** 52/86000
– P 90/96000.

✗✗✗ ✧ **Nannina**, viale Matteotti 56 ✆ 20208, ≼, prenotare – 🖭 ⓑ ⓞ   BY **k**
chiuso domenica sera, lunedì, febbraio e luglio – Pas carta 45/65000
Spec. Merluzzo con patate, Linguine ai frutti di mare, Rombo alle olive. **Vini** Gavi.

✗✗ ✧ **Lanterna Blu-da Tonino**, borgo Marina ✆ 63859, prenotare – 🅿. 🖭 ⓑ ⓞ 🄴 𝑉𝐼𝑆𝐴 BZ **f**
*chiuso dal 5 novembre al 5 dicembre, mercoledì e in luglio-agosto martedì e mercoledì a
mezzogiorno* – Pas carta 60/80000
Spec. Zuppa di frutti di mare, Linguine col granchio, Pesci di mare al forno o alla griglia. **Vini** Pigato, Dolcetto.

a Piani N : 5 km per via Caramagna AY – ✉ 18100 Imperia :

✗ **Al Vecchio Forno**, ✆ 680269, �, Coperti limitati; prenotare – 🖭 ⓑ ⓞ 🄴 𝑉𝐼𝑆𝐴. ✸
chiuso mercoledì ed ottobre – Pas carta 29/46000.

ALFA-ROMEO Borgo San Moro, via Foce 18 ✆ 20343
BMW via della Repubblica-Palazzo SEP ✆ 20856
FIAT viale Matteotti 120, angolo via De Marchi 12/14
✆ 20601
INNOCENTI viale Matteotti 175 ✆ 20297

LANCIA-AUTOBIANCHI salita Peri già via Serrati
✆ 24282
PEUGEOT-TALBOT via Littardi 8 ✆ 64902
RENAULT via Giannetti 17 ✆ 25886

IMPERIA

Amendola (Via Giovanni) . . . AX 2
Bonfante (Via Silvio) . . . . . . AX 9
Cascione (Via Felice) . . . . . . BZ
Dante
(Piazza Alighieri) . . . . AX 22
Ospedale (Via dell') . . . . AX 44
Repubblica (Via della) . . . . . AX 46
S. Giovanni (Via) . . . . AX 53

Amoretti (Via Ivanoe) . . . . . BXY 3
Battisti (Via Cesare) . . . . BX 5
Benza (Via Elia) . . . . BZ 7
Berio (Via Giuseppe) . . . . AX 8
Borgo Peri (Spianata) . . . . . . AX 10
Calvi (Piazza Ulisse) . . . . AX 13
Carceri (Via) . . . . BZ 14
Carducci (Via Giosuè) . . . . . . BZ 15
Colombo
(Lungomare Cristoforo) . . . AZ 18
D'Annunzio (Via Gabriele) . . . AZ 19

Dante (Corso Alighieri) . . . . . BX 21
De Amicis (Piazza E.) . . . . AX 23
Des Geneys (Via) . . . . AX 25
Delbecchi
(Via Antonio) . . . . BY 26
De Sonnaz (Via) . . . . AX 28
Diano Calderina (Via) . . . . . ABX 29
Don Abbo il Santo (Via) . . . . AX 30
Doria (Via Andrea) . . . . AX 32
Duomo (Piazza) . . . . BZ 33
Magenta (Via) . . . . AX 37

Martiri
della Libertà (Via) . . BZ 39
Matteotti (Viale G.) . BYZ 41
Musso (Via Felice) . . . BX 42
Parrasio (Via) . . . . BZ 45
Roma (Piazza) . . . . BZ 48
Saffi (Via Aurelio) . . . . BZ 49
S. Agata (Strada) . . . . BX 51
S. Antonio
(Piazza e Via) . . . . . BZ 52
S. Lazzaro (Via) . . . . . . AY 55

S. Maurizio (Via) . . . . . BZ 56
Serrati (Via G. M.) . . . . AX 59
Trento (Via) . . . . BX 60
Unità Nazionale
(Piazza) . . . . AX 61
Vespucci
(Lungomare A.) . . . . BY 63
Vianelli (Via A.) . . . . . . BZ 64
Vittoria (Pza della) . . . BY 65
Vittorio Veneto (Vle) . . BY 67
20 Settembre (Via) . . . BZ 68

We suggest :
for a successful tour, that you prepare it in advance.
***Michelin maps** and **guides**, will give you much useful information on route planning, places of interest, accommodation, prices etc.*

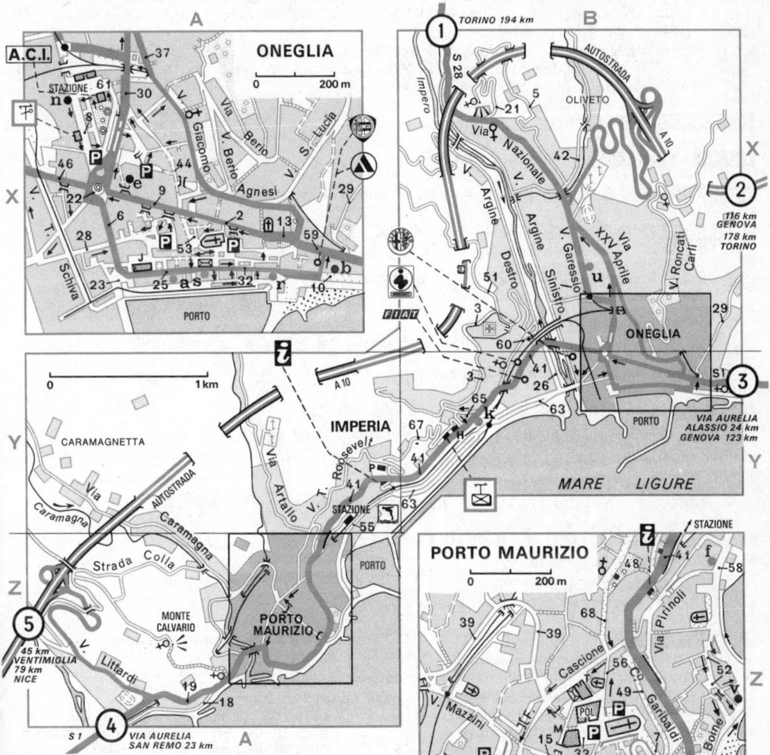

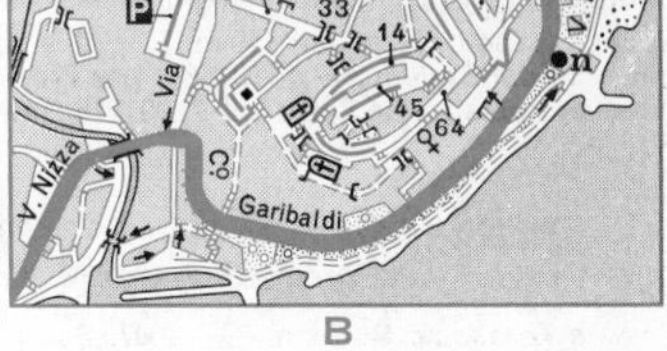

IMPRUNETA **50023** Firenze 988 ⑭⑮ – 15 145 ab. alt. 275 – ☎ 055.
Roma 278 – Arezzo 82 – •Firenze 13 – Pisa 89 – Siena 61.

a Pozzolatico N : 6 km – ✉ **50023** Impruneta :

XX **I Tre Pini,** ☎ 208065, « Servizio estivo all'aperto », – P
chiuso lunedì e gennaio – Pas carta 24/40000 (12%).

INCISA IN VAL D'ARNO 50064 Firenze 🔟🔟🔟 ⑮ – 4 894 ab. alt. 122 – ✪ 055.
Roma 248 – Arezzo 52 – ♦Firenze 33 – Siena 63.

🏥 **Galileo** senza rist, in prossimità area di servizio Reggello ℰ 863341, Telex 574455, ⅃, ℀ –
🛗 ⅍ ▤ 🏧 ☎ ♿ ☞ ♿ – 🛗 150. 🆔 🕄 ⓘ ᴇ 𝘝𝘐𝘚𝘈
63 cam ⇋ 60/90000.

INDUNO OLONA 21056 Varese 🔟🔟🔟 ⑧ – 9 786 ab. alt. 397 – ✪ 0332.
Roma 638 – Lugano 29 – ♦Milano 60 – Varese 4,5.

℀℀ **2 Lanterne,** via Ferrarin 25 ℰ 200368, 🍴, prenotare, 🚗 – ♿. 🆔 🕄 ⓘ ᴇ 𝘝𝘐𝘚𝘈. ℀
*chiuso lunedì, il 26 dicembre, le sere di Natale e Capodanno, dal 9 al 30 gennaio e dal 21 al 28
agosto* – Pas carta 32/54000.

℀℀ **Olona-da Venanzio,** via Olona 38 ℰ 200333, prenotare, 🚗 – ♿. 🆔 🕄 ⓘ ᴇ 𝘝𝘐𝘚𝘈. ℀
*chiuso lunedì, il 26 dicembre, le sere di Natale e Capodanno, dal 23 gennaio al 6 febbraio e dal
21 agosto al 4 ottobre* – Pas carta 38/63000.

INNICHEN = San Candido.

INTRA Novara 🔟🔟🔟 ⑦ – Vedere Verbania.

INTRAGNA 🔟🔟🔟 ㉓, 🔟🔟🔟 ⑦, 🔟🔟🔟 ⑪ – Vedere Cantone Ticino alla fine dell'elenco alfabetico.

INVERIGO 22044 Como 🔟🔟🔟 ⑲ – 7 699 ab. alt. 340 – ✪ 031.
Roma 605 – ♦Bergamo 43 – Como 16 – Erba 8 – Lecco 22 – ♦Milano 37.

🏠 **Bosco Marino** ℅, ℰ 607117, ≼, « Parco ombreggiato » – 🛗 ☎ ♿ – 🛗 40 a 120
38 cam.

verso Lurago d'Erba N : 2 km :

℀℀ **Nuovo Crotto Rosa,** con cam, ✉ 22044 ℰ 607114 – 🛗 ☎ ☞ ♿ – 23 cam.

Vedere anche : *Cremnago* O : 1 km.

INVORIO 28045 Novara 🔟🔟🔟 ⑥ – 3 515 ab. alt. 416 – ✪ 0322.
Roma 649 – ♦Milano 71 – Novara 40 – ♦Torino 113 – Varese 40 – Vercelli 57.

a Talonno S : 2,5 km – ✉ 28045 Invorio :

℀ **Vittorio,** ℰ 55212 – ♿. ℀
➡ *chiuso mercoledì, dal 1° al 15 gennaio e dal 1° al 15 agosto* – Pas carta 19/32000.

INZAGO 20065 Milano 🔟🔟🔟 ⑳ – 8 366 ab. alt. 138 – ✪ 02.
Roma 592 – ♦Bergamo 25 – ♦Milano 26.

℀ **Del Ponte,** ℰ 9549319, 🍴 – ℀
chiuso domenica ed agosto – Pas carta 23/33000.

ISCHIA (Isola d') ★★★ Napoli 🔟🔟🔟 ㉗ – 45 982 ab. alt. da 0 a 788 (monte Epomeo) – Stazione
termale e balneare, a.s. luglio-settembre – ✪ 081.
La limitazione d'accesso degli autoveicoli è regolata da norme legislative.

⚓ per Capri giugno-settembre escluso i giorni festivi (1 h 20 mn) – Navigazione Libera del
Golfo, ℰ 991620; per Napoli (1 h 20 mn), Pozzuoli (1 h) e Procida (30 mn), giornalieri – Caremar-
agenzia Tufano, banchina del Redentore ℰ 991781; per Pozzuoli giornalieri (1 h), Capri aprile-ottobre
giornaliero (1 h 15 mn) e Napoli giornalieri (1 h 15 mn) – Libera Navigazione Lauro, ℰ 991963.

⚓ per Napoli giornalieri (40 mn) – Alilauro, al porto ℰ 991888 – e Caremar-agenzia Tufano,
banchina del Redentore ℰ 991781; per Procida-Napoli giornalieri (40 mn) – Aliscafi SNAV-ufficio
Turistico Romano, via Porto 5/9 ℰ 991215, Telex 710364.

Piante pagine seguenti

Barano – 6 976 ab. alt. 224 – ✉ 80070 Barano d'Ischia.
Vedere Monte Epomeo★★★ 4 km NO fino a Fontana e poi 1 h e 30 mn a piedi AR.

a Testaccio S : 2 km – ✉ 80070 Barano d'Ischia :

🏠 **St. Raphael Terme,** ℰ 990508, ≼, « Terrazza panoramica con ⅃ riscaldata », ♨, ▣ – 🛗
🔲 🏧. 🆔 ⓘ. ℀ rist   U s
Pasqua-ottobre – Pas 27000 – ⇋ 9000 – 37 cam 55/75000 – P 95/100000, b.s. 85/90000.

a Maronti S : 4 km – ✉ 80070 Barano d'Ischia :

🏥 **Parco Smeraldo** ℅, ℰ 990127, Telex 720210, ≼, « Terrazza fiorita con ⅃ riscaldata », ♨,
🏧, ℀ – 🛗 ▤ ☎ 🏧 ♿. ℀ rist   U a
18 marzo-30 ottobre – 64 cam (solo pens) – P 118/123000.

🏠 **Villa San Giorgio** ℅, ℰ 990098, ≼, « Terrazza fiorita con ⅃ riscaldata », 🏧 – ☎ ♿
℀ rist   U b
18 marzo-24 ottobre – 40 cam (solo pens) – P 83/92000, b.s. 75/84000.

🏩 **Helios Terme** ℅, ℰ 990001, ≼, ♨, 🏧 – ▤ 🏧 ♿ 🆔 🕄 ⓘ ᴇ 𝘝𝘐𝘚𝘈. ℀ rist   U c
aprile-ottobre – Pas 25000 – ⇋ 3500 – **35 cam** 35/55000 – P 70/75000, b.s. 65/70000.

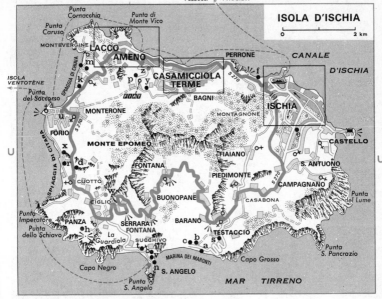

ISOLA D'ISCHIA

NAPOLI CAPRI
POZZUOLI PROCIDA

Casamicciola Terme 988 ⑰ – 6 546 ab. – ⊠ 80074.

🏯 **Manzi**, ℰ 994722, 🍽, ⌴, 🟰 riscaldata, 🐎, ✗ – 🛗 🔲 🕾. 🔤 🕄 ⓘ 🅴 𝖵𝖨𝖲𝖠. ✗ rist   Y a
  aprile-ottobre – Pas 65000 – 🖭 14000 – 62 cam 65/113000 – P 116/135000.

🏠 **Elma**, ℰ 994122, Telex 710584, ≤, 🍽, ⌴, 🟰 riscaldata, 🔲, 🐎, ✗ – 🛗 🔲 🕾 🅿. 🔤 🕄 ⓘ   Y f
  🅴 𝖵𝖨𝖲𝖠. ✗ rist
  24 marzo-ottobre – Pas 40/60000 – **68 cam** 🖭 95/130000 – P 140/160000, b.s. 85/110000.

🏠 **Stefania** 🕭, ℰ 994130, ⌴, 🔲 – 🕾 🅿. ✗ rist   Y d
  aprile-ottobre – 30 cam (solo pens) – P 70/78000, b.s. 63/70000.

Forio 988 ⑰ – 11 152 ab. – ⊠ 80075 – Vedere Spiaggia di Citara★.

🏠 **La Bagattella** 🕭, località San Francesco ℰ 987427, « Giardino fiorito con 🟰 », ⌴, 🔲 – 🕾   U m
  🅿 – *stagionale* – Pas *(chiuso a mezzogiorno)* – 35 cam.

🏠 **Parco Maria** 🕭, via Provinciale Panza 212 ℰ 907322, Telex 722006, ≤, « Terrazze con 🟰   U d
  riscaldata », ⌴, 🔲 – 🖳 🅿. 🔤 ✗ rist
  chiuso dal 2 gennaio al 15 febbraio e dal 6 al 23 dicembre – Pas 25/35000 – 76 cam (solo pens)
  – P 85/110000, b.s. 75/95000.

🏠 **Zaro** 🕭, località San Francesco ℰ 987110, ≤, 🟰 riscaldata, 🐎 – 🖳 🅿. ✗ rist   U m
  aprile-ottobre – Pas 20/25000 (12%) – 🖭 6000 – **45 cam** 49/82000 – P 88/90000, b.s. 78/80000.

🏠 **Splendid**, NE : 1,5 km ℰ 987374, ≤, 🟰 riscaldata, 🐎 – ✗ cam 🖳 🅿. 🔤 🕄 ⓘ 🅴 𝖵𝖨𝖲𝖠.   U k
  ✗ rist
  aprile-ottobre – Pas 30000 – 🖭 8000 – **40 cam** 45/69000 – P 84/86000, b.s. 70/72000.

✗✗ **La Romantica**, via Marina 46 ℰ 997345, 🍽 – 🔤 ⓘ 𝖵𝖨𝖲𝖠. ✗   U u
  chiuso mercoledì in bassa stagione – Pas carta 21/47000 (15%).

  a Citara S : 2,5 km – ⊠ 80075 Forio :

🏠 **Parco Regine**, ℰ 907366, Telex 720073, Fax 907300, ≤, « Terrazze-giardino panoramiche »,
  ⌴, 🟰 riscaldata (coperta in inverno), 🐎 – 🕾 🅿 – 🏛 350. 🕄 ⓘ 🅴 𝖵𝖨𝖲𝖠. ✗ rist   U x
  15 marzo-ottobre – Pas 25/50000 – 88 cam 🖭 72/113000 – P 93/109000, b.s. 75/93000.

🏠 **Citara** 🕭, ℰ 907098, ≤ – 🛗 🕾 🅿. 🔤 🕄 ⓘ 𝖵𝖨𝖲𝖠. ✗ rist   U r
  aprile-ottobre – Pas (solo per clienti alloggiati) – 51 cam 🖭 41/64000 – P 65/73000,
  b.s. 63/68000.

  a Panza S : 4,5 km – alt. 155 – ⊠ 80070 :

✗✗ **Da Leopoldo**, O : 0,5 km ℰ 907086, ≤ – 🅿. 🔤   U h
  giugno-ottobre; chiuso a mezzogiorno da lunedì a venerdì – Pas carta 20/41000 (6%).

✗✗ **Montecorvo**, N : 1,5 km ℰ 998029, ≤, « Servizio estivo in terrazza-giardino panoramica » –
  🅿. 🕄. ✗   U w
  chiuso gennaio, febbraio e a mezzogiorno da ottobre ad aprile – Pas carta 26/42000.

279

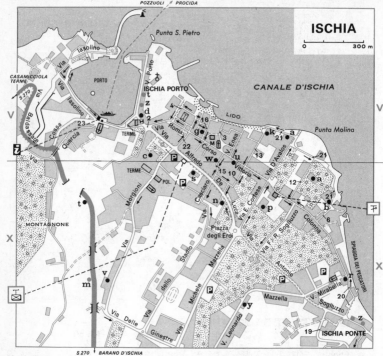

ISCHIA

CASAMICCIOLA TERME

LACCO AMENO

Ischia ★ 988 ⑦ – 17 344 ab. – ⊠ 80077 Porto d'Ischia.

Vedere Castello★★.

🛥 via Iasolino 🏌 991146, Telex 722338

🏨🏨 **Excelsior** 🦢, via Emanuele Gianturco 19 🏌 991020, Telex 721201, ≤, « Parco-pineta con 🏊 riscaldata », 🏕, 🔲, 🏖, – 🛗 🍴 cam 🔟 ☎ 🅿 – 🔬 50. 🖭 🕄 ⓞ 🖪 𝓥𝓘𝓢𝓐. 🦞 rist   X **a**
marzo-ottobre – Pas carta 70/94000 – 72 cam (solo pens) – P 259/270000, b.s. 249/259000.

🏨🏨 **Jolly** 🦢, via De Luca 42 🏌 991744, Telex 710267, « Giardino con 🏊 riscaldata », 🏕, 🔲 – 🛗 ☰ 🔟 ☎ 🅿 – 🔬 80 a 200. 🖭 🕄 ⓞ 🖪 𝓥𝓘𝓢𝓐.   V **c**
15 marzo-15 novembre – Pas 55000 – **208 cam** ⊊ 152/280000.

🏨🏨 **Gd H. Punta Molino** 🦢, lungomare Vincenzo Telese 14 🏌 991544, Telex 710465, Fax 991562, ≤ mare, 🌹, « Parco-pineta e terrazza fiorita con 🏊 », 🏕, 🏖, – 🛗 ☰ 🔟 ☎ 🅿. 🖭 ⓞ. 🦞   X **b**
23 aprile-ottobre – Pas carta 52/78000 – 88 cam (solo pens) – P 205/265000, b.s. 175/235000.

🏨🏨 **Continental Terme,** via Michele Mazzella 74 🏌 991588, Telex 710451, Fax 982929, « Giardino fiorito con 🏊 riscaldata », 🏕, 🔲, 🦞 – 🛗 ✂ ☰ ☎ – 🔬 200 a 330. 🖭 🕄 ⓞ 🖪 𝓥𝓘𝓢𝓐. 🦞 rist
aprile-ottobre – Pas 25/40000 – **218 cam** ⊊ 100/180000 appartamenti 180/240000 –   U **e**
P 135/180000, b.s. 120/150000.

🏨🏨 **Hermitage e Park Terme** 🦢, via Leonardo Mazzella 67 🏌 992997, Telex 722565, Fax 991344, « Terrazze-giardino con 🏊 riscaldata », 🏕, 🦞 – 🛗 🔟 ☎ 🅿. 🖭 ⓞ 𝓥𝓘𝓢𝓐. 🦞   X **y**
18 marzo-4 novembre – Pas (solo per clienti alloggiati) 35/45000 – ⊊ 20000 – 98 cam 105/167000 – P 108/163000, b.s. 95/153000.

🏨🏨 **Alexander,** lungomare Vincenzo Telese 3 🏌 993124, Telex 722302, ≤, « Terrazza con 🏊 riscaldata », 🏕 – 🛗 ☰ 🔥 🅿. 🦞 rist   V **a**
aprile-ottobre – Pas 40000 – ⊊ 15000 – 91 cam 126/145000.

🏨 **Mare Blu,** via Pontano 40 🏌 982555, ≤, 🏕, 🏊, 🏖, – 🛗 – 🛗 ☎ 🖭 𝓥𝓘𝓢𝓐. 🦞   X **r**
23 aprile-23 ottobre – Pas (solo per clienti alloggiati) carta 32/43000 – **40 cam** ⊊ 82/124000 – P 111/122000, b.s. 98/103000.

🏨 **Le Querce** 🦢, via Baldassarre Cossa 29 🏌 993426, Fax 993261, ≤ mare, 🌹, « Terrazze-giardino con 🏊 riscaldata » – ☎ 🅿. 🕄 ⓞ 🖪 𝓥𝓘𝓢𝓐. 🦞 rist   U **f**
26 marzo-ottobre – Pas 25/35000 – **41 cam** ⊊ 80/140000 – P 110000, b.s. 90000.

🏨 **Aragona Palace Terme,** via Porto 12 🏌 981383, ≤, 🏕, 🏊 riscaldata – 🛗 ☰ 🔟 ☎. 🖭 🕄 ⓞ 🖪 𝓥𝓘𝓢𝓐.   V **d**
aprile-15 ottobre – Pas 30/45000 – **40 cam** ⊊ 150/250000 – P 140/160000, b.s. 110/130000.

🏨 **La Villarosa** 🦢, via Giacinto Gigante 5 🏌 991316, « Parco ombreggiato con 🏊 riscaldata », 🏕 – 🛗 ☜. 🦞   VX **w**
20 marzo-ottobre – Pas (solo per clienti alloggiati) 30000 – ⊊ 20000 – 37 cam 65/90000 – P 100/110000, b.s. 90/100000.

🏨 President, via Nuova Circumvallazione 🏌 993890, ≤, 🏕, 🏊 riscaldata, 🔲 – 🛗 ☎ 🅿   X **t**
79 cam.

🏨 **Bristol Hotel Terme,** via Venanzio Marone 10 🏌 992181, 🏕, 🏊 riscaldata, 🍴 – 🛗 ☜ 🖧. 🖭 🕄 ⓞ 𝓥𝓘𝓢𝓐. 🦞 rist   V **g**
aprile-ottobre – Pas 36000 – ⊊ 7000 – **39 cam** 53/93000 – P 84/86000, b.s. 68/80000.

🏨 **Central Park Terme,** via De Luca 6 🏌 993517, 🏕, 🏊 riscaldata, 🍴 – 🛗 ☰ 🍴 rist 🖧 🅿. 🦞
aprile-ottobre – Pas 36000 – ⊊ 12000 – 45 cam 52/88000 – P 89/99000, b.s. 78/89000.   X **n**

🏨 **Nuovo Lido,** via Remigia Gianturco 33 🏌 991550, ≤, 🏊 – 🛗 ☎ 🅿. 🖭 🕄 ⓞ 🖪 𝓥𝓘𝓢𝓐. 🦞 rist
15 aprile-15 ottobre – Pas 36/40000 – ⊊ 11000 – 39 cam 50/86000 – P 85/120000, b.s. 74/105000.
       V **k**

🏨 **Regina Palace,** via Cortese 18 🏌 991344, Fax 991344, « Giardino con 🏊 riscaldata » – 🛗 ☰ ☎ 🅿. 🖭 ⓞ 𝓥𝓘𝓢𝓐. 🦞   X **p**
marzo-novembre – Pas 45000 – ⊊ 15000 – 60 cam 120/180000 – P 115/150000, b.s. 95/130000.

🏨 **Bellevue,** via Morgioni 83 🏌 991851, Telex 710124, 🏊 riscaldata – 🛗 ☎ 🖭 ⓞ 🖪 𝓥𝓘𝓢𝓐. 🦞 rist
15 marzo-ottobre – Pas (chiuso a mezzogiorno) – 37 cam (solo ½ P) 60/65000, b.s. 55/60000.
       X **v**

🏨 **Felix Hotel Terme,** via De Luca 48 🏌 991201, 🏕, 🏊 riscaldata, 🍴 – 🛗 ☜ 🅿. 🖭. 🦞 rist
aprile-ottobre – Pas 25/34000 – ⊊ 6000 – **52 cam** 40/55000 – P 74/78000, b.s. 68/70000.
       X **s**

🏨 **Villa Diana** senza rist, corso Vittoria Colonna 212 🏌 991785 – ☜. 🦞   VX **u**
7 aprile-ottobre – **25 cam** ⊊ 38/64000.

XX **Damiano,** via Nuova Circumvallazione 🏌 983032, ≤ mare – 🦞   X **m**
aprile-settembre; chiuso a mezzogiorno escluso domenica – Pas carta 33/61000 (12%).

XX **Gennaro,** via Porto 66 🏌 992917, ≤ – 🖭 🕄 ⓞ 🖪 𝓥𝓘𝓢𝓐   V **t**
19 marzo-ottobre; chiuso martedì in marzo e aprile – Pas carta 24/52000 (15%).

XX **Ò Purticciullò,** via Porto 42 🏌 993222, ≤, prenotare – 🖭 🕄 ⓞ 🖪 𝓥𝓘𝓢𝓐   V **z**
marzo-novembre; chiuso a mezzogiorno da luglio al 15 settembre – Pas carta 60/80000 (12%).

ad Ischia Ponte E : 2 km – ⊠ 80070 :

X **Pirozzi,** via Seminario 51/53 🏌 991121, ≤, 🌹 – ☰. 🖭 🕄 ⓞ 🖪 𝓥𝓘𝓢𝓐. 🦞   X **z**
chiuso lunedì e novembre – Pas carta 17/44000 (12%).

X **Di Massa,** via Seminario 35 🏌 991402, ≤   X **z**
15 marzo-15 novembre; chiuso martedì – Pas carta 19/34000 (10%).

Lacco Ameno – 3 964 ab. – ⊠ 80076.

🏨 **Regina Isabella e Royal Sporting** ⑤, ℰ 994322, Telex 710120, Fax 994975, ≼ mare, 佘, ♨, ⽔ riscaldata, ⚓, 屛, ✗ – ᚦ ⊟ ⊡ ☎ ❷, ⬜ ⬛ ⓘ ⋿ 𝘝𝘐𝘚𝘈 ❄ rist   Z **a**
15 aprile-15 ottobre – Pas 99000 – � 25000 – **133 cam** 186/348000 appartamenti 401/718000
– P 331/384000, b.s. 253/371000.

🏨 **Terme di Augusto**, ℰ 994944, Telex 710635, Fax 994975, ♨, ⽔ riscaldata, ⬜ – ᚦ ⊟ ⊡ ☎ ❷ – 🏛 200. ⬜ ⬛ ⓘ ⋿ 𝘝𝘐𝘚𝘈 ❄ rist   Z **u**
15 aprile-15 ottobre – Pas 50/60000 – **115 cam** � 120/220000 – P 145/165000.

🏨 **San Montano** ⑤, NO : 1,5 km ℰ 994033, Telex 710690, ≼ mare e costa, 佘, « Terrazze ombreggiate con ⽔ riscaldata », ♨, ✗ – ᚦ ⊟ cam ⊡ ☎ ❷, ⬜ ⬛ ⓘ ⋿ 𝘝𝘐𝘚𝘈 ❄   Z **b**
26 marzo-16 ottobre – Pas 82000 – � 22500 – **67 cam** 108/191000 appartamenti 314000 –
P 178/237000, b.s. 160/213000.

🏨 **Park Hotel Terme Michelangelo** ⑤, S : 1 km ℰ 995134, Telex 721104, Fax 995553, ≼, « Terrazza panoramica con ⽔ riscaldata », ♨, 屛, ✗ rist   U **p**
aprile-ottobre – Pas 40/50000 – **70 cam** � 90/170000 – P 133/156000, b.s. 112/136000.

🏨 La Reginella, ℰ 994300, « Giardino ombreggiato con ⽔ », ♨, ⬜, 屛, ✗ – ᚦ ⊟ ⊡ ☎ ❷ – 🏛 60 a 600   Z **d**
stagionale – 52 cam.

🏨 **Grazia** ⑤, S : 1,5 km ℰ 994333, Telex 721254, ≼, ♨, ⽔ riscaldata, 屛, ✗ – ᚦ ☎ ❷. ❄ rist   U **y**
aprile-ottobre – Pas 26/35000 – � 12000 – **58 cam** 90/120000 – P 96/106000, b.s. 78/85000.

XX **La Briciola**, ℰ 996060, 佘, prenotare   U **z**
aprile-ottobre; chiuso a mezzogiorno in luglio ed agosto – Pas carta 30/40000 (12%).

FIAT via Borbonica, località Fango ℰ 994381

Sant'Angelo ★ – ⊠ 80070.

Vedere Serrara Fontana : ≼** su Sant'Angelo N : 5 km.

🏨 San Michele ⑤, ℰ 999276, Telex 710368, ≼ mare, « Giardino con ⽔ riscaldata », ♨ – ☎ – 🏛 130   U **v**
stagionale – 50 cam.

🏨 **La Palma** ⑤, ℰ 999526, Telex 720439, ≼ mare, « Terrazze fiorite » – ☎ ❷. ❄ rist   U **v**
15 marzo-ottobre – Pas (solo per clienti alloggiati) carta 28/40000 – 43 cam � 50/80000 –
P 88/95000, b.s. 80/90000.

🏨 **Miramare** ⑤, ℰ 999219, Telex 721045, ≼ mare, 佘, ✗ – ☎   U **n**
aprile-ottobre – Pas 30/50000 – � 8000 – 50 cam 60/70000 – P 110/155000.

🏠 **Casa Celestino** ⑤, ℰ 999213, ≼, 佘 – 🕾. ❄ rist   U **t**
Pasqua-ottobre – Pas (solo per clienti alloggiati) 25000 – � 10000 – 19 cam 55/100000 –
P 80/85000, b.s. 75/80000.

XX **Dal Pescatore**, ℰ 999206, 佘 – ⋿ 𝘝𝘐𝘚𝘈   U **n**
chiuso dal 7 gennaio a febbraio – Pas carta 29/41000 (15%).

🖛 *Keine Aufnahme in den **Michelin-Führer** durch*

   – Beziehungen oder

   – Bezahlung !

ISCHITELLA 71010 Foggia – 4 604 ab. alt. 310 – a.s. luglio-15 settembre – ✪ 0884.
Roma 385 – ♦Bari 184 – Barletta 122 – ♦Foggia 100 – ♦Pescara 184.

a Isola Varano O : 15 km – ⊠ 71010 Ischitella :

🏨 **La Bufalara** ⑤, ℰ 97037, ≼, « Parco-pineta », ⽔, ⚓, ✗ – ᚦ ⊟ ❷. ⬜ 𝘝𝘐𝘚𝘈 ❄ rist
Pas *(chiuso martedì)* 20/30000 – � 4000 – **60 cam** 57/83000 – P 78/89000, b.s. 58/69000.

🏠 **Bally**, ℰ 97023, ⚓, 屛, ✗ – ᚦ ❷. 𝘝𝘐𝘚𝘈 ❄ rist
🖛 *aprile-10 ottobre* – Pas *(chiuso martedì)* 12/15000 – � 2500 – **39 cam** 25/40000 – P 44/50000, b.s. 35000.

ISEO 25049 Brescia 🔢🔢🔢 ③④ – 7 923 ab. alt. 198 – Stazione climatica, a.s. Pasqua e luglio-15 settembre – ✪ 030.
Vedere Lago★.
Escursioni Monte Isola★★ : ≼** dal santuario della Madonna della Ceriola (in battello).
🛈 lungolago Marconi 2/c ℰ 980209.
Roma 581 – ♦Bergamo 39 – ♦Brescia 23 – ♦Milano 80 – Sondrio 122 – ♦Verona 96.

🏨 **Ambra**, porto Gabriele Rosa 2 ℰ 980130, ≼ – 🕾. ❄ rist
chiuso novembre – Pas *(chiuso mercoledì)* 20000 – � 7000 – **31 cam** 50/72000 – P 64/68000, b.s. 56/64000.

🏠 Milano, lungolago Marconi 4 ℰ 980449, 佘 – ⊡ ☎
15 cam.

XX **Le Maschere,** vicolo della Pergola 7 ℘ 9821542, ⛱, Coperti limitati; prenotare – AE ⓢ E VISA. ✻
chiuso domenica sera e lunedì – Pas carta 47/62000.

X **Gallo Rosso,** vicolo Nulli 9 ℘ 980505, prenotare
chiuso giovedì e venerdì a mezzogiorno – Pas carta 24/39000.

X **Al Castello,** via Mirolte 53 ℘ 981285, « Servizio estivo all'aperto » – ✻
chiuso martedì, mercoledì a mezzogiorno, dal 15 al 29 febbraio, dal 1° al 15 ottobre e in luglio-agosto aperto solo la sera – Pas carta 27/40000.

Vedere anche : ***Pilzone*** N : 2 km.
Cremignane SO : 3 km.
Clusane sul Lago O : 5 km.

ALFA-ROMEO via Roma per Rovato 20/a ℘ 980534 FIAT via Gorzoni 23 ℘ 981252

ISERNIA 86170 P 988 ㉗ – 21 327 ab. alt. 457 – ☎ 0865.

ℹ via Farinacci 9 ℘ 3992 – A.C.I. via Kennedy 48/50 ℘ 50732.
Roma 177 – Avezzano 130 – Benevento 82 – Latina 149 – •Napoli 111 – Pescara 147.

🏨 **La Tequila** 🐎, via San Lazzaro ℘ 51346, 🏊, 🌳 – |‡| ☎ ♿ P – 🏛 30 a 400. AE ⓢ ⓓ. ✻ rist
Pas *(chiuso domenica sera)* carta 25/32000 – **60 cam** ⊐ 50/85000 – P 95000.

🏨 **Europa,** strada statale per Campobasso ℘ 411450, Fax 2126 – |‡| ☎ P. AE ⓢ ⓓ E VISA. ✻
Pas carta 22/37000 – **33 cam** ⊐ 50/65000 – P 70/80000.

X **Emma** con cam, contrada Valgianese SE : 5 km ℘ 26386 – TV ☎ P. AE ⓢ ⓓ. ✻
◆ Pas carta 19/28000 – ⊐ 2500 – **20 cam** 32/45000 – P 48/55000.

X **Molisana,** via Don Luigi Sturzo 14 ℘ 2105 – AE ⓓ
◆ *chiuso lunedì* – Pas carta 19/27000.

sulla fondovalle Trigno E : 3 km :

🏨 **Santa Maria del Bagno,** ✉ 86090 Pesche ℘ 238143 – |‡| ☎ ♿ P – 🏛 120. ✻
Pas *(chiuso lunedì)* carta 21/33000 – ⊐ 7000 – **42 cam** 36/52000 – P 66000.

FIAT via Giovanni Berta 37/43 ℘ 50160
FORD via Ponte San Leonardo 9 ℘ 59593
RENAULT contrada Piane sulla statale 17 ℘ 59466

ISOLA... ISOLE Vedere nome proprio della o delle isole.

ISOLA BELLA Novara 219 ⑦ – Vedere Borromee (Isole).

ISOLACCIA Sondrio 218 ⑰ – Vedere Valdidentro.

ISOLA COMACINA Como 219 ⑨ – alt. 213 – ✉ 22010 Sala Comacina.

Da Sala Comacina 5 mn di barca.

X **Locanda dell'Isola,** ℘ (0344) 55083, ≤, ⛱, « Su un isolotto disabitato; servizio e menu tipici »
marzo-ottobre; chiuso martedì escluso giugno-settembre – Pas 63000 bc.

ISOLA D'ASTI 14057 Asti – 2 023 ab. alt. 245 – ☎ 0141.

Roma 623 – Asti 10 – •Genova 124 – •Milano 130 – •Torino 64.

sulla strada statale 231 SO : 2 km :

XXX **Il Cascinalenuovo** con cam, ✉ 14057 ℘ 958166, 🏊, 🌳, 🎾 – ☎ 🚗 P – 🏛 100. AE ⓓ. ✻
chiuso dal 1° al 20 agosto – Pas *(chiuso domenica sera e lunedì)* carta 35/55000 – ⊐ 8000 – 13 cam 40/70000 appartamenti 100/120000 – P 110/130000.

ISOLA DEL GRAN SASSO D'ITALIA 64045 Teramo 988 ㉖ – 5 088 ab. alt. 415 – ☎ 0861.

Escursioni Gran Sasso** SO : 6 km – Roma 190 – L'Aquila 75 – •Pescara 69 – Teramo 30.

X **Insula** con cam, borgo San Leonardo 78 ℘ 97202, ≤ – ⇔ rist. ✻
chiuso dal 10 gennaio al 15 marzo e dal 20 ottobre al 20 dicembre – Pas *(chiuso giovedì)* carta 20/28000 – ⊐ 4500 – **15 cam** 23/35000 – P 40/48000.

ISOLA DELLA SCALA 37063 Verona 988 ④ – 10 483 ab. alt. 31 – ☎ 045.

Roma 497 – •Ferrara 83 – Mantova 34 – •Milano 168 – •Modena 83 – •Venezia 131 – •Verona 19.

X **Turismo** con cam, ℘ 7300177 – ▤ rist ☎ P. AE. ✻
chiuso dal 10 al 25 agosto – Pas *(chiuso venerdì)* carta 23/31000 – ⊐ 5000 – **12 cam** 30/50000 – P 45/50000.

a Gabbia SE : 6 km – ✉ **37063** Isola della Scala :

XXX ✿ **Gabbia d'Oro,** ℘ 7330020, Coperti limitati; prenotare – ▤ P. ✻
chiuso martedì, mercoledì, dal 15 al 30 gennaio e dal 1° al 20 agosto – Pas carta 45/67000
Spec. Millefoglie con stufato di luccio (marzo-novembre), Risotto con ragu d'oca al Valpolicella, Lombata in crosta di pepe nero. **Vini** Soave, Le Sassine.

ISOLA DEL LIRI 03036 Frosinone 988 ② ② – 13 089 ab. alt. 217 – ③ 0776.
Dintorni Abbazia di Casamari★★ O : 9 km.
Roma 107 – Avezzano 62 – Frosinone 23 – Isernia 91 – ◆Napoli 135.

  ※ **Scala alla Cascata,** piazza Gregorio VII ℰ 85100, 斎 – ⓞ
    chiuso mercoledì – Pas carta 21/32000.

    a Carnello NE : 3 km – ⊠ 03030 :

  🏠 **Fibreno** senza rist, ℰ 86291 – 🛗 🐕. ❀
    senza ☎ – **15 cam** 26/36000.

  ※ **Mingone,** ℰ 86140, 斎 – 🅿. 🆎 🅱
    chiuso lunedì – Pas carta 22/32000.

GM-OPEL via Napoli al km 62 ℰ 85767

ISOLA DI CAPO RIZZUTO 88076 Catanzaro 988 ④ – 13 799 ab. alt. 196 – ③ 0962.
Roma 612 – Catanzaro 58 – Crotone 17.

    a Le Castella SO : 10 km – ⊠ 88076 Isola di Capo Rizzuto :

  🏠 **Da Annibale,** ℰ 795004, 斎, 斎, ❀ – 🅿. ❀
    Pas carta 29/43000 – 20 cam ☎ 45/70000 – P 75/85000.

FORD sulla statale 106 al km 235 ℰ 791115

ISOLA DOVARESE 26031 Cremona – 1 335 ab. alt. 34 – ③ 0375.
Roma 499 – ◆Brescia 51 – Cremona 22 – Mantova 44 – ◆Milano 113 – ◆Parma 49.

  XX **Molino Vecchio,** ℰ 946039, 斎 – 🅿. ❀
    chiuso lunedì a mezzogiorno, martedì, dal 7 al 31 gennaio e dal 1° al 24 agosto – Pas
    carta 30/48000.

ISOLA MAGGIORE 06060 Perugia – alt. 260 – ③ 075.
Da Passignano 15/30 mn di battello.

  ※ **Sauro** 🐌 con cam, ℰ 826168 – 🆎 ⓞ 𝘝𝘐𝘚𝘈. ❀
    chiuso dall' 11 gennaio al 19 febbraio – Pas carta 24/32000 – ☎ 5000 – **11 cam** 33/45000 –
    P 45/50000.

ISOLA SUPERIORE (dei Pescatori) Novara 219 ⑦ – Vedere Borromee (Isole).

ISOLA VARANO Foggia – Vedere Ischitella.

ISSENGO (ISSENG) Bolzano – Vedere Falzes.

ISSOGNE 11020 Aosta – 1 396 ab. alt. 387 – ③ 0125.
Vedere Castello★.
Roma 713 – Aosta 39 – ◆Milano 151 – ◆Torino 80.

  ※ **Al Maniero,** frazione Pied de Ville ℰ 929219, 斎 – 🅿. 🅱 🄴. ❀
    chiuso lunedì da ottobre a giugno – Pas carta 25/38000.

ISTIA D'OMBRONE 58040 Grosseto – alt. 39 – ③ 0564.
Roma 190 – Grosseto 7 – ◆Perugia 178.

  ※ Terzo Cerchio, ℰ 409235, 斎, Cucina tipica maremmana.

ITRI 04020 Latina 988 ② ⑦ – 7 741 ab. alt. 170 – ③ 0771.
Roma 144 – Frosinone 70 – Latina 69 – ◆Napoli 77.

  ※ **Il Grottone** con cam, corso Vittorio Emanuele II ℰ 20014 – 📺 🐕. 🅱. ❀
    Pas *(chiuso lunedì)* carta 21/28000 – ☎ 2000 – 8 cam 20/33000 – P 55000.

IUTIZZO Udine – Vedere Codroipo.

  Les guides Michelin

  Guides Rouges (hôtels et restaurants) :
    Benelux, Deutschland, España Portugal, Main Cities Europe, France,
    Great Britain and Ireland

  Guides Verts (Paysages, monuments et routes touristiques) :
    Allemagne, Autriche, Belgique, Canada, Espagne, Grèce, Hollande, Italie,
    Londres, Maroc, New York, Nouvelle Angleterre, Portugal, Rome, Suisse
    ... et la collection sur la **France.**

IVREA 10015 Torino 🔢 ②, 🔢 ⑭ – 26 454 ab. alt. 267 – ✪ 0125.

Vedere Guida Verde.

🛈 corso Vercelli 1 🖉 424005 – **A.C.I.** via dei Mulini 3 🖉 423327.

Roma 683 – Aosta 71 – Breuil-Cervinia 74 – ♦Milano 115 – Novara 69 – ♦Torino 50 – Vercelli 50.

🏨🏨 **La Serra,** corso Carlo Botta 30 🖉 44341, Telex 216447, Fax 44341, 🔲 – 🛗 🗏 TV ☎ ⬅ ❷ –
🛋 90 a 400. 🖽 🛐 ⓞ Ⅎ 𝚅𝙸𝚂𝙰 ⅀⅄
Pas *(chiuso dal 20 luglio al 15 agosto)* carta 27/43000 – ⅈ 10000 – **55 cam** 124/163000
appartamenti 181000 – P 97000.

🏠 **Eden** senza rist, corso Massimo D'Azeglio 67 🖉 424741 – 🛗 TV 🕾 ❷. 𝚅𝙸𝚂𝙰
chiuso dal 24 dicembre al 6 gennaio – ⅈ 7000 – **36 cam** 62/79000.

🏠 **Moro** senza rist, corso Massimo D'Azeglio 43 🖉 40170, Fax 40170 – 🛗 TV 🕾 ⬅. 🖽 🛐 ⓞ
Ⅎ 𝚅𝙸𝚂𝙰 ⅄
ⅈ 6000 – **33 cam** 66/80000.

✕ **Moro,** corso Massimo D'Azeglio 41 🖉 422136 – 🖽 🛐 ⓞ Ⅎ 𝚅𝙸𝚂𝙰
chiuso dal 23 dicembre al 7 gennaio e le sere di sabato e domenica da ottobre a marzo – Pas
carta 23/43000 (12%).

all'ingresso dell'autostrada A 5 O : 2 km :

🏨🏨 **Ritz** senza rist, ✉ 10010 Banchette 🖉 611200, Fax 611323 – 🛗 ↔ TV ☎ ❷. 🖽 🛐 ⓞ Ⅎ 𝚅𝙸𝚂𝙰
ⅈ 15000 – **60 cam** 77/100000.

al lago Sirio N : 2 km :

🏨🏨 Sirio ⅄, ✉ 10015 🖉 424247, Telex 214583, ≤, ☞ – 🛗 TV ☎ ⬅ ❷ – 🛋 50
53 cam.

a San Bernardo S : 3 km – ✉ 10090 :

🏠 **La Villa** senza rist, via Torino 334 🖉 231697, Fax 231696, ☞ – TV ☎ ❷. 🖽 🛐 Ⅎ 𝚅𝙸𝚂𝙰
chiuso dal 15 al 31 luglio – ⅈ 8500 – **12 cam** 77/90000.

ALFA-ROMEO a Burolo, strada statale 228 🖉 57673
CITROEN a Burolo, strada statale 228 🖉 57101
FIAT corso Vercelli 121 🖉 251520
INNOCENTI corso Vercelli 218 🖉 251655

LANCIA-AUTOBIANCHI corso Vercelli 115 🖉 251580
PEUGEOT-TALBOT a San Bernardo, stradale Torino
499 🖉 239497
VW-AUDI corso Vercelli 222 🖉 251415

JESI 60035 Ancona 🔢 ⑯ – 40 635 ab. alt. 96 – ✪ 0731.

Vedere Palazzo della Signoria★ – Pinacoteca★.

Roma 260 – ♦Ancona 32 – Gubbio 80 – Macerata 41 – ♦Perugia 116 – Pesaro 72.

🏨🏨 **Federico II,** via per Ancona N : 1 km 🖉 543631, Telex 560619, Fax 540239, ≤, 🔲, ☞ – 🛗 🗏
TV ☎ ⅋ ⬅ ❷ – 🛋 60 a 250. 🖽 🛐 ⓞ Ⅎ 𝚅𝙸𝚂𝙰 ⅄ rist
Pas carta 34/53000 – ⅈ 10000 – **76 cam** 100/140000 appartamenti 170/180000 – P 120/150000.

✕✕ **Italia** con cam, viale Trieste 28 🖉 4844 – TV 🕾. 🖽 🛐 ⓞ Ⅎ. ⅄
chiuso agosto – Pas *(chiuso sabato)* carta 25/45000 (10%) – ⅈ 7000 – **13 cam** 50/80000 –
P 75/85000.

✕✕ **Galeazzi,** via Mura Occidentali 5 🖉 57944 – ⅄
chiuso lunedì ed agosto – Pas carta 25/37000.

verso San Marcello NO : 2 km :

✕ ❀ **Ippocampo,** ✉ 60035 🖉 57487, ☞, ✎ – ❷. ⅄
chiuso domenica sera, lunedì e dal 5 al 26 agosto – Pas (menu di soli piatti di pesce) 45/50000 bc
Spec. Antipasto di mare caldo e freddo, Pescatrice con fagioli, Calamaretti al vino bianco, Arrosto e fritto misto di
pesce. Vini Verdicchio.

ALFA-ROMEO viale della Vittoria 42 🖉 4240
CITROEN via Ancona 80 🖉 59598
FIAT viale Don Minzoni 9 🖉 52237
FIAT viale della Vittoria 3 🖉 4891

FORD via Don Minzoni 18 🖉 543627
RENAULT viale Don Minzoni 🖉 52600
VW-AUDI viale Don Minzoni 10 🖉 4993

JESOLO 30016 Venezia 🔢 ⑤ – 22 073 ab. alt. 2 – a.s. 15 giugno-agosto – ✪ 0421.

Roma 560 – Belluno 106 – ♦Milano 299 – ♦Padova 69 – Treviso 50 – ♦Trieste 125 – Udine 94 – ♦Venezia 40.

✕✕ **Ca' Gamba-da Boer,** SE : 2 km 🖉 962549 – 🗏 ❷. 🖽 𝚅𝙸𝚂𝙰
chiuso lunedì sera, martedì e novembre – Pas carta 30/52000.

✕ **Udinese-da Aldo** con cam, 🖉 951409 – 🗏 rist ❷. 🖽 🛐 ⓞ Ⅎ 𝚅𝙸𝚂𝙰
chiuso gennaio – Pas *(chiuso mercoledì)* carta 29/36000 – ⅈ 4000 – **12 cam**
37/61000 – ½ P 40/45000.

Vedere anche : *Lido di Jesolo* S : 4 km.

KALTENBRUNNEN = Fontanefredde.

KALTERN = Caldaro.

KARERPASS = Costalunga (Passo di).

KARERSEE = Carezza al Lago.

KASTELBELL TSCHARS = Castelbello Ciardes.

KASTELRUTH = Castelrotto.

KIENS = Chienes.

KLAUSEN = Chiusa.

KRUEZBERGPASS = Monte Croce di Comelico (Passo).

LABICO 00030 Roma – 2 333 ab. alt. 319 – ۞ 06.
Roma 48 – Frosinone 44.

XXX **La Vecchia Osteria,** via Roma 89 ℰ 9510032, Coperti limitati; prenotare – AE ⑤ ① VISA.
⅞
chiuso domenica sera, lunedì ed agosto – Pas carta 49/65000.

LABRO 02010 Rieti – 312 ab. alt. 628 – ۞ 0746.
Roma 101 – L'Aquila 80 – Rieti 23 – Terni 19.

X **L'Arcolaio,** ℰ 646172, ≤ – ⅞
chiuso lunedì escluso giugno-settembre – Pas carta 22/32000.

LA CALETTA Nuoro – Vedere Sardegna (Siniscola) alla fine dell'elenco alfabetico.

LACCO AMENO Napoli – Vedere Ischia (Isola d').

LACES (LATSCH) 39021 Bolzano 218 ⑲ – 4 106 ab. alt. 639 – ۞ 0473.
Roma 692 – ◆Bolzano 54 – Merano 26 – ◆Milano 352.

🏨 **Matillhof** ⬌, ℰ 623444, ⅃, ⬛, ☞ – ⧫ ▤ rist ☎ ❷. ⅞ rist
15 marzo-15 ottobre – Pas (solo per clienti alloggiati e *chiuso a mezzogiorno*) – **20 cam**
☲ 53/88000 – ½ P 62/70000.

a Morter SO : 3 km – ✉ 39020 :

🏨 **Aquila-Adler** ⬌, ℰ 72038, ⅃, ⬛, ☞, ⅍ – ⧫ ⅍ rist ☏ ❷. VISA. ⅞ rist
← *Natale e marzo-ottobre* – Pas 14/20000 – 50 cam ☲ 34/62000 – P 60000.

LACONI Nuoro 988 ㉝ – Vedere Sardegna alla fine dell'elenco alfabetico.

LADISPOLI 00055 Roma 988 ㉕ – 15 942 ab. – a.s. 15 giugno-agosto – ۞ 06.
Dintorni Cerveteri : necropoli della Banditaccia★★ N : 7 km.
Roma 52 – Civitavecchia 34 – Ostia Antica 43 – Tarquinia 53 – Viterbo 79.

🏠 **Villa Margherita e Rist. Cielo e Mare,** ℰ 9929089, ≤, ☞ – ⧫ ⊛ ❷. AE ⑤ ① ⎗ VISA. ⅞
15 marzo-15 novembre – Pas carta 28/41000 – ☲ 5000 – **79 cam** 56/82000 – P 65/80000,
b.s. 55/65000.

X **Sora Olga,** ℰ 9929088 – ▤. AE ⑤ ① VISA
chiuso mercoledì – Pas carta 24/41000 (12%).

FIAT viale d'Italia 104/110 ℰ 9926758

LAGAZUOI (Monte) Belluno – Vedere Falzarego (Passo).

LAGLIO 22010 Como 219 ⑨ – 900 ab. alt. 202 – ۞ 031.
Roma 638 – Como 13 – ◆Lugano 41 – Menaggio 22 – ◆Milano 61.

XX **San Marino** con cam, via Regina Nuova 64 ℰ 400383, ≤, 🍽 – ⧫ ❷. AE
Pas carta 22/35000 – ☲ 3000 – **10 cam** 37/52000 – P 55/60000.

LAGO Vedere nome proprio del lago.

LAGO MAGGIORE o VERBANO ★★★ Novara, Varese e Cantone Ticino 988 ②③, 219 ⑥⑦⑧⑰
– Vedere Guida Verde.

LAGONEGRO 85042 Potenza 988 ㉘㉙ – 6 309 ab. alt. 666 – ۞ 0973.
Roma 386 – Castrovillari 71 – ◆Napoli 180 – Potenza 100 – Salerno 129 – ◆Taranto 214.

allo svincolo dell'autostrada A 3 N : 3 km :

X **Montesirino** con cam, ✉ 85042 ℰ 21181, 🍽 – ❷
Pas *(chiuso lunedì a mezzogiorno)* carta 18/30000 (10%) – ☲ 6500 – 6 cam 25/34000 – P 65000.

LAGUNDO (ALGUND) 39022 Bolzano 218 ⑩ − 3 724 ab. alt. 400 − a.s. aprile-maggio e 15 luglio-ottobre − 🌼 0473.

🅱 via Vecchia 33/b 🖉 48600.

Roma 667 − ◆Bolzano 30 − Merano 2 − ◆Milano 328.

🏨 **Algunderhof** 🌭, 🖉 48558, ≼, « Giardino con 🔼 riscaldata » − 📳 ☎ 🅿. 🆎 🔄 🛳 VISA
🎋 rist
18 marzo-5 novembre − Pas 40/45000 − **29 cam** 🖙 85/150000 appartamenti 140/180000 −
P 88/100000, b.s. 65/79000.

🏨 **Der Pünthof e Rist. Romerkeller** 🌭, 🖉 48553, ≼, « Giardino-frutteto e laghetto », 🔼,
🎋 − 🗹 ☎ 🕹 🅿. 🎋 cam
15 marzo-10 novembre − Pas *(chiuso a mezzogiorno)* carta 24/31000 − **16 cam** 🖙 82/132000.

🏨 **Ludwigshof** 🌭, 🖉 220355, ≼, « Giardino », 🔄 − 📳 ⇔ ☎ 🕹 🅿. 🎋
marzo-novembre − Pas *(chiuso a mezzogiorno)* − 18 cam (solo ½ P) 70/75000, b.s. 60/65000.

🆇🆇 **Rusterkeller,** 🖉 220202, « Servizio estivo all'aperto » − 🅿. 🔄 ⓪ 🛳 VISA
chiuso lunedì e dal 3 al 10 febbraio − Pas carta 33/52000.

LAIGUEGLIA 17020 Savona 988 ⑫ − 2 593 ab. − Stazione balneare − 🌼 0182.

🅱 via Milano 33 🖉 49059.

Roma 600 − ◆Genova 101 − Imperia 21 − ◆Milano 224 − San Remo 44 − Savona 55.

🏨 **Splendid,** piazza Badarò 🖉 49325, 🔼, 🐜 − 📳 ➔ 🅿. 🆎 ⓪ VISA. 🎋 rist
Pasqua-settembre − Pas 30/35000 − 🖙 10000 − **51 cam** 60/100000 − P 78/95000.

🏨 **Mediterraneo,** via Andrea Doria 18 🖉 49240 − 📳 ➔ 🅿. 🎋 rist
➔ *23 dicembre-26 aprile e 20 maggio-settembre* − Pas 18/20000 − 🖙 7000 − **35 cam** 40/60000 −
P 45/65000.

🆇🆇 **Vascello Fantasma,** via Dante 105 🖉 49847, 🏶 − 🆎 🔄 ⓪ 🛳 VISA
chiuso dal 10 novembre al 10 dicembre e mercoledì da ottobre a maggio − Pas carta 41/62000.

LAIVES (LEIFERS) 39055 Bolzano 218 ⑫ − 13 439 ab. alt. 257 − 🌼 0471.

Roma 634 − ◆Bolzano 8 − ◆Milano 291 − Trento 52.

🏨 **Al Moro-Zum Mohren,** 🖉 954523 − 📳 ▤ rist ☎ 🅿. 🎋
➔ *chiuso dal 15 gennaio al 15 febbraio* − Pas *(chiuso martedì)* carta 17/24000 − 🖙 5000 −
34 cam 28/40000 − P 42/45000.

MICHELIN, via B. Franklin 9, 🖉 954031.

FIAT via San Giacomo 260 🖉 941432

LA MAGDELEINE Aosta 219 ③ − 98 ab. alt. 1 640 − ✉ 11020 Antey Saint André − a.s. febbraio,
Pasqua, 15 luglio-agosto e Natale − 🌼 0166.

Roma 738 − Aosta 41 − Breuil-Cervinia 28 − ◆Milano 174 − ◆Torino 103.

🏨 **Miravidi** 🌭, 🖉 48259, ≼ vallata − 🅿. VISA. 🎋 rist
chiuso dal 15 aprile al 15 maggio e novembre − Pas *(chiuso mercoledì)* carta 22/39000 − 🖙
6000 − **24 cam** 27/40000 − P 40/50000, b.s. 36/43000.

LAMBRUGO 22045 Como 219 ⑨ − 1 965 ab. alt. 295 − 🌼 031.

Roma 616 − ◆Bergamo 42 − Como 16 − Lecco 22 − ◆Milano 42.

🆇 **Al Rustico,** 🖉 608125, 🏶, prenotare − 🅿
chiuso domenica sera, lunedì ed agosto − Pas carta 26/44000.

LAMEZIA TERME 88046 Catanzaro − 68 141 ab. alt. 210 (frazione Nicastro) − 🌼 0968.

✈ a Sant'Eufemia Lamezia 🖉 53082.

Roma 580 − Catanzaro 44 − ◆Cosenza 73.

a Nicastro − ✉ 88046 :

🏨 **Savant** senza rist, via Manfredi 8 🖉 26161 − 📳 ▤ ➔ 🚗
🖙 5000 − **40 cam** 55/76000.

a Sant'Eufemia Lamezia S : 8,3 km − ✉ 88040 :

🏨 **Aerhotel,** 🖉 51612 − ▤ 🗹 ☎ 🅿. 🆎 🔄 ⓪ VISA. 🎋
Pas carta 20/36000 (15%) − 16 cam 🖙 45/65000 − P 55/60000.

ALFA-ROMEO statale dei Due Mari 🖉 53096
FIAT via della Vittoria 🖉 27821
INNOCENTI via Marconi-II Traversa 🖉 26346
LANCIA-AUTOBIANCHI via del Progresso 33/39
🖉 23981

PEUGEOT-TALBOT via Turati 16 🖉 22504
RENAULT via Piave 28/30 🖉 25843
VW-AUDI a Nicastro, viale Marconi 🖉 22844

LA MORRA 12064 Cuneo − 2 353 ab. alt. 513 − 🌼 0173.

Roma 631 − Asti 45 − Cuneo 56 − ◆Milano 171 − ◆Torino 63.

🆇 Bel Sit, via Alba 17 bis 🖉 50350, solo su prenotazione − 🅿.

LAMPEDUSA (Isola di) Agrigento − Vedere Sicilia alla fine dell'elenco alfabetico.

LANA Bolzano 988 ④, 218 ⓐ – 8 309 ab. alt. 289 – ⊠ 39011 Lana d'Adige – a.s. aprile-maggio e 15 luglio-ottobre – Sport invernali : a San Vigilio : 1 485/1 820 m ≤1 ≤4, ≤ – ✿ 0473.

🛮 via Andreas Hofer 7/b ✗ 51770 – Roma 661 – ◆Bolzano 24 – Merano 9 – ◆Milano 322 – Trento 82.

🏨 Pöder, ✗ 51258, ☞, « Giardino con ⅃ », ⬛ – ⬛ ☎ ⬅ ⓟ – 45 cam.

🏨 **Teiss-Cavallino Bianco,** ✗ 51101, Fax 53655, « Servizio rist. estivo all'aperto », ⅃, ☞ – ⬛ ▤ rist ☎ ⓟ – 🏖 30. 🖭
23 marzo-ottobre – Pas (marzo-novembre; chiuso mercoledì) carta 24/36000 – **35 cam** ⊒ 80/130000 – P 70/95000, b.s. 65/88000.

🏨 **Eichhof** ⬲, ✗ 51196, « Giardino ombreggiato con ⅃ », ⬛, ⸞ – ☞ ⓟ. 🖭 VISA. ⸞ rist
aprile-15 novembre – Pas (solo per clienti alloggiati) 20/30000 – **21 cam** ⊒ 45/86000 – P 70/80000, b.s. 67/75000.

🏨 **Villa Arnica** ⬲ senza rist, ✗ 51260, « Giardino con ⅃ » – ⬛ ☎ ⓟ. ⸞
aprile-ottobre – **13 cam** ⊒ 60/100000.

🏠 **Rebgut** ⬲ senza rist, ✗ 51430, ⅃ riscaldata, ☞ – ☞ ⓟ. 🖭 VISA. ⸞
marzo-ottobre – **12 cam** ⊒ 50/91000.

a San Vigilio (Vigiljoch) NO : 5 mn di funivia – alt. 1 485 – ⊠ 39011 Lana d'Adige – a.s. 15 febbraio-marzo, luglio-settembre e Natale :

🏠 **Monte San Vigilio-Berghotel Vigiljoch** ⬲, ✗ 51236, ≤ vallata e Dolomiti, ☞, ⅃ riscaldata, ☞ – ⬲. ⸞ rist
chiuso novembre – Pas carta 20/29000 – **40 cam** ⊒ 42/75000 – P 75000, b.s. 54000.

a Foiana (Völlan) SO : 5 km – alt. 696 – ⊠ 39011 Lana d'Adige :

🏨 **Völlanerhof** ⬲, ✗ 58033, ≤, ⅃, ⬛, ☞, ⸞ – ⬛ ☎ ⬩ ⓟ. ⸞
15 marzo-novembre – Pas (solo per clienti alloggiati) – **40 cam** ⊒ 70/125000 appartamenti 135000 – P 80/120000, b.s. 75/110000.

🏨 **Waldhof** ⬲, ✗ 58081, ≤ monti, « Parco », ⬛, ⸞ – ⬛ rist ☎ ⓟ. ⸞
aprile-11 novembre – Pas (solo per clienti alloggiati) – **28 cam** ⊒ 89/194000 – P 91/120000, b.s. 88/113000.

FIAT zona Industriale ✗ 44044

LANCIANO 66034 Chieti 988 ㉗ – 34 360 ab. alt. 283 – a.s. 15 giugno-agosto – ✿ 0872.
Roma 199 – Chieti 48 – Isernia 113 – ◆Napoli 213 – ◆Pescara 40 – Termoli 73.

🏨 **Excelsior,** viale della Rimembranza 19 ✗ 23113 – ⬛ ▤ 📺 ☞ ⬅ – 🏖 25 a 100. 🖭 ⬭ ⓪ VISA ⸞ rist
Pas (chiuso venerdì) 30/40000 – ⊒ 10000 – **80 cam** 50/70000 appartamenti 130000, ▤ 5000 – P 70000.

🏨 **Anxanum** senza rist, via San Francesco d'Assisi 8/10 ✗ 39042, ⅃ – ⬛ 📺 ☞ ⬩ ⓟ – 🏖 80. 🖭 ⬭ ⓪ VISA
⊒ 8000 – **42 cam** 45/65000.

✗ **Taverna,** via De Crecchio 42 ✗ 32102 – 🖭 ⬭ ⓪ ⬰ VISA ⸞
chiuso lunedì – Pas carta 25/36000.

✗ **La Ruota,** via per Fossacesia 62 ✗ 44590 – VISA
chiuso domenica – Pas carta 24/45000.

ALFA-ROMEO largo del Mancino 9/11 ✗ 40087
BMW via del Mare 106/108 ✗ 35446
CITROEN via Ovidio 42/56 ✗ 45041
FIAT via Panoramica 13 ✗ 25150
FIAT via Marcianise 61 ✗ 43625
INNOCENTI largo Santa Chiara 2 ✗ 27157

LANCIA-AUTOBIANCHI a Villa Martelli 53 ✗ 40049
PEUGEOT-TALBOT via per Fossacesia 121/133 ✗ 44600
RENAULT via Gaeta 39/41 ✗ 49901
VOLVO via Del Verde 46 ✗ 45045

LANZO D'INTELVI 22024 Como 219 ⑧ – 1 406 ab. alt. 907 – Stazione di villeggiatura – ✿ 031.
Dintorni Belvedere di Sighignola★★★ : ≤ sul lago di Lugano e le Alpi SO : 6 km.
🔞 (maggio-settembre; chiuso lunedì escluso agosto) ✗ 840169, E : 1 km.
🛮 piazza Novi ✗ 840143 – Roma 653 – Argegno 15 – Como 35 – Menaggio 30 – ◆Milano 83.

🏨 **Milano,** ✗ 840119, ☞ – ⬛ ☎ ⓟ. ⸞
chiuso novembre – Pas (chiuso mercoledì) 22/25000 – ⊒ 7000 – 28 cam 45/70000 – P 60/70000.

🏨 **Belvedere** ⬲, N : 1,2 km ✗ 840122, ≤, ☞ – ⬛ ☞ ⬅ ⓟ. 🖭 ⬭ ⬰ VISA ⸞
chiuso novembre – Pas (chiuso lunedì da settembre a maggio) 26/30000 – ⊒ 8500 – **36 cam** 61/89000 – P 80000.

✗✗ **Funicolare Miralago** ⬲ con cam, N : 1,5 km ✗ 840212, ≤ lago di Lugano e monti, ☞ – ⓟ. VISA
chiuso novembre – Pas (chiuso mercoledì da settembre a maggio) carta 29/43000 (10%) – **21 cam** ⊒ 35/65000 – P 55/58000.

a Scaria E : 2,5 km – ⊠ 22020 :

🏠 **Altavalle,** ✗ 840414, ≤ – ☞ ⓟ. 🖭 ⬭ ⬰ VISA
chiuso novembre – Pas (chiuso mercoledì dal 15 settembre al 15 giugno) carta 23/35000 – ⊒ 5000 – **14 cam** 30/50000 – P 45/50000.

LA PILA Livorno – Vedere Elba (Isola d') : Marina di Campo.

LA QUERCIA Viterbo – Vedere Viterbo.

L'AQUILA 67100 🅿 🆀🆀🆀 ㉖ – 66 772 ab. alt. 721 – ✪ 0862.

Vedere Basilica di San Bernardino★★ Y – Castello★ Y : museo Nazionale d'Abruzzo★★ – Basilica di Santa Maria di Collemaggio★ Z : facciata★★ – Fontana delle 99 cannelle★ Z.

Escursioni Massiccio degli Abruzzi★★★.

🅱 piazza Santa Maria di Paganica 5 𝄞 25149 – via 20 Settembre 8 𝄞 22306.

A.C.I. via delle Bone Novelle 6 𝄞 26028.

Roma 119 ① – ◆Napoli 242 ① – ◆Pescara 105 ② – Terni 94 ①.

🏨🏨 Duca degli Abruzzi e Rist. Il Tetto, viale Giovanni XXIII n° 10 𝄞 28341, « Rist. panoramico » – ▐🖂▐ rist ☎ ⇌ 🅿   Y e
85 cam.

🏨🏨 **Gd H. del Parco,** corso Federico II n° 74 𝄞 20248 – ▐📺☎🅿 🕰 ⑤ ⑩ ☰ 𝘝𝘐𝘚𝘈   Z c
Pas vedere rist La Grotta di Aligi – ⊠ 9000 – **36 cam** 70/100000 – P 112/132000.

🏨🏨 **Le Cannelle,** via Tancredi da Pentina 2 𝄞 6981, Telex 600120, Fax 698788, ◣, ⚑ – ▐ ☎ 🅿   Y v
– 🔏 25 a 200. ⑤. ⚑ rist
Pas carta 28/40000 – **115 cam** ⊡ 63/94000 – P.90/120000.

🏨 **Castello** senza rist, piazza Battaglione Alpini 𝄞 29147 – ▐ ⊚ ⇌ ⚑   Y n
⊡ 9000 – **44 cam** 56/72000.

✗✗ **Tre Marie,** via Tre Marie 3 𝄞 20191, « Caratteristico stile abruzzese »   Z b
chiuso domenica sera, lunedì, Natale e 31 dicembre – Pas carta 33/42000 (15%).

✗✗ **La Grotta di Aligi,** viale Rendina 2 𝄞 65260 – ⇌. 🕰 ⑤ ⑩ ☰. ⚑   Z c
chiuso lunedì – Pas carta 31/63000.

✗ **Aquila-da Remo,** via San Flaviano 9 𝄞 22010   Z a
chiuso sabato e dal 24 dicembre al 2 gennaio – Pas carta 25/36000 (12%).

✗ **Renato,** via Indipendenza 9 𝄞 25596   Z s
chiuso domenica e dal 1° al 15 luglio – Pas carta 20/32000.

   a Coppito per ① : 6 km – ⊠ **67010** :

✗   **Le Salette Aquilane,** ℰ 311445 – ⅏. ℛ
   chiuso domenica sera, lunedì e luglio – Pas carta 22/35000 (15%).

   verso Preturo per ① : 9 km :

✗✗ **Cervo Bianco,** ⊠ 67100 ℰ 461091 – ⛬ ℗ ⅏. ℛ
   chiuso lunedì – Pas carta 25/36000.

   a San Vittorino per ① : 10 km – ⊠ **67010** :

✗   **Il Vecchio Mulino,** strada statale ℰ 609036 – ⛬ ℗. ℛ
   chiuso domenica sera, lunedì e dal 20 luglio al 10 agosto – Pas carta 30/40000.

ALFA-ROMEO statale 80-località Casermetta per ① ℰ 315500
BMW statale 17-zona Industriale ℰ 670295
CITROEN via Beato Cesidio 25 ℰ 410073
FIAT viale Corrado IV n° 2 ℰ 28360
FORD via Tradardi ℰ 316201

INNOCENTI statale 17 bivio Pile per ① ℰ 315451
LANCIA-AUTOBIANCHI fuori Porta Roma ℰ 25052
MERCEDES-BENZ statale 17 al km 30 ℰ 314683
PEUGEOT-TALBOT statale 17 al km 31 ℰ 314200
VW-AUDI via Salaria Antica Est ℰ 315705
VOLVO statale 17 bivio Pile ℰ 315451

LARI 56035 Pisa – 7 592 ab. alt. 129 – ✪ 0587.
Roma 335 – ♦Firenze 75 – ♦Livorno 33 – Pisa 36 – Pistoia 59 – Siena 98.

   a Quattro Strade di Lavaiano NO : 6 km :

✗✗ **Lido** con cam, ⊠ 56030 Perignano ℰ 616020 – 📺 ☎ ℗ – ⚤ 80. 𝘝𝘐𝘚𝘈. ℛ cam
   chiuso dal 1° al 20 agosto – Pas *(chiuso lunedì sera e martedì)* carta 22/35000 – 🛏 6000 –
   6 cam 45/75000.

   a Lavaiano NO : 9 km – ⊠ **56030** :

✗   **Castero,** ℰ 616121, « Giardino » – ⛬ ℗
   chiuso domenica sera e lunedì – Pas carta 24/34000.

LARINO 86035 Campobasso ⑼⑻⑻ ㉗ – 8 220 ab. alt. 310 – ✪ 0874.
Roma 275 – Campobasso 54 – ♦Foggia 84 – ♦Pescara 116.

🏨 **Park Hotel Campitelli 2,** via San Benedetto 1 ℰ 823541, ≼, ⊐ riscaldata – 🛗 ▤ 📺 ☎
   ⟺ ℗ – ⚤ 150. ⑩. ℛ
   Pas carta 20/28000 – 🛏 5000 – 52 cam 40/65000 – P 60000.

LARIO Vedere Como (Lago di).

LA SALLE 11015 Aosta ⑵⑴⑼ ①, ⑺⑷ ⑱ – 1 528 ab. alt. 1 001 – a.s. luglio-agosto e Natale – ✪ 0165.
Roma 776 – Aosta 30 – ♦Milano 214 – Morgex 3.

🏨 **Derby,** strada statale 26 (S : 2 km) ℰ 850037, ≼, 🚗 – 🛗 ⟺ ℗. 🅢 𝘝𝘐𝘚𝘈
   Pas *(chiuso giovedì)* carta 27/52000 – 🛏 4000 – 30 cam 30/50000 – P 55000, b.s. 50000.

LA SPEZIA 19100 ℗ ⑼⑻⑻ ⑬ – 107 435 ab. – ✪ 0187.
Escursioni Riviera di Levante ★★★ NO.
🎣 Marigola (chiuso mercoledì), a Lerici ⊠ 19032 ℰ 970193 per ③ : 6 km.
🏢 via Mazzini 47 ℰ 36000.
A.C.I. via Costantini 18 ℰ 511098.
Roma 418 ② – ♦Firenze 144 ② – ♦Genova 103 ② – ♦Livorno 94 ② – ♦Milano 220 ② – ♦Parma 115 ②.

Pianta pagina a lato

🏨🏨 **Jolly,** via 20 Settembre 2 ℰ 27200, Telex 281047, ≼ – 🛗 ▤ 📺 ☎ – ⚤ 130. ⅏ 🅢 ⑩ ⋿ 𝘝𝘐𝘚𝘈.   B **b**
   ℛ rist
   Pas 40000 – **110 cam** 🛏 120/185000.

🏨🏨 **Hotel G.** senza rist, via Tino 62 ℰ 504141, Telex 273888 – 🛗 📺 ☎ ⅋ ⟺ ℗. ⅏ 🅢 ⑩
   ⋿ 𝘝𝘐𝘚𝘈   per ③
   49 cam 🛏 85/125000 appartamenti 225000.

🏨 **Astoria** senza rist, via Roma 139 ℰ 35122, Fax 24332 – 🛗 📺 ☎. ⅏ 🅢 ⑩ ⋿ 𝘝𝘐𝘚𝘈   A **f**
   🛏 10000 – **51 cam** 52/78000.

🏨 **Genova** senza rist, via Fratelli Rosselli 84 ℰ 30372 – 🛗 📺 ☎. ⅏ 🅢 ⑩ ⋿ 𝘝𝘐𝘚𝘈   A **d**
   🛏 7000 – **29 cam** 49/78000.

🏠 **Mary,** via Fiume 177 ℰ 37270 – 🛗 ☎. ⅏ 🅢 ⋿ 𝘝𝘐𝘚𝘈. ℛ rist   A **a**
⟻   Pas *(chiuso domenica)* 18/25000 – 🛏 4000 – **37 cam** 50/71000 – P 70/80000.

🏠 **Diana,** senza rist, via Colombo 30 ℰ 25120 – 🖨   A **u**
   19 cam.

LA SPEZIA

Cavour (Corso e Piazza) ...... AB
Chiodo (Pza e Via Domenico) . B 8
Prione (Via del) .... AB

Battisti (Piazza Cesare) .... B 2

Beverini (Piazza G.) .... A 3
Brin (Piazza Benedetto) .... A 4
Caduti del Lavoro (Piazzale) ... A 6
Colli (Via dei) .... AB 9
Da Passano (Via) .... B 10
Europa (Piazza) .... B 12
Fieschi (Viale Nicolò) .... A 14
Manzoni (Via) .... B 15

Milano (Via) .... A 16
Mille (Via dei) .... A 17
Napoli (Via) .... A 18
Rosselli (Via Flli) .... A 20
Spallanzani (Via e Salita) ..... A 22
Verdi (Pza Giuseppe) .... B 23
20 Settembre (Via) .... AB 24
27 Marzo (Via) .... AB 26

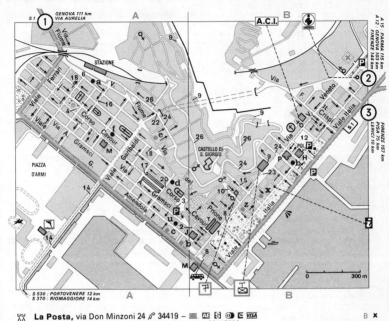

XX **La Posta,** via Don Minzoni 24 ℰ 34419 – ▤. 🆎 🔐 ① 🅴 𝑉𝐼𝑆𝐴   B **x**
  chiuso sabato, domenica ed agosto – Pas carta 32/45000.

XX **La Locandina,** via Sapri 10 ℰ 27499 – 🆎. 🕉   A **b**
  chiuso lunedì ed agosto – Pas carta 40/60000.

XX **Da Dino,** via Da Passano 19 ℰ 21360 – 🆎 🔐. 🕉   B **z**
  chiuso domenica sera, lunedì e dal 25 giugno al 10 luglio – Pas carta 21/38000.

X **Rossetto,** via dei Colli 105 ℰ 31121, 🔆 – 🕉   per ①
  chiuso martedì, gennaio e febbraio – Pas carta 21/33000.

X **Da Sandro,** via del Prione 268 ℰ 37203 – 🆎 🔐 ① 🅴 𝑉𝐼𝑆𝐴. 🕉   A **e**
  chiuso giovedì e dal 25 giugno al 10 luglio – Pas carta 22/31000.

X **La Nuova Spezia,** viale Amendola 54 ℰ 24223, 🔆 – 🕉   A **c**
  chiuso martedì e giugno – Pas carta 24/32000.

Vedere anche : **Campiglia** SO : 9 km per S 530.
                Lerici SE : 10 km per ③.
                Portovenere S : 12 km per S 530.
                Riomaggiore O : 14 km per S 370.

ALFA-ROMEO viale San Bartolomeo 231 per ③ ℰ 508355
BMW via Privata Otto 6 ℰ 503437
FIAT viale San Bartolomeo ang. via Valdilocchi per ③ ℰ 507030
FIAT corso Nazionale 592 per ③ ℰ 509755
FORD via della Concia 26 ℰ 501324
GM-OPEL via delle Pianazze 152/156 ℰ 980384

INNOCENTI piazza Caduti per la Libertà 6 ℰ 25386
LANCIA-AUTOBIANCHI via Locchi 1 per ② ℰ 502371
PEUGEOT-TALBOT viale San Bartolomeo 231 ℰ 508355
RENAULT via Lunigiana 367 ℰ 505163
VW-AUDI statale per Lerici ℰ 971391
VOLVO via Doria 94 ℰ 502144

LASTRA A SIGNA 50055 Firenze 𝟿𝟾𝟾 ⑭ – 16 969 ab. alt. 36 – 🕿 055.
Roma 283 – ◆Bologna 108 – ◆Firenze 13 – ◆Livorno 79 – Lucca 63 – Pisa 69 – Pistoia 29 – Siena 74.

X Antica Trattoria Sanesi, via Arione 33 ℰ 8720234 – ▤.

Les prix   Pour toutes précisions sur les prix indiqués dans ce guide,
reportez-vous aux pages de l'introduction.

291

LA THUILE 11016 Aosta 988 ①, 219 ①, 74 ⑱ – 728 ab. alt. 1 441 – Stazione di villeggiatura, a.s. febbraio-15 marzo, Pasqua, 15 luglio-agosto e Natale – Sport invernali : 1 441/2 611 m ≤1 ≤13, 全 – ☺ 0165.

🛈 via Collomb ✆ 884179.

Roma 789 – Aosta 42 – Courmayeur 15 – ♦Milano 227 – Colle del Piccolo San Bernardo 13.

🏩 **Planibel Hotel,** ✆ 884541, Telex 215016, Fax 884535, ≤, ⬜ – 🛗 🔽 ☎ ᵫ ⟵ 🅿 – 🚗 60 a 120. 🖭 🕃 ⓞ 🛢 𝘝𝘐𝘚𝘈, 🛠 rist
23 dicembre-2 aprile – Pas 55000 – ⌑ 21000 – **254 cam** 130/200000 appartamento 220/330000 – P 130/220000, b.s. 105/125000.

🏠 **Kristal,** ✆ 884117, ≤, ⇌ – ⬚ ⟵ 🅿, 🛠
20 dicembre-15 aprile e luglio-10 settembre – Pas *(chiuso mercoledì)* 21/30000 – ⌑ 8000 – **23 cam** 50/75000 – P 55/80000, b.s. 50/65000.

🏠 **Martinet** 🗱 senza rist, ✆ 884656, ≤ – ⬚ ⟵, 🛠
chiuso maggio – ⌑ 5000 – **10 cam** 35/50000.

LATINA 04100 🅿 988 ㉘ – 99 509 ab. alt. 21 – ☺ 0773.

🛈 via Duca del Mare 19 ✆ 498711, Telex 680077.

A.C.I. via Aurelio Saffi 23 ✆ 497701.

Roma 70 – ♦Napoli 164.

🏩 **De la Ville,** via Canova 12 ✆ 498921, ⇌ – 🛗 ☰ 🔽 ☎ ⟵ – 🚗 50. 🖭 🕃 ⓞ 🛢 𝘝𝘐𝘚𝘈, 🛠
Pas carta 35/45000 – **68 cam** ⌑ 80/100000 – P 130000.

ℝℝℝ **Enoteca dell'Orologio,** piazza del Popolo 20 ✆ 40654, Coperti limitati; prenotare – 🖭 🕃 ⓞ 𝘝𝘐𝘚𝘈, 🛠
chiuso domenica – Pas carta 35/53000 (10%).

ℝℝ **Fioretto-di Nilo e Nora,** via dell'Agora 81 ✆ 495273, 🍴 – ☰ 🅿.

ℝ **Impero,** piazza della Libertà 19 ✆ 493140, 🍴 – 🛠
chiuso sabato e dal 14 al 31 agosto – Pas carta 18/27000 (15%).

al Lido di Latina S : 9 km – ✉ 04010 Borgo Sabotino :

🏠 **Miramare,** a Capo Portiere ✆ 273470, ≤, 🛱 – ⬚ ⟵ 🅿. 🖭 🕃 ⓞ 🛢, 🛠
Pas *(chiuso da novembre a Pasqua)* carta 30/42000 – ⌑ 8000 – **25 cam** 50/75000 – P 70/80000.

ℝℝ **La Risacca,** a Foce Verde ✆ 273223, ≤ – ☰ 🅿. 🖭 ⓞ, 🛠
chiuso giovedì e novembre – Pas carta 24/40000 (10%).

ALFA-ROMEO via Piave al km 69 ✆ 44289	LANCIA-AUTOBIANCHI via Romagnoli 64/72 ✆ 487306
ALFA-ROMEO via Epitaffio ✆ 478426	
BMW traversa via Epitaffio già 314 ✆ 491891	LANCIA-AUTOBIANCHI via Epitaffio 6 ✆ 489077
CITROEN via Isonzo 221 ✆ 489444	MASERATI via Morosini 129 ✆ 478426
FIAT borgo Piave 69 ✆ 497325	MERCEDES-BENZ sulla statale 148 n° 41 ✆ 241766
FIAT via dei Monti Lepini ✆ 242321	PEUGEOT-TALBOT via Oslavia 38/40 ✆ 40214
FIAT via Epitaffio ✆ 479478	RENAULT via Piave al km 68 ✆ 498601
FORD via Aurelio Saffi 14 ✆ 42232	VW-AUDI via Isonzo 267 ✆ 241947
GM-OPEL via Piave al Km 68 ✆ 497771	VOLVO via Epitaffio al km 2 ✆ 499605

LATISANA 33053 Udine 988 ⑤⑥ – 10 826 ab. alt. 9 – a.s. luglio e agosto – ☺ 0431.

Roma 598 – Gorizia 60 – ♦Milano 337 – Portogruaro 14 – ♦Trieste 80 – Udine 49 – ♦Venezia 87.

🏠 **Bella Venezia** 🗱, via Giovanni XXIII ✆ 59647, 🍴, ⇌ – 🛗 ⬚ 🅿 – 🚗 100. 🖭 ⓞ 𝘝𝘐𝘚𝘈
chiuso dal 27 dicembre al 10 gennaio – Pas carta 26/41000 – ⌑ 8500 – **22 cam** 50/82000 – P 86000.

LANCIA-AUTOBIANCHI via Marconi 54 ✆ 50141

LATSCH = Laces.

LAURIA Potenza 988 ㉛ – 13 771 ab. alt. 430 – ☺ 0973.

Roma 406 – ♦Cosenza 126 – ♦Napoli 199 – Potenza 128.

a Lauria Superiore – ✉ 85045 :

🏠 **Santa Rosa,** ✆ 822113 – 🛗 🔽 ⬚ ⟵ 🅿. 🖭 🕃 𝘝𝘐𝘚𝘈, 🛠
➡ Pas carta 18/26000 – ⌑ 5000 – **35 cam** 26/40000 – P 50/58000.

a Lauria Inferiore – ✉ 85044 :

🏩 **Isola di Lauria** 🗱, ✆ 823905, ≤, ℝ – 🛗 ☰ 🔽 ☎ 🅿 – 🚗 150. 🖭 🕃 ⓞ 𝘝𝘐𝘚𝘈, 🛠
Pas carta 20/31000 (10%) – ⌑ 3500 – **34 cam** 34/52000 appartamento 90000 – P 82000.

a Pecorone N : 5 km – ✉ 85040 :

ℝ **Da Giovanni,** ✆ 821003 – 🅿. 🛠
➡ *chiuso lunedì da ottobre a maggio* – Pas carta 15/22000.

FIAT via Scotellaro 105 ✆ 823466

LAUZACCO Udine – Vedere Pavia di Udine.

LAVAGNA 16033 Genova 🄈🄈🄈 ⑬ – 13 361 ab. – Stazione balneare – ✆ 0185.

🄴 piazza della Libertà 40 ☎ 392797.

Roma 464 – ◆Genova 41 – ◆Milano 176 – Rapallo 17 – ◆La Spezia 66.

🏨 **Admiral,** via dei Devoto 89 ☎ 306072, ≼, ⌂ – 🛗 ☎. ⚗
    Pasqua-ottobre – Pas *(chiuso sino a giugno e dal 15 settembre ad ottobre)* 25000 – ☲ 8000 –
    22 cam 58000 – P 57/69000.

🏠 **Tigullio,** via Matteotti 3 ☎ 392965 – 🛗 ☎. ⚗ rist
    aprile-ottobre – Pas *(chiuso lunedì)* 20/29000 – ☲ 4500 – 40 cam 33/62000 – P 55/62000.

XX **Il Gabbiano,** via San Benedetto 26 (E : 1,5 km) ☎ 390229, Coperti limitati; prenotare, « Servizio estivo in terrazza panoramica » – ☻. 🄰🄴 🛙 ⓞ 🄴 *VISA*. ⚗
    chiuso lunedì, dal 6 al 16 febbraio e dal 6 novembre al 6 dicembre – Pas carta 46/81000.

XX **Il Bucaniere,** via 24 Aprile 69 ☎ 392830 – 🄰🄴 🛙 ⓞ 🄴 *VISA*. ⚗
    chiuso mercoledì e dal 10 gennaio al 10 febbraio – Pas carta 30/55000 (10%).

    a Cavi SE : 3 km – ✉ **16030** :

🏨 **Tirreno,** via Como 41 ☎ 390411 – 🛗 ⇦ ☻. 🛙. ⚗ rist
    giugno-15 settembre – Pas carta 26/38000 – ☲ 7000 – **57 cam** 48/83000 – P 55/67000.

🏠 **La Scogliera** senza rist, via del Cigno 4 ☎ 390072, ≼ – ☻ ☻
    giugno-15 settembre – ☲ 5000 – **21 cam** 36/60000.

XX **A Cantinn-a,** via Torrente Barassi 8 ☎ 390394 – ☻
    chiuso martedì, dal 15 al 28 febbraio e novembre – Pas carta 30/45000.

X **Raieû,** via Milite Ignoto 23 ☎ 390145
    chiuso lunedì e novembre – Pas carta 29/48000.

X **Cigno,** via del Cigno ☎ 390026, ≼
    aprile-settembre; chiuso martedì – Pas carta 26/43000.

X **A Supressa,** via Aurelia 1028 ☎ 390318, Coperti limitati; prenotare
    chiuso martedì sera, mercoledì, agosto e dal 15 dicembre al 15 gennaio – Pas 25/35000.

CITROEN via Rezza 24 ☎ 311936
GM-OPEL via Moggia 79 ☎ 306520

INNOCENTI via Ponte della Maddalena 6/a ☎ 305546

LAVAIANO Pisa – Vedere Lari.

LAVARIANO 33050 Udine – alt. 49 – ✆ 0432.

Roma 615 – ◆Trieste 82 – Udine 14 – ◆Venezia 119.

X **Blasut,** ☎ 767017, 🎪, Coperti limitati; prenotare – ⓞ
    chiuso lunedì e dal 1° al 20 agosto – Pas carta 33/50000.

LAVARONE 38046 Trento 🄈🄈🄈 ④ – 1 113 ab. alt. 1 172 – Stazione di villeggiatura, a.s. Pasqua e Natale – Sport invernali : 1 172/1 555 m ≤7, ⚐ – ✆ 0464.

🄴 a Gionghi, palazzo Comunale ☎ 73226. Telex 401499.

Roma 592 – ◆Milano 245 – Rovereto 29 – Trento 28 – Treviso 115 – ◆Verona 104 – Vicenza 64.

🏨 **Villa Maria,** a Chiesa ☎ 73230, ≼ – 🛗 ▤ rist ☻ ☻. 🄰🄴 🄴. ⚗
    20 dicembre-10 marzo e 20 giugno-10 settembre – Pas 28/35000 – ☲ 9000 – 37 cam 35/70000
    – P 60/65000, b.s. 52000.

🏠 **Capriolo** 🦌, a Bertoldi ☎ 73187, ≼, 🎪 – 🛗 ☎ ☻. ⚗
    chiuso dal 10 aprile al 1° giugno e dal 20 settembre al 20 dicembre – Pas *(chiuso giovedì)*
    carta 20/28000 – ☲ 5000 – **27 cam** 32/60000 – P 60/70000, b.s. 45/55000.

🏠 **Monteverde,** a Gionghi ☎ 73174, ≼, 🎪 – 🛗 ☻. ⚗
◄– Pas carta 18/27000 – ☲ 4000 – **29 cam** 32/60000 – P 50/60000, b.s. 38/50000.

🏠 **Esperia,** a Chiesa ☎ 73124 – 🄴. ⚗ rist
◄– Pas *(chiuso martedì)* carta 15/24000 – ☲ 5000 – 18 cam 25/45000 – P 48000, b.s. 40000.

LAVELLO 85024 Potenza 🄈🄈🄈 ㉘ – 13 194 ab. alt. 313 – ✆ 0972.

Roma 359 – ◆Bari 107 – ◆Foggia 68 – ◆Napoli 166 – Potenza 77.

🏨 **San Barbato,** SO : 1,5 km ☎ 81392, ⌂, 🎪, X – 🛗▤ 📺 ☎ ☻ – 🏊 100. ⚗
◄– Pas *(chiuso venerdì e dal 23 dicembre al 6 gennaio)* carta 19/28000 – ☲ 4000 – **34 cam**
    49/60000.

LAVENA-PONTE TRESA 21037 Varese 🄈🄈🄈 ⑧ – 5 243 ab. alt. 271 – ✆ 0332.

Roma 654 – Bellinzona 37 – ◆Bern 270 – ◆Lugano 11 – Luino 12 – ◆Milano 77 – Varese 21.

🏠 **Du Lac,** ☎ 550308, ≼, 🎪, 🎪 – ▤ rist ☻ ☻ 🄰🄴 🛙 ⓞ 🄴. ⚗ rist
    Pas *(chiuso lunedì da ottobre a marzo)* carta 24/42000 – ☲ 5000 – **22 cam** 38/56000 – P 50000.

     Per escursioni a nord della Lombardia e nella Valle d'Aosta
       utilizzate la **carta stradale** n. 🄈🄈🄈 in scala 1/200 000.

LAVENO MOMBELLO 21014 Varese 🔢 ②③, 🔢 ⑦ – 8 840 ab. alt. 200 – ☎ 0332.

Vedere Sasso del Ferro★★ per cabinovia.

⛴ per Verbania-Intra giornalieri (20 mn) – Navigazione Lago Maggiore, ☎ 667128.

Roma 654 – Bellinzona 56 – Como 49 – ◆Lugano 39 – ◆Milano 77 – Novara 69 – Varese 22.

🏨 **Moderno** senza rist, ☎ 668373 – 🛗 ☎. 𝘝𝘐𝘚𝘈
15 marzo-15 ottobre – 🖙 7000 – **14 cam** 51/69000.

🗶 **Locanda Concordia,** ☎ 667380 – ◩ 🅱 ⓪
chiuso lunedì e dal 15 gennaio al 15 febbraio – Pas carta 23/45000.

🗶 **Lo Scoiattolo,** località Monteggia N : 3 km ☎ 668253, « Servizio estivo in terrazza con ◄ lago e monti » – ◩ 🅱. 🥗
chiuso lunedì e dal 7 gennaio al 2 febbraio – Pas carta 26/48000.

sulla strada statale 629 O : 1,5 km :

🗶🗶 **Bellevue** 🌭 con cam, 🖂 21014 ☎ 667257, ◄ lago – ☎ 🅿. ◩ 🅱 ⓪ ∈ 𝘝𝘐𝘚𝘈. 🥗
Pas *(chiuso dal 23 gennaio al 5 febbraio e mercoledì da novembre a marzo)* carta 30/50000 – 🖙 8000 – **10 cam** 50/70000 – P 90/100000.

LA VILLA (STERN) Bolzano 🔢 ⑤ – Vedere Badia.

LAVINIO LIDO DI ENEA Roma 🔢 ㉖ – Vedere Anzio.

LAVORGO 🔢 ⑮, 🔢 ⑫ – Vedere Cantone Ticino alla fine dell'elenco alfabetico.

LAZISE 37017 Verona 🔢 ④ – 5 541 ab. alt. 76 – Stazione climatica – ☎ 045.

🛈 via Francesco Fontana ☎ 7580114.

Roma 521 – ◆Brescia 54 – Mantova 60 – ◆Milano 141 – Trento 92 – ◆Venezia 146 – ◆Verona 23.

🏨 **Lazise** senza rist, ☎ 7580075, 🏊, 🥗 – 🛗 🖥 ☎ 🚗 🅿. 🥗
marzo-ottobre – 🖙 12000 – **47 cam** 55/77000.

🏨 **Benacus,** senza rist, ☎ 7580124 – 🛗 ☎ 🅿
stagionale – **26 cam**.

🏨 **Le Mura** senza rist, ☎ 7580189 – ☎ 🅿
marzo-ottobre – **16 cam** 🖙 48/74000.

🗶🗶 **La Taverna-da Oreste,** ☎ 7580019
chiuso mercoledì e novembre – Pas carta 24/33000.

🗶 **Alla Grotta** con cam, ☎ 7580035, 😊 – ◩ 🅱 ∈ 𝘝𝘐𝘚𝘈
marzo-novembre – Pas *(chiuso martedì)* carta 20/28000 – 🖙 5000 – **16 cam** 51000.

sulla strada statale 249 S : 1,5 km :

🏨 **Casa Mia,** 🖂 37017 ☎ 7580058, 😊, « Giardino », 🏊, 🥗 – 🛗 ☎ 🅿. ◩ 🅱 ∈ 𝘝𝘐𝘚𝘈. 🥗
chiuso dal 21 dicembre all'11 gennaio – Pas *(chiuso lunedì da ottobre ad aprile)* carta 30/44000 – 🖙 8500 – **39 cam** 52/80000 – P 80/98000.

LE CASTELLA Catanzaro – Vedere Isola di Capo Rizzuto.

LECCE 73100 🅿 🔢 ㉚ – 101 520 ab. alt. 51 – ☎ 0832.

Vedere Basilica di Santa Croce★★ – Piazza del Duomo★★ : pozzo★ del Seminario – Museo provinciale★ : collezione di ceramiche★★ Z M – Chiesa di San Matteo★ Z – Chiesa del Rosario★Z – Altari★ nella chiesa di Sant'Irene Y.

🛈 piazza Sant'Oronzo ☎ 24443 – via Zanardelli 66 ☎ 56461.

A.C.I. via Candido 2 ☎ 28148.

Roma 601 ① – ◆Brindisi 39 ① – ◆Napoli 413 ① – ◆Taranto 86 ⑦.

Pianta pagina a lato

🏨 **President,** via Salandra 6 ☎ 311881, Telex 860076, Fax 594321 – 🛗 🖥 📺 ☎ 🚿 ⇨ – 🏛 25 a 350. ◩ 🅱 ⓪ ∈ 𝘝𝘐𝘚𝘈. 🥗   X **n**
Pas carta 32/45000 – 154 cam 🖙 95/160000 – P 140000.

🏨 **Delle Palme,** via di Leuca 90 ☎ 647171 – 🛗 🖥 📺 ☎ 🅿 – 🏛 40. ◩ 🅱 ⓪ ∈ 𝘝𝘐𝘚𝘈. 🥗   X **e**
Pas carta 25/42000 – **96 cam** 🖙 55/101000 – P 115000.

🏨 **Risorgimento,** via Imperatore Augusto 19 ☎ 42125, Telex 860144 – 🛗 🖥 📺 🚿 – 🏛 200
57 cam.   Y **x**

🗶🗶 **Plaza,** via 140° Fanteria 16 ☎ 25093 – 🚿⇨ 🖥   Y **u**
⇨ *chiuso domenica ed agosto* – Pas carta 18/24000.

sulla strada provinciale per Torre Chianca :

🗶🗶 **Gino e Gianni,** N : 3 km 🖂 73100 ☎ 45888 – 🖥 🅿.

🗶🗶 **Il Satirello,** N : 9 km 🖂 73100 ☎ 656121, 😊 – 🅿. ◩ 🅱 𝘝𝘐𝘚𝘈
chiuso martedì e dal 3 al 17 luglio – Pas carta 27/37000.

LECCE

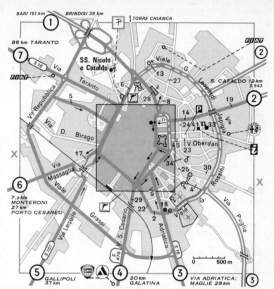

★★ BASILICA DI SᵀᴬCROCE
★★ Pᶻᴬ DEL DUOMO

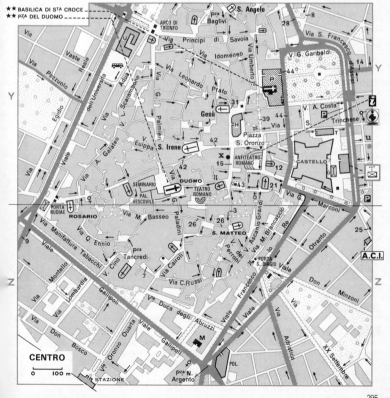

CENTRO
0   100 m

LECCE

ALFA-ROMEO via Gramsci 11 ✆ 315312
BMW superstrada Lecce-Brindisi ✆ 40592
CITROEN viale Grassi 81/b ✆ 352025
FIAT via Campi 8/a ✆ 27021
FIAT via Mincio 7/13 ✆ 23133
FIAT via di Leuca-rione Castromediano per ③ ✆ 646881
FORD via di Leuca bivio Cavallino ✆ 46780
GM-OPEL via Lequile 123 ✆ 351656
INNOCENTI via Nazario Sauro 83/85 ✆ 46627

LANCIA-AUTOBIANCHI sulla statale 476 ✆ 22022
MASERATI via Torquato Tasso 20/26 ✆ 43041
MERCEDES-BENZ zona Industriale ✆ 40420, Telex 860206
PEUGEOT-TALBOT via di Leuca bivio Cavallino ✆ 647176
RENAULT viale Grassi angolo via San Cesario ✆ 46297
VW-AUDI via di Leuca 152 ✆ 649083

LECCIO Firenze – alt. 128 – ✉ **50067** Rignano sull'Arno – ✪ 055.

Roma 253 – Arezzo 56 – ◆Firenze 29 – Siena 91.

XXX **Castello di Sammezzano** ⌕ con cam, ✆ 867911, Telex 573078, « Originale dimora in un parco secolare » – 📶 📺 ☎ ❷ – 🏛 200. ⚤ 🅱 ⓞ Ε 𝘝𝘐𝘚𝘈 ❄
Pas *(chiuso martedì da ottobre a marzo)* carta 35/45000 – ⌒ 10000 – **15 cam** 135/175000 – P 150000.

LECCO 22053 Como 🎱🎱🎱 ③, 🎱🎱🎱 ⑨⑩ – 48 344 ab. alt. 214 – ✪ 0341.

Vedere Lago★★★.

🛥 Royal Sant'Anna (chiuso martedì) ✉ 22040 Annone di Brianza ✆ 577551, SO : 10 km.

⚓ per Bellagio-Tremezzo-Como aprile-settembre giornalieri (2 h 45 mn) – Navigazione Lago di Como, largo Lario Battisti ✆ 364036.

⚓ per Bellagio-Tremezzo-Como aprile-settembre giornalieri (1 h 15 mn) – Navigazione Lago di Como, largo Lario Battisti ✆ 364036.

🗓 via Nazario Sauro 6 ✆ 362360.

Roma 621 – ◆Bergamo 33 – Como 29 – ◆Lugano 61 – ◆Milano 56 – Sondrio 82 – Passo dello Spluga 97.

🏨 **Croce di Malta,** via Roma 41 ✆ 363134 – 📶 🕿 ❷ – 🏛 200. ⚤ 🅱 ⓞ Ε 𝘝𝘐𝘚𝘈
Pas *(chiuso sabato ed ottobre)* carta 24/40000 (10%) – ⌒ 4000 – **48 cam** 39/64000 – P 52/60000.

🏨 **Moderno** senza rist, piazza Diaz 5 ✆ 362340 – 📺 🕿. ⚤ 🅱 ⓞ Ε 𝘝𝘐𝘚𝘈
⌒ 6000 – **24 cam** 36/58000.

XX **Les Paysans,** lungo Lario Piave 14 (Caviate) ✆ 369233, « Servizio estivo in terrazza fiorita » – ❷. ⚤ 🅱
chiuso lunedì, martedì a mezzogiorno, dal 1° al 15 maggio e dal 1° al 15 ottobre – Pas carta 33/58000 (10%).

XX **Cermenati,** corso Matteotti 71 ✆ 283017, Coperti limitati; prenotare – ⚤ ⓞ
chiuso lunedì ed agosto – Pas carta 37/57000.

XX **Don Abbondio** ⌕ con cam, piazza Era (Pescarenico) ✆ 366315 – 🕿 ❷
Pas *(chiuso lunedì a mezzogiorno)* carta 34/47000 – ⌒ 5000 – 18 cam 50/70000 – P 74/84000.

XX **Larius,** via Nazario Sauro 2 ✆ 363558 – ⚤ 🅱 ⓞ Ε 𝘝𝘐𝘚𝘈
chiuso martedì e dal 1° al 15 agosto – Pas carta 39/65000.

XX **Nicolin,** a Maggianico S : 3,5 km ✆ 422122, « Servizio estivo in terrazza » – ❷. 𝘝𝘐𝘚𝘈
chiuso martedì ed agosto – Pas carta 28/46000.

XX **Serra,** lungolago Cadorna 20 ✆ 369293 – 𝘝𝘐𝘚𝘈
chiuso mercoledì – Pas carta 30/42000.

XX **Vecchia Lecco,** via Anghileri 5 ✆ 365701 – ⚤ 🅱 ⓞ. ❄
chiuso domenica sera e lunedì – Pas carta 35/55000.

X **Pizzoccheri,** via Aspromonte 21 ✆ 367126 – ❄
⇠ *chiuso mercoledì, Pasqua, dal 30 luglio al 30 agosto e Natale* – Pas carta 19/29000.

Vedere anche : *Malgrate* O : 2 km.
Garlate S : 6 km.

ALFA-ROMEO corso Emanuele Filiberto 14 ✆ 422170
BMW via Ugo Bassi 6 ✆ 360061
CITROEN a Pescate, via Roma 110 ✆ 367069
FIAT via Dante 44 ✆ 366388
FORD via Statale n° 115 ✆ 680054
GM-OPEL viale Turati 6 ✆ 362384

INNOCENTI via Valsugana 1 ✆ 369149
LANCIA-AUTOBIANCHI via Raffaello 12 ✆ 363068
PEUGEOT-TALBOT a Pescate, statale per Milano 28 ✆ 362221
RENAULT via F.lli Figini 10 ✆ 364625
VOLVO a Pescate, sulla statale 36 ✆ 362519

LE CLOTES Torino – Vedere Sauze d'Oulx.

LEGNAGO 37045 Verona 🎱🎱🎱 ④⑭ – 26 771 ab. alt. 16 – ✪ 0442.

Roma 476 – Mantova 44 – ◆Milano 195 – ◆Padova 64 – Rovigo 45 – ◆Venezia 101 – ◆Verona 42 – Vicenza 49.

🏨 **Salieri** senza rist, viale dei Caduti 64 ✆ 22100 – 📶 🞐 🕿. ⚤
chiuso 25-26 dicembre, Capodanno e Pasqua – ⌒ 7500 – **31 cam** 50/71000.

XX **Fileno,** corso della Vittoria 51 ✆ 20103 – 🞐. ❄
chiuso lunedì e dal 28 luglio al 30 agosto – Pas carta 22/32000.

a San Pietro O : 3 km – ⊠ 37048 San Pietro di Legnago :

🏠 **Pergola,** 🖉 27122 – |🚗| 🎦 📺 🕿 ⇔ 🅿 – 🔏 150. 🝙 🕼 ⓓ ⋿ 𝘝𝘐𝘚𝘈. ⚗️
Pas *(chiuso mercoledì, venerdì sera, dal 1° al 10 gennaio e dal 5 al 20 agosto)* carta 25/37000 –
33 cam � 70/100000 – P 80000.

FIAT via Mantova angolo ponte Fior di Rosa 🖉 25800
FORD via Frattini 77/79 🖉 23666
INNOCENTI via Europa 5 🖉 21392

LANCIA-AUTOBIANCHI via Mantova 🖉 22677
PEUGEOT-TALBOT via Diaz 6 🖉 20637
RENAULT via Mantova 16/a 🖉 24750

LEGNANO 20025 Milano �—�—�— ③, 𝟚𝟙𝟡 ⑱ – 48 684 ab. alt. 199 – ✪ 0331.
Roma 605 – Como 33 – ◆Milano 28 – Novara 37 – Varese 32.

🏠 **Excelsior** senza rist, piazza Frua 🖉 593186 – |🚗| 🎦 📺 ☎ – 🔏 50. 🝙 🕼 ⋿ 𝘝𝘐𝘚𝘈
chiuso dal 1° al 23 agosto – ⊆ 8000 – **53 cam** 62/89000.

🏠 **2 C** senza rist, via Colli di Sant'Erasmo 51 🖉 440159 – ☎ 🅿. 🕼 ⋿ 𝘝𝘐𝘚𝘈. ⚗️
⊆ 6000 – **24 cam** 53/75000.

✗✗ **Bel Sit,** via Crema 4 🖉 592300 – 🍽. ⚗️
chiuso giovedì ed agosto – Pas carta 31/50000.

Vedere anche : *Castellanza* N : 1 km.

ALFA-ROMEO viale Toselli 46 🖉 545083
CITROEN viale Cadorna 14 🖉 544649
FIAT viale Toselli 56 🖉 540119
FIAT via per Canegrate 10 🖉 400066
FORD viale Cadorna 48 🖉 596150

INNOCENTI via Tasso 25 🖉 548747
LANCIA-AUTOBIANCHI via Saronnese 41 🖉 504369
PEUGEOT-TALBOT corso Garibaldi 130 🖉 593201
RENAULT via Castello 5 🖉 544391
VW-AUDI viale Toselli 25 🖉 592323

LE GRAZIE La Spezia – Vedere Portovenere.

LEIFERS = Laives.

LEIVI Genova – Vedere Chiavari.

LEMIE 10070 Torino 𝟟𝟟 ⑩ – 314 ab. alt. 957 – ✪ 0123.
Roma 734 – ◆Milano 180 – ◆Torino 54.

🏠 **Villa Margherita,** località Villa SE : 2 km 🖉 60225, ⇐ – 🅿
chiuso ottobre e novembre – Pas *(chiuso lunedì)* carta 23/33000 (15%) – ⊆ 5000 – **19 cam**
65/90000 – P 58000.

LENNA 24010 Bergamo – 719 ab. alt. 463 – ✪ 0345.
Roma 639 – ◆Bergamo 38 – ◆Brescia 95 – ◆Milano 80.

✗✗ **Moral,** S : 1,2 km 🖉 81129 – 🅿
chiuso martedì – Pas carta 31/52000.

LENNO 22016 Como 𝟚𝟙𝟡 ⑨ – 1 597 ab. alt. 200 – ✪ 0344.
Roma 652 – Como 27 – Menaggio 8 – ◆Milano 75.

🏠 **San Giorgio** ⤸, 🖉 40415, ⇐ lago e monti, « Piccolo parco ombreggiato », ✘ – |🚗| ☎ 🅿. 🕼
⋿ 𝘝𝘐𝘚𝘈. ⚗️
22 aprile-settembre – Pas (solo per clienti alloggiati) 28000 – ⊆ 8000 – **29 cam** 60/90000 –
P 82/93000.

LEPORANO 74020 Taranto – 5 200 ab. alt. 48 – a.s. 15 giugno-agosto – ✪ 099.
Roma 546 – ◆Brindisi 66 – Lecce 77 – ◆Taranto 14.

🏠 **Smeraldo,** località Baia d'Argento 🖉 638013, Telex 860198, ⇐, ⤓ – |🚗| 🎦 ☎ ὲ 🅿. 🝙 ⓓ
𝘝𝘐𝘚𝘈. ⚗️
Pas 23000 – ⊆ 7000 – 54 cam 45/55000 – P 75000, b.s. 65000.

LE REGINE Pistoia – Vedere Abetone.

LERICI 19032 La Spezia �—�—�— ③⑭ – 13 321 ab. – Stazione climatica e balneare – ✪ 0187.
Vedere Guida Verde – 🛡 Marigola (chiuso mercoledì) 🖉 970193.
🗓 via Roma 47 🖉 967346.
Roma 408 – ◆Genova 107 – ◆Livorno 84 – Lucca 64 – Massa 25 – ◆Milano 224 – Pisa 65 – ◆La Spezia 10.

🏠 **Shelley e Delle Palme,** lungomare Biaggini 5 🖉 968204, ⇐ golfo – |🚗| 🎦. 🝙 🕼 ⓓ ⋿ 𝘝𝘐𝘚𝘈.
⚗️ rist
Pas *(chiuso mercoledì e da novembre al 10 dicembre)* carta 40/52000 – **50 cam** ⊆ 64/97000 –
P 87/95000.

🏠 **Europa** ⤸, via Carpanini 1 🖉 967800, Fax 965957, ⇐ golfo, ☞ – |🚗| 📺 ☎ 🅿. 🝙 🕼 ⓓ ⋿
𝘝𝘐𝘚𝘈. ⚗️
Pas *(Pasqua e giugno-settembre)* carta 24/35000 – ⊆ 11000 – **34 cam** 57/81000 – P 75/98000.

segue →

🏨 Italia, senza rist, piazza Garibaldi 53 ℰ 966566 – ☎
14 cam.

🏨 **Venere Azzurra** senza rist, lungomare Biaggini 29 ℰ 965334, ≤ golfo – 🛗 📺 ☜. 𝔸𝔼 🕲 ⓞ
ㄷ 𝘝𝘐𝘚𝘈
🍸 10000 – **22 cam** 52/78000.

🏠 **Florida** senza rist, lungomare Biaggini 35 ℰ 967344, ≤ golfo – 🛗 📺 ☜. 𝔸𝔼 🕲 ⓞ ㄷ 𝘝𝘐𝘚𝘈. ⋘
chiuso dal 15 dicembre al 15 gennaio – 🍸 7500 – **32 cam** 58/83000.

ℵℵ **Vecchia Lerici,** piazza Mattino 10 ℰ 967597, 🏚 – 𝔸𝔼 🕲 ⓞ ㄷ 𝘝𝘐𝘚𝘈
chiuso giovedì e da dicembre al 15 febbraio – Pas carta 35/52000 (15%).

ℵℵ **La Barcaccia,** piazza Garibaldi 8 ℰ 967721 – 𝔸𝔼 🕲 ⓞ ㄷ 𝘝𝘐𝘚𝘈
chiuso giovedì e febbraio – Pas carta 31/54000 (10%).

ℵℵ **Da Paolino,** via San Francesco 14 ℰ 967801 – 𝔸𝔼 🕲. ⋘
chiuso lunedì – Pas carta 31/54000 (10%).

ℵℵ **Due Corone,** via Vespucci 1 ℰ 967417, ≤, 🏚 – 𝔸𝔼 🕲 ⓞ. ⋘
chiuso giovedì e dal 21 dicembre al 14 gennaio – Pas carta 33/54000 (10%).

ℵℵ **Il Molo,** via Mazzini 1 ℰ 967108, 🏚 – 𝔸𝔼 🕲 ⓞ ㄷ 𝘝𝘐𝘚𝘈
chiuso mercoledì e novembre – Pas carta 31/52000 (10%).

ℵ **Conchiglia,** piazza del Molo 3 ℰ 967334, ≤ – 𝔸𝔼 🕲 ⓞ ㄷ 𝘝𝘐𝘚𝘈
chiuso mercoledì e dicembre – Pas carta 31/55000 (10%).

a San Terenzo NO : 2 km – ✉ 19036 :

ℵ **La Palmira,** ℰ 971094 – 𝔸𝔼 🕲 ⓞ ㄷ 𝘝𝘐𝘚𝘈
chiuso mercoledì, dal 20 dicembre al 20 gennaio e dal 24 settembre al 1° ottobre – Pas
carta 23/44000 (10%).

a Fiascherino SE : 3 km – ✉ 19030 :

🏨 **Il Nido** ≫, ℰ 967286, ≤, « Terrazze-giardino », 🐾 – 🍽 cam 📺 ☜ 🚗 🅿. 𝔸𝔼 🕲 ⓞ ㄷ
𝘝𝘐𝘚𝘈. ⋘
15 marzo-ottobre – Pas carta 37/51000 (10%) – 🍸 12000 – 38 cam 60/95000 – P 100/120000.

a Tellaro SE : 4 km – ✉ 19030 :

🏠 **Miramare** ≫, ℰ 967589, ≤, « Terrazza-giardino » – ☎ 🅿. ⋘ cam
Pasqua-ottobre e dicembre – Pas carta 25/35000 – 🍸 6000 – 18 cam 35000 – P 60000.

ℵℵ ❀ **Miranda** con cam, ℰ 968130, Coperti limitati; prenotare – 🅿. ⋘ cam
marzo-15 novembre – Pas *(chiuso lunedì)* carta 40/73000 – 🍸 8000 – **7 cam** 55000 – P 75/80000
Spec. Antipasti freddi e caldi di pesce. Zuppa di pesce in crosta. Scaloppe di branzino al vino bianco. Vini Pigato,
Rossese.

Si vous cherchez un hôtel tranquille,
consultez d'abord les cartes de l'introduction ·
ou repérez dans le texte les établissements indiqués avec le signe ≫

LERMA 15070 Alessandria – 796 ab. alt. 293 – ✪ 0143.
Roma 544 – Alessandria 48 – ✦Genova 59 – ✦Milano 122 – Savona 69 – ✦Torino 133.

ℵ **Italia,** ℰ 877110
← *chiuso lunedì e dal 6 gennaio al 6 febbraio* – Pas carta 16/25000.

LESA 28040 Novara 🗇🗇🗇 ⑦ – 2 322 ab. alt. 196 – ✪ 0322.
Roma 650 – Locarno 62 – ✦Milano 73 – Novara 49 – Stresa 7 – ✦Torino 127.

ℵ **Lago Maggiore** con cam, ℰ 7259, ≤, 🏚 – 𝔸𝔼 🕲 ⓞ ㄷ 𝘝𝘐𝘚𝘈
chiuso da dicembre al 15 febbraio – Pas carta 26/42000 (10%) – 🍸 6000 – **11 cam** 44/67000 –
P 55/60000.

LESINA 71010 Foggia 🗇🗇🗇 ㉘ – 6 661 ab. – a.s. luglio-15 settembre – ✪ 0882.
Roma 333 – ✦Bari 178 – ✦Foggia 57 – ✦Napoli 232 – ✦Pescara 130.

a Torre Fortore NO : 12 km – ✉ 71010 Lesina :

🏨 Maddalena, ℰ 95076, ≤, 🏊, 🐾, ℵ – 🛗 ☜ 🚗 🅿
stagionale – 74 cam.

LESSOLO 10010 Torino – 2 012 ab. alt. 277 – ✪ 0125.
Roma 693 – Aosta 62 – ✦Milano 123 – ✦Torino 53.

ℵ **La Lampada di Aladino,** ℰ 58504, prenotare – 𝔸𝔼
chiuso domenica e dal 15 luglio al 15 agosto – Pas carta 30/40000.

LETOJANNI Messina – Vedere Sicilia alla fine dell'elenco alfabetico.

LEVADA Treviso – Vedere Ponte di Piave.

LEVANTO 19015 La Spezia 📖 ③ – 6 263 ab. – Stazione climatica e balneare – ☎ 0187.
🏢 piazza Colombo 12 ℰ 808125.
Roma 456 – ♦Genova 83 – ♦Milano 218 – Rapallo 59 – ♦La Spezia 36.

🏨 **Nazionale,** via Jacopo da Levanto 20 ℰ 808102, ☆ – 🛗 ⟨⟩ cam ⊜. 🖭 🔄 🗲 𝑽𝑰𝑺𝑨. �006 rist
Pasqua-ottobre – Pas 22/28000 – ⊒ 7500 – 30 cam 36/63000 – P 68/78000.

🏛 **Dora,** via Martiri della Libertà 27 ℰ 808168 – ⊜ 🅿. 🔄 🗲 𝑽𝑰𝑺𝑨. �006 rist
marzo-ottobre – Pas (chiuso venerdì) 22/28000 – ⊒ 6500 – 37 cam 27/45000 – P 54/58000.

✕ **Tumelin,** via Grillo 32 ℰ 808379, ☆
chiuso giovedì e dal 7 gennaio al 7 febbraio – Pas carta 37/58000.

✕ **Hostaria da Franco,** via privata Olivi 8 ℰ 808647, ☆ – �006
chiuso lunedì e novembre – Pas carta 25/40000.

✕ **La Gritta,** ℰ 808593, ≼, ☆ – 🖭 🔄 ⓞ 🗲 𝑽𝑰𝑺𝑨. �006
Pasqua-settembre; chiuso mercoledì – Pas carta 25/46000 (10%).

LEVERONE Imperia – Vedere Borghetto d'Arroscia.

LEVICO TERME 38056 Trento 📖 ④ – 5 512 ab. alt. 506 – Stazione termale (maggio-ottobre) e di villeggiatura, a.s. Natale – Sport invernali : a Panarotta (Vetriolo Terme) : 1 490/1 972 m ⟨⟩1 ≴4, ⟨⟩ – ☎ 0461.
🏢 ℰ 706101, Telex 400856 – Roma 610 – Belluno 90 – ♦Bolzano 82 – ♦Milano 266 – Trento 22 – ♦Venezia 141.

🏨 **Gd H. Bellavista,** ℰ 706136, ≼, « Giardino ombreggiato », ⤬ riscaldata – 🛗 ☰ rist ☎ ᪥
🅿 – 🅰 150. 🔄. �006 rist
Pasqua-ottobre e Natale-20 gennaio – Pas carta 21/31000 – ⊒ 7000 – **78 cam** 47/79000 –
P 75/85000, b.s. 40/60000.

🏨 **Al Sorriso** ⚲, verso il lido ℰ 707029, ⤬ riscaldata, ⚘, ⚸ – 🛗 ⊜ 🅿. �006 rist
Pasqua-settembre e Natale-20 gennaio – Pas 22/30000 – ⊒ 8000 – **42 cam** 48/75000 –
P 50/75000, b.s. 40/56000.

🏛 **Levico,** ℰ 706335, ≼, ⚘ – 🛗 🅿. �006
giugno-settembre – Pas 20/25000 – ⊒ 5000 – 39 cam 40/60000 – P 55000, b.s. 50000.

🏛 **Romanda,** ℰ 707122 – 🛗 ⊜. 🖭 🔄 ⓞ 🗲 𝑽𝑰𝑺𝑨. �006 rist
chiuso da novembre al 20 dicembre – Pas (chiuso giovedì) 20000 – ⊒ 6000 – **39 cam** 40/70000
– P 60000, b.s. 45000.

✕ **Scaranò** ⚲, con cam, verso Vetriolo Terme N : 2,5 km ℰ 706810, ≼ vallata – 🅿. �006
✦ Pas carta 19/28000 – ⊒ 5000 – **26 cam** 24/35000 – P 42000.

✕ **La Stua,** ℰ 707028 – �006
chiuso martedì e giugno – Pas carta 23/39000.

a Vetriolo Terme N : 13,5 km – alt. 1 490 – ✉ 38056 Levico Terme :

🏨 **Compet** ⚲, S : 1,5 km ℰ 706466, ≼ – 🛗 ᪥ 🅿 – 🅰 80. �
dicembre-aprile e giugno-15 ottobre – Pas 22/25000 – **43 cam** ⊒ 41/70000 – P 50/65000.

🏨 **Italia Grand Chalet** ⚲, ⚘, ⚸ – ⟨⟩ cam 🅿. �006
20 dicembre-15 aprile e 25 giugno-20 settembre – Pas 20/23000 – ⊒ 8000 – **45 cam** 31/51000
– P 60/69000, b.s. 42/46000.

LEZZENO 22025 Como 📖 ⑨ – 1 983 ab. alt. 200 – ☎ 031.
Roma 649 – Bellagio 7,5 – Como 23 – ♦Milano 71.

✕ **Crotto del Misto,** sulla statale O : 3 km ℰ 914495, ≼, ☆ – 🅿. �006
marzo-novembre; chiuso martedì – Pas carta 31/53000.

LIDO Livorno – Vedere Elba (Isola d') : Capoliveri.

LIDO ADRIANO Ravenna – Vedere Ravenna (Marina di).

LIDO DEGLI ESTENSI Ferrara 📖 ⑮ – Vedere Comacchio.

LIDO DELLE NAZIONI Ferrara 📖 ⑮ – Vedere Comacchio.

LIDO DEL SOLE Foggia – Vedere Rodi Garganico.

LIDO DI CAMAIORE 55043 Lucca 📖 ⑭ – Stazione balneare, a.s. febbraio, Pasqua, 15 giugno-15 settembre e Natale – ☎ 0584.
🏢 viale Colombo 342 ℰ 64397.
Roma 371 – ♦Firenze 97 – ♦Livorno 47 – Lucca 27 – Massa 23 – ♦Milano 251 – Pisa 28 – ♦La Spezia 51.

🏨 **Ariston,** viale Colombo 355 ℰ 906633, ☆, « Grande parco con ⤬ e ⚸ » – ☰ 📺 ☎ 🅿. 🖭
𝑽𝑰𝑺𝑨. �006
aprile-ottobre – Pas 40/55000 – 45 cam ⊒ 150/200000 appartamenti 325/400000 –
P 150/225000, b.s. 100/150000.

🏨 **Caesar,** viale Colombo 325 ℰ 64841, ≼, ⤬, ⚘, ⚸ – 🛗 ☰ 📺 ☎ 🅿 – 🅰 60
49 cam.

segue ⟶

🏨 **Piccadilly,** viale Pistelli 101 🖉 64441, Fax 64443, ⇐ – 🛗 ⚞. ⚒
giugno-settembre – Pas 25/35000 – � 15000 – **37 cam** 70/100000 – P 70/120000, b.s. 60/90000.

🏨 **Bacco** 🐾, via Rosi 24 🖉 67177, ⚓ – 🛗 ⚞. ⚒
15 maggio-settembre – Pas 22/25000 – ⟶ 7500 – 21 cam 53/77000 – P 75/85000, b.s. 65/75000.

🏨 **Capri,** viale Pistelli 6 🖉 60001, ⇐ – 🛗 ▤ ☎. 𝑽𝑰𝑺𝑨 ⚒
chiuso da novembre a gennaio – Pas 25/35000 – ⟶ 7000 – **47 cam** 50/77000 – P 65/88000, b.s. 60/70000.

🏨 **Bracciotti,** viale Colombo 366 🖉 65401, 🏊, ⚓ – 🛗 ⇐⇒ cam ▤ rist 📺 ⚞ 🅿 – 🏄 100. 🆎
🕃. ⚒ rist
Pas *(chiuso da novembre a marzo)* 20/25000 – ⟶ 7000 – **50 cam** 40/65000 – P 55/77000, b.s. 50/55000.

🏨 **Siesta,** viale Colombo 327 🖉 66161, ⇐, ⚓ – 🛗 ☎ 🅿. ⚒ rist
maggio-settembre – Pas (solo per clienti alloggiati) 28/35000 – ⟶ 7500 – 24 cam 54/78000 – P 93/98000, b.s. 52/65000.

🏩 **Sylvia** 🐾, via Manfredi 15 🖉 64994, « Giardino ombreggiato » – 🛗 ☎ 🅿. 🅴 𝑽𝑰𝑺𝑨.
20 maggio-settembre – Pas (solo per clienti alloggiati) 20/25000 – ⟶ 6000 – 21 cam 35/58000 – P 55/60000, b.s. 50/55000.

🏩 **Souvenir,** via Roma 247 🖉 64694, ⚓ – 🅿. ⚒
giugno-settembre – Pas (solo per clienti alloggiati) 20/24000 – ⟶ 6000 – **24 cam** 62000 – P 58/60000, b.s. 47/50000.

🏩 **Villa Iolanda,** viale Pistelli 127 🖉 64296, ⇐, ⚓ – 🛗 ☎. 🆎 ⓞ 𝑽𝑰𝑺𝑨. ⚒ rist
15 aprile-15 ottobre – Pas 25/30000 – ⟶ 7000 – **38 cam** 50/80000 – P 65/80000, b.s. 50/65000.

💥💥 ⚙ **Lo Squalo Charlie,** viale Colombo 760 🖉 906522, 🌿, Coperti limitati; prenotare – 🅿. ⓞ 𝑽𝑰𝑺𝑨. ⚒
chiuso dal 20 ottobre al 20 novembre e martedì escluso agosto – Pas carta 48/69000
Spec. Insalata fantasia di mare, Maccheroncini al nero di seppie con pomodoro e basilico, Branzino al vapore con aromi. **Vini** Montecarlo bianco, Chianti.

💥💥 **La Lanterna-dal Mario,** viale Colombo 388 🖉 64254 – 🆎 🕃 🅴 𝑽𝑰𝑺𝑨. ⚒
chiuso mercoledì e dal 15 novembre al 15 dicembre – Pas carta 33/49000 (10%).

💥💥 **La Risacca,** viale Colombo 604 🖉 66444 – 🅿.

💥💥 **Da Clara,** via Aurelia 289 🖉 904520 – ▤ 🅿
chiuso dall'8 al 31 gennaio, mercoledì e dal 15 settembre al 15 giugno anche martedì sera – Pas carta 41/60000 (10%).

in prossimità strada statale 1 - via Aurelia O : 1 km :

🏨 **Villa Petri** senza rist, ✉ 55043 🖉 66222, « Giardino ombreggiato » – ⚞ 🅿. 𝑽𝑰𝑺𝑨. ⚒
chiuso dal 15 al 26 dicembre – ⟶ 7000 – **24 cam** 50/73000.

BMW via Aurelia 249 🖉 905491
FIAT a Capezzano Pianore, via Sarzanese 109 bis 🖉 913513
GM-OPEL a Capezzano Pianore, via Callagrande 🖉 940345
LANCIA-AUTOBIANCHI corso Italia 🖉 906198

LIDO DI CLASSE Ravenna 🔢🔢🔢 ⑮ – ✉ 48020 Savio – a.s. 15 giugno-agosto – ✪ 0544.
🅱 (stagionale) 🖉 939278.
Roma 384 – ◆Bologna 96 – Forlì 30 – ◆Milano 307 – ◆Ravenna 19 – Rimini 40.

🏨 **Adler,** 🖉 939216, ⇐, 🏊, 🐾 – 🛗 ⚞ 🅿 ⚒
maggio-settembre – Pas 25/35000 – ⟶ 8000 – **80 cam** 30/65000 – P 50/60000, b.s. 44/50000.

🏩 **Astor,** 🖉 939437, ⇐, ⚓ – 🛗 ☎ 🅿. ⚒ rist
➡ *20 maggio-20 settembre* – Pas *(chiuso martedì)* 16000 – ⟶ 8500 – **24 cam** 35/55000 – P 47/52000, b.s. 42000.

LIDO DI JESOLO 30017 Venezia 🔢🔢🔢 ⑤ – Stazione balneare, a.s. 15 giugno-agosto – ✪ 0421.
🅱 piazza Brescia 13 🖉 90076, Telex 410334.
Roma 564 – Belluno 110 – ◆Milano 303 – ◆Padova 73 – Treviso 54 – ◆Trieste 129 – Udine 98 – ◆Venezia 44.

🏩 **Palace Cavalieri,** via Mascagni 1 🖉 971969, ⇐, 🏊 riscaldata, 🐾 – 🛗 ⇐⇒ ▤ ☎ 🅿. 🆎.
⚒ rist
15 marzo-15 ottobre – Pas carta 36/51000 – **58 cam** ⟶ 85/150000 – P 100/120000, b.s. 80/100000.

🏩 **Las Vegas,** via Mascagni 2 🖉 971515, Telex 223535, Fax 90581, ⇐, 🏊 riscaldata, 🐾 – 🛗 🅿.
🆎 🕃 ⓞ 🅴 𝑽𝑰𝑺𝑨 ⚒ rist
maggio-settembre – Pas *(chiuso a mezzogiorno)* 25/40000 – ⟶ 12000 – **104 cam** 70/125000 – ½ P 65/75000, b.s. 50/55000.

🏨 **Byron Bellavista,** via Padova 83 🖉 971023, ⇐, 🏊, 🐾 – 🛗 ☎ 🅿. 🆎 🕃 ⓞ 🅴 𝑽𝑰𝑺𝑨. ⚒ rist
maggio-ottobre – Pas (solo per clienti alloggiati) 28000 – ⟶ 12000 – **56 cam** 140000 – ½ P 110/118000, b.s. 80/90000.

🏨 **Majestic Toscanelli,** via Canova 2 🖉 971331, Telex 420366, ⇐, 🏊, 🐾 – 🛗 ▤ ☎ 🅿. 🆎 ⓞ. ⚒
15 maggio-21 settembre – Pas (solo per clienti alloggiati) – ⟶ 20000 – **55 cam** 90/140000, ▤ 10000 – P 90/110000, b.s. 70/90000.

ⓜ **Niagara,** viale Venezia 🖉 90533, Telex 223522, ≼, 🦽 – ⧆ ▤ 🕿 🄿. 🄴 🄴. ℅ rist
➤ *chiuso dal 15 dicembre al 15 gennaio* – Pas 15/25000 – **52 cam** ☲ 50/90000, ▤ 2000 –
P 60/70000, b.s. 40/60000.

ⓜ **Galassia,** via Treviso 7 🖉 972271, ≼, ⬛, 🦽, 🗷 – ⧆ ▤ rist 🕾 ⅄ 🄿. ℅ rist
maggio-settembre – Pas 28000 – **64 cam** ☲ 69/119000 – P 88000, b.s. 70000.

ⓜ **Universo,** via Treviso 11 🖉 972298, Telex 433011, ≼, ⬛, 🦽, 🗷 – ⧆ ▤ rist 🕾 🄿. ℅ rist
maggio-settembre – Pas 28000 – **56 cam** ☲ 60/115000 – P 86000, b.s. 68000.

ⓜ **Atlantico,** via Bafile 11 🖉 91273, ≼, 🦽 – ⧆ 🕿 🄿 🄰🄴. ℅ rist
10 maggio-20 settembre – Pas 24/29000 – **69 cam** ☲ 55/105000 – P 74/79000, b.s. 62/67000.

ⓜ **Ritz,** via Zanella 2 🖉 972861, ≼, ⬛ riscaldata, 🦽 – ⧆ 🕿 🄿. 🄰🄴. ℅ rist
maggio-settembre – Pas (solo per clienti alloggiati) 30/40000 – **45 cam** ☲ 80/125000 –
P 80/86000, b.s. 71/77000.

ⓜ **Vidi,** viale Venezia 7 🖉 92208, ≼, 🦽 – ⧆ 🕾 ⅄ 🄿. 🄰🄴 🄾 🄴 🆅🅸🆂🅰. ℅
chiuso dal 22 dicembre al 31 gennaio – Pas *(chiuso da novembre a marzo)* 20/30000 – **60 cam**
☲ 50/90000 – P 65/85000, b.s. 55/65000.

ⓜ **Heron,** via Padova 3 🖉 971243, ≼, ⬛, 🦽 – ⧆ 🄿 🄰🄴 🄸 🄾 🄴 🆅🅸🆂🅰. ℅
maggio-settembre – Pas 20000 – **90 cam** ☲ 52/99000 – P 66000, b.s. 48000.

ⓜ **Imperial Palace,** via Zara 27 🖉 972266, ≼, ⬛, 🦽, 🗷 – ⧆ 🄿. 🄸 🄾 🄴 🆅🅸🆂🅰. ℅ rist
15 maggio-settembre – Pas 25/45000 – **62 cam** ☲ 70/140000 – P 75/85000, b.s. 60/75000.

ⓜ **Nettuno,** via Bafile (23° accesso al mare) 🖉 370301, ≼, 🦽 – ⧆ 🕾 🄿. ℅
15 maggio-settembre – Pas 20/24000 – **74 cam** ☲ 50/90000 – P 55/70000, b.s. 45/60000.

ⓜ **San Marco** senza rist, via Meduse 2 🖉 91636, Telex 420144 – ⧆ 🕿 🄿
☲ 8000 – **30 cam** 45/80000.

ⓜ **Rivamare,** via Bafile (17° accesso al mare) 🖉 370432, ≼, 🦽 – ⧆ 🕾 🄿. 🆅🅸🆂🅰. ℅
10 maggio-settembre – Pas 24000 – ☲ 8000 – **55 cam** 50/78000 – P 68/76000, b.s. 51/56000.

ⓜ **La Bussola,** via Levantina 4 🖉 93273, ≼, ⬛, 🦽 – ⧆ 🕾 ⅄ 🄿. 🄰🄴 🄴 🄴. ℅ rist
➤ *maggio-settembre* – Pas 15/25000 – **48 cam** ☲ 45/80000 – P 60/65000, b.s. 40/55000.

ⓜ **Regina,** via Bafile 115 🖉 90383, 🦽 – ⧆ ▤ rist 🕾 🄿. ℅ rist
Pasqua-settembre – Pas *(chiuso giovedì)* 25000 – **46 cam** ☲ 42/78000 – P 57/65000,
b.s. 52/56000.

ⓜ **Costa Azzurra,** via Bafile 452 🖉 370525, 🦽 – ⧆ ▤ rist 🕿 🄿. ℅
➤ *29 aprile-24 settembre* – Pas 18/24000 – **51 cam** ☲ 40/72000 – P 54/59000, b.s. 46/52000.

℅℅ **Le Restò,** piazza Nember 16 🖉 972003, Coperti limitati; prenotare, « Servizio estivo in
giardino » – 🄿. 🄰🄴 🄸 🄾 🄴 🆅🅸🆂🅰
chiuso martedì dal 15 settembre al 15 maggio – Pas carta 32/49000.

a Jesolo Pineta E : 6 km – ✉ 30017 Lido di Jesolo :

ⓜ **Elite,** via Oriente 64 🖉 961133, ≼, « Giardino con ⬛ », 🦽 – ⧆ ▤ 🕿 🄿. 🄰🄴 🄸 🄾 🄴 🆅🅸🆂🅰.
℅ rist
15 maggio-20 settembre – Pas 35/45000 – ☲ 12000 – **44 cam** 100/130000 – P 100/120000,
b.s. 85/95000.

ⓜ **Gallia** ⑊, via del Cigno Bianco 3/5 🖉 961018, « Giardino ombreggiato », ⬛ riscaldata, 🦽,
℅ – ⧆ ▤ 🕾 ⅄ 🄿 🄴 🆅🅸🆂🅰. ℅ rist
14 maggio-20 settembre – Pas 38/45000 – **52 cam** ☲ 75/125000 – P 98/105000, b.s. 75/83000.

ⓜ **Negresco,** via Bucintoro 8 🖉 961137, ≼, ⬛, 🦽, ℅ – ⧆ ▤ 🕿 🄿. ℅ rist
20 aprile-10 ottobre – Pas (solo per clienti alloggiati) 30/40000 – ☲ 13000 – **42 cam** 80/130000,
▤ 3000 – P 98/108000, b.s. 88/98000.

ⓜ **Danmark** ⑊, via Airone 1 🖉 961013, ≼, ⬛, 🦽, 🗷 – ▤ rist 🕾 🄿. ℅
maggio-settembre – Pas 25/35000 – **55 cam** ☲ 65/100000 – P 48/60000, b.s. 35/45000.

℅℅ **Alla Darsena,** via Oriente 166 🖉 980081, « Servizio estivo all'aperto » – 🄿. 🄰🄴 🄸 🄾 🄴
🆅🅸🆂🅰. ℅
chiuso dal 15 novembre al 10 dicembre e giovedì dal 15 settembre al 15 maggio – Pas
carta 30/49000.

█LIDO DI LATINA█ Latina – Vedere Latina.

█LIDO DI OSTIA o LIDO DI ROMA█ 00100 Roma 🗗🗗🗗 🕾🕾 – a.s. 15 giugno-agosto – 🌣 06.
Vedere Scavi★★ di Ostia Antica N : 4 km.
Roma 31 – Anzio 45 – Civitavecchia 69 – Frosinone 108 – Latina 70.

ⓜ **Sirenetta,** lungomare Toscanelli 46/48 ✉ 00122 🖉 5622720, ≼ – ⧆ 📺 🕾 🄿. 🄰🄴 🄸 🄾 🄴
🆅🅸🆂🅰. ℅ rist
Pas carta 25/40000 (10%) – **53 cam** ☲ 72/94000 – P 77/99000.

ⓜ **Ping-Pong** senza rist, lungomare Toscanelli 84 ✉ 00122 🖉 5603252, ≼ – ⧆ ▤ 📺 🕾. 🄰🄴 🄸
🄾 🄴 🆅🅸🆂🅰
25 cam ☲ 72/93000, ▤ 1500.

℅℅ Ferrantelli, via Claudio 7/9 ✉ 00122 🖉 5625701 – ▤.

℅ **Negri-da Romano,** via Claudio 50 ✉ 00122 🖉 5622295 – ⊱. 🄰🄴 🄸 🄾 🄴 🆅🅸🆂🅰
chiuso giovedì da ottobre a maggio – Pas carta 35/50000.

segue →

LIDO DI OSTIA o LIDO DI ROMA

ALFA-ROMEO via Algaiola 10/20 ☏ 5601803
CITROEN via dei Romagnoli 63/65 ☏ 5613485
FIAT via dei Romagnoli 237/261 ☏ 5691390
FORD via Capitan Casella 70 ☏ 5622741
GM-OPEL viale Zambrini 33/35 ☏ 5613041
INNOCENTI via Corrado del Greco 103 ☏ 5614703

LANCIA-AUTOBIANCHI via Stella Polare 51/57 ☏ 5600778
PEUGEOT-TALBOT via delle Zattere 71 ☏ 5690242
RENAULT via dei Romagnoli 217 ☏ 5698973
VW-AUDI corso Duca di Genova 111 ☏ 5601881

LIDO DI POMPOSA Ferrara – Vedere Comacchio.

LIDO DI PORTONUOVO Foggia – Vedere Vieste.

LIDO DI SAVIO 48020 Ravenna 988 ⑮ – Stazione balneare, a.s. 15 giugno-agosto – ✿ 0544.
🅱 (maggio-settembre) viale Romagna 168 ☏ 949063.
Roma 385 – ◆Bologna 98 – Forlì 32 – ◆Milano 309 – ◆Ravenna 21 – Rimini 38.

🏨 **Concord,** via Russi 1 ☏ 949115, ≤, ⌓, ℀ – 🛉 🕾 🅿. ℀ rist
  20 maggio-20 settembre – Pas 26000 – � 6000 – **55 cam** 38/62000 – P 61/64000, b.s. 49/52000.

🏨 **Mediterraneo,** via Sarsina 11 ☏ 949018, ≤ – 🛉 🕾 🅿. ℀ rist
◆ *maggio-settembre* – Pas 15/18000 – ⊇ 8000 – **72 cam** 30/60000 – P 54/60000, b.s. 35/39000.

🏨 **Rossi's,** via Lavezzola 2 ☏ 949001, ≤, 🛋 – 🛉 ▦ rist 🕾 🅿. ℀ rist
  10 maggio-settembre – Pas 28000 – ⊇ 16000 – 33 cam 45/55000 – P 45/55000, b.s. 42/49000.

🏩 **Apollonia,** via Faenza 12 ☏ 949189, ≤, 🐎 – 🛉 🕾 🅿
  stagionale – 44 cam.

🏩 **San Francisco,** viale Romagna 270 ☏ 948154, ≤, 🐎, 🛋, ℀ – 🛉 🅿. ℀
◆ *10 maggio-25 settembre* – Pas 17/25000 – ⊇ 6000 – 48 cam 30/40000 – P 41/43000, b.s. 33/35000.

🏩 **Asiago,** viale Romagna 217 ☏ 949187, ≤, 🐎 – 🛉 🕾 🅿. 🆎 🕃 ⓪ 𝐄 𝘝𝘐𝘚𝘈. ℀
  aprile-ottobre – Pas 20/22000 – ⊇ 12000 – **36 cam** 34/56000 – P 50/60000, b.s. 42/50000.

🏩 **Cosmopol,** viale Romagna 199 ☏ 949008, ≤, 🐎, 🛋 – 🛉 🕾 🅿 🕎. 🅿. 🆎 🕃 ⓪. ℀ rist
◆ *maggio-settembre* – Pas 15/18000 – ⊇ 7000 – **38 cam** 40/50000 – P 50/59000, b.s. 42/48000.

LIDO DI SOTTOMARINA Venezia 988 ⑤ – Vedere Chioggia.

LIDO DI SPINA Ferrara 988 ⑮ – Vedere Comacchio.

LIDO DI SPISONE Messina – Vedere Sicilia (Taormina) alla fine dell'elenco alfabetico.

LIDO DI TARQUINIA Viterbo – Vedere Tarquinia.

LIDO DI TORTORA Cosenza – Vedere Praia a Mare.

LIDO DI VENEZIA Venezia 988 ⑤ – Vedere Venezia.

LIDO RICCIO Chieti – Vedere Ortona.

LIDO SANT'ANGELO Cosenza – Vedere Rossano.

LIDO SILVANA Taranto 988 ㉙㉚ – Vedere Pulsano.

LIERNA 22050 Como 219 ⑨ – 1 535 ab. alt. 205 – ✿ 0341.
Roma 636 – ◆Bergamo 49 – Como 45 – Lecco 16 – ◆Milano 72 – Sondrio 66.

℁ **La Breva,** ☏ 741490, ≤, « Terrazza in riva al lago » – 🅿. 🕃 𝘝𝘐𝘚𝘈
  chiuso dal 10 al 31 gennaio e lunedì dal 15 settembre al 15 giugno – Pas carta 34/45000.

℁ **Crotto,** ☏ 740134, 🏠 – 🅿
  chiuso martedì ed ottobre – Pas carta 26/40000 (10%).

PEUGEOT-TALBOT via Roma 110 ☏ 740126

LIGNANO SABBIADORO 33054 Udine 988 ⑥ – 5 862 ab. – Stazione balneare, a.s. luglio-agosto – ✿ 0431.
🅱 via Latisana 42 ☏ 71821, Telex 450193.
Roma 619 – ◆Milano 358 – Treviso 95 – ◆Trieste 100 – Udine 69 – ◆Venezia 108.

🏨 **Atlantic,** lungomare Trieste 160 ☏ 71101, ≤, 🐎, 🐎 – 🛉 🅿 🆎 🕃 ⓪ 𝐄 𝘝𝘐𝘚𝘈. ℀ rist
  12 maggio-20 settembre – Pas carta 28/50000 – ⊇ 15000 – **68 cam** 59/90000 – P 77/91000, b.s. 68/72000.

🏨 **Bristol,** lungomare Trieste 132 ☏ 73131, ≤, « Giardino », 🐎 – 🛉 ▦ 🕥 🕾 🅿 – 🛆 70. 🕃 𝐄 𝘝𝘐𝘚𝘈. ℀
  maggio-settembre – Pas 28000 – ⊇ 17500 – 59 cam 56/88000 – P 72/101000, b.s. 61/75000.

🏨 **Bellavista,** lungomare Trieste 70 ☏ 71313, ≤, 🐎 – 🛉 ▦ rist 🕾 🅿. 🆎 🕃 ⓪ 𝐄 𝘝𝘐𝘚𝘈. ℀ rist
  maggio-settembre – Pas carta 25/50000 – 48 cam ⊇ 55/100000 – P 70/85000, b.s. 50/70000.

🏨 **Vittoria,** lungomare Marin 28 ☏ 71221, ≼, 🦌 – 🛗 ▤ rist ☜ **Ⓟ**. ❤️
maggio-20 settembre – Pas carta 23/34000 – ⊊ 9000 – 48 cam 39/63000 – P 58/72000, b.s. 52/60000.

🏨 **Nettuno,** lungomare Trieste 26 ☏ 71333, ≼, 🦌 – 🛗 ☎ **Ⓟ**
stagionale – 24 cam.

🏨 **Astoria,** lungomare Trieste 150 ☏ 71315, ≼, 🦌 – 🛗 ▤ rist ☎ ☜ **Ⓟ**. **E**. ❤️ rist
Pasqua-ottobre – Pas carta 23/36000 – ⊊ 10000 – 37 cam 39/63000 – P 58/72000, b.s. 48/62000.

🏠 **Al Cavallino Bianco** senza rist, via dei Platani 88 ☏ 71509 – 🛗 ᵭ **Ⓟ**. ⓢ **ⓞ** **VISA**
⊊ 6500 – **34 cam** 38/58000.

XXX **Bidin,** viale Europa 1 ☏ 71988, ☆, Coperti limitati; prenotare – ▤ **Ⓟ**. 匹 ⓢ **ⓞ** **E** **VISA**. ❤️
chiuso mercoledì dal 15 settembre al 15 maggio – Pas carta 33/48000.

a Lignano Pineta SO : 5 km – ✉ 33054 Lignano Sabbiadoro.

🗂 via dei Pini 53 ☏ 422169 :

🏨🏨 **Greif,** arco del Grecale 23 ☏ 422261, « Parco con 🏊 », 🦌 – 🛗 ▤ 📺 ☎ **Ⓟ**. 匹 ⓢ **ⓞ** **E**
VISA. ❤️ rist
maggio-settembre – Pas 35/50000 – ⊊ 15000 – **69 cam** 100/180000 – P 90/140000, b.s. 74/99000.

🏨 **Medusa Splendid,** raggio dello Scirocco 33 ☏ 422211, 🏊, 🦌, 🏖 – 🛗 ▤ ☎ **Ⓟ**. 匹 ⓢ **ⓞ**
E **VISA**. ❤️ rist
15 maggio-15 settembre – Pas (solo per clienti alloggiati) 25/30000 – ⊊ 10000 – 56 cam 47/75000 – P 76/90000, b.s. 64/76000.

🏨 **Bella Venezia Mare,** arco del Grecale 18/a ☏ 422184, 🦌, 🏖 – 🛗 ▤ rist ☎ **Ⓟ**
stagionale – 45 cam.

🏨 **Park Hotel,** viale delle Palme 41/43 ☏ 422380, 🏊, 🦌 – 🛗 ☜ **Ⓟ**. ⓢ **E** **VISA**. ❤️ rist
15 maggio-settembre – Pas (solo per clienti alloggiati) 25000 – ⊊ 10000 – 44 cam 49/80000 – P 56/75000, b.s. 46/62000.

🏨 **Carlton,** arco del Libeccio 39 ☏ 428531, 🏖 – 🛗 ☜ **Ⓟ**. **VISA**. ❤️
◆ *15 maggio-25 settembre* – Pas 19000 – ⊊ 7500 – **37 cam** 36/60000 – P 46/63000, b.s. 38/48000.

🏨 **Colorado,** via dei Giardini 66 ☏ 422281, 🏖 – 🛗 ☎ ☜ **Ⓟ**. 匹 ❤️ rist
maggio-settembre – Pas 30000 – **73 cam** ⊊ 62/93000 – P 80000, b.s. 55000.

🏠 **Martini,** viale delle Palme 47 ☏ 422666, 🏊, 🦌, 🏖 – 🛗 ☜ **Ⓟ**. 匹. ❤️ rist
◆ *20 maggio-settembre* – Pas 18000 – ⊊ 7000 – **41 cam** 32/59000 – P 51/59000, b.s. 40/51000.

🏠 **Olympia,** viale delle Palme 54 ☏ 422468, 🏊, 🦌, 🏖 – 🛗 **Ⓟ**. ❤️ rist
◆ *20 maggio-settembre* – Pas carta 18/25000 – ⊊ 7000 – **50 cam** 33/55000 – P 45/60000, b.s. 40/45000.

🏠 **Dany** senza rist, via dei Pini 25 ☏ 428333, 🏖 – **Ⓟ**. ❤️
aprile-settembre – ⊊ 8000 – **17 cam** 40/50000.

🏠 **Erica,** arco del Grecale 21/23 ☏ 422123, 🦌 – 🛗 ✎ cam ☜ **Ⓟ**. 匹 ⓢ **ⓞ** **E** **VISA**. ❤️ rist
15 maggio-settembre – Pas *(chiuso a mezzogiorno)* 23000 – 38 cam ⊊ 39/78000.

🏠 **Bellevue** senza rist, arco del Libeccio 37 ☏ 428521, 🏖 – **Ⓟ**. ❤️
giugno-settembre – ⊊ 6500 – **27 cam** 35/50000.

XX **La Stalla,** via Lovato 2 ☏ 71510 – 匹 **ⓞ**. ❤️
chiuso martedì, dicembre e gennaio – Pas carta 29/41000.

XX **Sandrocchia,** raggio dello Scirocco 19 ☏ 422653, ☆ – 匹 ⓢ **ⓞ** **E** **VISA**
maggio-settembre – Pas carta 24/40000.

a Lignano Riviera SO : 7 km – ✉ 33054 Lignano Sabbiadoro :

🏨🏨 **President,** calle Rembrandt 2 ☏ 428777, Telex 450498, 🦌, 🏖 – 🛗 ✎ cam ☜ **Ⓟ**. 匹
ⓢ **ⓞ** **E** **VISA**. ❤️ rist
22 aprile-8 ottobre – Pas *(chiuso a mezzogiorno e giovedì)* carta 42/54000 – ⊊ 23000 –
40 cam 159/274000.

🏨🏨 **Eurotel** 🏖, calle Mendelssohn 13 ☏ 428992, Telex 450211, « Giardino-pineta con 🏊 » – 🛗
▤ ᵭ **Ⓟ**. 匹 ⓢ **ⓞ** **E** **VISA**. ❤️ rist
15 maggio-15 settembre – Pas 25000 – ⊊ 10000 – **60 cam** 67/103000 – P 84/115000, b.s. 74/101000.

🏨 **Arizona,** calle Prassitele 2 ☏ 428529, 🏊, 🦌, 🏖 – 🛗 ▤ rist ☜ **Ⓟ**. **ⓞ** **VISA**
◆ *15 maggio-settembre* – Pas 19000 – ⊊ 7000 – **36 cam** 45/90000 – P 66/76000, b.s. 54/66000.

🏨 **Meridianus,** viale della Musica 1 ☏ 428561, 🎱, 🦌, 🏖 – 🛗 ▤ ☜ **Ⓟ**. 匹. ❤️ rist
maggio-settembre – Pas 30000 – 88 cam ⊊ 62/93000 – P 86000, b.s. 57000.

XX **Relax,** viale della Musica 14 ☏ 428770, « Servizio estivo in giardino », 🏊 – ▤ **Ⓟ**
stagionale.

XX **La Siesta,** corso delle Nazioni 50 ☏ 428673, ☆ – 匹 ⓢ **ⓞ** **E** **VISA**
maggio-settembre – Pas carta 35/50000.

XX **Dal Beppe,** corso delle Nazioni 108 ☏ 428508, ☆, Coperti limitati; prenotare – **ⓞ** **VISA**. ❤️
chiuso martedì e novembre – Pas carta 31/44000.

LILLAZ Aosta 🗞🗞🗞 ⓦ – Vedere Cogne.

LIMONE PIEMONTE 12015 Cuneo 🔢 ⑫, 🔢 ⑥ – 1 644 ab. alt. 1 010 – Stazione di villeggiatura, a.s. febbraio-Pasqua, luglio-15 settembre e Natale – Sport invernali : 1 010/2 038 m ≤4 ≤20, ≰ – ☺ 0171 – 🅱 via Roma 30 ℰ 92101.

Roma 670 – Cuneo 27 – ◆Milano 243 – Nice 97 – Colle di Tenda 6 – ◆Torino 121.

🏨 **Principe,** ℰ 92389, ≤, 🐎 – 🛗 📺 ☎ 👄 🅿 🄴 𝓥𝓘𝓢𝓐. ℅
15 dicembre-15 aprile e luglio-agosto – Pas *(chiuso in estate)* 23/28000 – **42 cam** ☜ 48/88000 – P 78/98000, b.s. 65/70000.

🏨 **Tripoli,** ℰ 92397 – ☜. 𝓥𝓘𝓢𝓐. ℅ rist
15 dicembre-15 aprile – Pas (solo per clienti alloggiati) 22000 – ☜ 7000 – 33 cam 43/74000 – P 65/80000, b.s. 49/55000.

🍴🍴 **Mac Miche,** ℰ 92449, Coperti limitati; prenotare, « Caratteristica taverna » – 🄰🄴 🄵 🄾 🄴 𝓥𝓘𝓢𝓐. ℅
chiuso lunedì sera, martedì, dal 15 giugno al 10 luglio e dal 5 al 25 novembre – Pas carta 35/52000.

sulla strada statale 20 S : 1,5 km :

🏨 **Le Ginestre,** ✉ 12015 ℰ 927596, ≤ – ☜ 👄 🅿. 🄵 𝓥𝓘𝓢𝓐. ℅ rist
Pas carta 25/35000 – ☜ 5000 – **18 cam** 35/70000 – P 60/70000, b.s. 40/60000.

LIMONE SUL GARDA 25010 Brescia – 1 001 ab. alt. 66 – Stazione climatica, a.s. Pasqua e luglio-15 settembre – ☺ 0365.

Vedere ≤★★★ dalla strada panoramica★★ dell'altipiano di Tremosine per Tignale.

🅱 (aprile-settembre) piazzale Alcide De Gasperi ℰ 954265, Telex 303289.

Roma 586 – ◆Brescia 65 – ◆Milano 160 – Trento 60 – ◆Verona 97.

🏨 **Capo Reamol** ⏣, strada statale N : 3 km ℰ 954040, ≤, « Piccolo parco con ⛱ », 🔊 – 🛗 ☎ 🅿. ℅
aprile-ottobre – Pas 35000 – 60 cam ☜ 70/94000 – P 110/120000, b.s. 100/110000.

🏨 **Le Palme,** via Porto 36 ℰ 954681, ≤, 🌴 – 🛗 ☎ 🛁. ℅ rist
aprile-ottobre – Pas carta 25/40000 – ☜ 9000 – **28 cam** 44/70000 – P 71/80000, b.s. 61/69000.

🏠 **Lido** ⏣, via 4 Novembre 36 ℰ 954574, ≤, ⛱ riscaldata, 🔊, 🐎 – 🛗 ☎ 🛁 🅿. 🄰🄴. ℅ rist
↦ 7 maggio-15 ottobre – Pas *(chiuso martedì)* 19000 – ☜ 9000 – 26 cam 68000 – P 69000, b.s. 53000.

🍴 **Gemma,** piazza Garibaldi 11 ℰ 954014, ≤, 🌴
↦ marzo-ottobre; chiuso lunedì – Pas carta 19/31000.

LIPARI (Isola) Messina 🔢 ㊲㊳ – Vedere Sicilia (Eolie, isole) alla fine dell'elenco alfabetico.

LISANZA Varese 🔢 ⑰ – Vedere Sesto Calende.

LIVATA (Monte) Roma – Vedere Subiaco.

LIVIGNO 23030 Sondrio 🔢 ③, 🔢 ⑤ – 3 796 ab. alt. 1 816 – Sport invernali : 1 816/2 800 m ≤5 ≤16, ≰ – ☺ 0342 – 🅱 ℰ 996379, Telex 350400.

Roma 801 – Bormio 38 – ◆Milano 240 – Sondrio 102 – Passo dello Stelvio 54.

🏨 **Intermonti,** ℰ 996331, Telex 320224, ≤, ⛱ – 🛗 ☎ 🛁 👄 🅿. 🄵 𝓥𝓘𝓢𝓐. ℅ rist
↦ 26 novembre-1° maggio e 24 giugno-16 settembre – Pas 15/18000 – **162 cam** ☜ 70/110000 appartamenti 90/130000 – P 77/92000.

🏨 **Parè** ⏣, ℰ 996263, Fax 996262, ≤, ⛱ – 🛗 ☜ 👄 🅿. 𝓥𝓘𝓢𝓐. ℅
↦ dicembre-16 aprile e 27 giugno-15 settembre – Pas 19/22000 – ☜ 7000 – **40 cam** 40/68000 – P 65000.

🏨 **SportHotel** ⏣, ℰ 996186, ≤ – 🛗 ☎ 👄 🅿. ℅ rist
↦ 20 dicembre-25 aprile e 15 luglio-5 settembre – Pas 15/18000 – ☜ 8000 – **35 cam** 35/60000 – P 63/68000.

🏨 **Bucaneve,** ℰ 996201, ≤, ⛱, 🍴 – 🛗 ☎ 👄 🅿. ℅
↦ novembre-aprile e 10 luglio-6 settembre – Pas 15/18000 – ☜ 8000 – 41 cam 40/62000 appartamenti 90/120000 – P 66/70000.

🏨 **Paradiso** ⏣, ℰ 996633, ≤ – 🛗 ☎ 👄 🅿. ℅ rist
↦ 20 novembre-5 maggio e 3 luglio-settembre – Pas 18000 – ☜ 7000 – **24 cam** 32/52000 – P 55/65000.

🏨 **Sonne,** ℰ 996433 – 🛗 ☎ 🛁 👄 🅿. ℅
↦ dicembre-aprile e luglio-15 ottobre – Pas 18/20000 – 28 cam ☜ 38/66000 – P 57/68000.

🏨 **Loredana,** ℰ 996330, ≤ – ☜ 👄 🅿. ℅ rist
↦ 7 dicembre-1° maggio e luglio-10 settembre – Pas (solo per clienti alloggiati) – ☜ 5000 – 26 cam 45/70000 – P 58/68000.

🏠 **Augusta** ⏣, ℰ 996163, ≤ – 🅿. ℅
↦ dicembre-15 aprile e luglio-15 settembre – Pas (solo per clienti alloggiati e chiuso a mezzogiorno) 20000 – ☜ 7500 – **21 cam** 31/48000 – ½ P 50000.

🏠 **Concordia,** ℰ 996061 – 🛗 ☎ 🛁 👄 🅿. 🄰🄴 🄵 𝓥𝓘𝓢𝓐. ℅ rist
↦ Pas 18/32000 – 40 cam ☜ 32/50000 – P 50/62000.

🏠 **Alpina,** ℰ 996007 – ☎ 👄 🅿. 🄰🄴 𝓥𝓘𝓢𝓐
↦ chiuso maggio e novembre – Pas 15000 – **34 cam** ☜ 35/65000 – P 48/63000.

🏠 Bivio, ℰ 996137, 🔟 – ☎ 🚗 🅿
stagionale – 23 cam.

🏠 **Posta**, ℰ 996076, ⚒ – 📱 ☎ 🅿. ⅀. ⅍ rist
Pas *(dicembre-aprile)* 20000 – **32 cam** ⯜ 38/65000 – P 62/70000.

XX **La Baita** con cam, ℰ 997070 – ☎ 🅿. ⅀ ⅦⅪ
chiuso maggio e novembre – Pas carta 25/42000 – ⯜ 6000 – **16 cam** 30/60000 – P 58/68000.

XX **Camana Veglia** con cam, ℰ 996310, « Ambiente caratteristico » – ↰ rist ☎. ⅀ ① ⅦⅪ.
⅍ rist
dicembre-13 aprile e giugno-settembre – Pas carta 22/33000 – **15 cam** ⯜ 35/60000 –
P 50/58000.

X **Steinbock** con cam, ℰ 996268 – ⅦⅪ. ⅍ cam
← *chiuso da maggio al 15 giugno e novembre* – Pas carta 18/35000 – ⯜ 6000 – **9 cam** 29/47000
– P 50/63000.

LIVORNO 57100 🅿 🎱🎱🎱 ⑭ – 173 114 ab. – a.s. 15 giugno-15 settembre – ✪ 0586.

Vedere Monumento★ a Ferdinando I de' Medici.

⚓ per l'Isola d'Elba-Portoferraio 15 giugno-settembre giornaliero (3 h) e l'Isola di Capraia
giornaliero (2 h 30 mn) – Toremar-agenzia Ardisson, via Calafati 4 ⊠ 57123 ℰ 24113, Telex 500304;
per Olbia marzo-ottobre giornalieri (9 h) – Sardinia Ferries, calata Carrara ⊠ 57123 ℰ 881380,
Telex 590262; per Palermo martedì, giovedì e sabato (18 h) – Grandi Traghetti-agenzia Ghianda, via
Vittorio Veneto 24 ⊠ 57123 ℰ 28314, Telex 500044; per Porto Torres martedì, giovedì e sabato
(12 h) – Tirrenia Navigazione-agenzia Laviosa, scali D'Azeglio 6 ⊠ 57123 ℰ 34732, Telex 624180.

🛈 piazza Cavour 6 ⊠ 57126 ℰ 33111 – Porto Mediceo ⊠ 57100 ℰ 895320.

A.C.I. via Verdi 32 ⊠ 57126 ℰ 34651.

Roma 321 ② – ◆Firenze 187 ① – ◆Milano 294 ①.

Pianta pagina seguente

🏨 **Gran Duca**, piazza Micheli 16 ⊠ 57123 ℰ 891024, ← – 📱 📺 ☎ ⅃. ⅀ 🔄   AY **b**
Pas vedere rist Gran Duca – ⯜ 6000 – **47 cam** 52/75000 – P 80000.

🏨 **Boston** senza rist, piazza Mazzini 40 ⊠ 57126 ℰ 882333 – 📱 📺 ☎ 🅿. ⅀ 🔄 ① ⅌ ⅦⅪ. ⅍
⯜ 8000 – **35 cam** 52/73000.   AZ **n**

🏨 **Giappone Inn**, via Grande 65 ⊠ 57123 ℰ 880241, Fax 899955 – 📱 📺 ☎. ⅀ 🔄 ① ⅌ ⅦⅪ.   AY **c**
← ⅍ rist
Pas *(solo per clienti alloggiati e chiuso dal 20 dicembre al 10 gennaio)* 18/19000 – ⯜ 6000 –
57 cam 49/69000 – P 70/80000.

🏨 **Touring** senza rist, via Goldoni 61 ⊠ 57125 ℰ 898035 – 📱 📺 ☎. ⅀ 🔄 ① ⅌ ⅦⅪ   BY **v**
⯜ 7500 – **37 cam** 53/74000.

🏨 **Universal**, viale di Antignano 4 ⊠ 57128 ℰ 500327, ←, ⅃ – 📱 📺 ☎ 🅿. ⅀ 🔄 ① ⅌ ⅦⅪ
Pas carta 28/38000 – ⯜ 6000 – 25 cam 48/68000 – P 70/74000, b.s. 60/65000.

                                    per viale Italia   AZ

🏠 **Giardino** senza rist, piazza Mazzini 85 ⊠ 57126 ℰ 806330 – ☎ 🅿. ⅍   AZ **h**
chiuso dal 24 dicembre al 2 gennaio – ⯜ 6000 – **21 cam** 38/55000.

XX **Gran Duca**, piazza Micheli 16 ⊠ 57123 ℰ 891325   AY **b**
chiuso lunedì e dal 16 al 31 dicembre – Pas carta 22/36000.

XX **La Barcarola**, viale Carducci 63 ⊠ 57122 ℰ 402367 – ⅀ 🔄 ① ⅌ ⅦⅪ   BY **a**
chiuso domenica e dal 5 al 26 agosto – Pas carta 32/48000.

XX **Il Fanale**, scali Novi Lena 15 ⊠ 57126 ℰ 881346 – ▣. ①   AY **e**
chiuso martedì, dal 1° al 15 gennaio e dal 1° al 15 luglio – Pas carta 28/38000 (10%).

XX **Gennarino**, via Santa Fortunata 11 ⊠ 57123 ℰ 888093 – ⅀ 🔄 ① ⅌ ⅦⅪ. ⅍   AY **x**
chiuso mercoledì e dal 7 al 22 gennaio – Pas carta 25/38000 (10%).

XX **La Gargotta del Buongustaio**, via San Carlo 7 ⊠ 57126 ℰ 895546 – ⅀ ① ⅦⅪ. ⅍
chiuso a mezzogiorno e domenica – Pas carta 27/43000.   AY **z**

X **Da Rosina**, via Roma 251 ℰ 800200 – ⅀ 🔄 ① ⅌ ⅦⅪ   BZ **p**
chiuso giovedì e dal 1° al 20 agosto – Pas carta 22/46000.

X **La Parmigiana**, piazza Luigi Orlando ⊠ 57126 ℰ 807180 – ▣. 🔄. ⅍   AZ **h**
chiuso domenica e dal 1° al 21 luglio – Pas carta 33/47000 (5%).

sulla strada statale 1 - via Aurelia per ① : 5 km :

🏨🏨 **MotelAgip**, ⊠ 57017 Stagno ℰ 943067 – 📱 📺 ☎ 🅿 – 🔏 25 a 40. ⅀ 🔄 ① ⅌ ⅦⅪ.
⅍ rist
Pas *(chiuso domenica)* 33000 – ⯜ 14000 – **50 cam** 72/99000 – P 128/150000.

ad Antignano per ② : 8 km – ⊠ 57128 :

🏨 **Rex**, ℰ 580400, Telex 501022, ←, 🔥 – 📱 ▤ ☎ 🅿 – 🔏 50. ⅀ 🔄 ① ⅌ ⅦⅪ. ⅍
Pas *(chiuso a mezzogiorno, lunedì e dal 5 gennaio al 10 febbraio)* 22/28000 – ⯜ 9000 – 75 cam
50/70000, ▤ 5000.

a Calafuria per ② : 11 km – ⊠ 57128 Livorno :

XX **Rossi-la Torre di Calafuria**, ℰ 580547, ← – 🅿. ⅀ ⅦⅪ
chiuso martedì e novembre – Pas carta 24/36000 (12%).

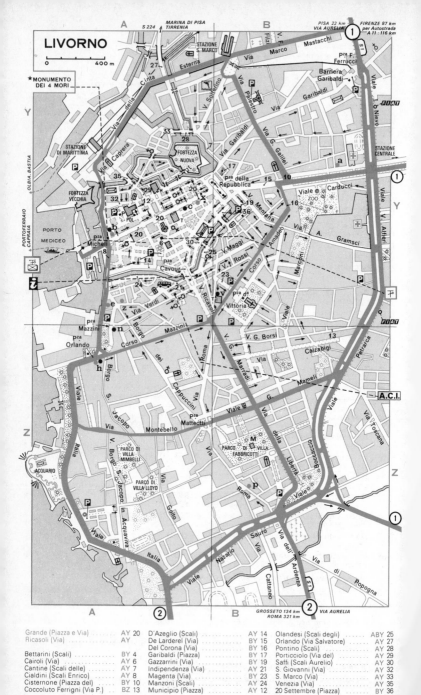

ALFA-ROMEO via Ugione 29 ℰ 402267
FIAT viale Petrarca 85 ℰ 856486
FIAT via Firenze ang. via Enriquez per ① ℰ 400553
FIAT viale Ippolito Nievo 40/46 ℰ 401355
FORD via Enriquez 6/a ℰ 410542
GM-OPEL piazza Damiano Chiesa 44/52 ℰ 855441
INNOCENTI via Ugione 15 ℰ 408541
LANCIA-AUTOBIANCHI ad Antignano, via del Litorale 287 per ① ℰ 580540

MERCEDES-BENZ via Pisana 631 angolo via Pian di Rota ℰ 422230, Telex 501668
PEUGEOT-TALBOT viale Carducci 207 ℰ 402004
RENAULT via Pisana 581 ℰ 404009
RENAULT via di Collinaia 4 ℰ 854063
VW-AUDI via Leopardi 27 ℰ 400726
VOLVO via Firenze (Aurelia Nord) ℰ 422032

LIVORNO FERRARIS 13046 Vercelli 🆈🆈🆈 ⑫ – 4 516 ab. alt. 189 – 🔴 0161.
Roma 673 – ♦Milano 104 – ♦Torino 41 – Vercelli 42.

- ✕ **Giardino,** ℰ 47296 – 🍽. 🆎 🅱 ⓞ 𝘝𝘐𝘚𝘈. ✁
  chiuso martedì e dal 1° al 15 agosto – Pas carta 30/50000.

LIVRASCO Cremona – Vedere Castelverde.

LIZZANO IN BELVEDERE 40042 Bologna 🆈🆈🆈 ⑭ – 2 321 ab. alt. 640 – Stazione di villeggiatura, a.s. luglio-agosto e Natale – Sport invernali : a Corno alle Scale : 1 195/1 945 m ⥱7, 🏂 – 🔴 0534.
🛈 piazza Marconi 6 ℰ 51052.
Roma 361 – ♦Bologna 70 – ♦Firenze 87 – Lucca 93 – ♦Milano 271 – ♦Modena 102 – Pistoia 51.

- 🏨 **Piccolo Hotel Riccioni,** ℰ 51107 – 🆎 𝘝𝘐𝘚𝘈. ✁
  Pas carta 21/32000 – ☞ 5000 – **20 cam** 40/60000 – P 50/60000, b.s. 45/50000.

  a Vidiciatico NO : 4 km – alt. 810 – ✉ **40049** :

- 🏨 **Montegrande,** ℰ 53210 – 🆎 ⓞ 𝘝𝘐𝘚𝘈. ✁
  chiuso maggio e novembre – Pas *(chiuso mercoledì)* carta 20/40000 – ☞ 7000 – **10 cam** 50000 – P 45/50000, b.s. 40/45000.

LOANO 17025 Savona 🆈🆈🆈 ⑫ – 11 899 ab. – Stazione balneare – 🔴 019.
🛈 corso Europa 19 ℰ 668044 – Roma 578 – ♦Genova 79 – Imperia 43 – ♦Milano 202 – Savona 33.

- 🏨🏨 **Garden Lido,** lungomare Nazario Sauro 9 ℰ 669666, Telex 283178, Fax 668552, ≤, 🏊 riscaldata, 🌳, 🦀 – 🛗 🍽 rist ☎ ⟸ 🅿 – 🕍 50. 🆎 🅱 🅴 𝘝𝘐𝘚𝘈. ✁
  chiuso dal 30 ottobre al 22 dicembre – Pas *(chiuso martedì)* 35/40000 – ☞ 15000 – **92 cam** 65/85000 – P 100/120000.

- 🏨🏨 **Palace Hotel Moderno,** via Carducci 3 ℰ 669266, Telex 272136, Fax 669260, « Terrazza » – 🛗 ⥱ cam ☎ 🅿. 🆎 🅱 ⓞ 🅴 𝘝𝘐𝘚𝘈. ✁
  chiuso dall'11 ottobre al 19 dicembre – Pas *(chiuso lunedì)* 26/30000 – ☞ 8000 – **86 cam** 50/80000 – P 65/77000.

- 🏨 **Perelli,** corso Roma 13 ℰ 668002, ≤, 🌳 – 🛗 🏠 🅿. ✁ rist
  Pasqua-settembre – Pas 25/32000 – ☞ 6500 – **41 cam** 46/60000 – P 75/83000.

- 🏨 **Savoia,** lungomare Nazario Sauro 1 ℰ 668301, ≤ – 🛗 🏠. ⓞ. ✁
  chiuso da novembre al 15 dicembre – Pas 20000 – **27 cam** ☞ 25/45000 – P 65000.

- 🏨 **Villa Mary,** viale Tito Minniti 6 ℰ 668368 – 📺 ☎ 🅿. 🅱. ✁
  chiuso dal 27 settembre al 19 dicembre – Pas *(chiuso martedì)* 15/20000 – ☞ 5000 – **26 cam** 33/45000 – P 55000.

LOCARNO 🛂🛂🛂 ㉔, 🛂🛂🛂 ⑧, 🛂🛂🛂 ⑪⑫ – Vedere Cantone Ticino alla fine dell'elenco alfabetico.

LOCOROTONDO 70010 Bari 🆈🆈🆈 ㉙ – 13 086 ab. alt. 410 – 🔴 080.
Dintorni Valle d'Itria★★ (strada per Martina Franca) – ≤★ sulla città dalla strada di Martina Franca.
Roma 518 – ♦Bari 68 – ♦Brindisi 59 – ♦Taranto 36.

- ✕ **Casa Mia,** via Cisternino E : 3 km ℰ 711218 – 🅿. 𝘝𝘐𝘚𝘈. ✁
  chiuso martedì e dal 7 gennaio al 5 febbraio – Pas carta 21/34000.

LOCRI 89044 Reggio di Calabria 🆈🆈🆈 ㉚ – 13 559 ab. – Vedere Guida Verde – 🔴 0964.
Dintorni Gerace : altare maggiore★ nella chiesa di San Francesco NO : 10 km.
Roma 702 – Catanzaro 98 – Gioia Tauro 53 – ♦Reggio di Calabria 98.

- 🏨 **Demaco,** lungomare ℰ 20247, ≤ – 🏠 🅿 – 🕍 100. 🅱. ✁
  Pas carta 26/38000 (20%) – ☞ 6000 – **32 cam** 50/75000 – P 80000.

FORD sulla statale-frazione Basilea ℰ 29376   VW-AUDI via Marconi-frazione Basilea ℰ 29154

LODI 20075 Milano 🆈🆈🆈 ③⑬ – 42 469 ab. alt. 80 – 🔴 0371.
Roma 548 – ♦Bergamo 49 – ♦Brescia 67 – Cremona 54 – ♦Milano 36 – Pavia 36 – Piacenza 40.

- 🏨 **Europa** senza rist, viale Pavia 5 ℰ 35215 – 🛗 📺 🏠 – 🅿 🆎 🅱 🅴 𝘝𝘐𝘚𝘈
  chiuso dal 22 dicembre al 7 gennaio – ☞ 8000 – **44 cam** 55/70000.

- 🏨 **Anelli** senza rist, viale Vignati 7 ℰ 63354 – 🛗 ☎. 🆎 🅱 𝘝𝘐𝘚𝘈. ✁
  chiuso dal 23 dicembre al 6 gennaio e dal 10 al 24 agosto – ☞ 6500 – **20 cam** 46/70000.

segue →

XXX **La Quinta,** piazza della Vittoria 20 ℰ 64232 – 🍴 – 🛃 40. 🖭 🕄 ⓪ 🅴 𝘝𝘐𝘚𝘈
  chiuso domenica sera, lunedì ed agosto – Pas carta 31/46000.

XX **Tre Gigli,** via Lodi Vecchio 25 ℰ 63321, Coperti limitati; prenotare – 🕄
  chiuso martedì sera, mercoledì e dal 10 al 20 agosto – Pas carta 34/51000.

XX **Antica Trattoria Sobacchi,** viale Pavia 76 ℰ 35041 – 🍴 🅿. 𝘝𝘐𝘚𝘈. 🛠
  chiuso lunedì sera, martedì, dal 24 dicembre al 2 gennaio ed agosto – Pas carta 24/38000.

ALFA-ROMEO viale Vignati 5 ℰ 53170	GM-OPEL piazzale Fiume 13 ℰ 52306
BMW viale Milano 69 ℰ 610384	INNOCENTI sulla statale per Cornegliano ℰ 58191
CITROEN via Massena 31 ℰ 53283	LANCIA-AUTOBIANCHI viale Italia 104 ℰ 32823
CITROEN viale Milano 8 ℰ 53455	MASERATI sulla statale per Cornegliano ℰ 58191
FIAT località San Grato ℰ 610613	PEUGEOT-TALBOT viale Milano 81 ℰ 611086
FORD viale Milano 29/31 ℰ 610731	RENAULT via Cavallotti 48 ℰ 53317

LODRONE 38080 Trento – alt. 379 – a.s. dicembre-aprile – 🕲 0465.
Roma 589 – ♦Brescia 56 – ♦Milano 146 – Trento 73.

🏨 **Castel Lodron,** ℰ 65002, 🔲, 🐎, 🛠 – 🛎 📥 rist 🕿 ᑫ 🅿 – 🛃 200. 🛠
  Pas *(chiuso lunedì)* carta 22/31000 – 🖵 8000 – **41 cam** 50/70000 – P 50000, b.s. 40000.

LOIANO 40050 Bologna 🆖🆖🆖 ⑭⑮ – 2 723 ab. alt. 714 – a.s. luglio-15 settembre – 🕲 051.
Roma 359 – ♦Bologna 36 – ♦Firenze 85 – ♦Milano 242 – Pistoia 100.

🏨 **Pineta,** ℰ 921865, ≤, 🐎 – 🛎 🕿 🅿. 🖭 𝘝𝘐𝘚𝘈. 🛠 rist
  Pas *(chiuso martedì)* carta 20/30000 – 🖵 5000 – **30 cam** 28/55000 – P 45/65000, b.s. 35/40000.

LONATE POZZOLO 21015 Varese 🆖🆖🆖 ⑰ – 10 689 ab. alt. 205 – 🕲 0331.
Roma 621 – ♦Milano 43 – Novara 30 – Varese 28.

  sulla strada statale 527 SO : 2 km :

XX **F. Bertoni** con cam, 🖃 21015 Tornavento ℰ 668020, 🐎 – 🅿 – 🛃 150. 🖭 🕄 𝘝𝘐𝘚𝘈. 🛠
  chiuso dal 1° al 10 gennaio ed agosto – Pas *(chiuso lunedì)* carta 26/43000 – 🖵 6000 – **7 cam**
  32/43000 – P 55000.

LONATO 25017 Brescia 🆖🆖🆖 ④ – 10 930 ab. alt. 188 – a.s. Pasqua e luglio-15 settembre – 🕲 030.
Roma 530 – ♦ Brescia 23 – Mantova 50 – ♦ Milano 120 – ♦ Verona 45.

XX Al Lonatino, ℰ 9131012 – 🅿.

XX **Il Rustichello** con cam, ℰ 9130107, 🐎 – 📥 rist 🅿. 🖭 ⓪
  Pas *(chiuso mercoledì e dal 20 luglio al 5 agosto)* carta 26/37000 – 🖵 5000 – **10 cam** 35/55000
  – P 55000, b.s. 50000.

  a Barcuzzi N : 3 km – 🖃 25017 Lonato :

XX **Da Oscar,** ℰ 9130409, « Servizio estivo in terrazza » – 🅿. 🕄 𝘝𝘐𝘚𝘈. 🛠
  chiuso dal 15 al 30 gennaio, martedì e da novembre ad aprile anche mercoledì a mezzogiorno
  – Pas carta 27/35000.

LONGA Vicenza – Vedere Schiavon.

LONGARDORE Cremona – Vedere Sospiro.

LONGARE 36023 Vicenza – 5 193 ab. alt. 29 – 🕲 0444.
Roma 528 – ♦Milano 213 – ♦Padova 27 – ♦Verona 60 – Vicenza 10.

  a Costozza SO : 1 km – 🖃 36023 Longare :

XX Taverna Aeolia, ℰ 555036, « Edificio del 16° secolo con affreschi ».

LONGARONE 32013 Belluno 🆖🆖🆖 ⑤ – 4 329 ab. alt. 474 – a.s. 15 luglio-agosto – 🕲 0437.
Roma 619 – Belluno 18 – Cortina d'Ampezzo 53 – ♦Milano 358 – Udine 119 – ♦Venezia 108.

🏨 **Posta** senza rist, ℰ 770702 – 📥 🕿 🅿. 🖭 🕄 ⓪ 𝘝𝘐𝘚𝘈. 🛠
  chiuso dal 10 al 31 marzo – 🖵 7000 – **24 cam** 45/75000.

LONGEGA (ZWISCHENWASSER) 39030 Bolzano – alt. 1 012 – a.s. febbraio-aprile, 15 luglio-agosto
e Natale – 🕲 0474.
Roma 720 – ♦Bolzano 83 – Brunico 14 – ♦Milano 382 – Trento 143.

🏨 **Gader,** ℰ 51008 – 🅿. 🛠 cam
← Pas *(chiuso lunedì)* carta 17/25000 – **9 cam** 🖵 25/50000 – P 40/50000, b.s. 38/45000.

LONIGO 36045 Vicenza 🆖🆖🆖 ④ – 12 739 ab. alt. 31 – 🕲 0444.
Roma 533 – ♦Ferrara 95 – ♦Milano 186 – ♦Padova 56 – ♦Verona 33 – Vicenza 24.

X **Casa Mia,** viale Vicenza 10 ℰ 831087 – 🍴 🅿
← *chiuso lunedì ed agosto* – Pas carta 19/32000.

FIAT via San Feliciano ℰ 830690

LORANZÈ 10010 Torino 🔢🔢🔢 ⑭ – 1 099 ab. alt. 404 – ✪ 0125.

Roma 685 – Aosta 73 – Ivrea 9,5 – ◆Milano 123 – ◆Torino 52.

XXX **Panoramica** 🌰 con cam, ℰ 76321, ≤ colline e vallata, 🍴 – 📺 ☎ 🅿 🆎 🅱 € 💳. 🍴 cam
chiuso dal 27 dicembre al 7 gennaio – Pas *(chiuso venerdì, sabato a mezzogiorno e domenica
sera)* carta 40/60000 – ⭐ 10000 – **10 cam** 70/90000 – P 100000.

LORENZAGO DI CADORE 32040 Belluno – 656 ab. alt. 880 – ✪ 0435.

🛈 (giugno-15 settembre) ℰ 75042.

Roma 659 – Belluno 58 – Cortina d'Ampezzo 45 – ◆Milano 401 – Tolmezzo 60 – ◆Venezia 148.

🏠 **Dolomiti,** ℰ 75002 – 🍴
Pas *(chiuso martedì)* 20/25000 – ⭐ 5000 – **36 cam** 25/45000 – P 40/53000.

LOREO 45017 Rovigo 🔢🔢🔢 ⑮ – 3 775 ab. – ✪ 0426.

Roma 488 – ◆Ravenna 83 – Rovigo 32 – ◆Venezia 72.

X **Cavalli** con cam, riviera Marconi 67/69 ℰ 669172 – ☎ 🆎 🅱 € 💳. 🍴
Pas *(chiuso lunedì)* carta 19/33000 – ⭐ 5000 – **10 cam** 26/42000 – P 55/60000.

LORETO 60025 Ancona 🔢🔢🔢 ⑯ – 10 553 ab. alt. 125 – a.s. Pasqua, 15 luglio-15 settembre e
7-12 dicembre – ✪ 071.

Vedere Santuario della Santa Casa★★ – Piazza della Madonna★ – Opere del Lotto★ nella pinacoteca
M.

🛈 via Solari 3 ℰ 977139.

Roma 294 ② – ◆Ancona 31 ① – Macerata 31 ② – Pesaro 90 ② – Porto Recanati 5 ①.

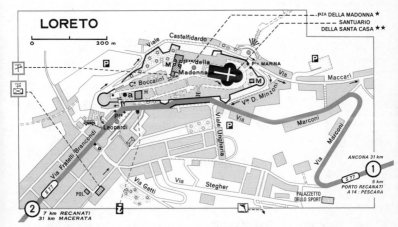

🏠 **Giardinetto,** corso Boccalini 10 ℰ 977135, Telex 560452 – 🛗 🍴 rist ☎ 🆎 ⓪ 💳   **a**
Pas carta 25/34000 – ⭐ 8000 – **76 cam** 47/77000 – P 60/80000.

🏠 **Orlando da Nino,** via Villa Costantina 89 ℰ 978501, ≤ – ☎ 🆎. 🍴
Pas carta 17/23000 (10%) – ⭐ 4000 – **22 cam** 35/50000 – P 45/50000. b.s. 38/45000.
E : 1,5 km per via Maccari

XX **Orlando Barabani,** via Villa Costantina 93 ℰ 977696 – 🅿 ⓪. 🍴
chiuso mercoledì e luglio – Pas carta 22/30000 (12%).   E : 1,5 km per via Maccari

LORETO APRUTINO 65014 Pescara 🔢🔢🔢 ㉗ – 7 269 ab. alt. 294 – ✪ 085.

Roma 226 – ◆Pescara 24 – Teramo 77.

🏠 **La Bilancia,** contrada Palazzo 10 (SO : 5 km) ℰ 8289321 – 📺 ☎ 🅿 🆎 🅱. 🍴
chiuso dal 15 dicembre al 10 gennaio – Pas carta 18/27000 – ⭐ 2500 – **19 cam** 30/40000 –
P 63000.

LORICA 87050 Cosenza 🔢🔢🔢 ㊴ – alt. 1 310 – Sport invernali : 1 310/1 879 m ⚡1 ⚡3 – ✪ 0984.

Vedere Lago Arvo★.

Escursioni Massiccio della Sila★★ Est per la strada S 108 bis.

Roma 565 – Catanzaro 82 – ◆Cosenza 46 – Crotone 72.

🏨 **Gd H. Lorica,** ℰ 997039, ≤ – 🛗 ⊛ 🅿 ⓪ 💳. 🍴
15 maggio-15 ottobre – Pas 23/37000 – **100 cam** ⭐ 35/55000 – P 66000.

LORO PICENO 62020 Macerata – 2 515 ab. alt. 436 – ✪ 0733.

Roma 248 – ♦Ancona 73 – Ascoli Piceno 78 – Macerata 22.

 ✗ **Girarrosto,** via Ridolfi 24 ℰ 509119 – 🔲. ✸
   chiuso mercoledì e dal 1° al 15 luglio – Pas carta 26/35000.

LOSONE 427 ㉔, 219 ⑦, 218 ⑪ – Vedere Cantone Ticino (Ascona) alla fine dell'elenco alfabetico.

LOTZORAI Nuoro – Vedere Sardegna alla fine dell'elenco alfabetico.

LOVENO Como 219 ⑨ – Vedere Menaggio.

LOVERE 24065 Bergamo 988 ③④ – 5 764 ab. alt. 200 – a.s. luglio e agosto – ✪ 035.

Vedere Lago d'Iseo★.

Dintorni Pisogne★ : affreschi★ nella chiesa di Santa Maria della Neve NE : 7 km.

Roma 611 – ♦Bergamo 41 – ♦Brescia 62 – Edolo 57 – ♦Milano 86.

 🏨 **S. Antonio,** piazza 13 Martiri 2 ℰ 961523, 🍴 – 📱 📺 ☎ ᓀ – 🔏 50. 🖭 🕃 ⓘ 𝘝𝘐𝘚𝘈. ✸
   Pas *(chiuso martedì dal 15 settembre al 15 giugno)* carta 26/37000 – ⊇ 7000 – 22 cam 35/55000
   – P 65000, b.s. 45/55000.

 🏠 **Al Castello e Rist. Due Ruote** ⑤, via del Santo 1 ℰ 960228, ≤, « Servizio rist. estivo in
   terrazza » – 📺 ☎. 🕃 🖂 𝘝𝘐𝘚𝘈. ✸
   Pas *(chiuso lunedì da ottobre ad aprile)* carta 25/38000 – ⊇ 5000 – **20 cam** 25/40000 –
   P 60000.

  Vedere anche : *Costa Volpino* NE : 3 km.

FIAT via Provinciale ℰ 961191

    Entrate nel ristorante con la guida in mano e posatela sulla tavola.

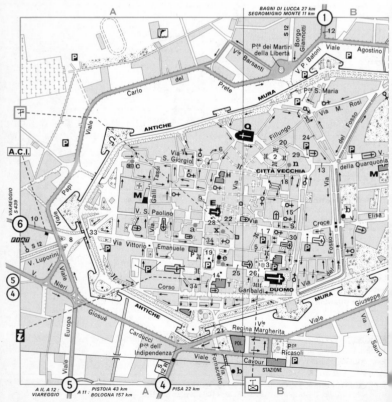

LUCCA 55100 🅿 🅰🅰🅰 ⑭ – 87 577 ab. alt. 19 – ✆ 0583.

Vedere Duomo★★ B – Chiesa di San Michele in Foro★ : facciata★★ A E – Chiesa di San Frediano★ AB **Q** – Città vecchia★ B : ≼★ sulla città dalla torre della casa dei Guinigi – Passeggiata delle mura★ – Decori★ negli appartamenti di palazzo Mansi A **M**.

Dintorni Giardini★★ della villa reale di Marlia per ① : 8 km – Parco★ di villa Mansi per ② : 11 km – Villa Torrigiani★ (o di Camigliano) per ② : 12 km.

🛈 via Vittorio Veneto 40 ✆ 43639 — **A.C.I.** via Catalani 1 ✆ 582626.

Roma 348 ⑤ – ◆Bologna 157 ⑤ – ◆Firenze 74 ⑤ – ◆Livorno 46 ⑤ – Massa 45 ⑤ – ◆Milano 274 ⑤ – Pisa 22 ④ – Pistoia 43 ⑤ – ◆La Spezia 74 ⑤.

🏨 **Napoleon** senza rist, viale Europa 1 ✆ 53141, Telex 590375 – 🛗 ▤ 📺 ☎ 🅿 – 🔬 30. 🅰🅴 🕃 ◑ 🅔 *VISA*. 🎉 per ⑤
⌕ 12000 – **63 cam** 83/135000.

🏨 **Celide** senza rist, viale Giuseppe Giusti 27 ✆ 954106 – 🛗 📺 ☎ 🕭 🅿 – 🔬 40. 🅰🅴 *VISA*. 🎉 C a
⌕ 14000 – **57 cam** 60/85000.

🏨 **Universo**, piazza del Giglio 1 ✆ 43678, Telex 501840 – 🕾. *VISA* A e
Pas vedere rist Del Teatro – ⌕ 9000 – **72 cam** 53/78000 – P 88/96000.

🏩 **Ilaria** senza rist, via del Fosso 20 ✆ 47558 – 🕾. 🅰🅴 🕃 ◑ 🅔 *VISA* B b
⌕ 4500 – **17 cam** 39/62000.

🏩 **Moderno** senza rist, via Vincenzo Civitali 38 ✆ 55840 – 🕾 🕭. 🕃 🅔. 🎉 A b
⌕ 5500 – **12 cam** 40/64000.

XXX ❀ **Buca di Sant'Antonio**, via della Cervia 1/5 ✆ 55881 – ▤. 🅰🅴 🕃 ◑ 🅔 *VISA* A a
chiuso domenica sera, lunedì e dal 9 al 24 luglio – Pas carta 25/35000
Spec. Zuppa alla frantoiana, Capretto garfagnino allo spiedo, Tordelli lucchesi al sugo. Vini Montecarlo bianco, Rosso delle colline Lucchesi.

XX **Antica Locanda dell'Angelo**, via Pescheria 21 ✆ 47711, 🛋 – ▤. 🅰🅴 ◑ *VISA*. 🎉 A x
chiuso domenica sera e lunedì – Pas carta 26/35000 (12%).

XX **Del Teatro**, piazza Napoleone 25 ✆ 43740 – *VISA* A e
chiuso giovedì – Pas carta 30/40000 (15%).

XX **Giglio**, piazza del Giglio ✆ 44058, 🛋 – ▤ A e
chiuso martedì sera e mercoledì – Pas carta 24/36000.

X **Canuleia**, via Canuleia 14 ✆ 47470, Coperti limitati; prenotare B n
chiuso sabato e domenica – Pas carta 21/30000.

X **Da Giulio-in Pelleria**, via San Tommaso 29 ✆ 55948, prenotare
↠ chiuso domenica, lunedì, agosto e dal 24 dicembre al 4 gennaio – Pas carta 19/26000. A c

sulla strada statale 435 : per ②

🏨 **Hambros-il Parco** 🌳 senza rist, E : 5,5 km ⊠ 55010 Lunata ✆ 935355, 🌿 – 🛗 ☎ 🅿 – 🔬 50. 🅰🅴 🕃 ◑ 🅔 *VISA*
⌕ 7000 – **57 cam** 52/80000.

XX **Saloon**, E : 5 km ⊠ 55010 Lunata ✆ 936526 – ▤ 🅿. 🎉
chiuso lunedì, sabato a mezzogiorno e dal 14 al 27 agosto – Pas carta 23/41000.

sulla strada statale 12 r per ④ : 4,5 km :

🏨 **Villa la Principessa** 🌳, ⊠ 55050 Massa Pisana ✆ 370037, Telex 590068, Fax 379019, « Dimora ottocentesca in un bel parco », 🏊 – 🛗 ▤ 📺 ☎ 🅿 – 🔬 130. 🅰🅴 🕃 ◑ 🅔 *VISA*. 🎉 rist
chiuso dal 7 gennaio al 18 febbraio – Pas (chiuso mercoledì) carta 52/78000 (15%) – ⌕ 18000 – 36 cam 200/300000 appartamenti 350000.

per via Luporini A E : 3,5 km :

X **Mecenate**, ⊠ 55050 Gattaiola ✆ 512167, 🛋 – 🅿. 🅰🅴. 🎉
chiuso a mezzogiorno, lunedì e gennaio – Pas carta 21/31000.

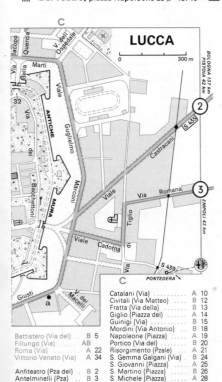

LUCCA
0   300 m

BOLOGNA 137 km PISTOIA 42 km
EMPOLI 43 km
PONTEDERA

a San Macario in Piano per ⑥ : 6 km – ⊠ **55056** Ponte San Pietro :

ℜℜ ✦ **Solferino,** ℰ 59118, ☂ – ❷. ℼ ⓱ ⓪ Ɛ 𝘝𝘐𝘚𝘈. ℀
chiuso mercoledì, giovedì a mezzogiorno, dal 12 al 19 gennaio e dal 10 al 24 agosto – Pas
carta 36/50000 (10%)
Spec. Spaghetti alla Beppe, Tagliata di manzo al pepe verde, Anatra ripiena in crema di funghi. **Vini** Greo di Pieve,
Segale.

a Pieve Santo Stefano per ⑥ : 9 km – ⊠ **55100** Lucca :

ℜℜ **Vipore,** ℰ 59245, « Servizio estivo in terrazza con ⇐ » – ▤ ❷. ℼ ⓪ 𝘝𝘐𝘚𝘈
chiuso lunedì e martedì a mezzogiorno – Pas carta 32/48000.

a Balbano per ⑥ : 10 km – ⊠ **55050** Nozzano :

⬚ **Villa Casanova** ☜, S : 1,5 km ℰ 548429, ⇐ vallata, « Villa settecentesca di campagna »,
☘, ☞, ℀ – 🇳 ❷ – 🔊 80. ℀ rist
aprile-ottobre – Pas (solo per clienti alloggiati e *chiuso a mezzogiorno*) 23000 – ⤸ 7000 –
40 cam 55000 – ½ P 76000.

Vedere anche : *Capannori* per ③ : 6 km.
Ponte a Moriano per ① : 9 km.

ALFA-ROMEO via di Tiglio ℰ 950972	MERCEDES-BENZ via del Brennero al km 26 ℰ 998181
BMW zona Industriale Guamo ℰ 947713	
FIAT via Fornacette A ℰ 584141	RENAULT viale San Concordio 841 ℰ 587512
FIAT a Sant'Anna, viale Luporini ℰ 510882	RENAULT ad Antraccoli, via Romana ℰ 952396
FORD via Vittorio Emanuele 52 ℰ 53439	VW-AUDI viale San Concordio verso Pontetetto
GM-OPEL a Sant'Anna, via Cavalletti ℰ 581837	ℰ 581849

LUCRINO (Lago) Napoli – Vedere Pozzuoli.

LUGANA Brescia – alt. 80 – ⊠ **25019** Sirmione – a.s. Pasqua e luglio-settembre – ✿ 030.
Roma 519 – ♦Brescia 39 – Mantova 58 – ♦Milano 126 – Sirmione 5 – ♦Verona 34.

🏨 **Derby,** ℰ 919482 – ▥ ☎ ❷. ℀ rist
↞ *chiuso dal 2 al 31 gennaio* – Pas (solo per clienti alloggiati e *chiuso a mezzogiorno*) 18000 –
⤸ 8000 – 14 cam 39/54000.

ℜℜ ✦ **Vecchia Lugana,** ℰ 919012, « Servizio estivo in terrazza sul lago » – ❷ – 🔊 80. ℼ ⓱
⓪ Ɛ 𝘝𝘐𝘚𝘈 ℀
chiuso lunedì sera e martedì – Pas carta 32/72000 (15%)
Spec. Terrina di pesce gardesano con salsa alle erbe fini, Pasticcio di verdure, Pesci del lago alla griglia. **Vini**
Lugana, Bardolino.

ℜℜ **Nuova Lugana** con cam, ℰ 919003, ⇐, « Servizio estivo in terrazza sul lago », 🐄, 🍴 –
❷. ℼ. ℀
Pas (*chiuso domenica sera e lunedì da ottobre ad aprile*) carta 35/49000 – ⤸ 8000 – **13 cam**
40/60000 – P 80000.

ℵ Dogana-da Virgilio, ℰ 919026, Rist. e pizzeria, 🍴 – ❷.

LUGANO 𝟜𝟚𝟟 ㉔, 𝟚𝟙𝟡 ⑧ – Vedere Cantone Ticino alla fine dell'elenco alfabetico.

LUGO Ravenna 𝟡𝟠𝟠 ⑮ – 33 134 ab. alt. 15 – ⊠ **48022** Lugo di Ravenna – ✿ 0545.
Roma 385 – ♦Bologna 55 – Faenza 19 – ♦Ferrara 62 – Forlì 31 – ♦Milano 266 – Ravenna 28.

🏨 **San Francisco,** via Amendola 14 ℰ 22324 – ✧⇛ ▥ ☎ ❷. ℼ ⓱ ⓪ Ɛ 𝘝𝘐𝘚𝘈. ℀
Pas vedere rist San Francisco – ⤸ 8000 – **30 cam** 65/95000.

🏨 **Ala d'Oro,** corso Matteotti 56 ℰ 22388 – 📶 ▤ rist ▥ ☎ ⓺ ❷ – 🔊 40. ℼ ⓪ 𝘝𝘐𝘚𝘈. ℀ rist
Pas (*chiuso venerdì ed agosto*) carta 22/33000 (12%) – ⤸ 6000 – **43 cam** 55/78000 – P 85/90000.

ℜℜ **San Francisco,** via Amendola 16 ℰ 25198 – ▤ – 🔊 90. ℼ ⓱ ⓪ Ɛ 𝘝𝘐𝘚𝘈
chiuso domenica – Pas carta 25/44000.

sulla strada statale 253 NO : 2,5 km :

ℜℜ ✦ **La Meridiana-da Mario,** ⊠ 48022 ℰ 24111, ☂ – ❷. ℼ ⓱ ⓪ 𝘝𝘐𝘚𝘈
chiuso lunedì ed agosto – Pas carta 37/47000 (13%)
Spec. Caramelle al basilico, Costata ripiena alla brace, Coniglio agli aromi. **Vini** Trebbiano, Sangiovese.

ALFA-ROMEO via Provinciale Felisio 120 ℰ 23700	LANCIA-AUTOBIANCHI via Morgagni 6 ℰ 30326
CITROEN viale Ricci Curbastro 38/48 ℰ 22499	PEUGEOT-TALBOT via De' Brozzi 92 ℰ 22498
FIAT via Acquacalda 27 ℰ 26991	RENAULT via Baracca 84 ℰ 24512
FORD via Mentana 47 ℰ 27194	

LUINO 21016 Varese 988 ③, 219 ⑦ – 15 343 ab. alt. 202 – Stazione di villeggiatura – 🕉 0332.

🛈 viale Dante Alighieri 6 🖉 530019.

Roma 661 – Bellinzona 40 – ◆Lugano 23 – ◆Milano 84 – Novara 85 – Varese 28.

🛆🛆 **Camin,** viale Dante 35 🖉 530118, Fax 532776, 🍴, 🍽 – 🔟 🕿 🅿 – 🔏 30. 🖭 🚯 ⓞ 🅴 ⱽⁱˢᵃ
chiuso dal 15 dicembre al 4 febbraio – Pas (chiuso martedì) carta 40/62000 (10%) – 🖙 15000
– **13 cam** 90/125000 appartamento 175000 – P 145000.

🏨 **Internazionale** senza rist, viale Amendola 🖉 530193 – 🛗 🕭 🅿
🖙 5000 – **40 cam** 34/44000.

🎇 **Internazionale,** piazza Marconi 18 🖉 530037 – 🍽
chiuso martedì, dal 16 al 30 giugno e dal 16 al 30 novembre – Pas carta 25/36000.

🎇 **Due Scale,** piazza della Libertà 30 🖉 530396 – 🖭 ⓞ ⱽⁱˢᵃ
chiuso venerdì e dal 20 novembre al 20 dicembre – Pas carta 24/43000 (10%).

Vedere anche : *Brezzo di Bedero* SO : 3 km.

ALFA-ROMEO via Voldomino 10 🖉 531361
FIAT piazza Marconi 49 🖉 532652
FORD via Voldomino 32 🖉 531213

LANCIA-AUTOBIANCHI via Creva 81 🖉 531564
PEUGEOT-TALBOT a Germignaga, via Mameli 29
🖉 530096

LUMARZO 16024 Genova – 1 471 ab. alt. 353 – 🕉 0185.

Roma 491 – ◆Genova 24 – ◆Milano 157 – Rapallo 27 – ◆La Spezia 93.

a Pannesi SO : 4 km – alt. 535 – ✉ 16024 Lumarzo :

🎇 **Fuoco di Bosco,** 🖉 94048, « In un bosco » – 🅿. 🍽
chiuso giovedì e dal 2 gennaio al 15 marzo – Pas carta 25/41000.

LURAGO D'ERBA 22040 Como 219 ⑲ – 4 648 ab. alt. 351 – 🕉 031.

Roma 616 – ◆Bergamo 42 – Como 14 – Lecco 22 – ◆Milano 38.

🎇🎇 **Trattoria Veneta-da Nadia e Roberto,** 🖉 607771, prenotare la sera – 🅿. 🖭 🚯 ⱽⁱˢᵃ. 🍽
chiuso sabato a mezzogiorno, domenica, dal 1° al 10 gennaio ed agosto – Pas carta 25/54000.

LURISIA Cuneo 988 ⑫ – alt. 660 – ✉ 12088 Roccaforte Mondovì – Stazione termale (giugno-
settembre), a.s. febbraio, luglio-15 settembre e Natale – Sport invernali : 660/1 810 m ≼1 ≼7 –
🕉 0174.

🛈 via Madame Curie 🖉 683119.

Roma 630 – Cuneo 21 – ◆Milano 226 – Savona 85 – ◆Torino 94.

🏨 **Reale,** 🖉 683105, 🍽 – 🛗 🖾 ⌂ 🅿 – 🔏 150. 🖭 ⓞ. 🍽
↤ chiuso dal 15 ottobre al 15 dicembre – Pas (chiuso mercoledì) 18000 – 🖙 5000 – **80 cam**
38/60000 – P 64000, b.s. 54000.

🏨 **Topazio,** 🖉 683107, 🔲, 🍽 – 🛗 🅿. 🚯 ⱽⁱˢᵃ. 🍽 rist
20 dicembre-20 aprile e 20 maggio-settembre – Pas (chiuso lunedì) carta 22/34000 – 🖙 4500
– **45 cam** 30/60000 – P 63000, b.s. 53000.

🏨 **Scoiattolo** 🥈, 🖉 683103, 🍽 – 🕿 🅿. 🚯 🖴 ⱽⁱˢᵃ. 🍽 rist
↤ chiuso ottobre e novembre – Pas (chiuso martedì) carta 15/26000 – 🖙 5500 – **24 cam** 35/52000
– P 45/56000.

MACERATA 62100 🅿 988 ⑯ – 43 648 ab. alt. 311 – a.s. 15 luglio-15 settembre – 🕉 0733.

🛈 piazza Libertà 12 🖉 45807.

A.C.I. via Roma 139 🖉 31141.

Roma 256 – ◆Ancona 51 – Ascoli Piceno 92 – ◆Perugia 127 – ◆Pescara 138.

🏨 **MotelAgip** 🥈, via Roma 149/B 🖉 34248, ≼ – 🛗 🖾 rist 🔟 🕿 ⌂ 🅿 – 🔏 80. 🖭 🚯 ⓞ 🅴
ⱽⁱˢᵃ. 🍽 rist
Pas (chiuso sabato da ottobre a maggio)31000 – 🖙 13500 – **51 cam** 69/113000 – P 122/143000.

🏨 **Della Piaggia** senza rist, via Santa Maria della Porta 18 🖉 40387 – 🛗 🖾 🖾 ⌂. 🖭 🚯 ⓞ
ⱽⁱˢᵃ. 🍽
🖙 4000 – **23 cam** 38/62000, 🖾 4000.

🎇 **Da Secondo,** via Pescheria Vecchia 26 🖉 44912 – 🖾. ⓞ ⱽⁱˢᵃ. 🍽
chiuso lunedì e dal 23 agosto al 7 settembre – Pas carta 33/43000 (10%).

🎇 **Da Silvano,** piaggia della Torre 15 🖉 49916 – 🖭 ⓞ. 🍽
chiuso lunedì e settembre – Pas carta 23/37000.

Vedere anche : *Montecassiano* NO : 11 km.

BMW via dei Velini 76 🖉 31437
CITROEN via dei Velini 5 🖉 32300
FIAT via Cluentina 16/a 🖉 281150
FORD via dei Velini 147 🖉 31628
LANCIA-AUTOBIANCHI a Piediripa, via Cluentina 18
🖉 281325

LANCIA-AUTOBIANCHI a Sforzacosta, via Giovanni
XXIII 🖉 202489
RENAULT via Roma 78/104 🖉 31220
VW-AUDI via Valenti 93/95 🖉 31471

MACOMER Nuoro 988 ㉝ – Vedere Sardegna alla fine dell'elenco alfabetico.

MACUGNAGA 28030 Novara 🏢🏢🏢 ②, 🏢🏢🏢 ⑤ – 682 ab. alt. (frazione Staffa) 1 327 – Stazione di villeggiatura, a.s. 15 luglio-agosto e Natale – Sport invernali : 1 327/3 000 m -🎿2 ≰6, ⚡ – 🅾 0324.

🛈 frazione Staffa, piazza Municipio ✆ 65119.

Roma 716 – Domodossola 39 – ◆Milano 139 – Novara 108 – Orta San Giulio 65 – ◆Torino 182.

🏨 **Zumstein,** frazione Staffa ✆ 65118, Telex 223306, ≤ Monte Rosa, 🌲 – 📶 ☎ 🅿 🕃 E 𝘝𝘐𝘚𝘈. 𝒮𝒮 rist
18 dicembre-25 aprile e 15 giugno-20 settembre – Pas (chiuso giovedì) 20/24000 – 🍽 10000 – 44 cam 48/75000 – P 65/70000, b.s. 55/65000.

🏨 **Alpi,** frazione Borca ✆ 65135, ≤, 🌲 – ☎ 🅿. 𝒮𝒮
dicembre-aprile e giugno-settembre – Pas (solo per clienti alloggiati) 22000 – 🍽 6000 – **13 cam** 32/60000 – P 60000, b.s. 45000.

🍴 **Chez Felice** con cam, frazione Staffa ✆ 65229, solo su prenotazione, « Locanda caratteristica », 🌲 – ☎
Pas (chiuso giovedì) carta 25/40000 – 🍽 5000 – 12 cam 25/50000 – P 50000, b.s. 40000.

🍴 **Nordend** con cam, frazione Staffa ✆ 65102 – ☎. 𝒮𝒮
25 dicembre-15 aprile e luglio-agosto – Pas (chiuso martedì) carta 30/55000 – 🍽 5000 – 16 cam 43/70000 – P 70000, b.s. 60000.

MADDALENA (Arcipelago della) Sassari 🏢🏢🏢 ㉓㉔ – Vedere Sardegna alla fine dell'elenco alfabetico.

MADERNO Brescia – Vedere Toscolano-Maderno.

MADESIMO 23024 Sondrio 🏢🏢🏢 ③, 🏢🏢🏢 ⑬⑭ – 707 ab. alt. 1 536 – Stazione di villeggiatura – Sport invernali : 1 536/2 884 m -🎿2, ≰17, ⚡ – 🅾 0343.

Escursioni Strada del passo dello Spluga** : tratto Campodolcino-Pianazzo*** Sud e Nord.

🛈 via Carducci 15 ✆ 53015. Telex 312216.

Roma 703 – ◆Bergamo 119 – ◆Milano 142 – Sondrio 80 – Passo dello Spluga 15.

🏨 **Cascata et Cristallo,** ✆ 53108, Fax 54470, 🔃 – 📶 📺 ☎ ⟵ 🅿. 𝔸𝔼 🕃 ⑩ E 𝘝𝘐𝘚𝘈. 𝒮𝒮 rist
Pas 26/44000 – 🍽 11000 – **80 cam** 71/120000 – P 130/152000.

🏨 **Emet,** ✆ 53395 – 📶 ☎ 🅿. 𝒮𝒮
dicembre-1° maggio e luglio-agosto – Pas 28/45000 – 🍽 12000 – **33 cam** 42/75000 – P 60/95000.

🏨 **La Meridiana,** ✆ 53160 – ☎ 🅿. 𝔸𝔼 ⑩. 𝒮𝒮 rist
chiuso maggio ed ottobre – Pas carta 22/41000 – 🍽 8500 – **30 cam** 40/75000 – P 75/95000.

🏨 **Liro,** ✆ 53057 – 🅿. 𝔸𝔼 🕃 E 𝘝𝘐𝘚𝘈. 𝒮𝒮
◆ dicembre-aprile e luglio-agosto – Pas 18000 – 🍽 3500 – **24 cam** 33/54000 – P 50/65000.

Vedere anche : **Montespluga** N : 11 km.

MADONNA DELL'ACQUA Pisa – Vedere Pisa.

MADONNA DELL'OLMO Cuneo – Vedere Cuneo.

MADONNA DEL MONTE Massa Carrara – Vedere Mulazzo.

MADONNA DI CAMPIGLIO 38084 Trento 🏢🏢🏢 ④, 🏢🏢🏢 ⑱⑲ – alt. 1 522 – Stazione di villeggiatura, a.s. 15 febbraio-15 marzo, Pasqua e Natale – Sport invernali : 1 522/2 503 m -🎿5 ≰19, ⚡ – 🅾 0465.

Vedere Località**.

Escursioni Massiccio di Brenta*** Nord per la strada S 239.

🎿 (28 giugno-15 settembre), a Campo Carlo Magno ✆ 41003 o ✆ (019) 745074, N : 2,5 km.

🛈 ✆ 42000.

Roma 645 – ◆Bolzano 88 – ◆Brescia 118 – Merano 91 – ◆Milano 214 – Trento 74.

🏨 **Savoia Palace,** ✆ 41004 – 📶 ☎ 🅿. 🍽 ⑩. 𝒮𝒮
4 dicembre-10 aprile – Pas 38/40000 – **57 cam** 🍽 100/175000 – P 125/185000, b.s. 101/125000.

🏨 **Cristallo,** ✆ 41132, ≤ – 📶 ☎ 🚿 ⟵ 🅿 – 🛋 120. 𝔸𝔼 ⑩ 𝘝𝘐𝘚𝘈. 𝒮𝒮 rist
dicembre-20 aprile e 22 giugno-10 settembre – Pas 35/50000 – 43 cam 🍽 120/210000 – P 130/195000, b.s. 90/140000.

🏨 **Miramonti,** ✆ 41021, ≤ – 📶 📺 ☎ ⟵ 🅿. 𝔸𝔼 🕃 ⑩ E 𝘝𝘐𝘚𝘈. 𝒮𝒮
5 dicembre-15 aprile e luglio-5 settembre – Pas 35/40000 – **25 cam** 🍽 90/180000 appartament 160/190000 – P 120/160000, b.s. 90/115000.

🏨 **St. Hubertus,** ✆ 41144, ≤, 🔃, 🌲 – 📶 📺 🚿 🅿. 𝔸𝔼 🕃 ⑩ E 𝘝𝘐𝘚𝘈. 𝒮𝒮
dicembre-Pasqua e luglio-settembre – Pas 28/39000 – **32 cam** 🍽 88/151000 – P 85/160000 b.s. 85/95000.

🏨 **Dahu,** ✆ 40242, ≤ – 📶 📺 ☎ ⟵ 🅿. 𝒮𝒮
dicembre-aprile e luglio-20 settembre – Pas (solo per clienti alloggiati) 25/34000 – **30 cam** 🍽 176000 – P 92/150000, b.s. 65/105000.

314

🏨 **Grifone,** ℰ 42002 – 🛎️ ᳇⇌ rist 📺 ☎ 👌 ⇌. 🆑 🏧 ⴹ 𝘝𝘐𝘚𝘈. 🎸 rist
dicembre-19 aprile e 9 luglio-10 settembre – Pas 35/42000 – 🖙 8000 – **38 cam** 130/260000 –
P 120/185000, b.s. 85/110000.

🏨 **Oberosler,** ℰ 41136, ≼ – 🛎️ 🕮 ⇌ 🅿. 🏧 𝘝𝘐𝘚𝘈. 🎸
dicembre-20 aprile e luglio-15 settembre – Pas carta 31/65000 – 🖙 15000 – **38 cam** 78/124000
– P 110/147000, b.s. 98/135000.

🏨 **Bonapace,** ℰ 41019 – 🛎️ 🕮 ⇌ 🅿. 🎸 rist
dicembre-Pasqua e luglio-agosto – Pas carta 26/37000 – 50 cam 🖙 86/140000 – P 135/160000,
b.s. 82/97000.

🏨 **Palù,** ℰ 41280, ≼, 🍴 – 📺 ☎ 🅿. 🏧. 🎸
dicembre-Pasqua e luglio-settembre – Pas (solo per clienti alloggiati) 30000 – 🖙 10000 –
17 cam 110000 – P 105000, b.s. 95000.

🏨 **Bertelli,** ℰ 41013, ≼ – 🛎️ 🕮 ⇌ 🅿. 🆑 ⴹ. 🎸 rist
5 dicembre-aprile e luglio-15 settembre – Pas 35000 – 🖙 9500 – **34 cam** 78/124000 –
P 104/140000, b.s. 72/85000.

🏨 **Touring** 🕮, ℰ 41051, ≼, 🍴 – 🛎️ 🕮 🅿. 🆑 🏧 ⓞ ⴹ 𝘝𝘐𝘚𝘈. 🎸 rist
dicembre-Pasqua e luglio-28 settembre – Pas 30/35000 – **27 cam** 🖙 78/123000 – P 65/105000,
b.s. 60/74000.

🏨 **Alpina,** ℰ 41075, 🍴 – 🛎️ 🕮 🅿. 🏧 ⴹ. 🎸
dicembre-25 aprile e 15 giugno-20 settembre – Pas 28000 – 🖙 10000 – **21 cam** 54/89000 –
P 110000, b.s. 70000.

🎇 **Artini,** ℰ 40122 – 🏧 ⓞ. 🎸
dicembre-aprile e luglio-settembre – Pas carta 28/47000.

🎇 **Pradalago,** ℰ 42388 – 🏧
↞ *dicembre-aprile e 10 luglio-10 settembre* – Pas carta 18/29000.

a Campo Carlo Magno N : 2,5 km – alt. 1 682 – ✉ **38084** Madonna di Campiglio.

Vedere Posizione pittoresca✶✶ – ⚞✶✶ sul massiccio di Brenta dal colle del Grostè SE per
funivia.

🏨 **Golf Hotel** 🕮, ℰ 41003, Fax 40294, ≼ monti e pinete, 🍴, 👍 – 🛎️ 🅿. 🏧 🏧 ⓞ ⴹ 𝘝𝘐𝘚𝘈.
🎸 rist
dicembre-marzo e luglio-agosto – Pas 60000 – 🖙 17000 – **124 cam** 115/194000 – P 250000,
b.s. 158000.

🏨 **Carlo Magno-Zeledria Hotel,** ℰ 41010, Telex 401158, ≼ monti e pinete, 🏊, 🍴 – 🛎️ 🕮
⇌ 🅿. 🏧 ⓞ ⴹ 𝘝𝘐𝘚𝘈. 🎸
4 dicembre-aprile e 24 giugno-23 settembre – Pas (solo per clienti alloggiati) 26/35000 –
94 cam 🖙 110/190000 – P 205000, b.s. 120000.

MADONNA DI MONTALLEGRO Genova – Vedere Rapallo.

MADONNA DI SENALES (UNSERFRAU) Bolzano 𝟤𝟣𝟪 ⑨ – Vedere Senales.

MADONNA DI TIRANO Sondrio 𝟤𝟣𝟪 ⑯ – Vedere Tirano.

MAGAZZINI Livorno – Vedere Elba (Isola d') : Portoferraio.

MAGENTA 20013 Milano 𝟫𝟪𝟪 ③, 𝟤𝟣𝟫 ⑱ – 23 658 ab. alt. 141 – 🕙 02.
Roma 599 – ✦Milano 25 – Novara 21 – Pavia 43 – ✦Torino 114 – Varese 46.

🎇 **L'Osteria,** a Ponte Vecchio SO : 2 km ℰ 9798461, Coperti limitati; prenotare – 🅿. 🏧 ⓞ
𝘝𝘐𝘚𝘈. 🎸
chiuso domenica sera, lunedì ed agosto – Pas carta 53/85000.

ALFA-ROMEO via Donatori di Sangue ℰ 9798740
CITROEN via Robecco 9 ℰ 9794661
FIAT via Sanchioli 18 ℰ 9797186
FORD corso Europa ℰ 9760521

GM-OPEL via Tobagi ℰ 9798708
RENAULT a Marcallo, via Einstein 6 ℰ 9760648
VOLVO via Milano 216/220 ℰ 9793221

MAGGIO Como 𝟤𝟣𝟫 ⑨ – Vedere Cremeno.

MAGGIORE (Lago) – Vedere Lago Maggiore.

MAGIONE 06063 Perugia 𝟫𝟪𝟪 ⑮ – 11 513 ab. alt. 299 – 🕙 075.
Roma 193 – Arezzo 58 – Chianciano Terme 47 – Orvieto 87 – ✦Perugia 20 – Siena 90.

a Monte del Lago O : 5 km – ✉ **06063** Magione :

🎇 **Belvedere da Santino** 🕮 con cam, ℰ 8400126, ≼ – 🏧 ⓞ. 🎸
Pas *(chiuso martedì)* carta 20/35000 – 🖙 4000 – **18 cam** 45/50000 – P 50/55000.

FIAT località Soccorso ℰ 841177

MAGLIANO IN TOSCANA 58051 Grosseto 988 ㉕ – 4 219 ab. alt. 130 – ☎ 0564.
Roma 163 – Civitavecchia 118 – Grosseto 28 – Viterbo 106.

※ **Da Guido,** via dei Faggi 9 ℰ 592447, 😀 – 🕭. ℀
chiuso novembre e martedì da ottobre al 15 giugno – Pas carta 22/36000.

MAGLIANO SABINA 02046 Rieti 988 ㉖ – 3 767 ab. alt. 222 – ☎ 0744.
Roma 69 – ♦Perugia 113 – Rieti 54 – Terni 44 – Viterbo 48.

sulla strada statale 3 - via Flaminia NO : 3 km :

※ **La Pergola,** ✉ 02046 ℰ 91445 – 🅟. ℀
chiuso martedì e luglio – Pas carta 23/33000.

MAGLIASINA e MAGLIASO 219 ⑧ – Vedere Cantone Ticino (Ponte Tresa) alla fine dell'elenco alfabetico.

MAIANO Firenze – Vedere Fiesole.

MAIORI 84010 Salerno 988 ㉗ – 6 065 ab. – Stazione balneare, a.s. Pasqua, 15 giugno-15 settembre e Natale – ☎ 089.
Dintorni Capo d'Orso★ SE : 5 km.
🛈 via Capone 19 ℰ 877452.
Roma 267 – Amalfi 5 – ♦Napoli 57 – Salerno 20 – Sorrento 39.

🏨 **Pietra di Luna,** ℰ 877500, Telex 770168, ≼, 🏊, 🐎 – 🛗 🧺 ☎ 🚗 🅟 – 🔏 80 a 350. 🖭 🕭
⓪ 🗲 𝑉𝐼𝑆𝐴. ℀
aprile-ottobre – Pas carta 25/49000 – **96 cam** 🖙 75/110000 – P 90/110000, b.s. 75/85000.

🏨 **San Pietro,** ℰ 877220, Telex 721156, 🏊, ℀ – 🛗 🅟 🖭 ⓪ 𝑉𝐼𝑆𝐴. ℀
15 marzo-ottobre – Pas 25/30000 – 🖙 10000 – 38 cam 40/68000 – P 80/86000, b.s. 60/70000.

🏨 **San Francesco,** ℰ 877070, 🐎, 🍽 – 🛗 ✑ cam 🚐 🚗 🅟. ℀ rist
15 marzo-ottobre – Pas carta 22/31000 – 🖙 6000 – **44 cam** 45/65000 – P 65/75000, b.s. 55/60000.

🏨 **Miramare** senza rist, ℰ 877225, Telex 770132 – 🛗 ✑ 🚐 🅟. 🖭 🕭 ⓪ 🗲 𝑉𝐼𝑆𝐴. ℀
aprile-ottobre – **46 cam** 🖙 46/73000.

🏨 **Torre di Milo,** ℰ 877011 – 🛗 ☎ 🚗 🅟. ⓪. ℀ rist
♦ aprile-settembre – Pas (solo per clienti alloggiati) 17000 – 🖙 8000 – 23 cam 40/59000 – P 55/60000, b.s. 40/45000.

※ **Mammato,** ℰ 877036, 😀
chiuso martedì e dal 15 novembre al 15 dicembre – Pas carta 23/32000.

Non viaggiate con la testa nel sacco :
le carte e le guide Michelin
vi assicurano un turismo senza sorprese.

MAJANO 33030 Udine – 5 851 ab. alt. 166 – ☎ 0432.
Roma 659 – Pordenone 54 – Tarvisio 77 – Udine 21 – ♦Venezia 147.

🏨 **Sandrot,** ℰ 959023 – 🛗 🅟 ℀
♦ Pas (chiuso mercoledì a mezzogiorno) carta 15/22000 – 🖙 4000 – **24 cam** 30/45000 – P 38/45000.

※※ **Dal Asin** con cam, ℰ 959015, 🍽 – ☎ 🅟. ℀ rist
♦ Pas (chiuso giovedì, gennaio e luglio) carta 19/26000 – 🖙 6000 – **17 cam** 35/55000 – P 48000.

MALALBERGO 40058 Bologna 988 ⑮ – 6 238 ab. alt. 12 – ☎ 051.
Roma 403 – ♦Bologna 27 – ♦Ferrara 12 – ♦Ravenna 84.

※※ **Rimondi Giuseppe,** ℰ 872012 – 🧺 🅟. ⓪ 𝑉𝐼𝑆𝐴. ℀
chiuso lunedì sera, martedì e luglio – Pas carta 31/47000.

MALCESINE 37018 Verona 988 ④ – 3 533 ab. alt. 90 – Stazione climatica – ☎ 045.
Vedere ※★★★ dal monte Baldo E : 15 mn di funivia – Castello Scaligero★.
🛈 via Capitanato del Porto 6 ℰ 7400044.
Roma 556 – ♦Brescia 92 – Mantova 93 – ♦Milano 179 – Trento 61 – ♦Venezia 179 – ♦Verona 67.

🏨 **Vega,** ℰ 7400151, ≼, «Giardino » 🐎 – 🛗 🧺 📺 🅟. 🕭 ⓪ 🗲 𝑉𝐼𝑆𝐴. ℀
aprile-ottobre – Pas (chiuso lunedì) carta 23/38000 – 🖙 10000 – 19 cam 55/75000 – P 75000.

🏨 **Alpi** 🦢, ℰ 7400717, «Giardino con 🏊 »– 🚐 🅟. 🕭 🗲 𝑉𝐼𝑆𝐴. ℀
♦ chiuso dal 22 gennaio al 5 febbraio e dal 15 novembre al 25 dicembre – Pas (chiuso lunedì) 15/20000 – 🖙 10000 – **40 cam** 36/50000 – P 56000.

🏨 **Erika,** ℰ 7400451, 🍽 – ✑. ℀
♦ chiuso novembre – Pas (chiuso giovedì) 18/30000 – 🖙 9000 – 14 cam 40/58000 – P 55000.

a Val di Sogno S : 2 km – ⊠ 37018 Malcesine :

🏨 **Maximilian** 🐾, ℰ 7400317, ≤, « Giardino-oliveto in riva al lago », 🔲, 🐾, ℀ – ☰ rist ☎ 👍 ⇦ 🅿. ℀
19 marzo-23 ottobre – Pas *(chiuso a mezzogiorno)* – 33 cam (solo ½ P) 73/84000.

🏨 **Olivi** 🐾, ℰ 7400444, Fax 7400602, ≤, « Giardino ombreggiato », 🔺 riscaldata, ℀ – ☜ 🅿 – 🏋 70. ℀ rist
20 marzo-18 ottobre – Pas (solo per clienti alloggiati) 35/40000 – ☲ 15000 – **106 cam** 55/85000 – P 80/90000.

sulla strada statale 249 :

🏠 **Piccolo Hotel,** N : 3 km ⊠ 37018 ℰ 7400264, ≤, 🔺 riscaldata, 🐾 – ☜ 🅿. ℀ rist
← *25 marzo-10 ottobre* – Pas (solo per clienti alloggiati) 19000 – ☲ 9000 – 21 cam 27/50000 – P 54000.

℀ **Da Mamma Ida,** S : 3 km ⊠ 37018 ℰ 7400216, 🌿 – 🅿. ℀
aprile-ottobre; chiuso mercoledì escluso da giugno ad agosto – Pas carta 22/40000 (10%).

MALCONTENTA 30030 Venezia – alt. 4 – ✪ 041.

Vedere Villa Foscari★.

Roma 523 – ♦Milano 262 – ♦Padova 32 – Treviso 28 – ♦Venezia 15.

🏠 **Gallimberti,** ℰ 698099 – ☰ ☜ 🅿. 🆎 🅢 ⑩ 🅴 𝖵𝖨𝖲𝖠
Pas vedere rist Da Bepi el Ciosoto – ☲ 6000 – **22 cam** 48/80000 – P 65/70000.

℀ **Da Bepi el Ciosoto** con cam, ℰ 698997, Solo piatti di pesce – 🅿. 🆎 🅢 ⑩ 🅴 𝖵𝖨𝖲𝖠
Pas *(chiuso domenica sera e lunedì a mezzogiorno)* carta 30/48000 – ☲ 5000 – 19 cam 30/50000 – P 45/55000.

MALÈ 38027 Trento 🄈🄈🄈 ④, 🄈🄈🄈 ⑱ – 1 969 ab. alt. 738 – a.s. febbraio-15 marzo, Pasqua e Natale – ✪ 0463.

🗗 viale Marconi ℰ 91280, Telex 400810.

Roma 641 – ♦Bolzano 65 – Passo di Gavia 58 – ♦Milano 236 – Sondrio 106 – Trento 59.

🏨 **Rauzi,** ℰ 91228, ≤, 🌿 – 🍽 ☎ 👍 ⇦ 🅿. ℀
← *23 dicembre-24 marzo e 25 giugno-10 settembre* – Pas 18000 – ☲ 6000 – **33 cam** 35/60000 – P 58/65000, b.s. 40/49000.

🏨 **Henriette,** ℰ 92110, ≤ – 🍽 ☜ 👍 ⇦ 🅿. 🆎 ⑩ 𝖵𝖨𝖲𝖠. ℀
← *20 dicembre-4 aprile e 15 maggio-20 settembre* – Pas carta 18/35000 – **36 cam** ☲ 40/80000 – P 70000, b.s. 60000.

℀ **La Segosta,** ℰ 91390 – 🅿. ℀
chiuso giovedì, dal 1° al 18 giugno e dal 21 settembre al 20 ottobre – Pas carta 20/30000.

MALEO 20076 Milano – 3 462 ab. alt. 58 – ✪ 0377.

Roma 527 – Cremona 23 – ♦Milano 60 – ♦Parma 77 – Pavia 51 – Piacenza 19.

℀℀ ✿ **Sole** con cam, ℰ 58142, Coperti limitati; prenotare, « Servizio estivo all'aperto » – 🅿. 🆎
chiuso gennaio ed agosto – Pas *(chiuso domenica sera e lunedì)* carta 43/61000 – **7 cam** ☲ 180/216000 appartamento 240000 – P 280/300000
Spec. Scannello all'albese, Pasticcio di ortiche o di radicchio, Fegato di vitello all'uva. Vini Malvasia secco, Barbera.

℀ **Leon d'Oro,** ℰ 58149, 🎋, Coperti limitati; prenotare – 🆎 🅢 ⑩ 𝖵𝖨𝖲𝖠. ℀
chiuso mercoledì ed agosto – Pas carta 35/56000.

MALESCO 28030 Novara 🄈🄈🄈 ⑥⑦ – 1 527 ab. alt. 761 – ✪ 0324.

Roma 718 – Domodossola 20 – Locarno 29 – ♦Milano 142 – Novara 111 – ♦Torino 185.

🏠 **Alpino,** ℰ 9118, 🌿 – 🍽 ☎ 🅿. 🆎 🅴. ℀ rist
15 dicembre-15 gennaio e aprile-settembre – Pas *(chiuso martedì)* carta 21/34000 – ☲ 6000 – 34 cam 32/60000 – P 60000.

MALGA CIAPELA Belluno – Vedere Rocca Pietore.

MALGRATE 22040 Como 🄈🄈🄈 ⑨⑩ – 4 224 ab. alt. 224 – ✪ 0341.

Roma 623 – Bellagio 20 – Como 27 – Lecco 2 – ♦Milano 54.

🏨 ✿ **Il Griso,** ℰ 283217, ≤ lago e monti, « Piccolo parco », 🔲 – 🍽 ☰ 📺 ☎ 🅿 – 🏋 30. 🆎 🅢 ⑩ 🅴 𝖵𝖨𝖲𝖠
chiuso dal 20 dicembre al 6 gennaio – Pas carta 58/90000 – ☲ 15000 – **41 cam** 100/140000 – P 200000
Spec. Insalata d'aragosta in abito regale, Scampi all'agrodolce, Scaloppe di fegato d'oca con mele renette. Vini Pinot Cà del Bosco, Sassella.

🏠 **Promessi Sposi-da Giovannino,** ℰ 364089, ≤ – 🍽 ☜ 🅿. 🆎 🅢 🅴 𝖵𝖨𝖲𝖠
Pas carta 30/45000 – ☲ 6000 – 38 cam 55/80000 – P 60/70000.

ALFA-ROMEO via Provinciale 13 ℰ 582677   CITROEN via Roma 22 ℰ 368284

MALLES VENOSTA (MALS) 39024 Bolzano 🔢🔢🔢 ④, 🔢🔢🔢 ⑧ – 4 599 ab. alt. 1 050 – a.s. luglio-agosto e Natale – ✪ 0473.

Roma 721 – ✦Bolzano 84 – Bormio 57 – ✦Milano 260 – Passo di Resia 22 – Trento 142.

🏨 **Garberhof**, ℘ 81399, ≤, 🔲 – 🛏 ☎ ℗ ⒶⒺ 🛗 ⒺⒹ Ⓔ 𝑽𝑰𝑺𝑨 ⊗ rist
✦ chiuso dal 15 novembre al 20 dicembre – Pas (chiuso lunedì) 15/25000 – **29 cam** ☄ 60/110000 – P 66/71000, b.s. 58/66000.

a Burgusio (Burgeis) N : 3 km alt. 1 215 – ⊠ 39024 Malles Venosta :

🏨 **Plavina** ⧖, ℘ 81223, ≤, 🔲, ☞ – 🛏 ℗ 𝑽𝑰𝑺𝑨 ⊗
chiuso dal 1° al 16 maggio e dal 9 novembre al 26 dicembre – Pas vedere rist Al Moro – ☄ 11000 – **32 cam** 16/36000 – P 42/50000, b.s. 40/45000.

✗ **Al Moro-Zum Mohren** con cam, ℘ 81223 – ℗
✦ chiuso dal 1° al 16 maggio e dal 9 novembre al 26 dicembre – Pas (chiuso martedì) carta 18/22000 – ☄ 11000 – **9 cam** 14/32000 – P 32/36000, b.s. 28/32000.

MALO 36034 Vicenza 🔢🔢🔢 ④ – 10 928 ab. alt. 116 – ✪ 0445.

Roma 555 – ✦Milano 218 – ✦Padova 54 – Trento 79 – ✦Venezia 87 – ✦Verona 65 – Vicenza 17.

sulla strada statale 46 N : 2 km :

✗ **Ai Pini**, ⊠ 36034 ℘ 602498, ☞ – ℗ ⊗
✦ chiuso lunedì ed agosto – Pas carta 16/27000.

MALOSCO 38013 Trento 🔢🔢🔢 ⑳ – 313 ab. alt. 1 041 – a.s. Pasqua e Natale – ✪ 0463.

Roma 638 – ✦Bolzano 33 – Merano 40 – ✦Milano 295 – Trento 56.

🏨 **Baita Fiorita** ⧖, ℘ 81150, ≤, 🔲, ☞ – 🛏 ℗ ⊗ rist
giugno-settembre – Pas 20/28000 – 33 cam ☄ 36/67000 – P 60/72000, b.s. 52/64000.

🏠 **Bel Soggiorno**, ℘ 81205, ≤, ☞ – 🛏 ᐟⁱ rist ℗ ⊗ rist
✦ 15 giugno-15 ottobre – Pas 11/15000 – **29 cam** ☄ 30/56000 – P 50/55000, b.s. 42/46000.

MALS = Malles Venosta.

MANACORE Foggia – Vedere Peschici.

MANAROLA 19010 La Spezia – ✪ 0187.

Vedere Passeggiata✶✶ (15 mn a piedi dalla stazione).

Dintorni Regione delle Cinque Terre✶✶ NO e SE per ferrovia.

Roma 434 – ✦Genova 119 – ✦Milano 236 – ✦La Spezia 16.

✗ **Marina Piccola** con cam, ℘ 920103, ≤, 🍽 – ☎ ⒶⒺ 🛗 ⓄⒹ Ⓔ 𝑽𝑰𝑺𝑨 ⊗ cam
Pas (chiuso giovedì e gennaio) carta 27/55000 (10%) – ☄ 8000 – **10 cam** 46/60000 – P 75000.

✗ **Da Billy**, ℘ 920628, ≤, 🍽, Coperti limitati; prenotare – ⊗
aprile-settembre; chiuso giovedì – Pas carta 22/41000 (10%).

MANDRIA Padova – Vedere Padova.

MANDURIA 74024 Taranto 🔢🔢🔢 ㉚ – 32 564 ab. alt. 79 – a.s. 15 giugno-agosto – ✪ 099.

Roma 571 – ✦Brindisi 41 – Lecce 50 – ✦Taranto 36.

✗ **Al Castello**, piazza Garibaldi ℘ 8795153 – ℗ 🛗 ⓄⒹ Ⓔ 𝑽𝑰𝑺𝑨
✦ chiuso lunedì e dal 1° al 15 luglio – Pas carta 17/30000.

FIAT via per Taranto ℘ 6794252 ⠀⠀⠀⠀⠀⠀⠀⠀⠀FORD via per Oria 72 ℘ 807178

MANERBA DEL GARDA 25080 Brescia – 2 837 ab. alt. 132 – a.s. Pasqua e luglio-15 settembre – ✪ 0365.

Roma 541 – ✦Brescia 32 – Mantova 80 – ✦Milano 131 – Trento 103 – ✦Verona 56.

🏠 **La Quiete** ⧖, via del Rio 92-verso Punta Belvedere ℘ 653156, 🔲, ☞, 🍽 – ☎ ℗ 🛗 Ⓔ 𝑽𝑰𝑺𝑨
aprile-ottobre – Pas (chiuso martedì in aprile e maggio) carta 23/31000 – ☄ 7000 – **29 cam** 32/50000 – P 50000.

a Montinelle NE : 1 km – ⊠ 25080 Manerba del Garda :

✗✗✗ **Capriccio**, ℘ 551124, ≤, 🍽 – 🍴 ℗ 🛗 𝑽𝑰𝑺𝑨
chiuso gennaio, febbraio e martedì in bassa stagione – Pas carta 36/60000.

MANFREDONIA 71043 Foggia 🔢🔢🔢 ㉘ – 58 299 ab. – Stazione balneare, a.s. luglio-15 settembre – ✪ 0884.

Vedere Chiesa di Santa Maria di Siponto✶ S : 3 km.

Dintorni Portale✶ della chiesa di San Leonardo S : 10 km.

Escursioni Isole Tremiti✶ (in battello) : ≤✶✶✶ sul litorale.

🛈 corso Manfredi 26 ℘ 21998.

Roma 411 – ✦Bari 119 – ✦Foggia 39 – ✦Pescara 211.

🏨 **Gargano,** viale Beccarini 2 🖉 27621, ≼, 🏊 – 🛊 🗐 🕿 🖧 ⇌ 🅿 – 🛦 80. 🕉 rist
chiuso gennaio e febbraio – Pas *(chiuso lunedì)* carta 28/45000 (15%) – ☲ 6000 – **46 cam**
55/74000 – P 88000, b.s. 82000.

✕✕ **Al Porto-da Michele,** piazza della Libertà 3 🖉 21800 – 🕉
chiuso mercoledì – Pas carta 20/36000 (10%).

a Siponto SO : 3 km – ⊠ **71040** :

🏨 **Apulia,** 🖉 541621, Telex 812031, 🏊, 🐎 – 🛊 ⇌ 🗐 🕿 🅿. 🎟 🕃 ⓞ 𝓥𝓘𝓢𝓐. 🕉 rist
Pas *(chiuso novembre)* carta 23/45000 – ☲ 5000 – **54 cam** 40/77000, 🗐 5000 – P 68/77000,
b.s. 55/68000.

🏨 **Gabbiano,** 🖉 22910, 🏡 – ⇌ cam 🗐 rist 🕿 🅿. 🎟 🕃 ⓞ 𝗘 𝓥𝓘𝓢𝓐
Pas carta 21/34000 (10%) – ☲ 7000 – **20 cam** 48/63000 – P 61/65000, b.s. 55/61000.

MANSUÈ 31040 Treviso – 3 842 ab. alt. 17 – ✿ 0422.

Roma 574 – Pordenone 22 – Treviso 32 – Udine 71.

✕✕ **Da Paolo,** 🖉 741189 – 🗐 🅿. 🎟. 🕉
↝ *chiuso martedì sera e mercoledì* – Pas carta 19/31000.

MANTOVA 46100 🅿 🖭 ⑭ – 56 201 ab. alt. 19 – ✿ 0376.

Vedere Palazzo Ducale★★★ – Piazza Sordello★ – Piazza delle Erbe★ : Rotonda di San Lorenzo★ BY
B – Basilica di Sant'Andrea★ BY K – Palazzo Te★ AZ A.

🔋 piazza Andrea Mantegna 6 🖉 350681.

A.C.I. piazza 80° Fanteria 13 🖉 325691.

Roma 469 ③ – ♦Brescia 66 ① – ♦Ferrara 89 ② – ♦Milano 158 ① – ♦Modena 67 ③ – ♦Parma 62 ④ – Piacenza
199 ④ – Reggio nell'Emilia 72 ③ – ♦Verona 39 ①.

Pianta pagina seguente

🏨 **San Lorenzo** senza rist, piazza Concordia 14 🖉 327194 – 🛊 🗐 🕿 ⇌, 🎟 🕃 ⓞ 𝗘 𝓥𝓘𝓢𝓐. 🕉
☲ 15000 – **43 cam** 115/172000 appartamento 222000.   BY **e**

🏨 **Rechigi** senza rist, via Calvi 30 🖉 320781 – 🛊 🗐 ⇌, 🎟 🕃 ⓞ 𝗘 𝓥𝓘𝓢𝓐. 🕉   BY **c**
☲ 12000 – **50 cam** 85/120000.

🏨 **Mantegna** senza rist, via Fabio Filzi 10/b 🖉 350315 – 🛊 🗐 🕿 🅿 – 🛦 50. 🎟 🕃 ⓞ 𝗘 𝓥𝓘𝓢𝓐
chiuso dal 24 dicembre al 5 gennaio – ☲ 9000 – **37 cam** 55/85000.   AY **b**

🏨 **Apollo** senza rist, piazza Don Leoni 17 🖉 350522 – 🛊 🗐 🕿 ⇌. 🎟 🕃 ⓞ 𝓥𝓘𝓢𝓐   AY **v**
☲ 8500 – **35 cam** 55/85000, 🗐 2500.

🏨 **Dante** senza rist, via Corrado 54 🖉 326425 – 🛊 🖭 🕿 ⇌. 🎟 🕃 ⓞ 𝗘 𝓥𝓘𝓢𝓐   AY **r**
☲ 8500 – **40 cam** 55/85000.

🏨 **Broletto** senza rist, via Accademia 1 🖉 326784 – 🛊 🗐 🕿. 🎟 🕃 ⓞ 𝗘 𝓥𝓘𝓢𝓐   BY **x**
☲ 8000 – **16 cam** 55/85000.

✕✕✕ **San Gervasio,** via San Gervasio 13 🖉 350504, prenotare – 🎟 🕃 ⓞ 𝗘 𝓥𝓘𝓢𝓐. 🕉   AY **a**
chiuso mercoledì ed agosto – Pas carta 39/51000.

✕✕✕ ✿ **Aquila Nigra,** vicolo Bonacolsi 4 🖉 350651 – 🗐. 🎟 🕃 ⓞ 𝗘 𝓥𝓘𝓢𝓐. 🕉   BY **b**
chiuso domenica sera e lunedì – Pas carta 30/43000
Spec. Fegato d'oca al Sauternes, Ravioli di melanzane e formaggi magri, Rognoni di vitello trifolati con funghi
chiodini. Vini Custoza, Franciacorta rosso.

✕✕✕ ✿ **Il Cigno,** piazza D'Arco 1 🖉 327101, prenotare – 🗐. 🎟 🕃 ⓞ 𝗘 𝓥𝓘𝓢𝓐   AY **u**
chiuso lunedì, martedì e dal 7 al 20 agosto – Pas carta 51/67000
Spec. Maltagliati con fagioli, Insalata di petto di cappone, Luccio in salsa. Vini Pinot bianco, Rubino.

✕✕✕ **Rigoletto,** strada Cipata 10 🖉 371167, « Servizio estivo in giardino » – 🅿 – 🛦 60 a 120. 🎟
chiuso lunedì, dal 1° al 20 gennaio e dal 16 al 31 agosto – Pas carta 26/40000.   per ②

✕✕ **Campana,** via Santa Maria Nuova (Cittadella) 🖉 325679, Cucina tipica mantovana – 🗐 🅿.
🕃. 🕉   per ①
chiuso venerdì ed agosto – Pas carta 27/40000.

✕✕ **Ritzino,** viale Piave 2 🖉 326474, 🏡 – 🎟 🕃 ⓞ. 🕉   AY **s**
chiuso lunedì – Pas carta 23/41000.

✕✕ **Romani,** piazza delle Erbe 13 🖉 323627, 🏡 – 🎟 🕃 ⓞ 𝗘 𝓥𝓘𝓢𝓐   BY **z**
chiuso mercoledì sera, giovedì e luglio – Pas carta 24/32000.

✕ **Cento Rampini,** piazza delle Erbe 11 🖉 366349, 🏡 – 🎟. 🕉   BY **z**
chiuso domenica sera, lunedì e dal 1° al 15 agosto – Pas carta 27/39000.

✕ **Chalet Te,** piazzale Vittorio Veneto 6 🖉 320268 – 🕃 𝗘 𝓥𝓘𝓢𝓐. 🕉   AZ **q**
chiuso martedì ed agosto – Pas carta 22/32000.

a Cerese di Virgilio per ③ : 4 km – ⊠ **46030** Virgilio :

🏨 **Cristallo e Rist. Da Paolo,** 🖉 448391, Telex 302060, 🏊, 🐎, 🎾 – 🛊 🗐 🖭 🕿 ⇌ 🅿 – 🛦
60 a 150. 🎟 🕃 ⓞ 𝗘 𝓥𝓘𝓢𝓐. 🕉
Pas *(chiuso martedì e dal 1° al 15 luglio)* carta 26/38000 – ☲ 6000 – **44 cam** 55/85000 –
P 75000.

MANTOVA

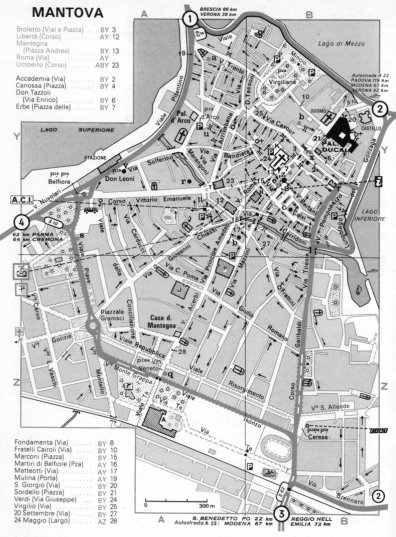

ALFA-ROMEO via Monsignor Martini 23 per ④ ☎ 369377
BMW via Cremona 48 - borgo Angeli ☎ 380431
CITROEN a Curtatone, via Pilla 7 ☎ 31075
FIAT piazzale Porta Cerese 1 ☎ 327091
FORD via Ostigliese 8/b ☎ 372122
GM-OPEL via Sartori 1 ☎ 371529
LANCIA-AUTOBIANCHI a Gambarara, via Correggio 4 per ① ☎ 368888

MERCEDES-BENZ verso Curtatone, località 4 Venti ☎ 31084
PEUGEOT-TALBOT a Porto Mantovano, viale Europa 4/6 ☎ 398027
RENAULT a Porto Mantovano, via Marmirolo 5 ☎ 399161
VW-AUDI via Novellara ☎ 369493
VOLVO strada Ostigliese 8/B ☎ 372060

GREEN TOURIST GUIDES

Picturesque scenery, buildings
Attractive routes
Touring programmes
Plans of towns and buildings.

MARANELLO 41053 Modena 🔢🔢🔢 ⑭ – 13 845 ab. alt. 137 – ✪ 0536.

Roma 411 – ◆Bologna 49 – ◆Firenze 137 – ◆Milano 179 – ◆Modena 16 – Reggio nell'Emilia 30.

🏨 **Europa** senza rist, via Mediterraneo 13 🖉 940440 – 🛏 🗏 🕾 🚗 🅿. ⚑ 🕃 ⓞ 🖻 𝑽𝑰𝑺𝑨. ≋
chiuso dal 6 al 27 agosto – � 6000 – **28 cam** 44/65000, 🗏 3000.

✗✗ **Cavallino,** di fronte alle Officine Ferrari 🖉 941160, 🛱 – ⚑ 🕃 ⓞ 𝑽𝑰𝑺𝑨. ≋
chiuso domenica – Pas carta 27/45000.

FERRARI AUTOMOBILI   via Abetone Inferiore 4 🖉 941161, Telex 531161

MARANO LAGUNARE 33050 Udine 🔢🔢🔢 ⑥ – 2 247 ab. – a.s. luglio e agosto – ✪ 0431.

Roma 626 – Gorizia 51 – Latisana 21 – ◆Milano 365 – ◆Trieste 71 – Udine 40.

✗ **Alla Laguna-Vedova Raddi,** 🖉 67019 – ≋
chiuso martedì sera, mercoledì e dal 20 settembre al 20 ottobre – Pas (solo piatti di pesce)
carta 28/43000.

MARATEA 85046 Potenza 🔢🔢🔢 ㊳ – 5 361 ab. alt. 311 – Stazione balneare – ✪ 0973.

Vedere Località✶✶ – ☀✶✶ dalla basilica di San Biagio.

🄸 piazza del Gesù 40 ⊠ 85040 Fiumicello di Santa Venere 🖉 876908.

Roma 423 – Castrovillari 88 – ◆Napoli 217 – Potenza 137 – ◆Reggio di Calabria 340 – Salerno 166 – ◆Taranto 231.

🏨🏨 **Gd H. Pianeta Maratea** 🌲, località Santa Caterina SO : 3,5 km ⊠ 85046 🖉 876996, Telex
812478, Fax 876385, ≼ costiera, 🛆 riscaldata, 🐾, ✗ – 🛏 🗏 📺 🕾 🅿 – 🛆 100 a 400. ⚑ 🕃
ⓞ 🖻 𝑽𝑰𝑺𝑨. ≋ rist
8 aprile-29 ottobre – Pas 50/60000 – **168 cam** ⊊ 180/260000 appartamenti 460000 –
P 190/240000.

a Fiumicello di Santa Venere O : 5 km – ⊠ 85040 :

🏨🏨 **Santavenere** 🌲, 🖉 876910, Telex 812387, ≼ mare e costa, 🛱, « Parco e scogliera », 🛆,
🐾, ✗ – 🛏 🕾 🅿. ⚑ ⓞ 𝑽𝑰𝑺𝑨. ≋
giugno-settembre – Pas 75/90000 – **44 cam** ⊊ 137/234000 – P 251/332000.

🏠 **Murmann,** 🖉 876931 – 🕾 🚗 🅿. ≋
chiuso dal 5 novembre al 5 gennaio – Pas (chiuso lunedì) 20/25000 – 18 cam ⊊ 65000.

✗✗ **Zà Mariuccia,** al Porto 🖉 876163, ≼ – ⚑ 🕃 ⓞ 🖻 𝑽𝑰𝑺𝑨. ≋
chiuso gennaio, febbraio e dicembre – Pas carta 24/48000 (15%).

✗ **Villa Flora,** rione Fontana Vecchia ⊠ 85046 🖉 876561 – 🅿. 🕃. ≋
15 giugno-15 settembre – Pas carta 22/36000.

ad Acquafredda NO : 10 km – ⊠ 85041 :

🏨 **Villa del Mare,** strada statale S : 1,5 km 🖉 878007, Telex 812390, Fax 878102, ≼ mare,
« Terrazze fiorite con ascensore per la spiaggia », 🛆, 🐾 – 🛏 🗏 🕾 🅿 – 🛆 200. ≋ rist
aprile-ottobre – Pas carta 30/44000 – 75 cam ⊊ 60/100000 – P 110/140000.

🏨 **Villa Cheta Elite** 🌲, strada statale S : 1,5 km 🖉 878134, « Terrazze fiorite e rist. estivo in
giardino » – 🕾 🅿. ⚑ 🕃 ⓞ 🖻 𝑽𝑰𝑺𝑨. ≋
aprile-settembre – Pas carta 26/41000 (10%) – ⊊ 12000 – 20 cam 48/65000.

🏨 **Gabbiano** 🌲, al mare 🖉 878011, ≼, 🛱, 🐾 – 🗏 rist 🕾 🅿. ≋ rist
aprile-settembre – Pas 32000 – ⊊ 15000 – 31 cam 55000 – P 90/120000.

MARAZZINO Sassari – Vedere Sardegna (Santa Teresa Gallura) alla fine dell'elenco alfabetico.

MARCELLI Ancona – Vedere Numana.

MARCELLISE Verona – Vedere San Martino Buon Albergo.

MARCIANA e MARCIANA MARINA Livorno 🔢🔢🔢 ㉔ – Vedere Elba (Isola d').

MAREBELLO Forlì – Vedere Rimini.

MARESCA 51026 Pistoia – alt. 797 – Stazione di villeggiatura, a.s. luglio e agosto – ✪ 0573.

🄸 via Gavinana 🖉 64040 – Roma 334 – ◆Bologna 84 – ◆Firenze 60 – Lucca 56 – ◆Milano 285 – Pistoia 24.

🏠 **Miramonti** 🌲, 🖉 64021, ≼, 🛱, « Parco fiorito » – 🅿. ≋
luglio-agosto – Pas (solo per clienti alloggiati) 22/25000 – ⊊ 7000 – 37 cam 30/58000 –
P 63/69000, b.s. 58/63000.

MARGHERA Venezia – Vedere Mestre.

MARGNO 22050 Como 🔢🔢🔢 ⑩ – 361 ab. alt. 730 – Sport invernali : a Pian delle Betulle :
1 503/1 761 m ≶2 – ✪ 0341.

Roma 650 – Como 59 – Lecco 30 – ◆Milano 86 – Sondrio 66.

a Pian delle Betulle E : 5 mn di funivia – alt. 1 503 :

🏠 **Baitock** 🌲, ⊠ 22050 🖉 840106, ≼ monti e pinete, 🐾 – 🕾. ≋ cam
Pas (chiuso lunedì) carta 24/35000 – ⊊ 6000 – 16 cam 40/48000 – P 45/52000.

MARIANO COMENSE 22066 Como – 18 693 ab. alt. 250 – ✪ 031.
Roma 619 – ◆Bergamo 54 – Como 16 – Lecco 32 – ◆Milano 29.

XXX **San Maurizio,** via Matteotti 77 ℘ 745574, 🏠 – ℗
    chiuso mercoledì ed agosto – Pas carta 27/54000.

BMW strada provinciale per Arosio 2 ℘ 746411   INNOCENTI via Pio XI n° 63 ℘ 746543
FIAT via Giovanni XXIII ℘ 749213   LANCIA-AUTOBIANCHI via ai Ferri 37 ℘ 744625

MARILLEVA Trento 🔢 ⑱⑲ – Vedere Mezzana.

MARINA DEL CANTONE Napoli – Vedere Massa Lubrense.

MARINA DI ANDORA Savona – Vedere Andora.

MARINA DI BELVEDERE MARITTIMO 87020 Cosenza – ✪ 0985.
Roma 452 – Castrovillari 88 – Catanzaro 131 – ◆Cosenza 71 – Paola 37 – Sapri 68.

🏨 **Poseidon,** ℘ 81403, ≼, 🐎🐎, 🚗, 🎾 – 📶 ⬛ ☎ ℗. 🅱 ⑩ 𝘝𝘐𝘚𝘈. 🛥
    15 marzo-ottobre – Pas 20/25000 – 🛏 6000 – **50 cam** 57/88000. 🍽 3000 – P 65/100000.

MARINA DI CAMEROTA 84059 Salerno 🔢 ⑱ – a.s. luglio e agosto – ✪ 0974.
Roma 385 – ◆Napoli 179 – Salerno 128 – Sapri 36.

🏠 **Delfino** ℘ 932239 – ℗. 🅱 ⑩ 𝘝𝘐𝘚𝘈. 🛥 rist
➡ Pas *(chiuso da ottobre a marzo)* carta 17/32000 – 🛏 4500 – **18 cam** 23/35000 – P 48/55000,
    b.s. 40000.

🏠 **Bolivar,** ℘ 932036 – 📶 🐎. 🛥
➡ Pas *(chiuso da ottobre a maggio)* carta 15/23000 – 🛏 3000 – **21 cam** 20/36000 – P 50/55000,
    b.s. 45/48000.

X **Da Pepè,** ℘ 932461, 🏠 – ℗
    Pasqua-settembre – Pas carta 28/46000.

X **Valentone,** ℘ 932004, 🏠
    chiuso domenica da ottobre a Pasqua – Pas carta 24/32000.

MARINA DI CAMPO Livorno 🔢 ㉔ – Vedere Elba (Isola d').

MARINA DI CARRARA Massa-Carrara 🔢 ⑭ – Vedere Carrara (Marina di).

MARINA DI CASTAGNETO Livorno 🔢 ⑭ – Vedere Castagneto Carducci.

MARINA DI CECINA Livorno – Vedere Cecina (Marina di).

MARINA DI FUSCALDO 87020 Cosenza 🔢 ㉟ – ✪ 0982.
Roma 481 – Catanzaro 100 – ◆Cosenza 41 – ◆Reggio di Calabria 193 – Salerno 224.

🏨 Il Vascello, ℘ 686145, ≼, 🐎🐎 – 📶 🐎 ℗
    48 cam.

MARINA DI GIOIOSA JONICA 89046 Reggio di Calabria 🔢 ㊳ – 6 207 ab. – ✪ 0964.
Roma 693 – Catanzaro 89 – ◆Reggio di Calabria 107 – Roccella Jonica 7.

🏨 **Number One,** SO : 1 km ✉ 89043 Grotteria ℘ 55624, ≼, 🐎🐎 – 📶 🐎 ℗. 🄰🄴 🅱 ⑩ 𝘝𝘐𝘚𝘈. 🛥
➡ Pas carta 18/30000 – 🛏 50/80000 – P 65/75000.

🏨 **Miramare,** ℘ 55342, ≼ – 📶 ☎ ℗. 🄰🄴 🅱 ⑩ 𝘝𝘐𝘚𝘈. 🛥
    Pas vedere rist Miramare – 🛏 5000 – **37 cam** 45/70000 – P 70000.

X **Miramare,** ℘ 55034, ≼ – 🄰🄴 🅱 ⑩ 𝘝𝘐𝘚𝘈. 🛥
    chiuso lunedì – Pas carta 27/40000 (10%).

FIAT via Crispi ℘ 56001

MARINA DI GROSSETO Grosseto 🔢 ㉔ – Vedere Grosseto (Marina di).

MARINA DI LEUCA 73030 Lecce 🔢 ㉚㊵ – a.s. luglio e agosto – ✪ 0833.
Roma 676 – ◆Bari 219 – ◆Brindisi 107 – Gallipoli 48 – Lecce 68 – ◆Taranto 141.

🏨 **L'Approdo,** ℘ 753016, ≼, ⅃, 🐎🐎 – ☎ ℗. 🛥 rist
    aprile-ottobre – Pas carta 30/45000 – 48 cam 🛏 70/120000 – P 70/120000, b.s. 59/80000.

🏨 **Terminal,** ℘ 753242, ≼, ⅃, 🐎🐎 – 📶 ☎ ℗ – 🏖 150. 🛥 rist
    aprile-ottobre – Pas 20/30000 – 🛏 8000 – **59 cam** 35/60000 – P 75000, b.s. 50/55000.

MARINA DI MASSA Massa-Carrara 🔢 ⑭ – Vedere Massa (Marina di).

MARINA DI MODICA Ragusa – Vedere Sicilia alla fine dell'elenco alfabetico.

MARINA DI MONTEMARCIANO 60016 Ancona – a.s. luglio e agosto – 🏵 071.

Roma 282 – ♦Ancona 14 – ♦Ravenna 134.

XXX **Delle Rose,** 🖊 9198668, ≤, 🏠, 🍴, 💯 – 🅿 📵 VISA 🍽
chiuso lunedì – Pas carta 31/55000.

MARINA DI PATTI Messina – Vedere Sicilia alla fine dell'elenco alfabetico.

MARINA DI PIETRASANTA Lucca 988 ⑭ – Vedere Pietrasanta (Marina di).

MARINA DI PISA Pisa 988 ⑭ – Vedere Pisa (Marina di).

MARINA DI RAGUSA Ragusa 988 ㊱㊲ – Vedere Sicilia (Ragusa, Marina di) alla fine dell'elenco alfabetico.

MARINA DI RAVENNA Ravenna 988 ⑮ – Vedere Ravenna (Marina di).

MARINA DI SAN VITO 66035 Chieti – a.s. 15 giugno-agosto – 🏵 0872.

Roma 234 – Chieti 43 – ♦Foggia 154 – Isernia 127 – ♦Pescara 28.

🏨 **Miramare,** 🖊 61072, ≤ – 🛗 🐾. 🆎 📵 ⓪ 🗲 VISA. 🍽 rist
⬦ Pas (chiuso domenica sera) carta 19/29000 – 🖙 3500 – **36 cam** 27/50000 – P 38/55000, b.s. 32/40000.

MARINA DI VASTO Chieti – Vedere Vasto (Marina di).

MARINA EQUA Napoli – Vedere Vico Equense.

MARINA GRANDE Napoli – Vedere Capri (Isola di).

MARINA PICCOLA Napoli – Vedere Capri (Isola di).

MARINA ROMEA Ravenna – Vedere Ravenna (Marina di).

MARINELLA Trapani 988 ㉟ – Vedere Sicilia (Selinunte) alla fine dell'elenco alfabetico.

MARINO 00047 Roma 988 ㉘ – 33 390 ab. alt. 355 – 🏵 06.

Roma 22 – Frosinone 73 – Latina 44.

🏩 **Helio Cabala** 🦌, via Spinabella 13/15 (O : 3 km) 🖊 9384391, Telex 613209, Fax 9385432, ≤, « Terrazza ombreggiata con 🏊 » – 🛗 📺 🅿 – 🔬 25 a 400. 🆎 📵 🗲 VISA 🍽 rist
Pas 40/50000 – **40 cam** 🖙 160/220000 appartamenti 220/300000 – P 190/240000.

XX **La Perla,** via Mazzini 56 🖊 9385430, Coperti limitati; prenotare – 🍽. 🆎 📵 ⓪ 🗲 VISA 🍽
chiuso mercoledì e dal 15 al 30 agosto – Pas carta 38/51000.

XX **Al Vigneto,** via dei Laghi al km 4,5 🖊 9387034, « Servizio estivo in giardino » – 🅿 🆎 📵 ⓪ 🗲 VISA
chiuso martedì – Pas carta 27/36000.

MARLENGO (MARLING) 39020 Bolzano 218 ⑩⑳ – 2 022 ab. alt. 363 – a.s. aprile-maggio e 15 luglio-ottobre – 🏵 0473.

Roma 668 – ♦Bolzano 31 – Merano 3 – ♦Milano 329.

🏩 **Oberwirt,** 🖊 47111, « Servizio rist. estivo all'aperto », 🏊, 🏊, 🍴 – 📺 🕿 🅿. 🆎 📵 🗲 VISA 🍽
15 marzo-10 novembre – Pas carta 29/48000 – **40 cam** 🖙 90/180000 appartamenti 170/220000 – P 93/125000, b.s. 86/114000.

🏩 **Marlena,** 🖊 47166, Telex 401589, Fax 47441, ≤, 🏊 riscaldata, 🏊, 🍴, 💯 – 🛗 🔆 🕿 ⬅ 🅿 – 🔬 45. 🆎 📵 ⓪ 🗲 VISA 🍽 rist
chiuso gennaio e dicembre – Pas 24/32000 – **42 cam** 🖙 75/140000 – P 78/92000, b.s. 64/74000.

🏩 **Sport Hotel Nörder,** 🖊 47000, ≤, 🏠, 🏊, 🍴, 💯 – 🛗 🍽 rist 📺 🕿 ⬅ 🅿
18 marzo-6 novembre – Pas (chiuso martedì) carta 26/43000 – **27 cam** 🖙 60/100000 appartamenti 120/130000 – ½ P 84000, b.s. 65000.

🏨 **Paradies,** 45202, 🏊, 🍴 – 🛗 🔆 rist 📺 🕿 ⬅. 🍽 rist
⬦ chiuso dal 12 gennaio al 12 febbraio – Pas 17/33000 – 22 cam 🖙 48/96000 – P 49/60000, b.s. 40/52000.

BMW via Palade 27 🖊 48168

MARLING = Marlengo.

MARMOLADA (Massiccio della) ★★★ Belluno e Trento 988 ⑤ – Vedere Guida Verde.

MAROCCO Treviso – Vedere Mogliano Veneto.

323

MARONTI Napoli – Vedere Ischia (Isola d') : Barano.

MARORE Parma – Vedere Parma.

MAROSTICA 36063 Vicenza 988 ⑤ – 12 446 ab. alt. 105 – ✪ 0424.
Vedere Piazza Castello★.

Roma 550 – Belluno 87 – ◆Milano 243 – ◆Padova 49 – Treviso 54 – ◆Venezia 82 – Vicenza 28.

- **Europa,** via Pizzimano 19 ℰ 77842 e rist ℰ 72480 – ℗. ℀ ⓪ *VISA*
  - Pas carta 19/31000 – ⌘ 8500 – **30 cam** 57/86000 – P 60/85000.

- **Alla Scacchiera,** piazza Castello ℰ 72346 – 🗐. ℀ ⓪ *VISA*
  chiuso domenica sera, lunedì, dal 20 luglio al 10 agosto e dal 28 dicembre al 10 gennaio – Pas carta 22/33000.

  a Valle San Floriano N : 3 km – alt. 127 – ⊠ 36060 :

- **Dalla Rosina** 🐾 con cam, N : 2 km ℰ 75839 – 🔲 ☎ ℗. ℀ *VISA*. ℀
  chiuso dal 20 al 28 febbraio ed agosto – Pas (chiuso lunedì sera e martedì) carta 23/35000 – ⌘ 6000 – **15 cam** 55/85000.

  a San Luca NO : 8 km – alt. 495 – ⊠ 36060 Crosara :

- **San Luca** 🐾 con cam, ℰ 702034, ≼ vallata e monti – ℗. ℀
  - 2 aprile-ottobre – Pas carta 19/26000 – ⌘ 6500 – **8 cam** 37000.

MAROTTA 61035 Pesaro e Urbino 988 ⑯ – Stazione balneare, a.s. luglio e agosto – ✪ 0721.
🚩 (giugno-settembre) viale Cristoforo Colombo 30 ℰ 96591.

Roma 305 – ◆Ancona 38 – ◆Perugia 125 – Pesaro 25 – Urbino 61.

- **Imperial,** lungomare Faà di Bruno 119 ℰ 96145, ≼, 🐜ₒ, ☞ – 🖹 🗐 rist 🕾 ℗. ℀
  20 maggio-settembre – Pas 20/30000 – ⌘ 6000 – **37 cam** 38/56000 – P 44/58000, b.s. 35/45000.

- **Levante,** lungomare Colombo 107 ℰ 96647, ≼, 🐜ₒ – 🖹 🕾 ℗. ℀ rist
  - 20 maggio-25 settembre – Pas 17/30000 – **36 cam** ⌘ 35/55000 – P 45/57000, b.s. 38/45000.

- **Caravel,** lungomare Faà di Bruno 135 ℰ 96670, ≼, 🐜ₒ – 🖹 🕾 ℗. ℀ rist
  - 15 maggio-settembre – Pas 18000 – ⌘ 4500 – **32 cam** 33/44000 – P 40/57000, b.s. 30/43000.

- **La Paglia,** via Tre Pini 40 (O : 2 km) ℰ 967632, 🏛, « Grazioso giardino », ℀ – ℗. ⓪ *VISA* ℀
  Pasqua-settembre; chiuso lunedì – Pas carta 27/41000.

MARRARA Ferrara – Vedere Ferrara.

MARSALA Trapani 988 ㊟ – Vedere Sicilia alla fine dell'elenco alfabetico.

MARSICO NUOVO 85052 Potenza – 5 866 ab. alt. 780 – ✪ 0975.
Roma 371 – ◆Napoli 165 – Potenza 60 – ◆Taranto 176.

- **Il Castello** 🐾, località Occhio N : 2 km ℰ 842182, ≼ monti e vallata – ☎ ℗. ℀
  Pas (chiuso lunedì escluso luglio-agosto e da dicembre a febbraio) carta 18/28000 – ⌘ 2000 – **9 cam** 25/50000 – P 55/65000.

MARTINA FRANCA 74015 Taranto 988 ㉙ – 44 897 ab. alt. 431 – a.s. Pasqua, luglio e agosto – ✪ 080.
Vedere Via Cavour★.
Dintorni Regione dei Trulli★★★ N-NE.
🚩 piazza Roma 35 ℰ 705702.

Roma 524 – Alberobello 15 – ◆Bari 74 – ◆Brindisi 59 – Matera 83 – Potenza 182 – ◆Taranto 32.

- **Dell'Erba,** viale dei Cedri 1 ℰ 901055, Fax 901658, 🛱, 🔲, ☞ – 🖹 ✼ 🗐 rist 🔲 ☎ ৬ ℗ – 🏛 60 a 200. ℀ 🖾 ⓪ 🗉 *VISA* ℀
  Pas carta 26/45000 – **49 cam** ⌘ 57/94000 – P 80/94000, b.s. 70/80000.

- **Park Hotel San Michele,** viale Carella 9 ℰ 705355, 🏛, 🔲, ☞ – 🖹 🔲 ☎ ℗ – 🏛 300. ℀ 🗐 ⓪ 🗉 *VISA* ℀
  Pas (chiuso venerdì) carta 28/52000 – 78 cam ⌘ 59/96000 – P 96000.

- **Trattoria delle Ruote,** via Ceglie E : 4,5 km ℰ 705429, Coperti limitati; prenotare, « Servizio estivo all'aperto » – ℗. ℀
  chiuso lunedì – Pas 21/30000.

FIAT viale Stazione 7 ℰ 705055   VW-AUDI viale dei Lecci 3 ℰ 901159

Send us your comments on the restaurants we recommend
and your opinion on the specialities
and local wines they offer.

1891 Les frères Michelin déposent le brevet du pneu démontable. 7 ans après, toutes les voitures ont des pneus.

1946 Michelin lance le pneu radial. L'histoire du pneu connaît sa plus grande révolution.

1989 Michelin est, plus que jamais à la pointe de l'évolution technologique. Circuits d'essais, études chimiques, tests d'aérodynamisme, vérifications de comportement : les centres d'essais et de recherche Michelin travaillent chaque jour à l'amélioration des performances et de la sécurité des pneus.

MICHELIN®

MICHELIN : L'AVANCE TECHNOLOGIQUE

Dans les 3 centres de recherche Michelin, 4 500 chercheurs sont chaque jour au travail. 4 500 chercheurs de pneus. De pneus. Rien que de pneus.

Pour faire évoluer plus de 3 000 modèles et les adapter à des milliers de véhicules. Ici, sous la plaque de verre, une caméra haute fréquence enregistre le comportement dans l'eau d'un pneu MX de 155 millimètres de large.

A 100 km/h, sur une piste en béton bitumineux recouverte de 8 mm d'eau, le pneu évacue 25 litres d'eau à la seconde. Plus loin, un ordinateur aide à définir la structure d'un nouveau pneu. Puissance de calcul : 10 000 équations par jour.

A l'extérieur sur 6 000 hectares de circuits, 300 pilotes démarrent, accélèrent et virent.

En camion, en voiture, en moto, sur absolument tout ce qui roule. Chaque année, 300 millions de kilomètres parcourus pour les essais.

Chaque année, plus de 200 nouvelles homologations par les constructeurs automobiles du monde entier.

Chaque jour, 4 500 chercheurs au travail pour faire avancer les pneus qui font aujourd'hui avancer 2 milliards de roues sur la terre.

GONFLAGE

La pression de gonflage a une très grande importance pour votre sécurité, votre confort et la durée de vos pneus.

Contrôlez la pression les pneus étant froids (c'est-à-dire après au moins une heure d'arrêt).

Vérifiez périodiquement la pression de la roue de secours.

Seul le bouchon de valve assure l'étanchéité.

La pression augmente en cours de roulage, c'est normal.

Ne dégonflez jamais des pneus chauds.

Nos tableaux de gonflage donnent par véhicule deux séries de pression.

Utilisation courante : ces pressions conviennent pour la majorité des cas d'utilisation.

Autres utilisations : ces pressions sont à adopter dans les cas suivants : véhicule très chargé, roulage type autoroute (voiture à faible ou à pleine charge). Les pressions indiquées sont valables pour les pneus Tubeless comme pour les pneus Tube Type.

ÉQUILIBRAGE

Lorsque vous faites équiper votre voiture de nouveaux pneus, faites équilibrer l'ensemble pneu-roue.

Une roue mal équilibrée peut provoquer des troubles de direction, des vibrations, etc.

MONTAGE

Pour profiter entièrement des qualités des pneus Michelin, il est préférable d'équiper la voiture avec le train complet. C'est indispensable avec les pneus XWX, XDX et TRX.

On peut toutefois, pour les autres types de pneus Michelin, commencer avec seulement deux pneus.

Dans ce cas, consultez votre fournisseur habituel ou Michelin.

Sur un même essieu, les deux pneus doivent toujours être du même type.

IMPORTANT

Même à vitesse limitée, pour rouler en toute sécurité, monter le pneu qui convient aux possibilités maximales de la voiture.

A VOTRE SERVICE

Vous avez des observations, des suggestions, vous souhaitez des précisions concernant l'utilisation de vos pneumatiques Michelin, écrivez-nous à :
Manufacture Française des Pneumatiques Michelin - Boîte Postale Consommateurs- 63040 CLERMONT FERRAND CEDEX.

LES GUIDES ET LES CARTES MICHELIN

Seize millions de publications de tourisme sont vendues chaque année dans le monde sous la signature Michelin.

Compléments du pneumatique dont ils portent le nom, les Guides Rouges hôteliers, les cartes routières, les Guides Verts touristiques sont nés et se sont développés avec l'automobile, selon l'orientation définie par leurs créateurs, les frères Edouard et André Michelin.

Tout au long de notre siècle, ils ont eu pour mission de pressentir les besoins réels de l'automobiliste et d'apporter à ce dernier la réponse appropriée, selon qu'il se déplace sur la route, qu'il fait étape ou qu'il cherche à profiter de ses loisirs.

Trois activités du voyage, mais un seul service.

Trois types de publications, mais complémentaires.

Fidèle reflet de notre environnement en perpétuelle évolution, faisant appel aujourd'hui à l'informatique et aux techniques graphiques les plus récentes, les Guides et les Cartes Michelin sont bien la collection de référence de notre temps.

LE GUIDE ROUGE

Ce livre que vous avez entre les mains, ce n'est pas un guide hôtelier comme tous les autres. Pour plusieurs raisons, qui n'apparaissent pas toujours au premier usage.

Si son ancienneté, son expérience, sa signature expliquent déjà la sympathie dont il jouit, avec tous ses frères de collection, elles ne doivent pas faire oublier certains caractères fondamentaux, en particulier :

– L'objectivité de sa sélection d'établissements et de ses classements. Ni un catalogue, ni un recueil de commentaires et de critiques. Sa règle : choisir, puis informer le voyageur pour lui permettre de choisir à son tour. Le Guide n'est pas un juge, c'est un service.

– La concision de sa présentation. Deux ou trois lignes sur un établissement, c'est peu, mais chaque symbole a sa définition propre et aucun détail n'est laissé au hasard. Le Guide n'est pas bavard, mais chacun le lit aisément.

– La scrupuleuse tenue à jour de son contenu. A longueur d'année, nos inspecteurs, français en France, étrangers à l'étranger, visitent et testent anonymement, nos documentalistes cherchent et contrôlent, nos techniciens vérifient les plans de villes. Au plus près de l'actualité, c'est leur règle de travail.

– ... Sans oublier votre collaboration bénévole à tous, amis lecteurs et voyageurs, qui nous écrivez par milliers chaque année. Un complément bien précieux à nos efforts. Soyez-en remerciés.

Si le Guide vous mène en confiance, c'est notre meilleur encouragement.
C'est aussi avec votre aide que nous progresserons.

LA CARTE

Plus de 75 années de cartographie Michelin, c'est une expérience et un savoir-faire irremplaçables, puisqu'ils remontent aux débuts même de l'automobile.

Des dizaines de millions de feuilles en usage, c'est la reconnaissance de cette suprématie par le public le plus large : il se vend aujourd'hui une carte Michelin toutes les trois secondes quelque part dans le monde !

Les raisons ? Elles sont bien simples : la carte Michelin est précise et facile à lire, elle connaît les besoins de son lecteur, elle est présente partout et ne coûte qu'un minimum.

Enfin et surtout, elle fait l'objet d'une actualisation permanente jusque dans ses moindres détails, à l'image du terrain qu'elle représente. Sait-on que plus de huit cents corrections viennent, en moyenne, modifier année après année chacune des cartes jaunes de la série France ?

Plus d'une centaine de feuilles couvrent l'Europe et l'Afrique, selon une gamme étendue d'échelles adaptées à chaque région traitée, de sorte que le piéton de Paris comme le concurrent des grands rallyes africains y trouvent également ce qu'ils y cherchent.

Routière et touristique, la carte Michelin donne le meilleur d'elle-même lorsqu'elle est utilisée avec le Guide Rouge et le Guide Vert. L'union fait la force.

LE GUIDE VERT

Le Guide Vert touristique, c'est le compagnon des moments de détente et de loisir. Sans ambition faussement culturelle, mais sans concession à la facilité ou à l'à-peu-près.

Aussi rigoureux que nos autres publications, dans sa conception comme dans sa mise en forme, il évite néanmoins toute sévérité par son ton équilibré et son sens pratique, deux atouts souvent déterminants pour la réussite d'un voyage. Une rédaction concise, un style simple (mais qui ne craint pas d'aborder la géologie d'une région ou la technique d'un ouvrage d'art lorsque c'est nécessaire), assurent une lecture plaisante, aérée, qui va à l'essentiel.

Et les étoiles de curiosité, qui permettent d'un coup d'œil d'apprécier l'intérêt général d'une localité, d'un site naturel ou d'une excursion, sont un apport décisif – et bien connu – à la clarté de nos Guides.

En complément au texte, plans de villes et de monuments, schémas d'excursions, cartes thématiques, illustrations en couleur ou à la plume sont présents à toutes les pages des quelque soixante-dix titres, belle collection répartie sur l'Europe, et l'Amérique du Nord.

MARTINSICURO 64014 Teramo – 10 861 ab. – a.s. luglio e agosto – ○ 0861.

Roma 227 – ◆Ancona 98 – L'Aquila 118 – Ascoli Piceno 30 – ◆Pescara 64 – Teramo 45.

a Villa Rosa S : 5 km – ⊠ **64010** :

🏨 **Maxim's,** lungomare Italia 𝒫 72620, Fax 751609, ≤, ⌁, 🐾, ⚓, ⚒ – 🛗 ☰ rist 🅿.
⚒ rist
15 maggio-22 settembre – Pas 25000 – ⌸ 12000 – 100 cam 45/70000 – P 53/68000,
b.s. 35/42000.

🏨 **Olimpic,** lungomare Italia 12 𝒫 72390, ≤, ⌁, 🐾 – 🛗 ☰ rist 🅿 ♿ 🅿. ⚒
20 maggio-20 settembre – Pas 20/35000 – ⌸ 12500 – **55 cam** 35/70000 – P 80/90000,
b.s. 50/60000.

🏨 **Park Hotel,** 79ª strada 9 𝒫 77913, ⌁, ⚒ – 🛗 ☰ rist 🅿 🅿
Pas *(chiuso martedì)* 25/50000 – 64 cam ⌸ 40/52000 – P 55/75000, b.s. 42/55000.

🏢 **Lanca,** via Risorgimento 5 𝒫 72812 – 🛗 📺 🅿 🚗 🅿
27 cam.

XX **Minerva,** via Franchi 17 𝒫 77400 – ⚒
chiuso lunedì – Pas carta 26/44000.

XX **Al Pescheto,** statale Adriatica 𝒫 72455, ≤, 🌳 – ⚒ 🅿. ⚒ 🅿. ⚒
chiuso novembre o dicembre e martedì in bassa stagione – Pas carta 30/46000.

MASER 31010 Treviso – 4 691 ab. alt. 147 – ○ 0423.
Vedere Villa★★★ del Palladio.

Roma 562 – Belluno 59 – ◆Milano 258 – Trento 108 – Treviso 29 – Vicenza 54.

XX **Da Bastian,** località Muliparte 𝒫 565400, 🌳 – 🅿. ⚒
chiuso mercoledì sera, giovedì ed agosto – Pas carta 22/33000.

MASERADA SUL PIAVE 31052 Treviso – 6 193 ab. alt. 33 – ○ 0422.

Roma 553 – Belluno 74 – Treviso 13 – ◆Venezia 42.

XX **Da Paolo Zanatta,** località Varago S : 1,5 km 𝒫 778048 – 🅿. 🆎 🅾. ⚒
chiuso domenica sera, lunedì, dal 9 al 23 gennaio e dal 14 al 28 agosto – Pas carta 22/43000.

MASIO 15024 Alessandria – 1 552 ab. alt. 142 – ○ 0131.

Roma 607 – Asti 14 – Alessandria 22 – ◆Milano 118 – ◆Torino 80.

XX **Trattoria Losanna,** via San Rocco 36 (E : 1 km) 𝒫 779525 – 🅿. 🆎 🅱. ⚒
chiuso lunedì e gennaio – Pas carta 20/40000.

MASSA 54100 🅿 🔢 ⑭ – 67 188 ab. alt. 65 – a.s. Pasqua e luglio-agosto – ○ 0585.
🅱 a Carrara, piazza 2 Giugno 14 𝒫 70894.
A.C.I. via Europa 9 𝒫 42122.

Roma 389 – Carrara 7 – ◆Firenze 115 – ◆Livorno 65 – Lucca 45 – ◆Milano 235 – Pisa 46 – ◆La Spezia 35.

XX **Il Marcovardo,** piazza Liberazione 21 𝒫 42650 – 🆎 🅱 🆅🆂🅰
chiuso lunedì sera – Pas carta 27/38000.

a Bergiola Maggiore N : 5,5 km – alt. 329 – ⊠ 54100 Massa :

X **La Ruota,** 𝒫 42030, ≤ città e litorale – 🅿
chiuso lunedì da ottobre a marzo – Pas carta 30/40000.

ALFA-ROMEO via Aurelia Ovest 81 𝒫 831981
ALFA-ROMEO via Dorsale 78 𝒫 830985
CITROEN via Oliveti 55 𝒫 831078
FIAT via Aurelia Ovest 245 𝒫 830741
FIAT via Oliveti 40 𝒫 251287
GM-OPEL via Aurelia Ovest 81 𝒫 40673

LANCIA-AUTOBIANCHI via Pascoli 44 𝒫 43256
MERCEDES-BENZ via Aurelia Ovest 121 𝒫 42749,
Telex 590573
RENAULT via Aurelia Ovest 95 𝒫 330741
VW-AUDI via Aurelia Ovest 157 𝒫 830831

MASSA (Marina di) 54037 Massa-Carrara 🔢 ⑭ – Stazione balneare, a.s. Pasqua e luglio-agosto
– ○ 0585.
🅱 viale Vespucci 23 𝒫 240063.

Roma 388 – ◆Firenze 114 – ◆Livorno 64 – Lucca 44 – Massa 5 – ◆Milano 234 – Pisa 45 – ◆La Spezia 34.

🏢 **Eco del Mare,** via Verona 1 (angolo lungomare di Ponente) 𝒫 240459, ≤, ⌁, ⚓ – ☰ 🕿 🅿.
🆎 🅱 🅾 🅴 🆅🆂🅰. ⚒ rist
Pas 30/35000 – 20 cam ⌸ 60/100000 – P 80/100000, b.s. 70/90000.

🏢 **Miramonti,** via Montegrappa 7 𝒫 241067, ⚓ – 🕿 🅿 🆎 🅱 🅾 🅴 🆅🆂🅰. ⚒
Pas *(solo per clienti alloggiati)* 20/25000 – ⌸ 10000 – **14 cam** 35/55000 – P 50/60000,
b.s. 45/55000.

XX **Da Riccà,** lungomare di Ponente 𝒫 241070, 🌳 – 🅿. 🅱. ⚒
chiuso lunedì e dal 20 ottobre al 20 novembre – Pas (solo piatti di pesce) carta 32/54000
(10%).

XX Jean Paul, via Mattei (ang. via della Pineta) 𝒫 242332, 🌳.

segue →

MASSA (Marina di)

a Ronchi SE : 2 km – ⊠ **54039** :

🏨 **Tropicana** senza rist, a Poveromo, via Verdi 47 ℰ 309041, Fax 309044, « Giardino ombreggiato con ⫶ riscaldata » – 🔳 📺 ☎ 🅿 . 🆎 ⓪ 𝗩𝗜𝗦𝗔 . ⋘
⧄ 15000 – 24 appartamenti 130/240000.

🏨 **Villa Irene** ⌕, a Poveromo, via delle Macchie 125 ℰ 309310, Fax 308038, 🍴, « Parco-giardino con ⫶ riscaldata », 🐎 – ☎ 🅿
maggio-ottobre – Pas (solo per clienti alloggiati) – 38 cam ⧄ 90/145000 – P 115/138000. b.s. 105/128000.

🏨 **Marina,** via Magliano 3 ℰ 245261, 🌊 – ☎ 🅿 . ⋘
◆ maggio-settembre – Pas (chiuso a mezzogiorno) 18/24000 – ⧄ 10000 – **30 cam** 60/80000 – ½ P 66/68000, b.s. 52/54000.

🏠 **La Pergola,** a Poveromo, via Verdi 41 ℰ 240118, « Giardino ombreggiato » – ☎ 🅿
⋘ rist
aprile-settembre – Pas carta 20/31000 – **25 cam** ⧄ 45/75000 – P 65/80000, b.s. 50/60000.

🏠 **Hermitage,** via Verdi 15 ℰ 240856, « Giardino con ⫶ », 🐎 – ☎ 🅿 . 🆎 . ⋘
Pasqua-15 settembre – Pas 25/30000 – ⧄ 6000 – **24 cam** 80000 – P 70/80000, b.s. 50/60000.

MASSACIUCCOLI (Lago di) Lucca – Vedere Torre del Lago Puccini.

MASSAFRA 74016 Taranto 🟨🟨🟨 ㉙ – 29 751 ab. alt. 110 – a.s. 15 giugno-agosto – 🟢 099.
Roma 508 – ◆Bari 76 – ◆Brindisi 84 – ◆Taranto 18.

✕✕ **La Ruota,** via Barulli 28 ℰ 687710 – 🔳 . ⋘
chiuso lunedì e dal 1° al 10 agosto – Pas carta 25/50000.

sulla strada statale 7 NO : 2 km :

🏨 **Appia Palace Hotel,** ⊠ 74016 ℰ 881501, Telex 860241, ⫶ – 🧱 🔳 📺 ☎ ⅙ 🅿 – 🕍 350. 🆎 🛎 ⓪ 🅴 𝗩𝗜𝗦𝗔 . ⋘
Pas carta 25/36000 – ⧄ 4000 – **76 cam** 63/90000 appartamento 105000 – P 90000.

FIAT statale Appia al km 634 ℰ 682852   RENAULT via La Rotonda ℰ 681423
FORD statale Appia al km 634 ℰ 689065

MASSA LOMBARDA 48024 Ravenna – 8 718 ab. alt. 13 – 🟢 0545.
Roma 400 – ◆Bologna 47 – ◆Ferrara 59 – Forlì 49 – ◆Milano 257 – ◆Ravenna 37.

🏨 **Tino,** ℰ 81357 – 🧱 ⋘ cam 🔳 rist 🕻 🅿 . 🆎 𝗩𝗜𝗦𝗔 . ⋘
Pas carta 28/60000 (15%) – ⧄ 6000 – **30 cam** 30/60000 – P 75000.

FIAT via Marzabotto 29 ℰ 83538

MASSA LUBRENSE 80061 Napoli – 11 304 ab. alt. 120 – a.s. aprile-settembre – 🟢 081.
Roma 263 – ◆Napoli 54 – Positano 21 – Salerno 56 – Sorrento 6.

🏨 **Delfino** ⌕, SO : 3 km ℰ 8789261, ≼ mare ed isola di Capri, « In pittoresca insenatura », ⫶, 🐎, ⋘ – 🧱 🅿 . ⋘
aprile-ottobre – Pas 35000 – ⧄ 12000 – 49 cam 91/107000.

🏨 **Bellavista Francischiello-da Riccardo,** N : 1 km ℰ 8789181, ≼ mare e isola di Capri, ⫶ – 🧱 ⋘ cam 🔳 cam 🕻 ⇐ 🅿 . 🆎 ⓪ 𝗩𝗜𝗦𝗔 . ⋘
Pas (chiuso martedì in bassa stagione) carta 25/40000 – ⧄ 7000 – 25 cam 40/65000, 🔳 6000 – P 62/70000.

🏨 **Maria,** S : 1 km ℰ 8789163, ≼ mare, « ⫶ su terrazza panoramica » – ⋘ 🕻 🅿 . 𝗩𝗜𝗦𝗔 . ⋘
aprile-ottobre – Pas (chiuso venerdì) carta 24/38000 (15%) – ⧄ 5000 – **30 cam** 60000 – P 50/65000, b.s. 45/50000.

🏠 **Villa Pina,** N : 1,5 km ℰ 8771171, ≼ – 🧱 ⋘ 🅿 . ⋘
Pas vedere rist Antico Francischiello-da Peppino – senza ⧄ – **11 cam** 27/50000.

✕✕ **Antico Francischiello-da Peppino** con cam, N : 1,5 km ℰ 8771171, ≼ mare – ⋘ 🔳 📺 🅿 . 🆎 ⓪ 𝗩𝗜𝗦𝗔 . ⋘
Pas (chiuso mercoledì) carta 26/44000 (15%) – ⧄ 6000 – 8 cam 50000, 🔳 10000 – P 55/65000.

✕ **La Primavera** con cam, ℰ 8789125, ≼, 🍴 – 🕻 . 𝗩𝗜𝗦𝗔 . ⋘
Pas (chiuso mercoledì) carta 22/34000 (10%) – ⧄ 5000 – 8 cam 40000 – P 60000, b.s. 40000.

a Nerano-Marina del Cantone SE : 11 km – ⊠ **80068** Termini :

✕✕ **Taverna del Capitano** con cam, ℰ 8081028, ≼, 🍴 – 🔳 cam 🕻 . 🆎 ⓪ 𝗩𝗜𝗦𝗔 . ⋘
15 marzo-15 ottobre – Pas carta 23/40000 (12%) – **18 cam** ⧄ 120000 – P 85/120000, b.s. 70/85000.

✕ **Delle Sirene** ⌕ con cam, ℰ 8081027, ≼, 🍴 – ☎
Pas (chiuso martedì) carta 25/35000 – ⧄ 8000 – 16 cam 50000 – P 55/75000, b.s. 50/55000.

Vedere anche : Sant'Agata sui Due Golfi E : 5 km.

MASSA MARITTIMA 58024 Grosseto 988 ⑭⑳ – 9 789 ab. alt. 400 – ✿ 0566.

Vedere Piazza Garibaldi★ – Duomo★ – Torre del Candeliere★, Fortezza e Arco senesi★.

Roma 249 – ◆Firenze 132 – Follonica 19 – Grosseto 62 – Siena 64.

🏨 **Duca del Mare,** piazza Dante Alighieri 1/2 ☎ 902284, ≤, 📺 – ☜ 🅿. 🏠 **E**. 🕸
◆ Pas *(chiuso lunedì da ottobre a maggio)* carta 19/28000 – ⣿ 6000 – **18 cam** 30/50000 – P 40/60000.

MASSAROSA 55054 Lucca 988 ⑭ – 18 533 ab. alt. 15 – ✿ 0584.

Roma 363 – ◆Livorno 52 – Lucca 19 – ◆La Spezia 60.

a Bargecchia NO : 9 km – ✉ **55040** Corsanico :

%% **Rino** 🦢 con cam, ☎ 954000, 🏤, 📺, 🍸 – 🏠 **E** *VISA*. 🕸 cam
Pas *(chiuso martedì da ottobre a giugno)* 20/30000 – ⣿ 5000 – **9 cam** 30/40000.

INNOCENTI via Fossolegname ☎ 941595   LANCIA-AUTOBIANCHI via Montramito ☎ 963238

MASSINO VISCONTI 28040 Novara 219 ⑦ – 974 ab. alt. 465 – ✿ 0322.

Roma 654 – ◆Milano 77 – Novara 52 – Stresa 10.

X **Trattoria San Michele,** ☎ 219101, Coperti limitati; prenotare, « Servizio estivo in terrazza con ≤ » – 🕸
chiuso martedì, dal 20 al 30 gennaio e dal 25 agosto al 15 settembre – Pas carta 21/36000.

MATELICA 62024 Macerata 988 ⑯ – 10 111 ab. alt. 354 – ✿ 0737.

Roma 225 – ◆Ancona 77 – Ascoli Piceno 108 – Assisi 82 – Macerata 50.

sulla strada statale 256 N : 2 km :

🏨 **MotelAgip,** ✉ 62024 ☎ 85981, ≤ – ☜ 🅿. 🗚 🏠 ⓞ **E** *VISA*. 🕸 rist
Pas *(chiuso sabato)* 24000 – ⣿ 8500 – **16 cam** 36/61000 – P 83/91000.

MATERA 75100 🅿 988 ㉘ – 53 275 ab. alt. 401 – ✿ 0835.

Vedere I Sassi★★ – Strada dei Sassi★★ – Duomo★ – ≤★★ sulla città dalla strada delle chiese rupestri NE : 4 km.

🅱 piazza Vittorio Veneto 19 ☎ 211188.

A.C.I. viale delle Nazioni Unite 47 ☎ 213963.

Roma 461 – ◆Bari 62 – ◆Cosenza 222 – ◆Foggia 178 – ◆Napoli 255 – Potenza 104.

🏨 **De Nicola,** via Nazionale 158 ☎ 214821 – 📳 🕮 ☜. 🕸
Pas carta 22/32000 – ⣿ 5000 – **76 cam** 34/54000 – P 64000.

%% **Il Terrazzino,** vico San Giuseppe 7 ☎ 222016, « Ambiente caratteristico » – 🗚 🏠 ⓞ *VISA*
chiuso martedì – Pas carta 27/41000 (10%).

X **Da Mario,** via 20 Settembre 14 ☎ 214569 – 📖. 🏠 ⓞ **E** *VISA*. 🕸
chiuso domenica e dal 7 al 16 agosto – Pas carta 24/44000 (10%).

sulla strada statale 99 :

🏨 **Motel Park** 🦢, N : 5 km ✉ 75100 ☎ 263625, 🏊, 🍸 – ≤★ 📖 ☎ 🅿. 🏠 ⓞ **E** *VISA*. 🕸
Pas carta 25/36000 – ⣿ 7000 – **57 cam** 49/69000, 📖 5000 – P 90000.

%% **Nonna Sara,** N : 6 km ✉ 75100 ☎ 259121, 🏤 – 📖 🅿. 🗚 🏠 ⓞ **E** *VISA*
chiuso mercoledì e dal 5 al 19 agosto – Pas carta 25/45000.

ALFA-ROMEO vico Manzoni ☎ 262662
BMW via Gravina 19/21 ☎ 263462
CITROEN via La Martella 20 ☎ 263281
FIAT via Lucana 286 ☎ 212505
FIAT via La Martella 76 ☎ 263535
FORD via Cicerone 20 ☎ 262663
INNOCENTI via Pardo 107 ☎ 263620

LANCIA-AUTOBIANCHI via Nicola Sole 38 ☎ 212012
MERCEDES-BENZ via Virgilio ☎ 261936
PEUGEOT-TALBOT via 1ª Strada Paip 11 ☎ 262937
RENAULT via Cicerone 32 ☎ 261791
VW-AUDI contrada Quartarella 16 ☎ 261623
VOLVO Quarta Strada-zona Paip ☎ 263470

MATTINATA 71030 Foggia 988 ㉘ – 6 240 ab. alt. 77 – a.s. luglio-15 settembre – ✿ 0884.

Roma 430 – ◆Bari 138 – ◆Foggia 58 – Monte Sant'Angelo 19 – ◆Pescara 222.

🏨 **Apeneste,** piazza Turati 3 ☎ 4743, 🏊, 🏖 – 📖 🏤 🅿. 🗚 🏠 ⓞ **E** *VISA*. 🕸
Pas carta 32/48000 – **26 cam** ⣿ 50/80000 – P 82/89000, b.s. 50/60000.

🏨 **Alba del Gargano,** corso Matino ☎ 4771, 🏤 – ≤★ cam ☜ ⇔ 🅿. *VISA*. 🕸
Pas *(chiuso martedì da ottobre a maggio)* carta 21/38000 – 37 cam ⣿ 66/110000 – P 75/89000, b.s. 55/65000.

%% **Trattoria dalla Nonna,** al lido E : 1 km ☎ 49205, ≤, 🏤 – 🅿. 🗚 🏠 ⓞ **E** *VISA*. 🕸
chiuso lunedì e martedì da ottobre a maggio – Pas carta 30/45000.

X **Papone,** strada statale 89 (N : 1 km) ☎ 4749, 🏤, « In un antico frantoio » – 🅿. *VISA*. 🕸
chiuso novembre e lunedì da ottobre a maggio – Pas carta 20/35000 (10%).

sulla strada litoranea NE : 17 km :

🏨🏨 **Baia delle Zagare** 🦢, ✉ 71030 ☎ 4155, ≤, « Palazzine fra gli olivi con ascensori per la spiaggia », 🏊, 🏖, 🍸 – ☎ 🅿 – 🔏 300. 🕸
maggio-settembre – Pas 30/35000 – ⣿ 8000 – **144 cam** 90/125000 – P 96/130000, b.s. 80/96000.

MAULS = Mules.

MAZARA DEL VALLO Trapani 988 ㉟ – Vedere Sicilia alla fine dell'elenco alfabetico.

MAZZARO Messina 988 ㊲ – Vedere Sicilia (Taormina) alla fine dell'elenco alfabetico.

MAZZEO Messina – Vedere Sicilia (Taormina) alla fine dell'elenco alfabetico.

MEANO Belluno – Vedere Santa Giustina.

MEDUNA DI LIVENZA 31040 Treviso – 2 452 ab. alt. 9 – ✿ 0422.
Roma 573 – Belluno 79 – ✦Milano 312 – Treviso 40 – Udine 84 – ✦Venezia 62.

  🏠 **Al Paradiso,** ℰ 767007 – 📺 ⇔. ✸
    chiuso dal 15 luglio al 15 agosto – Pas *(chiuso lunedì)* carta 22/31000 – ⚌ 2500 – **20 cam** 25/50000.

MEGLIADINO SAN FIDENZIO 35040 Padova – 1 884 ab. alt. 12 – ✿ 0429.
Vedere Montagnana✶ : cinta muraria✶✶ O : 4 km.
Roma 475 – ✦Ferrara 57 – Mantova 63 – ✦Milano 214 – ✦Padova 46 – ✦Verona 61.

  XX **I Ruzantini,** N : 1 km ℰ 89413 – 🅟. Ⅽ 🛇 ⓞ Ⅽ 🆅🆂🅰. ✸
    chiuso lunedì e dal 15 giugno al 15 luglio – Pas carta 21/36000 (10%).

MEINA 28046 Novara 988 ②, 219 ⑦ – 2 054 ab. alt. 214 – a.s. aprile e luglio-15 settembre –
✿ 0322 – Roma 645 – ✦Milano 68 – Novara 44 – Stresa 12 – ✦Torino 120.

  🏦 **Villa Paradiso,** ℰ 6488, Telex 200481, ≼, « Parco ombreggiato », 🏖 – 🛏 🕿 🅟. ⅭⅬ 🛇 ⓞ
    Ⅽ 🆅🆂🅰. ✸
    15 marzo-ottobre – Pas carta 30/43000 (10%) – ⚌ 8000 – **38 cam** 45/80000 – P 70/80000,
    b.s. 60/70000.

  a Pisano O : 3,5 km – alt. 396 – ✉ 28010 :

  X **Apollo,** verso Colazza ℰ 58143, ≼, « Servizio estivo in giardino » – 🅟. ⓞ. ✸
    chiuso martedì e novembre – Pas carta 21/50000.

  a Nebbiuno NO : 4 km – alt. 430 – ✉ 28010 :

  🏦 **Tre Laghi,** ℰ 58025, Telex 200073, ≼ lago e monti, ☞ – 🛏 🕿. 🛇 ⓞ Ⅽ 🆅🆂🅰. ✸ rist
    chiuso dall'11 gennaio al 28 febbraio – Pas *(chiuso martedì)* carta 32/45000 – ⚌ 8000 –
    43 cam 75/95000 – P 82/85000, b.s. 75/80000.

MEL 32026 Belluno 988 ⑤ – 6 606 ab. alt. 353 – ✿ 0437.
Roma 609 – Belluno 15 – ✦Milano 302 – Trento 95 – Treviso 67.

  XX **Antica Locanda al Cappello,** piazza Papa Luciani ℰ 753651, « Edificio seicentesco » –
    ⇔. ✸
    chiuso martedì sera, mercoledì e dal 1° al 18 luglio – Pas carta 26/31000.

MELDOLA 47014 Forlì 988 ⑮ – 9 039 ab. alt. 57 – ✿ 0543.
Roma 418 – Forlì 13 – ✦Ravenna 40 – Rimini 54.

  X **Il Rustichello,** via Vittorio Veneto 7 ℰ 491611 – ⅭⅬ 🛇 ⓞ Ⅽ 🆅🆂🅰. ✸
    chiuso martedì e dal 1° al 15 agosto – Pas carta 25/42000.

  X **Al Glicine,** via Indipendenza 5 ℰ 492350, 🍽 – 🅟. 🛇. ✸
    chiuso giovedì, dall'8 al 22 gennaio e dal 9 al 23 luglio – Pas carta 20/30000.

MELFI 85025 Potenza 988 ㉘ – 16 134 ab. alt. 531 – ✿ 0972.
Roma 351 – ✦Bari 129 – ✦Foggia 59 – ✦Napoli 163 – Potenza 58.

  🏦 **Due Pini,** piazzale Stazione ℰ 21031 – 🛏 ▤ rist 📺 🕿 ⅋ ⇔ 🅟 – 🛇 100. ⅭⅬ. ✸
    Pas carta 20/28000 – ⚌ 6000 – **45 cam** 36/60000 – P 65/76000.

FIAT via Dante Alighieri 6 ℰ 24111

MELIDE 427 ②, 219 ⑧ – Vedere Cantone Ticino alla fine dell'elenco alfabetico.

MELOSA (Colle della) Imperia 195 ⑱ – alt. 1 540.
Roma 671 – ✦Genova 172 – Imperia 55 – ✦Milano 295 – Ventimiglia 41.

  🏡 **Colle Melosa** 🌲, ✉ 18037 Pigna ℰ (0184) 201032, ≼, ☞ – 🅟. ✸
    Pas carta 21/31000 – ⚌ 4000 – 9 cam 25000 – P 46000.

MENAGGIO 22017 Como 988 ③, 219 ⑨ – 3 211 ab. alt. 203 – Stazione climatica – ✿ 0344.
Vedere Località✶✶.
🏌 (marzo-novembre; chiuso martedì) a Grandola ed Uniti ✉ 22010 ℰ 32103, O : 4 km.
🚢 per Varenna giornalieri (15 mn) – Navigazione Lago di Como, al pontile ℰ 32255.
🛈 piazza Garibaldi 7 ℰ 32334.
Roma 661 – Como 35 – ✦Lugano 28 – ✦Milano 83 – Sondrio 68 – St-Moritz 98 – Passo dello Spluga 79.

🏨 **Gd H. Victoria e Rist. Le Tout Paris**, via Castelli 11 *℘* 32003 e rist *℘* 31166, Telex 324884, Fax 32992, ≤, 🏤, 🛴, 🛲 – 🛗 📺 ☎ & 🅿 – 🔬 100. 🖭 🛅 ⓞ Ɛ 𝚅𝙸𝚂𝙰. 🛠
Pas carta 40/57000 – 🖵 16000 – **53 cam** 95/150000 – P 150000.

🏨 **Bellavista**, via 4 Novembre 21 *℘* 32136, ≤ lago e monti, « Terrazza sul lago » – 🛗 ☎ 🅿. 🖭 🛅 ⓞ Ɛ 𝚅𝙸𝚂𝙰
aprile-15 ottobre – Pas carta 25/39000 – 🖵 8000 – **38 cam** 45/68000 – P 60/66000.

XX **Da Paolino**, piazza Cavour 3 *℘* 32335 – 🛅 𝚅𝙸𝚂𝙰
chiuso martedì – Pas carta 32/50000.

a Loveno NO : 2 km – alt. 320 – ✉ 22017 Menaggio :

🏠 **Loveno**, *℘* 32110, ≤ lago e monti, « Piccolo giardino ombreggiato » – 🚗 🅿. 🖭 🛅 Ɛ 𝚅𝙸𝚂𝙰. 🛠 rist
aprile-ottobre – Pas carta 25/40000 – 🖵 8000 – **13 cam** 42/65000 – P 48/62000.

a Nobiallo N : 2 km – alt. 203 – ✉ 22017 Menaggio :

🏠 **Miralago**, *℘* 32363, ≤, 🐾, 🚲 – 🅿. 🖭 🛅 ⓞ Ɛ 𝚅𝙸𝚂𝙰
⟵ *aprile-ottobre* – Pas 18/23000 – 🖵 6000 – **28 cam** 35/50000 – P 50000.

MENDRISIO 427 ㉔, 219 ⑧ – Vedere Cantone Ticino alla fine dell'elenco alfabetico.

MENFI Agrigento 988 ㉟ – Vedere Sicilia alla fine dell'elenco alfabetico.

MERAN = Merano.

MERANO (MERAN) 39012 Bolzano 988 ④, 218 ⑩ – 33 547 ab. alt. 323 – Stazione climatica e termale, a.s. aprile-maggio e agosto-ottobre – Sport invernali : a Merano 2000 B : 1 946/2 360 m ≼2
≼6, 🎿 – ⊕ 0473.

Vedere Passeggiata d'Inverno e d'Estate** B – Passeggiata Tappeiner** AB – Volte gotiche* e polittici* nel Duomo B – Via Portici* AB – Castello Principesco* A C – Merano 2000* accesso per funivia, E : 3 km B – Tirolo* N : 4 km.

Dintorni Avelengo* SE : 10 km B – Val Passiria* per ①.

🛈 corso della Libertà 45 *℘* 35223, Telex 400026.

Roma 665 ② – ◆Bolzano 28 ② – Brennero 73 ① – ◆Innsbruck 113 ① – ◆Milano 326 ② – Passo di Resia 79 ③ – Passo dello Stelvio 75 ③ – Trento 86 ②.

Pianta pagina seguente

🏨 **Palace Hotel**, via Cavour 2 *℘* 34734, Telex 400256, ≤, « Parco ombreggiato con 🏊 », 🌳, 🔲 – 🛗 📺 ☎ & 🅿 – 🔬 30 a 120. 🖭 🛅 ⓞ Ɛ. 🛠 rist   B h
chiuso dal 6 gennaio al 19 marzo e dal 10 novembre al 18 dicembre – Pas 45/50000 ed al Rist.
Schloss Maur *(chiuso a mezzogiorno, martedì e dal 20 giugno al 15 luglio)* carta 40/68000 –
124 cam 🖵 150/250000 appartamenti 360/440000 – P 150/165000, b.s. 130/145000.

🏨 **Gd H. Bristol**, via Ottone Huber 14 *℘* 49500, Telex 400662, 🏤, « 🏊 riscaldata su terrazza panoramica », 🌳, 🚲 – 🛗 ▤ rist ☎ & 🅿 – 🔬 25 a 200. 🖭 🛅 ⓞ Ɛ 𝚅𝙸𝚂𝙰 🛠 rist   A a
15 marzo-ottobre – Pas carta 30/41000 – **138 cam** 🖵 85/145000 appartamenti 150/190000 –
P 102/114000, b.s. 88/98000.

🏨 **Meranerhof**, via Manzoni 1 *℘* 30230, « Giardino con 🏊 riscaldata » – 🛗 ▤ rist 📺 ☎ 🅿 –
🔬 70. 🖭 🛅 ⓞ Ɛ 𝚅𝙸𝚂𝙰 🛠 rist   A b
Pas 27/35000 – **70 cam** 🖵 76/145000 – P 93/100000, b.s. 83/88000.

🏨 **Kurhotel Castel Rundegg**, via Scena 2 *℘* 34100, 🔲, 🚲 – 🛗 📺 ☎ 🅿. 🖭 🛅 ⓞ Ɛ 𝚅𝙸𝚂𝙰. 🛠 rist   B
chiuso dal 6 al 31 gennaio – Pas 40/50000 – **30 cam** 🖵 114/228000 – P 166/184000, b.s. 156/173000.

🏨 **Riz Stefanie**, via Cavour 12 *℘* 37745, ≤, « Giardino ombreggiato con 🏊 riscaldata » – 🛗 ☎ & 🅿. 🖭 🛅 ⓞ Ɛ 𝚅𝙸𝚂𝙰. 🛠 rist   B k
marzo-ottobre – Pas 33/40000 – **56 cam** 🖵 90/160000 appartamenti 170000 – P 95/110000, b.s. 85/95000.

🏨 **Park Hotel Mignon** 🛎, via Grabmayr 5 *℘* 30354, Telex 401011, ≤, « Giardino ombreggiato con 🏊 riscaldata », 🔲 – 🛗 ▤ rist 📺 ☎ 🚗 🅿. 🛠 rist   B v
15 marzo-5 novembre – Pas 30/45000 – **47 cam** 🖵 80/160000 appartamenti 95/105000 –
P 110/125000, b.s. 99/115000.

🏨 **Irma** 🛎, via Belvedere 17 *℘* 30124, Telex 401089, Fax 31355, ≤, « Giardino », 🏊, 🔲, 🎾 – 🛗 ☎ 🅿. 🛅. 🛠 rist   B m
marzo-5 novembre – Pas *(solo per clienti alloggiati)* 22/40000 – **50 cam** 🖵 82/156000 appartamenti 155/170000 – P 85/111000, b.s. 68/93000.

🏨 ✿ **Villa Mozart** 🛎, via San Marco 26 *℘* 30630, « Servizio rist. estivo all'aperto », 🔲, 🚲 – 🛗 ▤ rist 📺 ☎ 🅿. 🖭 🛅. 🛠   per ②
aprile-ottobre – Pas *(chiuso a mezzogiorno)* – 10 cam (solo ½ P) 178000
Spec. Crema di patate tartufata con fegato grasso d'oca, Strudel di funghi porcini con zabaione di tartufi, Filetto di bue in salsa di vino rosso. **Vini** Termeno Aromatico, Lagrein.

segue →

MERANO

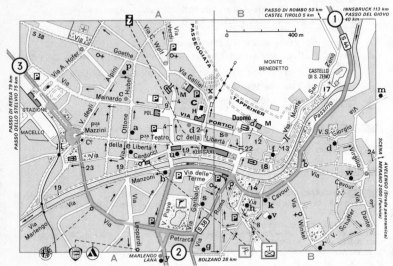

🏨 **Adria** ⚶, via Gilm 2 ℰ 36610, 🔟, 🍴 – 🛗 ▤ rist ☎ 🅿. 🦌 rist   B **d**
marzo-ottobre – Pas 30/40000 – **49 cam** ⚏ 75/150000 – P 82/97000, b.s. 72/85000.

🏨 **Castel Labers** ⚶, via Labers 25 ℰ 34484, ≤, « Servizio rist. estivo in giardino », 🏊 riscaldata, 🌲, 🎾 – 🛗 🍴 🅿. 🅂   3 km per via Scena   B
22 marzo-1° novembre – Pas 20/25000 – **32 cam** ⚏ 60/150000 – P 80/100000, b.s. 70/90000.

🏨 **Sittnerhof** ⚶, via Verdi 58 ℰ 46331, Telex 401437, ♨, 🏊, 🔟, 🌲 – 🛗 🦌 rist ☎ 🅿.
⟶ 🦌 rist   A
marzo-15 novembre – Pas 18/22000 – **39 cam** ⚏ 85/160000 – P 101/110000, b.s. 75/84000.

🏨 **Aurora**, passeggiata Lungo Passirio 38 ℰ 33028 – 🛗 📺 ☎ 🅲. 🄰🄴 🅂 🄾 🄴 🆅🅸🆂🄰. 🦌 rist
15 marzo-15 novembre – Pas (solo per clienti alloggiati) 22/35000 – ⚏ 14000 – **34 cam**
60/110000 – P 75/88000, b.s. 65/80000.   A **u**

🏨 **Juliane** ⚶, via dei Campi 6 ℰ 30195, « Giardino con 🏊 riscaldata », 🔟 – 🛗 🦌 ☎ 🅲 🅿.
🄾. 🦌 rist   per via Winkel   B
15 marzo-5 novembre – Pas (solo per clienti alloggiati) 25/48000 – **39 cam** ⚏ 65/120000 –
P 82/92000, b.s. 69/82000.

🏨 **Pollinger** ⚶, via Santa Maria del Conforto 30 ℰ 32226, ≤, 🏊, 🔟, 🌲 – 🛗 ☎ 🚗 🅿. 🅂.
🦌 rist   per ②
17 marzo-4 novembre – Pas (solo per clienti alloggiati) 28/32000 – **28 cam** ⚏ 85/140000 –
P 80/95000, b.s. 75/85000.

🏨 **Augusta**, via Ottone Huber 2 ℰ 49570, Telex 400632, 🌲 – 🛗 🦌 rist ▤ rist 📺 ☎ 🅿. 🄰🄴 🅂
🄴 🆅🅸🆂🄰. 🦌 rist   A **e**
15 marzo-ottobre – Pas 26/29000 – ⚏ 7000 – **25 cam** 60/130000 – P 86/91000, b.s. 76/81000.

🏨 **Kurhotel Mirabella**, via Garibaldi 35 ℰ 36512, ♨, 🏊 riscaldata, 🔟, 🌲 – 🛗 📺 ☎ 🅿. 🄰🄴
🄾. 🦌 rist   A **s**
15 marzo-novembre – Pas (solo per clienti alloggiati) carta 20/32000 – **30 cam** ⚏ 77/150000 –
P 96/110000, b.s. 77/90000.

🏨 **Mendelhof-Mendola**, via Winkel 45 ℰ 36130, « Giardino ombreggiato con 🏊 » – 🛗 🅲 🅲.
⟶ 🅿. 🦌 rist   B **r**
15 marzo-ottobre – Pas (solo per clienti alloggiati) 16/20000 – **40 cam** ⚏ 46/84000 –
P 60/68000, b.s. 55/63000.

🏨 **Regina**, via Cavour 101 ℰ 33432, Telex 401595, ≤, 🏊 riscaldata, 🌲 – 🛗 🅲 🅿. 🄰🄴 🄾
🆅🅸🆂🄰. 🦌 rist   B **w**
22 dicembre-8 gennaio e aprile-ottobre – Pas 25000 – ⚏ 8000 – 79 cam 61/94000 – P 84/93000,
b.s. 73/82000.

🏨 **Isabella**, via Piave 58 ℰ 34700, Telex 401513, 🌲 – 🛗 ☎ 🅿   A **y**
marzo-15 novembre – Pas vedere rist Sportplatz – **28 cam** ⚏ 45/80000 – P 60/70000,
b.s. 55/63000.

🏚 **Zima** 🍴 senza rist, via Winkel 83 🕿 30408, ⤴ riscaldata, 🛲 – 🛉 🏮 🚗 🅿 🝙 🛇   B
marzo-10 novembre – **23 cam** 🚪 45/80000.

🏚 **Bel Sit,** via Pendl 2 🕿 46484 – 🛉 🕿 🅿 🛇 rist   A p
➔ *marzo-ottobre* – Pas (solo per clienti alloggiati e *chiuso a mezzogiorno*) 13/18000 – **27 cam** 🚪 33/66000 – ½ P 45/52000.

🏚 **Seisenegg** 🍴 senza rist, via Giardini 1 🕿 37212, « Giardino ombreggiato » – 🛉 🕿 🅿 🝙 🛇   B f
15 marzo-5 novembre – **37 cam** 🚪 56/98000.

🏚 **Avivi** senza rist, vicolo della Roggia 20 🕿 30730, ⤴, 🛲 – 🛉 🕿 🅿 🝙 ① 🆅🆂🅰
chiuso dall'8 gennaio al 26 febbraio e dal 6 novembre al 25 dicembre – **13 cam** 🚪 43/74000.
per via Winkel   B

🏚 **Holzmann** 🍴 senza rist, via Tobias Brenner 15 🕿 37062, « Giardino con ⤴ riscaldata » –
🅿   A g
marzo-ottobre – 🚪 6000 – **28 cam** 37/64000.

XXX ⊛ **Andrea,** via Galilei 44 🕿 37400, prenotare – 🍽 🝙 🕃 ① 🄴 🛇   AB x
chiuso lunedì e dal 10 gennaio al 14 marzo – Pas carta 52/80000
Spec. Capesante con punte d'asparagi verdi, Petto d'oca con salsa al miele e cavolo rosso, Soufflé con gelato di vaniglia. Vini Terlaner, Pinot nero.

XX ⊛ **Flora,** via Portici 75 🕿 31484, Coperti limitati; prenotare – 🝙 🕃 ① 🄴 🆅🆂🅰 🛇   B s
chiuso domenica e dal 15 gennaio al 28 febbraio – Pas carta 46/80000
Spec. Linguina di vitello con cuori d'insalata e vinaigrette al pomodoro, Ravioli con animelle e carciofi, Filetto d'agnello prèsalè nel crostino di patate. Vini Nosiola, Brunello.

XX **Sportplatz,** via Piave 50 🕿 33443, « Servizio estivo all'aperto » – 🅿 🛇   A y
marzo-15 novembre; chiuso mercoledì – Pas carta 25/40000.

X **Terlaner Weinstube,** via Portici 231 🕿 35571, Coperti limitati; prenotare   A d
chiuso mercoledì e dal 10 gennaio al 20 febbraio – Pas carta 24/47000.

X **Veneta,** via Monastero 2 🕿 49310, « Servizio estivo all'aperto »   A c
chiuso lunedì e dal 27 giugno al 16 luglio – Pas carta 23/36000.

a Freiberg SE : 7 km per via Cavour B – alt. 800 – ✉ **39012** Merano – a.s. aprile-maggio e agosto-ottobre :

🏯 **Castel Freiberg** 🍴, 🕿 44196, Telex 401081, ≤ monti e vallata, ⤴, 🖳, 🛲, 🎾 – 🛉 🕿 🚗
🅿 🝙 🕃 ① 🄴 🆅🆂🅰 🛇
22 aprile-4 novembre – Pas carta 50/75000 – **36 cam** 🚪 145/260000 – P 175/185000.

🏯 **Fragsburg-Castel Verruca** 🍴, 🕿 44071, ≤ monti e vallata, ·« Servizio rist. estivo in
➔ terrazza panoramica », ⤴ riscaldata, 🛲 – 🚗 🕿 🅿 🛇 rist
22 aprile-5 novembre – Pas 15/22000 – **18 cam** 🚪 60/120000 – P 70/90000, b.s. 65/85000.

Vedere anche : *Lagundo* per ③ : 2 km.
Marlengo per ② : 3 km.
Tirolo N : 4 km per via Monte San Zeno B.
Scena NE : 5 km per via Cavour B.
Lana (San Vigilio) per ② : 9 km e 5 mn di funivia.
Avelengo SE : 15 km per via Cavour B.

ALFA-ROMEO via Petrarca 29 🕿 32570
FORD via Kuperion 29 🕿 43306
LANCIA-AUTOBIANCHI via Leopardi 55 🕿 35525
RENAULT via Kuperion 24 🕿 46495
VW-AUDI via Goethe 37 🕿 49555

MERCATALE VAL DI PESA Firenze – Vedere San Casciano in Val di Pesa.

MERCOGLIANO 83013 Avellino – 8 872 ab. alt. 550 – ✪ 0825.
Roma 242 – Avellino 6 – Benevento 31 – ◆Napoli 53 – Salerno 45.

🏨 **Mercurio,** 🕿 647149, ≤ – 🛉 📺 🕿 🚗 🅿 – 🏄 140. 🄴 🆅🆂🅰 🛇
Pas carta 23/39000 – **52 cam** 🚪 60/110000 – P 110000.

XX **Girarrosto,** 🕿 647049, ≤, Rist. e pizzeria – 🝙 🛇
chiuso martedì dal 15 settembre al 15 giugno – Pas carta 21/36000 (15%).

FIAT via Nazionale Torrette 74 🕿 681652
INNOCENTI via Nazionale Torrette 28/b 🕿 681771
LANCIA-AUTOBIANCHI via Nazionale Torrette 125
🕿 681801
PEUGEOT-TALBOT via Nazionale Torrette 147 🕿 681746
RENAULT via Piave 40/42 🕿 36092
VW-AUDI via Nazionale Torrette 139/a 🕿 682148

MERCURAGO Novara – Vedere Arona.

MERGOZZO 28040 Novara 🔢 ②, 🔢 ⑥ – 2 008 ab. alt. 196 – ✪ 0323.
Roma 670 – Domodossola 28 – ◆Milano 93 – Novara 66 – Stresa 13 – ◆Torino 140 – Verbania 10.

🏨 **Due Palme,** 🕿 80112, ≤, 🎇, 🏖 – 🛉 🏮 🝙 🕃 ① 🄴 🆅🆂🅰 🛇
marzo-novembre – Pas 30/50000 – 🚪 8000 – **31 cam** 60/85000 – P 55/70000.

a Nibbio NO : 6,5 km – alt. 221 – ✉ **28040** Mergozzo :

X Asprimonti, 🕿 800105, 🎇 – 🅿.

331

MERONE 22046 Como 🔲🔲🔲 ⑨⑱ – 3 216 ab. alt. 284 – ✪ 031.
Roma 611 – Bellagio 32 – ♦Bergamo 47 – Como 18 – Lecco 19 – ♦Milano 43.

　XX　**Corazziere**, frazione Baggero ℘ 650141, « Giardino con voliere » – **🅿**. 🆎 🅗 **E** 𝗩𝗜𝗦𝗔. ⅜
　　chiuso martedì ed agosto – Pas carta 21/36000.

FORD　via Valassina 7 ℘ 651344

MESAGNE 72023 Brindisi 🔲🔲🔲 ㉚ – 30 983 ab. alt. 72 – ✪ 0831.
Roma 574 – ♦Bari 125 – ♦Brindisi 14 – Lecce 42 – ♦Taranto 56.

　🏠　**Duepi**, ℘ 734096 – 🕾 🖙 🆎 🅪 𝗩𝗜𝗦𝗔 ⅜ rist
　　Pas 20/30000 – 🖙 6000 – **14 cam** 36/54000.

　X　**Egidio**, ℘ 326240 – **🅿**
　↞　chiuso lunedì – Pas carta 18/25000.

VOLVO　via Normanno 14 ℘ 734719

MESE Sondrio – Vedere Chiavenna.

MESSINA 🅟 🔲🔲🔲 ㊲㊳ – Vedere Sicilia alla fine dell'elenco alfabetico.

MESTRE Venezia 🔲🔲🔲 ⑤ – alt. 4 – ✉ Venezia Mestre – a.s. 15 marzo-ottobre e Natale – ✪ 041.
🛏 e 🛏 Villa Grimani Morosini (chiuso martedì), a Martellago ✉ 30030 ℘ 5401555, Fax 5400543, per
⑧ : 8 km.
✈ Marco Polo di Tessera, per ③ : 8 km ℘ 661262.
🚗 ℘ 929472.
🅸 Nuova Rotatoria Autostrada ✉ 30175 ℘ 921638.
A.C.I. via Cà Marcello 67/A ✉ 30172 ℘ 5310362.
Roma 522 ⑦ – ♦Milano 259 ⑦ – ♦Padova 32 ⑦ – Treviso 21 ① – ♦Trieste 150 ② – ♦Venezia 9 ④.

Pianta pagina a lato

　🏨　**Ambasciatori**, corso del Popolo 221 ✉ 30172 ℘ 5310699, Telex 410445, Fax 5310074 – 🛗 ▤
　　📺 🕾 **🅿** – 🔬 30 a 130. 🆎 🅗 🅪 **E** 𝗩𝗜𝗦𝗔. ⅜　　　　　　　　　　　　　　　　　　BY **b**
　　Pas 38000 – 🖙 15000 – **97 cam** 98/147000 – P 140000, b.s. 110000.

　🏨　**Michelangelo** ⅖ senza rist, via Forte Marghera 69 ✉ 30173 ℘ 986600, Telex 431371 – 🛗 ▤
　　📺 🕾 ⅛ 🖙 **🅿** – 🔬 60 a 160. 🆎 🅗 🅪 **E** 𝗩𝗜𝗦𝗔　　　　　　　　　　　　　　　　　　BX **x**
　　🖙 21000 – **51 cam** 150/214000 appartamenti 450000.

　🏨　**Bologna**, via Piave 214 ✉ 30171 ℘ 931000, Telex 410678 – 🛗 ▤ 🕾 **🅿** – 🔬 30 a 180. 🆎 🅗
　　🅪 **E** 𝗩𝗜𝗦𝗔. ⅜　　　　　　　　　　　　　　　　　　　　　　　　　　　　　　　　　　　AY **e**
　　Pas (chiuso domenica e da Natale al 2 gennaio) carta 32/52000 – 🖙 10000 – **128 cam** 63/98000
　　appartamenti 98/120000 – P 105000, b.s. 95000.

　🏨　**President** senza rist, via Forte Marghera 99/a ✉ 30173 ℘ 985655, Fax 985655 – 🛗 ▤ 📺 🕾
　　⅛ 🖙 **🅿**. 🆎 🅗 🅪 **E** 𝗩𝗜𝗦𝗔. ⅜　　　　　　　　　　　　　　　　　　　　　　　　BXY **t**
　　🖙 10000 – **51 cam** 64/100000 appartamento 130000, ▤ 7000.

　🏨　**Plaza**, piazzale Stazione 36 ✉ 30171 ℘ 929388, Telex 410490 – 🛗 ▤ 📺 🕾 ⅛ – 🔬 110. 🆎
　　🅗 🅪 **E** 𝗩𝗜𝗦𝗔. ⅜　　　　　　　　　　　　　　　　　　　　　　　　　　　　　　　AY **f**
　　Pas (chiuso dal 5 novembre al 20 marzo) carta 28/41000 – 🖙 10000 – **222 cam** 65/100000
　　appartamenti 160000 – P 90/115000.

　🏨　**Club Hotel** senza rist, via Villafranca 1 (Terraglio) ✉ 30174 ℘ 957722, Telex 433335 – 🛗 ▤
　　📺 🕾 ⅛ **🅿**. 🆎 🅗 🅪 𝗩𝗜𝗦𝗔　　　　　　　　　　　　　　　　　　　　　　　　　BZ **c**
　　🖙 8500 – **30 cam** 63/98000, ▤ 5000.

　🏨　**Venezia**, via Teatro Vecchio 5 ✉ 30171 ℘ 985533, Telex 410693, Fax 985490 – 🛗 ▤ 🕾 **🅿**. 🆎
　　🅗 🅪 **E** 𝗩𝗜𝗦𝗔. ⅜　　　　　　　　　　　　　　　　　　　　　　　　　　　　　　　BX **z**
　　Pas (solo per clienti alloggiati e chiuso a mezzogiorno) 25000 – 🖙 8000 – **100 cam** 66/100000.

　🏨　**Etoile** senza rist, via Pepe 18/20 ✉ 30172 ℘ 974596, Fax 974161 – 🛗 📺 🕾. 🆎 🅗 🅪 **E** 𝗩𝗜𝗦𝗔
　　🖙 11000 – **16 cam** 105000.　　　　　　　　　　　　　　　　　　　　　　　　　　BX **y**

　🏠　**San Giuliano**, via Forte Marghera 193 ✉ 30173 ℘ 957604, Telex 431329, Fax 989004 – 🛗 ▤
　　🕾 ⅛ **🅿**. 🆎 🅗 **E** 𝗩𝗜𝗦𝗔. ⅜　　　　　　　　　　　　　　　　　　　　　　　　BY **g**
　　Pas (chiuso da novembre a febbraio) 25000 – 🖙 8000 – **58 cam** 60/90000.

　🏠　**Piave** senza rist, via Col Moschin 6/10 ✉ 30171 ℘ 929287, Telex 420205 – 🛗 🕾 **🅿**　　ABY **a**
　　45 cam 🖙 55/87000.

　🏠　**Delle Rose** senza rist, via Millosevich 46 ✉ 30173 ℘ 951711 – 🛗 🕾 **🅿**. 🅗 🅪 **E** 𝗩𝗜𝗦𝗔. ⅜
　　chiuso dal 27 novembre al 28 dicembre – **26 cam** 🖙 50/80000.　　　　　　　　　BZ **b**

　🏠　**Vivit** senza rist, piazza Ferretto 73/75 ✉ 30174 ℘ 951385 – 🕾 **🅿**. 🆎 🅗 🅪 **E** 𝗩𝗜𝗦𝗔　　BX **a**
　　🖙 7000 – **19 cam** 41/65000.

　🏠　**Aurora** senza rist, piazza Giordano Bruno 15 ✉ 30174 ℘ 989832 – 🛗 ▤ 🕾. ⅜　　　BX **s**
　　🖙 7000 – **33 cam** 41/65000, ▤ 6000.

　🏠　**San Carlo** senza rist, via Forte Marghera 131 ✉ 30173 ℘ 970912 – 🛗 **🅿**. 🆎 🅗 🅪 **E** 𝗩𝗜𝗦𝗔. ⅜
　　chiuso gennaio – 🖙 7500 – **28 cam** 41/65000.　　　　　　　　　　　　　　　　　BY **m**

　🏠　**Garibaldi** senza rist, viale Garibaldi 24 ✉ 30173 ℘ 961455 – 🕾 🆎 🅗 🅪 **E** 𝗩𝗜𝗦𝗔　　BX **b**
　　🖙 7000 – **32 cam** 41/65000.

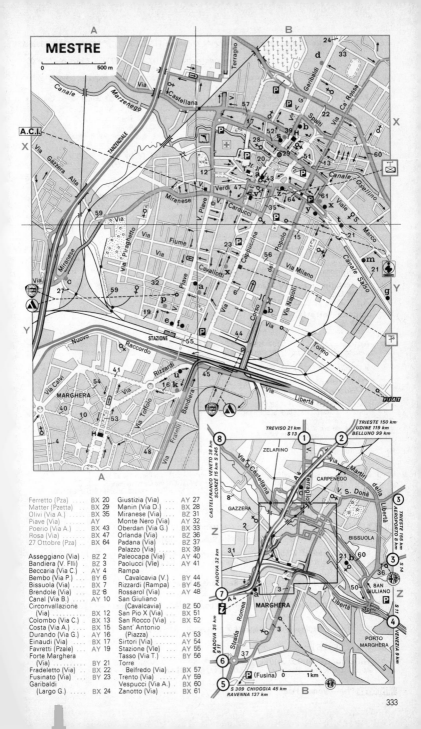

MESTRE

0   500 m

TREVISO 21 km   S 13

TRIESTE 150 km
UDINE 119 km
BELLUNO 99 km

CASTELFRANCO VENETO 38 km
SCORZÉ 15 km S 245

ZELARINO

CARPENEDO

V. S. Donà

GAZZERA

TRIESTE 155 km
AEROPORTO 8 km   S 14

BISSUOLA

PADOVA 32 km

SAN GIULIANO

PADOVA 35 km
S 11

MARGHERA

VENEZIA 9 km   S 11

PORTO
MARGHERA

P (Fusina)   0   1 km

S 309 CHIOGGIA 45 km
RAVENNA 137 km

333

XX ⊕ **Dall'Amelia-alla Giustizia** con cam, via Miranese 113 ⊠ 30171 *𝒫* 913951, Telex 433258
– 🍴 ☎. 𝔸𝔼 🅷 ① 🅴 *VISA*. 🛵 cam   AY **c**
Pas *(chiuso mercoledì da ottobre a giugno)* carta 36/61000 – ☳ 8000 – **23 cam** 43/68000,
🍴 4000
Spec. Gran piatto dell'Ostricaro, Ravioli di branzino, Insalata di capesante rucola e porcini all'aceto balsamico.
Vini Tacai, Merlot.

XX **Marco Polo,** via Forte Marghera 67 ⊠ 30173 *𝒫* 989855 – 🍴. 𝔸𝔼 🅷 ① 🅴 *VISA*. 🛵   BX **x**
chiuso domenica – Pas carta 42/85000.

XX ⊕ **Valeriano,** via Col di Lana 18 ⊠ 30171 *𝒫* 926474 – 🍴. 𝔸𝔼 ①. *VISA*   AY **p**
chiuso domenica sera, lunedì ed agosto – Pas carta 40/57000 (12%)
Spec. Torcoli verdi con verdure di stagione, Filetti di rombo ai carciofi (inverno-primavera), Fegato di vitello alla
veneta. **Vini** Prosecco, Merlot.

XX **Hostaria Dante,** via Dante 53 ⊠ 30171 *𝒫* 959421 – 🍴. 𝔸𝔼 🅷 ①. *VISA*   BY **x**
chiuso domenica e in luglio-agosto anche sabato – Pas carta 23/37000.

X **Al Gambero,** via Palazzo 26 ⊠ 30174 *𝒫* 984856   BX **s**
chiuso lunedì – Pas carta 25/42000.

X **Da Sandro,** viale Garibaldi 91 ⊠ 30174 *𝒫* 975335, prenotare – 🍴. 𝔸𝔼   BX **d**
chiuso giovedì, dal 1° al 15 gennaio e dal 1° al 20 agosto – Pas carta 50/70000.

X **Tonin Geremia,** calle Legrenzi 20 ⊠ 30171 *𝒫* 972574, Coperti limitati; prenotare – 🍴. 𝔸𝔼
🅷 ① 🅴 *VISA*. 🛵   BX **v**
chiuso domenica – Pas carta 25/46000 (10%).

X **Da Bepi,** via Sernaglia 27 ⊠ 30171 *𝒫* 929357 – 🍴. 𝔸𝔼 🅷 ① 🅴 *VISA*   ABY **a**
chiuso domenica da ottobre a giugno – Pas carta 21/30000.

a Marghera S : 1 km – ⊠ **30175** Venezia Mestre :

🏨 **MotelAgip,** rotatoria di Marghera *𝒫* 936900, Telex 223446 – 🛗 🍴 📺 ☎ 🅰 🅿 – 🛗 200. 𝔸𝔼
🅷 ① 🅴 *VISA*. 🛵 rist   BZ **a**
Pas 50000 – ☳ 22500 – **188 cam** 156/190000 – P 170/278000.

🏨 **Lugano-Torretta,** via Rizzardi 11 *𝒫* 936777, Telex 411155, Fax 921979, ☳ – 🛗 ⥼ cam 🍴
📺 ☎ 🅰 🅿 – 🛗 100. 𝔸𝔼 🅷 ① 🅴 *VISA*   AY **u**
Pas carta 20/30000 (10%) – ☳ 8000 – **62 cam** 61/95000, 🍴 8000 – P 96000, b.s. 80000.

X **Autoespresso,** via Fratelli Bandiera 34 *𝒫* 930214 – 🍴 🅿. 𝔸𝔼 🅷 ① 🅴 *VISA*. 🛵   AY **k**
chiuso domenica, dal 22 dicembre al 3 gennaio ed agosto – Pas carta 38/50000.

a Chirignago O : 2 km – ⊠ **30030** :

XX **Tre Garofani,** via Assegiano 308 *𝒫* 991307 – 𝔸𝔼 ① 🅴 *VISA*. 🛵
chiuso domenica sera, lunedì, dall'8 al 16 gennaio e dal 10 al 24 agosto – Pas carta 35/47000.

ALFA-ROMEO via Orlanda 8/H *𝒫* 980777	MASERATI via Andrea Costa 19/c *𝒫* 984235
ALFA-ROMEO a Marghera, via Fratelli Bandiera 49 *𝒫* 952942	MERCEDES-BENZ a Marghera, piazzale Parmesan 13 *𝒫* 920444, Telex 410849
BMW via Orlanda 8/d *𝒫* 985200	PEUGEOT-TALBOT via Cà Marcello 4/b *𝒫* 926805
CITROEN via Linghindal 7 *𝒫* 5311070	PEUGEOT-TALBOT a Marghera, via Fratelli Bandiera 29 *𝒫* 921200
FIAT via Torino 40 *𝒫* 5310844	
FIAT via Torino 108 *𝒫* 5310170	RENAULT via Santa Maria Goretti 8 *𝒫* 611882
FORD via Trento 1 *𝒫* 932933	RENAULT a Marghera, via Fratelli Bandiera 47 *𝒫* 984711
GM-OPEL via Giustizia 27 *𝒫* 926722	
INNOCENTI via Andrea Costa 19/21 *𝒫* 5310188	VW-AUDI via Piave 142 *𝒫* 926222
LANCIA-AUTOBIANCHI corso del Popolo 148 *𝒫* 931222	VW-AUDI via Cà Marcello 18 *𝒫* 932280
LANCIA-AUTOBIANCHI via Passo Buole 4/6 *𝒫* 929344	VOLVO a Tessera, via Orlanda 218 *𝒫* 5415026

META 80062 Napoli – 7 399 ab. – a.s. aprile-settembre – ✆ 081.

Roma 253 – Castellammare di Stabia 14 – ♦Napoli 43 – Salerno 45 – Sorrento 5.

X **La Conchiglia,** *𝒫* 8786402, ≤, « Servizio estivo in terrazza sul mare » – 𝔸𝔼 🅷 ① 🅴 *VISA*
chiuso lunedì e dal 10 gennaio al 10 febbraio – Pas carta 20/45000.

METANOPOLI Milano 🔢 ③ – Vedere San Donato Milanese.

METAPONTO 75010 Matera 🔢 ㉘ – Stazione balneare, a.s. luglio e agosto – ✆ 0835.
🛈 (giugno-settembre) viale delle Sirene *𝒫* 741933.

Roma 469 – ♦Bari 114 – ♦Cosenza 157 – Matera 46 – Potenza 110 – ♦Taranto 48.

al lido SE : 2,5 km :

🏨 **Turismo,** ⊠ 75010 *𝒫* 741918, 🏖 – 🛗 🍴 🍴 ☎ &
aprile-10 ottobre – Pas carta 22/32000 – ☳ 5000 – **61 cam** 36/56000 – P 65000, b.s. 57000.

METATO Pisa – Vedere Pisa.

MEZZANA Trento 218 ⑱⑲ – 841 ab. alt. 941 – ✉ 38020 Mezzana in Val di Sole – a.s. febbraio-15 marzo, Pasqua e Natale – Sport invernali : a Marilleva : 925/2 148 m ≼3 ≼7, ≰ a Mezzana – ✿ 0463.

🛈 via Nazionale ✆ 77134.

Roma 652 – ♦Bolzano 76 – ♦Milano 239 – Passo del Tonale 20.

🏨 **Ravelli,** ✆ 77122, ≼, 🐴 – 🛏 🕿 🚗 ℗. 🆎 🗉 ⓪ 🆚️. 🎾
6 dicembre-10 aprile e 14 giugno-25 settembre – Pas carta 22/34000 – ⲍ 6000 – **38 cam** 50/90000 – P 60/80000, b.s. 45/60000.

🏨 **Val di Sole,** ✆ 77240, ≼, 🔲 – 🛏 ✥ 🕿 ⴵ 🚗 ℗. 🆚️. 🎾
◂ chiuso dal 15 aprile al 15 maggio – Pas (solo per clienti alloggiati) 18000 – ⲍ 7000 – **50 cam** 33/50000 – P 46/85000.

✗ **Eccher** con cam, ✆ 77146, ≼ – ✥ rist 🚗 ℗. 🎾
◂ chiuso maggio – Pas (chiuso venerdì in bassa stagione) carta 16/25000 – 17 cam ⲍ 35/60000 – P 60000, b.s. 45000.

a Marilleva S : 10 km – alt. 1 453 – ✉ 38020 Mezzana in Val di Sole :

🏔 **Solaria** ⌇, ✆ 76191, Telex 400876, ≼ monti e vallata, 🔲, 🐴, 🎾 – 🛏 🕿 ⴵ ℗ – 🔺 300. 🎾
19 dicembre-9 aprile e giugno-settembre – Pas carta 25/37000 – ⲍ 8000 – **117 cam** 154/268000 – P 104/178000, b.s. 75/97000.

MEZZANE DI SOTTO 37030 Verona – 1 667 ab. alt. 129 – ✿ 045.

Roma 519 – ♦Milano 173 – ♦Padova 83 – ♦Verona 17 – Vicenza 53.

✗✗ **Bacco d'Oro,** ✆ 8880269, « Servizio estivo in giardino » – ℗. 🆎 ⓪. 🎾
chiuso lunedì sera, martedì e dal 10 gennaio al 10 febbraio – Pas carta 27/38000.

MEZZANO SCOTTI 29020 Piacenza – alt. 257 – ✿ 0523.

Roma 558 – Alessandria 92 – ♦Genova 102 – ♦Milano 111 – Piacenza 46.

✗ **Costa Filietto** ⌇ con cam, NE : 7 km alt. 600, ✆ 937104 – ℗. 🎾
◂ chiuso al 15 al 30 giugno – Pas (chiuso martedì) carta 18/25000 – **12 cam** ⲍ 30/44000 – P 40/42000.

MEZZOCANALE Belluno – Vedere Forno di Zoldo.

MEZZOLAGO 38060 Trento – alt. 667 – a.s. Natale – ✿ 0464.

Roma 588 – ♦Brescia 88 – ♦Milano 183 – Trento 63 – ♦Verona 100.

🏠 **Mezzolago,** ✆ 508181, ≼, « Terrazza sul lago » – 🛏 ℗. 🎾 cam
chiuso novembre – Pas carta 20/29000 – ⲍ 5000 – **37 cam** 25/50000 – P 45000.

MEZZOLOMBARDO 38017 Trento 988 ④ – 5 334 ab. alt. 227 – a.s. dicembre-aprile – ✿ 0461.

Roma 605 – ♦Bolzano 45 – ♦Milano 261 – Trento 21.

🏨 **Al Sole,** via Rotaliana 5 ✆ 601103 – 🛏 🕿 ℗. 🆎 🗉 ⓪ 🇪 🆚️
Pas carta 31/44000 – ⲍ 6000 – **17 cam** 35/57000.

FIAT via Trento 131 ✆ 601113

MEZZOVICO 427 ㉓, 219 ⑧ – Vedere Cantone Ticino alla fine dell'elenco alfabetico.

MIANE 31050 Treviso – 3 294 ab. alt. 259 – ✿ 0438.

Roma 587 – Belluno 37 – ♦Milano 279 – Trento 116 – Treviso 39 – Udine 101 – ♦Venezia 69.

✗✗ **Da Gigetto,** ✆ 893126 – ℗. 🆎. 🎾
chiuso lunedì sera, martedì, dal 1° al 15 gennaio e dal 1° al 15 agosto – Pas carta 30/46000.

MIGLIARA Napoli – Vedere Capri (Isola di) : Anacapri.

MIGLIARO Cremona – Vedere Cremona.

MIGNANEGO 16018 Genova – 3 481 ab. alt. 180 – ✿ 010.

Roma 516 – Alessandria 73 – ♦Genova 19 – ♦Milano 126.

al Santuario della Vittoria NE : 5 km :

✗✗ **Belvedere** ⌇ con cam, ✉ 16010 Giovi ✆ 7792285, ≼ – ✥ rist 📺 🐾. 🎾
chiuso dal 1° al 15 marzo e dal 10 al 25 settembre – Pas (chiuso mercoledì) carta 23/36000 – ⲍ 6000 – **9 cam** 27/48000 – P 70000.

☞ *Per l'iscrizione nelle sue Guide,*
Michelin non accetta
nè favori, nè denaro !

335

MILANO 20100 ℙ 🔲🔲🔲 ③, 🔲🔲🔲 ⑲ – 1 478 505 ab. alt. 122 – 🕸 02.
Vedere Duomo★★★ – Museo del Duomo★★ CV **M1** – Via e Piazza Mercanti★ – Teatro alla Scala★
– Pinacoteca di Brera★★★ – Castello Sforzesco★★★ : collezioni civiche d'arte★★★ – Parco Sempione★ – Biblioteca Ambrosiana★★ : ritratti★★★ di Gaffurio e Isabella d'Este, cartone preparatorio★★★ di Raffaello nella pinacoteca – Museo Poldi-Pezzoli★★ : profilo di donna★★★ del Pollaiolo –
Museo Nazionale della Scienza e della Tecnica Leonardo da Vinci★ AV **M1** : galleria Leonardo da
Vinci★★ – Chiesa di Santa Maria delle Grazie★ AV **A** : Ultima Cena★★★ di Leonardo da Vinci –
Basilica di Sant'Ambrogio★ AV **B** : paliotto★★ – Chiesa di Sant'Eustorgio★ BY **B** : cappella Portinari★★ – Ospedale Maggiore★ DX **U** – Chiesa di San Maurizio★ BV **E** – Chiesa di San Lorenzo
Maggiore★ BX **F** – Cupola★ della chiesa di San Satiro CV **C**.
Dintorni Abbazia di Chiaravalle★ SE : 7 km HN.

🔲₈ e 🔲₉ (chiuso lunedì) al Parco di Monza ⊠ 20052 Monza 𝒫 (039) 303081, per ② : 20 km;
🔲₈ Molinetto (chiuso lunedì) a Cernusco sul Naviglio ⊠ 20063 𝒫 (02) 9238500, per ⑤ : 14 km;
🔲₈ Barlassina (chiuso lunedì) a Birago di Camnago ⊠ 20030 𝒫 (0362) 560621, per ① : 26 km;
🔲₈ (chiuso lunedì) a Zoate di Tribiano ⊠ 20067 𝒫 (02) 90632183, SE : 20 km per Strada Paullese HN;
🔲₉ Le Rovedine a Noverasco di Opera ⊠ 20090 Opera 𝒫 (02) 5242730, S : 8 km per via Ripamonti
GN.

Autodromo al Parco di Monza per ② : 20 km, 𝒫 (039) 22366, vedere la pianta di Monza.
✈ Forlanini di Linate E : 8 km HMN 𝒫 74852200 e della Malpensa per ⑫ : 45 km 𝒫 74852200 –
Alitalia, corso Como 15 ⊠ 20154 𝒫 62818 e via Albricci 5 ⊠ 20122 𝒫 62817.
🚗 Porta Garibaldi 𝒫 228274.
🖂 via Marconi 1 ⊠ 20123 𝒫 809662 – Stazione Centrale ⊠ 20124 𝒫 6690532.
A.C.I. corso Venezia 43 ⊠ 20121 𝒫 77451.
Roma 572 ⑦ – ◆Genève 323 ⑫ – ◆Genova 142 ⑨ – ◆Torino 140 ⑫.

Piante : Milano p. 4 a 11.

Alberghi e Ristoranti
(Elenco alfabetico : Milano p. 2 e 3)

Zona urbana nord Piazza della Repubblica, Stazione Centrale, viale Zara, Stazione Porta
Garibaldi, Porta Volta, corso Sempione (Pianta : Milano p. 6 e 7, salvo indicazioni speciali)

🏨🏨🏨 **Principe di Savoia**, piazza della Repubblica 17 ⊠ 20124 𝒫 6230, Telex 310052, Fax 6595838,
🍴 – 🛗 🗏 📺 ☎ 🛗 🅿 – 🔬 700. 🆎 🛐 ⓞ 🝊 𝚅𝙸𝚂𝙰. ✗ rist   DS **x**
Pas carta 94/135000 – ⊒ 24000 – **280 cam** 356/523000 appartamenti 791/1888000.

🏨🏨🏨 **Palace**, piazza della Repubblica 20 ⊠ 20124 𝒫 6336, Telex 311026, Fax 654485 – 🛗 🗏 📺 ☎
🛗 🅿 – 🔬 25 a 150. 🆎 🛐 ⓞ 🝊 𝚅𝙸𝚂𝙰   DS **t**
chiuso agosto – Pas vedere rist Grill Casanova – ⊒ 24000 – **184 cam** 344/488000 appartamenti
771/1302000.

🏨🏨🏨 **Excelsior Gallia**, piazza Duca d'Aosta 9 ⊠ 20124 𝒫 6277, Telex 311160, Fax 6277 – 🛗 🗏 📺 ☎
– 🔬 500 – 266 cam.   DR **a**

🏨🏨🏨 **Milano Hilton**, via Galvani 12 ⊠ 20124 𝒫 6983, Telex 330433, Fax 6071904 – 🛗 🗏 📺 ☎ 🛗
🍽 – 🔬 250 – 332 cam.   DR **t**

🏨🏨 **Duca di Milano**, piazza della Repubblica 13 ⊠ 20124 𝒫 6284, Telex 325026 – 🛗 🗏 📺 ☎ –
🔬 30 – 60 cam.   DS **v**

🏨🏨 **Executive**, viale Luigi Sturzo 45 ⊠ 20154 𝒫 6294, Telex 310191, Fax 653240 – 🛗 🗏 📺 ☎
🍽 – 🔬 25 a 1000. 🆎 🛐 ⓞ 🝊 𝚅𝙸𝚂𝙰. ✗ rist   CRS **v**
Pas 60000 – **420 cam** ⊒ 250/300000 appartamenti 500000.

🏨🏨 **Michelangelo**, via Scarlatti 33 ⊠ 20124 𝒫 6755, Telex 340330, Fax 6694232 – 🛗 🗏 📺 ☎ 🛗
🍽 – 🔬 250. 🆎 🛐 ⓞ 🝊 𝚅𝙸𝚂𝙰. ✗ rist   DR **c**
Pas carta 75/100000 – **260 cam** ⊒ 300/400000 appartamenti 480/800000.

🏨🏨 **Anderson** senza rist, piazza Luigi di Savoia 20 ⊠ 20124 𝒫 6690141, Telex 321018, Fax
6690331 – 🛗 🗏 📺 ☎ 🚗. 🆎 🛐 E 𝚅𝙸𝚂𝙰. ✗   DR **v**
chiuso agosto – ⊒ 16000 – **102 cam** 165/210000 appartamenti 260000.

🏨🏨 **Jolly Hotel Touring**, via Tarchetti 2 ⊠ 20121 𝒫 6335, Telex 320118, Fax 6592209 – 🛗 🗏 📺
☎ – 🔬 80. 🆎 🛐 ⓞ 🝊 𝚅𝙸𝚂𝙰. ✗ rist   DT **v**
Pas 50000 – **270 cam** ⊒ 220/280000.

🏨🏨 **Auriga** senza rist, via Pirelli 7 ⊠ 20124 𝒫 6592851, Telex 350146 – 🛗 🗏 📺 ☎ – 🔬 25. 🆎 🛐
ⓞ 🝊 𝚅𝙸𝚂𝙰. ✗   DR **f**
chiuso agosto – ⊒ 12000 – **65 cam** 145/180000.

🏨🏨 **Atlantic** senza rist, via Napo Torriani 24 ⊠ 20124 𝒫 6691941, Telex 321451, Fax 6706533 – 🛗
🗏 📺 ☎ 🚗. 🆎 🛐 E 𝚅𝙸𝚂𝙰. ✗   DS **q**
62 cam ⊒ 185/255000.

🏨🏨 **Splendido**, viale Andrea Doria 4 ⊠ 20124 𝒫 6789, Telex 321413 – 🛗 🗏 📺 ☎ – 🔬 100. 🆎
🛐 ⓞ 🝊 𝚅𝙸𝚂𝙰. ✗ rist   DR **x**
Pas carta 36/50000 – **129 cam** ⊒ 210/280000 – P 173/203000.

🏨🏨 **Windsor**, via Galilei 2 ⊠ 20124 𝒫 6346, Telex 330562, Fax 6590663 – 🛗 🍽 rist 🗏 📺 ☎ 🚗
– 🔬 40. 🆎 🛐 ⓞ 🝊 𝚅𝙸𝚂𝙰   DS **j**
Pas (chiuso sabato) 30000 – ⊒ 14000 – **114 cam** 160/192000.

🏨 **Madison** senza rist, via Gasparotto 8 ✉ 20124 ℰ 6085991, Telex 326543 – ⊠ ▤ 🖵 ☎ – 🔬
100. ⚠ 🅱 ⓞ ⊟ 𝑽𝑰𝑺𝑨
DR **d**
92 cam 🖵 160/240000 appartamenti 350000.

🏨 **Mediolanum** senza rist, via Mauro Macchi 1 ✉ 20124 ℰ 6705312, Telex 310448, Fax 66981921
– ⊠ ⇔ ▤ 🖵 ☎ 🕭, ⚠ 🅱 ⊟ 𝑽𝑰𝑺𝑨
DS **r**
52 cam 🖵 154/251000.

🏨 **Berna** senza rist, via Napo Torriani 18 ✉ 20124 ℰ 6691441, Telex 334695, Fax 6693892 – ⊠ ▤
🖵 ☎ – 🔬 30 a 60. ⚠ 🅱 ⓞ ⊟ 𝑽𝑰𝑺𝑨. ℅
DS **a**
🖵 15000 – **83 cam** 134/184000.

🏨 **Bristol** senza rist, via Scarlatti 32 ✉ 20124 ℰ 6694141, Fax 6702942 – ⊠ ▤ 🖵 ☎ – 🔬 50. ⚠
🅱 ⓞ ⊟ 𝑽𝑰𝑺𝑨
DR **u**
chiuso agosto – **71 cam** 🖵 148/198000.

🏨 **Royal** senza rist, via Cardano 1 ✉ 20124 ℰ 6709151, Telex 333167, Fax 6703024 – ⊠ ▤ 🖵 ☎
🕭 – 🔬 40. ⚠ 🅱 ⓞ ⊟ 𝑽𝑰𝑺𝑨
DR **b**
chiuso agosto – 🖵 15000 – **110 cam** 185/240000.

🏨 **Augustus** ⅏ senza rist, via Napo Torriani 29 ✉ 20124 ℰ 6575741, Telex 333112, Fax
6703096 – ⊠ ▤ 🖵 ☎. ⚠ 🅱 ⓞ ⊟ 𝑽𝑰𝑺𝑨
DS **h**
chiuso dal 23 dicembre al 5 gennaio e dal 5 al 25 agosto – **56 cam** 🖵 117/177000.

🏨 **Europeo** senza rist, via Canonica 38 ✉ 20154 ℰ 3314751, Telex 321237, 🛋 – ⊠ ▤ 🖵 ☎
⊨ – 🔬 25. ⚠ 🅱 ⊟ 𝑽𝑰𝑺𝑨. ℅
AS **f**
chiuso agosto – **45 cam** 🖵 130/180000.

🏨 **Lancaster** senza rist, via Abbondio Sangiorgio 16 ✉ 20145 ℰ 315602 – ⊠ ▤ 🖵 ☎. ⚠ 🅱 ⊟
𝑽𝑰𝑺𝑨. ℅
AT **v**
chiuso luglio ed agosto – **29 cam** 🖵 125/160000.

🏨 **San Carlo** senza rist, via Napo Torriani 28 ✉ 20124 ℰ 656336, Telex 314324 – ⊠ ▤ 🖵 ☎. ⚠
🅱 ⓞ ⊟ 𝑽𝑰𝑺𝑨
DS **s**
62 cam 🖵 93/142000.

🏨 **Flora** senza rist, via Napo Torriani 23 ✉ 20124 ℰ 650242, Telex 312547, Fax 66983594 – ⊠ ▤
🖵 ☎. ⚠ 🅱 ⓞ 𝑽𝑰𝑺𝑨. ℅
DS **h**
🖵 13500 – **45 cam** 80/116000.

🏨 **Sempione,** via Finocchiaro Aprile 11 ✉ 20124 ℰ 6570323, Telex 340498 – ⊠ ⇔ ▤ 🖵 ☎.
⚠ 🅱
DST **u**
Pas *(chiuso sabato)* carta 24/37000 – 🖵 14000 – **40 cam** 90/130000 – P 130000.

🏨 **New York** senza rist, via Pirelli 5 ✉ 20124 ℰ 650551, Telex 325057 – ⊠ ▤ 🖵 ☎ – 🔬 40. ⚠
🅱 ⓞ ⊟ 𝑽𝑰𝑺𝑨
DR **f**
chiuso dal 24 dicembre al 5 gennaio e dal 1° al 28 agosto – 🖵 12000 – **70 cam** 89/125000,
▤ 8000.

🏨 **San Guido** senza rist, via Carlo Farini 1/a ✉ 20154 ℰ 6552261 – ⊠ ▤ ⊜. 🅱 ⊟ 𝑽𝑰𝑺𝑨. ℅
🖵 8000 – **31 cam** 75/102000.
BRS **u**

🏨 **Florida** senza rist, via Lepetit 33 ✉ 20124 ℰ 6705921, Telex 314102, Fax 6692867 – ⊠ ▤ 🖵
☎. ⚠ 🅱 ⓞ ⊟ 𝑽𝑰𝑺𝑨
DR **c**
🖵 12000 – **52 cam** 86/124000.

🏨 **Bolzano** senza rist, via Boscovich 21 ✉ 20124 ℰ 6691451, 🛋 – ⊠ ▤ 🖵 ☎. ⚠ 🅱 ⓞ ⊟ 𝑽𝑰𝑺𝑨.
℅
DS **z**
🖵 14000 – **35 cam** 75/110000.

🏨 **Club Hotel** senza rist, via Copernico 18 ✉ 20125 ℰ 606128, Telex 323816 – ⊠ ▤ 🖵 ☎. ⚠
🅱 𝑽𝑰𝑺𝑨
DR **n**
chiuso agosto – **53 cam** 🖵 90/130000.

🏨 **Gala** senza rist, viale Zara 89 ✉ 20159 ℰ 6890867 – ⊠ ▤ ☎ ⓟ. ⚠ 🅱 ⊟ 𝑽𝑰𝑺𝑨
DQ **j**
chiuso agosto – 🖵 14000 – **22 cam** 80/110000.

🏨 **Canova** senza rist, via Napo Torriani 15 ✉ 20124 ℰ 6559541, Telex 324215, Fax 656392 – ⊠
▤ 🖵 ☎. ⚠ 🅱 ⓞ ⊟ 𝑽𝑰𝑺𝑨
DS **n**
chiuso agosto – 🖵 10000 – **59 cam** 92/132000.

XXXX ❀ **Grill Casanova,** piazza della Repubblica 20 ✉ 20124 ℰ 650803, prenotare – ▤. ⚠ 🅱 ⓞ
⊟ 𝑽𝑰𝑺𝑨. ℅
DS **t**
chiuso agosto – Pas carta 80/100000
Spec. Tartare di salmone, Tagliolini agli aromi, Composizione di pesce, Costoletta di vitello farcita alle verdure.
Vini Pinot Franciacorta, Grignolino.

XXX **Romani,** via Trebazio 3 ✉ 20145 ℰ 340738 – ▤. ⚠ ⓞ 𝑽𝑰𝑺𝑨
AS **m**
chiuso sabato a mezzogiorno, domenica ed agosto – Pas carta 43/85000.

XXX **Dall'Antonio,** via Cenisio 8 ✉ 20154 ℰ 33101511, Coperti limitati; prenotare – ▤. ⚠ 🅱
ⓞ 𝑽𝑰𝑺𝑨. ℅
AR **a**
chiuso domenica ed agosto – Pas carta 50/60000.

XXX **Grattacielo,** via Vittor Pisani 6 ✉ 20124 ℰ 6592359, « Servizio estivo all'aperto » – ⚠ ⓞ
𝑽𝑰𝑺𝑨. ℅
DS **y**
chiuso venerdì sera, sabato, dal 26 dicembre all'8 gennaio ed agosto – Pas carta 36/55000
(11%).

segue →

ELENCO ALFABETICO DEGLI ALBERGHI E RISTORANTI

Entrez au restaurant le guide à la main et posez-le sur la table.

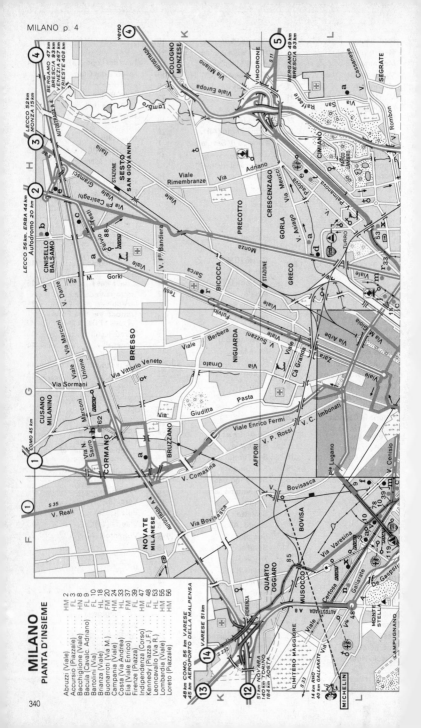

MILANO
PIANTA D'INSIEME

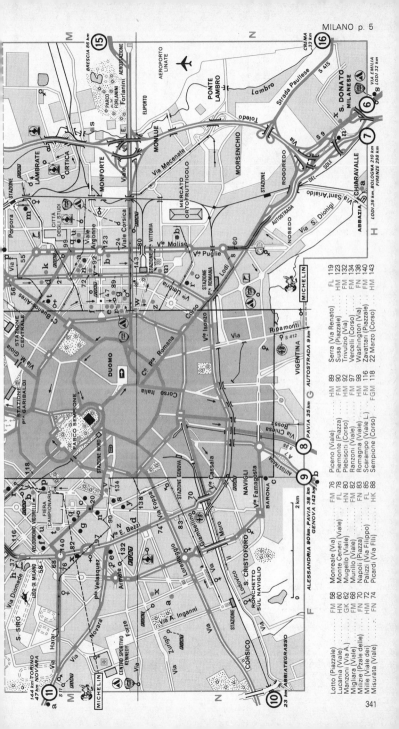

Lotto (Piazzale) .... FM 58
Lucania (Viale) .... HN 60
Manzoni (Via A.) .... GK 62
Migliara (Viale) .... FM 68
Milizie (Pzale delle) .... FN 70
Mille (Viale dei) .... HM 72
Misurata (Viale) .... FN 74

Monreale (Via) .... FM 76
Monte Ceneri (Viale) .... FL 78
Mugello (Viale) .... HN 80
Murillo (Viale) .... FM 82
Napoli (Piazza) .... FN 83
Palizzi (Via Filippo) .... FL 85
Picardi (Via Flli) .... FN 74

Piceno (Viale) .... FM 89
Piemonte (Piazza) .... FM 90
Plebisciti (Corso) .... HM 92
Ranzoni (Viale) .... FM 97
Romagna (Viale) .... HM 98
Scarampo (Viale L.) .... FM 116
Sempione (Corso) .... FGM 118

Serra (Via Renato) .... FL 119
Susa (Piazzale) .... HM 123
Trivulzio (Via) .... FM 132
Vercelli (Corso) .... FM 134
Washington (Via) .... FN 138
Zavattari (Piazzale) .... FM 140
22 Marzo (Corso) .... HM 143

MILANO

*Vedere indice toponomastico,
Milano p. 12 e 13.*

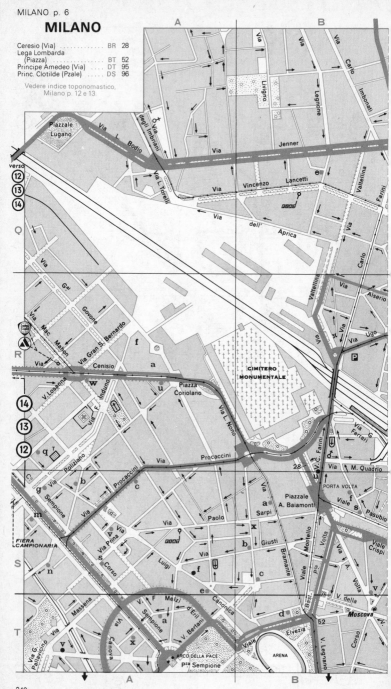

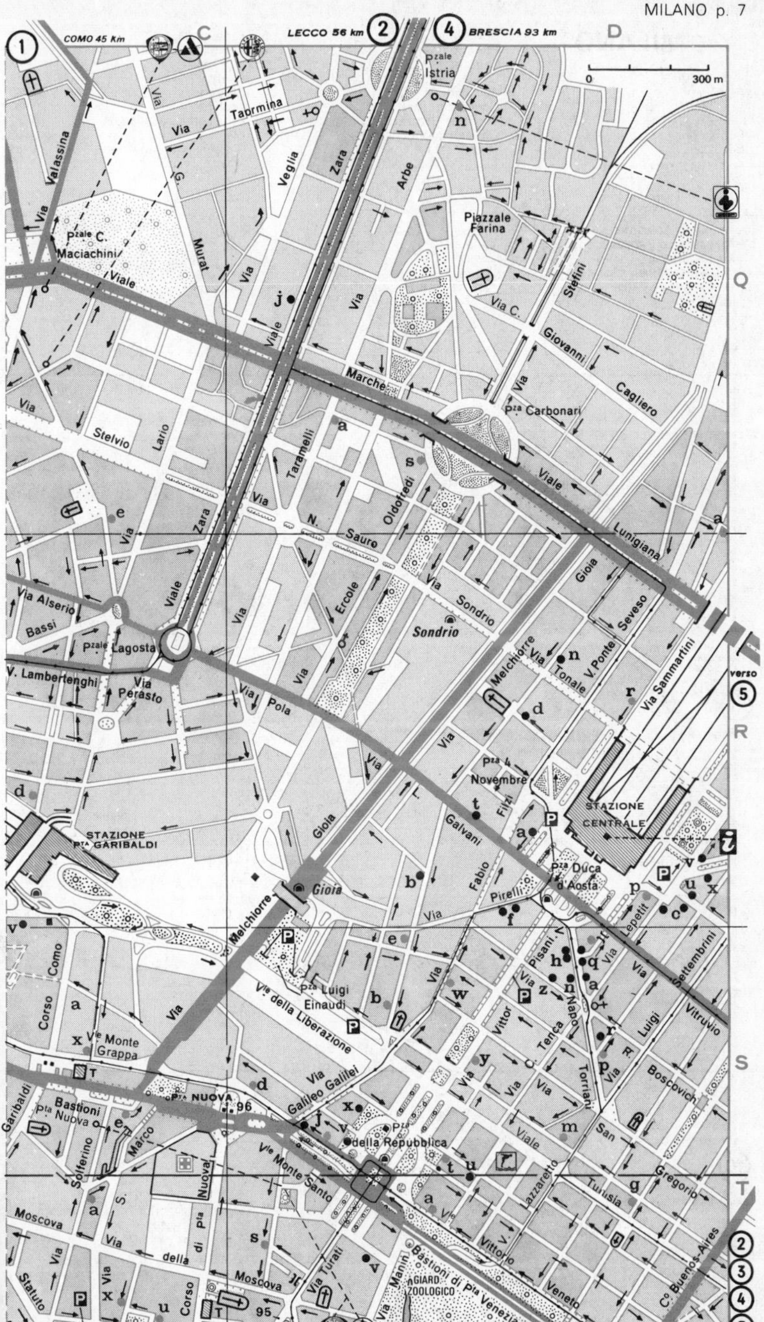
1
COMO 45 Km
C
LECCO 56 km
2
4
BRESCIA 93 km
D
0
300 m
Pzale Istria
Via Taormina
Via G.
Via Valassina
Veglia
Zara
Arbe
Piazzale Farina
Pzale C. Maciachini
Viale
Murat
Via
Viale
Via
Stefini
Via C.
Giovanni
Cagliero
Q
Marche
Pza Carbonari
Via
Stelvio
Lario
Taramelli
Oldofredi
Viale
Lunigiana
Via N. Sauro
Via Zara
Viale
Via Alserio
Bassi
Pzale Lagosta
V. Lambertenghi
Via Perasto
Via Pola
Via Ercole
Via Sondrio
Sondrio
Gioia
Seveso
Melchiorre
Via Tonale
V. Ponte
Via Sammartini
verso
5
R
Pza 4 Novembre
Filzi
Galvani
STAZIONE CENTRALE
STAZIONE Pta GARIBALDI
Gioia
Gioia
Melchiorre
Fabio
Pirelli
Via
Pza Duca d'Aosta
Lepetit
Settembrini
Corso Como
Via
Pza Luigi Einaudi
Vle della Liberazione
Pisani
Vittor
Via
Tenca
Napo
Via
Luigi
Vitruvio
Vle Monte Grappa
Via Galileo Galilei
Torriani
Boscovich
S
Pta NUOVA
96
Bastioni Pta Nuova
Garibaldi
Marco
Pza della Repubblica
Viale
San
Gregorio
Solferino
Vle Monte Santo
Lazzaretto
Tunisia
T
Moscova
S.
di Pta Nuova
Vle Vittorio Veneto
Via della Moscova
Via Turati
Via Manin
GIARD. ZOOLOGICO
Bastioni di Pta Venezia
Co Buenos-Aires
Statuto
Via
Corso
95
2
3
4
5
C
D

MILANO

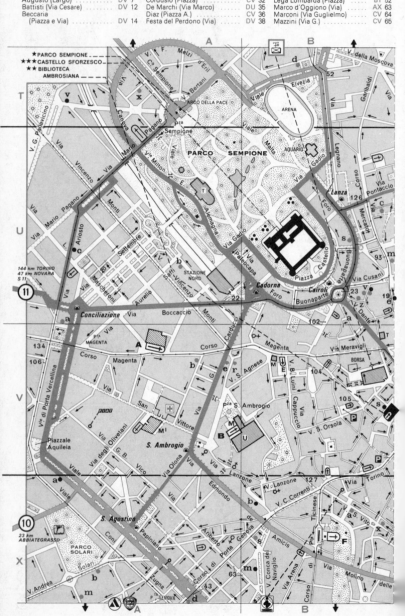

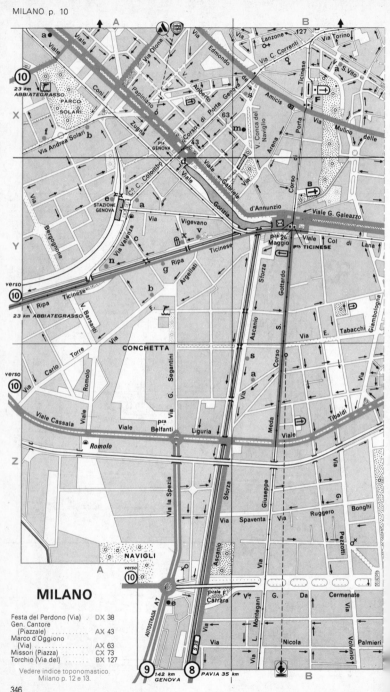

MILANO

Vedere indice toponomastico.
Milano p. 12 e 13.

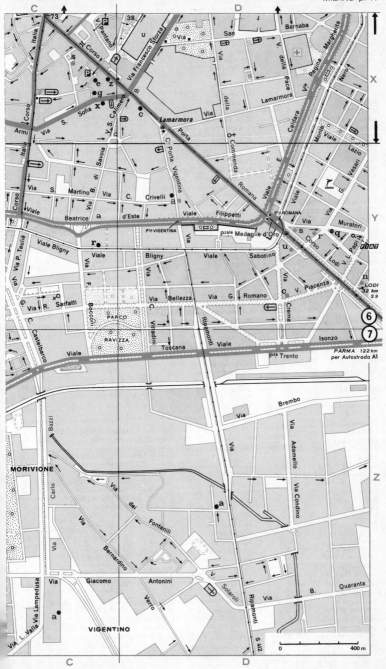

INDICE TOPONOMASTICO

XX ❀ **A Riccione,** via Taramelli 70 ⊠ 20124 ✆ 6686807, Specialità di mare; prenotare – 🗏 **🅿**.
🖭 🕃 ⓪ 🖪 𝘝𝘐𝘚𝘈   DQ **a**
chiuso lunedì – Pas carta 65/80000
Spec. Pasta fresca con sugo di cannelli e scampi, Paella valenciana, Grigliata mista di pesce alla brace. Vini del Collio, Barbaresco.

XX **Ai 3 Pini,** via Tullo Morgagni 19 ⊠ 20125 ✆ 6898464, « Servizio estivo sotto un pergolato »
– 🖭 🕃 ⓪ 𝘝𝘐𝘚𝘈   DQ **n**
chiuso venerdì a mezzogiorno, sabato e dal 5 al 31 agosto – Pas carta 35/54000.

XX **Da Lino Buriassi,** via Lecco 15 angolo via Casati ⊠ 20124 ✆ 228227, prenotare la sera –
🗏 🖭 𝘝𝘐𝘚𝘈   DT **g**
chiuso sabato a mezzogiorno, domenica e dal 7 al 24 agosto – Pas carta 30/51000.

XX **Cavallini,** via Mauro Macchi 2 ⊠ 20124 ✆ 6693174, 🏤 – 🗏 🖭 🕃 ⓪ 🖪 𝘝𝘐𝘚𝘈   DS **p**
chiuso sabato, domenica, dal 22 dicembre al 4 gennaio e dal 3 al 23 agosto – Pas carta 35/50000
(12%).

XX **Le 5 Terre,** via Appiani 9 ⊠ 20121 ✆ 653034, Specialità di mare – 🗏. 🖭 🕃 ⓪ 🖪 𝘝𝘐𝘚𝘈
chiuso sabato a mezzogiorno, domenica e dall'8 al 22 agosto – Pas carta 41/63000.   DT **s**

XX **Gianni e Dorina,** via Pepe 38 ⊠ 20159 ✆ 606340, prenotare – 🗏. 🖭 🕃 ⓪ 🖪 𝘝𝘐𝘚𝘈   CR **d**
chiuso sabato a mezzogiorno, domenica e dal 25 luglio al 15 settembre – Pas carta 41/60000
(10%).

XX **Solferino** con cam, via Castelfidardo 2 ⊠ 20121 ✆ 6599886, Trattoria vecchia Milano;
prenotare – 📺 ☎. 𝘝𝘐𝘚𝘈   CT **a**
chiuso dal 24 dicembre al 2 gennaio e dal 7 al 17 agosto – Pas *(chiuso sabato a mezzogiorno e domenica; in luglio-agosto anche sabato sera)* carta 30/55000 – 🖵 12000 – **11 cam** 95000.

XX **Vecchia Viscontea,** via Giannone 10 ⊠ 20154 ✆ 3315372, 🏤 – 🖭 🕃 ⓪ 🖪 𝘝𝘐𝘚𝘈   BS **c**
chiuso domenica a mezzogiorno ed agosto – Pas carta 40/52000.

XX **Taverna della Trisa,** via Francesco Ferruccio 1 ⊠ 20145 ✆ 341304, 🏤, Specialità trentine
chiuso lunedì ed agosto – Pas carta 33/47000.   AS **n**

XX **Olivo 2,** viale Monte Santo 2 ⊠ 20124 ✆ 653846 – 🗏. 🖭 🕃 ⓪ 🖪 𝘝𝘐𝘚𝘈   DS **j**
chiuso sabato, domenica e dal 10 al 22 agosto – Pas carta 38/54000.

XX **La Torre del Mangia,** via Procaccini 37 ⊠ 20154 ✆ 314871, prenotare – 🗏. 🖭 ⓪. 🞷
chiuso domenica sera e lunedì – Pas carta 32/63000.   AS **c**

XX **Trattoria Vecchia Arena,** piazza Lega Lombarda 1 ⊠ 20154 ✆ 3315538, Coperti limitati;
prenotare – 🗏. 𝘝𝘐𝘚𝘈   BT **d**
chiuso domenica, lunedì a mezzogiorno, dal 25 dicembre al 3 gennaio e dall'8 al 25 agosto –
Pas carta 40/55000.

XX **Trattoria Cucina delle Langhe,** corso Como 6 ⊠ 20154 ✆ 6554279, Specialità piemontesi
– 🖭 🕃 ⓪ 𝘝𝘐𝘚𝘈   CS **a**
chiuso domenica ed agosto – Pas carta 35/52000.

XX **San Fermo,** via San Fermo della Battaglia 1 ⊠ 20121 ✆ 650901 – 🞷. 🖭 ⓪ 𝘝𝘐𝘚𝘈   CT **x**
chiuso domenica, lunedì a mezzogiorno, dal 24 dicembre al 16 gennaio e dall'11 al 31 agosto –
Pas carta 38/46000.

XX ❀ **Montecristo,** corso Sempione angolo via Prina ⊠ 20154 ✆ 312760, Specialità di mare –
🗏. 🖭 🕃 🖪. 🞷   AS **s**
chiuso martedì, sabato a mezzogiorno, dal 25 dicembre al 2 gennaio ed agosto – Pas
carta 45/65000
Spec. Antipasto di pesce Montecristo, Spaghetti all'aragosta, Branzino al sale. Vini Plinius, Gran Ruchet.

XX **Il Verdi,** piazza Mirabello 5 ⊠ 20121 ✆ 651412 – 🗏   CT **u**
chiuso sabato a mezzogiorno, domenica, dal 25 dicembre al 1° gennaio e dall'11 al 31 agosto –
Pas carta 31/53000.

XX **Osteria del Vecchio Canneto,** bastioni Porta Nuova-via Solferino ⊠ 20121 ✆ 6598498,
Caratteristico rist. con specialità di mare – 🗏. 🖭   CS **e**
chiuso domenica, lunedì a mezzogiorno, dal 1° all'8 gennaio ed agosto – Pas 50000 bc.

XX ❀ **Alfredo-Gran San Bernardo,** via Borgese 14 ⊠ 20154 ✆ 3319000, Specialità milanesi,
Coperti limitati; prenotare – 🗏   AR **f**
chiuso domenica, dal 21 dicembre al 19 gennaio ed agosto – Pas carta 44/58000
Spec. Risotto alla milanese ed al salto, Ossobuco in cremolata, Foiolo (trippa). Vini Pinot grigio, Barbera.

XX **Endo,** via Fabio Filzi 8 ⊠ 20124 ✆ 6595017, Rist. giapponese – 🗏. 🖭 🕃 ⓪ 🖪   DS **w**
chiuso domenica – Pas carta 59/97000 (13%).

XX **Giglio Rosso,** piazza Luigi di Savoia 2 ⊠ 20124 ✆ 6694174, 🏤 – 🗏. 🖭 🕃 ⓪ 🖪 𝘝𝘐𝘚𝘈. 🞷
chiuso sabato, domenica a mezzogiorno ed agosto – Pas carta 27/52000 (12%).   DR **p**

XX **La Tana del Lupo,** viale Vittorio Veneto 30 ⊠ 20124 ✆ 6599006, Rist. tipico con specialità
venete   DT **a**
chiuso a mezzogiorno, domenica, dal 1° al 7 gennaio ed agosto – Pas 42000 bc.

XX **La Buca,** via Antonio da Recanate ang. via Napo Torriani ⊠ 20124 ✆ 6693176 – 🗏. 🖭 🕃
⓪ 🖪 𝘝𝘐𝘚𝘈. 🞷   DS **s**
chiuso venerdì sera, sabato, dal 25 dicembre al 6 gennaio ed agosto – Pas carta 37/60000.

XX **Terzilio,** via Gluck 10 ⊠ 20125 ✆ 66982898, « Servizio estivo in giardino » – 🖭 🖪 𝘝𝘐𝘚𝘈
chiuso lunedì e martedì a mezzogiorno – Pas carta 26/40000.   DQR **a**

XX **Serafino,** via Bramante 35 ⊠ 20154 𝒫 3315363, Rist. con specialità piemontesi – 🖭 🖪 🕕
E 𝘝𝘐𝘚𝘈   BS   **a**
chiuso lunedì, martedì a mezzogiorno ed agosto – Pas 35000 bc.

XX **Taverna del Gran Sasso,** piazzale Principessa Clotilde 10 ⊠ 20121 𝒫 6597578, Caratteristico rist. abruzzese – 🖩. 🖭   DS   **d**
chiuso venerdì a mezzogiorno, domenica, dal 1° all'8 gennaio ed agosto – Pas 43000 bc.

XX **Da Fumino,** via Bernina 43 ⊠ 20158 𝒫 606872, Trattoria toscana – 🖩. 🖭 🖪 🕕 E 𝘝𝘐𝘚𝘈
chiuso sabato, domenica sera ed agosto – Pas carta 32/55000.   BQ   **e**

XX **Elo-Wuè,** via Sabatelli 1 ⊠ 20154 𝒫 3315666, Rist. cinese a coperti limitati – 🖩. 🖭 🖪 🕕
E 𝘝𝘐𝘚𝘈. ⋘   AS   **v**
chiuso domenica, lunedì a mezzogiorno ed agosto – Pas carta 25/50000 (12%).

XX **Le Colline Pisane,** largo La Foppa 5 ⊠ 20121 𝒫 6599136, Rist. toscano – 🖩. 🖭 🖪 🕕 E
𝘝𝘐𝘚𝘈   BS   **v**
chiuso domenica ed agosto – Pas carta 28/46000.

XX **Wan Tong,** via Paolo Sarpi 20 ⊠ 20154 𝒫 3453633, Rist. cinese a coperti limitati; prenotare
– 🖩. 🖪 🕕 E 𝘝𝘐𝘚𝘈. ⋘   BS   **x**
chiuso domenica, lunedì a mezzogiorno, agosto e dal 24 al 27 dicembre – Pas carta 42/55000
(10%).

XX **Altopascio,** via Gustavo Fara 17 ⊠ 20124 𝒫 6702458, Rist. toscano – 🖩. 🖭 🖪 🕕 E 𝘝𝘐𝘚𝘈
chiuso sabato, domenica a mezzogiorno ed agosto – Pas carta 24/45000.   DS   **e**

XX **Le Pietre Cavate,** via Castelvetro 14 ⊠ 20154 𝒫 344704 – 🖩. 🖭 🖪 🕕 E 𝘝𝘐𝘚𝘈. ⋘   AR   **q**
chiuso mercoledì, giovedì a mezzogiorno e dal 30 luglio al 29 agosto – Pas carta 28/47000.

XX **Il Cormorano,** piazza 25 Aprile ⊠ 20156 𝒫 6554604 – 🖩. 🖭 🖪 🕕 E. ⋘   CS   **x**
chiuso sabato a mezzogiorno, domenica ed agosto – Pas carta 22/43000.

XX Osteria la Cagnola, via Cirillo 14 ⊠ 20154 𝒫 3319428, Coperti limitati; prenotare   AT   **a**

XX **Il Palio,** piazza Diocleziano ang. via San Galdino ⊠ 20154 𝒫 3453687, 🍴, Trattoria toscana
– 🖩. 🖭 🖪 🕕 E 𝘝𝘐𝘚𝘈   AR   **w**
chiuso sabato e dal 6 al 28 agosto – Pas carta 28/38000.

XX **La Sirena,** via Poliziano 10 ⊠ 20154 𝒫 3182011, Rist. con specialità di mare – 🖩. 🖪 🕕 E
𝘝𝘐𝘚𝘈 ⋘   AS   **g**
chiuso domenica – Pas carta 25/45000.

X **Trattoria della Pesa,** viale Pasubio 10 ⊠ 20154 𝒫 6555741, Tipica trattoria vecchia Milano
con cucina lombarda – 🖩   BS   **s**
chiuso domenica ed agosto – Pas carta 35/51000.

X Arrow, via Mussi 13 ⊠ 20154 𝒫 341533, Coperti limitati; prenotare – 🖩   AS   **b**

X **La Villetta,** viale Zara 87 ⊠ 20159 𝒫 6891981, 🍴   DQ   **j**
chiuso lunedì sera, martedì ed agosto – Pas carta 25/40000.

X **Al Vecchio Passeggero,** via Gherardini 1 ⊠ 20145 𝒫 312461 – 🖩. 🖭 🕕 𝘝𝘐𝘚𝘈   AT   **x**
chiuso sabato a mezzogiorno, domenica, dal 26 dicembre al 1° gennaio e dal 1° al 26 agosto –
Pas carta 29/50000.

X **Casa Fontana,** piazza Carbonari 5 ⊠ 20125 𝒫 6892684, Coperti limitati; prenotare – 🖩. 🖭
⋘   DQ   **s**
*chiuso dal 1° all'8 gennaio, dal 5 al 27 agosto, lunedì, sabato a mezzogiorno e in luglio anche
domenica* – Pas carta 40/60000.

X **Pechino,** via Cenisio 7 ⊠ 20154 𝒫 33101668, Rist. cinese con cucina pechinese, prenotare –
🖩   AR   **u**
chiuso lunedì, dal 20 dicembre al 4 gennaio e dal 15 luglio al 22 agosto – Pas carta 32/45000
(12%).

X Il Tronco-da Vitaliano, via Thaon di Revel 10 ⊠ 20159 𝒫 606072 – 🖩   CQ   **e**

X **Osteria Veneta dei Bana,** via Cenisio 70 ⊠ 20154 𝒫 33101352 – 🖭 🖪 𝘝𝘐𝘚𝘈
chiuso sabato, agosto e Natale – Pas carta 22/40000.   Milano p. 4   FL   **m**

X **Da Rossano,** via Maroncelli 15 ⊠ 20154 𝒫 652618, Trattoria toscana – 🖩. 🖭 🖪 🕕 E 𝘝𝘐𝘚𝘈.
⋘   BS   **f**
chiuso sabato – Pas carta 30/53000.

X **Osterietta dei Mercanti,** via Casati 24 ⊠ 20124 𝒫 6557564 – 🖩. 🖭 🖪 🕕 E 𝘝𝘐𝘚𝘈   DS   **m**
chiuso sabato a mezzogiorno, domenica ed agosto – Pas carta 25/45000.

X **La Veneta,** via Giusti 14 ⊠ 20154 𝒫 342881, Trattoria con specialità venete – ⋘   BS   **b**
chiuso lunedì ed agosto – Pas carta 28/42000.

X **Pupurry,** via Canonica 27 ⊠ 20154 𝒫 331829, Rist. d'artisti-soupers – 🖪   AS   **e**
chiuso lunedì ed agosto – Pas (menu suggeriti dal proprietario) 25/45000.

X **Dalla Zia,** via Gustavo Fara 5 ⊠ 20124 𝒫 6556281, Trattoria toscana a coperti limitati – 🖭
🕕   DS   **b**
chiuso sabato, domenica a mezzogiorno e dal 15 luglio al 15 agosto – Pas carta 24/52000.

X **Da Gori,** via Sammartini 21 ⊠ 20125 𝒫 6081607, Trattoria toscana – 🖩. 𝘝𝘐𝘚𝘈   DR   **r**
chiuso sabato, domenica sera, dal 24 dicembre al 6 gennaio e dal 2 al 27 agosto – Pas
carta 30/50000.

segue →

Zona centrale Duomo, Scala, Parco Sempione, Castello Sforzesco, Giardini Pubblici, corso Venezia, via Manzoni, Stazione Nord, corso Magenta, Porta Vittoria (Pianta : Milano p. 8 e 9)

Jolly Hotel President, largo Augusto 10 ✉ 20122 ✆ 7746, Telex 312054, Fax 783449 – |‡| ▤ TV ☎ ♿ – 🏛 110. AE ⓢ ⓞ E VISA. ✻ rist DV **t**
Pas 60000 – **220 cam** ☐ 280/330000.

Gd H. et de Milan senza rist, via Manzoni 29 ✉ 20121 ✆ 801231, Telex 334505, Fax 872526 – |‡| ▤ TV ☎ – 🏛 150. AE ⓢ ⓞ E VISA CDU **f**
☐ 21000 – **89 cam** 225/320000 appartamenti 500/640000.

Galileo senza rist, corso Europa 9 ✉ 20122 ✆ 7743, Telex 322095, Fax 656319 – |‡| ▤ TV ☎. AE ⓢ ⓞ E VISA. ✻ DV **a**
70 cam ☐ 275/370000 appartamenti 400000.

Gd H. Duomo, via San Raffaele 1 ✉ 20121 ✆ 8833, Telex 312086 – |‡| ▤ ☎ CV **m**
160 cam.

Brunelleschi senza rist, via Baracchini 12 ✉ 20123 ✆ 8843, Telex 312256, Fax 870144 – |‡| ▤ TV ☎. AE ⓢ ⓞ VISA CV **s**
120 cam ☐ 330/450000 appartamenti 600000.

Dei Cavalieri senza rist, piazza Missori 1 ✉ 20123 ✆ 8857, Telex 312040, Fax 8857 – |‡| ⊁ ▤ TV ☎ – 🏛 40. AE ⓢ ⓞ E VISA CVX **c**
169 cam ☐ 180/235000.

Carlton Hotel Senato, via Senato 5 ✉ 20121 ✆ 798583, Telex 331306, Fax 5456043 – |‡| ▤ TV ☎ 🚗. AE ⓢ E VISA. ✻ rist DU **q**
chiuso agosto – Pas *(chiuso sabato e domenica)* carta 42/64000 – ☐ 15000 – **71 cam** 165/210000.

Rosa, via Pattari 5 ✉ 20122 ✆ 8831, Telex 316067, Fax 8057964 – |‡| ▤ TV ☎ – 🏛 50 a 120. AE ⓢ ⓞ E VISA. ✻ rist DV **u**
Pas *(chiuso domenica)* carta 36/50000 – **166 cam** ☐ 210/280000 – P 173/203000.

Manin, via Manin 7 ✉ 20121 ✆ 6596511, Telex 320385, Fax 6552160, 🌳 – |‡| ▤ TV ☎ – 🏛 150. AE ⓢ ⓞ E VISA. ✻ DU **b**
chiuso dal 7 al 23 agosto – Pas *(chiuso domenica)* carta 48/79000 – ☐ 17000 – **110 cam** 163/206000 appartamenti 300/350000.

Cavour, via Fatebenefratelli 21 ✉ 20121 ✆ 650983, Telex 320498, Fax 6592263 – |‡| ▤ TV ☎ ♿. AE ⓢ ⓞ E VISA. ✻ rist DU **n**
Pas *(chiuso venerdì sera, sabato e domenica a mezzogiorno)* 49000 – ☐ 19000 – **111 cam** 170/195000 appartamenti 222000.

De la Ville, senza rist, via Hoepli 6 ✉ 20121 ✆ 867061, Telex 312642 – |‡| ▤ TV ☎ CV **v**
105 cam.

Gran Duca di York senza rist, via Moneta 1/a ✉ 20123 ✆ 874863 – |‡| ▤ TV ☎. ✻ BV **s**
chiuso agosto – ☐ 10000 – **33 cam** 80/116000.

Ariosto senza rist, via Ariosto 22 ✉ 20145 ✆ 490995 – |‡| ▤ ☎ ♿ – 🏛 40. AE ⓢ ⓞ E VISA AU **c**
☐ 9500 – **53 cam** 93/132000.

Manzoni senza rist, via Santo Spirito 20 ✉ 20121 ✆ 705700, Fax 784212 – |‡| ☎ 🚗. ✻ DU **g**
☐ 12000 – **52 cam** 91/131000.

Casa Svizzera senza rist, via San Raffaele 3 ✉ 20121 ✆ 8692246, Telex 316064, Fax 3498190 – |‡| ▤ TV ☎. AE ⓢ ⓞ E VISA CV **a**
chiuso dal 28 luglio al 24 agosto – **45 cam** ☐ 99/150000.

Centro senza rist, via Broletto 46 ✉ 20121 ✆ 875232, Telex 332632 – |‡| ▤ TV ☎ ♿. AE ⓢ ⓞ E VISA BU **e**
54 cam ☐ 94/145000.

Star senza rist, via dei Bossi 5 ✉ 20121 ✆ 871703 – |‡| ▤ ☎. AE ⓢ E VISA CU **b**
chiuso agosto – ☐ 15000 – **28 cam** 87/127000.

Gritti senza rist, piazza Santa Maria Beltrade 4 ✉ 20123 ✆ 801056, Telex 350597, Fax 89010999 – |‡| ⊁ ▤ TV ☎. AE ⓢ ⓞ E VISA CV **u**
48 cam ☐ 100/145000.

London senza rist, via Rovello 3 ✉ 20121 ✆ 872988 – |‡| ☎. VISA. ✻ BU **v**
☐ 10000 – **29 cam** 53/83000.

XXXXX ✿ **Savini,** galleria Vittorio Emanuele II ✉ 20121 ✆ 8058343, Gran tradizione; prenotare, « Giardino d'inverno » – ▤. AE ⓢ ⓞ E VISA CV **n**
chiuso domenica, dal 23 dicembre al 3 gennaio e dal 10 al 19 agosto – Pas carta 70/116000 (15%)
Spec. Risotto alla milanese ed al salto, Costoletta di vitello alla milanese, Filetti di branzino gratinati. Vini Gavi, Franciacorta rosso.

XXXX **El Toulà,** piazza Paolo Ferrari 6 ✉ 20121 ✆ 870302, Confort accurato – ▤. AE ⓢ ⓞ E VISA. ✻ CU **z**
chiuso dal 23 dicembre al 6 gennaio, dal 6 al 21 agosto, domenica e da giugno ad agosto anche sabato – Pas carta 65/101000 (13%).

XXXX **St. Andrews,** via Sant'Andrea 23 ✉ 20121 ✆ 793132, Confort accurato – soupers; prenotare – ▤. AE ⓢ ⓞ E VISA. ✻ DU **y**
chiuso domenica ed agosto – Pas carta 64/92000 (15%).

XXX **Don Lisander,** via Manzoni 12/a ✉ 20121 ✆ 790130, 🍴, prenotare – 🖥. 🆎 🅱 ⓞ 🇪 𝘝𝘐𝘚𝘈
chiuso sabato sera e domenica – Pas carta 51/92000.　　　　　CU **a**

XXX ❀ **Peck,** via Victor Hugo 4 ✉ 20123 ✆ 876774 – 🖥. 🆎 🅱 ⓞ 🇪 𝘝𝘐𝘚𝘈. 🍴　CV **b**
chiuso domenica e dal 3 al 24 luglio – Pas carta 57/87000
Spec. Gelatina di triglie all'aneto e coriandoli, Ravioli di branzino, Casseruola d'astice e coda di rospo alle piccole verdure. **Vini** Blanc de Rosis.

XXX **Biffi Scala,** piazza della Scala ✉ 20121 ✆ 866651, Tea-room e soupers – 🖥. 🆎 🅱 ⓞ 🇪
𝘝𝘐𝘚𝘈　　　　　　　　　　　　　　　　　　　　　　　　CU **z**
chiuso domenica, dal 25 dicembre al 6 gennaio e dal 10 al 20 agosto – Pas carta 65/99000
(15%).

XXX ❀ **Canoviano,** via Hoepli 6 ✉ 20121 ✆ 8058472, prenotare – 🖥. 🆎 🅱 ⓞ 🇪 𝘝𝘐𝘚𝘈. 🍴　CV **v**
chiuso sabato a mezzogiorno e domenica – Pas carta 50/80000
Spec. Pennette ai carciofi, Salmone in crema di asparagi (primavera), Rombo al dragoncello (primavera). **Vini** Pinot bianco, Carema.

XXX **Orti di Leonardo,** via Aristide de' Togni 6/8 ✉ 20123 ✆ 4983476 – 🖥 ⓟ. 🆎 🅱 ⓞ 𝘝𝘐𝘚𝘈. 🍴
chiuso domenica e dal 31 luglio al 27 agosto – Pas carta 43/78000.　　　AV **b**

XXX **Suntory,** via Verdi 6 ✉ 20121 ✆ 862210, Rist. giapponese – 🖥. 🆎 🅱 ⓞ 🇪 𝘝𝘐𝘚𝘈. 🍴　CU **n**
chiuso domenica e dal 14 al 21 agosto – Pas carta 55/80000.

XXX **Stendhal,** via Solferino 12-via San Marco ✉ 20121 ✆ 6555587, Confort accurato – 🆎 🅱 ⓞ
🇪 𝘝𝘐𝘚𝘈. 🍴　　　　　　　　　　　　　　　　　　　　　　　CU **c**
chiuso domenica, lunedì ed agosto – Pas carta 50/90000.

XXX **Alfio-Cavour,** via Senato 31 ✉ 20121 ✆ 780731 – 🖥. 🆎 🅱 ⓞ 🇪 𝘝𝘐𝘚𝘈　　DU **a**
chiuso sabato, domenica a mezzogiorno, dal 23 dicembre al 3 gennaio ed agosto – Pas carta 50/78000.

XXX **Boeucc,** piazza Belgioioso 2 ✉ 20121 ✆ 790224, 🍴, prenotare – 🖥. 🆎. 🍴　CDU **x**
chiuso sabato, domenica a mezzogiorno, dal 24 dicembre al 2 gennaio ed agosto – Pas carta 45/73000.

XX **Barbarossa-da Flavio,** via Cerva 10 ✉ 20122 ✆ 781418, Ambiente vecchia Milano – 🖥. 🆎
ⓞ 𝘝𝘐𝘚𝘈　　　　　　　　　　　　　　　　　　　　　　　　DV **f**
chiuso agosto, domenica e in luglio anche sabato – Pas carta 39/60000.

XX **Bagutta,** via Bagutta 14 ✉ 20121 ✆ 702767, 🍴, Rist. d'artisti, « Caratteristici dipinti e
caricature » – 🆎 🅱 ⓞ 🇪 𝘝𝘐𝘚𝘈. 🍴　　　　　　　　　　　　　DU **e**
chiuso domenica, dal 23 dicembre al 5 gennaio e dal 7 al 31 agosto – Pas carta 45/78000.

XX Odeon, via Bergamini 11 ✉ 20122 ✆ 862917 – 🖥　　　　　　DV **h**

XX **Opera Prima,** via Rovello 3 ✉ 20121 ✆ 865235 – ✦ 🖥. 🆎 🅱 ⓞ 🇪 𝘝𝘐𝘚𝘈　BU **v**
chiuso domenica – Pas carta 39/55000.

XX **L'Infinito,** via Leopardi 25 ✉ 20123 ✆ 4692276 – 🖥. 🆎 🅱 ⓞ 𝘝𝘐𝘚𝘈　　AU **b**
chiuso sabato a mezzogiorno e domenica – Pas carta 35/50000.

XX **Albric,** via Albricci 3 ✉ 20122 ✆ 806356, « Raccolta di quadri » – 🖥. 🆎 🅱 ⓞ 🇪 𝘝𝘐𝘚𝘈
🍴　　　　　　　　　　　　　　　　　　　　　　　　　　CV **q**
chiuso sabato a mezzogiorno, domenica e dal 28 luglio al 28 agosto – Pas carta 41/56000.

XX **Rigolo,** largo Treves angolo via Solferino ✉ 20121 ✆ 8059768, Rist. d'habitués – 🖥. 🆎 🅱
🇪 𝘝𝘐𝘚𝘈. 🍴　　　　　　　　　　　　　　　　　　　　　　CU **d**
chiuso lunedì, martedì a mezzogiorno e luglio – Pas carta 33/53000.

XX **Kota Radja,** piazzale Baracca 6 ✉ 20123 ✆ 468850, Rist. cinese – 🖥. 🆎 🅱 ⓞ 🇪 𝘝𝘐𝘚𝘈
chiuso lunedì – Pas carta 21/54000 (12%).　　　　　　　　　AU **a**

XX **Il Peschereccio,** Foro Bonaparte ang. via Sella ✉ 20121 ✆ 861418 – 🖥. 🆎 🅱 ⓞ 🇪 𝘝𝘐𝘚𝘈
chiuso lunedì e dal 3 al 24 agosto – Pas (solo piatti di pesce) carta 39/57000.　BU **s**

XX **Al Mercante,** piazza Mercanti 17 ✉ 20123 ✆ 8052198, « Servizio estivo all'aperto »　CV **k**
chiuso domenica e dal 1° al 25 agosto – Pas carta 35/52000.

XX **Ponvèder,** via Ponte Vetero 6 ✉ 20121 ✆ 861977, Coperti limitati; prenotare – 🖥. 𝘝𝘐𝘚𝘈
chiuso il mezzogiorno di sabato e domenica – Pas carta 39/57000.　　　BU **m**

XX **Franco il Contadino,** via Fiori Chiari 20 ✉ 20121 ✆ 808153, Rist. tipico e ritrovo d'artisti –
🖥. 🆎 🅱 ⓞ 🇪 𝘝𝘐𝘚𝘈　　　　　　　　　　　　　　　　　CU **e**
chiuso martedì e luglio – Pas carta 37/59000 (10%).

XX **Boccondivino,** via Carducci 17 ✉ 20123 ✆ 866040, Specialità salumi, formaggi e vini tipici;
prenotare – 🖥. 🍴　　　　　　　　　　　　　　　　　　　AV **e**
chiuso a mezzogiorno, domenica ed agosto – Pas carta 40/54000.

XX La Muraglia, piazza Oberdan 2 ✉ 20129 ✆ 279528, 🍴, Rist. cinese – 🖥　DU **d**

XX **Le Api,** via Bagutta 2 ✉ 20121 ✆ 705780, 🍴 – 🖥. 🆎 🅱 ⓞ 🇪 𝘝𝘐𝘚𝘈. 🍴　DUV **p**
chiuso sabato a mezzogiorno e domenica – Pas carta 34/51000.

XX **Da Marino-al Conte Ugolino,** piazza Beccaria 6 ✉ 20122 ✆ 876134 – 🖥. 🆎 🅱 ⓞ 𝘝𝘐𝘚𝘈
chiuso domenica ed agosto – Pas carta 38/57000 (11%).　　　　　DV **c**

XX **Becco Rosso,** via San Carpoforo 7 ✉ 20121 ✆ 807113 – ✦ 🖥. 🆎 🅱 ⓞ 🇪 𝘝𝘐𝘚𝘈　BU **c**
chiuso lunedì, agosto e Natale – Pas carta 34/54000.

segue →

XX **I Matteoni,** piazzale 5 Giornate 6 ⊠ 20129 𝒫 55188293, Rist. d'habitués – 🔳. ⚏ 🛗 ⓞ Ε
🆅🅸🆂🅰   DV **s**
chiuso domenica ed agosto – Pas carta 28/45000.

XX **Francesco,** via Festa del Perdono 4 ⊠ 20122 𝒫 8053071, 🏡 – 🔳   DV **n**
chiuso domenica, dal 12 al 24 agosto e dal 23 al 31 dicembre – Pas carta 31/48000.

XX **Ciovassino,** via Ciovassino 5 ⊠ 20121 𝒫 8053868, Coperti limitati; prenotare – 🔳. ⋟
chiuso sabato a mezzogiorno, domenica ed agosto – Pas carta 32/46000.   CU **s**

XX **Trattoria al Piccolo Teatro,** via Rovello 21 angolo via Cusani ⊠ 20121 𝒫 877127, Rist.
caratteristico ; prenotare – 🔳. ⚏ 🛗 ⓞ Ε 🆅🅸🆂🅰. ⋟   BU **v**
chiuso sabato a mezzogiorno, domenica ed agosto – Pas carta 45/57000.

XX **Da Bruno,** via Maurizio Gonzaga 6 ⊠ 20123 𝒫 804364 – 🔳. ⚏ 🛗 ⓞ Ε 🆅🅸🆂🅰   CV **x**
chiuso sabato e dal 1° al 20 agosto – Pas carta 25/44000.

XX **La Pantera,** via Festa del Perdono 12 ⊠ 20122 𝒫 8057374, Rist. toscano – 🔳. ⚏ 🛗 ⓞ Ε
🆅🅸🆂🅰   DV **m**
chiuso martedì ed agosto – Pas carta 28/57000.

X **Trattoria dell'Angolo,** via Fiori Chiari ang via Formentini ⊠ 20121 𝒫 8058495 – 🔳   CU **e**
chiuso sabato a mezzogiorno, domenica, dal 1° al 18 gennaio e dal 10 al 28 agosto – Pas
carta 36/50000.

X Piccolo Padre, viale Bianca Maria 2 ⊠ 20129 𝒫 5400118, Rist. caratteristico umbro – 🔳
  DV **z**

X **Al Chico,** via Sirtori 24 ⊠ 20129 𝒫 29406883, 🏡, Rist. toscano   DU **s**
chiuso sabato a mezzogiorno, domenica, dal 24 dicembre al 3 gennaio e dal 4 al 27 agosto –
Pas carta 32/46000.

X Giacomo, via Donizetti 11 ⊠ 20122 𝒫 795020   DV **d**

X **Ai 3 Fratelli,** via Terraggio 11/13 ⊠ 20123 𝒫 873281, 🏡 – 🔳. ⋟   AV **r**
chiuso domenica, dal 24 dicembre al 5 gennaio e dal 1° al 22 agosto – Pas carta 22/42000.

X **Rovello,** via Rovello 18 ⊠ 20121 𝒫 864396 – 🔳. ⚏ 🛗 Ε 🆅🅸🆂🅰   BU **z**
chiuso sabato a mezzogiorno, domenica e Natale – Pas carta 35/45000.

X **Le Briciole,** via Camperio 17 ⊠ 20123 𝒫 877185, Rist. e pizzeria – 🔳. ⋟   BU **a**
chiuso lunedì, sabato a mezzogiorno, dal 24 dicembre al 3 gennaio ed agosto – Pas
carta 26/43000.

X **Allo Scudo,** via Mazzini 7 ⊠ 20123 𝒫 8052761, Rist. d'habitués – 🔳. ⚏ 🛗 ⓞ   CV **e**
chiuso domenica ed agosto – Pas carta 30/49000 (10%).

Zona urbana sud Porta Ticinese, Porta Romana, Stazione Genova, Navigli, Parco Ravizza,
Vigentino (Pianta : Milano p. 10 e 11) :

🏨 **Pierre Milano,** via Edmondo de Amicis 32 ⊠ 20123 𝒫 8056221, Fax 8056221 – 🛗 ⇆ cam 🔳
📺 ☎. ⚏ 🛗 ⓞ 🆅🅸🆂🅰. ⋟   BX **b**
Pas 68000 – **47 cam** ⊇ 300/540000.

🏨 **Quark,** via Lampedusa 11/a ⊠ 20141 𝒫 84431, Telex 335326, Fax 8464190 – 🛗 🔳 📺 ☎ ♿
🛬 🅿 – 🛗 1100. ⚏ 🛗 ⓞ Ε 🆅🅸🆂🅰. ⋟   CZ **a**
Pas (solo per clienti alloggiati) 42000 – **122 cam** ⊇ 210/265000 appartamenti 400/475000 –
P 205/233000.

🏨 **Lloyd** senza rist, corso di Porta Romana 48 ⊠ 20122 𝒫 867971, Telex 335028, Fax 877114 – 🛗
🔳 📺 ☎ – 🛗 40 a 80. ⚏ 🛗 ⓞ Ε 🆅🅸🆂🅰. ⋟   CX **z**
⊇ 15000 – **52 cam** 150/205000.

🏨 **Ascot** senza rist, via Lentasio 3/5 ⊠ 20122 𝒫 862946, Telex 311303, Fax 89010027 – 🛗 🔳 📺
☎ 🛬. ⚏ 🛗 ⓞ Ε 🆅🅸🆂🅰   CX **e**
chiuso agosto – ⊇ 18000 – **58 cam** 170/240000.

🏨 **Crivi's** senza rist, corso Porta Vigentina 46 ⊠ 20122 𝒫 5463341, Telex 313255 – 🛗 🔳 📺 ☎
🛬 – 🛗 60. ⚏   DY **a**
chiuso agosto – ⊇ 15000 – **62 cam** 140/185000.

🏨 **D'Este** senza rist, viale Bligny 23 ⊠ 20136 𝒫 5461041, Telex 324216 – 🛗 🔳 📺 ☎ – 🛗 50 a
80. ⚏ 🛗 ⓞ Ε 🆅🅸🆂🅰   CY **r**
⊇ 13000 – **54 cam** 80/113000.

🏨 **Sant'Ambroeus** senza rist, viale Papiniano 14 ⊠ 20123 𝒫 4697451, Telex 313373, Fax
3498092 – 🛗 🔳 📺 ☎. ⚏ 🛗 ⓞ Ε 🆅🅸🆂🅰   AX **a**
chiuso agosto e Natale – ⊇ 15000 – **52 cam** 85/122000.

🏨 **Ambrosiano** senza rist, via Santa Sofia 9 ⊠ 20122 𝒫 5510445 – 🛗 🔳 ☎. ⚏ 🛗 ⓞ 🆅🅸🆂🅰. ⋟
chiuso dal 23 dicembre al 6 gennaio e dal 22 luglio al 28 agosto – ⊇ 15000 – **62 cam**
81/117000.   CX **x**

🏨 **Mediterraneo** senza rist, via Muratori 14 ⊠ 20135 𝒫 5488151, Telex 335812, Fax 5488151 –
🛗 📺 ☎ ♿ – 🛗 150. ⚏ 🛗 ⓞ Ε 🆅🅸🆂🅰   DY **q**
chiuso dal 1° al 21 agosto – ⊇ 10000 – **93 cam** 93/132000.

🏨 **Adriatico** senza rist, via Conca del Naviglio 20 ⊠ 20123 𝒫 8324141, Fax 8324141 – 🛗 🔳 📺
☎. ⚏ 🛗 ⓞ Ε 🆅🅸🆂🅰   BX **m**
chiuso dal 1° al 21 agosto – ⊇ 10000 – **105 cam** 85/131000.

🏨 **Imperial** senza rist, corso di Porta Romana 68 ⊠ 20122 𝒫 5468241 – 🗐 📺 ☎ ℗. 🖭 🕃 Ɛ
VISA 🎇   DX c
⟷ 15000 – **36 cam** 95/122000.

🏨 **Canada** senza rist, via Lentasio ang. via Santa Sofia ⊠ 20122 𝒫 8052527, Telex 313286 – 🕽
🗐 📺 🖘. 🖭 🕃 Ɛ *VISA*   CX g
chiuso agosto – ⟷ 12000 – **30 cam** 82/117000.

🏨 **Dei Fiori** senza rist, raccordo autostrada A7 ⊠ 20142 𝒫 8436441 – 🕽 🗐 📺 ☎ 🕭 ℗. 🖭 🕃
① Ɛ *VISA*   AZ e
55 cam ⟷ 60/93000, 🗐 5000.

🏠 **Garden** senza rist, via Rutilia 6 ⊠ 20141 𝒫 537368 – 🕭 🕭 ℗   DZ a
chiuso agosto – ⟷ 7000 – **23 cam** 50/69000.

XXX **L'Ulmet,** via Disciplini ang. via Olmetto ⊠ 20123 𝒫 8059260, prenotare – 🗐. 🖭 🕃   BX x
chiuso domenica e lunedì a mezzogiorno – Pas carta 42/71000.

XXX **Il Punto Malatesta,** via Bianca di Savoia 19 ⊠ 20122 𝒫 5461079, Telex 312471 – 🗐. 🖭 ①
VISA. 🎇   CY a
chiuso domenica, dal 1° al 7 gennaio ed agosto – Pas 60/70000.

XXX **San Vito da Nino,** via San Vito 5 ⊠ 20123 𝒫 8377029, Rist. a coperti limitati; prenotare –
🗐. *VISA*. 🎇   BX a
chiuso lunedì ed agosto – Pas carta 55/66000 (13%).

XXX ✿ **Scaletta,** piazzale Stazione Genova 3 ⊠ 20144 𝒫 8350290 o 58100290, Coperti limitati;
prenotare – 🗐. 🎇   AY a
chiuso domenica, lunedì, dal 24 dicembre al 6 gennaio, dal 1° all'11 aprile ed agosto – Pas
carta 65/78000
Spec. Terrina di trippa in gelatina, Gnocchi di patate e sedano alla bava, Insalata di scampi. **Vini** Villa Bucci,
Pergole Torte.

XX ✿ **Al Porto,** piazzale Generale Cantore ⊠ 20123 𝒫 8321481, prenotare, Rist. con specialità di
mare – 🗐. 🖭 ① *VISA*   AXY d
chiuso domenica, lunedì a mezzogiorno, dal 24 dicembre al 3 gennaio ed agosto – Pas
carta 40/60000
Spec. Tagliolini freschi al nero di seppie, Rombo al rosmarino, Branzino al pepe verde. **Vini** Chardonnay.

XX **Il Montalcino,** via Valenza 17 ⊠ 20144 𝒫 8321926, prenotare – 🗐   AY n

XX **Sadler,** ripa di Porta Ticinese 51 ⊠ 20143 𝒫 58104451, Coperti limitati; prenotare – 🖭 🕃
① Ɛ *VISA*   AY g
chiuso domenica, lunedì, dal 1° al 10 gennaio e dal 12 agosto al 5 settembre – Pas
carta 50/69000.

XX **Al Genovese,** via Pavia 9/14 ⊠ 20136 𝒫 8373180, Rist. con specialità liguri – 🖭 🕃. 🎇
chiuso domenica, lunedì a mezzogiorno, dal 1° al 7 gennaio e dal 10 al 25 agosto – Pas
carta 52/66000.   BZ a

XX **Giordano,** via Torti angolo corso Genova 3 ⊠ 20123 𝒫 8350824, Rist. rustico moderno con
specialità bolognesi – 🗐. 🖭 ① *VISA*   BX s
chiuso domenica e dal 5 al 28 agosto – Pas carta 28/39000 (12%).

XX **Il Torchietto,** via Ascanio Sforza 47 ⊠ 20136 𝒫 8372910, 🍽 – 🗐. 🖭 *VISA*. 🎇   BZ s
chiuso lunedì ed agosto – Pas carta 31/45000.

XX **El Brellin,** alzaia Naviglio Grande 14 ⊠ 20144 𝒫 8351351, 🍽, Rist. e piano bar – 🖭 🕃 ①
Ɛ *VISA*   AY v
chiuso a mezzogiorno, domenica ed agosto – Pas 42000 bc.

XX **Osteria del Binari,** via Tortona 1 ⊠ 20144 𝒫 89406753, 🍽, prenotare, Atmosfera vecchia
Milano – 🖭   AY e
chiuso a mezzogiorno, domenica e dal 10 al 17 agosto – Pas 38000 bc.

X **La Tavolozza,** via Solari 7 ⊠ 20144 𝒫 8390084, 🍽 – 🗐   AX b

X **La Topaia,** via Argelati 46 ⊠ 20143 𝒫 8373469 – ① *VISA*   AY b
chiuso a mezzogiorno, domenica ed agosto – Pas carta 26/40000.

X **Osteria Via Pré,** via Casale 4 ⊠ 20144 𝒫 8373869, Trattoria tipica con specialità liguri – 🗐.
🖭 🕃 ① *VISA*   AY c
chiuso lunedì, martedì ed agosto – Pas carta 36/51000.

X **Da Costantino,** corso Lodi 3 ⊠ 20135 𝒫 5451492 – 🗐   DY s

X **Trattoria all'Antica,** via Montevideo 4 ⊠ 20144 𝒫 8372849 – 🗐. 🎇   AX m
chiuso sabato a mezzogiorno, domenica, dal 26 dicembre al 7 gennaio ed agosto – Pas
35000 bc.

X **Da Pino,** via San Gerolamo Emiliani 2 ⊠ 20135 𝒫 5461401 – 🗐   DY n

X **Alzaia,** alzaia Naviglio Grande 26 ⊠ 20144 𝒫 8379696 – 🖭 🕃   AY x
chiuso lunedì ed agosto – Pas carta 37/50000.

X **Dongiò,** via Corio 3 ⊠ 20135 𝒫 5511372 – 🖭 🕃 ① Ɛ *VISA*   DY r
chiuso domenica e dal 13 al 20 agosto – Pas carta 24/41000.

X **La Baracca,** corso Lodi 4 ⊠ 20135 𝒫 55188577 – 🎇   DY u
chiuso lunedì, martedì a mezzogiorno ed agosto – Pas (menu suggerito dal proprietario)
20000 bc.

X **Gargantua,** corso Porta Vigentina 31 ⊠ 20122 𝒫 5462888, prenotare – 🗐   DY a

segue →

Zone periferiche

Rioni : Bruzzano, Niguarda, Bicocca, viale Fulvio Testi – N : verso ① ② ③ e ④ : Monza, Lecco, Erba, Venezia (Pianta : Milano p. 4)

Leonardhotel ⚓, via Senigallia 6 ⊠ 20161 ℰ 64071, Telex 331552, Fax 64074839, 🔲, 🚗 – |≋| 🏃 cam 🔟 ☎ 🚘 🅿 – 🕍 1200. 🕮 🕄 ⓞ 🖪 𝑽𝑰𝑺𝑨. 🛠 GK **a**
Pas 50000 – ⊈ 20000 – **290 cam** 200/284000 appartamenti 370/710000.

Tourist, viale Fulvio Testi 300 ⊠ 20126 ℰ 6437777, Telex 326852 – |≋| ☱ 🔟 ☎ 🚘 🅿 – 🕍 70. 🕮 🕄 ⓞ 🖪 𝑽𝑰𝑺𝑨. 🛠 rist HK **r**
chiuso agosto – Pas (chiuso sabato) carta 31/43000 – **69 cam** ⊈ 135/170000 – P 145000.

Rioni : corso Buenos Aires, Loreto, Lambrate – NE : verso ⑤ : Bergamo, Brescia (Pianta : Milano p.4 e 5)

Nasco, via Spallanzani 40 ⊠ 20129 ℰ 202301, Telex 333116, Fax 208679 – |≋| ☱ 🔟 ☎ 🚘 – 🕍 50. 🕮 🕄 ⓞ 🖪 𝑽𝑰𝑺𝑨. 🛠 rist HM **t**
Pas (solo per clienti alloggiati e chiuso sabato e domenica) 25/30000 – **150 cam** ⊈ 210/280000 appartamenti 380000 – P 174/204000.

Concorde senza rist, via Petrocchi 1 ang. viale Monza ⊠ 20125 ℰ 2895853, Telex 315805, Fax 656802 – |≋| ☱ 🔟 ☎ 🚘. 🕮 🕄 ⓞ 🖪 𝑽𝑰𝑺𝑨. 🛠 HL **d**
chiuso dal 1° al 24 agosto – **90 cam** ⊈ 165/230000.

Lombardia e Rist. La Festa, viale Lombardia 74 ⊠ 20131 ℰ 2824938, Telex 315327 – |≋| ☱ ☎ 🍴 – 🕍 30 a 100. 🕮 🕄 ⓞ 🖪 𝑽𝑰𝑺𝑨 HLM **p**
Pas (chiuso sabato sera, domenica ed agosto) carta 22/50000 – **69 cam** ⊈ 101/149000 – P 136000.

Gamma senza rist, via Valvassori Peroni 85 ⊠ 20133 ℰ 2141116, Fax 2640255 – |≋| ☱ 🔟 🖬. 🛠 – chiuso agosto – ⊈ 12000 – **55 cam** 93/132000. HM **m**

Adam senza rist, via Palmanova 153 ⊠ 20132 ℰ 2592551, Fax 2593707 – |≋| ☱ 🔟 🖬. 🕮 🕄 𝑽𝑰𝑺𝑨. 🛠 HL **e**
⊈ 9000 – **48 cam** 76/108000, ☱ 7000.

XX **Montecatini Alto**, viale Monza 7 ⊠ 20125 ℰ 2846773 – ☱ HL **m**
chiuso domenica ed agosto – Pas carta 26/45000 (10%).

XX **Osteria Corte Regina**, via Rottole 60 ⊠ 20132 ℰ 2593377, 🏡, Rist. rustico moderno a coperti limitati; prenotare – 🕮 🕄 𝑽𝑰𝑺𝑨 HL **t**
chiuso lunedì, dal 1° al 10 gennaio e dall'8 al 28 agosto – Pas carta 36/49000.

XX **Da Renzo**, piazza Sire Raul ang. via Teodosio ⊠ 20131 ℰ 2846261, 🏡 – ☱. 🕮 ⓞ HL **x**
chiuso lunedì sera, martedì ed agosto – Pas carta 31/47000.

XX **Trattoria Vecchia Gorla-Franco l'Ostricaro**, via Ponte Vecchio 6 ang. Monte San Gabriele ⊠ 20127 ℰ 2572310, Rist. tipico con specialità di mare – 🛠 HL **a**
chiuso sabato a mezzogiorno, domenica ed agosto – Pas carta 46/61000.

X **Canarino**, via Mauro Macchi 69 ⊠ 20124 ℰ 6692376 HL **c**

X **L'Aratro-da Sabatino**, via Pietro Marocco 12 ⊠ 20127 ℰ 2850126, 🏡, Rist. e pizzeria – ☱. 🕮 🕄 ⓞ 🖪 𝑽𝑰𝑺𝑨 HL **j**
chiuso domenica e dal 1° al 24 agosto – Pas carta 25/41000.

X **La Paranza**, via Padova 3 ⊠ 20127 ℰ 2613224, Rist. a coperti limitati; specialità di mare – ☱ HL **r**
chiuso lunedì ed agosto – Pas carta 34/48000 (10%).

Rioni : Città Studi, Monforte, corso 22 Marzo, viale Corsica – E : verso : aeroporto di Linate, Idroscalo, strada Rivoltana (pianta : Milano p.5)

Zefiro senza rist, via Gallina 12 ⊠ 20129 ℰ 7384253 – |≋| ☱ 🔟 ☎ – 🕍 35. 𝑽𝑰𝑺𝑨. 🛠 HM **a**
chiuso dal 23 dicembre al 3 gennaio ed agosto – ⊈ 10000 – **55 cam** 82/116000.

Città Studi senza rist, via Saldini 24 ⊠ 20133 ℰ 744666 – |≋| ☎. 🕮 🕄 🖪 𝑽𝑰𝑺𝑨 HM **q**
⊈ 8000 – **45 cam** 46/69000.

XXXX ۞۞۞ **Gualtiero Marchesi**, via Bonvesin de la Riva 9 ⊠ 20129 ℰ 741246, Confort accurato; prenotare – 🕮 🕄 ⓞ 🖪 𝑽𝑰𝑺𝑨. 🛠 HM **g**
chiuso dal 23 dicembre al 9 gennaio, dal 29 luglio al 29 agosto, i giorni festivi, domenica, lunedì a mezzogiorno e sabato in luglio – Pas carta 90/130000
Spec. Raviolo aperto, Caponatina di melanzane in agrodolce con gamberi saltati, Costoletta di vitello alla milanese con piccoli bouquets di verdure. Vini Soave Classico, Franciacorta rosso.

XXXX **Giannino**, via Amatore Sciesa 8 ⊠ 20135 ℰ 5452948, Gran tradizione, « Originali decorazioni; giardino d'inverno » – 🅿. 🕮 🕄 ⓞ 🖪 𝑽𝑰𝑺𝑨 🛠 HN **w**
chiuso domenica ed agosto – Pas carta 76/111000.

XXXX **Soti's**, via Pietro Calvi 2 ⊠ 20129 ℰ 796838, Confort accurato; prenotare – ☱. 🕮 🕄 ⓞ 🖪 𝑽𝑰𝑺𝑨. 🛠 HM **e**
chiuso sabato a mezzogiorno, domenica ed agosto – Pas carta 66/93000.

XXX ۞ **L'Ami Berton**, via Nullo 14 angolo via Goldoni ⊠ 20129 ℰ 713669, Coperti limitati; prenotare – ☱. 🕮. 🛠 HM **n**
chiuso sabato a mezzogiorno, domenica, agosto e Natale – Pas carta 56/89000
Spec. Gamberi con funghi caldi, Lasagnette al pesto e frutti di mare, Branzino in fumetto e pomodoro. Vini Ribolla Gialla.

XXX **La Zelata**, via Anfossi 10 ⊠ 20135 ℰ 5484115, prenotare – ☱. 🕮 🕄 ⓞ 🖪 𝑽𝑰𝑺𝑨. 🛠 HN **z**
chiuso domenica, lunedì a mezzogiorno ed agosto – Pas carta 45/63000.

XX La Risacca 6, via Marcona 6 ✉ 20129 ℰ 5400029, 🍴   HM r

XX **Calajunco,** via Stoppani 5 ✉ 20129 ℰ 2046003 – 🍽. 🕸 ⓞ 🄴 𝚅𝙸𝚂𝙰. 🕸   HM d
chiuso sabato a mezzogiorno, domenica, dal 23 dicembre al 4 gennaio e dal 10 al 31 agosto –
Pas 80/110000.

XX **Hosteria del Cenacolo,** via Archimede 12 ✉ 20129 ℰ 5458962, « Servizio estivo in giardino » – 🄰🄴 𝚅𝙸𝚂𝙰. 🕸   HM r
chiuso sabato a mezzogiorno, domenica ed agosto – Pas carta 36/61000.

XX **Nino Arnaldo,** via Poerio 3 ✉ 20129 ℰ 705981, Coperti limitati; prenotare – 🍽   HM f
chiuso domenica ed agosto – Pas carta 64/101000.

XX **La Pesa-da Rino,** via Morosini 12 ✉ 20135 ℰ 592058, Rist. d'habituès – 🍽. 🄰🄴 🕸 ⓞ 🄴
𝚅𝙸𝚂𝙰   HN w
chiuso mercoledì e dal 1° al 28 agosto – Pas carta 39/56000.

X **Parmigiano,** via F.lli Bronzetti 8 ✉ 20129 ℰ 7382350, 🍴 – 🍽 🕸 🄴 𝚅𝙸𝚂𝙰   HM g
chiuso domenica, lunedì a mezzogiorno e dal 20 giugno al 10 luglio – Pas carta 27/44000.

X Gourmandise, viale Abruzzi 48 ✉ 20131 ℰ 206526, Rist. e pizzeria – 🍽   HM k

X **Il Palio di Siena,** via Turroni 4 ✉ 20129 ℰ 7387928, 🍴, Trattoria toscana – 🕸 𝚅𝙸𝚂𝙰. 🕸   HM b
chiuso domenica sera, lunedì ed agosto – Pas carta 31/52000.

X Al Grissino, via Tiepolo 54 ✉ 20129 ℰ 730392 – 🍽   HM n

X Doge di Amalfi, via Sangallo 41 ✉ 20133 ℰ 730286, 🍴 – 🍽   HM u

X **Piero e Pia,** piazza Aspari 2 ✉ 20129 ℰ 718541 – 🍽. 🄰🄴 🕸 ⓞ   HM n
chiuso domenica ed agosto – Pas carta 30/42000.

Rioni : corso Lodi, inizio Autostrada del Sole – SE : verso ⑥ : Lodi, Parma, via Emilia (Pianta :
Milano p. 5, salvo indicazioni speciali)

🏨 **Molise** senza rist, via Cadibona 2/a ✉ 20137 ℰ 5464249 – |🛗| 🍽 📺 🕸 ℗. 🄰🄴 🕸 ⓞ 🄴 𝚅𝙸𝚂𝙰.
🕸   HN b
chiuso dal 24 dicembre al 2 gennaio ed agosto – **32 cam** 🖙 93/138000.

🏨 **Mec** senza rist, via Tito Livio 4 ✉ 20137 ℰ 5456715, Fax 5456718 – |🛗| 🍽 🕸. 🄰🄴 🕸 ⓞ 🄴 𝚅𝙸𝚂𝙰.
🕸   HN r
🖙 11000 – **40 cam** 83/120000.

XX **7° Cielo,** via Tertulliano 7 ✉ 20137 ℰ 5484278 – 🍽. 🄰🄴 🕸 ⓞ 🄴 𝚅𝙸𝚂𝙰. 🕸   HN c
chiuso domenica, lunedì a mezzogiorno ed agosto – Pas carta 45/64000.

XX **Da Angelo,** viale Umbria 60 ✉ 20135 ℰ 55184668, 🍴 – 🄰🄴 🕸 ⓞ   HN e
chiuso a mezzogiorno, domenica e dal 2 al 25 agosto – Pas carta 26/38000.

X **Masuelli San Marco,** viale Umbria 80 ✉ 20135 ℰ 55184138   HN m
chiuso domenica, lunedì a mezzogiorno e dal 1° al 21 settembre – Pas carta 25/37000
(10%).

Rioni : Fiera Campionaria, San Siro, Porta Magenta – O : verso ⑩ e ⑪ : Novara, Torino (Pianta :
Milano p. 5)

🏨🏨🏨 **Gd H. Brun e Rist. Ascot** 🐾, via Caldera ✉ 20153 ℰ 45271 e rist ℰ 4526279, Telex
315370, Fax 4526055 – |🛗| 🍽 📺 🕿 🛂 🖙 ℗ – 🅰 500. 🕸   FM a
Pas *(chiuso domenica)* carta 52/99000 – **330 cam** 🖙 260/340000 appartamenti 485/
565000.

🏨🏨 **Gd H. Fieramilano,** viale Boezio 20 ✉ 20145 ℰ 3105, Telex 331426, Fax 314119, 🍿 – |🛗| 🍽
📺 🕿 🛂 – 🅰 60. 🄰🄴 🕸 ⓞ 🄴 𝚅𝙸𝚂𝙰. 🕸 rist   FM p
Pas 60000 – **238 cam** 🖙 250/300000.

🏨🏨 **Rubens** senza rist, via Rubens 21 ✉ 20148 ℰ 405051, Telex 333503, Fax 48193114 – |🛗| 🍽 📺
🕿 ℗. 🄰🄴 🕸 ⓞ 🄴 𝚅𝙸𝚂𝙰. 🕸   FM e
chiuso dal 1° al 21 agosto – **76 cam** 🖙 165/210000.

🏨🏨 **Washington,** senza rist, via Washington 23 ✉ 20146 ℰ 4813216, Fax 4814761 – |🛗| 🍽 🕿
23 cam.   FM y

🏨🏨 **Capitol,** via Cimarosa 6 ✉ 20144 ℰ 4988851, Telex 316150, Fax 4694724 – |🛗| 🍽 📺 🕿 – 🅰
60. 🄰🄴 🕸 ⓞ 🄴 𝚅𝙸𝚂𝙰. 🕸 rist   FM s
Pas *(chiuso a mezzogiorno ed agosto)* snack – **96 cam** 🖙 170/236000.

🏨 **Mini Hotel Tiziano** senza rist, via Tiziano 6 ✉ 20145 ℰ 4988921, Telex 325420, Fax 4812153,
« Piccolo parco » – |🛗| 🍽 🕿 ℗ – 🅰 60. 🄰🄴 🕸 ⓞ 🄴 𝚅𝙸𝚂𝙰   FM c
🖙 10000 – **54 cam** 88/126000.

🏨 **Green House** senza rist, viale Famagosta 50 ✉ 20142 ℰ 8132451, Telex 335261 – |🛗| 🍽 📺
🕿 🛂 🖙. 🄰🄴 🕸 ⓞ 🄴 𝚅𝙸𝚂𝙰. 🕸   FN c
🖙 8000 – **45 cam** 70/100000.

🏨 **Mini Hotel Portello** senza rist, via Silva 12 ✉ 20152 ℰ 4814944, Fax 4819243 – |🛗| 🍽 🕿 🛂
℗ – 🅰 60. 🄰🄴 🕸 ⓞ 🄴 𝚅𝙸𝚂𝙰   FM u
chiuso agosto – 🖙 10000 – **48 cam** 88/126000.

segue →

🏠 **Domenichino** senza rist, via Domenichino 41 ✉ 20149 ☎ 496757, Fax 496953 – 🛗 🗉 📺 ☎
🅿 – 🕭 50. 🖭 🕃 ⓞ 🗉 𝓥𝓢𝓐. ⋙   FM **g**
⟳ 12000 – **33 cam** 92/132000.

🏠 **Fiera** senza rist, via Spinola 9 ✉ 20149 ☎ 4392374, Fax 4982791, « Piccolo giardino » – 🛗 ☎
⟿ – 🕭 30. ⋙   FM **q**
⟳ 11000 – **29 cam** 82/118000.

🏠 **Wagner** senza rist, via Buonarroti 13 ✉ 20149 ☎ 4696051, Telex 353121, Fax 3498148 – 🛗 🗉
📺 ☎ 🖭 🕃 🗉 𝓥𝓢𝓐   FM **n**
chiuso dal 26 luglio al 24 agosto – **49 cam** ⟳ 99/151000.

🏠 **Astoria,** viale Murillo 9 ✉ 20149 ☎ 4046646, Telex 334201, Fax 48193111 – 🛗 🗉 📺 ☎ – 🕭
50. 🖭 🕃 ⓞ 🗉 𝓥𝓢𝓐. ⋙ rist   FM **x**
Pas *(chiuso domenica)* carta 35/50000 – **75 cam** ⟳ 110/165000.

🏠 **Montebianco** senza rist, via Monte Rosa 90 ✉ 20149 ☎ 4697941, Fax 490658 – 🛗 🗉 📺 ☎
🅿. 🖭 🕃 ⓞ 🗉 𝓥𝓢𝓐   FM **f**
chiuso agosto e Natale – ⟳ 14000 – **44 cam** 86/123000.

🕱🕱🕱 ⚜⚜ **Aimo e Nadia,** via Montecuccoli 6 ✉ 20147 ☎ 416886 Coperti limitati; prenotare – 🗉.
🖭 ⓞ 𝓥𝓢𝓐. ⋙   FN **x**
chiuso sabato a mezzogiorno, domenica ed agosto – Pas carta 57/102000
Spec. Fiori di zucca farciti con scampi ricotta ed erbe (primavera-estate), Tagliatelle fantasia d'autunno, Entrecôte
di vitello in crosta. **Vini** Pinot bianco, Barbera.

🕱🕱🕱 **Raffaello,** via Monte Amiata 4 ✉ 20149 ☎ 4814227 – 🗉. 🖭 🕃 ⓞ 🗉 𝓥𝓢𝓐   FM **n**
chiuso mercoledì – Pas carta 35/55000.

🕱🕱 **La Corba,** via dei Gigli 14 ✉ 20147 ☎ 4158977, « Servizio estivo in giardino » – 🖭 ⓞ 𝓥𝓢𝓐
chiuso domenica sera, lunedì e dal 7 al 30 agosto – Pas carta 41/60000.   FN **a**

🕱🕱 **Ribot,** via Cremosano 41 ✉ 20148 ☎ 390646, « Servizio estivo in giardino » – **🅿**. 🖭 𝓥𝓢𝓐. ⋙
chiuso lunedì e dal 12 al 20 agosto – Pas carta 33/45000.   FM **h**

🕱🕱 **Al Primo Piatto,** via Ravizza 10 ✉ 20149 ☎ 4693206 – 🗉. 🖭 🕃 ⓞ 🗉 𝓥𝓢𝓐. ⋙   FM **n**
chiuso domenica – Pas carta 40/60000.

🕱🕱 **Al Garfagnino,** via Cherubini 8 ✉ 20145 ☎ 4814191 – 🗉. 🖭 🕃 ⓞ 🗉 𝓥𝓢𝓐. ⋙   FM **v**
chiuso lunedì e luglio – Pas carta 25/40000.

🕱🕱 **Da Gino e Franco,** largo Domodossola 2 ✉ 20145 ☎ 312003 – 🗉   FM **b**
chiuso lunedì e dal 25 luglio al 25 agosto – Pas carta 27/48000 (12%).

🕱🕱 **Furio-Montebianco,** via Monte Bianco 2 ✉ 20149 ☎ 4814677, Rist. toscano – 🗉   FM **t**
chiuso domenica – Pas carta 34/61000 (12%).

🕱 **Pace,** via Washington 74 ✉ 20146 ☎ 468567, Rist. d'habitués – 🗉. 🕃 ⓞ 🗉   FM **d**
chiuso martedì sera, mercoledì, dal 1° al 23 agosto e Natale – Pas carta 24/38000.

🕱 **Pucci,** via Gentili 1 angolo via Sardegna ✉ 20146 ☎ 4697108 – 🗉. 🖭   FM **z**
chiuso domenica sera, lunedì ed agosto – Pas carta 29/50000.

Rioni : Sempione-Bullona, viale Certosa – NO : verso ⑫ ⑬ e ⑭ : Varese, Como, Torino, Aeroporto della Malpensa (Pianta : Milano p. 4 e 5)

🏠 **Accademia** senza rist, viale Certosa 68 ✉ 20155 ☎ 3271841, Telex 315550, Fax 393698,
« Camere affrescate » – 🛗 🗉 📺 ☎ **🅿**. 🖭 🕃 ⓞ 🗉 𝓥𝓢𝓐. ⋙   FL **a**
48 cam ⟳ 190/250000.

🏠 **Raffaello** senza rist, viale Certosa 108 ✉ 20156 ☎ 3270146, Telex 315499, Fax 3270440 – 🛗
🗉 📺 ☎ 🕭 – 🕭 180. 🖭 🕃 ⓞ 🗉 𝓥𝓢𝓐   FL **x**
109 cam ⟳ 130/230000.

🏠 **Berlino** senza rist, via Plana 33 ✉ 20155 ☎ 324141, Telex 312609 – 🛗 🗉 📺 ☎. 🖭 🕃 ⓞ 🗉
𝓥𝓢𝓐   FL **v**
⟳ 15000 – **47 cam** 85/122000, 🗉 2000.

🏠 **Corallo** senza rist, via Cesena 20 ✉ 20155 ☎ 314074 – 🛗 ⟿ 📺 ⟿. 🖭 ⓞ 𝓥𝓢𝓐   FL **f**
⟳ 8000 – **35 cam** 56/88000.

🏠 **Mac Mahon** senza rist, via Mac Mahon 45/a ✉ 20155 ☎ 341281 – 🛗 📺 ⟿. 🖭 🕃 ⓞ 🗉 𝓥𝓢𝓐.
⋙   FL **m**
chiuso agosto e Natale – ⟳ 8500 – **28 cam** 55/84000.

🏠 **Piccolo Hotel** senza rist, via Piero della Francesca 60 ✉ 20154 ☎ 340756 – 🛗 ⟿. 🖭. ⋙
chiuso dal 1° al 21 agosto – ⟳ 3000 – **26 cam** 45/65000.   FM **r**

🕱🕱 **La Pobbia,** via Gallarate 92 ✉ 20151 ☎ 305641, Rist. rustico moderno, « Servizio estivo
all'aperto » – 🕭 40. 🖭. ⋙   FL **n**
chiuso domenica ed agosto – Pas carta 45/59000 (12%).

🕱🕱 **Da Stefano il Marchigiano,** via Arimondi 1 angolo via Plana ✉ 20155 ☎ 390863 – 🖭 🕃
ⓞ. ⋙   FL **v**
chiuso venerdì sera, sabato ed agosto – Pas carta 29/53000.

🕱🕱 **Il Beccofino,** via Piero della Francesca 74 ✉ 20154 ☎ 341219 – 🗉. 🖭 🕃 ⓞ 🗉 𝓥𝓢𝓐   FL **c**
chiuso domenica e dal 6 al 24 agosto – Pas carta 33/45000.

🕱 **Al Vöttantott,** corso Sempione 88 ✉ 20154 ☎ 3182114 – 🗉. 🖭   FM **r**
chiuso domenica ed agosto – Pas carta 25/37000.

Dintorni di Milano

a Chiaravalle Milanese SE : 7 km (pianta : Milano p. 5 HN) :

ⅩⅩ **Antica Trattoria San Bernardo,** via San Bernardo 36 ⊠ 20139 Milano ℰ 5690831, Rist. rustico elegante, « Servizio estivo all'aperto » – ⇆ 🅟 . 𝓥𝓘𝓢𝓐 . ⚶ HN **a**
chiuso domenica sera, lunedì ed agosto – Pas carta 51/81000.

sull'autostrada A 7 per ⑨ : 7 km (pianta : Milano p. 5 FGN) :

🏨 **Motel f.i.n.i.** senza rist, via del Mare 93 ⊠ 20142 Milano ℰ 8464041, Fax 8467576 – 🛗 🗐 📺
🕿 🖧 ⇔ 🅟 . 🖭 🕦 🅔 𝓥𝓘𝓢𝓐 . ⚶ FGN **b**
chiuso dal 5 al 28 agosto – 🖭 10000 – **78 cam** 84/120000.

Ⅹ **Arc en Ciel,** via del Mare 49 ⊠ 20142 Milano ℰ 8431346 – 🗐 . 🖭 🕦 🕦 🅔 𝓥𝓘𝓢𝓐 FGN **b**
chiuso domenica e dal 2 al 27 agosto – Pas carta 29/48000.

sulla strada statale 35-quartiere Milanofiori per ⑧ : 10 km :

🏩 **Jolly Hotel Milanofiori,** Strada 2 ⊠ 20090 Assago ℰ 82221, Telex 325314, Fax 89200946,
⚶ – 🛗 🗐 📺 🕿 🖧 🅟 – 🔬 120. 🖭 🕦 🕦 🅔 𝓥𝓘𝓢𝓐 . ⚶ rist
Pas 45000 – **255 cam** 🖭 180/250000.

al Parco Forlanini (lato Ovest) E : 10 km (pianta : Milano p. 5 HM) :

ⅩⅩ Osteria Taverna-I Valtellina, via Taverna 34 ⊠ 20134 Milano ℰ 7561139, 🍽 , Rist. con specialità valtellinesi – 🅟 HM **s**

sulla strada Nuova Vigevanese-quartiere Zingone per ⑩ : 11 km per via Lorenteggio :

🏦 **Eur** senza rist, ⊠ 20090 Zingone di Trezzano ℰ 4451951 – 🛗 🗐 📺 🕿 🅟 – 🔬 80. 🖭 🕦 🕦
🅔 𝓥𝓘𝓢𝓐
41 cam 🖭 120/155000.

🏦 **Tiffany,** ⊠ 20090 Zingone di Trezzano ℰ 4452859, 🍽 – 🛗 🗐 cam 🕿 🅟 – 🔬 70. 🖭 𝓥𝓘𝓢𝓐 .
⚶
chiuso dall'11 al 21 agosto – Pas *(chiuso sabato sera, domenica e dal 28 luglio al 29 agosto)*
carta 38/75000 – 🖭 9000 – **36 cam** 65/95000, 🗐 5000 – P 160000.

sulla tangenziale ovest-Assago per ⑩ : 14 km :

🏨 **MotelAgip,** ⊠ 20094 Assago ℰ 4880441, Telex 325191, Fax 4880751, 🗻 – 🛗 🗐 📺 🕿 🖧 🅟
– 🔬 300. 🖭 🕦 🕦 🅔 𝓥𝓘𝓢𝓐 . ⚶ rist
Pas 39000 – 🖭 16500 – **222 cam** 135/180000 – P 184/229000.

Vedere anche : *San Donato Milanese* per ⑥ : 9 km HN.
Opera S : 10 km per via Ripamonti.
Segrate E : 10 km HL.
Bollate per ⑭ : 11 km.
Buccinasco SO : 11 km per via Lodovico il Moro.
Trezzano sul Naviglio per ⑩ : 11 km.
San Giuliano Milanese per ⑤ : 12 km.
Cinisello Balsamo N : 13 km HK.
Cusano Milanino N : 13 km GK.
Peschiera Borromeo per ⑥ : 14 km.
Garbagnate Milanese per ⑭ : 16 km.

MICHELIN, corso Sempione 66 (FM Milano p. 5) – ⊠ 20154, ℰ 3882332, Telex 331313; via Bovisasca 87 (FL Milano p. 4) – ⊠ 20157, ℰ **3760447**; ad Opera, via Armando Diaz 30/34 (per via Ripamonti GN Milano p. 5) – ⊠ 20090 Opera, ℰ**5243745.**

OFFICINE AUTO

ALFA-ROMEO via Grosotto 7 FL ℰ 3977, Telex 332523	FIAT via Arona 15 FM ℰ 3490867
ALFA-ROMEO via Pizzoni 14 FL ℰ 3082446	FIAT via Achille Papa 22/24 FL ℰ 324984
ALFA-ROMEO viale Carlo Troya 20/24 FN ℰ 42401	FIAT via Lancetti 17/19 BQ ℰ 6080941
ALFA-ROMEO via Palmanova 183 HL ℰ 2593851	FIAT via Masolino da Panicale 4 FL ℰ 323424
ALFA-ROMEO via Chopin 111 GN ℰ 5397267	FIAT via G. B. Vico 38 AV ℰ 4981351
ALFA-ROMEO via Belinzaghi 3 CQ ℰ 6882154	FIAT via Paolo Sarpi 53 AS ℰ 384651
BMW via De Amicis 20/22 ℰ 8377092	FIAT viale Cassala 22 FN ℰ 8324292
BMW via Montecuccoli 41 ℰ 418741	FIAT via Massimiano 1 HM ℰ 2142379
BMW piazzale Libia 1/a ℰ 5488017	FIAT via Longhi 16/a HM ℰ 7380851
BMW via Ressi 3 ℰ 6081235	FIAT via Muratori 13 DY ℰ 5465407
BMW via Silva 8 ℰ 4816095	FIAT via Marchesi Pompeo 55 FM ℰ 4524673
BMW viale Faenza 20 ℰ 8134654	FIAT via Primaticcio 165 FN ℰ 4158548
CITROEN (Sede) via Gattamelata 41 ℰ 39761, Telex 331206	FIAT viale Espinasse 110 FL ℰ 3086551
	FIAT via Amero Cagnoni 5 FM ℰ 4049346
CITROEN via Sile 15 ℰ 5693221	FIAT viale Espinasse 8/14 FL ℰ 395170
CITROEN via Anfossi 2/4 ℰ 5484383	FIAT via Gustavo Modena 8/10 HM ℰ 7387383
CITROEN viale Monza 65/67 ℰ 2847629	FIAT via Negroli 2/4 HM ℰ 7387741
CITROEN via Matilde Serao 3 ℰ 4695451	FIAT via Inganni 81 FN ℰ 410358
CITROEN via Capecelatro 28 ℰ 406719	FIAT viale Fulvio Testi 29 GL ℰ 6435741
FERRARI ad Ospitaletto di Cormano ℰ 6135052, Telex 352309	FIAT via Diacono 8 HM ℰ 2363618
	FORD via Cenisio 10 ℰ 3490951
	FORD via Tolstoj 87 ℰ 474271

segue →

MILANO p. 24

FORD   via Corti 13 ℰ 2367541
FORD   via dell'Innominato 2 ℰ 8438172
GM-OPEL   viale Brenta 36 ℰ 5398742
GM-OPEL   viale Fulvio Testi 22 ℰ 6470551
GM-OPEL   via Gallarate 178 ℰ 3010021
INNOCENTI   (Sede) via Rubattino 37 HM ℰ 21201,
Telex 310081
INNOCENTI   via Pitteri 84 HM ℰ 2120294
INNOCENTI   via Venini 38/8 HL ℰ 2822023
INNOCENTI   via Inama 4 HM ℰ 7388395
INNOCENTI   via Santa Maria Valle 3/a BX ℰ 862810
INNOCENTI   via Brambilla 7/a HKL ℰ 2567029
INNOCENTI   via Priorato 5 HM ℰ 2142045
INNOCENTI   via Meda 8 BZ ℰ 8390257
INNOCENTI   via Pantigliate 6 FN ℰ 4154135
INNOCENTI   via Intra 1 DQ ℰ 680776
LANCIA-AUTOBIANCHI   via Arona 15 FM ℰ 342751
LANCIA-AUTOBIANCHI   via Solferino 39 CS ℰ
651791
LANCIA-AUTOBIANCHI   via Lomellina 12 HM ℰ
710066
LANCIA-AUTOBIANCHI   via Belinzaghi 19 CQ ℰ
6889913
LANCIA-AUTOBIANCHI   via Forze Armate 250 FMN
ℰ 4563145
LANCIA-AUTOBIANCHI   via Mac Mahon 9 AR ℰ
314432
LANCIA-AUTOBIANCHI   via Marco d'Agrate 8 HN
ℰ 4076475
LANCIA-AUTOBIANCHI   viale Papiniano 53 AX ℰ
8377951
LANCIA-AUTOBIANCHI   via Mamiani 3/a HL ℰ
2893774
LANCIA-AUTOBIANCHI   via Petitti 8 FL ℰ 322841

LANCIA-AUTOBIANCHI   via Archimede 8 HM ℰ
5459991
MASERATI   via Fontana 20/22 ℰ 5457792
MASERATI   via Cassinis 23 ℰ 5391641
MERCEDES-BENZ   via del Ghisallo 20 ℰ 30251, Telex
331120
MERCEDES-BENZ   via Tito Livio 30 ℰ 592386, Telex
353048
MERCEDES-BENZ   via Sauli 5 ℰ 2892684
PEUGEOT-TALBOT   (Sede) via Gallarate 199 ℰ
30703, Telex 332314
PEUGEOT-TALBOT   via Maiocchi 23 ℰ 2044635
PEUGEOT-TALBOT   via Soderini 54 ℰ 416900
PEUGEOT-TALBOT   via Bellotti 9 ℰ 793326
PEUGEOT-TALBOT   via Bitti 34 ℰ 6425922
PEUGEOT-TALBOT   via Meda 11 ℰ 8322046
RENAULT   viale Certosa 144 ℰ 3086341, Telex 331141
RENAULT   via Maestri Campionesi 7 ℰ 5461941
RENAULT   via Bazzini 16 ℰ 2361290
RENAULT   via Zambelli 4 ℰ 6469750
RENAULT   via Ripamonti 234 ℰ 5390309
RENAULT   via Melchiorre Gioia 57 ℰ 6081338
RENAULT   via Foppa 49 ℰ 428712
VW-AUDI   via Pacini 53 ℰ 2665212
VW-AUDI   via Plana 27 ℰ 32677
VW-AUDI   viale Liguria 28 ℰ 8379435
VW-AUDI   via Luigi Sacco 5/a ℰ 4690436
VW-AUDI   via Washington 59 ℰ 4695728
VW-AUDI   via Petitti 5 ℰ 32677
VW-AUDI   via Lazzaro Papi 14 ℰ 55181555
VOLVO   via Fontana 20 ℰ 5456791
VOLVO   vile Cassala 14 ℰ 8394645
VOLVO   viale Stelvio 22 ℰ 6898041

*Un conseil **Michelin** :*

pour réussir vos voyages, préparez-les à l'avance.
*Les **cartes** et **guides Michelin**, vous donnent toutes indications utiles sur :*
itinéraires, visite des curiosités, logement, prix, etc.

MILANO 🄬 Milano – Vedere Segrate.

MILANO MARITTIMA Ravenna 🄈🄈🄈 ⑮ – Vedere Cervia.

MILAZZO Messina 🄈🄈🄈 ㊲ ㊳ – Vedere Sicilia alla fine dell'elenco alfabetico.

MINERBIO 40061 Bologna 🄈🄈🄈 ⑮ – 6 388 ab. alt. 16 – 🟢 051.
Roma 399 – ♦Bologna 23 – ♦Ferrara 30 – ♦Modena 59 – ♦Ravenna 93.

  🏠   **Nanni,** ℰ 878276 – 📶 🎬 📺 ☎. 🄰🄴 🕃 ⓞ 𝗩𝗜𝗦𝗔. ✄
   Pas *(chiuso dal 24 dicembre al 7 gennaio e dal 4 al 17 agosto)* carta 22/35000 – **38 cam**
   🛏 75/110000 – P 75/95000.

MINORI 84010 Salerno – 3 114 ab. – a.s. Pasqua, 15 giugno-15 settembre e Natale – 🟢 089.
Roma 269 – Amalfi 3 – ♦Napoli 59 – Salerno 22.

  🏠   **Santa Lucia,** ℰ 877142 – 🚗. 🄰🄴 🕃 ⓞ 🄴 𝗩𝗜𝗦𝗔. ✄ rist
   marzo-ottobre – Pas carta 20/31000 (10%) – 🛏 7000 – **25 cam** 21/36000 – P 47/51000,
   b.s. 38/42000.

MINUSIO 🄄🄄🄇 ㉔, 🄄🄈🄉 ⑧, 🄄🄈🄈 ⑫ – Vedere Cantone Ticino (Locarno) alla fine dell'elenco alfabetico.

MIRA 30034 Venezia 🄈🄈🄈 ⑤ – 36 868 ab. alt. 6 – 🟢 041.
Vedere Sala da ballo★ della Villa Costanzo.
Escursioni Riviera del Brenta★★ per la strada S 11.
Roma 514 – Chioggia 39 – ♦Milano 253 – ♦Padova 23 – Treviso 35 – ♦Venezia 21.

  𝒳𝒳   **Nalin,** via Novissimo 29 ℰ 420083, 🌳 – 🅿 🄰🄴 🕃 ⓞ 🄴 𝗩𝗜𝗦𝗔. ✄
   chiuso domenica sera, lunedì, dal 26 dicembre al 5 gennaio ed agosto – Pas (solo piatti di
   pesce) carta 32/48000.

  𝒳   **Dall'Antonia,** via Argine Destro 75 (SE : 3 km) ℰ 5675618 – 🅿
   chiuso domenica sera, martedì, dal 7 al 20 gennaio ed agosto – Pas (solo piatti di pesce)
   28/50000.

a Mira Porte O : 2 km – ⊠ 30030 :

🏩 **Villa Margherita,** via Nazionale 416 ℘ 4265800, « Piccolo parco » – ▤ 📺 ☎ 🅿. 🖭 ⓪ 𝕍𝕀𝕊𝔸
Pas vedere rist Margherita – � 12000 – **19 cam** 90/180000 – P 120/140000.

✕✕ **Margherita,** via Nazionale 312 ℘ 420879, « Servizio estivo all'aperto in un piccolo parco »
– 🅿. 🖭 ⓪ 𝕍𝕀𝕊𝔸
chiuso martedì sera, mercoledì e dal 1° al 20 gennaio – Pas carta 33/48000.

Vedere anche : **Dolo** O : 4 km.
 Oriago NE : 4,5 km.
 Malcontenta E : 8 km.

MIRAMARE Forlì 🗓🗓🗓 ⑮⑯ – Vedere Rimini.

MIRANDOLA 41037 Modena 🗓🗓🗓 ⑭ – 21 633 ab. alt. 18 – 🕲 0535.
Roma 436 – ◆Bologna 71 – ◆Ferrara 58 – Mantova 55 – ◆Milano 202 – ◆Modena 32 – ◆Parma 88 – ◆Verona 70.

🏠 **Pico,** S : 1 km ℘ 20050 – 🛗 ▤ 📺 ☎ 🅿. 🖭 🖾 ⓪. 🛠
← chiuso dal 4 al 27 agosto – Pas carta 17/31000 – ⊒ 8000 – **26 cam** 55/76000 – P 75/85000.

ALFA-ROMEO via Toti 39 ℘ 23623
FIAT via di Mezzo 3 ℘ 25528
GM-OPEL via Statale Sud n° 21 ℘ 20200
LANCIA-AUTOBIANCHI via Statale Sud n° 28 ℘ 24258

RENAULT via Circonvallazione Nord 6 ℘ 22657
VW-AUDI via Statale Sud n° 14 ℘ 20253

MIRANO 30035 Venezia 🗓🗓🗓 ⑤ – 25 459 ab. alt. 9 – 🕲 041.
Roma 516 – ◆Milano 253 – ◆Padova 25 – Treviso 30 – ◆Trieste 158 – ◆Venezia 19.

🏠 **Leon d'Oro** 🛏, via Canonici 3 ℘ 432777, 🗴 riscaldata, 🛋 – ▤ 📺 ☎ 🅿. 🖭 🖾 🝙 𝕍𝕀𝕊𝔸.
🛠 rist
chiuso dal 20 novembre al 20 dicembre – Pas (chiuso a mezzogiorno) – 15 cam
(solo ½ P) 50/60000.

✕✕✕ **El Tinelo dei Molini,** via Belvedere 8/10 ℘ 432344, Coperti limitati; prenotare – 🅿. 🖭 🖾
𝕍𝕀𝕊𝔸
chiuso lunedì e martedì a mezzogiorno – Pas carta 38/63000.

✕ **Al Genio,** piazza Martiri 37 ℘ 430007 – 🖭 🖾 🝙 🝙 𝕍𝕀𝕊𝔸. 🛠
chiuso venerdì e dal 1° al 15 agosto – Pas carta 20/36000.

ALFA-ROMEO via Cavin di Sala ℘ 430915   FIAT via Cavin di Sala 74 ℘ 430833

MIRA PORTE Venezia – Vedere Mira.

MISANO ADRIATICO 47046 Forlì – 8 385 ab. – Stazione balneare, a.s. 15 giugno-agosto – 🕲 0541.
🎗 via Platani 4 ℘ 615520.
Roma 318 – ◆Bologna 126 – Forlì 65 – ◆Milano 337 – Pesaro 20 – ◆Ravenna 68 – San Marino 38.

🏩 **Gala,** via Pascoli 8 ℘ 615109 – 🛗 ▤ 🝙 🅿. 🖭 🖾 🝙 🝙 𝕍𝕀𝕊𝔸. 🛠 rist
aprile-settembre – Pas (solo per clienti alloggiati) 30/35000 – ⊒ 15000 – **27 cam** 65/110000 –
P 80/120000, b.s. 55/80000.

🏩 **Atlantic,** via Sardegna 28 ℘ 614161, 🗴 riscaldata – 🛗 🝙 🅿
stagionale – 40 cam.

🏠 **Villa Rosa,** Litoranea Sud 4 ℘ 613601, ← – 🛗 🝙 🅿. 🛠
maggio-settembre – Pas 25/28000 – ⊒ 10000 – 30 cam 55/75000 – P 45/65000, b.s. 35/45000.

🏠 **Haway,** via Sardegna 21 ℘ 615563 – 🛗 ▤ rist 🝙 🅿. 🛠 rist
← maggio-settembre – Pas 13/15000 – ⊒ 7000 – **39 cam** 50000 – P 44/48000, b.s. 35/40000.

🏠 **Savoia,** viale della Repubblica 1 ℘ 615319, ← – 🛗 🝙 🅿. 🖭 🖾 🝙 🝙 𝕍𝕀𝕊𝔸. 🛠
maggio-settembre – Pas 20/26000 – ⊒ 6000 – **81 cam** 35/60000 – P 40/55000, b.s. 30/45000.

🏠 Santa Monica, via Bramante 5 ℘ 615111, 🗴 – 🛗 🅿
stagionale – 33 cam.

✕✕✕ **Garden,** a Portoverde ℘ 613307 – 🅿. 🖭
chiuso a mezzogiorno e martedì – Pas carta 40/60000.

✕ **Lucullo Handy Sea,** a Portoverde ℘ 615202, ←, 🗴 – 🅿. 🖭 🝙 𝕍𝕀𝕊𝔸
chiuso lunedì – Pas 31000.

✕ **La Quercia,** sulla strada provinciale 35 per Riccione-Morciano ℘ 614417, 🛖 – 🅿. 🖭 🖾
🝙 ⅽ 𝕍𝕀𝕊𝔸. 🛠
chiuso lunedì e novembre – Pas carta 22/36000.

RENAULT statale Adriatica 167 ℘ 614009

MISSIANO (MISSIAN) Bolzano 🗓🗓🗓 ④ – Vedere Appiano.

MISURINA 32040 Belluno 988 ⑤ – alt. 1 756 – Stazione di villeggiatura, a.s. 15 febbraio-marzo, 15 luglio-agosto e Natale – Sport invernali : 1 756/2 200 m 夕3, 衣 – ❸ 0436.

Vedere Lago★★ – Paesaggio pittoresco★★★.

🖪 (dicembre-aprile e giugno-settembre) ℰ 39016.

Roma 686 – Auronzo di Cadore 24 – Belluno 86 – Cortina d'Ampezzo 15 – ◆Milano 429 – ◆Venezia 176.

🏨 **Lavaredo**, ℰ 39127, ≤ Dolomiti e lago, ❄ – ☎ ❷. ⅏
chiuso novembre – Pas carta 23/38000 – ☲ 6000 – 31 cam 50/80000 – P 45/75000.

🏨 **Miralago** ⌂, ℰ 39123, ≤ Dolomiti e lago – ❷. ⅏
chiuso dal 20 aprile al 31 maggio e dal 15 ottobre al 20 dicembre – Pas carta 27/36000 – ☲ 6000 – **23 cam** 36/60000 – P 65/68000, b.s. 60/62000.

🏨 **Sorapiss**, ℰ 39121, ≤ Dolomiti e lago – ᨓ cam ☏ ❷. ⅏
20 dicembre-10 aprile e giugno-20 settembre – Pas carta 23/43000 (10%) – ☲ 5000 – 24 cam 43/60000 – P 65000, b.s. 40/55000.

MODENA 41100 ℙ 988 ⑭ – 176 556 ab. alt. 35 – ❸ 059.

Vedere Duomo★★ AY – Metope★★ nel museo del Duomo AY – Galleria Estense★★, biblioteca Estense★, sala delle medaglie★ nel palazzo dei Musei AY – Palazzo Ducale★ BY A.

⌷₆ e ⌷₅ (chiuso lunedì), a Colombaro di Formigine ⌷ 41050 ℰ 553597, per ④ : 10 km.

🖪 via Emilia Centro 174 ℰ 222482.

A.C.I. via Emilia Est (angolo viale Verdi) ℰ 239022.

Roma 404 ④ – ◆Bologna 39 ③ – ◆Ferrara 84 ④ – ◆Firenze 130 ④ – ◆Milano 170 ⑥ – ◆Parma 56 ⑥ – ◆Verona 101 ⑥.

Pianta pagina a lato

🏩 **Fini Hotel**, via Emilia Est 441 ℰ 238091, Telex 510286, Fax 364804 – 🛗 ≣ �📺 ☎ ₺ ⇦ ❷ – 🔼 40 a 400. 🖭 ⑤ ⓞ ☲ 𝚅𝙸𝚂𝙰 per ③
chiuso dal 29 luglio al 20 agosto e dal 22 dicembre al 1° gennaio – Pas vedere rist Fini – ☲ 15500 – 93 cam 137/203000 – P 151/253000.

🏩 **Canalgrande e Rist. La Secchia Rapita**, corso Canal Grande 6 ℰ 217160, Telex 510480, « Sale settecentesche e giardino ombreggiato » – 🛗 ≣ �📺 ☎ BZ **v** 78 cam.

🏩 **Gd H. Raffaello e dei Congressi**, via per Cognento 5 ℰ 357035, Telex 226109 – 🛗 ≣ �📺 ☎ ❷ – 🔼 30 a 250. 🖭 ⑤ ⓞ ☲ 𝚅𝙸𝚂𝙰. ⅏ rist per ⑤
Pas 34000 – ☲ 15000 – **127 cam** 110/163000 appartamenti 203000, ≣ 9000 – P 164/193000.

🏨 **Central Park Hotel** senza rist, viale Vittorio Veneto 10 ℰ 225858, Telex 224684 – 🛗 ≣ �📺 ☎ ❷ – 🔼 40. 🖭 ⑤ ⓞ ☲ 𝚅𝙸𝚂𝙰 AY **a**
chiuso dal 23 dicembre al 6 gennaio e dal 3 al 25 agosto – **42 cam** ☲ 120/160000 appartamenti 240000.

🏨 **Eden** senza rist, via Emilia Ovest 666 ℰ 335660, Telex 213474 – 🛗 ≣ �📺 ☎ ⇦ ❷ – 🔼 60. 🖭 ⑤ ⓞ ☲ 𝚅𝙸𝚂𝙰 per ⑥
51 cam ☲ 55/77000.

🏨 **Ritz**, via Rainusso 108 ℰ 338090, Telex 583137 – 🛗 ≣ �📺 ☎ ❷. 🖭 ⑤ ⓞ ☲ 𝚅𝙸𝚂𝙰. ⅏ AY **c**
Pas *(chiuso a mezzogiorno, domenica e dal 28 luglio al 27 agosto)* carta 29/41000 – ☲ 8000 – **140 cam** 56/77000, ≣ 7000.

🏨 **Donatello**, via Giardini 402 ℰ 351331 – 🛗 ≣ �📺 ☎ ⇦ – 🔼 50 per ⑤
74 cam.

🏨 **Libertà** senza rist, via Blasia 10 ℰ 222365 – 🛗 �📺 ☏ ⇦. 🖭 ⑤ ⓞ ☲ 𝚅𝙸𝚂𝙰. ⅏ BY **e**
☲ 8000 – **48 cam** 55/79000.

🏨 **Principe** senza rist, corso Vittorio Emanuele II n° 94 ℰ 218670 – 🛗 ᨓ ≣ �📺 ☎. 🖭 ⑤ ⓞ ☲ 𝚅𝙸𝚂𝙰. ⅏ BY **g**
chiuso dal 10 al 20 agosto – ☲ 8000 – **51 cam** 52/74000, ≣ 4000.

🏨 **Europa** senza rist, corso Vittorio Emanuele II n° 52 ℰ 217721, Telex 226064 – 🛗 ᨓ �📺 ☎ ⇦ – 🔼 50. 🖭 ⑤ ⓞ ☲ 𝚅𝙸𝚂𝙰 BY **a**
☲ 6000 – **120 cam** 45/72000.

🏨 Milano, senza rist, corso Vittorio Emanuele II n° 68 ℰ 223011, Telex 226329 – 🛗 ≣ �📺 ☎ **62 cam**. BY **a**

🏨 **Roma** senza rist, via Farini 44 ℰ 222218 – 🛗 �📺 ☎ ₺ ⇦. 🖭 ⑤ ⓞ ☲ 𝚅𝙸𝚂𝙰 BY **d**
☲ 8000 – **53 cam** 49/76000.

🏨 **La Torre** senza rist, via Cervetta 5 ℰ 222615 – ☏ ⇦. 🖭 ⓞ 𝚅𝙸𝚂𝙰. ⅏ AZ **s**
chiuso agosto – ☲ 7000 – **26 cam** 35/55000.

XXX ❀❀ **Fini**, rua Frati Minori 54 ℰ 223314 – ≣ – 🔼 200. 🖭 ⑤ ⓞ ☲ 𝚅𝙸𝚂𝙰. ⅏ AZ **e**
chiuso lunedì, martedì, dal 24 luglio al 22 agosto e dal 24 al 31 dicembre – Pas carta 44/65000
Spec. Pasticcio di maccheroni, Fritto misto all'italiana, Bolliti misti dal carrello. Vini Albana, Lambrusco.

XXX ❀ **Borso d'Este**, piazza Roma 5 ℰ 214114, prenotare – ≣. 🖭 ⓞ 𝚅𝙸𝚂𝙰. ⅏ BY **k**
chiuso domenica ed agosto – Pas carta 45/60000
Spec. Insalata di gamberi tiepida all'olio d'oliva, Garganelli al ragu di piccione, Petto d'anitra all'aceto balsamico. Vini Chardonnay, Cabernet-Sauvignon.

XX **Oreste**, piazza Roma 31 ℰ 243324 – ≣ – 🔼 40. 🖭 ⓞ BY **c**
chiuso mercoledì, domenica sera e dal 10 al 31 luglio – Pas carta 30/43000.

XX **Bianca**, via Spaccini 24 ℰ 311524, « Servizio estivo all'aperto » – ❷. 🖭 ⓞ. ⅏ BY **n**
chiuso sabato a mezzogiorno, domenica ed agosto – Pas carta 31/48000.

362

MODENA

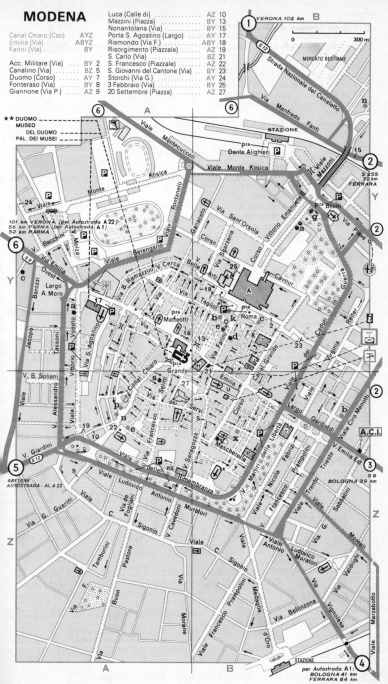

363

XX **Osteria Toscana,** via Gallucci 21 ℰ 211312   BZ **x**
chiuso mercoledì, giovedì ed agosto – Pas carta 33/47000.

XX **Al Boschetto-da Loris,** via Due Canali Nord 202 ℰ 251759, « Servizio estivo in giardino »
– **Q**. ❊   per ②
chiuso la sera, sabato ed agosto – Pas carta 24/36000.

XX **Aurora,** via Coltellini 24 ℰ 225191, ☂ – ▦. 囲 ⦿ ⦿ E *VISA*. ❊   BY **b**
chiuso lunedì ed agosto – Pas carta 26/45000 (10%).

X **La Brasserie,** via San Giacomo 56 ℰ 218294, ☂, Rist.-piano bar – 囲 ⦿ ⦿ E *VISA*. ❊
chiuso a mezzogiorno (escluso da giugno a settembre), lunedì e dal 25 agosto al 13 settembre
– Pas carta 29/51000.   AZ **n**

X **Zelmira,** via San Giacomo 27 ℰ 222351 – '❊'. 囲. ❊   AZ **p**
chiuso mercoledì sera, giovedì e luglio – Pas carta 27/41000.

X **Da Lauro,** via Usiglio 3 ℰ 214264   BZ **b**
chiuso la sera, domenica, agosto e Natale – Pas carta 22/30000.

sulla strada statale 9 – via Emilia :

XX **Green Grill-da Gaetano,** via Emilia Ovest 802 per ⑥ : 3 km ⊠ 41100 Modena ℰ 330073,
« Giardino con servizio estivo » – **Q**. 囲 ⦿ *VISA*. ❊
chiuso sabato – Pas carta 25/38000.

XX **Antica Trattoria da Felice,** via Emilia Est 2445 per ③ : 7 km ⊠ 41010 Gaggio di Piano
ℰ 938003 – **Q**. 囲 ⦿ *VISA*. ❊
chiuso martedì e luglio – Pas carta 25/38000.

a San Dàmaso per ④ : 6 km – ⊠ 41010 :

X Da Malgarein, ℰ 369611.

a Cittanova per ⑥ : 7 km – ⊠ 41100 Modena :

X **Annunciata,** ℰ 518119 – **Q**. ❊
chiuso lunedì sera, martedì ed agosto – Pas carta 30/40000.

sull'autostrada A 1 – Secchia per ⑥ : 7 km :

🏛 **MotelAgip,** ⊠ 41100 Modena ℰ 518221, Telex 212826 – ⧈ ▦ 📺 ☎ ⓕ **Q** – 🏛 30 a 150. 囲
囲 ⦿ E *VISA*. ❊ rist
Pas self-service 30000 circa – ⊡ 13000 – **184 cam** 58/82000, ▦ 6500.

sulla strada statale 12 per ⑤ : 7 km :

🏛 **Mini Hotel** senza rist, via Giardini 1270 ⊠ 41100 Modena ℰ 510051 – ⧈ 📺 ☎ **Q**. 囲 囲 ⦿
E *VISA*
chiuso dal 10 al 20 agosto – ⊡ 7000 – **26 cam** 48/65000.

a Montale per ④ : 8 km – ⊠ 41050 :

XX **La Fazenda,** ℰ 309113, « Servizio estivo in giardino » – **Q**. ❊
chiuso lunedì ed agosto – Pas carta 29/41000.

a Casinalbo per ⑤ : 8,5 km – ⊠ 41041 :

🏛 Green Park, via Giardini 440 ℰ 511200 e rist ℰ 511151 – ▦ 📺 ☎ **Q**
22 cam.

sulla via Vignolese :

XX **La Tartaruga,** via Vignolese 426 per ④ : 2 km ⊠ 41100 Modena ℰ 363364 – 囲 囲 ⦿ E
VISA. ❊
chiuso lunedì – Pas carta 30/43000.

XX **Baia del Re** con cam, prossimità casello autostrada per ④ : 11 km ⊠ 41010 San Dàmaso
ℰ 369135 – ☎ **Q**. 囲 囲 ⦿ E *VISA*
chiuso dal 24 dicembre all'11 gennaio e dal 1° al 16 agosto – Pas *(chiuso domenica)*
carta 39/55000 – ⊡ 7000 – **14 cam** 35/55000 – P 70000.

ALFA-ROMEO via Emilia Est 850 per ③ ℰ 367818
ALFA-ROMEO via Piave 92/94 ℰ 219600
BMW via Emilia Est 844 ℰ 374040
CITROEN via Emilia Est 1385 ℰ 374237
DE TOMASO MODENA S.p.A. (Sede) via Virgilio 9
ang. via Emilia Ovest ℰ 518102, Telex 510619
FERRARI AUTOMOBILI (Sede) via Trento Trieste 31
ℰ 217455, Telex 510147
FERRARI via Emilia Est 1040/1 ℰ 280009
FIAT via Emilia Ovest 760 per ⑥ ℰ 330400
FIAT via Emilia Est 756 per ③ ℰ 360062
FIAT via San Giovanni Bosco 270 ℰ 373707
FORD via Vincenzo Monti 108 ℰ 330182
FORD via Emilia Est 1127 ℰ 366371
GM-OPEL via Canaletto 305 ℰ 311075
INNOCENTI via Emilia Ovest 366 per ⑥ ℰ 331181

LANCIA-AUTOBIANCHI via Sant'Anna 651/653 per
⑥ ℰ 314752
LANCIA-AUTOBIANCHI via del Murazzo 18 per ⑥
ℰ 332260
MASERATI via Emilia Ovest 366 ℰ 331181
MERCEDES-BENZ via Emilia Ovest 677 ℰ 330062
OFFICINE ALFIERI MASERATI (Sede) viale Ciro
Menotti 322 ℰ 230101, Telex 510248
PEUGEOT-TALBOT via del Murazzo 70 ℰ 332585
PEUGEOT-TALBOT via degli Scarlatti 97 ℰ 370284
RENAULT via Emilia Ovest 1011 ℰ 335450
RENAULT via Emilia Est 1181 ℰ 365562
RENAULT via Allende 134 ℰ 253050
VW-AUDI via Emilia Est 1299 ℰ 366100
VOLVO via Emilia Est 814 ℰ 371107

MODICA Ragusa ⑨⑧⑧ ㉗ – Vedere Sicilia alla fine dell'elenco alfabetico.

MODIGLIANA 47015 Forlì 988 ⑮ – 4 845 ab. alt. 185 – ✆ 0546.
Roma 349 – ♦Bologna 75 – ♦Firenze 102 – Forlì 34.

※ Il Solieri, via Garibaldi 32 ☎ 92493.

※ **Il Veliero,** piazza Don Minzoni 44 ☎ 92541 – 舐 ⓞ. ⅀⅀
chiuso mercoledì – Pas carta 25/37000.

MODUGNO 70026 Bari 988 ㉙ – 36 589 ab. alt. 79 – ✆ 080.
Roma 443 – ♦Bari 10 – Barletta 56 – Matera 53 – ♦Taranto 93.

sulla strada statale 96 :

🏨 **Bari Nord,** N : 1 km ⊠ 70026 Modugno ☎ 565222, Telex 810855, ⊒, 舟, ⅀⅀ – ❘≡❘ ▤ ☎ ⴲ
⮨ ❷ – 🛆 50 a 400
Pas carta 22/37000 – ⊊ 9000 – **155 cam** 100000 – P 136000.

🏨 **H R,** NE : 3 km ⊠ 70123 Bari Ovest ☎ 451500, ⊒, 舟, ⅀⅀ – ❘≡❘ ▤ 🆃🆅 ☎ ❷ – 🛆 25 a 150. 舐
🅱 ⴲ 𝘝𝘐𝘚𝘈. ⅀⅀ rist
Pas *(chiuso sabato sera, domenica e Ferragosto)* carta 29/51000 – ⊊ 7500 – **93 cam** 73/114000
– P 140000.

LANCIA-AUTOBIANCHI sulla statale 96 al km 118 ☎   RENAULT sulla statale 96 al km 118 ☎ 454277
451366   VW-AUDI sulla statale 96 al km 120 ☎ 454422

MOENA 38035 Trento 988 ④⑤ – 2 598 ab. alt. 1 184 – Stazione di villeggiatura, a.s. febbraio-
Pasqua e Natale – Sport invernali : ad Alpe Lusia : 1 184/2 347 m ⟨∕⟩2 ⟨∕⟩9, ⨪ (vedere anche passo
San Pellegrino) – ✆ 0462 – 🅱 piazza Cesare Battisti ☎ 53122, Telex 400677.
Roma 671 – Belluno 69 – ♦Bolzano 45 – Cortina d'Ampezzo 74 – ♦Milano 329 – Trento 89.

🏨 **Monza** ⅀, ☎ 53205, ← – ❘≡❘ ☎ ⮨ ❷. 舐 ⓞ. ⅀⅀
🡲 *20 dicembre-20 aprile e 15 giugno-20 settembre* – Pas 18/25000 – ⊊ 8000 – 25 cam 80000 –
P 82000, b.s. 55/65000.

🏨 **Leonardo** ⅀, ☎ 53355, ←, 舟 – ❘≡❘ ▤ ❷. ⅀⅀ rist
20 dicembre-aprile e 15 giugno-settembre – Pas carta 24/31000 – ⊊ 8000 – **21 cam** 70/115000
– P 80/102000, b.s. 60/78000.

🏨 **Patrizia** ⅀, ☎ 53185, ←, 舟 – ❘≡❘ 🆃🆅 ☎ ❷. ⓞ. ⅀⅀
🡲 *20 dicembre-Pasqua e 20 giugno-20 settembre* – Pas (solo per clienti alloggiati) 18/26000 – ⊊
8000 – 30 cam 45/80000 – P 60/75000, b.s. 45/58000.

🏨 **Catinaccio** ⅀, ☎ 53235, ≤ Dolomiti, 舟 – ❘≡❘ ▤ ❷. ⅀⅀ rist
20 dicembre-20 marzo e luglio-15 settembre – Pas 22000 – **41 cam** ⊊ 80/125000 – P 66/95000,
b.s. 55/60000.

🏨 **Alpi,** ☎ 53194, ← – ❘≡❘ ☎ ❷. 舐. ⅀⅀
15 dicembre-20 aprile e 15 giugno-settembre – Pas 24000 – ⊊ 7000 – **35 cam** 51/73000 –
P 70/85000, b.s. 55/68000.

🏨 **Dolce Casa** ⅀, ☎ 53126, ≤ Dolomiti – ❘≡❘ ☎ ❷ – 🛆 90. ⅀⅀
dicembre-aprile e giugno-settembre – Pas 28/32000 – ⊊ 6500 – 42 cam 44/75000 – P 68/95000,
b.s. 58/80000.

🏨 **Post Hotel,** ☎ 53760 – ❘≡❘ 🆃🆅 ☎. 舐 ⓞ. ⅀⅀
dicembre-Pasqua e giugno-settembre – Pas vedere rist Tyrol – ⊊ 7000 – **17 cam** 85/146000
– P 80/100000, b.s. 55/80000.

🏨 **La Romantica** ⅀, ☎ 53298, ←, 舟 – ☎ ❷. ⅀⅀ rist
Pas 25000 – ⊊ 7000 – **29 cam** 68/112000 – P 85/99000, b.s. 67/78000.

🏨 **Laurino,** ☎ 53238, ←, 舟 – ❘≡❘ ☎ ❷. ⅀⅀ rist
20 dicembre-20 aprile e 15 giugno-19 settembre – Pas 21/25000 – ⊊ 7500 – **42 cam** 60/100000
– P 68/88000, b.s. 51/63000.

※ **Tyrol,** ☎ 53761 – ▤. 舐 ⓞ ⴲ 𝘝𝘐𝘚𝘈. ⅀⅀
dicembre-Pasqua e 15 giugno-settembre – Pas carta 22/41000.

※ **Ja Navalge,** ☎ 53930 – ⓞ. ⅀⅀
chiuso lunedì in bassa stagione – Pas carta 25/38000.

Vedere anche : *San Pellegrino (Passo di)* E : 12,5 km.

MOGGIONA Arezzo – Vedere Camaldoli.

MOGLIANO VENETO 31021 Treviso 988 ⑤ – 25 026 ab. alt. 8 – ✆ 041.
🛦 Villa Condulmer (chiuso lunedì) a Zerman ⊠ 31021 ☎ 457062, NE : 4 km.
Roma 529 – ♦Milano 268 – ♦Padova 38 – Treviso 12 – ♦Trieste 152 – Udine 121 – ♦Venezia 18.

a Marocco S : 3 km – ⊠ 31021 Mogliano Veneto :

※※※ **Al Postiglione,** ☎ 942600 – ▤ ❷. ⅀⅀
chiuso martedì ed agosto – Pas carta 33/46000.

a Zerman NE : 4 km – ⊠ 31020 :

🏨 **Villa Condulmer** ⅀, ☎ 457100, « Villa veneta del 18° secolo in un fresco parco », ⊒, ⅀⅀,
❘𝟣𝟪❘, 舟 🛆 ❷ – 🛆 80. 🅱. ⅀⅀
15 marzo-15 novembre – Pas carta 40/60000 (10%) – ⊊ 14000 – **40 cam** 70/200000 appartamenti 200000, ▤ 5000 – P 160/200000.

365

MOIA DI ALBOSAGGIA Sondrio – Vedere Sondrio.

MOLFETTA 70056 Bari 988 ㉙ – 64 428 ab. – ✿ 080.
Roma 425 – ◆Bari 25 – Barletta 30 – ◆Foggia 108 – Matera 69 – ◆Taranto 115.

🏨 **Garden,** via provinciale Terlizzi 𝒫 915717, 🐟, ✕ – 🛏 🗏 rist 🕿 ⇔ 🅿 – ⚖ 80. 🖭 🕃 𝚅𝙸𝚂𝙰.
🍴
Pas *(chiuso domenica sera)* carta 24/41000 – 🍷 7000 – **60 cam** 52/72000 – P 83000.

sulla strada statale 16 E : 2,5 km :

✕✕ **Alga Marina,** ✉ 70056 𝒫 948091, ≼, 🐜 – 🅿. ⓘ 𝚅𝙸𝚂𝙰
chiuso lunedì e novembre – Pas carta 23/39000 (15%).

FIAT via Bisceglie 𝒫 981205   RENAULT sulla statale 16 al km 778 𝒫 948000
FORD via Gioacchino Rubino 1 𝒫 984031

MOLINI DI TURES (MÜHLEN) Bolzano – Vedere Campo Tures.

MOLLIÈRES Torino 77 ⑧ ⑨ – Vedere Cesana Torinese.

MOLTRASIO 22010 Como 219 ⑧⑨ – 1 969 ab. alt. 247 – ✿ 031.
Roma 634 – Como 9 – Menaggio 26 – ◆Milano 57.

🏠 **Caramazza** 🦪, 𝒫 290050, ≼, 🏖 – 🛏 🕿 ⇔ 🅿. 🕃 E 𝚅𝙸𝚂𝙰
aprile-ottobre – Pas *(chiuso martedì)* 24/26000 – 🍷 7000 – **20 cam** 50/76000 – P 80000.

🏠 **Posta,** 𝒫 290444, ≼, 🏖 – 🛏 🕿. 🖭 🕃 ⓘ E 𝚅𝙸𝚂𝙰
chiuso gennaio e febbraio – Pas *(chiuso mercoledì)* carta 23/52000 – 🍷 5000 – **20 cam**
44/67000 – P 70000.

MOLVENO 38018 Trento 988 ④ – 998 ab. alt. 864 – Stazione di villeggiatura, a.s. Pasqua e Natale
– Sport invernali : 864/1 528 m ⚡3 (vedere anche Andalo e Fai della Paganella) – ✿ 0461.
Vedere Lago★★.
🅱 piazza Marconi 𝒫 586924.
Roma 627 – ◆Bolzano 65 – ◆Milano 211 – Riva del Garda 46 – Trento 45.

🏨 **Ischia,** 𝒫 586057, ≼, « Giardino fiorito » – 🛏 ❄ rist 📺 🕿 🕹 🅿. 🖭 🕃 𝚅𝙸𝚂𝙰. 🍴 rist
20 dicembre-marzo e giugno-settembre – Pas 22/24000 – 🍷 7000 – **22 cam** 50/75000 –
P 55/75000, b.s. 48/53000.

🏨 **Belvedere,** 𝒫 586933, Telex 401310, ≼, 🔦, 🐟 – 🛏 🕿 🕹 🅿. E 𝚅𝙸𝚂𝙰. 🍴 rist
20 dicembre-marzo e 20 maggio-settembre – Pas 22/26000 – 🍷 7000 – **57 cam** 65/100000 –
P 60/90000, b.s. 45/60000.

🏨 **Du Lac,** 𝒫 586965, ≼, 🐟 – 🛏 ⊛ 🅿. 🖭 E 𝚅𝙸𝚂𝙰. 🍴 rist
↞ *20 dicembre-10 gennaio e giugno-settembre* – Pas 14/20000 – 🍷 5000 – **44 cam** 40/70000 –
P 55/72000, b.s. 35/45000.

🏨 **Alexander H. Cima Tosa,** 𝒫 586928, ≼ – 🛏 ❄ rist 🕿 🅿. 🖭 🕃 E 𝚅𝙸𝚂𝙰. 🍴 rist
↞ *24 dicembre-8 gennaio, 10 febbraio-10 marzo e 25 maggio-25 settembre* – Pas 18/24000 –
36 cam 🍷 50/90000 – P 50/76000, b.s. 38/49000.

🏨 **Gloria** 🦪, 𝒫 586962, ≼, 🐟 – 🛏 ⊛ 🅿. 𝚅𝙸𝚂𝙰. 🍴 rist
giugno-settembre – Pas 22/27000 – 🍷 6000 – **30 cam** 65/90000 – P 55/80000, b.s. 45/55000.

🏠 **Ariston,** 𝒫 586907, ≼ – 🛏 🗏 rist ⊛ 🅿. 🖭 🕃 E 𝚅𝙸𝚂𝙰. 🍴 rist
22 dicembre-10 gennaio e 20 giugno-20 settembre – Pas 20/22000 – **32 cam** 🍷 60/110000 –
P 60/75000, b.s. 45/55000.

🏠 **Londra,** 𝒫 586943, ≼, 🐟 – 🕿 🕹 🅿. 🖭 E 𝚅𝙸𝚂𝙰. 🍴 rist
20 dicembre-marzo e 15 maggio-10 ottobre – Pas 20/22000 – 🍷 5000 – **32 cam** 46/104000 –
P 64/66000, b.s. 46/48000.

✕✕ **Al Caminetto,** 𝒫 586949
15 giugno-20 settembre – Pas carta 29/42000.

MOMBELLO MONFERRATO 15020 Alessandria – 1 133 ab. alt. 294 – ✿ 0142.
Roma 626 – Alessandria 46 – Asti 38 – ◆Milano 95 – ◆Torino 62 – Vercelli 39.

✕ **Hostaria dal Paluc,** località Zenevreto N : 2 km 𝒫 944126, solo su prenotazione, « Servizio
estivo all'aperto con ≼ » – 🖭 🕃 E 𝚅𝙸𝚂𝙰. 🍴
chiuso da gennaio al 15 febbraio, martedì e in agosto anche lunedì – Pas carta 26/43000.

✕ **Dubini,** 𝒫 944116 – 🅿
chiuso mercoledì e dal 25 luglio al 18 agosto – Pas carta 24/38000.

MOMBISAGGIO Alessandria – Vedere Tortona.

MOMO 28015 Novara 988 ②, 219 ⑦ – 2 871 ab. alt. 213 – ✿ 0321.
Roma 640 – ◆Milano 66 – Novara 15 – Stresa 45 – ◆Torino 110.

✕✕✕ **Macallè,** 𝒫 96064 – 🗏 🅿. 🖭 🕃 ⓘ E 𝚅𝙸𝚂𝙰. 🍴
chiuso mercoledì, dal 5 al 15 gennaio e dal 20 al 30 agosto – Pas carta 36/59000.

MOMPANTERO 10059 Torino 🔢 ⑨ – 633 ab. alt. 531 – ☻ 0122.
Roma 718 – Briançon 57 – ◆Milano 192 – Col du Mont Cenis 32 – ◆Torino 55.

※ **Da Camillo,** 𝒫 2793, ※ – ℗. 🅱 🄴 𝑉𝐼𝑆𝐴
➡ chiuso mercoledì e dal 10 al 31 agosto – Pas carta 17/33000.

MONASTIER DI TREVISO 31050 Treviso – 3 269 ab. alt. 5 – ☻ 0422.
Roma 548 – ◆Milano 287 – ◆Padova 57 – Treviso 17 – ◆Trieste 125 – Udine 96 – ◆Venezia 37.

※ **Menegaldo,** località Pralongo E : 4 km 𝒫 798025 – ▤ ℗. 🄰🄴 🅱 ① 𝑉𝐼𝑆𝐴
chiuso mercoledì e dal 25 luglio al 20 agosto – Pas carta 25/35000.

MONCALIERI 10024 Torino 🟨🟨🟨 ⑫ – 61 766 ab. alt. 260 – ☻ 011.
Roma 662 – Asti 47 – Cuneo 86 – ◆Milano 148 – ◆Torino 8.

Pianta d'insieme di Torino (Torino p. 3)

🏠 **La Darsena,** strada Torino 29 𝒫 642448 – 🖹 ☜ ⇦ ℗ – 🔏 300. 🄰🄴 🅱 ① 🄴 𝑉𝐼𝑆𝐴   GU **p**
Pas (chiuso domenica sera, lunedì ed agosto) carta 38/60000 – ☐ 8000 – **25 cam** 62/88000 –
P 85/105000.

※ **Rosa Rossa,** via Carlo Alberto 5 𝒫 645873   GU **r**
chiuso domenica sera, lunedì ed agosto – Pas carta 26/39000.

ALFA-ROMEO via Baretti 5 𝒫 642161   INNOCENTI via Martiri di Cefalonia 6 𝒫 6050836
FORD corso Roma 11 𝒫 6406001   MERCEDES-BENZ corso Trieste 132 𝒫 6054342
GM-OPEL strada Carpice 4 𝒫 646637

MONCALVO 14036 Asti 🟨🟨🟨 ⑫ – 3 627 ab. alt. 305 – ☻ 0141.
Roma 633 – Alessandria 47 – Asti 21 – ◆Milano 98 – ◆Torino 64 – Vercelli 42.

※ **Tre Re,** 𝒫 91125, Coperti limitati; prenotare
chiuso lunedì sera, martedì e luglio – Pas carta 26/43000.

a Cioccaro SE : 5 km – ✉ **14030** Cioccaro di Penango :

🏨 **Locanda del Sant'Uffizio** ☜, 𝒫 91271, ≼, « Parco », ☗, ※ – 📺 ☎ ℗ – 🔏 80. 🄰🄴 🅱
① 🄴 𝑉𝐼𝑆𝐴.
chiuso dal 3 al 25 gennaio e dal 10 al 20 agosto – Pas vedere rist Da Beppe – ☐ 15000 –
31 cam 99/120000 appartamenti 140/160000 – P 160/200000.

※※ ⦿ **Da Beppe,** 𝒫 91271, 🐎 – ℗. 🄰🄴 🅱 ① 🄴 𝑉𝐼𝑆𝐴. ※
chiuso martedì, dal 3 al 25 gennaio e dal 10 al 20 agosto – Pas 60/80000
Spec. Sformato di ricotta rucola e fiori di zucca (primavera-estate), Taglierini al sugo d'autunno (autunno-inverno),
Anitra muta al miele e Rhum. **Vini** Arneis, Freisa.

MONDELLO Palermo 🟨🟨🟨 ㊱ – Vedere Sicilia alla fine dell'elenco alfabetico.

MONDOVÌ Cuneo 🟨🟨🟨 ⑫ – 22 187 ab. alt. 559 – ✉ **12084** Mondovì Breo – ☻ 0174.
Roma 616 – Cuneo 27 – ◆Genova 117 – ◆Milano 212 – Savona 71 – ◆Torino 80.

🏨 **Park Hotel,** via del Vecchio 2 𝒫 46666 – 🖹 📺 ☎ ℗. 🄰🄴 🅱 ① 𝑉𝐼𝑆𝐴. ※
Pas carta 20/30000 – ☐ 6000 – **54 cam** 40/68000 appartamenti 120/150000 – P 65000.

🏨 **Europa** senza rist, via Torino 29-Borgo Aragno 𝒫 44389, Telex 225453 – 🖹 📺 ☎ ⇦ ℗. 🅱
🄴 𝑉𝐼𝑆𝐴
☐ 6000 – **17 cam** 43/73000.

※※ **Il Borgo,** via Torino 41-Borgo Aragno 𝒫 44500 – ℗. 🄰🄴 🅱 ① 𝑉𝐼𝑆𝐴. ※
chiuso domenica sera, lunedì e dal 1° al 10 agosto – Pas carta 30/44000.

※※ **Al Bozzolo,** via Tiro a Segno 55 𝒫 47083 – ℗. 🄰🄴 🅱. ※
chiuso martedì, gennaio ed agosto – Pas carta 23/40000.

ALFA-ROMEO via Torino 50 𝒫 42024   LANCIA-AUTOBIANCHI corso Inghilterra 1/b 𝒫
FIAT via Alba 1 𝒫 40252   47082
FORD via Torino 64 𝒫 42755   VW-AUDI viale Vittorio Veneto 9 𝒫 46333

MONEGLIA 16030 Genova – 2 775 ab. – ☻ 0185.
Roma 456 – ◆Genova 58 – ◆Milano 193 – Sestri Levante 12 – ◆La Spezia 58.

🏨 **Mondial,** O : 1 km 𝒫 49339, Telex 272444, ≼, 🐎 – 🖹 ☎ ℗
aprile-ottobre – Pas 30/35000 – ☐ 6000 – **50 cam** 40/63000 – P 60/80000.

🏨 **Locanda Maggiore,** 𝒫 49355, ≼ – 🖹 ☎ ⇦. 🅱 ①. ※ rist
➡ 25 marzo-settembre – Pas 16/19000 – ☐ 5000 – **33 cam** 27/45000 – P 58/65000.

🏠 **Leopold** ☜, O : 1 km 𝒫 49240, ≼ – 🖹 ⅙⅍ rist ☎ ⇦. 🄰🄴 ① 🄴 𝑉𝐼𝑆𝐴. ※
chiuso dal 10 ottobre al 20 dicembre – Pas carta 26/35000 – ☐ 8000 – **22 cam** 45/59000 –
P 60/68000.

🏠 **Villa Edera,** 𝒫 49291, ≼ – ⅙⅍ rist 📺 ☎ ℗. 🄰🄴. ※
20 marzo-25 ottobre – Pas (solo per clienti alloggiati) 20/32000 – ☐ 8000 – 26 cam 30/55000 –
P 58/63000.

🏠 **Piccolo Hotel,** 𝒫 49374 – 🖹 ☜. ※
marzo-25 ottobre – Pas (chiuso giovedì) 25/30000 – ☐ 7000 – **26 cam** 30/50000 – P 65000.

verso Lemeglio SE : 2 km :

X ✿ **La Ruota,** alt. 200 ✉ 16030 𝒫 49565, Coperti limitati; prenotare, « Servizio estivo in terrazza con ≤ mare e Moneglia » – ℗
chiuso novembre e mercoledì (escluso 15 giugno-15 settembre) – Pas 70/80000
Spec. Piatto mediterraneo (moscardini e verdure), Seppie con funghi porcini, Orata o branzino al sale. **Vini** Vermentino.

MONFALCONE 34074 Gorizia 9⃞8⃞8⃞ ⑥ – 28 300 ab. – ✿ 0481.

Roma 641 – Gorizia 24 – Grado 24 – ◆Milano 380 – ◆Trieste 30 – Udine 43 – ◆Venezia 130.

🏨 **Sam,** via Cosulich 3 𝒫 481671, Telex 460580, Fax 44568 – ⬛ 🖵 📺 ☎ ⬅ 🚗. ℻ ⑧ ⓪ E 𝒱𝑰𝑺𝑨
Pas vedere rist Da Bruno – ⇆ 6000 – **66 cam** 54/84000.

🏨 **Excelsior** senza rist, via Arena 4 𝒫 790226 – ⬛ ⤳ 🖵 📺 🎥 ⬅ ℗. ℻ ⑧ ⓪ E 𝒱𝑰𝑺𝑨
⇆ 5000 – **46 cam** 40/65000, ⬛ 3000.

XX Hannibal-Approdo, via Bagni (Centro Motovelica) 𝒫 798006.

XX Da Bruno, via Cosulich 7 𝒫 481803 – 🖵.

ALFA-ROMEO via Boito 59 𝒫 798058	GM-OPEL largo dell'Anconetta 1 𝒫 75001
CITROEN strada per Grado 82 𝒫 711440	INNOCENTI via Leopardi 17 𝒫 798038
FIAT via Boito ang. via Sant'Anna 𝒫 75136	PEUGEOT-TALBOT via Timavo 𝒫 790504
FORD via Colombo 13 𝒫 72765	RENAULT via Boito 30 𝒫 798081

MONFORTE D'ALBA 12065 Cuneo – 2 016 ab. alt. 480 – ✿ 0173.

Roma 621 – Asti 46 – Cuneo 50 – ◆Milano 170 – Savona 77 – ◆Torino 75.

XX ✿ **Giardino-da Felicin** ⑊ con cam, 𝒫 78225, ≤ colline e vigneti, prenotare – ℗. 𝒱𝑰𝑺𝑨. ⑊
chiuso da gennaio al 5 febbraio e dal 28 giugno al 5 luglio – Pas *(chiuso mercoledì)*
carta 25/45000 – ⇆ 5000 – 11 cam 30/45000 – P 55/60000
Spec. Mousse di faraona, Terrina di coniglio, Agnolotti al sugo di arrosto, Gallo ripieno in crosta. **Vini** Barolo.

MONFUMO 31010 Treviso – 1 412 ab. alt. 230 – ✿ 0423.

Roma 561 – Belluno 65 – Treviso 38 – Vicenza 54.

XX **Osteria alla Chiesa-da Gerry,** 𝒫 545077 – ⑧ 𝒱𝑰𝑺𝑨. ⑊
chiuso lunedì sera, martedì, febbraio e dal 10 al 19 agosto – Pas carta 24/39000.

MONGHIDORO 40063 Bologna – 2 608 ab. alt. 841 – a.s. luglio-15 settembre – ✿ 051.

Roma 341 – ◆Bologna 43 – ◆Firenze 67 – ◆Milano 249 – Pistoia 82.

X Ramazzotto, 𝒫 925525.

MONGUELFO (WELSBERG) 39035 Bolzano 9⃞8⃞8⃞ ⑤ – 2 334 ab. alt. 1 087 – a.s. febbraio-aprile, 15 luglio-15 settembre e Natale – Sport invernali : 1 087/1 411 m ⑥3 – ✿ 0474.

Roma 732 – ◆Bolzano 94 – Brunico 17 – Dobbiaco 11 – ◆Milano 390 – Trento 154.

🏨 **Dolomiti,** 𝒫 74146, ≤ – ℗
✦ *chiuso maggio e da novembre al 18 dicembre* – Pas *(chiuso giovedì in bassa stagione)*
14/18000 – ⇆ 8000 – **22 cam** 27/50000 – P 47/53000, b.s. 38/44000.

a Tesido (Taisten) N : 2 km – alt. 1 219 – ✉ 39035 Monguelfo :

🏨 **Alpenhof** ⑊, O : 1 km 𝒫 74212, ≤, ⑊ riscaldata, ⊿ – ℗ ⑊ rist
✦ *20 dicembre-10 aprile e 25 maggio-15 ottobre* – Pas 16/19000 – **13 cam** ⇆ 28/50000 –
P 54/56000, b.s. 48/53000.

🏨 **Chalet Olympia** ⑊, 𝒫 74079, ≤, ⌸, ⊿ – ⬅ ℗. ⑊ cam
✦ *chiuso maggio, giugno e novembre* – Pas *(chiuso lunedì)* carta 17/25000 – **12 cam** ⇆ 48000 –
P 45/50000, b.s. 40/45000.

MONIGA DEL GARDA 25080 Brescia – 1 347 ab. alt. 128 – a.s. Pasqua e luglio-15 settembre – ✿ 0365.

Roma 537 – ◆Brescia 28 – Mantova 76 – ◆Milano 127 – Trento 106 – ◆Verona 52.

XX Al Gallo d'Oro, 𝒫 502405, ⌸, Coperti limitati; prenotare.

Non confondete :

Confort degli alberghi : 🏨🏨🏨 ... 🏠, ✿
Confort dei ristoranti : XXXXX ... X
Qualità della tavola : ✿✿✿, ✿✿, ✿

MONOPOLI 70043 Bari 🔢 ㉘ – 46 665 ab. – ✪ 080.

Roma 494 – ♦Bari 44 – ♦Brindisi 70 – Matera 80 – ♦Taranto 60.

🏨 **Max,** via Vittorio Veneto 241 ✆ 802591 – 📶 ☞ 🚗. ⅋ ⓞ 𝘝𝘐𝘚𝘈. ⅋ rist
Pas *(chiuso lunedì da novembre a marzo)* carta 20/32000 – ⌧ 7000 – 32 cam 39/59000 –
P 80/89000.

✗ **Lido Bianco,** via Procaccia ✆ 742711, ≼ – ⓟ. ⅋ ⓢ ⓞ ⋿ 𝘝𝘐𝘚𝘈
chiuso lunedì e da dicembre a febbraio – Pas carta 21/37000 (10%).

sulla strada statale 16 SE : 7 km :

✗✗ **Villa dei Pini,** ✉ 70043 ✆ 801309, 🏡 – ⓟ. ⅋
chiuso mercoledì e dal 7 al 22 gennaio – Pas carta 30/50000.

verso Torre Egnazia SE : 8,5 km :

🏨 **Lido Torre Egnazia** ⌖, ✉ 70043 ✆ 801002, ≼, 🐾 – 📶 ☞ ⓟ. ⅋
Pasqua-settembre – Pas (solo per clienti alloggiati) 25/27000 – ⌧ 9000 – 38 cam 38/58000 –
P 82/100000.

FIAT via Del Drago 58/q ✆ 802378
FORD viale Aldo Moro 91/93 ✆ 808438

GM-OPEL viale Aldo Moro-I traversa ✆ 802022
PEUGEOT-TALBOT via Vittorio Veneto 233 ✆ 802151

MONREALE Palermo 🔢 ㉟ – Vedere Sicilia alla fine dell'elenco alfabetico.

MONRUPINO 34016 Trieste – 846 ab. alt. 418 – ✪ 040.

Roma 669 – Gorizia 45 – ♦Milano 408 – ♦Trieste 16 – Udine 71 – ♦Venezia 158.

✗✗ **Furlan,** ✆ 227125, 🏡 – ⓟ. ⅋
chiuso lunedì e martedì – Pas carta 24/35000.

MONSELICE 35043 Padova 🔢 ⑤ – 17 529 ab. alt. 8 – ✪ 0429.

Vedere ≼★ dalla terrazza di Villa Balbi.

Roma 471 – Ferrara 54 – Mantova 85 – ♦Padova 24 – ♦Venezia 61.

🏨 **Ceffri e Rist. Villa Corner,** via Orti 7/b ✆ 75995, Telex 431531, « Giardino ombreggiato
con ⌕ » – 📶 ▤ 📺 ☎ ⅋ ☞ ⓟ – 🏛 200. ⅋
Pas carta 27/37000 – ⌧ 8000 – 44 cam 54/84000 – P 84000.

✗✗ **La Torre,** piazza Mazzini 14 ✆ 73752, Coperti limitati; prenotare – ⓞ 𝘝𝘐𝘚𝘈
chiuso domenica sera e lunedì – Pas carta 33/57000.

BMW via Colombo 7 ✆ 73610
FIAT via Piave 14/b ✆ 73786

GM-OPEL via Colombo 63 ✆ 72554
INNOCENTI via Colombo 3 ✆ 760965

MONSUMMANO TERME 51015 Pistoia 🔢 ⑭ – 17 719 ab. alt. 23 – a.s. 15 luglio-settembre –
✪ 0572.

Roma 323 – ♦Firenze 49 – Lucca 31 – ♦Milano 301 – Pisa 49 – Pistoia 13.

🏛 **Grotta Giusti** ⌖, E : 2 km ✆ 51165, « Grande parco fiorito », ⅋, ⌕, ✗ – 📶 📺 ☎ ⅋ ⓟ.
⅋ rist
aprile-15 novembre – Pas 40000 – **70 cam** ⌧ 80/120000 – P 85/100000, b.s. 80/95000.

a Montevettolini E : 4 km – alt. 187 – ✉ 51010 :

✗✗ **San Michele** ⌖ con cam, ✆ 62447, ≼ – ☎. ⅋ ⓞ 𝘝𝘐𝘚𝘈. ⅋ cam
chiuso dal 7 al 27 gennaio e dal 12 al 28 agosto – Pas *(chiuso martedì)* carta 28/47000 – **7 cam**
⌧ 50000.

MONTAGNA (MONTAN) 39040 Bolzano 🔢 ㉘ – 1 340 ab. alt. 500 – a.s. aprile e luglio-15 ottobre
– ✪ 0471.

Roma 630 – ♦Bolzano 24 – ♦Milano 287 – Ora 6 – Trento 48.

🏨 **Tenz,** ✆ 819782, ≼, 🏡, ⌕, ⌗, 🌬, ✗ – 📶 ☞ ⓟ. ⓞ. ⅋ rist
➜ *chiuso dal 25 novembre al 5 febbraio* – Pas *(chiuso martedì)* carta 17/30000 – **41 cam**
⌧ 40/70000 – P 65/68000, b.s. 57/63000.

MONTAGNANA 35044 Padova 🔢 ④⑤ – 9 784 ab. alt. 16 – ✪ 0429.

Vedere Cinta muraria★★.

Roma 475 – ♦Ferrara 57 – Mantova 60 – ♦Milano 213 – ♦Padova 48 – ♦Venezia 85 – ♦Verona 58 – Vicenza 45.

✗✗ **Aldo Moro** con cam, via Marconi 27 ✆ 81351 – ☞ 🚗. ⅋ rist
chiuso dal 20 luglio al 5 agosto – Pas *(chiuso lunedì)* carta 28/40000 (10%) – ⌧ 8000 –
24 cam 26/60000 – P 75000.

Vedere anche : *Megliadino San Fidenzio* E : 4 km.

MONTAIONE 50050 Firenze 🔢 ⑭ – 3 423 ab. alt. 342 – ✪ 0571.

Roma 289 – ♦Firenze 56 – ♦Livorno 75 – Siena 59.

🏨 **Vecchio Mulino** senza rist, viale Italia 10 ✆ 697966, ≼ vallata, 🌬 – ☎ ⓟ. ⓢ
chiuso dal 15 ottobre al 10 novembre – **21 cam** ⌧ 40/60000.

MONTALCINO 53024 Siena 988 ⑮ – 5 201 ab. alt. 564 – ✪ 0577.
Roma 213 – Arezzo 86 – ♦Firenze 109 – Grosseto 57 – ♦Perugia 111 – Siena 41.

XX **La Cucina di Edgardo,** ℰ 848232, Coperti limitati; prenotare – ﭏ 🕄 ⓞ Ε 𝑉𝐼𝑆𝐴
chiuso dall'8 gennaio al 6 febbraio e mercoledì (esclusi festivi e da luglio ad ottobre) – Pas (menu suggerito dal proprietario) 47000.

XX **Taverna dei Barbi,** fattoria dei Barbi SE : 4 km ℰ 848277, Telex 575210 – ⓟ. 🕄. ⁘
chiuso mercoledì e dal 20 gennaio al 10 febbraio – Pas carta 25/32000.

XX **Poggio Antico,** località Poggio Antico SO : 4 km ℰ 849200, ≼ – ⓟ. ﭏ ⓞ
chiuso martedì – Pas carta 22/33000.

MONTALE Modena – Vedere Modena.

MONTALE 51037 Pistoia – 9 399 ab. alt. 85 – ✪ 0573.
Roma 303 – ♦Firenze 29 – Pistoia 9 – Prato 10.

X **Il Cochino** con cam, via Fratelli Masini 15 ℰ 55025, 🍴 – ⓟ. ﭏ ⓞ. ⁘
chiuso dal 10 al 25 agosto – Pas (chiuso sabato) carta 22/35000 – senza ⴲ – **16 cam** 36/58000
– P 45/52000.

MONTALERO Alessandria – Vedere Cerrina.

MONTALTO 42030 Reggio nell'Emilia – alt. 396 – ✪ 0522.
Roma 449 – ♦Milano 171 – ♦Modena 47 – Reggio nell'Emilia 22 – ♦La Spezia 113.

X **Hostaria Venturi** con cam, località Casaratta ℰ 600157 – ☎ ⓟ. 🕄 ⓞ. 𝑉𝐼𝑆𝐴. ⁘
chiuso dal 15 luglio al 18 agosto – Pas (chiuso lunedì) carta 20/31000 – ⴲ 2500 – 9 cam 38000
– P 40/42000.

MONTALTO DI CASTRO 01014 Viterbo 988 ㉙ – 7 003 ab. alt. 44 – ✪ 0766.
Roma 114 – Civitavecchia 38 – Grosseto 73 – Orbetello 38 – Orvieto 78 – Viterbo 50.

sulla strada statale 1 - via Aurelia SE : 1,5 km :

🏛 **MotelAgip,** ✉ 01014 ℰ 89090 – 📳 ▤ cam ☎ ⓟ. ﭏ 🕄 ⓞ Ε 𝑉𝐼𝑆𝐴. ⁘ rist
Pas (chiuso martedì da ottobre a maggio) 24000 – ⴲ 8500 – **32 cam** 38/63000 – P 81/92000.

MONTAN = Montagna.

MONTE ... MONTI Vedere mome proprio del o dei monti.

MONTE (BERG) Bolzano 218 ㉚ – Vedere Appiano.

MONTEBELLO Forlì – alt. 452 – ✉ 47030 Torriana – ✪ 0541.
Roma 354 – ♦Bologna 129 – Forlì 68 – ♦Milano 340 – Rimini 21.

X **Pacini,** ℰ 668261, ≼ – ▤. ⁘
← chiuso mercoledì (escluso luglio-agosto) – Pas carta 18/27000.

MONTEBELLO VICENTINO 36054 Vicenza 988 ④ – 5 352 ab. alt. 48 – ✪ 0444.
Roma 534 – ♦Milano 188 – ♦Venezia 81 – ♦Verona 35 – Vicenza 17.

a Selva NO : 3 km – ✉ 36054 Montebello Vicentino :
XX La Marescialla, ℰ 649216 – ⓟ.

MONTEBELLUNA 31044 Treviso 988 ⑤ – 24 934 ab. alt. 109 – ✪ 0423.
Dintorni Villa del Palladio★★★ a Maser N : 12 km.
Roma 548 – Belluno 82 – ♦Padova 48 – Trento 113 – Treviso 22 – Vicenza 49.

🏨 **Bellavista** ⁙, località Mercato Vecchio ℰ 301031, Fax 303612, ≼, 🔄, 🛋 – 📳 📺 ☎ 🚗 ⓟ
– 🏛 50. ﭏ 🕄 ⓞ Ε 𝑉𝐼𝑆𝐴. ⁘
Pas vedere rist Al Tiglio d'Oro – **42 cam** ⴲ 60/90000 appartamenti 100/130000 – P 70/75000.

🏨 **San Marco** ⁙ senza rist, via Buziol 19 ℰ 300776, Fax 22553, 🛋 – 📳 ▤ 📺 ☎ 🚗 ⓟ – 🏛
100. ﭏ 🕄 ⓞ Ε 𝑉𝐼𝑆𝐴. ⁘
ⴲ 9500 – **34 cam** 53/80000.

X **Al Tiglio d'Oro,** località Mercato Vecchio ℰ 22419 – ⓟ. ﭏ ⓞ 𝑉𝐼𝑆𝐴. ⁘
chiuso venerdì ed agosto – Pas carta 21/28000.

ALFA-ROMEO via Piave 64 ℰ 23463   FIAT via Montello 102 ℰ 21441

MONTECALVO VERSIGGIA 27047 Pavia – 615 ab. alt. 410 – ✪ 0385.
Roma 557 – ♦Genova 133 – ♦Milano 76 – Pavia 38 – Piacenza 45.

XX **Prato Gaio** ⁙ con cam, località Versa E : 3 km ℰ 99726 – ⓟ. 🕄
chiuso gennaio – Pas (chiuso martedì) carta 24/38000 – ⴲ 5000 – **8 cam** 25/45000 – P 45000.

370

MONTECARLO 55015 Lucca – 3 966 ab. alt. 163 – ✪ 0583.

Roma 332 – ♦Firenze 58 – ♦Livorno 65 – Lucca 17 – ♦Milano 293 – Pistoia 27.

XX **La Nina,** NO : 2,5 km ℰ 22178, « Servizio estivo in giardino » – ℗ – 🅰 50. 🆎 ⓢ ⓞ Ε 𝘝𝘐𝘚𝘈. ❀
chiuso lunedì sera, martedì, dal 2 al 24 gennaio e dal 7 al 23 agosto – Pas carta 32/51000.

XX **Forassiepi,** ℰ 22005, ≼, « Servizio estivo in giardino » – ℗. 🆎. ❀
chiuso lunedì e martedì, da gennaio a febbraio anche mercoledì e giovedì – Pas carta 38/62000 (10%).

a San Martino in Colle NO : 4 km – ⊠ 55015 Montecarlo :

XX **La Legge,** ℰ 975601 – ▤ ℗. 𝘝𝘐𝘚𝘈. ❀
chiuso lunedì e martedì a mezzogiorno – Pas carta 20/35000 (10%).

MONTECASSIANO 62010 Macerata – 5 765 ab. alt. 215 – ✪ 0733.

Roma 258 – ♦Ancona 40 – Ascoli Piceno 103 – Macerata 11 – Porto Recanati 31.

🏛 **Villa Quiete** ⓢ, località Vallecascia S : 3 km ℰ 599559, « Parco ombreggiato » – ▮ ▤ 📺
☎ ♿ ℗ – 🅰 80 a 200. 🆎 ⓢ ⓞ. ❀ rist
Pas carta 37/53000 – ⊠ 7000 – **36 cam** 70/90000 – P 110/125000.

sulla strada statale 77 S : 6 km :

🏛 **Roganti,** ⊠ 62010 ℰ 598640, Fax 598964, 🌳 – ▮ ▤ 📺 ☜ 🚗 ℗ – 🅰 250. 🆎 ⓢ ⓞ 𝘝𝘐𝘚𝘈. ❀ cam
Pas *(chiuso venerdì)* carta 22/31000 – ⊠ 5000 – 61 cam 45/75000, ▤ 6000.

MONTECASTELLI PISANO 56040 Pisa – alt. 494 – ✪ 0588.

Roma 296 – Pisa 122 – Siena 51.

X **Santa Rosa,** S : 1 km ℰ 29929, �། – ℗. ⓢ Ε 𝘝𝘐𝘚𝘈
chiuso lunedì e dal 15 luglio al 15 agosto – Pas carta 20/31000.

MONTECATINI TERME 51016 Pistoia 🄈🄈🄈 ⑭ – 21 103 ab. alt. 27 – Stazione termale (maggio-ottobre), a.s. 15 luglio-settembre – ✪ 0572.

Vedere Guida Verde.

🆃🆂 (chiuso martedì in febbraio-marzo) località Pievaccia ⊠ 51015 Monsummano Terme ℰ 62218, SE : 9 km.

🅱 viale Verdi 66/a ℰ 70109.

Roma 323 ② – ♦Bologna 110 ① – ♦Firenze 49 ② – ♦Livorno 73 ② – ♦Milano 301 ② – Pisa 49 ② – Pistoia 15 ①.

Pianta pagina seguente

🏨🏨 **Gd H. e la Pace** ⓢ, via della Torretta 1 ℰ 75801, Telex 570004, Fax 78451, « Parco fiorito
con ⤤ riscaldata », ↯, ❀ – ▮ ▤ 📺 ♿ ℗ – 🅰 250. 🆎 ⓢ ⓞ Ε 𝘝𝘐𝘚𝘈. ❀ rist   AZ **y**
aprile-ottobre – Pas 75000 – ⊠ 20000 – **150 cam** 220/370000 appartamento 500/700000 –
P 200/265000.

🏨🏨 **Gd H. Bellavista Palace e Golf** ⓢ, viale Fedeli 2 ℰ 78122, Telex 580395, Fax 73352,
« Terrazze-giardino », ⤤, 🎿, ❀ – ▮ ▤ 📺 ☎ 🚗 ℗ – 🅰 250. 🆎 ⓢ Ε 𝘝𝘐𝘚𝘈. ❀ rist   BY **e**
chiuso febbraio – Pas 55000 – ⊠ 20000 – **104 cam** 180/320000 appartamento 390/770000 –
P 160/210000, b.s. 135/170000.

🏨🏨 **Gd H. Tamerici e Principe,** viale 4 Novembre 2 ℰ 71041, Telex 574263, Fax 72992, « Terrazza-giardino con ⤤ riscaldata » – ▮ ↯⤤ cam ▤ 📺 ☎ ♿ 🚗 – 🅰 100. 🆎 ⓢ ⓞ Ε 𝘝𝘐𝘚𝘈
❀ rist   AY **g**
aprile-novembre – Pas 50000 – ⊠ 12500 – **157 cam** 130/220000 appartamento 280/300000 –
P 120/165000, b.s. 100/150000.

🏨🏨 **Gd H. Croce di Malta,** viale 4 Novembre 18 ℰ 75871, Telex 574041, Fax 767516, « Terrazze-
giardino con ⤤ riscaldata » – ▮ ▤ 📺 ☎ ℗ – 🅰 80. 🆎 ⓢ Ε 𝘝𝘐𝘚𝘈. ❀ rist   AY **f**
Pas 30/50000 – **110 cam** ⊠ 120/200000 appartamento 250/300000 – P 150/165000,
b.s. 140/150000.

🏨🏨 **Gd H. Nizza et Suisse,** viale Verdi 72 ℰ 79691, Telex 573335, ⤤ – ▮ ▤ 📺 ☎ ℗. 🆎 ⓢ
ⓞ Ε 𝘝𝘐𝘚𝘈. ❀ rist   BY **n**
aprile-ottobre – Pas (solo per clienti alloggiati) 30000 – ⊠ 10000 – **100 cam** 90/140000 –
P 120/135000, b.s. 105/120000.

🏨🏨 **Cristallino,** viale Diaz 10 ℰ 72031, ⤤, 🌳 – ▮ ▤ 📺 ☎ ♿ ℗. 🆎. ❀ rist   BY **x**
20 marzo-5 novembre – Pas 42000 – **45 cam** ⊠ 93/155000 – P 116000, b.s. 93000.

🏨🏨 **Gd H. Plaza e Locanda Maggiore,** piazza del Popolo 7 ℰ 75004, Telex 574177, Fax
767985, ⤤ – ▮ ▤ 📺 ☎ – 🅰 80. 🆎 ⓢ ⓞ Ε 𝘝𝘐𝘚𝘈. ❀   AZ **a**
chiuso gennaio – Pas (solo per clienti alloggiati) 25/35000 – ⊠ 10000 – **97 cam** 100/135000 –
P 90/100000, b.s. 80/90000.

🏨🏨 **Cappelli-Croce di Savoia,** viale Bicchierai 139 ℰ 71151, Telex 580458, « Grazioso giardino
fiorito », ⤤ riscaldata – ▮ ▤ rist 🚗 ℗ – 🅰 70. 🆎 ⓢ ⓞ Ε 𝘝𝘐𝘚𝘈. ❀ rist   BY **m**
25 marzo-novembre – Pas 30000 – ⊠ 8000 – **72 cam** 52/82000 – P 85/90000, b.s. 71/74000.

🏨🏨 **Francia e Quirinale,** viale 4 Novembre 77 ℰ 70271, ⤤ riscaldata – ▮ ▤ rist 🚗 – 🅰 80.
🆎 ⓢ Ε. ❀   AY **e**
22 marzo-ottobre – Pas 30/35000 – ⊠ 7500 – **118 cam** 53/85000 – P 90000, b.s. 75/80000.

segue →

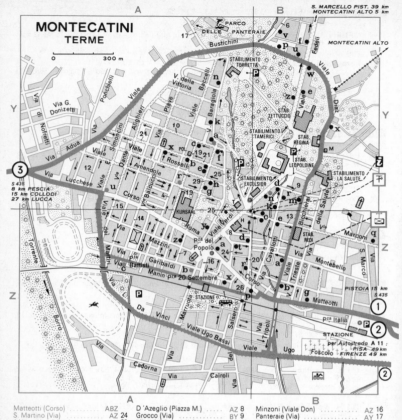

MONTECATINI TERME

S. MARCELLO PIST. 39 km
MONTECATINI ALTO 5 km

MONTECATINI ALTO

0   300 m

S 435
8 km PESCIA
15 km COLLODI
27 km LUCCA

PISTOIA 15 km
S 435

per Autostrada A 11 :
PISA 49 km
FIRENZE 49 km

🏨🏨🏨 **Gd H. Panoramic,** viale Bustichini 65 ℰ 78381, ⤵ – 🛗 🗏 📺 ☎ 🚗 ℗ – 🔬 80 a 150. 🖭 🕃 ⓪ 🗲 VISA. 🛠 rist
BY **u**
Pasqua-ottobre – Pas 25/33000 – ➡ 7000 – 104 cam 80/120000 – P 75/95000, b.s. 70/90000.

🏨🏨🏨 **Tettuccio,** viale Verdi 74 ℰ 78051, Telex 572087 – 🛗 🗏 📺 ☎ & ℗
BY **n**
70 cam.

🏨🏨🏨 **Astoria,** viale Fedeli 1 ℰ 71191, Fax 71193, « Giardino con ⤵ riscaldata » – 🛗 🗏 rist 📺 ℗. 🖭. 🛠 rist
BY **z**
20 marzo-6 novembre – Pas 30/43000 – ➡ 8000 – **65 cam** 52/82000 – P 80/95000, b.s. 70/85000.

🏨🏨🏨 **San Marco,** viale Rosselli 3 ℰ 71221 – 🛗 🗏 📺 ☎ ℗. 🖭 🕃 ⓪ 🗲 VISA. 🛠 rist
AY **h**
aprile-novembre – Pas 28/36000 – ➡ 9500 – **61 cam** 55/95000 – P 75/95000, b.s. 64/85000.

🏨🏨 **Belvedere,** viale Fedeli 10 ℰ 70251, « Giardino », ⤢, 🛠 – 🛗 🗏 🚗 ℗. 🖭 🕃 ⓪ 🗲 VISA. 🛠 rist
BY **w**
aprile-ottobre – Pas 20/25000 – ➡ 5000 – **100 cam** 53/85000 – P 80000, b.s. 60/70000.

🏨🏨 **President,** corso Matteotti 119 ℰ 767201, 🌿 – 🛗 🗏 📺 🚗 ℗. 🖭 🕃 ⓪ 🗲 VISA
BZ **g**
Pas 24000 – ➡ 8000 – **37 cam** 50/80000 – P 70/80000, b.s. 60/70000.

🏨🏨 **Ercolini e Savi,** via San Martino 18 ℰ 70331 – 🛗 🗏 rist 📺 ☎ & – 🔬 25. 🖭 🕃 🗲 VISA. 🛠
AZ **t**
aprile-15 novembre – Pas 25/30000 – ➡ 7000 – 81 cam 52/85000 – P 75/85000, b.s. 70/80000.

🏨🏨 **Torretta,** viale Bustichini 63 ℰ 70305, Fax 70307, « ⤵ riscaldata in giardino ombreggiato » – 🛗 🗏 rist 🚗 ℗. 🖭 🕃 🗲. 🛠
BY **p**
aprile-ottobre – Pas 29/33000 – ➡ 9000 – **56 cam** 53/84000 – P 75/85000, b.s. 65/75000.

🏨 **Boston,** viale Bicchierai 20 🖋 70379, ⊒ – 📳 🗏 rist 📺 ☎ ₺. 🕮 😘 💯. ⅗ rist   BZ **b**
aprile-ottobre – Pas 20/25000 – ⊊ 5000 – **60 cam** 55/85000 – P 60/75000, b.s. 50/65000.

🏨 **Michelangelo** ⑤, viale Fedeli 9 🖋 74571, ⊒, ☞, ℀ – 📳 🗏 ☎ ₺. ⑤ ⅗ rist   BY **f**
aprile-15 novembre – Pas 25/35000 – ⊊ 6000 – **63 cam** 50/80000 – P 68/80000, b.s. 65/75000.

🏨 **Imperial Garden,** viale Puccini 20 🖋 71031, « ⊒ su terrazza panoramica e giardino
ombreggiato » – 📳 ⚘. ⅗ rist   AY **c**
chiuso dall'8 gennaio al 28 febbraio – Pas 25/30000 – ⊊ 6000 – **86 cam** 53/85000 – P 74/87000,
b.s. 56/75000.

🏨 **Corallo,** via Cavallotti 116 🖋 79642, « ⊒ su terrazza panoramica » – 📳 🗏 rist 📺 ☎ ☻ –
🔥 40 a 100. 🕮 ⑤ 🖻 💯. ⅗ rist   BY **r**
Pas 20/35000 – ⊊ 8000 – **54 cam** 50/80000 – P 70/90000, b.s. 55/75000.

🏨 **Augustus,** viale Manzoni 20 🖋 70119 – 📳 🗏 ☎ ☻ – 🔥 50. 🕮 ⑤ ⓪ 🖻 💯. ⅗ rist   BZ **c**
aprile-novembre – Pas (solo per clienti alloggiati) 30000 – ⊊ 5000 – **52 cam** 50/80000 –
P 80/85000, b.s. 60/70000.

🏨 **Villa Ida,** viale Marconi 55 🖋 78201 – 📳 🗏 📺 ☎ ☛. 🕮 ⓪ 💯. ⅗ rist   BZ **q**
Pas 25000 – ⊊ 5000 – **21 cam** 50/80000 – P 70000, b.s. 60000.

🏨 **Biondi,** viale 4 Novembre 83 🖋 71341, ⊒ – 📳 🗏 rist ☎ ☻. ⅗ rist   AY **e**
aprile-ottobre – Pas 25000 – ⊊ 5000 – 91 cam 50/82000 – P 65/75000, b.s. 50/65000.

🏨 **Mediterraneo** ⑤, via Baragiola 1 🖋 71321, « Giardino ombreggiato » – 📳 🗏 rist 📺 ☎ ☻.
🕮. ⅗ rist   AY **a**
20 marzo-ottobre – Pas 30/35000 – ⊊ 7000 – **33 cam** 50/80000 – P 70/80000, b.s. 65/75000.

🏨 **Adua,** via Cavallotti 100 🖋 78134, Telex 580579, ⊒, ☞ – 📳 🗏 ☎ ☻ ☻. 🕮. ⅗ rist   BZ **e**
aprile-novembre – Pas 25000 – ⊊ 5000 – **72 cam** 50/80000 – P 65/72000, b.s. 55/65000.

🏨 **Ariston,** viale Manzoni 30 🖋 79535 – 📳 📺 ☎ ☛ ☻. 🕮 ⑤ ⓪ 🖻 💯. ⅗ rist   BZ **c**
aprile-novembre – Pas 24000 – ⊊ 8000 – **50 cam** 50/82000 – P 80/89000, b.s. 70/73000.

🏨 **Parma e Oriente,** via Cavallotti 135 🖋 72135, ⊒, ☞ – 📳 🗏 rist ☎ ₺. ☻. 🕮 💯
⅗ rist   BY **k**
25 marzo-ottobre – Pas 20/35000 – ⊊ 6000 – **45 cam** 51/82000 – P 72/76000, b.s. 58/62000.

🏨 **Reale,** via Palestro 7 🖋 78074, ☞ – 📳 🗏 rist 📺 ☎ ☻ – 🔥 50. ⅗ rist   AZ **d**
aprile-ottobre – Pas 30000 – ⊊ 6000 – **53 cam** 45/78000 – P 75/78000, b.s. 60/68000.

🏨 **Minerva,** via Cavour 14 🖋 78621 – 📳 🗏 ☎ ₺ ☻. ⅗ rist   AZ **z**
aprile-ottobre – Pas 25/35000 – ⊊ 5000 – **75 cam** 45/75000 – P 60/70000, b.s. 50/60000.

🏨 Lago Maggiore, corso Matteotti 70 🖋 70130 – 📳 🗏 rist ☎ ☞ – *stagionale* – 50 cam. ABZ **p**

🏨 **Settentrionale Esplanade,** via Grocco 2 🖋 70021, ⊒, ☞ – 📳 ☎ ☻ – 🔥 110. ⅗ rist
aprile-6 novembre – Pas 24/26000 – ⊊ 6000 – **107 cam** 88/90000 – P 77/80000, b.s. 66/
69000.   BY **d**

🏠 **Rigoletto** ⑤, via Baragiola 5 🖋 70063, ☞ – 📳 📺 ☎. 🕮 ⑤ 🖻 💯. ⅗   AY **k**
15 marzo-ottobre – Pas (solo per clienti alloggiati) 25000 – **28 cam** ⊊ 50/85000 – P 65000,
b.s. 52000.

🏠 **Casa Rossa,** viale Fedeli 68 🖋 79541 – 📳 ☎ ₺ ☻. ⅗ rist   BY
Pasqua-ottobre – Pas 25/35000 – ⊊ 6000 – **30 cam** 40/56000 – P 53/58000, b.s. 49/55000.

🏠 **Florida,** via Michelangelo 16 🖋 70227 – 📳 🗏 rist ☎. ⅗   AZ **x**
chiuso dal 15 gennaio al 15 marzo – Pas 20000 – ⊊ 5000 – **35 cam** 50/80000 – P 65000,
b.s. 55000.

🏠 **Hermitage** ⑤, via Baragiola 31 🖋 78241 – 📳 🗏 rist ☎. ⑤ 🖻 💯. ⅗ rist   AY **n**
aprile-ottobre – Pas (solo per clienti alloggiati) 28/30000 – ⊊ 7000 – **35 cam** 50/82000 –
P 63/69000, b.s. 53/58000.

🏠 **Villa Splendor,** viale San Francesco d'Assisi 15 🖋 78630 – 📳 🗏 rist. ⅗   AY **x**
➔ *aprile-ottobre* – Pas 16000 – ⊊ 3000 – **29 cam** 32/60000 – P 45/52000, b.s. 40/45000.

🏠 **Maestoso,** viale Puccini 63 🖋 78214 – 📳 🗏 rist ☎ ₺. ⅗ rist   AY **b**
➔ *aprile-ottobre* – Pas 18/22000 – ⊊ 4500 – **37 cam** 48/78000 – P 50/63000, b.s. 42/50000.

🏠 **Nuovo Hotel Felsinea,** viale Bicchierai 67 🖋 78177 – 📳 ✀ 🗏 rist ☎. ⅗ cam   BZ **a**
maggio-ottobre – Pas 22000 – ⊊ 7500 – 25 cam 45/75000 – P 45/65000, b.s. 40/50000.

🏠 **Palo Alto,** via Bruceto 10 🖋 78554 – 📳 🗏 rist ☎. ⑤ 🖻 💯. ⅗ rist   BY **v**
➔ *15 marzo-15 novembre* – Pas 18/25000 – ⊊ 4500 – **12 cam** 36/58000 – P 56/60000,
b.s. 45/48000.

🏠 **Umbria,** via delle Saline 19 🖋 71369 – 📳 ☎. ⅗ rist   AZ **r**
aprile-ottobre – Pas 17/22000 – ⊊ 4000 – **32 cam** 34/50000 – P 40/46000, b.s. 36/40000.

XXX **Pier Angelo,** viale 4 Novembre 99 🖋 771552, Coperti limitati; prenotare – 🗏. 🕮 ⑤ ⓪ 🖻
💯. ⅗   AY **a**
chiuso martedì – Pas carta 45/69000.

XXX **Gourmet,** viale Amendola 6 🖋 771012, Coperti limitati; prenotare – 🗏. 🕮 ⑤ ⓪ 💯. ⅗
chiuso martedì e dal 1° al 20 agosto – Pas carta 32/63000 (16%).   AY **r**

XXX **San Francisco,** corso Roma 112 🖋 79632 – 🗏. ⅗   AY **u**
chiuso a mezzogiorno e giovedì – Pas carta 35/55000 (12%).

XX **Enoteca Giovanni,** via Garibaldi 25 🖋 71695 – 🗏. 🕮 ⑤ ⓪ 🖻 💯   AZ **b**
chiuso lunedì – Pas carta 50/60000.

segue →

✗ **Pietre Cavate,** località Pietre Cavate 🍴 73664, ≤ – ✕✕ 🅿 🖽
  chiuso a mezzogiorno (escluso domenica), mercoledì e dal 9 al 24 agosto – Pas carta 32/45000.
  2 km per viale Marconi BZ

✗ **Egisto** con cam, piazza Cesare Battisti 13 🍴 78413 – ✕✕ 🖽 ⓪ 𝘝𝘐𝘚𝘈 ✑%   AZ **c**
  chiuso febbraio – Pas *(chiuso giovedì)* carta 24/37000 – ⥅ 6000 – 17 cam 28/42000 – P 48000,
  b.s. 47000.

a Pieve a Nievole per ① : 2 km – ✉ 51018 :

🏨 **Park Hotel Le Sorgenti** ❧, 🍴 83116, Telex 575487, « Grande parco con ☷ » – 🛗 📺 ☎
  🅿 🖽 🖂 🇪 𝘝𝘐𝘚𝘈 ✑% rist
  Pas carta 27/46000 – **52 cam** ⥅ 85/150000 – P 106000, b.s. 80000.

✗ **Uno Più,** 🍴 83143, « Servizio estivo all'aperto » – 🅿
  chiuso lunedì – Pas carta 24/40000.

sulla via Marlianese per viale Fedeli :

🏨 **Santabarbara e Rist. La Polveriera** ❧, N : 5 km ✉ 51016 🍴 67353, ≤, 🌤 – 🍽 rist ☎
  🅿 🖽 ⓪. ✑% rist
  Pas *(chiuso martedì, a mezzogiorno da lunedì a venerdì, dal 1° al 15 agosto e dal 5 al 20
  novembre)* carta 30/42000 – ⥅ 8000 – **37 cam** 52/73000.

✗ **Montaccolle,** N : 6,5 km ✉ 51016 🍴 72480, ≤ – 🅿 🖽 ⓪. ✑%
  chiuso dal 6 novembre al 10 dicembre, lunedì e martedì a mezzogiorno – Pas carta 23/36000.

Vedere anche : *Borgo a Buggiano* O : 3,5 km.
         Monsummano Terme SE : 4,5 km.

ALFA-ROMEO via Nievoletta 20 per ② 🍴 81604   RENAULT via S. Antonio 26 🍴 74128
BMW via Ugo Foscolo 21 🍴 80415   VW-AUDI via Ugo Foscolo 44 🍴 81267
FIAT a Pieve a Nievole,via Roma 49 per ① 🍴 81105

MONTECCHIA DI CROSARA 37030 Verona – 3 751 ab. alt. 87 – ✪ 045.
Roma 534 – ◆Milano 188 – ◆Venezia 96 – ◆Verona 35 – Vicenza 33.

✗✗ **Baba-Jaga,** 🍴 7450222, ≤, 🍽, 🌤 – 🍽 🅿 𝘝𝘐𝘚𝘈 ✑%
  chiuso lunedì, gennaio e dal 1° al 15 agosto – Pas carta 30/50000.

al bivio per Roncà SE : 3 km :

✗ **Tregnago,** con cam, ✉ 37030 🍴 7460036 – 🅿 – ⛽ 300. 🖽. ✑%
  chiuso dal 25 luglio al 25 agosto – Pas *(chiuso mercoledì)* carta 22/33000 – ⥅ 8000 – **8 cam**
  32/48000 – P 55000.

MONTECCHIO EMILIA 42027 Reggio nell'Emilia – 7 719 ab. alt. 99 – ✪ 0522.
Roma 443 – ◆Parma 18 – Reggio nell'Emilia 16.

✗ **Al Pavone,** 🍴 864565 – 🍽. 🖂. ✑%
  chiuso sabato a mezzogiorno, domenica e dall'8 al 23 agosto – Pas carta 23/33000.

MONTECCHIO MAGGIORE 36075 Vicenza 🅈🅈🅈 ④ – 19 847 ab. alt. 72 – ✪ 0444.
Vedere ≤★ dai castelli – Salone★ della villa Cordellina-Lombardi.
Roma 544 – ◆Milano 196 – ◆Venezia 77 – ◆Verona 43 – Vicenza 13.

🏨 **Plaza,** piazza Marconi 39 🍴 696421 – 🚗 – ⛽ 100. 🖽 🖂 𝘝𝘐𝘚𝘈. ✑% rist
◆ *chiuso dal 20 dicembre al 6 gennaio* – Pas *(chiuso domenica e dal 5 al 17 agosto)* carta 19/31000
  – ⥅ 5000 – **13 cam** 36/60000 – P 55/60000.

sulla strada statale 11 SE : 3 km :

🏨 **Dei Castelli** senza rist, ✉ 36041 Alte di Montecchio Maggiore 🍴 697366, Telex 481366, 🌤,
  ✑% – 🛗 🍽 📺 ☎ 🅿 – ⛽ 50. 🖽 🖂 ⓪ 🇪 𝘝𝘐𝘚𝘈
  chiuso dal 24 dicembre al 2 gennaio – ⥅ 9000 – **114 cam** 75/120000.

MONTECCHIO PRECALCINO 36030 Vicenza – 4 255 ab. alt. 86 – ✪ 0445.
Roma 544 – Trento 84 – Treviso 67 – Vicenza 17.

✗✗ ✿ **La Locanda di Piero,** strada per Dueville 🍴 864827, Coperti limitati; prenotare, « Servizio
  estivo in terrazza » – 🅿 🖽 🖂 ⓪. ✑%
  chiuso domenica, il mezzogiorno di lunedì e sabato, dal 1° al 10 gennaio e dal 1° al 25 agosto
  – Pas carta 32/50000
  Spec. Tortelloni di cipolla dolce al pecorino, Funghi porcini alla maggiorana (giugno-ottobre), Guancia di vitello
  stufata all'aceto. **Vini** Cà Rotte.

MONTECELIO Roma – Vedere Guidonia Montecelio.

MONTECOPIOLO 61014 Pesaro – 1 215 ab. alt. 1 033 – a.s. luglio e agosto – ✪ 0722.
Roma 330 – Pesaro 90 – Rimini 58.

✗ **Lo Zodiaco,** località Villaggio del Lago 🍴 78466 – 🅿. ✑%
  chiuso lunedì sera e gennaio – Pas carta 20/27000.

MONTECOSARO 62010 Macerata – 4 622 ab. alt. 252 – ✪ 0733.

Roma 266 – ✦Ancona 55 – Macerata 25 – ✦Perugia 147 – ✦Pescara 121.

XX **La Luma,** via Bruscantini 1 ℰ 589176 – *VISA*. ⅍
   chiuso martedì e gennaio – Pas carta 26/39000 (10%).

MONTECRETO 41025 Modena – 1 080 ab. alt. 868 – a.s. 15 luglio-agosto e Natale – ✪ 0536.

Roma 387 – ✦Bologna 89 – ✦Milano 248 – ✦Modena 79 – Pistoia 77 – Reggio nell'Emilia 93.

ad Acquaria NE : 7 km – ⊠ 41020 :

X **Maria** con cam, ℰ 65007 – ⏃. ⅍ rist
↤ *chiuso dal 25 settembre al 25 ottobre* – Pas *(chiuso lunedì)* carta 18/25000 – ⊐ 4500 –
   21 cam 26/40000 – P 40/43000, b.s. 32/37000.

MONTE CROCE DI COMELICO (Passo) (KREUZBERGPASS) Belluno e Bolzano 𝟿𝟾𝟾 ⑤ – alt.
1 636 – a.s. febbraio-aprile, 15 luglio-15 settembre e Natale.

Roma 690 – Belluno 89 – Cortina d'Ampezzo 52 – ✦Milano 432 – Sesto 7 – ✦Venezia 179.

🏤 **Passo Monte Croce-Kreuzbergpass** ⅏, ⊠ 39030 Sesto in Pusteria ℰ (0474) 70328, ≼,
   ⅂ riscaldata, ⅍ – ⊡ ☎ ℗. ⏃
   dicembre-aprile e 10 giugno-settembre – Pas 20/25000 – **50 cam** ⊐ 39/66000 – P 72/88000,
   b.s. 55/66000.

MONTE DEL LAGO Perugia – Vedere Magione.

MONTEFIASCONE 01027 Viterbo 𝟿𝟾𝟾 ㉟ – 12 668 ab. alt. 633 – ✪ 0761.
Vedere Chiesa di San Flaviano★.

Roma 121 – Chianciano Terme 83 – Civitavecchia 75 – Orvieto 28 – Siena 146 – Terni 79 – Viterbo 17.

XX **La Commenda,** via Martana ℰ 86161 – ℗.

MONTEFOLLONICO 53040 Siena – alt. 567 – ✪ 0577.

Roma 187 – ✦Firenze 112 – ✦Perugia 75 – Siena 60.

XXX ✿ **La Chiusa** ⅏ con cam, ℰ 669668, Rist. a coperti limitati; prenotare, « In un'antica
   fattoria » – ℗. ⏃ ⓘ ⒠ *VISA*
   Pas *(chiuso dal 6 gennaio al 15 marzo, dal 5 novembre al 5 dicembre e a mezzogiorno in
   luglio-agosto)* carta 63/107000 – ⊐ 25000 – **8 cam** 190000 appartamento 280000
   Spec. Collo d'oca ripieno, Pappardelle Dania, Anitra al finocchio selvatico. **Vini** Chardonnay, Nobile di Montepulciano.

MONTEFRANCO 05030 Terni – 1 234 ab. alt. 414 – ✪ 0744.

Roma 120 – L'Aquila 92 – Ascoli Piceno 137 – Assisi 72 – Rieti 34 – Terni 15.

🏤 **Fontegaia** ⅏, località Racognano S : 3 km ℰ 78241, ☞ – ᐳᐸ rist ⊡ ☎ ℗ – 🕭 50. ⏃ 🕪
↤ *VISA*. ⅍
   Pas carta 19/28000 – ⊐ 5000 – **19 cam** 44/63000 appartamenti 85/97000 – P 65/71000.

MONTEGALDELLA 36040 Vicenza – 1 485 ab. alt. 24 – ✪ 0444.

Roma 521 – ✦Milano 221 – ✦Padova 23 – ✦Venezia 56 – ✦Verona 68 – Vicenza 21.

X **Da Cirillo,** viale Lampertico 26 (SO : 2 km) ℰ 636025, « Servizio estivo sotto un pergolato »
   – ℗. ⅍
   chiuso mercoledì sera, giovedì e dal 27 luglio al 25 agosto – Pas carta 22/30000.

MONTEGIORGIO 63025 Ascoli Piceno 𝟿𝟾𝟾 ⑯ – 6 636 ab. alt. 411 – ✪ 0734.

Roma 249 – ✦Ancona 81 – Ascoli Piceno 72 – Macerata 30 – ✦Pescara 124.

XX **Oscar e Amorina** con cam, strada statale 210 (S : 5 km) ℰ 968112, Fax 968345, ☞ – 🍽 ⊡
   ☎ ℗. ⏃ *VISA*. ⅍
   Pas *(chiuso lunedì)* carta 24/33000 – ⊐ 3000 – **12 cam** 40/55000, 🍽 1500 – P 55/60000.

MONTEGROTTO TERME 35036 Padova 𝟿𝟾𝟾 ⑤ – 9 560 ab. alt. 11 – Stazione termale, a.s. aprile-
maggio e agosto-ottobre – ✪ 049 – Vedere Guida Verde – 🛈 viale Stazione 56 ℰ 793384.

Roma 482 – Mantova 97 – ✦Milano 246 – Monselice 12 – ✦Padova 12 – Rovigo 32 – ✦Venezia 49.

🏩 **International Bertha** ⅏, largo Traiano 1 ℰ 793100, Telex 430277, « Giardino con ⅀
   riscaldata », ⅏, ⅀, ⅍ – 🍽 🍽 ⊡ ☎ ⅍ ↤ ℗ – 🕭 120. ⏃ ⓘ ⒠ *VISA*. ⅍ rist
   chiuso dall'8 gennaio al 28 febbraio – Pas 40000 – ⊐ 12500 – 126 cam 88/160000 appartamenti
   200/250000 – P 110/122000, b.s. 90/102000.

🏨 **Esplanade Tergesteo** ⅏, via Roma 54 ℰ 793444, Telex 430033, ⅏, ⅀ riscaldata, ⅀, ☞,
   ⅍ – 🍽 ᐳᐸ cam 🍽 ☎ & ℗. ⏃ 🕪 ⓘ ⒠ *VISA*. ⅍ rist
   chiuso febbraio – Pas 35000 – ⊐ 12000 – **136 cam** 85/150000 – P 105/120000, b.s. 90/100000.

🏨 **Gd H. Terme Caesar** ⅏, via Aureliana ℰ 793655, ⅏, ⅀ riscaldata, ⅀, ☞, ⅍ – 🍽
   ᐳᐸ cam 🍽 ☎ & ℗. ⏃ ⒠ *VISA*. ⅍ rist
   chiuso dal 5 gennaio al 28 febbraio e dal 1° al 19 dicembre – Pas 32000 – **135 cam** ⊐ 76/125000
   appartamenti 150/165000 – P 80/87000, b.s. 70/80000.

Gd H. Terme, viale Stazione 23 ☏ 793111, Telex 430266, « Rist. roof-garden con ≼ », ⚘, ⌐ riscaldata, ▨, ⋈, ℀ – ░ ▤ ▥ ♿ ☎, ₱. ㏂ ☒ ⑩ ▤ *VISA*. ℀
chiuso dal 20 novembre al 20 dicembre – Pas 40/50000 – 121 cam ⫴ 80/140000 appartamenti 160/180000 – P 110/130000, b.s. 95/105000.

Garden Terme ⚲, viale delle Terme 7 ☏ 794033, Telex 430322, ⚘, ⌐ riscaldata, ▨, ⋈, ℀ – ░ ▤ rist ☎ ♿ ₱. ㏂ ☒ ☒ ℀ rist
marzo-novembre – Pas 25/30000 – ⫴ 8000 – **112 cam** 65/115000 appartamenti 125000 – P 91/97000, b.s. 75/81000.

Augustus Terme, viale Stazione 150 ☏ 793200, Telex 430407, Fax 793518, « Terrazza con ⌐ riscaldata », ⚘, ▨, ⋈, ℀ – ░ ⥨ ☎ ⟻ ₱. ㏂ ☒ ⑩ ▤ *VISA*. ℀ rist
chiuso dall'8 gennaio al 25 febbraio – Pas 35/45000 – **133 cam** ⫴ 68/124000 appartamenti 144000, ▤ 5000 – P 87/94000, b.s. 77/85000.

Montecarlo, viale Stazione 109 ☏ 793301, ⚘, ⌐ riscaldata, ▨, ⋈, ℀ – ░ ▤ ☎ ₱. ㏂ ☒ ⑩ ▤ *VISA*. ℀ rist
marzo-novembre – Pas 30000 – 104 cam ⫴ 54/94000 – P 65/72000, b.s. 57/64000.

Terme Neroniane ⚲, via Neroniana 21/23 ☏ 793466, Telex 431530, « Parco ombreggiato con ⌐ riscaldata », ⚘, ▨, ℀ – ░ ₱. ℀ rist
chiuso dal 7 gennaio al 3 marzo – Pas 40000 – ⫴ 12000 – 89 cam 70/100000 – P 90/102000, b.s. 72/81000.

Des Bains, via Mezzavia 22 ☏ 793500, ⚘, ⌐ riscaldata, ▨, ⋈, ℀ – ░ ▤ ▥ ☎ ♿ ₱
stagionale – 103 cam.

Terme Miramonti, piazza Roma 19 ☏ 793455, « Giardino con ⌐ riscaldata », ⚘, ▨ – ░ ▤ rist ☎ ₱ – ⚕ 200. ㏂ ☒ ⑩ ▤ *VISA*. ℀ rist
Natale e marzo-novembre – Pas 30/35000 – ⫴ 10000 – **95 cam** 60/96000 – P 87/95000, b.s. 77/85000.

Terme Olympia, viale Stazione 25 ☏ 793499, ⚘, ⌐ riscaldata, ⋈, ℀ – ░ ▤ ☎ ₱. ㏂ ☒ ⑩ ▤ *VISA*. ℀ rist
marzo-15 novembre – Pas 30/40000 – **108 cam** ⫴ 65/120000 – P 75/95000, b.s. 65/75000.

Continental ⚲, via Neroniana 8 ☏ 793522, Telex 430814, « Parco con ⌐ riscaldata », ⚘, ▨, ℀ – ░ ▤ rist ☎ ₱. ℀ rist
chiuso dal 7 gennaio al 28 febbraio e dal 1° al 21 dicembre – Pas 24/27000 – **100 cam** ⫴ 51/90000 – P 72/78000, b.s. 62/67000.

Apollo ⚲, via Pio X n° 4 ☏ 793900, Telex 431567, « Parco con ⌐ riscaldata », ▨, ℀ – ░ ▤ cam ☎ ♿ ₱. ℀ rist
chiuso gennaio e febbraio – Pas (solo per clienti alloggiati) 26/29000 – **200 cam** ⫴ 55/94000 – P 79/87000, b.s. 68/75000.

Antoniano, via Fasolo 12 ☏ 794177, Telex 430287, ⚘, ⌐ riscaldata, ▨, ⋈, ℀ – ░ ▤ cam ☎ ♿ ⟻ ₱. ℀ rist
chiuso dal 6 novembre al 22 dicembre – Pas 25/28000 – ⫴ 10000 – 144 cam 45/90000 – P 75/82000, b.s. 65/71000.

Terme Bellavista, via dei Colli 5 ☏ 793333, ⚘, ⌐ riscaldata, ▨, ⋈ – ░ ▤ ☒ ₱. ☒ ▤. ℀ rist
marzo-novembre – Pas 25000 – 77 cam ⫴ 46/80000 – P 59/64000, b.s. 51/55000.

Terme Sollievo, viale Stazione 113 ☏ 793600, Telex 430180, « Parco con ⌐ riscaldata e ℀ », ⚘, ▨ – ░ ⥨ ☎ ♿ ₱. ㏂ ☒ ⑩ ▤ *VISA*. ℀ rist
marzo-novembre – Pas 23/28000 – **135 cam** ⫴ 65/110000 – P 85000, b.s. 70/75000.

Terme Cristallo, via Roma 69 ☏ 793377, ⚘, ⌐ riscaldata, ▨, ⋈ – ░ ▤ rist ☎ ₱. ㏂ ☒ ⑩ ▤ *VISA*. ℀ rist
marzo-novembre – Pas 23000 – ⫴ 7000 – **119 cam** 46/78000 – P 69/76000, b.s. 62/69000.

Terme delle Nazioni, via Mezzavia 2 ☏ 793322, ⚘, ⌐ riscaldata, ▨, ⋈, ℀ – ░ ▤ rist ▥ ☒ ♿ ₱. ℀ rist
chiuso da dicembre al 24 gennaio – Pas carta 25/36000 – 100 cam ⫴ 46/78000 – P 73/75000, b.s. 65/67000.

Terme Petrarca, piazza Roma 23 ☏ 793387, Telex 431632, ⚘, ⌐ riscaldata, ▨, ⋈, ℀ – ░ ⥨ rist ☒ ♿ ₱. ㏂ ⑩. ℀ rist
chiuso dall' 11 gennaio al 5 febbraio e dal 1° al 18 dicembre – Pas 18/23000 – ⫴ 9000 – **129 cam** 46/78000 – P 68/78000, b.s. 57/67000.

Terme Eliseo, viale Stazione 12/a ☏ 793425, ⚘, ⌐ riscaldata, ▨, ⋈ – ░ ▤ rist ☒ ₱. ℀ rist
14 marzo-13 novembre – Pas 20000 – ⫴ 5000 – **95 cam** 45/70000 – P 63/67000, b.s. 57/61000.

Vulcania ⚲, viale Stazione 6 ☏ 793451, « Parco con ⌐ riscaldata », ⚘, ▨ – ░ ☒ ₱. ℀
4 marzo-15 novembre – Pas 20/24000 – ⫴ 4500 – **78 cam** 43/67000 – P 66/77000, b.s. 54/66000.

Da Mario, viale delle Terme 4 ☏ 794090 – ₱
chiuso martedì, mercoledì a mezzogiorno, dal 10 al 28 febbraio e dal 10 luglio al 1° agosto – Pas carta 23/37000.

La **carta** Michelin della **GRECIA** n° 980 a 1:700 000.

MONTE ISOLA Brescia – 1 804 ab. alt. 190 – ⊠ 25050 Peschiera Maraglio – a.s. Pasqua e luglio-15 settembre – ☺ 030 – **Vedere** ✳✳ dal santuario della Madonna della Ceriola.

Da Sulzano 10 mn di barca; da Sulzano : Roma 586 – ♦Bergamo 44 – ♦Brescia 28 – ♦Milano 88.

  ✕ **Del Pesce-Archetti,** a Peschiera Maraglio 🎣 9886137, ≼
     chiuso martedì (escluso agosto) e dal 1° al 15 novembre – Pas carta 24/32000.

  ✕ **Sensole** 🌊 con cam, a Sensole 🎣 9886203, ≼ – ✿
     chiuso novembre – Pas *(chiuso giovedì in bassa stagione)* carta 22/32000 – ⊆ 5500 – **14 cam**
     26/46000 – P 38/46000.

MONTELPARO 63020 Ascoli Piceno – 1 082 ab. alt. 585 – ☺ 0734.

Roma 285 – Ascoli Piceno 54 – ♦Ancona 108.

  ✕✕ **La Ginestra** 🌊 con cam, contrada Croste E : 3 km 🎣 780449, ≼ valli e colline, 🛏, 🛋, ✕ –
     ✿ cam
     chiuso gennaio – Pas carta 22/37000 – 16 cam ⊆ 45/60000 – P 65/75000.

MONTELUCO Perugia 988 ⑳ – alt. 830 – ⊠ 06049 Spoleto – ☺ 0743.

Vedere Facciata★ della chiesa di San Pietro.

Roma 136 – ♦Perugia 73 – Spoleto 8 – Terni 37.

  🏠 **Paradiso** 🌊, 🎣 37182, 🛋 – ☎ ❻. ⒜ ⒝ ⓞ. ✿
     chiuso febbraio – Pas *(chiuso martedì)* 20/25000 – ⊆ 7000 – **24 cam** 45/66000 – P 55000.

MONTELUNGO Massa-Carrara – Vedere Pontremoli.

MONTELUPO FIORENTINO 50056 Firenze 988 ⑭ – 10 065 ab. alt. 40 – ☺ 0571.

Roma 295 – ♦Firenze 25 – ♦Livorno 66 – Siena 75.

  🏨 **Baccio** senza rist, via Don Minzoni 3 🎣 51215 – ♿ 🗏 📺 ☎ ❻. ⒜ ⒝ ⓞ Ɛ 𝚅𝙸𝚂𝙰
     chiuso agosto – ⊆ 6000 – **19 cam** 57/82000.

  ✕ Trattoria del Sole, via 20 Settembre 35 🎣 51130.

MONTEMAGNO 14030 Asti 988 ⑬ – 1 284 ab. alt. 259 – ☺ 0141.

Roma 617 – Alessandria 29 – Asti 18 – ♦Milano 102 – ♦Torino 72 – Vercelli 50.

  ✕✕ **La Braja,** via San Giovanni Bosco 11 🎣 63107, 🌳, Coperti limitati; prenotare – 🗏 ❻. ⒜ ⒝
     Ɛ 𝚅𝙸𝚂𝙰. ✿
     chiuso lunedì e martedì – Pas 60/80000.

MONTEMARCELLO La Spezia – Vedere Ameglia.

MONTEMARZINO 15050 Alessandria – 408 ab. alt. 448 – ☺ 0131.

Roma 585 – Alessandria 36 – ♦Genova 89 – ♦Milano 89 – Piacenza 85.

  ✕ **Da Giuseppe,** 🎣 878135 – ✿
     chiuso mercoledì e dal 2 al 31 gennaio – Pas carta 25/41000.

MONTEMERANO 58050 Grosseto – alt. 303 – ☺ 0564.

Roma 189 – Grosseto 51 – Orvieto 79 – Viterbo 85.

  ✕✕ **Da Caino,** 🎣 602817 – ⒜ ⒝ ⓞ Ɛ 𝚅𝙸𝚂𝙰. ✿
     chiuso mercoledì – Pas carta 35/42000.

  ✕✕ **Laudomia** con cam, località Poderi di Montemerano SE : 2,5 km 🎣 620062, « Servizio estivo
     in terrazza » – ☎ ❻. ⒜ ⒝ ⓞ 𝚅𝙸𝚂𝙰. ✿
     Pas *(chiuso martedì)* carta 39/66000 – ⊆ 10000 – 12 cam 26/40000 – P 65000.

MONTE OLIVETO MAGGIORE 53020 Siena – alt. 273 – ☺ 0577.

Vedere Affreschi★★ nel chiostro grande dell'abbazia – Stalli★★ nella chiesa abbaziale.

Roma 223 – ♦Firenze 104 – ♦Perugia 121 – Siena 36 – Viterbo 125.

  ✕ **La Torre,** 🎣 707022, 🌳, 🛋 – ❻
     chiuso martedì – Pas carta 21/33000 (10%).

MONTEORTONE Padova – Vedere Abano Terme.

MONTEPAONE LIDO 88060 Catanzaro – ☺ 0967.

Roma 632 – Catanzaro 33 – Crotone 85.

  🏠 **Il Pescatore,** 🎣 6303 – ♿ ✄ cam ☎ ❻. ⒝
     Pas carta 20/30000 – ⊆ 3000 – 51 cam 50/80000 – P 60/80000.

     sulla strada statale 106 S : 3 km :

  ✕✕ **'A Lumera,** 🎣 6290 – 🗏 ❻. ⒝ ⓞ. ✿
     chiuso novembre e martedì (escluso luglio-agosto) – Pas carta 24/39000.

MONTEPERTUSO Salerno – Vedere Positano.

MONTE PORZIO CATONE 00040 Roma – 7 863 ab. alt. 451 – a.s. luglio-15 settembre – ✪ 06.

Roma 24 – Frascati 4 – Frosinone 64 – Latina 55.

🏠 **Giovannella,** piazza Trieste 1 ℰ 9449038, 🍴, « Giardino ombreggiato » – 🛎 ☜ 🅿 – 🏛 25
a 100. 🅰🅴 🅱 🅾 🅴 ᴠɪꜱᴀ. ⚥
Pas *(chiuso mercoledì)* carta 23/32000 – ☐ 5000 – **43 cam** 44/70000 – P 70/80000.

XX **Fontana Candida-da Micara,** prossimità casello autostrada ℰ 9425714, 🍴 – 🅿. 🅰🅴 🅱
🅾 🅴 ᴠɪꜱᴀ. ⚥
chiuso lunedì sera e martedì – Pas carta 31/48000.

X **Da Franco,** via Duca degli Abruzzi 19 ℰ 9449234, ↞ – 🅱. ⚥
chiuso giovedì e dal 15 al 31 luglio – Pas carta 23/40000.

sulla strada provinciale Colonna-Frascati :

XX **Richelieu,** località Pallotta NE : 2 km ✉ 00040 Montecompatri ℰ 9485293, 🍴 – 🅿. 🅰🅴 🅾.
⚥
chiuso domenica sera e lunedì – Pas carta 32/48000.

MONTEPULCIANO 53045 Siena 🟨🟨🟨 ⑮ – 14 089 ab. alt. 605 – ✪ 0578.

Vedere Piazza Grande★ : ⚥★★★ dalla torre del palazzo Comunale★, palazzo Nobili-Tarugi★, pozzo★,
pala d'altare★ nel Duomo – Palazzi★ nella città antica – Chiesa della Madonna di San Biagio★★
SE : 1 km – Roma 176 – Arezzo 60 – ◆Firenze 119 – ◆Perugia 74 – Siena 65.

🏠 **Il Marzocco,** piazza Savonarola ℰ 757262 – ☎. 🅰🅴 🅾 ᴠɪꜱᴀ
chiuso dal 20 novembre al 5 dicembre – Pas carta 20/30000 (10%) – ☐ 5500 – **18 cam**
32/55000 – P 50/55000.

XX **Il Cantuccio,** via delle Cantine 1/3 ℰ 757870 – 🅰🅴 🅾 ᴠɪꜱᴀ
chiuso lunedì – Pas carta 30/56000 (10%).

sulla strada statale 146 SE : 3 km :

🏨 **Panoramic** ⚲ senza rist, ✉ 53045 ℰ 798398, ↞, 🍴, ⚥ – 🕿 🕭 🅿. 🅰🅴 ᴠɪꜱᴀ. ⚥
aprile-settembre – ☐ 9500 – **25 cam** 50/80000.

a Sant'Albino SE : 6 km – ✉ 53045 Montepulciano :

🏨 **Tre Stelle,** ℰ 798008, ↞ – 🛎 🕭 🅿. ⚥ rist
aprile-settembre – Pas *(chiuso lunedì)* carta 22/40000 – ☐ 8000 – **24 cam** 40/55000 – P 45/55000.

sull'autostrada A 1 - lato ovest o Montepulciano Stazione NE : 12 km – ✉ 53040 :

🏨 **Il Grifo** senza rist, ℰ 738408 – 🛎 ⇢ 📺 🕭 🅿. 🅱 🅴 ᴠɪꜱᴀ
☐ 8000 – **40 cam** 40/58000.

Vedere anche : *Montefollonico* NO : 13 km.

MONTEREALE VALCELLINA 33086 Pordenone 🟨🟨🟨 ⑤ – 4 576 ab. alt. 317 – a.s. febbraio, agosto
e Natale – ✪ 0427.

Roma 627 – ◆Milano 366 – Pordenone 23 – Treviso 77 – ◆Trieste 122 – Udine 54 – ◆Venezia 116.

XX **Da Orsini,** località Grizzo SO : 1 km ℰ 79042 – 🅿
chiuso lunedì ed agosto – Pas carta 27/34000.

X Motel Spia, con cam, località Plans SO : 3 km ℰ 79128, 🍴, ↞ – ▤ rist 🅿 – 10 cam.

X **Da Gino,** località Malnisio SO : 5 km ℰ (0434) 656060, 🍴, ↞ – 🅿. 🅰🅴 🅱 🅾 🅴 ᴠɪꜱᴀ. ⚥
chiuso mercoledì e settembre – Pas carta 21/33000.

MONTERIGGIONI 53035 Siena 🟨🟨🟨 ⑭⑮ – 6 929 ab. alt. 274 – ✪ 0577.

Roma 245 – ◆Firenze 55 – ◆Livorno 103 – Pisa 93 – Siena 15.

XX **Il Pozzo,** ℰ 304127 – 🅾. ⚥
chiuso domenica sera, lunedì, dall'8 al 25 gennaio e dal 1° al 14 agosto – Pas carta 29/45000
(15%).

a Strove SO : 4 km – ✉ 53035 Monteriggioni :

XX **Casalta** ⚲ con cam, ℰ 301002 – ⚥
marzo-ottobre – Pas 25/40000 – ☐ 7000 – **10 cam** 33/58000.

MERCEDES-BENZ via Cassia Nord ℰ 318088

MONTEROSSO AL MARE 19016 La Spezia 🟨🟨🟨 ⑬ – 1 783 ab. – ✪ 0187.

🇮 (Pasqua-ottobre), ℰ 817506 – Roma 450 – ◆Genova 93 – ◆Milano 230 – ◆La Spezia 32.

🏨 **Porto Roca** ⚲, ℰ 817502, ≤ mare e costa, ↞ – ☎. 🅰🅴 🅱 🅴 ᴠɪꜱᴀ. ⚥ rist
marzo-ottobre – Pas 45/60000 – 43 cam ☐ 110/180000 – P 120/160000.

🏠 **La Colonnina,** ℰ 817439, « Terrazza ombreggiata » – 🛎 ☎. ⚥
Pasqua-ottobre – Pas (solo per clienti alloggiati) 20/25000 – ☐ 9500 – 20 cam 60000 –
P 68000.

XX **Il Gigante,** ℰ 817401 – 🅰🅴 🅱 🅾 🅴 ᴠɪꜱᴀ
15 marzo-15 ottobre; chiuso martedì – Pas carta 30/42000 (10%).

X **La Cambusa,** ℰ 817546, 🍴 – 🅰🅴 🅱 🅾 🅴 ᴠɪꜱᴀ
15 marzo-15 ottobre; chiuso lunedì – Pas carta 30/60000.

MONTEROSSO GRANA 12020 Cuneo – 604 ab. alt. 720 – a.s. luglio e agosto – ✪ 0171.
Roma 664 – Cuneo 21 – ◆Milano 235 – Colle di Tenda 45 – ◆Torino 92.

  🏠 **A la Posta,** ℘ 98720, « Giardino » – 劓 📞. 🖭 **E**. 🕸 rist
    chiuso dal 3 novembre al 3 dicembre – Pas 20/30000 – � 5000 – 62 cam 25/40000 – P 40/45000,
    b.s. 38/40000.

MONTEROTONDO 00015 Roma 988 ㉘ – 28 479 ab. alt. 165 – ✪ 06.
Roma 26 – Rieti 55 – Terni 84 – Tivoli 32.

  ✗ **Trattoria dei Leoni,** piazza del Popolo ℘ 9007394 – 🖭
    chiuso mercoledì – Pas carta 26/35000.

FIAT via Salaria al km 24,200 ℘ 9004080   LANCIA-AUTOBIANCHI via Adda ℘ 9005764
FORD via Salaria al km 24,500 ℘ 9004573

MONTE SAN PIETRO (PETERSBERG) Bolzano – Vedere Nova Ponente.

MONTE SAN SAVINO 52048 Arezzo 988 ⑮ – 7 784 ab. alt. 330 – ✪ 0575.
Roma 197 – Arezzo 22 – ◆Firenze 86 – ◆Perugia 77 – Siena 43.

  🏨 **Sangallo** senza rist, piazza Vittorio Veneto 16 ℘ 843010 – 📺 📞. 🖭 劓 **E**. 🕸
    ⊑ 4000 – **14 cam** 35/56000 appartamento 69000.

  al Santuario di Santa Maria delle Vertighe E : 2 km :

  🏠 **Domenico,** ⊠ 52048 ℘ 849300 – 劓 🖭 📞 📞. 劓 **E**. 🕸
    Pas *(chiuso sabato)* carta 22/35000 – ⊑ 4000 – **27 cam** 40/60000 – P 50/55000.

  a Gargonza NO : 7 km – ⊠ **52048** Monte San Savino :

  ✗ **Castello di Gargonza,** ℘ 847065 – 🖭 劓 **E** 𝚅𝙸𝚂𝙰
    chiuso lunedì e gennaio – Pas carta 20/31000 (10%).

MONTE SANTA CATERINA (KATHARINABERG) Bolzano 208 ⑨ – Vedere Senales.

MONTE SANT'ANGELO 71037 Foggia 988 ㉘ – 16 208 ab. alt. 843 – a.s. luglio-15 settembre –
✪ 0884.
Vedere Posizione pittoresca★★ – Santuario di San Michele★ – Tomba di Rotari★.
Escursioni Promontorio del Gargano★★★ E-NE.
Roma 427 – ◆Bari 135 – ◆Foggia 55 – Manfredonia 16 – ◆Pescara 203 – San Severo 57.

  🏠 **Rotary** 🦕, O : 1 km ℘ 62146, ≼ golfo di Manfredonia – 🌐 🖐 📞. 🕸 rist
    chiuso novembre – Pas carta 20/31000 (15%) – ⊑ 4000 – **24 cam** 42/60000 – P 58/63000,
    b.s. 46/51000.

  ✗ **Poggio del Sole,** ℘ 61092, ≼ golfo di Manfredonia, 🍴 – 📞. 🖭
  ◆ *chiuso novembre e mercoledì (escluso maggio-agosto)* – Pas carta 16/23000 (10%).

MONTESARCHIO 82016 Benevento 988 ㉗ – 11 910 ab. alt. 300 – ✪ 0824.
Roma 223 – Avellino 54 – Benevento 18 – Caserta 30 – ◆Napoli 48.

  🏨 **Cristina Park Hotel,** via Benevento E : 0,8 km ℘ 835888, 🍴 – 劓 🖭 rist ☎ 📞 – 🏛 300. ⑩
    𝚅𝙸𝚂𝙰. 🕸
    Pas *(chiuso martedì)* carta 21/33000 (11%) – ⊑ 6000 – 16 cam 40/60000 – P 70/80000.

  ✗✗ **Dante's Tavern,** piazza Carlo Poerio 86 ℘ 834360, prenotare – 🖭. 🖭 ⑩. 🕸
    chiuso mercoledì e dal 10 al 25 agosto – Pas carta 25/40000 (10%).

LANCIA-AUTOBIANCHI via 25 Luglio ℘ 831646   MERCEDES-BENZ via Appia al km 241 ℘ 835298

MONTESCANO 27040 Pavia – 375 ab. alt. 208 – ✪ 0385.
Roma 597 – Alessandria 69 – ◆Genova 142 – Pavia 27 – Piacenza 43.

  ✗✗ ❀ **Al Pino-da Mario,** ℘ 60479, Coperti limitati; prenotare – 📞. 🖭 劓 ⑩. 🕸
    chiuso martedì sera, mercoledì, dal 1° al 10 gennaio e dal 15 al 30 luglio – Pas carta 30/56000
    Spec. Terrina di salmone e astice, Risotto alla crema di peperone dolce, Faraona disossata e tartufata. **Vini**
    Malvasia, Oltrepò rosso.

MONTESILVANO MARINA 65016 Pescara 988 ㉗ – Stazione balneare, a.s. luglio e agosto –
✪ 085 – 🚲 viale Europa 79 ℘ 830396.
Roma 215 – L'Aquila 112 – Chieti 26 – ◆Pescara 8 – Teramo 50.

  🏨 **Promenade,** viale Aldo Moro 63 ℘ 838221, ≼, 🏖 – 劓 🖭 rist 🌐 📞 – 🏛 80 – 98 cam.

  🏨 **Sund,** viale della Riviera S : 2 km ℘ 73845, 🏊, 🏖 – 劓 🌐 📞. 🖭 ⑩. 🕸 rist
  ◆ *aprile-10 ottobre* – Pas 15/20000 – **126 cam** ⊑ 43/80000 – P 76000, b.s. 50000.

  🏨 **City,** viale Europa 77 ℘ 838468, 🏖 – 劓 🕸 cam 🖭 rist 🌐 📞. 🕸
    maggio-settembre – Pas 20/28000 – ⊑ 6000 – **44 cam** 40/65000 – P 52/75000, b.s. 40/60000.

INNOCENTI via Giolitti 3 ℘ 837356   RENAULT via Verotti 27 ℘ 839873
MASERATI via Adriatica 420 ℘ 834321   VW-AUDI corso Umberto 359 ℘ 837041
MERCEDES-BENZ via Adriatica 305 ℘ 830142   VOLVO corso Umberto 424 ℘ 837356

MONTESOVER Trento – alt. 1 129 – ✉ 38048 Sover – a.s. dicembre-aprile – ☎ 0461.
Roma 621 – ◆Bolzano 61 – Trento 33.

🏠 Tirol, ☎ 685247, ≤ – ❷
21 cam.

MONTESPLUGA 23020 Sondrio 🎼🎼🎼 ⑬⑭ – alt. 1 908 – ☎ 0343.
Roma 711 – ◆Milano 150 – Sondrio 88 – Passo dello Spluga 3.

✗ **Posta,** ☎ 54234 – ❷. ⚆
chiuso martedì e dal 10 gennaio al 10 febbraio – Pas carta 26/36000.

MONTEVARCHI 52025 Arezzo 🎼🎼🎼 ⑮ – 22 116 ab. alt. 144 – ☎ 055.
Roma 233 – Arezzo 39 – ◆Firenze 52 – Siena 47.

🏨 **Delta** senza rist, viale Diaz 137 ☎ 901213 – 🛗 🚭 📺 ☎ 👝 ❷ – 🏛 25 a 100. 🅰🅴 🕄 ⓪ 🄴
VISA. ⚆
☲ 8000 – **40 cam** 47/68000.

✗✗ **Piccolo Alleluia,** viale Diaz 135 ☎ 901488
chiuso lunedì e dal 18 luglio al 15 agosto – Pas carta 23/32000.

ALFA-ROMEO viale Cadorna 40 ☎ 980442   INNOCENTI viale Diaz 144/a ☎ 984225
FORD via Marconi 84 ☎ 980270   LANCIA-AUTOBIANCHI via Puccini 29 ☎ 980712
GM-OPEL via Burzagli 193 ☎ 980694   PEUGEOT-TALBOT viale Diaz 68 ☎ 980183

MONTEVECCHIA 22050 Como 🎼🎼🎼 ⑲ – 2 116 ab. alt. 479 – ☎ 039.
Roma 604 – ◆Bergamo 28 – Como 34 – Lecco 24 – ◆Milano 36.

✗ Da Luigi, ☎ 592792, Coperti limitati; prenotare – ❷.

MONTEVETTOLINI Pistoia – Vedere Monsummano Terme.

MONTEVIALE 36050 Vicenza – 1 751 ab. alt. 157 – ☎ 0444.
Roma 547 – ◆Milano 209 – ◆Verona 56 – Vicenza 9.

✗ **Zemin,** via Costigiola 58 (E : 1,5 km) ☎ 552054 – ❷. 🅰🅴 🕄 ⓪. ⚆
chiuso dal 2 al 16 gennaio e il mezzogiorno di mercoledì e giovedì – Pas carta 25/37000.

MONTICCHIO LAGHI 85020 Potenza – alt. 650 – ☎ 0972.
Roma 366 – Barletta 91 – ◆Foggia 75 – Potenza 57.

✗ **Restaino,** ☎ 731052 – ❷. ⚆
← *marzo-novembre* – Pas carta 17/25000 (10%).

MONTICELLI TERME 43023 Parma – alt. 99 – Stazione termale (marzo-15 dicembre), a.s.
15 agosto-15 ottobre – ☎ 0521.
🅱 via Matteotti 28/m ☎ 65233.
Roma 452 – ◆Bologna 92 – ◆Milano 134 – ◆Parma 12 – Reggio nell'Emilia 25.

🏨 **Delle Rose** ⚞, ☎ 65521, Fax 65527, « Parco-pineta », ♨, 🏊 – 🛗 🚭 rist ☎ ❷ – 🏛 200. ⚆
chiuso dal 16 dicembre al 14 marzo – Pas 24/28000 – **78 cam** ☲ 47/74000 – P 84/95000,
b.s. 74/84000.

MONTICIANO 53015 Siena 🎼🎼🎼 ⑮ – 1 496 ab. alt. 381 – ☎ 0577.
Dintorni Abbazia di San Galgano★ NO : 7 km.
Roma 245 – Grosseto 58 – Siena 35.

✗ **Da Vestro** con cam, ☎ 756618, « Giardino ombreggiato » – ❷. ⚆
Pas *(chiuso lunedì)* carta 20/29000 – ☲ 4500 – **12 cam** 28/40000 – P 45/55000.

MONTIERI 58026 Grosseto – 1 711 ab. alt. 750 – ☎ 0566.
Roma 269 – Grosseto 51 – Siena 50.

🏠 **Rifugio Prategiano** ⚞, N : 1 km ☎ 997703, ≤, 🏊, 🐴, ✗✗, 🐎, – 🚗 ❷. ⚆
chiuso dal 7 gennaio a Pasqua – Pas *(chiuso martedì)* 25/35000 – ☲ 10000 – 24 cam 55/70000
– P 120000.

MONTIGLIO 14026 Asti – 1 463 ab. alt. 321 – ☎ 0141.
Roma 637 – Alessandria 57 – Asti 25 – ◆Milano 115 – ◆Torino 48 – Vercelli 52.

a Carboneri O : 4 km – ✉ 14026 Montiglio :

✗ **'I Bric** ⚞ con cam, ☎ 994040, ≤, 🍴 – ✗✗ rist ❷. ⚆
← *chiuso dal 1° al 15 agosto* – Pas *(chiuso venerdì)* carta 19/31000 – ☲ 3000 – **7 cam** 33/50000
– P 50000.

MONTIGNOSO 54038 Massa-Carrara – 9 100 ab. alt. 132 – ✪ 0585.

Roma 386 – ◆Firenze 112 – Lucca 42 – Massa 5 – ◆Milano 240 – Pisa 43 – ◆La Spezia 40.

✗✗✗✗ ❀ **Il Bottaccio** 🦊 con cam, 𝒫 340031, 🍴, « In un antico frantoio del settecento », 🛋 – ☎ 🅿. 🆎 🚫 ⓪ 🖅 𝑉𝐼𝑆𝐴
Pas (menu suggeriti) 60/80000 – 🍷 20000 – 5 appartamenti 300/450000
Spec. Filetto di manzo marinato con tartufi, Ravioli di Fieno Greco, Branzino con asparagi. **Vini** Sauvignon, Pergole Torte.

a Cinquale SO : 5 km – ✉ 54030 – a.s. Pasqua e luglio-agosto :

🏨 **Giulio Cesare** 🦊 senza rist, 𝒫 309319, 🛋 – 🍽 🕤 🅿. ❀
Pasqua e 25 maggio-15 settembre – **12 cam** 🍷 60/88000.

🏨 **Eden,** 𝒫 309296, 🍴, 🛋 – ☎ 🅿. ❀ rist
Pas 28/60000 – 🍷 10000 – **14 cam** 45/60000 – P 68/72000, b.s. 60/62000.

✗ **Da Grazia,** 𝒫 309070
chiuso giovedì da ottobre a maggio – Pas carta 31/50000.

a Pasquilio N : 14 km – alt. 824 – ✉ 54038 Montignoso :

✗ **Pasquilio** 🦊 con cam, 𝒫 348070, solo su prenotazione, ≤ mare e litorale, 🍴, 🛋 – ✎ 🅿. 🖅 𝑉𝐼𝑆𝐴. ❀ cam
Pas carta 26/37000 – 🍷 6500 – **15 cam** 43/48000 – P 55/65000.

MONTINELLE Brescia – Vedere Manerba del Garda.

MONTISI 53020 Siena – alt. 413 – ✪ 0577.

Roma 197 – Arezzo 58 – ◆Perugia 82 – Siena 59.

✗ **La Romita,** 𝒫 824186, Coperti limitati; prenotare, « Servizio estivo in giardino » – 🅿. 🆎. ❀
chiuso mercoledì – Pas carta 33/47000.

MONTODINE 26010 Cremona – 2 124 ab. alt. 66 – ✪ 0373.

Roma 536 – ◆Bergamo 49 – ◆Brescia 57 – Crema 9 – Cremona 31 – ◆Milano 53 – Piacenza 29.

✗ **Trattoria Umberto I-da Brambini,** 𝒫 66118 – ❀
chiuso mercoledì ed agosto – Pas carta 25/40000.

MONTOGGIO 16026 Genova 🔠🔠🔠 ⑬ – 1 945 ab. alt. 440 – ✪ 010.

Roma 538 – Alessandria 84 – ◆Genova 39 – ◆Milano 131.

✗✗ **Roma,** 𝒫 938925 – 🍴. ❀
chiuso giovedì, giugno e settembre – Pas carta 21/34000.

MONTOPOLI IN VAL D'ARNO 56020 Pisa – 8 928 ab. alt. 98 – ✪ 0571.

Roma 307 – ◆Firenze 53 – ◆Livorno 44 – Lucca 40 – Pisa 34 – Pistoia 41 – Pontedera 12 – Siena 76.

🏨 **Quattro Gigli,** piazza Michele 2 𝒫 466940, ≤, « Originali terrecotte » – 🆎 🚫 ⓪ 🖅 𝑉𝐼𝑆𝐴. ❀
chiuso dal 10 al 25 agosto – Pas *(chiuso domenica sera e lunedì)* carta 26/36000 (10%) – 🍷 6000 – **28 cam** 40/54000 – P 55/65000.

MONTORFANO 22030 Como 🔠🔠🔠 ⑨ – 2 178 ab. alt. 410 – ✪ 031.

🏨 Villa d'Este (chiuso gennaio e febbraio) 𝒫 200200.

Roma 631 – ◆Bergamo 50 – Como 7 – Lecco 24 – ◆Milano 49.

🏨 **Santandrea Golf Hotel,** via Como 19 𝒫 200220, ≤, 🍴 – 📺 ☎ 🅿 – 🏛 30. 🆎 🚫 ⓪ 🖅 𝑉𝐼𝑆𝐴. ❀
chiuso dal 10 gennaio al 10 febbraio – Pas carta 60/113000 – 🍷 20000 – **12 cam** 99/160000.

MONTORO INFERIORE 83025 Avellino – 9 026 ab. alt. 195 – ✪ 0825.

Roma 265 – Avellino 18 – ◆Napoli 69 – Salerno 20.

✗✗ **La Foresta,** uscita svincolo superstrada ✉ 83020 Piazza di Pàndola 𝒫 511005 – ✎ 🅿. 🆎 🚫 ⓪ 𝑉𝐼𝑆𝐴. ❀
chiuso domenica sera e lunedì – Pas carta 18/30000 (15%).

MONTORSO VICENTINO 36050 Vicenza – 2 635 ab. alt. 118 – ✪ 0444.

Roma 553 – ◆Milano 193 – ◆Venezia 81 – ◆Verona 40 – Vicenza 17.

✗ **Belvedere-da Bepi,** 𝒫 685415, 🍴 – 🍽 🅿. ❀
← *chiuso martedì sera, mercoledì e dal 1° al 25 agosto* – Pas carta 19/30000.

MONTÙ BECCARIA 27040 Pavia – 1 873 ab. alt. 277 – ✪ 0385.

Roma 544 – ◆Genova 123 – ◆Milano 66 – Pavia 28 – Piacenza 32.

✗ **Colombi,** località Loglio di Sotto S : 3 km 𝒫 60049 – 🅿 🍴. ❀
Pas carta 30/41000.

MONZA 20052 Milano 988 ③, 219 ⑲ – 122 726 ab. alt. 162 – ✿ 039.

Vedere Parco★★ della Villa Reale – Duomo★ : facciata★★, corona ferrea★★ dei re Longobardi.

ſ₁₈ e ſ₁₅ (chiuso lunedì) al Parco ✎ 303081, N : 5 km.

Autodromo al parco N : 5 km ✎ 22366.

Roma 592 – ◆Bergamo 38 – ◆Milano 15.

AUTODROMO DI MONZA

🏨 **De la Ville,** viale Regina Margherita 15 ✎ 382581, Telex 332496, Fax 367647 – 🛗 🗏 📺 ☎ ❷ – 🅰️ 220. 🆎 🕅 ⑩ 🖪 𝘝𝘚𝘈 ✖
  chiuso agosto – Pas (chiuso sabato e domenica a mezzogiorno) carta 37/56000 – 🖙 12000 – **55 cam** 140/190000.

🏨 **Della Regione,** via Elvezia (Rondò) 4 ✎ 387205 – 🛗 🗏 📺 ☎ ♿ ❷ – 🅰️ 25 a 200 90 cam.

🟰🟰🟰 **Alle Grazie,** via Lecco 84 ✎ 387903, 🍴 – ❷. 🆎 ⑩
  chiuso mercoledì e dal 1° al 14 agosto – Pas carta 35/53000.

🟰🟰 **Corona Ferrea,** piazza Duomo 2 ✎ 323637, ≼ 🍴.

🟰🟰 **La Riserva,** via Borgazzi 12 ✎ 386612, 🍴, Coperti limitati; prenotare – ❷. 🆎 ✖
  chiuso venerdì, sabato a mezzogiorno, dal 24 dicembre al 6 gennaio e dal 24 luglio al 14 agosto – Pas carta 34/61000.

🟰🟰 **Lo Chef Giovanni,** via Luciano Manara 12/a ✎ 386462, 🍴 – 🆎 🕅 ⑩ 🖪 𝘝𝘚𝘈 ✖
  chiuso martedì sera, mercoledì e dall'8 al 25 agosto – Pas carta 38/65000.

🟰 **La Viestana,** via Michelangelo Buonarroti 31 ✎ 835270 – 🗏. 🆎 🕅
  chiuso lunedì e dal 3 al 31 agosto – Pas carta 26/46000.

🟰 **Antica Trattoria dell'Uva** con cam, piazza Carrobiolo 2 ✎ 323825 – ✖
  chiuso agosto – Pas (chiuso venerdì) carta 27/41000 (10%) – 🖙 6000 – **12 cam** 43/70000 – P 82/99000.

al parco N : 5 km :

🟰🟰🟰 **Saint Georges Premier,** ingresso Porta Vedano ✎ 320600, 🍴, prenotare, « Villa settecentesca in un parco ombreggiato; arredamento d'epoca » – ❷ – 🅰️ 60. 🆎 ✖ **a**
  chiuso martedì e dal 3 al 27 agosto – Pas carta 37/62000.

ALFA-ROMEO viale Elvezia 38 ✎ 384818
ALFA-ROMEO via Aspromonte 8 ✎ 322030
BMW via Galileo Ferraris 2/4 ✎ 321963
CITROEN viale Enrico Fermi 23 ✎ 835331
FIAT corso Milano 19 ✎ 387871
FIAT via Visconti 15/a ✎ 323191
FIAT via Ferrari 39 ✎ 387761
FORD via Michelangelo Buonarroti 85 ✎ 836261, Telex 314422
GM-OPEL via Cavallotti 15 ✎ 386942

LANCIA-AUTOBIANCHI via Maggiolini 15 ✎ 831021
LANCIA-AUTOBIANCHI via Mascagni ✎ 365223
MERCEDES-BENZ viale Sicilia 98 ✎ 831091
PEUGEOT-TALBOT via Annoni 18 ✎ 365631
RENAULT via Dante 34/36 ✎ 384728
RENAULT via Borgazzi 8 ✎ 380277
VW-AUDI via Tiepolo angolo via Sicilia ✎ 833353
VW-AUDI via Michelangelo Buonarroti 20 ✎ 834052
VOLVO viale Campania 34 ✎ 748562

MORBEGNO 23017 Sondrio 988 ③, 219 ⑩ – 10 562 ab. alt. 255 – ✿ 0342.

Roma 673 – ◆Bolzano 194 – Lecco 57 – ◆Lugano 71 – ◆Milano 113 – Sondrio 25 – Passo dello Spluga 66.

🏨 **Margna,** via Margna 24 ✎ 610377 – 🛗 🗏 rist ☎ ♿ 🚗 ❷. 🆎 ✖
  Pas *(chiuso lunedì)* carta 21/33000 – 🖙 5000 – **38 cam** 32/52000 – P 55/65000.

🏨 **La Ruota,** strada statale ✎ 612208 – 🛗 📺 ☎ ♿ 🚗 ❷. 🆎 𝘝𝘚𝘈 ✖ cam
  Pas *(chiuso venerdì)* carta 18/30000 – 🖙 4000 – **20 cam** 28/45000 – P 40/45000.

🟰🟰 **Vecchio Ristorante Fiume,** contrada di Cima alle Case 3 ✎ 610248
  chiuso martedì sera, mercoledì e dal 15 giugno al 15 luglio – Pas carta 27/46000.

a Regoledo di Cosio Valtellino O : 1 km – ✉ 23013 :

🏨 **Bellevue,** ✎ 635107, ✖ – 🛗 ☎ 🚗 ❷ – 🅰️ 40. 🆎 🕅 ⑩ 🖪 𝘝𝘚𝘈
  Pas *(chiuso lunedì)* carta 18/31000 – 🖙 5000 – **37 cam** 34/55000 – P 50/55000.

Vedere anche : *Gerola Alta* S : 15 km.

ALFA-ROMEO via Felice Damiani 34 ✎ 611760

MORCIANO DI ROMAGNA 47047 Forlì 988 ⑯ – 5 201 ab. alt. 83 – ✿ 0541.

Roma 323 – ◆Ancona 95 – ◆Ravenna 92 – Rimini 29.

🟰🟰 **Tuf-Tuf,** via Panoramica 34 ✎ 988770, Coperti limitati; prenotare – ❷. 🆎 🕅 ⑩ 🖪 𝘝𝘚𝘈 ✖
  chiuso a mezzogiorno, lunedì e dal 24 maggio all'8 giugno – Pas carta 40/65000.

MORCONE 82026 Benevento 988 ⑳ – 7 364 ab. alt. 683 – ✪ 0824.
Roma 231 – Benevento 30 – ♦Foggia 124 – Isernia 54 – ♦Napoli 87.

🏨 **La Formica**, 𝒫 957100, 🏊 (coperta d'inverno) – ☎ 🅿 – 🏖 100
Pas carta 23/34000 – ☲ 4000 – 50 cam 35/55000 – P 55000.

MORCOTE 427 ㉘, 219 ⑧ – Vedere Cantone Ticino alla fine dell'elenco alfabetico.

MORDANO 40027 Bologna – 3 840 ab. alt. 21 – ✪ 0542.
Roma 396 – ♦Bologna 43 – Forlì 35 – ♦Ravenna 36.

🏨 **Panazza**, 𝒫 51434, Fax 52165, « Piccolo parco » – 📺 ☎ 🅿 – 🏖 50. 🆎 🕃 ⓞ 𝘝𝘐𝘚𝘈. 🛇
Pas *(chiuso martedì)* carta 28/42000 – ☲ 5000 – **15 cam** 50/65000 – P 65000.

MORIMONDO 20081 Milano 219 ⑱ – 1 081 ab. alt. 109 – ✪ 02.
Roma 595 – Alessandria 79 – ♦Milano 29 – Novara 34 – Pavia 26 – ♦Torino 120.

✗ **Trattoria del Priore-da Angelo**, via Roma 13 𝒫 945207 – 🅿
chiuso martedì sera, mercoledì e gennaio – Pas carta 26/41000.

MORLUPO 00067 Roma – 5 303 ab. alt. 207 – ✪ 06.
Roma 33 – Terni 79 – Viterbo 64.

✗✗ **Agostino al Campanaccio**, 𝒫 9030008, 🌤 – 🆎 🕃. 🛇
chiuso martedì e dal 17 agosto al 6 settembre – Pas carta 27/37000.

MORTARA 27036 Pavia 988 ③ – 14 193 ab. alt. 108 – ✪ 0384.
Vedere Guida Verde.
Roma 601 – Alessandria 49 – ♦Milano 47 – Novara 24 – Pavia 38 – ♦Torino 94 – Vercelli 32.

✗✗ **San Michele** con cam, corso Garibaldi 20 𝒫 99106 – 📺 🕭 ♿ 🅿. 🆎 🕃 ⓞ
chiuso agosto e dal 23 dicembre al 2 gennaio – Pas *(chiuso lunedì)* carta 25/45000 – ☲ 7000
– **17 cam** 47/69000 – P 70000.

ALFA-ROMEO via Enrico Fermi 28 𝒫 90462   LANCIA-AUTOBIANCHI via 1° Maggio 1 𝒫 93277
FIAT piazza Italia 10 𝒫 99063   RENAULT via Don Minzoni 36 𝒫 92401

MORTELLE Messina – Vedere Sicilia (Messina) alla fine dell'elenco alfabetico.

MORTER Bolzano 218 ⑲ – Vedere Laces.

MOSCAZZANO 26010 Cremona – 714 ab. alt. 68 – ✪ 0373.
Roma 539 – ♦Bergamo 52 – ♦Brescia 60 – Crema 12 – Cremona 34 – ♦Milano 56 – Piacenza 32.

✗✗ **Vecchio Mulino**, 𝒫 66177, 🌤 – 🅿
chiuso lunedì sera, martedì, dal 4 al 25 gennaio e dal 10 al 31 luglio – Pas carta 21/33000.

MOSO (MOOS) Bolzano – Vedere Sesto.

MOSSA 34070 Gorizia – 1 610 ab. alt. 73 – ✪ 0481.
Roma 656 – Gorizia 6 – ♦Trieste 49 – Udine 31.

✗ **Blanch**, via Blanchis 35 𝒫 80020, 🌤 – 🅿. 🛇
chiuso mercoledì e dal 28 agosto al 20 settembre – Pas carta 20/31000.

MOTTA DI LIVENZA 31045 Treviso 988 ⑤ – 8 181 ab. alt. 9 – ✪ 0422.
Roma 570 – Belluno 76 – ♦Milano 309 – Treviso 37 – Udine 81 – ♦Venezia 59.

✗ **Bertacco** con cam, 𝒫 766129 – 📺 🆎 🕃 ⓞ 𝘝𝘐𝘚𝘈. 🛇
chiuso dal 18 agosto al 10 settembre – Pas *(chiuso giovedì)* carta 20/34000 – ☲ 5000 –
10 cam 23/38000 – P 53000.

MOTTARONE (Stresa) 28040 ★★★ Novara 219 ⑥ – alt. 1 491 – a.s. aprile, 15 luglio-agosto e
Natale – Sport invernali : 1 270/1 491 m ✑6, ✐ – ✪ 0323.
Vedere Guida Verde.
Roma 676 – ♦Milano 99 – Novara 61 – Orta San Giulio 18 – Stresa 20 – ♦Torino 135.

✗ **Miramonti** 🐾 con cam, 𝒫 24822, ≤ Alpi – 🛇 cam
Pas *(chiuso mercoledì)* carta 20/29000 (15%) – ☲ 5000 – **12 cam** *(dicembre-Pasqua e luglio-
agosto)* 40/58000 – P 53000.

Vedere anche : risorse alberghiere di Stresa.

MOZZO 24035 Bergamo 219 ㉘ – 5 934 ab. alt. 252 – ✪ 035.
Roma 607 – ♦Bergamo 6 – Lecco 28 – ♦Milano 49.

✗✗ Caprese, via Crocette 38 𝒫 611148, Solo piatti di pesce, prenotare – 🍽 🅿.

MUCCIA 62034 Macerata – 861 ab. alt. 451 – 🕾 0737.
Roma 199 – ♦Ancona 101 – Ascoli Piceno 92 – Macerata 49 – ♦Perugia 79.

  ✗ Il Cacciatore, via Spinabello 11 ℘ 43121.

    sulla strada statale 77 E : 2 km :

  🏨 **MotelAgip,** ✉ 62034 ℘ 43138 – **Ⓟ**. 🆎 🕃 ⓪ **E** 💳. 🍽 rist
    Pas 24000 – ⇌ 8500 – **37 cam** 36/62000 – P 81/91000.

MUGGIA 34015 Trieste 🔢 ⑥ – 13 496 ab. – 🕾 040 – Vedere Guida Verde – 🅱 ℘ 273259.
Roma 684 – ♦Milano 423 – ♦Trieste 11 – Udine 86 – ♦Venezia 173.

  🏨 **Lido,** via Cesare Battisti 22 ℘ 273338 – 📳 🍴 rist 📺 ☎ **Ⓟ** – 🅐 100. 🍽
    Pas carta 25/38000 – **47 cam** ⇌ 50/80000 – P 87000.

  🏠 Sole 🦐, strada per Lazzaretto O : 5 km ℘ 271106, ≼, 🍷 – **Ⓟ** – 20 cam.

MÜHLBACH = Rio di Pusteria.

MULAZZO 54026 Massa Carrara – 2 831 ab. alt. 350 – 🕾 0187.
Roma 434 – ♦Genova 121 – ♦Parma 83 – ♦La Spezia 38.

    a Madonna del Monte O : 8 km – alt. 870 – ✉ 54026 Mulazzo :

  ✗ **Rustichello** 🦐 con cam, ℘ 839759, ≼, prenotare – **Ⓟ**. 🍽 rist
  ➡ Pas *(chiuso martedì escluso luglio e agosto)* carta 16/26000 – ⇌ 3500 – **8 cam** 25/40000 –
    P 45/50000.

MULES (MAULS) Bolzano – alt. 905 – ✉ 39040 Campo di Trens – a.s. luglio e agosto – 🕾 0472.
Roma 699 – ♦Bolzano 61 – Brennero 23 – Brunico 44 – ♦Milano 360 – Trento 121 – Vipiteno 9.

  🏘 **Stafler,** ℘ 67136, « Parco ombreggiato », 🏊, ✗ – 📳 📺 ☎ **Ⓟ** – 🅐 30 a 40. 🆎 🕃
    chiuso dal 18 al 30 giugno e dal 12 novembre al 22 dicembre – Pas *(chiuso mercoledì)*
    carta 36/55000 (10%) – ⇌ 12000 – **38 cam** 48/70000 – P 75/90000.

MURANO Venezia 🔢 ⑤ – Vedere Venezia.

MURAVERA Cagliari 🔢 ㉞ – Vedere Sardegna alla fine dell'elenco alfabetico.

MURIALDO 17010 Savona – 930 ab. alt. 527 – 🕾 019.
Roma 588 – Asti 102 – Cuneo 77 – ♦Genova 89 – ♦Milano 212 – Savona 43 – ♦Torino 120.

  ✗ **Ponte,** ℘ 53610 – **Ⓟ**
  ➡ *chiuso dal 15 gennaio a marzo* – Pas carta 15/24000.

MURISENGO 15020 Alessandria – 1 666 ab. alt. 338 – 🕾 0141.
Roma 640 – Alessandria 56 – Asti 28 – ♦Milano 106 – ♦Torino 50.

  ✗ **Regina,** ℘ 993025 – **Ⓟ**. 🕃
  ➡ *chiuso mercoledì e dal 15 al 30 luglio* – Pas carta 17/27000.

MURO LUCANO 85054 Potenza 🔢 ㉘ – 7 396 ab. alt. 550 – 🕾 0976.
Roma 359 – ♦Bari 177 – ♦Foggia 127 – ♦Napoli 129 – Potenza 49 – Salerno 102.

  ✗ **Delle Colline** con cam, ℘ 2284 – ⇌ 🅿. 🍽
  ➡ Pas carta 17/22000 – ⇌ 4000 – **18 cam** 30/44000 – P 44/47000.

MUSSOLENTE 36065 Vicenza – 5 900 ab. alt. 127 – 🕾 0424.
Roma 548 – Belluno 85 – ♦Milano 239 – ♦Padova 47 – Trento 93 – Treviso 42 – ♦Venezia 72 – Vicenza 40.

  🏠 **Volpara** 🦐, NE : 2 km ℘ (0423) 567766, ≼ – 🍴 ☎ **Ⓟ**. 🆎 ⓪ 💳. 🍽
    Pas vedere rist Volpara – ⇌ 5000 – **10 cam** 30/50000, 🔳 5000.

  ✗ **Volpara,** NE : 2 km ℘ 87019, ≼, 🍽 – **Ⓟ**. 🆎 ⓪ 💳. 🍽
  ➡ *chiuso mercoledì e dal 1° al 20 agosto* – Pas carta 19/26000.

MUZZANA DEL TURGNANO 33055 Udine 🔢 ⑥ – 2 632 ab. alt. 6 – 🕾 0431.
Roma 607 – Gorizia 48 – ♦Milano 346 – ♦Trieste 68 – Udine 29 – ♦Venezia 100.

  ✗ **Turgnano** con cam, via Circonvallazione ℘ 69050, 🍽 – **Ⓟ**. 🍽
  ➡ *chiuso febbraio* – Pas *(chiuso lunedì)* carta 19/31000 – ⇌ 8000 – **10 cam** 35/50000 –
    P 45/50000.

NALLES (NALS) 39010 Bolzano 🔢 ㉘ – 1 326 ab. alt. 331 – a.s. aprile-maggio e 15 luglio-ottobre
– 🕾 0471 – Roma 651 – ♦Bolzano 14 – Merano 17 – ♦Milano 308.

  🏨 **Nalserhof** 🦐, ℘ 678678, ≼, « Giardino fiorito con 🏊 riscaldata », 🏊 – 🍴 rist 🍽 **Ⓟ**. 🆎. 🍽
  ➡ *15 marzo-5 novembre* – Pas (solo per clienti alloggiati) 15000 – ⇌ 14000 – **23 cam** 40/60000
    – P 68/84000.

NALS = Nalles.

NAPOLI 80100 🅿 988 ㉗ – 1 200 958 ab. – a.s. aprile-ottobre – ☎ 081.

Vedere Museo Archeologico Nazionale*** KY – Castel Nuovo** KZ – Porto di Santa Lucia** BU : ≤** sul Vesuvio e sul golfo – ≤*** notturna dalla via Partenope sulle colline del Vomero e di Posillipo FX – Teatro San Carlo* KZ **T** – Piazza del Plebiscito* JKZ – Palazzo Reale* KZ – Certosa di San Martino** JZ : ≤*** sul golfo di Napoli dalla sala n° 25 del museo.

Quartiere di Spacca-Napoli** KY – Tomba** del re Roberto il Saggio nella chiesa di Santa Chiara* KY **C** – Cariatidi* di Tino da Camaino nella chiesa di San Domenico Maggiore KY **L** – Sculture* nella cappella di San Severo KY **V** – Arco*, tomba* di Caterina d'Austria, abside* nella chiesa di San Lorenzo Maggiore LY **K** – Palazzo e galleria di Capodimonte** BT **M1**.

Mergellina* BU : ≤** sul golfo – Villa Floridiana* EVX : ≤* – Catacombe di San Gennaro* FU **X** – Chiesa di Santa Maria Donnaregina* LY **B** – Chiesa di San Giovanni Carbonara* LY **G** – Porta Capuana* LMY **D** – Palazzo Cuomo* LY **Q** – Sculture* nella chiesa di Sant'Anna dei Lombardi KYZ **R** – Posillipo* AU – Marechiaro* AU – ≤** sul golfo dal parco Virgiliano (o parco della Rimembranza) AU.

Escursioni Golfo di Napoli*** per la strada costiera verso Campi Flegrei** per ⑧, verso penisola Sorrentina per ⑦ – Isola di Capri*** – Isola d'Ischia***.

⛳9 (chiuso lunedì), ad Arco Felice ✉ 80072 ☎ 8674296 per ⑧ : 19 km.

✈ Ugo Niutta di Capodichino NE : 6 km CT (escluso domenica) ☎ 5425333 – Alitalia, via Medina 41 ✉ 80133 ☎ 5425222.

⛴ per Capri giornalieri (1 h 15 mn) – Navigazione Libera del Golfo, molo Beverello ✉ 80133 ☎ 5520763, Telex 722661; per Capri (1 h 15 mn), Ischia (1 h 20 mn) e Procida (1 h), giornalieri – Caremar-agenzia De Luca, molo Beverello ✉ 80133 ☎ 5513882; per Cagliari martedì e giovedì (15 h 45 mn) e Palermo giornaliero (10 h 30 mn); per Catania (15 h 15 mn) e Siracusa (18 h 45 mn), giovedì – Tirrenia Navigazione, Stazione Marittima, molo Angioino ✉ 80133 ☎ 5512181, Telex 710030; per Ischia giornalieri (1 h 15 mn) – Libera Navigazione Lauro, via Caracciolo 11 ✉ 80122 ☎ 991889, Telex 720354.

🚤 per Capri (40 mn), Ischia (45 mn) e Procida (35 mn), giornalieri – Caremar-agenzia De Luca, molo Beverello ✉ 80133 ☎ 5513882; per Ischia giornalieri (35 mn) – Alilauro, via Caracciolo 11 ✉ 80122 ☎ 684288, Telex 720354; per Capri giornalieri (35 mn) e le Isole Eolie giugno-settembre giornaliero (da 3 a 5 h) e Procida-Ischia giornalieri (40 mn) – Aliscafi SNAV, via Caracciolo 10 ✉ 80122 ☎ 660444, Telex 720446.

ℹ via Partenope 10/a ✉ 80121 ☎ 406289 – piazza del Plebiscito (Palazzo Reale) ✉ 80132 ☎ 418744 – Stazione Centrale ✉ 80142 ☎ 268779 – Aeroposto di Capodichino ✉ 80133 ☎ 7805761 – piazza del Gesù Nuovo 7 ✉ 80135 ☎ 5523328 – Passaggio Castel dell'Ovo ✉ 80132 ☎ 411461.

A.C.I. piazzale Tecchio 49/d ✉ 80125 ☎ 514511.

Roma 219 ③ – ♦Bari 261 ⑤.

Piante : Napoli p. 2 a 7

🏨🏨🏨🏨🏨 **Excelsior,** via Partenope 48 ✉ 80121 ☎ 417111, Telex 710043, Fax 411743, ≤ golfo, Vesuvio e Castel dell'Ovo – |♦| ▤ 📺 ☎ – 🎤 30 a 200. AE 🅂 ⓓ E VISA. ✻ rist GX **w**
Pas carta 72/118000 – ☕ 24000 – **114 cam** 252/385000 appartamenti 718/1016000.

🏨🏨🏨🏨 Vesuvio, via Partenope 45 ✉ 80121 ☎ 417044, Telex 710127, Fax 417044, « Rist. roof-garden con ≤ golfo e Castel dell'Ovo » – |♦| ▤ 📺 ☎ – 🎤 25 a 250 FX **n**
170 cam.

🏨🏨🏨 **Britannique,** corso Vittorio Emanuele 133 ✉ 80121 ☎ 660933, Telex 722281, Fax 660933, ≤, « Giardino » – |♦| ▤ 📺 🚗 – 🎤 25 a 100. AE 🅂 ⓓ E VISA. ✻ EX **r**
Pas (solo per clienti alloggiati) 37000 – ☕ 12000 – **80 cam** 126/177000 appartamenti 230/252000, ▤ 10000 – P 132/158000.

🏨🏨🏨 **Jolly,** via Medina 70 ✉ 80133 ☎ 416000, Telex 720335, « Rist. roof-garden con ≤ città, golfo e Vesuvio » – |♦| ▤ 📺 ☎ – 🎤 250. AE 🅂 ⓓ E VISA. ✻ rist KZ **s**
Pas 45000 – **278 cam** ☕ 150/198000.

🏨🏨🏨 **Paradiso,** via Catullo 11 ✉ 80122 ☎ 660233, Telex 722049, ≤ golfo, città e Vesuvio, 🏛 – |♦| ▤ 📺 ☎ – 🎤 40 a 50. AE 🅂 ⓓ E VISA. ✻ BU **a**
Pas carta 35/56000 – **71 cam** ☕ 125/185000 – P 157/186000, b.s. 145/175000.

🏨🏨🏨 **San Germano,** via Beccadelli 41 ✉ 80125 ☎ 7605422, Telex 720080, Fax 5701546, « Grazioso parco-giardino », 🏊 – |♦| ▤ 📺 ☎ 🚗 🅟 – 🎤 80. AE 🅂 ⓓ E VISA. ✻ rist AU **x**
Pas *(chiuso domenica)* 33000 – **101 cam** ☕ 99/160000 – P 130/149000.

🏨🏨🏨 **Royal,** via Partenope 38 ✉ 80121 ☎ 400244, Telex 710167, Fax 411516, ≤ golfo, Posillipo e Castel dell'Ovo, 🏊 – |♦| ▤ 📺 ☎ ♿ 🚗 – 🎤 25 a 200. AE 🅂 ⓓ E VISA. ✻ rist FX **n**
Pas carta 43/68000 – **273 cam** ☕ 175/260000 appartamenti 435000, ▤ 18000 – P 210/250000.

🏨🏨🏨 **Majestic,** largo Vasto a Chiaia 68 ✉ 80121 ☎ 416500, Telex 720408, Fax 422884 – |♦| ▤ 📺 ☎ 🚗 – 🎤 25 a 100. AE 🅂 ⓓ E VISA. ✻ FX **b**
Pas *(chiuso a mezzogiorno e domenica)* carta 47/66000 – **130 cam** ☕ 95/160000 appartamenti 250/400000, ▤ 8000.

🏨🏨🏨 **Miramare** senza rist, via Nazario Sauro 24 ✉ 80132 ☎ 427388, Fax 416775, ≤ – |♦| ▤ 📺 ☎. AE 🅂 ⓓ E VISA GX **e**
30 cam ☕ 145/230000.

🏨🏨 **Serius,** viale Augusto 74 ✉ 80125 ☎ 614844 – |♦| ⇔ cam ▤ ☎ 🚗. ✻ AU **d**
Pas (solo per clienti alloggiati) 27000 – **69 cam** ☕ 82/120000 – P 120000.

🏨🏨 **Cavour,** piazza Garibaldi 32 ✉ 80142 ☎ 283122 – |♦| ☎. AE 🅂 ⓓ E VISA. ✻ MY **b**
Pas vedere rist Cavour – **94 cam** ☕ 71/111000 – P 91/101000, b.s. 75/83000.

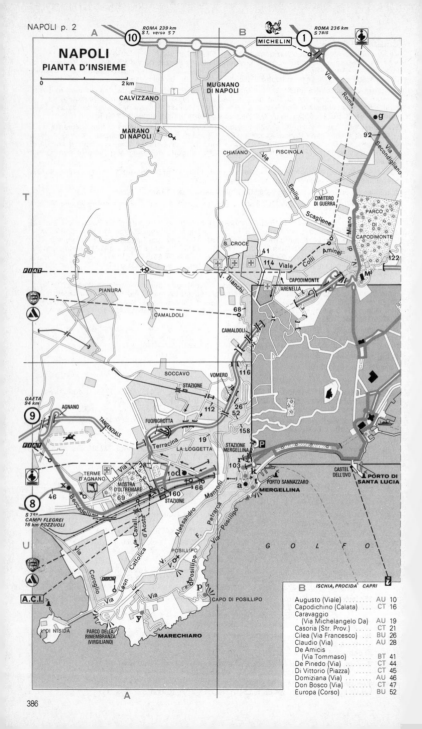

NAPOLI
PIANTA D'INSIEME

0   2 km

386

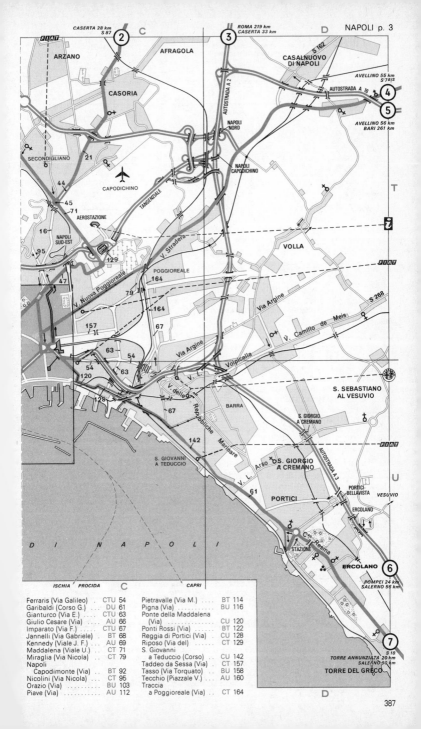

NAPOLI

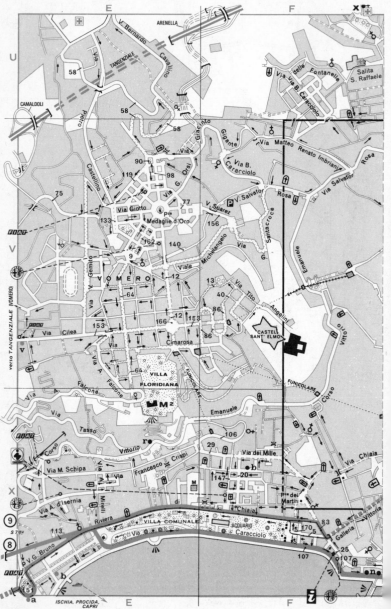

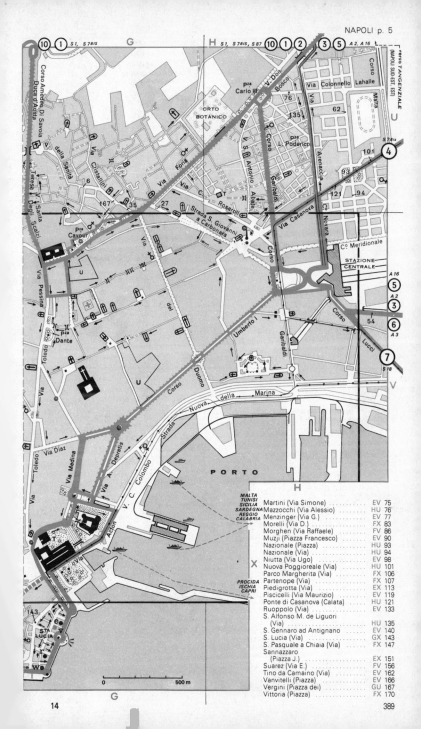

14

389

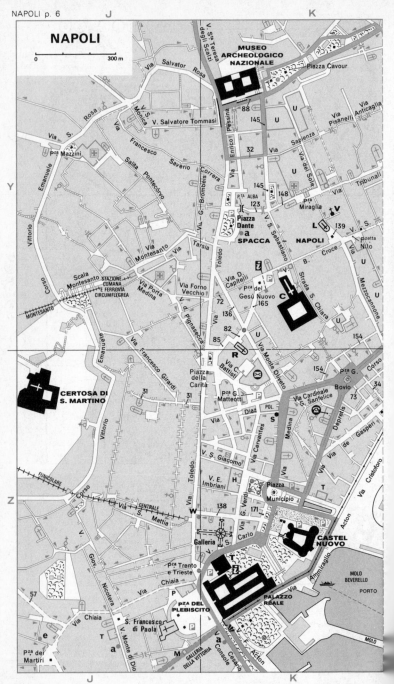

NAPOLI

0 ——— 300 m

J K

Y

Z

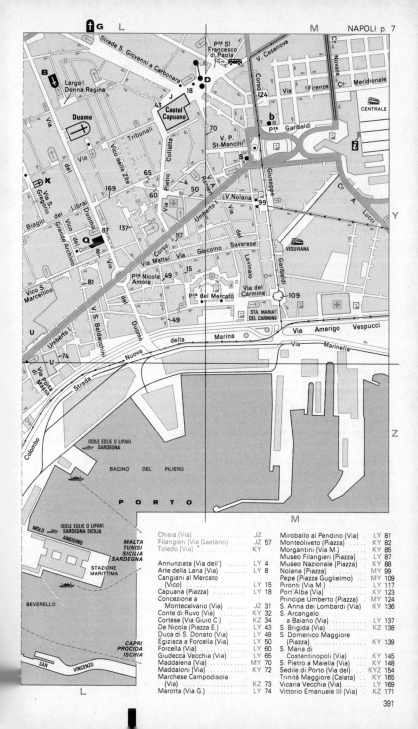

391

🏨 **Palace Hotel,** piazza Garibaldi 9 ⊠ 80142 ℰ 264575, Telex 720262 – |≴| ☎ – 🏄 30 a 80. 🆑
🕃 ⓄⒾ Ⓔ *VISA* 🈸 MY **s**
Pas carta 28/50000 – **102 cam** 🗺 71/111000 – P 91/101000, b.s. 75/83000.

🏨 **Rex** senza rist, via Palepoli 12 ⊠ 80132 ℰ 416388 – 🔳 ☎. 🆑 Ⓞ *VISA* GX **r**
🗺 7000 – **40 cam** 60/86000, 🔳 6000.

XXX **La Sacrestia,** via Orazio 116 ⊠ 80122 ℰ 664186, Rist. elegante, « Servizio estivo in terrazza-giardino con ≼ » – 🔳 🆑 🕃 Ⓞ *VISA*. 🈸 BU **k**
chiuso sabato, domenica in luglio e mercoledì negli altri mesi – Pas carta 65/75000 (14%).

XXX ✿ **La Cantinella,** via Cuma 42 ⊠ 80132 ℰ 405375 – 🆑 🕃 Ⓞ Ⓔ *VISA*. 🈸 GX **v**
chiuso domenica, Natale, Capodanno ed agosto – Pas carta 35/60000 (12%)
Spec. Risotto alla Cantinella, Linguine con scampi e frutti di mare, Pesce all'acqua pazza. Vini Plinius, Taurasi.

XX **Cavour,** piazza Garibaldi 34 ⊠ 80142 ℰ 264730 – 🔳. 🆑 🕃 Ⓞ Ⓔ *VISA*. 🈸 MY **b**
chiuso domenica – Pas carta 33/56000 (15%).

XX **San Carlo,** via Cesario Console 18/19 ⊠ 80132 ℰ 417206, Coperti limitati; prenotare – 🈸
chiuso domenica ed agosto – Pas carta 40/55000. KZ **a**

XX **Don Salvatore,** strada Mergellina 4 A ⊠ 80122 ℰ 681817, Rist. e pizzeria – 🔳. 🆑 🕃 Ⓞ Ⓔ
VISA. 🈸 – *chiuso mercoledì* – Pas carta 32/54000 (12%). BU **t**

XX **Il Porticciolo,** via Tommaso Campanella 7/9 ⊠ 80122 ℰ 7611382, Rist. e pizzeria – 🔳. 🆑
Ⓞ *VISA* 🈸 EX **b**
chiuso domenica ed agosto – Pas carta 23/40000 (12%).

XX ✿ **Giuseppone a Mare,** via Ferdinando Russo 13-Capo Posillipo ⊠ 80123 ℰ 7696002, Rist.
marinaro con ≼ – Ⓟ. 🆑 🕃 Ⓞ *VISA*. 🈸 AU **p**
chiuso domenica e dal 23 al 31 dicembre – Pas carta 42/65000 (12%)
Spec. Linguine con scampi, Polipetti al pignatiello, Spigola all'acqua pazza. Vini Ischia bianco e rosso.

X Amici Miei, via Monte di Dio 78 ⊠ 80132 ℰ 405727, Rist. d'habitués JZ **a**

X **Al Sarago,** piazza Sannazzaro 201/b ⊠ 80122 ℰ 7612587, 🏤 – 🔳. 🈸 EX **a**
chiuso domenica – Pas carta 28/41000 (13%).

X **Dante e Beatrice,** piazza Dante 44/45 ⊠ 80135 ℰ 349905, 🏤 – 🈸 KY **a**
chiuso mercoledì e dal 24 al 31 agosto – Pas carta 20/35000 (10%).

X **La Fazenda,** via Marechiaro 58/a ⊠ 80123 ℰ 7697420, 🏤 – Ⓟ. *VISA*. 🈸 AU **y**
chiuso domenica e dal 14 al 28 agosto – Pas carta 35/52000 (15%).

X **Ciro a Santa Brigida,** via Santa Brigida 71 ⊠ 80132 ℰ 5524072, Rist. e pizzeria – 🔳. 🆑 Ⓞ
VISA – *chiuso domenica ed agosto* – Pas carta 32/52000. JZ **w**

X **Umberto,** via Alabardieri 30 ⊠ 80121 ℰ 418555, Rist. e pizzeria – 🔳. 🆑 🕃 Ⓞ Ⓔ *VISA*. 🈸
chiuso mercoledì ed agosto – Pas carta 21/36000 (12%). JZ **e**

X **La Pappardella,** via Cilea 253 ⊠ 80127 ℰ 643820, Rist. e pizzeria – 🔳. Ⓞ *VISA* EV **v**
chiuso lunedì (escluso luglio) e dal 10 al 25 agosto – Pas carta 20/39000 (15%).

X **Sbrescia,** rampe Sant'Antonio a Posillipo 109 ⊠ 80122 ℰ 669140, Rist. tipico napoletano
con ≼ città e golfo – 🆑. 🈸 BU **r**
chiuso lunedì e dal 15 al 26 agosto – Pas carta 24/40000 (12%).

a Secondigliano N : 8 km BCT – ⊠ **80144** Napoli :

🏨 **MotelAgip,** ℰ 7540560, Telex 720165 – |≴| 🔳 📺 ☎ Ⓟ – 🏄 50. 🆑 🕃 Ⓞ Ⓔ *VISA*. 🈸 rist
Pas *(chiuso sabato a mezzogiorno e domenica)* 30000 – 🗺 13000 – **57 cam** 54/92000, 🔳 6000
– P 109/125000. BT **g**

MICHELIN, via Circumvallazione esterna, all'incrocio con la statale 7 bis-Appia (BT Napoli p. 2) –
⊠ 80017 Melito di Napoli, ℰ 7013047.

ALFA-ROMEO via delle Repubbliche Marinare 124
CU ℰ 5541560, Telex 710177
ALFA-ROMEO via Andrea d'Isernia 26 EX ℰ 682441
ALFA-ROMEO via Argine 3 CU ℰ 285455
ALFA-ROMEO via Sergio Abate 10 EV ℰ 361317
BMW via Filippo Maria Briganti 504 ℰ 7804288
BMW via Cornelia dei Gracchi 28/b ℰ 7676904
CITROEN viale Augusto 136 ℰ 627498
FERRARI via Giulio Cesare 50 ℰ 614011
FIAT via Nuova di Poggioreale 19 CT ℰ 7791460
FIAT via Galileo Ferraris 40 CTU ℰ 264933
FIAT via Scarfoglio 7 AU ℰ 7609248
FIAT corso Vittorio Emanuele 677 EX ℰ 669334
FIAT via Cilea 224/252 EV ℰ 640266
FIAT via Leonardi Cattolica 62 AU ℰ 7621285
FIAT corso San Giovanni a Teduccio 551 CU ℰ
7524077
FIAT salita Piedigrotta 2 EX ℰ 660526
FIAT viale del Poggio 54 BT ℰ 7435213
FIAT a Secondigliano, viale delle Galassie is. U. CT
ℰ 7383389
FIAT via Solario 5 EV ℰ 360900
FORD via Sebastiano Veniero 17 ℰ 611122
FORD via Arenaccia 62 ℰ 5535177
GM-OPEL ad Agnano, via Scarfoglio ℰ 7605322
INNOCENTI via San Pasquale a Chiaia 9 FX ℰ 400111
INNOCENTI viale Kennedy 5-Fuorigrotta AU ℰ
614247

INNOCENTI via Nicolardi 21 BT ℰ 7434800
LANCIA-AUTOBIANCHI via Giulio Cesare 50 AU ℰ
624463
LANCIA-AUTOBIANCHI via Jannelli 51 BT ℰ 364488
LANCIA-AUTOBIANCHI via Pasquale Formisano
1/13 AU ℰ 616044
MASERATI via San Pasquale a Chiaia 9 ℰ 400111
MERCEDES-BENZ ad Agnano, via Scarfoglio 3 ℰ
7603988, Telex 721598
PEUGEOT-TALBOT via Emanuele Gianturco 109 ℰ
264151
PEUGEOT-TALBOT viale Augusto 142/a ℰ 631636
PEUGEOT-TALBOT ad Agnano, via Augusto Righi
30 ℰ 7623493
RENAULT ad Agnano, via Scarfoglio ℰ 7607588
RENAULT via Caravaggio 186 ℰ 610066
RENAULT via Mascagni 70 ℰ 644212
RENAULT via De Amicis 29/35 ℰ 255368
RENAULT via Vicinale Pignatiello 5 ℰ 7260592
RENAULT via Brecce Sant'Erasmo 48 ℰ 204877
VW-AUDI via Cilea 75/77 ℰ 649160
VW-AUDI via Reggia di Portici 79 ℰ 286572
VW-AUDI ad Agnano, via Scarfoglio 3 ℰ 7603653
VW-AUDI via Nuova Poggioreale 40 ℰ 282446
VW-AUDI ad Agnano, 1ª traversa Pisciarelli 17 ℰ
7601909
VOLVO via Terracina 161/163 ℰ 627564

NAPOLI (Golfo di) ★★★ Napoli 988 ㉗ – Vedere Guida Verde.

NAREGNO Livorno – Vedere Elba (Isola d') : Capoliveri.

NARNI 05035 Terni 988 ㉘ – 20 728 ab. alt. 240 – ✪ 0744.
Roma 89 – ◆Perugia 84 – Terni 13 – Viterbo 45.

🏨 **Dei Priori e Rist. La Loggia,** vicolo del Comune 4 ℰ 726843 e rist ℰ 722744 – 🛗 📺 ☎. 🅰🄴 🛗 🄴 𝘝𝘐𝘚𝘈
Pas *(chiuso lunedì)* carta 23/36000 – ⚏ 8000 – **19 cam** 70/100000 – P 100/110000.

✗ **Il Cavallino,** via Flaminia Romana 220 (S : 2 km) ℰ 715122, 🍽 – 🄿. 🛇
chiuso martedì – Pas carta 21/30000.

FIAT via Tuderte 480 ℰ 733044

NARZOLE 12068 Cuneo – 2 991 ab. alt. 323 – ✪ 0173.
Roma 635 – Cuneo 40 – ◆Genova 135 – ◆Milano 149 – ◆Torino 64.

✗ **La Villa,** viale Rimembranze 1 ℰ 77587, 🍽 – 🛗 🄴 𝘝𝘐𝘚𝘈. 🛇
← *chiuso martedì e gennaio* – Pas carta 15/25000.

NATURNO (NATURNS) 39025 Bolzano 218 ⑨⑱ – 4 306 ab. alt. 554 – Stazione di villeggiatura, a.s.
aprile-maggio e 15 luglio-ottobre – ✪ 0473.
🄱 via Municipio ℰ 87287.
Roma 680 – ◆Bolzano 43 – Merano 15 – ◆Milano 341 – Passo di Resia 64 – Trento 101.

🏨 **Feldhof** 🛁, ℰ 87264, ≼, 🔄, 🍽 – 🛗 ⚰ 🗐 📺 ☎ 🄿. 🛇 rist
15 marzo-15 novembre – 27 cam (solo pens) – P 85/90000, b.s. 75/78000.

🏨 **Sunnwies** 🛁, ℰ 87157, ≼, 🔄, 🍽, ✗ – 🛗 ☎ 🄿. 🛇 rist
20 marzo-2 novembre – Pas (solo per clienti alloggiati e *chiuso a mezzogiorno*) 20/35000 –
38 cam ⚏ 47/102000 – ½ P 78/90000, b.s. 74/79000.

🏨 **Lindenhof** 🛁, ℰ 87208, ≼, 🔄, 🍽 – 🛗 📺 ☎ 🄿. 🛇 rist
← *aprile-4 novembre* – Pas 18/37000 – **27 cam** ⚏ 48/75000 – P 60/85000, b.s. 50/75000.

🏨 **Nocturnes** 🛁, ℰ 87055, ≼, 🔄, 🍽 – 🛗 📺 ☎ 🄿 ⇌. 🛇 rist
20 marzo-10 novembre – Pas (solo per clienti alloggiati e *chiuso a mezzogiorno*) – **18 cam**
⚏ 52/70000 – ½ P 62/65000, b.s. 58/61000.

🏨 **Weingarten** 🛁, ℰ 87299, ≼, 🔄, 🍽 – ⊛ 🄿. 🛇
marzo-10 novembre – Pas (solo per clienti alloggiati) – **20 cam** ⚏ 65/126000 – ½ P 55/63000,
b.s. 45/53000.

✗✗ **Schnalserhof** con cam, strada statale O : 2 km ℰ 87219, ≼, 🔄, 🍽 – 📺 ⊛ 🄿. 🅰🄴 🄾 𝘝𝘐𝘚𝘈.
🛇 rist
chiuso gennaio – Pas *(chiuso lunedì)* carta 28/34000 – **23 cam** ⚏ 35/60000 – ½ P 47/57000.

✗ **Wiedenplatzer-Keller,** via San Procolo 59 (E : 1,5 km) ℰ 87431, 🍽, « Caratteristico
ambiente » – 🄿. 🛇
*chiuso a mezzogiorno dal 10 novembre al 28 febbraio, martedì, marzo e dal 25 giugno al 12
luglio* – Pas carta 34/54000.

NATURNS = Naturno.

NAVA (Colle di) Imperia 988 ⑫, 195 ⑩ – alt. 934.
Roma 620 – Cuneo 95 – ◆Genova 121 – Imperia 37 – ◆Milano 244 – San Remo 60.

🏨 **Colle di Nava-Lorenzina,** ✉ 18020 Case di Nava ℰ (0183) 38923, 🍽 – 🛗 ⇌ 🄿 – 🏊 70.
🛇 rist
chiuso novembre – Pas *(chiuso martedì)* carta 20/30000 – ⚏ 6000 – **34 cam** 32/53000 –
P 48/56000.

NAVE 25075 Brescia 988 ④ – 9 770 ab. alt. 226 – ✪ 030.
Roma 544 – ◆Bergamo 59 – ◆Brescia 9 – ◆Milano 100.

✗ **Waifro,** via Monteclana 40 ℰ 2632184 – 🄿. 🛇
chiuso giovedì ed agosto – Pas carta 22/46000.

NAXOS Messina – Vedere Sicilia (Giardini Naxos) alla fine dell'elenco alfabetico.

NEBBIUNO Novara 219 ⑥⑦ – Vedere Meina.

NEIVE 12057 Cuneo – 2 664 ab. alt. 308 – ✪ 0173.
Roma 643 – Asti 31 – Cuneo 96 – ◆Milano 155 – ◆Torino 70.

✗✗ **Contea,** ℰ 67126, solo su prenotazione, « In un antico palazzo » – 🄿. 🅰🄴 🛗 🄾 🄴 𝘝𝘐𝘚𝘈
chiuso domenica sera e lunedì escluso ottobre-novembre – Pas (menu suggeriti dal proprietario) 36/55000.

NERANO Napoli – Vedere Massa Lubrense.

NERVESA DELLA BATTAGLIA 31040 Treviso 988 ⑤ – 6 421 ab. alt. 78 – ✆ 0422.

Roma 568 – Belluno 68 – ◆Milano 307 – Treviso 20 – Udine 95 – ◆Venezia 57 – Vicenza 65.

XX **Da Roberto,** piazza Sant'Andrea 26 ℰ 779108
    chiuso domenica sera, lunedì, dal 9 al 26 gennaio e dal 17 al 31 luglio – Pas carta 22/39000.

XX **La Panoramica,** strada Panoramica NO : 3 km ℰ 779068, ⩽, « Servizio estivo all'aperto »,
    🌴 – 🅿 – ⚖ 30 a 150. ⒶⒺ. ⅛
    chiuso lunedì, martedì, dal 15 al 30 gennaio e dal 1° al 18 luglio – Pas carta 20/33000.

NERVI Genova 988 ⑬ – ⊠ 16167 Genova-Nervi – Stazione climatica e balneare – ✆ 010.

🅕 piazza Pittaluga 4 ℰ 321504.

Roma 495 ① – ◆Genova 10 ② – ◆Milano 147 ② – Savona 58 ② – ◆La Spezia 97 ①.

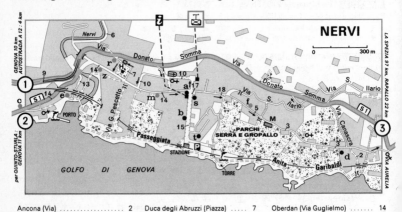

Ancona (Via) 2	Duca degli Abruzzi (Piazza) 7	Oberdan (Via Guglielmo) 14
Capolungo (Via) 3	Europa (Corso) 9	Palme (Viale delle) 15
Casotti (Via Aldo) 5	Franchini (Via Goffredo) 10	Pittaluga (Piazza Antonio) 17
Commercio (Via del) 6	Gazzolo (Via Felice) 13	Sala (Via Marco) 18

🏨 **Astor,** viale delle Palme 16 ℰ 328325, Telex 286577, 🌴 – 🛗 📺 ☎ ⛐ ⇦ 🅿 – ⚖ 45 a 115.   **b**
    ⒶⒺ 🅢 ⑩ Ⓔ 🆅🆂🅰 ⅛
    Pas 32/44000 – ⊏⊐ 10500 – **41 cam** 122/162000 – P 126/186000.

🏨 **Pagoda,** via Capolungo 15 ℰ 326161, « Piccolo parco ombreggiato » – 🛗 📺 ☎ – ⚖ 30 a 120   **d**
    20 cam.

🏩 **Nervi,** senza rist, piazza Pittaluga 1 ℰ 322751 – 🛗 ☎ 🅿   **s**
    40 cam.

🏨 **Esperia** ⚘, via Val Cismon 1 ℰ 321777, 🌴 – 🛗 ⊛ 🅿. ⅛ rist   **t**
    Pas (solo per clienti alloggiati e *chiuso novembre*) 30000 – ⊏⊐ 9000 – **25 cam** 51/82000 –
    P 90000.

🏨 **Internazionale,** piazza Pittaluga ℰ 321187 – 🛗 📺 ⊛   **a**
    23 cam.

XX **Dai Pescatori,** via Casotti 6/8 ℰ 326168 – ▤. ⒶⒺ 🅢 ⑩ Ⓔ 🆅🆂🅰 ⅛   **f**
    chiuso lunedì – Pas carta 38/57000.

XX **Harry's Bar,** via Donato Somma 13 ℰ 326074, Coperti limitati; prenotare – ▤. ⒶⒺ 🅢 Ⓔ 🆅🆂🅰
    chiuso mercoledì, dal 2 al 10 gennaio e dal 6 al 21 agosto – Pas carta 29/44000 (10%).   **r**

XX **Patan,** via Oberdan 157 r ℰ 328162   **m**
    chiuso a mezzogiorno in luglio ed agosto e mercoledì negli altri mesi – Pas carta 34/52000.

X **Da Pino,** al porto-via Caboto 8 r ℰ 326395, 🍽   **e**
    chiuso giovedì e gennaio – Pas carta 27/53000.

X **La Ruota,** via Oberdan 215 r ℰ 326027 – ⒶⒺ 🅢 ⑩ Ⓔ 🆅🆂🅰 ⅛   **z**
    chiuso lunedì ed agosto – Pas carta 31/55000.

X **Il Rustichello-da Don Pino,** via Murcarolo 4 r ℰ 331771 – ⅛   **c**
    chiuso martedì e dal 23 agosto al 25 settembre – Pas carta 28/55000.

L'EUROPE en une seule feuille

Carte Michelin n° 920.

NETTUNO 00048 Roma 🔲🔲🔲 ㉚ – 33 534 ab. – ☻ 06.

Roma 63 – Anzio 3 – Frosinone 78 – Latina 22.

🏨 **Astura,** lungomare Matteotti 79 ℘ 9800602, ← – 🛗 ☎. 🖭 🚻. 🛠
Pas *(chiuso novembre)* 20/35000 – 🍴 7000 – **55 cam** 35/58000 – P 75000.

XX **Il Gambero II,** via della Liberazione 50 ℘ 9800871, « Servizio estivo in terrazza » – 🖭 🚻
① 🚾. 🛠
chiuso lunedì dal 15 settembre al 15 giugno – Pas (solo piatti di pesce) carta 25/49000.

X **Al Giardino-da Salvatore,** via dei Volsci 22 ℘ 9804918, � – 🖭 ①. 🛠
chiuso giovedì e novembre – Pas carta 27/46000 (15%).

al bivio per Acciarella - Foceverde E : 8 km :

X **Torre Astura,** ⊠ 00048 ℘ (0773) 452000, 🍷 – ☻ 🛠
chiuso lunedì sera, martedì e luglio – Pas carta 20/27000 (10%).

NETTUNO (Grotta di) Sassari 🔲🔲🔲 ㉘㉙ – Vedere Sardegna alla fine dell'elenco alfabetico.

NEUSTIFT = Novacella.

NEVEGAL Belluno – alt. 1 000 – ⊠ **32100** Belluno – Stazione di villeggiatura – Sport invernali : 1 000/1 675 m 🚠2 🚡10, 🎿 – ☻ 0437.

🅱 (20 dicembre-10 aprile e 15 luglio-agosto) piazzale Seggiovia ℘ 298149.

Roma 616 – Belluno 12 – Cortina d'Ampezzo 78 – ◆Milano 355 – Trento 124 – Treviso 76 – Udine 116 – ◆Venezia 105.

🏬 **Olivier** 🦐, ℘ 298165, ← – 🛗 ☎ ☻ – 🔬 25 a 90. 🚻. 🛠
dicembre-15 aprile e 10 giugno-settembre – Pas 30000 – 🍴 6000 – **32 cam** 43/70000 – P 45/75000.

X **Al Ghiro,** località Faverghera E : 4 km ℘ 298187, ← – ☻ 🛠
⟵ *chiuso martedì e dal 24 giugno al 15 luglio* – Pas carta 18/30000.

NIBBIO Novara 🔟🔟🔟 ⑥ – Vedere Mergozzo.

NICASTRO Catanzaro – Vedere Lamezia Terme.

NICOSIA Enna – Vedere Sicilia alla fine dell'elenco alfabetico.

NICOTERA 88034 Catanzaro 🔲🔲🔲 ㉗ ㉙ – 7 600 ab. alt. 218 – ☻ 0963.

Roma 639 – Catanzaro 117 – ◆Cosenza 146 – ◆Reggio di Calabria 79.

🏬 **Miragolfo,** via Corti ℘ 81470, ← – 🛗 ☎ ☻. 🛠 rist
Pas 23000 – 🍴 6000 – **68 cam** 48/70000 – P 75000.

NIEDERDORF = Villabassa.

NIMIS 33045 Udine – 2 848 ab. alt. 217 – ☻ 0432.

Roma 656 – Tarvisio 80 – ◆Trieste 90 – Udine 19 – ◆Venezia 146.

X Da Ida, via Valle 70 ℘ 790078 – ☻.

NOBIALLO Como 🔟🔟🔟 ⑨ – Vedere Menaggio.

NOCERA SUPERIORE 84015 Salerno – 22 079 ab. alt. 55 – ☻ 081.

Roma 252 – Avellino 32 – ◆Napoli 42 – Salerno 14.

X **Europa,** via Nazionale 503 ℘ 933290 – 🖾 ☻. 🚾. 🛠
⟵ *chiuso lunedì e dal 20 al 29 agosto* – Pas carta 15/30000 (10%).

RENAULT via Firenze ℘ 934820

NOCERA TERINESE 88047 Catanzaro 🔲🔲🔲 ㉙ – 5 187 ab. alt. 485 – ☻ 0968.

Roma 570 – ◆Cosenza 55 – Catanzaro 58 – Reggio di Calabria 151.

al mare O : 11 km :

XX **L'Aragosta,** villaggio del Golfo ⊠ 88040 ℘ 93385, � – ☻ 🖭 ① 🚾
chiuso lunedì da ottobre a maggio – Pas carta 32/45000.

NOCERA UMBRA 06025 Perugia 🔲🔲🔲 ⑯ – 6 091 ab. alt. 548 – Stazione termale (maggio-settembre) – ☻ 0742.

Roma 179 – ◆Ancona 112 – Assisi 37 – Foligno 22 – Macerata 80 – ◆Perugia 55 – Terni 81.

a Bagnara E : 7 km – ⊠ 06025 Nocera Umbra :

X **Pennino** con cam, ℘ 81391 – ☻. 🖭 ①. 🛠 cam
⟵ Pas *(chiuso mercoledì escluso luglio-settembre)* carta 17/29000 – 🍴 2500 – **9 cam** 20/38000 – P 35/40000.

NOCETO 43015 Parma 988 ⑭ – 9 828 ab. alt. 76 – ✆ 0521.

Roma 472 – ◆Bologna 110 – ◆Milano 120 – ◆Parma 14 – Piacenza 59 – ◆La Spezia 104.

XX ❀ **Aquila Romana**, via Gramsci 6 ℰ 62398, prenotare
  chiuso lunedì, martedì e dal 15 luglio al 15 agosto – Pas 35/45000 bc
  Spec. Prosciutto cotto affumicato in crosta, Risotti, Lombata di maiale al cartoccio con mele al Cognac. Vini Malvasia, Amarone.

NOCI 70015 Bari 988 ㉙ – 18 796 ab. alt. 424 – ✆ 080.

🛈 via Siciliani 23 ℰ 738889.

Roma 497 – ◆Bari 59 – ◆Brindisi 79 – Matera 57 – ◆Taranto 47.

🏠 **Miramonte**, via Gabrieli 32 ℰ 737285 – 🛗 🗏 ☎ 🅿 – 🔏 60. 🖭 🕃 ① ⅥⅤ𝕊𝔸
  Pas carta 23/34000 – ⌂ 7000 – **28 cam** 45/70000 – P 65000.

🏠 **Cavaliere**, via Siciliani 47 ℰ 737589 – 🛗 🗏 rist ⊛ 🅿 🛇
  Pas carta 19/27000 – ⌂ 4000 – **28 cam** 30/47000 – 🅿 50000.

INNOCENTI strada statale 377 per Mottola ℰ 737553

NOGARÈ 31035 Treviso – alt. 148 – ✆ 0423.

Roma 553 – Belluno 55 – ◆Milano 258 – ◆Padova 52 – Trento 110 – Treviso 27 – Vicenza 57.

XX Villa Castagna, ℰ 868177, « Piccolo parco » – 🅿.

NOLI 17026 Savona 988 ㉒㉓ – 3 085 ab. – Stazione balneare – ✆ 019 – Vedere Guida Verde.

🛈 corso Italia 8 r ℰ 748931.

Roma 563 – ◆Genova 64 – Imperia 61 – ◆Milano 187 – Savona 18.

🏨 **Miramare**, corso Italia 2 ℰ 748926, ≤, �# – ⊛ ⇐ 🛇 rist
  Pasqua-10 ottobre – Pas 28000 – ⌂ 6000 – **24 cam** 40/65000 – P 68/73000.

X Ferrari, via Colombo 88 ℰ 748467.

X **Ines** con cam, via Vignolo 1 ℰ 748086 – 🗏 rist 📺 ⊛. ⅥⅤ𝕊𝔸 🛇
  Pasqua-ottobre e Natale – Pas *(chiuso lunedì)* carta 33/46000 – ⌂ 4000 – 16 cam 40000 – P 37/52000.

  a Voze NO : 4 km – ✉ 17026 Noli :

XX **Lilliput**, ℰ 748009, « Giardino ombreggiato con minigolf » – 🅿. 🛇
  chiuso a mezzogiorno (escluso sabato-domenica), lunedì e dal 10 gennaio al 10 febbraio – Pas carta 35/55000.

  a Tosse NO : 9 km – ✉ 17026 Noli :

X Il Rustico, ℰ 745992.

NONANTOLA 41015 Modena – 10 563 ab. alt. 24 – ✆ 059.

Vedere Sculture romaniche★ nell'abbazia.

Roma 415 – ◆Bologna 34 – ◆Ferrara 62 – Mantova 77 – ◆Milano 180 – ◆Modena 10 – ◆Verona 111.

XX **La Torre**, ℰ 549139 – 🗏 🅿. 🕃 ⅥⅤ𝕊𝔸 🛇
  chiuso giovedì ed agosto – Pas carta 28/44000.

X **Osteria di Rubbiara**, a Rubbiara ℰ 549019, 😊, Coperti limitati; prenotare – 🅿. 🖭 ⅥⅤ𝕊𝔸 🛇
  chiuso domenica sera, martedì, dal 25 dicembre al 10 gennaio ed agosto – Pas carta 18/26000.

NORCIA 06046 Perugia 988 ⑯㉘ – 4 724 ab. alt. 604 – ✆ 0743.

Roma 157 – L'Aquila 119 – Ascoli Piceno 75 – ◆Perugia 99 – Spoleto 48 – Terni 68.

🏨 **Posta**, ℰ 816274 – 📺 ☎. 🖭 ① ⅥⅤ𝕊𝔸 🛇 rist
  Pas carta 25/38000 (15%) – **30 cam** ⌂ 42/70000 – P 55/65000.

🏠 **Grotta Azzurra-Granaro del Monte**, ℰ 816513 – 🛗 📺 ☎ 👌. 🖭 🕃 ① ⅇ ⅥⅤ𝕊𝔸
  Pas carta 20/43000 (10%) – ⌂ 4000 – 40 cam 44/64000 – P 57/58000.

🏠 **Garden**, ℰ 816726, �# – ☎ 🅿. 🖭 🕃 ①. 🛇
  Pas carta 23/37000 – ⌂ 5000 – 19 cam 42/60000 – P 55/60000.

X **Dal Francese**, ℰ 816290 – 🖭 🕃 ⅥⅤ𝕊𝔸 🛇
  chiuso dal 10 al 22 giugno, dal 10 al 22 novembre e venerdì da ottobre a giugno – Pas carta 23/60000.

  a Serravalle O : 7 km – ✉ 06040 Serravalle di Norcia :

🏠 **Italia**, ℰ 818185 – ☎ 🅿. 🖭 ①. 🛇
  Pas *(chiuso martedì da ottobre a giugno)* carta 26/54000 – ⌂ 3000 – **20 cam** 45/65000 – P 60/65000.

☞ *Per spostarvi più rapidamente utilizzate le carte* Michelin "Grandi Strade" :
  n° 920 *Europa,* n° 980 *Grecia,* n° 984 *Germania,* n° 985 *Scandinavia-Finlandia,*
  n° 986 *Gran Bretagna-Irlanda,* n° 987 *Germania-Austria-Benelux,* n° 988 *Italia,*
  n° 989 *Francia,* n° 990 *Spagna-Portogallo,* n° 991 *Jugoslavia.*

NOTO Siracusa 988 ⑰ – Vedere Sicilia alla fine dell'elenco alfabetico.

NOVACELLA (NEUSTIFT) Bolzano – alt. 590 – ⊠ **39042** Bressanone – a.s. aprile, luglio-15 ottobre e Natale – ◎ 0472.

Vedere Convento★.

Roma 685 – ◆Bolzano 40 – Brennero 46 – Cortina d'Ampezzo 112 – ◆Milano 339 – Trento 103.

  🏨 **Pacher,** ℰ 36570, « Servizio rist. estivo in giardino », 🔲 – ☎ 🅿
    chiuso dall'11 gennaio al 19 febbraio – Pas *(chiuso lunedì)* carta 21/35000 – **23 cam** ⊑ 38/70000
    – P 52/58000, b.s. 50/55000.

  🏨 **Brückenwirt-Ponte,** ℰ 36692, 🔾 riscaldata, 🚗 – 📺 🕮 🅿. 🖭. 🛇
  ➔ *chiuso dal 15 gennaio al 28 febbraio* – Pas *(chiuso mercoledì)* 15/18000 – 19 cam ⊑ 35/70000
    – P 60/65000.

NOVAFELTRIA 61015 Pesaro e Urbino 988 ⑮ – 6 498 ab. alt. 293 – a.s. luglio e agosto – ◎ 0541.

Roma 315 – ◆Perugia 129 – Pesaro 83 – ◆Ravenna 73 – Rimini 33.

  ✗✗ **Due Lanterne** 🚶 con cam, S : 2 km ℰ 920200 – 🚗 🅿. 🖭. 🛇
    Pas *(chiuso lunedì)* carta 21/31000 – ⊑ 3000 – **7 cam** 32/44000.

NOVA LEVANTE (WELSCHNOFEN) 39056 Bolzano 988 ④ – 1 679 ab. alt. 1 182 – Stazione di villeggiatura, a.s. febbraio-aprile, 15 luglio-settembre e Natale – Sport invernali : 1 182/2 320 m 🎿 2 ⚡13, 🎿 (vedere anche passo di Costalunga) – ◎ 0471 – Vedere Guida Verde.

Dintorni Lago di Carezza★★★ SE : 5,5 km.

🏧 via Carezza 21 ℰ 613126.

Roma 665 – ◆Bolzano 21 – Cortina d'Ampezzo 89 – ◆Milano 324 – Trento 85.

  🏩 **Posta-Cavallino Bianco,** ℰ 613113, Telex 400555, ≼, 🔾, 🔲, 🚗, 🛇 – 🛗 🗐 rist ☎ 🕭 🅿.
    🖭 🕃 ⓞ 🖪 🆅🆂🅰. 🛇
    19 dicembre-9 aprile e 21 maggio-2 novembre – Pas carta 25/39000 – ⊑ 10000 – **33 cam**
    60/94000 appartamenti 110/120000 – P 90/120000, b.s. 50/70000.

  🏨 **Angelo-Engel** 🚶, ℰ 613131, ≼, 🔲, 🚗 – 🛗 ☎ 🕭 🅿. ⓞ. 🛇 rist
  ➔ *19 dicembre-7 aprile e 4 giugno-1° ottobre* – Pas *(solo per clienti alloggiati)* 15/22000 –
    37 cam ⊑ 50/90000 – P 60/69000, b.s. 50/59000.

  🏨 **Centrale,** ℰ 613164, 🔾 riscaldata, 🚗 – ⇔ 🗐 rist 🕮 🅿. 🛇
  ➔ *18 dicembre-2 aprile e 3 giugno-14 ottobre* – Pas *(chiuso domenica)* 12/20000 – ⊑ 5000 –
    19 cam 26/55000 – P 45/50000, b.s. 40/45000.

  🏨 **Panorama** 🚶, ℰ 613232, ≼, 🚗 – 🕮 🅿. 🛇
  ➔ *20 dicembre-15 aprile e giugno-15 ottobre* – Pas *(solo per clienti alloggiati)* 15/18000 – **20 cam**
    ⊑ 35/60000 – P 45/50000, b.s. 42/45000.

  🏨 **Stella-Stern,** ℰ 613125, ≼, 🔲, 🚗 – 🅿. 🖪. 🛇 rist
  ➔ *20 dicembre-15 aprile e giugno-10 ottobre* – Pas 15/23000 – **33 cam** ⊑ 45/90000 – P 55/65000,
    b.s. 45/55000.

  🏨 **Tyrol** 🚶, ℰ 613261, ≼ – 🗐 rist 🕮 🅿
  ➔ *20 dicembre-6 gennaio, febbraio-Pasqua e giugno-ottobre* – Pas *(chiuso giovedì)*
    carta 19/30000 – **12 cam** ⊑ 30/56000 – P 44/50000, b.s. 42/45000.

NOVA PONENTE (DEUTSCHNOFEN) 39050 Bolzano – 3 129 ab. alt. 1 357 – a.s. febbraio-aprile, 15 luglio-settembre e Natale – ◎ 0471.

Roma 670 – ◆Bolzano 25 – ◆Milano 323 – Trento 84.

  🏨 **Pfösl** 🚶, E : 1,5 km ℰ 616537, ≼ Dolomiti, 🔲, 🚗 – 🛗 ☎ 🅿. 🛇 rist
  ➔ *chiuso da novembre al 4 dicembre* – Pas 18/23000 – ⊑ 10000 – **27 cam** 25/50000 – P 45/57000,
    b.s. 40/55000.

  🏨 **Stella-Stern,** ℰ 616518, ≼, 🔲 – 🛗 🕮 🅿. 🛇
  ➔ *chiuso novembre* – Pas *(chiuso martedì)* 14/20000 – ⊑ 5000 – **28 cam** 35/60000 – P 55/65000,
    b.s. 50/55000.

  a Monte San Pietro (Petersberg) O : 8 km – alt. 1 389 – ⊠ **39040** :

  🏨 **Peter** 🚶 ℰ 615143, ≼, 🔲, 🚗, 🛇 – ⇔ cam ☎ 🚗 🅿. 🛇 rist
  ➔ *chiuso dal 1° al 13 aprile e da novembre al 21 dicembre* – Pas 16/25000 – ⊑ 5000 – 25 cam
    38/75000 – P 58/70000, b.s. 48/55000.

  Vedere anche : *San Floriano* SE : 10 km.

NOVARA 28100 🅿 988 ③, 219 ⑰ – 102 961 ab. alt. 159 – ◎ 0321.

Vedere Basilica di San Gaudenzio★ AB : cupola★★ – Pavimento★ del Duomo AB.

🏧 via Dominioni 4 ℰ 23398.

A.C.I. via Rosmini 36 ℰ 30321.

Roma 625 ① – Alessandria 78 ⑤ – ◆Milano 51 ① – ◆Torino 95 ⑥.

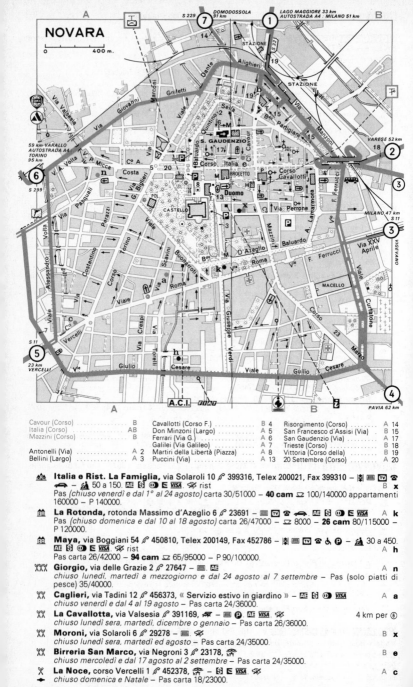

NOVARA

0   400 m.

🏨 **Italia e Rist. La Famiglia,** via Solaroli 10 ℘ 399316, Telex 200021, Fax 399310 – ⫴ ▤ 📺 ☎
🍴 – 🛗 50 a 150. ℀ 🕃 ⓞ ℰ 𝘝𝘐𝘚𝘈. ❀ rist
                                                                 B **x**
Pas *(chiuso venerdì e dal 1° al 24 agosto)* carta 30/51000 – **40 cam** ⊇ 100/140000 appartamenti
160000 – P 140000.

🏨 **La Rotonda,** rotonda Massimo d'Azeglio 6 ℘ 23691 – ▤ 📺 ☎ 🍴. ℀ 🕃 ⓞ ℰ 𝘝𝘐𝘚𝘈   A **k**
Pas *(chiuso domenica e dal 10 al 18 agosto)* carta 26/47000 – ⊇ 8000 – **26 cam** 80/115000 –
P 120000.

🏨 **Maya,** via Boggiani 54 ℘ 450810, Telex 200149, Fax 452786 – ⫴ ▤ 📺 ☎ ♿ 🅿 – 🛗 30 a 450.
℀ 🕃 ⓞ ℰ 𝘝𝘐𝘚𝘈. ❀ rist   A **h**
Pas carta 26/42000 – **94 cam** ⊇ 65/95000 – P 90/100000.

XXX **Giorgio,** via delle Grazie 2 ℘ 27647 – ▤. ℀   A **n**
chiuso lunedì, martedì a mezzogiorno e dal 24 agosto al 7 settembre – Pas *(solo piatti di
pesce)* 35/40000.

XX **Caglieri,** via Tadini 12 ℘ 456373, « Servizio estivo in giardino » – ℀ 🕃 ⓞ 𝘝𝘐𝘚𝘈   A **a**
chiuso venerdì e dal 4 al 19 agosto – Pas carta 24/36000.

XX **La Cavallotta,** via Valsesia ℘ 391169, ♠ – 🅿. ℀ 𝘝𝘐𝘚𝘈. ❀   4 km per ⑥
chiuso lunedì sera, martedì, dicembre o gennaio – Pas carta 26/36000.

XX **Moroni,** via Solaroli 6 ℘ 29278 – ▤. ❀   B **x**
chiuso lunedì sera, martedì ed agosto – Pas carta 24/35000.

XX **Birreria San Marco,** via Negroni 3 ℘ 23178, ♠   B **e**
chiuso mercoledì e dal 17 agosto al 2 settembre – Pas carta 24/35000.

X **La Noce,** corso Vercelli 1 ℘ 452378, ♠ – 🕃 ℰ 𝘝𝘐𝘚𝘈. ❀   A **c**
✦   *chiuso domenica e Natale* – Pas carta 18/23000.

sull'autostrada A 4 -Agognate o per via Case Sparse 8 per ⑥ : 5,5 km :

XX **La Meridiana,** ⊠ 28100 ℰ 23156, ⌨, ⋙, ⋙ – ⋙ ▤ ❷ – ♨ 40 a 120. ㏂ ⑤ ⑩ Ε ℣ℐ℟ℐ
Pas carta 35/50000.

Vedere anche : *Galliate* per ② : 7 km.

ALFA-ROMEO corso Milano 17/f ℰ 392802
BMW viale Volta 98/a ℰ 20217
CITROEN via Monte San Gabriele 16 ℰ 390075
FIAT via Juvarra 8 ℰ 450489
FIAT via Gibellini 40 per ① ℰ 475351
FIAT via Mattei 58 per ⑤ ℰ 450450
FORD via Verbano 140 ℰ 471730
GM-OPEL via Battistini 30 ℰ 454610
INNOCENTI via Gorizia 8 ℰ 30300

LANCIA-AUTOBIANCHI via Biandrate angolo via Curie ℰ 392965
MERCEDES-BENZ via Mattei 54 ℰ 410641
PEUGEOT-TALBOT via Verbano 104 ℰ 471200
RENAULT via Camoletti 13/bis ℰ 452395
RENAULT viale Giulio Cesare 33 ℰ 28382
VW-AUDI via Mattei 50 ℰ 455474
VOLVO via Delleani 16 ℰ 30377

NOVA SIRI STAZIONE 75020 Matera ⑨⑧⑧ ㉙ – ✆ 0835.
Roma 498 – ◆Bari 144 – ◆Cosenza 126 – Matera 76 – Potenza 139 – ◆Taranto 78.

🏠 **Siris,** via Magna Grecia 2 ℰ 877054, ⌨, ⋙ – ⃞ ▤ ⃠ ⇌ ❷ – ♨ 100. ㏂ ⑤ ⑩ Ε ℣ℐ℟ℐ. ⋙
Pas carta 25/35000 – ⌸ 5000 – 70 cam 45/75000 – P 70/80000.

X **Ai Tre Limoni,** via Siris 134 ℰ 877178, ⌦ – ⋙
chiuso lunedì da novembre a marzo – Pas carta 22/50000.

X **La Trappola,** via Lido ℰ 877021, ⌦, ⋙ – ❷. ㏂. ⋙
chiuso venerdì e dal 20 settembre al 10 ottobre – Pas carta 26/45000.

NOVELLARA 42017 Reggio nell'Emilia ⑨⑧⑧ ⑭ – 11 111 ab. alt. 24 – ✆ 0522.
Roma 442 – ◆Milano 160 – ◆Modena 38 – ◆Parma 46 – Reggio nell'Emilia 17 – ◆Verona 82.

X Via Veneto, ℰ 654641.

FIAT via Labriola 28 ℰ 662040

NOVENTA DI PIAVE 30020 Venezia – 5 625 ab. alt. 3 – ✆ 0421.
Roma 554 – ◆Milano 293 – Treviso 30 – ◆Trieste 117 – Udine 86 – ◆Venezia 43.

XX **Guaiane,** E : 2 km ℰ 65002, « Servizio estivo all'aperto » – ❷. ㏂ ⑩ ℣ℐ℟ℐ. ⋙
chiuso lunedì, martedì sera, dal 1° al 20 gennaio e dal 1° al 20 agosto – Pas carta 24/37000.

XX **La Consolata,** via Romanziol 112 (NO : 2 km) ℰ 65160 – ❷. ㏂ ⑤ ⑩ ℣ℐ℟ℐ
chiuso martedì – Pas carta 27/41000.

NOVENTA PADOVANA 35027 Padova – 7 555 ab. alt. 14 – ✆ 049.
Roma 501 – ◆Padova 6 – ◆Venezia 34.

verso Strà E : 2 km :

🏠 **Paradiso** senza rist, via Oltre Brenta 48 ⊠ 35027 ℰ 503166 – ▤ �📺 ☎ ⇌ ❷. ㏂ ⑤ ⑩ Ε ℣ℐ℟ℐ
chiuso dal 20 dicembre al 7 gennaio – ⌸ 7000 – **23 cam** 55/77000.

NOVERASCO Milano – Vedere Opera.

NOVI LIGURE 15067 Alessandria ⑨⑧⑧ ⑬ – 30 523 ab. alt. 197 – ✆ 0143.
Roma 552 – Alessandria 23 – ◆Genova 58 – ◆Milano 87 – Pavia 66 – Piacenza 94 – ◆Torino 125.

🏠 **Viaggiatori,** corso Marenco 83 ℰ 2053 – ⃞ ⃠. ⑤ Ε
Pas carta 40/40000 – ⌸ 8000 – 35 cam 45/70000 – P 70000.

🏠 **Amedeo** senza rist, vicolo Cravenna 3 ℰ 741681 – ⋙ ⃠ ⇌ – ♨ 110. ㏂. ⋙
⌸ 8000 – **24 cam** 30/45000.

XX Corona, con cam, corso Marenco 11 ℰ 2019 – ☎ ❷ – ♨ 50 – 12 cam.

XX **Del Fattore,** via Cassano 126 (E : 4 km) ℰ 78289 – ❷. ⋙
chiuso martedì ed agosto – Pas carta 30/46000.

a Pasturana O : 4 km – ⊠ 15060 :

XX **Locanda San Martino,** via Roma 26 ℰ 58444, « Servizio estivo all'aperto » – ❷. ㏂ ⑤
chiuso mercoledì e dal 16 al 31 agosto – Pas carta 25/40000.

ALFA-ROMEO via Aurelio Saffi 3 ℰ 73596
CITROEN via Serravalle 60 ℰ 2119
FIAT via Raggio 96 ℰ 2246
FORD via Mazzini 195 ℰ 73077
GM-OPEL via Raggio 22 ℰ 2437

INNOCENTI corso Piave 68 ℰ 75217
LANCIA-AUTOBIANCHI via Piave 8 ℰ 78987
PEUGEOT-TALBOT via Serravalle 12 ℰ 2194
VW-AUDI viale Regione Piemonte 15-zona Industriale ℰ 741658

NUCETTO 12070 Cuneo – 447 ab. alt. 450 – ✆ 0174.
Roma 598 – Cuneo 57 – Imperia 77 – Savona 53 – ◆Torino 98.

X **Osteria Vecchia Cooperativa,** via Nazionale ℰ 74279, Coperti limitati; prenotare – ❷.
← ⋙
chiuso martedì e settembre – Pas carta 17/28000.

NUMANA 60026 Ancona 988 ⑯ – 2 561 ab. – Stazione balneare, a.s. luglio e agosto – ✪ 071.
🗓 (giugno-settembre) piazza Santuario ℰ 936142.
Roma 303 – ♦Ancona 21 – Loreto 15 – Macerata 42 – Porto Recanati 10.

🏛 **Scogliera e Rist. Massimo,** ℰ 936973, ≼, 🔏, 🐜 – 🛗 🕾 🅿. ✨
Pasqua-settembre – Pas (chiuso lunedì) carta 32/53000 – 🖵 12000 – 36 cam 60/90000 –
P 90/105000, b.s. 70/85000.

🏛 **Eden Gigli** 🍸, ℰ 936182, ≼, « Parco ombreggiato con 🔏 e 🎾 », 🐜 – 🦶 rist 🕾 🚐 🅿.
𝗩𝗜𝗦𝗔 🍸,
marzo-ottobre – Pas (chiuso mercoledì) 32/45000 – 🖵 7000 – **30 cam** 50/82000 – P 95/102000,
b.s. 80/85000.

🏛 **Fior di Mare** 🍸, ℰ 936155, ≼, 🐜 – 🕾 🅿. ✨
20 maggio-20 settembre – Pas carta 27/40000 – 🖵 5000 – **43 cam** 52/88000 – P 72/95000,
b.s. 65/78000.

🏛 **Giardino** 🍸, ℰ 936651, 🌠 – 🕾 🅿. 🄰🄴 𝗩𝗜𝗦𝗔. ✨
⇌ Pasqua-20 settembre – Pas 18/30000 – **24 cam** 🖵 50/75000 – P 65/75000, b.s. 50/55000.

✕✕ **La Costarella,** ℰ 7360297, Coperti limitati; prenotare – 🅿. ✨
maggio-settembre – Pas carta 34/48000.

a Marcelli S : 2,5 km – ⬜ 60026 Numana :

🏛 Marcelli, ℰ 930125, ≼, 🔏, 🐜 – 🛗 🚐 🅿
stagionale – 38 cam.

🏠 **Baby Gigli** senza rist, ℰ 7390186, ≼ – 🚐 🅿. ✨
giugno-settembre – 🖵 6500 – **21 cam** 48/80000.

✕ **Mariolino,** ℰ 7390135 – 🄰🄴 🄱 🄾. ✨
chiuso lunedì e novembre – Pas carta 33/64000.

NUORO 🄿 988 ⑱ – Vedere Sardegna alla fine dell'elenco alfabetico.

NUS 11020 Aosta 988 ②, 219 ③ – 2 108 ab. alt. 535 – a.s. luglio-agosto e Natale – ✪ 0165.
Vedere Castello di Fenis★ E : 2,5 km.
Roma 734 – Aosta 14 – Colle del Gran San Bernardo 46 – ♦Milano 172 – ♦Torino 101.

a Saint Barthélemy N : 18 km – alt. 1 638 – ⬜ 11020 :

✕ **Luseney** 🍸 con cam, ℰ 760931, ≼ monti e vallata – 🅿
⇌ Pas (chiuso martedì) carta 17/23000 – **25 cam** 🖵 12/24000 – P 30/32000.

OBEREGGEN = San Floriano.

OFFANENGO 26010 Cremona – 5 109 ab. alt. 83 – ✪ 0373.
Roma 551 – ♦Bergamo 45 – ♦Brescia 46 – Cremona 40 – ♦Milano 49 – Pavia 57 – Piacenza 43.

🏛 **Mantovani,** via Circonvallazione Sud 1 ℰ 780213, 🔏, 🌠 – 🛗 🖃 📺 🕾 🅿. 🄰🄴 🄱 🄾 🄴 𝗩𝗜𝗦𝗔.
✨
Pas (chiuso venerdì e dal 1° al 20 agosto) carta 24/35000 – 🖵 6000 – **42 cam** 45/65000.

OGGIONO 22048 Como 988 ③, 219 ⑨ – 7 259 ab. alt. 267 – ✪ 0341.
🛥 Royal Sant'Anna (chiuso martedì) ⬜ 22040 Annone di Brianza ℰ 577551, NO : 5 km.
Roma 616 – ♦Bergamo 36 – Como 25 – Erba 11 – Lecco 10 – ♦Milano 48.

al lago di Annone N : 1 km :

✕✕ **Le Fattorie di Stendhal** 🍸 con cam, ⬜ 22048 ℰ 576561, « Terrazza e giardino sul lago »,
🎾 – 🕾 🅿. 🄰🄴 🄱 🄾 🄴 𝗩𝗜𝗦𝗔
Pas (chiuso venerdì) carta 28/55000 – 🖵 5000 – **21 cam** 55/75000 – P 85000.
FIAT via Giovanni XXIII n° 64 ℰ 576051

OGNINA Catania – Vedere Sicilia (Catania) alla fine dell'elenco alfabetico.

OGNIO 16030 Genova – alt. 400 – ✪ 0185.
Roma 492 – ♦Genova 26 – ♦Milano 158 – Rapallo 30 – ♦La Spezia 94.

✕ **Del Pippo-da Ugo,** ℰ 93044, ≼ – 🅿 50
chiuso lunedì sera, martedì, gennaio e febbraio – Pas carta 20/30000.

OLANG = Valdaora.

OLBIA Sassari 988 ㉓㉔ – Vedere Sardegna alla fine dell'elenco alfabetico.

OLDA IN VAL TALEGGIO 24010 Bergamo 219 ⑩ – alt. 772 – a.s. luglio-agosto e Natale –
✪ 0345.
Roma 641 – ♦Bergamo 40 – Lecco 61 – ♦Milano 85 – San Pellegrino Terme 16.

🏠 **Della Salute,** ℰ 47006, ≼, « Parco ombreggiato » – 🛗 🚐 🅿. 🄱. ✨ rist
chiuso gennaio – Pas carta 23/31000 – 🖵 6000 – **36 cam** 24/35000 – P 41/43000, b.s. 37/41000.

OLEGGIO 28047 Novara 🔲🔲🔲 ②③, 🔲🔲🔲 ⑰ – 11 229 ab. alt. 236 – ✆ 0321.
Roma 638 – ♦Milano 63 – Novara 18 – Stresa 36 – ♦Torino 107 – Varese 39.

 🏨 **Oleggio** senza rist, via Verbano 19 ✆ 93301, ☞ – 📺 ☎ 🅿 – 🏄 70. 🆎 🕃 ⓞ ⋿ 𝘝𝘐𝘚𝘈
  ⛉ 15000 – **26 cam** 65/87000 appartamenti 100/120000.

 🍽🍽 **Circonvallazione, via** Gallarate 126 (E : 3 km) ✆ 91130 – 🅿 ⋘
  chiuso martedì sera, mercoledì ed agosto – Pas carta 23/41000

 🍽 **Roma, via** Don Minzoni 51 ✆ 91175 – ⓞ
  chiuso sabato e dal 1° al 20 agosto – Pas carta 20/29000.

OLGIASCA Como 🔲🔲🔲 ③ – alt. 313 – ✉ **22050** Colico – ✆ 0341.
Vedere Abbazia di Piona★ NE : 2 km.
Roma 657 – Chiavenna 31 – Como 65 – Lecco 36 – ♦Milano 92 – Sondrio 46.

 🍽 **Conca Azzurra** ⬅ con cam, ✆ 940319, ≼, ☞ – 🚗 🅿
 ↞ Pas carta 18/29000 – ⛉ 6000 – **10 cam** 24/35000 – P 47000.

OLGIATE OLONA 21057 Varese 🔲🔲🔲 ⑱ – 9 937 ab. alt. 239 – ✆ 0331.
Roma 604 – Como 35 – ♦Milano 32 – Novara 38 – Varese 29.

 🍽🍽 **Ma.Ri.Na.,** piazza San Gregorio 11 ✆ 640463, Coperti limitati; prenotare – 🍴 🆎 ⓞ. ⋘
  chiuso a mezzogiorno (escluso i giorni festivi), mercoledì ed agosto – Pas carta 44/70000.

 🍽🍽 **Idea Verde,** via San Francesco ✆ 629487, prenotare – 🅿 ⓞ. ⋘
  chiuso domenica sera, lunedì ed agosto – Pas carta 41/58000.

ALFA-ROMEO corso Sempione 60 ✆ 639300   PEUGEOT-TALBOT via Busto Fagnano 26 ✆ 634120
LANCIA-AUTOBIANCHI via Busto Fagnano 6 ✆ RENAULT via per Fagnano 36 ✆ 631379
632683

OLIENA Nuoro 🔲🔲🔲 ㉝㉞ – Vedere Sardegna alla fine dell'elenco alfabetico.

OLIVONE 🔲🔲🔲 ⑮, 🔲🔲🔲 ⑫ – Vedere Cantone Ticino alla fine dell'elenco alfabetico.

OLMI Treviso – Vedere San Biagio di Callalta.

OLMO Firenze – Vedere Fiesole.

OLMO Vicenza – Vedere Vicenza.

OLMO GENTILE 14050 Asti – 141 ab. alt. 615 – ✆ 0144.
Roma 606 – Asti 52 – Acqui Terme 33 – ♦Milano 163 – Savona 72 – ♦Torino 103.

 🍽 **Della Posta,** ✆ 93034, prenotare – 🅿
 ↞ chiuso domenica sera e Natale – Pas carta 15/30000.

OLTRE IL COLLE 24013 Bergamo – 1 285 ab. alt. 1 030 – a.s. luglio-agosto e Natale – ✆ 0345.
Roma 642 – ♦Bergamo 41 – ♦Milano 83 – San Pellegrino Terme 24.

 🏨 **Manenti,** ✆ 95005, ≼, ☞ – ☎ 🚗 🅿. ⋘
  chiuso ottobre e novembre – Pas (chiuso giovedì) carta 23/40000 – ⛉ 7000 – **32 cam** 35/50000
  – P 50/60000, b.s. 40/50000.

OME 25050 Brescia – 2 547 ab. alt. 240 – ✆ 030.
Roma 573 – ♦Bergamo 47 – ♦Brescia 18 – ♦Milano 88.

 🍽 **Da Piero,** via Valle 35 ✆ 652061 – 🅿 🆎 𝘝𝘐𝘚𝘈. ⋘
  chiuso lunedì ed agosto – Pas carta 20/33000.

OMEGNA 28026 Novara 🔲🔲🔲 ②, 🔲🔲🔲 ⑥ – 15 877 ab. alt. 303 – ✆ 0323.
Vedere Lago d'Orta★★.
Roma 670 – Domodossola 36 – ♦Milano 93 – Novara 55 – Stresa 18 – ♦Torino 129.

 🏨 **Croce Bianca, via** Mazzini 2 ✆ 642163, ≼, 🍴 – 🛗 🍴 ☎ 🅿. 🆎 🕃 ⓞ ⋿ 𝘝𝘐𝘚𝘈. ⋘
  chiuso gennaio – Pas (chiuso lunedì da ottobre a maggio) carta 22/40000 – ⛉ 7000 – **36 cam**
  54/77000 – ½ P 50/58000.

 🏨 **La Pagoda, via** De Amicis 23 ✆ 62344 – ☎. ⋘
  Pas (solo per clienti alloggiati) 28000 – ⛉ 7000 – **11 cam** 40/58000 – P 60000.

 🍽🍽 **Trattoria Toscana-da Franco, via** Mazzini 153 ✆ 62460, « Servizio estivo all'aperto » –
  🕃 ⋿ 𝘝𝘐𝘚𝘈
  chiuso mercoledì e giugno – Pas carta 22/34000.

FIAT via Verta 2 ✆ 642526   GM-OPEL via 4 Novembre 32 ✆ 61964
FORD via Tito Speri 6 ✆ 62424

ONEGLIA Imperia 🔲🔲🔲 ⑫ – Vedere Imperia.

ONIGO DI PIAVE Treviso – Vedere Pederobba.

ONNO 22030 Como 219 ⑨ – alt. 205 – ✪ 031.

Roma 633 – Bellagio 10 – Como 32 – Erba 18 – Lecco 12 – ◆Milano 67.

  ✗ **Italia-da Gino,** ℰ 969751, prenotare, ≼, « Servizio estivo in terrazza sul lago » – **P**
    chiuso mercoledì – Pas carta 36/52000.

OPERA 20090 Milano 219 ⑩ – 12 727 ab. alt. 99 – ✪ 02.

⌐ Le Rovedine, a Noverasco ⊠ 20090 Opera ℰ 5242730, N : 2 km.

Roma 567 – ◆Milano 10 – Novara 62 – Pavia 24 – Piacenza 59.

  a Noverasco N : 2 km – ⊠ **20090** Opera :

  🏨 **Sporting Mirasole,** ℰ 5241724, Telex 340811 – ▐▌ ▤ 🆃🆅 ☎ **P** – 🏖 120. 🖭 🕃 ⓪ 🄴 *VISA*.
    🕸
    Pas (solo per clienti alloggiati) 35/50000 – ☷ 14000 – **71 cam** 190000 – P 176000.

MICHELIN, via Armando Diaz 30/34, ℰ 5243745.

OPPIO (Passo di) Pistoia – alt. 821 – a.s. luglio e agosto.

Roma 334 – ◆Bologna 84 – ◆Firenze 60 – Lucca 56 – Milano 285 – Pisa 78 – Pistoia 24.

  🏯 **Miravalle,** via Gavinana ⊠ 51022 Bardalone ℰ (0573) 630364, ≼, ✿ – **P**. 🕸 rist
  ➡ *15 aprile-ottobre e 15 dicembre-15 gennaio* – Pas 18/22000 – ☷ 5000 – **20 cam** 32/56000 –
    P 50000, b.s. 48000.

  ✗ Monte Oppio, ⊠ 51022 Bardalone ℰ (0573) 630033 – **P**.

ORA (AUER) 39040 Bolzano 988 ④, 218 ⑳ – 2 592 ab. alt. 263 – a.s. aprile e luglio-15 ottobre –
✪ 0471 – Roma 624 – Belluno 116 – ◆Bolzano 18 – Milano 282 – Trento 42.

  🏨 **Kaufmann,** ℰ 810004, ⌐, ✿ – ▐▌ ↭ rist ☎ ➡ **P**. 🕸 rist
  ➡ Pas *(chiuso dal 10 novembre al 10 dicembre)* 11/13000 – **35 cam** ☷ 37/68000 – P 49000,
    b.s. 44000.

  🏨 **Elefant,** ℰ 810129 – ▐▌ ☜. 🕸
    Pas *(chiuso giovedì)* carta 32/47000 – **32 cam** ☷ 48/75000 – P 45/58000.

FERRARI via Nazionale 74 ℰ 810380, Telex 401575

ORBASSANO 10043 Torino 988 ⑫ – 19 849 ab. alt. 273 – ✪ 011.

Roma 673 – Cuneo 99 – ◆Milano 162 – ◆Torino 14.

Pianta d'insieme di Torino (Torino p. 2)

  🏯 **Eden** senza rist, strada Rivalta 15 ℰ 9002560 – ☜ **P**. 🕸   EU **a**
    ☷ 8000 – **34 cam** 40/60000.

RENAULT strada Torino 47 ℰ 9003632

ORBELLO Vercelli 219 ⑯ – Vedere Villa del Bosco.

ORBETELLO 58015 Grosseto 988 ㉕ – 15 273 ab. – a.s. Pasqua e 15 giugno-15 settembre –
✪ 0564 – Vedere Guida Verde.

Roma 152 – Civitavecchia 76 – ◆Firenze 183 – Grosseto 43 – ◆Livorno 177 – Viterbo 88.

  🏨 **Presidi** senza rist, via Mura di Levante 34 ℰ 867601, ≼ – ▐▌ ▤ ☜ ♿ **P**
    ☷ 5000 – **62 cam** 52/75000, ▤ 7500.

  🏨 **Sole** senza rist, via Colombo (angolo corso Italia) ℰ 860410 – ▐▌ ▤ ☎. 🖭 🕃 *VISA*
    ☷ 6000 – **18 cam** 43/73000, ▤ 6500.

  ✗✗ **Osteria del Lupacante,** corso Italia 103 ℰ 867618 – 🖭 🕃 ⓪ 🄴 *VISA*
    chiuso mercoledì e novembre – Pas carta 29/50000 (10%).

  ✗ **Da Egisto,** corso Italia 190 ℰ 867469 – 🖭 🕃 ⓪ *VISA*. 🕸
    chiuso lunedì e novembre – Pas carta 22/37000 (10%).

  a Terrarossa SO : 2 km – ⊠ **58019** Porto Santo Stefano :

  ✗✗ **La Posada,** ℰ 820180 – **P**. 🖭 ⓪. 🕸
    chiuso gennaio, febbraio, martedì e in luglio-agosto anche a mezzogiorno escluso venerdì,
    sabato e domenica – Pas carta 35/50000.

  sulla strada statale 1 - via Aurelia NE : 7 km :

  ✗✗ Il Cacciatore, con cam, ⊠ 58016 Orbetello Scalo ℰ 862020, 🏡, ⌐, ✿, 🕸 – ☜ **P**
    22 cam.

  ✗ **La Ruota** con cam, ⊠ 58016 Orbetello Scalo ℰ 862137, 🏡, ✿ – **P**. 🖭 🕃 ⓪ 🄴 *VISA*. 🕸
    Pas *(chiuso giovedì)* carta 28/42000 (15%) – ☷ 5000 – 12 cam 30/51000 – P 68000, b.s. 60000.

  Vedere anche : *Porto Ercole* S : 7 km.
                Porto Santo Stefano O : 10 km.
                Ansedonia SE : 10 km.
                Albinia N : 11 km.
                Fonte Blanda N : 19 km.

ALFA-ROMEO ad Orbetello Scalo, via Aurelia Nord   RENAULT località Torba, via Aurelia Sud ℰ 893051
ℰ 862603

ORIA Como 219 ⑧ − Vedere Valsolda.

ORIAGO 30030 Venezia − alt. 4 − ❀ 041.
Roma 519 − Mestre 8 − ✦Milano 258 − ✦Padova 28 − Treviso 29 − ✦Venezia 16.

🏨 **Il Burchiello** senza rist, ℰ 429555, Telex 410144 − 🛗 🗐 📺 ☎ ⚻ ⇌ ❷ − 🄰 200. 🄰🄴 🕃 ⓪
　 🄴 𝚅𝙸𝚂𝙰
　 ⌲ 9000 − **61 cam** 70/130000.

🍴🍴 **Il Burchiello** con cam, ℰ 472244, « Servizio estivo in terrazza » − 📺 ☎ ❷. 🄰🄴 🕃 ⓪ 🄴 𝚅𝙸𝚂𝙰.
　 ❄ rist
　 Pas (chiuso lunedì) carta 30/70000 − ⌲ 6000 − **11 cam** 40/60000.

🍴 **Nadain** ℰ 429665 − 🗐 ❷. ❄
　 chiuso mercoledì, giovedì a mezzogiorno e luglio − Pas carta 28/45000.

ORIGGIO 21040 Varese 219 ⑱ − 5 745 ab. alt. 193 − ❀ 02.
Roma 600 − ✦Bergamo 64 − Como 28 − ✦Milano 22 − Novara 50 − Varese 40.

🍴🍴🍴 **Cascina Malingamba**, strada per Lainate ℰ 96731279, prenotare − 🗐 ❷. 🄰🄴 🕃 ⓪ 🄴. ❄
　 chiuso domenica sera, lunedì, dal 2 al 24 agosto e dal 23 dicembre al 3 gennaio − Pas
　 carta 42/65000.

ORIGLIO 219 ⑧ − Vedere Cantone Ticino alla fine dell'elenco alfabetico.

ORISTANO 🅿 988 ㉝ − Vedere Sardegna alla fine dell'elenco alfabetico.

ORMEA 12078 Cuneo − 2 447 ab. alt. 719 − a.s. luglio-agosto e Natale − ❀ 0174.
Roma 626 − Cuneo 83 − Imperia 49 − ✦Milano 250 − ✦Torino 126.

🏠 **Italia**, ℰ 51147 − 🛗 🗐 rist ⇌. ❄ rist
✦ Pas (chiuso giovedì) carta 19/30000 − ⌲ 5000 − **39 cam** 28/45000 − P 47/55000.

　 sulla strada statale 28 verso Ponte di Nava SO : 4,5 km :

🏨 **San Carlo**, ⌧ 12070 Ponte di Nava ℰ 51917, ≼, 🏖, 🦌 e vivai di trote − 🛗 ❷. ❄ rist
　 15 marzo-dicembre − Pas (chiuso martedì) carta 25/38000 − ⌲ 8000 − **37 cam** 29/46000 −
　 P 57000, b.s. 50000.

　 a Ponte di Nava SO : 6 km − ⌧ 12070 :

🍴 **Ponte di Nava-da Beppe** con cam, ℰ 51924, ≼ − ⇌ ❷. 🕃 🄴. ❄
✦ chiuso dal 7 al 22 gennaio e dal 15 al 30 giugno − Pas (chiuso mercoledì) carta 16/34000
　 − ⌲ 3500 − **18 cam** 20/36000 − P 50000.

OROPA 13060 Vercelli 988 ②, 219 ⑮ − alt. 1 180 − ❀ 015.
Roma 689 − Biella 19 − ✦Milano 115 − Novara 69 − ✦Torino 87 − Vercelli 55.

🍴 **Stazione al Santuario**, ℰ 55137 − ❷. 🕃 🄴 𝚅𝙸𝚂𝙰
　 chiuso mercoledì da ottobre a maggio − Pas carta 22/35000 (10%).

OROSEI Nuoro 988 ㉞ − Vedere Sardegna alla fine dell'elenco alfabetico.

ORSELINA 219 ⑦⑧, 218 ⑫ − Vedere Cantone Ticino (Locarno) alla fine dell'elenco alfabetico.

ORSOGNA 66036 Chieti 988 ㉗ − 4 151 ab. alt. 430 − ❀ 0871.
Roma 251 − Chieti 38 − ✦Pescara 42.

🏠 Altamira, strada statale NE : 2 km ℰ 86521, 🏖 − 🛎 ⚻ ❷ − 29 cam.

ORTA SAN GIULIO 28016 Novara 988 ②, 219 ⑥ − 1 046 ab. alt. 293 − a.s. Pasqua e luglio-15 settembre − ❀ 0322.
Vedere Lago d'Orta★★ − Palazzotto★ − Sacro Monte d'Orta★ 1,5 km.
Escursioni Isola di San Giulio★★ : ambone★ nella chiesa.
🖪 via Olina 9/11 ℰ 90355.
Roma 661 − Biella 58 − Domodossola 48 − ✦Milano 84 − Novara 46 − Stresa 30 − ✦Torino 119.

🏨 **San Rocco** ⌂, ℰ 90191, Fax 905635, ≼ isola San Giulio, 🏖, « Terrazza fiorita in riva al lago
　 con 🏊 » − 🛗 📺 ☎ ⇌ − 🄰 30 a 140. 🄰🄴 🕃 ⓪ 🄴 𝚅𝙸𝚂𝙰. ❄
　 Pas carta 60/89000 − ⌲ 17000 − **74 cam** 155/200000 − P 170/210000, b.s. 170000.

🏨 **Orta** ⌂, ℰ 90253, ≼ isola San Giulio − 🛗 ☎ ⇌. 🄰🄴 🕃 𝚅𝙸𝚂𝙰
　 marzo-ottobre − Pas carta 28/49000 − ⌲ 9000 − **33 cam** 52/79000 − P 64/74000.

🏨 **La Bussola** ⌂, ℰ 90198, ≼ isola San Giulio, 🏖, « Giardino fiorito con 🏊 » − 🛗 ☎ ❷. 🄰🄴
　 🕃 🄴 𝚅𝙸𝚂𝙰. ❄ rist
　 chiuso dal 2 al 15 gennaio e dal 5 al 20 novembre − Pas 27/35000 − ⌲ 8500 − 16 cam 56/80000
　 − P 89000, b.s. 80/85000.

　 al Sacro Monte E : 1 km :

🍴🍴 **Sacro Monte**, ⌧ 28016 ℰ 90220, « Ambiente rustico in zona verdeggiante » − ❷. 🄰🄴. ❄
　 chiuso martedì e dal 7 al 30 gennaio − Pas carta 24/42000 (10%).

ORTE 01028 Viterbo 988 ㉕ ㉖ – 8 090 ab. alt. 134 – ☎ 0761.

Roma 77 – ♦Perugia 98 – Terni 31 – Viterbo 28.

Letizia e Rist. Migagicale, a Orte Scalo SE : 3,5 km ☎ 400976, Fax 400977 – 🛗 ▤ 📺 ☎ 🚗 – 🏛 40. AE 🏦 ⓞ E VISA. 🚫
Pas *(chiuso mercoledì)* carta 25/37000 – ☕ 8000 – **38 cam** 63/88000 appartamenti 138000 – P 100000.

ORTISEI (ST. ULRICH) 39046 Bolzano 988 ④ – 4 158 ab. alt. 1 236 – Stazione di villeggiatura, a.s. febbraio-aprile, 15 luglio-agosto e Natale – Sport invernali : della Val Gardena : 1 236/2 450 m 🚡3 ⛷3, ⛷ – ☎ 0471.

Dintorni Val Gardena★★★ per la strada S 242 – Alpe di Siusi★★ per funivia.

ℹ piazza Stetteneck ☎ 76328, Telex 400305.

Roma 677 – ♦Bolzano 35 – Bressanone 32 – Cortina d'Ampezzo 79 – ♦Milano 334 – Trento 95 – ♦Venezia 226.

Aquila-Adler, ☎ 76203, « Giardino ombreggiato », 🏊, 🎾 – 🛗 ▤ rist 📺 ☎ ♿ 🚗 Ⓟ. AE 🏦 ⓞ E VISA. 🚫 rist
17 dicembre-9 aprile e 15 giugno-15 ottobre – Pas carta 28/41000 – **85 cam** ☕ 128/226000 – P 151/168000, b.s. 96/109000.

Grien 🔇, ☎ 76340, ≤ Dolomiti e vallata, 🌳 – 🛗 ⇔ cam ▤ 📺 ☎ 🚗 Ⓟ. 🏦 E VISA. 🚫 rist
Pas carta 28/48000 – 23 cam ☕ 110/200000 – P 116/149000, b.s. 58/75000.

Hell 🔇, ☎ 76785, ≤, « Giardino » – 🛗 ☎ Ⓟ. 🚫
15 dicembre-21 aprile e 4 giugno-15 ottobre – Pas *(chiuso a mezzogiorno)* – 27 cam (solo ½ P) 108/174000.

La Rodes 🔇, a Roncadizza SO : 1 km ☎ 76108, ≤, 🏊, 🌳 – 🛗 ▤ rist ☎ Ⓟ. 🚫 rist
20 dicembre-10 aprile e giugno-10 ottobre – Pas 18/22000 – ☕ 11000 – 41 cam 45/80000 – P 83/93000, b.s. 62/69000.

Gardena-Grödnerhof, ☎ 76315, ≤, 🌳 – 🛗 ☎ Ⓟ. 🚫 rist
20 dicembre-Pasqua e giugno-ottobre – Pas 18000 – **45 cam** ☕ 60/115000 – P 95/115000, b.s. 60/85000.

La Perla 🔇, a Roncadizza SO : 1 km ☎ 76421, ≤, 🏊, 🌳, 🎾 – 🛗 ☎ 🚗 Ⓟ. AE ⓞ. 🚫 rist
dicembre-aprile e giugno-settembre – Pas carta 20/32000 – ☕ 7000 – **36 cam** 45/88000 – P 90/98000, b.s. 66/70000.

Genziana-Enzian, ☎ 76246 – 🛗 ☎ Ⓟ. 🚫
chiuso dal 20 aprile al 31 maggio e novembre – Pas carta 18/28000 – 48 cam ☕ 48/96000 – P 80/95000, b.s. 55/65000.

Rainell 🔇, ☎ 76145, ≤, 🌳 – 🛗 ☎ Ⓟ. ⓞ. 🚫
20 dicembre-Pasqua e 15 giugno-settembre – Pas 20/25000 – ☕ 6000 – **28 cam** 50/80000 – P 75/100000, b.s. 55/70000.

Angelo-Engel, ☎ 76336, ≤, 🌳 – 🛗 ☎ Ⓟ. AE 🏦 ⓞ E VISA. 🚫 rist
chiuso novembre – Pas *(chiuso martedì da maggio a giugno ed ottobre)* carta 22/30000 – **37 cam** ☕ 42/84000 – P 58/90000, b.s. 51/56000.

Ronce 🔇, ☎ 76383, ≤, 🌳 – ☎ Ⓟ. 🏦. 🚫 rist
20 dicembre-20 aprile e giugno-settembre – Pas (solo per clienti alloggiati e *chiuso a mezzogiorno*) – **24 cam** ☕ 45/84000 – ½ P 46/68000, b.s. 40/50000.

Villa Luise 🔇, ☎ 76498, ≤ Dolomiti e vallata – ☎ 🚗 Ⓟ. 🚫
chiuso da novembre al 15 dicembre – Pas *(chiuso a mezzogiorno)* – 13 cam (solo ½ P) 60/80000, b.s. 48/60000.

Cosmea, ☎ 76464 – ☎ Ⓟ. E. 🚫 cam
chiuso dal 15 ottobre al 15 dicembre – Pas *(chiuso giovedì)* 18/25000 – **21 cam** ☕ 43/80000 – P 64/80000, b.s. 52/60000.

Piciuël 🔇, verso Castelrotto SO : 3 km ☎ 77351, ≤, 🌳 – ☎ 🚗 Ⓟ. VISA. 🚫 rist
dicembre-Pasqua e maggio-ottobre – Pas *(chiuso a mezzogiorno)* – 14 cam (solo ½ P) 60/65000.

Arnaria, via Arnaria 15 (SO : 1 km) ☎ 76649, 🏊 riscaldata, 🌳 – ▤ rist ☎ ♿ Ⓟ
17 cam.

Ramoser, ☎ 76460, Coperti limitati; prenotare – AE ⓞ
chiuso giovedì, giugno e da novembre al 20 dicembre – Pas carta 32/51000 (10%).

Vedere anche : ***Santa Cristina Valgardena*** SE : 4 km.
Selva di Val Gardena SE : 7 km.

ORTOBENE (Monte) Nuoro – Vedere Sardegna (Nuoro) alla fine dell'elenco alfabetico.

ORTONA 66026 Chieti 988 ㉗ – 22 430 ab. – Stazione balneare, a.s. 15 giugno-agosto – ☎ 085.

⛴ per le Isole Tremiti giugno-settembre giornaliero (1 h 50 mn) – Adriatica di Navigazione-agenzia Pompilio, via Porto 34 ☎ 912650, Telex 600173.

ℹ piazza della Repubblica 9 ☎ 9063841.

Roma 227 – L'Aquila 126 – Campobasso 139 – Chieti 36 – ♦Foggia 158 – ♦Pescara 22.

🏛 **D'Annunzio** senza rist, via Giro degli Ulivi 11 ℰ 914401 – ｜🛏 ⇔ 🕿 🅿. 🛪
🗋 3000 – **27 cam** 43/55000.

🏛 **Ideale** senza rist, corso Garibaldi 65 ℰ 9063735, ≼ – ｜🛏 🕿 ⇔. 🖭 ① . 🛪
🗋 6000 – **30 cam** 40/56000.

✗ **Miramare,** largo Farnese 15 ℰ 9063593 – 🛪
chiuso giovedì, novembre e dicembre – Pas carta 19/43000 (10%).

a Lido Riccio NO : 5,5 km – ✉ **66026** Ortona :

🏛 **Mara** 🏖, ℰ 9190416, ≼, 🍴, 🐎, 🚲, ✗ – ｜🛏 ▤ rist 🕿 🅿. 🛪 rist
maggio-settembre – Pas 30/35000 – **75 cam** 🗋 50/80000 – P 65/80000, b.s. 50/55000.

VW-AUDI via Civiltà del Lavoro 59/63 ℰ 9061793

ORTOVERO 17037 Savona – 865 ab. alt. 78 – 🕿 0182.
Roma 594 – Albenga 11 – ♦Genova 95 – Imperia 39 – ♦Milano 218 – Savona 49.

✗ **Tripoli** con cam, ℰ 547017, 🐎 – 🛪
➡ *chiuso gennaio* – Pas *(chiuso lunedì)* 16/22000 – 🗋 4500 – **11 cam** 45000.

ORVIETO 05018 Terni 🗓🗓🗓 ㉕ – 22 033 ab. alt. 315 – 🕿 0763.
Vedere Posizione pittoresca★★★ – Duomo★★★ – Pozzo di San Patrizio★★ – Palazzo del Popolo★ –
Quartiere vecchio★ – Palazzo dei Papi★ A – Collezione etrusca★ nel museo Archeologico Faina M.
🛈 piazza del Duomo 24 ℰ 41772.
Roma 121 ① – Arezzo 110 ① – ♦Milano 462 ① – ♦Perugia 86 ① – Siena 123 ① – Terni 75 ① – Viterbo 45 ②.

🏛 **La Badia** 🏖, località La Badia S : 5 km ℰ 90359, « In un'abbazia del 12° e 13° secolo », 🍴,
🐎, ✗ – ▤ 🕿 🅿 – 🔬 200. 🖭 🛐 ⅃ 🚾. 🛪   **a**
chiuso gennaio e febbraio – Pas *(chiuso mercoledì)* carta 53/80000 – 🗋 13000 – 24 cam
101/181000 appartamenti 270/295000 – P 210/267000.

🏛 **Maitani** senza rist, via Maitani 5 ℰ 42011, Telex 564021 – ｜🛏 ▤ 📺 🕿 ⇔ – 🔬 60. 🖭 🛐 ①
⅃ 🚾. 🛪   **n**
chiuso dal 7 al 22 gennaio – 🗋 13000 – **40 cam** 80/125000 appartamenti 150/170000.

🏛 **Aquila Bianca** senza rist, via Garibaldi 13 ℰ 41246 – ｜🛏 🅿 – 🔬 80. 🖭 ①. 🛪   **m**
🗋 9000 – **37 cam** 64/88000.

🏛 **Virgilio** senza rist, piazza del Duomo 5/6 ℰ 41882 – ｜🛏 ⇔   **x**
🗋 11000 – **15 cam** 47/70000.

🏛 **Filippeschi** senza rist, via Filippeschi 19 ℰ 43275 – 📺 🕿. 🖭 🛐 🚾. 🛪   **c**
🗋 8000 – **15 cam** 45/65000.

XX **Maurizio,** via del Duomo 78 ℰ 41114 – ⊗   **x**
chiuso martedì e gennaio – Pas carta 30/45000 (15%).

XX **Dell'Ancora,** via di Piazza del Popolo 7/11 ℰ 42766, 🏠 – 🖭 🕃 ⓞ 🖃 𝘝𝘐𝘚𝘈   **d**
chiuso giovedì e gennaio – Pas carta 28/36000 (15%).

X **La Bussola,** via de' Cartari 4 ℰ 41725, 🏠 – ⊗   **g**
chiuso mercoledì – Pas carta 25/44000 (10%).

X **Cucina Monaldo,** via Angelo da Orvieto 7 ℰ 41634 – 🖭 🕃 🖃   **s**
chiuso lunedì e dal 15 al 30 luglio – Pas carta 28/37000.

X **Del Cocco,** via Garibaldi 4/6 ℰ 42319 – 🖭 🕃 ⓞ 🖃 𝘝𝘐𝘚𝘈   **v**
chiuso venerdì – Pas carta 19/30000 (10%).

X **Trattoria Etrusca,** via Maitani 10 ℰ 44016 – 🖭 🕃 ⓞ 🖃 𝘝𝘐𝘚𝘈   **b**
chiuso lunedì e dal 20 gennaio al 20 febbraio – Pas carta 23/42000 (10%).

ad Orvieto Scalo per ① : 5 km – ⊠ 05019 :

🏨 **Orvieto** senza rist, via Costanzi 65 ℰ 91751 – ⫷ 📺 ☜ ➡ 🄿. 🖭 🕃 ⓞ 𝘝𝘐𝘚𝘈. ⊗
⊊ 5000 – **36 cam** 42/60000 appartamenti 85000.

🏨 **Kristall** senza rist, via Costanzi 69 ℰ 90703 – ⇔ ☎ ➡ 🄿. 🖭 🕃 ⓞ 𝘝𝘐𝘚𝘈
⊊ 5000 – **22 cam** 42/60000.

sulla strada statale 71 per ② : 5 km :

X **Girarrosto del Buongustaio,** ⊠ 05018 Orvieto ℰ 41935, 🏠 – 🄿. 🖭 🕃 ⓞ 🖃 𝘝𝘐𝘚𝘈. ⊗
chiuso mercoledì e dal 10 gennaio al 1° febbraio – Pas carta 20/31000.

ALFA-ROMEO alla stazione, via Costanzi 53/65 per   PEUGEOT-TALBOT via Monteluco 1-Orvieto Scalo
① ℰ 90705   ℰ 91388
FIAT via Piana-località Arcone ℰ 90601   RENAULT strada statale Amerina ℰ 90665
GM-OPEL strada Bagnorese 11 ℰ 91347
LANCIA-AUTOBIANCHI via Costanzi-Orvieto Scalo
ℰ 91978

OSASCO 10060 Torino – 864 ab. alt. 344 – ✪ 0121.
Roma 697 – Asti 83 – Cuneo 59 – ♦Milano 191 – Sestriere 59 – ♦Torino 40.

🏠 **Nuovo Piemonte,** ℰ 541138 – 🄿. ⊗
chiuso luglio – Pas *(chiuso martedì)* carta 21/32000 – ⊊ 3500 – **9 cam** 25/50000 – P 50000.

OSIMO 60027 Ancona 𝟿𝟾𝟾 ⑬ – 27 155 ab. alt. 265 – ✪ 071.
Roma 308 – ♦Ancona 20 – Macerata 28 – Pesaro 82 – Porto Recanati 19.

🏨 **La Fonte,** ℰ 714767, ← – 🌫. ⊗
Pas *(chiuso sabato)* carta 21/31000 – ⊊ 3500 – **35 cam** 40/70000 – P 70000.

sulla strada statale 16 NE : 7,5 km :

X **La Cantinetta del Conero,** ⊠ 60028 Osimo Scalo ℰ 7108651 – 🍽 🄿. 🖭 🕃 ⓞ 🖃 𝘝𝘐𝘚𝘈. ⊗
chiuso sabato – Pas carta 29/47000.

in prossimità casello autostrada A 14 N : 9 km :

🏨 **Palace del Conero** senza rist, ⊠ 60027 Osimo ℰ 7108312 – ⫷ 🍽 📺 ☎ ♿ 🄿 – 🛎 30 a 80.
🖭 🕃 ⓞ 🖃
⊊ 7000 – **51 cam** 58/101000, 🍽 3000.

FIAT frazione Campocavallo ℰ 7131835   RENAULT frazione San Biagio ℰ 7108234

OSIO SOTTO 24046 Bergamo 𝟸𝟷𝟿 ⑳ – 9 800 ab. alt. 184 – ✪ 035.
Roma 606 – ♦Bergamo 11 – Lecco 36 – ♦Milano 37.

🏨 **Continental,** ℰ 806707 – ☎ 🄿 – 🛎 150. 🖭 🕃 ⓞ 🖃 𝘝𝘐𝘚𝘈. ⊗ cam
Pas carta 32/50000 – ⊊ 15000 – **48 cam** 37/53000 – P 85000.

LANCIA-AUTOBIANCHI via De Gasperi 1 ℰ 808544

OSOPPO 33010 Udine – 2 655 ab. alt. 185 – ✪ 0432.
Roma 665 – ♦Milano 404 – Udine 30.

🏨 **Pittis,** ℰ 975346 – ⫷ ⇔ cam 📺 ☎ 🄿. 🖭 𝘝𝘐𝘚𝘈. ⊗
Pas *(chiuso domenica)* carta 24/35000 – ⊊ 10000 – **40 cam** 40/65000 – P 60/70000.

PEUGEOT-TALBOT via Matteotti 92 ℰ 975063

OSPEDALETTI 18014 Imperia 𝟿𝟾𝟾 ⑫, 𝟷𝟿𝟻 ⑲⑳ – 3 456 ab. – Stazione climatica – ✪ 0184.
🄱 corso Regina Margherita 1 ℰ 59085.
Roma 650 – ♦Genova 151 – Imperia 29 – ♦Milano 274 – Ventimiglia 11.

🏨 **Madison,** via Aurelia Levante 1 ℰ 59713 – ⫷ 🍽 cam ☎ 🄿. 🖭 🕃 𝘝𝘐𝘚𝘈. ⊗
chiuso novembre – Pas 25000 – ⊊ 6500 – **33 cam** 50/85000 – P 75000.

🏨 **Firenze e Rist. Da Luisa,** corso Regina Margherita 97 ℰ 59221, ← – ⫷ 📺 🌫. 🖭 🕃 ⓞ 🖃
𝘝𝘐𝘚𝘈 ⊗ rist
Pas *(chiuso lunedì)* carta 28/40000 – ⊊ 7000 – **44 cam** 40/70000 – P 57/75000.

🏨 **Alexandra,** corso Regina Margherita 9 ℰ 59356, ← – 🍽 rist 🌫. ⊗ rist
Pas *(solo per clienti alloggiati)* 25000 – ⊊ 5000 – **19 cam** 37/65000 – P 55/70000.

🏠 **Delle Rose,** via De Medici 17 ℰ 59016, « Piccolo giardino con piante esotiche » – 🐕. ❄
Pas *(chiuso lunedì)* 22/25000 – ⊡ 6000 – **14 cam** 28/58000 – P 60/65000.

🏠 **Le Palme,** corso Regina Margherita 92 ℰ 59872, 🍴 – ⃒🛎 🐕 ♿ ♿. ❄
chiuso dal 10 novembre al 10 dicembre – Pas (solo per clienti alloggiati) 20000 – 16 cam
⊡ 50/70000 – P 65/70000.

🏠 **Floreal,** corso Regina Margherita 83 ℰ 59638 – ⃒🛎 ✎ rist 🐕. 🆎 🛎 🕧 E 💳. ❄ rist
chiuso dal 5 al 30 novembre – Pas carta 27/35000 – ⊡ 6000 – **26 cam** 34/55000 – P 50/65000.

🏠 **Petit Royal,** corso Regina Margherita 86 ℰ 59026, ≼, « Piccolo giardino fiorito » – 🐕 ♿.
❄
chiuso dal 21 settembre al 19 dicembre – Pas carta 30/40000 – ⊡ 10000 – 33 cam 45/70000 –
P 72000.

OSPEDALETTO Verona – Vedere Pescantina.

OSPEDALETTO D'ALPINOLO 83014 Avellino – 1 671 ab. alt. 725 – ✪ 0825.
Roma 248 – Avellino 11 – Benevento 27 – ◆Napoli 59 – Salerno 50.

🏠 **Partenio,** ℰ 691097 – 🐕. E. ❄ cam
Pas carta 16/27000 – ⊡ 3500 – 25 cam 30/35000 – P 50/55000.

🏠 **La Castagna** 🍴, ℰ 691047, ≼, « Servizio estivo in terrazza ombreggiata », 🍴 – ♿. 🆎 🛎
🕧 E 💳. ❄ cam
aprile-ottobre – Pas carta 22/31000 – ⊡ 6000 – **22 cam** 25/45000 – P 50000.

OSPEDALICCHIO Perugia – Vedere Bastia.

OSTERIA DEL GATTO Perugia 🎯🎯🎯 ⑯ – Vedere Fossato di Vico.

OSTIA Roma – Vedere risorse di Roma, Lido di Ostia (o di Roma) ed Ostia Antica.

OSTIA ANTICA 00119 Roma 🎯🎯🎯 ②🐕 – ✪ 06.
Vedere Piazzale delle Corporazioni*** – Capitolium** – Foro** – Domus di Amore e Psiche**
– Schola del Traiano** – Terme dei Sette Sapienti* – Terme del Foro* – Casa di Diana* –
Museo* – Thermopolium* – Horrea di Hortensius* – Mosaici** nelle Terme di Nettuno.
Roma 24 – Anzio 49 – Civitavecchia 69 – Latina 73 – Lido di Ostia o di Roma 4.

✗ **Monumento,** piazza Umberto I n° 8 ℰ 5650021 – 🛎 🕧. ❄
chiuso lunedì e dal 20 agosto al 7 settembre – Pas carta 24/39000.

OSTIGLIA 46035 Mantova 🎯🎯🎯 ④⑭ – 7 431 ab. alt. 15 – ✪ 0386.
Roma 460 – ◆Ferrara 56 – Mantova 33 – ◆Milano 208 – ◆Modena 56 – Rovigo 63 – ◆Verona 46.

sulla strada statale 12 N : 6 km :

✗✗ **Pontemolino,** ✉ 46035 ℰ 2380 – ♿
chiuso lunedì sera, martedì, dal 27 dicembre al 20 gennaio e dal 20 luglio al 10 agosto – Pas
carta 25/36000.

OSTRA 60010 Ancona 🎯🎯🎯 ⑯ – 5 895 ab. alt. 188 – ✪ 071.
Roma 279 – ◆Ancona 51 – Foligno 121 – Macerata 60 – Pesaro 50 – Urbino 63.

🏠 **Cantinella,** viale Matteotti 38 ℰ 68081, ≼, 🍴 – ⃒🛎 🐕 ♿ – ♿ 90. ❄
Pas *(chiuso martedì da ottobre a maggio)* carta 20/30000 (10%) – ⊡ 2500 – **21 cam** 45000 –
P 45000.

OSTUNI 72017 Brindisi 🎯🎯🎯 ㉚ – 32 230 ab. alt. 207 – a.s. luglio-15 settembre – ✪ 0831.
Vedere Facciata* della Cattedrale.
Dintorni Regione dei Trulli*** Ovest.
🅸 piazza della Libertà ℰ 971268.
Roma 530 – ◆Bari 80 – ◆Brindisi 35 – Lecce 73 – Matera 101 – ◆Taranto 52.

🏠 **Incanto** 🍴, via dei Colli ℰ 971781, Telex 813284, ≼ città, pianura e mare – ⃒🛎 🐕 ♿ – ♿
150. 🆎 🛎 🕧 💳. ❄
Pas 16/20000 – ⊡ 4500 – **64 cam** 65/90000 – P 70/85000, b.s. 60000.

🏠 **Al Silenzio** 🍴 contrada Macoppa Piccola S : 3,5 km ℰ 333103, 🔲, 🍴 – ♿
35 cam.

✗✗ **Chez Elio,** via dei Colli ℰ 972030, ≼ città, pianura e mare – ✎ ♿. 🆎
chiuso lunedì e settembre – Pas carta 21/35000.

ALFA-ROMEO corso Mazzini 219 ℰ 971362
FIAT via Stazione ℰ 971792
FORD via Stazione ℰ 974260

LANCIA-AUTOBIANCHI piazza Torino 4 ℰ 333758
RENAULT contrada Scopinaro ℰ 933949

OTRANTO 73028 Lecce 🔟🔟🔟 ⑩ – 5 112 ab. – ✪ 0836.

Vedere Cattedrale★ : pavimento★★★.

Escursioni Costa meridionale★ Sud per la strada S 173.

🛈 Lungomare Kennedy ℘ 81436.

Roma 642 – ◆Bari 192 – ◆Brindisi 80 – Gallipoli 47 – Lecce 41 – ◆Taranto 122.

  XX   Il Gambero, ℘ 81107, Solo piatti di pesce.

  X   **Vecchia Otranto,** ℘ 81575 – 🍽. 🟥 🔛 ⑩ 🅴 𝘝𝘐𝘚𝘈. ⛾
      chiuso lunedì e novembre – Pas carta 29/41000.

  X   **Il Gabbiano** con cam, ℘ 81251 – 🐗. 𝘝𝘐𝘚𝘈. ⛾
      chiuso novembre e dicembre – Pas *(chiuso giovedì dal 15 febbraio al 15 giugno)* carta 20/40000
      – ⬜ 4000 – 11 cam 35/50000 – P 55/58000.

OTTONE Livorno – Vedere Elba (Isola d') : Portoferraio.

OVADA 15076 Alessandria 🔟🔟🔟 ⑬ – 12 613 ab. alt. 186 – ✪ 0143.

Dintorni Strada dei castelli dell'Alto Monferrato★ (o strada del vino) verso Serravalle Scrivia.

Roma 549 – Acqui Terme 24 – Alessandria 40 – ◆Genova 51 – ◆Milano 114 – Savona 61 – ◆Torino 125.

  🏠   **Italia,** via San Paolo 54 ℘ 86502 – 🐗 🅿. 🟥 🔛 ⑩ 🅴 𝘝𝘐𝘚𝘈. ⛾
      chiuso dal 1° al 15 febbraio – Pas *(chiuso martedì e dal 25 luglio al 5 agosto)* carta 24/36000
      (10%) – ⬜ 5000 – **14 cam** 35/50000 – P 55/65000.

  XX   **La Volpina,** strada Volpina 1 ℘ 86008, Coperti limitati; prenotare, « Servizio estivo
      all'aperto » – 🅿. 🟥 🔛 ⑩ 🅴 𝘝𝘐𝘚𝘈
      chiuso domenica sera, lunedì e giugno – Pas carta 38/53000 (10%).

  XX   **Da Pietro,** piazza Mazzini ℘ 80457
      chiuso lunedì, dal 7 al 19 gennaio e dal 1° al 20 luglio – Pas carta 24/46000.

ALFA-ROMEO via Gramsci 38/42 ℘ 80063   FIAT via Roccagrimalda 18 ℘ 86444

OVINDOLI 67046 L'Aquila 🔟🔟🔟 ⑳ – 1 280 ab. alt. 1 375 – a.s. 15 dicembre-15 aprile e luglio-15 settembre – Sport invernali : 1 375/2 100 m –⬳ 2 ⬱ 6 – ✪ 0863.

Roma 129 – L'Aquila 37 – Frosinone 109 – ◆Pescara 119 – Sulmona 55.

  🏨   **Magnola Palace Hotel** ⬎, NO : 3 km ℘ 705145, Telex 601076, ≼ – 🛗 🐗 🅿. ⛾
      Pas 16/20000 – ⬜ 5000 – **80 cam** 50/80000 – P 65/70000, b.s. 43/50000.

  🏠   **Moretti,** ℘ 705174, ≼ – 🛗 🐗 ⟵ 🅿. 🟥. ⛾
      Pas 17/25000 – ⬜ 6500 – **36 cam** 35/60000 – P 55/75000, b.s. 47/58000.

PADENGHE SUL GARDA 25080 Brescia – 2 731 ab. alt. 115 – a.s. Pasqua e luglio-15 settembre – ✪ 030.

Roma 535 – ◆Brescia 24 – Mantova 74 – ◆Milano 125 – Trento 109 – ◆Verona 50.

  🏨   **West Garda Hotel** ⬎, S : 1 km ℘ 9907161, « Giardino ombreggiato con ⬙ » – 📺 ☎ 🅿 –
      🔺 25 a 150. 🟥 🔛 ⑩ 🅴 𝘝𝘐𝘚𝘈. ⛾
      chiuso dicembre e gennaio – Pas 25000 – ⬜ 9000 – **65 cam** 60/90000 – P 90000.

PADERGNONE 38070 Trento – 564 ab. alt. 286 – a.s. dicembre-aprile – ✪ 0461.

Roma 603 – ◆Bolzano 75 – ◆Brescia 102 – ◆Milano 197 – Trento 15.

  XX   Da Valentino, con cam, O : 1 km ℘ 44039 – 🐗 ⟵
      12 cam.

PADERNO D'ADDA 22050 Como 🔟🔟🔟 ⑳ – 2 560 ab. alt. 266 – ✪ 039.

Roma 604 – ◆Bergamo 20 – Como 39 – Lecco 24 – ◆Milano 36.

  🏨   **Adda,** ℘ 514015, Fax 510796, ⬙, ⛾ – 🛗 🍽 rist ☎ ⛐ 🅿 – 🔺 100. 🟥 🔛 ⑩ 🅴 𝘝𝘐𝘚𝘈. ⛾
      Pas *(chiuso martedì)* carta 25/48000 – ⬜ 5000 – **31 cam** 63/87000 – P 85/90000.

PADOLA Belluno – Vedere Comelico Superiore.

Per viaggiare in Europa, utilizzate :

Le carte Michelin scala 1/400 000 a 1/1 000 000 **Le Grandi Strade ;**

Le carte Michelin dettagliate ;

Le guide Rosse Michelin (alberghi e ristoranti) :
Benelux, Deutschland, España Portugal, Main Cities Europe, France, Great Britain and Ireland

Le guide Verdi Michelin che descrivono le curiosità e gli itinerari di visita :
musei, monumenti, percorsi turistici interessanti.

PADOVA 35100 ⊞ 𝟵𝟴𝟴 ⑤ – 223 907 ab. alt. 12 – ❻ 049.

Vedere Affreschi di Giotto★★★, Vergine★ di Giovanni Pisano nella cappella degli Scrovegni BY – Basilica del Santo★★ BZ : ≼★ dai chiostri sulla basilica – Statua equestre del Gattamelata★★ BZ – Palazzo della Ragione★ BZ J : salone★★ – Chiesa degli Eremitani★ BY : affreschi del Guariento★★ – Museo Civico★ BZ M : Madonna con le armate celesti★★ del Guariento, Crocifissione★★ del Tintoretto, Spedizione di Uri★★ (arazzo) – Oratorio di San Giorgio★ BZ B – Scuola di Sant'Antonio★ BZ B – Piazza della Frutta★ BZ 13 – Piazza delle Erbe★ BZ 8 – Torre dell'Orologio★ (in piazza dei Signori AYZ) – Pala d'altare★ nella chiesa di Santa Giustina BZ.

Dintorni Colli Euganei★ SO.

🟦 (chiuso gennaio, febbraio e lunedì) a Valsanzibio, ⊠ 35030 Galzignano 𝒫 9130078, E : 21 km.

🚩 Stazione Ferrovie Stato ⊠ 35131 𝒫 8752077 – riviera Mugnai 8 𝒫 8750655.

A.C.I. via Enrico degli Scrovegni 19 ⊠ 35131 𝒫 654935.

Roma 491 – ♦Milano 234 – ♦Venezia 37 – ♦Verona 81.

Pianta pagina seguente

🏨 **Plaza,** corso Milano 40 ⊠ 35139 𝒫 656822, Telex 430360, Fax 661117 – 🛗 🖦 📺 ☎ ♿ ⇌ –
🛗 150 a 600. 🆎 🕚 �ⓔ 𝚅𝙸𝚂𝙰. 🕸 rist   AY m
Pas *(chiuso a mezzogiorno, domenica ed agosto)* carta 35/50000 – **142 cam** ⇆ 100/150000
appartamenti 215000.

🏨 **Europa e Rist. Zaramella,** largo Europa 9 ⊠ 35137 𝒫 661200 – 🛗 🖦 📺 ☎. 🆎 ⓞ 𝚅𝙸𝚂𝙰.
🕸 rist   BY w
Pas *(chiuso sabato sera, domenica e dal 5 al 30 agosto)* carta 33/55000 – ⇆ 8000 – **57 cam**
65/88000, 🛏 4000.

🏨 **Milano** senza rist, via Bronzetti 62 ⊠ 35138 𝒫 8712555, Telex 432252 – 🛗 🖦 📺 ☎ ♿ ⇌ 🅿
– 🛗 80 a 100. 🆎 🕚 ⓞ ⓔ 𝚅𝙸𝚂𝙰. 🕸   AY g
⇆ 8000 – **58 cam** 70/100000.

🏨 **Majestic e Rist. Toscanelli,** piazzetta dell'Arco 2 ⊠ 35122 𝒫 663244, Telex 430264 – 🛗
🕸← cam 🖦 📺 ☎. 🆎 ⓞ 𝚅𝙸𝚂𝙰. 🕸 rist   BZ b
Pas *(chiuso domenica e dal 24 luglio al 17 agosto)* carta 26/43000 – ⇆ 12000 – **38 cam**
65/83000, 🛏 4000.

🏨 **Donatello e Rist. Sant'Antonio,** piazza del Santo ⊠ 35123 𝒫 8750634, ≼, « Servizio
estivo in terrazza » – 🛗 🖦 cam 📺 ☎ ⇌. 🆎 🕚 ⓞ ⓔ 𝚅𝙸𝚂𝙰   BZ z
chiuso dal 15 dicembre al 15 gennaio – Pas *(chiuso mercoledì e da dicembre al 23 gennaio)*
carta 27/38000 (12%) – ⇆ 9000 – **42 cam** 59/86000, 🛏 4000 – P 91/118000.

🏨 **Biri** senza rist, via Grassi 2 ⊠ 35129 𝒫 776566, Telex 432285 – 🛗 🖦 📺 ☎ ♿ – 🛗 80. 🆎 🕚
ⓞ. 🕸   per via Tommaseo BY
⇆ 10000 – **85 cam** 59/85000, 🛏 6000.

🏨 **Monaco** senza rist, piazzale Stazione 3 ⊠ 35131 𝒫 664344 – 🛗 🖦 ☎. 🆎 🕚 ⓞ ⓔ 𝚅𝙸𝚂𝙰
⇆ 6000 – **54 cam** 55/80000, 🛏 3000.   BY z

🏨 Corso, senza rist, corso del Popolo 2 ⊠ 35131 𝒫 8750822 – 🛗 🖦 ☎   BY a
70 cam.

🏨 **Leon Bianco** senza rist, piazzetta Pedrocchi 12 ⊠ 35122 𝒫 8750814 – 🛗 🖦 📺 ☎ ♿. 🆎 🕚
ⓞ ⓔ 𝚅𝙸𝚂𝙰   BY x
⇆ 12000 – **22 cam** 74/85000, 🛏 3500.

🏨 **Al Cason,** via Frà Paolo Sarpi 40 ⊠ 35138 𝒫 662636 – 🛗 🖦 🕸 ♿ ⇌ – 🛗 30. 🆎 🕚 ⓞ ⓔ
𝚅𝙸𝚂𝙰. 🕸   ABY d
Pas *(chiuso sabato, domenica e dal 28 luglio al 3 settembre)* carta 25/33000 – ⇆ 6000 –
48 cam 40/60000, 🛏 4000 – P 85/90000.

🏨 **Igea** senza rist, via Ospedale Civile 87 ⊠ 35121 𝒫 36214 – 🛗 🖦 ☎. 🆎 🕚 ⓞ 𝚅𝙸𝚂𝙰   BZ d
⇆ 5000 – **52 cam** 34/58000, 🛏 3500.

🏨 **S. Antonio** senza rist, via San Fermo 118 ⊠ 35137 𝒫 8751393 – 🛗 ☎ ♿. 🕚 ⓞ ⓔ 𝚅𝙸𝚂𝙰
chiuso dal 30 dicembre al 14 gennaio – ⇆ 6000 – **34 cam** 35/61000.   ABY v

🏨 **Al Giardinetto** senza rist, Prato della Valle 54 ⊠ 35123 𝒫 656972 – 🛗 ☎ 🅿 ⓔ   BZ x
⇆ 7000 – **18 cam** 38/62000.

🍴🍴🍴 **Antico Brolo,** vicolo Cigolo 14 𝒫 664555, �། – 🖦. 🆎 🕚. 🕸   ABZ y
chiuso domenica e dal 1° al 21 agosto – Pas carta 31/60000.

🍴🍴🍴 **El Toulà,** via Belle Parti 11 ⊠ 35139 𝒫 8751822, Coperti limitati; prenotare – 🖦. 🆎 🕚 𝚅𝙸𝚂𝙰
                                                                                                           ABY e
chiuso domenica, lunedì a mezzogiorno ed agosto – Pas carta 40/60000 (12%).

🍴🍴 **Il Michelangelo,** corso Milano 22 ⊠ 35139 𝒫 656088 – 🆎 🕚 ⓞ ⓔ 𝚅𝙸𝚂𝙰. 🕸   AY a
chiuso venerdì, sabato a mezzogiorno e dal 1° al 15 agosto – Pas carta 35/52000 (12%).

🍴🍴 **Ai Porteghi,** via Cesare Battisti 105 ⊠ 35121 𝒫 660746 – 🖦. 🆎. 🕸   BZ e
chiuso domenica e da giugno a settembre anche lunedì a mezzogiorno – Pas carta 27/50000.

🍴🍴 **Giovanni,** via Maroncelli 22 ⊠ 35129 𝒫 772620 – 🅿. 🆎   per via Tommaseo BY
chiuso domenica e dal 26 luglio al 26 agosto – Pas carta 31/47000.

🍴 **Isola di Caprera,** via Marsilio da Padova 11/15 ⊠ 35139 𝒫 39385   BY b
chiuso domenica ed agosto – Pas carta 37/55000 (10%).

🍴 **Cavalca,** via Manin 8 ⊠ 35139 𝒫 39244 – 🖦. 🆎 🕚 ⓞ ⓔ 𝚅𝙸𝚂𝙰   ABZ s
chiuso martedì sera, mercoledì, dal 16 al 25 gennaio e dal 28 giugno al 22 luglio – Pas
carta 26/38000 (12%).

PADOVA

✗ **Al Fagiano,** via Locatelli 45 ⊠ 35123 🖉 652913   BZ **n**
chiuso lunedì e luglio – Pas carta 18/31000 (10%).

✗ **Da Placido,** via Santa Lucia 59 ⊠ 35139 🖉 8752252 – 🖃   BY **u**
chiuso sabato sera, domenica ed agosto – Pas carta 23/35000 (12%).

✗ **Trattoria Falcaro-da Lele,** via Pelosa 4 ⊠ 35136 🖉 8713898 – **Ⓟ**. 🍴   per S 11 AY
chiuso sabato a mezzogiorno, domenica, dal 1° al 22 agosto e dal 24 dicembre al 3 gennaio –
Pas carta 25/38000.

ad Altichiero N : 6 km per S 47 BY – ⊠ 35135 Padova :

🏨 **Park Hotel Villa Altichiero** ॐ, via Altichiero 2 🖉 615111, Telex 432043, « Parco con ⌧
riscaldata » – 📶 🖃 📺 🕿 & **Ⓟ** – 🔬 250. ஊ 🚫 ① ⓞ E 逫. 🍴 rist
Pas *(chiuso domenica e dal 10 al 25 agosto)* carta 35/52000 – ☑ 10000 – **70 cam** 60/85000 –
P 130000.

✗ **Trattoria Bertolini,** via Altichiero 162 🖉 600357, 🍽 – **Ⓟ**. ஊ ①. 🍴
chiuso venerdì sera, sabato e dal 1° al 20 agosto – Pas carta 24/36000.

a Ponte di Brenta NE : 6 km per S 11 BY – ⊠ 35020 :

🏛 **Le Padovanelle,** 🖉 625622, Telex 430454, ⌧, 🔲, 🍴 – ⇆ cam 🖃 📺 🕿 & **Ⓟ** – 🔬 200. ஊ
🚫 ① E 逫. 🍴
Pas *(chiuso dal 1° al 26 agosto)* carta 43/66000 – **40 cam** ☑ 120/160000.

🏨 **Brenta** senza rist, 🖉 629800 – 📶 🖃 📺 🕿 🚗 **Ⓟ** – 🔬 25 a 50. ஊ 🚫 ① 逫. 🍴
☑ 8000 – **69 cam** 80/115000.

🏨 **Antenore** senza rist, via Bravi 14/b 🖉 629600 – 📶 🖃 📺 🕿 **Ⓟ**. ஊ 🚫 ① E 逫. 🍴
☑ 7000 – **29 cam** 75/105000.

🏨 **Sagittario,** via Randaccio 4/6 🖉 725877, 🍽 – 📶 🖃 📺 & **Ⓟ**. ஊ 🚫 ① E 逫. 🍴
chiuso dal 1° al 21 agosto – Pas vedere rist Dotto di Campagna – ☑ 6500 – **32 cam** 58/84000.

✗✗ **Dotto di Campagna,** via Randaccio 2 🖉 625469, 🍽, 🍽 – **Ⓟ**. ஊ 🚫 ① E 逫
chiuso domenica sera, lunedì, dal 26 dicembre al 6 gennaio ed agosto – Pas carta 25/39000.

a Camin E : 4 km per A 4 BY – ⊠ 35020 :

🏨 **Admiral** senza rist, 🖉 760544, Telex 432183, Fax 8700330 – 📶 🖃 📺 🕿 **Ⓟ** – 🔬 65. ஊ 🚫 ①
E 逫
36 cam ☑ 60/90000.

a Mandria S : 6 km per via Goito AZ – ⊠ 35142 Padova :

✗✗ **All'Ancora,** via Romana Aponense 137 🖉 680994, 🍽 – **Ⓟ**. 🍴
chiuso domenica, dal 15 al 29 gennaio e dal 1° al 16 agosto – Pas (solo piatti di pesce)
carta 45/80000.

a Tencarola O : 4 km per via Sorio AZ – ⊠ 35030 :

🏨 **Piroga,** 🖉 637966, 🍽 – ⇆ cam 🖃 📺 🕿 **Ⓟ** – 🔬 200. ஊ 🚫 ① E 逫. 🍴
Pas *(chiuso lunedì e dal 1° al 15 agosto)* carta 25/38000 – ☑ 5000 – **25 cam** 54/80000, 🖃 3000
– P 95000.

🏨 **Burcio** senza rist, 🖉 638699 – 🖃 📺 🕿 **Ⓟ**. ஊ 🚫 ① E 逫. 🍴
☑ 5000 – **12 cam** 54/80000, 🖃 3000.

in prossimità casello autostrada A 4 NE : 6 km per S 11 BY :

🏨 **Sheraton Padova Hotel,** ⊠ 35020 Ponte di Brenta 🖉 8070399, Telex 432222, Fax 8070660
– 📶 ⇆ cam 🖃 📺 🕿 & **Ⓟ** – 🔬 25 a 600. ஊ 🚫 ① E 逫. 🍴 rist
Pas *(chiuso domenica)* carta 29/48000 – **224 cam** ☑ 142/168000 appartamenti 312/624000 –
P 155/195000.

     Vedere anche : *Noventa Padovana* E : 6 km.
                    Ponte San Nicolò SE : 8 km.
                    Rubano O : 8 km.

MICHELIN, via Venezia 104 per S 11 BY – ⊠ 35129, 🖉 8070072.

ALFA-ROMEO via Pellizzo 14 🖉 8070020, Telex 430270
ALFA-ROMEO via Vigonovese 83 per via Tommaseo BY 🖉 761868
ALFA-ROMEO via Andrea Costa 53 per via Cadorna AZ 🖉 685811
BMW via Venezia 84/86 🖉 8070069
CITROEN piazzale della Stazione 4 🖉 661593
FIAT via Venezia 15 🖉 834490
FIAT via Tiziano Aspetti 130 per S 47 BY 🖉 605903
FIAT corso del Popolo 10 🖉 656722
FIAT via Adriatica 63 per via Goito AZ 🖉 680409
FIAT via Vittorio Emanuele 197 🖉 663313
FORD zona Industriale I strada 30 🖉 776099
GM-OPEL via Venezia 53 🖉 775899

INNOCENTI Vicolo Bovetta 26 ang. via Mazzini 🖉 31063
INNOCENTI via Nicolò Tommaseo 75 🖉 8071711
LANCIA-AUTOBIANCHI via Tommaseo 49 🖉 657660
LANCIA-AUTOBIANCHI via Paolo Sarpi 74 🖉 662566
MERCEDES-BENZ zona Industriale VII strada 9/11 🖉 773333
PEUGEOT-TALBOT viale dell'Industria 9 🖉 776144
PEUGEOT-TALBOT via Goito 134/142 🖉 680422
RENAULT via Volturno 30 🖉 25785
RENAULT via Uruguay 15 🖉 760444
VW-AUDI via Tommaseo 76 🖉 656500
VW-AUDI viale della Navigazione Interna 60 🖉 773899
VOLVO via Uruguay 27 🖉 8700233

PADULE Perugia – Vedere Gubbio.

PAESTUM 84063 Salerno 988 ㉘ – Stazione balneare, a.s. Pasqua e 15 giugno-15 settembre – ✪ 0828 – Vedere Rovine★★★ – Museo★★.

🛈 via Magna Grecia 151/156 (zona Archeologica) ☎ 811016.

Roma 305 – ♦Napoli 99 – Potenza 101 – Salerno 48.

🏨🏨 **Le Palme** ⬦, a Laura ☎ 851025, Telex 721397, ⌇, 🐾, ☀, ✕ – ⧄ 🗏 🅟 – 🕸 200. 🆎 🖻
  ← ⓞ 🈯 💳. ✀ rist
  marzo-novembre – Pas carta 19/30000 – ⊑ 8000 – 50 cam 45/58000 – P 85/100000, b.s. 53/57000.

🏨 **Schuhmann** ⬦, a Laura ☎ 851151, ≼, « In riva al mare », 🐾, 🐾 – ⬆ cam 🗏 rist ☎ 🚗 🚙
  🅟 – 🕸 100. 🆎 🖻 ⓞ. ✀ rist
  chiuso novembre – Pas 20/25000 – ⊑ 7000 – 27 cam 40/60000 – P 62/87000, b.s. 62000.

🏨 **Taverna dei Re,** a Santa Venere ☎ 811555, ⌇, 🐾, ✕ – 📺 🚗 🅟 – 🕸 200. ✀
  ← Pas 18000 – ⊑ 6000 – 17 cam 37/47000 – P 53/63000, b.s. 48/53000.

🏨 **Park Hotel** ⬦, a Linora ☎ 811134, ≼, « Piccola pineta », 🐾 – 🗏 ⬅ 🅟. 🆎 🖻 🈯 💳. ✀
  Pas carta 21/46000 (25%) – ⊑ 5000 – **28 cam** 40/63000 – P 63/74000, b.s. 40/56000.

🏨 **Calypso** ⬦, a Licinella ☎ 811031, 🐾, 🐾. 🅟. 🆎 🖻 ⓞ. ✀
  Pas carta 24/33000 (15%) – ⊑ 5000 – 30 cam 30/60000 – P 70/75000, b.s. 60/65000.

🏠 **Villa Rita** ⬦, zona Archeologica ☎ 811081, 🐾 – 🚗 🅟. 💳. ✀
  20 dicembre-10 gennaio e 15 marzo-ottobre – Pas vedere rist Nettuno – ⊑ 7500 – **14 cam** 44000.

✕✕ **Nettuno,** zona Archeologica ☎ 811028, 🏡, 🐾 – 🅟. 🆎 ⓞ 🈯 💳. ✀
  chiuso lunedì e la sera escluso luglio-agosto – Pas carta 22/37000 (15%).

PALAGANO 41046 Modena – 2 480 ab. alt. 732 – a.s. luglio-15 settembre – ✪ 0536.

Roma 413 – ♦Bologna 93 – Lucca 117 – ♦Milano 208 – ♦Modena 57 – Pistoia 103.

🏠 **Dragone,** ☎ 961513, ≼, 🐾 – 🅟. 🆎 🖻 ⓞ 🈯 💳. ✀
  giugno-agosto – Pas carta 20/31000 – ⊑ 5000 – 22 cam 22/48000 – P 44000.

PALAU Sassari 988 ㉓ – Vedere Sardegna alla fine dell'elenco alfabetico.

PALAZZOLO SULL'OGLIO 25036 Brescia 988 ③ – 16 213 ab. alt. 166 – ✪ 030.

Roma 581 – ♦Bergamo 28 – ♦Brescia 32 – Cremona 77 – Lovere 38 – ♦Milano 69.

🏨 **La Villa e Roma,** via Bergamo 35 ☎ 731203, « Parco-giardino » – 📺 ☎ 🅟. 🆎 💳. ✀ rist
  Pas *(chiuso domenica sera, lunedì, dal 1° al 10 gennaio e dal 5 al 25 agosto)* carta 30/40000 – ⊑ 6000 – **16 cam** 45/75000 – P 75/80000.

PALERMO 🅿 988 ㉟ – Vedere Sicilia alla fine dell'elenco alfabetico.

PALESE 70057 Bari – ✪ 080 – ⚓ SE : 2 km ☎ 374654.

Roma 441 – ♦Bari 9 – ♦Foggia 124 – Matera 66 – ♦Taranto 98.

🏨 **La Baia,** via Vittorio Veneto 29/a ☎ 320288, 🐾 – 🗏 🗐 ☎ 🅟 – 🕸 80. 🆎 🖻 ⓞ 💳 💳.
  ✀ rist
  Pas carta 23/33000 (15%) – ⊑ 8000 – **55 cam** 55/89000, 🗐 9000 – P 88000.

🏨 **Palumbo** senza rist, via Vittorio Veneto 31/33 ☎ 322779, 🐾 – 🗏 🗐 🚗 🅟. 🆎 🖻 ⓞ 💳 💳.
  ✀
  14 cam ⊑ 63/104000, 🗐 9000.

PALESTRINA 00036 Roma 988 ㉖ – 15 278 ab. alt. 465 – ✪ 06.

Roma 38 – Anzio 69 – Frosinone 52 – Latina 58 – Rieti 91 – Tivoli 27.

🏠 **Stella e Rist. Coccia,** piazzale della Liberazione 3 ☎ 9558172 – 🗏 🗐 rist ☎. 🆎 ⓞ 💳. ✀
  Pas carta 18/31000 (12%) – ⊑ 5000 – **16 cam** 25/42000 – P 60000.

FIAT sulla provinciale Pedemontana ☎ 9556061   RENAULT via Prenestina Antica ☎ 9558931
LANCIA-AUTOBIANCHI via Prenestina Nuova 120
☎ 9556091

PALIANO 03018 Frosinone 988 ㉖ – 7 144 ab. alt. 476 – ✪ 0775.

Roma 59 – Frosinone 45 – ♦Napoli 182.

  verso Colleferro SO : 8 km :

✕✕ **Camini,** al Parco Uccelli La Selva ✉ 03018 ☎ 533298, 🏡 – 🅟
  chiuso lunedì sera – Pas carta 22/33000.

PALINURO 84064 Salerno 988 ㊳ – a.s. luglio e agosto – ✪ 0974.

Roma 376 – ♦Napoli 170 – Salerno 119 – Sapri 49.

🏨🏨 **King's Residence** ⬦, ☎ 931324, ≼ mare e costa, ⌇ – 🗏 🗐 🅟. 🆎 🖻 ⓞ 💳. ✀ rist
  aprile-settembre – Pas 20/30000 – 65 cam ⊑ 85/90000 – P 113000, b.s. 70000.

🏨🏨 **Gd H. San Pietro** ⬦, ☎ 931466, ≼ mare e costa, ⌇, 🐾 – 🗏 🗐 📺 ⚙ 🅟 – 🕸 40 a 200.
  🆎 🖻 ⓞ 💳 💳. ✀
  aprile-settembre – Pas carta 30/53000 – ⊑ 10000 – **49 cam** 50/73000, 🗐 10000 – P 95/125000, b.s. 60/75000.

412

🏠 San Paolo ⌂, ℰ 931214, ≼, ⊥, ℀ – 🚗 🅿 – 37 cam.

🏠 **La Conchiglia,** ℰ 931018 – 🛗 🚗 🅿. ℀ rist
Pasqua-settembre – Pas *(chiuso sino a giugno)* carta 26/38000 – � 7000 – 26 cam 35/55000 – P 68/74000, b.s. 48/58000.

🏠 **Lido Ficocella,** ℰ 931051, ≼ mare e costa – 🛗 🚗 🅿. 🎬 𝑽𝑰𝑺𝑨. ℀ rist
🔸 *aprile-settembre* – Pas carta 18/26000 – ⊡ 6500 – 31 cam 31/45000 – P 63000, b.s. 48000.

   sulla strada statale 447 r NO : 1,5 km :

🏛 **Saline** ⌂, ⊠ 84064 ℰ 931112, Telex 770198, ≼, ⊥, 🐾, ℀ – 🛗 ▤ ☎ 🅿. 🎬 🚩 ① 𝑽𝑰𝑺𝑨.
   ℀ rist
   aprile-ottobre – Pas carta 39/52000 – 54 cam ⊡ 70/130000 appartamenti 150/250000 –
   P 95/140000, b.s. 70/90000.

   verso Marina del Cantone E : 2 km :

✗ **Da Carmelo,** ⊠ 84064 ℰ 931138 – 🅿. 🎬 ① 𝑽𝑰𝑺𝑨. ℀
   chiuso da novembre al 10 gennaio – Pas carta 29/41000 (10%).

PALLANZA Novara 🗐🗐🗐 ②, 🗐🗐 ⑦ – Vedere Verbania.

PALLUSIEUX Aosta 🗐🗐 ①, 🗐🗐 ⑲ – Vedere Pré-Saint-Didier.

PALMA DI MONTECHIARO Agrigento 🗐🗐🗐 ㊱ – Vedere Sicilia alla fine dell'elenco alfabetico.

PALMANOVA 33057 Udine 🗐🗐🗐 ⑥ – 5 553 ab. alt. 26 – 🕲 0432.
Roma 622 – Gorizia 31 – ♦Milano 361 – Treviso 98 – ♦Trieste 51 – Udine 24 – ♦Venezia 110.

🏠 **Palmanova,** strada statale NO : 1 km ℰ 928319 – ☎ 🅿 – 🏛 60. ℀ rist
🔸 Pas *(chiuso mercoledì)* 15/25000 – ⊡ 4000 – **33 cam** 30/42000 – P 45000.

PALOMBINA NUOVA Ancona – Vedere Ancona.

PAMPEAGO Trento – Vedere Tesero.

PANA (Monte) Bolzano – Vedere Santa Cristina Valgardena.

PANAREA (Isola) Messina 🗐🗐🗐 ㊲ ㊳ – Vedere Sicilia (Eolie, isole) alla fine dell'elenco alfabetico.

PANCHIÀ 38030 Trento – 593 ab. alt. 981 – Stazione di villeggiatura, a.s. Pasqua e Natale –
🕲 0462.
🅱 (luglio-settembre) ℰ 83076.
Roma 656 – Belluno 84 – ♦Bolzano 50 – Canazei 31 – ♦Milano 314 – Trento 74.

🏠 **Rio Bianco,** ℰ 83077, ≼, ⊥, ☛, ℀ – ☎ 🅿. ℀
🔸 *dicembre-20 aprile e 20 giugno-15 settembre* – Pas (solo per clienti alloggiati) 16/25000
   – ⊡ 5000 – **37 cam** 35/60000 – P 58000, b.s. 46000.

PANCOLE Siena – Vedere San Gimignano.

PANICAROLA Perugia – Vedere Castiglione del Lago.

PANNESI Genova – Vedere Lumarzo.

PANTELLERIA (Isola di) Trapani 🗐🗐🗐 ㊳ – Vedere Sicilia alla fine dell'elenco alfabetico.

PANZA Napoli – Vedere Ischia (Isola d') : Forio.

PANZANO Firenze – Vedere Greve in Chianti.

PAOLA 87027 Cosenza 🗐🗐🗐 ㊴ – 17 826 ab. – 🕲 0982.
Vedere Guida Verde.
Roma 487 – Catanzaro 94 – ♦Cosenza 35 – ♦Napoli 281 – ♦Reggio di Calabria 187 – Salerno 230.

🏠 **L'Ostrica,** strada statale ℰ 610009 – ☎ 🅿. ℀
   Pas carta 24/35000 – ⊡ 6000 – 41 cam 40/60000 – P 50/60000.

FIAT via Nazionale 41/47 ℰ 2258   RENAULT contrada Paraspò ℰ 610306

PARADISO Udine – Vedere Pocenia.

PARADISO – Vedere Cantone Ticino (Lugano) alla fine dell'elenco alfabetico.

PARAGGI 16038 Genova – ✪ 0185.

Roma 484 – ◆Genova 35 – ◆Milano 170 – Rapallo 7 – ◆La Spezia 86.

※ **Argentina** con cam, ✆ 286708 – ☎. 🅱 ⑩ 🇪 𝓥𝓘𝓢𝓐. ※ cam
marzo-ottobre – Pas carta 31/48000 – ☲ 10000 – 13 cam 40/60000 – P 115000.

PARATICO 25030 Brescia – 3 158 ab. alt. 232 – a.s. Pasqua e luglio-15 settembre – ✪ 035.

Roma 582 – ◆Bergamo 29 – ◆Brescia 33 – Cremona 78 – Lovere 29 – ◆Milano 70.

※※ **Il Cuoco,** lungolago Mazzini 48 (E : 2 km) ✆ 913013 – 🖼 🅿. ※
chiuso lunedì sera, martedì e dal 1° al 20 febbraio – Pas carta 25/42000.

PARCINES (PARTSCHINS) 39020 Bolzano 𝟤𝟣𝟪 ⑨ – 2 849 ab. alt. 641 – Stazione di villeggiatura,
a.s. aprile-maggio e 15 luglio-ottobre – ✪ 0473 – 🅱 ✆ 97157.

Roma 674 – ◆Bolzano 37 – Merano 8,5 – ◆Milano 335
– Trento 95.

🏛 **Peter Mitterhofer** ⧖, ✆ 97122, 🔲,
🛏 – 🛗 ☎ 🅿. 🅱 🇪. ※ rist
*18 dicembre-10 gennaio e 18 marzo-13
novembre* – Pas (solo per clienti alloggiati) – **30 cam** ☲ 65/147000 –
P 93/110000, b.s. 70/87000.

PARCO NAZIONALE D'ABRUZZO ★★★
L'Aquila-Isernia-Frosinone 𝟫𝟪𝟪 ㉗ – Vedere
Guida Verde.

PARÈ Como – Vedere Valmadrera.

PARGHELIA 88035 Catanzaro – 1 438 ab. –
✪ 0963.

Roma 633 – Catanzaro 89 – ◆Cosenza 118 – ◆Reggio
di Calabria 137 – Tropea 3.

🏨 **Baia Paraelios** ⧖, località Fornaci O :
3 km ✆ 600004, Fax 600074, ☞, « Villini
indipendenti in un parco », 🏊, 🐎, 🛥,
※ – ☎ 🅿. ※
giugno-settembre – 70 cam (solo pens)
– P 190/210000.

PARMA 43100 🅿 𝟫𝟪𝟪 ⑭ – 175 301 ab. alt.
52 – ✪ 0521.

Vedere Complesso Episcopale★★★ : battiste-
ro★★★ CY **A**, Duomo★★ CY – Galleria nazio-
nale★★, teatro Farnese★★, museo nazionale di
antichità★ nel palazzo della Pilotta BY –
Affreschi★★ del Correggio nella chiesa di San
Giovanni Evangelista CYZ **D** – Camera del
Correggio★ CY – Museo Glauco Lombardi★
BY **M1** – Parco Ducale★ ABY – Affreschi★ del
Parmigianino nella chiesa della Madonna della
Steccata BZ **E**.

🏌 La Rocca (chiuso gennaio, febbraio e lunedì)
a Sala Baganza ⊠ 43038 ✆ 834037 SO : 8 km.

🅱 piazza Duomo 5 ✆ 34735.

A.C.I. via Cantelli 15 ✆ 36671.

Roma 458 ① – ◆Bologna 96 ① – ◆Brescia 114 ① –
◆Genova 198 ⑤ – ◆Milano 122 ① – ◆Verona 101 ①.

🏨 **Palace Hotel Maria Luigia e Rist.
Maxim's,** viale Mentana 140 ✆ 281032,
Telex 531008, Fax 31126 – 🛗 🖥 📺 ☎
◀━ – 🔼 300. 🖽 🅱 ⑩ 🇪 𝓥𝓘𝓢𝓐. ※
Pas *(chiuso domenica ed agosto)* carta 36/46000 – **105 cam** ☲ 120/180000
appartamenti 180/220000 – P 160/
190000. CY **z**

🏨 **Park Hotel Stendhal e Rist. La
Pilotta,** piazzetta Bodoni 3 ✆ 208057,
Telex 531216, Fax 285655 – 🛗 🖥 📺 ☎
◀━ – 🔼 60 a 150. 🖽 🅱 ⑩ 🇪 𝓥𝓘𝓢𝓐.
※ rist BY **r**
Pas *(chiuso domenica sera, lunedì e dal
1° al 22 agosto)* carta 31/52000 – ☲
15000 – **60 cam** 115/170000 –
P 152/182000.

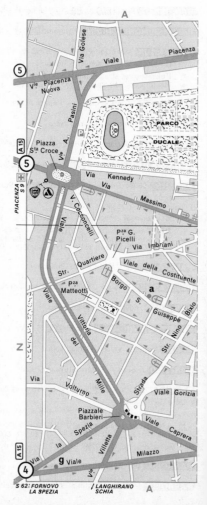
Cavour (Strada) .... BY 3
Farini (Strada) .... BZ
Garibaldi (Strada) .... BCY

Park Hotel Toscanini, viale Toscanini 4 ✆ 289141, Fax 285655 – 🛗 ▤ TV ☎ P. AE 🅑 ⓞ E VISA. ✂ rist — BZ **e**
Pas *(chiuso domenica)* carta 27/41000 – ☕ 14000 – **48 cam** 108/157000 – P 138/165000.

Daniel e Rist. Cocchi, via Gramsci 16 ✆ 995147 – 🛗 ▤ TV ☎ P. AE 🅑 ⓞ E VISA. ✂
chiuso dal 22 dicembre al 1° gennaio e dal 28 luglio al 27 agosto – Pas *(chiuso sabato)* carta 33/45000 (15%) – ☕ 9000 – 32 cam 56/80000 – P 84/96000. — per ⑤

Button senza rist, strada San Vitale 7 ✆ 208039 – 🛗 TV ☎. AE 🅑 ⓞ E VISA — BZ **f**
chiuso luglio – ☕ 7500 – **41 cam** 50/74000.

Savoy senza rist, via 20 Settembre 3/a ✆ 281101 – 🛗 ☎. AE. ✂ — CY **x**
chiuso dal 23 dicembre al 1° gennaio ed agosto – ☕ 9000 – **27 cam** 45/70000.

Torino senza rist, borgo Mazza 7 ✆ 281047 – 🛗 TV ☎ 🚗. AE 🅑 ⓞ E VISA — BY **v**
chiuso dal 25 al 30 dicembre e dal 1° al 24 agosto – ☕ 8000 – **33 cam** 53/80000.

Mazzini (Strada)	BZ 13	Pilotta (Piazza)	BY 17	Rustici (Viale G.)	BZ 24
Repubblica (Strada della)	CZ	Ponte Caprazucca	BZ 19	Salnitrara (Via)	BZ 26
		Ponte Italia	BZ 20	Studi (Borgo degli)	CY 27
Duomo (Strada al)	CY 8	Ponte di Mezzo	BZ 21	Toscanini (Viale)	BZ 28
Garibaldi (Piazza)	BZ 9	Ponte Verdi	BY 22	Trento (Via)	CY 30
Pace (Pza della)	BY 15	Regale (Borgo)	CZ 23	Varese (Via)	BZ 31

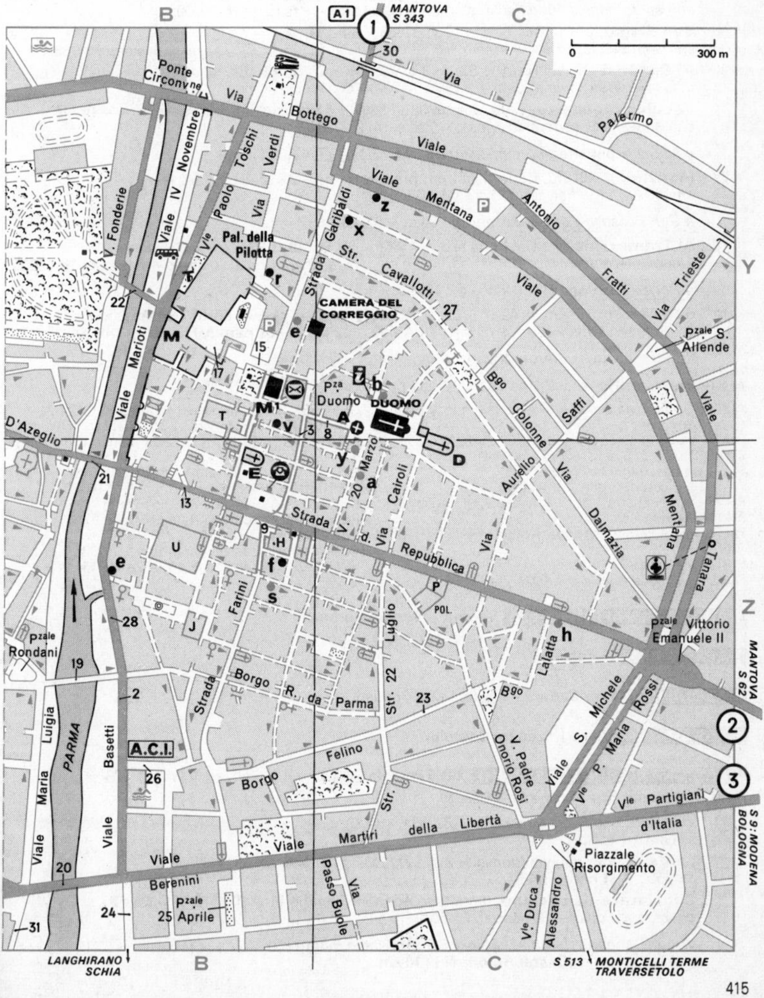

🏠 **Principe,** via Emilia Est 46 ℰ 493847 – 🛗 ☎. 🕃 ⓞ Ε 𝑉𝐼𝑆𝐴. ⅏ per ②
chiuso dal 1° al 20 agosto – Pas (chiuso domenica e da dicembre a marzo) carta 27/43000
(10%) – 🖵 8000 – **33 cam** 49/73000 – P 88000.

XX ✿ **Parizzi,** strada della Repubblica 71 ℰ 285952, prenotare – ☷. 🖭 🕃 ⓞ Ε 𝑉𝐼𝑆𝐴. ⅏ CZ **h**
chiuso domenica sera, lunedì e dal 21 luglio al 17 agosto – Pas carta 29/43000 (12%)
Spec. Tortelli d'erbette alla parmigiana, Stracotto di manzo, Porcini gratinati (settembre-dicembre). **Vini** Malvasia,
Nebbiolo.

XX **Angiol d'Or,** vicolo Scutellari 1 ℰ 282632 – ☷. 🖭 🕃 ⓞ Ε 𝑉𝐼𝑆𝐴. ⅏ CY **b**
chiuso domenica e lunedì a mezzogiorno – Pas carta 36/61000 (10%).

XX **La Filoma,** via 20 Marzo 15 ℰ 34269, coperti limitati; prenotare – 🖭 🕃 ⓞ Ε 𝑉𝐼𝑆𝐴. ⅏ CZ **a**
chiuso ed agosto – Pas carta 40/52000.

XX ✿ **La Greppia,** strada Garibaldi 39 ℰ 33686, prenotare – ☷. 🖭 🕃 ⓞ Ε 𝑉𝐼𝑆𝐴. ⅏ BY **e**
chiuso giovedì, venerdì, dal 24 dicembre al 2 gennaio e luglio – Pas carta 37/64000 (10%)
Spec. Insalata di coniglio all'aceto balsamico, Strozzapreti ai tartufi neri, Sella di coniglio al timo (inverno). **Vini** Cà
Breo, Barolo.

XX **Parma Rotta,** via Langhirano 158 ℰ 581323, « Servizio estivo sotto un pergolato » – ⇔ ℗.
🖭 🕃 ⓞ 𝑉𝐼𝑆𝐴. ⅏ per viale Rustici BZ
chiuso domenica da giugno a settembre e lunedì negli altri mesi – Pas carta 24/40000.

XX **Il Cortile,** borgo Paglia 3 ℰ 285779, Coperti limitati; prenotare – ☷. 🖭. ⅏ AZ **a**
chiuso domenica, lunedì a mezzogiorno ed agosto – Pas carta 26/39000.

X **San Biagio,** borgo San Biagio 10 ℰ 37665 – ⓞ 𝑉𝐼𝑆𝐴. ⅏ CZ **y**
chiuso mercoledì, dal 4 gennaio al 3 febbraio e dal 12 luglio al 2 agosto – Pas carta 27/38000.

X **Al Canòn d'Or,** via Nazario Sauro 3 ℰ 285234 – 🖭 🕃 ⓞ 𝑉𝐼𝑆𝐴. ⅏ BZ **s**
chiuso domenica ed agosto – Pas carta 22/36000 (10%).

X **Vecchio Molinetto,** viale Milazzo 39 ℰ 52672, « Servizio estivo in giardino » – ℗. ⅏
chiuso venerdì, sabato ed agosto – Pas carta 23/33000. AZ **g**

a Marore per strada provinciale 513 : 4 km CZ – 🖂 43100 Parma :

XX **Manzini,** ℰ 491877, Coperti limitati; prenotare – ℗. 🖭 🕃 ⓞ Ε 𝑉𝐼𝑆𝐴. ⅏
chiuso lunedì – Pas carta 27/43000 (10%).

a San Lazzaro Parmense per ③ : 3 km – 🖂 43026 :

XX **Al Tramezzino,** via Del Bono 5/b ℰ 45868 – 🖭 🕃 ⓞ Ε 𝑉𝐼𝑆𝐴
lunedì, martedì (escluso luglio-agosto) e chiuso dal 25 giugno al 10 luglio – Pas carta 25/42000.

a Ponte Taro per ⑤ : 10 km – 🖂 43010 :

🏨 **San Marco,** via Emilia 42 ℰ 61521 – 🛗 ☷ 📺 ☎ ℗ – 🎣 500. 🖭 🕃 ⓞ. ⅏ rist
Pas (chiuso lunedì ed agosto) carta 28/43000 – 🖵 9000 – **82 cam** 53/78000 – P 102000.

Vedere anche : *Viarolo* NO : 11 km.

MICHELIN, via Nobel 5/A-località Paradigna per ①. ℰ 773656.

ALFA-ROMEO via Carra Nuova 8-prossimità A 1 per
① ℰ 70847
BMW a San Pancrazio, via Emilia 77 ℰ 98349
CITROEN via Emilia Est 129/a ℰ 481441
FIAT via Cavedagni per ⑤ ℰ 92266
FIAT via Cicerone 3 per ③ ℰ 494848
FIAT via Montanara 4 per Via Varese BZ ℰ 50685
FIAT via dei Mercati 20 per via Golese ℰ 96845
FIAT via Moletolo-quartiere Artigianale per ① ℰ
70661
FORD via Vasari 2 ℰ 773634
FORD via Toscana 45/a ℰ 492224

GM-OPEL via Emilia Ovest 100/A ℰ 671342
INNOCENTI viale Tanara 11 ℰ 33458
LANCIA-AUTOBIANCHI piazza Santa Croce 7 ℰ
34171
MASERATI viale Tanara 11 ℰ 33458
MERCEDES-BENZ via Lavagna 1/a ℰ 994205
PEUGEOT-TALBOT via Reggio 31/a ℰ 773629
PEUGEOT-TALBOT via Bernini 14/a ℰ 97267
RENAULT via Reggio 41/a ℰ 95790
RENAULT via San Leonardo 189/A ℰ 73255
VW-AUDI via San Leonardo 146/A ℰ 71847

PARONA DI VALPOLICELLA Verona – Vedere Verona.

PARTSCHINS = Parcines.

PASQUILIO Massa-Carrara – Vedere Montignoso.

PASSARIANO Udine – Vedere Codroipo.

PASSIGNANO SUL TRASIMENO 06065 Perugia 𝟵𝟴𝟴 ⑮ – 4 675 ab. alt. 289 – 🕲 075.
Roma 211 – Arezzo 48 – ◆Perugia 28 – Siena 80.

🏨 **Villa Paradiso** ⑊, via Rosselli 2 ℰ 827824 – ☎ ℗
29 cam.

🏠 **La Vela** senza rist, via Rinascita 2 ℰ 827221 – 🛗 ☞ ⇐ ℗. 🖭
🖵 3500 – **31 cam** 33/48000.

X **Cacciatore-da Luciano,** lungolago Aganoor Pompilj 11 ℰ 827210, ≤ – 🖭 ⓞ
chiuso mercoledì – Pas carta 27/75000 (15%).

Vedere anche : *Isola Maggiore* SO : 15/30 mn di battello.
Castel Rigone NE : 10 km.

PASSO Vedere nome proprio del passo.

PASSO LANCIANO Chieti – alt. 1 306 – a.s. febbraio-15 aprile, 15 luglio-15 agosto e Natale – Sport invernali : 1 306/2 000 m ≰4.

Roma 200 – Chieti 39 – Ortona 52 – ◆Pescara 57.

  🏠 **La Maielletta** ⑤, alt. 1 280, ⊠ 66010 Pretoro ℰ (0871) 896141 – ⵯ cam **℗**. ⑨
  → Pas *(chiuso martedì)* carta 17/25000 (10%) – ⵰ 7000 – 50 cam 50000 – P 55000.

  🏠 **Mamma Rosa** ⑤, via Maielletta S : 5 km, alt. 1 650, ⊠ 66010 Pretoro ℰ (0871) 896143, ≼ vallata – ⟵⟶ **℗**. ⑨
  chiuso maggio ed ottobre – Pas *(chiuso mercoledì in bassa stagione)* carta 20/30000 – ⵰ 6000 – 42 cam 32/50000 – P 55/60000, b.s. 45/50000.

PASTRENGO 37010 Verona – 2 246 ab. alt. 192 – ✪ 045.

Roma 509 – Garda 16 – Mantova 49 – ◆Milano 144 – Trento 82 – ◆Venezia 135 – ◆Verona 17.

  XX Stella d'Italia, piazza Carlo Alberto ℰ 7170034, 🏠 – 🍽.

  a Piovezzano N : 1,5 km – ⊠ **37010** Pastrengo :

  XX **Eva,** ℰ 7170110 – 🍽 **℗**. ⑨
  chiuso martedì e dal 1° al 15 luglio – Pas carta 20/30000.

PASTURANA Alessandria – Vedere Novi Ligure.

PATRICA 03010 Frosinone – 2 679 ab. alt. 436 – ✪ 0775.

Roma 113 – Frosinone 17 – Latina 49.

  sulla strada provinciale per Ceccano E : 9 km :

  X **Villa del Poggio,** ⊠ 03010 ℰ 352291 – **℗**. ☒ ⑤ ⓪. ⑨
  chiuso sabato e dal 4 al 23 agosto – Pas carta 22/31000.

> Die Preise   Einzelheiten über die in diesem Reiseführer angegebenen Preise finden Sie in der Einleitung.

PAVIA 27100 🄿 🄈🄈🄈 ⑬ – 81 635 ab. alt. 77 – ✪ 0382.

Vedere Castello Visconteo★ BY – Duomo★ AZ **D** – Chiesa di San Michele★ BZ **B** – Arca di Sant'Agostino★ e portale★ della chiesa di San Pietro in Ciel d'Oro AY **E** – Tomba★ nella chiesa di San Lanfranco O : 2 km.

Dintorni Certosa di Pavia★★★ per ① : 9 km.

🄸 corso Garibaldi 1 ℰ 22156.

A.C.I. piazza Guicciardi 5 ℰ 301381.

Roma 563 ③ – Alessandria 67 ③ – ◆Genova 121 ④ – ◆Milano 38 ⑤ – Novara 62 ④ – Piacenza 54 ③.

Pianta pagina seguente

  🏨 **Palace e Rist. La Serre,** via della Libertà 89 ℰ 27441 – 🛗 🍽 📺 ☎. ☒ ⑤ ⓪ ⴹ 𝘝𝘐𝘚𝘈. ⑨   AZ **b**
    Pas carta 28/47000 – ⵰ 7000 – **52 cam** 68/93000 – P 137000.

  🏨 **Rosengarten,** piazza Policlinico ℰ 27701 – 🛗 📺 ☜. ☒ ⑤ ⓪ ⴹ 𝘝𝘐𝘚𝘈. ⑨   AY **c**
    chiuso dal 6 al 27 agosto – Pas carta 24/38000 – ⵰ 7000 – **84 cam** 50/80000 – P 85000.

  🏨 **Ariston,** via Scopoli 10 ℰ 34334 – 🛗 📺 ☜. ☒ ⑤ ⓪ ⴹ 𝘝𝘐𝘚𝘈. ⑨ rist   BZ **r**
    Pas *(chiuso sabato sera, domenica ed agosto)* carta 32/47000 – ⵰ 10000 – **60 cam** 50/80000 – P 80/90000.

  🏠 **Excelsior** senza rist, piazza Stazione 25 ℰ 28596 – ☜. ☒ ⑤ ⓪ ⴹ 𝘝𝘐𝘚𝘈. ⑨   AYZ **s**
    ⵰ 5000 – **22 cam** 40/70000.

  XXX ✪ **Locanda Vecchia Pavia,** via Cardinal Riboldi 2 ℰ 304132, Coperti limitati; prenotare –
    🍽. ☒ ⓪ 𝘝𝘐𝘚𝘈. ⑨   AZ **x**
    chiuso lunedì, mercoledì a mezzogiorno ed agosto – Pas carta 40/64000
    Spec. Carpaccio di salmone all'aneto, Tortelli di zucchine, Filetto di branzino agli asparagi. **Vini** Blange de Rosis.

  XX Bixio, piazza Castello ℰ 25343 – 🍽   AY **a**

  XX **Italia,** viale Bramante 8 ℰ 25086 – **℗**. ☒ ⑤ ⓪ ⴹ 𝘝𝘐𝘚𝘈   per ④
    chiuso sabato – Pas carta 24/38000.

  XX **Ferrari-da Tino,** via dei Mille 111 ℰ 31033 – ☒ 𝘝𝘐𝘚𝘈   AZ **n**
    chiuso domenica sera, lunedì e dal 15 luglio al 30 agosto – Pas carta 25/41000.

  X **Francescon,** via dei Mille 146 ℰ 22331 – **℗**. ⑨   AZ
    chiuso lunedì e luglio – Pas carta 22/35000.

  X **Antica Osteria del Previ,** località Borgo Ticino via Milazzo 65 ℰ 26203   ABZ **z**
    chiuso martedì sera, mercoledì, dal 15 al 30 giugno e dal 1° al 15 dicembre – Pas carta 20/37000.

  sulla strada statale 35 - dei Giovi per ④ : 3 km :

  🏨 **Plaza,** ⊠ 27028 San Martino Siccomario ℰ 499413 – 🛗 🍽 📺 ☎ **℗**. ☒ ⑤ ⓪ 𝘝𝘐𝘚𝘈
    chiuso dal 1° al 15 agosto – Pas *(chiuso a mezzogiorno, sabato e domenica)* carta 30/47000 –
    ⵰ 7000 – **53 cam** 66/92000.

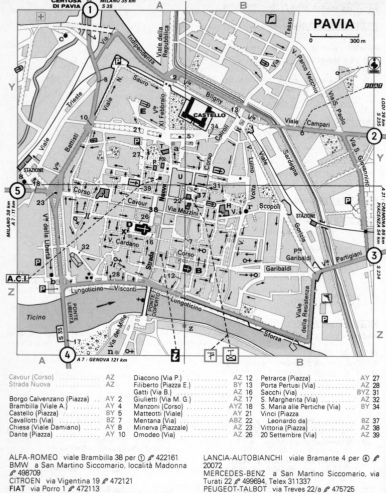

PAVIA

0   300 m

ALFA-ROMEO   viale Brambilla 38 per ① ℰ 422161
BMW   a San Martino Siccomario, località Madonna ℰ 498709
CITROEN   via Vigentina 19 ℰ 472121
FIAT   via Porro 1 ℰ 472113
FIAT   via Vigentina 25 per via Tasso BY ℰ 475791
FIAT   via Giulietti 442 per ④ ℰ 25077
FORD   via Partigiani 72 ℰ 476313
GM-OPEL   a San Martino Siccomario, statale dei Giovi ℰ 499622
INNOCENTI   via Candio 10 ℰ 476664

LANCIA-AUTOBIANCHI   viale Bramante 4 per ④ ℰ 20072
MERCEDES-BENZ   a San Martino Siccomario, via Turati 22 ℰ 499694, Telex 311337
PEUGEOT-TALBOT   via Treves 22/a ℰ 475725
RENAULT   via San Giovanni Bosco 10 ℰ 470308
RENAULT   statale dei Giovi 35 ℰ 498389
VW-AUDI   a San Martino Siccomario, via Turati 33 ℰ 499311
VOLVO   via Riviera 61 ℰ 21026

PAVIA DI UDINE 33050 Udine – 5 395 ab. alt. 68 – ✆ 0432.

Roma 635 – Gorizia 29 – ♦Milano 374 – ♦Trieste 64 – Udine 10 – ♦Venezia 124.

    a Lauzacco SO : 3 km – ⊠ **33050** Risano :

  XX   **Al Fogolar,** sulla statale 352-Crosada ℰ 675173 – ⇔ 🅿 🆎 🕃 ⓘ Ɛ VISA
       chiuso lunedì sera, martedì, dal 1° al 15 gennaio e dal 1° al 15 agosto – Pas carta 24/36000.

  X   **Al Gallo-da Paolo,** via Ippolito Nievo 7 ℰ 675161, 🏤 – 🅿 🆎 ⓘ VISA 🛇
       chiuso lunedì ed agosto – Pas carta 24/38000.

FIAT   a Lauzacco, statale per Grado ℰ 675521

Les **cartes Michelin** sont constamment tenues à jour.

PAVULLO NEL FRIGNANO 41026 Modena 988 ⑭ – 13 074 ab. alt. 682 – a.s. 15 luglio-agosto e Natale – ⓒ 0536.

Roma 411 – ♦Bologna 63 – ♦Firenze 137 – ♦Milano 222 – ♦Modena 47 – Pistoia 101 – Reggio nell'Emilia 61.

🏠 **Ferro di Cavallo,** via Bellini 4 ℰ 20098 – ⧉ ▤ rist 📺 ☜ ☞ **ⓟ**
   chiuso febbraio – Pas *(chiuso lunedì)* carta 23/31000 – ☲ 10000 – **18 cam** 33/51000 –
   P 48/55000, b.s. 40/45000. .

🏠 **Vandelli,** via Giardini Sud 7 ℰ 20288 – ⧉ ☜ ☞ – 🚗 120. 🖭 🕄 *VISA* ⌘
   Pas *(chiuso martedì)* 20/28000 – ☲ 8500 – 41 cam 40/55000 – P 53000, b.s. 40/45000.

ℝℝ **Parco Corsini,** viale Martiri 11 ℰ 20129, 🌇 – ⌘
   chiuso lunedì *(escluso luglio-15 settembre)* e dal 14 al 28 giugno – Pas carta 21/33000.

FIAT via Giardini 292/306 ℰ 20173   LANCIA-AUTOBIANCHI via Giardini Sud 130 ℰ
                21360

PECETTO TORINESE 10020 Torino – 3 206 ab. alt. 407 – ⓒ 011.

Roma 658 – Asti 44 – Cuneo 94 – ♦Milano 168 – ♦Torino 16.

Pianta d'insieme di Torino (Torino p. 3)

✗ La Cascinotta del Böndi Cêrea, provinciale per Chieri S : 1 km ℰ 8609856, prenotare, 🌇, 🍃
 – **ⓟ**   HU **w**
   chiuso a mezzogiorno escluso sabato e festivi.

PECORONE Potenza – Vedere Lauria.

PEDARA Catania – Vedere Sicilia alla fine dell'elenco alfabetico.

PEDASO 63016 Ascoli Piceno 988 ⑯⑰ – 1 958 ab. – ⓒ 0734.

Roma 249 – ♦Ancona 72 – Ascoli Piceno 52 – Macerata 52 – ♦Pescara 86 – Porto San Giorgio 11.

🏦 **Valdaso,** ℰ 931349 – ⧉ ☜ ≤ ☞ **ⓟ**. ⌘
☞ Pas *(chiuso domenica)* carta 15/21000 – ☲ 2500 – **27 cam** 28/45000 – P 48/50000.

PEDEMONTE Verona – Vedere Verona.

PEDERIVA Vicenza – Vedere Grancona.

PEDEROBBA 31040 Treviso – 6 325 ab. alt. 225 – ⓒ 0423.

Dintorni Possagno : Deposizione★ nel tempio di Canova O : 8,5 km.

Roma 560 – Belluno 47 – ♦Milano 265 – ♦Padova 59 – Treviso 35 – ♦Venezia 65.

✗ **Antica Locanda Monfenera-da Tino,** a cima Monfenera NO : 6 km alt. 780, ℰ 69705,
 ≤ pianura e fiume Piave – **ⓟ**. ⌘
   chiuso martedì e dal 7 gennaio al 18 marzo – Pas carta 23/33000.

ad Onigo di Piave SE : 3 km – ✉ 31050 :

ℝℝ **Le Rive,** via Rive 32 ℰ 64267, « Servizio estivo all'aperto »
☞ chiuso martedì, mercoledì, dal 10 febbraio al 10 marzo e dal 15 settembre al 15 ottobre – Pas
   carta 18/26000.

PEDRACES (PEDRATSCHES) Bolzano – Vedere Badia.

PEGLI Genova 988 ⑬ – Vedere Genova.

PEIO 38020 Trento 988 ④, 218 ⑱ – 1 901 ab. alt. 1 389 – Stazione termale, a.s. febbraio-15 marzo, Pasqua e Natale – Sport invernali : 1 389/2 785 m ⟨1 ⟨4 – ⓒ 0463.

🄱 alle Terme ℰ 73100.

Roma 669 – ♦Bolzano 93 – Passo di Gavia 54 – ♦Milano 256 – Sondrio 102 – Trento 87.

🏦 **Kristiania,** a Cògolo ✉ 38024 ℰ 74157, ≤ – 📺 ☎ ☜ **ⓟ**. 🖭 🕄 ⓞ **E** *VISA*. ⌘
☞ dicembre-aprile e 10 giugno-25 settembre – Pas carta 19/32000 – ☲ 6000 – **33 cam** 45/80000
   – P 49/80000, b.s. 42/45000.

🏦 **Cevedale,** a Cògolo ✉ 38024 ℰ 74067 – ⧉ ☜ **ⓟ**. 🖭 🕄 ⓞ **E** *VISA*. ⌘ rist
   chiuso maggio – Pas *(chiuso martedì)* carta 21/30000 – ☲ 7000 – **30 cam** 41/70000 –
   P 60/65000, b.s. 45/50000.

🏦 **Alpino,** alle Terme ℰ 73212, ≤, 🎬 – ⧉ ☎ ≤ **ⓟ**. ⌘ rist
☞ 20 dicembre-14 aprile e 20 giugno-10 settembre – Pas 16/25000 – ☲ 6000 – **44 cam** 35/60000
   – P 55/65000, b.s. 40/50000.

🏠 **Vioz,** alle Terme ℰ 73146, ≤, 🌇, 🍃 – ☜ ≤ **ⓟ**. 🖭 **E** *VISA*. ⌘ rist
☞ 20 dicembre-10 aprile e 20 giugno-15 settembre – Pas carta 16/25000 – ☲ 5000 – **48 cam**
   60/90000 – P 50/67000, b.s. 36/45000.

✗ **Il Mulino,** a Comasine ℰ 74244
   20 dicembre-20 aprile e 20 giugno-15 settembre – Pas carta 25/33000.

PELLEGRINO PARMENSE 43047 Parma 988 ③ ⑭ – 1 563 ab. alt. 410 – ✪ 0524.
Roma 507 – ◆Parma 46 – Piacenza 75 – ◆La Spezia 111.

🏠 Da Sandro, località Pietraspaccata N : 5 km ✗ 64181, ≤ vallata – ☎ 🅿
23 cam.

PELLESTRINA (Isola di) Venezia – Vedere Venezia.

PELUGO 38080 Trento – 299 ab. alt. 652 – a.s. febbraio-15 marzo, Pasqua e Natale – ✪ 0465.
Roma 620 – ◆Bolzano 110 – ◆Brescia 94 – Madonna di Campiglio 23 – ◆Milano 185 – Trento 50.

🏠 Al Sarca ⚲, ✗ 81145, ≤, ℛ – 🅿
25 cam.

PENIA Trento – Vedere Canazei.

PENNABILLI 61016 Pesaro 988 ⑮ – 3 194 ab. alt. 550 – a.s. luglio e agosto – ✪ 0541.
Roma 307 – ◆Perugia 121 – Pesaro 76 – Rimini 67.

🏠 **Parco,** ✗ 918446 – ⬛ ☎ 🅿. ℛ
◆ chiuso da novembre a gennaio – Pas (chiuso martedì) carta 18/30000 – � 3500 – **22 cam**
33/44000 – P 46000, b.s. 36000.

PENNE 65017 Pescara 988 ⑳ – 12 112 ab. alt. 438 – ✪ 085.
Roma 228 – L'Aquila 125 – Chieti 38 – ◆Pescara 32 – Teramo 69.

✗ **Tatobbe,** corso Alessandrini 45 ✗ 8279512 – ℛ
◆ chiuso lunedì – Pas carta 18/30000.

PERA Trento – Vedere Pozza di Fassa.

PERGINE VALSUGANA 38057 Trento 988 ④ – 14 364 ab. alt. 482 – Stazione di villeggiatura, a.s.
15 dicembre-15 gennaio – ✪ 0461.
🅱 (giugno-settembre) piazza Gavazzi 1 ✗ 531258.
Roma 599 – Belluno 101 – ◆Bolzano 71 – ◆Milano 255 – Trento 11 – ◆Venezia 152.

🏨 **Turismo,** via Venezia 20 ✗ 531073, Telex 401119, ☍, ℛ – ⬛ 📺 ☎ & 🅿. ⅀ 🅢 ⓞ Ɛ 💳
◆ ℛ rist
Pas (chiuso domenica) 18/30000 – � 6000 – **38 cam** 40/70000 – P 50/70000.

✗✗ **Al Castello** ⚲ con cam, E : 2,5 km ✗ 531158, ≤, « Castello del 13° secolo », ℛ – ☎ 🅿
maggio-15 ottobre – Pas (chiuso lunedì in bassa stagione) carta 30/42000 – � 5000 – 23 cam
36/58000 – P 50/55000, b.s. 46/50000.

a San Cristoforo al Lago S : 2 km – ✉ 38050.
🅱 (giugno-settembre) ✗ 531119 :

🏨 **Lido-Seehof** ⚲, ✗ 531044, « Piccolo parco », ⚓, ℛ – ⬛ ☎ & 🅿. ℛ rist
◆ maggio-settembre – Pas 19/22000 – � 7000 – **49 cam** 45/78000 – P 46/59000, b.s. 38/52000.

PERGUSA (Lago di) Enna – Vedere Sicilia (Enna) alla fine dell'elenco alfabetico.

PERINALDO 18030 Imperia 84 ⑳, 195 ⑱ – 881 ab. alt. 573 – ✪ 0184.
Roma 668 – ◆Genova 169 – Imperia 55 – ◆Milano 291 – San Remo 28 – Ventimiglia 17.

🏠 **La Riana,** ✗ 552015, ≤ vallata e mare, « Giardino oliveto » – 🅿. ℛ
chiuso ottobre e novembre – Pas (chiuso giovedì) 22000 – � 7000 – 12 cam 21/35000 –
P 45/50000.

PERLEDO Como 219 ⑨ – Vedere Varenna.

PERTI ALTO Savona – Vedere Finale Ligure.

PERUGIA 06100 🅟 988 ⑮ – 147 602 ab. alt. 493 – ✪ 075.
Vedere Piazza 4 Novembre** BY : fontana Maggiore**, palazzo dei Priori** D (galleria nazionale
dell'Umbria**) – Chiesa di San Pietro** BZ L – Oratorio di San Bernardino** AY – Museo
Archeologico Nazionale dell'Umbria** BZ M – Collegio del Cambio* BY E : affreschi** del Perugino
– ≤** dai giardini Carducci AZ – Porta Marzia* e via Baglione Sotterranea* BZ Q – Chiesa di San
Domenico* BZ – Porta San Pietro* BZ N – Via dei Priori* AY – Chiesa di Sant'Angelo* AY R –
Arco Etrusco* BY K – Via Maestà delle Volte* ABY 29 – Cattedrale* BY F – Via delle Volte della
Pace* BY 55.

Dintorni Ipogeo dei Volumni* per ② : 6 km.

🖪 (chiuso lunedì) ad Ellera ✉ 06074 ✗ 79704, per ③ : 9 km.
🅱 corso Vannucci (Palazzo Donnini) 94/a ✗ 23327.
A.C.I. via Mario Angeloni 1 ✗ 71941.

Roma 172 ② – ◆Firenze 154 ③ – ◆Livorno 222 ③ – ◆Milano 449 ③ – ◆Pescara 281 ② – ◆Ravenna 196 ②.

PERUGIA

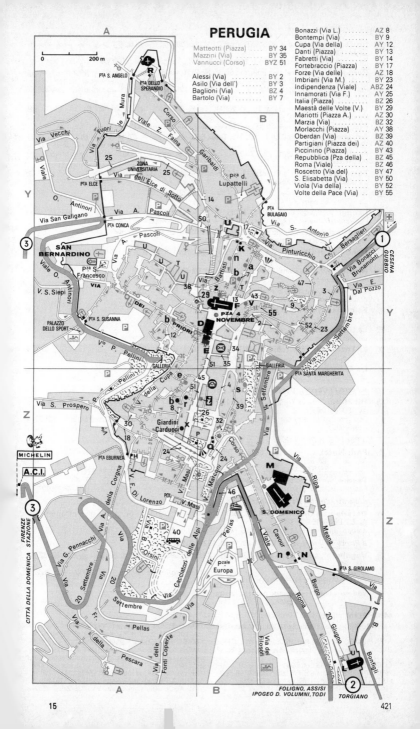

Matteotti (Piazza) . . . . BY 34
Mazzini (Via) . . . . BY 35
Vannucci (Corso) . . . . BYZ 51

Alessi (Via) . . . . BY 2
Asilo (Via dell') . . . . BY 3
Baglioni (Via) . . . . BZ 4
Bartolo (Via) . . . . BY 7

Bonazzi (Via L.) . . . . AZ 8
Bontempi (Via) . . . . BY 9
Cupa (Via della) . . . . AY 12
Danti (Piazza) . . . . BY 13
Fabretti (Via) . . . . BY 14
Fortebraccio (Piazza) . . BY 17
Forze (Via delle) . . . . . AZ 18
Imbriani (Via M.) . . . . BY 23
Indipendenza (Viale) . . ABZ 24
Innamorati (Via F.) . . . . . AY 25
Italia (Piazza) . . . . BZ 26
Maestà delle Volte (V.) . . BY 29
Mariotti (Piazza A.) . . . . AZ 30
Marzia (Via) . . . . BZ 32
Morlacchi (Piazza) . . . . AY 38
Oberdan (Via) . . . . BZ 39
Partigiani (Piazza dei) . . AZ 40
Piccinino (Piazza) . . . . . BY 43
Repubblica (Pza della) . . BZ 45
Roma (Viale) . . . . BZ 46
Roscetto (Via del) . . . . . BY 47
S. Elisabetta (Via) . . . . . BY 50
Viola (Via della) . . . . BY 52
Volte della Pace (Via) . . BY 55

Brufani, piazza Italia 𝄞 62541, Telex 662104, Fax 20210, ← – 📲 🖥 📺 ☎ 👃 ⟵ – 🛁 40 a 70.
AE 🛂 ⓞ E VISA. ⚹ AZ **x**
Pas carta 42/63000 – � 15000 – **24 cam** 226/307000 appartamento 500000.

Perugia Plaza Hotel, via Palermo 88 𝄞 34643, Telex 661165, Fax 30863 – 📲 🖥 ☎ 👃 ⟵ ⓟ
– 🛁 200. AE 🛂 ⓞ E VISA. ⚹ rist per via dei Filosofi BZ
Pas *(chiuso lunedì)* carta 29/42000 – ⊒ 12000 – **101 cam** 90/134000 appartamenti 224/268000
– P 137/160000.

La Rosetta, piazza Italia 19 𝄞 20841, Telex 563271 – 📲 🖥 rist ☎. AE 🛂 ⓞ E VISA
⚹ cam AZ **r**
Pas *(chiuso lunedì)* carta 23/36000 (15%) – ⊒ 8000 – **96 cam** 60/120000 – P 110/115000.

Grifone, via Silvio Pellico 1 𝄞 32049, Telex 564038 – 📲 🖥 rist 📺 ☎ 👃 ⟵ ⓟ – 🛁 25 a 100.
AE 🛂 ⓞ E VISA per via dei Filosofi BZ
Pas *(chiuso sabato)* carta 28/46000 – ⊒ 10000 – **50 cam** 90/130000 appartamento 180000 –
P 115/140000.

Fortuna senza rist, via Bonazzi 19 𝄞 22845, ← – 📲 ⚹ 📺 ☎. AE 🛂 ⓞ AZ **b**
⊒ 6000 – **31 cam** 55/98000.

Signa senza rist, via del Grillo 9 𝄞 61080 – 📲 ☎. AE ⓞ. ⚹ BZ **n**
⊒ 7000 – **23 cam** 36/54000.

I Loggi ⚸, via del Brozzo 18 𝄞 33785, ←, 🔥 – ☎ ⓟ. AE. ⚹ rist per ③ : 3 km
Pas *(chiuso martedì)* 19/23000 – ⊒ 6000 – **18 cam** 45/64000 – P 74/87000.

Osteria del Bartolo, via del Bartolo 30 𝄞 61461 – AE 🛂 ⓞ VISA. ⚹ BY **a**
chiuso martedì e gennaio – Pas carta 37/52000.

Del Sole, via Oberdan 28 𝄞 65031, « Servizio estivo in terrazza con ← » BZ **s**
chiuso sabato e dal 23 dicembre al 10 gennaio – Pas carta 31/41000 (10%).

Ricciotto, piazza Danti 19 𝄞 21956 – AE 🛂 ⓞ E VISA. ⚹ BY **v**
chiuso domenica e dal 15 al 30 luglio – Pas carta 30/41000 (15%).

La Taverna, via delle Streghe 8 𝄞 61028 – 🖥. AE 🛂 ⓞ E VISA AZ **e**
chiuso lunedì e dal 15 al 31 luglio – Pas carta 29/46000.

Falchetto, via Bartolo 20 𝄞 61875 – AE 🛂 ⓞ E VISA. ⚹ BY **b**
chiuso lunedì – Pas carta 22/35000 (15%).

La Bocca Mia, via Rocchi 36 𝄞 23873 – AE 🛂 ⓞ BY **n**
chiuso domenica – Pas carta 25/34000 (10%).

La Lanterna, via Rocchi 6 𝄞 66064 – AE ⓞ. ⚹ BY **z**
chiuso domenica e dal 1° al 26 agosto – Pas carta 24/30000 (10%).

Da Giancarlo, via dei Priori 𝄞 24314 – AE ⓞ VISA. ⚹ AY **b**
chiuso venerdì – Pas carta 25/43000.

a Ferro di Cavallo per ③ : 6 km – alt. 287 – ⊠ **06074** Ellera Umbra :

Hit Hotel, strada Trasimeno Ovest 159 z/10 𝄞 799247, Telex 661033 – 📲 🖥 📺 ☎ 👃 ⓟ –
🛁 150. AE 🛂 ⓞ. ⚹
Pas *(chiuso lunedì)* carta 24/32000 – ⊒ 9000 – **80 cam** 60/90000 appartamento 180000 –
P 85/95000.

a Ponte San Giovanni per ② : 7 km – alt. 189 – ⊠ **06087** :

Park Hotel, via Volta 1 𝄞 394444, Telex 660112 – 📲 ⚹ cam 🖥 📺 ☎ 👃 ⟵ ⓟ – 🛁 30 a
400. AE 🛂 ⓞ VISA
Pas carta 26/36000 – ⊒ 9000 – **88 cam** 60/90000 appartamento 160000, 🖥 6000 – P 90/100000.

Tevere, via Manzoni 421 𝄞 394341, Fax 394342 – 📲 ⚹ 🖥 📺 ☎ ⟵ ⓟ. VISA. ⚹
Pas *(chiuso sabato)* carta 25/34000 (10%) – ⊒ 3000 – 50 cam 45/63000, 🖥 3000 – P 70000.

sulla strada statale 75 bis per ③ : 8 km :

Osteria dell'Olmo, alt. 284 ⊠ 06073 Corciano 𝄞 799140, « Servizio estivo all'aperto » –
ⓟ. AE 🛂 ⓞ E VISA. ⚹
chiuso lunedì – Pas carta 35/48000.

a Ponte Valleceppi per ① : 10 km – alt. 192 – ⊠ **06078** :

Vegahotel, sulla strada statale 318 (NE : 2 km) 𝄞 6929534 – 📺 ☎ 👃 ⓟ – 🛁 60 a 80. AE ⓞ
VISA. ⚹
chiuso dal 24 dicembre al 10 gennaio – Pas *(chiuso mercoledì)* carta 22/35000 – ⊒ 7000 –
42 cam 46/66000 – P 56/76000.

Vedere anche : *Corciano* per ③ : 13 km.
Torgiano per ② : 16 km.

MICHELIN, strada delle Sette Valli 231 per ③ : 4 km, 𝄞 70665.

ALFA-ROMEO strada delle Sette Valli 137 per ③ 𝄞
751749
ALFA-ROMEO via della Pallotta 38/B per ② 𝄞 31738
BMW a Ponte San Giovanni, via Assisana 55 𝄞
395044
CITROEN strada delle Sette Valli 175 𝄞 74039
FERRARI strada statale E 7 𝄞 395841, Telex 662060
FIAT via della Pallotta 47/59 per ② 𝄞 35369
FIAT località Madonna Alta per ③ 𝄞 73365
FORD via Vecchi 33 𝄞 43652

GM-OPEL via Pascarella 8/10 𝄞 33361
INNOCENTI località Piscille per ② 𝄞 395044
MASERATI località Piscille 𝄞 395042
MERCEDES-BENZ strada statale E 7 𝄞 395841
PEUGEOT-TALBOT strada delle Sette Valli 290 𝄞
755149
RENAULT via Cortonese 67 𝄞 751741
RENAULT strada delle Sette Valli 241 𝄞 751452
VW-AUDI strada delle Sette Valli 233/235 𝄞 755273

PESARO 61100 🅿 🔢 ⑯ – 90 375 ab. – Stazione balneare, a.s. luglio e agosto – ✆ 0721.

Vedere Museo Civico★ : ceramiche★★.

🇮 piazzale della Libertà ℰ 69341 – **A.C.I.** via San Francesco 44 ℰ 33368.

Roma 300 ① – ◆Ancona 76 ① – ◆Firenze 196 ② – Forlì 87 ② – ◆Milano 359 ② – ◆Perugia 134 ① – ◆Ravenna 92 ② – Rimini 40 ②.

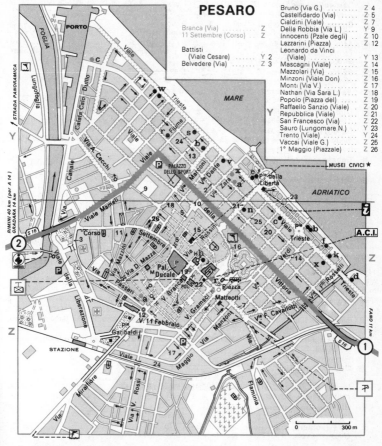

PESARO

Branca (Via) ..... Z
11 Settembre (Corso) ..... Z

Battisti
(Viale Cesare) ...... Y 2
Belvedere (Via) .... Z 3

Bruno (Via G.)	Z 4
Castelfidardo (Via)	Z 5
Cialdini (Viale)	Z 7
Della Robbia (Via L.)	Y 9
Innocenti (Pzale degli)	Z 10
Lazzarini (Piazza)	Z 12
Leonardo da Vinci (Viale)	Y 13
Mascagni (Viale)	Z 14
Mazzolari (Via)	Z 15
Minzoni (Viale Don)	Z 16
Monti (Via V.)	Z 17
Nathan (Via Sara L.)	Z 18
Popoio (Piazza del)	Z 19
Raffaello Sanzio (Viale)	Z 20
Repubblica (Viale)	Z 21
San Francesco (Via)	Z 22
Sauro (Lungomare N.)	Y 23
Trento (Viale)	Y 24
Vaccai (Viale G.)	Z 25
1° Maggio (Piazzale)	Z 26

🏨🏨 **Vittoria,** piazzale della Libertà 2 ℰ 34343, Telex 561624, Fax 68874, « Terrazza panoramica », ⅃ – 🛗 ⇔ cam 🗏 📺 ☎ ⇌ – 🔏 80 a 100. 🖭 🗗 ① 🖃 VISA. ⋘   Y **e**
Pas *(chiuso domenica da ottobre a Pasqua)* carta 26/49000 – ⌷ 18000 – **27 cam** 130/180000 appartamenti 290/310000.

🏨 **Savoy,** viale della Repubblica 22 ℰ 67440 – 🛗 🗏 📺 ☎ ⇋ ⇌ – 🔏 500. 🖭 🗗 ① 🖃 VISA. ⋘ rist   Z **n**
Pas *(chiuso domenica da ottobre a Pasqua)* carta 22/40000 – ⌷ 15000 – **54 cam** 70/120000 – P 75/95000, b.s. 55/75000.

🏨 **Mamiani** senza rist, via Mamiani 24 ℰ 35541 – 🛗 🕾 ⇌. 🖭 🗗 ①. ⋘   Z **h**
⌷ 7500 – **40 cam** 45/64000.

🏨 **Ambassador,** viale Trieste 291 ℰ 34246 – 🛗 📺 ☎ ⇌. 🖭 🗗 ① 🖃 VISA. ⋘   Y **s**
Pas (solo per clienti alloggiati e *chiuso da settembre al 15 giugno*) – ⌷ 8000 – **40 cam** 45/58000 – P 55/65000, b.s. 50/55000.

🏨 **Spiaggia,** viale Trieste 76 ℰ 32516, ≤, ⅃, 🖈 – 🛗 🕾 🅿. ⋘ rist   Z **d**
maggio-10 ottobre – Pas 20000 – ⌷ 7500 – **74 cam** 38/55000 – P 53/60000, b.s. 39/46000.

🏨 **Mediterraneo Ricci,** viale Trieste 199 ℰ 31556 – 🛗 🕾 🖭 🗗 ① 🖃 VISA. ⋘ rist   Z **c**
Pas carta 21/37000 – ⌷ 8000 – **42 cam** 45/62000 – P 52/65000, b.s. 42/52000.

🏨 **Principe,** viale Trieste 180 ℰ 30096, ← – ⧉ ☎ ⅋ 🅿. ⒜Ⓔ 🅢 ⓞ Ⓔ 𝚅𝙸𝚂𝙰. ⅙ rist   Y **e**
   chiuso gennaio e dicembre – Pas carta 33/48000 – ⌕ 7000 – **42 cam** 40/58000 – P 46/58000,
   b.s. 43/46000.

🏨 **Nettuno,** viale Trieste 367 ℰ 64434, ←, ⏋ – ⧉ ▤ rist ☎ ⅋ 🅿. 🅢 ⓞ Ⓔ 𝚅𝙸𝚂𝙰. ⅙   Y **w**
🔻 *maggio-settembre* – Pas 18/25000 – ⌕ 8000 – **65 cam** 40/60000 – P 56/62000, b.s. 38/44000.

🏨 **Caravelle,** viale Trieste 269 ℰ 64078, ←, ⏋ – ⧉ ▤ cam ☎ 🅿. ⒜Ⓔ 🅢 ⓞ 𝚅𝙸𝚂𝙰. ⅙ rist   Y **v**
🔻 *10 maggio-20 settembre* – Pas 19000 – ⌕ 5000 – **75 cam** 51/71000 – P 50/60000, b.s. 40/45000.

🏨 **Clipper,** viale Marconi 53 ℰ 30915 – ⧉ ☎. ⓞ. ⅙   Y **b**
   maggio-settembre – Pas 25000 – ⌕ 8000 – **48 cam** 39/57000 – P 42/71000, b.s. 38/46000.

🏨 **Atlantic,** viale Trieste 365 ℰ 61911, ← – ⧉ ▤ rist ☎ 🅿. ⅙   Y **w**
   15 maggio-20 settembre – Pas (solo per clienti alloggiati) 22/25000 – ⌕ 8000 – **41 cam**
   38/56000 – P 52/57000, b.s. 36/50000.

🏨 **Bellevue,** viale Trieste 88 ℰ 31970, ←, ⏋ – ⧉ ☎ ⟸. ⒜Ⓔ ⓞ ⅙ rist   Z **k**
🔻 *10 maggio-settembre* – Pas 18/26000 – ⌕ 8000 – **52 cam** 40/58000 – P 54/67000, b.s. 42/54000.

🏨 **Nautilus,** viale Trieste 26 ℰ 67125, ←, ⏋ riscaldata – ⧉ ☎ ⅋ ⟸. ⅙ rist   Z
🔻 *maggio-settembre* – Pas 16/28000 – ⌕ 7000 – **50 cam** 40/58000 – P 58/64000, b.s. 48/52000.

🏨 **Due Pavoni,** viale Fiume 79 ℰ 69017 – ⧉ ▤ ☎ ⅋ ⟸. ⒜Ⓔ 🅢 ⓞ Ⓔ 𝚅𝙸𝚂𝙰. ⅙   Y **r**
   Pas (solo per clienti alloggiati) 20/30000 – ⌕ 7000 – **48 cam** 52/69000 – P 70000.

🏨 **Baltic,** viale Trieste 36 ℰ 67150, ←, ⟸ – ⧉ ☎ ⟸. ⅙ rist   Z
   maggio-settembre – Pas carta 25/40000 – ⌕ 4000 – **56 cam** 40/58000 – P 50/57000,
   b.s. 38/45000.

🏨 **Caesar** senza rist, viale Trieste 125 ℰ 69227 – ⧉ ☎ ⟸ 🅿. ⒜Ⓔ ⓞ 𝚅𝙸𝚂𝙰   Z **x**
   maggio-settembre – ⌕ 8000 – **40 cam** 40/60000.

🏨 **Diplomatic,** viale Parigi 2-Baia Flaminia ℰ 21677, ←, ⏋, ⟆ – ⧉ ☎ 🅿. ⓞ 𝚅𝙸𝚂𝙰. ⅙
🔻 *6 giugno-13 settembre* – Pas 14/18000 – **46 cam** ⌕ 40/57000 – P 48/65000, b.s. 37/45000.
                                                             per Lungofoglia   Y

🏛 **President's,** lungomare Nazario Sauro 33 ℰ 32976, ← – ⧉ ☎ 🅿. ⒜Ⓔ 🅢 ⓞ ⅙ rist
   15 maggio-20 settembre – Pas 25/30000 – ⌕ 7000 – **40 cam** 39/57000 – P 55/60000,
   b.s. 42/50000.   Z **b**

🏛 **La Bussola,** lungomare Nazario Sauro 43 ℰ 64937, ← – ⧉ ☎. ⒜Ⓔ. ⅙   Z **f**
   15 aprile-15 ottobre – Pas 22/25000 – ⌕ 7500 – **25 cam** 39/59000 – P 48/58000, b.s. 40/48000.

🏛 **Flying,** viale Verdi 126 ℰ 69219, ← – ⧉ ☎ ⟸. ⒜Ⓔ 🅢 ⓞ 𝚅𝙸𝚂𝙰. ⅙ rist   Z **b**
   15 maggio-20 settembre – Pas 25/30000 – ⌕ 7000 – **27 cam** 40/57000 – P 55/60000,
   b.s. 42/50000.

✕✕ **Da Alceo,** via Panoramica Ardizio 101 ℰ 51360, prenotare, ←, 🌂 – ⒜Ⓔ ⓞ 𝚅𝙸𝚂𝙰. ⅙
   chiuso lunedì e gennaio – Pas (solo piatti di pesce) carta 50/65000.   6 km per ①

✕✕ ⚙ **Lo Scudiero,** via Baldassini 2 ℰ 64107 – ⒜Ⓔ 🅢 ⓞ Ⓔ 𝚅𝙸𝚂𝙰. ⅙   Z **r**
   chiuso giovedì e luglio – Pas carta 35/60000 (15%)
   Spec. Zuppa di pesce in ciotola, Cappone di mare al prosciutto e vino bianco. Vini Bianchello del Metauro,
   Sangiovese.

✕✕ **Il Castiglione,** viale Trento 148 ℰ 64934, « Servizio estivo in giardino ombreggiato » – ⟆.
   ⒜Ⓔ ⓞ 𝚅𝙸𝚂𝙰. ⅙   Y **a**
   chiuso lunedì – Pas carta 25/45000 (10%).

✕✕ **Nuovo Carlo,** viale Zara 54 ℰ 68984 – ⒜Ⓔ 🅢 ⓞ Ⓔ 𝚅𝙸𝚂𝙰. ⅙   Y **x**
   chiuso lunedì – Pas carta 25/48000 (10%).

✕✕ **Lo Squero,** calata Caio Duilio 48 ℰ 400115 – ⒜Ⓔ 🅢 ⓞ 𝚅𝙸𝚂𝙰. ⅙   Y **c**
   chiuso lunedì – Pas carta 35/58000.

✕ **Uldergo,** via Venturini 24 ℰ 33180 – ⒜Ⓔ   Z **a**
   chiuso sabato e dal 20 luglio al 30 agosto – Pas carta 28/38000.

✕ **Da Peschiera,** strada Adriatica 169 ℰ 21438 – 🅿. ⅙   per ②
   chiuso mercoledì e dal 1° al 25 luglio – Pas carta 28/49000.

   Vedere anche : *Casteldimezzo* per ② : 12 km.

ALFA-ROMEO via Carrara 5 per via Rossi Z ℰ 456331
BMW strada della Romagna 161 ℰ 208157
CITROËN via dei Trasporti, località Chiusa di Gines-
treto ℰ 292459
FERRARI via Mario del Monaco 8 ℰ 21539
FIAT strada Adriatica 108 per ② ℰ 21401
FORD via Gubbio 9 ℰ 25254
INNOCENTI via Porta Rimini 5 ℰ 32919
LANCIA-AUTOBIANCHI strada Adriatica 82 per ②
ℰ 21267

LANCIA-AUTOBIANCHI via Jesi 7 per ② ℰ 21223
MASERATI via Porta Rimini 5 ℰ 32919
MERCEDES-BENZ via Timavo 1/3 ℰ 21431
PEUGEOT-TALBOT via Milano 93 ℰ 25555
RENAULT via Toscana 9 ℰ 452950
VW-AUDI strada Romagna 119 ℰ 279181
VOLVO via Porta Rimini 5 ℰ 32919

PESCANTINA 37026 Verona – 9 258 ab. alt. 80 – ✆ 045.
Roma 503 – ✦Brescia 69 – Trento 85 – ✦Verona 12.

   ad Ospedaletto NO : 3 km – ✉ **37026** Pescantina :

✕ **Alla Coà,** ℰ 7150380, prenotare – ⅙
   chiuso domenica, lunedì, dal 20 dicembre al 15 gennaio e dal 15 luglio al 15 agosto – Pas
   carta 28/44000.

PESCARA 65100 ℗ 988 ㉗ – 130 525 ab. – Stazione balneare, a.s. luglio e agosto – ✆ 085.

✈ Pasquale Liberi per ②: 4 km ℘ 206197 – Alitalia, Agenzia Cagidemetrio, via Ravenna 3 ℘ 4213022, Telex 600008.

🛈 via Nicola Fabrizi 173 ℘ 4212939 – piazza della Rinascita 22 ℘ 378110 – **A.C.I.** via del Circuito 49 ℘ 32841.

Roma 208 ② – ◆Ancona 156 ④ – ◆Foggia 180 ① – ◆Napoli 247 ② – ◆Perugia 281 ④ – Terni 198 ②.

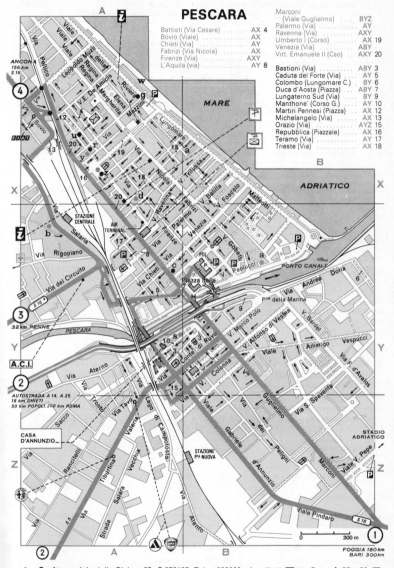

PESCARA

Battisti (Via Cesare)	AX 4
Bovio (Viale)	AX
Chieti (Via)	AY
Fabrizi (Via Nicola)	AX
Firenze (Via)	AXY
L'Aquila (via)	AY 8

Marconi (Viale Guglielmo)	BYZ
Palermo (Via)	AY
Ravenna (Via)	AXY
Umberto I (Corso)	AX 19
Venezia (Via)	ABY
Vitt. Emanuele II (Cso)	AXY 20

Bastioni (Via)	ABY 3
Caduta del Forte (Via)	AY 5
Colombo (Lungomare C.)	BY 6
Duca d'Aosta (Piazza)	ABY 7
Lungaterno Sud (Via)	BY 9
Manthone' (Corso G.)	AY 10
Martiri Pennesi (Piazza)	AX 12
Michelangelo (Via)	AX 13
Orazio (Via)	AYZ 15
Repubblica (Piazzale)	AY 16
Teramo (Via)	AY 17
Trieste (Via)	AX 18

🏨🏨 **Carlton,** viale della Riviera 35 ℘ 373125, Telex 603023, ≤ – 🛗 🗔 📺 ☎ Ⓟ – 🔏 35 a 80. 🖭 🕭 ⓪ E 𝐕𝐼𝐒𝐀. ⋪
Pas 30/44000 – **71 cam** � 68/116000 – P 90/130000.
AX **g**

🏨🏨 **Singleton** senza rist, piazza Duca d'Aosta 4 ℘ 374241 – 🛗 📺 ☎ – 🔏 30 a 50. 🖭 🕭 ⓪ E 𝐕𝐼𝐒𝐀. ⋪
⊐ 7000 – **77 cam** 61/97000.
AY **c**

425

PESCARA

🏨 **Maja,** viale della Riviera 201 *ℰ* 71545, ← – |≱| 🗏 rist ☎. 🖭 ⊙ 🗉 𝘝𝘐𝘚𝘈. ❀   AX
    Pas *(chiuso domenica)* carta 27/41000 – ⟳ 7000 – **44 cam** 58/80000 – P 70/95000.

🏨 **Plaza Moderno,** piazza Sacro Cuore 55 *ℰ* 375148 – |≱| 🖃 🖾 – ▟ 40. 🖭. ❀   AX z
    Pas carta 21/36000 – **70 cam** ⟳ 48/96000 – P 88/98000, b.s. 84/90000.

🏦 **Ambra,** via Quarto dei Mille 28/30 *ℰ* 378247 – |≱| 🖾. ❀   AX u
◆   Pas *(chiuso domenica)* 18/20000 – ⟳ 3500 – **55 cam** 25/50000 – P 60/65000.

🏛 **Alba** senza rist, via Forti 14 *ℰ* 389145 – |≱| 🖾   AX r
    ⟳ 3000 – **49 cam** 30/60000.

XXX **Guerino,** viale della Riviera 4 *ℰ* 4212065, ← – 🖭 🛅 ⊙ 🗉 𝘝𝘐𝘚𝘈. ❀   AX w
    chiuso martedì (escluso luglio-agosto) – Pas carta 35/47000 (10%).

XX **Ferraioli,** via De Sanctis 58 *ℰ* 33557, 🖭 – 🗏. 🖭 🛅 ⊙ 🗉 𝘝𝘐𝘚𝘈. ❀   BX a
    chiuso lunedì – Pas carta 31/42000.

XX **La Regina del Porto,** via Paolucci 65 *ℰ* 389141 – 🗏. 🖭 ⊙ 𝘝𝘐𝘚𝘈. ❀   BY a
    chiuso lunedì – Pas carta 33/55000.

X **Fattoria Fernando,** via Aremogna 13 *ℰ* 28513, « Servizio estivo all'aperto » – 🅟   AY b
    chiuso lunedì – Pas carta 21/30000.

X Gaetano, via Forti 21 *ℰ* 28412   AX y

X **La Cantina di Jozz,** via delle Caserme 61 *ℰ* 690383 – 🗏. 🖭 🛅 ⊙ 🗉 𝘝𝘐𝘚𝘈   ABY s
    chiuso domenica sera, lunedì e dal 22 dicembre al 6 gennaio – Pas carta 23/33000.

X **Antica Trattoria Mario,** via Trieste 32 *ℰ* 388296 – 🖭 🛅 ⊙ 🗉 𝘝𝘐𝘚𝘈. ❀   AX d
    chiuso domenica – Pas carta 26/32000 (10%).

    ai colli O : 3 km per via Rigopiano AY :

X **La Terrazza Verde,** largo Madonna 6 ✉ 65100 *ℰ* 413239, « Servizio estivo in giardino
◆   ombreggiato » – ❀
    chiuso mercoledì e Natale – Pas carta 18/25000.

ALFA-ROMEO via Tiburtina Valeria 162 *ℰ* 54200
BMW a Sambuceto, via Tiburtina Valeria *ℰ* 53741
CITROEN via della Torretta *ℰ* 576346
FERRARI all'uscita dell'autostrada A 14-Città Sant'Angelo *ℰ* 95115
FIAT strada Adriatica Nord 213 per ④ *ℰ* 71141
FIAT viale Bovio 141 *ℰ* 26200
FORD via Tiburtina Valeria 123 *ℰ* 55978
GM-OPEL via Tiburtina Valeria 131/139 *ℰ* 52545
INNOCENTI a Montesilvano, via Giolitti 3 per ④ *ℰ* 837356
LANCIA-AUTOBIANCHI piazza Duca degli Abruzzi 34/36 per ④ *ℰ* 71225

LANCIA-AUTOBIANCHI via Tiburtina Valeria 28 *ℰ* 52777
MASERATI a Montesilvano, via Adriatica 420 *ℰ* 834321
MERCEDES-BENZ a Montesilvano, via Adriatica 305 *ℰ* 830142
PEUGEOT-TALBOT a Sambuceto, via Tiburtina Valeria *ℰ* 206495
RENAULT a Montesilvano, via Verotti 27 *ℰ* 839873
VW-AUDI a Montesilvano, corso Umberto 359 *ℰ* 837041
VOLVO a Montesilvano, corso Umberto 424 *ℰ* 837356

    Entrate nell'albergo o nel ristorante con la Guida alla mano,
    dimostrando in tal modo la fiducia in chi vi ha indirizzato.

PESCASSEROLI 67032 L'Aquila 🆉🆉🆉 ㉗ – 2 224 ab. alt. 1 167 – Stazione di villeggiatura, a.s. febbraio-aprile, 15 luglio-agosto e Natale – Sport invernali : 1 167/1 945 m ≼1 ≼4, ⚹ – ✆ 0863.
Vedere Guida Verde.
🛈 via Piave *ℰ* 91461.
Roma 163 – L'Aquila 109 – Castel di Sangro 42 – Isernia 64 – ◆Pescara 128.

🏨 **Gd H. del Parco,** *ℰ* 91356, Fax 91372, ←, ⊥ riscaldata, 🖾 – |≱| 🖃 🅟. 🖭 ⊙ 𝘝𝘐𝘚𝘈. ❀
    chiuso da ottobre al 15 dicembre – Pas 25/35000 – 120 cam ⟳ 90/100000 – P 100/110000, b.s. 85000.

X **Beppe di Sora** con cam, *ℰ* 91908 – 🖭 🛅 🗉 𝘝𝘐𝘚𝘈. ❀ cam
◆   Pas *(chiuso lunedì in bassa stagione)* carta 18/26000 (5%) – ⟳ 4500 – 13 cam 25/38000 – P 55/60000, b.s. 48/53000.

X **Alle Vecchie Arcate** con cam, *ℰ* 91381 – ☎. 𝘝𝘐𝘚𝘈. ❀
    Pas *(chiuso martedì)* carta 21/34000 (10%) – ⟳ 3500 – 21 cam 25/40000 – P 65000, b.s. 55000.

X Girarrosto da Leonardo, *ℰ* 91465.

PESCHICI 71010 Foggia 🆉🆉🆉 ㉘ – 4 221 ab. – Vedere Guida Verde – a.s. luglio-15 settembre – ✆ 0884.
Escursioni Promontorio del Gargano★★★ SE.
Roma 400 – ◆Bari 199 – ◆Foggia 114 – Manfredonia 80 – ◆Pescara 199.

🏨 **D'Amato,** O : 1 km *ℰ* 94411, ⊥, 🖾, ❀ – 🖃 ㅊ ⟚ 🅟. 𝘝𝘐𝘚𝘈. ❀
    aprile-settembre – Pas 22/30000 – 50 cam ⟳ 100000 – P 75/95000, b.s. 50/60000.

🏨 **Solemar** ≳, località San Nicola E : 2,5 km *ℰ* 94186, « In pineta », ⊥, 🐾 – 🖃 🅟
    stagionale – 30 cam.

🏨 **Valle Clavia,** O : 1,5 km *ℰ* 94209, 🖾, ❀ – |≱| 🖃 🅟. ❀ rist
    27 maggio-16 settembre – Pas (solo per clienti alloggiati) 28000 – ⟳ 9000 – **42 cam** 75/95000 – P 98/118000, b.s. 58/70000.

426

🏠 **Peschici,** via San Martino 31 *℘* 94195, ← – |‡| 🍴 & 🚗 **P**. *VISA*. 🍷
Pas (solo per clienti alloggiati) 22/24000 – 🚿 6000 – 42 cam 45/60000 – P 55/70000,
b.s. 44/50000.

🏠 **Timiama,** via Libetta 71 *℘* 94321, ⚎ – 🍴 **P**. 🍷
giugno-settembre – Pas (solo per clienti alloggiati) – 35 cam 🚿 45/80000 – P 67/83000,
b.s. 45/53000.

🏠 **Treviso** 🐾, O : 1,5 km *℘* 94096 – 🍴 **P**. 🍷
maggio-settembre – Pas (solo per clienti alloggiati) 20000 – 🚿 8000 – 26 cam 46/60000 –
P 60/78000, b.s. 48000.

🎌 **La Grotta delle Rondini,** sul molo O : 1 km *℘* 94007, 🍽, « In una grotta naturale » – 🖭
🔵. 🍷
Pasqua-ottobre – Pas carta 22/33000 (10%).

a Manacore E : 6,5 km – 🖂 **71010** Peschici :

🏨 **Gusmay** 🐾, *℘* 94032, « In pineta », 🦬, 🎾 – 🍴 🗏 & **P**. 🖭 ⓞ *VISA*. 🍷
maggio-25 settembre – Pas (solo per clienti alloggiati) – 🚿 9000 – **62 cam** 68/95000 –
P 90/110000, b.s. 55/75000.

🏨 **Mira** 🐾, E : 5 km *℘* 94511, ⚎, 🦬, 🎾 – 🍴 🍴 & **P**. 🔲. 🍷
Pasqua-15 ottobre – Pas 22/25000 – 🚿 8000 – **48 cam** 50/90000 – P 80/95000, b.s. 55/70000.

🏨 **Paradiso** 🐾, E : 3,5 km *℘* 94201, « In pineta », 🦬 – 🗏 cam 🍴 **P**. 🍷
15 maggio-settembre – Pas (solo per clienti alloggiati) 25/30000 – 45 cam 🚿 45/75000 –
P 85/95000, b.s. 50/60000.

🏨 **Paglianza** 🐾, E : 3,5 km *℘* 94044, « In pineta », ⚎, 🦬, 🎾 – 🍴 ☎ **P**. 🖭 ⓞ *VISA*. 🍷 rist
maggio-settembre – 50 cam (solo pens) – P 72/87000, b.s. 45/55000.

PESCHIERA BORROMEO **20068** Milano 🗿🗿🗿 ⑱ – 16 361 ab. alt. 103 – 🌀 02.

Roma 573 – ♦Milano 14 – Piacenza 66.

🏨 **Country Hotel Borromeo** senza rist, via Bruno Buozzi 4 *℘* 5475121, Telex 322807, Fax
55300708 – 🍴 🗏 📺 ☎ **P**. 🖭 🔲 ⓞ ⎓ *VISA*
🚿 12000 – **51 cam** 152/193000 appartamenti 320000.

🎌 **La Viscontina,** località Plasticopoli *℘* 5470391, 🍽 – **P**. 🖭 ⓞ *VISA*
chiuso mercoledì – Pas carta 32/44000.

🎌 Dei Cacciatori, località Longhignana N : 4 km *℘* 7531154, « Servizio estivo in giardino » – **P**.

PESCHIERA DEL GARDA **37019** Verona 🗿🗿🗿 ④ – 8 729 ab. alt. 68 – 🌀 045.

🅱 piazza Betteloni 15 *℘* 7550381.

Roma 513 – ♦Brescia 46 – Mantova 52 – ♦Milano 133 – Trento 97 – ♦Venezia 138 – ♦Verona 28.

🏨 San Marco, lungolago Mazzini 15 *℘* 7550077, ← – 🍴 📺 ☎ & **P** – 47 cam.

🏨 **Garden** senza rist, via Stazione 18 *℘* 7553644 – 🍴 ☎ 🚗 **P**. 🖭 🔲 ⓞ ⎓ *VISA*. 🍷
🚿 6000 – **22 cam** 40/60000.

🏠 **Dolci Colli,** verso Ponti sul Mincio S : 1 km *℘* 7550552, ←, 🍽, ⚎ – 🍴 ☎ **P**. 🍷
▬ Pas (chiuso martedì da ottobre al 15 maggio) 18/25000 – 🚿 6000 – **35 cam** 35/50000 –
P 43/48000.

🎌 **Nuova Barcaccia,** località Madonna del Frassino SE : 1,5 km *℘* 7550790 – **P**. 🖭 🔲 ⓞ ⎓
VISA
chiuso mercoledì e novembre – Pas carta 23/41000.

🎌 **Piccolo Mondo,** piazza del Porto *℘* 7550025, Specialità di pesce – 🖭
chiuso martedì sera, mercoledì, dal 22 dicembre al 15 gennaio e dal 5 al 15 giugno – Pas
carta 28/42000 (15%).

🎌 Al Secolo, via Milano 5 *℘* 7550164, 🍽, prenotare la sera, Specialità di pesce – **P**.

a San Benedetto O : 2,5 km – 🖂 **37010** San Benedetto di Lugana :

🏨 **Peschiera** 🐾, località Bergamini *℘* 7550526, ⚎, 🌺 – 🍴 **P**. 🖭 *VISA*. 🍷
marzo-ottobre – Pas (chiuso lunedì) 25000 – 🚿 5500 – 30 cam 60000.

🎌 **Papa** con cam, via Bella Italia 40 *℘* 7550476, ⚎ – 🍴 🗏 rist **P**. 🍷
▬ chiuso novembre – Pas (chiuso mercoledì da ottobre a maggio) carta 16/26000 – 🚿 3500 –
19 cam 30/45000 – P 40/45000.

PESCIA **51017** Pistoia 🗿🗿🗿 ⑱ – 18 089 ab. alt. 62 – 🌀 0572.

Roma 335 – ♦Firenze 61 – Lucca 19 – ♦Milano 299 – Montecatini Terme 8 – Pisa 41 – Pistoia 30.

🏨 **Villa delle Rose e Rist. Piazza Grande** 🐾, 🖂 51012 Castellare di Pescia *℘* 451301,
Telex 580650, « Parco », ⚎ 🗏 rist ☎ & **P** – 🏛 250. 🖭 ⓞ *VISA*. 🍷
Pas (chiuso lunedì e martedì a mezzogiorno) carta 30/40000 – 🚿 9000 – **106 cam** 52/74000
appartamenti 92/118000.

🎌 **Cecco,** via Forti 84 *℘* 477955, 🍽 – 🖭. 🍷
chiuso lunedì e dal 3 al 13 luglio – Pas carta 24/43000 (13%).

🎌 **La Fortuna,** via Colli per Uzzano 18 *℘* 477121, ←, 🍽, Coperti limitati; prenotare – **P**. 🔲.
🍷
chiuso a mezzogiorno (escluso i giorni festivi), lunedì e dal 5 al 31 agosto – Pas carta 31/44000.

FIAT via Turati 4 *℘* 479601

PESE Trieste – alt. 474 – ✉ 34012 Basovizza – a.s. aprile-ottobre – ☎ 040.
Roma 678 – Gorizia 54 – •Milano 417 – Rijeka (Fiume) 63 – •Trieste 13.

Motel Valrosandra, NO : 2 km ☎ 226221, Telex 460519, ≤, – ☎ & – 60. AE E VISA. rist
marzo-ottobre – Pas carta 37/56000 – 9500 – **76 cam** 58/92000 – P 90/108000.

a Draga Sant'Elia SO : 4,5 km – ✉ 34012 Basovizza :

Locanda Mario con cam, ☎ 228173, – . E VISA.
Pas *(chiuso martedì)* carta 25/37000 – 5000 – **8 cam** 45000 – P 65000.

PETTENASCO 28028 Novara 219 ⑥ – 1 216 ab. alt. 301 – ☎ 0323.
Roma 663 – •Milano 86 – Novara 48 – Stresa 25 – •Torino 122.

Giardinetto, ☎ 89118, Fax 89483, ≤ lago, riscaldata, – ☎ – 100
marzo-ottobre – Pas 30000 – 10000 – **52 cam** 60/80000 – P 84000.

L'Approdo, ☎ 89346, Fax 89338, ≤, riscaldata, – ☎ – 50. AE E VISA
Pas *(chiuso lunedì da ottobre a marzo)* carta 27/43000 – 10000 – **71 cam** 56/80000 – ½ P 80000.

PFALZEN = Falzes.

PIACENZA 29100 P 988 ⑬ – 104 976 ab. alt. 61 – ☎ 0523.
Vedere Il Gotico★★ (palazzo del comune) B **D** – **Statue equestri★★** B – **Duomo★** B **E.**
(chiuso gennaio e martedì) a Croara di Gazzola ✉ 29010 ☎ 977105, per ④ : 21 km.
piazzetta dei Mercanti 10 ☎ 29324.
A.C.I. via Chiapponi 37 ☎ 35344.
Roma 512 ② – •Bergamo 108 ① – •Brescia 85 ② – •Genova 148 ④ – •Milano 64 ① – •Parma 62 ②.

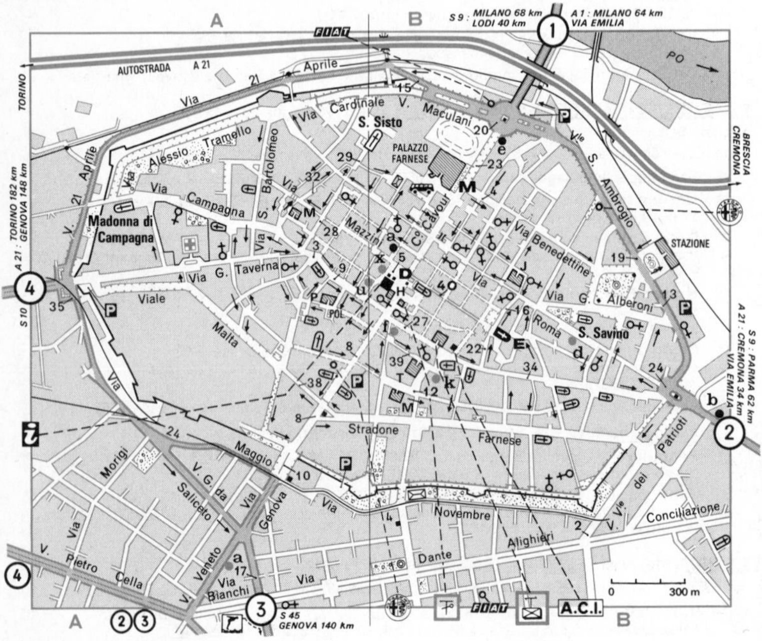

PIACENZA

20 Settembre (Via) . . . . B 40

Belcredi (Via G.) . . . . B 2
Borgo (Piazza) . . . . A 3
Campo della Fiera (Via) . . . . B 4
Cavalli (Piazza dei) . . . . B 5
Emanuele (Corso V.) . . . . A 8
Garibaldi (Corso) . . . . A 9
Genova (Piazzale) . . . . A 10
Giordani (Via P.) . . . . B 12
La Primogenita (Via) . . . . B 13
Legione Zanardi Landi (Via) . . B 15
Legnano (Via) . . . . B 16
Manfredi (Via Giuseppe) . . . . A 17
Marconi (Piazzale) . . . . B 19
Milano (Piazzale) . . . . B 20
Pace (Via) . . . . B 22
Risorgimento (Viale) . . . . B 23
Roma (Piazzale) . . . . B 24
S. Antonino (Via) . . . . B 27
S. Eufemia (Via) . . . . A 28
S. Sisto (Via) . . . . A 29
S. Tommaso (Via) . . . . A 32
Scalabrini (Via) . . . . B 34
Torino (Piazzale) . . . . A 35
Venturini (Via) . . . . A 38
Verdi (Via) . . . . B 39

🏨 **Grande Alb. Roma,** via Cittadella 14 ℰ 23201, Telex 530874, « Rist. con ≼ » – 🛗 🗐 📺 ☎
🍴, 🆎 🛅 🕕 🟢 **VISA** 🍴   B **a**
Pas *(chiuso sabato e dall' 11 al 18 agosto)* carta 37/47000 – 🖵 10000 – **90 cam** 85/115000 –
P 110/130000.

🏨 **Florida,** via Colombo 29 ℰ 28296 – 🛗 🗐 rist 📺 ☎ 🟢 – 🔬 50. 🆎 🛅 🕕 🟢 **VISA** 🍴 rist
Pas carta 26/36000 – 🖵 8000 – **40 cam** 50/72000.   B **b**

🏠 **Milano** senza rist, viale Risorgimento 47 ℰ 36843 – 📺 ☎ 🚗. 🆎 🛅 🟢 **VISA**   B **e**
🖵 6500 – **43 cam** 43/68000.

🍴🍴🍴 ✿✿ **Antica Osteria del Teatro,** via Verdi 16 ℰ 23777 – 🗐. 🆎 🛅 🕕 🟢 🟢   B **f**
chiuso domenica sera, lunedì, dal 1° al 6 gennaio e dal 1° al 25 agosto – Pas carta 52/78000
Spec. Tortelli dei Farnese, Treccia di branzino con timo pomodoro e sale grosso, Costolette d'agnello prèsalè agli
aromi. **Vini** Sauvignon, Gutturnio.

🍴🍴 **Ginetto** , piazza Sant'Antonino 8 ℰ 35785 – 🗐. 🍴   B **k**
chiuso domenica ed agosto – Pas carta 32/45000.

🍴🍴 **Peppino,** via Roma 183 ℰ 29279, prenotare – 🆎 🕕. 🍴   B **d**
chiuso lunedì ed agosto – Pas carta 31/46000.

🍴 **La Palazzina,** via Vittorio Veneto 82 ℰ 72371 – 🗐. 🕕. 🍴   A **a**
chiuso domenica ed agosto – Pas carta 23/31000.

🍴 **Gotico,** piazza dei Cavalli 26 ℰ 21940 – 🗐. 🆎 🛅 🕕 🟢 **VISA**. 🍴   B **x**
chiuso domenica e dal 15 al 30 agosto – Pas carta 26/39000.

     a San Nicolò per ④ : 4 km – ✉ **29010** :

🍴🍴 **La Colonna** ℰ 39343, 🏤 – 🛅 🕕. 🍴
chiuso martedì, dal 4 al 14 gennaio ed agosto – Pas carta 34/53000.

     a Borghetto per ② : 10 km – ✉ **29010** :

🍴 **Osteria di Borghetto,** ℰ 388133 – 🟢.
chiuso la sera (escluso sabato), lunedì, dal 1° al 15 gennaio ed agosto – Pas carta 26/40000.

ALFA-ROMEO via Nova 34 ℰ 384472
ALFA-ROMEO viale Sant'Ambrogio 31 ℰ 34841
BMW piazza Cittadella 15 ℰ 21381
CITROEN via Conciliazione 47 ℰ 67020
FIAT via Emilia Pavese 40/42 per ④ ℰ 42541
FIAT via Rigolli 42/44 ℰ 590414
FIAT via Maculani 42 ℰ 23636
FORD via Emilia Parmense 6 ℰ 62721
GM-OPEL via Bottini 12 ℰ 44347

INNOCENTI via Colombo 93 per ② ℰ 66298
LANCIA-AUTOBIANCHI via Cristoforo Colombo
110/112 per ② ℰ 63200
PEUGEOT-TALBOT via 21 Aprile 82 ℰ 31648
RENAULT via Emilia Parmense 35 ℰ 68255
RENAULT via Caorsana 26/b ℰ 64660
VW-AUDI via Emilia Pavese 168/172 ℰ 41948
VOLVO via Conciliazione 47 ℰ 66732

PIANCAVALLO Pordenone – alt. 1 267 – ✉ **33081** Aviano – a.s. febbraio, 1-15 agosto e Natale –
Sport invernali : 1 267/1 802 m ≰10, 🎿 – 😊 0434.
🅱 ℰ 655191, Telex 450816.
Roma 618 – Belluno 84 – ◆Milano 361 – Pordenone 30 – Treviso 81 – Udine 81 – ◆Venezia 111.

🏨 **Antares,** ℰ 655265, Telex 450897, ≼ – 🛗 📺 ☎ 🚗 🟢 – 🔬 150. 🆎 🛅 🟢 **VISA** 🍴 rist
dicembre-aprile e luglio-agosto – Pas 30000 – 🖵 10000 – 62 cam 60/118000 – P 80/90000,
b.s. 70/80000.

🏠 **Regina,** ℰ 655166, ≼ – 🏤 🟢. 🍴
◆ *chiuso maggio ed ottobre* – Pas carta 16/26000 – 🖵 4500 – **48 cam** 28/37000 – P 42/53000,
b.s. 34/42000.

PIAN D'ALMA Grosseto – Vedere Punta Ala.

PIAN DELL'ARMA Pavia e Piacenza – alt. 1 476 – ✉ **27050** S. Margherita di Staffora – a.s. 15
giugno-agosto – 😊 0383.
Roma 604 – Alessandria 82 – ◆Genova 90 – ◆Milano 118 – Pavia 86 – Piacenza 89.

     a Capannette di Pej SE : 3 km – alt. 1 449 – ✉ **29020** Zerba :

🏠 **Capannette di Pej** 🧴, ℰ (0523) 935129, ≼ – 🟢. **VISA**. 🍴 rist
chiuso novembre – Pas *(chiuso martedì)* carta 22/30000 – 🖵 5500 – **26 cam** 30/45000 –
P 39/46000.

PIAN DELLE BETULLE Como 🗺 ⑩ – Vedere Margno.

PIAN DI NOVELLO Pistoia – Vedere Cutigliano.

PIANELLO DEL LARIO 22010 Como – 1 059 ab. alt. 221 – 😊 0344.
Roma 672 – Chiavenna 39 – Como 45 – ◆Milano 93 – Sondrio 58.

🍴🍴 **Spinnaker,** ℰ 87219, prenotare – 🟢. 🆎 🕕. 🍴
chiuso martedì, mercoledì a mezzogiorno ed ottobre – Pas carta 30/45000.

PIANELLO VAL TIDONE 29010 Piacenza – 2 349 ab. alt. 190 – 🕲 0523.
Roma 547 – ♦Genova 145 – ♦Milano 77 – Pavia 49 – Piacenza 35.

  ✖ **Trattoria Chiarone,** località Chiarone S : 5 km ℰ 99154
  ➡ *chiuso lunedì e luglio* – Pas carta 17/26000.

PIANI Imperia – Vedere Imperia.

PIANIZZA DI SOPRA (OBERPLANITZING) Bolzano 218 ㉘ – Vedere Caldaro.

PIANO D'ARTA Udine – Vedere Arta Terme.

PIANO DI SORRENTO 80063 Napoli – 12 139 ab. – a.s. aprile-settembre – 🕲 081.
Roma 253 – Castellammare di Stabia 15 – ♦Napoli 44 – Salerno 46 – Sorrento 4.

  ✖ **La Tombola,** via delle Rose 42 ℰ 8786177, « Servizio estivo in un aranceto » – 🅿
    chiuso lunedì – Pas carta 20/31000 (10%).

PIANORO 40065 Bologna 988 ⑭ ⑮ – 13 753 ab. alt. 187 – 🕲 051.
Roma 372 – ♦Bologna 14 – ♦Firenze 95.

    a Pianoro Vecchio S : 2 km – ✉ 40060 :

  ✖✖ **La Tortuga,** ℰ 777047, 🎏, Coperti limitati; prenotare – 🅿. 🖭 🕃 ⑨ ⋿
    chiuso a mezzogiorno (escluso domenica), lunedì ed agosto – Pas carta 35/67000.

PIANOSINATICO 51020 Pistoia – alt. 948 – a.s. Pasqua, luglio-agosto e Natale – 🕲 0573.
Roma 352 – ♦Bologna 102 – ♦Firenze 78 – Lucca 56 – ♦Milano 279 – ♦Modena 104 – Pistoia 42.

  🏠 **Quadrifoglio,** ℰ 670029, ≼
    Pas *(chiuso giovedì in bassa stagione)* carta 20/29000 – ⌼ 5000 – **14 cam** 26/33000 –
    P 37/47000.

PIANO ZUCCHI Palermo – Vedere Sicilia alla fine dell'elenco alfabetico.

PIAZZA ARMERINA Enna 988 ㊱ – Vedere Sicilia alla fine dell'elenco alfabetico.

PIAZZATORRE 24010 Bergamo – 494 ab. alt. 868 – a.s. luglio-agosto e Natale – Sport invernali :
868/1 870 m ⋛1 ⋜3 – 🕲 0345.
Roma 650 – ♦Bergamo 49 – Foppolo 31 – ♦Milano 91 – San Pellegrino Terme 24.

  🏨 **Milano,** ℰ 85027, ≼ – ⃞⃗ 🚹 🅿. 🕉 rist
    chiuso ottobre e novembre – Pas carta 26/32000 – ⌼ 5500 – **29 cam** 25/50000 – P 48/58000.

PICCHIAIE Livorno – Vedere Elba (Isola d') : Portoferraio.

PIEGARO 06066 Perugia – 3 647 ab. alt. 356 – 🕲 075.
Roma 156 – ♦Firenze 147 – Orvieto 42 – ♦Perugia 28.

  🏠 **Da Elio,** ℰ 838117 – ⇐ 🅿. 🕉
    Pas *(chiuso lunedì da ottobre a giugno)* carta 21/36000 (10%) – ⌼ 4000 – **28 cam** 35/50000 –
    P 50000.

PIENZA 53026 Siena 988 ⑮ – 2 413 ab. alt. 491 – 🕲 0578.
Vedere Cattedrale★ : Assunzione★★ – Palazzo Piccolomini★.
Roma 188 – Arezzo 61 – Chianciano Terme 22 – ♦Firenze 120 – ♦Perugia 86 – Siena 52.

  🏠 **Corsignano,** ℰ 748501 – ☎ ⇐ 🅿 🖭 🕃 ⋿ 𝘝𝘐𝘚𝘈 🕉
    chiuso dal 10 gennaio al 10 marzo – Pas *(chiuso martedì)* carta 28/38000 – ⌼ 6000 – **36 cam**
    33/55000 – P 58000.

  ✖✖ **Dal Falco,** ℰ 748551 – 🖭 ⑨ 𝘝𝘐𝘚𝘈. 🕉
    chiuso venerdì e novembre – Pas carta 22/28000.

  ✖ **Il Prato,** ℰ 748601 – 🖭 ⑨ 𝘝𝘐𝘚𝘈. 🕉
    chiuso mercoledì e dal 1° al 20 luglio – Pas carta 23/30000 (10%).

PIETRACAMELA 64047 Teramo – 390 ab. alt. 1 005 – a.s. febbraio, Pasqua, 15 luglio-agosto e
Natale – Sport invernali : a Prati di Tivo: 1 450/2 008 m ⋛1 ⋜4 – 🕲 0861.
Roma 174 – L'Aquila 59 – ♦Pescara 78 – Rieti 104 – Teramo 31.

    a Prati di Tivo S : 6 km – alt. 1 450 – ✉ 64047 Pietracamela :

  🏠 **Gran Sasso 3,** ℰ 95639, ≼ – ⊛ ⇐ 🕉
  ➡ Pas carta 19/31000 – ⌼ 7000 – 10 cam 55000 – P 58000, b.s. 50000.

PIETRA LIGURE 17027 Savona 圆圆圆 ⑫ – 10 028 ab. – Stazione balneare – ◎ 019.

🖪 piazza Martiri della Libertà 31 ℰ 645222.

Roma 576 – ♦Genova 77 – Imperia 47 – ♦Milano 200 – Savona 31.

🏛 **Royal**, via Don Bado 129 ℰ 647192, ≤, 🐜 – 🛗 ☎. 🖭 🔂 ⓪ ⋿ 𝘝𝘐𝘚𝘈. ⅝ rist
chiuso dal 16 ottobre al 15 dicembre – Pas 26/35000 – ☱ 5500 – **102 cam** 60/80000 –
P 70/82000.

🏦 **Sartore**, corso Italia 54 ℰ 645757, Telex 275031, ≤, 🐜 – 🛗 ☎. ⅝
aprile-ottobre – Pas 23/27000 – ☱ 9000 – **74 cam** 47/67000 – P 57/72000.

🏦 **Paco**, via Crispi 63 ℰ 645015, 🛴, ⅔ – 🛗 ☜ 🖑 🔄 ❡. 🖭 🔂 ⓪ ⋿ 𝘝𝘐𝘚𝘈. ⅝ rist
aprile-settembre – Pas 26/35000 – ☱ 5500 – **44 cam** 57/78000 – P 70/76000.

🏠 **Miramare**, via Don Bado 75 ℰ 647092 – 🛗 ☎. 🖭 🔂. ⅝
chiuso novembre – Pas 25000 – ☱ 6000 – **22 cam** 38/50000 – P 60000.

🏠 **Azucena**, viale della Repubblica 76 ℰ 645058 – 🛗 ☜ ❡. ⅝
◄ *chiuso ottobre* – Pas *(chiuso martedì)* 16/19000 – ☱ 8000 – **28 cam** 35/55000 – P 45/60000.

PIETRAMALA 50030 Firenze – alt. 851 – ◎ 055.

Roma 344 – ♦Bologna 51 – ♦Firenze 55 – ♦Ravenna 103.

XX **Antica Casa Gualtieri** con cam, ℰ 813418, 🐜 – 🛗 ☜ ❡. 🖭 🔂 ⓪ ⋿ 𝘝𝘐𝘚𝘈. ⅝
chiuso dal 7 gennaio al 20 febbraio – Pas *(chiuso martedì)* carta 27/46000 – ☱ 7000 – **16 cam**
60/80000 – P 60/75000.

*Entrez à l'hôtel ou au restaurant le Guide à la main,
vous montrerez ainsi qu'il vous conduit là en confiance.*

PIETRASANTA (Marina di) 55044 Lucca 圆圆圆 ⑭ – Stazione balneare, a.s. febbraio, Pasqua,
15 giugno-15 settembre e Natale – ◎ 0584.

🖪 a Tonfano, via Donizetti 14 ℰ 20331.

Roma 378 – ♦Firenze 104 – ♦Livorno 54 – Lucca 34 – Massa 18 – ♦Milano 246 – Pisa 35 – ♦La Spezia 46.

🏛 **Palazzo della Spiaggia**, a Focette, viale della Libertà 2 ℰ 21195, Telex 501383, ≤, « Giardino
fiorito con 🛴 », 🐜 – 🛗 📺 ☎ ❡ – 🔏 40. 🖭 🔂 ⓪ ⋿ 𝘝𝘐𝘚𝘈. ⅝ rist
maggio-15 ottobre – Pas 45000 – ☱ 15000 – **60 cam** 150/220000 – P 195000, b.s. 150000.

🏛 **Lombardi**, a Fiumetto, viale Roma 27 ℰ 20431, Fax 20431, ≤, « Giardino con 🛴 riscaldata »,
🐜, ⅔ – 🛗 ☎ ❡. ⅝ rist
15 maggio-25 settembre – Pas (solo per clienti alloggiati) 36/42000 – ☱ 14000 – 41 cam
108/155000 – P 126/146000, b.s. 89/109000.

🏛 **Ermione**, a Tonfano, viale Roma 183 ℰ 20652, ≤, 🍴, « Giardino con 🛴 riscaldata », 🐜 –
🛗 🔲 📺 ❡. 🖭 🔂 ⓪ ⋿ 𝘝𝘐𝘚𝘈. ⅝ rist
24 maggio-settembre – Pas (solo per clienti alloggiati) 30/35000 – ☱ 12000 – **38 cam**
100/180000 – P 80/150000, b.s. 75/100000.

🏦 **Battelli**, a Motrone, viale Versilia 189 ℰ 20010, « Giardino ombreggiato », 🐜, ⅔ – 🛗 ☜
➡ ❡. ⅝
15 maggio-settembre – Pas carta 38/45000 – ☱ 11000 – 38 cam 57/85000 – P 90/98000,
b.s. 68/75000.

🏦 **Esplanade**, a Tonfano, viale Roma 235 ℰ 21151, ≤ – 🛗 🔲 ☜ ❡. 🖭 🔂 ⓪ ⋿ 𝘝𝘐𝘚𝘈. ⅝
chiuso da novembre al 15 gennaio – Pas 25/35000 – ☱ 7000 – **30 cam** 77000, 🔲 5000 –
P 72/92000, b.s. 58/68000.

🏦 **Joseph**, a Motrone, viale Roma 323 ℰ 22662, ≤, 🐜 – 🛗 🔲 ☜ ❡. ⅝ rist
maggio-settembre – Pas (solo per clienti alloggiati) 25/35000 – ☱ 10000 – **34 cam** 55/80000,
🔲 10000 – P 65/95000, b.s. 45/65000.

🏦 **Venezia** 🦢, a Motrone, via Firenze 48 ℰ 20731, 🐜 – 🛗 ☜ ❡. 🔂 ⓪ ⋿ 𝘝𝘐𝘚𝘈. ⅝
15 maggio-settembre – Pas (solo per clienti alloggiati) 20/25000 – ☱ 6000 – 34 cam 52/77000
– P 80/90000, b.s. 62/70000.

🏠 **I Tamerici**, a Fiumetto, via Don Bosco 31 ℰ 20335, 🐜 – ☎ ❡. 🖭 🔂 ⓪ ⋿ 𝘝𝘐𝘚𝘈. ⅝ rist
Pas *(chiuso lunedì a mezzogiorno)* 30/35000 – ☱ 8000 – **19 cam** 45/70000 – P 70/85000,
b.s. 50/60000.

🏠 **Coluccini**, a Fiumetto, piazza D'Annunzio 13 ℰ 23244, 🐜 – ☜ ❡. ⅝ rist
Pas 32000 – ☱ 6000 – 22 cam 45/75000 – P 60/80000, b.s. 45/60000.

🏠 **Grande Italia** 🦢, a Tonfano, via Torino 5 ℰ 20046, 🍴, 🐜 – ❡. ⅝
giugno-14 settembre – Pas 20/25000 – ☱ 6000 – **24 cam** 37/60000 – P 53/68000, b.s. 40/48000.

PIETRELCINA 82020 Benevento – 3 031 ab. alt. 345 – ◎ 0824.

Roma 253 – Benevento 13 – ♦Foggia 109.

🏦 **Lombardi**, ℰ 991206 – 🔲 cam 📺 ☎ ➡ ❡. 🖭 ⓪ 𝘝𝘐𝘚𝘈. ⅝
Pas *(chiuso martedì)* carta 27/29000 (10%) – ☱ 5000 – 26 cam 40/79000 – P 60000.

PIEVALLE (BEWALLER) Bolzano – Vedere San Floriano.

PIEVE A NIEVOLE Pistoia – Vedere Montecatini Terme.

PIEVE D'ALPAGO 32010 Belluno – 2 066 ab. alt. 690 – ✪ 0437.

Roma 608 – Belluno 17 – Cortina d'Ampezzo 72 – ◆Milano 346 – Treviso 67 – ◆Venezia 96.

XXX ⊛ **Dolada** ⬤ con cam, a Plois ✗ 479141, ⪕, prenotare, ⊞ – ▧ ☎ ℗. 亜. ✛ cam
   chiuso dal 9 gennaio al 3 febbraio – Pas *(chiuso lunedì escluso luglio-agosto)* carta 40/60000
   – ⊡ 15000 – **6 cam** 60/90000 – P 85/90000
   Spec. Lumache alla paesana, Saracene (pasta) alle verze e fonduta di formaggio (autunno-inverno), Petto d'anitra all'aceto di lamponi.

X **Beyrouth** ⬤ con cam, a Torres ✗ 478056, ⊞ – ▧ ℗
   chiuso ottobre – Pas *(chiuso lunedì)* carta 21/33000 – ⊡ 5000 – **20 cam** 34/55000 – P 42/45000.

PIEVE DI CADORE 32044 Belluno 団団団 ⑤ – 4 124 ab. alt. 878 – Stazione di villeggiatura, a.s.
15 luglio-agosto e Natale – Sport invernali : 878/1 400 m ⥋2 – ✪ 0435 – Vedere Guida Verde.
🛈 via 20 Settembre 18 ✗ 2234.

Roma 644 – Auronzo di Cadore 19 – Belluno 43 – Cortina d'Ampezzo 30 – ◆Milano 386 – Udine 143 – ◆Venezia 133.

🏠 **Sole,** ✗ 32118 – ▧ ⥤ ▧ ☎ ⇦ ℗. ᴇ ￼. ✛
   Pas carta 21/34000 – **30 cam** ⊡ 42/70000 – P 60/70000, b.s. 45/50000.

🏠 **Giardino,** ✗ 33141 – ☎ ℗. ⓞ. ✛
   Pas *(chiuso domenica e giugno)* carta 22/33000 – ⊡ 6000 – **24 cam** 33/56000 – P 48/58000,
   b.s. 38/48000.

a Pozzale O : 2 km – alt. 1 054 – ✉ **32040** :

XX **La Pausa,** a Col Contras ✗ 30080, ⪕ monti e lago, ⌂, Coperti limitati; prenotare – ℗
   dicembre-marzo e 20 giugno-15 settembre – Pas carta 28/44000.

Vedere anche : *Tai di Cadore* SO : 1,5 km.

PIEVE DI CENTO 40066 Bologna – 6 582 ab. alt. 14 – ✪ 051.

Roma 408 – ◆Bologna 31 – ◆Ferrara 37 – ◆Milano 209 – ◆Modena 39 – ◆Padova 105.

XX **Il Caimano,** via Campanini 14 ✗ 974403 – ▤. ▨ ⓞ ᴇ ￼. ✛
   chiuso lunedì ed agosto – Pas carta 23/31000.

PIEVE DI LIVINALLONGO 32020 Belluno – alt. 1 475 – a.s. 15 febbraio-15 aprile, 15 luglio-agosto
e Natale – ✪ 0436.

Roma 716 – Belluno 68 – Cortina d'Ampezzo 29 – ◆Milano 373 – Passo del Pordoi 17 – ◆Venezia 174.

🏠 **Villa Padon** ⬤, ✗ 7109, ⪕ monti e pinete – ☜ ⇦ ℗. 亜 ￼. ✛ rist
➡ *chiuso novembre* – Pas carta 19/25000 – ⊡ 6500 – **12 cam** 24/40000 – ½ P 38/43000,
   b.s. 35/40000.

PIEVE DI SOLIGO 31053 Treviso 団団団 ⑤ – 9 191 ab. alt. 132 – ✪ 0438.

Roma 579 – Belluno 42 – ◆Milano 318 – Trento 124 – Treviso 31 – Udine 95 – ◆Venezia 68.

a Solighetto N : 2 km – ✉ **31050** :

🏠 **Loris** ⬤, O : 2 km ✗ 82880, ⊞ – ▧ ☜ ℗ – 🏋 150. ⓞ ￼. ✛
   Pas carta 28/37000 – ⊡ 7000 – 17 cam 35/50000 – P 63000.

XX **Da Lino** con cam, ✗ 82150 – ▤ ▧ ☜ ⓕ ℗. 亜 ⓞ ᴇ ￼. ✛ cam
   chiuso luglio – Pas *(chiuso lunedì)* carta 28/40000 – ⊡ 7000 – **10 cam** 42000.

PIEVE LIGURE 16030 Genova – 2 718 ab. – ✪ 010.

Roma 490 – ◆Genova 14 – ◆Milano 151 – Portofino 22 – ◆La Spezia 93.

X **Picco,** a Pieve Alta N : 2,5 km ✗ 3460234, « Servizio estivo in terrazza con ⪕ mare e costa »
   – ℗. ▨ ᴇ ￼
   chiuso martedì e dal 25 gennaio al 5 febbraio – Pas carta 23/36000.

PIEVEPELAGO 41027 Modena 団団団 ⑭ – 2 231 ab. alt. 781 – a.s. 15 luglio-agosto e Natale –
✪ 0536 – Roma 373 – ◆Bologna 100 – Lucca 77 – Massa 97 – ◆Milano 259 – ◆Modena 84 – Pistoia 63.

🏠 **Bucaneve,** ✗ 71383 – ℗. ✛
➡ *chiuso dal 15 al 30 settembre* – Pas *(chiuso martedì)* carta 19/28000 – ⊡ 3500 – **16 cam**
   27/49000 – P 42/49000, b.s. 36/43000.

PIEVE SANTO STEFANO Lucca – Vedere Lucca.

PIGNA 18037 Imperia 団団団 ⑫, 囗囗囗 ⑱, 囗囗 ⑳ – 1 140 ab. alt. 280 – ✪ 0184.

Roma 673 – ◆Genova 174 – Imperia 60 – ◆Milano 297 – San Remo 34 – Ventimiglia 21.

X **Terme** ⬤ con cam, SE : 0,5 km ✗ 201046 – ℗
   chiuso dal 10 gennaio al 10 febbraio – Pas carta 25/40000 – ⊡ 5000 – **17 cam** 20/38000 –
   P 48000.

X **La Pigna d'Oro,** ✗ 201021 – ▨. ✛
   chiuso giovedì – Pas carta 22/40000.

Vedere anche : *Melosa (Colle della)* NE : 20 km.

PILA Aosta 2️⃣1️⃣9️⃣ ⑫, 7️⃣4️⃣ ⑳ – Vedere Aosta.

PILA 13020 Vercelli 2️⃣1️⃣9️⃣ ⑤ – 119 ab. alt. 686 – ✆ 0163.
Roma 696 – ◆Milano 122 – Novara 76 – Vercelli 82.

  ✕ **Trattoria della Pace,** ✆ 71144 – 🦌
  ◆ *chiuso martedì* – Pas carta 18/30000.

PILASTRO 43010 Parma – alt. 176 – a.s. luglio e agosto – ✆ 0521.
Roma 473 – ◆Milano 137 – ◆Parma 15 – Reggio nell'Emilia 36 – ◆La Spezia 113.

  ✕ **Ai Tigli** con cam, ✆ 639006, 🍹, 🐎 – ᕦ 🍽 rist 🅿 🅿. 🆅🆂🅰. 🦌 cam
    chiuso agosto – Pas *(chiuso lunedì)* carta 33/48000 – 🖙 5000 – **7 cam** 45/90000 – P 60000.

PILZONE 25040 Brescia – alt. 195 – a.s. Pasqua e luglio-15 settembre – ✆ 030.
Roma 583 – ◆Bergamo 41 – ◆Brescia 25 – Edolo 75 – Iseo 2 – ◆Milano 82.

  ✕✕ **La Fenice,** ✆ 981565, Coperti limitati; prenotare – 🆅🆂🅰
    chiuso giovedì, Natale e dal 15 al 31 agosto – Pas carta 40/56000 (12%).

PINARELLA Ravenna – Vedere Cervia.

PINEROLO 10064 Torino 9️⃣8️⃣8️⃣ ⑫, 7️⃣7️⃣ ⑳ – 36 114 ab. alt. 376 – ✆ 0121.
Roma 694 – Asti 80 – Cuneo 63 – ◆Milano 185 – Sestriere 55 – ◆Torino 38.

  🏠 **Regina,** piazza Barbieri 22 ✆ 22157 – 🕸 🅿
    chiuso dal 5 al 20 agosto – Pas *(chiuso domenica sera e lunedì)* carta 23/38000 – 🖙 7000 –
    15 cam 55/68000 – P 63/75000.

  ✕✕ Taverna degli Acaia, corso Torino 106 ✆ 794727, prenotare – 🍽.

  ✕✕ **Al Carbonaro,** corso Torino 147 ✆ 72480 – ᕦ 🍽 🅿. 🅰🅴 🅾. 🦌
    chiuso martedì – Pas carta 30/45000.

  Vedere anche : **Osasco** S : 5 km.

FIAT corso Torino 344 ✆ 70248   INNOCENTI via Saluzzo 54 ✆ 22681
FORD via Pinerolo 7 ✆ 52233   RENAULT via Carlo Demo 20 ✆ 793620
GM-OPEL via Saluzzo 137 ✆ 793173

PINETO 64025 Teramo 9️⃣8️⃣8️⃣ ⑰㉗ – 11 446 ab. – Stazione balneare, a.s. luglio e agosto – ✆ 085.
🛈 viale D'Annunzio 129 ✆ 9491745, Telex 401342.
Roma 216 – ◆Ancona 136 – L'Aquila 101 – ◆Pescara 21 – Teramo 37.

  🏠 **Astoria,** via De Gasperi 1 ✆ 9490460, 🏖 – 📶 🍽 🕸 🅿. 🦌
    giugno-settembre – Pas (solo per clienti alloggiati) – 🖙 6000 – **30 cam** 68000, 🍽 5000 –
    P 48/70000, b.s. 38/48000.

  🏠 **Residence,** viale D'Annunzio 207 ✆ 9490404, « Giardino ombreggiato », 🏖 – 📶 🕸 🅿. 🅰🅴
    🅾 🆅🆂🅰. 🦌 rist
    giugno-15 settembre – Pas 20/30000 – **52 cam** 🖙 40/65000 – P 50/65000, b.s. 40000.

  🏠 **Rendez-Vous,** viale D'Annunzio 199 ✆ 9490679, 🏖, 🐎 – 📶 🕸 🅿
  ◆ *maggio-settembre* – Pas 15/20000 – 🖙 5000 – 65 cam 20/40000 – P 45/60000, b.s./40000.

  🏠 **Corfù,** via Michetti ✆ 9490482, 🏖 – 📶 🍽 🕸 🅿. 🅰🅴 🆅🆂🅰. 🦌
  ◆ *giugno-settembre* – Pas 19/25000 – 🖙 7000 – **51 cam** 45/65000 – P 50/65000, b.s. 40/45000.

  🏠 **Italia,** piazza Marconi 5 ✆ 9491794, 🏖 – 🕸. 🦌 rist
  ◆ *giugno-settembre* – Pas carta 19/31000 – 🖙 5500 – **25 cam** 40/60000 – P 41/60000,
    b.s. 32/34000.

  ✕✕ **Pier delle Vigne,** a Borgo Santa Maria O : 2 km ✆ 9491071, 🌿, « In campagna » – 🅿. 🦌
    chiuso martedì e dal 10 gennaio al 10 febbraio – Pas carta 24/36000.

PINO TORINESE 10025 Torino – 8 271 ab. alt. 495 – ✆ 011.
Dintorni ᕦ✱✱ su Torino dalla strada per Superga.
Roma 655 – Asti 41 – Chieri 6 – ◆Milano 149 – ◆Torino 10 – Vercelli 79.

Pianta d'insieme di Torino (Torino p. 3)

  ✕✕✕ **Pigna d'Oro,** via Roma 130 ✆ 841019, « Servizio estivo in terrazza » – 🅿. 🅰🅴 🕸 🅾 🅴 🆅🆂🅰
    chiuso lunedì e gennaio – Pas carta 32/52000.   HT **t**

  ✕✕ La Griglia, via Roma 77 ✆ 841450   HT **p**

Les hôtels ou restaurants agréables sont indiqués
dans le guide par un signe rouge.
Aidez-nous en nous signalant les maisons où, par expérience,
vous savez qu'il fait bon vivre.
Votre guide Michelin sera encore meilleur.

🏨 ⋯ 🏠

✕✕✕✕ ⋯ ✕

PINZOLO 38086 Trento 988 ④ – 2 993 ab. alt. 770 – Stazione di villeggiatura, a.s. febbraio-15 marzo, Pasqua e Natale – Sport invernali : 770/2 092 m ≰1 ≰6, ⫞ – ☺ 0465.

Dintorni Val di Genova*** Ovest – Cascata di Nardis** O : 6,5 km.

🛈 via al Sole ℰ 51007, Telex 401342.

Roma 629 – ◆Bolzano 103 – ◆Brescia 103 – Madonna di Campiglio 14 – ◆Milano 194 – Trento 59.

🏠 **Valgenova,** ℰ 51542, ≤, ▨ – 🛗 🗐 rist ☎ 🚗 🅿. 🕮 🗉 🆅🆂🅰. 🛥
5 dicembre-25 aprile e 15 giugno-20 settembre – Pas 25000 – ⊑ 8000 – 50 cam 50/80000 – P 63/100000, b.s. 55/70000.

🏠 **Pinzolo Dolomiti,** ℰ 51024 – 🛗 ⇎ 🐝 🅿. 🕮 🗈 ① 🗉 🆅🆂🅰. 🛥
chiuso maggio, ottobre e novembre – Pas 20/30000 – ⊑ 10000 – **44 cam** 50/90000 – P 55/95000, b.s. 50/80000.

🏠 **Europeo,** ℰ 51115, ≤, 🛋 – 🛗 🐝 ⅙ 🚗 🅿. 🗈 🗉 🆅🆂🅰. 🛥
chiuso ottobre e novembre – Pas (chiuso maggio) 30/35000 – ⊑ 15000 – **41 cam** 65/110000 – P 95/115000, b.s. 55/70000.

🏠 **Bepy Hotel** senza rist, S : 1 km ℰ 51641, ≤ – 🛗 📺 🐝 🅿. 🛥
dicembre-aprile e 25 giugno-settembre – **22 cam** ⊑ 36/70000.

🏠 **Corona,** ℰ 51030 – 🛗 🐝 🅿. 🕮 🗉 🆅🆂🅰. 🛥 rist
chiuso maggio – Pas (chiuso giovedì) 20/22000 – ⊑ 10000 – **45 cam** 47/81000 – P 60/78000, b.s. 50/60000.

🏠 **Beverly,** ℰ 51158, ≤ – 🅿. 🕮. 🛥
◆ chiuso maggio e novembre – Pas (chiuso martedì) 16000 – ⊑ 4000 – **25 cam** 22/40000 – P 50/60000, b.s. 38/48000.

🏠 **Ai Mughi,** ℰ 51242 – 🛗 🅿. 🛥
◆ 16 novembre-25 aprile e giugno-25 settembre – Pas 18/20000 – ⊑ 6000 – **20 cam** 37/64000 – P 49/60000, b.s. 49/54000.

XX Mildas, ℰ 52104.

X **Shangri Là,** ℰ 51443 – 🅿. 🕮 🗈 🗉 🆅🆂🅰. 🛥
chiuso lunedì e novembre – Pas carta 26/47000.

a Sant'Antonio di Mavignola NE : 5 km – alt. 1 122 – ✉ 38080 :

XX **Prima o Poi,** ℰ 57175, Coperti limitati; prenotare – 🅿. 🕮 🗈 ① 🗉 🆅🆂🅰
chiuso mercoledì e giugno – Pas carta 31/45000.

Vedere anche : **Val di Genova** NO : 7 km.

PIOBBICO 61046 Pesaro e Urbino 988 ⑮ – 2 001 ab. alt. 334 – a.s. luglio e agosto – ☺ 0722.

Roma 268 – ◆Ancona 117 – Arezzo 81 – ◆Perugia 91 – Pesaro 72 – San Marino 79 – Urbino 32.

🏠 **Trota Blu,** ℰ 9209 – 🗐 rist 📺 🐝 🅿. 🕮 ① 🆅🆂🅰
chiuso dal 20 gennaio al 10 marzo – Pas carta 20/27000 (10%) – ⊑ 5000 – **49 cam** 36/50000 – P 50000.

PIODE 13020 Vercelli 219 ⑤ – 183 ab. alt. 752 – ☺ 0163.

Roma 699 – ◆Milano 125 – Novara 79 – ◆Torino 141 – Varallo 20 – Vercelli 85.

XX **Giardini,** ℰ 71157 – 🗈. 🛥
chiuso lunedì e dal 7 al 20 settembre – Pas carta 28/39000.

XX **Dei Pescatori** con cam, ℰ 71156 – 🛗 🅿. 🕮 🗈. 🛥
chiuso dal 7 al 21 gennaio e dal 1° al 15 giugno – Pas (chiuso martedì) carta 21/36000 – ⊑ 3500 – **18 cam** 27/48000 – P 45/50000.

X **Da Ermanno,** località Riale ℰ 71677, prenotare – 🕮 🗈 ① 🗉 🆅🆂🅰. 🛥
chiuso mercoledì – Pas carta 23/37000.

PIODINA 219 ⑦ – Vedere Cantone Ticino (Brissago) alla fine dell'elenco alfabetico.

PIOMBINO 57025 Livorno 988 ⑭㉔ – 38 142 ab. – a.s. 15 giugno-15 settembre – ☺ 0565.
Escursioni Isola d'Elba*.

🚢 per l'Isola d'Elba-Portoferraio giornalieri (1 h) – Navarma-agenzia Mirello Viegi, piazzale Premuda 13 ℰ 33032, Telex 500293; per l'Isola d'Elba-Portoferraio (1 h) e l'Isola d'Elba-Rio Marina-Porto Azzurro (1 h 20 mn), giornalieri – Toremar-agenzia Dini e Miele, piazzale Premuda 13/14 ℰ 31100, Telex 590387.

Roma 264 – ◆Firenze 161 – Grosseto 77 – ◆Livorno 82 – ◆Milano 375 – Pisa 101 – Siena 114.

🏠 **Centrale,** piazza Verdi 2 ℰ 32581 – 🛗 🗐 📺 🐝 ⅙. 🗈 ① 🗉 🆅🆂🅰. 🛥
Pas vedere rist Centrale – ⊑ 9000 – **38 cam** 75/120000.

🏠 **Collodi** senza rist, via Collodi 7 ℰ 34272 – 🛗 ☎. 🗈 🆅🆂🅰. 🛥
⊑ 8000 – **27 cam** 45/60000.

XX **Centrale,** piazza Edison 2 ℰ 36466 – 🗐. 🗈 ① 🗉 🆅🆂🅰. 🛥
chiuso sabato, domenica e dal 22 dicembre al 7 gennaio – Pas carta 30/48000 (10%).

XX **La Vecchia Marina,** via Salivoli 20 ℰ 41330, ≤, 🛋 – 🕮 🗈 ① 🗉 🆅🆂🅰. 🛥
chiuso lunedì e dal 15 settembre al 15 ottobre – Pas carta 27/41000 (10%).

a Baratti NO : 11,5 km – ⊠ **57020** Populonia :

✗ Demos, ℰ 29519, ⇐ – **ⓟ**.

ALFA-ROMEO località Montecastelli 14 ℰ 34104
FIAT viale Unità d'Italia 37 ℰ 36541
FORD piazza Costituzione 54/56 ℰ 33017

LANCIA-AUTOBIANCHI via Buozzi 14 ℰ 33136
VW-AUDI via Torino 4/6 b ℰ 33090

PIOPPI **84060** Salerno – a.s. luglio e agosto – ◉ 0974.

Dintorni Rovine di Velia★ SE : 10 km.

Roma 350 – Acciaroli 7 – ◆Napoli 144 – Salerno 98 – Sapri 108.

🏠 **La Vela e Rist. Il Grigliaro,** ℰ 905025, ⇐, « Servizio rist. estivo sotto un pergolato », 🐾,
✗ – 🖨 **ⓟ**. ⁂
chiuso dall'8 novembre all'8 febbraio – Pas carta 20/30000 (10%) – ⊊ 5500 – **42 cam** 27/48000
– P 64/72000, b.s. 48/54000.

PIOVEZZANO Verona – Vedere Pastrengo.

PISA 56100 🅿 🄳🄱🄱 ⑭ – 103 527 ab. alt. 4 – ◉ 050.

Vedere Torre Pendente★★★ AY **V** – Battistero★★★ AY **R** – Duomo★★ AY : facciata★★★, pulpito★★★
di Giovanni Pisano – Camposanto★★ AY **S** : affresco★★★ del Trionfo della Morte – Museo Nazio-
nale★★ BZ **M2** – Chiesa di Santa Maria della Spina★★ AZ – Palazzo Agostini★ ABY **Z** – Piazza dei
Cavalieri★ AY : facciata★ del palazzo dei Cavalieri ABY **F** – Museo delle Sinopie★ AY **M1** – Facciata★
della chiesa di Santa Caterina BY **E** – Facciata★ della chiesa di San Michele in Borgo BY **L** – Coro★
della chiesa del Santo Sepolcro BZ **Q** – Facciata★ della chiesa di San Paolo a Ripa d'Arno AZ **D**.

Dintorni San Piero a Grado★ per ⑤ : 6 km.

✈ Galileo Galilei S : 3 km BZ ℰ 28088 – Alitalia, via Corridoni (piazza Stazione) ℰ 48027.

🚉 piazza del Duomo ℰ 560464.

A.C.I. via San Martino 1 ℰ 47333.

Roma 335 ③ – ◆Firenze 77 ③ – ◆Livorno 22 ⑤ – ◆Milano 275 ① – ◆La Spezia 75 ①.

Pianta pagina seguente

🏨 **Cavalieri,** piazza Stazione 2 ℰ 43290, Telex 590663, Fax 502242 – 🛗 🗐 📺 ☎ – 🔺 30 a 200.
🄰🄴 🖨 ⓞ 🄴 𝘝𝘐𝘚𝘈. ⁂ rist
AZ **a**
Pas carta 58/90000 – ⊊ 17500 – **100 cam** 175/251000 appartamenti 480/578000 – P 301000.

🏨 **Gd H. Duomo,** via Santa Maria 94 ℰ 561894, Telex 590039, Fax 560418 – 🛗 🗐 📺 ☎ – 🔺
80. 🄰🄴 🖨 ⓞ 🄴 𝘝𝘐𝘚𝘈. ⁂ rist
AY **c**
Pas carta 30/50000 – ⊊ 15000 – **94 cam** 120/165000 – P 130/165000.

🏨 **D'Azeglio** senza rist, piazza Vittorio Emanuele II n° 18 ℰ 500310, Telex 590092 – 🛗 🗐 📺 ☎.
🄰🄴 🖨 ⓞ 🄴 𝘝𝘐𝘚𝘈
AZ **u**
⊊ 10000 – **29 cam** 130/170000.

🏨 **Roma,** senza rist, via Bonanno Pisano 111 ℰ 502532 – 🛗 🖇 **ⓟ** – **27 cam**.
AY **t**

🏨 **Terminus** senza rist, via Colombo 45 ℰ 45043 – 🛗 🖇. 🄰🄴 🖨 ⓞ 🄴 𝘝𝘐𝘚𝘈
BZ **z**
⊊ 8000 – **52 cam** 65/85000.

🏨 **Touring** senza rist, via Puccini 24 ℰ 49593 – 🛗 📺 🖇. 🄰🄴 🖨 ⓞ 🄴 𝘝𝘐𝘚𝘈
AZ **x**
⊊ 8000 – **34 cam** 53/74000.

🏨 **Ariston** senza rist, via Maffi 42 ℰ 561834 – 🖇 🔥. 🄰🄴 🖨 ⓞ 🄴 𝘝𝘐𝘚𝘈
AY **b**
⊊ 7000 – **33 cam** 50/70000.

XXX ◈ **Sergio,** lungarno Pacinotti 1 ℰ 48245 – 🗐. 🄰🄴 🖨 ⓞ 🄴 𝘝𝘐𝘚𝘈. ⁂
BY **r**
chiuso domenica, lunedì a mezzogiorno, dal 15 al 31 gennaio e dal 15 al 31 luglio – Pas
carta 45/75000
Spec. Fantasia del Tirreno, Tagliatelline con totani e salsa di borragine, Misto pesce alle erbe, Petto di faraona al
Brunello. **Vini** Chardonnay, Chianti.

XX ◈ **Al Ristoro dei Vecchi Macelli,** via Volturno 49 ℰ 20424, Coperti limitati; prenotare – 🗐.
🄰🄴 ⓞ 𝘝𝘐𝘚𝘈. ⁂
AYZ **s**
chiuso domenica a mezzogiorno, mercoledì, dal 1° all'8 gennaio e dal 10 al 24 agosto – Pas
carta 42/68000 (10%)
Spec. Gamberi al vapore con crema di basilico, Ravioli con salsiccia e cavolfiore (inverno), Petto d'anitra con
crema di verdure. **Vini** Pinot bianco, Chianti.

XX **Emilio,** via Roma 28 ℰ 26028 – 🍴⇐ 🗐. 🄰🄴 🖨 ⓞ 🄴 𝘝𝘐𝘚𝘈
AY **g**
chiuso lunedì – Pas carta 23/35000 (12%).

XX **Il Nuraghe,** via Mazzini 58 ℰ 44368, Rist. con specialità sarde – 🄰🄴 🖨 ⓞ 🄴 𝘝𝘐𝘚𝘈. ⁂
AZ **b**
chiuso lunedì – Pas carta 26/44000.

X **Da Bruno,** via Bianchi 12 ℰ 560818 – 🍴⇐ 🗐. 🄰🄴 🖨 ⓞ 🄴 𝘝𝘐𝘚𝘈
BY **z**
chiuso lunedì sera, martedì e dal 5 al 18 agosto – Pas carta 28/39000 (12%).

X **Da Cucciolo,** via San Bernardo 9 ℰ 29435 – 🄰🄴 🖨 𝘝𝘐𝘚𝘈
BZ **a**
chiuso domenica e lunedì sera – Pas carta 26/41000.

a Madonna dell'Acqua per ① : 4,5 km – ⊠ **56010** Arena Metato :

X **Da Inaco,** ℰ 890720 – **ⓟ**. 🄰🄴. ⁂
chiuso mercoledì e dal 25 giugno al 15 luglio – Pas carta 29/45000.

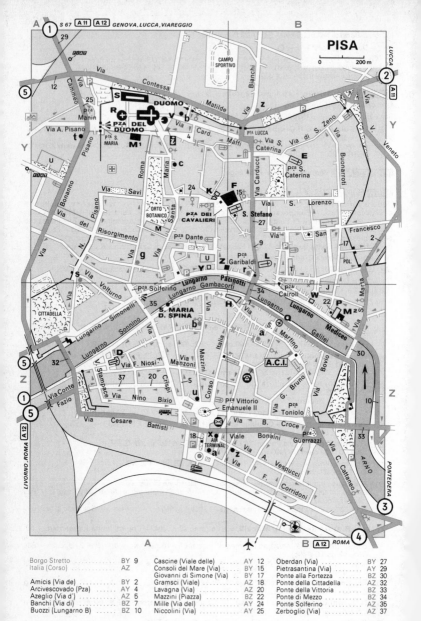

PISA

S 67 A 11 A 12 GENOVA, LUCCA, VIAREGGIO

LUCCA A 11

0   200 m

LIVORNO, ROMA A 12

PONTEDERA

B A 12 ROMA

a Metato per ① : 6 km – ⊠ **56010** Arena Metato :

✕ **Girarrosto-la Botte,** ℰ 810282 – **℗**. ⋘
chiuso lunedì e dal 15 luglio al 15 agosto – Pas carta 23/37000.

sulla strada statale 206 per ④ : 10 km :

✕ **Da Antonio,** località Arnaccio ⊠ 56023 Navacchio ℰ 742494 – **℗**. Æ ⑧ VISA. ⋘
chiuso venerdì e dal 15 luglio al 9 agosto – Pas carta 25/40000.

436

MICHELIN, ad Ospedaletto per ④, via Barsanti 5/7 – ✉ 56014 Ospedaletto di Pisa, ✆ 981261.

ALFA-ROMEO ad Ospedaletto, via Richi 2 per ④ ✆ 983331
BMW via San Francesco 1 ✆ 45093
FIAT via Diotisalvi 5 ✆ 20597
FIAT via Pietrasantina 14 ✆ 598076
FORD via Vecchia Barbaricina 15 ✆ 562055
GM-OPEL via Tosco Romagnola 208 ✆ 982575
INNOCENTI via San Marco 15 ✆ 502777
LANCIA-AUTOBIANCHI a San Giuliano Terme, località La Fontina per ② ✆ 879097

MERCEDES-BENZ ad Ospedaletto, via Galileo Ferraris 1 ✆ 983203
PEUGEOT-TALBOT via del Brennero 1 ✆ 24671
RENAULT via Monterosa 1 ✆ 982325
RENAULT a Madonna dell'Acqua, via Aurelia Nord 23 ✆ 891037
VW-AUDI via Carducci 25, località La Fontina ✆ 879189
VOLVO via Pietrasantina 26 ✆ 562777

PISA (Marina di) 56013 Pisa 𝟗𝟖𝟖 ⑭ – a.s. luglio e agosto – ⊙ 050.
Roma 346 – ♦Firenze 103 – ♦Livorno 16 – Pisa 11 – Viareggio 31.

XX **La Taverna dei Gabbiani,** via Crosio 2 ✆ 35704, Coperti limitati; prenotare
   chiuso a mezzogiorno e domenica – Pas carta 28/40000.

X **L'Arsella,** via Padre Agostino ✆ 36615, ≼, 🐜ₒ – ஊ. ፠
   chiuso martedì sera, mercoledì e dall'11 gennaio al 27 febbraio – Pas (solo piatti di pesce)
   carta 22/44000 (10%).

X La Foce, viale Gabriele D'Annunzio 258 ✆ 36723, ≼, « Servizio estivo in terrazza » – ℗.

PISANO Novara 𝟮𝟭𝟵 ⑥⑦ – Vedere Meina.

PISTICCI 75015 Matera 𝟗𝟖𝟖 ㉙ – 18 043 ab. alt. 364 – ⊙ 0835.
Roma 452 – ♦Bari 110 – Matera 49 – Potenza 93 – ♦Taranto 77.

   sulla strada statale 407 N : 9 km :

🏠 **MotelAgip,** ✉ 75010 Pisticci Scalo ✆ 462007 – 🍴 🕿 ℗. ஊ 🅗 ⓞ Ε 𝘝𝘐𝘚𝘈. ፠ rist
   Pas *(chiuso lunedì)* 26000 – ⊊ 11000 – **64 cam** 46/72000 – P 98/107000.

PISTOIA 51100 𝗣 𝟗𝟖𝟖 ⑭ – 90 505 ab. alt. 65 – ⊙ 0573.
Vedere Duomo* A : dossale di San Jacopo*** – Battistero* B B – Chiesa di Sant'Andrea* B : pulpito** di Giovanni Pisano – Fregio** dell'Ospedale del Ceppo B – Visitazione** (terracotta invetriata di Luca della Robbia), pulpito* e fianco Nord* della chiesa di San Giovanni Fuorcivitas B D – Facciata* del palazzo del comune B H – Pulpito* nella chiesa di San Bartolomeo in Pantano B A.

🛈 piazza del Duomo (Palazzo dei Vescovi) ✆ 21622.
A.C.I. via Ricciardetto 2 ✆ 32101.

Roma 311 ④ – ♦Bologna 94 ① – ♦Firenze 37 ④ – ♦Milano 295 ① – Pisa 61 ④ – ♦La Spezia 113 ④.

Pianta pagina seguente

🏠 **Milano,** viale Pacinotti 10/12 ✆ 23061 – 🍽 📺 🕿 ℗ – 🏊 50. ஊ 🅗 ⓞ Ε 𝘝𝘐𝘚𝘈. ፠ rist   A **a**
   Pas carta 22/33000 – ⊊ 6000 – **55 cam** 52/74000 – P 80/95000.

🏠 **Patria,** via Crispi 8 ✆ 25187 – 📺 🕿 ⓞ 𝘝𝘐𝘚𝘈. ፠   B **n**
   chiuso dal 1° al 15 agosto e dal 24 dicembre al 6 gennaio – Pas (solo per clienti alloggiati; *chiuso a mezzogiorno e dal 15 luglio al 1° settembre)* 20/35000 – ⊊ 6000 – **29 cam** 53/72000 – ½ P 60/75000.

🏠 **Piccolo Ritz** senza rist, via Vannucci 67 ✆ 26775 – 📺 🕿. ஊ 🅗 ⓞ Ε 𝘝𝘐𝘚𝘈   A **b**
   ⊊ 7000 – **24 cam** 49/70000.

XX **La Casa degli Amici,** via Bonellina 111 ✆ 380305, 🍽 – ℗. ஊ 🅗 ⓞ Ε 𝘝𝘐𝘚𝘈. ፠   B
   chiuso martedì, mercoledì e dal 5 al 28 agosto – Pas carta 24/38000 (10%).

X **Rafanelli,** via di Sant'Agostino 47 ✆ 532046 – ℗. ஊ 🅗 ⓞ Ε 𝘝𝘐𝘚𝘈. ፠   B
   chiuso domenica sera, lunedì e dal 1° al 22 agosto – Pas carta 22/34000.

X La Valle del Vincio-da Guido, località Castagno di Pieve a Celle ✆ 477012, « Giardino con laghetto » – ℗   5 km per via dello Spartitoio   A

X **Il Boschetto,** viale Adua 469 ✆ 401185 – ஊ 🅗 ⓞ Ε. ፠   3 km per ①
   chiuso lunedì – Pas carta 21/37000 (12%).

   verso Montale - al Ponte Nuovo E : 4 km B :

🏠 **Il Convento,** N : 1,5 km ✉ 51030 Santomato ✆ 452651 e rist ✆ 452714, ≼ città e pianura, 🍽, « Parco ombreggiato », 🛋 – 🍽 rist ☎ ℗. Ε 𝘝𝘐𝘚𝘈. ፠
   Pas *(chiuso lunedì da novembre a marzo)* carta 30/42000 – ⊊ 9000 – **24 cam** 50/69000 – P 80/100000.

   sulla strada statale 64 per ① : 9 km :

X **La Cugna,** via Bolognese 236 ✉ 51020 Corbezzi ✆ 475000 – ℗. 🅗. ፠
   chiuso mercoledì e dal 2 al 18 settembre – Pas carta 19/29000.

   a Sammommè per ① : 13,5 km – alt. 553 – ✉ 51020 :

🏠 **Arcobaleno** 🦌, ✆ 470030, ≼, 🍽, 🌳, ❤ – 🍽 cam ☎ ℗. 🅗 Ε. ፠ rist
   chiuso dal 10 gennaio al 10 febbraio – Pas *(chiuso mercoledì)* carta 22/38000 – ⊊ 8500 – **28 cam** 50/70000 – P 78000.

PISTOIA

A.C.I.

400 m

BOLOGNA 94 km

per Autostrada A11: PRATO 26 km
FIRENZE 37 km, PISA 61 km

15 km MONTECATINI TERME

PRATO 20 km
FIRENZE 35 km

VINCI

ALFA-ROMEO viale Adua 99 ✆ 26754
BMW via Fermi ✆ 531744
FIAT via Copernico 155-zona Industriale ✆ 533044
FIAT viale Adua ✆ 31636
FIAT via Provinciale Lucchese 141 per ⑤ ✆ 572344
FORD via Donatori del Sangue 1 ✆ 23144
GM-OPEL via Frosini 28/34 ✆ 26721
INNOCENTI via Molino di Gora 5 per ① ✆ 401118

LANCIA-AUTOBIANCHI via Fermi 6 ✆ 368562
MERCEDES-BENZ via Adua 310 ✆ 400388
PEUGEOT-TALBOT via Volta 5-zona Industriale ✆ 532846
RENAULT via Machiavelli 20 ✆ 366224
VW-AUDI via Salvatorelli 114 ✆ 532517
VOLVO via dello Stadio 18/22 ✆ 34662

PITIGLIANO 58017 Grosseto 988 ㉕ – 4 396 ab. alt. 313 – ☎ 0564.

Roma 169 – Civitavecchia 91 – Grosseto 75 – Viterbo 69.

🏠 **Guastini,** piazza Petruccioli ✆ 616065 – ⇔ cam 📺. 🏠
chiuso dal 20 gennaio al 5 febbraio – Pas carta 27/39000 – ☲ 8000 – 22 cam 29/50000 –
P 53/60000.

FIAT strada statale 74 ✆ 616191

PIZZO 88026 Catanzaro 988 ㊴ – 8 980 ab. alt. 107 – ☎ 0963.

Roma 603 – Catanzaro 59 – ♦Cosenza 88 – Lamezia Terme (Nicastro) 33 – Paola 85 – ♦Reggio di Calabria 107.

🏠 **Grillo,** riviera Prangi ✆ 531632, ≤, 🈂, 🛥 – 📺 🅿 🏠 🕩. 🛎 rist
Pas (luglio-settembre) carta 35/45000 – ☲ 10000 – **62 cam** 53/90000 – P 98000.

✕ **Medusa,** ✆ 531203, ≤ – 🅿. 🆎 🏠 🕩 🚾
chiuso lunedì da ottobre a giugno – Pas carta 20/25000 (12%).

PLANAVAL Aosta 219 ⑪, 74 ⑨ – Vedere Valgrisenche.

PLANCIOS (PALMSCHOSS) Bolzano – Vedere Bressanone.

438

PLESIO 22010 Como **2⃞9⃞** ⑤ – 818 ab. alt. 581 – ✪ 0344.
Roma 665 – Como 39 – ♦Lugano 32 – ♦Milano 87 – Sondrio 72 – St-Moritz 102 – Menaggio 4.

🏠 **Samaver,** 𝒫 37039, ≤ lago e monti – 🅿. 🍴 rist
↔ *Pasqua-ottobre* – Pas *(chiuso mercoledì)* 16/18000 – 🍽 6000 – 16 cam 30/54000 – P 52000.

PLOSE ★★★ Bolzano – alt. 2 446.
Vedere 🌲★★★.
Roma 708 – ♦Bolzano 67 – Bressanone 27 – ♦Milano 363.

POCENIA 33050 Udine – 2 581 ab. alt. 9 – ✪ 0432.
Roma 607 – Gorizia 53 – ♦Milano 346 – Pordenone 51 – ♦Trieste 73 – Udine 29.

   a Paradiso NE : 7 km – ✉ 33050 Pocenia :

✗ **Al Paradiso,** 𝒫 777000, « Ambiente tipico » – 🅿. 🍴
↔ *chiuso lunedì, gennaio e dal 1° al 15 luglio* – Pas carta 19/29000.

POCOL Belluno – Vedere Cortina d'Ampezzo.

POETTO Cagliari – Vedere Sardegna (Cagliari) alla fine dell'elenco alfabetico.

POGGIBONSI 53036 Siena **9⃞8⃞8⃞** ⑭⑮ – 26 421 ab. alt. 115 – ✪ 0577.
Roma 262 – ♦Firenze 43 – ♦Livorno 89 – Pisa 79 – Siena 32.

🏨 **Europa** senza rist, località Calcinaia S : 2 km 𝒫 933402 – 📺 ☎ 🅿 – 🔒 100. 🝠 ⑩. 🍴
🍽 7000 – **40 cam** 41/65000.

✗ **Il Sole,** via Trento 5 𝒫 936283
   chiuso lunedì e luglio o agosto – Pas carta 20/28000 (10%).

FORD località Le Lame 𝒫 936768
GM-OPEL via Pisana 𝒫 934141
LANCIA-AUTOBIANCHI viale Marconi 109 𝒫 938907

RENAULT via di San Gimignano 𝒫 938803
VW-AUDI via Pisana 𝒫 933400
VOLVO via per San Gimignano-Palagetto 𝒫 936801

POGGIO Livorno – Vedere Elba (Isola d') : Marciana.

POGGIO A CAIANO 50046 Firenze – 7 451 ab. alt. 57 – ✪ 055.
Vedere Villa★.
Roma 293 – ♦Firenze 17 – ♦Livorno 99 – ♦Milano 300 – Pisa 75 – Pistoia 18.

🏨 **Hermitage** 🏊, via Ginepraia 112 𝒫 877040, ≤, 🔦, 🌳 – 📺 ☎ 🅿 – 🔒 30 a 150.
   🍴 rist
   Pas *(chiuso domenica sera, venerdì ed agosto)* carta 28/43000 – 🍽 7000 – **60 cam** 60/80000,
   📺 3000 – P 76/85000.

POGGIO BERNI 47030 Forlì – 2 356 ab. alt. 151 – ✪ 0541.
Roma 338 – Forlì 33 – ♦Ravenna 59 – Rimini 16.

✗✗ **Tre Re,** 𝒫 629760, prenotare, ≤ – 🅿 – 🔒 35. 🍴
   chiuso lunedì e novembre – Pas carta 30/43000.

POGGIO RUSCO 46025 Mantova **9⃞8⃞8⃞** ⑭ – 6 138 ab. alt. 16 – ✪ 0386.
Roma 448 – ♦Ferrara 68 – Mantova 43 – ♦Milano 216 – ♦Modena 44 – ♦Verona 58.

🏠 **Savoia,** via Matteotti 248 𝒫 51033 – 🝠 🝡 ⑩ 🝢 🝣. 🍴
↔ Pas *(chiuso domenica)* carta 16/25000 – 🍽 4000 – **15 cam** 30/45000 – P 38000.

FIAT strada Abetone-Brennero 112 𝒫 51203
FORD strada Abetone-Brennero 134 𝒫 51846

LANCIA-AUTOBIANCHI strada Abetone-Brennero
146 𝒫 53467

POGGIRIDENTI 23020 Sondrio – 1 634 ab. alt. 615 – ✪ 0342.
Roma 705 – Edolo 43 – ♦Milano 144 – Sondrio 6 – Passo dello Stelvio 82.

✗ **San Fedele** con cam, 𝒫 380894, ≤ – ☎ 🅿. 🝠. 🍴
   chiuso gennaio – Pas *(chiuso martedì)* carta 23/33000 – 🍽 6000 – **12 cam** 25/45000 –
   P 45/50000.

POGNANA LARIO 22020 Como **2⃞9⃞** ⑤ – 839 ab. alt. 307 – ✪ 031.
Roma 638 – Como 13 – ♦Milano 61.

✗ La Meridiana, 𝒫 430259, ≤, 🌿 – 🅿.

POIRINO 10046 Torino **9⃞8⃞8⃞** ⑫ – 8 385 ab. alt. 249 – ✪ 011.
Roma 648 – Asti 34 – Cuneo 94 – ♦Milano 155 – ♦Torino 27.

✗ **Del Moro,** 𝒫 9450139 – 🅿. 🝡
   chiuso martedì escluso maggio – Pas carta 22/35000.

POLCENIGO 33070 Pordenone 988 ⑤ – 3 289 ab. alt. 40 – ❁ 0434.

Roma 592 – Belluno 61 – ◆Milano 331 – Pordenone 17 – Treviso 52 – ◆Trieste 129 – Udine 67 – ◆Venezia 81.

XXX **Cial de Brent,** verso San Giovanni ℰ 748777 – ❼ – ♨ 150
chiuso a mezzogiorno, lunedì, gennaio ed agosto – Pas carta 40/53000.

X **Al Gorgazzo-da Genio,** N : 1 km ℰ 74400, ☞ – ❼
◆ chiuso martedì – Pas carta 18/35000.

POLESINE PARMENSE 43010 Parma – 1 555 ab. alt. 35 – ❁ 0524.

Roma 496 – ◆Bologna 134 – Cremona 23 – ◆Milano 97 – ◆Parma 46 – Piacenza 35.

XX **Al Cavallino Bianco,** ℰ 96136 – ❼. 쥬 ⑧
chiuso martedì, dal 7 al 22 gennaio e dal 20 al 30 luglio – Pas carta 25/40000.

a Santa Franca O : 2 km – ✉ 43010 Polesine Parmense :

XX **Da Colombo,** ℰ 98114, prenotare – ❼. ✻
chiuso lunedì sera, martedì, gennaio e luglio – Pas carta 28/41000.

POLICASTRO BUSSENTINO 84067 Salerno 988 ㉘ – a.s. luglio e agosto – ❁ 0974.

Roma 418 – ◆Cosenza 172 – ◆Napoli 212 – Salerno 161.

🏨 **Torre Oliva** ⑤, SO : 2 km ℰ 986191, Telex 721195, ≼, ☉, 🐎, ☞, ℀ – 🛗 ▤ ❼ – ♨ 100.
⬤. ✻
3 giugno-16 settembre – Pas (solo per clienti alloggiati) 35/41000 – ☲ 14000 – **154 cam**
95000 – P 81/137000, b.s. 69/81000.

POLICORO 75025 Matera 988 ㉘ – 13 789 ab. alt. 31 – ❁ 0835.

Roma 487 – ◆Bari 134 – ◆Cosenza 136 – Matera 66 – Potenza 129 – ◆Taranto 68.

🏠 **Callà,** corso Pandosia 9 ℰ 972129 – ❼. 쥬
Pas (chiuso venerdì) carta 22/41000 – ☲ 6000 – **25 cam** 21/37000 – P 55000.

al lido SE : 4 km :

🏨 **Heraclea,** ✉ 75025 ℰ 910144 – 🛗 ☎ ❼ – ♨ 200. 쥬 ⑧. ✻
Pas carta 22/33000 – ☲ 5000 – **86 cam** 46/80000 – P 72/83000.

FIAT via Siris 132 ℰ 972996   RENAULT sulla statale 106 al km 422 ℰ 901366

Avvertite immediatamente l'albergatore se non potete più
occupare la camera prenotata.

POLIGNANO A MARE 70044 Bari 988 ㉘ – 15 733 ab. – ❁ 080.

Roma 486 – ◆Bari 36 – ◆Brindisi 77 – Matera 82 – ◆Taranto 70.

🏨 **Grotta Palazzese** ⑤, via Narciso 59 ℰ 740677, ≼, « Servizio rist. estivo in una grotta sul
mare » – ▤ 📺 ☎. 쥬 ⑩ ⊑ 𝘝𝘐𝘚𝘈
Pas carta 45/70000 – **14 cam** ☲ 52/95000 – P 100/115000.

🏨 **Covo dei Saraceni,** via Conversano 1/1 A ℰ 740696, ≼, 斎 – 🛗 ▤ 📺 ☎. 쥬 ⑩ ⊑ 𝘝𝘐𝘚𝘈
Pas carta 21/34000 (15%) – ☲ 5000 – **26 cam** 46/77000 – P 88000.

🏨 **Castellinaria** ⑤, cala San Giovanni (strada statale NO : 2 km) ℰ 740233, 斎, 🐎, ☞ – ▤
🐗 ❼. 쥬 ⑧ ⑩ ⊑ 𝘝𝘐𝘚𝘈. ✻ rist
chiuso dal 5 novembre al 6 dicembre – Pas carta 34/54000 – ☲ 10000 – **32 cam** 115000 –
P 119/145000.

XX **Da Tuccino,** contrada Santa Caterina ℰ 741560, ≼, 斎 – ❼. 쥬 ⑧ 𝘝𝘐𝘚𝘈
chiuso dal 9 dicembre al 28 febbraio e lunedì da ottobre a maggio – Pas carta 29/48000 (15%).

POLISTENA 89024 Reggio di Calabria 988 ㉘ – 11 597 ab. alt. 239 – ❁ 0966.

Roma 652 – Catanzaro 120 – ◆Cosenza 138 – ◆Reggio di Calabria 73.

🏠 **Mommo,** ℰ 932233 – 🛗 ✂ cam ▤ rist 🐗 🚗. ✻
◆ Pas carta 18/25000 – ☲ 5000 – **30 cam** 28/45000 – P 50000.

POMEZIA 00040 Roma 988 ㉘ – 35 957 ab. alt. 108 – ❁ 06.

Roma 29 – Anzio 31 – Frosinone 105 – Latina 41 – Ostia Antica 32.

🏨 **Selene,** via Pontina ℰ 912901, Telex 613467, Fax 9121579, ☉, 🐎, ℀ – 🛗 ▤ 📺 ☎ ❼ – ♨
25 a 700. 쥬 ⑧ ⑩ ⊑ 𝘝𝘐𝘚𝘈. ✻
Pas carta 33/46000 – ☲ 10000 – **200 cam** 116/185000 appartamenti 301000.

🏨 **Enea Hotel,** via del Mare 83 ℰ 9127021, Telex 616105 – 🛗 ▤ 📺 ☎ 🚗 ❼ – ♨ 25 a 300.
쥬 ⑧ ⑩ ⊑ 𝘝𝘐𝘚𝘈. ✻
Pas carta 30/50000 – **92 cam** ☲ 90/135000.

ALFA-ROMEO via dei Castelli Romani 63 ℰ 9120529   RENAULT via Pontina al km 28 ℰ 9122137
FIAT via dei Castelli Romani 75/77 ℰ 9120794   VW-AUDI via del Mare 97 ℰ 9125712
INNOCENTI via Farina 1 ℰ 9122358

POMONTE Livorno – Vedere Elba (Isola d') : Marciana.

POMPEI 80045 Napoli 988 ⑳ – 25 156 ab. alt. 16 – a.s. maggio-15 ottobre – ✪ 081.

Vedere Foro*** : Basilica**, Tempio di Apollo**, Tempio di Giove** – Terme Stabiane*** – Casa dei Vettii*** – Villa dei Misteri*** – Antiquarium** – Odeon** – Casa del Menandro** – Via dell'Abbondanza** – Fullonica Stephani** – Casa del Fauno** – Porta Ercolano** – Via dei Sepolcri** – Foro Triangolare* – Teatro Grande* – Tempio di Iside* – Termopolio* – Casa di Loreius Tiburtinus* – Villa di Giulia Felice* – Anfiteatro* – Necropoli fuori Porta Nocera* – Pistrinum* – Casa degli Amorini Dorati* – Torre di Mercurio* : ≼** – Casa del Poeta Tragico* – Pitture* nella casa dell'Ara Massima – Fontana* nella casa della Fontana Grande.

🖪 via Sacra 1 𝒫 8631041; agli Scavi, piazza Esedra 𝒫 8610913.

Roma 237 – Avellino 49 – Caserta 50 – ♦Napoli 24 – Salerno 29 – Sorrento 28.

🏨 **Villa Laura** senza rist, via della Salle 13 𝒫 8631024, 🚗 – 🗐 📺 🕾 🚗. 🖭 ① 𝓥𝓘𝓢𝓐. ⚸
　　🖙 6000 – **26 cam** 55/90000.

🏠 **Del Santuario,** piazza Bartolo Longo 2/6 𝒫 8631020 – 🛗 🕾. 🖭 🚷 E 𝓥𝓘𝓢𝓐. ⚸
　　Pas (chiuso mercoledì dal 22 ottobre al 20 luglio) carta 19/32000 – **51 cam** 🖙 42/62000.

🏠 **Diomede** senza rist, viale Mazzini 40 𝒫 8631520 – 🛗 🚗
　　🖙 6000 – **24 cam** 32/48000.

XXX **Il Principe,** piazza Bartolo Longo 8 𝒫 8633342 – 🗐. 🖭 𝓥𝓘𝓢𝓐. ⚸
　　chiuso lunedì – Pas carta 35/63000 (10%).

X **Zì Caterina,** via Roma 20 𝒫 8631263 – 🗐. 🖭 ① 𝓥𝓘𝓢𝓐
　　chiuso martedì – Pas carta 22/40000.

FIAT via Lepanto 278 𝒫 8639933

POMPONESCO 46030 Mantova – 1 447 ab. alt. 23 – ✪ 0375.

Roma 459 – Mantova 38 – ♦Milano 154 – ♦Modena 56 – ♦Parma 32.

XXX Il Leone, con cam, 𝒫 86077, « Caratteristiche decorazioni », ⤓ – 8 cam.

PONDERANO 13058 Vercelli 219 ⑮ – 3 659 ab. alt. 357 – ✪ 015.

Roma 673 – Biella 4 – ♦Milano 100 – Vercelli 40.

XX **Gran Paradiso-da Valdo,** via Mazzini 63 𝒫 541979 – 🗐 🅿. ⚸
　　chiuso mercoledì e dal 28 luglio al 22 agosto – Pas carta 29/48000.

PONT Aosta 219 ⑫ – Vedere Valsavarenche.

PONTASSIEVE 50065 Firenze 988 ⑮ – 20 213 ab. alt. 101 – ✪ 055.

Roma 263 – Arezzo 67 – ♦Firenze 18 – Forlì 91 – ♦Milano 317 – Siena 86.

🏨 **Moderno** senza rist, via Londra 5 𝒫 8315541, Telex 574381 – 🛗 🗐 🕾 🚗 – 🔬 30 a 40. 🖭
　　① 𝓥𝓘𝓢𝓐
　　🖙 10000 – **120 cam** 80/120000.

X Girarrosto, via Garibaldi 27 𝒫 8302048.

FIAT via Aretina 27 𝒫 8309286　　　　　　　　　FORD via Vicano 7 𝒫 8311053

PONT CANAVESE 10085 Torino 988 ②⑬, 219 ⑬ – 4 031 ab. alt. 461 – ✪ 0124.

Roma 704 – Aosta 92 – Ivrea 29 – ♦Milano 142 – Novara 96 – ♦Torino 47.

🏠 **Bergagna,** via Marconi 19 𝒫 85153 – 🅿. 🖭 𝓥𝓘𝓢𝓐. ⚸ cam
　　chiuso dal 1° al 20 ottobre – Pas (chiuso martedì) carta 20/32000 – 🖙 4000 – **15 cam** 33/42000
　　– P 40/44000.

FORD cascina Quilico 31 𝒫 51090

PONTE A CAPPIANO Firenze – Vedere Fucecchio.

PONTE A MORIANO 55029 Lucca – alt. 53 – ✪ 0583.

Roma 357 – ♦Firenze 83 – Lucca 9 – ♦Milano 283 – Pistoia 52.

XX ✿ **La Mora,** a Sesto NO : 2,5 km 𝒫 57109 – 🖭 🚷 ① E 𝓥𝓘𝓢𝓐. ⚸
　　chiuso mercoledì sera, giovedì, dal 27 giugno all'8 luglio e dal 10 al 20 ottobre – Pas
　　carta 35/52000
　　Spec. Gran farro (grano cotto in brodo di fagioli), Ravioli alle erbette, Agnello della Garfagnana al forno. **Vini**
　　Montecarlo bianco, Rosso delle Colline Lucchesi.

X **Antica Locanda di Sesto,** a Sesto NO : 2,5 km 𝒫 57047 – 🅿. 𝓥𝓘𝓢𝓐. ⚸
　　chiuso sabato ed agosto – Pas carta 26/38000.

PONTE ARCHE 38077 Trento 988 ④ – alt. 398 – Stazione termale, a.s. 15 dicembre-15 gennaio
– ✪ 0465 – Roma 600 – ♦Brescia 100 – ♦Milano 191 – Riva del Garda 26 – Trento 30.

🏨 **Cattoni-Plaza,** 𝒫 71442, ≼, 🚗 – 🛗 🗐 rist 🕾 👌 🅿 – 🔬 80. 🚷 E 𝓥𝓘𝓢𝓐. ⚸
　　aprile-ottobre e 20 dicembre-10 gennaio – Pas 20/22000 – 🖙 8000 – **68 cam** 65/100000 –
　　P 53/80000, b.s. 45/65000.

🏨 **Nuovo Hotel Angelo,** 𝒫 71438, 🚗 – 🛗 🗐 rist 🕾 👌 🅿 – 🔬 60. 🖭 🚷 E 𝓥𝓘𝓢𝓐. ⚸ rist
　　aprile-ottobre e 21 dicembre-10 gennaio – Pas carta 22/30000 – **48 cam** 🖙 52/95000 –
　　P 60/68000, b.s. 50/60000.

Vedere anche : *Stenico* NO : 3 km.

441

PONTE BUGGIANESE 51019 Pistoia – 7 145 ab. alt. 18 – ☎ 0572.

Roma 329 – •Firenze 55 – Lucca 23 – Pisa 41 – Pistoia 24.

- **Meucci,** via Matteotti 79 ℰ 635017 – |‡| ☎. AE 🄱
  Pas *(chiuso mercoledì)* carta 21/41000 – ☕ 4000 – **14 cam** 33/54000 – P 38/52000.

PONTECAGNANO 84098 Salerno 988 ㉘ – alt. 28 – a.s. luglio e agosto – ☎ 089.

Roma 273 – Avellino 48 – •Napoli 68 – Salerno 9.

- **Europa,** via Europa 2 ℰ 848072 – |‡| ☎ Ⓟ. E VISA. ✻ rist
  chiuso dal 24 dicembre al 4 gennaio – Pas *(chiuso domenica da ottobre a maggio)* 20/26000 (10%) – ☕ 3000 – 40 cam 28/42000 – P 53/58000.

sulla strada statale 18 E : 2 km :

- **Carosello,** ✉ 84098 ℰ 381314 – |‡| ▤ rist ☎ ♿ Ⓟ – 🅰 120. AE ⓞ VISA. ✻
  Pas *(chiuso sabato)* carta 22/32000 (12%) – ☕ 5000 – **40 cam** 40/60000 – P 55/65000.

PONTECCHIO POLESINE 45030 Rovigo – 1 400 ab. alt. 5 – ☎ 0425.

Roma 456 – •Ferrara 31 – •Milano 287 – Rovigo 7.

- ✕ **Trattoria de la Vecia,** località San Pietro ℰ 936045 – Ⓟ. VISA. ✻
  chiuso lunedì ed agosto – Pas carta 29/37000.

PONTEDERA 56025 Pisa 988 ⑭ – 27 277 ab. alt. 14 – ☎ 0587.

Roma 314 – •Firenze 61 – •Livorno 32 – Lucca 28 – Pisa 22 – Pistoia 45 – Siena 86.

- **La Rotonda,** via Dante 52 ℰ 54313 – |‡| ⇔ rist ▤ cam ☎ – 🅰 100
  Pas *(chiuso domenica ed agosto)* carta 22/31000 – ☕ 5000 – **65 cam** 46/70000, ▤ 10000 – P 60/70000.
- **Armonia,** piazza Duomo 11 ℰ 52240 – ⇔ rist. 🄱
  Pas *(chiuso domenica)* 18/20000 – ☕ 6000 – **30 cam** 35/50000.
- ✕ **Baldini,** via Tosco Romagnola 118 ℰ 52712 – ⇔ Ⓟ. AE 🄱 ⓞ E VISA
  chiuso domenica – Pas carta 25/45000.
- ✕ **Al Cavallino Rosso,** via Pisana 94 ℰ 52549 – AE ⓞ VISA. ✻
  chiuso lunedì – Pas carta 20/29000.

ALFA-ROMEO piazza Martiri della Libertà 26/28 ℰ 52408
CITROEN via Tosco Romagnola al km 22 ℰ 484492
FIAT via Tosco Romagnola 197 ℰ 53501
FORD via Salvo D'Acquisto 23 ℰ 52735
GM-OPEL via Tosco Romagnola 205 ℰ 52121
LANCIA-AUTOBIANCHI via Pisana 54/60 ℰ 56453
PEUGEOT-TALBOT via Tosco Romagnola 177 ℰ 53442
RENAULT via del Chiesino 21/23 ℰ 57059
VW-AUDI via Savonarola 5 ℰ 213302
VOLVO via Don Milani 5 ℰ 484548

PONTE DI BRENTA Padova – Vedere Padova.

PONTE DI LEGNO 25056 Brescia 988 ④, 218 ⑰ – 2 030 ab. alt. 1 258 – Stazione di villeggiatura, a.s. febbraio, Pasqua, 15 luglio-agosto e Natale – Sport invernali : 1 258/2 117 m ≴3, ⛷ (vedere anche Passo del Tonale) – ☎ 0364.

⛳9 (luglio-settembre) ℰ 82577 – 🅘 corso Milano 41 ℰ 91122.

Roma 677 – •Bolzano 107 – Bormio 42 – •Brescia 119 – •Milano 167 – Sondrio 64.

- **Mirella,** ℰ 91661, Telex 305807, Fax 91663, ≤, 🏊, 🌳, 🎾 – |‡| TV ☎ ♿ 🚗 Ⓟ – 🅰 30 a 100. AE ⓞ. ✻
  Pas *(chiuso mercoledì)* carta 35/53000 – ☕ 10000 – **61 cam** 110/160000 – P 90/150000.
- **Garden,** ℰ 91131, ≤, 🌳 – |‡| ☎ ♿ 🚗 Ⓟ. ⓞ VISA. ✻ rist
  dicembre-22 aprile e giugno-settembre – Pas *(chiuso martedì)* carta 20/32000 – ☕ 10000 – **38 cam** 60/90000 – P 70/95000, b.s. 48/70000.
- **Mignon,** ℰ 91195, ≤, 🌳 – ⇔ cam ☎ 🚗 Ⓟ. AE 🄱 ⓞ E VISA. ✻ rist
  Pas *(chiuso giovedì, maggio, ottobre e novembre)* 22000 – ☕ 7000 – 27 cam 45/78000 – P 78000, b.s. 65000.
- ✕✕ **Al Maniero** con cam, ℰ 91093, ≤ – ☎ 🚗 Ⓟ. AE 🄱 ⓞ. ✻ rist
  chiuso dal 10 al 23 gennaio – Pas *(chiuso lunedì)* carta 23/39000 – ☕ 7000 – 12 cam 40/62000 – P 60/70000, b.s. 45/55000.
- ✕ La Grolla, ℰ 91775.

Vedere anche : *Tonale (Passo del)* E : 11 km.

PONTE DI NAVA Cuneo – Vedere Ormea.

PONTE DI PIAVE 31047 Treviso 988 ⑤ – 6 120 ab. alt. 10 – ☎ 0422.

Roma 563 – •Milano 302 – Treviso 19 – •Trieste 126 – Udine 95 – •Venezia 52.

a Levada N : 3 km – ✉ 31047 Ponte di Piave :

- ✕✕ **Al Gabbiano** con cam, ℰ 753205, Fax 853540, prenotare, 🌳 – ⇔ cam TV ☎ Ⓟ. AE 🄱 ⓞ E VISA. ✻
  Pas *(chiuso domenica)* carta 30/46000 – ☕ 10000 – **21 cam** 35/60000 – P 60000.

PONTE DI TURBIGO Novara 🏙🏙🏙 ⑰ – Vedere Galliate.

PONTE IN VALTELLINA 23026 Sondrio – 2 297 ab. alt. 500 – ✪ 0342.
Roma 709 – Edolo 39 – ✦Milano 148 – Sondrio 10 – Passo dello Stelvio 78.

  ❊❊   **Cerere,** 🏠 482294, ≼, « In una antica dimora »
       chiuso mercoledì e dal 1° al 25 luglio – Pas carta 25/33000.

PONTE NELLE ALPI 32014 Belluno 🏙🏙🏙 ⑤ – 7 425 ab. alt. 400 – ✪ 0437.
Roma 609 – Belluno 8 – Cortina d'Ampezzo 63 – ✦Milano 348 – Treviso 69 – Udine 109 – ✦Venezia 98.

    sulla strada statale 51 :

  ❊❊   **Da Benito** con cam, località Pian di Vedoia N : 3 km ⊠ 32014 🏠 99420, ≼ – 📶 ☎ ❻ 🆔. ❄
       chiuso dal 10 al 30 luglio – Pas *(chiuso domenica sera e lunedì)* carta 23/34000 (10%) – ⊊
       6000 – **26 cam** 50/79000 – P 50/70000.

   CITROEN via Dolomiti 54 🏠 99393   PEUGEOT-TALBOT viale Cadore 44 🏠 99541
   FIAT bivio viale Roma 🏠 999141   VOLVO viale Dolomiti 112 🏠 99328

PONTENURE 29010 Piacenza – 5 087 ab. alt. 64 – ✪ 0523.
Roma 505 – ✦Milano 72 – ✦Parma 50 – Piacenza 10.

  🏨   Savi, 🏠 519244 – 🔲 ☎ ⟸ ❻ – 🚗 60 – 20 cam.

PONTERANICA 24010 Bergamo – 7 068 ab. alt. 381 – ✪ 035.
Roma 608 – ✦Bergamo 8 – ✦Milano 55.

  ❊   **Parco dei Colli,** 🏠 572227, 🌳 – ❻. 𝑽𝑰𝑺𝑨. ❄
       chiuso lunedì – Pas carta 33/56000.

PONTE SAN GIOVANNI Perugia – Vedere Perugia.

PONTE SAN LUDOVICO Imperia 🏙🏙🏙 ㉘, 🏙🏙 ㉚ – ⊠ 18039 Ventimiglia – ✪ 0184.
Roma 665 – ✦Genova 167 – Imperia 52 – Menton 3 – ✦Milano 290 – Ventimiglia 8.

  ❊❊❊   ✿ **Balzi Rossi,** alla frontiera San Ludovico 🏠 38132, Coperti limitati; prenotare, « Servizio
       estivo in terrazza con ≼ mare e costa » – 🔲. 🆔 ⓪
       chiuso dal 1° al 15 marzo, dal 13 novembre al 1° dicembre, domenica sera (escluso luglio-
       agosto) e lunedì – Pas carta 58/91000
       Spec. Insalata di crostacei con fagioli, Zuppa di pesce, Ravioli di carciofi (dicembre-aprile), Tagliolini al ragu di
       gamberi e fiori di zucca (aprile-novembre). Vini Pigato, Rossese.

PONTE SAN NICOLÒ 35020 Padova – 9 717 ab. alt. 11 – ✪ 049.
Roma 498 – ✦Padova 8 – ✦Venezia 40.

  🏨   **Marconi** senza rist, località Roncaglia 🏠 719122, Telex 432174 – 📶 🔲 📺 ☎ ♿ ⟸ ❻ – 🚗
       100. 🆔 📳 ⓪ 🅴 𝑽𝑰𝑺𝑨. ❄
       ⊊ 6500 – **41 cam** 59/86000.

PONTE TARO Parma – Vedere Parma.

PONTE TRESA – Vedere Lavena-Ponte Tresa o nel Cantone Ticino alla fine dell'elenco alfabetico.

PONTE VALLECEPPI Perugia – Vedere Perugia.

PONTICINO 52020 Arezzo – alt. 255 – ✪ 0575.
Roma 217 – Arezzo 15 – ✦Firenze 67.

  🏠   **Country,** 🏠 898444 – 📶 🔲 rist 📺 ☎ ❻ – 🚗 60. 🆔 📳 ⓪ 𝑽𝑰𝑺𝑨. ❄
       chiuso dal 1° al 13 agosto – Pas *(chiuso lunedì)* carta 24/35000 – ⊊ 5000 – **14 cam** 45/70000
       – P 70/80000.

PONTINVREA 17040 Savona 🏙🏙🏙 ⑫ – 754 ab. alt. 425 – ✪ 019.
Roma 546 – Alessandria 77 – ✦Genova 61 – ✦Milano 173 – Savona 24 – ✦Torino 149.

    a Il Giovo SE : 4 km – ⊠ 17040 Giovo Ligure :

  🏠   **Ligure,** 🏠 705007, 🌺 – ☎ ❻. 𝑽𝑰𝑺𝑨. ❄
  ✦   *chiuso gennaio e febbraio* – Pas *(chiuso martedì da ottobre a giugno)* carta 17/28000 – ⊊
       3000 – **31 cam** 25/35000 – P 40/45000.

PONTREMOLI 54027 Massa-Carrara 🏙🏙🏙 ③⑭ – 9 735 ab. alt. 236 – ✪ 0187.
Roma 438 – Carrara 53 – ✦Firenze 164 – Massa 55 – ✦Milano 186 – ✦Parma 81.

  🏨   **Golf Hotel** ♨, via Pineta 🏠 831573, 🌺 – 📶 ☎ ❻ – 🚗 200. 🆔 📳 ⓪ 🅴. ❄
       Pas *(chiuso lunedì)* carta 27/37000 – ⊊ 8000 – **82 cam** 47/88000 – P 80/87000.

  🏨   **Napoleon,** piazza Italia 2 bis 🏠 830544 – 📶 ❻ – 🚗 30. 🆔 📳 ⓪ 🅴 𝑽𝑰𝑺𝑨. ❄ rist
       Pas *(chiuso venerdì da ottobre a marzo)* carta 29/45000 – ⊊ 7500 – **33 cam** 46/76000 –
       P 86000.

XX **Cà del Moro,** via Casa Corvi ℰ 830588 – **Ⓟ**. _VISA_
chiuso domenica sera, lunedì e dal 10 gennaio al 10 febbraio – Pas carta 23/33000.

X **Da Bussè,** piazza Duomo 31 ℰ 831371
chiuso venerdì e la sera escluso sabato-domenica – Pas carta 22/32000.

a Montelungo N : 14 km – alt. 756 – ✉ **54027** Pontremoli :

X Appennino, con cam, ℰ 836671, ☞ – **Ⓟ**
stagionale – 21 cam.

PONT-SAINT-MARTIN 11026 Aosta 🖽🖽🖽 ②, 🖽🖽🖽 ⑭ – 3 916 ab. alt. 345 – a.s. luglio e agosto –
❸ 0125 – Vedere Guida Verde.
Roma 699 – Aosta 51 – Ivrea 24 – ◆Milano 137 – Novara 91 – ◆Torino 66.

XX **Dora** con cam, via della Resistenza 148 ℰ 82035 – ⏢ 🅑 ⓪ _VISA_ ❤
chiuso dal 1° al 20 ottobre – Pas _(chiuso lunedì)_ carta 30/42000 – ▭ 6500 – **8 cam** 26/42000
– P 45000.

PONZA (Isola di) ★ Latina 🖽🖽🖽 ㉖ – 3 411 ab. alt. da 0 a 280 (monte Guardia) – a.s. Pasqua e
luglio-agosto – ❸ 0771.
La limitazione d'accesso degli autoveicoli è regolata da norme legislative.
Vedere Località★.

🚢 per Anzio 15 giugno-15 settembre giornaliero (2 h 30 mn) e Formia giornaliero (2 h 30 mn) –
Caremar-agenzia Regine, molo Musco ℰ 80565.

🚢 per Anzio giornalieri (1 h 10 mn) – Aliscafi SNAV e Agenzia Helios, ℰ 80078.

Ponza – ✉ **04027**

🏨 **Gd H. Chiaia di Luna** ⟨⟩ ℰ 80113, ≼, 🍴, 🍸 – **Ⓟ**. ⏢ 🅑 **E** _VISA_. ❤ rist
15 maggio-10 ottobre – Pas 40/60000 – ▭ 20000 – 63 cam 65/90000 – P 160000, b.s. 100000.

🏨 **Cernia** ⟨⟩, ℰ 80412, 🍴, ☞, ❦ – 🅑 🖩 cam ⟨⟩ **Ⓟ** – 🛁 130. ⏢ ⓪ _VISA_. ❤
aprile-15 ottobre – Pas carta 30/40000 – ▭ 10000 – 47 cam 40/80000, 🖩 6000 – P 110/130000,
b.s. 75/90000.

🏨 **La Baia** ⟨⟩ senza rist, ℰ 80045, ≼ – 🅑 🖩 ⟨⟩. ❤
giugno-settembre – ▭ 7000 – **22 cam** 50/80000, 🖩 5000.

🏨 **Bellavista** ⟨⟩, ℰ 809827, ≼ costa e mare – 🅑 ⟨⟩. ❤
aprile-settembre – Pas carta 30/44000 – ▭ 9000 – 24 cam 43/69000 – P 80/100000,
b.s. 55/75000.

X **Eéa,** ℰ 80100, ≼ costa e mare, 🍴
30 maggio-settembre – Pas carta 27/42000.

X **Gennarino a Mare** con cam, ℰ 80071, ≼, « Servizio estivo in terrazza sul mare » – ☎. ⏢
⓪ _VISA_. ❤
Pas _(chiuso giovedì in bassa stagione)_ carta 27/43000 – ▭ 10000 – 12 cam 35/60000 –
P 110/120000, b.s. 75/85000.

X **La Kambusa,** ℰ 80280, 🍴 – 🅑 ⓪ _VISA_. ❤
giugno-settembre – Pas carta 29/43000 (10%).

PONZONE 15010 Alessandria – 1 214 ab. alt. 606 – ❸ 0144.
Roma 579 – Acqui Terme 13 – Alessandria 47 – ◆Genova 80 – ◆Milano 143 – Savona 48.

X **Malò** con cam, piazza Garibaldi 1 ℰ 78124 – 🅑 **E**. ❤ cam
◆ Pas _(chiuso mercoledì)_ carta 19/33000 – ▭ 6000 – 20 cam _(aprile-ottobre)_ 30/43000 – P 43000.

PORCIA 33080 Pordenone – 13 040 ab. alt. 29 – ❸ 0434.
Roma 608 – Belluno 64 – ◆Milano 333 – Pordenone 4 – Treviso 54 – ◆Trieste 117.

XX **Da Gildo,** ℰ 921212, ☞ – **Ⓟ** – 🛁 300. ⏢ 🅑 ⓪ _VISA_. ❤
chiuso domenica sera, lunedì, dal 1° al 10 gennaio e dal 1° al 20 agosto – Pas carta 25/40000.

PORDENONE 33170 🅿 🖽🖽🖽 ⑤ – 50 596 ab. alt. 24 – ❸ 0434.
🛈 piazza della Motta 13 ℰ 21912.
A.C.I. viale Dante 40 ℰ 208965.
Roma 605 – Belluno 66 – ◆Milano 343 – Treviso 54 – ◆Trieste 113 – Udine 51 – ◆Venezia 93.

🏨 Villa Ottoboni, via 30 Aprile ℰ 21967 – 🅑 🖩 📺 ☎ **Ⓟ** – 🛁 100 – 72 cam.

🏨 **Palace Hotel Moderno,** viale Martelli 1 ℰ 28215, Telex 450433 – 🅑 🖩 📺 ☎ **Ⓟ** – 🛁 150.
⏢ 🅑 ⓪ **E** _VISA_. ❤
Pas _(chiuso venerdì)_ carta 35/45000 – ▭ 5000 – **111 cam** 53/80000 – P 80000.

🏨 **Park Hotel** senza rist, via Mazzini 43 ℰ 27901 – 🅑 🖩 ⟨⟩ & **Ⓟ**. ⏢ _VISA_. ❤
▭ 6500 – **64 cam** 47/67000.

XXX **Noncello,** viale Marconi 34 ℰ 523014 – 🖩. ⏢ 🅑 ⓪ _VISA_
chiuso domenica ed agosto – Pas carta 26/40000 (10%).

Vedere anche : _San Quirino_ N : 9 km.

ALFA-ROMEO viale Venezia 121 ☎ 41318
AUDI via Montereale 53 ☎ 34554
BMW viale Venezia 59 ☎ 30231
FIAT viale Venezia 75 ☎ 31041
FIAT via Aquileia 32 bis ☎ 26351
FIAT via Nuova di Corva 66 ☎ 960354
FORD viale Venezia 58 ☎ 31533
GM-OPEL viale Marconi 30 ☎ 22765
INNOCENTI via Nuova di Corva ☎ 570055
LANCIA-AUTOBIANCHI viale Venezia 119 ☎ 44647

LANCIA-AUTOBIANCHI viale Venezia 93 ☎ 31591
MASERATI via Nuova di Corva 74 ☎ 570055
MERCEDES-BENZ a Zoppola, via Cusano 19 ☎ 979589
PEUGEOT-TALBOT viale Grigoletti 61 ☎ 32542
RENAULT viale Venezia 69 ☎ 31474
RENAULT via Nuova di Corva 15 ☎ 208157
VW-AUDI viale Treviso ☎ 572052
VW-AUDI viale Venezia ☎ 31252
VOLVO via Nuova di Corva 74 ☎ 570055

PORDOI (Passo del) Belluno e Trento – alt. 2 239 – Sport invernali : 2 239/2 950 m ⬍ 1.
Vedere Posizione pittoresca★★★.

Roma 699 – Belluno 85 – ♦Bolzano 63 – Canazei 12 – Cortina d'Ampezzo 46 – ♦Milano 356 – Trento 116.

   Col di Lana, ✉ 38032 Canazei ☎ (0462) 61277, ≤ Dolomiti – **Ⓟ**. 🏠 **E** 𝑽𝑰𝑺𝑨
   18 dicembre-2 aprile – Pas 18/21000 – ⟷ 7500 – 34 cam 30/56000 – P 58000.

     Vedere anche : *Arabba* E : 11 km.
                 Canazei SO : 12 km.

PORLEZZA 22018 Como 🔢🔢🔢 ⑨ – 3 939 ab. alt. 271 – ✪ 0344.
Vedere Lago di Lugano★★.

Roma 673 – Como 47 – ♦Lugano 16 – ♦Milano 95 – Sondrio 80.

   Europa, ☎ 61142, ≤ – 🛗 **Ⓟ** – 29 cam.
   Regina con cam, ☎ 61228, ≤ – 🛗. 🏠 🏠 **E** 𝑽𝑰𝑺𝑨
   chiuso dall'11 gennaio al 28 febbraio – Pas *(chiuso lunedì)* carta 28/51000 (10%) – ⟷ 6000 – **22 cam** 40/60000 – P 60/65000.

PORRETTA TERME 40046 Bologna 🔢🔢🔢 ⑭ – 4 816 ab. alt. 349 – Stazione termale (maggio-ottobre), a.s. luglio-15 settembre – ✪ 0534 – 🅱 piazza Libertà 74 ☎ 22021.

Roma 345 – ♦Bologna 60 – ♦Firenze 71 – ♦Milano 261 – ♦Modena 92 – Pistoia 35.

   Santoli, via Roma 3 ☎ 23206, Telex 520103, 🏊, 🏖 – 🛗 ☎ 🍽 **Ⓟ** – 🔬 30 a 180. 🏠 🏠 𝑽𝑰𝑺𝑨 ⚘
   Pas *(chiuso lunedì)* carta 23/30000 – **48 cam** ⟷ 70/130000 – P 70/80000, b.s. 60/70000.

   Sassocardo 🔆, via della Piscina 2 ☎ 23075, ≤, 🏊 – 🛗 **Ⓟ**
   stagionale – 60 cam.

   Bertusi, via Mazzini 105 ☎ 22072 – 🛗 ⬍ cam ☎. 🏠 𝑽𝑰𝑺𝑨 ⚘
   chiuso dal 25 ottobre al 30 novembre – Pas *(chiuso sabato)* carta 24/35000 – ⟷ 8000 – **37 cam** 60/90000 – P 60/70000, b.s. 45/55000.

FIAT via Mazzini 168 ☎ 22116

PORTESE Brescia – Vedere San Felice del Benaco.

PORTICELLO Palermo – Vedere Sicilia (Santa Flavia) alla fine dell'elenco alfabetico.

PORTICO DI ROMAGNA 47010 Forlì – alt. 301 – ✪ 0543.

Roma 320 – ♦Firenze 75 – Forlì 34 – ♦Ravenna 61.

   Al Vecchio Convento, ☎ 967752 – 🍽. 🏠 🏠 𝑽𝑰𝑺𝑨 ⚘ rist
   Pas *(chiuso mercoledì escluso da luglio al 15 settembre)* carta 28/40000 – ⟷ 6000 – **9 cam** 40/55000 – P 55000.

PORTO ALABE Oristano – Vedere Sardegna (Tresnuraghes) alla fine dell'elenco alfabetico.

PORTO AZZURRO Livorno 🔢🔢🔢 ㉔ – Vedere Elba (Isola d').

PORTO CERESIO 21050 Varese 🔢🔢🔢 ③, 🔢🔢🔢 ⑧ – 3 011 ab. alt. 280 – ✪ 0332.

Roma 646 – ♦Lugano 21 – Luino 22 – ♦Milano 69 – Varese 13.

   Piccolo Hotel, ☎ 918020, ≤, 🏖 – **Ⓟ**. 🏠 🏠 𝑽𝑰𝑺𝑨 ⚘ rist
   chiuso gennaio e febbraio – Pas *(chiuso lunedì)* carta 27/41000 – ⟷ 8000 – **21 cam** 40/52000 – P 55000.

   La Baita, ☎ 918260 – **Ⓟ**.

PORTO CESAREO 73010 Lecce 🔢🔢🔢 ㉚ – 3 940 ab. – a.s. luglio e agosto – ✪ 0833.

Roma 600 – ♦Brindisi 52 – Gallipoli 30 – Lecce 27 – Otranto 59 – ♦Taranto 65.

   Lo Scoglio, su un isolotto raggiungibile in auto ☎ 569078, ≤, 🏖, 🏖 – 🍽 🛗 **Ⓟ**. 🏠 🏠 𝑽𝑰𝑺𝑨 ⚘
   chiuso dal 24 al 29 dicembre – Pas *(chiuso martedì)* carta 25/35000 – ⟷ 9000 – **28 cam** 40/75000 – P 96000, b.s. 75000.

   Il Veliero-da Oronzino, via Muratori ☎ 569201 – 🍽. 🏠 🏠 🏠 𝑽𝑰𝑺𝑨
   chiuso martedì e novembre – Pas carta 28/45000.

PORTO CONTE Sassari – Vedere Sardegna alla fine dell'elenco alfabetico.

PORTO D'ASCOLI Ascoli Piceno – Vedere San Benedetto del Tronto.

PORTO ERCOLE 58018 Grosseto – a.s. Pasqua e 15 giugno-15 settembre – ✪ 0564.
Vedere Guida Verde.
Roma 159 – Civitavecchia 83 – ◆Firenze 190 – Grosseto 50 – Orbetello 7 – Viterbo 95.

🏨 **Villa Letizia** ⚓, N : 1 km ✆ 834181, ≤, 🏊 riscaldata, 🚗, 🎾 – 📺 🐾 🅿
   stagionale – 19 cam.

🏨 **Don Pedro**, ✆ 833914, ≤, 🛋 – 🍴 🐾 🚗 🅿 🗒 🔁 𝚅𝙸𝚂𝙰 🦶
   Pasqua-ottobre – Pas carta 34/48000 – ⊊ 8000 – 44 cam 50/80000 – P 80/110000, b.s. 60/85000.

🍽 **Taitù**, N : 1 km ✆ 834032, ≤, 🛋 – 🅿 – *chiuso a mezzogiorno.*

🍽 **Il Gambero Rosso**, ✆ 832650, ≤ – 🄰🄴 🔁 🔁 🔁 𝚅𝙸𝚂𝙰
   chiuso mercoledì e dal 10 gennaio al 10 febbraio – Pas carta 35/54000.

   sulla strada Panoramica SO : 4,5 km :

🏨 **Il Pellicano** ⚓, ✉ 58018 ✆ 833801, Telex 500131, Fax 833418, ≤ mare e scogliere, 🛋,
   « Terrazze fiorite », 🏊 riscaldata, 🐾, 🚗, 🎾 – 🍴 🐾 🅿 🄰🄴 🔁 🔁 🔁 𝚅𝙸𝚂𝙰 🦶
   Pasqua-3 novembre – Pas 85000 – ⊊ 25000 – 30 cam 325/495000 appartamenti 600/900000 –
   P 328/413000, b.s. 255/328000.

PORTOFERRAIO Livorno 🎚🎚🎚 ㉔ – Vedere Elba (Isola d').

PORTOFINO 16034 Genova 🎚🎚🎚 ⑬ – 648 ab. – Stazione climatica – ✪ 0185.
Vedere Località e posizione pittoresca★★★ – ≤★★★ dal Castello.
Dintorni Passeggiata al faro★★★ E : 1 h a piedi AR – Strada panoramica★★★ per Santa Margherita
Ligure Nord – Portofino Vetta★★ NO : 14 km (strada a pedaggio) – San Fruttuoso★★ O : 20 mn di
motobarca.
🅱 via Roma 35 ✆ 69024.
Roma 485 – ◆Genova 36 – ◆Milano 171 – Rapallo 8 – Santa Margherita Ligure 5 – ◆La Spezia 87.

🏨 **Splendido** ⚓, ✆ 269551, Telex 281057, Fax 269614, ≤ promontorio e mare, 🛋, « Parco
   ombreggiato », 🏊 riscaldata, 🎾 – 🍴 🔲 cam 📺 🐾 🚗 🅿 – 🄰 45. 🄰🄴 🔁 🔁 🔁 𝚅𝙸𝚂𝙰 🦶 rist
   28 marzo-28 ottobre – Pas carta 89/102000 (18%) – ⊊ 27500 – 65 cam 299/494000 appartamenti
   590/667000 – P 434000.

🏨 **Nazionale** senza rist, ✆ 269575 – 📺 🐾 🔁 🔁 𝚅𝙸𝚂𝙰
   chiuso dal 10 gennaio al 15 marzo e dal 1° al 20 dicembre – ⊊ 10000 – **12 cam** 73/143000
   appartamenti 193/280000.

🏨 **San Giorgio** ⚓ senza rist, ✆ 269261 – 📺 🐾 🚗 🅿 🄰🄴 🔁 🔁 𝚅𝙸𝚂𝙰 🦶
   chiuso gennaio e febbraio – ⊊ 10000 – **19 cam** 60/110000.

🏠 **Eden**, ✆ 269091, « Rist. estivo in giardino » – 🐾. 🄰🄴 🔁 🔁 𝚅𝙸𝚂𝙰 🦶 rist
   chiuso dal 1° al 20 dicembre – Pas *(aprile-novembre)* carta 35/50000 – 9 cam ⊊ 70/120000 –
   P 110000.

🍽 **Da Puny**, ✆ 269037, ≤, 🛋
   chiuso giovedì e dal 2 gennaio al 2 marzo – Pas carta 43/63000 (13%).

   Vedere anche : *San Fruttuoso* 20 mn di motobarca.

PORTOFINO (Penisola di) ★★★ Genova – Vedere Guida Verde.

PORTO GARIBALDI Ferrara 🎚🎚🎚 ⑮ – Vedere Comacchio.

PORTOGRUARO 30026 Venezia 🎚🎚🎚 ⑤ – 25 070 ab. alt. 5 – ✪ 0421.
Roma 584 – Belluno 95 – ◆Milano 323 – Pordenone 28 – Treviso 60 – ◆Trieste 93 – Udine 62 – ◆Venezia 73.

🍽 **Alla Botte** con cam, viale Pordenone 46 ✆ 72564, 🚗 – ≤% cam 📺 🐾 🔥 🅿 🔁 🔁 🔁 𝚅𝙸𝚂𝙰
   Pas *(chiuso venerdì)* carta 29/42000 – ⊊ 5000 – **22 cam** 42/68000.

   sulla strada statale 14 O : 2 km :

🍽 **Al Gallo Nero**, ✉ 30023 Concordia Sagittaria ✆ 72965 – 🅿 🄰🄴 🔁 𝚅𝙸𝚂𝙰 🦶
   chiuso domenica sera, lunedì, febbraio ed agosto – Pas carta 29/49000.

   Vedere anche : *Pradipozzo* O : 6 km.

ALFA-ROMEO viale Cadorna 58 ✆ 72466
BMW viale Venezia 43 ✆ 72749
CITROEN viale Pordenone 21 ✆ 71767
FIAT viale Venezia 29 ✆ 75825
FORD viale Isonzo 102 ✆ 71365

GM-OPEL viale Venezia 34 ✆ 270387
PEUGEOT-TALBOT viale Trieste 83 ✆ 75692
RENAULT via San Giacomo 26 ✆ 271556
VW-AUDI via Pordenone ✆ 76444

PORTOMAGGIORE 44015 Ferrara 🎚🎚🎚 ⑮ – 13 205 ab. alt. 3 – ✪ 0532.
Roma 435 – ◆Bologna 54 – ◆Ferrara 24 – ◆Ravenna 52.

🍽 **Da Marisa**, ✆ 811194, Coperti limitati; prenotare – 🍴. 𝚅𝙸𝚂𝙰 🦶
   chiuso lunedì sera, martedì, dal 7 al 13 gennaio e dall'8 al 25 agosto – Pas carta 24/48000.

PORTO MAURIZIO Imperia 988 ⑫ – Vedere Imperia.

PORTONOVO Ancona – Vedere Ancona.

PORTO POTENZA PICENA 62016 Macerata – a.s. luglio e agosto – ✪ 0733.
Roma 284 – ♦Ancona 37 – Macerata 34 – ♦Pescara 120.

⚔ **Nettuno,** Lungomare ☞ 688258, ≼
chiuso lunedì e dal 20 dicembre al 20 gennaio – Pas carta 29/45000.

PORTO RECANATI 62017 Macerata 988 ⑯ – 7 712 ab. – Stazione balneare, a.s. luglio e agosto
– ✪ 071.
🛈 corso Matteotti 130 ☞ 9799084.
Roma 292 – ♦Ancona 30 – Ascoli Piceno 96 – Macerata 32 – ♦Pescara 130.

🏨 **Bianchi Vincenzo e Grattacielo,** via Lepanto 12/24 ☞ 9799040, ≼, 🐜 – 🛎 ☎. ஊ 🅱 ⓞ
ⴹ ₥₤ 🕸
Pasqua-ottobre – Pas carta 26/46000 – ⛼ 6000 – **63 cam** 45/60000 – P 50/70000, b.s. 30/45000.

🏨 **Enzo,** corso Matteotti 21/23 ☞ 9799029 – 🛎 ↰ rist ☜. ஊ 🅱 ⓞ ⴹ ₥₤ 🕸
chiuso ottobre – Pas *(chiuso lunedì)* carta 35/47000 (10%) – ⛼ 6000 – **30 cam** 35/56000 –
P 60/65000, b.s. 47/52000.

🏨 **Mondial,** viale Europa 2 ☞ 9799169 – 🛎 ☜ ↜ 🅿. ஊ 🅱 ⓞ ⴹ ₥₤ 🕸 rist
Pas carta 22/42000 (10%) – ⛼ 5000 – **50 cam** 30/65000 – P 60/80000, b.s. 45/50000.

FIAT strada statale 16-bivio Loreto ☞ 9796464

PORTO ROTONDO Sassari 988 ㉔ – Vedere Sardegna (Olbia) alla fine dell'elenco alfabetico.

PORTO SAN GIORGIO 63017 Ascoli Piceno 988 ⑯⑰ – 16 124 ab. – Stazione balneare, a.s.
luglio e agosto – ✪ 0734.
🛈 via Oberdan 8 ☞ 678461.
Roma 258 – ♦Ancona 62 – Ascoli Piceno 61 – Macerata 42 – ♦Pescara 95.

🏩 **Il Timone,** via Kennedy 61 ☞ 679475, Telex 560628, ≼ – 🛎 🍴 📺 ☎ 🅿 – 🛄 50 a 130. ஊ ⓞ
₥₤ 🕸
Pas carta 26/48000 – ⛼ 8000 – **78 cam** 70/120000, 🍴 5000 – P 100000, b.s. 70000.

🏨 **Il Caminetto,** lungomare Gramsci 283 ☞ 675558, ≼, 🎄 – 🛎 📺 ☎ 🅿. ஊ ⓞ ₥₤ 🕸 cam
Pas *(chiuso dal 1° al 15 novembre)* carta 25/51000 – ⛼ 5000 – **24 cam** 44/70000 – P 65/80000,
b.s. 55/65000.

🏨 **Tritone,** via San Martino 26 ☞ 677104, ≼, ⏚, ☞ – 🛎 📺 ☎ 🅿. ஊ ⓞ ₥₤
Pas *(chiuso venerdì)* carta 22/39000 – ⛼ 5000 – **36 cam** 40/62000 – P 70000, b.s. 50000.

🏨 **Riviera,** via San Martino 30 ☞ 677004 – 🛎 📺 ☎. ஊ ⓞ ₥₤ 🕸
➡ Pas *(chiuso da ottobre a maggio)* 18/22000 – ⛼ 6000 – **33 cam** 30/50000 – P 60000, b.s. 30000.

🏨 **Lanterna,** via 20 Settembre 298 ☞ 679073 – 🛎 ☜ 🅿. ஊ 🅱 . 🕸 rist
➡ *giugno-settembre* – Pas 12/16000 – ⛼ 3500 – **39 cam** 40/60000 – P 42/52000, b.s. 36/42000.

⚔ **Davide,** via Mazzini 102 (angolo piazza Stazione) ☞ 677700 – 🍴. ஊ 🅱 ⓞ ₥₤ 🕸
*chiuso dal 3 al 15 gennaio, dal 1° al 7 novembre, dal 22 al 27 dicembre e lunedì da settembre a
giugno* – Pas carta 26/41000.

✗ **La Cascina,** via San Nicola 13 ☞ 676926, ≼ – 🅿. ஊ ⓞ ₥₤ 🕸
chiuso lunedì – Pas carta 28/38000.

ALFA-ROMEO borgo Andrea Costa 15 ☞ 41328   RENAULT via Solferino ☞ 40168
FORD borgo Andrea Costa 159/a ☞ 379541

PORTO SAN PAOLO Sassari – Vedere Sardegna alla fine dell'elenco alfabetico.

PORTO SANTA MARGHERITA Venezia – Vedere Caorle.

PORTO SANT'ELPIDIO 63018 Ascoli Piceno 988 ⑯ – 20 578 ab. alt. 4 – ✪ 0734.
Roma 265 – ♦Ancona 54 – Ascoli Piceno 70 – ♦Pescara 103.

✗ **Il Gambero,** via Mazzini 55 ☞ 993546 – 🕸
chiuso domenica – Pas carta 25/50000.

FIAT via Abruzzi 5 ☞ 995701   PEUGEOT-TALBOT via Palestro 60 ☞ 992544
GM-OPEL corso Mazzini 12 ☞ 993133

PORTO SANTO STEFANO 58019 Grosseto 988 ㉔㉕ – Stazione balneare, a.s. Pasqua e 15
giugno-15 settembre – ✪ 0564.
Vedere ≼★ dal forte aragonese.
⛴ per l'Isola del Giglio giornalieri (1 h) – Toremar-agenzia De Dominicis, piazzale Candi
☞ 814615, Telex 590197.
🛈 corso Umberto 55/a ☞ 814208.
Roma 162 – Civitavecchia 86 – ♦Firenze 193 – Grosseto 53 – Orbetello 10 – Viterbo 98.

命命 **Vittoria** ॐ, strada del Sole 65 ℰ 818580, ≤ mare e costa, ♨, ⁒ – ⫼ ☎ ℗
stagionale – 26 cam.

命命 **La Lucciola,** via Panoramica 245 ℰ 812976 – ⫼ ☜. ◬ ㉓ ⓞ E. ⁒
chiuso gennaio – Pas 27/32000 – ⇆ 7000 – **59 cam** 32/55000 – P 70/80000, b.s. 60/70000.

✗✗ **Armando,** via Marconi 1/3 ℰ 812568, ☂
chiuso mercoledì e dal 6 novembre al 10 dicembre – Pas carta 36/54000 (15%).

✗ **La Fontanina di San Pietro,** S : 3 km ℰ 825268, ≤, « Servizio estivo sotto un pergolato »
– ℗ ◬ ⓞ. ⁒
chiuso mercoledì e gennaio – Pas carta 31/54000 (12%).

✗ **Formica,** a Pozzarello E : 4 km ℰ 814205 – ℗. ◬ ㉓ E ⅦSA
chiuso mercoledì – Pas carta 30/45000 (10%).

a Santa Liberata E : 4 km – ✉ 58010 :

命命 **Villa Domizia,** ℰ 812735, ≤ mare e costa, 🐾, ☂ – ☎ ℗. ⁒
15 aprile-15 ottobre – Pas *(chiuso martedì)* carta 27/37000 – ⇆ 7000 – **24 cam** 45/70000 –
P 91/98000, b.s. 74/80000.

PORTOSCUSO Cagliari ⑨⑧⑧ ㉝ – Vedere Sardegna alla fine dell'elenco alfabetico.

PORTO TOLLE 45018 Rovigo ⑨⑧⑧ ⑮ – 11 100 ab. alt. 2 – ✪ 0426.
Roma 491 – ◆Ferrara 72 – ◆Ravenna 78 – ◆Venezia 87.

✗ **Da Brodon,** a Cà Dolfin E : 9 km ℰ 84021 – ℗. ⓞ. ⁒
chiuso lunedì – Pas carta 20/44000.

PORTO TORRES Sassari ⑨⑧⑧ ㉓㉝ – Vedere Sardegna alla fine dell'elenco alfabetico.

PORTOVENERE 19025 La Spezia ⑨⑧⑧ ⑬⑭ – 4 592 ab. – ✪ 0187.
Vedere Località★★.
Roma 430 – ◆Genova 114 – Massa 47 – ◆Milano 232 – ◆Parma 127 – ◆La Spezia 12.

命命 **Royal Sporting,** ℰ 900326, ≤, ♨, 🐾, ☂, ⁒ – ⫼ ☰ 🛁 🚗 – 🔒 70. ◬ ㉓ ⓞ E ⅦSA.
⁒ rist
Pasqua-15 ottobre – Pas carta 45/70000 – **62 cam** ⇆ 110/165000 – P 140/160000.

命 **Belvedere,** ℰ 900608, ≤ – ☜. ◬ ㉓ ⓞ E ⅦSA
chiuso novembre – Pas *(chiuso martedì)* carta 29/36000 (15%) – ⇆ 8000 – 19 cam 28/62000 –
P 70/80000.

✗✗ **Taverna del Corsaro,** ℰ 900622, ≤ – ◬ ㉓ ⓞ E ⅦSA
chiuso martedì, dal 15 al 31 gennaio e dal 1° al 15 giugno – Pas carta 44/64000 (10%).

✗ **Da Iseo,** ℰ 900610, ≤, ☂ – ◬ ㉓ ⓞ E ⅦSA
chiuso mercoledì, gennaio e febbraio – Pas carta 41/54000 (10%).

✗ **Osteria Baracco,** ℰ 901353, Coperti limitati; prenotare – ㉓ E. ⁒
chiuso martedì – Pas carta 28/44000 (10%).

a Le Grazie N : 3 km – ✉ 19022 Le Grazie Varignano :

命命 **Della Baia,** ℰ 900798, ≤, ♨ – ☎. E ⅦSA. ⁒
Pas *(chiuso a mezzogiorno da ottobre a maggio)* 25/30000 – 42 cam ⇆ 50/75000 – P 90000.

✗ **Il Gambero,** ℰ 900325, ☂ – ⁒
chiuso lunedì – Pas carta 26/46000.

a Fezzano N : 6 km – ✉ 19020 :

✗ **Tritone,** ℰ 900113, ≤ – ◬ ⅦSA. ⁒
chiuso martedì (escluso giugno-settembre) e febbraio – Pas carta 31/45000.

POSITANO 84017 Salerno ⑨⑧⑧ ㉗ – 3 676 ab. – Stazione climatica e balneare, a.s. Pasqua,
giugno-settembre e Natale – ✪ 089.
Vedere Località★★ – Dintorni Vettica Maggiore : ≤★★ SE : 5 km.
🅖 via del Saraceno 2 ℰ 875067 – Roma 266 – Amalfi 17 – ◆Napoli 57 – Salerno 42 – Sorrento 17.

命命命 **Le Sirenuse** ॐ, ℰ 875066, Telex 770066, Fax 811798, ≤ mare e costa, ☂, ♨ riscaldata, 🐾
– ⫼ ☰ 🆅 ☎ 🚗 ℗ – 🔒 60. ◬ ㉓ ⓞ E ⅦSA. ⁒
Pas 60/70000 – **58 cam** ⇆ 360000 appartamenti 440/495000 – P 230/285000, b.s. 210/255000.

命命 **Le Agavi** ॐ, località Belvedere Fornillo ℰ 875733, Telex 770186, Fax 875965, ≤ mare e
costa, Ascensore per la spiaggia, ♨, 🐾 – ⫼ ☰ 🆅 ☎ ℗ – 🔒 50 a 200. ◬ ㉓ ⓞ E ⅦSA. ⁒
15 aprile-15 ottobre – Pas carta 47/85000 – ⇆ 18000 – **68 cam** 137/244000 appartamenti
360000 – P 197/217000, b.s. 166/171000.

命命 **Poseidon,** ℰ 875014, Telex 770058, ≤ mare e costa, ☂, « Terrazza panoramica con ♨ »,
🐾 – 🔒 60. ◬ ㉓ ⓞ E ⅦSA. ⁒ rist
aprile-14 ottobre – Pas carta 30/40000 (15%) – **50 cam** ⇆ 125/222000 appartamenti 300/450000.

命命 **Covo dei Saraceni** ॐ, ℰ 875059, Telex 722648, ≤ mare e costa, ☂, ♨ – ⫼ ☰ 🆅 ☎. ◬
㉓ ⓞ E ⅦSA
aprile-ottobre – Pas carta 26/55000 (15%) – ⇆ 18000 – 58 cam 170000 – P 130/170000,
b.s. 100/135000.

🏨 **Royal** ⑤, 🖋 875000, Telex 770098, ≤ mare e costa, « Terrazze panoramiche con 🏊 e ❦ »
– 🛗 ☎ ⓟ. ஊ ⓞ Ɛ 🎫. ❦ rist
21 aprile-9 ottobre – Pas *(chiuso a mezzogiorno)* 48000 – 🖵 13000 – **65 cam**
93/159000 – ½ P 137/147000, b.s. 114/123000.

🏨 **Marincanto** ⑤ senza rist, 🖋 875130, ≤ mare e costa, « Terrazza-giardino » – 🛗 ☎ ⓟ. ஊ
🏢 ⓞ Ɛ 🎫. ❦
23 marzo-15 ottobre – 🖵 9000 – **25 cam** 87000.

🏨 **Buca di Bacco e Buca Residence** ⑤, 🖋 875699, Telex 722574, Fax 875731, ≤ mare e
costa – 🛗 ☜. ஊ 🏢 ⓞ Ɛ 🎫. ❦ rist
18 marzo-22 ottobre – Pas carta 28/53000 (15%) – 🖵 10000 – **54 cam** 62/113000 – P 144000,
b.s. 134000.

🏨 **Villa Franca e Residence,** 🖋 875035, Fax 875735, ≤ mare e costa – 🛗 📺 ☎. ஊ 🏢 ⓞ Ɛ
🎫 ❦ rist
chiuso da novembre a marzo – Pas 31/53000 (15%) – 🖵 8500 – 42 cam 52/82000 – P 80/90000,
b.s. 70/80000.

🏨 **L'Ancora** ⑤, 🖋 875318, ≤ mare e costa, « Terrazza fiorita » – ☜ ⓟ. ஊ 🏢 ⓞ Ɛ 🎫.
❦ rist
aprile-15 ottobre – Pas *(solo per clienti alloggiati)* – 🖵 8000 – 18 cam 95000 – P 96/102000,
b.s. 86/92000.

🏨 **Savoia** senza rist, 🖋 875003, ≤ – 🛗 ☜. 🎫. ❦
25 marzo-10 ottobre – 🖵 8000 – **44 cam** 40/80000.

🏨 **Casa Albertina,** 🖋 875143, ≤ mare e costa – 🛗 ↩ 🍽 cam ☜. ஊ 🏢 ⓞ Ɛ 🎫. ❦ rist
Pas 26/34000 – 20 cam 🖵 80/120000, 🍽 6000 – P 90/105000, b.s. 80/95000.

✗ **Chez Black,** 🖋 875036, ≤, 🍴 – ஊ 🏢 ⓞ Ɛ 🎫. ❦
chiuso dal 10 gennaio al 28 febbraio – Pas carta 32/50000 (15%).

✗ **Le Tre Sorelle,** 🖋 875452, ≤, 🍴 – ஊ 🏢 ⓞ Ɛ 🎫
Pas carta 30/47000 (15%).

✗ **La Cambusa,** 🖋 875432, ≤, 🍴 – ஊ 🏢 ⓞ Ɛ 🎫
chiuso dal 29 ottobre al 28 dicembre – Pas carta 27/47000 (15%).

✗ **Il Germano,** 🖋 875232 – ஊ 🏢 ⓞ Ɛ 🎫. ❦
chiuso mercoledì, gennaio, febbraio e novembre – Pas carta 23/37000 (15%).

sulla costiera Amalfitana E : 2 km :

🏛 **San Pietro** ⑤, 🖋 875455, Telex 770072, Fax 811449, ≤ mare e costa, Ascensore per la
spiaggia, « Terrazze fiorite », 🏊, 🐾, ❦ – 🛗 🍽 cam ☎ ⓟ. ஊ 🏢 ⓞ Ɛ 🎫. ❦ rist
23 marzo-5 novembre – Pas *(solo per clienti alloggiati)* 75000 – 🖵 18000 – **55 cam** 300/450000
appartamenti 500/1200000 – P 300/350000, b.s. 280/330000.

a Montepertuso N : 4 km – alt. 355 – ✉ 84017 Positano :

✗ **Scirocco,** 🖋 875786, ≤ – ⓞ
chiuso lunedì – Pas carta 22/39000 (10%).

✗ **La Chitarrina,** 🖋 875044 – ↩ 🍽. ஊ 🏢 ⓞ 🎫
chiuso mercoledì in bassa stagione – Pas carta 20/37000.

POSTAL (BURGSTALL) 39014 Bolzano 🗺 ㉚ – 1 258 ab. alt. 268 – a.s. 15 marzo-Pasqua e
15 giugno-15 ottobre – ✪ 0473.

Roma 657 – ♦Bolzano 20 – Merano 8 – ♦Milano 318 – Trento 78.

✗✗ **Föerstlerhof** con cam, N : 1 km 🖋 292288, 🏊, 🖼, 🌿, ❦ – ☎ ⓟ. ⓞ 🎫. ❦
8 marzo-10 novembre – Pas *(chiuso giovedì)* carta 33/52000 – **28 cam** 🖵 35/80000.

GM-OPEL via Roma 2 🖋 292190

POTENZA 85100 🄿 🗺 ㉚ – 67 394 ab. alt. 823 – ✪ 0971.

Vedere Portale★ della chiesa di San Francesco Y.

🅱 via Alianelli angolo via Plebiscito 🖋 21812.

A.C.I. viale del Basento, c/o Euromaglia Pisani 🖋 56466.

Roma 363 ③ – ♦Bari 151 ② – ♦Foggia 109 ① – ♦Napoli 157 ③ – Salerno 106 ③ – ♦Taranto 157 ②.

Pianta pagina seguente

✗✗ **Taverna Oraziana,** via Orazio Flacco 2 🖋 21851 – 🍽. ஊ 🏢 ⓞ Ɛ. ❦   Z s
chiuso domenica – Pas carta 30/46000.

sulla strada statale 407 SE : 5 km :

🏨 **MotelAgip,** ✉ 85100 🖋 69031, Telex 812471 – 🛗 📺 ☎ ⓟ – 🔒 400. ஊ 🏢 ⓞ Ɛ 🎫. ❦ rist
Pas 32000 – 🖵 16500 – **109 cam** 60/115000 – P 110000.   X r

Vedere anche : *Rifreddo* S : 14 km.

449

POTENZA

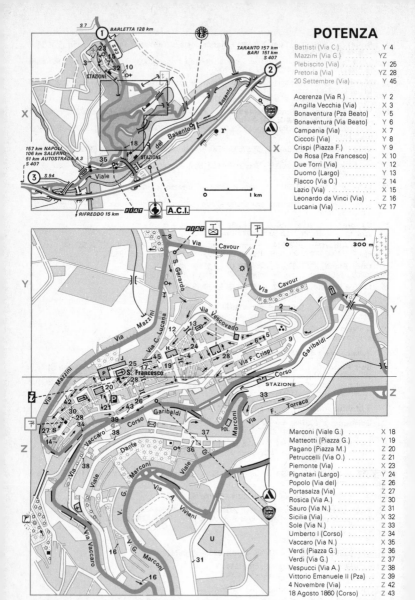

ALFA-ROMEO viale del Basento al Ponte San Vito ☎ 28153
BMW via dell'Edilizia-zona Industriale ☎ 55077
CITROEN via della Chimica 1 ☎ 54350
FERRARI via della Tecnica 18, contrada Rossellino ☎ 54722
FIAT via Cavour 6/8 ☎ 26483
FIAT via della Tecnica 18, contrada Rossellino ☎ 54722
FORD via Ponte San Vito ☎ 69084
GM-OPEL via del Gallitello 76 ☎ 52041

INNOCENTI via dell'Edilizia-zona Industriale ☎ 55077
LANCIA-AUTOBIANCHI corso Garibaldi 41/45 ☎ 26911
LANCIA-AUTOBIANCHI contrada Bucaletto ☎ 23491
MERCEDES-BENZ contrada Rossellino-zona Industriale ☎ 54853, Telex 760034
PEUGEOT-TALBOT via dell'Edilizia-zona Industriale ☎ 54509
RENAULT contrada Dragonara 2 ☎ 57489
VW-AUDI via Appia 186 ☎ 21114

POZZA DI FASSA 38036 Trento – 1 649 ab. alt. 1 315 – Stazione di villeggiatura, a.s. febbraio-15 aprile e Natale – Sport invernali : 1 315/2 213 m ⛷ 1 ≰ 5, ⛷ (vedere anche Vigo di Fassa) – 🅖 0462.
🖸 piazza Municipio 1 🖉 64136.
Roma 677 – ◆Bolzano 41 – Canazei 10 – ◆Milano 335 – Moena 6 – Trento 95.

🏨 **Trento,** 🖉 64279, ≼, 🔲, 🚗 – 🕍 🗏 rist 🕮 🅿. 🦌
20 dicembre-15 aprile e 20 giugno-15 ottobre – Pas carta 24/33000 – 🚮 5000 – **49 cam** 60/120000 – P 65/90000, b.s. 50/65000.

🏨 **Gran Baita,** 🖉 64113, Telex 401379, ≼, 🔲, 🚗 – ≼🕮 🕮 🚗 🅿 🕮 🖾 🕮 🕒 🖪 𝘝𝘐𝘚𝘈. 🦌
21 dicembre-5 aprile e 21 giugno-20 settembre – Pas carta 40/60000 – 🚮 16000 – **30 cam** 68/110000 – P 132/159000, b.s. 66/79000.

🏡 **René,** 🖉 64258, ≼, 🚗, 🍴 – 🕍 🕮 🅿. 🦌
◆ 18 dicembre-aprile e 20 giugno-settembre – Pas 15/20000 – 🚮 6000 – 34 cam 30/50000 – P 45/60000, b.s. 40/45000.

a Pera N : 1 km – 🖂 **38030** Pera di Fassa :

🏡 **Crepei,** 🖉 64103, ≼, 🚗 – 🕮 🅿. 🦌
◆ 20 dicembre-25 aprile e 20 giugno-settembre – Pas 15/20000 – **34 cam** 🚮 50/90000 – P 45/60000, b.s. 38/50000.

🍴 **Augusto Salin,** 🖉 64147 – 🗏 🅿
chiuso mercoledì, maggio e dal 15 ottobre al 15 novembre – Pas carta 20/34000.

POZZALE Belluno – Vedere Pieve di Cadore.

POZZALLO Ragusa 𝟵𝟴𝟴 ㊲ – Vedere Sicilia alla fine dell'elenco alfabetico.

POZZOLATICO Firenze – Vedere Impruneta.

POZZOLENGO 25010 Brescia – 2 421 ab. alt. 135 – 🅖 030.
Roma 522 – ◆Brescia 40 – Mantova 36 – ◆Milano 128 – ◆Verona 38.

🍴 **Vecchio '800,** 🖉 918176, 🏡, Coperti limitati; prenotare – 🅿. 🦌
chiuso a mezzogiorno escluso i giorni festivi, mercoledì e luglio – Pas 30/35000 bc.

POZZOLO 46040 Mantova – alt. 49 – 🅖 0376.
Roma 488 – ◆Brescia 149 – Mantova 20 – ◆Verona 36.

🍴 **Ancilla,** 🖉 460007 – 🖾 🕒. 🦌
chiuso martedì – Pas carta 22/32000.

POZZUOLI 80078 Napoli 𝟵𝟴𝟴 ㊆ – 74 196 ab. – Stazione termale, a.s. maggio-15 ottobre – 🅖 081.
Vedere Anfiteatro** – Solfatara** NE : 2 km – Tempio di Serapide* – Tempio di Augusto*.
Dintorni Rovine di Cuma* : Acropoli**, Arco Felice* NO : 6 km – Lago d'Averno* NO : 7 km.
Escursioni Campi Flegrei** SO per la strada costiera – Isola d'Ischia*** e Isola di Procida**.
🚢 per Procida (30 mn) ed Ischia (1 h), giornalieri – Caremar-agenzia Navlomar, banchina Villa 🖉 8671335; per Procida (40 mn) ed Ischia (1 h), giornalieri – Libera Navigazione Lauro, 🖉 8673736.
🖸 via Campi Flegrei 3 🖉 8672419.
Roma 235 – Caserta 48 – Formia 74 – ◆Napoli 16.

🏨 **Solfatara,** via Solfatara 🖉 8672666, ≼ – 🕍 🗏 ☎ 👌 🅿 – 🔬 100. 🕮 🕒 𝘝𝘐𝘚𝘈 🦌
Pas carta 23/37000 – **31 cam** 🚮 70/95000, 🗏 5000 – P 90/110000.

🍴 Castello dei Barbari, via Fascione 4 (N : 1,5 km) 🖉 8676014, « Servizio estivo in terrazza con ≼ golfo » – 🅿.

al lago Lucrino O : 5 km – Vedere Guida Verde :.

🍴 La Ninfea, 🖂 80072 Arco Felice 🖉 8661326, ≼, 🏡, « In riva al lago » – 🅿.

ALFA-ROMEO via Solfatara 55 🖉 8671470
FIAT via Patria 2 🖉 8665319
FIAT via Domiziana al km 54,5 🖉 8661362

LANCIA-AUTOBIANCHI via Pergolesi 🖉 414565
RENAULT via Solfatara 7/11 🖉 8672188

PRADA Verona – Vedere San Zeno di Montagna.

PRAD AM STILFSERJOCH = Prato allo Stelvio.

PRADIPOZZO 30020 Venezia – alt. 5 – 🅖 0421.
Roma 587 – ◆Milano 328 – Pordenone 33 – Treviso 49 – ◆Trieste 98 – Udine 67 – ◆Venezia 78.

🍴 **Tavernetta del Tocai,** 🖉 701280 – 🅿. 🕮 𝘝𝘐𝘚𝘈. 🦌
chiuso lunedì e dal 15 luglio al 15 agosto – Pas carta 24/37000.

PRAGSER SEE = Braies (Lago di).

PRAIA A MARE 87028 Cosenza 988 ⊛ – 6 118 ab. – ✪ 0985.

Escursioni Golfo di Policastro★★ Nord per la strada costiera.

Roma 417 – ♦Cosenza 106 – ♦Napoli 211 – Potenza 139 – Salerno 160 – ♦Taranto 230.

🏨 **Germania,** via Roma 44 ✆ 72016, ≼, 🐴 – 🛗 ☎ 🅿. ⋘
↝ aprile-settembre – Pas 18/24000 – ⌸ 6000 – 62 cam 42/66000 – P 88000.

🏨 Pian delle Vigne, sulla strada statale 18 al km 248 ✆ 72626, ≼ – ☎ 🅿 – 20 cam.

🏠 **Garden,** via Roma 8 ✆ 72828, 🐴 – ☎ 🅿
maggio-settembre – Pas carta 24/36000 (12%) – ⌸ 6000 – 40 cam 45/70000 – P 80000.

a Lido di Tortora NO : 1,5 km – ✉ 87020 Tortora :

🏨 **Harmony,** ✆ 72747, ≼, 🐴, ☞ – 🛗 🗏 rist ☜ 🅿. ⋘
Pas *(chiuso da ottobre a maggio)* carta 25/36000 (15%) – ⌸ 5000 – 45 cam 55/80000 –
P 80000.

PEUGEOT-TALBOT via Maiorana 7/9 ✆ 72461

PRAIANO 84010 Salerno – 1 856 ab. – a.s. Pasqua, giugno-settembre e Natale – ✪ 089.

Roma 274 – Amalfi 9 – ♦Napoli 65 – Salerno 34 – Sorrento 25.

🏨 **Tramonto d'Oro,** ✆ 874008, Telex 720397, ≼ mare e costa, ⌿ – 🛗 ☎ ⅛ 🅿. 🖭 ⑬ ⓞ 🄴
VISA. ⋘ rist
Pas carta 23/35000 (15%) – **40 cam** ⌸ 70/100000 – P 70/85000, b.s. 60/70000.

🏨 **Le Fioriere** senza rist, ✆ 874203, ≼ – 🗏 ☜ 🅿. 🖭 ⑬ ⓞ 🄴 **VISA**. ⋘
14 cam ⌸ 41/67000.

🏠 **Onda Verde,** ✆ 874143, ≼ mare e costa, 🐴 – ⇖ 🅿. 🖭 ⑬ ⓞ 🄴 **VISA**. ⋘
↝ Pas carta 19/27000 – 15 cam ⌸ 57000 – P 60/65000, b.s. 55/58000.

✗✗ **La Bugia,** ✆ 874653, ≼ mare e costa, 🍽 – 🖭 ⑬ ⓞ 🄴 **VISA**
chiuso giovedì da ottobre a marzo – Pas carta 23/37000 (10%).

✗ **Open Gate** con cam, ✆ 874148, ≼, 🍽 – 🅿. 🖭 ⑬ ⓞ 🄴 **VISA**. ⋘
Pas carta 25/43000 (10%) – ⌸ 7500 – 12 cam 50000 – P 65/75000.

✗ **La Brace,** ✆ 874226, ≼, 🍽 – 🖭 ⑬ ⓞ 🄴 **VISA**. ⋘
chiuso mercoledì da novembre a marzo – Pas carta 30/43000 (10%).

sulla strada statale 163 O : 2 km :

🏨🏨 **Tritone** ⚑, ✉ 84010 ✆ 874333, Telex 770025, ≼ mare e costa, Ascensore per la spiaggia,
⌿, 🐴 – 🛗 🗏 cam ☎ 🅿 – 🛆 150. 🖭 ⓞ **VISA**. ⋘ rist
aprile-ottobre – Pas 40/52000 – ⌸ 16000 – 62 cam 90/170000 appartamenti 170/200000 –
P 125/150000, b.s. 110/130000.

✗✗✗ **Cala delle Lampare,** ✆ 874333, Coperti limitati; prenotare, « In una grotta-servizio estivo
in terrazza » – 🗏. 🖭 ⑬ ⓞ 🄴 **VISA**. ⋘
aprile-ottobre; chiuso a mezzogiorno e lunedì – Pas carta 38/57000.

PRALBOINO 25020 Brescia – 2 520 ab. alt. 47 – ✪ 030.

Roma 550 – ♦Brescia 40 – Cremona 24 – Mantova 61 – ♦Milano 127.

✗✗ **Leon d'Oro,** ✆ 954156, « In un edificio seicentesco » – ⋘
chiuso domenica sera, lunedì ed agosto – Pas carta 28/48000.

PRALORMO 10040 Torino – 1 471 ab. alt. 303 – ✪ 011.

Roma 654 – Asti 40 – Cuneo 82 – ♦Milano 165 – Savona 129 – ♦Torino 32.

🏨 **Lo Scoiattolo,** strada statale ✆ 9481148 – ⇖ cam 📺 ☎ ⟺ 🅿. **VISA**. ⋘
↝ chiuso dall'11 al 17 agosto – Pas *(chiuso domenica sera e martedì a mezzogiorno)*
carta 19/28000 – ⌸ 5000 – **30 cam** 38/57000 – P 65000.

PRALUNGO 13050 Vercelli 219 ⑮ – 2 788 ab. alt. 554 – ✪ 015.

Roma 681 – Biella 5 – ♦Milano 107 – Novara 61 – ♦Torino 79 – Vercelli 47.

a Sant'Eurosia N : 3 km – ✉ 13050 Pralungo :

🏨 **Alp Hotel,** ✆ 444122, ≼ – 🛗 ☜ 🅿 – 🛆 30. ⋘ rist
chiuso gennaio – Pas *(chiuso lunedì)* carta 25/40000 – ⌸ 6000 – **33 cam** 35/55000 – P 48000.

PRANDAGLIO Brescia – Vedere Villanuova sul Clisi.

PRATA DI PORDENONE 33080 Pordenone – 6 521 ab. alt. 18 – ✪ 0434.

Roma 581 – Belluno 66 – Pordenone 9 – Treviso 45 – Udine 60 – ♦Venezia 78.

🏨 **Prata Verde** senza rist, ✆ 621619 – ☎ 🅿 – 🛆 50. 🖭 ⓞ 🄴 **VISA**
⌸ 4000 – **64 cam** 26/40000.

✗✗ **Prata Verde,** ✆ 621618 – 🅿. 🖭 ⓞ. ⋘
chiuso lunedì – Pas carta 25/52000.

a Villanova S : 5 km – ✉ 33080 Ghirano :

✗✗ **Secondo** con cam, ✆ 626145 – 🗏
chiuso luglio – Pas *(chiuso mercoledì)* carta 23/37000 – ⌸ 5000 – **7 cam** 30/48000 – P 60000.

PRATI (WIESEN) Bolzano – Vedere Vipiteno.

PRATI DI TIVO Teramo 988 ㉖ – Vedere Pietracamela.

PRATO 50047 Firenze 988 ⑭ – 164 824 ab. alt. 63 – ✪ 0574.

Vedere Duomo★ : affreschi★★ dell'abside (Banchetto di Erode★★★) – Palazzo Pretorio★ – Castello dell'Imperatore★ – Interno★ della chiesa di Santa Maria delle Carceri K – Affreschi★ nella chiesa di San Francesco D – Pannelli★ al museo dell'Opera del Duomo M – 🛈 via Cairoli 48 ☎ 24112.

Roma 293 ④ – ✦Bologna 99 ② – ✦Firenze 19 ④ – ✦Milano 293 ② – Pisa 81 ④ – Pistoia 18 ④ – Siena 84 ④.

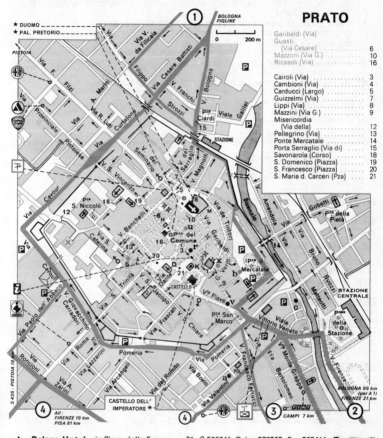

PRATO

Garibaldi (Via)	
Guasti	
(Via Cesare)	6
Mazzoni (Via G.)	10
Ricasoli (Via)	16
Cairoli (Via)	3
Cambioni (Via)	4
Carducci (Largo)	5
Guizzelmi (Via)	7
Lippi (Via)	8
Mazzini (Via G.)	9
Misericordia	
(Via della)	12
Pellegrino (Via)	13
Ponte Mercatale	14
Porta Serraglio (Via di)	15
Savonarola (Corso)	18
S. Domenico (Piazza)	19
S. Francesco (Piazza)	20
S. Maria d. Carceri (Pza)	21

🏨 **Palace Hotel,** via Piero della Francesca 71 ☎ 592841, Telex 570505, Fax 595411, 🏊, 🎴 – 🛗 🗎 📺 ☎ 🚗 🅿 – 🔬 150. 🖭 🚪 ⓘ 🅴 𝑉𝐼𝑆𝐴. 🦟 rist per via Ferrucci
chiuso agosto – Pas (chiuso sabato e domenica) carta 35/45000 – ☲ 15000 – **85 cam** 98/145000.

🏨 **President,** via Simintendi 20 ☎ 30251, Telex 571587 – 🛗 🗎 📺 ☎ 🕭 🚗 🅿 – 🔬 170. 🖭 🚪 ⓘ 🅴 𝑉𝐼𝑆𝐴. 🦟 rist **a**
Pas (chiuso sabato, domenica ed agosto) 30/40000 – ☲ 13000 – **78 cam** 88/116000 – P 100000.

🏨 **Flora** senza rist, via Cairoli 31 ☎ 20021, Telex 571358 – 🛗 🗎 📺 ☎ – 🔬 50. 🖭 🚪 ⓘ 🅴 𝑉𝐼𝑆𝐴. 🦟 **r**
☲ 11000 – **30 cam** 72/93000.

🏨 **Milano,** via Tiziano 15 ☎ 23371 – 🛗 🗎 📺 ☎ 🚗. 🖭 🚪 ⓘ 🅴 𝑉𝐼𝑆𝐴. 🦟 rist **c**
Pas carta 24/30000 – ☲ 10000 – **70 cam** 72/110000.

🏨 **Moderno** senza rist, via Balbo 11 ☎ 32351, Telex 570586 – 🛗 🕭. 🚪 🦟 per via Gobetti
chiuso agosto – ☲ 8500 – **20 cam** 68/95000.

🏨 **San Marco** senza rist, piazza San Marco ☎ 21321 – 🛗 🗎 📺 🕭. 🖭 🚪 ⓘ 🅴 𝑉𝐼𝑆𝐴. 🦟 **v**
☲ 6000 – **47 cam** 55/80000.

XXX ✿ **Il Piraña,** via Tobia Bertini angolo via Valentini ℰ 25746 – ▥. ⑤ Ⅶ⅏. ⅏
    chiuso sabato, domenica ed agosto – Pas carta 46/70000 (12%)   per via Valentini
    Spec. Delizia all'aragosta, Linguine al crudo con pesce di paranza, Filetto di rombo con carciofi o alla catalana.
    Vini Gavi, Sassicaia.

XXX **Pietro,** via Balbo 9/a ℰ 23025 – ▥. ⅍ ⑤ ⓪ ⅀ ⅦⅫ. ⅏   per via Gobetti
    chiuso sabato a mezzogiorno e domenica – Pas carta 42/57000 (12%).

XX **Villa Santa Cristina** ⑤ con cam, via Poggio Secco 58 ℰ 595951, ≤, « Edificio settecentesco
    con servizio rist. estivo all'aperto », ⅃, ⅌ – ⅏ ⅏ ⅏ ⅏. ⅍ ⑤ ⓪ ⅀ ⅦⅫ. ⅏   per ⑦
    chiuso agosto – Pas *(chiuso domenica sera e lunedì)* carta 50/71000 – ⅏ 15000 – **23 cam**
    70/100000 – P 150000.

XX **Tonio,** piazza il Mercatale 161 ℰ 21266, ⅌ – ▥. ⅍ ⑤ ⓪ ⅀ ⅦⅫ   b
    chiuso domenica, lunedì ed agosto – Pas carta 26/51000 (15%).

XX **Baghino,** via dell'Accademia 9 ℰ 27920 – ▥   u
    chiuso domenica e lunedì a mezzogiorno – Pas carta 30/54000 (12%).

XX **Bruno,** via Verdi 12 ℰ 23810 – ⅍ ⑤ ⓪ ⅀ ⅦⅫ. ⅏   x
    chiuso giovedì sera, domenica ed agosto – Pas carta 34/51000 (12%).

XX **Da Francesco,** via Cambioni 27 ℰ 28040, ⅌ – ⅍ ⑤ ⓪ ⅀ ⅦⅫ. ⅏   s
    chiuso venerdì sera, domenica e dal 12 al 27 agosto – Pas carta 25/43000 (12%).

ALFA-ROMEO via Valentini 25 ℰ 582627
ALFA-ROMEO via Fabio Filzi 39/ab ℰ 20004
BMW via Emilio Boni 1 ℰ 593941
CITROEN via Avignone 3/17 ℰ 32030
FIAT via del Lazzaretto 57 ℰ 595023
FIAT viale Monte Grappa 262/268 ℰ 592545
FORD via Cecchi 16 ℰ 592139
GM-OPEL via F.lli Da Maiano 10 ℰ 592807
INNOCENTI via Roma 229 ℰ 25268
LANCIA-AUTOBIANCHI via Provinciale Pistoiese
120/122 ℰ 433241

MERCEDES-BENZ via del Lazzaretto ℰ 542005
PEUGEOT-TALBOT località Coiano, via Bologna 316
ℰ 466592
PEUGEOT-TALBOT viale Monte Grappa 112 ℰ
593346
RENAULT traversa privata di via Arezzo 11 ℰ 41203
RENAULT viale Monte Grappa 21/23 ℰ 581623
VW-AUDI via Galcianese 62 ℰ 49071
VOLVO via dei Palli 2/6 ℰ 31786

PRATO ALLO STELVIO (PRAD AM STILFSERJOCH) 39026 Bolzano ⅏⅏ ⑱ – 3 008 ab. alt. 915 –
Stazione di villeggiatura, a.s. luglio-agosto e Natale – ✆ 0473.
🛈 via Principale ℰ 76034.
Roma 715 – ♦Bolzano 79 – Merano 51 – ♦Milano 264 – Trento 137.

    🏠 **Prato allo Stelvio-Prad,** ℰ 76006, ⅃ riscaldata, ⅌ – ⅏ ⅌. ⅏ rist
    15 maggio-15 ottobre – Pas *(chiuso a mezzogiorno)* – 26 cam (solo ½ P) 42/50000, b.s. 35/40000.

    ad Agums N : 1 km – ✉ **39026** Prato allo Stelvio :

    X **Kronenwirtsgut** ⑤ com cam, ℰ 76016, ≤, ⅌, ⅌ – ⅌ – 8 cam.

PRATO DELLA CONTESSA Grosseto – Vedere Castel del Piano.

PRATOLINO 50036 Firenze – alt. 476 – ✆ 055.
Roma 289 – ♦Bologna 94 – ♦Firenze 12 – ♦Milano 288.

    X **Zocchi,** ℰ 409202 – ⅌.

PRATO NEVOSO Cuneo – Vedere Frabosa Sottana.

PRECI 06047 Perugia – 1 050 ab. alt. 593 – ✆ 0743.
Roma 153 – Ascoli Piceno 87 – Macerata 85 – ♦Perugia 105 – Terni 70.

    X **Agli Scacchi** con cam, ℰ 99224, ⅃ – ⅏. ⅍ ⓪. ⅏
    ♦ *chiuso dal 1° al 15 novembre* – Pas carta 18/25000 – ⅏ 5000 – 10 cam 33/50000 – P 48/50000.

PREDAIA Trento – Vedere Vervò.

PREDAZZO 38037 Trento ⅏⅏⅏ ④⑤ – 4 117 ab. alt. 1 018 – Stazione di villeggiatura, a.s. febbraio,
Pasqua e Natale – Sport invernali : 1 018/2 347 m ⅏5, ⅏ – ✆ 0462.
🛈 piazza Santi Filippo e Giacomo 2 ℰ 51237, Telex 401329.
Roma 662 – Belluno 78 – ♦Bolzano 56 – Cortina d'Ampezzo 83 – ♦Milano 320 – Trento 80.

    🏨 **Ancora,** via IX Novembre 1 ℰ 51651, Fax 51651 – ⅏ ⅏ ⅏ ⅌ ⅌. ⅍. ⅏ rist
    chiuso maggio e novembre – Pas carta 22/40000 – ⅏ 10000 – **40 cam** 60/90000 – P 62/85000,
    b.s. 50/62000.

    🏨 **Bellaria,** corso De Gasperi 20 ℰ 51369, ⅏, ⅌ – ⅏ ⅌ ⅌. ⅍ ⅍ ⓪ ⅀ ⅦⅫ. ⅏
    ♦ *chiuso maggio, ottobre e novembre* – Pas *(chiuso mercoledì)* 19/24000 – ⅏ 6000 – **58 cam**
    56/103000 – P 58/80000, b.s. 44/64000.

    🏠 **Vinella,** via Mazzini 76 ℰ 51151 – ⅏ rist ⅌. ⅍ ⅀. ⅏ rist
    ♦ *chiuso dal 20 maggio al 10 giugno e novembre* – Pas *(chiuso domenica)* carta 19/28000 – ⅏
    5000 – **27 cam** 30/60000 – P 48/60000, b.s. 45/55000.

PREDORE 24060 Bergamo – 1 620 ab. alt. 190 – ◉ 035.
Roma 590 – ◆Bergamo 37 – ◆Brescia 41 – ◆Milano 78.

  🏨 **Eurovil,** 𝒫 938327 – ☜ 🅿 – 🔏 150. 🖭 🕄 🗉 𝓥𝓘𝓢𝓐. 𝒮𝒮 cam
    Pas *(chiuso mercoledì)* carta 20/35000 – ☵ 6000 – **23 cam** 32/47000 – P 65/70000.

PREGANZIOL 31022 Treviso – 12 236 ab. alt. 12 – ◉ 0422.
Roma 534 – Mestre 13 – ◆Milano 273 – ◆Padova 43 – Treviso 7 – ◆Venezia 23.

  🏨 **Magnolia,** N : 1 km 𝒫 93375 e rist 𝒫 93131, ☞ – ▤ rist 🅿. 🖭 🕄 ◑ 🗉 𝓥𝓘𝓢𝓐. 𝒮𝒮 rist
    Pas *(chiuso domenica sera, lunedì e dal 5 al 25 agosto)* carta 23/38000 – ☵ 5000 – **27 cam**
    35/60000 – P 75000.

  XX **Alle Grazie,** N : 1,5 km 𝒫 381615 – 🅿. 🖭 🕄 ◑ 𝓥𝓘𝓢𝓐
    chiuso dal 7 al 21 gennaio, dal 2 al 17 agosto, sabato-domenica in luglio e giovedì sera-venerdì
    negli altri mesi – Pas carta 31/42000.

PREGNANA MILANESE 20010 Milano 𝟤𝟣𝟫 ⑱ – 5 850 ab. alt. 152 – ◉ 02.
Roma 592 – Como 39 – ◆Milano 18 – Novara 38 – Pavia 52 – ◆Torino 127 – Varese 47.

  in prossimità casello autostrada A 4 - Rho :

  🏨 **Motel Monica,** ✉ 20010 𝒫 93290920, Fax 93290608, ☞ – ☜ 🅿 – 🔏 40. 🖭
    Pas carta 25/33000 – ☵ 8000 – **36 cam** 65/85000 – P 85000.

PREMENO 28057 Novara 𝟤𝟣𝟫 ⑦ – 764 ab. alt. 817 – ◉ 0323.
🎿 Piandisole (aprile-novembre) 𝒫 47100.
Roma 681 – Locarno 49 – ◆Milano 104 – Novara 81 – Stresa 24 – ◆Torino 155 – Verbania 11.

  🏨 **Premeno** 𝒮, 𝒫 47021, ≤, ⅃, ☞ – ☜ 🅿 𝓥𝓘𝓢𝓐. 𝒮𝒮
    aprile-settembre – Pas 20/28000 – ☵ 8000 – **60 cam** 45/65000 – P 55/63000.

PRÉ-SAINT-DIDIER 11010 Aosta 𝟫𝟪𝟪 ①, 𝟤𝟣𝟫 ①, 𝟩𝟦 ⑱ – 935 ab. alt. 1 000 – a.s. febbraio-Pasqua,
15 luglio-agosto e Natale – ◉ 0165.
Roma 779 – Aosta 32 – Courmayeur 5 – ◆Milano 217 – Colle del Piccolo San Bernardo 23.

    Pianta : vedere Courmayeur

  🏨 **Edelweiss,** 𝒫 87841, ≤ Monte Bianco, ☞ – ☎ 🅿. 𝒮𝒮 rist   BZ **m**
 ◆   chiuso ottobre e novembre – Pas 18/24000 – ☵ 5000 – **38 cam** 30/55000 – P 55/63000,
    b.s. 45/50000.

  XX **Universo,** 𝒫 87971 – 𝒮𝒮   BZ **x**
    chiuso giovedì – Pas carta 26/48000.

  a Pallusieux N : 2,5 km – alt. 1 100 – ✉ 11010 Pré-Saint-Didier :

  🏨 **Beau Séjour** 𝒮, 𝒫 87801, ≤ Monte Bianco, ☞ – ☎ ⇐ 🅿. 𝒮𝒮 rist   BYZ **b**
    chiuso maggio, ottobre e novembre – Pas *(chiuso martedì)* 20/28000 – ☵ 6000 – 33 cam
    38/58000 – P 48/62000, b.s. 45/55000.

PRIMA CAPPELLA Varese 𝟤𝟣𝟫 ⑦⑧ – Vedere Sacro Monte.

PRIMIERO Trento – Vedere Fiera di Primiero.

PRIMOLO Sondrio 𝟤𝟣𝟪 ⑮ – Vedere Chiesa in Valmalenco.

PRINCIPINA A MARE Grosseto – Vedere Grosseto (Marina di).

PRIOLO GARGALLO Siracusa – Vedere Sicilia alla fine dell'elenco alfabetico.

PROCCHIO Livorno – Vedere Elba (Isola d') : Marciana Marina.

PROCIDA (Isola di) ★ Napoli – 10 596 ab. – a.s. maggio-15 ottobre – ◉ 081.
Vedere Guida Verde – La limitazione d'accesso degli autoveicoli è regolata da norme legislative.
🚢 per Napoli giornalieri (1 h); per Pozzuoli ed Ischia (30 mn), giornalieri – Caremar-agenzia
Lubrano, al porto 𝒫 8967280; per Pozzuoli giornalieri (40 mn) – Libera Navigazione Lauro, al porto.
🚤 per Napoli giornalieri (35 mn) – Caremar-agenzia Lubrano, al porto 𝒫 8967280.
🛈 via Roma 92 𝒫 8969624

    Procida 𝟫𝟪𝟪 ㉗ – ✉ 80079.

  X **La Medusa,** via Roma 112 𝒫 8967481, ≤, 🍽 – 🖭 🕄 ◑. 𝒮𝒮
    chiuso gennaio, febbraio e martedì da ottobre ad aprile – Pas carta 29/45000 (12%).

Les prix	Pour toutes précisions sur les prix indiqués dans ce guide, reportez-vous aux pages de l'introduction.

PROH Novara 219 ⑯ – Vedere Briona.

PROSECCO Trieste – alt. 250 – ✉ 34010 Sgonico – ☻ 040.
Roma 660 – Gorizia 36 – ◆Milano 399 – ◆Trieste 9 – Udine 62 – ◆Venezia 149.

※ **Hostaria ai Pini,** NO : 2 km 🖋 225324, « Servizio estivo sotto un pergolato », 🍴 – ☻. 🛇
chiuso martedì e dal 10 gennaio al 10 marzo – Pas carta 20/49000 (10%).

PRUNETTA 51020 Pistoia 988 ⑭ – alt. 958 – a.s. luglio e agosto – ☻ 0573.
Roma 327 – ◆Firenze 53 – Lucca 48 – ◆Milano 291 – Pistoia 17 – San Marcello Pistoiese 14.

🏠 **Le Lari,** 🖋 672931, « Giardino » – ☻. 🛇 rist
◆ *maggio-settembre* – Pas carta 18/28000 – **25 cam** 🖵 25/45000 – P 45/47000, b.s. 38/43000.

PUGNANO Pisa – Vedere San Giuliano Terme.

PULA Cagliari 988 ㉝ – Vedere Sardegna alla fine dell'elenco alfabetico.

PULSANO 74026 Taranto – 10 141 ab. alt. 37 – a.s. 15 giugno-agosto – ☻ 099.
Roma 548 – ◆Bari 110 – ◆Brindisi 64 – Lecce 75 – ◆Taranto 16.

a Lido Silvana SE : 6 km – ✉ 74026 Pulsano :

🏨 **Eden Park,** 🖋 633091, Telex 860098, Fax 633094, 🏊, 🐦, 🍴, ※ – 🛗 🍴 cam 🗏 🕿 ☻. 🖭 **VISA**
Pas carta 32/50000 – 55 cam 🖵 67/119000.

PUNTA ALA 58040 Grosseto 988 ㉔ – a.s. Pasqua e 15 giugno-15 settembre – ☻ 0564.
🏌 🖋 922121.
Roma 225 – ◆Firenze 170 – Follonica 18 – Grosseto 41 – Siena 102.

🏨 **Gallia Palace Hotel** 🐦, 🖋 922022, Telex 590454, Fax 922022, ⩽, �, « Giardino fiorito con riscaldata », 🐦, 🍴, ※ – 🛗 🗏 🕿 🖧 ☻. 🛇 rist
14 maggio-1° ottobre – Pas 54000 – 🖵 22000 – **98 cam** 200/330000 – P 175/255000, b.s. 145/175000.

🏰 **Golf Hotel** 🐦, 🖋 922026, Telex 590538, Fax 922688, 🏊, 🗾, 🐦, 🍴, ※ – 🛗 🍴 cam 🗏 🕿 🖧 ☻ – 🖂 100 a 300. 🖭 🛅 ◍ ⴹ **VISA**. 🛇
chiuso novembre – Pas carta 46/62000 – **180 cam** 🖵 190/280000 appartamenti 380/550000 – P 170/257000, b.s. 132/196000.

🏰 **Cala del Porto** 🐦, 🖋 922455, Telex 590652, Fax 920716, ⩽, 🌆, « Terrazze fiorite », 🏊, 🐦, – 🛗 🗏 🖭 🕿 ☻. 🖭 🛅 ◍ ⴹ 🛇
aprile-26 settembre – Pas 60000 – 🖵 26000 – 42 cam 530000 – P 265/320000, b.s. 160/190000.

🏰 **Alleluja** 🐦, 🖋 922050, Telex 500449, Fax 920734, 🌆, « Parco ombreggiato », 🏊, 🐦, ※ – 🛗 🗏 🖭 🕿 🖧 ☻. 🖭 🛅 ◍. 🛇
15 marzo-ottobre – Pas carta 45/72000 – **38 cam** 🖵 235/390000 – P 220/285000, b.s. 170/220000.

※※ **Lo Scalino,** 🖋 922168, ⩽, 🌆 – 🖭 🛅 ◍ **VISA**
marzo-ottobre; chiuso martedì in bassa stagione – Pas carta 42/77000 (15%).

a Pian d'Alma NE : 9 km – ✉ 58020 Scarlino :

※ **Il Fontino,** 🖋 45173, 🌆 – ☻
chiuso febbraio, dal 1° al 15 novembre e martedì escluso agosto – Pas carta 28/42000.

PUNTA DEL LAGO Viterbo – Vedere Ronciglione.

PUNTALDIA Nuoro – Vedere Sardegna (San Teodoro) alla fine dell'elenco alfabetico.

PUOS D'ALPAGO 32015 Belluno – 2 260 ab. alt. 419 – ☻ 0437.
Roma 605 – Belluno 20 – Cortina d'Ampezzo 75 – ◆Venezia 95.

※※ **Locanda San Lorenzo** con cam, 🖋 44048, prenotare – ☻. 🖭 ◍ **VISA**. 🛇 cam
chiuso giugno – Pas *(chiuso mercoledì)* carta 21/35000 – 🖵 4000 – **8 cam** 32/52000 – P 42000.

PUTIGNANO 70017 Bari 988 ㉙ – 26 724 ab. alt. 368 – ☻ 080.
Roma 490 – ◆Bari 42 – ◆Brindisi 81 – ◆Taranto 54.

🏨 **Plaza** senza rist, via Roma 🖋 731266 – 🛗 🍴 🗏 🕿 – 🖂 80. 🖭 🛅 ◍ ⴹ **VISA**. 🛇
🖵 4500 – **41 cam** 49/68000.

ALFA-ROMEO via Stefano da Putignano 16 🖋
731867
LANCIA-AUTOBIANCHI sulla statale per Noci 🖋
734545

RENAULT via Bonaparte 80/84 🖋 734911

456

QUARRATA 51039 Pistoia – 20 695 ab. alt. 48 – ✿ 0573.
Roma 307 – ◆Firenze 25 – Lucca 53 – ◆Livorno 95 – Pistoia 13.

 XX **Da Silvione-Antica Trattoria dal 1901,** S : 1 km *✆* 750254, ✿ – ❻. ⏢. ✿
 chiuso lunedì, dal 1° al 14 gennaio e dal 5 al 26 agosto – Pas carta 27/41000.

ALFA-ROMEO sulla statale 66 n° 693 *✆* 743135

QUARTACCIO Viterbo – Vedere Civita Castellana.

QUARTO CALDO Latina – Vedere San Felice Circeo.

QUARTO D'ALTINO 30020 Venezia 🗺 ⑤ – 5 911 ab. alt. 5 – ✿ 0422.
Roma 537 – ◆Milano 276 – Treviso 17 – ◆Trieste 134 – ◆Venezia 26.

 XX **Cà delle Anfore,** via Marconi 33 (SE : 3 km) *✆* 782153, ✿ – ▤ ❻. ✿
 chiuso lunedì e gennaio – Pas carta 22/35000.

QUARTO DEI MILLE Genova – Vedere Genova.

QUARTU SANT'ELENA Cagliari 🗺 ㊸ – Vedere Sardegna alla fine dell'elenco alfabetico.

QUART-VILLEFRANCHE 11020 Aosta 🗺 ③ – 2 359 ab. alt. 545 – a.s. Pasqua, 15 luglio-15 settembre e Natale – ✿ 0165.
Roma 737 – Aosta 9 – Breuil-Cervinia 42 – ◆Milano 175 – ◆Torino 104.

 ⌂ **Fey,** *✆* 765200, Telex 210636 – ▣ ✿ ✆ ➡ ❻. ⌷ ⏢ E 𝓥𝓘𝓢𝓐. ✿ rist
 chiuso gennaio – Pas (chiuso giovedì) carta 26/39000 – ⊐ 6000 – 35 cam 40/65000 –
 P 55/65000, b.s. 50/55000.

 XX **Village Résidence et Rest. Le Bourricot Fleuri** con cam, *✆* 765333, Telex 215013, Fax
 765733, ≼, « Chalets indipendenti » – ▣ ✿ ❻. ⌷ ⏢ ⓞ E 𝓥𝓘𝓢𝓐
 Pas (chiuso mercoledì da ottobre a giugno) carta 25/36000 – ⊐ 8000 – 20 cam 81000 –
 P 83000, b.s. 70000.

FORD regione Amerique 125 *✆* 765122   PEUGEOT-TALBOT regione Amerique *✆* 765008

QUERCE AL PINO Siena – Vedere Chiusi.

QUINCINETTO 10010 Torino 🗺 ②, 🗺 ⑭ – 1 104 ab. alt. 295 – ✿ 0125.
Roma 694 – Aosta 55 – Ivrea 18 – ◆Milano 131 – Novara 85 – ◆Torino 60.

 XX **Da Marino,** località Montellina *✆* 757952, ≼, ✿ – ❻. ⌷ ⏢
 chiuso lunedì e dal 1° al 15 settembre – Pas carta 23/39000.

 X **Da Giovanni,** *✆* 757927 – ⌷ ⏢. ✿
 chiuso martedì, dal 10 gennaio al 1° febbraio e dal 15 giugno al 15 luglio – Pas carta 24/37000.

QUINTO AL MARE Genova – Vedere Genova.

QUINTO DI TREVISO 31055 Treviso – 8 855 ab. alt. 17 – ✿ 0422.
Roma 548 – ◆Padova 40 – Treviso 7 – ◆Venezia 35 – Vicenza 57.

 XX **Da Righetto** con cam, *✆* 379101, ✿ – ✆ ❻. ⌷ ⏢ ⓞ 𝓥𝓘𝓢𝓐. ✿ cam
 Pas (chiuso lunedì e dal 27 dicembre al 6 gennaio) carta 20/32000 – ⊐ 5000 – **9 cam** 32/52000
 – P 43000.

QUISTELLO 46026 Mantova – 6 092 ab. alt. 17 – ✿ 0376.
Roma 458 – ◆Ferrara 61 – Mantova 29 – ◆Milano 203 – ◆Modena 56.

 XXX ✿ **Ambasciata,** via Martiri di Belfiore 33 *✆* 618255, prenotare – ❻. ⌷ ⓞ. ✿
 chiuso mercoledì, dal 7 al 23 gennaio e dal 4 al 21 agosto – Pas carta 42/73000
 Spec. Tagliatelle con asparagi selvatici (primavera). Guazzetto di rane al pomodoro e basilico (estate). Pavone con
 frutta fresca e melograno (autunno).

 XX **Al Sole-Cincana,** piazza Semeghini *✆* 618146, Coperti limitati; prenotare – 𝓥𝓘𝓢𝓐. ✿
 chiuso domenica sera, mercoledì e da luglio al 10 agosto – Pas carta 35/50000.

RABBI 38020 Trento 🗺 ⑨ – 1 587 ab. alt. 1 095 – a.s. febbraio-15 marzo, Pasqua e Natale –
✿ 0463.
Roma 650 – ◆Bolzano 76 – Malè 8 – ◆Milano 246 – Trento 68.

 ⌂ Miramonti, località San Bernardo *✆* 95119 – ❻ – 20 cam.

RADDA IN CHIANTI 53017 Siena – 1 632 ab. alt. 531 – ✪ 0577.
Roma 261 – Arezzo 57 – ◆Firenze 52 – Siena 31.

🏠 **Fattoria Vignale** senza rist, ℰ 738300, Telex 583003, Fax 738592, ≼, ⌂, ☞ – ☎ ℗ – 🅰 30
a 80. ⒶⒺ 🅱 Ⓔ VISA ⅋⅋
chiuso dall'8 gennaio al 18 marzo – **23 cam** ⇌ 110/200000.

ⵝⵝ **Vignale,** ℰ 738094 – ⒶⒺ 🅱 Ⓔ ⅋⅋
chiuso giovedì, venerdì a mezzogiorno e dal 15 gennaio al 28 febbraio – Pas carta 40/58000.

RAGUSA ℗ 🅰🅰🅰 ⅗ – Vedere Sicilia alla fine dell'elenco alfabetico.

RAITO Salerno – Vedere Vietri sul Mare.

RANCATE 🅰🅰🅰 ⑧ – Vedere Cantone Ticino alla fine dell'elenco alfabetico.

RANCIO VALCUVIA 21030 Varese 🅰🅰🅰 ⑦ – 677 ab. alt. 296 – ✪ 0332.
Roma 651 – ◆Lugano 28 – Luino 12 – ◆Milano 74 – Varese 18.

ⵝⵝ **Gibigiana,** ℰ 724574, prenotare – ℗. ⅋⅋
chiuso martedì e gennaio – Pas carta 21/35000.

RANCO 21020 Varese 🅰🅰🅰 ⑦ – 950 ab. alt. 214 – ✪ 0331.
Roma 644 – Laveno Mombello 21 – ◆Milano 67 – Novara 51 – Sesto Calende 12 – Varese 27.

🏠 **Conca Azzurra** ⅍, ℰ 976526, Fax 976721, ≼, ⌖, 🅰🅰, ☞, ⅋ – ☎ ℗ – 🅰 150. ⒶⒺ 🅱 Ⓞ
Ⓔ VISA ⅋⅋ rist
chiuso gennaio e febbraio – Pas (chiuso venerdì da ottobre a maggio) carta 31/50000 – ⇌
10000 – **30 cam** 55/73000 – P 75/100000.

ⵝⵝⵝ ✿✿ **Del Sole** ⅍ con cam, ℰ 976507, Fax 976620, ≼, Coperti limitati; prenotare, « Servizio
estivo sotto un pergolato », 🅰🅰, ☞ – �🆃🆅 ☎ ℗. ⒶⒺ 🅱 Ⓞ Ⓔ VISA ⅋⅋
chiuso da gennaio all'11 febbraio – Pas (chiuso lunedì sera e martedì) carta 66/96000 (10%) –
7 appartamenti ⇌ 170/200000 – P 150/160000
Spec. Involtino di lavarello in vinaigrette e piccole verdure, Tagliolini di legumi al ragu di mare e lago, Storione
grigliato in salsa di arrosto. **Vini** Ribolla Gialla, Barbaresco.

*Le continue modifiche ed il costante miglioramento apportato
alla rete stradale italiana consigliano l'acquisto
dell' aggiornata **carta Michelin** 🅰🅰🅰 in scala 1/1 000 000.*

RANDAZZO Catania 🅰🅰🅰 ⅗ – Vedere Sicilia alla fine dell'elenco alfabetico.

RANZO 18028 Imperia – 628 ab. alt. 300 – ✪ 0183.
Roma 595 – Imperia 51 – Savona 58 – ◆Torino 191.

ⵝ **Moisello,** ℰ 318073 – ℗. ⅋⅋
chiuso lunedì sera, martedì e dal 10 al 30 ottobre – Pas carta 20/28000.

RAPALLO 16035 Genova 🅰🅰🅰 ⑬ – 29 559 ab. – Stazione climatica e balneare, a.s. Pasqua,
giugno-settembre e Natale-febbraio – ✪ 0185.
Vedere Lungomare Vittorio Veneto★.
Dintorni Penisola di Portofino★★★ per la strada panoramica★★ per Santa Margherita Ligure e
Portofino SO per ②.
🏌 (chiuso martedì) ℰ 50210, per ④ : 2 km.
🅱 via Diaz 9 ℰ 51282.
Roma 477 ④ – ◆Genova 28 ④ – ◆Milano 163 ④ – ◆Parma 142 ① – ◆La Spezia 79 ④.

🏨 **Gd H. Bristol** ⅍, via Aurelia Orientale 369 ℰ 273313, Telex 270688, Fax 55800, « Rist.
roof-garden con ≼ mare e golfo », ⌂ riscaldata, 🅰🅰, ☞ – ⌷ ☰ 🆃🆅 ☎ ⟵ ℗ – 🅰 250. ⒶⒺ
🅱 Ⓞ Ⓔ VISA ⅋⅋ rist   per ①
chiuso gennaio e febbraio – Pas carta 60/85000 – ⇌ 18000 – **93 cam** 220/360000 appartamenti
640/780000 – P 240/320000, b.s. 220/280000.

🏨 **Eurotel,** via Aurelia Ponente 22 ℰ 60981, Telex 283851, Fax 50635, ≼ mare, « Giardino con
⌂ » – ⌷ ⅋⅋ cam ☰ 🆃🆅 🅰 ⌷ ℗ – 🅰 100. ⒶⒺ 🅱 Ⓞ Ⓔ VISA ⅋⅋ rist   **f**
Pas 35/45000 – **65 cam** ⇌ 110/165000 – P 145/165000, b.s. 135/155000.

🏨 **Astoria** senza rist, via Gramsci 4 ℰ 273533, Telex 272117, ≼ – ⌷ ☰ 🆃🆅 ☎ – 🅰 36. ⒶⒺ 🅱 Ⓞ
Ⓔ VISA ⅋⅋   **r**
chiuso dal 23 novembre al 23 dicembre – ⇌ 14000 – **20 cam** 90/150000.

🏠 **Rosabianca** senza rist, lungomare Vittorio Veneto 42 ℰ 50390, ≼ – ⌷ ☰ 🆃🆅 ☎. ⒶⒺ 🅱 Ⓞ
VISA   **b**
18 cam ⇌ 90/140000.

🏠 **Giulio Cesare,** corso Cristoforo Colombo 52 ℰ 50685, ≼ – ⌷ ☎. ⒶⒺ 🅱 Ⓞ Ⓔ VISA ⅋⅋ rist   **d**
chiuso da novembre al 19 dicembre – Pas 20/25000 – ⇌ 7000 – 33 cam 29/58000 – P 60/70000.

458

🏛 **Miramare,** via Vittorio Veneto 27 ℰ 50293, ← – 劇 🕾, 🖭 🖏 ① E 𝘝𝘐𝘚𝘈. ❦ rist

v

Pas carta 31/52000 – 🖙 8000 – 31 cam 40/65000 – P 70/95000, b.s. 70/85000.

🏛 **Vittoria,** via San Filippo Neri 11 ℰ 54838 – 劇 ☎ ⇔, 🖭 🖏 ① E 𝘝𝘐𝘚𝘈. ❦ rist

a

chiuso dal 21 ottobre al 21 dicembre – Pas (chiuso martedì) 19/30000 – 🖙 5000 – 40 cam 26/42000 – P 52/57000, b.s. 50/55000.

🏛 **Stella,** via Aurelia Ponente 10 ℰ 50367 – 劇 ☎ ⇔, 🖭 🖏 E 𝘝𝘐𝘚𝘈

u

Pas (chiuso da maggio a novembre) carta 18/33000 (15%) – 🖙 5000 – **30 cam** 35/60000 – P 55/60000, b.s. 50/55000.

✗✗ **Da Monique,** lungomare Vittorio Veneto 6 ℰ 50541, ← – 🖭 🖏 ① E 𝘝𝘐𝘚𝘈

s

chiuso martedì e dal 20 gennaio al 20 febbraio – Pas carta 30/44000.

✗ **La Goletta,** via Magenta 28 ℰ 669261 – 🖭 ①

𝘝𝘐𝘚𝘈

z

chiuso lunedì e dal 10 al 30 gennaio – Pas carta 30/59000.

✗ **La Clocherie,** vico della Rosa 8 ℰ 55309

x

chiuso mercoledì e dal 5 novembre al 5 dicembre – Pas carta 25/40000.

✗ **Elite,** via Milite Ignoto 19 ℰ 50551 – 🔳, 🖭 🖏 ① E 𝘝𝘐𝘚𝘈

c

chiuso giovedì e novembre – Pas carta 24/44000.

a San Michele di Pagana per ② : 1,5 km – ⊠ 16035 :

🏛 **Cuba e Milton,** ℰ 50610, ← giardini e mare – 劇 🕾 🅿. 🖭 🖏 ① E 𝘝𝘐𝘚𝘈. ❦ rist
chiuso da novembre al 19 dicembre – Pas 32/38000 – 🖙 8000 – **30 cam** 65/100000 – P 100000, b.s. 85000.

a San Massimo per ④ : 3 km – ⊠ 16035 Rapallo :

✗ **ü Giancu,** ℰ 260505, « Servizio estivo in giardino » – 🅿
chiuso dal 1° al 9 ottobre, dal 2 novembre al 24 dicembre, mercoledì, giovedì a mezzogiorno e da Natale a Pasqua anche lunedì e martedì – Pas carta 24/34000.

a Madonna di Montallegro NE : 11 km o 10 mn di funivia – alt. 612 – ⊠ 16035 Rapallo :

✗ **Montallegro,** ℰ 50344, ← – ❦
chiuso dal 25 dicembre al 7 gennaio – Pas carta 22/32000.

FIAT via Sciesa 15 per ④ ℰ 52305
PEUGEOT-TALBOT via Puchoz 18 ℰ 57551

RENAULT corso Cristofo Colombo 2 ℰ 272772

RAPOLANO TERME 53040 Siena 🟡🟡🟡 ⑮ – 5 002 ab. alt. 334 – ✪ 0577.
Roma 202 – Arezzo 48 – ♦Firenze 96 – ♦Perugia 81 – Siena 28.

🏛 **2 Mari,** strada statale 326 (N : 0,5 km) ℰ 724070 – 劇 🕾 🅿. 🖭 🖏 E 𝘝𝘐𝘚𝘈. ❦
chiuso dal 15 al 31 luglio – Pas (chiuso martedì) carta 20/32000 – 🖙 9000 – **42 cam** 36/59000 – P 53/64000.

RASEN ANTHOLZ = Rasun Anterselva.

RASUN ANTERSELVA (RASEN ANTHOLZ) 39030 Bolzano – 2 485 ab. alt. 1 000 – a.s. febbraio-Pasqua, 15 luglio-15 settembre e Natale – ✪ 0474.
Roma 728 – ♦Bolzano 87 – Brunico 13 – Cortina d'Ampezzo 52 – Lienz 66 – ♦Milano 382.

ad Anterselva di Sotto (Antholz Niedertal) NE : 7 km – alt. 1 105 – ⊠ 39030 :

🏛 **Antholzerhof** ♨, ℰ 42148, ←, 🔄, ⊠ rist ☞ 🅿
chiuso dal 9 aprile al 27 maggio e dall'11 ottobre al 17 dicembre – Pas carta 23/33000 – **26 cam** 🖙 60/100000 – P 80/90000, b.s. 60/70000.

459

RAPALLO

Italia (Corso) ... 8
Matteotti (Corso)
Mazzini (Via) ... 14

Aurelia Levante (Via) ... 2
Cavour (Piazza) ... 3
Cile (Piazza) ... 4
Garibaldi (Piazza) ... 6
Gramsci (Via) ... 7
Lamarmora (Via) ... 10
Milite Ignoto (Via) ... 15
Montebello (Via) ... 16
Pastene (Piazza) ... 17
V. Veneto (Lungomare) ... 19
Zunino (Via) ... 20

- 🏠 **Bagni di Salomone,** SO : 1,5 km ℰ 42199, 🌴 – ☎ 🄿 E. 🍴 rist
- ◆ *chiuso dal 15 al 30 giugno e novembre* – Pas *(chiuso giovedì)* carta 19/28000 – **22 cam** ⬜ 30/54000 – P 51/54000, b.s. 43/48000.

 ad Anterselva di Mezzo (Antholz Mittertal) NE : 10 km – alt. 1 235 – ✉ **39030** :

- 🏠 **Wegerhof** 🦌, ℰ 42130, ≼, 🌴 – ☎ 🄿. 🍴 rist
- ◆ *20 dicembre-Pasqua e giugno-ottobre* – Pas 13/15000 – **10 cam** ⬜ 23/45000 – P 38/45000, b.s. 32/38000.

RAVASCLETTO 33020 Udine – 797 ab. alt. 957 – Stazione di villeggiatura, a.s. 15 luglio-agosto e Natale – Sport invernali : 957/1 730 m ≼ 6 ≼ 4, ⯑ – ✿ 0433.

🄸 partenza funivia Monte Zoncolan ℰ 66035.

Roma 712 – ◆Milano 457 – Monte Croce Carnico 28 – Tolmezzo 24 – ◆Trieste 146 – Udine 76.

- 🏠 **Valcalda,** ℰ 66120, ≼, 🌴 – ☎ 🄿 ⓪ 🆅🅸🆂🅰. 🍴
- *chiuso maggio e novembre* – Pas carta 19/27000 (10%) – ⬜ 6000 – **32 cam** 40/70000 – P 38/60000.

RAVELLO 84010 Salerno 🄳🄳🄳 ⑰ – 2 377 ab. alt. 350 – Stazione climatica, a.s. Pasqua, giugno-settembre e Natale – ✿ 089.

Vedere Posizione e cornice pittoresche★★★ – Villa Rufolo★★★ : ☀★★★ – Villa Cimbrone★★★ : ☀★★★ – Pulpito★★ e porta in bronzo★ del Duomo – Chiesa di San Giovanni del Toro★.

🄸 piazza Duomo 10 ℰ 857096.

Roma 276 – Amalfi 6 – ◆Napoli 66 – Salerno 29 – Sorrento 40.

- 🏨 **Palumbo** 🦌, ℰ 857244, Telex 770101, ≼ golfo, capo d'Orso e monti, 🌴, « Edificio del 12° secolo », 🌴 – 🟰 cam 📺 🄱 ⓪ E 🆅🅸🆂🅰. 🍴 rist
  Pas carta 50/72000 – ⬜ 20000 – 20 cam 312000 appartamenti 440/519000 – P 200/253000, b.s. 170/200000.

- 🏨 **Caruso Belvedere** 🦌, ℰ 857111, ≼ golfo, capo d'Orso e monti, 🌴, « Raccolta di dipinti dell'800 e terrazza giardino con belvedere » – ☎. 🄰🄴 🄱 ⓪ E. 🍴 rist
  chiuso febbraio – Pas 38000 – ⬜ 13000 – 24 cam 54/89000 – P 88/115000, b.s. 81/96000.

- 🏨 **Rufolo** 🦌, ℰ 857133, ≼ golfo, capo d'Orso e monti, « Terrazza-giardino con ⚏ » – 🟰 ☎ 🄿. 🄰🄴 🄱 ⓪. 🍴 rist
  Pas *(chiuso venerdì da novembre a marzo)* carta 30/45000 – ⬜ 12000 – **29 cam** 49/85000 – P 80/105000, b.s. 70/90000.

- 🏨 **Giordano e Villa Maria** 🦌, ℰ 857170, ≼, « Servizio rist. estivo sotto un pergolato », ⚏, 🌴 – ☎ 🄿. 🄰🄴 E 🆅🅸🆂🅰.
  Pas carta 20/28000 (15%) – ⬜ 10000 – 26 cam 40/70000 – P 55/80000, b.s. 50/65000.

- 🏨 **Graal,** ℰ 857222, ≼ golfo, capo d'Orso e monti, ⚏ – 🟰 ☎ – 🛁 100. 🄰🄴 🄱 🆅🅸🆂🅰. 🍴 rist
  Pas *(marzo-ottobre)* carta 21/35000 (15%) – 35 cam ⬜ 55/100000 – P 65/80000, b.s. 55/70000.

- 🏠 **Parsifal,** ℰ 857144, ≼ golfo, capo d'Orso e monti, « Graziosa terrazza-giardino » – ☎. 🄰🄴 🄱 ⓪ E 🆅🅸🆂🅰. 🍴 rist
  20 marzo-10 ottobre – Pas 20/27000 – ⬜ 6000 – 19 cam 37/55000 – P 60/69000, b.s. 48/55000.

- ✕✕✕ **Villa Barbaro,** SO : 2 km ℰ 872973, ≼, Coperti limitati; prenotare, « Servizio estivo in terrazza » – 🄿. 🄰🄴 🄱 ⓪ E
  20 marzo-ottobre ; chiuso lunedì – Pas carta 42/63000.

- ✕✕ **Garden** con cam, ℰ 857226, « Servizio estivo in terrazza ombreggiata con ≼ golfo, capo d'Orso e monti » –
  Pas *(chiuso martedì da novembre a marzo)* carta 20/27000 (12%) – 10 cam ⬜ 60000 – P 60/65000, b.s. 55/60000.

- ✕ **Cumpa' Cosimo,** ℰ 857156 – 🄰🄴 ⓪ 🆅🅸🆂🅰
  chiuso lunedì da novembre a marzo – Pas carta 20/31000.

 sulla costiera amalfitana S : 6 km :

- 🏨 **Marmorata,** ✉ 84010 ℰ 877777, Telex 720667, ≼ golfo, 🌴, ⚏, 🛥 – 🟰 🖩 📺 ☎ 🄿. 🄰🄴 🄱 ⓪ E 🆅🅸🆂🅰. 🍴
  chiuso novembre – Pas *(chiuso da dicembre a marzo)* 35/60000 – **40 cam** ⬜ 125/205000, 🖩 10000 – P 115/155000, b.s. 80/110000.

RAVENNA 48100 🄿 🄳🄳🄳 ⑮ – 136 324 ab. alt. 3 – ✿ 0544.

Vedere Mausoleo di Galla Placidia★★ : mosaici★★★ Y – Chiesa di San Vitale★★ : mosaici★★★ Y – Battistero degli Ortodossi★ : mosaici★★★ Z – Basilica di Sant'Apollinare Nuovo★ : mosaici★★★ Z – Mosaici★★★ nel Battistero degli Ariani Y D – Cattedra d'avorio★★ e cappella arcivescovile★★ nel museo dell'Arcivescovado Z M1 – Mausoleo di Teodorico★ Y B – Statua giacente★ nella Pinacoteca Comunale Z M2.

Dintorni Basilica di Sant'Apollinare in Classe★★ : mosaici★★★ per ③ : 5 km.

🄸 via Salara 8/12 ℰ 35404 – viale delle Industrie 14 (15 marzo-ottobre)ℰ 451539.

🄰.🄲.🄸. piazza Mameli 4 ℰ 22567.

Roma 366 ④ – ◆Bologna 74 ⑤ – ◆Ferrara 74 ⑤ – ◆Firenze 136 ④ – ◆Milano 285 ⑤ – ◆Venezia 145 ①.

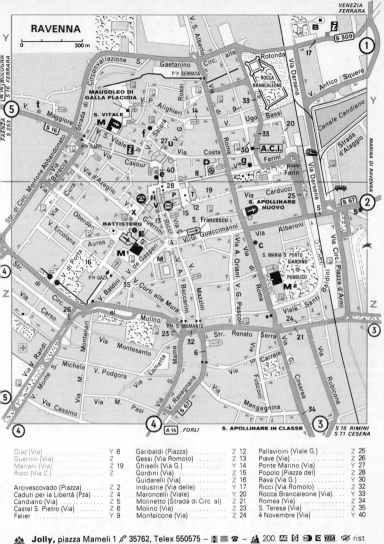

Diaz (Via)	Y 8	Garibaldi (Piazza)	Z 12	Pallavicini (Viale G.)	Z 25
Guerrini (Via)	Z	Gessi (Via Romolo)	Z 13	Piave (Via)	Z 26
Mariani (Via)	Z 19	Ghiselli (Via G.)	Y 14	Ponte Marino (Via)	Z 27
Ricci (Via C.)	Z	Gordini (Via)	Z 15	Popolo (Piazza del)	Z 28
		Guidarelli (Via)	Z 16	Rava (Via G.)	Z 30
Arcivescovado (Piazza)	Z 2	Industrie (Via delle)	Y 17	Ricci (Via Romolo)	Z 32
Caduti per la Libertà (Pza)	Z 4	Maroncelli (Viale)	Y 20	Rocca Brancaleone (Via)	Y 33
Candiano (Via)	Z 5	Molinetto (Strada di Circ. al)	Z 21	Romea (Via)	Z 34
Castel S. Pietro (Via)	Z 6	Molino (Via)	Z 23	S. Teresa (Via)	Z 35
Falier	Y 9	Monfalcone (Via)	Z 24	4 Novembre (Via)	Y 40

🏨🏨 **Jolly,** piazza Mameli 1 ℘ 35762, Telex 550575 – 🛗 ▤ ☎ – 🔬 200. 🖽 🕃 ⓞ 🖪 𝘝𝘐𝘚𝘈. 🛠 rist
Pas 42000 – **75 cam** ⛾ 115/175000.   Y **g**

🏨🏨 **Bisanzio** senza rist, via Salara 30 ℘ 27111, 🚗 – 🛗 ▤ ☎ – 🔬 50. 🕃
36 cam ⛾ 86/155000.   Y **f**

🏨 **Centrale-Byron** senza rist, via 4 Novembre 14 ℘ 22225, Telex 551070 – 🛗 ▤ ☎. 🕃. 🛠
57 cam ⛾ 51/78000, ▤ 10000.   Y **e**

🏨 **Argentario** senza rist, via di Roma 45 ℘ 22555 – 🛗 ☜ 🕭. 🛠
⛾ 6000 – **34 cam** 45/70000.   Z **c**

🏨 **Trieste,** via Trieste 11 ℘ 421566 – 🛗 ☜ 🚗. 🛠 rist
chiuso gennaio – Pas (solo per clienti alloggiati e chiuso da novembre a febbraio) 21000 – ⛾
6500 – **52 cam** 41/62000 – P 70000.   Z **s**

🍴🍴🍴 **Brini,** viale Po 69 ℘ 67498 – ▤ 🅿 – 🔬 35. 🖽 🕃 ⓞ 𝘝𝘐𝘚𝘈   1 km per ③
chiuso lunedì – Pas carta 46/66000.

segue →

XX **Bella Venezia,** via 4 Novembre 16 ℰ 22746 – 🅰🅴 🕃 ⓞ 🄴 *VISA*   Y e
chiuso gennaio, domenica e da ottobre a marzo anche sabato – Pas carta 28/44000 (10%).

XX ✿ **Tre Spade,** via Rasponi 37 ℰ 32382, Coperti limitati; prenotare – ▤. 🅰🅴 🕃 ⓞ 🄴 *VISA*. ⁒
chiuso lunedì e dal 25 luglio al 28 agosto – Pas carta 37/50000 (12%)   Z x
Spec. Sformato di fagiano con salsa di porri (ottobre-marzo), Lasagnette agli strigoli (ottobre-marzo), Fracosta di
manzo lardata in salsa all'aceto balsamico. **Vini** Trebbiano, Sangiovese.

X **Al Gallo,** via Maggiore 87 ℰ 23775, 😭 – 🅰🅴 🕃 ⓞ 🄴 *VISA*. ⁒   Y t
chiuso lunedì sera, martedì, dal 20 dicembre al 10 gennaio e dal 1° al 15 luglio – Pas
carta 32/45000 (10%).

X **La Gardèla,** via Ponte Marino 3 ℰ 27147 – ▤. 🅰🅴 🕃 ⓞ 🄴 *VISA*. ⁒   Y u
◆ *chiuso giovedì e dal 10 al 25 agosto* – Pas carta 17/27000.

X **Da Renato,** via Mentana 31 ℰ 23684 – *VISA*. ⁒   Z v
Pas carta 23/33000.

sulla strada statale 16 per ③ : 2,5 km :

🏨 **Romea e Rist. Ponte Nuovo,** ✉ 48100 ℰ 61247 – 📶 ▤ 📺 ☎ ⓟ – 🅍 100. 🅰🅴 🕃 ⓞ 🄴
VISA. ⁒ rist
Pas *(chiuso venerdì e dal 22 luglio al 16 agosto)* carta 29/42000 (10%) – ⇌ 6000 – **47 cam**
45/70000, ▤ 5000 – P 76000.

sulla strada statale 309 :

XX **Ca' del Pino,** per ① : 9,5 km ✉ 48100 ℰ 446061, « In pineta-piccolo zoo » – ⓟ – 🅍 100.
🅰🅴 🕃 ⓞ *VISA*
chiuso lunedì sera, martedì e dal 23 dicembre al 31 gennaio – Pas carta 35/60000 (10%).

XX **Le Coq qui Rit,** per ① : 6,5 km ✉ 48100 ℰ 451044, « Servizio estivo all'aperto », 🍴 – ⓟ.
⁒
chiuso lunedì – Pas carta 25/44000.

Vedere anche : *Sant'Apollinare in Classe* per ③ : 6 km.

ALFA-ROMEO via Faentina 212/c per ⑤ ℰ 463057
ALFA-ROMEO via Dismano 82/a ℰ 66401
BMW via Faentina 140 ℰ 462330
CITROEN via Faentina 222/a ℰ 462716
FIAT via Trieste 227 per ② ℰ 422208
FIAT via Faentina 166 per ⑤ ℰ 460051
FORD via Faentina 74 ℰ 460068
GM-OPEL via Faentina 158 ℰ 460726

LANCIA-AUTOBIANCHI via Faentina 169 per ⑤ ℰ 464100
LANCIA-AUTOBIANCHI via Faentina 92 per ⑤ ℰ 460265
MERCEDES-BENZ via Dismano 2 ℰ 61001
RENAULT via Buozzi 22-zona Bassette ℰ 39199
VW-AUDI via Romea 148 ℰ 61454

RAVENNA (Marina di) 48023 Ravenna 🄈🄈🄈 ⑮ – Stazione balneare, a.s. 15 giugno-agosto –
✪ 0544.
🄑 (maggio-settembre) viale delle Nazioni 159 ℰ 430117.

Roma 390 – ◆Bologna 103 – Forlì 42 – ◆Milano 314 – ◆Ravenna 13 – Rimini 61.

🏨🏨 **Park Hotel Ravenna,** viale delle Nazioni 181 ℰ 431743, Telex 550185, Fax 430430, « Parco
ombreggiato con 🏊 e ⁒ », 🏖 – 📶 ▤ 📺 ☎ ♿ ⓟ – 🅍 25 a 400. 🅰🅴 🕃 ⓞ 🄴 *VISA*. ⁒ rist
aprile-ottobre – Pas 35000 – **146 cam** ⇌ 120/180000 appartamenti 250000 – P 120/145000,
b.s. 100/125000.

🏩 **Internazionale,** viale delle Nazioni 163 ℰ 430486 – ☎ ⓟ. 🕃 ⓞ *VISA*. ⁒
◆ *aprile-settembre* – Pas 18000 – ⇌ 7000 – **28 cam** 42/54000 – P 54000.

🏩 **Bermuda,** viale della Pace 363 ℰ 530560 – ☎. 🅰🅴 🕃 ⓞ *VISA*. ⁒
chiuso dal 20 dicembre al 20 gennaio – Pas carta 30/46000 – ⇌ 7000 – **17 cam** 38/50000 –
P 45/50000, b.s. 40/48000.

XX **Gloria,** viale delle Nazioni 420 ℰ 430274, 😭, « Wisckyteca e raccolta di quadri » – ⓟ. 🅰🅴
🕃 ⓞ 🄴 *VISA*. ⁒
chiuso mercoledì e novembre – Pas carta 34/52000 (18%).

XX **Cottage,** viale delle Nazioni 277 ℰ 430418, 😭 – ⓟ. 🅰🅴 🕃 ⓞ 🄴 *VISA*
maggio-settembre – Pas carta 45/60000.

XX **Al Pescatore-da Saporetti,** via Natale Zen 13 ℰ 430208, 😭 – 🅰🅴 🕃 ⓞ. ⁒
chiuso martedì e da gennaio al 20 febbraio – Pas carta 46/56000 (10%).

X **Al Porto,** viale delle Nazioni 2 ℰ 430105 – ⓟ. 🅰🅴 🕃 ⓞ *VISA*. ⁒
chiuso lunedì – Pas carta 35/50000.

X **Maddalena** con cam, viale delle Nazioni 345 ℰ 530431 – 🅰🅴 ⓞ *VISA*. ⁒ rist
chiuso dal 15 dicembre al 31 gennaio – Pas *(chiuso lunedì da settembre a giugno)*
carta 35/50000 – ⇌ 5000 – **28 cam** 28/45000 – P 42/45000, b.s. 40000.

a Marina Romea N : traghetto e 3 km – ✉ 48023.
🄑 (maggio-settembre) viale Italia 112 ℰ 446035 :

🏨 **Corallo,** viale Italia 102 ℰ 446107, 🏖, 🍴 – 📶 ▤ rist ☎
stagionale – 82 cam.

🏩 **Columbia e Rist. La Pioppa,** viale Italia 70 ℰ 446038, 🍴 – 📶 ☎ ⓟ. 🅰🅴 🕃 ⓞ *VISA*. ⁒
aprile-settembre – Pas *(chiuso lunedì)* carta 23/49000 – ⇌ 5000 – **34 cam** 38/58000 –
P 50/54000, b.s. 37/40000.

a Lido Adriano S : 8 km – ⊠ **48020** Punta Marina.
🛈 (maggio-settembre) ✆ 495353 :

🏨 **Gd H. Adriano,** ✆ 495446, Telex 551289, ≤, ⊋, 🐜, ☞, 🎇 – 🛗 🕾 🅿. 🛦 🖪 🎫 🛩 rist
10 maggio-19 settembre – Pas 25/35000 – ☲ 12000 – **117 cam** 55/70000 – ½ P 70/80000,
b.s. 50/60000.

RAVINA Trento – Vedere Trento.

RAZZES (RATZES) Bolzano – Vedere Siusi.

REANA DEL ROIALE 33010 Udine – 4 697 ab. alt. 168 – 0432.
Roma 648 – ♦Trieste 86 – Udine 10.

a Rizzolo SE : 1 km – ⊠ **33010** Reana del Roiale :

🍴 **Da Otello** con cam, ✆ 857044, ☞ – 🅿. 🖪
Pas *(chiuso domenica sera e lunedì)* carta 20/28000 – ☲ 4000 – **8 cam** 22/35000 – P 38/46000.

a Zompitta NE : 2,5 km – ⊠ **33010** Reana del Roiale :

🍴 **Da Rochet,** ✆ 851090, « Servizio estivo in giardino » – 🅿. 🎫
chiuso mercoledì e dal 19 agosto al 9 settembre – Pas carta 21/28000.

REBECCU Sassari – Vedere Sardegna (Bonorva) alla fine dell'elenco alfabetico.

RECANATI 62019 Macerata 🗐🗐🗐 ⑯ – 19 232 ab. alt. 293 – a.s. 15 luglio-settembre – ✪ 071.
🛈 piazza Leopardi 5 ✆ 981471 – Roma 271 – ♦Ancona 38 – Macerata 24 – Porto Recanati 12.

🏠 **La Ginestra,** via Calcagni 2 ✆ 980355 – 🕾. ⓪ 🎫
→ Pas *(chiuso martedì e dal 15 al 25 giugno)* carta 19/28000 – ☲ 4000 – **28 cam** 30/50000 –
P 60000, b.s. 55000.

sulla strada statale 77 NE : 2 km :

🍴 **Cantina di Palazzo Bello** con cam, ⊠ 62019 ✆ 9841605 – 🅿. 🛩 cam
Pas carta 20/34000 (15%) – ☲ 2500 – **8 cam** 51000 – P 50000.

RECCO 16036 Genova 🗐🗐🗐 ⑬ – 10 438 ab. – ✪ 0185.
Roma 484 – ♦Genova 23 – ♦Milano 160 – Portofino 15 – ♦La Spezia 86.

🏠 **Elena,** via Garibaldi 5 ✆ 74022, ≤, 🐜 – 🕾 🅿. 🖪 🕦 E 🎫 🛩 rist
chiuso dal 2 novembre al 2 dicembre – Pas carta 27/42000 – ☲ 8000 – 29 cam 46/76000 –
P 65/78000.

🏠 **Oasi,** via Roma 262 (N : 1 km) ✆ 75364, 🐜 – 🖵 🕾 🅿. 🛦 🖪 🕦 E 🎫
chiuso dal 10 gennaio al 10 febbraio e dal 17 al 27 luglio – Pas vedere rist Manuelina – **14 cam**
☲ 32/55000 – P 85/95000.

🍴🍴 **Manuelina,** via Roma 278 (N : 1 km) ✆ 75364 – 🚐 🅿. 🛦 🖪 🕦 E 🎫
chiuso mercoledì, dal 10 gennaio al 10 febbraio e dal 17 al 27 luglio – Pas carta 47/62000.

🍴🍴 **Vitturin,** via dei Giustiniani 48 (N : 1,5 km) ✆ 720225 – 🚐 🅿. – 🏔 80. 🛦 🖪 🕦 E 🎫 🛩
chiuso lunedì e dal 29 giugno al 14 luglio – Pas carta 33/57000.

🍴🍴 **Da ö Vittorio** con cam, via Roma 160 ✆ 74029, ☞ – 🛗 🖵 🕾 🛦 🖪 🕦 E 🎫 🛩 cam
chiuso dal 15 novembre al 10 dicembre – Pas *(chiuso giovedì)* carta 36/67000 – ☲ 8000 –
20 cam 35/55000 – P 75000.

🍴🍴 **Da Lino,** via Roma 70 ✆ 74336 – 🚐. 🛩
chiuso martedì e gennaio – Pas carta 29/51000.

🍴🍴 **Alfredo,** via San Giovanni Battista 33 ✆ 74653 – 🛦 🖪 🕦
chiuso giovedì, dal 5 al 17 luglio e dal 24 dicembre al 5 gennaio – Pas carta 23/42000.

RECOARO TERME 36076 Vicenza 🗐🗐🗐 ④ – 7 605 ab. alt. 445 – Stazione termale (giugno-
settembre), a.s. febbraio, luglio-agosto e Natale – Sport invernali : a Recoaro Mille : 1 007/1 650 m
💤2, ⚐ – ✪ 0445 – 🛈 via Roma 25 ✆ 75070.
Roma 576 – ♦Milano 227 – Trento 78 – ♦Venezia 108 – ♦Verona 74 – Vicenza 44.

🏨 Dolomiti 🦢, alle Fonti Centrali ✆ 75025, ≤, « Giardino ombreggiato » – 🛗 🕾 🅿
stagionale – 40 cam.

🏠 **Verona,** via Roma 60 ✆ 75065 – 🛗 🕾. 🛩
maggio-settembre – Pas carta 20/27000 – ☲ 4000 – **35 cam** 33/54000 – P 45000, b.s. 42000.

🏠 **Al Pittore,** via Roma 58 ✆ 75039 – 🛗 🕭. 🛩
→ *maggio-settembre* – Pas 15/20000 – ☲ 3500 – 25 cam 30/50000 – P 45000, b.s. 43000.

REGGELLO 50066 Firenze 🗐🗐🗐 ⑮ – 12 257 ab. alt. 390 – ✪ 055.
Roma 250 – Arezzo 58 – ♦Firenze 43 – Forlì 128 – ♦Milano 339 – Siena 68.

🍴🍴 **Da Archimede** con cam, N : 3,5 km ✆ 869055 e rist ✆ 868182, ≤, « Servizio estivo
all'aperto », 🐜 – 🕾 🅿. 🛩
Pas *(chiuso mercoledì)* carta 23/36000 – ☲ 7000 – **18 cam** 60/85000 – P 85000.

Vedere Museo Nazionale★★ : Bronzi di Riace★★★ – Lungomare★.

✈ di Ravagnese per ③ : 4 km ✆ 322232 – Alitalia, Agenzia Simonetta, corso Garibaldi 521/525 ✉ 89127 ✆ 331444.

🚗 a Villa San Giovanni, ✆ 99940-int. 337.

🚢 per Messina giornalieri (45 mn) – Stazione Ferrovie Stato, ✉ 89100 ✆ 97957; per Catania (3 h 15 mn) e Siracusa (6 h 45 mn), martedì, venerdì e domenica – Tirrenia Navigazione-agenzia Labate, via Buozzi 31/33 ✉ 89121 ✆ 94003, Telex 890082.

🚢 per Messina giornalieri (15 mn) – SNAV, Stazione Marittima ✉ 89100 ✆ 29568.

🅱 via Demetrio Tripepi 72 ✉ 89125 ✆ 98496 – all'Aeroporto ✆ 320291 – corso Garibaldi 329/e ✉ 89127 ✆ 92012 – Stazione Centrale ✆ 27120.

A.C.I. via De Nava 43 ✉ 89122 ✆ 97901 – Roma 705 ② – Catanzaro 161 ② – ♦Napoli 499 ②.

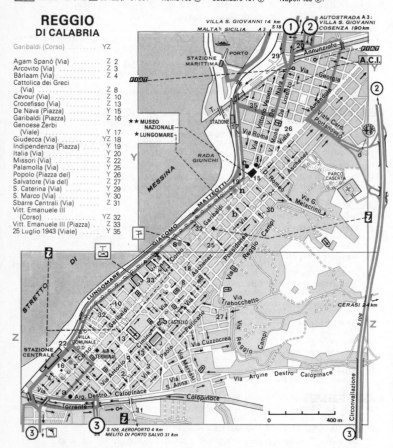

REGGIO
DI CALABRIA

Garibaldi (Corso) . . . . YZ

Agam Spanò (Via)	Z 2
Arcovito (Via)	Z 3
Bàrlaam (Via)	Z 4
Cattolica dei Greci (Via)	Z 8
Cavour (Via)	Z 10
Crocefisso (Via)	Z 13
De Nava (Piazza)	Y 15
Garibaldi (Piazza)	Z 16
Genoese Zerbi (Viale)	Y 17
Giudecca (Via)	YZ 18
Indipendenza (Piazza)	Y 19
Italia (Via)	Z 20
Missori (Via)	Z 22
Palamolla (Via)	Z 25
Popolo (Piazza del)	Y 26
Salvatore (Via del)	Z 27
S. Caterina (Via)	Y 29
S. Marco (Via)	Y 30
Sbarre Centrali (Via)	Z 31
Vitt. Emanuele III (Corso)	YZ 32
Vitt. Emanuele III (Piazza)	Z 33
25 Luglio 1943 (Viale)	Y 35

🏨🏨 **Gd H. Excelsior,** via Vittorio Veneto 66 ✉ 89121 ✆ 25801, Telex 912583, Fax 93084 – 📶 ▤ 📺 ☎ & – 🔱 50 a 200. ﾑﾓ 🅱 ⓞ 🅴 𝖵𝖨𝖲𝖠 ⅏ rist
Pas carta 32/45000 – ⊐ 8000 – **92 cam** 105/155000, ▤ 15000 – P 140/160000.
Y c

🏨🏨 **Ascioti,** via San Francesco da Paola 79 ✉ 89127 ✆ 97041, Telex 912565 – 📶 ▤ 📺 ☎ & ⇔
52 cam.
Z a

🏨 **Palace Hotel Masoanri's** senza rist, via Vittorio Veneto 95 ✉ 89121 ✆ 26433 – 📶 ▤ 📺 ☎ & ﾑﾓ 🅱 ⓞ 🅴 𝖵𝖨𝖲𝖠
⊐ 8000 – **65 cam** 75/115000, ▤ 15000.
Y f

🏨 **Primavera,** via Pentimele 177 ✉ 89121 ✆ 47081, Fax 47121, ⪡ – 📶 ▤ 📺 ☜ ⇔ 🅿 – 🔱 100. ﾑﾓ 🅱 ⓞ 𝖵𝖨𝖲𝖠 ⅏
Pas carta 22/32000 – ⊐ 6000 – **52 cam** 60/95000 – P 70000.
per ①

XXX **Rodrigo**, via XXIV Maggio 25 ⊠ 89125 ✆ 20170 – 🗐   Y **b**

XX **Bonaccorso**, via Cesare Battisti 8 ⊠ 89127 ✆ 96048 – ⇔ 🗐 . 🆎 🅱 ⓞ 🅴 𝘝𝘐𝘚𝘈   Z **r**
chiuso lunedì ed agosto – Pas carta 29/48000 (15%).

XX **London Bistro**, via Osanna 2/f ⊠ 89127 ✆ 92908 – 🗐. 🆎 🅱 ⓞ 𝘝𝘐𝘚𝘈. ℀   Z **x**
chiuso a mezzogiorno (escluso domenica) e lunedì – Pas carta 29/45000 (15%).

XX **Conti**, via Giulia 2 ⊠ 89125 ✆ 29043 – 🗐. 🆎 🅱 ⓞ 🅴 𝘝𝘐𝘚𝘈   Y **s**
chiuso lunedì – Pas carta 25/37000 (15%).

X **Trattoria da Pepè**, via Bligny 11 ⊠ 89122 ✆ 44044 – 🗐   per ①

X **Baylik**, vico Leone 1 ⊠ 89121 ✆ 48624 – 🗐. 🅱   per ①
chiuso giovedì e dal 20 luglio al 20 agosto – Pas carta 28/44000 (15%).

X **Da Peppino**, corso Vittorio Emanuele 27/29 ⊠ 89127 ✆ 331224 – 🅱 🅴 𝘝𝘐𝘚𝘈   Y **n**
chiuso domenica sera – Pas carta 24/38000 (10%).

    Vedere anche : *Gallico Marina* per ② : 9 km.

ALFA-ROMEO via Pentimele per ① ✆ 44777
ALFA-ROMEO via Vallone Petrara 81 ✆ 94830
BMW viale Aldo Moro 134 ✆ 590449
CITROEN strada statale Jonica 106 ✆ 320941
FIAT via De Nava 1 ✆ 98689
FIAT contrada Gagliardi-Arangea per ③ ✆ 682294
FIAT viale Libertà 18 ✆ 21351
FORD via Nazionale 87-località Pentimele ✆ 45162

GM-OPEL via Stazione Santa Caterina 15 ✆ 48222
INNOCENTI via Cantaffio 21/23 per ③ ✆ 55926
LANCIA-AUTOBIANCHI via Montevergine angolo via Santa Caterina per ① ✆ 47029
PEUGEOT-TALBOT via Vallone Petrara 81 ✆ 90878
RENAULT via Vecchia Pentimele 75/83 ✆ 48396
RENAULT località Archi, strada statale 18 ✆ 43261
VW-AUDI via Santa Caterina 12 ✆ 44629

REGGIO NELL'EMILIA 42100 🅿 𝟿𝟪𝟪 ⑭ – 130 015 ab. alt. 58 – ✪ 0522.

Vedere Galleria Parmeggiani★.

🈠 Matilde di Canossa ✆ 33645 per ④ : 6 km.

🛈 piazza Prampolini ✆ 43370.

A.C.I. via Secchi 9 ✆ 35744.

Roma 427 ② – ◆Bologna 65 ② – ◆Milano 149 ② – ◆Parma 27 ⑤.

Pianta pagina seguente

🏩 **Gd H. Astoria e Rist. Girarrosto**, viale Nobili 2 ✆ 35245, Telex 530534, ≼ – 🛗 🗐 📺 ☎ 🅿 –   Y **f**
🛗 30 a 350
112 cam.

🏨 **Posta** senza rist, piazza Cesare Battisti 4 ✆ 32944, Telex 530036 – 🛗 📺 ☎ 🚗 – 🛗 100. 🆎 🅱 ⓞ 🅴 𝘝𝘐𝘚𝘈. ℀   Z **c**
43 cam 🛏 115/160000 appartamenti 170000.

🏨 **Cristallo** senza rist, viale Regina Margherita 30 ✆ 511811, Fax 513073 – 🛗 🗐 📺 ☎ 🚗 🅿 – 🛗 30. 🆎 🅱 ⓞ 🅴 𝘝𝘐𝘚𝘈. ℀   Y **e**
🛏 8000 – **44 cam** 68/85000.

🏨 **Europa**, viale Olimpia 2 ✆ 49190 – 🛗 🗐 ☎ 🔥 🚗 🅿 – 🛗 35. 🆎. ℀   Z **g**
Pas *(chiuso venerdì, domenica sera e dal 26 luglio al 25 agosto)* carta 32/39000 (15%) – 🛏 8000 – **102 cam** 51/78000.

🏨 **San Marco** senza rist, piazzale Marconi 1 ✆ 35364 – 🛗 ☎. 🆎 🅱 ⓞ 🅴 𝘝𝘐𝘚𝘈   Z **b**
chiuso dal 1° al 20 agosto – 🛏 6000 – **52 cam** 51/77000.

🏨 **Park Hotel** senza rist, via De Ruggero 1/b ✆ 292141 – 🛗 📺 📠 🅿 – 🛗 35. 🆎 ⓞ 𝘝𝘐𝘚𝘈   2 km per ④
chiuso dal 1° al 21 agosto – 🛏 7000 – **26 cam** 48/74000.

🏨 **Ariosto** senza rist, via San Rocco 12 ✆ 37320 – 🛗 📠. ℀   Y **a**
chiuso agosto – 🛏 6000 – **22 cam** 32/50000.

XX **5 Pini-da Pelati**, viale Martiri di Cervarolo 46 ✆ 553663 – 🗐 🅿. 🆎 🅱 ⓞ. ℀   Z
chiuso mercoledì, dal 2 al 9 febbraio e dal 3 al 24 agosto – Pas carta 30/45000.
    per viale Simonazzi

XX **Osteria Campana**, viale Simonazzi 14/b ✆ 39673, Coperti limitati; prenotare – 🗐. ⓞ 𝘝𝘐𝘚𝘈   Z **a**
chiuso lunedì ed agosto – Pas carta 27/39000.

XX **La Zucca**, piazza Fontanesi 1 ✆ 485718 – 🆎 🅱 ⓞ. ℀   Z **u**
chiuso domenica, dal 24 dicembre al 7 gennaio e dal 30 luglio al 25 agosto – Pas carta 27/36000.

X **Maiorca**, viale dei Mille 44/d ✆ 35203 – 🗐. ℀   Z **n**
chiuso mercoledì – Pas carta 25/60000.

X **Aquila d'Oro**, via Emilia San Pietro 69 ✆ 32252 – 🆎 🅱 ⓞ 🅴 𝘝𝘐𝘚𝘈. ℀   Z **x**
chiuso martedì e dal 15 al 30 giugno – Pas carta 23/32000.

ALFA-ROMEO via Fratelli Cervi 8 per ⑤ ✆ 791946
BMW via Cafiero 14 ✆ 76745
CITROEN via Galileo Galilei 3 ✆ 73741
FIAT via Fratelli Cervi 75/5 per ⑤ ✆ 71947
FIAT viale Kennedy 14 per ⑤ ✆ 70341
FIAT via Fratelli Cervi 63 per ⑤ ✆ 72926
FORD via Montefiorino 1 ✆ 25446
GM-OPEL via Fratelli Cervi 75/3 ✆ 77340
INNOCENTI via Pansa 8 ✆ 46388
LANCIA-AUTOBIANCHI via Fratelli Cervi 59 per ⑤ ✆ 74940

LANCIA-AUTOBIANCHI via Monti Urali 1/b ang. via Curie per ③ ✆ 551890
MERCEDES-BENZ via Notari 1/c ✆ 91800, Telex 551800
PEUGEOT-TALBOT via Gramsci 76/b ✆ 39041
RENAULT via Cafiero 22 ✆ 73090
VW-AUDI via Cafiero 10 ✆ 74641
VOLVO via Beniamino Gigli 7 ✆ 41748

REGGIO
NELL'EMILIA

REGOLEDO DI COSIO VALTELLINO Sondrio 2️⃣1️⃣9️⃣ ⑩ – Vedere Morbegno.

RENON (RITTEN) Bolzano – 5 708 ab. alt. (frazione Collalbo) 1 154 – Stazione di villeggiatura, a.s. aprile, luglio-settembre e Natale – ✪ 0471.
Da Collalbo : Roma 664 – ◆Bolzano 15 – Bressanone 52 – ◆Milano 319 – Trento 80.

a Collalbo (Klobenstein) – alt. 1 154 – ⊠ 39054.
🄸 Municipio ℰ 56100 :

🏛 **Bemelmans Post,** ℰ 56127, 🔟 riscaldata, 🐎, ✖ – 🛗 ⤢ rist ☎ 🄿. 🄰🄴 🄲. ✖ rist
– *chiuso gennaio e novembre* – Pas *(chiuso mercoledì)* 17/20000 – ☲ 7000 – 49 cam 30/56000
– P 58/70000, b.s. 46/52000.

a Costalovara (Wolfsgruben) SO : 5 km – alt. 1 206 – ⊠ 39059 Soprabolzano :

🏨 **Am Wolfsgrubener See** ﹩, ℰ 55119, ≼, 🏤, « In riva al lago », 🐎 – 🛗 ☎ 🄿. ✖ rist
→ *chiuso marzo e novembre* – Pas *(chiuso lunedì)* 19/26000 – **25 cam**
☲ 38/72000 – ½ P 60/65000, b.s. 42/52000.

🏨 **Maier** ﹩, ℰ 55114, ≼, 🔟 riscaldata, 🐎, ✖ – 🛗 ⊛ 🄿. ✖ rist
→ *aprile-5 novembre* – Pas (solo per clienti alloggiati e *chiuso lunedì*) 18/20000 – ☲ 8000 –
24 cam 31/54000 – P 66000, b.s. 48000.

🏠 **Lichtenstern** ⚬, NE : 1 km ℘ 55147, ≤ Dolomiti e pinete, ☎ – ☎ ☻. ⑤ VISA. ﹠
◆ *chiuso dal 10 novembre al 25 dicembre* – Pas *(chiuso martedì)* 15/20000 – ☲ 7000 – **24 cam** 32/52000 – P 50/67000, b.s. 43/57000.

a Soprabolzano (Oberbozen) SO : 7 km – alt. 1 221 – ✉ **39059.**

🛈 (Pasqua-ottobre) ℘ 55245 :

🏠 **Haus Fink,** ℘ 55340, ≤ Dolomiti e vallata, ☎ – ☻ ☻. 🆊. ﹠ rist
chiuso da novembre al 24 dicembre – Pas *(chiuso a mezzogiorno e lunedì)* – **15 cam** ☲ 45/90000 – ½ P 50/60000, b.s. 45/50000.

🏠 **Regina** ⚬, ℘ 55142, ≤ Dolomiti e vallata – ▒ ☎ ☻. **E**. ﹠ rist
◆ *chiuso dal 10 novembre al 20 dicembre* – Pas 14/16000 – **24 cam** ☲ 35/62000 – P 50/56000, b.s. 49/52000.

RESCHEN = Resia.

RESIA (RESCHEN) Bolzano 🔢 ⑧ – alt. 1 494 – ✉ **39027** Resia all'Adige – a.s. febbraio-Pasqua, luglio-agosto e Natale – ☻ **0473.**
🛈 ℘ 83101.
Roma 742 – ◆Bolzano 105 – Landeck 49 – ◆Milano 281 – Trento 163.

🏠 **Al Moro-Zum Mohren,** ℘ 83120, 🔲 – ▒ ☎ ☻. 🆊 VISA. ﹠ rist
chiuso dal 10 aprile e da novembre al 15 dicembre – Pas carta 27/39000 – **26 cam** ☲ 50/95000 – P 55/75000, b.s. 50/65000.

🏠 **Etschquelle,** ℘ 83125 – ☻
◆ *chiuso dal 2 al 24 maggio e dal 20 novembre al 10 dicembre* – Pas *(chiuso lunedì in bassa stagione)* carta 16/33000 – ☲ 5000 – **20 cam** 35/60000 – P 50000, b.s. 36000.

REVERE 46036 Mantova – 2 808 ab. alt. 15 – ☻ 0386.
Roma 458 – ◆Ferrara 58 – Mantova 35 – ◆Milano 210 – ◆Modena 54 – ◆Verona 48.

❌❌ **Il Tartufo,** via Guido Rossa 13 ℘ 46404, ☏, Coperti limitati; prenotare – 🖾. VISA. ﹠
chiuso giovedì, dal 3 al 15 gennaio e dal 2 al 25 luglio – Pas carta 25/38000.

REVIGLIASCO D'ASTI 14010 Asti – 765 ab. alt. 203 – ☻ 0141.
Roma 626 – Asti 11 – Alessandria 49 – Cuneo 91 – ◆Torino 63.

❌❌ **Il Rustico,** ℘ 208210, solo su prenotazione – 🆊 **E** VISA. ﹠
chiuso a mezzogiorno, martedì ed agosto – Pas 35/50000.

REVINE 31020 Treviso – alt. 260 – ☻ 0438.
Roma 590 – Belluno 37 – ◆Milano 329 – Trento 131 – Treviso 50.

❌❌ **Ai Cadelach** con cam, ℘ 583421, ☱, ☎ – ☻ ☻. VISA. ﹠
chiuso novembre – Pas *(chiuso mercoledì)* carta 22/31000 – ☲ 5000 – **18 cam** 35/60000 – P 55/60000.

REZZANELLO 29010 Piacenza – alt. 380 – ☻ 0523.
Roma 538 – Alessandria 102 – ◆Milano 92 – Piacenza 27.

❌ **Pineta** ⚬ con cam, ℘ 970239, ≤ – ☻. ⑤. ﹠ cam
chiuso dal 10 settembre al 10 ottobre – Pas *(chiuso martedì)* carta 21/30000 – ☲ 4000 – **12 cam** 24/36000 – P 40/45000.

RHÊMES-NOTRE-DAME 11010 Aosta 🔢 ①②, 🔢 ⑪⑫ – 92 ab. alt. 1 723 – a.s. febbraio, aprile, luglio-agosto e Natale – Sport invernali : 1 723/2 000 m ⚞2, ⚟ – ☻ 0165.
Roma 779 – Aosta 31 – Courmayeur 45 – ◆Milano 216.

a Chanavey N : 1,5 km – alt. 1 696 – ✉ 11010 Rhêmes-Notre-Dame :

🏠 **Granta Parey** ⚬, ℘ 96104, ≤ monti e vallata – ▒ ☻. ﹠ rist
chiuso maggio, ottobre e novembre – Pas carta 20/31000 – ☲ 7000 – **36 cam** 30/55000 – P 55000, b.s. 45/50000.

RHO 20017 Milano 🔢 ③, 🔢 ⑱ – 50 934 ab. alt. 158 – ☻ 02.
Roma 590 – Como 36 – ◆Milano 14 – Novara 38 – Pavia 49 – ◆Torino 127.

❌❌❌ **Al Rhotaia,** via Magenta 42/44 ℘ 93180158, Coperti limitati; prenotare – ✂ 🖾 ☻. 🆊 ⑤ ◑ **E** VISA
chiuso domenica, dal 1° al 10 gennaio e dal 5 al 20 agosto – Pas carta 34/57000.

❌ **Alla Barca-da Franco,** via Ratti 54 ℘ 9303976 – ✂ 🖾. 🆊 ⑤ ◑ **E** VISA. ﹠
chiuso martedì ed agosto – Pas carta 35/50000.

❌ **Al Cantuccio,** corso Garibaldi 57 ℘ 9303152, Coperti limitati; prenotare – ﹠
chiuso lunedì – Pas 30/37000.

ALFA-ROMEO via Ratti 23 ℘ 9309527
FIAT via Lainate 84 ℘ 9312401
GM-OPEL via De Gasperi 24 ℘ 9316681

LANCIA-AUTOBIANCHI via Pomè 19 ℘ 9301382
PEUGEOT-TALBOT via Biringhello 78 ℘ 9306635
RENAULT via dei Martiri 23 ℘ 9302433

RICAVO Siena – Vedere Castellina in Chianti.

RICCIONE 47036 Forlì 🔢 ⑮⑯ – 32 170 ab. – Stazione balneare, a.s. 15 giugno-agosto – ❀ 0541.
🛈 piazzale Ceccarini 10 ℰ 43361.
Roma 326 – ◆Bologna 120 – Forlì 59 – ◆Milano 331 – Pesaro 30 – ◆Ravenna 64 – Rimini 12.

🏨 Atlantic, lungomare della Libertà 15 ℰ 601155, Telex 550192, Fax 606402, ≼, 🔟 riscaldata –
|🕴| ⇆ cam 🔳 cam 📺 ☎ 📵 – 🔬 80. 🖭 🛐 ⓞ 🅴 𝘝𝘐𝘚𝘈 rist
Pas 35/45000 – **62 cam** ⊆ 170000 – P 110/150000, b.s. 85/95000.

🏨 Savioli Spiaggia, viale D'Annunzio 2/6 ℰ 43252, Telex 551038, Fax 42651, ≼, 🔟 riscaldata,
𝖺𝗋𝗋 – |🕴| 🔳 📺 📵 ☎ 📵. 🖭 🛐 ⓞ 🅴 𝘝𝘐𝘚𝘈. ⅏ rist
Pas 35000 – ⊆ 15000 – 70 cam 90/150000 – P 115/165000, b.s. 80/115000.

🏨 De la Ville, via Spalato 5 ℰ 41329, Fax 582249, « Giardino ombreggiato con 🔟 » – |🕴| 🔳 📺
📵 – 🔬 50 a 150. 🖭 ⓞ 𝘝𝘐𝘚𝘈. ⅏ rist
aprile-settembre – Pas (chiuso sino al 20 maggio) 30000 – ⊆ 10000 – **58 cam** 95/150000 –
P 120/130000, b.s. 80/90000.

🏨 Boemia, viale Gramsci 87 ℰ 602055, ≼, 𝖺𝗋𝗋 – |🕴| ⇆ cam 🔳 📺 ☎ – 🔬 60. 🖭 🛐 ⓞ 🅴 𝘝𝘐𝘚𝘈.
⅏ rist
maggio-settembre – Pas (solo per clienti alloggiati) 30/35000 – ⊆ 14000 – 70 cam 90/140000
– P 95/135000, b.s. 65/85000.

🏨 President, viale Virgilio 12 ℰ 41190 – |🕴| 🔳 📺 ☎ – 🔬 30. 🖭 ⓞ 𝘝𝘐𝘚𝘈. ⅏
Pas (solo per clienti alloggiati) 35000 – ⊆ 10000 – 26 cam 85/143000 – P 130000, b.s. 85000.

🏨 Abner's, lungomare della Repubblica 7 ℰ 600601, Telex 550153, ≼, 🔟 riscaldata – |🕴| 📺 ☎
📵. 🖭 🛐 🅴 𝘝𝘐𝘚𝘈. ⅏ rist
Pas 25/45000 – ⊆ 13000 – **50 cam** 89/150000 – ½ P 80/119000, b.s. 75/90000.

🏨 Lungomare, viale Milano 7 ℰ 41601, Fax 41601, ≼ – |🕴| 🔳 📺 ☎ 📵 – 🔬 70. 🖭 🛐 ⓞ 🅴
𝘝𝘐𝘚𝘈. ⅏ rist
febbraio-ottobre – Pas 30000 – **58 cam** ⊆ 60/110000 – P 70/110000, b.s. 49/75000.

🏨 Promenade, viale Milano 67 ℰ 600852, ≼, « Giardino-pergolato » – |🕴| ⇦. 🖭 🛐 ⓞ 🅴
𝘝𝘐𝘚𝘈. ⅏ rist
maggio-settembre – Pas 20/30000 – ⊆ 10000 – **39 cam** 60/120000 – P 70/120000, b.s. 60/90000.

🏨 Augustus, viale Oberdan 18 ℰ 43434, 🔟, 𝖺𝗋𝗋 – |🕴| 🔳 📺 📵. 🖭 𝘝𝘐𝘚𝘈. ⅏ rist
aprile-ottobre – Pas (solo per clienti alloggiati) – ⊆ 7000 – **48 cam** 80/140000 – P 101/112000,
b.s. 72000.

🏨 Corallo, viale Gramsci 113 ℰ 600807, ≼, 🔟, 𝖺𝗋𝗋, ⅍ – |🕴| 📵. 🖭 🛐 ⓞ 🅴 𝘝𝘐𝘚𝘈. ⅏ rist
maggio-settembre – Pas 30/50000 – ⊆ 10000 – **65 cam** 70/110000 – P 75/115000, b.s. 50/70000.

🏨 Vienna e Touring, viale Milano 78 ℰ 601700, 🔟 riscaldata, 𝖺𝗋𝗋, ⅍ – |🕴| ⇦ 📵. 🖭 🛐 🅴 𝘝𝘐𝘚𝘈.
⅏ rist
maggio-settembre – Pas 25/45000 – ⊆ 12000 – **85 cam** 93/159000 – ½ P 74/112000,
b.s. 63/79000.

🏨 Luna, viale Ariosto 5 ℰ 40034, Fax 41755, 🔟 riscaldata – |🕴| 🔳 ⇦ 📵. 🛐 ⓞ 𝘝𝘐𝘚𝘈. ⅏ rist
15 maggio-25 settembre – Pas (solo per clienti alloggiati) 30/40000 – 59 cam ⊆ 85/130000 –
P 75/105000, b.s. 58/85000.

🏨 Roma, viale Milano 17 ℰ 43202, ≼, 𝖺𝗋𝗋 – |🕴| 🔳 ☎ 📵. 🖭 🛐 𝘝𝘐𝘚𝘈. ⅏ rist
Pasqua-ottobre – Pas (solo per clienti alloggiati) 25/30000 – ⊆ 15000 – **34 cam** 80/130000 –
P 75/110000, b.s. 50/70000.

🏨 Diamond, viale Fratelli Bandiera 1 ℰ 602600, 𝖺𝗋𝗋 – |🕴| ⇆ cam 🔳 📺 ☎ 📵. 𝘝𝘐𝘚𝘈. ⅏
maggio-settembre – Pas 22/30000 – **40 cam** ⊆ 70/130000. 🔳 5000 – P 55/87000, b.s. 45/63000.

🏨 Alexandra-Plaza, viale Torino 61 ℰ 610344, Telex 550330, ≼, « Giardino con 🔟 » – |🕴| ⇦
📵. 🖭 🅴 𝘝𝘐𝘚𝘈. ⅏ rist
aprile-settembre – Pas 20/50000 – ⊆ 12000 – **54 cam** 90/140000 – P 78/95000, b.s. 66/77000.

🏨 Club Hotel, viale D'Annunzio 58 ℰ 42105, ≼ – |🕴| ⇦ 📵. ⅏
14 aprile-6 ottobre – Pas (solo per clienti alloggiati) – ⊆ 8000 – **68 cam** 42/80000 – P 52/62000,
b.s. 48/52000.

🏨 Sarti, piazzale Di Vittorio ℰ 600978, ≼ – |🕴| 🔳 rist ⇦. 🖭 🛐 ⓞ 🅴 𝘝𝘐𝘚𝘈. ⅏ rist
marzo-ottobre – Pas 25/35000 – **48 cam** ⊆ 55/95000 – P 65/85000, b.s. 48/65000.

🏨 Poker, viale D'Annunzio 61 ℰ 40463 – |🕴| 🔳 rist ⇦ 📵. ⅏ rist
Pasqua-settembre – Pas 25/30000 – **53 cam** 35/70000 – P 60/68000, b.s. 45/54000.

🏨 Gemma, viale D'Annunzio 82 ℰ 43251, ≼, 𝖺𝗋𝗋 – |🕴| ☎ ≛ 📵. 🖭 ⓞ 𝘝𝘐𝘚𝘈. ⅏ rist
10 febbraio-15 ottobre – Pas 25/40000 – **43 cam** ⊆ 47/78000 – P 58/72000, b.s. 46/58000.

🏨 Dory, viale Puccini 4 ℰ 642896, 𝖺𝗋𝗋 – |🕴| 🔳 ⇦ 📵. 🛐 🅴 𝘝𝘐𝘚𝘈. ⅏ rist
Pasqua-20 settembre – ⊆ 18000 – **50 cam** 45/90000, 🔳 6000 – P 55/80000,
b.s. 43/50000.

🏨 Anna, viale Trento Trieste 48 ℰ 601503, 𝖺𝗋𝗋 – |🕴| ⇦ 📵. ⅏
15 maggio-settembre – Pas 25/35000 – ⊆ 6500 – **28 cam** 45/80000 – P 52/62000, b.s. 38/44000.

🏨 Ambasciatori, viale Milano 99 ℰ 601517, ≼, 𝖺𝗋𝗋 – |🕴| 📵. 🖭 🛐 ⓞ 🅴 𝘝𝘐𝘚𝘈. ⅏ rist
15 aprile-settembre – Pas 25000 – **37 cam** ⊆ 35/80000 – P 65/72000, b.s. 50/55000.

🏨 Baltic, piazzale Di Vittorio 1 ℰ 600966, ≼ – |🕴| ⇦ ≛ 📵. 🖭 ⓞ. ⅏ rist
Pas 22/27000 – ⊆ 6000 – 71 cam 45/90000 – P 60/85000, b.s. 55/65000.

🏨 Eliseo, viale Monteverdi 3 ℰ 41282, 𝖺𝗋𝗋 – |🕴| ⇦ 📵. ⅏
⬅ Pasqua-settembre – Pas 18/25000 – ⊆ 7500 – **29 cam** 30/58000 – P 48/55000, b.s. 37/42000.

🏨 **Atlas,** viale Catalani 28 🖉 41374 – |≜| 🗏 rist 🕮 ᴭ. **P**. 🛠
➡ *10 maggio-25 settembre* – Pas 15/18000 – **36 cam** ⌇ 40/60000 – P 49/55000, b.s. 32/35000.

🏨 **Tropic,** viale D'Annunzio 36 🖉 41309, ≼, 🍽 – |≜| 🕮 **P**
stagionale – 42 cam.

🏨 **Maestri,** viale Gorizia 4 🖉 43201 – |≜| 🕮 **P**. 🛠 rist
25 maggio-20 settembre – Pas 35/40000 – ⌇ 8000 – 51 cam 50/75000 – P 62/69000,
b.s. 50/55000.

🏨 **Ardea,** viale Monti 77 🖉 641846, ⌀ riscaldata – |≜| 🗏 rist 🕮 **P**. 🛠
aprile-settembre – Pas (solo per clienti alloggiati) – ⌇ 5000 – **36 cam** 25/50000 – P 48/56000,
b.s. 38/43000.

🏨 **Margareth,** viale Mascagni 2 🖉 42765, ≼ – |≜| 🕮 ᴭ. **P**. 🛠 rist
➡ *10 maggio-settembre* – Pas 19/25000 – ⌇ 6000 – **50 cam** 43/78000 – P 62/67000, b.s. 46/51000.

🏨 **Arizona,** viale D'Annunzio 22 🖉 48520, ≼, 🍽 – |≜| 🕮 ᴭ. **P**. 🛠 rist
➡ *10 maggio-settembre* – Pas 16/40000 – ⌇ 9000 – **64 cam** 50/86000 – P 50/85000, b.s. 40/60000.

🏨 **Mon Chéri,** viale Milano 9 🖉 601104, ≼ – |≜| 🗏 rist 🕮 **P**. 🛠 rist
Pasqua e giugno-20 settembre – Pas 20/24000 – **43 cam** ⌇ 40/72000 – P 64/72000,
b.s. 38/50000.

🏩 **Petronio,** viale Goldoni 9 🖉 641111 – |≜| ⅙≍ cam 🗏 rist 🕮 **P**. 🛠 rist
➡ *15 maggio-settembre* – Pas (solo per clienti alloggiati) 18/25000 – **36 cam** ⌇ 30/50000 –
P 45/50000, b.s. 35/40000.

🏩 **Pierre,** viale Giordano Bruno 19 🖉 600663, 🍽 – |≜| 🕮 **P**
stagionale – 45 cam.

🏩 **Romagna,** viale Gramsci 64 🖉 600604 – |≜| 🕮 **P**. 🛠
giugno-10 settembre – Pas (solo per clienti alloggiati) 22/26000 – ⌇ 8000 – **40 cam** 45/70000
– P 48/65000, b.s. 35/45000.

🏩 **Residenz,** viale D'Annunzio 8 🖉 41657 – |≜| **P**. 🛠 rist
➡ *Pasqua-25 settembre* – Pas 16/23000 – ⌇ 6000 – **38 cam** 27/50000 – P 36/52000, b.s. 33/36000.

🏩 **Morri,** viale D'Annunzio 42 🖉 42753 – |≜| 🗏 rist 🕮. ᴬᴱ 𝗩𝗜𝗦𝗔. 🛠 rist
marzo-settembre – Pas *(chiuso venerdì)* carta 22/35000 – ⌇ 5000 – **25 cam** 50/80000 –
P 48/65000, b.s. 35/50000.

🏩 **Darsena,** viale Galli 5 🖉 42047 – |≜| ⅙≍ cam 🕿 **P**. 🛠 rist
➡ *Pasqua-10 ottobre* – Pas *(maggio-settembre)* 15/21000 – **31 cam** ⌇ 33/60000 – P 45/56000,
b.s. 33/38000.

🏩 **Select,** viale Gramsci 89 🖉 600613, 🍽 – |≜| 🕮 **P**. 🛠
➡ *15 maggio-20 settembre* – Pas (solo per clienti alloggiati) 16/19000 – ⌇ 6000 – 35 cam
47/80000 – P 53/60000, b.s. 39/43000.

🏩 **Selene,** viale Gramsci 122 🖉 600614 – |≜| 🕮 **P**. 🛠 rist
15 maggio-20 settembre – Pas (solo per clienti alloggiati) 20000 – ⌇ 7000 – **30 cam** 45/75000
– P 50/60000, b.s. 39/45000.

🏩 **Carignano,** viale Oberdan 9 🖉 601663 – |≜| 🕮 **P**. 🛠
20 maggio-23 settembre – Pas (solo per clienti alloggiati) 24/29000 – ⌇ 11500 – **36 cam**
35/56000 – P 50/65000, b.s. 42/50000.

🏩 **Lugano,** viale Trento Trieste 75 🖉 606611 – |≜| 🕮 **P**. 🛠 rist
➡ *maggio-settembre* – Pas (solo per clienti alloggiati) 15/25000 – 28 cam ⌇ 40/60000 –
P 54/60000, b.s. 30/36000.

✕✕ **Punta de l'Est,** viale Emilia 73 🖉 42448, « Piccolo giardino ombreggiato » – ᴬᴱ 𝗦 ⑩ ᴇ
𝗩𝗜𝗦𝗔. 🛠
chiuso lunedì e novembre – Pas carta 29/46000.

✕✕ **Al Pescatore,** con cam, via Ippolito Nievo 11 🖉 42526 – 𝗧𝗩 🕮 **P**
8 cam.

✕✕ **Conti** con cam, via Flaminia 3 🖉 640315 – 🕮 **P**. ᴬᴱ 𝗦 ⑩ 𝗩𝗜𝗦𝗔. 🛠 rist
Pas *(chiuso lunedì in bassa stagione)* carta 20/34000 – ⌇ 5000 – **25 cam** 28/40000 – P 52000.

✕ **Fino,** viale Galli 1 (Darsena) 🖉 43326, ≼ – ᴬᴱ 𝗦 ⑩ ᴇ 𝗩𝗜𝗦𝗔
chiuso mercoledì e dal 15 ottobre al 15 novembre – Pas carta 46/60000.

✕ **Gambero Rosso,** molo Levante 🖉 41200, ≼ – ᴬᴱ 𝗦 ⑩. 🛠
chiuso martedì e da gennaio al 9 febbraio – Pas carta 33/52000.

ALFA-ROMEO circonvallazione Nuova 94 🖉 43173   PEUGEOT-TALBOT via Milano 60 🖉 41750
FIAT via Empoli ang. via del Lavoro 🖉 605600

RIDANNA (RIDNAUN) Bolzano 𝟮𝟭𝟴 ⑩ – Vedere Vipiteno.

RIESE PIO X 31039 Treviso – 7 946 ab. alt. 66 – ❸ 0423.
Roma 537 – ◆Padova 39 – Trento 109 – Treviso 32 – Vicenza 40.

✕ Alle 2 Spade, 🖉 483150, 🍽 – **P**

La carta stradale Michelin è costantemente aggiornata.

RIETI 02100 🅿 988 ㉘ – 44 115 ab. alt. 402 – ✪ 0746.

Vedere Giardino Pubblico★ in piazza Cesare Battisti – Volte★ del palazzo Vescovile.

🗓 portici del Comune 🖉 43220.

A.C.I. via Lucandri 26 🖉 43339.

Roma 78 – L'Aquila 58 – Ascoli Piceno 113 – ♦Milano 565 – ♦Pescara 166 – Terni 37 – Viterbo 99.

🏨 **Miramonti,** piazza Oberdan 5 🖉 41333 – 🛗 ☰ 📺 ☎ – 🍴 40. 🖭 🖽 ⑩ 🖰 𝗩𝗜𝗦𝗔. 🛠
Pas vedere rist Da Checco al Calice d'Oro – 🍽 5000 – **30 cam** 75/115000.

🏨 **Cavour,** senza rist, via Velina ang. piazza Cavour 🖉 485252 – 🛗 ☎ ⑫
38 cam.

🏨 **Quattro Stagioni** senza rist, piazza Cesare Battisti 14 🖉 43306 – 🛗 ☎ – 🍴 70. 🖭 ⑩ 𝗩𝗜𝗦𝗔
🍽 10000 – **36 cam** 50/68000.

XX **Da Checco al Calice d'Oro,** via Marchetti 10 🖉 44271 – ☰. 🖭 🖽 ⑩ 🖰 𝗩𝗜𝗦𝗔. 🛠
chiuso lunedì e luglio – Pas carta 35/42000 (12%).

Vedere anche : *Terminillo* NE : 21 km.

ALFA-ROMEO via Salaria per Roma al km 85,5 🖉 45198
BMW via Salaria per L'Aquila 🖉 45769
CITROEN via Rinaldi 2 🖉 496352
FIAT viale Maraini 126 🖉 40640
FIAT via del Terminillo 64-Vazia 🖉 72538

GM-OPEL via Salaria per Roma 🖉 482223
INNOCENTI piazza Marconi 13 🖉 44369
LANCIA-AUTOBIANCHI via Tancia 70/a 🖉 485303
PEUGEOT-TALBOT via Molino della Salce 54 🖉 44727
VW-AUDI via Costanzi 13 🖉 485503

RIFREDDO 85010 Potenza – alt. 1 090 – ✪ 0971.

Roma 370 – Potenza 12.

🏨 **Giubileo** 🐾, 🖉 21804, Fax 21807, « Parco », 🍴 – 🛗 ☰ 📺 ☎ 🚳 🛋 – ⑫ – 🍴 300. 𝗩𝗜𝗦𝗔. 🛠
Pas carta 31/44000 – 🍽 5000 – **76 cam** 60/75000 – P 70/100000.

RIGOLI Pisa – Vedere San Giuliano Terme.

RIMINI 47037 Forlì 988 ⑮⑯ – 130 787 ab. – Stazione balneare, a.s. 15 giugno-agosto – ✪ 0541.

Vedere Tempio Malatestiano★.

🛬 di Miramare (stagionale) per ① : 5 km 🖉 373132.

🚗 🖉 53477 o 53512.

🗓 piazzale Cesare Battisti 🖉 27927 – piazzale Indipendenza 🖉 24511.

A.C.I. via Roma 66 🖉 24275.

Roma 334 ① – ♦Ancona 107 ① – ♦Milano 323 ④ – ♦Ravenna 52 ④.

Pianta pagina a lato

🏨 **Duomo** senza rist, via Giordano Bruno 28/d 🖉 24215 – 🛗 ☎ 🛋 🛋 – 🍴 60. 🖭 🖽 ⑩ 🖰 𝗩𝗜𝗦𝗔
46 cam 🍽 100/150000.   AZ **r**

🏨 **Napoléon** senza rist, piazzale Cesare Battisti 22 🖉 27501 – 🛗 ☎ ⑫. 🖭 🖽 ⑩ 🖰 𝗩𝗜𝗦𝗔   BZ **a**
🍽 9000 – **64 cam** 50/87000.

XX **All'Osteria Piero e Gilberto,** via Roma 51 🖉 28761 – 🖭 🖽 ⑩ 𝗩𝗜𝗦𝗔. 🛠   BZ **e**
chiuso domenica – Pas carta 36/48000.

XX **La Bicocca da Ada e Alberto,** vicolo Santa Chiara 105 🖉 781148 – 🍽️. 🖭 ⑩ 𝗩𝗜𝗦𝗔. 🛠
chiuso domenica e dal 15 al 30 giugno – Pas carta 25/38000.   AZ **a**

X **Dallo Zio,** vicolo Santa Chiara 18 🖉 52325, Cucina di soli piatti di pesce   AZ **b**
chiuso mercoledì e luglio – Pas 35000.

zona al mare :

🏨 **Grand Hotel** (dipendenza **Residenza Gd H.** : *giugno-settembre*), piazzale Indipendenza 2 🖉
56000, Telex 550022, ≤, « Giardino ombreggiato con 🏊 riscaldata », 🐾, 🍴 – 🛗 ☰ 📺 🚳 🛴
⑫ – 🍴 30 a 300. 🖭 🖽 ⑩ 🖰 𝗩𝗜𝗦𝗔. 🛠 rist   BY **g**
Pas 65/85000 – **119 cam** 🍽 230/400000 appartamenti 340/680000 – P 280/305000,
b.s. 220/245000.

🏨 **Imperiale e Rist. Il Melograno,** viale Vespucci 16 🖉 52255, Telex 550273, Fax 28806, ≤,
🏊 riscaldata – 🛗 ☰ 📺 ☎ ⑫ – 🍴 30 a 70. 🖭 🖽 ⑩ 🖰 𝗩𝗜𝗦𝗔. 🛠 rist   BY **k**
Pas carta 34/47000 – **64 cam** 🍽 160/240000 – P 170/190000, b.s. 145/165000.

🏨 **Ambasciatori,** viale Vespucci 22 🖉 55561, Telex 550132, Fax 23790, ≤, 🏊 riscaldata – 🛗 ☰
📺 ☎ ⑫ – 🍴 40 a 200. 🖭 🖽 ⑩ 🖰 𝗩𝗜𝗦𝗔. 🛠 rist   BY **e**
Pas 45/55000 – 66 cam 🍽 200/250000 – P 200/250000, b.s. 150/200000.

🏨 **Bellevue** senza rist, piazzale Kennedy 12 🖉 54116, Telex 550546, Fax 54708, ≤ – 🛗 🍽️ ☰ 📺
☎ 🛴 ⑫ – 🍴 30 a 250. 🖭 🖽 ⑩ 🖰 𝗩𝗜𝗦𝗔   BY **f**
67 cam 🍽 110/180000 appartamenti 200/250000.

🏨 **Waldorf,** viale Vespucci 28 🖉 54725, Telex 551262, Fax 53153, ≤, « 🏊 in terrazza » – 🛗 ☰
📺 ☎ ⑫ – 🍴 25 a 50. 🖭 🖽 ⑩ 🖰 𝗩𝗜𝗦𝗔. 🛠 rist   BY **a**
Pas *(chiuso domenica)* carta 36/53000 – **60 cam** 🍽 135/220000 – P 150/185000, b.s. 120/155000.

🏨 **Club House** senza rist, viale Vespucci 52 🖉 52166, ≤ – 🛗 ☰ 📺 ☎ 🛴 ⑫ – 🍴 40. 🖭 🖽 ⑩
🖰 𝗩𝗜𝗦𝗔   BZ **v**
28 cam 🍽 120/200000.

470

RIMINI

0   400 m

MARE ADRIATICO

ZONA

AL MARE

TEMPIO MALATESTIANO ★

AUTOSTRADA A 14:
112 km BOLOGNA
49 km FORLÌ
52 km RAVENNA
VIA ADRIATICA

S 258:
17 km VERUCCHIO
90 km SAN SEPOLCRO

A.C.I.

S. MARINO

AEROPORTO
S 72: S. MARINO 27 Km
A 14: PESARO 40 Km

Park Hotel senza rist, viale Regina Elena 6 ℰ 54303, Telex 550624, Fax 22916, ≤, ⤓, 卅 – 閜 ⇆ ☰ 🆀 ☎ 🅿 – 🔬 25 a 100. 🖭 🖼 ⓞ ᴇ 𝘝𝘐𝘚𝘈   BZ **c**
65 cam ☲ 100/160000.

National, viale Vespucci 42 ℰ 24963, Fax 24944, ≤ – 閜 ⇆ cam ☎ 🅿 ⁒ rist   BYZ **b**
15 maggio-8 ottobre – Pas (solo per clienti alloggiati) 22/25000 – **72 cam** ☲ 56/98000 – P 60/77000, b.s. 45/55000.

Vienna, via Regina Elena 11 ℰ 56043 – 閜 ☰ 📺 ☎ ⟷ – 🔬 30 a 100. 🖭 🖼 ᴇ 𝘝𝘐𝘚𝘈. ⁒ rist
Pas (chiuso da ottobre a maggio) 30/50000 – **46 cam** ☲ 90/151000 appartamento 300000 – P 90/150000, b.s. 80/130000.   BZ **s**

Rosabianca senza rist, viale Tripoli 195 ℰ 22577 – 閜 📺 ☎ ⟷ 🅿 – 🔬 60. 🖭 ⓞ   BZ **m**
chiuso dal 20 dicembre al 9 gennaio – ☲ 5000 – **52 cam** 48/72000.

Admiral, via Pascoli 145 ℰ 381771, Telex 550527 – 閜 ☰ rist ☎ ⟷ – 🔬 80. 🖭 🖼 ⓞ ᴇ 𝘝𝘐𝘚𝘈. ⁒ rist   per viale Regina Elena   BZ
chiuso dal 15 dicembre al 10 gennaio – Pas (chiuso da novembre a febbraio) 20/26000 – ☲ 6000 – **86 cam** 48/80000 – P 50/75000, b.s. 40/55000.

Lotus, via Rovani 3 ℰ 381680, « Terrazza giardino con ⤓ » – 閜 ☰ rist 🆀 🅿. ⁒ rist
15 maggio-25 settembre – Pas 15000 – ☲ 3500 – 46 cam 35/60000 – P 33/35000, b.s. 22/35000.
    per viale Regina Elena   BZ

Aristeo, viale Regina Elena 106 ℰ 381150, ≤, 卅 – 閜 🆀 🅿. 🖭 ⓞ 𝘝𝘐𝘚𝘈. ⁒   BZ
chiuso dal 4 novembre al 4 febbraio – Pas 18/20000 – **40 cam** ☲ 40/68000 – P 64000, b.s. 42000.

471

🏛 **Junior,** viale Parisano 40 *ℰ* 52209, Telex 550340 – |⃟| 📺 ☎ ♿ 🚗 **ⓟ** – 🏨 80. ﹰ 🅱 ⓞ **E**
VISA. 🍴 rist   BZ   **x**
chiuso novembre – Pas carta 20/27000 – � 4000 – **57 cam** 40/67000 – P 48/68000,
b.s. 35/45000.

🏛 **Ariminum,** viale Regina Elena 159 *ℰ* 380472, Fax 389301 – |⃟| ≶≫ cam ⊛ ♿ **ⓟ**. ﹰ 🅱 ⓞ **E**
➡ *VISA*.   BZ
15 marzo-settembre – Pas 20/25000 – **37 cam** ⊑ 47/80000 – P 52/62000, b.s. 40/45000.

🏛 Ciotti, viale Regina Elena 98 *ℰ* 380055, ≶, 🚗 – |⃟| ⊛ **ⓟ** – *stagionale* – 45 cam.   BZ

🏛 **Spiaggia Marconi,** viale Regina Elena 100 *ℰ* 380368, ≶, 🚗 – |⃟| ⊛ **ⓟ**. 🍴 rist
maggio-settembre – Pas 20/30000 – ⊑ 8000 – **44 cam** 40/70000 – P 52000, b.s. 42000.   BZ

🏛 **Continental,** viale Vespucci 40 *ℰ* 24341, ≶ – |⃟| ☎ **ⓟ**. ﹰ 🅱 ⓞ **E** *VISA*. 🍴 rist   BY   **b**
Pas 20/38000 – ⊑ 45/80000 – P 45/85000, b.s. 30/45000.

🏛 **Villa Rosa Riviera** senza rist, viale Vespucci 71 *ℰ* 22506 – |⃟| ⊛ ♿ – 🏨 100. ﹰ 🅱 ⓞ **E**
VISA   BY   **z**
Pasqua-settembre – **51 cam** ⊑ 55/92000.

🏛 **Atlas,** viale Regina Elena 74 *ℰ* 380561, ≶, 🚗 – |⃟| ⊛ **ⓟ**. ﹰ. 🍴 rist   BZ
➡ *maggio-settembre* – Pas 13/16000 – ⊑ 4000 – 66 cam 28/45000 – P 37/53000, b.s. 30/38000.

🏛 **Acasamia,** viale Parisano 34 *ℰ* 22840 – |⃟| ⊛ **ⓟ**. 🍴   BZ   **x**
marzo-ottobre – Pas (solo per clienti alloggiati) 20/25000 – ⊑ 7000 – **40 cam** 45/70000 –
P 50/65000, b.s. 38/45000.

🏛 **Rondinella,** via Neri 3 *ℰ* 380567 – |⃟| ⊛ **ⓟ**. 🍴 rist   per viale Regina Elena   BZ
➡ *Pasqua-15 ottobre* – Pas 12/15000 – **31 cam** ⊑ 35/55000 – P 30/50000, b.s. 24/40000.

🏛 **Villa Lalla,** viale Vittorio Veneto 22 *ℰ* 55155 – ﹰ 🅱 ⓞ **E** *VISA*. 🍴   BY   **c**
➡ Pas *(chiuso dal 26 settembre al 20 maggio)* 16/18000 – ⊑ 6000 – **35 cam** 38/56000 – P 41/46000,
b.s. 34/38000.

🏛 **Nancy,** viale Leopardi 11 *ℰ* 381731 – |⃟| **ⓟ**. ﹰ 🅱 ⓞ **E** *VISA*. 🍴 rist
➡ *maggio-settembre* – Pas 14/19000 – **33 cam** ⊑ 30/64000 – P 35/45000, b.s. 25/35000.
                                            per viale Regina Elena   BZ

🏛 **Luxor,** viale Tripoli 203 *ℰ* 25610 – |⃟| ⊛ **ⓟ**. 🍴 rist   BZ   **m**
➡ *Pasqua-settembre* – Pas 15/18000 – ⊑ 5000 – **39 cam** 40/70000 – P 40/60000, b.s. 34/38000.

🏛 **Viola,** via Imperia 2 *ℰ* 380674 – |⃟| ⊛ **ⓟ**. 🍴 rist   per viale Regina Elena   BZ
➡ Pas *(chiuso da ottobre a maggio)* 12/15000 – **21 cam** ⊑ 35/55000 – P 30/50000, b.s. 24/40000.

🏛 **Ingrid,** viale Regina Elena 89 *ℰ* 381489 – |⃟| **ⓟ**. ﹰ 🅱 ⓞ **E** *VISA*. 🍴 rist   BZ
➡ *aprile-settembre* – Pas 16/23000 – ⊑ 7000 – **31 cam** 35/52000 – P 42/52000, b.s. 36/40000.

🏛 **Annetta,** viale Carducci 42 *ℰ* 22627 – |⃟| ⊛. ﹰ 🅱 **E** *VISA*. 🍴 rist   BZ   **r**
➡ *giugno-settembre* – Pas 16/18000 – ⊑ 5000 – **38 cam** 29/48000 – P 38/52000, b.s. 26/30000.

✕✕ **Caffè delle Rose,** viale Vespucci 2 *ℰ* 25416 – |⃟|. ﹰ 🅱 ⓞ **E** *VISA*. 🍴   BY   **s**
chiuso martedì in bassa stagione – Pas carta 30/59000.

✕✕ **Taverna degli Artisti,** viale Vespucci 1 *ℰ* 28519 – ﹰ 🅱 ⓞ **E** *VISA*   BY   **n**
chiuso dal 15 al 30 dicembre e mercoledì in bassa stagione – Pas carta 32/51000.

✕✕ **Belvedere,** molo Levante *ℰ* 50178, ≶, 🍴, Cucina di soli piatti di pesce – 🍴
19 marzo-20 settembre; chiuso lunedì (escluso luglio-agosto) – Pas 40/50000.
                                         per via Destra del Porto   BY

✕✕ Chez Vous, viale Vespucci 3 *ℰ* 51213 – 🍽   BY   **n**

✕✕ **Da Oberdan-il Corsaro,** via Destra del Porto *ℰ* 27802, Cucina di soli piatti di pesce – ﹰ
🅱 ⓞ **E** *VISA*. 🍴   BY   **p**
marzo-novembre; chiuso mercoledì in bassa stagione – Pas 48/52000.

✕✕ **Lo Squero,** lungomare Tintori 7 *ℰ* 27676, ≶, 🍴 – ﹰ ⓞ *VISA*. 🍴   BY   **h**
10-20 febbraio e 19 marzo-24 ottobre; chiuso martedì – Pas carta 37/52000.

a Bellariva per ① : 2 km – ✉ 47037.
🛈 viale Regina Elena 43 *ℰ* 371057 :

🏛 **Acerboli,** via Bertinoro 14 *ℰ* 373051 – |⃟| ⊛ **ⓟ**. 🅱 **E**. 🍴 rist
➡ *giugno-settembre* – Pas 15/17000 – **33 cam** ⊑ 32/56000 – P 39/46000, b.s. 32/35000.

a Marebello per ① : 3 km – ✉ 47037 Rimini :

🏛 **Carlton,** viale Regina Margherita 6 *ℰ* 372361, ≶ – |⃟| 🍽 cam ☎ ♿ **ⓟ**. 🍴 rist
➡ *Pasqua-settembre* – Pas *(chiuso a mezzogiorno)* 18/22000 – ⊑ 6000 – **59 cam**
58/84000 – ½ P 58/62000, b.s. 40/44000.

🏛 **Ravello,** via Rapallo 3 *ℰ* 373119 – |⃟| **ⓟ**. 🍴
➡ *20 maggio-settembre* – Pas (solo per clienti alloggiati) 15000 – ⊑ 3000 – **31 cam** 30/80000 –
P 37/42000, b.s. 28/32000.

a Rivazzurra per ① : 4 km – ✉ 47037 :

🏛 **Grand Meeting,** viale Regina Margherita 46 *ℰ* 372123, ≶ – |⃟| 🍽 ☎ **ⓟ**. ⓞ. 🍴 rist
➡ *15 aprile-settembre* – Pas 15/20000 – ⊑ 7000 – **40 cam** 45/60000 – P 45/58000, b.s. 30/40000.

🏛 **De France,** viale Regina Margherita 48 *ℰ* 371551, ≶, ☄ – |⃟| ⊛ ♿ **ⓟ**. ﹰ 🅱 ⓞ **E** *VISA*.
➡ 🍴 rist
5 maggio-settembre – Pas *(chiuso a mezzogiorno)* 18/29000 – ⊑ 14500 – **65 cam**
48/79000 – ½ P 54/75000, b.s. 37/53000.

✕✕ Quo Vadis?, con cam, via Flaminia 339 *ℰ* 372018 – 📺 ⊛ **ⓟ** – 27 cam.

sulla superstrada per San Marino per ① : 4 km – ⊠ **47037** San Fortunato :

XX **C'era una volta,** ℰ 751318 – 🅟. 🄰🄴 🅞. 🕊
chiuso lunedì e dal 20 dicembre al 20 gennaio – Pas carta 26/45000.

a Miramare per ① : 5 km – ⊠ **47045** Miramare di Rimini.
🛈 via Martinelli 11/A ℰ 372112 :

🏨 **Ascot,** viale Principe di Piemonte 38 ℰ 371561, ← – ⃗ 🕿 🅟
stagionale – 42 cam.

🏨 **Giglio,** viale Principe di Piemonte 18 ℰ 372073, ←, 🚗 – ⃗ 🕿 🅟. 🄰🄴 🅞. 🕊 rist
↠ *Pasqua-settembre* – Pas 17/19000 – 🖙 4500 – **36 cam** 40/65000 – P 55/62000, b.s. 36/40000.

🏨 **Coronado Airport,** via Flaminia 390 ℰ 373161 – ⃗ 📺 🕾 🅟 🄰🄴 🅞 🆅🅸🆂🅰. 🕊
Pas *(chiuso venerdì)* carta 25/38000 – 🖙 7500 – **25 cam** 70/90000 – P 65000, b.s. 55000.

🏠 **Belvedere,** viale Regina Margherita 80 ℰ 370554, ← – ⃗ 🕿 🅟. 🕊
↠ *20 maggio-20 settembre* – Pas (solo per clienti alloggiati) 17/20000 – 🖙 4000 – **57 cam**
42/72000 – P 53/60000, b.s. 35/47000.

🏠 **Giannini,** viale Principe di Piemonte 10 ℰ 370736, ← – ⃗ 🕾 🅟. 🕊 rist
↠ *20 maggio-20 settembre* – Pas 15/20000 – 🖙 5000 – **36 cam** 25/50000 – P 47000, b.s. 34000.

🏠 **Miramare,** viale Ivo Oliveti 93 ℰ 372510 – ⃗ 🕾. 🄱 🅞 🄴 🆅🅸🆂🅰. 🕊
↠ *15 aprile-settembre* – Pas 15/25000 – **55 cam** 🖙 42/65000 – P 45/55000, b.s. 30/38000.

a Viserba per ④ : 5 km – ⊠ **47049.**
🛈 viale Dati 79 ℰ 738115 :

🏠 **Zeus,** via Porto Palos 1 ℰ 738410, ← – ⃗. 🄰🄴 🄱 🅞 🄴 🆅🅸🆂🅰. 🕊 rist
maggio-settembre – Pas 20/25000 – 🖙 5000 – 48 cam 30/70000 – P 35/55000, b.s. 30/45000.

X **Romagna Mia,** via Popilia 237 (statale Adriatica) ℰ 735275 – 🅟. 🕊
chiuso lunedì e dal 20 dicembre al 10 gennaio – Pas carta 21/37000.

a Viserbella per ④ : 6 km – ⊠ **47040** :

🏨 **Sirio,** via Spina 3 ℰ 734639, �¸, 🚗 – ⃗ 🕾 🅟. 🕊
↠ *20 maggio-20 settembre* – Pas 15/20000 – **42 cam** 🖙 45/70000 – P 48/58000, b.s. 38/45000.

🏨 **Albatros,** via Porto Palos 168 ℰ 720300, ←, �¸, 🚗 – ⃗ 🛁 🅟. 🕊 rist
↠ *10 maggio-20 settembre* – Pas 18/20000 – 🖙 6000 – **34 cam** 60000 – P 40/50000, b.s. 30/40000.

🏠 **Palos,** via Porto Palos 154 ℰ 721015, ←, 🚗 – ⃗ 🅟. 🕊 rist
↠ *10 maggio-20 settembre* – Pas 16/20000 – 🖙 7000 – **34 cam** 35/60000 – P 38/49000, b.s. 34/36000.

🏠 **Biagini,** via Porto Palos 85 ℰ 721202, ←, 🚗 – ⃗ 🍽 cam 🍽 rist 🕾 🅟. 🄰🄴 🅞 🆅🅸🆂🅰. 🕊
↠ *10 maggio-settembre* – Pas 15/20000 – 🖙 8000 – 25 cam 45/60000 – P 43/53000, b.s. 41/46000.

🏠 **Diana,** via Porto Palos 15 ℰ 738158, ←, 🛁 – 🍽 rist 🕾 🅟. 🄰🄴 🅞 🆅🅸🆂🅰. 🕊 rist
aprile-settembre – Pas 20/25000 – 🖙 6000 – **38 cam** 50/60000 – P 42/45000, b.s. 33/37000.

a Spadarolo per ③ : 6 km – ⊠ **47037** Rimini :

X **Bastian Contrario,** ℰ 727827, « Ambiente caratteristico » – 🅟
chiuso a mezzogiorno (escluso i giorni festivi) e novembre – Pas 26/28000.

a Torre Pedrera per ④ : 7 km – ⊠ **47040.**
🛈 via San Salvador 72 ℰ 720182 :

🏨 **El Cid,** viale Tocra 5 ℰ 720542, 🚗 – ⃗ 🍽 rist 🕾 🅟. 🄰🄴 🅞 🆅🅸🆂🅰
15 maggio-settembre – Pas 20/25000 – **41 cam** 🖙 35/60000 – P 35/55000, b.s. 35/40000.

🏨 **Doge,** via San Salvador 156 ℰ 720170, ← – ⃗ 🍽 rist 🕾 🅟. 🕊 rist
↠ *maggio-settembre* – Pas (solo per clienti alloggiati) 18/20000 – 🖙 7000 – **50 cam** 35/50000 –
P 30/50000, b.s. 25/36000.

🏨 **Du Lac,** via Lago Tana 12 ℰ 720462, 🚗 – ⃗ 🍽 rist 🕾 🅟. 🕊
↠ *maggio-settembre* – Pas 14/20000 – 🖙 8000 – **52 cam** 32/60000 – P 40/53000, b.s. 33/40000.

🏠 **Bolognese,** via San Salvador 134 ℰ 720210, ← – 🕾 🅟. 🄰🄴 🅞 🆅🅸🆂🅰. 🕊
↠ *maggio-settembre* – Pas 20/25000 – 🖙 8000 – 38 cam 45/70000 – P 42/49000, b.s. 35/40000.

🏠 **Graziella,** via San Salvador 56 ℰ 720316, ← – ⃗ 🅟. 🕊
↠ *20 maggio-20 settembre* – Pas (solo per clienti alloggiati) 18000 – 🖙 6000 – **69 cam** 39/60000
– P 47/55000, b.s. 38/41000.

ALFA-ROMEO via Bagli 57 per ④ ℰ 740365
BMW via Circonvallazione Nuova 19 ℰ 754402
CITROEN via Circonvallazione Nord-strada statale 9
ℰ 740106
FIAT via Circonvallazione Nuova 22 per ② ℰ 770311
FIAT a Rivazzurra, via Ghinelli 2 per ① ℰ 33425
FORD via Emilia 100/102 ℰ 742155
GM-OPEL via Flaminia 341 ℰ 374312
INNOCENTI via Emilia 177-Celle per ④ ℰ 741061

LANCIA-AUTOBIANCHI via della Repubblica 84/92
per ① ℰ 387450
LANCIA-AUTOBIANCHI a Rivazzurra, via Altobelli
20 per ① ℰ 385520
PEUGEOT-TALBOT via Circonvallazione Nuova 26 ℰ
771071
RENAULT via Italia 24 ℰ 740403
VW-AUDI via 23 Settembre 91 ℰ 740640
VOLVO via Flaminia 234 ℰ 373144

RIO DI PUSTERIA (MÜHLBACH) 39037 Bolzano – 2 358 ab. alt. 777 – a.s. febbraio-aprile, luglio-settembre e Natale – ✪ 0472.

Roma 689 – ◆Bolzano 52 – Brennero 43 – Brunico 25 – ◆Milano 351 – Trento 112.

   🏨 **Panoramik** ⑤, ℰ 49535, ≤ monti e vallata, ⏹, ☞ – 🛗 ⇔ rist ☎ ℗. ⅏ rist
   ◆ *chiuso da novembre al 20 dicembre* – Pas (solo per clienti alloggiati) 14/22000 – **33 cam** ⊑ 40/80000 – P 50/70000, b.s. 42/58000.

   ✕✕ **Pichler,** ℰ 49458 – ℗
   chiuso martedì e luglio – Pas carta 36/63000.

   ✕ **Giglio Bianco-Weisse Lilie** con cam, ℰ 49940 – 🄴
   ◆ *chiuso novembre* – Pas *(chiuso domenica sera e lunedì)* carta 16/28000 – **13 cam** ⊑ 24/44000 – P 40/44000, b.s. 38/40000.

   a Valles (Vals) NO : 7 km – alt. 1 354 – ⊠ 39037 Rio di Pusteria :

   🏠 **Huber,** ℰ 57186, ≤, ☞ – ⅏ rist
   ◆ *chiuso novembre* – Pas *(chiuso martedì)* carta 19/25000 – **20 cam** ⊑ 25/44000 – P 42/44000, b.s. 38/40000.

RIOLO TERME 48025 Ravenna 🐾🐾🐾 ⑮ – 4 839 ab. alt. 98 – Stazione termale (15 aprile-ottobre), a.s. 15 luglio-settembre – ✪ 0546.

🛈 via Aldo Moro 2 ℰ 71044.

Roma 368 – ◆Bologna 49 – ◆Ferrara 97 – Forlì 30 – ◆Milano 265 – ◆Ravenna 48.

   🏨 **Cristallo,** ℰ 71160 – 🛗 ☜ ℗ – 🅰 120. 🄰🄴. ⅏ rist
   Pas carta 23/34000 – ⊑ 6000 – **68 cam** 38/52000 – P 44/52000, b.s. 36/46000.

   🏠 **Italia,** ℰ 71447 – 🛗 ⇔ cam 🕭 ♿. 🄰🄴 ⓞ 🄴 𝘝𝘐𝘚𝘈. ⅏ rist
   chiuso gennaio – Pas *(chiuso lunedì)* 21/30000 – ⊑ 6000 – **36 cam** 45/70000 – P 45/50000, b.s. 40/42000.

RIOMAGGIORE 19017 La Spezia 🐾🐾🐾 ⑬⑭ – 2 253 ab. – ✪ 0187.

Vedere Guida Verde.

Roma 432 – ◆Genova 116 – Massa 49 – ◆Milano 234 – ◆La Spezia 14.

   ✕ **Due Gemelli** ⑤ con cam, località Campi E : 9 km ℰ 29043, ≤ – ☎ ℗. ⅏
   Pas *(chiuso martedì dal 15 settembre al 15 giugno)* carta 27/39000 – ⊑ 6000 – **14 cam** 29/50000 – P 55/60000.

RIO MARINA Livorno – Vedere Elba (Isola d').

RISCONE (REISCHACH) Bolzano – Vedere Brunico.

RITTEN = Renon.

RIVA DEI TESSALI Taranto – Vedere Castellaneta Marina.

RIVA DEL GARDA 38066 Trento 🐾🐾🐾 ④ – 13 273 ab. alt. 70 – Stazione climatica, a.s. Pasqua e Natale – ✪ 0464.

Vedere Lago di Garda★★★ – Città vecchia★.

🛈 Parco Lido (Palazzo dei Congressi) ℰ 554444, Telex 400278.

Roma 576 – ◆Bolzano 103 – ◆Brescia 75 – ◆Milano 170 – Trento 50 – ◆Venezia 199 – ◆Verona 87.

   🏨🏨 **Du Lac et du Parc** ⑤, viale Rovereto 44 ℰ 520202, Telex 400258, Fax 555200, « Grande parco con laghetti e ⤬ », ⏹, ✕ – 🛗 ▤ rist 📺 ☎ ℗ – 🅰 60 a 250. 🄰🄴 🄗 ⓞ 🄴. ⅏
   18 marzo-21 ottobre – Pas *(chiuso lunedì)* 40000 – ⊑ 18000 – **175 cam** 100/190000 appartamenti 240/260000 – P 140/170000, b.s. 130/150000.

   🏨🏨 **Lido Palace** ⑤, viale Carducci 10 ℰ 552664, Telex 401314, ≤, « Parco con ⤬ » – 🛗 ▤ rist 📺 ☎ ♿ – 🅰 150. 🄰🄴 🄗 ⓞ 🄴 𝘝𝘐𝘚𝘈. ⅏
   25 marzo-ottobre – Pas 28/39000 – ⊑ 12500 – **63 cam** 102/177000 – P 124000, b.s. 111000.

   🏨🏨 **Gd H. Riva,** piazza Garibaldi 10 ℰ 521800, Telex 401675 – 🛗 ▤ 📺 ☎ – 🅰 70. 🄗 🄴 𝘝𝘐𝘚𝘈. ⅏
   marzo-ottobre – Pas carta 27/35000 – ⊑ 15000 – **73 cam** 80/130000 – P 110/120000, b.s. 90/100000.

   🏨 **Europa,** piazza Catena 9 ℰ 521777, Telex 401350, ≤ – 🛗 ▤ rist ☎ ♿ – 🅰 100. 🄰🄴 🄗 ⓞ 🄴 𝘝𝘐𝘚𝘈. ⅏ rist
   Pasqua-ottobre – Pas 20/22000 – **63 cam** ⊑ 80/140000 – P 80/90000, b.s. 70/80000.

   🏨 **Liberty,** viale Carducci 3/5 ℰ 553581, ⏹ – 🛗 ☜ ♿ ℗. 🄰🄴 🄗 ⓞ 🄴 𝘝𝘐𝘚𝘈
   Pas *(chiuso martedì in bassa stagione)* carta 24/33000 – **69 cam** ⊑ 65/110000.

   🏨 **Bristol,** viale Trento 71 ℰ 521000, Telex 401102, ⤬, ☞ – 🛗 ☎ ♿ ℗. 🄰🄴 🄗 ⓞ. ⅏ rist
   ◆ *marzo-ottobre* – Pas 15/25000 – ⊑ 10000 – **50 cam** 60/90000 – P 70/80000, b.s. 45/50000.

   🏨 **Mirage,** viale Rovereto 97/99 ℰ 552671, Telex 401663, ≤, ⤬ – 🛗 ▤ rist ☎ ⇢ ℗ – 🅰 100.
   ◆ 🄰🄴 🄗 ⓞ 𝘝𝘐𝘚𝘈. ⅏ rist
   Pasqua-ottobre – Pas 18000 – **55 cam** ⊑ 70/120000 – P 74/80000, b.s. 60/66000.

   🏨 **Bellavista** senza rist, piazza Cesare Battisti 4 ℰ 554271, ≤ – 🛗 ☎. 🄴 𝘝𝘐𝘚𝘈. ⅏
   aprile-5 novembre – **31 cam** ⊑ 126000.

🏨 **Miravalle,** via Monte Oro ℰ 552335, « Giardino ombreggiato », ⌇ – ⊛ 🅿. 🝙 ⑩. ⁇ rist
aprile-ottobre – Pas 20/35000 – ⌑ 10000 – **30 cam** 55/80000 – P 75000, b.s. 60000.

🏨 **Luise,** viale Rovereto 9 ℰ 552796, Telex 401168, ⌇, ⇌, ⁇ – ⓫ 🕿 ⎈ 🅿. ⑱ 🝙 𝗩𝗜𝗦𝗔
➥ *marzo-2 novembre* – Pas carta 18/36000 – ⌑ 6000 – **58 cam** 65/95000 – P 65/80000,
b.s. 60/70000.

🏨 **Astoria,** viale Trento 9 ℰ 552658, Telex 401042, ⌇, ⇌ – ⓫ 🕿 🅿 – ⚘ 100. ⑱. ⁇ rist
aprile-ottobre – Pas *(chiuso venerdì)* 20/25000 – 96 cam ⌑ 63/105000 – P 70/76000,
b.s. 57/63000.

🏨 **Venezia** ⦂, viale Rovereto 62 ℰ 552216, ⌇, ⇌ – ⊛ 🅿. ⁇ rist
10 febbraio-ottobre – Pas *(chiuso martedì)* 30/35000 – ⌑ 13000 – **24 cam** 49/74000 –
P 72/79000, b.s. 62/69000.

🏨 **Sole,** piazza 3 Novembre 35 ℰ 552686, ⟨, « Terrazza sul lago » – ⓫ ⊛. 🝙 ⑱ 𝗩𝗜𝗦𝗔. ⁇ rist
Pasqua-ottobre – Pas 20/30000 – **48 cam** ⌑ 67/114000 – P 60/84000, b.s. 50/68000.

🏨 **Villa Giuliana** ⦂, via Belluno 12 ℰ 553338, Telex 401363, ⌇ – ⓫ 🕿 ⎈ 🅿. ⁇
febbraio-ottobre – Pas carta 21/31000 – ⌑ 10000 – 52 cam 45/80000 – P 60/70000,
b.s. 50/60000.

🏨 **Riviera,** viale Rovereto 95 ℰ 552279, ⟨, ⌇ riscaldata – ⓫ ≡ rist 🕿 ⇌ 🅿. ⑱ ⑩ 𝗘 𝗩𝗜𝗦𝗔.
➥ ⁇ rist
aprile-ottobre – Pas 17000 – ⌑ 7000 – 36 cam 36/60000 – P 56/62000, b.s. 48/54000.

🏛 **Gabry** senza rist, via Longa 6 ℰ 553600, ⌇, ⇌ – ⓫ 🅿
aprile-settembre – **36 cam** ⌑ 50/70000.

🏛 **Gardesana,** via Brione 1 ℰ 552793, ⌇, ⇌ – ≡ rist 🕿 🅿. ⁇
➥ *aprile-ottobre* – Pas *(chiuso venerdì)* 16000 – ⌑ 8000 – 38 cam 35/65000 – P 60/62000,
b.s. 50/52000.

✕✕ **San Marco,** viale Roma 20 ℰ 554477 – ⁇
chiuso lunedì e febbraio – Pas carta 29/45000.

✕✕ **Vecchia Riva,** via Bastione 3 ℰ 555061 – ⟱. 🝙 ⑱ ⑩ 𝗘 𝗩𝗜𝗦𝗔
chiuso martedì in bassa stagione – Pas carta 26/45000.

✕✕ **Bastione** con cam, via Bastione 19 ℰ 552652, Coperti limitati; prenotare, ⇌ – 🅿
chiuso dal 1° al 15 novembre – Pas carta 27/36000 – **9 cam** ⌑ 50/52000 – P 38/42000,
b.s. 36/40000.

✕ **La Rocca,** piazza Cesare Battisti ℰ 552217, ⌸ – 🝙 ⑩ 𝗩𝗜𝗦𝗔
chiuso mercoledì e dal 15 novembre al 15 dicembre – Pas carta 30/45000.

✕ **Al Volt,** via Fiume 73 ℰ 552570 – 🝙 ⑱ ⑩ 𝗘 𝗩𝗜𝗦𝗔
chiuso lunedì e febbraio – Pas carta 28/40000.

✕ **Restel de Fer,** via Restel de Fer 10 ℰ 553481 – 🅿. ⑱ ⑩ 𝗘 𝗩𝗜𝗦𝗔. ⁇
chiuso martedì da novembre ad aprile – Pas carta 25/35000.

Pour les grands voyages d'affaires ou de tourisme,
Guide Rouge MICHELIN : Main Cities EUROPE.

RIVA DI FAGGETO 22020 Como 𝟮𝟬𝟵 ⑨ – alt. 202 – ✪ 031.
Roma 636 – Bellagio 20 – Como 11 – ◆Lugano 43 – ◆Milano 59.

✕ **Il Pescatore,** strada statale ℰ 430263, prenotare, « Servizio estivo in terrazza con ⟨ lago »
– 🅿. ⁇
marzo-15 novembre ; chiuso martedì – Pas carta 26/35000 (10%).

RIVA DI SOLTO 24060 Bergamo – 845 ab. alt. 190 – ✪ 035.
Roma 604 – ◆Bergamo 40 – ◆Brescia 55 – Lovere 7 – ◆Milano 85.

a Zorzino NO : 1,5 km – alt. 329 – ✉ **24060** Riva di Solto :

✕✕ **Miranda-da Oreste** ⦂ con cam, ℰ 986021, ⟨ lago d'Iseo e Monte Isola, « Giardino con
⌇ » – 🅿. ⁇
chiuso dal 15 gennaio al 15 febbraio – Pas *(chiuso martedì da novembre a marzo)*
carta 22/28000 – ⌑ 5500 – **14 cam** 22/40000 – P 38/40000.

Vedere anche : *Solto Collina* NO : 3 km.

RIVALTA DI TORINO 10040 Torino – 14 648 ab. alt. 294 – ✪ 011.
Roma 675 – ◆Milano 155 – Susa 43 – ◆Torino 16.

Pianta d'insieme di Torino (Torino p. 2)

🏛 **Rio,** via Griva 75 ℰ 9091313 – ⓫ 📺 🕿 ⇌ 🅿 – ⚘ 60. ⁇   EU **b**
➥ Pas carta 19/32000 – ⌑ 8000 – 76 cam 55/75000.

RIVALTA TREBBIA Piacenza – alt. 135 – ✉ **29010** Gazzola – ✪ 0523.
Roma 533 – Alessandria 110 – ◆Genova 126 – ◆Milano 93 – Piacenza 22.

✕ Locanda del Falco, ℰ 978101, ⌸, « In un caratteristico borgo medioevale » – 🅿.

RIVANAZZANO 27055 Pavia – 3 962 ab. alt. 157 – a.s. 15 luglio-settembre – ✪ 0383.
Roma 581 – Alessandria 35 – ♦Genova 87 – ♦Milano 71 – Pavia 39 – Piacenza 71.

  XX **Da Bona,** ✆ 91251, ☞ – ✛ ℗ – 🏛 200. ✸
       chiuso mercoledì – Pas carta 26/43000.

  X **Selvatico** con cam, ✆ 91352 – ✸
  ← Pas *(chiuso lunedì escluso agosto)* carta 18/29000 – ⊊ 3000 – **13 cam** 25/42000 – P 40000.

RENAULT viale Europa 77 ✆ 92641

RIVAROLO CANAVESE 10086 Torino 𝟵𝟴𝟴 ⑫, 𝟮𝟭𝟵 ⑬⑭ – 11 719 ab. alt. 304 – ✪ 0124.
Roma 726 – Aosta 88 – ♦Milano 138 – ♦Torino 31 – Vercelli 75.

  🏨 **Europa,** viale Losego 22 ✆ 26097, ☞ – 🛗 ▤ 📺 ☜ ⇌ ℗. ✸
       chiuso agosto – Pas carta 20/33000 – ⊊ 7000 – **28 cam** 50/65000 – P 75/80000.

ALFA-ROMEO via Re Arduino 8 ✆ 25603   LANCIA-AUTOBIANCHI corso Indipendenza 98 ✆
FIAT stradale Torino 186 ✆ 29268   29020

RIVA TRIGOSO Genova – Vedere Sestri Levante.

RIVAZZURRA Forlì – Vedere Rimini.

RIVERGARO 29029 Piacenza – 4 517 ab. alt. 140 – ✪ 0523.
Roma 531 – ♦Bologna 169 – ♦Genova 121 – ♦Milano 84 – Piacenza 19.

  XX **Castellaccio-da Attendolo,** dopo il ponte di Statto ✆ 957333, ≼, ☞ – ℗. ⌶ 🅢 🄴 𝘝𝘐𝘚𝘈.
       ✸
       chiuso martedì, mercoledì a mezzogiorno e dal 10 al 31 gennaio – Pas carta 27/42000.

  XX **La Vêccia Ostaria** ✆ 957133, Coperti limitati; prenotare – 𝘝𝘐𝘚𝘈. ✸
       chiuso a mezzogiorno, lunedì e gennaio – Pas carta 25/36000.

RIVIERA DI LEVANTE ✸✸✸ Genova e La Spezia 𝟵𝟴𝟴 ⑬⑭ – Vedere Guida Verde.

RIVISONDOLI 67036 L'Aquila 𝟵𝟴𝟴 ⑰ – 847 ab. alt. 1 056 – a.s. febbraio-aprile, 15 luglio-agosto e
Natale – Sport invernali : a Monte Pratello : 1 365/2 100 m ≼ 2 ≼ 4 – ✪ 0864.
🛈 piazza Municipio 9 ✆ 69351.
Roma 188 – L'Aquila 101 – Campobasso 92 – Chieti 96 – ♦Pescara 107 – Sulmona 34.

  🏨 **Impero,** via Fonticella 42 ✆ 69112, ☞ – 🛗 ☜ ℗. ⌶ 🅢 ⊙. ✸
       20 dicembre-20 marzo e luglio-agosto – 59 cam (solo pens) – P 90/100000, b.s. 60/70000.

  🏨 **Como,** via Dante 45 ✆ 69127, ≼, ☞ – 🛗 ☎ ℗. ⌶. ✸
       Pas *(chiuso lunedì)* 20/22000 – ⊊ 5000 – **44 cam** 38/55000 – P 70/80000, b.s. 40/50000.

  🏠 **Victoria,** via Marconi 7 ✆ 69113 – ℗. ✸ rist
       dicembre-marzo e luglio-15 settembre – Pas 20/25000 – 33 cam ⊊ 20/50000 – P 60000,
       b.s. 45000.

  🏠 **Dina's,** viale Regina Elena 119 ✆ 69195 – 🛗. ⊙. ✸ rist
  ← *20 dicembre-Pasqua e 15 giugno-15 settembre* – Pas 18000 – ⊊ 7000 – **26 cam** 30/55000 –
       P 80000, b.s. 55000.

  X **Da Giocondo,** via Suffragio 2 ✆ 69123, Coperti limitati; prenotare – 🅢 🄴 𝘝𝘐𝘚𝘈. ✸
       chiuso martedì e dal 15 settembre al 15 ottobre – Pas carta 21/36000.

RIVODORA 10099 Torino – alt. 330 – ✪ 011.
Roma 666 – Asti 52 – ♦Milano 143 – ♦Torino 14.

  X **Torinese,** ✆ 9460025
       chiuso martedì, mercoledì e a mezzogiorno escluso sabato e domenica – Pas carta 27/43000.

RIVOLI 10098 Torino 𝟵𝟴𝟴 ⑫ – 51 678 ab. alt. 386 – ✪ 011.
Roma 678 – Asti 64 – Cuneo 103 – ♦Milano 155 – ♦Torino 14 – Vercelli 82.

Pianta d'insieme di Torino (Torino p. 2)

  XX **Nazionale,** corso Francia 4 ✆ 9580275, prenotare – 🏛 60. ✸   ET **a**
       chiuso sabato ed agosto – Pas carta 28/48000 (15%).

FIAT corso Susa 22 ET ✆ 9587288   LANCIA-AUTOBIANCHI corso Susa 306 ✆ 9587257

RIVOLTA D'ADDA 26027 Cremona 𝟵𝟴𝟴 ③, 𝟮𝟭𝟵 ⑳ – 6 956 ab. alt. 102 – ✪ 0363.
Roma 569 – ♦Brescia 64 – Cremona 60 – ♦Milano 27 – Piacenza 60 – Treviglio 11.

  XX **Al Capanno,** ✆ 78024, ☞ – ▤ ℗
       chiuso dal 7 gennaio al 4 febbraio, martedì e da ottobre a marzo anche lunedì sera – Pas
       carta 30/48000.

RIZZOLO Udine – Vedere Reana del Roiale.

ROANA 36010 Vicenza – 3 613 ab. alt. 992 – a.s. febbraio, luglio-agosto e Natale – Sport invernali : vedere Asiago – ✪ 0424.

Roma 588 – Asiago 6 – ♦Milano 270 – Trento 64 – ♦Venezia 121 – Vicenza 54.

🏠 **All'Amicizia**, 🖈 66014 – 📺 ✦✧ cam 🕮 👌 🚗. 🎿
— Pas *(chiuso mercoledì)* carta 17/25000 – 🖵 3000 – **20 cam** 25/50000 – P 40/50000.

ROBECCO D'OGLIO 26010 Cremona – 2 200 ab. alt. 46 – ✪ 0372.

Roma 537 – ♦Brescia 36 – Cremona 15 – ♦Milano 82.

✕ Le Lanterne, 🖈 91556.

ROCCA DI CAMBIO 67047 L'Aquila – 524 ab. alt. 1 434 – ✪ 0862.

Roma 142 – L'Aquila 23 – Pescara 99.

🏠 **Cristall Hotel**, 🖈 918119, ≤, 🍴 – 🚗 🅿. 🕧 E. 🎿
aprile-novembre – Pas carta 20/28000 – 🖵 7000 – 19 cam 33/48000 – P 60/65000.

ROCCA DI PAPA 00040 Roma 📖📖📖 ⑳ – 10 377 ab. alt. 685 – a.s. luglio-15 settembre – ✪ 06.

Dintorni ≤★ dal Monte Cavo SO : 5,5 km.

Roma 27 – Frascati 8 – Frosinone 76 – Latina 43 – Velletri 14.

✕✕ **Angeletto** 🐌 con cam, via del Tufo 32 🖈 949020, ≤ campagna romana, 🍴, 🍴 – 📺 🕮 🅿. 🎿
Pas carta 32/39000 – 🖵 7000 – 30 cam 70000 – P 75/80000.

Wenn Sie an ein Hotel im Ausland schreiben,
fügen Sie Ihrem Brief einen internationalen Antwortschein bei
(im Postamt erhältlich).

ROCCA PIETORE 32020 Belluno – 1 722 ab. alt. 1 142 – Sport invernali : a Malga Ciapela : 1 428/3 270 m (Marmolada) ✦2 ✦4 (anche sci estivo), ✦ – ✪ 0437.

🖪 a Rocca Pietore 🖈 721319.

Roma 671 – Belluno 56 – Cortina d'Ampezzo 38 – ♦Milano 374 – Passo del Pordoi 30 – ♦Venezia 162.

a Digonera N : 5,5 km – alt. 1 158 – ✉ **32020** Laste di Rocca Pietore :

🏠 **Digonera**, 🖈 721193, ≤ – 🕮 🅿. 🎿 rist
chiuso giugno e novembre – Pas *(chiuso lunedì)* carta 22/31000 – **22 cam** 🖵 38/75000 – P 65000.

a Malga Ciapela O : 7 km – alt. 1 428 – ✉ **32020** Rocca Pietore – a.s. marzo-aprile, 15 luglio-15 settembre e Natale :.

Vedere Marmolada★★★ : 🎿★★★ sulle Alpi per funivia – Lago di Fedaia★ NO : 6 km.

🏠 **Tyrolia** 🐌, 🖈 722054, ≤ pinete e monti, 📺 – ✦✧ 🕮 🅿. 🎿
23 dicembre-aprile e 20 giugno-settembre – Pas *(chiuso martedì)* carta 23/33000 (10%) – 23 cam 🖵 40/80000 – P 61/100000, b.s. 38/61000.

ROCCAPORENA Perugia – Vedere Cascia.

ROCCARASO 67037 L'Aquila 📖📖📖 ㉗ – 1 670 ab. alt. 1 236 – Stazione di villeggiatura, a.s. febbraio-aprile, 15 luglio-agosto e Natale – Sport invernali : 1 236/2 140 m ✦3 ✦7, ✦ – ✪ 0864.

🖪 via Roma 60 🖈 62210.

Roma 190 – L'Aquila 102 – Campobasso 87 – Chieti 98 – ♦Napoli 149 – ♦Pescara 109.

🏠 **Excelsior**, via Roma 27 🖈 62479 – 📺 🕮 🅿. 🎿
18 dicembre-15 aprile e 24 giugno-4 settembre – Pas 25/30000 – 🖵 8000 – **38 cam** 40/60000 – P 60/100000, b.s. 60/80000.

🏠 **Iris**, viale Iris 5 🖈 62194 – 📺 ☎. 🄰🄴 🕙 🕧 𝐕𝐈𝐒𝐀. 🎿
Pas carta 27/35000 – 🖵 10000 – 40 cam 60000 – P 90/105000, b.s. 60/70000.

🏠 **Suisse**, via Roma 22 🖈 62139 – 📺 ☎ 🚗 🅿. 🕙 🕧. 🎿
Pas 20/30000 – 🖵 5000 – 48 cam 30/60000 – P 55/95000, b.s. 43/55000.

🏠 **Trieste**, via Mori 15 🖈 62128 – 📺 🕮. 🎿
— *dicembre-15 maggio e 15 giugno-settembre* – Pas carta 18/25000 – 🖵 5000 – 42 cam 29/49000 – P 52/85000, b.s. 34/50000.

sulla strada statale 17 NO : 1 km :

🏠 **MotelAgip**, ✉ 67037 🖈 62443, ≤ – 📺 🍴 rist 🕮 🅿. 🄰🄴 🕙 🕧 E 𝐕𝐈𝐒𝐀. 🎿 rist
Pas 26000 – 🖵 13000 – **57 cam** 38/59000 – P 101/109000.

ad Aremogna SO : 9 km – ✉ **67030** :

🏠 **Boschetto** 🐌, 🖈 62297, ≤, 🎿 – 📺 🕮 🚗 🅿. 🎿
dicembre-Pasqua e 10 luglio-agosto – Pas 20/22000 – 🖵 8500 – **48 cam** 28/46000 – P 75000, b.s. 43/50000.

477

ROCCA SAN CASCIANO 47017 Forlì ⑨⑧⑧ ⑮ – 2 212 ab. alt. 210 – 🕾 0543.
Roma 326 – ◆Bologna 91 – ◆Firenze 81 – Forlì 28.

　🍽 **La Pace,** piazza Garibaldi 16 🕾 960137 – 🖭 𝘝𝘐𝘚𝘈
　◆ *chiuso martedì escluso agosto* – Pas carta 14/22000.

ROCCA SANT'ANGELO Perugia – Vedere Assisi.

ROCCHETTA NERVINA 18030 Imperia ⑲⑤ ⑲, ⑧④ ⑳ – 278 ab. alt. 225 – 🕾 0184.
Roma 668 – ◆Genova 169 – Imperia 55 – ◆Milano 292 – San Remo 29 – Ventimiglia 15.

　🍽 **Lago Bin** con cam, 🕾 36663 – 🛗 ⇌ 🅿. 🖭 🕃 ⓞ 🄴
　chiuso dal 6 gennaio al 6 marzo – Pas *(chiuso martedì)* carta 28/42000 – ⛁ 6000 – **29 cam**
　38/70000 – P 66000.

RODDI 12060 Cuneo – 972 ab. alt. 284 – 🕾 0173.
Roma 650 – Asti 35 – Cuneo 60 – ◆Torino 70.

　🏠 **Enomotel il Convento,** via Cavallotto 1 (E : 2 km) 🕾 615286 – 🖭 🕾 🅿. 🖭 🕃 🄴 𝘝𝘐𝘚𝘈. 🛇
　chiuso dal 21 al 31 dicembre – Pas *(chiuso a mezzogiorno)* 25/30000 – ⛁ 7000 – **27 cam**
　45/70000 – ½ P 60/70000.

　🍽 **La Cròta,** piazza Principe Amedeo 1 🕾 615187 – 🖭. 🛇
　◆ *chiuso martedì e dal 20 luglio al 10 agosto* – Pas carta 19/31000.

RODI GARGANICO 71012 Foggia ⑨⑧⑧ ㉘ – 4 154 ab. – a.s. luglio-15 settembre – 🕾 0884.
⛴ per le Isole Tremiti aprile-maggio mercoledì, giovedì e giugno-settembre giornaliero
(1 h 30 mn) – Adriatica di Navigazione-agenzia delle Fave, via Trieste 6 🕾 95031.
Roma 385 – ◆Bari 192 – Barletta 131 – ◆Foggia 100 – ◆Pescara 184.

　🏨 **Parco degli Aranci** 🏖, E : 2 km 🕾 95033, ≼, « Parco-agrumeto », 🏊, 🐾, 🎾 – 🛗 🕾 🅿.
　🕃 ⓞ 🄴 𝘝𝘐𝘚𝘈. 🛇
　marzo-ottobre – Pas carta 21/35000 – ⛁ 4000 – **72 cam** 65/80000 – P 65/90000, b.s. 45/65000.

　🏨 **Baia Santa Barbara** 🏖, O : 1,5 km 🕾 95253, Telex 812014, ≼, « In pineta », 🏊, 🐾, 🎾 –
　🅰 🕭 🅿. 🛇
　aprile-settembre – Pas 20/25000 – **134 cam** ⛁ 75/130000 – P 100/120000, b.s. 50/55000.

　🍽 Da Franco, 🕾 95003, 🍽.

　a Lido del Sole O : 5 km – ✉ 71012 Rodi Garganico :

　🏨 **Mizar,** 🕾 97021, ≼, 🐾 – 🛗 🍴 rist 🕭 ⇌ 🅿. 🖭 🕃 🄴 𝘝𝘐𝘚𝘈. 🛇 cam
　16 maggio-20 settembre – Pas carta 22/34000 (10%) – ⛁ 5000 – 50 cam 40/70000 –
　P 82/100000, b.s. 50/65000.

ROÈ VOLCIANO 25077 Brescia – 3 620 ab. alt. 240 – 🕾 0365.
Roma 550 – ◆Brescia 29 – ◆Milano 124 – Trento 100 – ◆Verona 65.

　🍽 **Valle** con cam, SO : 1,5 km 🕾 63006, ≼ – 🗝 rist 🅿. 🛇 cam
　Pas *(chiuso mercoledì)* carta 23/37000 – ⛁ 12000 – 13 cam 35/40000 – P 42000.

FIAT via Bellini 7 🕾 63292

ROGENO 22040 Como ㉒⑨ ⑨⑱ – 2 301 ab. alt. 290 – 🕾 031.
Roma 613 – ◆Bergamo 45 – Como 20 – Erba 6 – Lecco 15 – ◆Milano 45.

　🍽🍽 **5 Cerchi,** località Maglio 🕾 865587, prenotare – 🅿. 🛇
　chiuso lunedì ed agosto – Pas carta 32/48000.

ROLO 42047 Reggio nell'Emilia – 3 350 ab. alt. 21 – 🕾 0522.
Roma 442 – Mantova 38 – ◆Modena 36 – ◆Verona 67.

　🍽🍽 **L'Osteria dei Ricordi,** 🕾 664111, Coperti limitati; prenotare – 🍴 🅿. 🖭 ⓞ. 🛇
　chiuso lunedì, dal 24 gennaio al 14 febbraio ed agosto – Pas carta 35/45000.

ROME

le Guide Vert Michelin
Édition française

29 promenades dans la Ville Éternelle :

les sites les plus prestigieux,
les quartiers chargés de 30 siècles d'histoire,
les trésors d'art des musées.

478

ROMA

ROMA 00100 Ⓟ 988 ㉖ – 2 817 227 ab. alt. 20 – ✆ 06.

Curiosità

La maggior parte delle più note curiosità di Roma è ubicata sulle piante da p. 4 a 11. Per una visita turistica più dettagliata consultate la guida Verde Michelin Italia.

Curiosités

Les plans des p. 4 à 11 situent la plupart des grandes curiosités de Rome. Pour une visite touristique plus détaillée, consultez le guide Vert Italie et plus particulièrement le guide Vert Rome.

Sehenswürdigkeiten

Auf den Städtplänen S. 4 bis 11 sind die hauptsächlichsten Sehenswürdigkeiten verzeichnet. Eine ausführliche Beschreibung aller Sehenswürdigkeiten finden Sie im Grünen Reiseführer Italien.

Sights

Rome's most famous sights are indicated on the town plans pp. 4 to 11. For a more complete visit see the Green Guide to Rome.

ⓘ₈ (chiuso lunedì) ad Acquasanta ✉ 00178 Roma ✆ 783407, SE : 12 km MS

ⓘ₈ e ⓘ₉ (chiuso lunedì) ad Olgiata ✉ 00123 Roma ✆ 3789141, per ⑩ : 19 km.

ⓘ₉ Fioranello (chiuso mercoledì) a Santa Maria delle Mole ✉ 00040 ✆ 608291, per ⑤ : 19 km.

✈ di Ciampino SE : 15 km NS ✆ 724241 e Leonardo da Vinci di Fiumicino per ⑧ : 26 km ✆ 60121 – Alitalia, via Bissolati 13 ✉ 00187 ✆ 46881 e piazzale Pastore o dell'Arte (EUR) ✉ 00144 ✆ 54442151.

🚄 Termini ✆ 464923 – Tiburtina ✆ 4956626.

🅱 via Parigi 5 ✉ 00185 ✆ 463748 ; alla stazione Termini ✆ 465461 ; all'aeroporto di Fiumicino ✆ 6011255.

A.C.I. via Cristoforo Colombo 261 ✉ 00147 ✆ 5106 e via Marsala 8 ✉ 00185 ✆ 49981, Telex 610686.

Distanze : nel testo delle altre città elencate nella Guida è indicata la distanza chilometrica da Roma.

ALBERGHI

E RISTORANTI

Zona nord Monte Mario, Stadio Olimpico, via Flaminia-Parioli, Villa Borghese, via Salaria, via Nomentana (Pianta : Roma p. 6 e 7, salvo indicazioni speciali) :

🏨🏨 **Cavalieri Hilton** ⬆, via Cadlolo 101 ⊠ 00136 ℰ 31511, Telex 625337, ≤ città, « Terrazze e parco », ⏛, ℀ – 🛗 🗏 📺 ☎ ᵭ ⟵ ℗ – 🔦 25 a 2500   AT **n**
387 cam.

🏨 **Lord Byron** ⬆, via De Notaris 5 ⊠ 00197 ℰ 3615404, Telex 611217, Fax 3609541, ℀ – 🛗 🗏 📺 ☎. 🆎 🖪 ⓪ 🄴 𝘝𝘐𝘚𝘈   ET **a**
Pas vedere rist Relais le Jardin – ⬜ 16500 – **50 cam** 300/420000 appartamenti 450/600000.

🏨 **Aldrovandi Palace Hotel**, via Aldrovandi 15 ⊠ 00197 ℰ 8841091, Telex 616141, Fax 879431, ⏛, ℀ – 🛗 🗏 📺 ☎ ᵭ ℗ – 🔦 45 a 300. 🆎 🖪 ⓪ 🄴 𝘝𝘐𝘚𝘈. ℀   ET **c**
Pas al **Grill Le Relais** carta 49/79000 – **130 cam** ⟃ 280/330000 appartamenti 520/1100000.

🏨 **Borromini** senza rist, via Lisbona 7 ⊠ 00198 ℰ 8841321, Telex 621625, Fax 8841321 – 🛗 🗏 📺 ☎ ᵭ ⟵ – 🔦 60. ℀   GT **e**
⬜ 16000 – **75 cam** 199/242000 appartamenti 360/410000.

🏨 **Albani** senza rist, via Adda 41 ⊠ 00198 ℰ 84991, Telex 612414, Fax 8499399 – 🛗 🗏 📺 ☎ ⟵ – 🔦 100. 🆎 ⓪ 𝘝𝘐𝘚𝘈. ℀   GT **g**
157 cam ⟃ 190/250000 appartamenti 400000.

🏨 **Degli Aranci**, via Oriani 11 ⊠ 00197 ℰ 870202, ☂ – 🛗 🗏 📺 ☎ – 🔦 50. 🆎 🖪. ℀   ET **r**
Pas 35000 – **42 cam** ⟃ 132/190000.

🏨 **Panama** senza rist, via Salaria 336 ⊠ 00199 ℰ 862558, Telex 620189, Fax 864454, ℀ – 📺 ☎ ⟵ ℗. 🆎 🖪 ⓪ 🄴 𝘝𝘐𝘚𝘈   HT **e**
43 cam ⟃ 90/160000.

🏨 **Fenix**, viale Gorizia 5 ⊠ 00198 ℰ 850741, ℀ – 🛗 🗏 📺 ☎ ⟵. 🆎 🖪 ⓪ 🄴 𝘝𝘐𝘚𝘈. ℀   JT **g**
Pas *(chiuso sabato sera, domenica ed agosto)* 32000 – **69 cam** ⟃ 90/160000, 🗏 10000.

🏨 **Villa Florence** senza rist, via Nomentana 28 ⊠ 00161 ℰ 8442841, Telex 624626, ℀ – 🛗 ⬌ 🗏 📺 ☎ ᵭ ℗. 🆎 ⓪. ℀   HT **r**
⟃ 18000 – **33 cam** 100/135000.

🏨 **Clodio**, senza rist, via di Santa Lucia 10 ⊠ 00195 ℰ 317541, Telex 625050 – 🛗 📺 ☎   ABT **e**
115 cam.

🏨 **Buenos Aires**, senza rist, via Clitunno 9 ⊠ 00198 ℰ 864854 – 🗏 ☎ ℗ – 🔦 50   HT **a**
49 cam.

🏨 **Lloyd** senza rist, via Alessandria 110 ⊠ 00198 ℰ 850432, Telex 612598 – 🛗 🗏 📺 ☎ ⟵. 🆎 🖪 ⓪ 🄴 𝘝𝘐𝘚𝘈   HT **f**
⟃ 9000 – **48 cam** 69/109000, 🗏 23000.

🏨 **Rivoli**, via Torquato Taramelli 7 ⊠ 00197 ℰ 870141, Telex 614615 – 🛗 ⬌ rist 📺 ☎ – 🔦 40. 🆎 🖪 ⓪ 🄴 𝘝𝘐𝘚𝘈. ℀   ET **b**
Pas carta 23/36000 – **55 cam** ⟃ 120/160000 – P 102/115000.

🏨 **Villa del Parco** senza rist, via Nomentana 110 ⊠ 00161 ℰ 864115, ℀ – 🗏 ☎. 🆎 ⓪ 𝘝𝘐𝘚𝘈   JT **n**
23 cam ⟃ 80/148000.

XXXX ⬦⬦ **Relais le Jardin**, via De Notaris 5 ⊠ 00197 ℰ 3615404, Rist. elegante a coperti limitati; prenotare – 🗏. 🆎 🖪 ⓪ 🄴 𝘝𝘐𝘚𝘈. ℀   ET **a**
chiuso domenica – Pas carta 76/115000
Spec. Pesce spada marinato con zucchine alla mentuccia e coriandolo (estate), Spaghetti con polpa di granchio, Filetto di spigola con pere mandorle e basilico. Vini Marino, Torre Ercolana.

XX **Al Fogher**, via Tevere 13/b ⊠ 00198 ℰ 857032, Rist. tipico con specialità venete – 🗏. 🆎 ⓪. ℀   GT **b**
chiuso domenica – Pas carta 40/59000.

XX **Primavera**, via Cagliari 25 ⊠ 00198 ℰ 861847, Rist. con specialità di mare – 🗏   HT **b**
chiuso a mezzogiorno.

XX **Da Benito**, via Flaminia Nuova 230/232 ⊠ 00191 ℰ 3272752 – 🗏. 🆎 ⓪   Roma p. 5 MQ **m**
chiuso lunedì – Pas carta 35/57000.

ROMA
PERCORSI DI
ATTRAVERSAMENTO E
DI CIRCONVALLAZIONE

3 km

MICHELIN

VIA APPIA ANTICA ★★★ ——— SMN
BASILICA DI S. PAOLO
   FUORI LE MURA ★★★ ——— SM
CATACOMBE ★★★ ——— SM
E.U.R. ★★ ——— SM
MUSEO DELLA CIVILTÀ ROMANA ★★ ——— SM¹
PORTA S. SEBASTIANO ★ ——— SMA

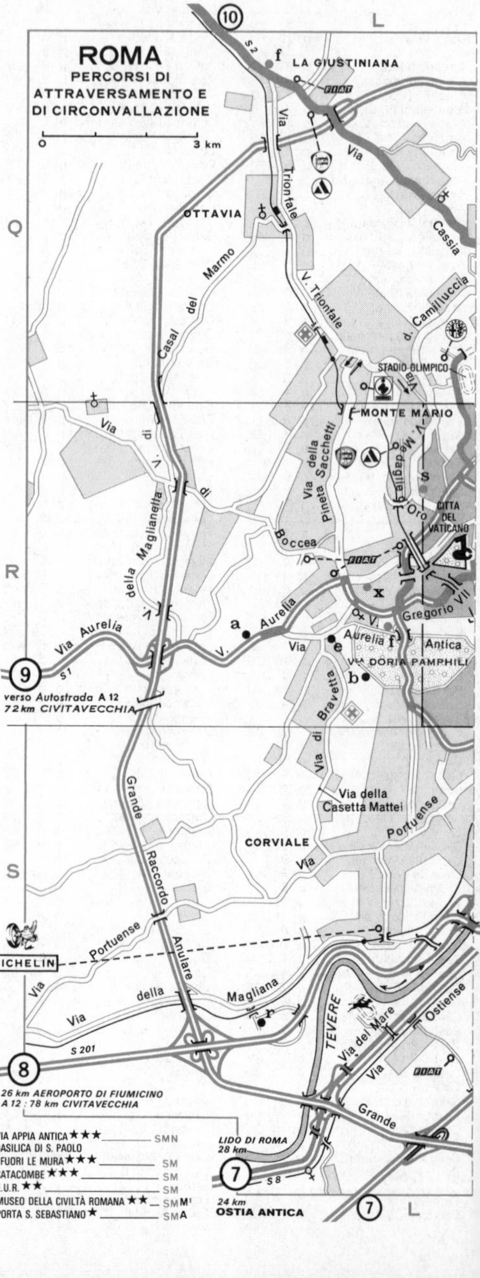

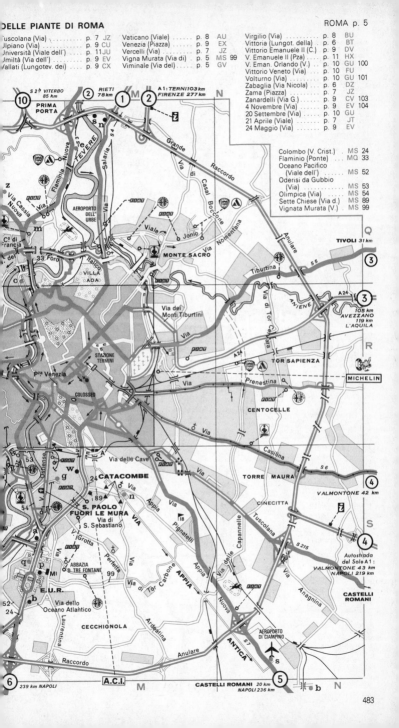

483

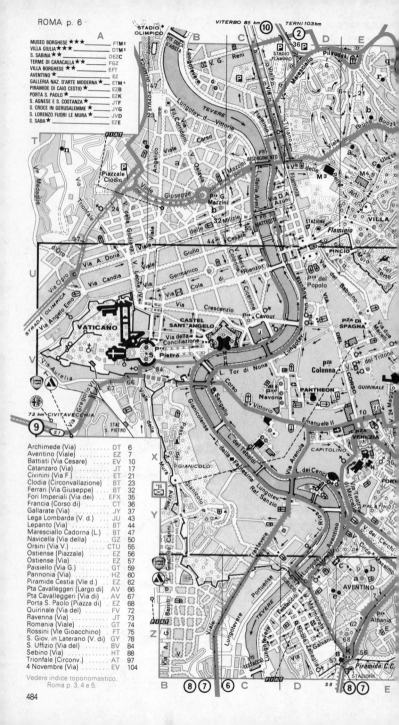

ROMA p. 6

Vedere indice toponomastico,
Roma p. 3, 4 e 5.

484

ROMA

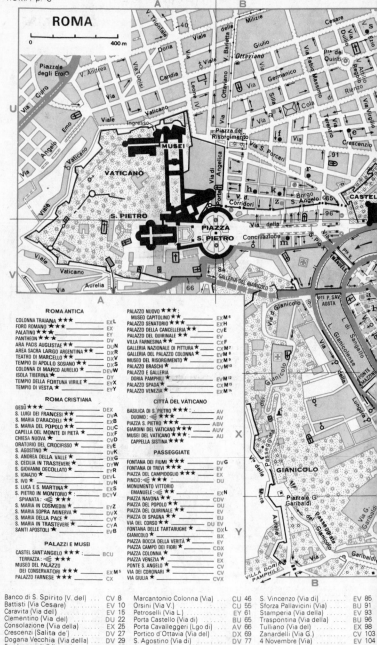

ROMA

0   400 m

ROMA ANTICA

COLONNA TRAIANA ★★★	EX L
FORO ROMANO ★★★	EX
PALATINO ★★★	EY
PANTHEON ★★★	EV
ARA PACIS AUGUSTAE ★★	DU N
AREA SACRA LARGO ARGENTINA ★★	DX R
TEATRO DI MARCELLO ★★	DX V
TEMPIO DI APOLLO SOSIANO ★★	DX S
COLONNA DI MARCO AURELIO ★	DE VW
ISOLA TIBERINA ★	DY
TEMPIO DELLA FORTUNA VIRILE ★	EY X
TEMPIO DI VESTA ★	EY Y

ROMA CRISTIANA

GESÙ ★★★	DE X
S. LUIGI DEI FRANCESI ★★	DV A
S. MARIA D'ARACOELI ★★	EX B
S. MARIA DEL POPOLO ★★	DU C
CAPPELLA DEL MONTE DI PIETÀ ★	DX F
CHIESA NUOVA ★	CV D
ORATORIO DEL CROCIFISSO ★	EV E
S. AGOSTINO ★	DV K
S. ANDREA DELLA VALLE ★	DX G
S. CECILIA IN TRASTEVERE ★	DY W
S. GIOVANNI DECOLLATO ★	EY R
S. IGNAZIO ★	DEV L
S. IVO ★	DV N
S. LUCA E S. MARTINA ★	EX S
S. PIETRO IN MONTORIO ★ :	BCV V
SPIANATA : ★ ★★	
S. MARIA IN COSMEDIN ★	EY Z
S. MARIA SOPRA MINERVA ★	DV X
S. MARIA DELLA PACE ★	CV Y
S. MARIA IN TRASTEVERE ★	CY A
SANTI APOSTOLI ★	EV B

PALAZZI E MUSEI

CASTEL SANT'ANGELO ★★★	BC U
TERRAZZA : ★★★	
MUSEO DEL PALAZZO	
DEI CONSERVATORI ★★★	EX M 5
PALAZZO FARNESE ★★★	CX

PALAZZO NUOVO ★★★ :	
MUSEO CAPITOLINO ★★	EX M 6
PALAZZO SENATORIO ★★★	EX H
PALAZZO DELLA CANCELLERIA ★★	CV E
PALAZZO DEL QUIRINALE ★★	EV
VILLA FARNESINA ★★	CX F
GALLERIA NAZIONALE DI PITTURA ★	CX M 7
GALLERIA DEL PALAZZO COLONNA ★	EV M 8
MUSEO DEL RISORGIMENTO ★	EX M 9
PALAZZO BRASCHI	CV M 10
PALAZZO E GALLERIA	
DORIA PAMPHILI ★	EV M 12
PALAZZO SPADA ★	CX M 13
PALAZZO VENEZIA ★	EX M 14

CITTÀ DEL VATICANO

BASILICA DI S. PIETRO ★★★ :	
DUOMO : ◄ ★★★	AV
PIAZZA S. PIETRO ★★★	AB V
GIARDINI DEL VATICANO ★★★	AU V
MUSEI DEL VATICANO ★★★ :	AU
CAPPELLA SISTINA ★★★	

PASSEGGIATE

FONTANA DEI FIUMI ★★★	DV G
FONTANA DI TREVI ★★★	EV
PIAZZA DEL CAMPIDOGLIO ★★★	EX
PINCIO : ◄ ★★★	DU
MONUMENTO VITTORIO	
EMANUELE : ◄ ★★	EX N
PIAZZA NAVONA ★★	CDV
PIAZZA DEL POPOLO ★★	DU
PIAZZA DEL QUIRINALE ★★	EU
PIAZZA DI SPAGNA ★★	EU
VIA DEL CORSO ★★	DU EV
FONTANA DELLE TARTARUGHE ★	DX L
GIANICOLO ★	BX
PIAZZA BOCCA DELLA VERITÀ ★	EY
PIAZZA CAMPO DEI FIORI ★	CD X
PIAZZA COLONNA ★	EX
PIAZZA VENEZIA ★	EV
PONTE S. ANGELO ★	CV
VIA DEI CORONARI ★	CV
VIA GIULIA ★	CV X

Vedere indice toponomastico,
Roma p. 3, 4 e 5.

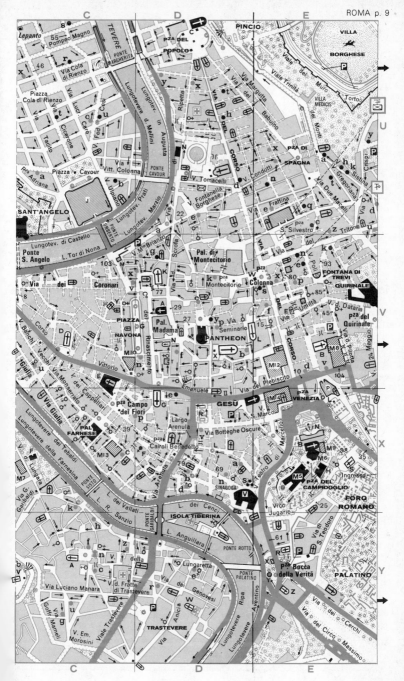

487

PINCIO

VILLA
BORGHESE

d'Italia

Corso

Campania

Sicilia

P.za di Por Pinciana

P.za
Brasila

VILLA
MEDICIS

Spagna

Boncompagni

Via

Ludovisi

Piemonte

Sallustiana

O. Quintino Sella

P.za DI
SPAGNA

V. del Condotti

Via Frattina

V. Due Macelli

VITTORIO

V. Di Basilio

Bissolati

Barberini

Settembre

Cernaia

Via Goito

Via

V. del Tritone

Sistina

P.za
Barberini

M16

Via 20. Settembre

P.za della
Repubblica

Piazza del
Cinquecento

W
Colonna

FONTANA DI
TREVI

del Traforo

QUIRINALE

Quattro Fontane

Nazionale

Viminale

S. MARIA
MAGGIORE

V
Umiltà

Dataria

P.za del
Quirinale

Piacenza

POL

Via A. V.

Depretis

Via Cesare Balbo

V. Cavour

L
CORSO

Via della Pilotta

Via Nazionale

Via Milano

V. di
Panisperna

4
Novembre

Via del
Plebiscito

48

Serpenti

Via

Via Giovanni

Lanza

PZA
VENEZIA

Via
S. Marco

FORI
IMPERIALI

Cavour

Via Cavour

Viale del Monte Oppio

FORO
ROMANO

PZA DEL
CAMPIDOGLIO

Via dei

Via degli Annibaldi

COLOSSEO

Via

di

Labicana

Teatro di Marcello

R

ARCO DI
COSTANTINO

San

Giovanni in

P.za
Bocca
della Verità

PALATINO

S. Gregorio

C Vibenna

Celimontana

Annia

Via Claudia

L. Aventino

Via del Circo

Massimo

Via di S. Stefano Rotondo

ROMA

ROMA ANTICA

ARCO DI COSTANTINO ★★★	FY
BASILICA DI MASSENZIO ★★★	FX R
COLONNA TRAIANA ★★★	EX L
COLOSSEO ★★★	FGY
FORI IMPERIALI ★★★	FX
FORO ROMANO ★★★	FX
PALATINO ★★★	EFY
TEATRO DI MARCELLO ★★	EX V
COLONNA DI MARCO AURELIO ★	EV W
TEMPIO DELLA FORTUNA VIRILE ★	EY X
TEMPIO DI VESTA ★	EY Y

ROMA CRISTIANA

GESÙ ★★★	EX Z
S. GIOVANNI IN LATERANO ★★★	HY
S. MARIA MAGGIORE ★★★	GV
S. ANDREA AL QUIRINALE ★★	FV X
S. CARLO ALLE QUATTRO FONTANE ★★	FV Y
S. CLEMENTE ★★	GY Z
S. MARIA DEGLI ANGELI ★★	GU A
S. MARIA D'ARACOELI ★★	EX B
S. MARIA DELLA VITTORIA ★★	GU C
S. SUSANNA ★★	GU D
ORATORIO DEL CROCIFISSO ★	EV E
S. IGNAZIO ★	EV L
S. GIOVANNI DECOLLATO ★	EY R
S. LUCA E S. MARTINA ★	EX S
S. MARIA IN COSMEDIN ★	EYZ
S. PIETRO IN VINCOLI ★	GX E
S. PRASSEDE ★	GVX F
SANTI APOSTOLI ★	EV B

PALAZZI E MUSEI

MUSEO NAZIONALE ROMANO ★★★	GU M15
MUSEO DEL PALAZZO DEI CONSERVATORI ★★★	EX M5
PALAZZO NUOVO ★★★ : MUSEO CAPITOLINO ★★	EX M6
PALAZZO SENATORIO ★★★	EX H
PALAZZO BARBERINI ★★	FU M16
PALAZZO DEL QUIRINALE ★★	EV
GALLERIA DEL PALAZZO COLONNA ★	EV M8
MUSEO DEL RISORGIMENTO ★	EX M9
PALAZZO E GALLERIA DORIA PAMPHILI ★	EV M12
PALAZZO VENEZIA ★	EX M14

PASSEGGIATE

FONTANA DI TREVI ★★★	EV
PIAZZA DEL CAMPIDOGLIO ★★★	EX
MONUMENTO VITTORIO EMANUELE : ≤ ★★★	EX N
PIAZZA DEL QUIRINALE ★★	FV
PIAZZA DI SPAGNA ★★	EU
VIA VITTORIO VENETO ★★	FU
PIAZZA BOCCA DELLA VERITÀ ★	EY
PIAZZA COLONNA ★	EV
PIAZZA DI PORTA MAGGIORE ★	JX
PIAZZA VENEZIA ★	EX
PORTA PIA ★	HU

Amendola (Via Giov.)	GV	3
Battisti (Via Cesare)	EV	10
Calabria (Via)	GU	12
Caravita (Via del)	EV	15
Consolazione (Via della)	EX	25
Einaudi (Viale Luigi)	GV	31
Lucchesi (Via dei)	EV	45
Mazzarino (Via)	FV	48
Petroselli (Via L.)	EY	61
Quirinale (Via del)	FV	71
Salandra (Via A.)	GU	76
S. Maria in Via (Via di)	EV	80
S. Vincenzo (Via di)	EV	85
Scienze (Via della)	JV	87
Solferino (Via)	HU	92
Stamperia (Via della)	EV	93
Terme Diocleziano (V.)	GV	95
Tulliano (Via del)	EX	98
Vittorio Emanuele Orlando (Via)	GU	100
Volturno (Via)	GU	101

Vedere indice toponomastico,
Roma p. 3, 4 e 5.

489

ELENCO ALFABETICO DEGLI ALBERGHI E RISTORANTI

ROME

le Guide Vert Michelin
Édition française

29 promenades dans la Ville Éternelle :

les sites les plus prestigieux,
les quartiers chargés de 30 siècles d'histoire,
les trésors d'art des musées.

XX **Al Ceppo,** via Panama 2 ⊠ 00198 ✆ 8449696, 🍴, Rist. caratteristico – 🍴. 🖭 🕃 ⓪ 𝚅𝙸𝚂𝙰.
chiuso lunedì e dal 12 al 30 agosto – Pas carta 32/51000.   GT **u**

XX **Il Caminetto,** viale dei Parioli 89 ⊠ 00197 ✆ 803946, 🍴 – 🍴. 🖭 🕃 ⓪. ⚘
chiuso giovedì e dal 12 al 18 agosto – Pas carta 28/44000.   ET **q**

X **Delle Vittorie,** via Monte Santo 62/64 ⊠ 00195 ✆ 386847 – 🖭 🕃 ⓪ 🔳 𝚅𝙸𝚂𝙰. ⚘
chiuso domenica, dal 23 dicembre al 3 gennaio e dal 1° al 20 agosto – Pas carta 26/43000.   BT **a**

X **La Scala,** viale dei Parioli 79/d ⊠ 00197 ✆ 803978, 🍴 – 🍴. 🖭 🕃 ⓪ 🔳 𝚅𝙸𝚂𝙰. ⚘
chiuso mercoledì e dal 10 al 24 agosto – Pas carta 27/46000.   ET **q**

X **Nuraghe Sardo,** viale Medaglie d'Oro 50 ⊠ 00136 ✆ 382485, Rist. con specialità sarde –
🍴.   Roma p. 4   LR **s**
chiuso mercoledì ed agosto – Pas carta 28/41000.

X Nuovo Calafuria, via Flaminia 388/390 ⊠ 00196 ✆ 3962377, Rist. e pizzeria   Roma p. 5   MQ **c**

X Micci, via Luigi Settembrini 25 ⊠ 00195 ✆ 380245   BT **b**

Zona centro ovest San Pietro (Città del Vaticano), Gianicolo, corso Vittorio Emanuele, piazza Venezia, Pantheon e Quirinale, Pincio e Villa Medici, piazza di Spagna, Palatino e Fori (Pianta : Roma p. 8 e 9, salvo indicazioni speciali) :

🏨🏨 **Hassler,** piazza Trinità dei Monti 6 ⊠ 00187 ✆ 6792651, Telex 610208, Fax 6799278, ≼ città dal rist. roof-garden – 🛗 🍴 📺 ☎. 🖭 ⚘   EU **a**
Pas carta 89/154000 – ⊊ 21000 – **101 cam** 350/520000.

🏨🏨 **Eden,** via Ludovisi 49 ⊠ 00187 ✆ 4743551, Telex 610567, Fax 4742401, « Rist. roof-garden con ≼ città » – 🛗 🍴 📺 🕃. 🖭 🕃 ⓪ 🔳 𝚅𝙸𝚂𝙰. ⚘   EU **y**
Pas carta 55/88000 – ⊊ 19500 – **110 cam** 275/395000 appartamenti 590/790000.

🏨 **D'Inghilterra** senza rist, via Bocca di Leone 14 ⊠ 00187 ✆ 672161, Telex 614552, Fax 672161
– 🛗 🍴 📺 ☎ ♿. 🖭 ⓪ 🔳 𝚅𝙸𝚂𝙰. ⚘   EU **n**
⊊ 22000 – **102 cam** 275/352000.

🏨 **Jolly Leonardo da Vinci,** via dei Gracchi 324 ⊠ 00192 ✆ 39680, Telex 611182, Fax 39680 –
🛗 🍴 📺 ☎ ⟷ – 🅰 800. 🖭 🕃 ⓪ 🔳 𝚅𝙸𝚂𝙰. ⚘ rist   CU **r**
Pas 48000 – **245 cam** ⊊ 175/240000.

🏨 **Plaza** senza rist, via del Corso 126 ⊠ 00186 ✆ 672101, Telex 624669 – 🛗 🍴 ☎ – 🅰 50. 🖭 🕃 ⓪ 🔳 𝚅𝙸𝚂𝙰. ⚘   DU **d**
⊊ 15000 – **207 cam** 143/220000 appartamenti 430000, 🍴 12000.

🏨 Gd H. de la Ville, via Sistina 69 ⊠ 00187 ✆ 6733, Telex 620836 – 🛗 🍴 📺 ☎ ⟷ – 🅰 40 a 120   EU **h**
189 cam.

🏨 **Visconti Palace** senza rist, via Cesi 37 ⊠ 00193 ✆ 3684, Telex 622489, Fax 6799236 – 🛗 🍴 📺 ☎ ♿ ⟷ – 🅰 25 a 150. 🖭 🕃 ⓪ 🔳 𝚅𝙸𝚂𝙰. ⚘   CU **u**
247 cam ⊊ 180/250000 appartamenti 300000.

🏨 Cicerone e Rist. Robià, via Cicerone 55/c ⊠ 00193 ✆ 3576, Telex 622498 – 🛗 🍴 📺 ☎ ⟷ – 🅰 160 – 237 cam.   CU **t**

🏨 **Atlante Star,** via Vitelleschi 34 ⊠ 00193 ✆ 6879558, Telex 622355, Fax 6799907, « Rist. roof-garden con ≼ Basilica di San Pietro » – 🛗 🍴 cam 📺 ☎ – 🅰 70. 🖭 🕃 ⓪ 🔳 𝚅𝙸𝚂𝙰. ⚘   BU **r**
Pas carta 69/99000 – ⊊ 25000 – **61 cam** 254/328000 appartamenti 450/800000 – P 264/284000.

🏨 **Delle Nazioni** senza rist, via Poli 7 ⊠ 00187 ✆ 6792441, Telex 614193 – 🛗 🍴 📺 ☎. 🖭 🕃 ⓪ 🔳 𝚅𝙸𝚂𝙰. ⚘   EV **e**
74 cam ⊊ 205/270000 appartamento 350000.

🏨 **Colonna Palace** senza rist, piazza Montecitorio 12 ⊠ 00186 ✆ 6781341, Telex 621467, Fax 6781345 – 🛗 🍴 📺 ☎. 🖭 🕃 ⓪ 🔳 𝚅𝙸𝚂𝙰. ⚘   EV **s**
⊊ 18000 – **110 cam** 205/265000.

🏨 **Giulio Cesare** senza rist, via degli Scipioni 287 ⊠ 00192 ✆ 310244, Telex 613010, 🌴 – 🛗 🍴 📺 ☎ 🅿 – 🅰 60. 🖭 🕃 ⓪ 🔳 𝚅𝙸𝚂𝙰. ⚘   CU **s**
86 cam ⊊ 216/290000.

🏨 **Columbus,** via della Conciliazione 33 ⊠ 00193 ✆ 6865435, Telex 620096, « Decorazioni d'epoca in una costruzione quattrocentesca », 🌴 – 🛗 📺 ☎ 🅿 – 🅰 30 a 200. 🖭 🕃 ⓪ 🔳 𝚅𝙸𝚂𝙰. ⚘ rist   BV **m**
Pas carta 45/64000 – 107 cam ⊊ 110/170000 appartamenti 220/280000 – P 150/190000.

🏨 **Internazionale** senza rist, via Sistina 79 ⊠ 00187 ✆ 6793047, Telex 614333, Fax 6784764 – 🛗 🍴 📺 ☎. 🖭 🕃 ⓪ 🔳 𝚅𝙸𝚂𝙰. ⚘   EU **k**
39 cam ⊊ 133/210000 appartamenti 400/450000.

🏨 **Gerber** senza rist, via degli Scipioni 241 ⊠ 00192 ✆ 3595148 – 🛗 ☎. 🖭 🕃 ⓪ 🔳 𝚅𝙸𝚂𝙰. ⚘   BU **s**
⊊ 18000 – **27 cam** 75/115000.

🏨 **Atlante Garden** senza rist, via Crescenzio 78/a ⊠ 00193 ✆ 6872361, Telex 623172 – 🛗 🍴 📺 ☎. 🖭 🕃 ⓪ 🔳 𝚅𝙸𝚂𝙰. ⚘   BU **f**
⊊ 20000 – **43 cam** 240/310000.

🏨 **Della Torre Argentina** senza rist, corso Vittorio Emanuele 102 ⊠ 00186 ✆ 6548251, Telex 623281 – 🛗 🍴 ☎. 🖭 🕃 ⓪ 🔳 𝚅𝙸𝚂𝙰. ⚘   DX **e**
⊊ 10000 – **32 cam** 109/150000.

🏨 **Siena** senza rist, via Sant'Andrea delle Fratte 33 ⊠ 00187 ✆ 6796121 – 🛗 ≼≽ ☎. ⚘   EU **c**
21 cam ⊊ 110/160000.

🏛 **Diplomatic,** via Vittoria Colonna 28 ⊠ 00193 🖉 6542084, Telex 610506, 🍽 – |🛗| 🔆 ☰ 📺
🕿. 🕮 🕅 ⑩ 🗲 *VISA*. 🕉 rist   CU **b**
Pas carta 33/51000 – **40 cam** ⫤ 165/201000.

🏛 **Gregoriana** senza rist, via Gregoriana 18 ⊠ 00187 🖉 6794269 – |🛗| 🔆 ☰ 🕮   EU **t**
19 cam ⫤ 110/170000.

🏛 **Arcangelo** senza rist, via Boezio 15 ⊠ 00192 🖉 318851 – |🛗| 📺 🕿. 🕮 🕅 ⑩ 🗲 *VISA*. 🕉
30 cam ⫤ 100/158000.   BU **e**

🏛 **Della Conciliazione** senza rist, borgo Pio 165 ⊠ 00193 🖉 6867910 – |🛗| 🕿 ら. 🕮 🕅 ⑩ 🗲
⫤ 8000 – **55 cam** 60/100000.   BU **k**

🏛 **Mozart,** senza rist, via dei Greci 23/b ⊠ 00187 🖉 6787422 – |🛗| ☰ 📺 🕿 – **31 cam.**   DU **h**

🏛 **Tritone** senza rist, via del Tritone 210 ⊠ 00187 🖉 6782624, Telex 614254 – |🛗| ☰ 📺 🕿. 🕮 🕅
⑩ 🗲 *VISA*. 🕉   EV **n**
43 cam ⫤ 120/180000.

🏛 **Madrid** senza rist, via Mario de' Fiori 95 ⊠ 00187 🖉 6791243, Telex 625339 – |🛗| ☰ 📺 🕮. 🕮
🕅 ⑩ 🗲 *VISA*. 🕉   EU **q**
24 cam ⫤ 120/170000.

🏛 **Accademia** senza rist, piazza Accademia di San Luca 75 ⊠ 00187 🖉 6786705, Fax 6785897 –
|🛗| ☰ 🕿. 🕮 🕅 ⑩ 🗲 *VISA*. 🕉   EV **k**
50 cam ⫤ 120/180000.

🏠 **Sant'Anna** senza rist, borgo Pio 134 ⊠ 00193 🖉 6541602 – ☰ 📺 🕿. 🕮 🕅 ⑩ 🗲 *VISA*
18 cam ⫤ 110/170000.   BU **h**

🏠 **Senato** senza rist, piazza della Rotonda 73 ⊠ 00186 🖉 6793231, ≼ Pantheon – |🛗| ☰ 📺 🕮.
🕉   DV **y**
⫤ 10000 – **51 cam** 85/125000.

🏠 **Margutta** senza rist, via Laurina 34 ⊠ 00187 🖉 3614193 – |🛗| 🕮. 🕮 🕅 ⑩ 🗲 *VISA*. 🕉   DU **t**
21 cam ⫤ 85000.

🏠 **Portoghesi** senza rist, via dei Portoghesi 1 ⊠ 00186 🖉 6864231 – |🛗| ☰ 🕿. 🕅 🗲 *VISA*   DV **g**
27 cam ⫤ 59/100000.

XXX **El Toulà,** via della Lupa 29/b ⊠ 00186 🖉 6873498, Rist. elegante; prenotare – ☰. 🕮 🕅 ⑩
🗲 *VISA*   DU **e**
chiuso sabato a mezzogiorno, domenica, agosto e dal 24 al 26 dicembre – Pas carta 52/75000
(15%).

XXX ✿ **Patrizia e Roberto del Pianeta Terra,** via Arco del Monte 94 ⊠ 00186 🖉 6869893, Rist.
elegante a coperti limitati; prenotare – ☰. 🕮 🕅 ⑩ *VISA*   CX **c**
chiuso a mezzogiorno, lunedì ed agosto – Pas 70/100000
Spec. Mousse di astaco, Ravioli alle erbe e ricotta con sugo di coniglio, Spigola in salsa di crescione, Sella di
capretto al miele e aceto balsamico.

XXX **I Preistorici,** vicolo Orbitelli 13 ⊠ 00186 🖉 6875971, Rist. elegante a coperti limitati; prenotare
chiuso a mezzogiorno.   BV **a**

XXX **Ranieri,** via Mario de' Fiori 26 ⊠ 00187 🖉 6791592, Rist. a coperti limitati; prenotare – ☰.
🕮 🕅 ⑩ 🗲 *VISA*. 🕉   EU **f**
chiuso domenica – Pas carta 42/64000.

XXX **4 Colonne,** via della Posta 4 ⊠ 00186 🖉 6547152, prenotare – ☰. 🕉   DV **n**
chiuso domenica e dal 5 al 31 agosto – Pas carta 45/72000.

XXX **Passetto,** via Zanardelli 14 ⊠ 00186 🖉 6543696 – 🔆 ☰. 🕮 ⑩ *VISA*. 🕉   CV **v**
chiuso domenica, lunedì a mezzogiorno e novembre – Pas carta 39/61000.

XX ✿ **La Rosetta,** via della Rosetta 9 ⊠ 00187 🖉 6861002, Trattoria con specialità di mare ;
prenotare – ☰. ⑩ *VISA*. 🕉   DV **e**
chiuso sabato a mezzogiorno, domenica ed agosto – Pas carta 72/105000 (15%)
Spec. Linguine al ragu di mare, Filetti di merluzzo Rosetta, Gamberi al Verduzzo. Vini Pinot Franciacorta, Marino.

XX **Piperno,** Monte de' Cenci 9 ⊠ 00186 🖉 6540629, Rist. con specialità romane – ☰   DX

XX **Vecchia Roma,** piazza Campitelli 18 ⊠ 00186 🖉 6864604, Rist. tipico con specialità romane
e di mare – ☰   DX **a**
chiuso mercoledì – Pas carta 33/55000 (12%).

XX **La Toscana,** via dei Crociferi 12 ⊠ 00187 🖉 6789971 – ☰   EV **x**
chiuso domenica sera, lunedì ed agosto – Pas carta 31/54000 (13%).

XX **Eau Vive,** via Monterone 85 ⊠ 00186 🖉 6541095, Missionarie cattoliche-cucina internazionale, prenotare la sera, « Edificio cinquecentesco » – ☰. 🕮 🕅 *VISA*   DV **f**
chiuso domenica ed agosto – Pas carta 29/42000.

XX **Piccola Roma,** via Uffici del Vicario 36 ⊠ 00186 🖉 6798606 – 🕮 ⑩ *VISA*. 🕉   DV **k**
chiuso domenica – Pas carta 28/44000.

XX **Dante Taberna dei Gracchi,** via dei Gracchi 266 ⊠ 00192 🖉 383757 – ☰. 🕮 ⑩ *VISA*. 🕉   CU **x**
chiuso domenica, lunedì a mezzogiorno ed agosto – Pas carta 40/55000.

XX **Taverna Giulia,** vicolo dell'Oro 23 ⊠ 00186 🖉 6869768, Rist. con specialità liguri; prenotare
la sera – ☰. 🕮 ⑩ *VISA*. 🕉   BV **a**
chiuso domenica ed agosto – Pas carta 34/44000 (15%).

XX **Lo Squalo Bianco,** via Federico Cesi 36 ⊠ 00193 🖉 312524, Rist. con specialità di mare –
🕮 ⑩. 🕉   CU **c**
chiuso domenica ed agosto – Pas carta 44/68000.

XX **La Maiella,** piazza Sant'Apollinare 45/46 ⊠ 00186 ℘ 6864174, ☂, Rist. con specialità abruzzesi – ▤. AE [$] ◑ E VISA. 🚫 CDV **x**
chiuso domenica e dal 10 al 25 agosto – Pas carta 41/60000.

XX **Pierdonati,** via della Conciliazione 39 ⊠ 00193 ℘ 6543557 – [$] E VISA BV **m**
chiuso giovedì ed agosto – Pas carta 32/54000 (15%).

XX **Il Drappo,** vicolo del Malpasso 9 ⊠ 00186 ℘ 6877365, prenotare, Rist. con specialità sarde – ▤. AE CV **u**
chiuso domenica ed agosto – Pas (menu suggeriti dal proprietario) 45000 bc.

XX **Da Pancrazio,** piazza del Biscione 92 ⊠ 00186 ℘ 6861246, « Taverna ricostruita sui ruderi del Teatro di Pompeo » – ⇔. AE [$] ◑ E VISA. 🚫 CDX **p**
chiuso mercoledì e dal 10 al 18 agosto – Pas carta 32/56000.

XX La Cabana, via del Mancino 7/9 ⊠ 00187 ℘ 6791190, Trattoria d'habitués – ▤ EV **d**

XX La Giada, via 4 Novembre 137/i ⊠ 00187 ℘ 6798334, Rist. cinese. EV **v**

XX **Da Mario,** via della Vite 55 ⊠ 00187 ℘ 6783818, Rist. con specialità toscane – ▤. AE [$] ◑ VISA EU **e**
chiuso domenica ed agosto – Pas carta 35/43000.

XX Al Pompiere, via Santa Maria dei Calderari 38 ⊠ 00186 ℘ 6868377 DX **b**

XX Al 34, via Mario dè Fiori 34 ⊠ 00187 ℘ 6795091 – ▤ EU **x**

X **L'Orso 80,** via dell'Orso 33 ⊠ 00186 ℘ 6864904 – ▤. AE [$] ◑ E VISA. 🚫 CDV **r**
chiuso lunedì e dall'8 al 20 agosto – Pas carta 32/43000.

X **Al 59-da Giuseppe,** via Brunetti 59 ⊠ 00186 ℘ 3619019, Rist. con specialità bolognesi – ▤. 🚫 DU **y**
chiuso agosto, domenica e in giugno-luglio anche sabato – Pas carta 32/61000.

X **Al Moro,** vicolo delle Bollette 13 ⊠ 00187 ℘ 6783495, Trattoria romana; prenotare – ▤. 🚫
chiuso domenica ed agosto – Pas carta 39/76000. EV **p**

X **Hostaria da Cesare,** via Crescenzio 13 ⊠ 00193 ℘ 6861227, Trattoria-pizzeria con specialità di mare – ▤. AE [$] ◑ E VISA. 🚫 CU **a**
chiuso domenica sera, lunedì, Pasqua, agosto e Natale – Pas carta 32/58000.

X Orfeo-da Cesaretto, vicolo d'Orfeo 20 ⊠ 00193 ℘ 6879269 BU **z**

X **Il Falchetto,** via dei Montecatini 12/14 ⊠ 00186 ℘ 6791160, Trattoria rustica – AE ◑ VISA
chiuso venerdì e dal 5 al 20 agosto – Pas carta 26/40000. EV **f**

X **La Buca di Ripetta,** via di Ripetta 36 ⊠ 00186 ℘ 3619391, Trattoria d'habitués – ▤. 🚫
chiuso domenica sera, lunedì ed agosto – Pas carta 23/35000. DU **x**

X **Tritone,** via dei Maroniti 1 ⊠ 00187 ℘ 6798181 – AE VISA EUV **u**
chiuso mercoledì e dal 1° al 15 luglio – Pas carta 25/37000 (10%).

X **Il Buco,** via Sant'Ignazio 8 ⊠ 00186 ℘ 6793298, Rist. con specialità toscane – ▤. 🚫 DV **b**
chiuso lunedì e dal 15 al 31 agosto – Pas carta 35/40000.

X **Il Giardino,** via Zucchelli 29 ⊠ 00187 ℘ 465202 – AE ◑ VISA EU **d**
chiuso lunedì ed agosto – Pas carta 25/40000.

X **La Tavernetta,** via del Nazareno 3/4 ⊠ 00187 ℘ 6793124 – AE [$] ◑ E VISA EU **z**
chiuso lunedì e novembre – Pas carta 24/39000 (12%).

X **Da Giggetto,** via del Portico d'Ottavia 21/a ⊠ 00186 ℘ 6861105, ☂, Trattoria tipica con specialità romane DX **n**
chiuso lunedì e luglio – Pas carta 32/49000.

X **Il Matriciano,** via dei Gracchi 55 ⊠ 00193 ℘ 3595247, ☂, Rist. d'habitués – AE [$] ◑ VISA
chiuso agosto, mercoledì da ottobre al 15 giugno e sabato negli altri mesi – Pas carta 31/45000. BU **a**

X **Al Salanova,** via Florida 23 ⊠ 00186 ℘ 6861409 – AE [$] ◑ E VISA. 🚫 DX **v**
chiuso lunedì, dal 4 al 20 gennaio e dal 4 al 20 luglio – Pas carta 28/41000 (15%).

X La Sacrestia, via del Seminario 89 ⊠ 00186 ℘ 6797581, Rist.-pizzeria-soupers, « Caratteristiche decorazioni ». DV **p**

X **Campana,** vicolo della Campana 18 ⊠ 00186 ℘ 6867820, Trattoria d'habitués – ▤. 🚫
chiuso lunedì ed agosto – Pas carta 32/40000. DUV **a**

Zona centro est via Vittorio Veneto, via Nazionale, Viminale, Santa Maria Maggiore, Colosseo, Porta Pia, via Nomentana, Stazione Termini, Porta San Giovanni (Pianta : Roma p. 10 e 11, salvo indicazioni speciali) :

Le Grand Hotel, via Vittorio Emanuele Orlando 3 ⊠ 00185 ℘ 4709, Telex 610210, Fax 4747307 – |$| ▤ TV ☎ ♿ – 🏛 25 a 500. AE ◑ E VISA. 🚫 rist GU **t**
Pas carta 90/130000 – ☕ 24000 – **168 cam** 327/524000 appartamenti 774/1190000.

Excelsior, via Vittorio Veneto 125 ⊠ 00187 ℘ 4708, Telex 610232, Fax 4756205 – |$| ▤ TV ☎ ♿ – 🏛 25 a 450. AE [$] ◑ E VISA. 🚫 rist FU **b**
Pas carta 81/110000 – ☕ 24000 – **322 cam** 339/500000 appartamenti 712/1302000.

Ambasciatori Palace, via Vittorio Veneto 70 ⊠ 00187 ℘ 47493, Telex 610241, Fax 6799303 – |$| ▤ TV ☎ ♿ – 🏛 50 a 200. AE [$] ◑ E VISA. 🚫 rist FU **e**
Pas al Rist. **Grill Bar ABC** carta 57/88000 – ☕ 20000 – **149 cam** 240/340000 appartamenti 400/600000.

Bernini Bristol, piazza Barberini 23 ✉ 00187 ☎ 463051, Telex 610554, Fax 4750266 – cam – 40 a 120. AE E VISA. FU **m**
Pas carta 52/91000 – 18000 – **125 cam** 300/516000 appartamenti 611000.

Jolly Vittorio Veneto, corso d'Italia 1 ✉ 00198 ☎ 8495, Telex 612293, Fax 863445 – – 35 a 700. AE E VISA. rist FU **k**
Pas 48000 – **200 cam** 200/270000.

Mediterraneo, via Cavour 15 ✉ 00184 ☎ 464051 – – 25 a 120. AE E VISA. GV **k**
Pas *(chiuso venerdì e sabato)* 35000 – **272 cam** 190/270000 appartamenti 461/841000.

Regina Carlton, via Vittorio Veneto 72 ✉ 00187 ☎ 476851, Telex 620863 – cam . AE E VISA. FU **e**
Pas carta 29/53000 – **132 cam** 220/300000 appartamenti 500/700000.

Quirinale, via Nazionale 7 ✉ 00184 ☎ 4707, Telex 610332, Fax 4707823, , – cam – 250. AE E VISA. rist GV **x**
Pas 35/45000 – **193 cam** 210/290000 appartamenti 400/650000 – P 250/315000.

Victoria, via Campania 41 ✉ 00187 ☎ 473931, Telex 610212, Fax 679931 – . AE E. rist FU **c**
Pas carta 37/60000 – **110 cam** 165/270000.

Genova senza rist, via Cavour 33 ✉ 00184 ☎ 476951, Telex 621599 – . AE VISA. GV **b**
91 cam 140/190000.

Londra e Cargill, piazza Sallustio 18 ✉ 00187 ☎ 473871, Telex 622227 – – 25 a 200 GU **k**
105 cam.

Forum, via Tor de' Conti 25 ✉ 00184 ☎ 6792446, Telex 622549, Fax 6799337, « Rist. roof-garden con ← Fori Imperiali » – – 100. AE E VISA. FX **t**
Pas *(chiuso domenica)* carta 64/100000 – 20000 – **81 cam** 230/330000 appartamenti 410/560000.

Massimo D'Azeglio, via Cavour 18 ✉ 00184 ☎ 460646, Telex 610556 – – 200. AE E VISA. rist GV **s**
Pas *(chiuso domenica)* 35000 – **210 cam** 160/235000.

Eliseo, via di Porta Pinciana 30 ✉ 00187 ☎ 460556, Telex 610693, « Rist. roof-garden con ← Villa Borghese » – – 50 FU **r**
53 cam.

Pullman Boston, via Lombardia 47 ✉ 00187 ☎ 473951, Telex 622247 – – 25 a 100. AE E VISA. FU **z**
Pas carta 35/54000 – **121 cam** 200/260000 – P 220/290000.

Imperiale, via Vittorio Veneto 24 ✉ 00187 ☎ 4756351, Telex 621071 – FU **n**
85 cam.

Mondial senza rist, via Torino 127 ✉ 00184 ☎ 472861, Telex 612219, Fax 472861 – – 25. AE E VISA. GV **a**
18000 – **77 cam** 155/224000.

Napoleon, piazza Vittorio Emanuele 105 ✉ 00185 ☎ 737646, Telex 611069 – – 25 a 60. AE E VISA. HX **a**
Pas (solo per clienti alloggiati e *chiuso a mezzogiorno*) 26000 – **82 cam** 114/181000.

San Giorgio senza rist, via Amendola 61 ✉ 00185 ☎ 4751341 – . AE E VISA. GV **s**
186 cam 140/195000.

La Residenza senza rist, via Emilia 22 ✉ 00187 ☎ 4744480 – . FU **w**
27 cam 95/155000.

Universo, via Principe Amedeo 5 ✉ 00185 ☎ 476811, Telex 610342 – – 25 a 300 GV **e**
207 cam.

Britannia senza rist, via Napoli 64 ✉ 00184 ☎ 463153, Telex 611292 – . AE E VISA GV **t**
32 cam 130/205000.

Commodore senza rist, via Torino 1 ✉ 00184 ☎ 485656, Telex 612170, Fax 6799279 – . AE E VISA GV **c**
20000 – **60 cam** 140/210000.

Marcella senza rist, via Flavia 106 ✉ 00187 ☎ 4746451, Telex 621351 – . AE E VISA. GU **r**
68 cam 130/205000.

Regency senza rist, via Romagna 42 ✉ 00187 ☎ 4819281, Telex 622321 – . AE E VISA GU **n**
51 cam 150/220000.

Sitea senza rist, via Vittorio Emanuele Orlando 90 ✉ 00185 ☎ 4751560, Telex 614163 – . AE E VISA GU **t**
37 cam 135/220000.

Siviglia senza rist, via Gaeta 12 ✉ 00185 ☎ 4041195, Telex 612225 – . AE VISA. HU **k**
40 cam 84/131000.

🏨 **Edera** 🦢 senza rist, via Poliziano 75 ✉ 00184 ✆ 7316341, Telex 621472, 🚗 – 🛗 📺 ☎ 🄿. 🖭
🕙 ⓞ 🔓 *VISA*
GY **r**
50 cam ⇆ 99/162000.

🏨 **Milani** senza rist, via Magenta 12 ✉ 00185 ✆ 4940051, Telex 614356, Fax 4040906 – 🛗 📺 ☎.
🕉
HU **z**
78 cam ⇆ 90/135000.

🏨 **Colosseum** senza rist, via Sforza 10 ✉ 00184 ✆ 4751228 – 🛗 ☎. 🖭 🕙 ⓞ *VISA*
GVX **m**
50 cam ⇆ 80/130000.

🏨 **Diana,** via Principe Amedeo 4 ✉ 00185 ✆ 4751541, Telex 611198 – 🛗 🍽 📺 ☎. 🖭 🕙 🔓 *VISA*.
🕉 rist
GV **e**
Pas (solo per clienti alloggiati) 24/27000 – **187 cam** ⇆ 93/144000.

🏨 **Canada** senza rist, via Vicenza 58 ✉ 00185 ✆ 4957385, Telex 613037 – 🛗 🍽 📺 ☎. 🖭 🕙 ⓞ
🔓 *VISA*. 🕉
HU **e**
62 cam ⇆ 86/123000, 🍴 8000.

🏨 **King** senza rist, via Sistina 131 ✉ 00187 ✆ 4741515, Telex 626246 – 🛗 🍽 ☎. 🖭 🕙 ⓞ 🔓 *VISA*
FU **d**
79 cam ⇆ 93/150000, 🍴 20000.

🏨 **Nord-Nuova Roma** senza rist, via Amendola 3 ✉ 00185 ✆ 465441 – 🛗 🍽 📺 ☎. 🖭 🕙 🔓
🔓 *VISA*. 🕉
GV **d**
156 cam ⇆ 110/165000.

🏨 **Galileo** senza rist, via Palestro 33 ✉ 00185 ✆ 4041205, Telex 623178 – 🛗 ⇷⇸ ☎. 🖭 🕙 🔓 🔓
VISA. 🕉
HU **a**
38 cam ⇆ 83/127000.

🏨 **Alpi** senza rist, via Castelfidardo 84/a ✉ 00185 ✆ 4041242, Telex 611677 – 🛗 📺 ☎. 🖭 🕙
🕙 🔓 *VISA*
HU **s**
46 cam ⇆ 76/121000.

🏨 **Lux Messe** senza rist, via Volturno 32 ✉ 00185 ✆ 4741741, Telex 612376 – 🛗 ⇷⇸ 🍽 ☎. 🖭
🕙 ⓞ *VISA*. 🕉
GU **x**
99 cam ⇆ 82/132000, 🍴 16000.

🏨 **Ariston** senza rist, via Turati 16 ✉ 00185 ✆ 7310341, Telex 614479 – 🛗 ⇷⇸ ☎. 🖭 🕙 ⓞ 🔓
VISA. 🕉
HV **t**
96 cam ⇆ 70/105000.

🏨 **Medici** senza rist, via Flavia 96 ✉ 00187 ✆ 4751319 – 🛗 ☎. 🖭 🕙 ⓞ 🔓 *VISA*. 🕉
GU **a**
69 cam ⇆ 74/124000.

🏨 **Venezia** senza rist, via Varese 18 ✉ 00185 ✆ 4940101, Telex 616038 – 🛗 ☎. 🖭 🕙 ⓞ 🔓 *VISA*.
🕉
HU **c**
59 cam ⇆ 95/145000.

🏨 **Centro** senza rist, via Firenze 12 ✉ 00184 ✆ 464142, Telex 612125 – 🛗 🍽 📺 ☎. 🖭 🕙 ⓞ 🔓
VISA. 🕉
GV **n**
36 cam ⇆ 112/147000.

🏨 **Igea** senza rist, via Principe Amedeo 97 ✉ 00185 ✆ 7311212 – 🛗 ☎. 🕉
HV **u**
⇆ 6000 – **42 cam** 50/80000.

🏨 **Alba** senza rist, via Leonina 12 ✉ 00184 ✆ 484712 – 🛗 ☎. 🖭 🕙 ⓞ 🔓 *VISA*
FX **v**
26 cam ⇆ 55/80000.

XXXX ❀ **Sans Souci**, via Sicilia 20/24 ✉ 00187 ✆ 493504, Rist. elegante-soupers; prenotare – 🍽.
🖭 🕙 ⓞ 🔓 *VISA*. 🕉
FU **p**
chiuso a mezzogiorno, lunedì e dal 6 agosto al 1° settembre – Pas carta 55/92000
Spec. Festival mediterraneo di risotti, Insalata di astice all'aceto di lamponi, Filetto in crosta alla salsa di Madera
e tartufo nero. **Vini** Bianco di Montosoli, Rubesco.

XXX **Harry's Bar,** via Vittorio Veneto 150 ✉ 00187 ✆ 4745832, Coperti limitati; prenotare – 🍽.
🖭 🕙. 🕉
FU **a**
chiuso domenica – Pas carta 52/67000.

XX **Piccolo Mondo,** via Aurora 39/d ✉ 00187 ✆ 4814595, Tavernetta elegante – 🍽. 🖭 🕙 ⓞ
🔓 *VISA*. 🕉
FU **h**
chiuso domenica e dal 25 luglio al 21 agosto – Pas carta 27/48000 (10%).

XX **Coriolano,** via Ancona 14 ✉ 00198 ✆ 861122, Coperti limitati; prenotare – 🍽. 🖭 🕙 ⓞ
chiuso domenica e dal 3 agosto al 2 settembre – Pas carta 66/138000 (15%).
HU **g**

XX **Cesarina,** via Piemonte 109 ✉ 00187 ✆ 460828, Rist. con specialità bolognesi – 🍽. 🖭 🕙
🕙 🔓 *VISA*. 🕉
GU **n**
chiuso domenica – Pas carta 32/50000.

XX **Loreto,** via Valenziani 19 ✉ 00187 ✆ 4742454, Rist. con specialità di mare – 🍽. 🖭. 🕉
chiuso domenica e dal 10 al 28 agosto – Pas carta 48/70000.
GU **m**

XX Andrea, via Sardegna 28 ✉ 00187 ✆ 493707, Coperti limitati; prenotare – 🍽
FU **v**

XX **Girarrosto Toscano,** via Campania 29 ✉ 00187 ✆ 493759, Taverna moderna – 🍽. 🖭 🕙
🕙 🔓 *VISA*. 🕉
FU **v**
chiuso mercoledì – Pas carta 40/62000.

XX **Mario's Hostaria,** piazza del Grillo 9 ✉ 00184 ✆ 6793725, prenotare – 🖭 *VISA*. 🕉
FX **e**
chiuso domenica – Pas carta 25/52000.

XX **Giovanni,** via Marche 64 ⊠ 00187 ℰ 493576, Rist. d'habitués – 🖿. 🗚 *VISA*   FU **u**
chiuso venerdì sera, sabato ed agosto – Pas carta 40/64000.

XX **Angelino ai Fori,** largo Corrado Ricci 40 ⊠ 00184 ℰ 6791121, 😤 – 🕃 E. 🍴   FX **u**
chiuso martedì – Pas carta 30/51000.

XX Bonne Nouvelle, via del Boschetto 73 ⊠ 00184 ℰ 486781, Coperti limitati; prenotare   FV **m**

XX **Al Chianti,** via Ancona 17 ⊠ 00198 ℰ 861083, Trattoria toscana con taverna; prenotare –
🖿. 🗚 🕃 ⓪ E *VISA*   HU **g**
chiuso domenica e dal 6 al 22 agosto – Pas carta 35/50000.

XX **Dai Toscani,** via Forlì 41 ⊠ 00161 ℰ 8831302, Rist. con specialità toscane – 🗚   JU **a**
chiuso domenica ed agosto – Pas carta 40/52000.

XX **Mino,** via Magenta 48 ⊠ 00185 ℰ 4959202, Telex 621357 – 🖿. 🗚 🕃 ⓪ E *VISA*   HV **v**
chiuso sabato – Pas carta 27/42000.

XX **Rasella 52-il Corsaro II,** via Rasella 52 ⊠ 00187 ℰ 460457 – 🗚. 🍴   FV **a**
chiuso domenica e dal 1° al 24 agosto – Pas (solo piatti di pesce) carta 36/53000.

XX **Peppone,** via Emilia 60 ⊠ 00187 ℰ 483976 – 🖿. 🗚 🕃 ⓪ *VISA*. 🍴   FU **g**
chiuso domenica ed agosto – Pas carta 31/59000.

XX **Charly's Saucière,** via di San Giovanni in Laterano 270 ⊠ 00184 ℰ 736666, Coperti limitati;
prenotare – 🖿. 🗚 🕃 E *VISA*. 🍴   HY **e**
chiuso domenica ed agosto – Pas carta 40/65000.

XX **Grappolo d'Oro,** via Palestro 4/8 ⊠ 00185 ℰ 4941441 – 🖿. 🗚 🕃 ⓪ E *VISA*   HU **d**
chiuso domenica ed agosto – Pas carta 30/45000.

XX **Tullio,** via di San Nicola da Tolentino 26 ⊠ 00187 ℰ 4818564, Trattoria toscana – 🖿. 🍴   FU **x**
chiuso domenica – Pas carta 35/55000.

X **La Taverna,** via Massimo d'Azeglio 3/f ⊠ 00184 ℰ 4744305 – 🖿. 🗚 🕃 ⓪ E *VISA*   GV **v**
chiuso venerdì e dal 1° al 26 agosto – Pas carta 22/39000 (12%).

X **Hostaria Costa Balena,** via Messina 5/7 ⊠ 00198 ℰ 857686, Trattoria con specialità di
mare – 🖿. 🗚 🕃 ⓪ E *VISA*. 🍴   HU **b**
chiuso domenica e dal 10 al 29 agosto – Pas carta 24/47000.

X **Crisciotti-al Boschetto,** via del Boschetto 30 ⊠ 00184 ℰ 4744770, 😤, Trattoria rustica –
🗚   FV **r**
chiuso sabato ed agosto – Pas carta 20/32000 (10%).

X **Tempio di Bacco,** via Lombardia 36/38 ⊠ 00187 ℰ 4814625, « Saletta con affresco murale »
– 🖿. 🗚 🕃 ⓪ E *VISA*. 🍴   FU **h**
chiuso sabato – Pas carta 30/50000 (15%).

X **Hostaria da Vincenzo,** via Castelfidardo 6 ⊠ 00185 ℰ 484596 – 🖿. 🗚 🕃 ⓪ E *VISA*   GU **c**
chiuso domenica ed agosto – Pas carta 24/40000.

X **Cannavota,** piazza San Giovanni in Laterano 20 ⊠ 00184 ℰ 775007 – 🖿. 🗚 🕃 ⓪ *VISA*. 🍴   HY **a**
chiuso mercoledì e dal 1° al 20 agosto – Pas carta 27/42000.

X **Monte Arci,** via Castelfidardo 33 ⊠ 00185 ℰ 4941347, Trattoria con specialità sarde – 🗚
🕃 ⓪ E *VISA*. 🍴   HU **m**
chiuso mercoledì – Pas carta 22/37000.

X **Colline Emiliane,** via degli Avignonesi 22 ⊠ 00187 ℰ 4817538, Rist. con specialità emiliane,
prenotare – 🖿   FU **s**
chiuso venerdì ed agosto – Pas carta 31/47000.

X **Al Bersagliere-da Raffone,** via Ancona 43 ⊠ 00198 ℰ 861003, Rist. rustico caratteristico
– 🖿. 🗚 🕃 ⓪ *VISA*   HU **g**
chiuso sabato – Pas carta 30/57000.

X **Elettra,** via Principe Amedeo 72 ⊠ 00185 ℰ 4745397, Trattoria d'habitués – 🗚. 🍴   GHV **p**
chiuso venerdì sera, sabato e dal 5 al 28 agosto – Pas carta 25/37000.

X Da Domenico, via di San Giovanni in Laterano 134 ⊠ 00184 ℰ 734774, Trattoria d'habitués –
GY **n**

Zona sud Aventino, Porta San Paolo, Terme di Caracalla, via Appia Nuova (Pianta : Roma p. 6
e 7) :

🏨 **Sant'Anselmo** senza rist, piazza Sant'Anselmo 2 ⊠ 00153 ℰ 5743547, Telex 622812, 🐎
🕾. 🗚 🕃 E *VISA*. 🍴   DEZ **e**
45 cam ⇆ 83/128000.

🏨 **Villa San Pio** senza rist, via di Sant'Anselmo 19 ⊠ 00153 ℰ 5755231, 🐎 – 🛗 🕾. 🗚 🕃 E
VISA. 🍴   DEZ **e**
59 cam ⇆ 83/128000.

🏨 **Domus Maximi** 🦢 senza rist, via Santa Prisca 11/b ⊠ 00153 ℰ 5782565 – 🕾. 🕃   EZ **b**
23 cam ⇆ 72/113000.

XX **Da Severino,** piazza Zama 5/c ⊠ 00183 ℰ 7000872 – 🖿. 🗚 🕃 ⓪ E *VISA*   JZ **e**
chiuso domenica sera, lunedì, dal 1° al 22 agosto e dal 24 al 30 dicembre – Pas carta 40/56000.

XX Apuleius, via Tempio di Diana 15 ⊠ 00153 ℰ 5742160, « Taverna ispirata allo stile dell'antica
Roma »   EZ **a**

Zona Trastevere (quartiere tipico) (Pianta : Roma p. 9) :

XX ❀ **Alberto Ciarla,** piazza San Cosimato 40 ✉ 00153 𝄞 5818668, 🍽, Coperti limitati; prenotare – 🝐 🕃 ⓘ 🖃 *VISA* 🕸 CY **u**
chiuso a mezzogiorno, domenica, dal 23 dicembre al 6 gennaio e dal 12 al 29 agosto – Pas
carta 70/110000
Spec. Insalate di pesce crudo e al vapore, Zuppa di pasta e fagioli ai frutti di mare, Panacea calda di pesci e
crostacei. Vini Velletri bianco.

XX **Corsetti-il Galeone,** piazza San Cosimato 27 ✉ 00153 𝄞 5816311, Rist. con specialità di
mare, « Ambiente caratteristico » – 🝐. 🝐 🕃 ⓘ 🖃 *VISA*. 🕸 CY **g**
chiuso mercoledì – Pas carta 28/50000.

XX **Carlo Menta,** via della Lungaretta 101 ✉ 00153 𝄞 5803737, Rist. con specialità di mare,
prenotare – 🝐. 🝐 🕃 ⓘ 🖃 *VISA*. 🕸 CY **z**
chiuso a mezzogiorno, lunedì, gennaio ed agosto – Pas carta 54/74000 (15%).

XX Sabatini a Santa Maria in Trastevere, piazza di Santa Maria in Trastevere 13 ✉ 00153
𝄞 582026, 🍽, Rist. con specialità romane e di mare. CY **n**

XX Galeassi, piazza di Santa Maria in Trastevere 3 ✉ 00153 𝄞 5803775, 🍽, Rist. con specialità
romane e di mare – 🝐. 🕸 CY **f**
chiuso lunedì e dal 20 dicembre al 20 gennaio – Pas carta 33/54000.

XX Sabatini, vicolo Santa Maria in Trastevere 18 ✉ 00153 𝄞 5818307, 🍽, Rist. con specialità
romane e di mare CY **n**

XX **Checco er Carettiere,** via Benedetta 10 ✉ 00153 𝄞 5817018, 🍽, Rist. tipico con specialità
romane e di mare – 🝐. 🕸 CX **k**
chiuso domenica sera, lunedì e dal 10 agosto al 10 settembre – Pas carta 38/57000.

XX **Pastarellaro,** via di San Crisogono 33 ✉ 00153 𝄞 5810871, Rist. con specialità romane e di
mare – 🝐. 🝐 🕃 ⓘ 🖃 *VISA* DY **r**
chiuso martedì ed agosto – Pas carta 30/50000 (10%).

XX **Taverna Trilussa,** via del Politeama 23 ✉ 00153 𝄞 5818918, 🍽, Rist. tipico con specialità
romane – 🝐. 🝐 ⓘ *VISA* CY **h**
chiuso domenica sera, lunedì e dal 30 luglio al 28 agosto – Pas carta 26/39000.

XX **Paris,** piazza San Callisto 7/a ✉ 00153 𝄞 585378 – 🝐 🕃 ⓘ 🖃 *VISA*. 🕸 CY **c**
chiuso lunedì ed agosto – Pas carta 35/56000.

XX **Er Comparone,** piazza in Piscinula 47 ✉ 00153 𝄞 5816249, 🍽, Rist. tipico con specialità
romane – 🝐 🝐 🕃 ⓘ 🖃 *VISA* DY **e**
chiuso lunedì e dal 20 dicembre al 1° gennaio – Pas carta 35/51000 (10%).

Dintorni di Roma

sulla strada statale 1 - via Aurelia (Pianta : Roma p. 4) :

🏨 **Villa Pamphili,** via della Nocetta 105 ✉ 00164 𝄞 5862, Telex 611675, Fax 6257747, 🏊 (coperta
d'inverno), 🌳, 🎾 – 🕴 🚻 📺 🕿 🕹 ℗ – 🖚 25 a 500. 🝐 🕃 ⓘ 🖃 *VISA*. 🕸 rist LR **b**
Pas 50000 – **253 cam** ⬛ 160/220000.

🏨 **Holiday Inn St. Peter's,** via Aurelia Antica 415 ✉ 00165 𝄞 5872, Telex 625434, Fax
6237190, 🏊, 🌳, 🎾 – 🕴 🖚 cam 🚻 📺 🕿 🕹 ℗ – 🖚 25 a 300. 🝐 🕃 ⓘ 🖃 *VISA* 🕸 LR **e**
Pas carta 43/68000 – ⬛ 18000 – **330 cam** 173/257000.

🏨 **MotelAgip,** via Aurelia al km 8 ✉ 00163 𝄞 6379001, Telex 613699, 🏊 – 🕴 🚻 📺 🕿 🕹 ℗ –
🖚 25 a 160. 🝐 🕃 ⓘ 🖃 *VISA*. 🕸 rist LR **a**
Pas 37000 – ⬛ 17000 – **222 cam** 70/112000 – P 147/161000.

XX **Le Cigalas,** via Madonna del Riposo 36 ✉ 00165 𝄞 620742, 🍽, Rist. con specialità di mare
– 🖚. 🝐 ⓘ. 🕸 LR **x**
chiuso lunedì ed agosto – Pas 50000 bc.

XX **La Maielletta,** via Aurelia Antica 270 ✉ 00165 𝄞 6374957, Rist. tipico con specialità abruzzesi – ℗. 🝐 ⓘ. 🕸 – *chiuso lunedì* – Pas carta 31/42000. LR **f**

sulla strada statale 2 - via Cassia (Pianta : Roma p. 4) :

XXX Le Terrazze, via Oriolo Romano 59 ✉ 00191 𝄞 3282615 – 🝐 MQ **z**
chiuso a mezzogiorno.

X La Giustiniana, via Cassia 1298 ✉ 00123 𝄞 3765203, « Servizio estivo in giardino » – ℗
LQ **f**

sulla strada statale 3 - via Flaminia Nuova (Pianta : Roma p. 5) :

XX **La Cuccagna,** via Flaminia al km 16,500 ✉ 00188 𝄞 6912827, 🍽, Rist. di campagna, 🌳 –
🖚 ℗. 🝐 ⓘ. 🕸 per ②
chiuso lunedì e dal 15 al 25 agosto – Pas carta 28/44000.

X Ai Due Ponti, via Flaminia 858 ✉ 00191 𝄞 3288291 – ℗ MQ **e**

sulla strada statale 4 - via Salaria (Pianta : Roma p. 5) :

🏩 **Eurogarden** senza rist, raccordo anulare Salaria-Flaminia ✉ 00138 𝄞 6910117, 🏊, 🌳 – 📺
🕿 🕹 ℗. 🝐 ⓘ *VISA*. 🕸 MQ **s**
⬛ 8000 – **40 cam** 100/130000.

🏩 **Motel la Giocca,** via Salaria 1223 ✉ 00138 𝄞 6910755, 🏊 – 🕴 🚻 🕿 🖚 ℗ – 🖚 30. 🝐
ⓘ 🕸 MQ **n**
Pas *(chiuso dall'8 al 28 agosto e le sere di sabato e domenica)* carta 47/65000 (12%) – ⬛ 12000
– **54 cam** 87/132000. 🚻 11000.

a Ciampino SE : 15 km NS – ✉ 00043 :

XX **Da Giacobbe,** via Appia Nuova 1681 ℰ 7240131, 斎, prenotare – 🗏 🅿. ⏃ ➀. ⚸   NS **s**
chiuso lunedì ed agosto – Pas carta 27/39000.

X **Cesarino,** via Romana 70 (S : 2 km) ℰ 6170026, 斎 – 🅿. ⏃ ➀ 𝘝𝘐𝘚𝘈. ⚸   NS **b**
chiuso martedì – Pas carta 23/38000.

sulla via Appia Antica (Pianta : Roma p. 5) :

XX **Cecilia Metella,** via Appia Antica 125/127 ✉ 00179 ℰ 5136743, 斎, « Giardino ombreggiato » – 🅿. ⚸   MS **n**
chiuso lunedì – Pas carta 30/55000.

sulla via Ostiense (Pianta : Roma p. 5) :

XX **Angelino 3 Gatti,** via delle Sette Chiese 68 ✉ 00145 ℰ 5135272, 斎, Coperti limitati; prenotare – 🗏 ⏃ ➀ 𝘝𝘐𝘚𝘈. ⚸   MS **g**
chiuso domenica ed agosto – Pas carta 50/80000.

sulla via Cristoforo Colombo (Pianta : Roma p. 5) :

🏨 **Caravel** senza rist, via Colombo 124/c ✉ 00147 ℰ 5115046 – 🛗 📞 – 🛁 60. ⚸   MS **w**
100 cam ⊡ 89/124000.

all'E.U.R. Città Giardino (Pianta : Roma p. 5) :

🏨 **Sheraton,** viale del Pattinaggio ✉ 00144 ℰ 5453, Telex 626073, Fax 5423281, ⅃, ⚹ – 🛗 🗏
📺 🕿 & ⇔ 🅿 – 🛁 25 a 1800. ⏃ 🕄 ➀ Ε 𝘝𝘐𝘚𝘈. ⚸   MS **a**
Pas carta 48/98000 – **591 cam** ⊡ 260/360000 appartamenti 595/1113000.

🏨 **Shangri Là-Corsetti,** viale Algeria 141 ✉ 00144 ℰ 5916441, Telex 614664, Fax 5146140,
⅃ riscaldata, 斎 – 🗏 📺 & 🅿 – 🛁 25 a 80. ⏃ 🕄 ➀ Ε 𝘝𝘐𝘚𝘈. ⚸   MS **b**
Pas carta 29/51000 – ⊡ 15000 – **52 cam** 180/280000 appartamenti 300/400000.

🏨 **Dei Congressi** senza rist, viale Shakespeare 29 ✉ 00144 ℰ 5926021, Telex 614140 – 🛗 🗏
🕿 – 🛁 25 a 300. ⏃ 🕄 ➀ Ε 𝘝𝘐𝘚𝘈. ⚸   MS **p**
96 cam ⊡ 115/170000.

XX **Vecchia America-Corsetti,** piazza Marconi 32 ✉ 00144 ℰ 5926601, Rist. tipico e birreria
– 🗏. ⏃ 🕄 ➀ Ε 𝘝𝘐𝘚𝘈   MS **q**
chiuso martedì – Pas carta 31/52000.

sull'autostrada per Fiumicino in prossimità raccordo anulare (Pianta : Roma p. 4) :

🏨 Holiday Inn-Eur Parco dei Medici, viale Castello della Magliana 65 ✉ 00148 ℰ 68581, Telex
613302, Fax 6857005, ⅃, 斎, ⚹ – 🛗 🗏 📺 🕿 & 🅿 – 🛁 160 a 800   LS **r**
324 cam.

Vedere anche : *Ostia Antica* per ⑦ : 24 km.
Fiumicino per ⑧ : 28 km.
Lido di Ostia o di Roma per ⑦ : 31 km.

MICHELIN, via Alberto Pollio 10-Portonaccio (MR Roma p. 5) – ✉ 00159, ℰ 4382541 e via del
Trullo 560 (LS Roma p. 4) – ✉ 00148, ℰ 5237360.

OFFICINE AUTO

ALFA-ROMEO   via Ostiense 236 MS ℰ 546551, Telex 611043
ALFA-ROMEO   via dei Prati Fiscali Vecchia 95/134 MQ ℰ 8120788
ALFA-ROMEO   viale del Tintoretto 370 MS ℰ 5030791
ALFA-ROMEO   via Quirino Majorana 167 MS ℰ 5562908
ALFA-ROMEO   via Tiburtina 1119/1121 NQ ℰ 4126695
ALFA-ROMEO   via Gregorio VII n° 374/394 AV ℰ 6231941
ALFA-ROMEO   via Tuscolana 305/319 JZ ℰ 784942
ALFA-ROMEO   via dei Monti della Farnesina 73 LQ ℰ 3962367
ALFA-ROMEO   via Tor Sapienza 123 NR ℰ 224533
ALFA-ROMEO   via Flaminia Nuova 234 MQ ℰ 3276617
BMW   via Salaria 1268 ℰ 3969991
BMW   via Ignazio Persico 82 ℰ 5115513
BMW   via Fornovo 8/e ℰ 3619035
CITROEN   via Collatina 355 ℰ 225841
CITROEN   via Silvestri 215 ℰ 6257400
CITROEN   via Somalia 241/243 ℰ 8312082
FERRARI   via Stimigliano 24 ℰ 8393991
FIAT   via Salaria 665 MQ ℰ 8107298
FIAT   piazza di Villa Carpegna 52 LR ℰ 6230141
FIAT   via Cassia 1136 LQ ℰ 3766329
FIAT   via De Vecchi Pieralice 12/54/a LR ℰ 6390498
FIAT   via di Acilia al km 13 LS ℰ 6052889
FIAT   via Bove 32/34 MS ℰ 5757806

FIAT   via Ugo Ojetti 137 MQ ℰ 8277651
FIAT   largo Scarampi 4 LR ℰ 6229696
FIAT   via Prenestina 738/740 NR ℰ 220137
FIAT   via Ostiense 83/95 MS ℰ 5781755
FIAT   via Salaria 741 MQ ℰ 8108255
FIAT   viale dei Quattro Venti 77 BZ ℰ 5892956
FIAT   via Accademia del Cimento 20 MS ℰ 5140052
FIAT   via Appia Nuova angolo G.R.A. NS ℰ 600151
FIAT   via Zabaglia 5 DZ ℰ 5755177
FIAT   via Emilio Longoni 1 NR ℰ 223688
FIAT   via Luchino Dal Verme 76 JY ℰ 299074
FIAT   via Norico 2 GHZ ℰ 776444
FIAT   via Accademia Peloritana 27 MS ℰ 5406792
FIAT   viale Angelico 32/a BT ℰ 317921
FIAT   via della Magliana 224 MS ℰ 5274241
FIAT   via Nomentana 657/665 MQ ℰ 891366
FIAT   via Trigoria 143 per ⑥ ℰ 5240630
FIAT   via delle Cave 99/a MS ℰ 7827841
FIAT   via Acireale 16/18 JY ℰ 7573741
FIAT   via Flaminia Nuova 234 MQ ℰ 3276842
FIAT   via Galla Placidia MR ℰ 4382995
FIAT   via Castel Gandolfo 35 MS ℰ 7664190
FIAT   viale del Tintoretto 360 MS ℰ 5034169
FORD   (Sede) viale Pasteur 8/10 ℰ 54471, Telex 610023
FORD   via Sarteano 20 ℰ 8124808
FORD   via Renato Simoni 20 ℰ 432150
FORD   via della Pisana 475 ℰ 6261655
FORD   via Genzano 158/a ℰ 7945644
FORD   via degli Ammiragli 101 ℰ 6386041

GM (Sede) piazzale dell'Industria 40 ☎ 54651, Telex 610266
GM-OPEL via delle 3 Fontane 170 ☎ 5916966
GM-OPEL via San Melchiade Papa 24 angolo via Battistini ☎ 6285568
GM-OPEL via Salaria 729 ☎ 816001
INNOCENTI via Flaminia Nuova-zona Industriale Saxa Rubra MQ ☎ 6913541
INNOCENTI via Massimi 1 LQ ☎ 341952
INNOCENTI via Conca d'Oro 316/B/C MQ ☎ 8110444
INNOCENTI via Clisio 18 JT ☎ 834130
INNOCENTI viale Somalia 178 JT ☎ 8319503
INNOCENTI via Riccardo Bianchi 7 MS ☎ 5561803
INNOCENTI via Casilina 713 NR ☎ 2819041
LANCIA-AUTOBIANCHI via Casilina 257 JY ☎ 2754810
LANCIA-AUTOBIANCHI via Sprovieri 29 BZ ☎ 5803250
LANCIA-AUTOBIANCHI via Jacopone da Todi 42/B MQ ☎ 8126629
LANCIA-AUTOBIANCHI Circonvallazione Nomentana 556 MQ ☎ 423802
LANCIA-AUTOBIANCHI via Saturnia 21/a HZ ☎ 779680
LANCIA-AUTOBIANCHI via Cassia 911 LQ ☎ 3762447
LANCIA-AUTOBIANCHI via Flaminia Vecchia 860 MQ ☎ 3060754
LANCIA-AUTOBIANCHI via Spencer 214/216 NR ☎ 2596247
LANCIA-AUTOBIANCHI via Pereira 113 LR ☎ 3452044
LANCIA-AUTOBIANCHI via Gregorio VII n° 205/AV ☎ 634347
MASERATI via Englen 7 ☎ 6232506
MASERATI via Flaminia Nuova-zona Industriale Saxa Rubra ☎ 6912858

MASERATI via Flaminia 970 ☎ 3288846
MERCEDES-BENZ (Sede) via Campo nell'Elba 12/30 ☎ 81631, Telex 620007
MERCEDES-BENZ via Salaria 713/717 ☎ 81621, Telex 610326
PEUGEOT-TALBOT via Flaminia Nuova 1096 ☎ 6915567
PEUGEOT-TALBOT via Ostiense 361/367 ☎ 5410083
PEUGEOT-TALBOT via Acqui 12 ☎ 7810029
PEUGEOT-TALBOT via Arturo Grof 46 ☎ 8276291
PEUGEOT-TALBOT piazza Pio XI n° 61 ☎ 6237041
PEUGEOT-TALBOT via Collatina 69/m ☎ 2588202
RENAULT (Sede) via Tiburtina 1159 ☎ 49961, Telex 625059
RENAULT viale Marconi 71 ☎ 5584841
RENAULT via Tuscolana 368 ☎ 784741
RENAULT via Val di Sangro ang. via Prati Fiscali ☎ 8105919
RENAULT via Montessori 16/18 ☎ 3497483
RENAULT via dei Levii 51 ☎ 7487850
RENAULT via Baldo degli Ubaldi 308/328 ☎ 6378041
RENAULT via Renzo da Ceri 108 ☎ 2719580
RENAULT piazza Addis Abeba 1/a ☎ 8390646
RENAULT via Mantegna 148 ☎ 5110035
RENAULT via di Villa Severini 56 ☎ 3287602
RENAULT via Salaria 138/146 ☎ 854955
VW-AUDI via Tagliamento 27 ☎ 863277
VW-AUDI via del Foro Italico 297/299 ☎ 878558
VW-AUDI via Barrili 20 ☎ 5895443
VW-AUDI via della Magliana 309 ☎ 5280042
VW-AUDI via Seneca 51 ☎ 341204
VW-AUDI via Appia Nuova 803 ☎ 793921
VW-AUDI piazza dell'Emporio 24 ☎ 5741536
VW-AUDI viale degli Ammiragli 103 ☎ 6376644
VOLVO via Flaminia 970/972 ☎ 3282973
VOLVO via della Pineta Sacchetti 201 ☎ 3386008
VOLVO via Appia Nuova 1257/A ☎ 793911

Entdecken Sie **ITALIEN** mit dem Grünen Michelin-Reiseführer

Landschaften, Baudenkmäler

Wissenswertes aus Kunst und Geschichte

Streckenvorschläge

Übersichtskarten und Stadtpläne.

ROMAGNANO SESIA 28078 Novara 988 ②, 219 ⑯ – 4 441 ab. alt. 268 – ✪ 0163.
Roma 650 – Biella 32 – ◆Milano 76 – Novara 30 – Stresa 40 – ◆Torino 94 – Vercelli 37.

✗ **Baiardo** con cam, via Novara 221 (S : 2 km) ☎ 832000, 🚗 – ☎ ℗. 🖪 🅴. 🕸
  chiuso luglio o agosto – Pas (chiuso mercoledì) carta 24/36000 – 🖵 6000 – **9 cam** 42/65000.

ROMANO D'EZZELINO 36060 Vicenza – 11 297 ab. alt. 132 – ✪ 0424.
Roma 547 – Belluno 81 – ◆Milano 238 – ◆Padova 47 – Trento 89 – Treviso 51 – ◆Venezia 80 – Vicenza 39.

✗✗ **Da Giuliano,** N : 1 km ☎ 36478 – ℗. 🕸
  chiuso domenica sera, lunedì ed agosto – Pas carta 24/33000.

VW-AUDI via San G. B. de La Salle 35 ☎ 30959

ROMANO DI LOMBARDIA 24058 Bergamo – 15 042 ab. alt. 120 – ✪ 0363.
Roma 596 – ◆Bergamo 25 – ◆Brescia 47 – Cremona 52 – ◆Milano 53.

🏨 **Mariet,** ☎ 910987 – 🛗 🗐 ☎. 🕸 rist
◆ Pas (chiuso sabato) carta 17/29000 – 🖵 2000 – **32 cam** 22/34000 – P 50000.

ALFA-ROMEO piazza Papa Giovanni XXIII ☎ 910479
FIAT via Duca d'Aosta 101 ☎ 910450
LANCIA-AUTOBIANCHI viale Montecatini 2 ☎ 910296

RONCADE 31056 Treviso 988 ⑤ – 11 371 ab. alt. 8 – ✪ 0422.
Roma 543 – ◆Milano 107 – Treviso 13 – ◆Trieste 133 – ◆Venezia 32.

✗ **Al Cacciatore** con cam, via Roma 82 ☎ 707065, 🚗 – 🗐 rist 🕮. 🆎 🖪 ⑩ 🅴 𝘝𝘐𝘚𝘈. 🕸
  chiuso dal 18 luglio al 13 agosto – Pas (chiuso lunedì sera e martedì) carta 22/33000 – 🖵 3000
  – **9 cam** 23/40000 – P 58/68000.

RONCADELLE Brescia – Vedere Brescia.

RONCEGNO 38050 Trento 988 ④ – 2 270 ab. alt. 505 – a.s. Natale – 🅲 0461.
🅸 piazza da Giovanni 2 ℰ 764028.
Roma 621 – Belluno 83 – ✦Milano 277 – ✦Padova 101 – Trento 33 – ✦Venezia 134.

    🏨 **Palace Hotel** ⬧, ℰ 764012, « Parco ombreggiato con ⏚ », ⬚, ⚲ – 🛗 ⇔ ☎ 🅿 – 🔬 150.
    🅰🅴. ⚗
    maggio-settembre – Pas 38/45000 – �, 15000 – **85 cam** 100/140000 – P 130/150000,
    b.s. 100/130000.

RONCHI Massa-Carrara – Vedere Massa (Marina di).

RONCHI DEI LEGIONARI 34077 Gorizia 988 ⑥ – 9 765 ab. alt. 11 – 🅲 0481.
🛫 O : 2 km, ℰ 7731.
Roma 639 – Gorizia 22 – ✦Milano 378 – ✦Trieste 31 – Udine 41.

    🏨 **Doge Inn**, viale Serenissima 71 ℰ 779401 – ▤ 📺 ☎ 🅻. 🅰🅴 🅾 🆅🅸🆂🅰
    Pas *(chiuso a mezzogiorno, domenica ed agosto)* carta 27/42000 – ⊒ 7000 – **22 cam** 50/80000,
    ▤ 5000 – P 90000.

    ✕✕ **Martin Pescatore,** via Roma 4 ℰ 779585, ♨, Coperti limitati; prenotare – 🅰🅴 🆂 🅾 🅴
    🆅🅸🆂🅰. ⚗
    chiuso mercoledì, dal 29 dicembre al 4 gennaio e settembre – Pas carta 29/43000.

RONCIGLIONE 01037 Viterbo 988 ㉖ – 7 373 ab. alt. 441 – 🅲 0761.
Vedere Lago di Vico★ NO : 2 km.
Dintorni Caprarola : scala elicoidale★★ della Villa Farnese★ NE : 6,5 km.
Roma 54 – Civitavecchia 65 – Terni 80 – Viterbo 21.

    sulla via Cimina NE : 2 km :

    ✕✕ **Il Cardinale** con cam, ✉ 01037 ℰ 625188, ♨ – 🅿 – 🔬 100. ⚗ rist
    chiuso dal 7 gennaio al 5 febbraio – Pas *(chiuso lunedì)* carta 30/42000 – ⊒ 7000 – **19 cam**
    28/45000 – P 60000.

    a Punta del Lago NO : 3 km – ✉ 01037 Ronciglione :

    🏨 **Sans Soucis** ⬧, ℰ 612052, ≼, ☂⬧, ♨ – 🛗 ☎ 🅿. 🅰🅴 🅾 🆅🅸🆂🅰. ⚗ rist
    Pas 25/30000 (10%) – ⊒ 7000 – **24 cam** 70000 – P 80000.

RONCITELLI Ancona – Vedere Senigallia.

RONCOBELLO 24010 Bergamo – 459 ab. alt. 1 009 – 🅲 0345.
Roma 648 – ✦Bergamo 47 – ✦Milano 89 – San Pellegrino Terme 22.

    🏨 **Milano** ⬧, E : 1 km ℰ 84035, ≼ – 🛗 ⇔ 🅿. ⚗
    Pas *(chiuso mercoledì)* 24000 – ⊒ 5000 – **31 cam** 25/45000 – P 48/54000.

RONCOBILACCIO Bologna 988 ⑭⑮ – alt. 710 – ✉ 40031 Baragazza – a.s. luglio-15 settembre
– 🅲 0534.
Roma 324 – ✦Bologna 58 – ✦Firenze 50 – ✦Milano 252 – Pistoia 64.

    🏨 **Roncobilaccio,** al casello autostrada A1 ℰ 97577, Telex 226163, ≼ – 🛗 ☎ 🅿 – 🔬 120. 🅰🅴
    🆂 🅾. ⚗ rist
    chiuso dal 6 gennaio al 1° febbraio – Pas *(chiuso lunedì)* carta 23/33000 – ⊒ 7000 – **86 cam**
    60/95000 – P 70000.

RONCOLE VERDI Parma – Vedere Busseto.

RONCO SOPRA ASCONA 427 ㉔, 219 ⑦ – Vedere Cantone Ticino alla fine dell'elenco
alfabetico.

RONZONE 38010 Trento 218 ㉙ – 355 ab. alt. 1 097 – a.s. Pasqua e Natale – 🅲 0463.
Roma 634 – ✦Bolzano 33 – Merano 43 – ✦Milano 291 – Trento 52.

    🏨 **Regina del Bosco-Waldkönigin,** ℰ 81267, ⬚, ♨ – 🛗 ☎ 🅿. ⚗
    15 dicembre-Pasqua e 15 maggio-15 ottobre – Pas carta 24/37000 (10%) – **34 cam** ⊒ 45/60000
    – P 80/90000, b.s. 60/70000.

    🏨 **Stella delle Alpi,** ℰ 82151, ≼, ♨, ⚲ – 🛗 ☎ 🅻 🅿. 🅰🅴 🆂 🅾 🅴 🆅🅸🆂🅰. ⚗
    21 dicembre-gennaio e giugno-settembre – Pas *(chiuso lunedì)* carta 21/30000 – ⊒ 5000 –
    36 cam 40/65000 – P 45/65000.

    ✕✕ **Orso Grigio,** ℰ 82198 – 🅿. 🅾 🆅🅸🆂🅰. ⚗
    chiuso martedì e dal 10 gennaio al 10 febbraio – Pas carta 25/37000.

RORE Cuneo 77 ㉙ – Vedere Sampèyre.

ROSARNO 89025 Reggio di Calabria 988 ③ – 13 943 ab. alt. 61 – ✪ 0966.
Roma 644 – Catanzaro 100 – ♦Cosenza 63 – ♦Reggio di Calabria 67.

🏦 **Vittoria,** 🖋 712041 – 🛗 🗏 🐎 🖚 🖗 – 🏤 30 a 200. 🕮 🕼 ⓘ 🖪
　Pas carta 17/24000 – 🖵 5000 – **68 cam** 45/70000, 🗏 2000 – P 60000.

ROSETO DEGLI ABRUZZI 64026 Teramo 988 ⑰㉗ – 21 939 ab. – Stazione balneare, a.s. luglio e agosto – ✪ 085.
🖪 piazza della Libertà 38 🖋 8991157.
Roma 214 – ♦Ancona 131 – L'Aquila 99 – Ascoli Piceno 54 – Chieti 51 – ♦Pescara 30 – Teramo 32.

🏦 **Radar,** lungomare Roma 14 🖋 8992140, ≤, 🐾 – 🛗 ☎. 🍴 rist
　Pasqua-20 settembre – Pas 26/32000 – 🖵 10000 – **58 cam** 40/62000 – P 56/75000,
　b.s. 40/55000.

🏦 **Bellavista,** lungomare Trento 2 🖋 8991294, ≤, 🐾, 🚤 – 🛗 🐎 🖗. 🕮 🕼 ⓘ 𝑽𝑰𝑺𝑨. 🍴
　giugno-settembre – Pas 15/20000 – 🖵 6000 – 88 cam 39/60000 – P 55/65000, b.s. 40000.

🏦 **Clorinda,** lungomare Roma 32 🖋 8991270, 🐾 – 🍴
　15 maggio-15 settembre – Pas 14/18000 – 🖵 5000 – 27 cam 30/60000 – P 60/70000,
　b.s. 48/56000.

🏠 **Il Moro,** lungomare Trento 47 🖋 8990211, 🐾 – 🛗 ☎. 🍴 rist
　chiuso novembre – Pas *(chiuso lunedì in bassa stagione)* carta 35/50000 – 🖵 4000 – 22 cam
　40/60000 – P 60/70000, b.s. 45000.

🏠 **Tonino,** via Mazzini 15 🖋 8993110, 🍽 – 🖗. 🍴 cam
　aprile-settembre – Pas *(chiuso lunedì)* carta 24/42000 – 🖵 4000 – **20 cam** 29/49000 –
　P 48/55000, b.s. 35/38000.

🏠 **La Tartaruga,** via Marcantonio 3 🖋 8992188, 🐾 – 🕮 🕼 𝑽𝑰𝑺𝑨. 🍴
　chiuso novembre – Pas *(chiuso martedì)* carta 18/32000 – 🖵 6000 – **30 cam** 28/45000 –
　P 45/55000, b.s. 40/50000.

XX **Tonino** con cam, via Volturno 11 🖋 8990274, 🍽 – 🗏 rist 📺. 𝑽𝑰𝑺𝑨. 🍴 cam
　chiuso dal 15 dicembre al 15 gennaio – Pas *(chiuso lunedì)* carta 28/48000 – 🖵 3500 – **7 cam**
　19/31000 – P 39/47000, b.s. 30/36000.

XX **Al Focolare di Bacco,** NE : 3 km 🖋 8941004, ≤ – 🖗. 🍴
　chiuso mercoledì – Pas carta 20/27000.

ROSIGNANO SOLVAY 57013 Livorno 988 ⑭ – a.s. 15 giugno-15 settembre – ✪ 0586.
Roma 294 – Grosseto 107 – ♦Livorno 24 – Siena 104.

🏦 **Elba Hotel** senza rist, via Aurelia 301 🖋 760915 – 🛗 🗏 📺 ☎ 🖗. 🕮 🕼 ⓘ 🖪 𝑽𝑰𝑺𝑨. 🍴
　🖵 9000 – **27 cam** 46/66000, 🗏 8000.

ROSOLINA 45010 Rovigo – 5 694 ab. alt. 4 – ✪ 0426.
🔟8 (chiuso martedì) all'Isola Albarella ⊠ 45010 Rosolina 🖋 67124, Telex 434659, E : 16 km.
🖪 piazza Albertin 16 🖋 664541.
Roma 493 – ♦Milano 298 – ♦Ravenna 78 – Rovigo 39 – ♦Venezia 67.

　a Rosolina Mare NE : 11 km – ⊠ **45010** – Stazione balneare.
　🖪 (giugno-settembre) viale dei Pini 66 🖋 68012 :

🏦 **Olympia,** 🖋 68057, « Giardino ombreggiato », 🐾 – 🛗 🐎 🖗. 🕮 🕼 ⓘ 🖪. 🍴 rist
　10 maggio-settembre – Pas 18/20000 – 🖵 7000 – **62 cam** 33/54000 – P 60/64000.

🏦 **Alexander,** 🖋 68047, Telex 434603, 🏊, 🐾 – 🛗 🐎 🖗
　stagionale – 64 cam.

　all'isola Albarella E : 16 km – ⊠ **45010** Rosolina :

🏨 **Golf Hotel** 🌳, 🖋 67373, 🍽, « Terrazza-giardino », 🏊, 🐾, 🍸, 🔟8 – 🛗 🗏 📺 ☎ 🐾 🖗. 🕮
　🕼 ⓘ 🖪 𝑽𝑰𝑺𝑨. 🍴
　aprile-10 ottobre – Pas 45/59000 – **22 cam** 🖵 119/203000 appartamenti 242/303000 – P 190000.

🏦 **Capo Nord** 🌳, 🖋 67139, 🏊, 🐾, 🚤, 🍸 – 🛗 🗏 🐎 🐾 🖗 🕮 ⓘ. 🍴 rist
　maggio-settembre – Pas carta 31/48000 – 🖵 12000 – **42 cam** 46/86000 – P 110/120000.

ROSSANO STAZIONE 87068 Cosenza 988 ③ – alt. 35 – ✪ 0983.
Dintorni Rossano : Codex Purpureus★ nel museo Diocesano S : 6,5 km.
Roma 512 – Catanzaro 160 – ♦Cosenza 104 – Crotone 90 – ♦Taranto 163.

🏦 **Europa Lido Palace,** sulla strada statale 106 (N : 1 km) 🖋 22095 – 🛗 🗏 📺 🐎 🖚 🖗. 🕮
　🕼 ⓘ 𝑽𝑰𝑺𝑨. 🍴
　Pas *(chiuso domenica)* 19/25000 – 🖵 5000 – **55 cam** 65/90000 – P 65000.

🏠 **Scigliano,** 🖋 21846 – 🛗 🗏 rist 📺 🕼 ⓘ 🖪 𝑽𝑰𝑺𝑨
　Pas carta 20/27000 – 🖵 6000 – **36 cam** 37/59000 – P 68000.

　a Lido Sant'Angelo N : 2 km – ⊠ 87068 Rossano Stazione :

🏠 **Murano,** 🖋 21788, ≤, 🍽, 🐾, 🍸 – 🛗 🖗. 🕮 ⓘ 𝑽𝑰𝑺𝑨. 🍴
　Pas *(chiuso venerdì)* carta 25/33000 – 🖵 7000 – **37 cam** 48/72000 – P 75000.

RENAULT via Margherita 🖋 21449

502

ROTA (Monte) (RADSBERG) Bolzano – Vedere Dobbiaco.

ROTA D'IMAGNA 24037 Bergamo 219 ⑩ – 801 ab. alt. 665 – a.s. luglio e agosto – 035.
Roma 628 – •Bergamo 27 – Lecco 40 – •Milano 64.

Miramonti, 868000, ← – P. AE.
chiuso dal 15 ottobre al 10 novembre – Pas *(chiuso mercoledì)* carta 20/33000 – 2500 – 54 cam 25/37000 – P 45/50000, b.s. 35/40000.

ROTONDA 85048 Potenza 988 ㊴ – 3 979 ab. alt. 634 – 0973.
Roma 426 – •Cosenza 101 – •Napoli 220 – Potenza 165 – •Taranto 177.

Santa Filomena, 61149 – P – 14 cam.

ROVATO 25038 Brescia 988 ③ – 13 002 ab. alt. 172 – 030.
Roma 570 – •Bergamo 35 – •Brescia 18 – •Milano 76.

XX **Tortuga,** via Abate Angelini 10 722980, « Servizio estivo sotto un pergolato » – AE VISA.
chiuso a mezzogiorno in agosto, lunedì e dal 1° al 15 gennaio – Pas (solo piatti di pesce) carta 41/66000.

CITROEN via 25 Aprile 91 7241531
LANCIA-AUTOBIANCHI via 25 Aprile 143 721592
PEUGEOT-TALBOT via 25 Aprile 21 721436

ROVERBELLA 46048 Mantova – 7 463 ab. alt. 42 – 0376.
Roma 483 – •Brescia 66 – Mantova 14 – •Milano 153 – •Verona 31.

X **La Rovere** con cam, 694000 – P.
Pas *(chiuso venerdì)* carta 16/23000 – 2000 – **7 cam** 22/33000 – P 50000.

ROVERETO 38068 Trento 988 ④ – 32 981 ab. alt. 212 – a.s. dicembre-aprile – 0464.
via Dante 63 430363.
Roma 561 – •Bolzano 80 – •Brescia 129 – •Milano 216 – Riva del Garda 22 – Trento 28 – •Verona 75 – Vicenza 72.

Leon d'Oro senza rist, via Tacchi 2 437333 – TV P – 70. AE E VISA
52 cam 70/100000.

Rovereto, corso Rosmini 82 435222, Telex 401010, Fax 439644 – rist TV P – 100. AE E VISA
Pas *(chiuso venerdì e domenica sera)* carta 26/42000 – **49 cam** 65/90000 – P 60/70000.

Flora, via Abetone 94 438333 – TV P. AE E VISA. rist
Pas *(chiuso mercoledì)* carta 21/35000 – 6000 – **33 cam** 55/85000 – P 70/80000.

Rialto, via Carducci 13 434599, Telex 340160, Fax 438247 – – 40. AE E VISA
Pas *(chiuso sabato, domenica sera e dal 1° al 28 agosto)* carta 29/42000 – 7000 – **62 cam** 60/80000 – P 60/70000.

XX **Al Borgo,** via Garibaldi 13 436300 – AE.
chiuso domenica sera, lunedì, dal 1° al 10 febbraio e dal 15 luglio al 15 agosto – Pas carta 39/54000.

ALFA-ROMEO via Balista 11/a-zona San Giorgio 434200
BMW via Abetone 76 434414
FIAT piazzale Orsi 23 32277
FORD via Bezzi 20 433642
GM-OPEL corso Verona 37570
INNOCENTI via dell'Abetone 23 439513
LANCIA-AUTOBIANCHI viale dell'Industria 10 438130
RENAULT via Cavour 70 33778

ROVERETO SULLA SECCHIA 41030 Modena – alt. 22 – 059.
Roma 435 – •Ferrara 68 – •Milano 186 – Modena 28 – Reggio nell'Emilia 37 – •Verona 97.

XX ✿ **Belzebù,** 671078 – P. AE VISA.
chiuso sabato a mezzogiorno e lunedì – Pas (solo piatti di pesce) carta 37/65000
Spec. Insalata di mare calda e zuppa di datteri, Riso al nero di seppie e spaghetti all'astice, Branzino al sale e orata al cartoccio. **Vini** Soave.

ROVETTA 24020 Bergamo – 2 720 ab. alt. 658 – a.s. luglio e agosto – 0346.
Roma 638 – •Bergamo 37 – •Brescia 84 – Edolo 75 – •Milano 83.

S. Ambroeus, O : 1 km 71228, – P – 200. rist
Pas *(chiuso mercoledì)* carta 22/31000 – 4500 – 23 cam 24/37000 – P 50/58000, b.s. 50000.

Vedere anche : *Fino del Monte* E : 1 km.

The rates shown may be revised if the cost of living changes to any great extent.
Before making your reservations,
confirm with the hotelier the exact price that will be charged.

ROVIGO 45100 P 988 ⑤⑮ – 52 519 ab. alt. 6 – ☎ 0425.

i via Dunant 10 ☎ 361481 – **A.C.I.** piazza 20 Settembre 9 ☎ 25833.

Roma 457 ④ – •Bologna 79 ④ – •Ferrara 33 ③ – •Milano 285 ① – •Padova 41 ① – •Venezia 78 ①.

ROVIGO

Angeli (Via) .... AY 2
Matteotti (Piazza G.) .... AY 15
Popolo (Corso del) .... AY, BZ
Umberto I (Via) .... AY 23
Vitt. Emanuele II (Piazza) .... ABY 24
Bedendo (Via N.) .... BY 3
Carducci (Via G.) .... BZ 4
Casalini (Via A.) .... AZ 6
Cavour (Via) .... BZ 7
Fonderia (Via Ponte della) .... BZ 8
Garibaldi (Piazza) .... BY 10
Garibaldi (Via A.) .... BY 12
Grimani (Via M.) .... AY 13
Repubblica (Piazza della) .... AY 16
Ricchieri (Via) .... AY 17
Speroni d. Alvarotti (V.) .... ABZ 19
Trento (Via) .... AZ 21
10 Luglio (Via) .... BYZ 25
20 Settembre (Piazza) .... BY 26

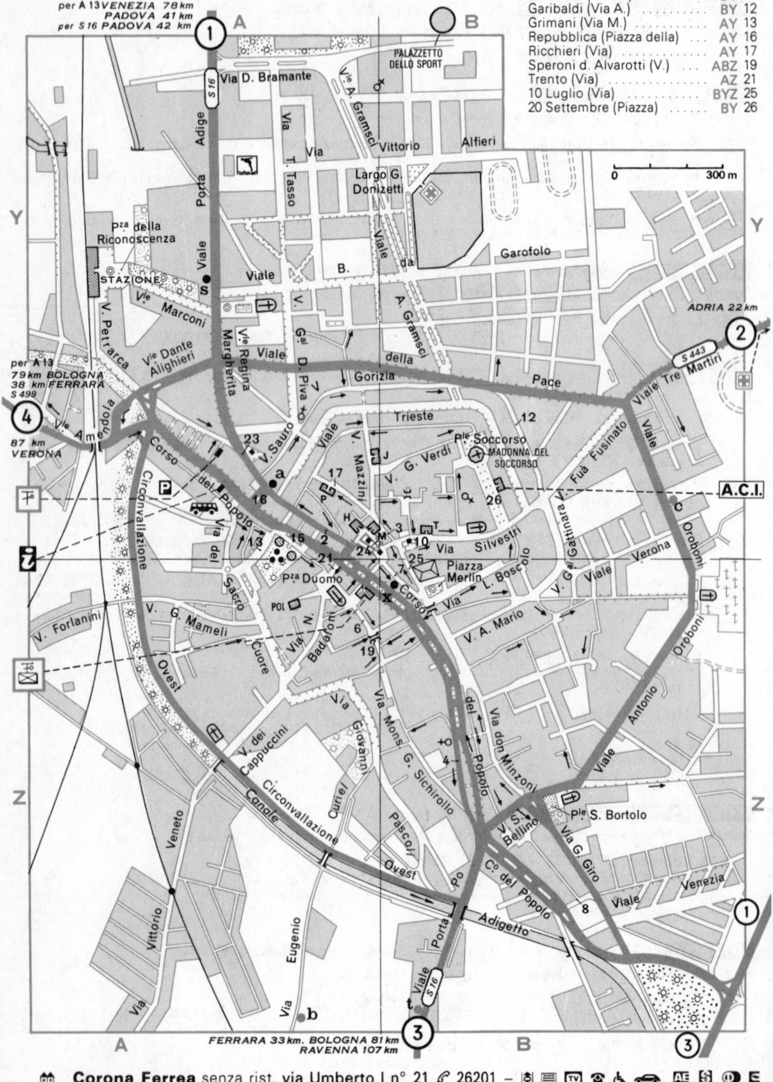

🏨 **Corona Ferrea** senza rist, via Umberto I n° 21 ☎ 26201 – |$| ▤ TV ☎ ♿ 🚗. AE ⓑ ⓓ E VISA AY **a**
chiuso agosto – ☐ 6500 – **30 cam** 49/81000, ▤ 3000.

🏨 **Cristallo,** viale Porta Adige 1 ☎ 30701, Fax 31083 – |$| ▤ rist ☎ ⓟ – 🏛 200. AE ⓑ ⓓ E VISA AY **s**
Pas *(chiuso venerdì)* carta 27/47000 (15%) – ☐ 7000 – **30 cam** 42/68000 – P 67/77000.

🏠 **Granatiere** senza rist, corso del Popolo 235 ℰ 22301 – 📳 ☎. 🖭 🛅 ⓞ 🗲 *VISA*   BZ **x**
    ⌲ 5000 – **31 cam** 33/56000.

XX **3 Pini,** viale Porta Po 68 ℰ 27111 – 🗐 🅟. 🛠   BZ **t**
    chiuso domenica ed agosto – Pas carta 30/50000 (10%).

XX **La Campana,** via Eugenio Curiel 23 ℰ 27552, 🍴 – 🅟   AZ **b**

X **Cauccio** con cam, viale Oroboni 50 ℰ 31639 – 🅟   BY **c**
    Pas *(chiuso lunedì)* carta 23/31000 – ⌲ 4000 – **13 cam** 25/40000.

Vedere anche : *Pontecchio Polesine* per ③ : 7 km.

ALFA-ROMEO via 1° Maggio-tangenziale Est ℰ 474540
BMW viale della Tecnica 6-zona Industriale ℰ 474767
CITROEN via Sant'Antonio 30-zona Industriale ℰ 474373
FIAT viale Porta Adige 44 per ① ℰ 30306
FORD viale Porta Po 101 ℰ 22524
GM-OPEL viale Porta Po 71 ℰ 21109
INNOCENTI viale della Tecnica 6-zona Industriale ℰ 474767

LANCIA-AUTOBIANCHI via del Lavoro 5/abc per ③ ℰ 25909
MERCEDES-BENZ viale Porta Po 61/b ℰ 21109
PEUGEOT-TALBOT via della Cooperazione 10 ℰ 474012
RENAULT via Amendola 53 ℰ 360163
VW-AUDI viale del Lavoro 3 ℰ 474660
VOLVO via Sant'Antonio 13-zona Industriale ℰ 474727

ROVIO 🟦427 ㉔, 🟦219 ⑧ – Vedere Cantone Ticino alla fine dell'elenco alfabetico.

RUBANO 35030 Padova – 11 710 ab. alt. 18 – 🕲 049.
Roma 499 – ♦Milano 224 – ♦Padova 8 – ♦Venezia 48 – ♦Verona 72 – Vicenza 25.

🏨 **La Bulesca** 🐾, via Fogazzaro 2 ℰ 630288, Telex 430402, 🥢 – 📳 🗐 📺 ☎ 🅟 – 🏃 500
    59 cam.

🏨 **El Rustego,** via Rossi 16 ℰ 631466, 🥢 – 📳 🗐 📺 ☎ 🕭 🅟. 🖭 🛅 🗲 *VISA*. 🛠 rist
    Pas vedere rist El Rustego – ⌲ 8000 – **41 cam** 63/92000 – P 95/103000.

XX **El Rustego,** via Rossi 16 ℰ 634997 – 🅟. 🖭. 🛠
    chiuso domenica e dal 27 luglio al 27 agosto – Pas carta 26/43000.

a Sarmeola SE : 3 km – ✉ **35030** :

🏠 **Le Calandre** senza rist, strada statale ℰ 635200 – 📳 📺 ☎ 🅟. 🖭 🛅 ⓞ 🗲 *VISA*
    chiuso dal 23 dicembre al 6 gennaio – ⌲ 7000 – **35 cam** 57/82000.

XX **Le Calandre,** strada statale ℰ 630303 – 🗐 🅟
    chiuso lunedì e dal 10 al 24 agosto – Pas carta 33/52000.

ALFA-ROMEO via della Provvidenza 210 ℰ 634955

RUBIERA 42048 Reggio nell'Emilia 🟦988 ⑭ – 9 761 ab. alt. 55 – 🕲 0522.
Roma 415 – ♦Bologna 53 – ♦Milano 162 – ♦Modena 12 – ♦Parma 40 – Reggio nell'Emilia 13.

XX ✿ **Arnaldo-Clinica Gastronomica** con cam, piazza 24 Maggio 3 ℰ 62124, Fax 628145 – 📳
    ☎. 🖭 🛅 ⓞ 🗲 *VISA*. 🛠
    chiuso Natale, Pasqua ed agosto – Pas *(chiuso domenica e lunedì a mezzogiorno)*
    carta 33/49000 (11%) – ⌲ 10000 – 37 cam 55/100000
    Spec. Spugnolata (pasta), Arrosto al Barolo, Faraona in crosta. **Vini** Malvasia, Lambrusco.

FIAT via Vittorio Emanuele 17 ℰ 629044

RUFINA 50068 Firenze – 5 605 ab. alt. 115 – 🕲 055.
Roma 271 – Arezzo 74 – ♦Bologna 120 – ♦Firenze 25 – Forlì 84 – ♦Milano 314 – Siena 109.

🏠 **La Speranza-da Grazzini,** ℰ 839027, 🍴 – ☎ 🛲 🅟. 🖭 🛅 🗲 *VISA*
◆   Pas *(chiuso mercoledì e dal 15 al 31 luglio)* carta 17/26000 – ⌲ 4500 – **28 cam** 25/44000 –
    P 45/50000.

RUMO 38020 Trento – 865 ab. alt. 939 – a.s. Pasqua e Natale – 🕲 0463.
Roma 639 – ♦Bolzano 62 – ♦Milano 300 – Trento 55.

🏨 **Du Parc** 🐾, località Mocenigo ℰ 30179, ≤, 🥢 – ☎ 🅟. 🖭 *VISA*. 🛠
    chiuso dal 10 gennaio al 10 febbraio – Pas *(chiuso mercoledì)* carta 20/35000 – ⌲ 6000 –
    17 cam 45/90000 – P 65/68000, b.s. 50/60000.

RUSSI 48026 Ravenna 🟦988 ⑮ – 10 997 ab. alt. 13 – 🕲 0544.
Roma 374 – ♦Bologna 67 – Faenza 16 – ♦Ferrara 82 – Forlì 20 – ♦Milano 278 – ♦Ravenna 15.

🏠 **Morelli,** via Don Minzoni 30 ℰ 580172 – 📳 ☎ 🅟 – 🏃 100. 🖭 🛅 ⓞ *VISA*. 🛠 rist
    Pas carta 22/33000 – ⌲ 5000 – **35 cam** 28/42000 – P 45000.

a Godo NE : 4 km – ✉ **48010** :

X **La Barca,** ℰ 419595, Solo piatti di pesce – ⇔. 🛠
    chiuso giovedì e dal 10 al 25 luglio – Pas carta 39/60000.

RUTA Genova – Vedere Camogli.

RUTTARS Gorizia – Vedere Dolegna del Collio.

RUVO DI PUGLIA 70037 Bari 𝟵𝟴𝟴 ㉘ – 24 140 ab. alt. 256 – ✪ 080.
Vedere Cratere di Talos★★ nel museo Archeologico Jatta – Cattedrale★.
Roma 441 – ◆Bari 34 – Barletta 32 – ◆Foggia 105 – Matera 64 – ◆Taranto 117.

 🏠 **Pineta** ⑤, via Carlo Marx 5 ℰ 811578 – 🍽 rist 🕾 🅿 – 🔏 200. 🎞
  chiuso novembre – Pas *(chiuso venerdì)* carta 32/42000 – ⊊ 7000 – 22 cam 37/62000 –
  P 67000.

SABAUDIA 04016 Latina 𝟵𝟴𝟴 ㉘ – 13 911 ab. – a.s, Pasqua e luglio-agosto – ✪ 0773.
Roma 96 – Frosinone 56 – Latina 28 – ◆Napoli 149 – Terracina 26.

 XX **La Pineta,** corso Vittorio Emanuele III ℰ 55053, � – 🆀 🅾. 🎞
  chiuso dal 20 dicembre al 20 gennaio e martedì escluso luglio-agosto – Pas carta 30/47000
  (10%).

  sul lungomare SO : 2 km :

 🏨 **Le Dune** ⑤, ✉ 04016 ℰ 55551, Telex 680163, ≼, �, 🏊, 🐎s, 🎾 – 📳 🕾 🅿 – 🔏 80. 🎞
  aprile-ottobre – Pas 60000 – ⊊ 18000 – 77 cam 83/140000 – P 155000, b.s. 130000.

SABBIONETA 46018 Mantova 𝟵𝟴𝟴 ⑭ – 4 622 ab. alt. 18 – ✪ 0375.
Vedere Insieme urbano★ – Teatro Olimpico★ – Chiesa dell'Incoronata★ – Galleria delle Antichità★
nel palazzo del Giardino.
Roma 469 – ◆Bologna 107 – Mantova 34 – ◆Milano 142 – ◆Modena 67 – ◆Parma 28.

 🏠 **Al Duca,** ℰ 52474 – 🆀 🅱 🅾 🅴 𝘝𝘐𝘚𝘈. 🎞
  chiuso gennaio – Pas carta 23/35000 – ⊊ 6000 – **10 cam** 38/58000.

 XX **Parco Cappuccini,** a Vigoreto ℰ 52005, « Parco ombreggiato » – ⁎⁂ 🅿. 🆀
  chiuso lunedì, mercoledì sera e dal 1° al 25 gennaio – Pas carta 24/39000.

SACCA Parma – Vedere Colorno.

SACRA DI SAN MICHELE ★★★ Torino 𝟵𝟴𝟴 ⑫, 𝟳𝟳 ⑩ – alt. 962 – Vedere Abbazia★★★ : ≼★★★.
Roma 702 – Aosta 147 – Briançon 97 – Cuneo 102 – ◆Milano 174 – ◆Torino 37.

SACROFANO 00060 Roma – 4 129 ab. alt. 260 – ✪ 06.
Roma 28 – Viterbo 59.

 X Al Grottino, ℰ 9086263, �, « Ambiente caratteristico ».

SACRO MONTE Novara 𝟮𝟭𝟵 ⑥ – Vedere Orta San Giulio.

SACRO MONTE Varese 𝟮𝟭𝟵 ⑦⑧ – alt. 880 – ✪ 0332.
Roma 641 – Como 35 – Luino 30 – ◆Milano 64 – Varese 8.

  a Prima Cappella S : 2 km – alt. 585 – ✉ **21030** Santa Maria del Monte :

 XX **La Samaritana** ⑤ con cam, ℰ 225035, ≼, � – 🅿. 🆀 🎞
  chiuso dall'8 al 23 novembre – Pas *(chiuso lunedì)* carta 30/51000 – ⊊ 5000 – **8 cam** 45/55000
  – P 70/75000.

SAGNO 𝟮𝟭𝟵 ⑧ – Vedere Cantone Ticino alla fine dell'elenco alfabetico.

SAINT BARTHÉLEMY Aosta 𝟮𝟭𝟵 ③ – Vedere Nus.

SAINT-CHRISTOPHE 11020 Aosta 𝟮𝟭𝟵 ②, 𝟳𝟰 ⑳ – 2 444 ab. alt. 700 – ✪ 0165.
Roma 744 – Aosta 4 – Colle del Gran San Bernardo 36 – ◆Milano 182 – ◆Torino 111.

 XX **Sanson,** ℰ 541410, prenotare – 🅿. 🎞
  chiuso mercoledì – Pas carta 28/47000.

 XX Casale, ℰ 541203 – 🅿.

  sulla strada statale 26 SE : 1,5 km

 🏨 **Hotelalp** senza rist, ✉ 11100 Aosta ℰ 40007, ≼, 🐎 – 🕾 🔥 🅿. 🆀 𝘝𝘐𝘚𝘈
  chiuso novembre – ⊊ 6000 – **52 cam** 50/79000.

INNOCENTI località Grand Chemin ℰ 32088   MERCEDES-BENZ località Grand Chemin ℰ 361947
LANCIA-AUTOBIANCHI località Grand Chemin 15 VW-AUDI località Grand Chemin ℰ 33324
ℰ 362345

SAINT-NICOLAS 11010 Aosta 𝟮𝟭𝟵 ②⑫ – 264 ab. alt. (frazione Fossaz) 1 196 – a.s. luglio e agosto
– ✪ 0165.
Roma 764 – Aosta 17 – Courmayeur 36 – ◆Milano 202 – Colle del Piccolo San Bernardo 54.

 🏠 **Saint Nicolas** ⑤, ℰ 98824, ≼ monti e vallate, 🐎 – 🎞 rist
  20 giugno-settembre – Pas carta 20/37000 – ⊊ 5500 – **22 cam** 40/60000 – P 65000,
  b.s. 50/60000.

SAINT-VINCENT 11027 Aosta 🔲🔲🔲 ②, 🔲🔲🔲 ③④ – 4 737 ab. alt. 575 – Stazione termale (maggio-ottobre) e climatica, a.s. 15 giugno-settembre e Natale – 😊 0166.

🅱 via Roma 52 🥄 2239.

Roma 722 – Aosta 29 – Colle del Gran San Bernardo 61 – Ivrea 46 – ◆Milano 159 – ◆Torino 88 – Vercelli 97.

- 🏨 **Gd H. Billia,** viale Piemonte 18 🥄 3446, Telex 212144, ≤, « Parco ombreggiato con ☒ riscaldata », ※ – 🛗 🗐 rist 🔲 ☎ 🖐 🄿 – 🛗 50 a 500. 🄰🄴 🕃 🛈 🄴 𝐕𝐈𝐒𝐀. ⅙ rist
  Pas carta 62/95000 – 🖙 17000 – **250 cam** 220/310000 appartamenti 620000 – P 279000.

- 🏨 **Elena** senza rist, piazza Monte Zerbion 🥄 2140 – 🛗 🔲 ☎. 🄰🄴 🕃 🄴 𝐕𝐈𝐒𝐀. ⅙
  chiuso novembre – 🖙 8000 – **48 cam** 50/81000.

- 🏨 **Haiti** senza rist, via Chanoux 19 🥄 2114 – 🔲 🕮 ⇐. 🄰🄴 𝐕𝐈𝐒𝐀. ⅙
  chiuso febbraio – 🖙 7000 – **25 cam** 56/68000.

- 🏨 **Posta,** piazza 28 Aprile 🥄 2250 – 🛗 🔲 🕮. ⅙
  Pas (chiuso giovedì) 24000 – 🖙 6500 – **39 cam** 48/75000 – P 72/75000.

- 🏠 **Bijou** senza rist, piazza Vittorio Veneto 🥄 2770 – 🛗 🕮. ⅙
  🖙 7000 – **30 cam** 40/65000.

- 🏠 **Leon d'Oro,** via Chanoux 26 🥄 2202, 🌣 – ☎ 🄿. 🄰🄴 🕃 🄴 𝐕𝐈𝐒𝐀. ⅙ rist
  ◆ Pas 18/22000 – 🖙 5000 – 50 cam 35/55000 – P 60000, b.s. 50000.

- XXX ⚘ **Nuovo Batezar-da Renato,** via Marconi 1 🥄 3164, prenotare – 🗐. 🄰🄴 🕃 🛈 🄴 𝐕𝐈𝐒𝐀. ⅙
  chiuso mercoledì, giovedì a mezzogiorno, dal 20 febbraio al 10 marzo e dal 1° al 15 luglio – Pas carta 50/90000
  Spec. Mosaico di antipasti, Tortelli di castagne e salsiccia (novembre-marzo), Bouquet di porcini con polenta (giugno-ottobre). Vini Blanc de Cossan, Petit rouge.

- XX **Le Grenier,** piazza Monte Zerbion 1 🥄 2224, « Ambiente tipico » – 🄰🄴 🕃 🛈 🄴 𝐕𝐈𝐒𝐀
  chiuso lunedì a mezzogiorno, martedì, dal 6 al 26 gennaio e dal 6 al 26 luglio – Pas carta 48/76000.

- XX **I Due Nani,** via Roma 30 🥄 3407 – 🄰🄴 🕃 🛈 🄴 𝐕𝐈𝐒𝐀
  chiuso lunedì, martedì a mezzogiorno (escluso luglio-agosto) e novembre – Pas carta 31/50000.

  a Salirod SE : 8 km – alt. 1 090 – ✉ 11027 Saint Vincent :

- XX **Da Ezio,** 🥄 2322 – ⅙
  chiuso martedì sera e mercoledì – Pas carta 25/35000.

SALA BAGANZA 43038 Parma – 3 946 ab. alt. 162 – 😊 0521.

Dintorni Torrechiara★ : affreschi★ e ≤★ dalla terrazza del Castello SE : 10 km.

🅖 La Rocca (chiuso gennaio, febbraio e lunedì) 🥄 834037.

Roma 472 – ◆Milano 136 – ◆Parma 14 – ◆La Spezia 105.

- XX **Da Eletta,** 🥄 833304, prenotare – 🄿. 𝐕𝐈𝐒𝐀
  chiuso lunedì, martedì, sabato a mezzogiorno e dal 15 luglio al 25 agosto – Pas carta 29/41000.

SALA COMACINA 22010 Como 🔲🔲🔲 ⑨ – 594 ab. alt. 213 – 😊 0344.

Roma 649 – Como 24 – ◆Lugano 39 – Menaggio 11 – ◆Milano 72.

- X **Taverna Blu,** 🥄 55107, « Servizio estivo in giardino con ≤ » – 🄿
  chiuso martedì e settembre – Pas 33/40000 bc.

  Vedere anche : **Isola Comacina** E : 5 mn di barca.

SALA CONSILINA 84036 Salerno 🔲🔲🔲 ㉘ – 12 779 ab. alt. 614 – 😊 0975.

Roma 350 – Castrovillari 104 – ◆Napoli 144 – Potenza 64 – Salerno 93.

  sulla strada statale 19 SE : 3 km :

- 🏠 **La Pergola,** ✉ 84036 🥄 45054 – 🛗 ⇐ 🄿
  ◆ Pas carta 16/25000 (10%) – 🖙 6000 – 28 cam 22/37000 – P 48/54000.

ALFA-ROMEO via Nazionale 75 🥄 21397
CITROEN via Fontanelle, contrada Trinità 🥄 45122
FERRARI via Sant'Antonio 25 🥄 21028
FIAT via Sturzo 184 🥄 21459
GM-OPEL via Santa Maria della Misericordia 8 🥄 21466

INNOCENTI via Mezzocapo 🥄 21950
LANCIA-AUTOBIANCHI via Sant'Antonio 25 🥄 21028
MERCEDES-BENZ via Godelmo 14 🥄 21394
PEUGEOT-TALBOT contrada Sant'Antonio 🥄 21392
RENAULT via Nazionale 19 🥄 21207
VW-AUDI via Godelmo 25/27 🥄 21188

SALE MARASINO 25057 Brescia – 3 063 ab. alt. 194 – a.s. Pasqua e luglio-15 settembre – 😊 030.

Roma 589 – ◆Bergamo 47 – ◆Brescia 31 – Iseo 8 – ◆Milano 88 – ◆Verona 104.

- XX **La Posada** con cam, 🥄 986181, ≤, 😤, 🌣 – ⇐ 🄿 🄰🄴 🕃 🛈 🄴 𝐕𝐈𝐒𝐀. ⅙ rist
  chiuso novembre – Pas (chiuso lunedì) carta 21/33000 – 🖙 5000 – **17 cam** 40/60000 – P 55000, b.s. 49000.

- X **Motta** con cam, 🥄 986117, ≤, 🛶 – 🄿. 🄴 𝐕𝐈𝐒𝐀
  Pas (chiuso mercoledì) carta 20/29000 – 🖙 6000 – **13 cam** 26/40000 – P 42/45000.

Benutzen Sie die Grünen Michelin-Reiseführer,
wenn Sie eine Stadt oder Region kennenlernen wollen.

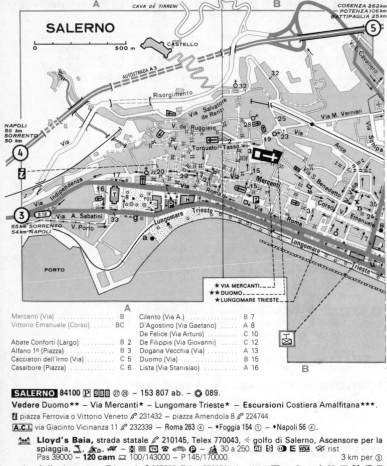

A			
Mercanti (Via)	B	Cilento (Via A.)	B 7
Vittorio Emanuele (Corso) ...	BC	D'Agostino (Via Gaetano)	A 8
		De Felice (Via Arturo)	C 10
Abate Conforti (Largo)	B 2	De Filippis (Via Giovanni)	C 12
Alfano 1º (Piazza)	B 3	Dogana Vecchia (Via)	A 13
Cacciatori dell'Irno (Via)	C 5	Duomo (Via)	B 15
Casalbore (Piazza)	C 6	Lista (Via Stanislao)	A 16

SALERNO 84100 🅿 👊👊👊 ㉗㉘ – 153 807 ab. – ✪ 089.

Vedere Duomo★★ – Via Mercanti★ – Lungomare Trieste★ – **Escursioni** Costiera Amalfitana★★★.

🛈 piazza Ferrovia o Vittorio Veneto 🖉 231432 – piazza Amendola 8 🖉 224744.

A.C.I. via Giacinto Vicinanza 11 🖉 232339 – Roma 263 ④ – ◆Foggia 154 ① – ◆Napoli 56 ④.

🏨 **Lloyd's Baia,** strada statale 🖉 210145, Telex 770043, ≤ golfo di Salerno, Ascensore per la spiaggia, 🔏, 🏖, 🐎 – 🛗 📶 📺 ☎ 🔄 🅿 – 🕍 30 a 250. 🖭 🛇 ⑩ Ε 💳. 🞉 rist
Pas 39000 – **120 cam** 🖙 100/143000 – P 145/170000. 3 km per ③

🏨 **Jolly,** lungomare Trieste 1 🖉 225222, Telex 770050, ≤ – 🛗 🔲 📺 ☎ 🅿 – 🕍 80. 🖭 🛇 ⑩ Ε 💳. 🞉 rist
Pas 40000 – **105 cam** 🖙 110/155000. A a

🏨 **Plaza** senza rist, piazza Ferrovia o Vittorio Veneto 🖉 224477 – 🛗 🔄 🔲 🈸. 🖭 🛇 ⑩ Ε 💳. 🞉
🖙 8000 – **42 cam** 46/76000, 🔲 8000. C e

🏨 **Fiorenza** senza rist, a Mercatello via Trento 145 🖉 751160 – 📺 ☎ – 🕍 100. 🖭 🛇 ⑩ Ε 💳. 🞉
🖙 7000 – **30 cam** 46/76000. per ②

🏨 **Montestella** senza rist, corso Vittorio Emanuele 156 🖉 225122 – 🛗 📺 ☎ ♿. 🖭 🛇 Ε. 🞉
🖙 7000 – **51 cam** 51/84000. B s

🍴🍴 **Nicola dei Principati,** corso Garibaldi 201 🖉 225435 – 🔲. 🖭 🛇 ⑩ 💳 B u
chiuso lunedì – Pas carta 22/35000 (10%).

🍴🍴 **La Brace,** lungomare Trieste 11 🖉 225159 – 🔄 🔲 🅿. 🖭 🛇 ⑩ Ε 💳. 🞉 A g
chiuso domenica e dal 20 al 31 dicembre – Pas carta 22/39000 (15%).

🍴🍴 Al Gambero, via Cuomo 9 🖉 225031 B n

🍴 **Fusto d'Oro,** via Fieravecchia 29 🖉 224685 – 🔲. 🖭 🛇 🞉 B x
chiuso mercoledì e dal 12 al 24 agosto – Pas carta 22/37000.

🍴 **Da Giovanni-L'Amico degli Amici,** via SS Martiri Salernitani 40 🖉 231960 – 🔲. 🖭 C b
💳. 🞉
chiuso dal 20 dicembre al 5 gennaio e domenica da ottobre a marzo – **Pas** carta 17/28000
(15%).

508

Luciani (Piazza M.) ..... A 17	S. Francesco d'Assisi (Piazza) .. C 27	
Plebiscito (Largo) ...... B 19	S. Tommaso d'Aquino (Largo) . B 28	
Portacatena (Via) ...... A 20	Sedile del Campo (Piazza) ..... A 29	
Porta di Mare (Via) ..... A 21	Sedile di Pta Nuova (Piazza) .. B 31	
Porta Rotese (Piazza) ... B 23	Sorgente (Via Camillo) .... B 32	
Principati (Via dei) .... BC 24	Umberto 1° (Piazza) .... A 33	
S. Eremita (Via) .... B 25	24 Maggio (Piazza) .... B 35	

SALERNO

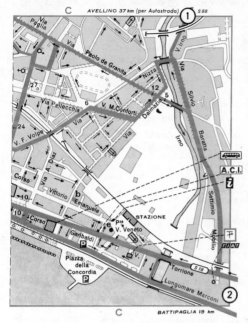

ALFA-ROMEO via San Leonardo 143 per ② ℰ 332550

BMW via Settimo Mobilio 61/67 ℰ 391094

CITROEN via Parmenide 262 ℰ 332702

FIAT via Testa 12/18 ang. via Torrione ℰ 239735

FIAT via Simeonzio 29/37 ℰ 353015

FIAT via San Leonardo 126 per ② ℰ 332590

FORD via Margotta 32 ℰ 391322

GM-OPEL piazzetta Tafuri 4 ℰ 353449

INNOCENTI via Parmenide 12 per ② ℰ 331330

LANCIA-AUTOBIANCHI via San Leonardo 143/a per ② ℰ 332563

LANCIA-AUTOBIANCHI via Parmenide 260 per ② ℰ 332700

MASERATI via Piacenza 12 ℰ 331522

MERCEDES-BENZ via San Leonardo 134/a ℰ 333281

PEUGEOT-TALBOT via Sciaraffia 39 ℰ 725262

RENAULT via San Leonardo 120 ℰ 332540

VW-AUDI via San Leonardo 134/b ℰ 332555

VOLVO via Picenza-traversa Migliaro 1 ℰ 331422

SALGAREDA 31040 Treviso – 4 548 ab. alt. 7 – ✆ 0422.

Roma 560 – ♦Milano 299 – Pordenone 38 – Treviso 22 – ♦Venezia 49.

XX **Alle Marcandole,** via Argine Piave ℰ 747026 – ❶. ㏂ ✻

chiuso giovedì – Pas carta 21/43000.

SALICE TERME 27056 Pavia ⑨⑧⑧ ⑬ – alt. 171 – Stazione termale (marzo-dicembre), a.s. luglio- 15 settembre – ✆ 0383.

🅗 viale Diviani ℰ 91207.

Roma 583 – Alessandria 37 – ♦Genova 89 – ♦Milano 73 – Pavia 41.

🏨 **President Hotel Terme** ☜, via Enrico Fermi ℰ 91941, Telex 351288, ♨, ⟍ riscaldata, 🐎 – 📳 📺 ❶ – 🕰 40 a 350. ㏂ 🕄 ⑩ ㏃ 𝖵𝖨𝖲𝖠. ✻
Pas 28/35000 – ⊡ 8000 – **95 cam** 84/106000 appartamenti 190/212000 – P 106000, b.s. 98000.

🏨 **Ligure,** via Gennaro 1 ℰ 91305, ⟍, 🐎 – 📳 🍴 rist 🕾 ❶. ㏂ ⑩. ✻ rist
aprile-ottobre – Pas 30000 – ⊡ 6000 – **28 cam** 50/70000 – P 70000, b.s. 65000.

🏨 **Roby,** via Cesare Battisti 15 ℰ 91323 – ✲ cam ❶. ✻ rist
♦ *aprile-ottobre* – Pas *(chiuso mercoledì)* carta 18/25000 – ⊡ 3000 – **23 cam** 30/45000 – P 40/42000.

XX **Il Caminetto,** via Cesare Battisti 11 ℰ 91391, 🌤 – 🍴 ❶. ㏂ 🕄 ⑩ ㏃ 𝖵𝖨𝖲𝖠. ✻
chiuso lunedì e dal 4 al 28 gennaio – Pas carta 40/55000.

XX **Guado,** viale delle Terme 57 ℰ 91223, 🌤 – ㏂ 🕄 ⑩ ㏃ 𝖵𝖨𝖲𝖠. ✻
chiuso mercoledì – Pas carta 32/40000.

SALINA (Isola) Messina ⑨⑧⑧ ㊱㊲㊳ – Vedere Sicilia (Eolie, isole) alla fine dell'elenco alfabetico.

SALINE IONICHE 89060 Reggio di Calabria – ✆ 0965.
Roma 728 – Catanzaro 184 – ♦Reggio di Calabria 23.

X **La Lanterna,** ℰ 782241 – 🕄
♦ *chiuso lunedì ed ottobre* – Pas carta 16/23000.

SALIROD Aosta – Vedere Saint Vincent.

SALÒ 25087 Brescia ⑨⑧⑧ ④ – 10 198 ab. alt. 75 – Stazione climatica, a.s. Pasqua e luglio- 15 settembre – ✆ 0365 – **Vedere** Lago di Garda★★★ – Polittico★ nel Duomo.
🏌 Gardagolf (chiuso lunedì), a Soiano del Lago ✉ 25080 ℰ 674707, N : 12 km.
🅗 lungolago Zanardelli 39 ℰ 21423.
Roma 548 – ♦Bergamo 85 – ♦Brescia 31 – ♦Milano 126 – Trento 94 – ♦Venezia 173 – ♦Verona 63.

509

🏨 **Laurin,** 🏠 22022, Telex 303342, Fax 22382, 🍴, « Giardino con 🏊 » – 🏃 ☎ 🅿 – 🛗 25 a 35. ⅢΕ 🕽 ⓪ Ε 𝗩𝗜𝗦𝗔. 🍴 rist
chiuso dal 20 dicembre al 20 gennaio – Pas carta 55/70000 – 🍷 13000 – **36 cam** 99/155000 – P 149/159000, b.s. 119/129000.

🏨 **Duomo,** 🏠 21026, ≤, 🍴 – 🏃 🍴 cam 🛏 cam 📺 ☎ 🕽 🚗 🅿 – 🛗 30. ⅢΕ 🕽 ⓪ Ε 𝗩𝗜𝗦𝗔. 🍴 rist
Pas *(chiuso lunedì, martedì a mezzogiorno e dal 10 novembre al 4 dicembre)* carta 50/70000 – 22 cam 🍷 140000 – P 180000.

🏠 **Vigna,** 🏠 520141, ≤ – 🏃 🛏 rist ☎. 🍴 rist
chiuso gennaio – Pas carta 26/46000 – 🍷 5000 – **22 cam** 40/62000 – P 63000, b.s. 58000.

✗ **Antica Trattoria da Nando,** località Campoverde 🏠 40027, 🌳 – 🅿. 🍴
chiuso martedì e gennaio – Pas carta 21/30000.

✗ **Alla Campagnola,** 🏠 22153 – ⅢΕ 🕽 𝗩𝗜𝗦𝗔. 🍴
chiuso lunedì e gennaio – Pas carta 24/41000.

a Barbarano NE : 2,5 km verso Gardone Riviera – 🖂 **25087** Salò :

🏨 **Spiaggia d'Oro** 🌊, 🏠 20764, Fax 20770, ≤, « Giardino sul lago con 🏊 » – 🏃 🛏 📺 ☎ 🕽. ⅢΕ 🕽 ⓪ Ε 𝗩𝗜𝗦𝗔. 🍴 rist
aprile-ottobre – Pas 28/35000 – 39 cam 🍷 100/180000, 🛏 4000 – P 135/145000, b.s. 125/135000.

🏠 **Barbarano al Lago** 🌊 senza rist, 🏠 20324, ≤, « Piccolo parco ombreggiato », 🏊 – 🅿. 𝗩𝗜𝗦𝗔
10 maggio-6 ottobre – 🍷 7000 – **16 cam** 40/80000.

🏠 **Barbarano Galeazzi,** 🏠 20256, 🌳 – 🏃 🅿. 𝗩𝗜𝗦𝗔. 🍴 rist
20 aprile-8 ottobre – Pas carta 24/34000 – 🍷 7000 – 35 cam 40/70000 – P 65000, b.s. 50000.

Vedere anche : *Gardone Riviera* NE : 3,5 km.
San Felice del Benaco SE : 7 km.

SALSOMAGGIORE TERME 43039 Parma 🔢🔢🔢 ⑬⑭ – 17 650 ab. alt. 160 – Stazione termale, a.s. agosto-ottobre – ✆ 0524.

🅱 viale Romagnosi 7 🏠 78265, Telex 530104.

Roma 488 ① – Cremona 57 ① – ♦Milano 113 ① – ♦Parma 33 ① – Piacenza 52 ① – ♦La Spezia 128 ①.

Pianta pagina a lato

🏨 **Gd H. et de Milan,** via Dante 1 🏠 572241, Telex 530370, « Piccolo parco ombreggiato con 🏊 », ♨ – 🏃 🛏 cam 📺 ☎ 🅿 – 🛗 80. ⅢΕ 🕽 ⓪ Ε 𝗩𝗜𝗦𝗔. 🍴 rist   Z **a**
chiuso gennaio e febbraio – Pas 45/80000 – 118 cam 🍷 136/202000 appartamenti 222/252000 – P 170/205000, b.s. 150/170000.

🏨 **Porro** 🌊, viale Porro 10 🏠 78221, « Parco ombreggiato », ♨ – 🏃 🛏 rist 📺 ☎ 🅿. ⅢΕ 🕽 ⓪ Ε 𝗩𝗜𝗦𝗔. 🍴 rist   Y **b**
chiuso dall'11 gennaio al 28 febbraio – Pas 45000 – 🍷 10000 – **85 cam** 108/160000 – P 133/146000, b.s. 110/123000.

🏨 **Cavour-Bolognese,** viale Cavour 1 🏠 79141, ♨, 🌳 – 🏃   Y **f**
stagionale – 89 cam.

🏨 **Daniel,** via Massimo D'Azeglio 8 🏠 572341, 🌳 – 🏃 🛏 cam 📺 ☎ 🅿. ⅢΕ ⓪. 🍴 rist   Y **a**
10 aprile-10 novembre – Pas 30/35000 – 🍷 12000 – **36 cam** 51/90000 – P 85000, b.s. 75000.

🏨 **Valentini** 🌊, viale Porro 10 🏠 78251, « Parco ombreggiato », ♨ – 🏃 🛏 rist 🅿 – 🛗 200. ⅢΕ 🕽 ⓪ Ε 𝗩𝗜𝗦𝗔. 🍴 rist   Y **e**
15 marzo-15 novembre – Pas 35000 – 🍷 8000 – **126 cam** 48/73000 – P 87/96000, b.s. 70/79000.

🏠 **Excelsior,** viale Berenini 3 🏠 70641, 🏊 – 🏃 🍴 cam 📺 ☎ 🅿 – 🛗 30 a 40. 🍴   Z **h**
15 aprile-8 novembre – Pas 30/32000 – 🍷 10000 – **63 cam** 60/90000 – P 87/89000, b.s. 76/78000.

🏠 **Tiffany's,** viale Berenini 1 🏠 77540 – 🏃 🛏 📺 ☜ 🅿. 🍴   Z **q**
aprile-novembre – Pas 28/30000 – **30 cam** 🍷 68/105000 – P 80/86000, b.s. 65/70000.

🏠 **Roma,** via Mascagni 10 🏠 573371 – 🏃 🛏 📺 ☜ 🅿. 🕽 ⓪ Ε. 🍴 rist   Y **x**
aprile-novembre – Pas 30000 – 🍷 10000 – **33 cam** 58/73000 – P 71/75000, b.s. 62/64000.

🏠 **Cristallo,** via Rossini 1 🏠 77241 – 🏃 🛏 rist 📺 ☎ 🅿. ⅢΕ 🕽 ⓪ Ε 𝗩𝗜𝗦𝗔. 🍴 rist   Y **g**
aprile-novembre – Pas 27/30000 – **59 cam** 🍷 63/100000 – P 80/86000, b.s. 65/70000.

🏠 **De la Ville,** piazza Garibaldi 2 🏠 573526 – 🏃 🛏. 🕽 ⓪ Ε. 🍴 rist   Z **n**
chiuso dal 21 dicembre al 9 gennaio – Pas carta 20/28000 – 🍷 6000 – **40 cam** 39/56000 – P 57/64000, b.s. 51/55000.

🏠 **Suisse,** viale Porro 5 🏠 79077, 🌳 – 🏃 🅿. 🕽 Ε. 🍴   Z **k**
20 marzo-15 novembre – Pas *(chiuso martedì)* 22/25000 – 🍷 6000 – **23 cam** 40/60000 – P 65000, b.s. 56000.

🏠 **Ritz,** via Milite Ignoto 5 🏠 77744 – 🏃 🍴 cam 📺 ☎ 🚗 🅿. ⅢΕ 🕽 ⓪ Ε. 🍴   Z **e**
aprile-novembre – Pas 28/30000 – 🍷 8000 – **27 cam** 60/65000 – P 60/68000, b.s. 58/60000.

🏠 **Villa Fiorita,** via Milano 2 🏠 77841, 🌳 – 🏃 ☎ 🅿. 🍴 rist   Z **w**
25 aprile-ottobre – Pas 33000 – 🍷 6000 – **43 cam** 38/60000 – P 60000, b.s. 52000.

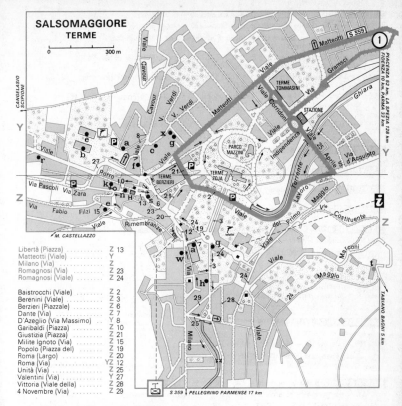

SALSOMAGGIORE TERME

0 — 300 m

CANGELASIO SCIPIONE

🏨 **Panda,** via Mascagni 6 🖉 79448 – 🛗 ☎ 🚗 ⚐   Y c
aprile-novembre – Pas 20/22000 – ☱ 6000 – **27 cam** 38/56000 – P 60/65000, b.s. 50/53000.

🏨 **Brescia,** via Romagnosi 1 🖉 573517 – 🛗 ☎ ⚐   Z s
aprile-novembre – Pas 20/25000 – ☱ 7000 – **32 cam** 35/50000 – P 55/60000, b.s. 50/55000.

🏨 **Rex,** viale Porro 37 🖉 71281 – 🛗 🅿 ⚐   Y r
15 marzo-15 novembre – Pas 20/26000 – ☱ 4500 – **27 cam** 33/45000 – P 50/52000, b.s. 44/46000.

🍴🍴🍴 **Al Tartufo,** viale Marconi 30 🖉 72296, prenotare, ← – 🅿 🖭 🕃 ⓓ ⋿ 𝘝𝘐𝘚𝘈 ⚐   Z t
chiuso lunedì e febbraio – Pas carta 40/63000.

sulla strada statale 359 NE : 3 km :

🍴🍴 **Vecchio Parco,** ⌧ 43039 🖉 573492, 🚗 – 🅿 🖭 𝘝𝘐𝘚𝘈 ⚐
chiuso martedì e gennaio – Pas carta 31/44000.

ALFA-ROMEO via Parma 126 per ① 🖉 79041   FIAT via Parma 90 per ① 🖉 79020

SALTINO Firenze – Vedere Vallombrosa.

SALUGGIA 13040 Vercelli 🕮🕮🕮 ⑫ – 4 029 ab. alt. 194 – ✿ 0161.
Roma 678 – Asti 55 – ◆Milano 113 – ◆Torino 39 – Vercelli 40.

🍴🍴 **Quarello** con cam, 🖉 48151 – 🍴 rist 📺 ☎ 🖭 🕃 ⋿ ⚐ cam
chiuso dal 28 luglio al 24 agosto – Pas (chiuso lunedì) carta 23/36000 – ☱ 6000 – **25 cam** 40/65000 – P 50/60000.

Un conseil Michelin :

pour réussir vos voyages, préparez-les à l'avance.

Les cartes et guides Michelin, vous donnent toutes indications utiles sur :

itinéraires, visite des curiosités, logement, prix, etc.

SALUZZO 12037 Cuneo 988 ⑫ – 16 429 ab. alt. 395 – ✿ 0175.
Roma 662 – Asti 76 – Cuneo 32 – ♦Milano 202 – Sestriere 86 – ♦Torino 52.

🏠 **Astor** senza rist, piazza Garibaldi 39 ℘ 45506 – 🔰 ☎. 전 ᬀ ⓞ VISA
     ⌸ 8000 – **26 cam** 50/70000.

XX **Corona Grossa,** via Silvio Pellico 3 ℘ 45384 – 🔥 30. 전 🔕 ⓞ ᗧ VISA. ⋘
     chiuso lunedì sera, martedì e luglio – Pas carta 21/37000.

XX **La Taverna di Porti Scür,** via Volta 14 ℘ 41961, Coperti limitati; prenotare – 전 VISA. ⋘
     chiuso lunedì – Pas carta 37/60000.

XX **La Gargotta del Pellico,** piazzetta Mondagli 5 ℘ 46833, prenotare – 🔕 ᗧ VISA
     chiuso lunedì ed agosto – Pas carta 34/49000 (10%).

FIAT corso Roma 25 ℘ 43227   RENAULT via Revello 11 ℘ 46272
LANCIA-AUTOBIANCHI piazza 20 Settembre 3 ℘   VOLVO via Savigliano 30 ℘ 43463
42013

SALVAROLA TERME Modena – Vedere Sassuolo.

SALVAROSA Treviso – Vedere Castelfranco Veneto.

SAMBUCA Firenze – Vedere Tavarnelle Val di Pesa.

SAMMOMMÈ Pistoia – Vedere Pistoia.

SAMPÈYRE 12020 Cuneo 77 ⑳ – 1 494 ab. alt. 976 – a.s. luglio-agosto e Natale – ✿ 0175.
Roma 680 – Cuneo 51 – ♦Milano 238 – ♦Torino 88.

🏠 Monte Nebin, ℘ 96112, ≼ – 🔰 ᬀ ⇐ Ⓟ
     60 cam.

     a Rore E : 3 km – alt. 883 – ✉ 12020 :

X **Degli Amici** con cam, ℘ 96119, ≼ – ⋘
➡   Pas *(chiuso giovedì escluso luglio e agosto)* carta 18/28000 – ⌸ 3500 – 11 cam 22/35000 –
     P 35/38000, b.s. 33/35000.

SAN BARTOLOMEO AL MARE 18016 Imperia – 2 948 ab. – Stazione balneare – ✿ 0183.
🛈 via Aurelia 115 ℘ 400200.
Roma 606 – ♦Genova 107 – Imperia 11 – ♦Milano 231 – San Remo 34.

🏨 **Bergamo,** ℘ 400060, ⤒ – 🔰 ☎ ⇐. ⋘
     chiuso da ottobre al 19 dicembre – Pas 22/30000 – ⌸ 6000 – **54 cam** 40/60000 – P 55/65000.

SAN BASSANO 26020 Cremona – 2 065 ab. alt. 59 – ✿ 0374.
Roma 532 – ♦Bergamo 59 – ♦Brescia 55 – Cremona 22 – ♦Milano 63 – Piacenza 32.

X **Leon d'Oro** con cam, ℘ 73119 – Ⓟ. 🔕. ⋘
     chiuso agosto – Pas *(chiuso domenica sera e lunedì)* carta 25/37000 – ⌸ 2000 – **7 cam**
     25/45000 – P 60000.

SAN BENEDETTO Verona – Vedere Peschiera del Garda.

SAN BENEDETTO DEL TRONTO 63039 Ascoli Piceno 988 ⑯⑰ – 45 311 ab. – Stazione balneare,
a.s. luglio e agosto – ✿ 0735.
🛈 viale Marinai d'Italia ℘ 2237 – piazzale Stazione (giugno-settembre) ℘ 4436.
Roma 231 – ♦Ancona 89 – L'Aquila 122 – Ascoli Piceno 34 – Macerata 69 – ♦Pescara 68 – Teramo 49.

🏨🏨 **Roxy,** viale Buozzi 6 ℘ 4441, ⤒ – 🔰 ☰ TV ☎ Ⓟ. 전 🔕 ⓞ VISA. ⋘
     Pas *(luglio-agosto)* 27000 – ⌸ 10000 – **73 cam** 75/130000 – P 100/130000.

🏨 **Sabbiadoro,** viale Marconi 46 ℘ 81911, ≼, 🛝 – 🔰 ☰ ☎ Ⓟ. ⋘
     25 maggio-15 settembre – Pas carta 22/35000 – ⌸ 8000 – **63 cam** 50/70000 – P 60/70000,
     b.s. 50/60000.

🏨 **Bahia,** viale Europa 98 ℘ 81711, ≼, 🛝 – 🔰 ☰ ᬀ Ⓟ. 전 🔕. ⋘ rist
     20 maggio-settembre – Pas 22/25000 – ⌸ 10000 – **44 cam** 60/70000 – P 56/66000,
     b.s. 42/48000.

🏨 **Calabresi,** via Milanesi 1-lungomare Colombo ℘ 60548 – 🔰 ☰ ᬀ 🔥 Ⓟ. 전 🔕 VISA. ⋘
     Pas 26000 – ⌸ 7000 – **68 cam** 55/80000, ☰ 2000 – P 75/85000, b.s. 65/75000.

🏠 **Royal,** via Ristori 24 ℘ 81950, ⤒, 🛝, ⋙ – 🔰 ⋎ ☰ ᬀ ⇐ Ⓟ. ⋘ cam
➡   maggio-settembre – Pas 18000 – ⌸ 4000 – **30 cam** 36/60000 – P 60/70000, b.s. 46/55000.

🏠 **Villa Corallo,** viale Europa 50 ℘ 81822, ≼, 🛝 – 🔰 ☰ ᬀ Ⓟ. 전. ⋘ rist
     maggio-settembre – Pas 20/25000 – ⌸ 4000 – **36 cam** 35/45000 – P 46/58000, b.s. 35/40000.

🏠 **Girasole,** viale Europa 126 ℘ 82162, ≼, ⋙ – 🔰 ⋎ cam ᬀ Ⓟ. ⋘ rist
➡   15 maggio-15 settembre – Pas 15/25000 – ⌸ 4000 – **27 cam** 40/60000 – P 45/62000,
     b.s. 30/40000.

🏠 **Sydney,** via Properzio 2-viale Marconi ℘ 81910, ≼, 🛝 – 🔰 ☰ rist ᬀ Ⓟ. 전 🔕 VISA. ⋘
➡   20 maggio-23 settembre – Pas 20000 – ⌸ 6000 – **30 cam** 33/45000 – P 45/59000, b.s. 39/45000.

XX **La Vecchia Campana,** via dei Neroni 26 🖉 4996, 🛒 – ⅁Ε ⓞ 🆅🅸🆂🅰
chiuso martedì, dal 1° al 25 ottobre e a mezzogiorno in luglio-agosto – Pas carta 37/55000.

XX **Il Pescatore,** viale Trieste 27 🖉 83782 – ▤ ⅍
chiuso lunedì e gennaio – Pas carta 35/54000.

X **Angelici,** via Piemonte 1 🖉 84674
chiuso dal 23 dicembre al 20 gennaio e lunedì (escluso luglio-agosto) – Pas carta 25/38000.

X **La Stalla,** via Marinuccia 35 🖉 4933, « Servizio estivo in terrazza panoramica » – ⓟ
◆ *chiuso lunedì* – Pas carta 18/28000.

a Porto d'Ascoli S : 5 km – 🖂 63037.

🗗 (giugno-settembre) via del Mare 🖉 659229 :

🏛 **Excelsior Gd H. des Bains,** viale Rinascimento 137 🖉 650945, <, 🛦ₒ, 🛲 – 🗄 ⓟ 🆅🅸🆂🅰
⅍ rist
maggio-settembre – Pas 25000 – ⛝ 5500 – **126 cam** 40/60000 – P 63/70000, b.s. 45/51000.

🏛 **Ambassador,** via Cimarosa 5 🖉 659443, <, ⤒, 🛦ₒ, 🛲, ⅏ – 🗄 ▤ ⓟ. ⅁Ε 🗟 ⓞ ⅌ 🆅🅸🆂🅰 ⅍
maggio-settembre – Pas (solo per clienti alloggiati) 30000 – ⛝ 10000 – **63 cam** 60/90000 –
P 70/83000, b.s. 52000.

🏛 **International,** viale Rinascimento 45 🖉 650241, <, ⤒, 🛦ₒ – ▤ ⓟ ⅁Ε 🆅🅸🆂🅰 ⅍ rist
maggio-15 settembre – Pas 27000 – ⛝ 8000 – **50 cam** 55/80000 – P 75/85000, b.s. 55/70000.

🏛 **Pierrot,** viale Rinascimento 63 🖉 659541, <, ⤒, 🛦ₒ – ▤ ⍟ ⓟ. ⅁Ε 🗟 ⓞ ⅌ 🆅🅸🆂🅰. ⅍
15 maggio-settembre – Pas 25/30000 – ⛝ 5000 – **45 cam** 42/62000 – P 59/77000, b.s. 46/49000.

🏛 **Panama,** via Puccini 3 🖉 659844, ⤒, 🛦ₒ – ▤ ⍟ ⍝ ⇦ ⓟ. 🆅🅸🆂🅰. ⅍
◆ *maggio-settembre* – Pas 19000 – ⛝ 5000 – **44 cam** 37/55000 – P 37/69000, b.s. 27/45000.

🏛 **7 Bello,** viale dei Mille 21 🖉 656541 – 🗄 ⓟ. ⅍
15 maggio-settembre – Pas carta 20/29000 – ⛝ 5000 – **38 cam** 30/50000 – P 50/60000,
b.s. 35/40000.

🏛 **Poseidon,** via San Giacomo 28 🖉 650720, 🛦ₒ – 🗄 ▤ rist ⍝ ⓟ. ⅁Ε. ⅍ rist
maggio-settembre – Pas 22/25000 – ⛝ 8000 – **39 cam** 40/58000 – P 50/58000, b.s. 37/40000.

🏛 **Mocambo,** via Cimarosa 4 🖉 659670, 🛦ₒ, 🛲 – 🗄 ⓟ. ⅍ rist
30 maggio-15 settembre – Pas 20/25000 – **51 cam** ⛝ 27/48000 – P 46/62000, b.s. 39000.

XX **Mattia,** via Gobetti 8 🖉 659597, 🛲 – ▤ ⓟ. ⅁Ε 🗟 ⓞ. ⅍
chiuso lunedì e novembre – Pas carta 33/56000.

X **Danubio,** via dei Mille 89 🖉 659103, Solo piatti di pesce
chiuso martedì – Pas carta 25/45000.

ALFA-ROMEO corso Mazzini 169 🖉 34022
CITROEN corso Mazzini 267 🖉 582004
FIAT via Oberdan 9 🖉 656646
FORD via Marsala 93/99 🖉 2344
GM-OPEL a Porto d'Ascoli, via Pasubio 14 🖉 656276

LANCIA-AUTOBIANCHI corso Mazzini 206/208 🖉 68861
MASERATI corso Mazzini 267 🖉 582004
PEUGEOT-TALBOT corso Mazzini 217 🖉 60770
VW-AUDI a Porto d'Ascoli, via Pomezia 🖉 656341

SAN BERNARDINO Torino – Vedere Trana.

SAN BERNARDO Torino – Vedere Ivrea.

SAN BIAGIO DI CALLALTA 31048 Treviso – 10 631 ab. alt. 10 – ✪ 0422.
Roma 547 – Pordenone 43 – Treviso 11 – ◆Trieste 134 – ◆Venezia 36.

X **L'Escargot,** località San Martino O : 3 km 🖂 31050 Olmi 🖉 799006 – ⓟ. ⅁Ε. ⅍
chiuso lunedì sera, martedì e dal 10 agosto al 1° settembre – Pas carta 20/35000.

ad Olmi O : 3,5 km – 🖂 31050 :

🏛 **Agli Olmi** senza rist, 🖉 792208 – ☎ ⓟ. ⅁Ε 🆅🅸🆂🅰. ⅍
⛝ 5000 – **20 cam** 33/58000.

SAN BONIFACIO 37047 Verona 🎚🎚🎚 ④ – 15 600 ab. alt. 31 – ✪ 045.
Roma 523 – ◆Milano 177 – Rovigo 71 – ◆Venezia 94 – ◆Verona 24 – Vicenza 31.

🏛 **Bologna e Rist. Caravel,** al quadrivio 🖉 7610233, 🛲 – 🗄 ⅋⅌ cam ▤ rist ☎ ⇦ ⓟ – 🖄
40 a 500. 🗟 ⅌ 🆅🅸🆂🅰. ⅍
Pas *(chiuso lunedì)* carta 20/26000 – ⛝ 7000 – **46 cam** 48/70000.

ALFA-ROMEO viale dell'Industria 🖉 7612744
FIAT via Villanova 40 🖉 7610166

FORD sulla statale 11, località Ritonda 🖉 7610669
RENAULT via Villabella 7 🖉 7611788

SAN CALOGERO Agrigento – Vedere Sicilia (Sciacca) alla fine dell'elenco alfabetico.

Ferienreisen wollen gut vorbereitet sein.

Die Straßenkarten und Führer von Michelin

geben Ihnen Anregungen und praktische Hinweise zur Gestaltung Ihrer Reise :
Streckenvorschläge, Auswahl und Besichtigungsbedingungen
der Sehenswürdigkeiten, Unterkunft, Preise... u. a. m.

SAN CANDIDO (INNICHEN) 39038 Bolzano 🔢🔢🔢 ⑤ − 3 033 ab. alt. 1 175 − Stazione di villeggiatura, a.s. febbraio-Pasqua, luglio-agosto e Natale − Sport invernali : 1 175/1 550 m ≰7, ≰; a Versciaco : 1 132/2 050 m ≰2 ≰2 − ● 0474.
Vedere Guida Verde.

🛈 piazza del Magistrato 2 ♪ 73149, Telex 400329.

Roma 710 − Belluno 109 − ◆Bolzano 110 − Cortina d'Ampezzo 38 − Lienz 42 − ◆Milano 409 − Trento 170.

🏨 **Cavallino Bianco-Weisses Rossl,** ♪ 73135, 🔲, 🚗 − 🛗 🗏 rist 🐾 ᕁ ⟸ ⊕
20 dicembre-Pasqua e giugno-settembre − Pas (chiuso mercoledì in bassa stagione)
carta 31/58000 − ⊊ 8000 − 46 cam 50/120000 − P 72/100000, b.s. 55/75000.

🏨 **Sporthotel Tyrol,** ♪ 73198, 🚗, 🦌 − 🛗 🗏 rist 🕿 ⊕. ধ 🗗 ⓞ 🄴 ⋙ rist
17 dicembre-10 aprile e 20 maggio-12 ottobre − Pas (chiuso martedì in bassa stagione) 18/25000
(10%) − ⊊ 10000 − **28 cam** 55/100000 − P 70/100000, b.s. 56/70000.

🏨 **Panoramahotel Leitlhof** ⤳, ♪ 73440, ≼ Dolomiti e vallata − 🛗 🗏 rist 🕿 ⟸ ⊕
◆ *Natale-Pasqua e maggio-10 ottobre − Pas (chiuso giovedì in bassa stagione)* 20/35000 − ⊊
8000 − 14 cam 50/120000 − P 72/100000, b.s. 55/75000.

🏨 **Park Hotel Sole Paradiso-Sonnenparadies** ⤳, ♪ 73120, « Parco pineta », 🔲, ⋙ − 🛗
🛁⤳ rist 🕿 ⊕. ⋙
22 dicembre-2 aprile e 28 maggio-7 ottobre − Pas (chiuso giovedì in bassa stagione) 20/30000
(10%) − ⊊ 9000 − 45 cam 61/122000 − P 105000, b.s. 66000.

🏨 **Posta-Post,** ♪ 73133, 🔲 − 🛗 🗏 rist 🐾 ᕁ ⟸. ধ ⓞ 𝘝𝘐𝘚𝘈
20 dicembre-25 aprile e 30 maggio-settembre − Pas (chiuso mercoledì in bassa stagione)
carta 21/31000 − ⊊ 7000 − **39 cam** 51/100000 − P 60/110000, b.s. 55/70000.

🏨 **San Candido-Innichen,** ♪ 73102 − 🛗 🛁⤳ rist 🕿 ⟸ ⊕. ⋙
◆ *20 dicembre-20 aprile e 20 maggio-15 ottobre − Pas* 15/20000 (10%) − ⊊ 4500 − 25 cam
48/80000 − P 60/85000, b.s. 40/60000.

🏠 **Schmieder** ⤳, ♪ 73144, 🚗 − 🛗 🕿 ⊕. 🗗 ⋙
20 dicembre-10 aprile e 20 maggio-15 ottobre − Pas (solo per clienti alloggiati) − ⊊ 6500 −
18 cam 45/82000 − P 78/85000, b.s. 53/63000.

🏠 **Orso Grigio-Grauer Bär,** ♪ 73115 − 🕿 ⊕. ⋙
◆ *chiuso dal 10 al 30 giugno − Pas (chiuso venerdì in bassa stagione)* 15/25000 − ⊊ 6000 −
21 cam 45/78000 − P 55/70000, b.s. 42/50000.

sulla strada statale 52 SE : 3,5 km :

🍴 Vecchia Segheria-Alte Säge, ⊠ 39038 ♪ 70231 − 🗏 ⊕.

a Versciaco (Vierschach) E : 4 km − ⊠ **39038** San Candido :

🏠 Blaslerhof ⤳, N : 4,5 km, alt. 1 450 ♪ 76755, ≼ Dolomiti e vallata − ⊕
stagionale − 15 cam.

*Entrate nell'albergo con la Guida alla mano, dimostrando in tal
modo la fiducia in chi vi ha indirizzato.*

SAN CASCIANO IN VAL DI PESA 50026 Firenze 🔢🔢🔢 ⑭⑮ − 15 757 ab. alt. 306 − ● 055.

Roma 283 − ◆Firenze 18 − ◆Livorno 84 − Siena 53.

🍴🍴🍴 ❁ **Antica Posta** con cam, piazza Zannoni 1 ♪ 820116, prenotare − 📺 🕿. ধ ⓞ 𝘝𝘐𝘚𝘈. ⋙
chiuso agosto − Pas (chiuso lunedì) carta 36/70000 − ⊊ 8000 − **10 cam** 61/90000
Spec. Patè di beccaccia, Crespelle di zucchini e ragu di pesce, Sella di capriolo alla montanara. **Vini** Vintage
Tunina, Brunello.

🍴🍴 **Il Fedino,** via Borromeo 9 ♪ 828612, prenotare − ⊕. ⋙
chiuso a mezzogiorno − Pas carta 20/26000.

🍴 **Trattoria del Pesce,** località Bargino S : 5 km ♪ 8249045, 🍽, Specialità di mare − ⊕. ধ
🗗 ⓞ
chiuso mercoledì ed agosto − Pas carta 30/47000.

a Mercatale Val di Pesa SE : 5 km − ⊠ **50024** :

🍴 **La Biscondola,** via Grevigiana ♪ 821381, « Servizio estivo all'aperto » − ⊕. ধ ⓞ 𝘝𝘐𝘚𝘈
chiuso lunedì e martedì a mezzogiorno − Pas carta 21/34000.

a Cerbaia NO : 6 km − ⊠ **50020** :

🍴🍴🍴 ❁ **La Tenda Rossa,** ♪ 826132, prenotare − 🗏. ধ 🗗 ⓞ 🄴. ⋙
chiuso mercoledì, giovedì a mezzogiorno e dal 16 agosto al 2 settembre − Pas carta 50/85000
(10%)
Spec. Carpaccio di salmone e pescatrice, Quadrelli con datteri e tartufi di mare in bianco, Carrè d'agnello présalé
in vellutata al rosmarino. **Vini** Meriggio, Chianti.

FIAT via Cassia per Firenze 29 ♪ 829951

SAN CASSIANO (ST. KASSIAN) Bolzano − Vedere Badia.

SAN CATALDO Caltanissetta 🔢🔢🔢 ㊱ − Vedere Sicilia alla fine dell'elenco alfabetico.

SAN CESARIO SUL PANARO 41018 Modena – 5 149 ab. alt. 54 – ✪ 059.
Roma 412 – ✦Bologna 30 – ✦Milano 189 – ✦Modena 17.

   🏨 **Rocca Boschetti,** via Libertà 53 ℰ 930093 – 🛗 🗐 📺 ☎ ⇔ 🅿 – 🛗 200. 🕮 ᠍⃠ ⓪ ᠍⃠ 🆎 🗤.
      🎉 rist
      Pas *(chiuso mercoledì)* carta 39/60000 – ⇌ 15000 – **33 cam** 100/160000 appartamenti
      200/250000 – P 130/160000.

SAN CIPRIANO (ST. ZYPRIAN) Bolzano – Vedere Tires.

SAN CIPRIANO Genova – alt. 239 – ⊠ **16010** Serra Riccò – ✪ 010.
Roma 511 – Alessandria 75 – ✦Genova 16 – ✦Milano 136.

   XX **Ferrando,** ℰ 751925, 🏡, 🗤 – 🅿. 🎉
      chiuso lunedì sera, martedì, dall'11 al 19 gennaio e dal 1° al 20 agosto – Pas carta 27/41000
      (10%).

SAN CLEMENTE A CASAURIA (Abbazia di) ✱✱ Pescara 🤫🤫🤫 ㉗
Vedere Abbazia✱✱ : ciborio✱✱✱.
Roma 172 – L'Aquila 68 – Chieti 29 – ✦Pescara 40 – Popoli 13.

SAN CRISTOFORO 15060 Alessandria – 585 ab. alt. 301 – ✪ 0143.
Roma 559 – Alessandria 34 – ✦Genova 64 – ✦Milano 80 – Savona 76.

   X Della Pace, ℰ 682123, solo su prenotazione.

SAN CRISTOFORO AL LAGO Trento – Vedere Pergine Valsugana.

SAN DAMASO Modena – Vedere Modena.

SAN DAMIANO D'ASTI 14015 Asti 🤫🤫🤫 ⑫ – 7 177 ab. alt. 179 – ✪ 0141.
Roma 629 – Alessandria 51 – Asti 15 – Cuneo 80 – ✦Milano 142 – ✦Torino 52.

   X **La Lanterna,** piazza 1275 n° 2 ℰ 975089, Coperti limitati; prenotare – 🅿. 🎉
   ◆ *chiuso mercoledì ed agosto* – Pas carta 18/38000.

SAN DANIELE DEL FRIULI 33038 Udine 🤫🤫🤫 ⑤ⓖ – 7 299 ab. alt. 252 – ✪ 0432.
Roma 632 – ✦Milano 371 – Tarvisio 80 – Treviso 108 – ✦Trieste 92 – Udine 24 – ✦Venezia 120.

   🏨 **Alla Torre** senza rist, via del Lago 1 ℰ 954562 – 🛗 🗐 📺 ☎. 🕮 🗤
      ⇌ 6000 – **27 cam** 50/81000.

   🏠 **Al Picaron,** colle Picaron ℰ 957187, ≤, 🗤 – 🅿 – 🛗 100. 🕮 ᠍⃠
      Pas *(chiuso mercoledì)* carta 21/30000 – ⇌ 6000 – **11 cam** 25/48000 – P 43000.

   XX **Al Cantinon,** via Cesare Battisti 2 ℰ 955186, « Ambiente rustico » – 🆎. 🎉
      chiuso giovedì ed ottobre – Pas carta 28/37000.

VW-AUDI via Osoppo 21/25 ℰ 957106

SAN DESIDERIO Genova – Vedere Genova.

SAND IN TAUFERS = Campo Tures.

SAN DOMENICO Firenze – Vedere Fiesole.

SAN DOMENICO Novara – Vedere Varzo.

SAN DOMINO (Isola) Foggia – Vedere Tremiti (Isole).

SAN DONÀ DI PIAVE 30027 Venezia 🤫🤫🤫 ⑤ – 33 011 ab. alt. 3 – ✪ 0421.
Roma 558 – Lido di Jesolo 20 – ✦Milano 297 – ✦Padova 67 – Treviso 34 – ✦Trieste 121 – Udine 90 – ✦Venezia 47.

   🏨 **Park Hotel Heraclia e Rist. Il Mulino,** via XIII Martiri 215 ℰ 43148 – 🛗 🗐 📺 ☎ 🅿 – 🛗
      35 a 90. 🕮 ᠍⃠ ⓪ ᠍⃠ 🆎
      Pas carta 23/33000 – **30 cam** ⇌ 70/90000 – P 70/80000.

   🏨 **Kristall,** corso Trentin 16 ℰ 52862 e rist ℰ 54500 – 🛗 🗐 cam 📺 ☎ 🕭 ⇔ 🅿 – 🛗 50. ᠍⃠
      ⓪ 🆎. 🎉 rist
      Pas *(chiuso lunedì, martedì a mezzogiorno e settembre)* carta 24/38000 – ⇌ 5000 – **47 cam**
      50/85000, 🗐 5000.

ALFA-ROMEO via Vizzotto 71 ℰ 42216   FORD via Stefani 24 ℰ 53414
FIAT via Vizzotto 67 ℰ 42002   VW-AUDI via Vizzotto 86 ℰ 42020

SAN DONATO IN POGGIO Firenze – Vedere Tavarnelle Val di Pesa.

SAN DONATO MILANESE 20097 Milano 🔢 ⑲ – 32 226 ab. alt. 102 – ⊙ 02.

Roma 566 – ♦Milano 9 – Pavia 36 – Piacenza 57.

Pianta d'insieme di Milano (Milano p. 4 e 5)

🏨 **Delta** senza rist, via Emilia 2/A ℰ 5231021, Telex 318566, Fax 5231418 – 🛗 ⇖ 📺 ☎ 🅿 🖭
🔂 ⓞ 🅴 𝘃𝘪𝘴𝘢.
51 cam 🖙 85/115000.
HN **s**

❤❤ **Osterietta,** via Emilia 26 ℰ 5275082 – 🅿 🖭 🔂 ⓞ. 🚿
chiuso mercoledì ed agosto – Pas carta 32/45000.
HN **x**

sull'autostrada A 1 - Metanopoli o per via Emilia :

🏨 **MotelAgip,** ℰ 512941, Telex 320132 – 🛗 🖿 📺 ☎ 🅿 – 🔏 50 a 180. 🖭 🔂 ⓞ 🅴 𝘃𝘪𝘴𝘢. 🚿 rist
Pas al Rist. **Executive** *(chiuso sabato, domenica ed agosto)* carta 45/60000 self-service 30000
circa – 🖙 16500 – **275 cam** 135/180000 – P 184/229000.
HN **n**

GM-OPEL via Civesio 5 ℰ 5230216

LANCIA-AUTOBIANCHI via Volturno 3 HN ℰ 5230790

SAN FELICE CIRCEO 04017 Latina 🔢 ㉖ – 8 341 ab. – a.s. Pasqua e luglio-agosto – ⊙ 0773.

Roma 106 – Frosinone 64 – Latina 36 – ♦Napoli 141 – Terracina 18.

🏰 **Maga Circe** 🏖, ℰ 527821, Telex 680078, ≤, 🏨, 🏊, 🛥 – 🛗 ⇖ 🖿 📺 🅿 – 🔏 250. 🖭
🔂 ⓞ 🅴 𝘃𝘪𝘴𝘢. 🚿
Pas 60000 – 75 cam 🖙 138/260000 appartamenti 320000 – P 165/245000.

🏨 **Circeo e Rist. La Stiva,** ℰ 527276, ≤, 🏨, 🏊, 🛥🚤, 🛥 – 🛗 ⇖ cam 🚢 🅿 – 🔏 120. 🖭
🔂 ⓞ 🅴. 🚿
Pas *(chiuso da novembre ad aprile)* 35/50000 – 48 cam 🖙 82/122000 – P 78/120000.

a Faro di Torre Cervia O : 3,5 km – ✉ 04017 San Felice Circeo :

❤❤ **Da Alfonso al Faro** 🏖 con cam, ℰ 528019, ≤, 🏨, « Sulla scogliera », 🛥🚤 – 🚢 🅿 🖭 🔂
ⓞ 🅴. 🚿
Pas carta 31/67000 (15%) – 🖙 5000 – 18 cam 51/70000 – P 95000, b.s. 85000.

a Quarto Caldo O : 4 km – ✉ 04017 San Felice Circeo :

🏰 **Punta Rossa** 🏖, ℰ 528069, ≤, « Sulla scogliera », 🏊, 🛥🚤, 🛥 – 🖿 cam 📺 ☎ 🅿 🖭 🔂
ⓞ 🅴 𝘃𝘪𝘴𝘢. 🚿
aprile-settembre – Pas 40/45000 – 33 cam 🖙 210/400000 appartamenti 500000 – P 210000,
b.s. 120000.

SAN FELICE DEL BENACO 25010 Brescia – 2 415 ab. alt. 119 – a.s. Pasqua e luglio-15 settembre
– ⊙ 0365.

Roma 544 – ♦Brescia 35 – ♦Milano 134 – Salò 7 – Trento 102 – ♦Verona 59.

a Portese N : 1,5 km – ✉ 25010 San Felice del Benaco :

🏨 **Garden** 🏖, O : 2 km ℰ 43688, ≤, « Terrazza-giardino sul lago », 🛥🚤 – ☎ 🅿. 🚿 rist
24 marzo-10 ottobre – Pas *(solo per clienti alloggiati)* 20/30000 – 🖙 8000 – 29 cam 42/64000 –
P 65000, b.s. 60000.

❤ **Piero Bella** 🏖 con cam, ℰ 626090, ≤, « Servizio estivo in terrazza sul lago », 🛥🚤, 🛥, 🍴
– ☎ 🅿 🖭 🔂 🅴 𝘃𝘪𝘴𝘢. 🚿 cam
aprile-15 ottobre – Pas *(aperto da febbraio e chiuso lunedì)* carta 32/49000 – 🖙 10000 –
14 cam 50/80000 – P 60/70000, b.s. 55/65000.

SAN FERDINANDO DI PUGLIA 71046 Foggia 🔢 ㉘ – 13 295 ab. alt. 66 – ⊙ 0883.

Roma 382 – ♦Bari 82 – ♦Foggia 54 – ♦Napoli 194.

❤ **Roma** con cam, ℰ 761027 – ⇖ rist 🖿 rist 🅿. 🔂. 🚿
Pas carta 20/31000 (5%) – 🖙 2500 – 14 cam 25/50000 – P 50000.

SAN FLORIANO (OBEREGGEN) Bolzano – alt. 1 512 – ✉ 39050 Ponte Nova – Sport invernali :
1 512/2 170 m ≰7 – ⊙ 0471.

Roma 666 – ♦Bolzano 24 – Cortina d'Ampezzo 103 – ♦Milano 321 – Trento 82.

🏰 **Sporthotel Obereggen** 🏖, ℰ 615797, Telex 401205, ≤, 🔲 – 🛗 📺 ☎ 🚗 🅿. 🚿
dicembre-23 aprile e giugno-settembre – Pas carta 26/35000 – 🖙 15000 – **55 cam**
70/126000 – ½ P 90/106000.

🏨 **Cristal** 🏖, ℰ 615627, ≤ monti e pinete, 🔲 – 🛗 ☎ 🚙 🅿. 🚿
dicembre-aprile e giugno-settembre – Pas carta 24/37000 – 30 cam 🖙 81/144000 – P 68/72000.

a Pievalle (Bewaller) NE : 1,5 km – alt. 1 491 – ✉ 39050 San Nicolò in Val d'Ega :

🏠 **Bewallerhof** 🏖, ℰ 615729, ≤ monti e pinete, 🛥 – 🅿. 🚿
20 dicembre-10 aprile e giugno-15 ottobre – 19 cam (solo pens) – P 52/62000.

516

SAN FLORIANO DEL COLLIO 34070 Gorizia – 874 ab. alt. 278 – ✆ 0481.

🛏 (chiuso gennaio, febbraio e lunedì) ☎ 884131.

Roma 653 – Gorizia 4 – ✦Trieste 47 – Udine 41.

🏛 **Golf Hotel** ⤢, ☎ 884051, «Parco con ⤢ e 🛏 », ✗ – 📺 ☎ ₺ ₱. ⛔ 🅱 ⑩ ᴇ 𝘝𝘐𝘚𝘈
    chiuso gennaio e febbraio – Pas vedere rist Castello Formentini – **13 cam** ⊑ 90/180000
    appartamento 250000 – P 150000

✗✗ **Castello Formentini,** ☎ 884034 – ₱. ⛔ ⑩ 𝘝𝘐𝘚𝘈
    chiuso lunedì, gennaio e febbraio – Pas carta 27/38000 (10%).

SAN FRUTTUOSO Genova – ✉ 16030 San Fruttuoso di Camogli – ✆ 0185.

Vedere Posizione pittoresca★★.

Camogli 30 mn di motobarca – Portofino 20 mn di motobarca.

✗ **Da Giovanni,** ☎ 770047, ≤piccolo golfo
    chiuso mercoledì dal 15 settembre al 15 giugno – Pas carta 39/52000.

SAN GEMINI 05029 Terni 𝟿𝟾𝟾 ㉘ – 4 101 ab. alt. 337 – ✆ 0744.

Roma 99 – ✦Perugia 72 – Rieti 52 – Terni 13.

🏛 **Duomo,** ☎ 630005 – 🛗 ☜ – 🏛 60. ⛔ ⑩. ✳
    chiuso gennaio – Pas carta 22/35000 – ⊑ 6500 – 22 cam 44/66000 – P 66000.

   a San Gemini Fonte N : 2 km – ✉ 05029 :

✗✗ **All'Antica Carsulae** con cam, ☎ 630164 – 🅱 ⑩ ᴇ 𝘝𝘐𝘚𝘈. ✳
    Pas *(chiuso martedì da ottobre a maggio)* carta 25/35000 – ⊑ 3500 – **7 cam** 35/50000 –
    P 50000.

Les nouveaux **Guides Verts touristiques Michelin,** *c'est :*

– un texte descriptif plus riche,

– une information pratique plus claire,

– des plans, des schémas et des photos en couleurs,

– …et, bien sûr, une actualisation détaillée et fréquente.

Utilisez toujours la dernière édition.

SAN GIACOMO (ST. JACOB) Bolzano 𝟸𝟷𝟾 ⑳ – Vedere Bolzano.

SAN GIACOMO Cuneo – Vedere Boves.

SAN GIACOMO Perugia – Vedere Spoleto.

SAN GIACOMO DI ROBURENT Cuneo – alt. 1 011 – ✉ 12080 Roburent – a.s. luglio-agosto e
Natale – Sport invernali : 1 011/1 610 m ≰7, ⤢ – ✆ 0174.

Roma 622 – Cuneo 40 – Savona 77 – ✦Torino 92.

🏛 **Nazionale,** ☎ 227127 – 🛗 ☎. ✳ rist
➡   *chiuso aprile ed ottobre* – Pas *(chiuso mercoledì)* carta 17/29000 – ⊑ 4000 – 33 cam 35/60000
    – P 55/65000, b.s. 40/50000.

SAN GIACOMO DI TEGLIO 23030 Sondrio – alt. 394 – ✆ 0342.

Roma 712 – Edolo 32 – ✦Milano 151 – Sondrio 13 – Passo dello Stelvio 71.

✗ **La Corna-da Pola,** ☎ 785070, ≤ – ₱
    chiuso lunedì – Pas carta 26/50000.

SAN GIACOMO DI VEGLIA Treviso – Vedere Vittorio Veneto.

SAN GIACOMO PO Mantova – Vedere Bagnolo San Vito.

SAN GILLIO 10040 Torino – 2 033 ab. alt. 320 – ✆ 011.

Roma 688 – ✦Milano 153 – Susa 44 – ✦Torino 17.

✗✗ **Rosa d'Oro** con cam, ☎ 9840890, ☆, ☞ – ▤ rist ₱. ⛔ 🅱 ᴇ 𝘝𝘐𝘚𝘈. ✳ rist
    chiuso dal 2 al 12 gennaio e dal 16 al 24 agosto – Pas *(chiuso domenica sera e lunedì, in
    agosto a mezzogiorno escluso domenica)* 30000 – ⊑ 5000 – **8 cam** 27/37000 – P 70000.

SAN GIMIGNANO 53037 Siena 𝟿𝟾𝟾 ⑭ – 7 109 ab. alt. 332 – ✆ 0577.

Vedere Località★★★ – Piazza della Cisterna★★ – Piazza del Duomo★★ : affreschi★★ di Barna da
Siena nella Collegiata★ B, ≤★★ dalla torre del palazzo del Popolo★ H – Affreschi★★ nella chiesa di
Sant'Agostino L.

Roma 268 ② – ✦Firenze 54 ② – ✦Livorno 89 ① – ✦Milano 350 ② – Pisa 79 ① – Siena 38 ②.

SAN GIMIGNANO

0   200 m

🏨 **La Cisterna e Rist. Le Terrazze** ⑤, 𝒫 940328, Telex 575152, ≤, « Sala in stile quattrocentesco » – 🛗 ☎ ⅙, 🎟 ❺ ⓞ ᴇ 𝘷𝘪𝘴𝘢, ❄ rist   **e**
10 marzo-10 novembre – Pas *(chiuso martedì e mercoledì a mezzogiorno)* carta 31/48000 – 🖙 8000 – **50 cam** 50/80000.

🏨 **Pescille** ⑤, verso Castel San Gimignano 𝒫 940186, ≤ campagna e San Gimignano, ⚜, ❄, ✗ – ☎ 🅿 🎟 ❺ ⓞ ᴇ 𝘷𝘪𝘴𝘢   4,5 km per ②
chiuso gennaio e febbraio – Pas vedere rist I 5 Gigli – 🖙 8000 – **32 cam** 50/80000.

🏨 **Bel Soggiorno** ⑤, 𝒫 940375, ≤ campagna, « Ambiente trecentesco » – 🛗 🕻 🎟 ❺ ⓞ ᴇ 𝘷𝘪𝘴𝘢 ❄   **n**
Pas *(chiuso lunedì)* carta 28/40000 – 🖙 6000 – 25 cam 50/70000 – P 90/95000.

🏨 **Leon Bianco** ⑤, senza rist, 𝒫 941294 – ☎ 🚗 🎟 ❺ ⓞ ᴇ 𝘷𝘪𝘴𝘢 ❄   **s**
chiuso dal 15 gennaio a febbraio – **25 cam** 🖙 41/68000.

🏨🏨🏨 **I 5 Gigli**, verso Castel San Gimignano 𝒫 940186 – 🎟 ❺ ⓞ ᴇ 𝘷𝘪𝘴𝘢 ❄   4,5 km per ②
chiuso mercoledì e gennaio – Pas carta 29/47000 (10%).

🏨🏨 **La Griglia**, 𝒫 940005, ≤, ㊟ – 🎟 ❺ ⓞ ᴇ 𝘷𝘪𝘴𝘢   **v**
chiuso giovedì e dal 15 dicembre al 1° marzo – Pas carta 25/49000 (15%).

🏨 **La Stella**, 𝒫 940444   **a**

a Pancole per ① : 6 km – ✉ 53037 San Gimignano :

🏨 **Le Renaie e Rist. Leonetto** ⑤, 𝒫 955044, ≤, ㊟, ⚜, ✗ – ☎ 🅿 🎟 ❺ ⓞ ᴇ 𝘷𝘪𝘴𝘢 ❄ rist
chiuso dal 10 al 30 novembre – Pas *(chiuso martedì)* carta 23/38000 (10%) – 🖙 6500 – **26 cam** 50/65000 – P 80000.

Bonda (Via di)	2
Castello (Via del)	3
Diacceto (Via)	4
Mainardi	7
Quercecchio (Via di)	8
Pecori (Piazza)	9
Santo Stefano (Via)	12
20 Settembre (Via)	13

SAN GINESIO 62026 Macerata – 4 062 ab. alt. 687 – a.s. 15 luglio-settembre – ✪ 0733.
🚩 piazza Gentili 𝒫 666014.
Roma 232 – ◆Ancona 81 – Ascoli Piceno 76 – Foligno 76 – Macerata 30.

🏨 **Miramarche**, 𝒫 656243 – ❺ ❄ rist
chiuso da ottobre al 25 novembre – Pas carta 25/32000 – 🖙 4000 – 24 cam 19/38000 – P 38/44000.

SANGINETO LIDO 87020 Cosenza – ✪ 0982.
Roma 456 – Castrovillari 88 – Catanzaro 126 – ◆Cosenza 66 – Sapri 72.

🏨🏨 **5 Stelle** ⑤, 𝒫 96091, ≤, ㊟, « Palazzine fra il verde », ⚜, 🐾, ㊟, ✗ – ☎ 🅿 🎟 ❄
15 aprile-15 ottobre – Pas 25000 – 🖙 8000 – 144 cam 65/85000 – P 120000.

🏨 **La Calabrisella** con cam, 𝒫 96061, ㊟ – 🅿 🎟 ⓞ 𝘷𝘪𝘴𝘢 ❄
◆ Pas *(chiuso lunedì)* carta 18/27000 – **15 cam** 🖙 40/65000 – P 55/65000.

SAN GIORGIO (ST. GEORGEN) Bolzano – Vedere Brunico.

SAN GIORGIO DEL SANNIO 82018 Benevento 𝟵𝟴𝟴 ㉘ – 7 875 ab. alt. 380 – ✪ 0824.
Roma 276 – Avellino 27 – Benevento 11 – ◆Foggia 103.

🏨 Villa San Marco, uscita svincolo superstrada 𝒫 49601 – ☎ 🅿 – 16 cam.

🏨🏨 **Ricci**, 𝒫 40990 – 🅿 ⓞ 𝘷𝘪𝘴𝘢 ❄
chiuso lunedì – Pas carta 20/35000 (10%).

SAN GIORGIO DI LIVENZA Venezia – Vedere Caorle.

SAN GIORGIO IN BOSCO 35010 Padova – 5 043 ab. alt. 29 – ☎ 049.

Roma 524 – •Padova 23 – Treviso 44 – •Venezia 54 – Vicenza 30.

sulla strada statale 47 S : 3 km :

Posta 77, ✉ 35010 ✆ 5996700 – |‡| ▤ TV ☎ ⇔ Ⓟ – 🏊 150. AE ⓢ ⓞ E VISA. ✂
Pas *(chiuso lunedì)* carta 25/44000 – ▭ 6000 – **38 cam** 50/70000 – P 75/80000.

SAN GIORGIO MONFERRATO 15020 Alessandria – 1 310 ab. alt. 281 – ☎ 0142.

Roma 610 – Alessandria 30 – •Milano 83 – Pavia 74 – •Torino 75 – Vercelli 31.

XXX ✿ **Castello di San Giorgio** con cam, ✆ 806203, « Piccolo parco ombreggiato » – TV ☎
Ⓟ – 🏊 60. AE ⓞ VISA
chiuso dal 1° al 10 gennaio e dal 3 al 20 agosto – Pas *(chiuso lunedì)* carta 44/67000 (10%) –
▭ 10000 – 11 cam 96/140000 appartamento 220000 – P 150000
Spec. Tortelli di fagiano al tartufo nero, Filetto di vitello alle erbe aromatiche, Trancio di storione al forno. **Vini** Arneis, Nebbiolo.

SAN GIORIO DI SUSA 10050 Torino 77 ⑩ – 918 ab. alt. 420 – ☎ 0122.

Roma 708 – •Milano 180 – Susa 11 – •Torino 43.

X **Castelnuovo,** ✆ 49507 – Ⓟ. ✂
chiuso lunedì e dal 25 settembre all'8 ottobre – Pas carta 16/27000.

SAN GIOVANNI AL NATISONE 33048 Udine – 5 742 ab. alt. 66 – ☎ 0432.

Roma 653 – Gorizia 19 – Udine 18.

Wiener, ✆ 757378, Telex 450301 – |‡| ▤ TV ☎ ♿ ⇔. AE ⓢ ⓞ. ✂ rist
Pas (solo per clienti alloggiati e *chiuso a mezzogiorno, sabato, domenica ed agosto*) 25000 –
▭ 10000 – **50 cam** 59/92000, ▤ 8000.

SAN GIOVANNI IN MARIGNANO 47048 Forlì – 6 998 ab. alt. 29 – ☎ 0541

Roma 318 – Forlì 69 – •Ravenna 74 – Rimini 23.

X **Il Granaio,** via 20 Settembre18 ✆ 957205 – VISA. ✂
chiuso martedì – Pas carta 22/33000.

SAN GIOVANNI IN PERSICETO 40017 Bologna 988 ⑭ – 22 199 ab. alt. 21 – ☎ 051.

Roma 392 – •Bologna 21 – •Ferrara 49 – •Milano 193 – •Modena 23.

X **Giardinetto,** circonvallazione Italia 20 ✆ 821590, ☂, Coperti limitati; prenotare – Ⓟ. ✂
chiuso lunedì e dal 16 agosto al 20 settembre – Pas carta 26/43000.

X **La Posta** con cam, via 4 Novembre 16 ✆ 821235 – ☎. AE ⓞ VISA. ✂
chiuso dal 27 luglio al 14 agosto – Pas *(chiuso martedì)* carta 20/30000 – ▭ 2500 – 22 cam 36/48000 – P 46/58000.

ALFA-ROMEO via Castelfranco ✆ 821168
FIAT via Bologna 106 ✆ 821114
RENAULT via Cento 60 ✆ 821275

SAN GIOVANNI LA PUNTA Catania – Vedere Sicilia alla fine dell'elenco alfabetico.

SAN GIOVANNI LUPATOTO 37057 Verona 988 ④ – 19 440 ab. alt. 42 – ☎ 045.

Roma 508 – Mantova 46 – •Milano 157 – •Verona 8.

XX Gambrinus, via Garofoli 294 ✆ 545740 – ▤ Ⓟ.

SAN GIOVANNI ROTONDO 71013 Foggia 988 ㉘ – 23 149 ab. alt. 557 – a.s. 15 luglio-settembre – ☎ 0882.

🅱 piazza Europa 104 ✆ 856240.

Roma 352 – •Bari 142 – •Foggia 41 – Manfredonia 23 – Termoli 86.

Gaggiano, viale Cappuccini 144 ✆ 853701, 🏊 – |‡| ▤ ☎ ⇔. ⓞ
Pas carta 25/38000 – ▭ 6000 – **55 cam** 32/50000, ▤ 4000 – P 54/62000.

San Michele, viale Cappuccini 55 ✆ 856034 – |‡| ▤ rist ☎. AE ⓢ ⓞ VISA. ✂ rist
Pas carta 18/29000 – ▭ 5000 – 42 cam 35/55000 – P 45/55000, b.s. 45/50000.

Vittoria, via Santa Vittoria 4 ✆ 856292 – |‡| ☎ Ⓟ. VISA. ✂ rist
chiuso gennaio e febbraio – Pas *(chiuso venerdì)* 17/22000 – ▭ 4500 – 24 cam 26/41000 – P 42000.

XX **Da Costanzo,** via Santa Croce 9 ✆ 852285 – ▤. AE ⓢ ⓞ. ✂
chiuso domenica sera, lunedì e dal 15 ottobre al 15 novembre – **Pas** carta 23/34000.

SAN GIOVANNI VALDARNO 52027 Arezzo 988 ⑮ – 18 594 ab. alt. 134 – ☎ 055.

Roma 234 – Arezzo 37 – •Firenze 45 – Siena 51.

X **Castellucci,** ✆ 941679 – AE VISA
chiuso sabato a mezzogiorno, domenica e dal 15 luglio al 15 agosto – Pas carta 25/43000.

SAN GIULIANO MILANESE 20098 Milano 🗠🗠🗠 ⑱ – 32 228 ab. alt. 97 – ✪ 02.
Roma 562 – ♦Bergamo 55 – ♦Milano 12 – Pavia 33 – Piacenza 54.

   XX **La Ruota,** via Roma 57 ✆ 9848394, 🍽 – 🔲 🅿 – 🏧 40. 🎉
         chiuso lunedì sera e martedì – Pas carta 28/40000.

        sulla strada statale 9 - via Emilia SE : 3 km :

   XX **La Rampina,** ✉ 20098 ✆ 9833273, 🍽 – 🔲 🅿. 🝙 🅴 ⓞ 🄴 🆅🆂🅰. 🎉
         chiuso mercoledì – Pas carta 49/66000.

FIAT via Cavour 10 ✆ 9846449

SAN GIULIANO TERME 56017 Pisa – 27 073 ab. alt. 10 – ✪ 050.
Roma 358 – ♦Firenze 85 – Lucca 15 – ♦La Spezia 85.

    a Rigoli NO : 3 km – ✉ 56010 :

   🏠 **Villa di Corliano** ⅀ senza rist, ✆ 818193, « In un parco villa cinquecentesca con affreschi
        del 1600 » – 🅿. 🝙 🆅🆂🅰.
        ⇄ 13000 – **18 cam** 60000.

    a Pugnano NO : 6 km – ✉ 56017 San Giuliano Terme :

   X **Le Arcate,** ✆ 850105 – 🎉. 🅱 🄴 🆅🆂🅰. 🎉
        chiuso lunedì ed agosto – Pas carta 21/34000.

FIAT a Madonna dell'Acqua ✆ 890673   LANCIA-AUTOBIANCHI via Calcesana ✆ 879097

SAN GODENZO 50060 Firenze – 1 116 ab. alt. 430 – ✪ 055.
Roma 290 – Arezzo 94 – ♦Bologna 121 – ♦Firenze 45 – Forlì 64 – ♦Milano 314 – Siena 129.

   X **Agnoletti,** ✆ 8374016
   ← *chiuso martedì e dal 1° al 20 settembre* – Pas carta 17/24000.

SAN GREGORIO Perugia – Vedere Assisi.

SAN GREGORIO Verona – Vedere Veronella.

SANGUINETTO 37058 Verona – 4 308 ab. alt. 19 – ✪ 0442.
Roma 477 – ♦Ferrara 73 – Mantova 31 – ♦Milano 204 – ♦Modena 73 – ♦Padova 77 – ♦Venezia 114 – ♦Verona 40.

   XX **Ilva** con cam, via Dossi E : 2 km ✆ 81119 – 📶 🔲 rist ☎ 🅿 – 🏧 100. 🆅🆂🅰. 🎉
         chiuso dal 1° al 15 gennaio ed agosto – Pas *(chiuso lunedì)* carta 22/40000 – ⇄ 5500 –
         13 cam 32/47000 – P 71/72000.

GM-OPEL via Venera 32 ✆ 30644

SANKT CHRISTINA IN GRÖDEN = Santa Cristina Valgardena.

SANKT LEONHARD IN PASSEIER = San Leonardo in Passiria.

SANKT MAGDALENA IN GSIES = Santa Maddalena in Casies.

SANKT MARTIN IN PASSEIER = San Martino in Passiria.

SANKT ULRICH = Ortisei.

SANKT VALENTIN AUF DER HAIDE = San Valentino alla Muta.

SANKT VIGIL ENNEBERG = San Vigilio di Marebbe.

SAN LAZZARO DI SAVENA 40068 Bologna 🗠🗠🗠 ⑭⑮ – 30 043 ab. alt. 62 – ✪ 051.
Roma 390 – ♦Bologna 6 – Imola 27 – ♦Milano 219.

                    Pianta d'insieme di Bologna

   XXX **Il Sambuco,** via Repubblica 5 ✆ 464212, Coperti limitati; prenotare – 🔲. 🎉   GU **b**
         chiuso domenica sera, lunedì e dal 15 luglio al 15 agosto – Pas carta 40/80000.

   XX **La Campagnola,** via Caselle 60 ✆ 460197, 🍽 – 🅿. 🎉   GU **a**
         chiuso lunedì e dal 1° al 25 agosto – Pas carta 24/35000.

FIAT via Emilia 292 GU ✆ 457231

SAN LAZZARO PARMENSE Parma – Vedere Parma.

SAN LEO 61018 Pesaro e Urbino 🗠🗠🗠 ⑮ – 2 541 ab. alt. 589 – a.s. luglio e agosto – ✪ 0541.
Vedere Posizione pittoresca★★ – Forte★ : ☀★★★.
Roma 320 – ♦Ancona 142 – ♦Milano 351 – Pesaro 70 – Rimini 32 – San Marino 24.

   X **La Rocca** ⅀ con cam, ✆ 916241 – 🍴. 🎉 cam
         chiuso ottobre – Pas *(chiuso lunedì)* carta 22/30000 – ⇄ 3000 – **7 cam** 33/45000 – P 35/45000.

SAN LEONARDO IN PASSIRIA (ST. LEONHARD IN PASSEIER) 39015 Bolzano 988 ④, 218 ⑩ –
3 257 ab. alt. 689 – a.s. febbraio-Pasqua, 15 luglio-settembre e Natale – ✪ 0473.

Dintorni Strada del Passo di Monte Giovo★ : ≤★★ verso l'Austria NE : 20 km – Strada del Passo del Rombo★ NO.

Roma 685 – ♦Bolzano 48 – Brennero 53 – Bressanone 65 – Merano 20 – ♦Milano 346 – Trento 106.

⌂ **Stroblhof,** ℰ 86128, ≤, ⟹, ⬚, 🐎, ⚒ – 📳 ☎ ⟸ ℗. 🎇 rist
  chiuso dall'11 al 31 gennaio e dal 1° al 19 dicembre – Pas carta 20/26000 – 65 cam ⇌ 45/55000
  – P 65/70000, b.s. 48/55000.

⌂ **Theresia,** ℰ 86228, ≤, ⬚, 🐎 – 📳 ☜ ℗. 🎇 rist
  15 marzo-ottobre e 20 dicembre-10 gennaio – Pas (solo per clienti alloggiati) – 20 cam
  ⇌ 40/80000 – P 49000.

⌂ **Christophorus,** ℰ 86303, ≤, 🐎 – 📳 ℗
  marzo-ottobre – Pas (solo per clienti alloggiati) – 20 cam ⇌ 30/60000.

⌂ **Tirolerhof,** ℰ 86117, 🍴 – ☜ ℗
 ⟜ Pas (chiuso mercoledì da novembre a marzo) 10/15000 – 32 cam ⇌ 22/49000 – P 36000,
  b.s. 28000.

⌂ **Passeirerhof,** ℰ 86161, ≤, ⬚ – 📳 ☎ ℗
  stagionale – 30 cam.

SAN LEONE Agrigento – Vedere Sicilia (Agrigento) alla fine dell'elenco alfabetico.

SAN LORENZO AL MARE 18017 Imperia – 1 412 ab. – ✪ 0183.

Roma 622 – Imperia 6 – ♦Milano 246 – San Remo 17 – Savona 77 – ♦Torino 185.

⌂ **Mini Hotel,** via Aurelia 2 ℰ 91125 – ⟸ ℗
  Pas carta 20/30000 – ⇌ 5000 – 10 cam 45000 – P 40/50000.

SAN LORENZO IN BANALE 38078 Trento – 1 082 ab. alt. 720 – a.s. 15 dicembre-15 gennaio –
✪ 0465.

Roma 609 – ♦Brescia 109 – ♦Milano 200 – Riva del Garda 35 – Trento 36.

⌂ **Castel Mani** ⅖, ℰ 74017, ≤, 🐎 – 📳 ☜ ♿ ℗. 🎇
 ⟜ Pas (chiuso giovedì) 14/18000 – ⇌ 4000 – **36 cam** 30/50000 – P 45/48000.

SAN LORENZO IN CAMPO 61047 Pesaro e Urbino – 3 278 ab. alt. 209 – a.s. luglio e agosto –
✪ 0721.

Roma 257 – ♦Ancona 59 – ♦Perugia 105 – Pesaro 51.

⌂ **Giardino,** via Mattei 4 (O :1,5 km) ℰ 776803, ⟹ – 📺 ☎ ℗. ᴁ ⓪ 𝘝𝘐𝘚𝘈. 🎇
  Pas (chiuso venerdì sera) carta 24/34000 – **20 cam** ⇌ 50/65000 – P 60/70000.

SAN LUCA Vicenza – Vedere Marostica.

SANLURI Cagliari 988 ㉝ – Vedere Sardegna alla fine dell'elenco alfabetico.

SAN MACARIO IN PIANO Lucca – Vedere Lucca.

SAN MAMETE Como 219 ⑧ – Vedere Valsolda.

SAN MARCELLO PISTOIESE 51028 Pistoia 988 ⑭ – 7 905 ab. alt. 623 – Stazione di villeggiatura,
a.s. luglio e agosto – ✪ 0573.

🄱 via Marconi 14 ℰ 630145.

Roma 340 – ♦Bologna 90 – ♦Firenze 66 – Lucca 50 – ♦Milano 291 – Pisa 72 – Pistoia 30.

⌂ **Villa Ombrosa** ⅖, ℰ 630156, « Parco ombreggiato » – ℗. ᴁ. 🎇 rist
  25 giugno-10 settembre – Pas 35/40000 – ⇌ 9000 – **27 cam** 35/60000 – P 65/75000,
  b.s. 65/70000.

⌂ **Il Cacciatore,** ℰ 630533 – ☎ ℗. ᴁ 🏧 ⓪ 𝘝𝘐𝘚𝘈. 🎇
  chiuso novembre – Pas (chiuso lunedì) carta 23/39000 – ⇌ 5000 – **25 cam** 40/65000 –
  P 65/75000, b.s. 60/70000.

SAN MARCO Salerno – Vedere Castellabate.

SAN MARIANO Perugia – Vedere Corciano.

SAN MARINO 47031 Repubblica di San Marino 988 ⑮ – 4 137 ab. nella Capitale, 22 730 ab.nello Stato di San Marino alt. 749 (monte Titano) – a.s. giugno-settembre – ✪ 0549.

Vedere Posizione pittoresca★★★ – ≤★★★ sugli Appennini e il mare dalle Rocche.

🄱 palazzo del Turismo ℰ 992102.

Roma 355 ① – ♦Ancona 132 ① – ♦Bologna 135 ① – Forlì 74 ① – ♦Milano 346 ① – ♦Ravenna 78 ① – Rimini
27 ①.

SAN MARINO

Circolazione automobilistica vietata entro le mura.

🏨 **Gd H. San Marino e Rist. Arengo,** viale Antonio Onofri 31 ℰ 992400, Telex 0505555, Fax 992274, ≼ – 📱 ᕲ 🚙 – 🏛 80. 🖭 🕄 ⓪ ∈ 🗺 . ℱ rist   **a**
15 febbraio-novembre – Pas carta 25/39000 – 🖵 6500 – **54 cam** 60/75000 appartamenti 100000 – P 82/94000.

🏨 **Titano,** contrada del Collegio 21 ℰ 991006, Telex 0505444, « Terrazza rist. con ≼ » – 📱. 🖭 🕄 ⓪ ∈ 🗺   **u**
15 marzo-15 novembre – Pas carta 22/38000 – 🖵 6000 – **50 cam** 42/58000 – P 67/77000.

🏨 **Panoramic,** via Voltone 91 ℰ 992359, Telex 0505474 – 📺 ☎ 🚙 🅿. 🖭 🕄 ⓪ ∈ 🗺. ℱ rist chiuso dal 2 al 31 gennaio e dal 10 al 30 novembre – Pas (chiuso mercoledì) carta 21/31000 (15%) – 🖵 5000 – **28 cam** 37/53000 – P 45/55000, b.s. 40/50000.   **w**

🏨 **Quercia Antica,** via Cella Bella ℰ 991257 – 🕾 ᕲ 🚙. 🖭 ⓪. ℱ rist   **v**
Pas carta 22/30000 (15%) – 🖵 6000 – **26 cam** 38/55000 – P 55000.

🏨 **Excelsior,** via Jacopo Istriani ℰ 991163 – 📱 📺 🕾 ᕲ 🅿. 🖭 ⓪. ℱ rist   **m**
Pas (chiuso lunedì in bassa stagione) carta 21/32000 – 🖵 5000 – **25 cam** 30/40000 – P 41/47000, b.s. 36/41000.

🏨 **Joli San Marino,** via Federico d'Urbino 233 ℰ 991009 – 📱 🕾 🚙 🖭 🕄 ⓪ ∈ 🗺   **r**
chiuso dal 5 gennaio al 10 febbraio – Pas carta 23/35000 (10%) – 🖵 5500 – **24 cam** 38/55000 – P 57/62000, b.s. 49/56000.

🕱🕱 **Righi la Taverna,** piazza della Libertà ℰ 991196, « Caratteristico arredamento » – 🍽. 🖭 🕄 ⓪ ∈ 🗺   **n**
chiuso dal 24 dicembre al 1° febbraio e mercoledì da ottobre a marzo – Pas carta 23/40000 (15%).

🕱 **Buca San Francesco,** piazzetta Placito Feretrano 3 ℰ 991462 – ℱ   **x**
marzo-ottobre – Pas carta 18/25000.

🕱 **Diamond** con cam, contrada del Collegio 72 ℰ 991003, « Costruzione addossata alla viva roccia » – ℱ cam   **e**
aprile-ottobre – Pas carta 20/30000 (15%) – 🖵 5000 – **5 cam** 49000 – P 53000, b.s. 46000.

🕱 **La Grotta** con cam, contrada Santa Croce 17 ℰ 991214 – 🖭 🗺   **b**
Pas (chiuso mercoledì) carta 23/36000 (15%) – 🖵 5000 – **14 cam** 45/60000 – P 66/70000, b.s. 53/58000.

a Borgo Maggiore per ① : 2 km – ✉ 47031 San Marino :

✗ **Hostaria da Lino** con cam, piazza Grande 48 *℘* 903975 – ☏. 𝖠𝖤 ⓪ 𝘝𝘐𝘚𝘈 **d**
chiuso gennaio e novembre – Pas carta 20/31000 (15%) – ☒ 5000 – **12 cam** 40/49000 –
P 53000, b.s. 48000.

a Domagnano per ① : 4 km – ✉ 47031 San Marino :

✗ **Rossi** con cam, *℘* 902263, ≼ – ▮ ⁴⁶✕ rist ☏ 🍴 ⓟ. 𝖠𝖤 🄴 ⓪ 𝘝𝘐𝘚𝘈. ✼
chiuso dicembre – Pas *(chiuso sabato in bassa stagione)* carta 22/29000 – ☒ 7000 – **19 cam**
36/50000 – P 60/62000, b.s. 52/56000.

LANCIA-AUTOBIANCHI zona Artigianale di Murata   VW-AUDI a Ponte Mellini, via 4 Giugno 103 *℘* 900105
18 per strada Panoramica *℘* 997213
RENAULT   viale Antonio Onofri 77 *℘* 992016

SAN MARTINO Livorno – Vedere Elba (Isola d') : Portoferraio.

SAN MARTINO AL CIMINO Viterbo – Vedere Viterbo.

SAN MARTINO BUON ALBERGO 37036 Verona – 13 362 ab. alt. 45 – ✪ 045.
Roma 510 – ✦Milano 164 – ✦Padova 74 – ✦Verona 8 – Vicenza 44.

✗ **Da Momi,** via Serena 38 *℘* 990752 – 𝖠𝖤. ✼
chiuso domenica sera e lunedì – Pas carta 29/38000.

a Marcellise N : 5 km – alt. 102 – ✉ **37030** :

✗ **Agli Olivi,** *℘* 8740052, 🌣 – ⓟ. ✼
chiuso lunedì, martedì e dal 3 al 19 agosto – Pas carta 21/28000.

FORD   via Archimede 9 *℘* 990800

SAN MARTINO DELLA BATTAGLIA 25010 Brescia – alt. 87 – ✪ 030.
Roma 515 – ✦Brescia 37 – ✦Milano 125 – ✦Verona 35.

✗ **Da Renato,** *℘* 9108117 – ⓟ. 𝖠𝖤 🄴 ⓪ 🄴 𝘝𝘐𝘚𝘈. ✼
chiuso mercoledì e dal 1° al 15 luglio – Pas carta 20/27000.

SAN MARTINO DI CASTROZZA 38058 Trento 🔢🔢🔢 ⑤ – alt. 1 467 – Stazione di villeggiatura, a.s.
febbraio-Pasqua e Natale – Sport invernali : 1 467/2 609 m 🚠2 🚡14, ⤓; al passo Rolle :
1 884/2 279 m 🚡4, ⤓ – ✪ 0439.
Vedere Località★★.

🄱 via Passo Rolle 15 *℘* 68101, Telex 401543.

Roma 629 – Belluno 79 – ✦Bolzano 86 – Cortina d'Ampezzo 113 – ✦Milano 349 – Trento 109 – Treviso 105 –
✦Venezia 135.

🏨🏨 **Savoia,** *℘* 68094, ≼ gruppo delle Pale e vallata – ▮ ☏ 🍴 ⇌ ⓟ. 𝖠𝖤 🄴 ⓪ 🄴 𝘝𝘐𝘚𝘈. ✼ rist
20 dicembre-10 aprile e luglio-10 settembre – Pas carta 29/45000 – ☒ 13000 – **68 cam**
100/125000 appartamenti 130/150000 – P 125000, b.s. 100000.

🏨🏨 **Des Alpes,** *℘* 68518, Fax 68570, ≼ – ▮ 📺 ☏ ⇌ ⓟ – ⛴ 50. ✼
dicembre-aprile e giugno-settembre – Pas 25/35000 – ☒ 13000 – **55 cam** 70/130000 –
P 75/115000, b.s. 60/70000.

🏨 **San Martino,** *℘* 68011, ≼ gruppo delle Pale e vallata, 🔲, 🛋, ✗ – ▮ ☏ ⇌ ⓟ. ✼ rist
20 dicembre-20 aprile e luglio-15 settembre – Pas 20/25000 – ☒ 8000 – **52 cam** 50/80000 –
P 80/100000, b.s. 50/65000.

🏨 **Orsingher,** *℘* 68544, ≼ – ▮ ☏ ⓟ. 𝖠𝖤 🄴 ⓪ 🄴 𝘝𝘐𝘚𝘈. ✼
➡ *20 dicembre-Pasqua e 25 giugno-25 settembre* – Pas 15/20000 – **32 cam** ☒ 70/105000 –
P 85/105000, b.s. 63/75000.

🏨 **Cristallo,** *℘* 68134, ≼ – ▮ ☏ ⓟ. ✼
20 dicembre-10 aprile e luglio-agosto – Pas 28/32000 – ☒ 8000 – **27 cam** 65/100000 –
P 70/100000, b.s. 53/60000.

🏨 **Paladin,** *℘* 68680, ≼ – ▮ ☏ 🍴 ⇌ ⓟ. 𝘝𝘐𝘚𝘈. ✼
20 dicembre-15 aprile e 20 giugno-15 settembre – Pas 24/27000 – ☒ 8000 – **28 cam** 78/124000
– P 105000, b.s. 85000.

🏨 **Panorama,** *℘* 68667, ≼ – ▮ ☏ ⇌ ⓟ. ⓪. ✼
20 dicembre-15 aprile e 28 giugno-16 settembre – Pas carta 21/28000 – ☒ 12000 – 22 cam
90000 – P 65/90000, b.s. 50/58000.

🏨 **Colfosco,** *℘* 68224, ≼ – ▮ ☏ ⓟ. 𝖠𝖤 𝘝𝘐𝘚𝘈. ✼ rist
20 dicembre-15 aprile e 20 giugno-15 settembre – Pas 20/25000 – **44 cam** ☒ 50/90000 –
P 95/105000, b.s. 70/77000.

🏨 **Rosetta,** *℘* 68056, ≼ gruppo delle Pale – ▮ ☏ ⓟ. ✼
20 dicembre-15 aprile e luglio-15 settembre – Pas 28/32000 – ☒ 8000 – **50 cam** 65/100000 –
P 70/100000, b.s. 53/60000.

⌂ **Letizia,** 📞 68615, ← – 🎤 ✀ ☎ Ⓟ. *VISA*. ✄ rist
↗ *4 dicembre-Pasqua e 26 giugno-15 settembre* – Pas 18/26000 – 21 cam 🛏 90000 – P 50/90000, b.s. 40/70000.

⌂ **Regina,** 📞 68017, ≲ gruppo delle Pale – 🎤 ☎ Ⓟ. 🎔 🎘 E *VISA*. ✄ rist
20 dicembre-20 aprile e 15 giugno-20 settembre – Pas 20/25000 – 🛏 10000 – **35 cam** 71/120000 – P 80/110000, b.s. 65/80000.

⌂ **Alpino,** 📞 68193, ≲ gruppo delle Pale – ✀ ☎ ⇄ Ⓟ. ✄
20 dicembre-aprile e luglio-settembre – Pas 25000 – 🛏 8000 – **31 cam** 50/90000 – P 45/92000.

⨉⨉ **Drei Tannen,** 📞 68325 – Ⓟ. 🎔 🎘 ⓘ E *VISA*. ✄
24 dicembre-28 marzo e 3 luglio-28 agosto; chiuso a mezzogiorno e lunedì – Pas carta 32/50000.

⨉ **Malga Ces,** O : 3 km 📞 68145 – Ⓟ. 🎔
8 dicembre-15 aprile e 16 giugno-settembre – Pas carta 24/37000.

SAN MARTINO IN COLLE Lucca – Vedere Montecarlo.

SAN MARTINO IN PASSIRIA (ST. MARTIN IN PASSEIER) 39010 Bolzano ₌₍ ⓘ – 2 693 ab. alt. 597 – a.s. febbraio-Pasqua, 15 luglio-settembre e Natale – ⚙ 0473.

Roma 682 – ♦Bolzano 44 – Merano 16 – ♦Milano 342 – Trento 102.

🏢 **Quellenhof-Sorgente e Forellenhof,** S : 5 km 📞 645474, ←, 🍵, 🏊 riscaldata, 📉, 🐎, ✄, 🐎 – 🎤 📺 ☎ ⚳ Ⓟ
marzo-17 novembre – Pas carta 28/47000 – **40 cam** 🛏 45/80000 – P 50/75000, b.s. 45/70000.

🏢 **Kennenhof** ☽, S : 5 km 📞 645474, ←, 🏊 riscaldata, 📉, 🐎, ✄, 🐎 – 📺 ☎ ⚳ Ⓟ
marzo-novembre – Pas carta 28/47000 – **15 cam** 🛏 60/130000 – P 78/100000.

SAN MARTINO SPINO 41030 Modena – alt. 10 – ⚙ 0535.

Roma 453 – ♦Bologna 65 – ♦Ferrara 39 – Mantova 68 – ♦Milano 223 – ♦Modena 53.

⨉⨉ **Sabbioni,** 📞 31186 – Ⓟ.

SAN MARZANO OLIVETO 14050 Asti – 942 ab. alt. 301 – ⚙ 0141.

Roma 598 – Alessandria 37 – Asti 32 – ♦Genova 101 – ♦Milano 128 – ♦Torino 80.

⨉ **Da Bardon,** località Case Vecchie SE : 5 km 📞 831340, 🍵 – Ⓟ. *VISA*. ✄
chiuso giovedì – Pas carta 20/30000.

SAN MASSIMO Genova – Vedere Rapallo.

SAN MAURIZIO D'OPAGLIO 28017 Novara ₌₍ ⓕ – 2 787 ab. alt. 373 – ⚙ 0322.

Roma 658 – Domodossola 50 – ♦Milano 81 – Novara 43 – ♦Torino 117 – Varese 49.

⨉⨉ **Da Grissino,** 📞 96173 – Ⓟ. 🎘 E *VISA*. ✄
chiuso mercoledì, dal 7 al 13 gennaio e dal 1° al 25 agosto – Pas carta 27/48000.

SAN MAURO A MARE 47030 Forlì – a.s. 15 giugno-agosto – ⚙ 0541.

Roma 353 – ♦Bologna 103 – Forlì 42 – ♦Milano 314 – ♦Ravenna 36 – Rimini 16.

⌂ **Internazionale,** 📞 46475, ←, 🏖 – 🎤 ✀ Ⓟ. ✄ rist
15 maggio-20 settembre – Pas (solo per clienti alloggiati) – 🛏 8000 – **36 cam** 30/55000 – P 53000, b.s. 41000.

⌂ **Europa,** 📞 46312, Telex 550317, 🏊 – 🎤 Ⓟ. ✄ rist
↗ *maggio-settembre* – Pas (solo per clienti alloggiati) 10/15000 – 🛏 8000 – **50 cam** 30/50000 – P 33/55000, b.s. 24/40000.

SAN MAURO TORINESE 10099 Torino – 16 525 ab. alt. 211 – ⚙ 011.

Roma 666 – Asti 54 – ♦Milano 136 – Torino 9 – Vercelli 66.

Pianta d'insieme di Torino (Torino p. 3)

⌂ **La Pace** senza rist, via Roma 36 📞 8221945 – 🎤 ☎ Ⓟ. ✄   HT **s**
chiuso dal 4 al 26 agosto – 🛏 6000 – **30 cam** 50/65000.

⨉⨉ **Della Pace,** via Roma 34 📞 8221120, 🍵 – Ⓟ. 🎘 ⓘ E *VISA*. ✄   HT **s**
chiuso domenica sera, lunedì e dal 5 al 27 agosto – Pas carta 23/43000.

⨉⨉ **Frandin,** via Settimo 14 📞 8221177, 🍵 – Ⓚ ⓘ *VISA*. ✄   HT **a**
chiuso martedì – Pas carta 24/48000.

SAN MENAIO 71010 Foggia – a.s. luglio-15 settembre – ⚙ 0884.

Roma 389 – ♦Bari 188 – ♦Foggia 104 – San Severo 71.

⌂ **Nettuno,** E : 1,5 km 📞 98131, ← – 🎤 ✀ ⇄ Ⓟ. ✄
↗ *aprile-settembre* – Pas 15/25000 – 🛏 5000 – 28 cam 35/50000 – P 55/65000, b.s. 40/45000.

SAN MICHELE (ST. MICHAEL) Bolzano ₌₍ ⓐ – Vedere Appiano.

SAN MICHELE ALL'ADIGE 38010 Trento 988 ④ – 2 029 ab. alt. 229 – a.s. dicembre-aprile – ☎ 0461.

Roma 603 – ✦Bolzano 41 – ✦Milano 257 – Moena 70 – Trento 16.

🏛 **Lord Hotel** senza rist, N : 1 km ℰ 650120, ≼, ℀ – 🛗 ⊛ ₺ ⟷ ❷. ஊ ⓪ 𝕍𝕊𝔸
⊷ 5000 – **33 cam** 43/65000.

🆇🆇 **Da Silvio,** N : 1 km ℰ 650324 – ❷ – 🏄 100. ஊ 🖼 ⓪ ⴹ 𝕍𝕊𝔸. ℀
chiuso lunedì – Pas carta 31/47000.

SAN MICHELE AL TAGLIAMENTO 30028 Venezia – 12 212 ab. alt. 7 – ☎ 0431.

Roma 599 – ✦Milano 338 – Pordenone 44 – ✦Trieste 81 – Udine 50 – ✦Venezia 88.

🆇🆇 ✿ **Mattarello,** strada statale ℰ 50450 – ▤ ❷. ℀
chiuso lunedì dal 15 settembre al 15 giugno – Pas carta 34/54000
Spec. Medaglione ai frutti di mare, Zuppa di cicale, San Pietro alla valesana. **Vini** Sauvignon, Cabernet.

SAN MICHELE DI PAGANA Genova – Vedere Rapallo.

SAN MINIATO 56027 Pisa 988 ⑭ – 25 109 ab. alt. 140 – ☎ 0571.

Roma 297 – ✦Firenze 43 – ✦Livorno 52 – Pisa 42 – Siena 66.

🏛 **Miravalle** ⌂, piazza Castello 3 ℰ 418075, ≼ – 🛗 ☎ – 🏄 45. ஊ 🖼 ⓪ ⴹ 𝕍𝕊𝔸. ℀ rist
Pas *(chiuso venerdì e dal 6 al 24 agosto)* carta 27/42000 – ⊷ 7500 – **21 cam** 62/80000 –
P 70000.

FIAT viale Marconi 107 ℰ 43476

SANNICOLA 73017 Lecce – 6 479 ab. alt. 75 – a.s. luglio e agosto – ☎ 0833.

Roma 627 – Gallipoli 8 – Lecce 32 – ✦Taranto 92.

🆇🆇 **Al Quadrifoglio,** via San Simone ℰ 231246, 🌲, « Parco », ⊿ (coperta d'inverno) – ❷
↤ *chiuso martedì e novembre* – Pas carta 18/31000.

SAN NICOLA ARCELLA 87020 Cosenza – 1 335 ab. alt. 110 – ☎ 0985.

Roma 425 – Castrovillari 77 – Catanzaro 158 – ✦Cosenza 99 – ✦Napoli 217.

🏠 **Principe,** ℰ 3125, ≼ mare e costa – 🛗 ⇚ cam ⊛ ⟷ ❷. 🖼 ⓪ ⴹ 𝕍𝕊𝔸. ℀
Pas carta 21/31000 – **28 cam** ⊷ 55/85000 – P 64/68000.

sulla strada statale 18 S : 1,5 km :

🆇 San Giorgio ⊠ 87020 ℰ 3103 – ❷.

SAN NICOLA LA STRADA Caserta – Vedere Caserta.

SAN NICOLAO Vercelli 219 ⑮⑯ – Vedere Curino.

SAN NICOLÒ (ST. NIKOLAUS) Bolzano 218 ⑲ – Vedere Ultimo.

SAN NICOLÒ Piacenza – Vedere Piacenza.

SAN NICOLÒ DI RICADI Catanzaro – Vedere Tropea.

SAN PANTALEO Sassari – Vedere Sardegna alla fine dell'elenco alfabetico.

SAN PAOLO (ST. PAULS) Bolzano 218 ⑳ – Vedere Appiano.

SAN PAOLO CERVO 13060 Vercelli 219 ⑮ – 194 ab. alt. 795 – ☎ 015.

Roma 690 – Biella 14 – ✦Milano 116 – Novara 70 – ✦Torino 88 – Vercelli 56.

🆇 **Asmara** con cam, ℰ 60021, ≼ – ❷. ℀
↤ Pas *(chiuso martedì)* carta 18/27000 – ⊷ 3500 – **7 cam** 30/50000 – P 38/50000.

SAN PELLEGRINO (Passo di) Trento 988 ⑤ – alt. 1 918 – ⊠ 38035 Moena – a.s. febbraio-
Pasqua e Natale – Sport invernali : 1 918/2 526 m ⚡1 ⚡11, ⚡ – ☎ 0462.

Roma 682 – Belluno 58 – ✦Bolzano 56 – ✦Milano 340 – Trento 100.

🏛 **Monzoni** ⌂, ℰ 53352, ≼ – 🛗 ☎ ₺ ❷. ⓪. ℀
20 dicembre-10 aprile e 15 luglio-11 settembre – Pas carta 33/42000 – ⊷ 9000 – **87 cam**
87/128000 – P 130000, b.s. 70000.

🏛 **Costabella** ⌂, ℰ 53326, ≼ – 🛗 ⊛ ❷
stagionale – 27 cam.

(maggio-settembre), a.s. luglio e agosto – ✆ 0345.

Dintorni Val Brembana★ Nord e Sud per la strada S 470 – 🖪 via Bernardo Tasso 1 ☎ 21020.

Roma 626 – ♦Bergamo 25 – ♦Brescia 77 – Como 71 – ♦Milano 67.

🏨 **Terme,** ☎ 21125, ☞ – 🛗 🄿 – 🏛 50. 🆎 ⓞ. ⚘
   16 giugno-15 settembre – Pas 36/44000 – ☲ 6000 – **50 cam** 54/72000 – P 90/100000,
   b.s. 76/90000.

🏨 **Bigio,** ☎ 21058, ☞ – 🛗 ☎ 🄿 – 🏛 100. ⚘
   giugno-settembre – Pas carta 20/33000 – ☲ 5000 – **50 cam** 32/49000 – P 70000, b.s. 64000.

🏨 **Villa Emilia,** ☎ 21384, ☞ – 🛗. ⚘ rist
   giugno-20 settembre – Pas 20000 – ☲ 4000 – **30 cam** 30/48000 – P 60/65000.

🏨 **Centrale,** ☎ 21008 – 🛗 ⚘ rist. 🆎 🕃 ⓞ 🄴 🆅🆂🅰
   Pas *(chiuso lunedì a mezzogiorno da ottobre a marzo)* 20/25000 – ☲ 3500 – **30 cam** 32/47000
   – P 60/68000, b.s. 55/60000.

🏨 **Sempione,** senza rist, ☎ 22057 – 🛗 ☜ – **11 cam**.

✕ **La Ruspinella** con cam, S : 1,5 km ☎ 21333 – ☜ 🄿. 🆎 🕃 ⓞ 🆅🆂🅰 ⚘
   chiuso dal 15 al 30 settembre – Pas *(chiuso venerdì)* carta 20/33000 – ☲ 5000 – **19 cam**
   33/48000 – P 48/51000, b.s. 45/48000.

SAN PIER D'ARENA Genova – Vedere Genova.

SAN PIERO A SIEVE 50037 Firenze ⑨⑧⑧ ⑮ – 3 521 ab. alt. 210 – ✆ 055.

Roma 318 – ♦Bologna 82 – ♦Firenze 26.

✕ **La Felicina** con cam, ☎ 848016 – 🆎. ⚘
   chiuso dal 19 febbraio al 3 marzo e dal 3 al 15 settembre – Pas *(chiuso sabato)* carta 20/28000
   – ☲ 5500 – **10 cam** 28/60000 – P 63000.

SAN PIETRO Savona – Vedere Andora.

SAN PIETRO Verona – Vedere Legnago.

SAN PIETRO (Isola di) Cagliari ⑨⑧⑧ ③ – Vedere Sardegna alla fine dell'elenco alfabetico.

SAN PIETRO IN CARIANO 37029 Verona – 10 157 ab. alt. 160 – ✆ 045.

Roma 510 – ♦Brescia 77 – ♦Milano 164 – Trento 85 – ♦Verona 15.

🏨 **Valpolicella International,** ☎ 7703555 – 🛗 🖭 📺 ☎ 🄿 – 🏛 30 a 200. 🆎 🕃 🄴. ⚘
   Pas *(chiuso domenica)* carta 22/36000 – ☲ 6500 – **42 cam** 60/75000 – P 75/83000.

SAN PIETRO IN GU 35010 Padova – 4 099 ab. alt. 45 – ✆ 049.

Roma 543 – Belluno 104 – ♦Milano 219 – ♦Padova 33 – Trento 109 – Treviso 48 – ♦Venezia 66 – Vicenza 14.

✕✕ **Ca' Bianca** con cam, strada statale ☎ 5991078, Specialità di mare – 🖭 ☜ 🍴 🄿 – 🏛 150.
   🆎 🆅🆂🅰. ⚘
   chiuso dal 1° al 28 agosto – Pas *(chiuso lunedì)* carta 22/60000 – ☲ 2500 – 14 cam 29/41000
   – P 54/56000.

SAN PIETRO IN VOLTA Venezia – Vedere Venezia.

SAN POLO Parma – Vedere Torrile.

SAN POLO DI PIAVE 31020 Treviso – 3 933 ab. alt. 27 – ✆ 0422.

Roma 563 – Belluno 65 – Cortina d'Ampezzo 120 – ♦Milano 302 – Treviso 23 – Udine 99 – ♦Venezia 52.

✕✕ ✿ **Gambrinus,** ☎ 855043, « Servizio estivo in giardino con voliere e ruscello » – ⚘ ⚘ rist
   🖭 🄿 – 🏛 80. 🆎 ⓞ. ⚘
   chiuso lunedì (escluso i festivi) e dal 7 gennaio al 7 febbraio – Pas carta 25/45000
   Spec. Canocchie alla brace di faggio, Gamberi d'acqua dolce alla Gambrinus, Anguilla in padella al burro. Vini
   Incrocio Manzoni, Raboso.

SAN PROSPERO 41030 Modena – 3 881 ab. alt. 22 – ✆ 059.

Roma 423 – ♦Bologna 58 – ♦Ferrara 61 – ♦Milano 189 – ♦Modena 19 – ♦Verona 83.

✕✕ **San Silvestro-da Mario,** N : 1 km ☎ 908824, ☞ – ⚘ 🖭 🄿 – 🏛 70. 🆎 ⓞ 🆅🆂🅰. ⚘
   chiuso lunedì, mercoledì ed agosto – Pas carta 25/55000.

SAN QUIRICO D'ORCIA 53027 Siena ⑨⑧⑧ ⑮ – 2 313 ab. alt. 424 – ✆ 0577.

Roma 196 – Chianciano Terme 31 – ♦Firenze 111 – ♦Perugia 96 – Siena 43.

a Bagno Vignoni SE : 5 km – ✉ 53020 :

🏨 **Posta-Marcucci** ⚘, ☎ 887112, Telex 580117, Fax 887443, ≤, ⚊ riscaldata, ☞, ⚘ – 🛗 ☎
   ♿ 🄿. 🆎 🕃 ⓞ 🄴 🆅🆂🅰. ⚘ rist
   Pas 32/55000 – ☲ 10000 – 48 cam 50/79000 – P 85/95000.

SAN QUIRINO 33080 Pordenone – 3 815 ab. alt. 116 – ۞ 0434.

Roma 613 – Belluno 75 – ♦Milano 352 – Pordenone 9 – Treviso 63 – ♦Trieste 121 – Udine 59.

XX ✿ **La Primula** con cam, ℰ 91005 – 〓 rist ☎ ❷ – 🏥 40. ஊ ❸. ⛴.
　　Pas *(chiuso domenica sera, martedì, dal 10 al 30 gennaio e dal 10 al 30 luglio)* carta 31/44000 –
　　☲ 5000 – **8 cam** 40/55000 – P 60/80000
　　Spec. Mosaico di funghi porcini (giugno-ottobre). Fusilli con ragu di scampi e capesante. Petto d'anitra alla
　　senape. **Vini** Pinot grigio, Refosco.

SAN REMO 18038 Imperia 𝟵𝟴𝟴 ⑫, 𝟭𝟵𝟱 ⑳ – 60 524 ab. – Stazione climatica – ۞ 0184.

Vedere Località** – La Pigna* (città alta) : ⟨* dal santuario della Madonna della Costa.

Dintorni Monte Bignone** : ⁕** N : 13 km.

ⓝ (chiuso martedì) ℰ 67093, N : 5 km.

𝟐 corso Nuvoloni 1 ℰ 571571, Telex 271677.

A.C.I. corso Raimondo 47 ℰ 85628.

Roma 638 ① – ♦Milano 262 ① – ♦Nice 59 ② – Savona 93 ①.

SAN REMO

Feraldi (Via) .... B 6
Matteotti (Via) .... B
Palazzo (Via) .... B 10
Roma (Via) .... B

Cavallotti (Corso) ...... B 3
Colombo (Piazza) .... B 4
Dante Alighieri
　(Via) .... B 5
Manzoni (Via) .... B 7
Matuzia (Corso) .... A 8
Mombello (Corso) .... B 9
Roccasterone (Via) ...... A 12
Trento e Trieste (Lung.) . B 13
20 Settembre (Via) ...... B 14

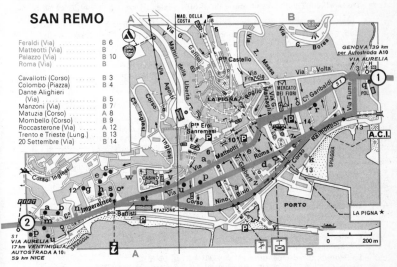

🏰 **Royal,** corso Imperatrice 80 ℰ 79991, Telex 270511, Fax 61445, ⟨, « Giardino fiorito con ⤢
　riscaldata e servizio rist. estivo », ✵ – 🛗 〓 ஊ ♨ ❷ – 🏥 30 a 250. ஊ ❸ ❶ ⌾ ⛴ rist
　chiuso dal 16 ottobre al 18 dicembre – Pas 58000 – ☲ 16000 – **140 cam** 185/320000 apparta-
　menti 450/670000, 〓 8000 – P 220/255000.　　　　　　　　　　　　　　　　　　　A h

🏨 **Astoria West-End,** corso Matuzia 8 ℰ 70791, Telex 283834, Fax 65616, « Piccolo parco »,
　⤢ – 🛗 ஊ ☎ ❷ – 🏥 100. ஊ ❸ ❶ ⛴ 𝘝𝘐𝘚𝘈 ⛴ rist　　　　　　　　　　　　A a
　Pas 45000 – ☲ 15000 – **120 cam** 100/190000 appartamenti 220/270000 – P 150/180000.

🏨 **Gd H. Londra,** corso Matuzia 2 ℰ 79961, Telex 271420, « Giardino », ⤢ riscaldata – 🛗 ⇆
　ஊ ☎ ♨ ❷ – 🏥 250. ஊ ❸ ❶ ⌾ 𝘝𝘐𝘚𝘈 ⛴ rist　　　　　　　　　　　　　　　A b
　chiuso dal 10 ottobre al 17 dicembre – Pas 55/60000 – **140 cam** ☲ 121/190000 – P 153/178000.

🏨 **Méditerranée,** corso Cavallotti 76 ℰ 571000, Telex 271533, Fax 690106, 🌴, « Parco con
　⤢ » – 🛗 〓 ஊ ☎ ⇆ ❷ – 🏥 40 a 250. ஊ ❸ ❶ ⌾ 𝘝𝘐𝘚𝘈 ⛴ rist　　　　　　B q
　Pas *(chiuso lunedì)* 45000 – ☲ 14000 – **62 cam** 90/160000 appartamenti 220/280000 – P 160000.

🏨 **Des Etrangers,** corso Garibaldi 82 ℰ 79951, Telex 271485, ⤢ – 🛗 〓 ♨ ⇆ – 🏥 200. ஊ
　❸ ❶ 𝘝𝘐𝘚𝘈 ⛴ rist　　　　　　　　　　　　　　　　　　　　　　　　　　B r
　Pas 35000 – 97 cam ☲ 109/147000, 〓 5000 – P 147000.

🏨 **Villa Mafalda** ⛴ senza rist, corso Nuvoloni 18 ℰ 572572, 🌹 – 🛗 ஊ ☎ ஊ ❸ ❶ 𝘝𝘐𝘚𝘈
　⛴　　　　　　　　　　　　　　　　　　　　　　　　　　　　　　　　　　A c
　☲ 10000 – **57 cam** 75/120000.

🏩 **Paradiso** ⛴, via Roccasterone 12 ℰ 85112, Telex 272264, 🌹 – 🛗 ⇆ cam ஊ ☎ ⇆ ❷. ஊ
　❸ ❶ ⌾ 𝘝𝘐𝘚𝘈 ⛴ rist　　　　　　　　　　　　　　　　　　　　　　　　A g
　chiuso da novembre al 16 dicembre – Pas 22/39000 – ☲ 8000 – 41 cam 59/92000 – P 94/99000.

🏩 **Garden Lido Residence** senza rist, via Barabino 21 ℰ 883668, ⟨, 🌹 – 🛗 ☎ ⇆ ❷. ஊ ❸
　ⓔ 𝘝𝘐𝘚𝘈 ⛴　　　　　　　　　　　　　　　　　　　　　　　　　　　　A p
　☲ 7000 – **38 cam** 65/89000.

🏩 **Nike** ⛴ senza rist, via F.lli Asquasciati 37 ℰ 83058 – 🛗 ☎ ⇆ ஊ ❸ ❶ ⌾ 𝘝𝘐𝘚𝘈　　A c
　chiuso dal 2 novembre al 20 dicembre – ☲ 10000 – **43 cam** 69/110000.

🏨 **Morandi,** corso Matuzia 51 ℰ 73686, 🖼 – ﹩ ⟨⟩ cam ⟨⟩ 🅿. 🆎 🕄 ⓪ ⅇ 𝚅𝙸𝚂𝙰. ﹪ rist   A m
   Pas 25/30000 – ⌑ 7000 – 32 cam 58/89000 – P 80/89000.

🏨 **Miramare,** corso Matuzia 9 ℰ 882381, Telex 275566, ≼, « Giardino fiorito » – ﹩ ♿ 🅿. 🆎 🕄
   ⓪ ⅇ 𝚅𝙸𝚂𝙰. ﹪ rist   A u
   chiuso dal 30 settembre al 21 dicembre – Pas 45/53000 – ⌑ 13000 – **61 cam** 93/150000 –
   P 140/160000.

🏨 **Villa Maria,** corso Nuvoloni 30 ℰ 882882, 🖼 – ﹩ ⟨⟩ 🅿. 🆎. ﹪ rist   A e
   Pas (solo per clienti alloggiati) 32/42000 – ⌑ 9000 – **19 cam** 58/90000 – P 82/92000.

🏨 **Nazionale e Rist. Panoramico,** via Matteotti 5 ℰ 577577, Telex 275567 – ﹩ ▤ rist ⟨⟩ –
   ♨ 40. 🆎. ﹪ rist   A v
   Pas *(chiuso mercoledì)* 45000 – ⌑ 12000 – **87 cam** 65/110000 appartamenti 130/250000 –
   P 95/115000.

🏨 **Europa e Pace,** corso Imperatrice 27 ℰ 70605, Telex 272024, Fax 62446 – ﹩ ☎. 🆎 🕄 ⓪ ⅇ
   𝚅𝙸𝚂𝙰   A t
   Pas carta 31/48000 – **77 cam** ⌑ 72/121000 – P 120000.

🏨 **De la Ville e Tivoli,** corso Matuzia 187 ℰ 61661, Telex 272454 – ﹩ ☎ ⟨⟩. 🆎 🕄 ⓪ ⅇ 𝚅𝙸𝚂𝙰.
   ﹪   per ②
   Pas *(chiuso dal 6 novembre al 21 dicembre)* 25000 – ⌑ 6000 – **46 cam** 43/80000 – P 82000.

🏨 **Lolli Palace Hotel,** corso Imperatrice 72 ℰ 85696, ≼ – ﹩ 📺 ☎. 🆎 🕄 ⅇ 𝚅𝙸𝚂𝙰. ﹪ rist   A s
   Pas 25/30000 – ⌑ 6000 – **51 cam** 55/80000 – P 80/90000.

🏦 **Eletto,** via Matteotti 44 ℰ 85614 – ﹩ ⟨⟩ 🅿. 𝚅𝙸𝚂𝙰. ﹪ rist   B u
   Pas *(chiuso ottobre)* 18/25000 – ⌑ 6000 – **29 cam** 45/75000 – P 65/75000.

𝕏𝕏𝕏 ⚙ **Da Giannino,** lungomare Trento e Trieste 23 ℰ 504014, Coperti limitati; prenotare – ▤.
   🆎 🕄 ⓪ ⅇ 𝚅𝙸𝚂𝙰. ﹪   B k
   chiuso domenica e lunedì a mezzogiorno – Pas carta 61/85000 (10%)
   Spec. Novellini affogati, Composta di pesce crudo ai profumi liguri, Taglierini gratinati ai crostacei, Pesce ai porri,
   Ghiottonata di pesce locale. **Vini** Poggio alle Gazze, Chianti.

𝕏𝕏 ⚙ **Pesce d'Oro,** corso Cavallotti 300 ℰ 66332, Coperti limitati; prenotare – 𝚅𝙸𝚂𝙰   per ①
   chiuso lunedì e dal 15 febbraio al 15 marzo – Pas carta 37/58000 (15%)
   Spec. Lasagnette al pesto, Zuppa di frutti di mare, Spiedini di scampi e gamberi ai ferri. **Vini** Pigato, Rossese.

𝕏𝕏 **Il Bagatto,** via Matteotti 145 ℰ 85500 – ▤. 🆎 🕄 ⓪ ⅇ 𝚅𝙸𝚂𝙰   B e
   chiuso domenica e giugno – Pas carta 38/57000 (15%).

𝕏𝕏 **Sciabecco,** via Gaudio 42 ℰ 84555, Coperti limitati; prenotare – ▤. 🆎 🕄 ⓪ ⅇ 𝚅𝙸𝚂𝙰   B z
   chiuso martedì e giugno – Pas carta 47/80000.

𝕏𝕏 **La Pignese,** piazza Sardi 7 ℰ 86272 – 🆎 🕄 ⓪ ⅇ 𝚅𝙸𝚂𝙰   B d
   chiuso lunedì e giugno – Pas carta 30/52000 (10%).

𝕏𝕏 **Din Don,** via Roma 47 ℰ 83087, Coperti limitati; prenotare – ▤. 🆎 🕄 ⓪ ⅇ 𝚅𝙸𝚂𝙰   B p
   chiuso mercoledì, dal 1° al 15 luglio e dal 15 al 30 novembre – Pas carta 40/50000 (15%).

𝕏𝕏 Gambero Rosso, via Matteotti 71 ℰ 83037   B a

𝕏𝕏 **L'Angolo di Beppe,** corso Inglesi 31 ℰ 76431 – 🆎 🕄 ⓪ ⅇ 𝚅𝙸𝚂𝙰   A w
   chiuso mercoledì e novembre – Pas carta 29/62000 (10%).

𝕏 **La Broche,** corso Imperatrice 112 ℰ 83901 – 🆎 🕄 ⓪ ⅇ 𝚅𝙸𝚂𝙰   A n
   chiuso mercoledì e da novembre al 22 dicembre – Pas carta 38/45000 (15%).

𝕏 **La Lanterna,** via Molo di Ponente 16 ℰ 86055, 🖼 – 🆎   B v
   chiuso giovedì e dal 15 dicembre al 15 febbraio – Pas carta 26/41000 (15%).

   sulla strada statale 1 - via Aurelia :

🏨 **Napoleon** senza rist, per ② : 1,5 km ✉ 18038 ℰ 62244, ≼, « Giardino » – ﹩ ☎ ⟨⟩ 🅿. 🕄
   𝚅𝙸𝚂𝙰
   chiuso novembre – ⌑ 9000 – **29 cam** 60/90000.

🏨 **Ariston-Montecarlo,** per ① : 4 km ✉ 18038 ℰ 889255, Telex 272241, ≼, ⩘ – ﹩ 📺 ☎ 🅿.
   🆎 🕄 ⓪ ⅇ 𝚅𝙸𝚂𝙰. ﹪ rist
   Pas *(chiuso da novembre al 15 dicembre)* 20/29000 – ⌑ 8000 – 43 cam 50/85000 – P 84/86000.

🏨 **Bobby Motel,** per ② : 2,5 km ✉ 18038 ℰ 60255, Telex 271249, ≼, ⩘ – ﹩ ☎ 🅿. 🆎 ⓪ ⅇ
   𝚅𝙸𝚂𝙰
   chiuso dal 25 ottobre al 20 dicembre – Pas 30/34000 – ⌑ 8000 – **75 cam** 53/90000 – P 100000.

   a San Romolo NO : 15 km – alt. 786 – ✉ 18038 San Remo :

𝕏 **Dall'Ava,** ℰ 54019, prenotare – 🅿
   chiuso giovedì, dal 15 al 27 febbraio e dal 15 al 27 novembre – Pas carta 21/43000.

ALFA-ROMEO corso Marconi 48 per ② ℰ 63111
CITROEN corso Mazzini 501-La Vesca ℰ 510435
FIAT corso Matuzia 75 ℰ 65643
FIAT via privata Serenella 8 per ② ℰ 63008
FORD corso Mazzini 379 ℰ 77555
GM-OPEL via Armea 94 ℰ 89388

LANCIA-AUTOBIANCHI via Agosti 174 ℰ 75614
PEUGEOT-TALBOT via Lamarmora 155 ℰ 62222
RENAULT corso Cavallotti 236 ℰ 74444
VW-AUDI strada San Martino 122 ℰ 680902
VOLVO viale Martiri della Libertà 315 ℰ 85731

SAN RIZZO (Colle) Messina – Vedere Sicilia (Messina) alla fine dell'elenco alfabetico.

SAN ROCCO Genova – Vedere Camogli.

SAN ROMOLO Imperia 195 ⑳ – Vedere San Remo.

SAN SALVATORE Piacenza – Vedere Bobbio.

SAN SALVATORE (Monte) 427 ⑳, 219 ⑥ – Vedere Cantone Ticino alla fine dell'elenco alfabetico.

SAN SEBASTIANO CURONE 15056 Alessandria – 552 ab. alt. 336 – ✪ 0131.
Roma 591 – Alessandria 45 – ♦Genova 75 – ♦Milano 97 – ♦Torino 135 – Tortona 24.

  XX **Corona,** ℰ 786203 – ⟜. *VISA*
      chiuso la sera, lunedì e dal 15 giugno al 10 luglio – Pas carta 20/40000.

SAN SECONDO PARMENSE 43017 Parma – 4 687 ab. alt. 37 – ✪ 0521.
Roma 476 – Cremona 35 – Mantova 63 – ♦Milano 116 – ♦Parma 18 – Piacenza 55.

  XX Vecchia Volpe, piazza Mazzini 1 ℰ 872137 – **Ⓟ**.

SANSEPOLCRO 52037 Arezzo 988 ⑮ – 15 741 ab. alt. 330 – ✪ 0575.
Vedere Opere di Piero della Francesca★★ nel museo Civico.
Roma 258 – Arezzo 39 – ♦Firenze 114 – ♦Perugia 69 – Rimini 90 – Urbino 71.

  🏨 **La Balestra,** via dei Montefeltro 29 ℰ 735151, 🏖 – 🛎 📺 ☎ ⅙ 🚗 Ⓟ – 🅰 200. ◪ 🅑 ⓞ
      E *VISA*. ⅙ rist
      Pas *(chiuso domenica sera e lunedì)* carta 21/30000 – ⛌ 4000 – **51 cam** 45/65000 appartamento
      120000 – P 65000.

  🏠 **Fiorentino,** via Luca Pacioli 60 ℰ 76033 – ☎. ◪ 🅑 ⓞ **E** *VISA*. ⅙
      Pas *(chiuso venerdì e dal 15 giugno al 15 luglio)* carta 20/31000 (10%) – ⛌ 3000 – **26 cam**
      25/48000 – P 60000.

  XX **Oroscopo,** località Pieve Vecchia NO : 1 km ℰ 734875, Coperti limitati; prenotare – ◪ 🅑.
      ⅙
      chiuso domenica sera e martedì – Pas carta 45/75000.

  XX **Da Ventura** con cam, via Aggiunti 30 ℰ 76560 – ◪ 🅑 ⓞ *VISA*. ⅙
      chiuso agosto – Pas *(chiuso sabato)* carta 24/40000 – ⛌ 3000 – **7 cam** 24/38000 – P 55/60000.

ALFA-ROMEO zona Industriale Santa Fiora ℰ   RENAULT largo Porta del Ponte 5 ℰ 75375
720134   VW-AUDI via Senese Aretina 137 ℰ 720402
FIAT zona Industriale Santa Fiora ℰ 720118

SAN SEVERO 71016 Foggia 988 ⑳ – 55 242 ab. alt. 89 – a.s. 15 giugno-settembre – ✪ 0882.
Roma 320 – ♦Bari 153 – ♦Foggia 33 – Monte Sant'Angelo 57 – ♦Pescara 151.

  🏨 **Milano,** via Teano Appulo 10 ℰ 75643 – 🛎 🕾 ⅙ 🚗 Ⓟ. 🅑 ⓞ *VISA*
  ➖ Pas *(chiuso venerdì)* carta 18/25000 – ⛌ 4000 – **59 cam** 46/75000 – P 56/61000, b.s. 54/57000.

  XX **La Botte,** via Colonna 10 ℰ 75048, « Taverna d'intonazione medioevale » – ▦. ◪ 🅑 ⓞ **E**
      VISA. ⅙
      chiuso martedì – Pas carta 29/43000 (15%).

ALFA-ROMEO via Fortunato 5 ℰ 23962   LANCIA-AUTOBIANCHI via per Foggia ℰ 331361
FIAT viale 2 Giugno 260 ℰ 21914   PEUGEOT-TALBOT via 2 Giugno 10 ℰ 76364
FORD via Fortunato 27/37 ℰ 23418   RENAULT via per Foggia-zona Industriale ℰ 331363
INNOCENTI via Torremaggiore ℰ 71929

SAN SICARIO Torino 77 ⑧ ⑨ – Vedere Cesana Torinese.

SAN SIGISMONDO (ST. SIGMUND) Bolzano – Vedere Chienes.

SANTA CATERINA PITTINURI Oristano 988 ㉝ – Vedere Sardegna alla fine dell'elenco alfabetico.

SANTA CATERINA VALFURVA 23030 Sondrio 988 ④, 218 ⑰⑱ – alt. 1 738 – Sport invernali :
1 738/2 784 m ≴8, ⅀ – ✪ 0342.
Roma 776 – ♦Bolzano 136 – Bormio 13 – ♦Milano 215 – Sondrio 77 – Passo dello Stelvio 33.

  🏨 **Alle 3 Baite,** ℰ 935545 – 🛎 ☎ 🚗 Ⓟ. ⅙
      dicembre-15 maggio e 25 giugno-15 settembre – Pas 30000 – ⛌ 8000 – **25 cam** 50/70000 –
      P 53/95000.

  🏠 **San Matteo,** ℰ 935426 – 🛎 ☎. ◪ ⓞ. ⅙
  ➖ dicembre-aprile e luglio-15 settembre – Pas 16/20000 – ⛌ 4000 – **15 cam** 30/50000 –
      P 36/63000.

EUROPE on a single sheet
Michelin map no 920.

SANTA CRISTINA VALGARDENA (ST. CHRISTINA IN GRÖDEN) 39047 Bolzano – 1 584 ab. alt.
1 428 – a.s. febbraio-aprile, luglio-agosto e Natale – Sport invernali : della Val Gardena 1 428/
2 498 m -52 ≤11, ⅀ – ۞ 0471.

🖪 Palazzo Comunale ℰ 73046.

Roma 681 – ♦Bolzano 39 – Cortina d'Ampezzo 75 – ♦Milano 338 – Trento 99.

🏠 **Sporthotel Maciaconi,** ⊠ 39048 Selva di Val Gardena ℰ 76229, 🚗 – 🛗 ⊛ க. 🚗 ۞.
   ⅜ rist
   Pas *(chiuso martedì in bassa stagione)* carta 23/33000 (10%) – **40 cam** ⊊ 65/120000 –
   P 77/90000, b.s. 65/75000.

🏠 **Posta,** ℰ 76678, ≼, ⊥ riscaldata, 🚗, ⅀ – 🛗 ⊛ ۞. ⅜ rist
   chiuso maggio e novembre – Pas *(chiuso martedì)* 22/35000 – **58 cam** ⊊ 60/100000 –
   P 80/100000, b.s. 64/80000.

🏠 **Interski** ⅀, ℰ 73460, ≼ Sassolungo e vallata, 🖾, 🚗 – ☎ ۞. ⅜ rist
   20 dicembre-15 aprile e 25 giugno-settembre – Pas *(chiuso a mezzogiorno)* –
   23 cam (solo ½ P) 68/90000, b.s. 60/75000.

🏠 **Dosses,** ℰ 73326, 🚗 – 🛗 ⅜ rist 🔟 ☎ ۞. 𝘝𝘐𝘚𝘈. ⅜ rist
➤ *chiuso maggio e novembre* – Pas *(chiuso giovedì)* 18/22000 – ⊊ 8000 – **50 cam** 38/68000 –
   P 68/82000, b.s. 54/58000.

🏠 **Kristiania** ⅀, ⊠ 39048 Selva di Val Gardena ℰ 76847, ≼ Sassolungo e vallata, 🚗 – 🛗
   ▤ rist ⊛ ۞. ⅜
   Natale-Pasqua e 25 giugno-25 settembre – Pas carta 24/38000 – ⊊ 6000 – **32 cam** 59/103000
   – P 75/86000, b.s. 57/67000.

   sulla strada statale 242 O : 2 km :

🏠 **Diamant,** ⊠ 39047 ℰ 76780, ≼ Sassolungo e pinete, 🖾, 🚗, ⅀ – 🛗 ☎ க. ۞. ⅜ rist
   3 dicembre-Pasqua e 20 giugno-10 ottobre – 29 cam (solo pens) – P 89/120000, b.s. 70/80000.

   al monte Pana S : 3 km – alt. 1 637 :

🏠 **Sport Hotel Monte Pana** ⅀, ⊠ 39047 ℰ 76128, Telex 401689, Fax 73527, ≼ pinete e
   Dolomiti, 🖾, 🚗, ⅀ – ۞. ⅜ rist
   20 dicembre-10 aprile e luglio-20 settembre – Pas carta 30/50000 – **71 cam** ⊊ 90/150000 –
   appartamenti 160/180000 – P 150/160000, b.s. 140/150000.

   all'arrivo della funivia Ruacia Sochers SE : 10 mn di funivia – alt. 1 985 :

🏠 **Sochers Club** ⅀, ⊠ 39048 Selva di Val Gardena ℰ 76601, ≼ Dolomiti – 🛗 ⅜ cam 🔟 ☎.
   ۞. ⅜
   dicembre-15 aprile – 23 cam (solo pens) – P 95/120000, b.s. 70/75000.

   Vedere anche : *Selva di Val Gardena* E : 3 km.
   Ortisei NO : 4 km.

SANTA CROCE DEL LAGO 32010 Belluno – alt. 401 – ۞ 0437.
Roma 596 – Belluno 21 – Cortina d'Ampezzo 76 – ♦Milano 335 – Treviso 56 – ♦Venezia 85.

✗ **La Baita,** ℰ 471008, ≼ – ۞
➤ *chiuso lunedì e da novembre al 7 dicembre* – Pas carta 18/35000.

SANTA CROCE DEL SANNIO 82020 Benevento – 1 190 ab. alt. 650 – ۞ 0824.
Roma 243 – Benevento 37 – Campobasso 48 – Isernia 66.

✗ La Grotta del Vescovo, via Finanzieri 3 ℰ 950125, prenotare.

SANTA FIORA 58037 Grosseto 𝟿𝟪𝟪 ⊛ – 3 160 ab. alt. 687 – ۞ 0564.
Roma 189 – Grosseto 76 – Siena 84 – Viterbo 75.

   a Bagnolo E : 5 km – ⊠ 58030 :

🏠 **Il Fungo,** località Case Fioravanti ℰ 953025, ≼ – ۞. ⅜
➤ Pas carta 18/29000 – ⊊ 4000 – **14 cam** 25/45000 – P 42/45000.

SANTA FLAVIA Palermo – Vedere Sicilia alla fine dell'elenco alfabetico.

SANTA FRANCA Parma – Vedere Polesine Parmense.

SANT'AGATA DI MILITELLO Messina 𝟿𝟪𝟪 ⊛⊛ – Vedere Sicilia alla fine dell'elenco alfabetico.

SANT'AGATA SUI DUE GOLFI 80064 Napoli – alt. 391 – a.s. aprile-settembre – ۞ 081.
Dintorni Penisola Sorrentina** (circuito di 33 km) : ≼** su Sorrento dal capo di Sorrento (1 h a
piedi AR), ≼** sul golfo di Napoli dalla strada S 163.
Roma 266 – Castellammare di Stabia 28 – ♦Napoli 57 – Salerno 56 – Sorrento 9.

🏨 **Gd H. Hermitage,** 𝒫 8780062, ⩽ golfo di Napoli e Vesuvio, ⅏, 🎋 – 🛗 ⊱⊰ rist 🕾 **ℙ**. _VISA_. 𝒮𝒮 rist
aprile-ottobre – Pas carta 25/37000 – ⊑ 10000 – 74 cam 50/85000 – P 75/85000, b.s. 60/70000.

🏨 **Jaccarino,** 𝒫 8780294, ⩽ golfo di Napoli e Vesuvio, « Terrazza con ⅏ », 🎋 – 🛗 🕾 **ℙ** – 🛎 100. 🖭 **◍** _VISA_. 𝒮𝒮 rist
marzo-ottobre – Pas carta 29/47000 – ⊑ 12000 – **89 cam** 65/100000 – P 100/110000, b.s. 85/95000.

🏠 **Sant'Agata,** 𝒫 8080363 – 🛗 📺 🕾 **ℙ**. _VISA_. 𝒮𝒮
↠ _15 marzo-ottobre_ – Pas carta 17/27000 – ⊑ 7000 – **28 cam** 30/50000 – P 45/55000.

XXX ✿ **Don Alfonso 1890,** 𝒫 8780026, 🏤, prenotare – **ℙ**. 🖭 **◍** _VISA_. 𝒮𝒮
chiuso dal 7 gennaio al 26 febbraio, domenica sera e lunedì dal 15 settembre al 15 luglio – Pas carta 43/63000 (15%)
Spec. Insalata di aragosta o astice agli agrumi, Tagliatelle al ragù di scorfano e peperoni, Agnello alle erbe mediterranee. **Vini** Falanghina, Solopaca.

SANTA GERTRUDE (ST. GERTRAUD) Bolzano 🟨🟨🟨 ④, 🟨🟨🟨 ⑲ – Vedere Ultimo.

SANTA GIUSTINA Belluno – 6 014 ab. alt. 298 – ✉ **32035** Santa Giustina Bellunese – 🕿 **0437**.
Roma 607 – Belluno 17 – ♦Milano 302 – ♦Padova 107 – Trento 95 – ♦Venezia 97.

XX **Al Porton,** località San Martino 𝒫 88524, prenotare – **ℙ**. 🖭 🛉 **◍** ⊑ _VISA_. 𝒮𝒮
chiuso a mezzogiorno (escluso i giorni festivi), lunedì e dal 15 al 30 giugno – Pas 26000.

a Meano NE : 2 km – ✉ **32030** :

XX **Da Nando,** 𝒫 86142, 🏤, prenotare – **ℙ**. 🖭 🛉 **◍** _VISA_. 𝒮𝒮
chiuso mercoledì – Pas carta 35/60000.

SANT'AGNELLO 80065 Napoli – 8 167 ab. – Stazione climatica, a.s. aprile-settembre – 🕿 **081**.
🔲 a Sorrento, via De Maio 35 𝒫 8782104.
Roma 255 – Castellammare di Stabia 17 – ♦Napoli 46 – Salerno 48 – Sorrento 2.

🏨🏨 **Cocumella** 🦢, via Cocumella 7 𝒫 8782933, Telex 720370, Fax 8783712, « Agrumeto, giardino ed ascensore per la spiaggia », ⅏, 🛶, 🎾 – 🛗 🗏 📺 🕿 **ℙ** – 🛎 40 a 550. 🖭 🛉 **◍** ⊑ _VISA_. 𝒮𝒮 rist
15 marzo-ottobre – Pas 55000 – **50 cam** ⊑ 135/210000 appartamenti 260000 – P 190/210000, b.s. 170/190000.

🏨 **Corallo** 🦢, rione Cappuccini 12 𝒫 8785069, Fax 8772537, ⩽ – 🛗 ⊱⊰ 🗏 📺 🕿 **ℙ** – 🛎 70. 🖭 _VISA_. 𝒮𝒮
aprile-ottobre – Pas 35000 – **58 cam** ⊑ 85/149000 appartamenti 200/250000 – P 125000.

🏨 **Villa Garden** 🦢, rione Cappuccini 7 𝒫 8781387, Telex 722533, ⩽, 🏤, ⅏, 🎋 – 🛗 🗏 🕿. 🖭 🛉 ⊑ _VISA_. 𝒮𝒮
aprile-ottobre – Pas (solo per clienti alloggiati) 22/30000 – **24 cam** ⊑ 92/152000 – P 121/141000, b.s. 100/121000.

🏨 **Alpha,** viale dei Pini 14 𝒫 8785487, Telex 722028, « Giardino-agrumeto con ⅏ » – 🛗 🕾 🚗. 🖭 🛉 **◍** ⊑ _VISA_. 𝒮𝒮 rist
15 marzo-ottobre – Pas 35000 – ⊑ 12000 – 46 cam 95/115000 – P 115000, b.s. 95000.

🏨 **Eliseo Park's** 🦢, via Cocumella 3 𝒫 8781843, « Giardino » – 🛗 🕾 🛉 🚗. 𝒮𝒮
chiuso gennaio e dal 1° al 23 dicembre – Pas 20/24000 – 35 cam ⊑ 42/70000 – P 75/80000, b.s. 55/65000.

X **Il Capanno,** rione Cappuccini 58 𝒫 8782453, 🏤 – 𝒮𝒮
20 aprile-15 ottobre – Pas carta 18/30000 (10%).

SANT'AGOSTINO 44047 Ferrara – 5 905 ab. alt. 15 – 🕿 **0532**.
Roma 428 – ♦Bologna 52 – ♦Ferrara 23 – ♦Milano 220 – ♦Modena 50 – ♦Padova 91.

XX **Trattoria la Rosa,** 𝒫 84098 – 🗏 **ℙ**. 🖭 **◍** _VISA_. 𝒮𝒮
chiuso domenica sera, lunedì, dal 10 al 18 gennaio e dal 4 al 30 luglio – Pas carta 23/53000.

SANT'ALBINO Siena – Vedere Montepulciano.

SANT'ALESSIO SICULO Messina – Vedere Sicilia alla fine dell'elenco alfabetico.

SANTA LIBERATA Grosseto – Vedere Porto Santo Stefano.

SANTA LUCIA DEI MONTI Verona – Vedere Valeggio sul Mincio.

SANTA LUCIA DELLE SPIANATE Ravenna – Vedere Faenza.

SANTA MADDALENA IN CASIES (ST. MAGDALENA IN GSIES) 39030 Bolzano – alt. 1 398 – 🕿 **0474** – Roma 749 – Brunico 34 – Cortina d'Ampezzo 59 – ♦Milano 375.

🏨 **Quelle,** 𝒫 78401, ⩽, ⅏, 🎋 – 🛗 🕾 🛉 **ℙ**. 𝒮𝒮 rist
Pas carta 22/33000 – 35 cam ⊑ 31/60000 – P 58/65000.

SANTA MARGHERITA Cagliari 🔢 ㉝ – Vedere Sardegna (Pula) alla fine dell'elenco alfabetico.

SANTA MARGHERITA LIGURE 16038 Genova 🔢 ㉝ – 11 595 ab. – Stazione climatica e balneare, a.s. Pasqua, giugno-settembre e Natale – 🌣 0185.

Dintorni Penisola di Portofino★★★ per la strada panoramica★★ Sud – Strada panoramica★★ del golfo di Rapallo Nord – 🚊 via 25 Aprile 2/b 🖉 287485.

Roma 480 – ♦Genova 31 – ♦Milano 166 – ♦Parma 149 – Portofino 5 – ♦La Spezia 82.

🏨 **Imperial Palace**, via Pagana 19 🖉 288991, Telex 271398, Fax 284223, ≤ golfo, «Parcogiardino sul mare con 🏊 riscaldata», 🏖 – 🛗 🗐 📺 ☎ 🅿 – 🔏 30 a 180. 🖭 🕃 ⑩ 🔁 🗺.
🍴
23 marzo-ottobre – Pas carta 74/111000 – **96 cam** 🖙 215/395000 appartamenti 480/900000 – P 253/280000.

🏨 **Gd H. Miramare**, lungomare Milite Ignoto 30 🖉 287013, Telex 270437, Fax 284651, ≤ golfo, «Parco fiorito e terrazza con 🏊 riscaldata», 🏖 – 🛗 🗐 📺 ☎ 🍴 🅿 – 🔏 300. 🖭 🗺.
🍴 rist
Pas 70000 – **81 cam** 🖙 173/296000 appartamenti 446/480000 – P 228/253000, b.s. 160/185000.

🏨 **Continental**, via Pagana 8 🖉 286512, Telex 271601, Fax 284463, ≤ golfo, «Parco sul mare»,
🏖 – 🛗 🗐 📺 ☎ 🍴 ☕ 🚗 🅿. 🖭 🕃 ⑩ 🔁 🗺. 🍴 rist
Pas 37/47000 – 🖙 14000 – **76 cam** 97/168000 – P 149/176000, b.s. 105/138000.

🏨 **Regina Elena**, lungomare Milite Ignoto 44 🖉 287003, Telex 271563, Fax 284473, ≤, 🏖 – 🛗
🗐 📺 ☎ 🅿 – 🔏 200. 🖭 🕃 ⑩ 🔁 🗺. 🍴 rist
Pas 38/49000 – **94 cam** 🖙 112/192000 – P 129/170000.

🏨 **Metropole**, via Pagana 2 🖉 286134, Telex 272022, ≤, «Parco fiorito sul mare», 🏖 – 🛗 🗐
📺 ☎ 🅿. 🖭 🕃 ⑩ 🔁 🗺. 🍴 rist
chiuso da novembre al 15 dicembre – Pas 45000 – 🖙 13000 – 50 cam 75/117000 – P 100/129000, b.s. 78/89000.

🏨 **Lido Palace** senza rist, via Doria 3 🖉 285821, Telex 271101, ≤ – 🛗 🗐 📺 ☎. 🖭 🕃 ⑩ 🔁 🗺
chiuso dal 5 novembre al 2 dicembre – 🖙 11000 – **54 cam** 87/174000.

🏨 **Park Hotel Suisse** 🐾, via Favale 31 🖉 289571, Telex 271549, Fax 281469, ≤, «Terrazza con
🏊» – 🛗 🗐 ☎ 🅿 – 🔏 120. 🍴 rist
Pas 33/42000 – 🖙 9000 – **75 cam** 105/185000, 🗐 4000 – P 130/155000, b.s. 95/110000.

🏨 **Laurin** senza rist, lungomare Marconi 3 🖉 289971, Telex 275043, ≤ – 🛗 🗐 📺 ☎ 🍴. 🖭 🕃 ⑩
🔁 🗺
41 cam 🖙 101/158000.

🏨 **La Vela**, via Nicolò Cuneo 21 🖉 286039, ≤ – ☎ 🅿. 🗺
Pas *(chiuso da novembre al 23 dicembre e dal 7 gennaio a Pasqua)* 25/38000 – 🖙 8000 –
16 cam 60/90000 – P 90/110000, b.s. 75/90000.

🏨 **Minerva** 🐾, via Maragliano 34/d 🖉 286073 – 🛗 🏖 🏖. 🖭 🕃 🔁 🗺. 🗺
Pas 36000 – 33 cam 🖙 56/96000 – P 85000, b.s. 58000.

🏨 **Fiorina**, piazza Mazzini 26 🖉 287517 – 🛗 ☎. 🕃 🔁 🗺. 🍴 rist
chiuso da novembre al 21 dicembre – Pas *(chiuso lunedì)* 26000 – 🖙 7500 – 55 cam 39/67000
– P 65/72000.

🏨 **Conte Verde**, via Zara 1 🖉 287139 – 🛗 ☎. 🖭 🕃 ⑩ 🔁 🗺. 🗺
chiuso da novembre al 22 dicembre – Pas *(chiuso lunedì)* 20/30000 – 🖙 9000 – 37 cam
40/70000 – P 70/95000, b.s. 60/70000.

🏨 **Jolanda**, via Costa 6 🖉 287512 – 🛗 🏖. 🖭. 🗺 rist
chiuso novembre – Pas *(solo per clienti alloggiati)* 20/22000 – 🖙 6500 – **20 cam** 55000 –
P 50/60000, b.s. 40/50000.

🏨 **Ulivi**, via Maragliano 28 🖉 287890 – 🏖. 🖭 🕃 ⑩ 🔁 🗺. 🗺 rist
chiuso da novembre al 20 dicembre – Pas *(solo per clienti alloggiati)* 28/38000 – 🖙 12000 –
9 cam 60000 – P 80000, b.s. 50000.

🏨 **Europa**, via Trento 5 🖉 287187 – 🏖. 🕃 ⑩ 🔁 🗺. 🗺
chiuso dal 10 gennaio al 10 febbraio – Pas *(solo per clienti alloggiati)* 25/28000 – 🖙 7500 –
16 cam 50000 – P 52/62000, b.s. 42/50000.

🍴🍴 ✿ **Trattoria Cesarina**, via Mameli 2/c 🖉 286059, prenotare – 🗐. 🕃 🗺. 🗺
chiuso mercoledì, dal 12 al 27 dicembre e dal 5 al 17 marzo – Pas carta 70/80000 (10%)
Spec. Salmone marinato a crudo, Acciughe ripiene, Taglierini al sugo di granzeola, Pesce cappone al forno con patate cipolle e pomodori, **Vini** Vermentino, Pigato.

🍴🍴 **La Ghiaia**, via Doria 5 🖉 283708, ≤, 🍽 – 🗐. 🖭 🕃 ⑩ 🔁 🗺
chiuso mercoledì e novembre – Pas carta 43/69000.

🍴🍴 **Skipper**, calata del Porto 6 🖉 289950, 🍽, Coperti limitati; prenotare – 🗐. 🖭 ⑩. 🗺
chiuso febbraio, novembre e mercoledì (escluso luglio-agosto) – Pas carta 50/80000.

🍴 **La Paranza**, via Ruffini 46 🖉 283686, ≤ – 🖭 🕃 🔁 🗺
chiuso dal 15 gennaio al 20 febbraio e giovedì (in luglio-agosto solo giovedì a mezzogiorno) –
Pas carta 49/60000 (12%).

🍴 **Beppe Achilli**, via Bottaro 29 🖉 286516 – 🖭 🕃 ⑩ 🔁 🗺
chiuso mercoledì e dal 9 al 25 dicembre – Pas carta 32/53000 (10%).

🍴 **Bassa Prora**, via Garibaldi 7 🖉 286586 – 🗐. 🖭 🔁 🗺. 🗺
chiuso lunedì sera, martedì e dal 15 settembre al 15 ottobre – Pas carta 23/50000 (10%).

Vedere anche : *Paraggi* S : 4 km.

SANTA MARIA Salerno – Vedere Castellabate.

SANTA MARIA (AUFKIRCHEN) Bolzano – Vedere Dobbiaco.

SANTA MARIA AL BAGNO 73050 Lecce – ☎ 0833.

Roma 621 – ♦Brindisi 70 – Gallipoli 10 – Lecce 31 – ♦Taranto 87.

Gd H. Riviera, strada litoranea N : 1 km ✆ 823221, ←, ⛱, ▲, ⚔ – |‡| ▤ rist – Ⓟ – 🏛 150. AE ⓢ ⓞ E VISA. ✗
giugno-settembre – Pas 36000 – ☐ 10000 – **105 cam** 55/100000 – P 102/123000.

SANTA MARIA DEGLI ANGELI Perugia – Vedere Assisi.

SANTA MARIA DELLA VERSA 27047 Pavia 988 ⑬ – 2 672 ab. alt. 200 – ☎ 0385.

Roma 552 – ♦Genova 128 – ♦Milano 71 – Pavia 33 – Piacenza 40.

X **Hostaria il Casale,** NE : 3 km ✆ 79108, ☂, prenotare, « Ambiente rustico ed atmosfera originale » – Ⓟ. ✗
chiuso lunedì, dal 7 gennaio al 1° febbraio e dal 25 luglio al 25 agosto – Pas carta 27/37000.

Vedere anche : ***Montecalvo Versiggia*** NE : 5 km.

SANTA MARIA DELLE VERTIGHE (Santuario di) Arezzo – Vedere Monte San Savino.

SANTA MARIA DI LEUCA Lecce – Vedere Marina di Leuca.

SANTA MARIA DI SETTE Perugia – Vedere Umbertide.

SANTA MARIA MAGGIORE 28038 Novara 988 ②, 219 ⑥ – 1 278 ab. alt. 816 – Stazione di villeggiatura, a.s. luglio-agosto e Natale – Sport invernali : a Piana di Vigezzo : 1 610/2 064 m ⛡1 ⛷3, ⛸ – ☎ 0324.

ℹ piazza Risorgimento ✆ 9091.

Roma 715 – Domodossola 17 – Locarno 32 – ♦Milano 139 – Novara 108 – ♦Torino 182.

Oscella, via Matteotti 70 ✆ 9170, ←, ⛰ – |‡| ☎ Ⓟ. ✗
giugno-settembre – Pas (solo per clienti alloggiati) 20/25000 – ☐ 7000 – **62 cam** 33/60000 – P 45/70000.

La Scheggia, località Crana ✆ 9098, ←, ⛰ – |‡| ♿ ⛟ Ⓟ. ✗ rist
chiuso ottobre e novembre – Pas carta 15/25000 – ☐ 5000 – **45 cam** 30/60000 – P 40/60000, b.s. 40/50000.

SANTA MARIA REZZONICO 22010 Como 219 ⑨ – 1 163 ab. alt. 205 – ☎ 0344.

Roma 667 – Chiavenna 42 – Como 42 – ♦Milano 90 – Sondrio 61.

Chez Angelo senza rist, località Molvedo ✆ 50024, ←, ⛰ – Ⓟ
aprile-settembre – ☐ 5000 – **14 cam** 38000.

SANTA MARIA ROSSA Milano 219 ⑱ – Vedere Garbagnate Milanese.

SANTA MARINELLA 00058 Roma 988 ㉕ – 11 588 ab. – Stazione balneare, a.s. 15 giugno-agosto – ☎ 0766.

ℹ via Aurelia ✆ 737376.

Roma 69 – Lago di Bracciano 42 – Civitavecchia 10 – Ostia Antica 60 – Viterbo 68.

Cavalluccio Marino, lungomare Marconi 64 ✆ 737321, ←, ☂, ▲ – |‡| ☎ Ⓟ – 🏛 150. AE ⓢ ⓞ VISA. ✗ rist
chiuso novembre o dicembre – Pas 30000 – **37 cam** ☐ 80/120000 – P 100/110000, b.s. 75/90000.

Le Najadi senza rist, lungomare Marconi 23 ✆ 737019, ←, ▲ – |‡| ☎ Ⓟ. AE ⓢ ⓞ E VISA. ✗
chiuso novembre – ☐ 6000 – **25 cam** 45/75000.

XX **Mare Sole,** lungomare Marconi 104 ✆ 735479, ☂ – AE ⓢ ⓞ E VISA. ✗
chiuso mercoledì in bassa stagione e dal 15 dicembre al 20 gennaio – Pas carta 22/39000.

X **Dei Cacciatori,** via Aurelia 274 ✆ 711777 – ✗
chiuso mercoledì e dal 20 dicembre al 20 gennaio – Pas carta 20/27000 (12%).

Vedere anche : ***Santa Severa*** E : 7 km.

SANT'AMBROGIO DI VALPOLICELLA 37010 Verona – 9 118 ab. alt. 180 – ☎ 045.

Roma 511 – ♦Brescia 65 – Garda 19 – ♦Milano 152 – Trento 80 – ♦Venezia 136 – ♦Verona 19.

XX **Groto de Corgnan,** ✆ 7731372, Coperti limitati; prenotare – AE ⓢ ⓞ. ✗
chiuso domenica sera e lunedì – Pas carta 35/60000.

SANT'ANDREA Cagliari – Vedere Sardegna (Quartu Sant'Elena) alla fine dell'elenco alfabetico.

SANT'ANDREA Livorno – Vedere Elba (Isola d') : Marciana.

SANT'ANDREA BAGNI 43048 Parma – alt. 190 – Stazione termale (maggio-settembre), a.s. luglio e agosto – ❀ 0525.
🛈 via Verdi 2 ♒ 51114.
Roma 486 – ♦Bologna 124 – ♦Milano 134 – ♦Parma 28 – Piacenza 73.

  🏠 Moderno, ♒ 51125, 🛥 – 🛎 ☎ 🅿 – 26 cam.

SANT'ANGELO Napoli – Vedere Ischia (Isola d').

SANT'ANGELO IN VADO 61048 Pesaro e Urbino 988 ⑮ – 3 777 ab. alt. 359 – a.s. luglio e agosto – ❀ 0722.
Roma 302 – ♦Ancona 127 – Arezzo 82 – Pesaro 64 – San Marino 55 – Urbino 28.

  🏠 **Da Lucia,** via Nazionale 21/23 ♒ 8245 – 🅿. 🛇 cam
  chiuso dal 14 settembre al 1° ottobre e dal 24 al 28 dicembre – Pas *(chiuso sabato da ottobre a giugno)* carta 20/29000 – 🍴 3000 – **24 cam** 33/48000 – P 45/50000.

SANT'ANTIOCO Cagliari 988 ㉝ – Vedere Sardegna alla fine dell'elenco alfabetico.

SANT'ANTONIO DI MAVIGNOLA Trento – Vedere Pinzolo.

SANT'APOLLINARE IN CLASSE Ravenna 988 ⑮ – alt. 3 – ✉ 48100 Ravenna – ❀ 0544.
Vedere Basilica★★ : mosaici★★★.
Roma 375 – ♦Bologna 88 – Cervia 16 – Forlì 27 – ♦Milano 299 – ♦Ravenna 6 – Rimini 46.

  ✕ **Classensis Tourist** con cam, ♒ 473015 – 🛇 cam ☎ 🅿. ⓪
  Pas carta 26/47000 (14%) – 🍴 6000 – **10 cam** 40/50000 – P 60000.

SANTARCANGELO DI ROMAGNA 47038 Forlì 988 ⑮ – 16 859 ab. alt. 42 – ❀ 0541.
Roma 345 – ♦Bologna 104 – Forlì 43 – ♦Milano 315 – ♦Ravenna 53 – Rimini 10.

  ✕✕ **Rugantino,** via Cavour 1 ♒ 625466, prenotare – 🍽. 🆎 ⓪. 🛇
  chiuso mercoledì e gennaio – Pas carta 30/42000.

  ✕ **La Buca,** via Porta Cervese ♒ 626208 – 🅿. 🆎 ⓪. 🛇
  chiuso martedì ed ottobre – Pas carta 21/31000.

  ✕ **Zaghini** con cam, piazza Gramsci ♒ 626136 – 🍽 cam. 🆎. 🛇 rist
  Pas *(chiuso lunedì)* carta 23/31000 – 🍴 2000 – **12 cam** 20/40000, 🍽 3000.

FIAT via Emilia Ovest 3565 ♒ 626383   MERCEDES-BENZ via del Salice 9 ♒ 620315

SANTA SEVERA 00050 Roma 988 ㉓ – a.s. 15 giugno-agosto – ❀ 0766.
Roma 63 – Lago di Bracciano 36 – Civitavecchia 18 – Viterbo 75.

  🏨 **Pino al Mare,** ♒ 740027, <, 🐾, 🛥 – 🛎 ☎ 🅿. 🆎 ⓪. 🛇
  chiuso dal 20 dicembre al 10 gennaio – Pas carta 36/52000 (15%) – 🍴 6000 – **49 cam** 50/80000 – P 80000, b.s. 65000.

  ✕✕ **Da Armando,** ♒ 741812, � – 𝑉𝐼𝑆𝐴. 🛇
  chiuso martedì e dal 22 dicembre a gennaio – Pas carta 32/46000.

SANTA SOFIA 47018 Forlì 988 ⑮ – 4 292 ab. alt. 257 – ❀ 0543.
Roma 303 – Arezzo 98 – ♦Bologna 104 – ♦Firenze 88 – Forlì 41 – ♦Milano 323.

  ✕ **La Contessa,** ♒ 970137 – 🆎 🅱 ⓪. 🛇
  ⟵ *chiuso mercoledì* – Pas carta 19/29000.

SANTA TECLA Catania – Vedere Sicilia (Acireale) alla fine dell'elenco alfabetico.

SANTA TERESA GALLURA Sassari 988 ㉝ – Vedere Sardegna alla fine dell'elenco alfabetico.

SANTA VITTORIA D'ALBA 12069 Cuneo – 2 297 ab. alt. 346 – ❀ 0172.
Roma 655 – Alba 10 – Asti 37 – Cuneo 53 – ♦Milano 163 – ♦Torino 63.

  🏨 **Soggiorno** 🦢, ♒ 478198, <, 🛥 – 🛎 📺 ☎ 🚐 🅿 – 🛄 100. 🆎 🅱 ⓪ 🇪 𝑉𝐼𝑆𝐴
  chiuso gennaio – Pas vedere rist Al Castello – 🍴 5000 – **40 cam** 40/69000 – P 60000.

  ✕ **Al Castello,** ♒ 478147 – 🅿. 🅱 🇪 𝑉𝐼𝑆𝐴. 🛇
  chiuso mercoledì, gennaio e dal 1° al 20 agosto – Pas carta 22/38000.

SANTA VITTORIA IN MATENANO 63028 Ascoli Piceno – 1 455 ab. alt. 626 – ❀ 0734.
Roma 226 – ♦Ancona 111 – Ascoli Piceno 50 – Macerata 50 – ♦Pescara 125.

  🏠 **Farfense,** corso Matteotti 41 ♒ 780171, < – 🅿. 🛇
  chiuso dal 20 settembre al 5 ottobre – Pas *(chiuso lunedì)* carta 22/30000 – 🍴 3000 – **10 cam** 25/42000 – P 38/47000.

SANT'ELIA Cagliari – Vedere Sardegna (Cagliari) alla fine dell'elenco alfabetico.

SANT'ELIA Palermo – Vedere Sicilia (Santa Flavia) alla fine dell'elenco alfabetico.

SANTENA 10026 Torino – 10 304 ab. alt. 237 – ✪ 011.
Roma 651 – Asti 37 – Cuneo 89 – ◆Milano 162 – ◆Torino 20.

  XX **Andrea** con cam, via Torino 48 ✏ 9492783 – 🍽 ℗. ⯐ 🅱 E 𝗩𝗜𝗦𝗔. ⏞
        chiuso dal 15 al 31 luglio – Pas (chiuso martedì) carta 25/47000 – ⯐ 7000 – **12 cam** 35/55000.

SAN TEODORO Nuoro – Vedere Sardegna alla fine dell'elenco alfabetico.

SAN TERENZO La Spezia – Vedere Lerici.

SANT'EUFEMIA LAMEZIA Catanzaro 🤍🤍🤍 ㊴ – Vedere Lamezia Terme.

SANT'EUROSIA Vercelli 𝟤𝟣𝟫 ⑮ – Vedere Pralungo.

SANTHIÀ 13048 Vercelli 🤍🤍🤍 ②㉓, 𝟤𝟣𝟫 ⑮ – 9 362 ab. alt. 183 – ✪ 0161.
Roma 657 – Aosta 99 – Biella 27 – ◆Milano 93 – Novara 47 – ◆Torino 55 – Vercelli 20.

     sulla variante della strada statale 143 NO : 1 km :

  XX **San Massimo** con cam, ✉ 13048 ✏ 94617, ☂ – ℗. E
        Pas (chiuso venerdì) carta 21/40000 (10%) – ⯐ 5000 – 8 cam 60000 – P 60000.

FIAT corso Sempione 38 ✏ 921661   RENAULT via Matteotti 42 ✏ 94611

SANT'OLCESE 16010 Genova – 6 602 ab. alt. 327 – ✪ 010.
Roma 515 – Alessandria 79 – ◆Genova 20 – ◆Milano 140.

  X **Agnese** ⯐ con cam, via Vicomorasso 22 (S : 1 km) ✏ 709895, ☂ – 🍽 ⯐ ℗
        chiuso dal 7 settembre al 4 ottobre – Pas carta 26/35000 – ⯐ 6000 – **15 cam** 51000 –
        P 49/51000.

SANT'OMOBONO IMAGNA 24038 Bergamo 𝟤𝟣𝟫 ⑩ – 2 918 ab. alt. 498 – ✪ 035.
Roma 625 – ◆Bergamo 24 – Lecco 39 – ◆Milano 68.

  XX **La Roncaglia,** località Cepino ✏ 851767, « Servizio estivo in terrazza con ≼ » – ℗. ⏞
        chiuso martedì sera e mercoledì – Pas carta 31/42000.

  X **Taverna 800,** località Mazzoleni ✏ 851162, « Ambiente rustico » – 🅱. ⏞
        chiuso martedì – Pas carta 23/36000.

SANTO SPIRITO 70050 Bari – ✪ 080.
Roma 439 – ◆Bari 11 – Barletta 44 – ◆Foggia 122.

  🏨 **Riviera,** via Tito Schipa 7 ✏ 320582 – 🍽 ≽≼ rist ▦ rist ☎ ℗. ⯐ 🅱 ⓪ E 𝗩𝗜𝗦𝗔
        Pas carta 26/41000 – ⯐ 3000 – **35 cam** 50/77000 – P 90/99000.

  XX **L'Aragosta,** lungomare Colombo ✏ 435427, ⯐ – ⯐ 🅱 ⓪ E 𝗩𝗜𝗦𝗔. ⏞
        chiuso martedì e novembre – Pas carta 23/37000 (15%).

SANTO STEFANO AL MARE 18010 Imperia – 2 218 ab. – ✪ 0184.
Roma 628 – Imperia 12 – ◆Milano 252 – San Remo 12 – Savona 83 – ◆Torino 193.

  🏨 Lucciola, ✏ 484236, ≼, ⯐ – ☎ ℗ – 24 cam.

  XX **La Riserva,** ✏ 484134, « Ambiente caratteristico » – ⯐ 80. ⯐ 🅱 ⓪ E 𝗩𝗜𝗦𝗔. ⏞
        chiuso domenica sera, lunedì e settembre – Pas carta 41/59000.

SANTO STEFANO D'AVETO 16049 Genova 🤍🤍🤍 ⑬ – 1 447 ab. alt. 1 017 – Stazione di villeggiatura, a.s. 15 giugno-agosto e Natale – Sport invernali : 1 017/1 800 m ⯐1 ⯐1, ⯐ – ✪ 0185.
🅱 piazza del Popolo 1 ✏ 98046 – Roma 512 – ◆Genova 88 – ◆Milano 224 – Rapallo 64 – ◆La Spezia 114.

  🏨 **Leon d'Oro,** ✏ 98041 – 🍽 ☎. ⏞
        chiuso novembre – Pas (chiuso lunedì) carta 23/37000 – ⯐ 5000 – 35 cam 30/55000 –
        P 55/65000, b.s. 45/55000.

  X **Doria** con cam, ✏ 98052 – ℗. 🅱 E. ⏞
        chiuso dal 20 ottobre al 20 dicembre – Pas (chiuso mercoledì) carta 22/33000 – ⯐ 4000 –
        21 cam 22/43000 – P 45/55000.

SANTO STEFANO DI CADORE 32045 Belluno 🤍🤍🤍 ⑤ – 3 023 ab. alt. 908 – Stazione di villeggiatura – ✪ 0435.
🅱 via Venezia ✏ 62230 – Roma 668 – Belluno 67 – Cortina d'Ampezzo 54 – ◆Milano 410 – Udine 111 – ◆Venezia
157.

  🏨 **Monaco Sport Hotel,** ✏ 62430, ≼ – 🍽 ≽≼ rist ☎ ℗. ⯐ 𝗩𝗜𝗦𝗔. ⏞
        Pas (chiuso giovedì) carta 23/34000 – ⯐ 6000 – 28 cam 45/75000 – P 57/69000.

  🏨 **Kratter,** ✏ 62302 – ⏞
  ➤ 15 dicembre-15 gennaio e 15 giugno-15 settembre – Pas carta 17/25000 – ⯐ 7000 – **33 cam**
        33/51000 – P 40/56000.

SANTO STEFANO DI MAGRA 19037 La Spezia – 7 609 ab. alt. 51 – ✪ 0187.
Roma 420 – ♦Genova 105 – ♦Parma 107 – ♦La Spezia 12.

 ✗ **Il Molinetto,** via Luciano Tavilla 57 ℘ 69287 – ✦
  chiuso lunedì, gennaio ed agosto – Pas carta 24/35000.

SANTUARIO Vedere nome proprio del santuario.

SAN VALENTINO ALLA MUTA (ST. VALENTIN AUF DER HAIDE) 39020 Bolzano 988 ④ 218 ⑧ –
alt. 1 488 – a.s. 15 febbraio-aprile, luglio-agosto e Natale – Sport invernali : 1 488/2 700 m ≰6, ⅋ –
✪ 0473.
Roma 733 – ♦Bolzano 96 – ♦Milano 272 – Passo di Resia 10 – Trento 154.

 🏠 **Stocker,** ℘ 84632, ≤, ⇔ – ☎ ℗. ✻
 ✦ *chiuso dal 10 ottobre al 15 dicembre* – Pas *(chiuso lunedì)* 12/20000 – **21 cam** ⊂⊃ 30/50000 –
  P 41/47000, b.s. 39/43000.
 🏠 **Sporthotel Laret,** ℘ 84666, ≤ – ☎ ℗
 ✦ *chiuso dal 10 ottobre al 15 dicembre* – Pas vedere Hotel Stocker – **16 cam** ⊂⊃ 30/54000.

SAN VIGILIO (VIGILJOCH) Bolzano 218 ⑳ – Vedere Lana.

SAN VIGILIO DI MAREBBE (ST. VIGIL ENNEBERG) 39030 Bolzano 988 ⑤ – alt. 1 201 – a.s.
febbraio-aprile, 15 luglio-agosto e Natale – Sport invernali : a Plan de Corones : 1 201/2 275 m ≰ 4
≰23, ⅋ – ✪ 0474.
🅱 Ciasa Dolomites, via al Plan 97 ℘ 51037.
Roma 724 – ♦Bolzano 87 – Brunico 18 – ♦Milano 386 – Trento 147.

 🏨 **Floralp** ⊗, ℘ 51115, ≤, ⇔ – ⇔ ℗. ⑩. ✻
  20 dicembre-20 aprile e giugno-settembre – Pas *(chiuso lunedì)* 24/38000 – ⊂⊃ 10000 –
  32 cam 47/92000 – P 78/85000, b.s. 66/75000.
 🏨 **Almhof-Hotel Call,** ℘ 51043, ⇔ – ⇔ ☎ ℗. ▩ ⑩ 🇪 𝗩𝗜𝗦𝗔. ✻ rist
  dicembre-10 aprile e giugno-10 ottobre – Pas 22/65000 – **39 cam** ⊂⊃ 65/120000 – P 72/92000,
  b.s. 52/68000.
 🏠 **Condor,** ℘ 51017, ≤ – ☎ ℗. ✻ rist
  dicembre-aprile e giugno-settembre – Pas *(chiuso martedì)* carta 20/29000 – 24 cam
  ⊂⊃ 40/60000 – P 85/90000, b.s. 64/74000.
 🏠 **Olympia** ⊗, ℘ 51028, ≤ – ☎ ℗. ✻ rist
 ✦ *dicembre-aprile e luglio-settembre* – Pas 15/25000 – **19 cam** ⊂⊃ 45/85000 – P 70/80000,
  b.s. 40/55000.
 ✗ **Fana Ladina,** ℘ 51175 – ℗. ✻
  20 dicembre-aprile e luglio-20 ottobre; chiuso mercoledì in bassa stagione – Pas (cucina
  ladina) carta 24/32000.
 ✗ **Da Attilio,** ℘ 51109 – ℗
  4 dicembre-Pasqua e 12 giugno-15 settembre; chiuso lunedì – Pas carta 20/28000.

SAN VINCENZO 57027 Livorno 988 ⑭ – 7 228 ab. – Stazione balneare, a.s. 15 giugno-15 settembre – ✪ 0565.
🅱 via Vittorio Emanuele 124 ℘ 701533.
Roma 260 – ♦Firenze 146 – Grosseto 73 – ♦Livorno 60 – Piombino 21 – Siena 109.

 🏩 **Gd H. I Lecci** ⊗, via della Principessa 114 (S : 1,7 km) ℘ 704111, Fax 703224, « Grande
  parco con ⅏ e ✺ », ⩔ – ⇐|⅋| ▤ 📺 ☎ ♿ ℗ – ⚞ 180. ▩ ▩ ⑩ 🇪 𝗩𝗜𝗦𝗔. ✻ rist
  Pas carta 30/50000 – **74 cam** ⊂⊃ 180/260000 – P 180000, b.s. 120000.
 🏨 **Villa Marcella,** viale Serristori 41 ℘ 701646, Fax 702154, ⩔, ⇔ – ⇔ ▤ rist ☎ ♿. ▩ ⑩
  🇪 𝗩𝗜𝗦𝗔. ✻ rist
  chiuso dal 20 gennaio al 10 febbraio e dal 10 novembre al 10 dicembre – Pas carta 32/46000 –
  ⊂⊃ 6000 – 33 cam 49/68000 – P 88000, b.s. 65000.
 🏨 **La Vela** senza rist, via Vittorio Emanuele II nº 72 ℘ 701529 – ⇔. ▩ ▩ ⑩ 𝗩𝗜𝗦𝗔. ✻
  ⊂⊃ 5000 – **14 cam** 50/70000.
 🏨 **Lo Scoglietto,** senza rist, via del Corallo 7 ℘ 701614, ≤, ⩔, ⇔ – |⅋|
  34 cam.
 🏠 **Il Delfino,** via Cristoforo Colombo 15 ℘ 701179, ≤, ⩔ – |⅋| ☎. ▩ ⑩. ✻
  Pas vedere rist Il Delfino – ⊂⊃ 8000 – **39 cam** 35/50000 – P 65/70000, b.s. 50/60000.
 ✗✗✗ ⊛ **Gambero Rosso,** piazza della Vittoria 13 ℘ 701021, ≤, Coperti limitati; prenotare – ▥.
  ▩ ⑩ 𝗩𝗜𝗦𝗔. ✻
  chiuso martedì, novembre e a mezzogiorno dal 15 giugno al 15 settembre – Pas carta 70/90000
  (10%)
  Spec. Passato di legumi con crostacei, Ravioli alla crema di frutti di mare, Triglie alla livornese. **Vini** Grattamacco.
 ✗ **Il Delfino,** via Cristoforo Colombo 15 ℘ 701179, ≤ – ▩ ⑩. ✻
  15 maggio-settembre – Pas carta 21/31000.

CITROEN via Pisa 13 ℘ 701781

SAN VITO DI CADORE 32046 Belluno **988** ⑤ – 1 593 ab. alt. 1 010 – Stazione di villeggiatura, a.s. febbraio, 15 marzo-Pasqua, 15 luglio-agosto e Natale – ✪ 0436.
Vedere Guida Verde.

🛎 via Nazionale 9 ℰ 9119.

Roma 661 – Belluno 60 – Cortina d'Ampezzo 11 – ♦Milano 403 – Treviso 121 – ♦Venezia 150.

🏨🏨 **Marcora,** via Roma 28 ℰ 9101, ≼, « Parco », 🖳, ℀ – 🛗 📺 ☎ ♿ 🅿 – 🔺 80. 🗚 🛐 ⓞ 🄴 𝐕𝐈𝐒𝐀. ℀ rist
   Natale-Pasqua e 20 giugno-10 settembre – Pas 40000 – ☲ 10000 – **46 cam** 120/160000 appartamenti 195/240000 – P 150/170000, b.s. 110/130000.

🏨 **Ladinia** 🦢, via Ladinia ℰ 9562, ≤ Dolomiti e pinete, 🏖, ℀ – 🛗 ☎ 🅿. ⓞ. ℀
   20 dicembre-20 aprile e 15 giugno-15 settembre – Pas 30000 – ☲ 10000 – **40 cam** 47/82000 – P 60/100000, b.s. 50/70000.

🏨 **Cima Belprà,** località Chiapuzza N : 1,5 km ℰ 9118, ≼ – 🛗 ✲ cam ☎ 🅿. 🗚 🛐 ⓞ 🄴 𝐕𝐈𝐒𝐀. ℀
   chiuso dal 5 novembre al 5 dicembre – Pas *(chiuso lunedì)* carta 25/35000 – ☲ 6000 – 45 cam 65/95000 – P 85/95000, b.s. 60/70000.

🏠 **Pelmo,** corso Italia 61 ℰ 9125, ≼ – 🛗 ♿ 🅿. ℀
   20 dicembre-marzo e 20 giugno-settembre – Pas *(chiuso giovedì)* 20/25000 – ☲ 5000 – 46 cam 30/54000 – P 63/66000, b.s. 45/54000.

🏠 **Dolomiti,** via Roma 33 ℰ 9146, ≼ – 🅿. ℀ rist
   20 dicembre-Pasqua e 20 giugno 20 settembre – Pas 22000 – ☲ 6000 – 33 cam 30/56000 – P 50/60000, b.s. 40/50000.

🏡 **Cantore,** località Chiapuzza N : 1,5 km ℰ 9142, 🏖 – 🅿. 🗚 🛐 🄴 𝐕𝐈𝐒𝐀. ℀
   20 dicembre-aprile e 24 giugno-15 ottobre – Pas *(chiuso a mezzogiorno)* carta 24/38000 – 12 cam ☲ 52/90000.

✕ **Il Cardo** 🦢 con cam, via Belvedere E : 1,5 km ℰ 9459, ≼, 🏖 – 🅿. ℀ cam
   20 dicembre-10 aprile e 20 giugno-20 settembre – Pas carta 21/35000 – ☲ 5000 – **8 cam** 30/56000 – P 52/60000, b.s. 45/50000.

SAN VITO LO CAPO Trapani **988** ㊱ – Vedere Sicilia alla fine dell'elenco alfabetico.

SAN VITO ROMANO 00030 Roma – 3 211 ab. alt. 693 – ✪ 06.

Roma 62 – Frosinone 62 – Latina 68 – Rieti 103 – Tivoli 26.

🏠 **Ai Pini,** ℰ 9543019, ≼, 🏖 – 🛗 🅿. ℀
   Pas *(chiuso mercoledì)* carta 19/27000 (10%) – ☲ 4000 – **57 cam** 30/50000 – P 55/70000.

SAN VITTORE Forlì – Vedere Cesena.

SAN VITTORE OLONA 20028 Milano **219** ⑱ – 6 790 ab. alt. 197 – ✪ 0331.

Roma 604 – Como 31 – ♦Milano 27 – Novara 40 – Varese 33.

✕✕ **La Fornace,** via Gioberti 4 ℰ 518308, « Servizio estivo all'aperto » – 🅿. 🗚 ⓞ 𝐕𝐈𝐒𝐀. ℀
   chiuso lunedì sera, martedì ed agosto – Pas carta 40/60000.

FIAT corso Sempione 261/263 ℰ 518266

SAN VITTORINO L'Aquila – Vedere L'Aquila.

SAN ZENO DI MONTAGNA 37010 Verona – 1 115 ab. alt. 590 – ✪ 045.

Roma 544 – Garda 17 – ♦Milano 168 – Riva del Garda 48 – ♦Venezia 168 – ♦Verona 56.

🏨 **Diana,** ℰ 7285113, ≼, « Boschetto-giardino » – 🛗 ✲ rist 🕿 🅿 – 🔺 80 a 100. ℀
   Natale, Pasqua e giugno-settembre – Pas 18/20000 – ☲ 7000 – **44 cam** 65000 – P 45/55000.

🏠 **San Zeno,** ℰ 7285031, ≼ – 🛗 ✲ rist 🕿 ♿ 🅿. ℀
   chiuso da novembre al 20 dicembre – Pas *(chiuso martedì)* carta 16/22000 – ☲ 5000 – **50 cam** 40/46000 – P 43/46000.

🏠 **Bellavista,** ℰ 7285014, ≼, « Prato-giardino » – 🛗 🚗 🅿. ℀
   Pasqua-settembre – Pas *(chiuso martedì)* 22/24000 – ☲ 6000 – 41 cam 51000 – P 49/52000.

   a Prada NE : 8 km – alt. 935 – ✉ **37010** San Zeno di Montagna :

🏠 Genziana 🦢, ℰ 7285122, ≼ – 🅿
   16 cam.

SAN ZENO NAVIGLIO 25010 Brescia – 3 091 ab. alt. 112 – ✪ 030.

Roma 553 – ♦Brescia 9 – Cremona 42 – ♦Milano 100.

✕✕ Il Forchettone, ℰ 2667363 – 🅿.

SAN ZENONE DEGLI EZZELINI 31020 Treviso – 5 038 ab. alt. 117 – ✪ 0423.

Roma 551 – Belluno 71 – ♦Milano 247 – ♦Padova 50 – Trento 96 – Treviso 39 – ♦Venezia 69 – Vicenza 43.

✕✕ **Alla Torre,** località Sopracastello N : 2 km ℰ 567086, « Servizio estivo in terrazza con ≼ » – 🅿. ℀
   chiuso martedì, mercoledì a mezzogiorno e febbraio – Pas carta 26/35000.

SAONARA 35020 Padova – 6 719 ab. alt. 10 – © 049.
Roma 498 – Chioggia 35 – ♦Milano 245 – ♦Padova 12.

※ **4 Pini,** località Villatora ℘ 640086, 斎, ※ – ※
chiuso lunedì, venerdì sera ed agosto – Pas carta 35/48000.

※ **Al Boccalon,** località Villatora ℘ 640088, 斎 – ℗. ℀ ⊞ ①
chiuso lunedì ed agosto – Pas carta 22/31000.

SAPPADA 32047 Belluno 988 ⑤ – 1 399 ab. alt. 1 250 – Stazione di villeggiatura, a.s. febbraio, 15 luglio-agosto e Natale – Sport invernali : 1 250/2 000 m ≰11, ﮡ – © 0435.
🛈 via Bach 20 ℘ 69131.
Roma 680 – Belluno 79 – Cortina d'Ampezzo 66 – ♦Milano 422 – Tarvisio 110 – Udine 99 – ♦Venezia 169.

🏠 **Corona Ferrea,** borgata Kratten 17 ℘ 69103, ≼ – ☎ ℗. ℀ ※ rist
20 dicembre-marzo e luglio-settembre – Pas 20/25000 – ⱬ 5000 – **20 cam** 30/60000 – P 50/55000, b.s. 45/50000.

🏠 **Posta,** via Palù 21 ℘ 69116, ≼ – ☎ ℗. ※
Pas *(chiuso lunedì)* carta 20/29000 – ⱬ 6000 – **15 cam** 35/70000 – P 52/60000, b.s. 47/52000.

🏠 Cristina 🗢, borgata Hoffe 14 ℘ 69430, ≼ – 📺 ☎ ℗ – 8 cam.

a Cima Sappada E : 4 km – alt. 1 295 – ⊠ 32047 Sappada :

🏠 **Belvedere,** ℘ 69112, ≼ – 📺 ☎ ℗. ℀ 𝘝𝘐𝘚𝘈. ※
chiuso da maggio al 15 giugno e dal 16 ottobre al 24 novembre – Pas carta 23/36000 – ⱬ 7000 – **14 cam** 40/80000 – P 65/75000, b.s. 50/60000.

🏠 **Bellavista** 🗢, ℘ 69175, ≼ monti e vallata – 🛗 ↔ rist ⊛ ₫ ℗. ※ rist
← *chiuso dal 3 aprile al 15 giugno e dal 2 ottobre al 27 novembre* – Pas *(chiuso martedì)* 15/18000 – ⱬ 6000 – **25 cam** 50000 – P 55/65000, b.s. 50000.

🏠 **Alle Alpi,** ℘ 69102, ≼, ※ – 🚗 ℗. ※
chiuso da aprile all'11 luglio – Pas *(chiuso lunedì)* carta 20/28000 – ⱬ 5000 – 16 cam 30/54000 – P 40/60000, b.s. 39/44000.

SAPRI 84073 Salerno 988 ㊳ – 7 392 ab. – a.s. luglio e agosto – © 0973.
Escursioni Golfo di Policastro★★ Sud per la strada costiera.
Roma 407 – Castrovillari 94 – ♦Napoli 201 – Potenza 121 – Salerno 150.

🏠 **Mediterraneo,** ℘ 391774, ≼, 🚤 – ℗
← *maggio-novembre* – Pas carta 18/27000 – ⱬ 6500 – 20 cam 29/63000 – P 82000, b.s. 73000.

※※ La Pergola, ℘ 391428.

Vedere anche : *Villammare* O : 4 km.

FIAT via Timpone ℘ 392306

SARDEGNA (Isola) 988 ㉓㉔㉝㉞ – Vedere alla fine dell'elenco alfabetico.

SARENTINO (SARNTAL) 39058 Bolzano 988 ④ – 6 212 ab. alt. 966 – a.s. luglio e agosto – © 0471
– Roma 662 – ♦Bolzano 21 – ♦Milano 316.

※※ **Auener Hof** 🗢 con cam, O : 7 km, alt. 1 600, ℘ 623055, ≼, 🚤, 🐎 – ⊛ ℗
chiuso dal 3 novembre al 19 dicembre – Pas *(chiuso lunedì)* carta 20/31000 – ⱬ 5000 – **7 cam** 58000 – P 48/59000, b.s. 43/50000.

SARMEGO Vicenza – alt. 27 – ⊠ 36040 Grumolo delle Abbadesse – © 0444.
Roma 521 – ♦Milano 213 – ♦Padova 22 – Trento 104 – Treviso 64 – ♦Venezia 55 – Vicenza 12.

※ **Ai Cacciatori,** ℘ 580065 – ▤ ℗. ※
← *chiuso mercoledì e dal 15 luglio al 15 agosto* – Pas carta 19/25000.

SARMEOLA Padova – Vedere Rubano.

SARNANO 62028 Macerata 988 ⑯ – 3 366 ab. alt. 539 – Stazione termale e di villeggiatura,a.s. luglio-agosto e Natale – Sport invernali : a Sassotetto e Maddalena : 1 287/1 585 m ≰6 – © 0733.
🛈 via Matteotti ℘ 667144 – Roma 237 – ♦Ancona 89 – Ascoli Piceno 54 – Macerata 39 – Porto San Giorgio 68.

🏠 **Terme e Rist. Il Girarrosto,** piazza della Libertà 82 ℘ 657166 – 🛗. 𝘝𝘐𝘚𝘈. ※
chiuso marzo e da ottobre al 15 novembre – Pas *(chiuso martedì)* carta 21/29000 – ⱬ 3500 – **23 cam** 28/50000 – P 48/53000, b.s. 42/45000.

🏠 **Eden** 🗢, O : 1 km ℘ 667197, ≼, 🚤, ※ – 🛗 ⊛ 🚗 ℗. ① . ※
← *chiuso novembre* – Pas 18000 – ⱬ 3500 – **37 cam** 35/55000 – P 52000, b.s. 47000.

SARNICO 24067 Bergamo 988 ③ – 5 582 ab. alt. 197 – © 035.
Roma 585 – ♦Bergamo 32 – ♦Brescia 36 – Iseo 10 – Lovere 26 – ♦Milano 73.

🏠 **Cantiere,** ℘ 910091, ≼, « Servizio rist. estivo in terrazza-giardino sul lago » – 🛗 📺 ☎ ℗. ℀ ℀ ① E 𝘝𝘐𝘚𝘈. ※
Pas carta 44/60000 – ⱬ 12000 – **25 cam** 63/93000 – P 127000.

🏠 **Turistico del Sebino,** ℘ 910043, 斎 – 🛗 ℀ ℀ 𝘝𝘐𝘚𝘈. ※
Pas *(chiuso lunedì)* 25/40000 – ⱬ 5000 – **16 cam** 40000 – P 45/55000.

538

SARNTAL = Sarentino.

SARONNO 21047 Varese 988 ③, 219 ⑱ – 38 044 ab. alt. 212 – 🌣 02.
Roma 603 – ◆Bergamo 67 – Como 26 – ◆Milano 26 – Novara 54 – Varese 29.

🏨 **Mercurio** senza rist, via Hermada 2 🖋 9602795 – ☎ 🚗 ⬛ 🚿 ⓞ 🅴
⚏ 5000 – **26 cam** 45/60000.

🏠 **Da Dino,** piazzale Santuario 8 🖋 9600358 – 🅿 ☜
Pas *(chiuso venerdì e dal 14 al 24 agosto)* carta 22/41000 – ⚏ 6000 – 20 cam 23/42000 –
P 45/50000.

XXX **Mezzaluna-La Rotonda di Saronno,** ingresso autostrada 🖋 9601101 – ⬛ 🅿 – 🏡 50 a
200. ⬛ 𝘝𝘐𝘚𝘈, 🦟
chiuso lunedì – Pas carta 35/45000.

XX **Boeucc,** via Mazzini 17 🖋 9623227 – ⬛ 🚿 🅴 𝘝𝘐𝘚𝘈
chiuso domenica e dal 29 luglio al 21 agosto – Pas carta 27/44000.

ALFA-ROMEO via Varese 13 🖋 9600213
BMW via Sampietro 146 🖋 9600056
FIAT via Milano 28/a 🖋 9621925
FIAT via Novara 20/a 🖋 9622821
FORD via Varese 19/d 🖋 9620983

LANCIA-AUTOBIANCHI via Novara 40 🖋 9622861
PEUGEOT-TALBOT via Varese 6 🖋 9605071
RENAULT via Varese 19 🖋 9602239
RENAULT via Ramazzotti 16 🖋 9605192
VOLVO via Grieg 42 (viale Lombardia) 🖋 9626531

SARRE 11010 Aosta 219 ② – 3 451 ab. alt. 780 – 🌣 0165.
Roma 752 – Aosta 5 – Courmayeur 32 – ◆Milano 190 – Colle del Piccolo San Bernardo 50.

🏨 **Sarre,** 🖋 57096, ← – ☎ 🚗 🅿. 🚿 🅴 𝘝𝘐𝘚𝘈, 🦟
Pas *(chiuso giovedì)* carta 20/31000 – ⚏ 7000 – 27 cam 40/70000 – P 50/70000.

🏠 **Panoramique** 🦢, località Pont d'Avisod NE : 2 km 🖋 551246, ← monti e vallata – ☎ 🅿.
◆ 𝘝𝘐𝘚𝘈, 🦟
Pas 19000 – ⚏ 6000 – 20 cam 38/60000 – P 55/60000.

XX **Mille Miglia,** 🖋 57227, prenotare – 🅿. 🦟
chiuso lunedì, dal 1° al 15 febbraio e dal 1° al 15 luglio – Pas carta 27/48000.

X **Trattoria di Campagna,** 🖋 57448, 🍽 – 🅿. ⬛ 🚿 ⓞ 🅴 𝘝𝘐𝘚𝘈. 🦟
chiuso martedì sera, mercoledì e dal 7 al 12 settembre – Pas carta 21/33000.

a Ville sur Sarre N : 7 km – alt. 1 212 – ✉ 11010 Sarre :

🏠 **Des Salasses** 🦢, 🖋 57093, ← – 🅿. 🦟
◆ aprile-settembre – Pas *(chiuso lunedì)* 18/20000 – ⚏ 5000 – **18 cam** 50000 – P 50/60000.

🏠 **Mont Fallère** 🦢, frazione Bellon O : 2,5 km 🖋 57255, ← monte Grivola e vallata – 🅿.
◆ 🦟 rist
Pas *(chiuso martedì dal 15 settembre al 16 giugno)* 18000 – ⚏ 6000 – **16 cam** 26/50000 –
P 40/50000.

GM-OPEL località Poinsod 🖋 551827

SARSINA 47027 Forlì 988 ⑮ – 4 000 ab. alt. 243 – 🌣 0547.
Roma 305 – Arezzo 100 – ◆Bologna 115 – ◆Firenze 113 – Forlì 48 – ◆Milano 333 – ◆Ravenna 62 – Rimini 66.

🏠 **Al Piano** 🦢, via San Martino SO : 2 km 🖋 94848, « Antica dimora patrizia », 🛏, 🐎, 🦟 –
📺 ☎ 🅿. ⬛ 🚿 ⓞ 𝘝𝘐𝘚𝘈. 🦟
Pas *(chiuso lunedì)* carta 25/40000 – ⚏ 4000 – **16 cam** 35/55000 – P 55000.

SARZANA 19038 La Spezia 988 ⑭ – 19 621 ab. alt. 27 – 🌣 0187.
Vedere Pala scolpita★ e crocifisso★ nella Cattedrale – Fortezza di Sarzanello★ : 🌤★★ NE : 1 km.
Roma 403 – ◆Genova 102 – Massa 20 – ◆Milano 219 – Pisa 60 – Reggio nell'Emilia 148 – ◆La Spezia 17.

🏨 **MotelAgip,** Nuova Circonvallazione 32 🖋 621491, Telex 272350 – 🅿 ⬛ 📺 ☎ 🅿. ⬛ 🚿 ⓞ
🅴 𝘝𝘐𝘚𝘈. 🦟 rist
Pas 31000 – ⚏ 13500 – **51 cam** 60/94000 – P 117/135000.

X **Girarrosto-da Paolo,** via dei Molini 136 (N : 2,5 km) 🖋 621088 – 🍽 🅿
◆ *chiuso mercoledì* – Pas carta 16/25000.

X **La Scaletta,** via Bradia 3 🖋 620585, 🍽 – 🅿. 🚿 ⓞ
◆ *chiuso martedì, dal 1° al 20 settembre e dal 24 dicembre al 2 gennaio* – Pas carta 17/25000.

ALFA-ROMEO via Variante Aurelia 🖋 621190
FIAT via Aurelia Camponesto 🖋 620235
FIAT via Pecorina 🖋 625111
FORD via Brigate Partigiane Muccini 153 🖋 626615
INNOCENTI via Neri 8 🖋 620028

LANCIA-AUTOBIANCHI via Variante Aurelia 🖋
629269
PEUGEOT-TALBOT via Variante Aurelia 23 🖋 61582
RENAULT via Pecorina 🖋 626301

SASSARI 🅿 988 ㉝ – Vedere Sardegna alla fine dell'elenco alfabetico.

SASSO MARCONI 40037 Bologna 988 ⑭ – 13 053 ab. alt. 124 – 🌣 051.
Roma 361 – ◆Bologna 19 – ◆Firenze 87 – ◆Milano 218 – Pistoia 78.

🏨 **3 Galletti,** via Val di Setta 148 🖋 841128 – 📺 ☎ 🅿. ⬛ ⓞ. 🦟
Pas carta 30/50000 (10%) – ⚏ 7000 – **24 cam** 65/95000.

segue →

XX **L'Oasi,** casello autostrada A 1 ✆ 841608, 🏡 – **℗** 🕮 🅗 ⓞ **Ɛ** 🆅🆂🅰. ⚘
chiuso mercoledì – Pas carta 30/45000.

XX **La Palazzina,** via Porrettana 339/12 ✆ 842606 – **℗**. 🕮 ⓞ 🆅🆂🅰. ⚘
chiuso lunedì – Pas carta 25/35000.

X **La Bettola,** via Porrettana 361 ✆ 841376, 🏡 – ⫷⫸ **℗**. ⓞ 🆅🆂🅰. ⚘
chiuso martedì e dal 15 al 30 gennaio – Pas carta 30/39000.

SASSO MORELLI Bologna – Vedere Imola.

SASSUOLO 41049 Modena 🗺 ⑭ – 39 317 ab. alt. 123 – 🕿 0536.
Roma 427 – ◆Bologna 67 – Lucca 153 – ◆Modena 17 – Reggio nell'Emilia 23.

a Salvarola Terme SO : 3 km – ✉ 41049 :

🏨 **Terme Salvarola** 🦢, ✆ 871788, Telex 520340, Fax 872160, 🏡, 🏊, 🐎, ✕ – 🛗 🖃 📺 ☎ **℗**
– 🏛 70. 🕮 🅗 ⓞ **Ɛ** 🆅🆂🅰. ⚘
chiuso dal 17 dicembre al 7 gennaio – Pas carta 23/30000 – ⊑ 8000 – **45 cam** 75/108000.

SATURNIA 58050 Grosseto – alt. 294 – 🕿 0564.
Roma 195 – Grosseto 57 – Orvieto 85 – Viterbo 91.

🏠 **Villa Clodia** senza rist, ✆ 601212, ≼, 🐎 – ⚘
chiuso dal 10 gennaio al 10 febbraio – **12 cam** ⊑ 43/77000.

XX **I Due Cippi-da Michele,** ✆ 601074, 🏡 – 🕮 🅗 ⓞ **Ɛ** 🆅🆂🅰. ⚘
chiuso martedì e dal 7 al 30 gennaio – Pas carta 28/41000 (5%).

alle terme SE : 3 km :

🏨 **Terme di Saturnia** 🦢, ✆ 601061, Telex 500172, Fax 601266, ≼, « Giardino ombreggiato »,
♨, 🏊 riscaldata, ✕ – 🛗 🖃 📺 ☎ 🕭 **℗** – 🏛 90. 🕮 ⓞ. ⚘
Pas *(chiuso lunedì da ottobre a marzo)* 40/45000 – ⊑ 22000 – **104 cam** 145/260000 appartamenti 370/400000 – P 190/220000.

SAURIS 33020 Udine 🗺 ⑤ – 490 ab. alt. 1 390 – 🕿 0433.
Roma 723 – Cortina d'Ampezzo 102 – Udine 97.

X **Locanda alla Pace,** ✆ 86010 – ⚘
chiuso mercoledì, dal 5 al 20 maggio e dal 15 al 31 ottobre – Pas carta 20/28000.

SAUZE D'OULX 10050 Torino 🗺 ⑪, 🗺 ⑨ – 990 ab. alt. 1 509 – Stazione di villeggiatura, a.s.
febbraio-15 marzo, Pasqua, luglio-15 agosto e Natale – Sport invernali : 1 509/2 520 m ⫷8 ⫷16, ⫷
– 🕿 0122 – 🛈 piazza Assietta 18 ✆ 85009.
Roma 746 – Briançon 37 – Cuneo 145 – ◆Milano 218 – Sestriere 27 – Susa 28 – ◆Torino 81.

🏨 **Gran Baita** 🦢, ✆ 85183, 🐎 – 🛗 **℗** ⚘ rist
➤ *dicembre-20 aprile e luglio-agosto* – Pas 18000 – **28 cam** ⊑ 40/66000 – P 60/80000,
b.s. 45/50000.

🏠 **Hermitage,** ✆ 85385, ≼ – **℗**. 🕮 🅗 ⓞ **Ɛ** 🆅🆂🅰. ⚘
➤ *6 dicembre-25 aprile e 28 giugno-2 settembre* – Pas 18000/26000 – ⊑ 8000 – 25 cam 50/70000
– P 55/75000, b.s. 40/55000.

X **Villa Daniela** con cam, ✆ 85196 – ⚘ cam
5 dicembre-aprile – Pas carta 23/36000 – ⊑ 4000 – **14 cam** 30/60000 – P 50/60000,
b.s. 50/55000.

a Le Clotes 5 mn di seggiovia o E : 2 km (solo in estate) – alt. 1 790 – ✉ **10050** Sauze
d'Oulx :

🏨 **Il Capricorno** 🦢, ✆ 85273, ≼ monti e vallate,« In pineta » – ☎ **℗**. ⚘ cam
4 dicembre-8 aprile e 11 giugno-9 settembre – Pas *(chiuso dicembre e gennaio)* carta 36/57000
– ⊑ 12000 – **8 cam** 105000 – P 105000.

SAVELLETRI 72015 Brindisi – a.s. 15 giugno-agosto – 🕿 080.
Roma 509 – ◆Bari 59 – ◆Brindisi 54 – Matera 92 – ◆Taranto 55.

XX **Da Renzina,** ✆ 729075, ≼, 🏡 – **℗**. 🕮 🅗 ⓞ 🆅🆂🅰. ⚘
chiuso venerdì e gennaio – Pas carta 22/43000 (15%).

SAVIGLIANO 12038 Cuneo 🗺 ⑫ – 18 925 ab. alt. 321 – 🕿 0172.
Roma 650 – Asti 63 – Cuneo 33 – Savona 104 – ◆Torino 57.

XX **Locanda Due Mori,** piazza Cesare Battisti 5 ✆ 31521 – 🕮 ⓞ. ⚘
chiuso mercoledì ed agosto – Pas carta 22/34000.

FIAT corso Romita 1 ✆ 33936   FORD via Monte Bianco 4 ✆ 33994

SAVIGNANO SUL PANARO 41056 Modena – 7 561 ab. alt. 102 – 🕿 059.
Roma 394 – ◆Bologna 29 – ◆Milano 196 – ◆Modena 26 – Pistoia 110 – Reggio nell'Emilia 52.

XX **Il Formicone,** via Tavoni 463 ✆ 771506 – **℗**
chiuso martedì e dal 15 luglio al 15 agosto – Pas carta 27/39000.

SAVONA

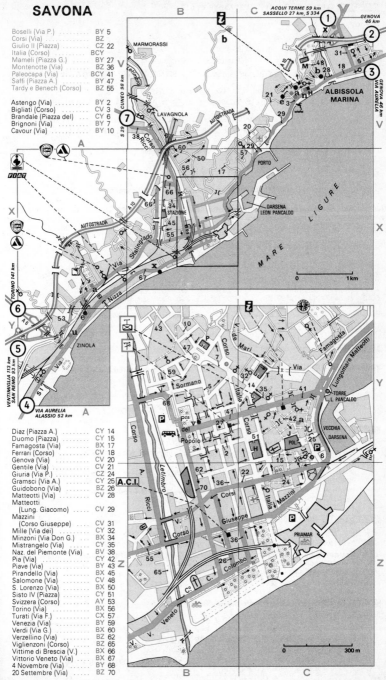

541

SAVONA 17100 🅟 🆈🆈🆈 ⑫⑬ – 71 317 ab. – ✪ 019.
Vedere Guida Verde.
🖪 via Paleocapa 59 r ✆ 820522.
A.C.I. via Guidobono 23 ✆ 386671.
Roma 545 ② – ✦Genova 46 ② – ✦Milano 169 ②.

🏨 **Riviera Suisse** senza rist, via Paleocapa 24 ✆ 820683, Telex 272421 – 🛗 📺 ☎ – 🖾 100. 🆎
   🖻 ⓘ 🅴 *VISA*   BY **v**
   chiuso dal 23 al 27 dicembre – ⌑ 8000 – **70 cam** 68/98000.

🏨 **MotelAgip,** via Nizza 62 ✆ 861961 – 🛗 🗏 📺 ☎ & 🅟 – 🖾 30 a 100. 🆎 🖻 ⓘ 🅴 *VISA*
   🖻 rist   AY **e**
   Pas *(chiuso domenica ed ottobre)* 28000 – ⌑ 12000 – **60 cam** 71/96000 – P 116/139000.

🏨 **Ariston** senza rist, via Giordano 11 r ✆ 805633 – 📺 ☎ 🅟. 🆎 🖻 ⓘ *VISA*   BX **x**
   chiuso dal 24 al 27 dicembre – ⌑ 8000 – **16 cam** 56/83000.

🖇 **La Playa,** via Nizza 103 r ✆ 881151 – 🗏 🅟. 🖻 ⓘ 🅴 *VISA*   AY **u**
   chiuso lunedì – Pas carta 28/54000.

🖇 **Da Cesco,** via Nizza 162 r ✆ 862198 – 🅟   AY **u**
   chiuso martedì e novembre – Pas carta 35/58000.

🖇 Sodano, piazza della Maddalena 7 ✆ 38446, Coperti limitati; prenotare   CY **a**
   chiuso a mezzogiorno.

🗡 **Antica Osteria Bosco delle Ninfe,** via Ranco 10 ✆ 823976, Coperti limitati; prenotare,
   « Servizio estivo in terrazza » – 🅟   BV **b**
   *chiuso domenica sera, lunedì e a mezzogiorno (esclusi i giorni festivi); da luglio a settembre
   chiuso solo a mezzogiorno* – Pas 30000 bc.

🗡 **Sole,** via Stalingrado 66 ✆ 862177 – 🗏   AX **a**
   chiuso sabato e dal 7 al 28 settembre – Pas carta 20/34000.

ALFA-ROMEO lungomare Matteotti 9 ✆ 823787	LANCIA-AUTOBIANCHI corso Ricci 42 r ✆ 802998
BMW via Bellini 4 r ✆ 802733	MERCEDES-BENZ via Aleardi 25 r ✆ 800453
CITROEN via Bartoli 20 ✆ 803284	RENAULT via Nizza 8 ✆ 807775
FIAT via Nizza 14 ✆ 861315	RENAULT via Bartoli 17 ✆ 802676
FORD via San Michele 8 ✆ 801851	VW-AUDI corso Viglienzoni 20 ✆ 805538
GM-OPEL via Nizza 186 r ✆ 881126	VW-AUDI via Bourniquez 2 r ✆ 801993
INNOCENTI via Bellini 4 r ✆ 802733	VOLVO via Nizza 170 r ✆ 862067
LANCIA-AUTOBIANCHI via Valletta San Cristoforo 11 ✆ 861968	

SCAGLIERI Livorno – Vedere Elba (Isola d') : Portoferraio.

SCALA 84010 Salerno – 1 452 ab. alt. 374 – a.s. Pasqua, giugno-settembre e Natale – ✪ 089.
Roma 277 – Amalfi 7 – ✦Napoli 67 – Salerno 30.

🏠 **La Margherita e Villa Giuseppina** 🦢, ✆ 857219, ≤ vallata, Ravello e mare, 🌲 – 🚗 🅟
   🖻 cam
   Pas carta 23/35000 (15%) – ⌑ 8000 – 21 cam 30/40000 – P 70000, b.s. 65000.

SCALEA 87029 Cosenza 🆈🆈🆈 ㊳ – 8 165 ab. – ✪ 0985.
Roma 428 – Castrovillari 72 – Catanzaro 153 – ✦Cosenza 94 – ✦Napoli 222.

🏰 **Gd H. De Rose** 🦢, ✆ 20273, Telex 800070, Fax 20273, ≤, 🌲, 🐾, 🚤, 🗡 – 🛗 🗏 📺 ☎ 🅟.
   🆎 ⓘ. 🖻 rist
   chiuso dal 20 dicembre al 20 gennaio – Pas carta 30/42000 – ⌑ 6500 – 66 cam 63/101000
   appartamenti 185/195000 – P 90/147000.

🏨 **Talao,** ✆ 20444, ≤, 🌲, 🐾, 🗡 – 🛗 🗏 🚗 🅟 – 🖾 45. 🆎 🖻 ⓘ *VISA*. 🖻 rist
🔶   Pas 19/25000 – ⌑ 6000 – 45 cam 60/90000 – P 62/88000.

SCANDIANO 42019 Reggio nell'Emilia 🆈🆈🆈 ⑭ – 21 936 ab. alt. 95 – ✪ 0522.
Roma 426 – ✦Bologna 64 – ✦Milano 162 – ✦Modena 23 – Reggio nell'Emilia 13.

🖇 Al Portone, piazza Boiardo 4 ✆ 855985, Coperti limitati; prenotare – 🅟.

🖇 **Scuderia Sant'Antonio,** località Pratissolo O : 1 km ✆ 856519, Coperti limitati; prenotare,
   « In un'antica scuderia; servizio estivo all'aperto », 🚗 – 🗏 🅟. 🖻
   chiuso lunedì sera, martedì ed agosto – Pas carta 35/50000.

FIAT via Pellegrini 16/a ✆ 855641   RENAULT via Industria 3 ✆ 981541

SCANDICCI 50018 Firenze – 54 456 ab. alt. 49 – ✪ 055.
Roma 277 – ✦Firenze 6 – Siena 68.

Pianta di Firenze : percorsi di attraversamento

🖇 **Luciano,** via Poccianti 6 ✆ 252703 – 🗏. 🆎 🖻 ⓘ. 🖻   EU **b**
   chiuso martedì e dal 1° al 18 agosto – Pas carta 30/53000.

FIAT a Casellina, via Pisana 314/a EU ✆ 721231   GM-OPEL via del Parlamento Europeo 5 ✆ 720383
FIAT a Casellina, largo Spontini 7 EU ✆ 751629

SCANNO 67038 L'Aquila 🔢🔢🔢 ⑦ – 2 511 ab. alt. 1 050 – Stazione di villeggiatura – Sport invernali : 1 050/1 870 m ⌇ 4, ⌇ – ☻ 0864.
Vedere Lago di Scanno★ NO : 2 km – **Dintorni** Gole del Sagittario★★ NO : 6 km.
🄵 piazza Santa Maria della Valle 12 𝒫 74317.
Roma 155 – L'Aquila 101 – Campobasso 124 – Chieti 87 – ◆Pescara 98 – Sulmona 31.

🏨 **Mille Pini** ⌇, 𝒫 74387, 🍴 – ⊛ 🚗 🄿. ⚗
  Pas *(chiuso martedì)* carta 29/41000 – ⌷ 8000 – **19 cam** 55/80000 – P 80000.

🏨 **Miramonti,** 𝒫 74369, ≼ – 🛗 ⊛ ☀ 🚗 🄿. ⚗
➡   Pas carta 17/26000 – ⌷ 7500 – **38 cam** 36/55000 – P 60/66000.

🏠 **Vittoria,** 𝒫 74398, ≼, ⚒ – 🛗 ⊛ ☀ 🄿. ⚗
  Pas *(chiuso mercoledì)* 23/25000 – ⌷ 8000 – 27 cam 40/55000 – P 70000.

🏠 **Belvedere,** 𝒫 74314 – ☎ 🄿. ⚗
➡   Pas *(chiuso lunedì)* 18/20000 – ⌷ 7500 – **32 cam** 30/46000 – P 48/52000.

🏠 **Seggiovia,** 𝒫 74371 – 🛗. ⚗
  Pas *(chiuso martedì)* carta 20/28000 – ⌷ 7000 – **26 cam** 46000 – P 50000.

✗✗ **Birreria la Baita** ⌇ con cam, 𝒫 747264 – 🚗 🄿. ⚗
  Pas *(chiuso lunedì)* carta 21/33000 – ⌷ 6000 – **8 cam** 40/60000 – P 60000.

✗ **Gli Archetti,** 𝒫 74645
  chiuso martedì – Pas carta 24/32000.

✗ **Grotta dei Colombi,** 𝒫 74393
➡   chiuso mercoledì – Pas carta 16/21000.

al lago N : 3 km :

🏨 **Park Hotel,** ✉ 67038 𝒫 74624, ≼, ⌅, ⚒ – 🛗 ☎ ☀ 🚗 🄿. ⚗
  Pas carta 23/32000 – ⌷ 9000 – 65 cam 40/60000 – P 55/68000.

🏨 **Del Lago** ⌇, ✉ 67038 𝒫 747427, ≼, « Terrazza in riva al lago », 🍴 – ⊛ 🄿. 🄰🄴 ⓪ 𝖵𝖨𝖲𝖠. ⚗
  chiuso dal 15 gennaio a Pasqua e dal 10 ottobre al 15 dicembre – Pas *(chiuso mercoledì)* carta 26/42000 – ⌷ 10000 – 23 cam 35/70000 – P 60/65000.

SCANZOROSCIATE 24020 Bergamo – 8 040 ab. alt. 279 – ☻ 035.
Roma 606 – ◆Bergamo 7 – ◆Brescia 49 – ◆Milano 54.

✗✗ **La Taverna,** via Martinengo Colleoni 35 𝒫 661068, 🍴 – 🄿. 🄰🄴 🄱 ⓪ 🄴. ⚗
  chiuso domenica sera e lunedì – Pas carta 37/65000.

SCARIA Como 🔢🔢 ⑧ – Vedere Lanzo d'Intelvi.

SCARIO 84070 Salerno – a.s. luglio e agosto – ☻ 0974.
Roma 421 – ◆Napoli 216 – Salerno 165 – Sapri 15.

🏩 **Marcaneto Palace Hotel** ⌇, località Marcaneto 𝒫 986353, ≼, ⌅ – 🛗 🔲 📺 ☎ 🄿 – 🛗 200. 🄰🄴. ⚗
  giugno-settembre – Pas 25/35000 – ⌷ 10000 – 40 cam 115000 – P 95/130000, b.s. 60/75000.

🏠 **Approdo,** 𝒫 986070, ≼, 🐾, 🍴 – ⊛ 🄿. 🄱. ⚗
➡   aprile-settembre – Pas *(chiuso sino a maggio)* carta 18/29000 (10%) – ⌷ 8000 – **23 cam** 32/48000 – P 53/65000, b.s. 50/53000.

SCARLINO 58020 Grosseto – 2 571 ab. alt. 230 – ☻ 0566.
Roma 231 – Grosseto 44 – ◆Livorno 97.

✗✗ **Da Balbo,** via Roma 9 𝒫 37204, 🍴 – 🄿. 🄱 🄴. ⚗
  chiuso martedì e da ottobre a dicembre – Pas carta 25/35000 (10%).

SCAURI 04028 Latina – Stazione balneare, a.s. Pasqua e luglio-agosto – ☻ 0771.
🄵 via Marconi 23 𝒫 683400 – Roma 155 – Caserta 62 – Latina 85 – ◆Napoli 77.

🏠 **Villa Edy,** Lungomare 315 𝒫 680808, ≼, 🐾 – 🔲 ⊛ 🄿. 🄰🄴 🄱 ⓪ 🄴 𝖵𝖨𝖲𝖠
  Pas *(chiuso da novembre ad aprile)* 20/35000 – **20 cam** ⌷ 47/78000, 🔲 6000 – P 50/95000, b.s. 30/48000.

SCENA (SCHENNA) 39017 Bolzano 🔢🔢🔢 ⑩ – 2 509 ab. alt. 640 – a.s. 15 marzo-ottobre – ☻ 0473.
🄵 𝒫 95669, Telex 401018 – Roma 670 – ◆Bolzano 33 – Merano 5 – ◆Milano 331.

🏩 **Hohenwart,** 𝒫 95629, Telex 400059, ≼ monti e vallata, ⌅, ▨, 🍴, ⚒ – 🛗 🔲 rist 📺 ☎ 🄿. ⚗ cam
  chiuso dal 10 gennaio al 15 marzo – Pas carta 28/38000 – **60 cam** ⌷ 75/150000 – ½ P 83/133000, b.s. 60/90000.

🏩 **Starkenberg,** 𝒫 95665, ≼, ▨, 🍴 – 🛗 📺 ☎ 🄿
  chiuso dal 25 novembre al 3 febbraio – Pas 20/27000 – **40 cam** ⌷ 60/150000 – P 85/120000, b.s. 70/90000.

🏨 **Schennerhof,** 𝒫 95623, ≼, 🍴, 🍴 – 🛗 📺 ☎ 🄿. 🄰🄴 🄱 🄴 𝖵𝖨𝖲𝖠
  Pas *(chiuso martedì)* carta 21/35000 – **22 cam** ⌷ 60/140000 – P 72/93000, b.s. 57/72000.

🏠 **Schlosswirt,** 𝒫 95620, ≼, 🍴, ⌅ – 🛗 ☎ 🄿
  chiuso dal 15 gennaio al 7 marzo – Pas *(chiuso lunedì)* carta 21/33000 – **31 cam** ⌷ 41/88000 – P 59/69000, b.s. 52/67000.

SCHENNA = Scena.

SCHIAVON 36060 Vicenza – 2 162 ab. alt. 74 – ✪ 0444.
Roma 554 – ◆Milano 237 – ◆Padova 56 – Treviso 60 – Vicenza 24.

    a Longa S : 2 km – ⊠ 36060 :

🏠 **Alla Veneziana,** ℰ 665500, Telex 434320 – 🛗 🗐 📺 ☎. 🖭 ◑ *VISA*. ⋘
    Pas *(chiuso lunedì)* carta 25/40000 – ☞ 7000 – **43 cam** 56/85000 – P 60/80000.

SCHIO 36015 Vicenza 🗓🗓🗓 ④ – 36 072 ab. alt. 200 – ✪ 0445.
Roma 562 – ◆Milano 225 – ◆Padova 61 – Trento 72 – ◆Venezia 94 – ◆Verona 72 – Vicenza 23.

🏢 **Nuovo Miramonti** senza rist, via Marconi 3 ℰ 29900, Fax 28134 – 🛗 📺 ☎. 🖭 🖼 ◑ *VISA*. ⋘
    70 cam ☞ 54/72000.

🏠 **Eden,** viale dell'Industria 31 ℰ 670044 – 🛗 🗐 ☎ 🅿. 🖭 🖼 ◑ **E** *VISA*. ⋘
◆ chiuso dal 25 al 31 dicembre – Pas *(solo per clienti alloggiati e chiuso a mezzogiorno)* 18/25000
    – ☞ 7000 – **30 cam** 45/65000, 🗐 4000 – ½ P 60/70000.

✖✖ **Nuovo Miramonti-da Bruno,** via Marconi 5 ℰ 20119 – 🖭 🖼 ◑ **E** *VISA*. ⋘
    chiuso domenica e dal 1° al 21 agosto – Pas carta 26/38000.

FIAT via Veneto 5 ℰ 510100
FORD strada Maranese 96/99 ℰ 670399

GM-OPEL via Vicenza 18 ℰ 671025
PEUGEOT-TALBOT via Veneto 11 ℰ 672682

SCHLANDERS = Silandro.

SCHNALS = Senales.

SCIACCA Agrigento 🗓🗓🗓 ㊴ – Vedere Sicilia alla fine dell'elenco alfabetico.

SCOPELLO Trapani – Vedere Sicilia (Castellammare del Golfo) alla fine dell'elenco alfabetico.

SCOPELLO 13028 Vercelli 🗓🗓🗓 ②, 🗓🗓🗓 ⑤ – 449 ab. alt. 659 – a.s. 15 dicembre-15 gennaio e 15 luglio-agosto – Sport invernali : 659/1 541 m ✦2; ad Alpe di Mera : 1 570/1 742 m ✦6, ✦ – ✪ 0163.
Roma 695 – ◆Milano 121 – Novara 75 – ◆Torino 121 – Varallo 16 – Vercelli 81.

🏠 **Rosetta,** ℰ 71136, ⇐ – ☎ 🅿. 🖼 *VISA*
◆ chiuso maggio, ottobre e novembre – Pas carta 18/27000 – ☞ 4000 – **39 cam** 26/42000 –
    P 50/60000, b.s. 45/55000.

    ad Alpe di Mera S : 20 mn di seggiovia – alt. 1 570 :

🏠 **Sport Hotel Camparient** ⌂, ⊠ 13028 ℰ 78002, ⇐ Monte Rosa e vallata – 🛗 ⇔ cam ☏.
    🖭 **E**. ⋘
    dicembre-aprile e luglio-settembre – Pas carta 31/45000 – ☞ 7000 – 34 cam 48/80000 –
    P 83000, b.s. 70000.

SCORZÈ 30037 Venezia 🗓🗓🗓 ⑤ – 15 133 ab. alt. 16 – ✪ 041.
Roma 527 – ◆Milano 266 – ◆Padova 30 – Treviso 17 – ◆Venezia 24.

🏠 **Villa Conestabile,** ℰ 445027, « Parco e laghetto » – ⇔ cam 📺 ☏ 🅿 – 🔏 25 a 150. 🖭 🖼
    E
    Pas *(chiuso a mezzogiorno e domenica)* carta 26/40000 – ☞ 8500 – **22 cam**
    50/65000 – ½ P 65000.

🏠 **Piccolo Hotel,** ℰ 445312 – 📺 ☎ 🅿. *VISA*. ⋘
    Pas *(chiuso sabato e domenica)* carta 21/30000 – ☞ 5000 – **20 cam** 45/70000.

SEBINO Vedere Iseo (Lago d').

SECCHIA Modena – Vedere Modena.

SECONDIGLIANO Napoli – Vedere Napoli.

SEGESTA Trapani 🗓🗓🗓 ㊴ – Vedere Sicilia alla fine dell'elenco alfabetico.

SEGNI 00037 Roma 🗓🗓🗓 ㊗ – 8 623 ab. alt. 650 – ✪ 06.
Roma 57 – Frosinone 41 – Latina 52 – ◆Napoli 176.

🏠 **La Pace,** ℰ 9767084 – 🛗 ☎ 🅿 – 🔏 300. 🖼 **E** *VISA*. ⋘
◆ Pas 18/20000 – ☞ 5000 – **46 cam** 30/50000 – P 50000.

SEGRATE 20090 Milano 209 ⑲ – 32 423 ab. alt. 116 – ☺ 02.
Roma 575 – ♦Bergamo 48 – ♦Milano 10.

Pianta d'insieme di Milano (Milano p. 4 e 5)

a Milano 2 NO : 3 km – ⊠ 20090 Segrate :

🏨🏨 **Jolly Milano 2** ⤵, ℰ 2175, Telex 321266, Fax 26410115 – 📳 🖭 ⊡ ☎ – 🛣 450. 🖭 ⓢ ⓞ 🖪
VISA. 🕸 rist   HL **a**
Pas 60000 – **149 cam** ⊆ 220/260000.

SEIS = Siusi.

SEISER ALM = Alpe di Siusi.

SELBAGNONE Forlì – Vedere Forlimpopoli.

SELINUNTE Trapani 988 ㊱ – Vedere Sicilia alla fine dell'elenco alfabetico.

SELLA (Passo di) (SELLA JOCH) ★★★ Bolzano 988 ⑤ – alt. 2 240.
Vedere ❅★★★.
Roma 694 – ♦Bolzano 53 – Canazei 12 – Cortina d'Ampezzo 60 – ♦Milano 352 – Trento 113.

SELLA NEVEA Udine 988 ⑥ – alt. 1 155 – ⊠ 33010 Chiusaforte – a.s. luglio-agosto e Natale –
Sport invernali : 1 155/1 842 m ⤓1 ⥃2, ⤴ – ☺ 0433.
Roma 711 – Cortina d'Ampezzo 152 – ♦Milano 456 – Tarvisio 20 – ♦Trieste 145 – Udine 75.

🏛 **Canin** ⤵, ℰ 54019, ≤ – ⥌ cam ⟺ ℗. ⓞ 🖪. 🕸 rist
dicembre-aprile e luglio-10 settembre – Pas 20/25000 – ⊆ 5000 – **27 cam** 45/50000 –
P 60/75000, b.s. 45/60000.

SELVA Brindisi – Vedere Fasano.

SELVA Vicenza – Vedere Montebello Vicentino.

SELVA DI VAL GARDENA (WOLKENSTEIN IN GRÖDEN) 39048 Bolzano 988 ⑤ – 2 317 ab. alt.
1 567 – Stazione di villeggiatura, a.s. febbraio-marzo, luglio-agosto e Natale – Sport invernali :
della Val Gardena 1 567/2 682 m ⤓6 ⥃13, ⤴ – ☺ 0471.
Vedere Postergale★ nella chiesa.
Dintorni Passo Sella★★★ : ❅★★★ S : 10,5 km – Val Gardena★★★ per la strada S 242.
🅘 palazzo Cassa Rurale ℰ 75122, Telex 400359.
Roma 684 – ♦Bolzano 42 – Brunico 59 – Canazei 23 – Cortina d'Ampezzo 72 – ♦Milano 341 – Trento 102.

🏨🏨 **Gran Baita** ⤵, ℰ 75210, Telex 401432, ≤ Dolomiti, 🔲, 🌊, 🎾 – 📳 🖭 ☎ ⟺ ℗. 🖭
VISA. 🕸 rist
20 dicembre-14 aprile e 15 giugno-settembre – Pas *(chiuso mercoledì)* carta 25/50000 –
60 cam (solo pens) – P 85/170000, b.s. 65/130000.

🏨🏨 **Oswald,** ℰ 75151, ≤ – 📳 🖭 rist ⊡ ☎ ℗. 🖭 ⓞ **VISA**. 🕸 rist
8 dicembre-15 aprile e 23 giugno-settembre – Pas *(chiuso martedì)* carta 25/37000 – ⊆ 15000
– 56 cam 83/136000 – P 100/140000, b.s. 80/95000.

🏨🏨 **Tyrol** ⤵, ℰ 75270, Fax 75040, ≤ Dolomiti, 🔲, 🌊 – 📳 🖭 ☎ ⟺ ℗. 🕸 rist
18 dicembre-12 aprile e 16 giugno-5 ottobre – Pas *(chiuso lunedì)* 25/40000 – ⊆ 15000 –
40 cam 70/140000 appartamenti 190/280000 – P 105/145000, b.s. 87/105000.

🏨🏨 **Residence Hotel Antares,** ℰ 75400, 🔲, 🌊 – 📳 🖭 ☎ ⓺ ⟺ ℗ – 🛣 40. 🕸
dicembre-Pasqua e 20 giugno-15 settembre – Pas 28/34000 – 49 cam (solo pens) – P 88/115000,
b.s. 72/88000.

🏨🏨 **Aaritz,** ℰ 75011, ≤, 🔲, 🌊 – 📳 🖭 rist ⊡ ℗. 🖭 ⓢ. 🕸
20 dicembre-10 aprile e 10 luglio-10 settembre – Pas *(chiuso a mezzogiorno)* – 41 cam
(solo ½ P) 100/120000, b.s. 80/90000.

🏛 **Genziana,** ℰ 75187, ≤, 🔲, 🌊 – 📳 🖭 ☎ ℗. 🕸
15 dicembre-15 aprile e 25 giugno-settembre – Pas (solo per clienti alloggiati e *chiuso a
mezzogiorno*) 35000 – ⊆ 18000 – 29 cam 80/125000.

🏛 **Chalet Portillo,** ℰ 75205, ≤ – 📳 🖭 ☎ ℗. 🕸
dicembre-5 aprile e 25 giugno-28 settembre – Pas (solo per clienti alloggiati) 20/26000 –
24 cam ⊆ 50/90000 – P 77/90000, b.s. 59/65000.

🏛 **Solaia** ⤵, ℰ 75104, ≤ Dolomiti, 🔲, 🌊 – ☎ ℗. 🕸
dicembre-10 aprile e 15 giugno-settembre – Pas (solo per clienti alloggiati) – **30 cam**
⊆ 55/110000 – ½ P 75/90000, b.s. 65/75000.

🏛 **Laurin,** ℰ 75105, ≤ – 📳 ☎ ⟺ ℗. ⓞ. 🕸
6 dicembre-14 aprile e luglio-20 settembre – Pas 20000 – 30 cam (solo pens) – P 82000,
b.s. 70000.

SELVA DI VAL GARDENA

🏨 **Condor,** ℰ 75055, ⪡ Dolomiti, ✿ – 🛗 ☎ 🄿. ⋘
   Natale-Pasqua e luglio-settembre – Pas (solo per clienti alloggiati) – 26 cam ⌸ 40/80000 –
   P 75/90000, b.s. 55/70000.

🏨 **Astor,** ℰ 75207, ⪡ Dolomiti – ☎ 🄿, 🄰🄴 🕃 ⑩ 🄴 𝑽𝑰𝑺𝑨. ⋘ rist
   dicembre-aprile e 15 giugno-settembre – 24 cam (solo pens) – P 75/92000, b.s. 55/70000.

🏠 **Armin,** ℰ 75347 – 🆅 ☎ 🄿
   18 dicembre-marzo e 10 luglio-20 settembre – Pas carta 27/33000 – 20 cam ⌸ 55/102000 –
   P 75/120000, b.s. 70/80000.

🏠 **Olympia,** ℰ 75145, ⪡ – ☎ 🄿, 🕃 🄴 𝑽𝑰𝑺𝑨. ⋘ rist
   dicembre-Pasqua e giugno-settembre – Pas carta 20/29000 – ⌸ 10000 – **46 cam** 45/83000 –
   P 75/100000, b.s. 50/70000.

🏠 **Dorfer** ⍋, ℰ 75204, ⪡ Dolomiti, ✿ – ⊛ 🄿. ⋘ rist
   18 dicembre-15 aprile e 4 giugno-settembre – Pas carta 26/39000 – ⌸ 12000 – 30 cam 46/86000
   – P 95/112000, b.s. 72/85000.

🏠 **Malleier** ⍋, ℰ 75296, ⪡ Dolomiti, ✿ – 🛗 ☎ 🄿. ⋘
   dicembre-aprile e giugno-settembre – Pas (solo per clienti alloggiati) – 37 cam ⌸ 35/70000 –
   P 85/102000, b.s. 60/80000.

   Vedere anche : *Santa Cristina Valgardena* O : 3 km.
                 Ortisei NO : 7 km.

SELVINO 24020 Bergamo 🄈🄇🄈 ③ – 1 870 ab. alt. 956 – Stazione di villeggiatura, a.s. luglio-agosto
e Natale – Sport invernali : 956/1 400 m ⪍1 ⪍3 – ⊛ 035.
🄰 corso Milano 19 ℰ 761362.
Roma 622 – ◆Bergamo 21 – ◆Brescia 73 – ◆Milano 68.

🏨 **Elvezia** ⍋, ℰ 761058, ✿ – ⟜⟜ rist ☎ 🄿, 🄰🄴 🕃. ⋘
   chiuso dal 1° al 20 settembre – Pas *(chiuso lunedì)* 23/26000 – ⌸ 7000 – **17 cam** 33/50000 –
   P 55/60000.

🏠 **Aquila** ⍋, ℰ 761000, ✿ – 🄿. 🕃. ⋘
   Pas *(chiuso mercoledì)* carta 22/33000 – ⌸ 7000 – **22 cam** 25/48000 – P 55/58000.

SEMENTINA 🄸🄶🄼 ㉔, 🄶🄵🄼 ⑧, 🄶🄸🄼 ⑫ – Vedere Cantone Ticino (Bellinzona) alla fine dell'elenco
alfabetico.

SEMOGO Sondrio 🄶🄸🄼 ⑰ – Vedere Valdidentro.

SENALES (SCHNALS) 39020 Bolzano 🄶🄸🄼 ⑨ – 1 364 ab. alt. (frazione Certosa) 1 327 – a.s. 15
febbraio-aprile, luglio-agosto e Natale – Sport invernali : a Maso Corto : 2 009/3 212 m ⪍1 ⪍5
(anche sci estivo), ⛷ – ⊛ 0473.
🄰 a Certosa ℰ 89148, Telex 401593.
Da Certosa : Roma 692 – ◆Bolzano 55 – Merano 27 – ◆Milano 353 – Passo di Resia 70 – Trento 113.

   a Madonna di Senales (Unserfrau) NO : 4 km – alt. 1 500 – ✉ 39020 Senales :

🏨 **Berghotel Tyrol** ⍋, ℰ 89690, ⪡, 🖳 – 🛗 ☎ 🄿. ⋘ rist
   chiuso maggio – 25 cam (solo pens) – P 60/65000, b.s. 50/55000.

   a Monte Santa Caterina (Katharinaberg) SE : 4 km – alt. 1 245 – ✉ **39020** Senales :

🏨 **Am Fels** ⍋, ℰ 89139, ⪡, 🖳 – 🛗 ⟜⟜ cam ☎ ⟜⟜ 🄿. ⋘ rist
   Pas (solo per clienti alloggiati) – ⌸ 7000 – **26 cam** 22/44000 – P 50000, b.s. 40000.

🏠 **Katharinabergerhof** ⍋, ℰ 89171, ⪡ – ☎ 🄿. ⋘ rist
   Pas (solo per clienti alloggiati e *chiuso a mezzogiorno*) – **11 cam** ⌸ 20/40000 – ½ P 32/35000,
   b.s. 28/30000.

   a Vernago (Vernagt) NO : 7 km – alt. 1 700 – ✉ 39020 Senales :

🏨 **Vernagt** ⍋, ℰ 89636, ⪡ lago e monti, 🖳 – 🛗 ☎ ⟜⟜ 🄿 – 50 cam.

   verso Maso Corto (Kurzras) NO : 11 km :

🏨 **Gerstgras** ⍋, alt. 1 800 ✉ 39020 ℰ 87522, ⪡, 🖳 – 🛗 ☎ 🄿 – 38 cam.

SENIGALLIA 60019 Ancona 🄈🄇🄈 ⑯ – 40 900 ab. – Stazione balneare, a.s. luglio e agosto –
⊛ 071.
🄰 piazzale Giardini Morandi 2 ℰ 64844, Telex 560358.
Roma 296 – ◆Ancona 29 – Fano 28 – Macerata 79 – ◆Perugia 153 – Pesaro 39.

🏨 **Ritz,** lungomare Dante Alighieri 142 ℰ 63563, ⪡, ⌸, 🐾, ⋘ – 🛗 ⅋ 🄿 – 🏛 100. 🄰🄴 🕃 ⑩
   🄴 𝑽𝑰𝑺𝑨. ⋘
   20 maggio-17 settembre – Pas 30000 – ⌸ 9000 – **150 cam** 57/92000 – P 90/100000,
   b.s. 82/92000.

🏨 **City,** lungomare Dante Alighieri 12 ℰ 63464, Fax 659180, ⪡, 🐾 – 🛗 ☎ ⅋ – 🏛 120. 🄰🄴 🕃
   ⑩ 🄴 𝑽𝑰𝑺𝑨. ⋘ rist
   Pas 20/26000 – ⌸ 7000 – **60 cam** 50/80000 – P 70/75000, b.s. 60/68000.

🏨 **Gd H. Excelsior,** lungomare Dante Alighieri 150 🖉 64503, Fax 64503, ⪡, 🎗, 🖧 – 🛗 🍽 rist
🅿. 🆎 🕄 ⓞ Ⲉ 𝗩𝗜𝗦𝗔. ⅏ rist
maggio-settembre – Pas 35000 – 🍽 8000 – **89 cam** 50/90000 – P 70/88000, b.s. 50/60000.

🏨 **Senb Hotel,** viale Bonopera 26 🖉 64892, Fax 64814, 🖧 – 🛗 ⅏ rist 🍽 rist 📺 ☎ ᗡ, 🚗 🅿
– 🍴 50 a 250. 🆎 🕄 ⓞ Ⲉ 𝗩𝗜𝗦𝗔. ⅏ rist
Pas *(chiuso venerdì e domenica sera)* carta 23/35000 – 🍽 6000 – **51 cam** 50/76000 appartamenti
90/115000 – P 68/76000, b.s. 52/60000.

🏨 **Palace Hotel,** piazza della Libertà 7 🖉 63453, ⪡, 🖧 – 🛗 ᗡ, 🆎 🕄 ⓞ Ⲉ 𝗩𝗜𝗦𝗔. ⅏ rist
Pas *(chiuso venerdì)* 25/35000 – 🍽 6000 – **57 cam** 50/75000 – P 58/65000, b.s. 40/48000.

🏨 **Metropol,** lungomare Leonardo da Vinci 🖉 65576, ⪡, 🎗, 🖧, ⅏ – 🛗 ☜ 🅿. 🆎 🕄 ⓞ Ⲉ
𝗩𝗜𝗦𝗔. ⅏
14 maggio-16 settembre – Pas (solo per clienti alloggiati) 25000 – 🍽 6000 – **65 cam** 49/78000
– P 62/74000, b.s. 46/52000.

🏨 **Cristallo,** lungomare Dante Alighieri 2 🖉 62919, ⪡ – 🛗 ☜. 🆎 🕄 Ⲉ. ⅏ rist
giugno-settembre – Pas carta 20/30000 (15%) – 🍽 5000 – **60 cam** 48/73000 – P 54/65000,
b.s. 40/46000.

🏨 **Baltic,** lungomare Dante Alighieri 66 🖉 63229, ⪡, 🖧 – 🛗 ☜ 🚗 🅿. 🆎. ⅏ rist
giugno-20 settembre – Pas carta 21/30000 (15%) – 🍽 5000 – **60 cam** 73000 – P 54/65000,
b.s. 40/46000.

🏨 **Luxembourg,** lungomare Marconi 37 🖉 60497, ⪡, 🖧 – 🛗 ☜ cam ☜. 🆎 🕄 ⓞ 𝗩𝗜𝗦𝗔.
🡒 ⅏ rist
25 maggio-20 settembre – Pas 19/20000 – 🍽 5000 – **30 cam** 43/60000 – P 55/62000,
b.s. 39/44000.

🏨 **Europa,** lungomare Dante Alighieri 108 🖉 63800, ⪡, 🖧 – 🛗 🍽 rist ☜. 🆎 🕄 ⓞ Ⲉ 𝗩𝗜𝗦𝗔.
⅏ rist
giugno-15 settembre – Pas 25/35000 – 🍽 6000 – **60 cam** 50/75000 – P 58/65000, b.s. 40/48000.

🏨 **Mareblù,** lungomare Mameli 50 🖉 7920104, ⪡ – 🛗 🅿. 🕄 𝗩𝗜𝗦𝗔. ⅏
Pasqua-settembre – Pas 20/22000 – 🍽 6000 – **54 cam** 45/68000 – P 54/64000, b.s. 40/47000.

🏨 **Argentina,** lungomare Dante Alighieri 82 🖉 61487, ⪡, 🖧 – 🛗 ☜. ⅏ rist
🡒 *15 aprile-20 settembre* – Pas 16/20000 – 🍽 5000 – **36 cam** 45/55000 – P 52/58000, b.s. 36/44000.

🏨 **Eden,** via Podesti 194 🖉 63405, ☞ – 🛗 ☎ 🅿. 🆎 🕄 Ⲉ 𝗩𝗜𝗦𝗔
Pas *(chiuso sabato)* carta 21/28000 – 🍽 5000 – **25 cam** 38/55000 – P 42/52000, b.s. 34/42000.

XX **Riccardone's,** via Rieti 69 🖉 64762 – 🆎 ⓞ 𝗩𝗜𝗦𝗔
chiuso dal 1° al 15 marzo, novembre e lunedì in bassa stagione – Pas carta 31/49000.

a Cesano NO : 5 km – ✉ **60012** Cesano di Senigallia :

X **Pongetti,** strada statale 🖉 660064 – 🅿. ⅏
chiuso domenica sera, lunedì e dal 10 al 30 settembre – Pas (solo piatti di pesce) carta 32/43000.

a Roncitelli O : 8 km – ✉ **60010** :

X **Degli Ulivi,** 🖉 66309 – ⅏
chiuso martedì e dal 15 al 30 gennaio – Pas carta 25/45000.

FIAT via Botticelli 26 🖉 668043   VW-AUDI via Giordano Bruno 57 🖉 7924624
FORD via Corinaldese 106 🖉 7925034

SEQUALS 33090 Pordenone – 1 915 ab. alt. 234 – 🕲 0427.

Roma 642 – ◆Milano 380 – Pordenone 37 – Udine 38.

🏨 **Belvedere,** via Odorico 54 🖉 93016 – 📺 ☎ 🅿. 🆎 ⓞ. ⅏
Pas *(chiuso lunedì)* 20/28000 – 🍽 5000 – **22 cam** 26/42000 – P 45/48000.

SEREGNO 20038 Milano 🅈🅇🅇 ③, 🄿🄸🄽 ⑳ – 38 019 ab. alt. 224 – 🕲 0362.

Roma 594 – ◆Bergamo 51 – Como 24 – Lecco 31 – ◆Milano 26 – Novara 66.

🏨 **Umberto I°,** via Dante 63 🖉 223377, Telex 350214 – 🛗 🍽 📺 ☎ 🚗 – 🍴 120. 🆎 🕄 ⓞ Ⲉ
𝗩𝗜𝗦𝗔. ⅏
Pas *(chiuso domenica ed agosto)* carta 31/45000 – 🍽 7000 – **52 cam** 80/120000 – P 130/137000.

🏨 **Biffi,** senza rist, via Giovanni XXIII n° 10 🖉 239994 – 🛗 ☜ 🚗
24 cam.

ALFA-ROMEO viale Mazzini 18 🖉 231366   INNOCENTI via Milano 115 🖉 235968
BMW via Cesare Correnti 37 🖉 230101   LANCIA-AUTOBIANCHI via Colzani 21 🖉 238325
FIAT via Stadio 7 🖉 221155   MASERATI via Milano 115 🖉 235969
GM-OPEL via Repubblica 335 🖉 236516   PEUGEOT-TALBOT via Milite Ignoto 6 🖉 238245

SERINA 24017 Bergamo – 2 073 ab. alt. 820 – a.s. luglio e agosto – 🕲 0345.

Roma 632 – ◆Bergamo 31 – ◆Milano 73 – San Pellegrino Terme 14.

🏨 **Rosalpina,** 🖉 66020 – ☜ cam 🅿. 🆎. ⅏
🡒 *dicembre-aprile e giugno-settembre* – Pas *(chiuso lunedì)* carta 18/28000 – 🍽 5000 – 22 cam
36000 – P 40/43000.

SERPIOLLE Firenze – Vedere Firenze.

SERRADA Trento – Vedere Folgaria.

SERRAVALLE Perugia – Vedere Norcia.

SERRAVALLE PISTOIESE 51030 Pistoia – 8 399 ab. alt. 182 – ✪ 0573.
Roma 320 – ♦Firenze 43 – ♦Livorno 75 – Lucca 34 – Pistoia 8 – Pisa 51.

  🏦 Charleston, senza rist, via Provinciale Lucchese 131 ♨ 51066 – 🗐 📺 ☎ 🄿 – **19 cam**.
FIAT via Montalbano 44-località Ponte Stella ♨ 527901

SERRAVALLE SESIA 13037 Vercelli 🔲🔲🔲 ⑮ – 5 129 ab. alt. 313 – ✪ 0163.
Roma 660 – Biella 43 – ♦Milano 86 – Novara 40 – ♦Torino 101 – Vercelli 45.

  a Vintebbio SE : 2,5 km – ✉ 13030 :

  XX **La Gerla,** ♨ 450248 – ⚘
    chiuso martedì ed agosto – Pas carta 23/37000.

SERVIGLIANO 63029 Ascoli Piceno 🔲🔲🔲 ⑯ – 2 376 ab. alt. 216 – ✪ 0734.
Roma 224 – ♦Ancona 85 – Ascoli Piceno 64 – Macerata 43.

  🏦 **San Marco,** ♨ 750761 – 🕴 ⬳ rist 🕮 🄿. ⬛ **VISA**. ⚘
  ✦ Pas *(chiuso giovedì)* 18/30000 – ⭤ 3000 – 24 cam 30/55000 – P 55000.

SESTO (SEXTEN) 39030 Bolzano 🔲🔲🔲 ⑤ – 1 819 ab. alt. 1 311 – a.s. 15 febbraio-aprile, luglio-15 settembre e Natale – Sport invernali : 1 311/2 205 m ⛷1 ⛷14, ⛷; a Versciaco : 1 132/2 050 m ⛷2 ⛷2 – ✪ 0474.
Dintorni Val di Sesto★★ Nord per la strada S 52 e Sud verso Campo Fiscalino.
🛈 ♨ 70310, Telex 400196.
Roma 697 – Belluno 96 – ♦♦Bolzano 116 – Cortina d'Ampezzo 44 – ♦Milano 439 – Trento 173.

  🏦 **San Vito-St. Veit** ⚘, ♨ 70390, ⟨ Dolomiti e vallata, 🔲 – ☎ 🄿. ⚘ rist
  ✦ *20 dicembre-marzo e 10 giugno-10 ottobre* – Pas 14/30000 – 26 cam ⭤ 55/110000 – P 62/69000, b.s. 49/56000.

  🏦 **Sesto-Sextnerhof,** ♨ 70314 – 🕴 🗐 rist 🕮. 🗗 **VISA**
  ✦ *chiuso dal 20 aprile al 20 maggio e dal 6 al 19 dicembre* – Pas *(chiuso martedì)* 16/32000 – **32 cam** ⭤ 48/84000 – P 70/80000, b.s. 54/65000.

  🏦 **Monika** ⚘, ♨ 70384, ⟨, ⚘ – 🕴 ☎ 🛆 ⬲ 🄿. ⚘
  ✦ *20 dicembre-20 aprile e 20 maggio-10 ottobre* – Pas 16000 – ⭤ 12000 – 27 cam 31/51000 – P 70000, b.s. 51/56000.

  a Moso (Moos) SE : 2 km – alt. 1 339 – ✉ 39030 Sesto :

  🏨 **Sporthotel Val Fiscalina-Fischleintal** ⚘, ♨ 70365, Fax 70509, ⟨ Dolomiti, ⚓, 🔲 riscaldata, 🔲, ⚘, ⬳ – 🕴 🗐 rist 📺 ☎ 🛆 🄿
    15 dicembre-20 aprile e 25 maggio-20 ottobre – Pas carta 23/36000 – **48 cam** ⭤ 60/110000 – P 100/117000, b.s. 65/77000.

  🏨 **Rainer,** ♨ 70366, ⟨ Dolomiti e valle Fiscalina, 🔲, ⚘ – 🕴 📺 ☎ 🄿. ⬛
    20 dicembre-18 aprile e 20 maggio-10 ottobre – Pas 20/35000 – 30 cam ⭤ 45/68000 – P 91/100000, b.s. 51/64000.

  🏦 **Berghotel Tyrol** ⚘, ♨ 70386, ⟨ Dolomiti e valle Fiscalina, ⚘ – ⬳ cam 🗐 rist ☎ ⬲ 🄿. ⚘
    20 dicembre-marzo e 25 maggio-10 ottobre – 30 cam (solo pens) – P 70/80000, b.s. 60/70000.

  🏦 **Tre Cime-Drei Zinnen,** ♨ 70321, ⟨ Dolomiti e valle Fiscalina, 🔲 riscaldata, ⚘ – ☎ ⬲ 🄿. ⚘ rist
    22 dicembre-marzo e 20 giugno-25 settembre – Pas 20/30000 – 41 cam ⭤ 55/110000 – P 65/90000, b.s. 50/70000.

  🏦 **Alpi** ⚘, ♨ 70378, ⟨ – 🕴 🗐 rist ☎ ⬲. ⚘ cam
  ✦ *18 dicembre-20 aprile e giugno-10 ottobre* – Pas (solo per clienti alloggiati) 14/18000 – ⭤ 7000 – 16 cam 25/66000 – P 52/70000, b.s. 40/50000.

  X **Leone-Löwen** con cam, ♨ 70338 – ⚘ cam
  ✦ *chiuso dal 15 aprile al 15 maggio e dal 20 ottobre al 30 novembre* – Pas carta 19/25000 – 11 cam ⭤ 27/54000 – P 40/55000, b.s. 38/43000.

  a Campo Fiscalino (Fischleinboden) S : 4 km – alt. 1 451 – ✉ 39030 Sesto :

  🏦 **Dolomiti-Dolomitenhof** ⚘, ♨ 70364, ⟨ pinete e Dolomiti, ⚘ – 🕴 ☎ 🛆 🄿
    18 dicembre-7 aprile e giugno-7 ottobre – Pas *(chiuso sabato in bassa stagione)* carta 24/37000 – ⭤ 12000 – 30 cam 50/88000 – P 65/70000, b.s. 45/54000.

  Vedere anche : *Monte Croce di Comelico (Passo)* (Kreuzbergpass) SE : 7 km.

SESTO CALENDE 21018 Varese 988 ②③, 219 ⑦ – 9 647 ab. alt. 198 – ✆ 0331.

Roma 632 – Como 50 – ✦Milano 55 – Novara 39 – Stresa 25 – Varese 23.

🏨 **Tre Re,** piazza Garibaldi 25 ✆ 924229, ← – 🛗 ☎. 🎩 VISA. ⚞ rist
marzo-novembre – Pas (chiuso venerdì) carta 36/54000 – � 10000 – **35 cam** 55/70000 – P 90000.

🏠 **David,** via Roma 56 ✆ 920182 – 🛗 🐾 🅿. 🎩 🗟 ⓞ. ⚞
chiuso dicembre – Pas (chiuso lunedì) carta 24/42000 – ⊆ 8000 – 13 cam 52/70000 – P 80000.

a Lisanza NO : 3 km – ✉ 21018 Sesto Calende :

XXX **Da Mosè,** ✆ 977210, prenotare – 🗐 🅿. 🎩 🗟 ⓞ 🄴. ⚞
chiuso lunedì, martedì, gennaio e dal 10 al 20 agosto – Pas carta 41/72000 (10%).

Vedere anche : *Somma Lombardo* SE : 9 km.

SESTOLA 41029 Modena 988 ⑭ – 2 787 ab. alt. 1 020 – Stazione di villeggiatura, a.s. febbraio-15 marzo, 15 luglio-agosto e Natale – Sport invernali : 1 020/1 976 m ⦣7 ⦣11, ⬈ – ✆ 0536.

🛈 piazza Pier Maria Passerini 18 ✆ 62324.

Roma 387 – ✦Bologna 81 – ✦Firenze 113 – Lucca 99 – ✦Milano 240 – ✦Modena 71 – Pistoia 77.

🏨 **San Marco** ⬊, ✆ 62330, ←, « Parco-pineta con ⚞ » – 🛗 🅿 – 🛆 100. 🎩 🗟 ⓞ. ⚞ rist
20 dicembre-15 marzo e 20 giugno-10 settembre – Pas 28/35000 – ⊆ 12000 – **40 cam** 75/90000 – P 75/95000, b.s. 65/75000.

🏨 **Tirolo** ⬊, ✆ 62523, ←, 🌬, ⚞ – ☎ 🅿. ⚞
20 dicembre-10 marzo e 25 giugno-8 settembre – Pas 18/20000 – ⊆ 5000 – **39 cam** 35/50000 – P 50/55000, b.s. 42/48000.

🏠 **Elena,** ✆ 61010 – ☎
stagionale – 16 cam.

🏠 **Capriolo,** ✆ 62325, ←, 🌬 – 🐾 🅿. ⚞
dicembre-aprile e luglio-agosto – Pas 16/20000 – ⊆ 7000 – **26 cam** 30/50000 – P 45/57000, b.s. 38/48000.

🏠 **Nuovo Parco,** ✆ 62322, ←, « Giardino » – 🅿. ⚞ rist
chiuso ottobre e novembre – Pas (chiuso lunedì) 25/30000 – ⊆ 4000 – 40 cam 30/50000 – P 50/55000, b.s. 35/45000.

🏠 **Cristallo,** ✆ 62551, ← – 🛗 🅿. ⚞ rist
chiuso maggio e ottobre-novembre – Pas 20/28000 – ⊆ 10000 – **27 cam** 40/60000 – P 53/60000, b.s. 42/50000.

XX **San Rocco** con cam, ✆ 62382, Coperti limitati; prenotare – 📺 🐾. 🎩 🗟 ⓞ 🄴 VISA. ⚞ rist
chiuso ottobre e novembre – Pas (chiuso lunedì) carta 35/53000 – ⊆ 10000 – **11 cam** 40/65000 – P 64/70000, b.s. 55/60000.

X **Il Faggio,** ✆ 62211 – 🎩 🗟 ⓞ 🄴 VISA. ⚞
chiuso lunedì e giugno – Pas carta 31/38000.

SESTRIERE 10058 Torino 988 ⑪, 77 ⑨ – 805 ab. alt. 2 033 – a.s. febbraio-15 marzo, Pasqua e Natale – Sport invernali : 2 033/2 823 m ⦣1 ⦣20, ⬈ – ✆ 0122.

🎿 (luglio-15 settembre) ✆ 76276.

🛈 piazza Agnelli 10 ✆ 76045.

Roma 750 – Briançon 32 – Cuneo 118 – ✦Milano 240 – ✦Torino 93.

🏨 **Gd H. Principi di Piemonte** ⬊, via Sauze ✆ 7941, ← – 🛗 📺 ☎ 🚗 🅿 – 🛆 70. 🎩 🗟 ⓞ 🄴 VISA. ⚞ rist
dicembre-aprile – Pas 45/60000 – **94 cam** ⊆ 210/360000 – P 190/255000, b.s. 150/170000.

🏨 **Gd H. Sestriere,** via Assietta 1 ✆ 76476, ← – 🛗 📺 ☎ 🚗 – 🛆 40
stagionale – 89 cam.

🏨 **Cristallo,** via Pinerolo 5 ✆ 77234, ← – 🛗 🅿 – 🛆 70. 🎩 🗟 ⓞ VISA. ⚞ rist
dicembre-10 aprile – Pas 45/50000 – ⊆ 15000 – 76 cam 100/140000 – P 120/160000, b.s. 80/90000.

🏨 **Miramonti,** via Cesana 3 ✆ 77048, ← – ☎ 🚗 🅿. 🗟 ⓞ VISA. ⚞ rist
25 novembre-1° maggio e 29 giugno-9 settembre – Pas (chiuso martedì) 18/30000 – ⊆ 8000 – 36 cam 55/80000 – P 75/95000, b.s. 50/75000.

🏨 Savoy Edelweiss, via Fraiteve 7 ✆ 77040 – ☎
stagionale – 28 cam.

🏠 **Sud-Ovest,** via Monterotta 17 ✆ 77393 – ☎ 🚗 🅿. 🗟 VISA. ⚞ rist
novembre-aprile e giugno-settembre – Pas 20/27000 – ⊆ 7000 – 21 cam 60/90000 – P 70/87000, b.s. 45/65000.

🏠 **Olimpic,** via Monterotto 9 ✆ 77344 – ☎ 🅿. ⚞ rist
dicembre-aprile e luglio-25 agosto – Pas 20/25000 – ⊆ 10000 – 29 cam 65/85000 – P 80/90000, b.s. 55/70000.

XX **Last Tango,** via La Glesia 5/a ✆ 76337, Coperti limitati; prenotare – ⓞ. ⚞
chiuso martedì e novembre – Pas carta 31/44000.

SESTRI LEVANTE 16039 Genova 988 ⑬ – 21 135 ab. – Stazione climatica e balneare, a.s. Pasqua, 15 giugno-15 settembre e Natale – ✆ 0185.

🖪 viale 20 Settembre 33 ✆ 41422.

Roma 457 – ◆Genova 50 – ◆Milano 183 – Portofino 34 – ◆La Spezia 59.

🏨 **Gd H. dei Castelli** ⑤, via alla Penisola 26 ✆ 41044, ≤ golfo, 🏠, « Grande parco sul mare con ascensore per la spiaggia in un bacino naturale », 🏖 – 🛗 📺 ☎ ❷ – 🏊 150. 🆎 🕃 ⓪ ⊑ 𝑉𝐼𝑆𝐴. ❀ rist
15 maggio-10 ottobre – Pas 66000 – ☲ 15000 – **45 cam** 135/233000 appartamenti 370/405000 – P 189/206000, b.s. 167/189000.

🏨 **Gd H. Villa Balbi,** viale Rimembranze 1 ✆ 42941, Fax 482459, 🏠, « Parco-giardino con ✦ riscaldata », 🏖 – 🛗 ☎ ❷. 🆎 🕃 ⓪ ⊑ 𝑉𝐼𝑆𝐴. ❀ rist
20 aprile-2 ottobre – Pas 48/58000 – ☲ 18000 – **100 cam** 90/150000 appartamenti 200/250000 – P 130/160000, b.s. 100/130000.

🏨 **Miramare** ⑤, via Cappellini 9 ✆ 480855, Fax 41055, ≤, 🏖 – 🛗 ☎ ⟷ – 🏊 40 a 80. 🆎 🕃 ⊑ 𝑉𝐼𝑆𝐴. ❀
Pas carta 37/61000 – **41 cam** ☲ 110/180000 – P 145/160000, b.s. 100/120000.

🏨 **Vis à Vis** ⑤, via della Chiusa 28 ✆ 42661, Telex 272443, ≤ mare e città, ✦ riscaldata, ✿ – 🛗 🍽 rist 📺 ☎ ❷. 🆎 🕃 ⊑ 𝑉𝐼𝑆𝐴. ❀ rist
chiuso da novembre al 19 dicembre – Pas 30/50000 – 47 cam ☲ 84/140000 – P 120/150000, b.s. 85/110000.

🏨 **Helvetia** ⑤, via Cappuccini 43 ✆ 41175, Telex 272003, ≤ baia del Silenzio, « Terrazze-giardino fiorite », 🏖 – 🛗 📺 ☎. ❀ rist
15 marzo-ottobre – Pas *(chiuso a mezzogiorno)* 30/40000 – ☲ 12000 – 28 cam 60/70000.

🏨 **Due Mari,** vico del Coro 18 ✆ 42696, ≤, ✿ – 🛗 ☎ ⟷ – 🏊 50. ❀ rist
chiuso da novembre al 21 dicembre – Pas 35/40000 – ☲ 9000 – 26 cam 50/70000 – P 75000, b.s. 50/60000.

🏨 **Sereno** ⑤, via Val di Canepa 96 ✆ 43303 – 📺 ☎
Pas 20/30000 – ☲ 7000 – **10 cam** 55000 – P 50/60000, b.s. 50000.

XXX **Angiolina,** viale Rimembranze 49 ✆ 41198 – 🕃
chiuso martedì e febbraio – Pas carta 53/82000 (12%).

XX **San Marco,** al porto ✆ 41459, ≤ – 🆎 🕃 ⓪ 𝑉𝐼𝑆𝐴
chiuso mercoledì, dal 1° al 15 febbraio e dal 15 al 30 novembre – Pas carta 44/61000.

XX **El Pescador,** al porto ✆ 41491, ≤ – 🆎 🕃 ⊑ 𝑉𝐼𝑆𝐴
chiuso martedì e dal 15 dicembre al 15 febbraio – Pas carta 45/60000.

XX **Sant'Anna,** lungomare De Scalzo 60 ✆ 41004, ≤ – 🆎 🕃 ⊑ ⓪ 𝑉𝐼𝑆𝐴
chiuso giovedì e dal 6 gennaio all'8 febbraio – Pas carta 31/55000 (10%).

X **Mira** con cam, viale Rimembranze 15 ✆ 41576 – ❀ rist ☎. ❀
chiuso novembre – Pas *(chiuso mercoledì in bassa stagione)* carta 35/55000 – ☲ 9000 – 13 cam 50/80000 – P 60/80000.

a Riva Trigoso SE : 2 km – ✉ 16037 :

XX **Fiammenghilla Fieschi,** via Pestella 6 ✆ 481041, Coperti limitati; prenotare – ❷. 🆎 🕃 ⊑ 𝑉𝐼𝑆𝐴. ❀
chiuso a mezzogiorno (escluso i giorni festivi), lunedì, martedì e dal 20 gennaio al 10 febbraio – Pas carta 40/61000.

XX **Asseü,** via G. B. da Ponzerone 2 ✆ 42342, ≤, « Servizio estivo in terrazza sul mare » – ❷. 🕃
chiuso mercoledì e novembre – Pas carta 30/45000.

SESTRI PONENTE Genova – Vedere Genova.

SETTEQUERCE (SIEBENEICH) Bolzano 218 ⑳ – alt. 264 – ✉ 39018 Terlano – a.s. aprile e luglio-15 ottobre – ✆ 0471.

Roma 643 – ◆Bolzano 6 – Merano 22 – ◆Milano 300 – Trento 59.

🏨 **Greifenstein** senza rist, ✆ 918451, ≤, ✦ riscaldata, ✿ – ☞ ❷. ❀
10 marzo-10 novembre – ☲ 4000 – **12 cam** 32/52000.

X **Patauner,** ✆ 918502, 🏠 – ❷
◆ *chiuso giovedì, dal 1° al 20 febbraio e dal 1° al 14 luglio* – Pas carta 19/30000.

SETTIMO MILANESE 20019 Milano 219 ⑱ – 13 193 ab. alt. 134 – ✆ 02.

Roma 586 – ◆Milano 12 – Novara 43 – Pavia 45 – Varese 51.

XX **Il Palio,** via Gramsci 75 ✆ 3285735 – 🍽 ❷. 🆎 🕃 ⓪ 𝑉𝐼𝑆𝐴. ❀
chiuso lunedì e dal 7 al 31 agosto – Pas carta 29/43000.

X **Olonella,** via Gramsci 3 ✆ 3281267 – 🍽 ❷. 🆎 🕃 ⓪ ⊑ 𝑉𝐼𝑆𝐴
chiuso sabato ed agosto – Pas carta 25/48000.

SETTIMO TORINESE 10036 Torino 988 ② – 45 098 ab. alt. 207 – ✿ 011.
Roma 698 – Aosta 109 – ♦Milano 132 – Novara 86 – ♦Torino 11 – Vercelli 62.

Pianta d'insieme di Torino (Torino p. 3)

XX **Trattoria Tipica Boschetti,** via Leini 17 ℘ 8000072 – ⒶⒺ ①. ℅   per via Torino   HT
   chiuso sabato sera, domenica ed agosto – Pas carta 20/36000.

   sull'autostrada al bivio A4 - A5 O : 5 km :

🏨 **MotelAgip,** ⊠ 10036 ℘ 8001855, Telex 214546, Fax 8001525 – 🛗 ☰ ⓣⓥ ☎ Ⓟ – ⳱ 90. ⒶⒺ 🅱
   ① Ⓔ 𝗩𝗜𝗦𝗔. ℅ rist   HT   n
   Pas 36000 – ⚏ 16000 – **100 cam** 69/91000, ☰ 8500 – P 125/149000.

INNOCENTI via Trento 4 ℘ 8000149

SETTIMO VITTONE 10010 Torino 219 ⑭ – 1 723 ab. alt. 282 – ✿ 0125.
Roma 693 – Aosta 56 – Ivrea 10 – ♦Milano 125 – Novara 79 – ♦Torino 59.

XX **Gambino** con cam, strada statale S : 1 km ℘ 758429, ≼, 🏡, 🌳 – Ⓟ. ℅
   Pas *(chiuso martedì)* carta 25/40000 – ⚏ 7000 – **8 cam** 30/45000 – P 55/60000.
X **La Baracca,** località Cornaley E : 4 km ℘ 758109, ≼, 🏡, 🌳 – Ⓟ. ⒶⒺ 🅱. ℅
   chiuso lunedì e dal 7 gennaio al 15 febbraio – Pas carta 21/34000.

SEXTEN = Sesto.

SICILIA (Isola) 988 ㉝㉞㉟ – Vedere alla fine dell'elenco alfabetico.

SIDERNO 89048 Reggio di Calabria 988 ㊴ – 16 645 ab. – ✿ 0964.
Roma 697 – Catanzaro 93 – Crotone 144 – ♦Reggio di Calabria 103.

🏨 **Gd H. President,** strada statale 106 (SO : 2 km) ℘ 343191, Telex 890020, ≼, 🏊, 🐎, ℅ –
   🛗 ☰ rist ☎ ⏚ Ⓟ – ⳱ 400. ⒶⒺ 🅱 ① 𝗩𝗜𝗦𝗔. ℅ rist
   Pas carta 24/35000 – ⚏ 5000 – **110 cam** 70/105000 appartamenti 130/190000 – P 55/115000.
🏨 **Dei Gelsomini,** via Amendola ℘ 381996, ℅ – 🛗 ⏪ rist ☎ Ⓟ. ⒶⒺ 🅱 ① Ⓔ 𝗩𝗜𝗦𝗔. ℅ rist
   Pas carta 20/27000 – ⚏ 5000 – 58 cam 45/73000 – P 68000.

FIAT via Enrico Fermi 79 ℘ 348644   RENAULT via Enrico Fermi 20 ℘ 348291

SIEBENEICH = Settequerce.

SIENA 53100 Ⓟ 988 ⑮ – 59 225 ab. alt. 322 – ✿ 0577.
Vedere Piazza del Campo*** BZ : palazzo Pubblico***, ⋇** dalla torre del Mangia – Duomo***
AZ – Museo dell'Opera del Duomo** ABZ M – Battistero di San Giovanni★ : fonte battesimale★★
AZ V – Palazzo Buonsignori★ : pinacoteca★★ BZ – Via di Città★ BZ – Via Banchi di Sopra★ BYZ –
Piazza Salimbeni★ BY – Tabernacolo★ di Giovanni di Stefano, affreschi★ del Sodoma nella basilica
di San Domenico AYZ – Adorazione del Crocifisso★ del Perugino, opere★ di Ambrogio Lorenzetti,
Matteo di Giovanni e Sodoma nella chiesa di Sant'Agostino BZ D.

🅿 via di Città 5 ℘ 47051 – piazza del Campo 56 ℘ 280551.
A.C.I. viale Vittorio Veneto 47 ℘ 49001.

Roma 230 ② – ♦Firenze 68 ⑤ – ♦Livorno 116 ⑤ – ♦Milano 363 ⑤ – ♦Perugia 107 ② – Pisa 106 ⑤.

Piante pagine seguenti

🏨🏨 **Park Hotel** ℅, via di Marciano 18 ℘ 44803, Telex 571005, ≼, 🏡, « Costruzione del 15°
   secolo in un parco », 🏊, ℅ – 🛗 ☰ ⓣⓥ ☎ ⏚ Ⓟ – ⳱ 80. ⒶⒺ 🅱 ① Ⓔ 𝗩𝗜𝗦𝗔. ℅ rist   V a
   Pas *(chiuso mercoledì)* carta 65/113000 – ⚏ 22000 – **69 cam** 179/299000 appartamenti 535000.

🏨🏨 **Jolly Excelsior,** La Lizza ℘ 288448, Telex 573345, Fax 41272 – 🛗 ☰ ⓣⓥ ☎ – ⳱ 150 a 200.
   ⒶⒺ 🅱 ① Ⓔ 𝗩𝗜𝗦𝗔. ℅ rist   AY a
   Pas 44000 – **126 cam** ⚏ 172/280000.

🏨 **Certosa di Maggiano** ℅, strada di Certosa 82 ℘ 288180, Telex 574221, ≼, « Certosa del
   14° secolo; giardino con 🏊 riscaldata », ℅ – ⓣⓥ ☎ Ⓟ. ⒶⒺ 🅱 ① Ⓔ 𝗩𝗜𝗦𝗔. ℅ rist   X m
   Pas *(chiuso martedì)* carta 85/125000 – ⚏ 28000 – 14 cam 260/290000 appartamenti 400/520000
   – P 290/405000.

🏨 **Villa Scacciapensieri** ℅, via di Scacciapensieri 10 ℘ 41442, Telex 573390, « Servizio rist.
   estivo in giardino fiorito e parco con « città e colli », 🏊, ℅ – 🛗 ☰ ⓣⓥ Ⓟ. ⒶⒺ 🅱 ① Ⓔ 𝗩𝗜𝗦𝗔
   ℅ rist   V k
   25 marzo-3 novembre – Pas *(chiuso mercoledì)* carta 40/57000 – ⚏ 17500 – **27 cam** 133/195000
   appartamenti 250/300000 – P 135/210000.

🏨🏨 **Gd H. Villa Patrizia** ℅, via Fiorentina 58 ℘ 50431, Telex 574366, ≼, « Parco », 🏊, ℅ – 🛗
   ⓣⓥ ☎ Ⓟ. ⒶⒺ 🅱 ① Ⓔ 𝗩𝗜𝗦𝗔. ℅ rist   V d
   Pas *(solo per clienti alloggiati)* 28/40000 – ⚏ 15000 – **33 cam** 125/210000 – P 170/190000.

🏨 **Garden** ℅, via Custoza 2 ℘ 47056, Telex 574239, ≼, « Parco ombreggiato », 🏊 – 🛗 ☎ Ⓟ –
   ⳱ 1000. ⒶⒺ 🅱 ① 𝗩𝗜𝗦𝗔. ℅ rist   V b
   Pas *(chiuso dal 15 novembre al 15 marzo)* carta 35/45000 (10%) – ⚏ 10500 – **64 cam** 51/82000.

🏨 **Italia** senza rist, via Cavour 67 ℘ 41177 – 🛗 Ⓟ. ⒶⒺ 🅱 ① 𝗩𝗜𝗦𝗔. ℅   V e
   ⚏ 8000 – **74 cam** 49/78000.

SIENA

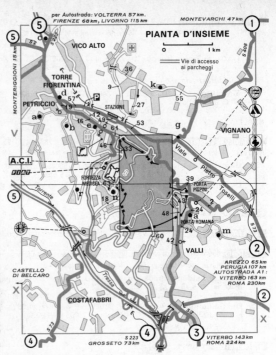

PIANTA D'INSIEME

per Autostrada: VOLTERRA 57 km.
FIRENZE 68 km, LIVORNO 115 km
MONTEVARCHI 47 km

--- = Vie di accesso ai parcheggi

🏨 **Castagneto** senza rist, via dei Cappuccini 39 ℰ 45103, ≤ città e colli, ☞ – ☜ 🅿. ⚸
15 marzo-novembre – ⇌ 10000 – **11 cam** 60/80000. X r

🏨 **Santa Caterina** senza rist, via Piccolomini 7 ℰ 221105, Telex 575304 – 🍽 ☎ 🝙 🔣 ⑩ 🅴
VISA X a
marzo-10 novembre – **19 cam** ⇌ 104000.

🏨 **Chiusarelli**, viale Curtatone 9 ℰ 280562 – ☎ 🅿. ⚸ rist AY e
Pas (chiuso sabato) carta 19/25000 (10%) – ⇌ 6500 – **50 cam** 38/58000.

🏨 **Palazzo Ravizza**, Piano dei Mantellini 34 ℰ 280462, « Costruzione del 17° secolo con giardino » – 🍴 ☎ 🔣 🝙 ⑩ 🅴 **VISA**. ⚸ AZ v
Pas (solo per clienti alloggiati: chiuso a mezzogiorno e da gennaio a marzo) 30000 – ⇌ 10000 – 28 cam 82000.

🏨 **Duomo** senza rist, via Stalloreggi 38 ℰ 289088 – 🍴 ☎. 🔣 **VISA**. ⚸ AZ e
⇌ 8000 – **21 cam** 50/80000.

🏨 **Anna** senza rist, località Fontebecci NO : 3 km ℰ 51371 – 🍴 ☜ 🅿. 🔣 🝙 ⑩ 🅴 **VISA** V c
⇌ 6000 – **31 cam** 45/68000.

🏨 **Minerva**, via Garibaldi 72 ℰ 284474 – 🍴 ☎ ⴱ ⟺ 🔣 🝙 ⑩ 🅴 **VISA**. ⚸ BY s
Pas 21000 – ⇌ 7000 – **49 cam** 48/79000 – P 86/97000.

🏨 **Lea** senza rist, viale 24 Maggio 10 ℰ 283207, ☞ – ☜ X n
13 cam ⇌ 35/70000.

🎗🎗🎗 **Al Marsili**, via del Castoro 3 ℰ 47154, « In un edificio d'origine quattrocentesca ». 🔣 🝙 ⑩
🅴 **VISA**. ⚸ BZ a
chiuso lunedì – Pas carta 28/38000 (15%).

🎗🎗 **Il Campo**, piazza del Campo 50 ℰ 280725, prenotare, ≤ piazza, 🎝 – 🝙. ⚸ BZ y
chiuso martedì – Pas carta 39/49000 (12%).

🎗🎗 **Al Mangia**, piazza del Campo 42 ℰ 281121, ≤ piazza, 🎝 – 🝙 BZ u
chiuso lunedì e febbraio – Pas carta 32/46000 (12%).

🎗🎗 **L'Angolo**, via Garibaldi 15 ℰ 289251 – 🔣 🝙 ⑩ 🅴 **VISA** AY b
chiuso sabato – Pas carta 24/35000 (10%).

🎗🎗 **Le Campane**, via delle Campane 6 ℰ 284035 – 🔣 ⑩ **VISA** BZ b
chiuso novembre, domenica da giugno a settembre e lunedì negli altri mesi – Pas carta 25/47000 (12%).

🎗🎗 **Mariotti-da Mugolone**, via dei Pellegrini 8 ℰ 283235 – ⚸ BZ s
chiuso giovedì – Pas carta 24/36000 (12%).

552

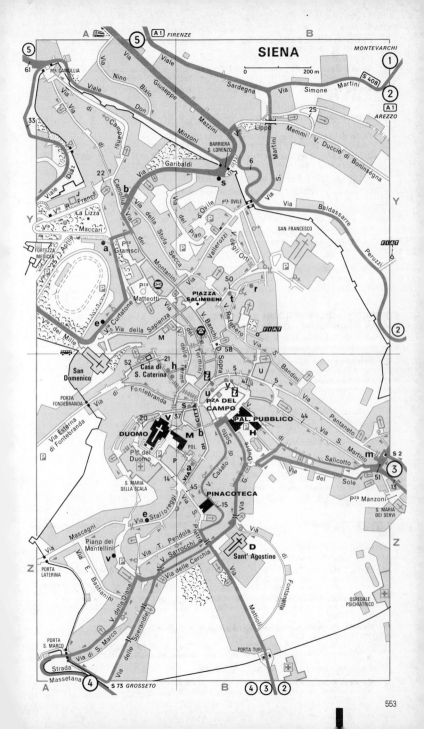

※ **Antica Trattoria Botteganuova,** via Chiantigiana 29 ✆ 284230, Coperti limitati; prenotare – **Ⓟ**. 전 **◧ ⓞ** **E** *VISA*. ✺   V **g**
chiuso domenica – Pas carta 32/45000.

※ **Cane e Gatto,** via Pagliaresi 6 ✆ 220751, Coperti limitati; prenotare – 전 **◧ ⓞ** **E** *VISA*
chiuso giovedì – Pas (menu suggerito dal proprietario) carta 27/38000.   BZ **m**

※ **Medio Evo,** via dei Rossi 40 ✆ 280315, « In un antico palazzo dell'11° secolo » – 🍴 50. 전
◧ ⓞ **E** *VISA*. ✺   BY **t**
chiuso giovedì – Pas carta 27/36000 (15%).

※ **Gambassino,** via della Galluzza 10 ✆ 47554 – ▤. **E** *VISA*. ✺   AZ **h**
chiuso martedì sera e mercoledì – Pas carta 24/33000 (10%).

※ **Tullio ai Tre Cristi,** vicolo Provenzano 1 ✆ 280608 – 전   BY **r**
chiuso lunedì, gennaio e febbraio – Pas carta 25/44000 (15%).

※ **Grotta Santa Caterina-da Bagoga,** via della Galluzza 26 ✆ 282208 – **◧** *VISA*   AZ **h**
chiuso domenica sera, lunedì e dal 10 al 25 luglio – Pas carta 22/35000 (10%).

a Vagliagli NE : 11,5 km per S 222 V – ✉ **53019** :

※ La Taverna, ✆ 322532, �, Coperti limitati; prenotare.

ALFA-ROMEO via Montalbuccio 2 ✆ 48006
BMW via Massetana Romana 29/39 ✆ 45100
CITROEN via Massetana Romana 37 ✆ 45100
FIAT via Lucherini 16 ✆ 41506
FIAT via Vittorio Veneto 41 ✆ 41421
FIAT strada di Busseto 14/c ✆ 222219

INNOCENTI via Girolamo Gigli 1 ✆ 220282
LANCIA-AUTOBIANCHI viale Toselli ✆ 42132
PEUGEOT-TALBOT via Nino Bixio 17 ✆ 280251
RENAULT via Massetana Romana 6 ✆ 47257
VW-AUDI località Fontebecci ✆ 54376

*Des modifications et des améliorations sont constamment apportées
au réseau routier italien.*
*Achetez l'édition la plus récente de la **carte Michelin** 988 à 1/1 000 000.*

SILANDRO (SCHLANDERS) 39028 Bolzano 988 ④, 218 ⑱⑲ – 5 164 ab. alt. 721 – a.s. aprile-maggio e 15 luglio-ottobre – ✆ 0473.
🛈 via Cappuccini 10 ✆ 70155, Telex 401412.
Roma 699 – ◆Bolzano 62 – Merano 34 – ◆Milano 360 – Passo di Resia 45 – Trento 120.

🏨 **Schlossgarten** ⤥, ✆ 70424, **◩**, ⊯ – 🛢 ☎ 🚗 **Ⓟ**. ✺ rist
aprile-ottobre – Pas *(chiuso a mezzogiorno)* – 20 cam (solo ½ P) 43000, b.s. 41000.

🏩 **Montone Nero-Schwarzer Widder,** ✆ 70000 – 🛢 ↤ cam 🕭
◆ *chiuso da novembre al 15 dicembre* – Pas *(chiuso martedì)* 13/16000 – 24 cam 🏧 17/24000 –
P 35/38000.

a Vezzano (Vezzan) E : 4 km – ✉ **39028** Silandro :

🏨 **Sporthotel Vetzan** ⤥, ✆ 70360, ≼, **◩**, ⊯, ※ – 🛢 ☎ ⬅. 전. ✺ rist
◆ *Pasqua-ottobre* – Pas *chiuso a mezzogiorno* carta 35/45000 – **18 cam**
🏧 42/84000 – ½ P 49/58000.

SILEA 31057 Treviso – 8 514 ab. alt. 7 – ✆ 0422.
Roma 541 – ◆Padova 50 – Treviso 5 – ◆Venezia 30.

※※ **Da Dino,** via Lanzaghe 17 ✆ 360765, prenotare – **Ⓟ**. ✺
chiuso martedì sera, mercoledì, dal 15 giugno al 10 luglio e dal 24 al 31 dicembre – Pas
carta 23/35000.

SILVI MARINA 64029 Teramo 988 ㉗ – 11 915 ab. – Stazione balneare, a.s. luglio e agosto –
✆ 085.
🛈 viale Garibaldi 158 ✆ 930343.
Roma 216 – L'Aquila 114 – Ascoli Piceno 77 – ◆Pescara 13 – Teramo 45.

🏨 **Mion,** viale Garibaldi 8 ✆ 930421, ≼, « Terrazza fiorita », 🐾⚫ – 🛢 ☎ 🕭 ⬅ **Ⓟ**. 전 **◧ ⓞ** **E**
VISA. ✺
maggio-settembre – Pas carta 32/45000 – **70 cam** 🏧 70/100000 – P 90/125000, b.s. 70/80000.

🏨 **Parco delle Rose,** viale Garibaldi 30 ✆ 932342, ≼, **◪**, 🐾⚫, ⊯ – 🛢 🕭. **ⓞ** *VISA*. ✺
15 maggio-20 settembre – Pas 30/35000 – 🏧 10000 – **65 cam** 54/84000 – P 70/105000,
b.s. 50/70000.

🏩 **Florida,** via La Marmora ✆ 930153, 🐾⚫ – 🛢 ↤ cam 🕭 ⬅ **Ⓟ**. ✺ rist
◆ Pas 15/25000 – 🏧 3500 – 18 cam 20/45000 – P 45/55000, b.s. 28/35000.

🏩 **Ideal,** via Rampa Fiume 12 ✆ 930339, 🐾⚫ – 🛢 **Ⓟ**. 전 **◧ ⓞ** **E** *VISA*. ✺
marzo-ottobre – Pas carta 23/40000 – 🏧 6000 – **44 cam** 34/62000 – P 40/62000, b.s. 28/38000.

a Silvi Alta NO : 5,5 km – alt. 242 – ✉ **64028** :

※※ **Vecchia Silvi,** ✆ 930141, 🌮 – **Ⓟ** – 🍴 80. 전 **ⓞ** *VISA*. ✺
chiuso martedì dal 15 settembre al 15 giugno – Pas carta 24/34000.

SINALUNGA 53048 Siena 988 ⑤ – 11 485 ab. alt. 365 – ✆ 0577.

Roma 188 – Arezzo 44 – ◆Firenze 103 – ◆Perugia 65 – Siena 45.

- 🏩 **Motel Santorotto,** E : 1 km ✆ 679012 – ⊗ ⟺ 🅿. ⚹ rist
- ← Pas (solo per clienti alloggiati) 16/19000 – ⊑ 4000 – **22 cam** 27/46000 – P 50/53000.

- XX **Locanda dell'Amorosa** ⟍ con cam, S : 2 km ✆ 679497, Telex 580047, Fax 678216, Coperti limitati prenotare, « In un'antica fattoria » – 📺 ☎ 🅿 ⅍ 🆎 § ⑩ 𝒱𝐼𝒮𝐴. ⚹
  Pas (chiuso lunedì, martedì a mezzogiorno e dal 20 gennaio al 28 febbraio) carta 53/77000 – ⊑ 12000 – **7 cam** 240000 appartamenti 350/500000.

- X **Osteria delle Grotte,** ✆ 630269, « Servizio estivo in giardino », 🐟 – 🅿. 🆎 § ⑩ 𝐄 𝒱𝐼𝒮𝐴
  chiuso mercoledì – Pas carta 22/40000.

  a Bettolle E : 6,5 km – ✉ 53040 :

- 🏩 **Apogeo,** in prossimità casello autostrada A 1 ✆ 624186, ⅄, 🐟 – ⅍ rist 📺 ☎ 🅿 – ⛴
  100. 🆎 ⑩. ⚹
  Pas (chiuso martedì a mezzogiorno) carta 23/31000 – ⊑ 9000 – **36 cam** 49/79000 – P 68/86000.

CITROEN a Pieve, piazza della Repubblica 2 ✆ 630163

LANCIA-AUTOBIANCHI a Pieve, via Piave 102 ✆ 679383

FIAT a Pieve, via Guido Rossa ✆ 679198

SINISCOLA Nuoro 988 ㉞ – Vedere Sardegna alla fine dell'elenco alfabetico.

SIPONTO Foggia – Vedere Manfredonia.

SIRACUSA 🅿 988 ㊲ – Vedere Sicilia alla fine dell'elenco alfabetico.

SIRIO (Lago) Torino 219 ⑭ – Vedere Ivrea.

SIRMIONE 25019 Brescia 988 ④ – 4 901 ab. alt. 68 – Stazione termale (marzo-novembre) e climatica, a.s. Pasqua e luglio-settembre – ✆ 030.

Vedere Località★★ – Grotte di Catullo : cornice pittoresca★★ – Rocca Scaligera★.

🅱 viale Marconi 2 ✆ 916245, Telex 300395.

Roma 524 – ◆Bergamo 86 – ◆Brescia 40 – ◆Milano 127 – Trento 108 – ◆Venezia 149.

- 🏨 **Villa Cortine** ⟍, via Grotte 12 ✆ 916021, Telex 300171, Fax 916390, 🐟, « Grande parco digradante sul lago », ⅄ riscaldata, ⚓, ⚹ – ⅍ 🗐 📺 ☎ 🅿 🆎 § ⑩ 𝐄 𝒱𝐼𝒮𝐴. ⚹ rist
  25 marzo-25 ottobre – Pas 60000 – 59 cam ⊑ 222/314000 appartamenti 494/534000 – P 257/282000, b.s. 237/262000.

- 🏨 **Olivi** ⟍, via San Pietro 5 ✆ 916266, ≤, ⅄, 🐟 – ⅍ 🗐 📺 ☎ 🅿. 🆎 § 𝐄 𝒱𝐼𝒮𝐴. ⚹ rist
  chiuso gennaio – Pas 37000 – ⊑ 15000 – **60 cam** 75/110000, 🗐 5500 – P 90/111000, b.s. 75/90000.

- 🏨 **Gd H. Terme,** viale Marconi 1 ✆ 916261, Telex 305573, ≤, « Giardino in riva al lago con ⅄ riscaldata », ᵮ, ⚓ – ⅍ 📺 ☎ 🅿 – ⛴ 30 a 80. 🆎 § ⑩ 𝐄 𝒱𝐼𝒮𝐴. ⚹ rist
  10 aprile-26 ottobre – Pas 59/70000 – **57 cam** ⊑ 151/240000 appartamenti 250/260000 – P 450/470000, b.s. 420/440000.

- 🏨 **Continental** ⟍, punta Staffalo 7 ✆ 916031, Telex 305033, ≤, « Terrazza in riva al lago », ⅄ riscaldata, 🐟 – ⅍ 📺 ☎ 🅿 – ⛴ 70. 🆎 § 𝐄. ⚹ rist
  marzo-novembre – Pas 40000 – ⊑ 12000 – 60 cam 80/130000, 🗐 7000 – P 108/123000, b.s. 90/95000.

- 🏨 **Sirmione,** piazza Castello ✆ 916331, ≤, « Pergolato in riva al lago », ᵮ, ⅄ riscaldata – ⅍ 🗐 cam 📺 ☎. 🆎 § ⑩ 𝐄 𝒱𝐼𝒮𝐴. ⚹ rist
  aprile-ottobre – Pas 42000 – ⊑ 11000 – 72 cam 78/136000 – P 114/125000.

- 🏦 **Eden** senza rist, piazza Carducci 17/18 ✆ 916481, ≤ – ⅍ 🗐 📺 ☎ ⟺ 🅿. 🆎 𝒱𝐼𝒮𝐴
  chiuso dicembre e gennaio – ⊑ 9000 – **33 cam** 70/100000.

- 🏦 **Ideal** ⟍, via Catullo 31 ✆ 916020, « Servizio rist. estivo serale in terrazza », ⚓, 🐟 – 🅿. 🆎 § ⑩ 𝐄 𝒱𝐼𝒮𝐴. ⚹
  19 marzo-29 ottobre – Pas carta 30/41000 – ⊑ 8000 – **25 cam** 60/85000 – P 85/90000, b.s. 75/80000.

- 🏦 **Du Lac,** via 25 Aprile 60 ✆ 916026, ≤, ⚓, 🐟 – 📺 ⊗ 🅿. 𝒱𝐼𝒮𝐴. ⚹
  25 marzo-25 ottobre – Pas (chiuso mercoledì) 36000 – ⊑ 12000 – 34 cam 60/78000.

- 🏦 **Flaminia** senza rist, piazza Flaminia 8 ✆ 916078, ≤, « Terrazza in riva al lago » – ⅍ 🗐 📺 ☎ 🅿. 🆎 § ⑩ 𝐄 𝒱𝐼𝒮𝐴
  marzo-ottobre – **46 cam** ⊑ 75/115000, 🗐 7000.

- 🏦 **Golf et Suisse** senza rist, via Condominio 2 ✆ 916176, Fax 916304, ⅄, 🐟 – ⅍ 📺 ⊗ 🅿. 🆎 § 𝐄 𝒱𝐼𝒮𝐴
  marzo-ottobre – ⊑ 13000 – **30 cam** 70/84000.

- 🏦 **Broglia,** via Piana 36 ✆ 916172, « Terrazza ombreggiata », ⅄ riscaldata – ⅍ ⅍ rist 📺 ☎ 🅿. 🆎 § ⑩ 𝐄 𝒱𝐼𝒮𝐴. ⚹ rist
  aprile-ottobre – Pas 37/40000 – ⊑ 12000 – **34 cam** 76/125000 – P 115/125000, b.s. 95/105000.

🏨 **Fonte Boiola,** viale Marconi 7 ℰ 916431, ≤, « Giardino in riva al lago », ⚓, 🐾 – 🛗 ⊗ **₱**. ᴬᴱ 🅑 ⓞ 🄴 𝘝𝘐𝘚𝘈. ❄ rist
aprile-ottobre – Pas 35/45000 – ⊡ 11000 – 60 cam 47/76000 – P 80000, b.s. 76000.

🏨 **Miramar,** via 25 Aprile 22 ℰ 916239, ≤, 🐾, 🛥 – ☎ **₱**. ᴬᴱ 🅑 🄴 𝘝𝘐𝘚𝘈. ❄
chiuso gennaio e febbraio – Pas (solo per clienti alloggiati e *chiuso marzo, novembre e dicembre)* 20000 – ⊡ 6000 – 30 cam 44/66000 – P 69000, b.s. 63000.

🏨 **Brunella** ⊗, via Catullo 29 ℰ 916115, « Servizio rist. estivo in terrazza », 🛥 – **₱**. ᴬᴱ 🅑 𝘝𝘐𝘚𝘈. ❄
aprile-ottobre – Pas 26/28000 – ⊡ 6000 – 20 cam 55/84000 – P 70/80000, b.s. 65/70000.

🏨 **La Paül** senza rist, via 25 Aprile 32 ℰ 916077, ≤, « Giardino in riva al lago », 🐾 – **₱**. ❄
aprile-10 ottobre – ⊡ 8000 – **21 cam** 27/64000.

🏨 **La Rondine** ⊗, via Benaco 24 ℰ 916124, 🐾, 🛥 – ▦ rist ⊗ **₱**. ❄ rist
aprile-15 ottobre – Pas 22000 – ⊡ 7000 – **36 cam** 37/65000 – P 65/68000, b.s. 55/58000.

XX **Grifone-da Luciano,** via delle Bisse 5 ℰ 916097, ≤, 🌴, « Terrazza in riva al lago » – ᴬᴱ 🅑 ⓞ 𝘝𝘐𝘚𝘈. ❄
10 marzo-ottobre; chiuso mercoledì – Pas carta 25/35000 (15%).

XX **Antica Taverna del Marinaio,** via Casello 20 ℰ 916056, ≤, « Servizio estivo in terrazza sul lago » – ᴬᴱ 🅑 ⓞ 𝘝𝘐𝘚𝘈
marzo-10 novembre; chiuso lunedì – Pas carta 24/36000 (15%).

X **Risorgimento-dal Rösa,** piazza Carducci 5 ℰ 916325, 🌴 – ᴬᴱ 🅑 ⓞ 🄴 𝘝𝘐𝘚𝘈. ❄
15 marzo-ottobre; chiuso martedì – Pas carta 21/37000 (15%).

X **Osteria al Pescatore,** via Piana 20 ℰ 916216 – ⓞ 🄴
chiuso gennaio e mercoledì in bassa stagione – Pas carta 20/33000 (10%).

a Colombare S : 3,5 km – ✉ **25010** Colombare di Sirmione :

🏨 **Europa** ⊗, ℰ 919047, ≤, 🏊, 🐾, 🛥 – ▦ cam 📺 ☎ **₱** – 🏛 25. ᴬᴱ 🅑 ⓞ. ❄
marzo-novembre – Pas (solo per clienti alloggiati e *chiuso venerdì)* 29000 – ⊡ 10000 – **25 cam** 50/68000, ▦ 3000 – P 68/73000, b.s. 58/65000.

🏨 **Azzurra** senza rist, ℰ 9196995 – 🛗 ☎ 🚗 **₱**. 𝘝𝘐𝘚𝘈. ❄
marzo-ottobre – ⊡ 6500 – **18 cam** 38/48000.

XX **La Griglia,** ℰ 919223 – **₱**. ᴬᴱ 🅑 ⓞ 🄴 𝘝𝘐𝘚𝘈
chiuso martedì e dal 2 gennaio al 14 febbraio – Pas carta 24/45000.

X **Al Pozzo da Silvio,** ℰ 919138 – **₱**. ᴬᴱ
chiuso mercoledì, giovedì a mezzogiorno e novembre – Pas carta 20/36000 (10%).

Vedere anche : *Lugana* SE : 5 km.

SIROLO 60020 Ancona 𝟿𝟾𝟾 ⑯ – 3 074 ab. – Stazione balneare, a.s. luglio e agosto – ☻ 071.
🄱 (giugno-settembre) piazza Vittorio Veneto ℰ 936141.
Roma 304 – ♦Ancona 20 – Loreto 16 – Macerata 43 – Porto Recanati 11.

🏨 **La Conchiglia Verde** senza rist, ℰ 936888, 🛥 – ⊗ 🚗 **₱**. 𝘝𝘐𝘚𝘈. ❄
⊡ 5000 – **27 cam** 50/90000.

🏨 **Beatrice,** ℰ 936301, 🛥 – **₱**. ❄
maggio-settembre – 28 cam (solo pens) – P 70/75000, b.s. 65000.

SISTIANA 34019 Trieste 𝟿𝟾𝟾 ⑥ – Stazione balneare – ☻ 040.
🄱 bivio per Sistiana Mare ℰ 299166.
Roma 651 – Gorizia 26 – Grado 35 – ♦Milano 390 – ♦Trieste 19 – Udine 53.

🏨 **Posta** senza rist, ℰ 299103 – 🛗 ☎ **₱**. ᴬᴱ 𝘝𝘐𝘚𝘈. ❄
chiuso dal 20 dicembre al 20 gennaio e sabato-domenica da ottobre a maggio – ⊡ 6500 – **30 cam** 53/80000.

🏨 **Villa Pia,** ℰ 299237, ≤, 🛥 – 👶 **₱**. ❄ rist
aprile-novembre – Pas (solo per clienti alloggiati) 25000 – ⊡ 6000 – **12 cam** 35/53000 – P 60000.

SIUSI (SEIS) 39040 Bolzano 𝟿𝟾𝟾 ④ – alt. 988 – Stazione di villeggiatura, a.s. febbraio-aprile, luglio-settembre e Natale – Sport invernali : vedere Alpe di Siusi – ☻ 0471.
🄱 ℰ 71124.
Roma 664 – ♦Bolzano 23 – Bressanone 29 – ♦Milano 322 – Ortisei 15 – Trento 83.

🏨 **Stella Alpina-Edelweiss** ⊗, ℰ 71130, ≤ Sciliar, 🏊, 🏊, 🛥, ❄ – 🛗 ☎ 👶 **₱**. ❄ rist
18 dicembre-20 aprile e 15 maggio-15 ottobre – Pas 18/24000 – **28 cam** ⊡ 65/140000 – P 85/98000, b.s. 65/80000.

🏨 **Genziana-Enzian,** ℰ 71150, ≤, 🏊, 🛥 – 🛗 ▦ rist ⊗ 👶 **₱**. ❄ rist
20 dicembre-25 aprile e giugno-15 ottobre – Pas (solo per clienti alloggiati) – **32 cam** ⊡ 45/90000 – P 75/82000, b.s. 55/65000.

🏨 **Sporthotel Europa,** ℰ 71174, 🛥 – 🛗 ⊗ **₱**. ❄ rist
20 dicembre-15 aprile e 20 maggio-24 ottobre – Pas (solo per clienti alloggiati) 18/35000 – **34 cam** ⊡ 35/60000 – P 58/68000, b.s. 48/58000.

🏨 **Dolomiti-Dolomitenhof** ⚐, *♦* 71128, ≤ Sciliar, **▨**, *☞* – 🛗 ☎ **℗**. *✵* rist
17 dicembre-25 aprile e giugno-settembre – Pas (solo per clienti alloggiati) 20/30000 – ⌹
8000 – **27 cam** 33/66000 – P 74/88000, b.s. 51/61000.

🏨 **Florian** ⚐, *♦* 71137, ≤ Sciliar, **▨** riscaldata, *☞* – ☎ *☜* **℗**. *✵* rist
20 dicembre-20 aprile e giugno-settembre – 20 cam (solo pens) – P 55/65000, b.s. 40/55000.

🏠 **Schlosshotel Mirabell** ⚐, N : 1 km *♦* 71134, ≤ Sciliar, *☞* – *☜* cam ☎ **℗**. *✵* rist
25 gennaio-28 aprile, 20 maggio-5 ottobre e 18 dicembre-9 gennaio – 36 cam (solo pens) –
P 68/85000.

🏠 **Waldrast** ⚐ *♦* 71117, **▨** riscaldata, *☞* – *☜* **℗**
dicembre-Pasqua e maggio-settembre – 30 cam (solo pens) – P 55/77000, b.s. 45/65000.

a Razzes (Ratzes) SE : 4 km – alt. 1 205 – ✉ **39040** Siusi :

🏨 **Bad Ratzes** ⚐, *♦* 71131, ≤ Sciliar e pinete, « Prato-giardino », **▨** – 🛗 *☜* *☜* **℗**
stagionale – 49 cam.

Vedere anche : *Alpe di Siusi* E : 10 km.

SIZZANO 28070 Novara **▨▨▨** ⑯ – 1 444 ab. alt. 225 – ☎ 0321.
Roma 641 – Biella 42 – ♦Milano 66 – Novara 20.

✗ **Impero,** *♦* 820290
chiuso lunedì – Pas carta 24/40000.

SOAVE 37038 Verona **▨▨▨** ④ – 5 824 ab. alt. 40 – ☎ 045.
Roma 524 – ♦Milano 178 – Rovigo 76 – ♦Venezia 95 – ♦Verona 25 – Vicenza 32.

✗✗ **Al Gambero** con cam, corso Vittorio Emanuele 5 *♦* 7680010 – 🅱 ⓪ **E** *VISA*
← *chiuso dal 20 luglio al 15 agosto* – Pas *(chiuso mercoledì sera e giovedì)* carta 19/25000 – ⌹
4000 – **13 cam** 20/35000.

SOLAROLO 48027 Ravenna – 3 927 ab. alt. 24 – ☎ 0546.
Roma 373 – ♦Bologna 62 – Forlì 29 – ♦Ravenna 38 – Rimini 72.

✗ **Centrale e Rist. L'Ustarejà di Du Butò** con cam, *♦* 51109 – *☞*. **AE** 🅱 ⓪ **E** *VISA*. *✵*
Pas *(chiuso lunedì)* carta 23/34000 – ⌹ 3500 – **15 cam** 29/40000 – P 48000.

SOLDA (SULDEN) 39029 Bolzano **▨▨▨** ④, **▨▨▨** ⑯ – alt. 1 906 – Stazione di villeggiatura, a.s.
febbraio-aprile, luglio-agosto e Natale – Sport invernali : 1 906/3 050 m ≤1 ≤8, ≤ – ☎ 0473.
🛈 *♦* 75415.
Roma 733 – ♦Bolzano 96 – Merano 68 – ♦Milano 281 – Passo di Resia 50 – Passo dello Stelvio 29 – Trento 154.

🏨🏨 **Sulden** ⚐, *♦* 75481, Telex 400534, ≤ gruppo Ortles e vallata, **▨**, *☞*, *✵* – ☎ **℗** – *♨* 100.
AE ⓪. *✵*
15 novembre-aprile e 15 giugno-15 settembre – Pas carta 49/115000 – **50 cam** ⌹ 115/200000
– P 125000, b.s. 80000.

🏨 **Zebrù** ⚐, *♦* 75425, ≤ gruppo Ortles e vallata, **▨** – ☎ **℗**. ⓪. *✵* rist
← *20 dicembre-23 aprile e 24 giugno-19 settembre* – Pas 18/22000 – ⌹ 8000 – **45 cam** 41/64000
– P 68/77000, b.s. 57/62000.

🏨 **Marlet** ⚐, *♦* 75475, ≤ gruppo Ortles e vallata, **▨** – 🛗 ☎ **℗**. *✵* rist
← *5 dicembre-1°maggio e 9 luglio-24 settembre* – Pas (solo per clienti alloggiati) 16/19000 –
25 cam ⌹ 49/92000 – P 65/71000, b.s. 47/53000.

🏨 **Alpina,** *♦* 75422, ≤, *☞*, **▨** – 🛗 ☎ ♿ *☜* **℗**. *✵* rist
← *dicembre-10 maggio e 25 giugno-10 ottobre* – Pas 16/24000 – ⌹ 10000 – **24 cam** 53/106000
– P 74000, b.s. 56000.

🏨 **Eller,** *♦* 75421, ≤, *☞* – ☎ **℗**. *✵* rist
dicembre-5 maggio e 16 giugno-29 settembre – Pas carta 21/28000 – 50 cam ⌹ 48/87000 –
P 62/66000, b.s. 49/53000.

🏨 **Cristallo,** *♦* 75436, ≤, **▨** – 🛗 ☎ **℗**. **E**. *✵* rist
← *16 novembre-aprile e 29 giugno-25 settembre* – Pas 18/25000 – 30 cam ⌹ 48/90000 –
P 58/68000, b.s. 55/65000.

🏠 **Paradiso-Paradies,** *♦* 75424, ≤ – ☎ **℗**. **AE** 🅱 ⓪ **E** *VISA*. *✵* rist
← *chiuso dal 6 al 31 maggio e dal 25 settembre al 20 ottobre* – Pas 14/26000 – 20 cam ⌹ 28/50000
– P 55/60000, b.s. 45/52000.

✗✗ **Roland's Bistrò,** *♦* 75555 – **℗**. *✵*
chiuso martedì e dal 1° al 15 novembre – Pas carta 29/39000.

SOLFERINO 46040 Mantova **▨▨▨** ④ – 2 069 ab. alt. 131 – ☎ 0376.
Roma 506 – ♦Brescia 35 – Cremona 59 – Mantova 36 – ♦Milano 127 – ♦Parma 80 – ♦Verona 44.

✗✗ **La Spia d'Italia** con cam, *♦* 854041 – *☞* **℗**. *✵*
Pas *(chiuso martedì)* carta 22/31000 – **8 cam** ⌹ 35/55000 – P 45000.

SOLIERA 41019 Modena – 11 137 ab. alt. 29 – ✿ 059.

Roma 420 – ◆Milano 176 – ◆Modena 12 – Reggio nell'Emilia 33 – ◆Verona 91.

　　XX **Da Lancellotti** con cam, via Grandi 120 🏠 567406, 🏠 – ☎ 🅿 🖭 ⑩. �
　　　　chiuso dal 24 dicembre al 7 gennaio e dal 1° al 19 agosto – Pas *(chiuso sabato a mezzogiorno
　　　　e domenica)* carta 32/46000 – ☲ 4500 – **13 cam** 35/60000.

SOLIGHETTO Treviso – Vedere Pieve di Soligo.

SOLTO COLLINA 24060 Bergamo – 1 278 ab. alt. 449 – ✿ 035.

Roma 607 – ◆Bergamo 37 – ◆Brescia 58 – ◆Milano 82.

　　X **La Romantica** ⬭ con cam, località Esmate N : 2 km 🏠 986174 – ⬳ cam 🅿. �
　　　　Pas *(chiuso lunedì)* carta 22/32000 – ☲ 6000 – **11 cam** 28/34000 – P 38/42000.

　　Vedere anche : *Riva di Solto* SE : 3 km.

SOMERARO Novara 🗺️⑥ – Vedere Stresa.

SOMMACAMPAGNA 37066 Verona – 10 612 ab. alt. 121 – ✿ 045.

📏 (chiuso martedì) 🏠 510060.

Roma 500 – ◆Brescia 56 – Mantova 39 – ◆Milano 144 – ◆Verona 16.

　　X **Merica** con cam, località Palazzo 🏠 515160 – 🅿. �
　　　　chiuso dal 1° al 20 agosto – Pas *(chiuso lunedì e giovedì sera)* carta 24/35000 – ☲ 5000 –
　　　　11 cam 32/55000.

SOMMA LOMBARDO 21019 Varese 🗺️⑰ – 16 755 ab. alt. 281 – ✿ 0331.

Roma 626 – Como 58 – ◆Milano 49 – Novara 38 – Stresa 34 – Varese 26.

　　a Coarezza O : 5,5 km – ✉ **21010** Golasecca :

　　XX **Da Pio,** in riva al Ticino 🏠 256667, ⬳ – 🍽 🅿. �
　　　　chiuso mercoledì, dal 2 al 20 gennaio e dal 16 al 25 agosto – Pas carta 40/59000 (12%).

FIAT　via Marconi 15 🏠 256113　　　　　　　　　INNOCENTI　via Mazzini 51 🏠 256048
GM-OPEL　statale Sempione 18 🏠 256230

SONCINO 26029 Cremona 🗺️ ③⑬ – 7 275 ab. alt. 89 – ✿ 0374.

Roma 554 – ◆Bergamo 42 – ◆Brescia 34 – Cremona 35 – ◆Milano 62 – Piacenza 55.

　　XX **Le Lame,** strada per Orzinuovi E : 1 km 🏠 85797, 🌳 – 🅿. 🖭
　　　　chiuso lunedì sera, martedì e dal 10 gennaio al 10 febbraio – Pas carta 24/41000.

SONDRIO 23100 🅿 🗺️ ③ – 22 808 ab. alt. 307 – ✿ 0342.

🅸 piazza Garibaldi 28 bis 🏠 214463.

A.C.I. viale Milano 12 🏠 212213.

Roma 698 – ◆Bergamo 115 – ◆Bolzano 171 – ◆Lugano 96 – ◆Milano 138 – St-Moritz 110 – Passo dello Stelvio 64.

　　🏨 **Della Posta e Rist. Sozzani,** piazza Garibaldi 19 🏠 211222, Fax 210359 – 📶 🖬 rist 📺 ☎
　　　　📠 🅿 – 🔧 100. 🖭 🕃 ⑩ 🄴 𝓥𝓘𝓢𝓐. � rist
　　　　Pas *(chiuso domenica ed agosto)* carta 28/45000 – ☲ 10000 – **42 cam** 71/99000 – P 100/120000.

　　🏨 **Europa,** lungo Mallero Cadorna 27 🏠 211444 – 📶 📺 ☎. 🖭 🕃 ⑩ 🄴 𝓥𝓘𝓢𝓐. � rist
　　　　Pas *(chiuso domenica)* carta 26/43000 – ☲ 8000 – **43 cam** 45/70000 – P 69/79000.

　　XX **La Fermata,** viale dello Stadio 112 🏠 218481 – 🅿. 🖭. �
　　　　chiuso martedì – Pas carta 29/48000.

　　verso Montagna in Valtellina NE : 2 km – alt. 567 – ✉ **23020** Montagna in Valtellina :

　　XX **Dei Castelli,** 🏠 380445, prenotare – 🅿. 🖭 𝓥𝓘𝓢𝓐. �
　　　　chiuso lunedì, dal 1° al 15 maggio e dal 1° al 15 ottobre – Pas carta 29/44000.

　　a Moia di Albosaggia S : 5 km – alt. 409 – ✉ **23100** Sondrio :

　　🏨 **Campelli,** 🏠 510662, 🏠, 🌳 – 📶 ☎ 🚗. 🖭 🕃 ⑩ 𝓥𝓘𝓢𝓐. �
　　　　chiuso dal 1° al 20 agosto – Pas *(chiuso lunedì)* carta 30/46000 – ☲ 6000 – **20 cam** 43/67000.

　　Vedere anche : *Poggiridenti* E : 6 km.
　　　　　　　　　　Ponte in Valtellina E : 10 km.

ALFA-ROMEO　via Stelvio 55/a 🏠 214141
BMW　a San Pietro Berbenno 🏠 492151
CITROEN　piazzale Toccalli 13 🏠 212127
FORD　a Montagna Piano, statale dello Stelvio 🏠 216194
GM-OPEL　a Montagna Piano, statale dello Stelvio 🏠 214465

INNOCENTI　via Trento 20 🏠 212965
LANCIA-AUTOBIANCHI　via Nani 29 🏠 217521
MERCEDES-BENZ　a Berbenno Valtellina, via Nazionale 🏠 213302
RENAULT　viale Milano 45 🏠 212270
VW-AUDI　via Nani 50 🏠 217333

SOPRABOLZANO (OBERBOZEN) Bolzano – Vedere Renon.

SORA 03039 Frosinone 988 ㉖㉗ – 27 004 ab. alt. 300 – ✿ 0776.
Roma 111 – Avezzano 55 – Frosinone 30 – Latina 86 – ◆Napoli 138 – Terracina 85.

  🏨 **Motel Valentino,** via Napoli 1 ℰ 831071 – 📵 🖿 rist ☎ 🚗 🅿 ⚠
    Pas carta 28/42000 – ⌘ 10000 – 56 cam 50/77000 – P 80000.

  🗙🗙 **Griglia d'Oro-Cercine,** via Campo Boario 7 ℰ 831512, 🏡 – 🅿
    chiuso lunedì – Pas carta 31/59000.

FIAT via Lungo Liri Cavour 47 ℰ 832431   RENAULT viale San Domenico-Ponte Olmo ℰ 832102

SORAGA 38030 Trento – 564 ab. alt. 1 209 – a.s. febbraio-15 aprile e Natale – ✿ 0462.
🅱 ℰ 68114.
Roma 673 – ◆Bolzano 43 – Canazei 14 – ◆Milano 331 – Trento 91.

  🏨 **Park Hotel Avisio,** ℰ 68130, ≤, 🍽 – 📵 🅿 Ε ⚠ rist
  ◆ 20 dicembre-10 aprile e 20 giugno-settembre – Pas (chiuso venerdì) 18000 – ⌘ 7000 – 34 cam
    38/55000 – P 62/65000, b.s. 53/56000.

SORBOLO 43058 Parma – 7 191 ab. alt. 34 – ✿ 0521.
Roma 470 – Mantova 55 – ◆Milano 133 – ◆Modena 50 – ◆Parma 12.

  🗙 **Bella Parma,** ℰ 69102 – ⚠
    chiuso lunedì ed agosto – Pas 24/43000 bc.

SORDEVOLO 13050 Vercelli 219 ⑭⑮ – 1 322 ab. alt. 630 – ✿ 015.
Roma 684 – Biella 8 – ◆Milano 110 – Novara 64 – ◆Torino 82 – Vercelli 50.

  🗙 **Da Sisto,** ℰ 62180 – 🅿 ⚠
    chiuso mercoledì – Pas carta 24/35000.

SORENGO 219 ⑧ – Vedere Cantone Ticino (Lugano) alla fine dell'elenco alfabetico.

SORGONO Nuoro 988 ㉝ – Vedere Sardegna alla fine dell'elenco alfabetico.

SORI 16030 Genova – 4 598 ab. – ✿ 0185.
Roma 488 – ◆Genova 16 – ◆Milano 153 – Portofino 20 – ◆La Spezia 91.

  🗙🗙 Scandelin, ℰ 700963, 🏡 – 🖿.
  🗙 **Al Boschetto,** ℰ 700659 – ⚠
    chiuso martedì, dal 15 al 25 marzo e dal 15 settembre al 15 ottobre – Pas carta 26/53000.

SORIANO NEL CIMINO 01038 Viterbo 988 ㉕ – 7 742 ab. alt. 510 – ✿ 0761.
Roma 95 – Terni 50 – Viterbo 17.

  🗙🗙 **Gli Oleandri** con cam, ℰ 729009 – 🌤 cam 📶 🅿 ⚠
    chiuso dal 15 al 27 dicembre – Pas (chiuso martedì) carta 22/35000 – ⌘ 5000 – **16 cam**
    40/60000 appartamenti 60/80000 – P 55/60000.

SORICO 22010 Como 219 ⑩ – 1 181 ab. alt. 208 – ✿ 0344.
Roma 686 – Como 61 – ◆Lugano 53 – ◆Milano 109 – Sondrio 43.

  🗙 **Beccaccino,** località Boschetto S : 1,5 km ℰ 84241 – 🅿
  ◆ chiuso martedì – Pas carta 17/28000.

SORISO 28018 Novara 219 ⑯ – 758 ab. alt. 452 – ✿ 0322.
Roma 654 – Arona 20 – ◆Milano 78 – Novara 40 – ◆Torino 114 – Varese 46.

🗙🗙🗙🗙 ✿✿ **Al Sorriso** con cam, ℰ 983228, prenotare – 📺 ☎ 📳 Ε 𝘝𝘐𝘚𝘈 ⚠
    chiuso dal 10 al 31 gennaio – Pas (chiuso lunedì e martedì a mezzogiorno) carta 75/108000 –
    ⌘ 10000 – **8 cam** 60/90000
    Spec. Zucchino in fiore con riso e rane in guazzetto (primavera-estate). Fagottini di animelle alla maggiorana,
    Crêpes di patate con gamberi di fiume e fave. **Vini** Arneis, Gattinara.

SORMANO 22030 Como 219 ⑨ – 624 ab. alt. 750 – ✿ 031.
Roma 627 – Bellagio 19 – ◆Bergamo 58 – Como 29 – Erba 15 – ◆Milano 59.

  🏨 **Miravalle,** ℰ 683570, ≤ – 🅿 ⚠
    Pas (chiuso martedì da ottobre a giugno) 20/25000 – ⌘ 4000 – **9 cam** 30/60000 – P 60000.

    Le pubblicazioni turistiche Michelin
    offrono la possibilità di organizzare preventivamente il
    viaggio, conseguendo vantaggi insperati.

SORRENTO 80067 Napoli 👥👥👥 ② – 17 807 ab. – Stazione climatica e balneare, a.s. aprile-settembre – ☎ 081.

Vedere Villa Comunale : ≤★★ – Belvedere di Correale : ≤★★ A – Museo Correale di Terranova★ M – Chiostro★ della chiesa di San Francesco F.

Dintorni Penisola Sorrentina★★ : ≤★★ su Sorrento dal capo di Sorrento (1 h a piedi AR), ≤★★ sul golfo di Napoli dalla strada S 163 per ② (circuito di 33 km).

Escursioni Costiera Amalfitana★★★ – Isola di Capri★★★.

⛴ per Capri giornalieri (45 mn) – Caremar-agenzia Morelli, piazza Marinai d'Italia ℰ 8781282 – e Navigazione Libera del Golfo, al porto ℰ 8781861.

⛴ per Capri giornalieri (20 mn) – Alilauro, al porto ℰ 8771506.

🛈 via De Maio 35 ℰ 8782104.

Roma 257 ① – Avellino 69 ① – Caserta 74 ① – Castellammare di Stabia 19 ① – ◆Napoli 48 ① – Salerno 50 ①.

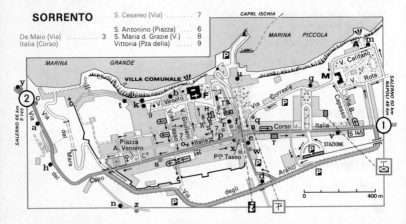

SORRENTO

De Maio (Via) 3	S. Cesareo (Via) 7
Italia (Corso)	S. Antonino (Piazza) 6
	S. Maria d. Grazie (V.) .. 8
	Vittoria (Pza della) 9

🏨🏨🏨 **Gd H. Excelsior Vittoria** ⚜, piazza Tasso 34 ℰ 8071044, Telex 720368, Fax 8771206, ≤ golfo di Napoli e Vesuvio, « Giardino agrumeto con ⚱ » – 🛗 ☎ ❷ – ⚿ 40. ⚏ ⒮ ⓞ ⒠ 🆅🆂🅰
🕱 rist
Pas 50000 – **125 cam** ⊒ 181/252000 appartamenti 390/685000 – P 204/259000, b.s. 192/241000.
u

🏨🏨🏨 **Imperial Tramontano** ⚜, via Vittorio Veneto 1 ℰ 8781940, Telex 722424, ≤ golfo di Napoli e Vesuvio, « Giardino ombreggiato con ⚱ ed ascensore per la spiaggia » – 🛗 ▤ rist 📺 ❷ – ⚿ 50 a 200. 🕱 rist
chiuso gennaio e febbraio – Pas 45000 – **105 cam** ⊒ 112/205000 appartamenti 270/370000 – P 147/180000.
b

🏨🏨🏨 **Sorrento Palace** ⚜, via Sant'Antonio ℰ 8784141, Telex 722025, Fax 8783933, ≤, 🌴, « Giardino agrumeto con ⚱ », 🔲, 🎾 – 🛗 ▤ 📺 ☎ 🚻 ❷ – ⚿ 180 a 1700. ⚏ ⒮ ⓞ ⒠ 🆅🆂🅰
🕱 rist
Pas 37/53000 – **390 cam** ⊒ 184/258000 appartamenti 390000, ▤ 10000 – P 229000.
n

🏨🏨 **Parco dei Principi** ⚜, via Rota 1 ℰ 8784644, Telex 721090, ≤ golfo di Napoli e Vesuvio, « Parco ombreggiato con ⚱ ed ascensore per la spiaggia » – 🛗 ▤ 📺 ❷ – ⚿ 100
stagionale – 95 cam.
verso Est

🏨🏨 **Royal**, via Correale 42 ℰ 8781920, Telex 722345, Fax 8772905, ≤ golfo di Napoli e Vesuvio, 🌴, « Giardino agrumeto con ⚱ ed ascensore per la spiaggia », 🐴 – 🛗 ☎ 🚻. ⚏ ⓞ 🆅🆂🅰
🕱 rist
marzo-ottobre – Pas 40000 – **96 cam** ⊒ 130/215000 appartamento 265000 – P 155/185000, b.s. 130/170000.
g

🏨🏨 **Gd H. Ambasciatori,** via Califano 18 ℰ 8782025, Telex 710645, ≤ golfo di Napoli e Vesuvio, « Terrazze fiorite, agrumeto con ⚱ ed ascensore per la spiaggia », 🐴 – 🛗 ☎ ❷ – ⚿ 200. ⚏ 🆅🆂🅰 🕱 rist
Pas 40000 – **109 cam** ⊒ 125/200000 appartamenti 195/245000 – P 135/175000, b.s. 120/155000.
m

🏨🏨 **Bristol**, via del Capo 22 ℰ 8784522, Telex 710687, Fax 8784253, ≤ golfo di Napoli e Vesuvio, « Terrazza panoramica con ⚱ » – 🛗 📺 ☎ ❷ – ⚿ 80. ⚏ ⒮ ⓞ ⒠ 🆅🆂🅰 🕱 rist
Pas carta 29/44000 – **132 cam** ⊒ 100/175000 appartamenti 200/250000 – P 80/150000, b.s. 60/130000.
a

🏨🏨 **Gd H. Capodimonte,** via del Capo 14 ℰ 8784067, Telex 721210, ≤ golfo di Napoli e Vesuvio, « Terrazze fiorite con ⚱ ed agrumeto » – 🛗 ❷ – ⚿ 100. 🆅🆂🅰 🕱 rist
marzo-ottobre – Pas 40000 – **131 cam** ⊒ 110/175000 – P 125/150000, b.s. 115/135000.
h

🏨🏨 **Continental,** piazza della Vittoria 4 ℰ 8781476, Ascensore per la spiaggia, ⚱ – 🛗 ▤ rist –
⚿ 70. 🕱
aprile-ottobre – Pas (solo per clienti alloggiati) 40000 – **80 cam** ⊒ 110/180000 – P 180000.
k

🏯 **Michelangelo,** corso Italia 275 ℰ 8784844, Telex 722018, Fax 8781816 – 🔄 ▤ rist 🅿 – 🏛 100. 🆎 ⑩ 𝘝𝘐𝘚𝘈. ❄ rist **v**
chiuso gennaio e febbraio – Pas 35000 – **100 cam** ⇌ 65/115000 – P 110/120000, b.s. 90/100000.

🏯 **Gd H. Cesare Augusto,** via degli Aranci 108 ℰ 8782700, Telex 720056, « Terrazza panoramica con 🏊 », ⇜ – 🔄 ▤ rist ⇜ – 🏛 170. 🆎 ⑩. ❄ rist **d**
Pas 40000 – ⇌ 15000 – **120 cam** 90/130000 – P 150/170000, b.s. 130/150000.

🏨 **Regina** , via Marina Grande 10 ℰ 8782722, « Rist. roof-garden con ≤ golfo di Napoli e Vesuvio », ⇜ – 🔄 ▤ rist ☎ ⇜ 🅿. 🆎. ❄ rist **t**
aprile-ottobre – Pas *(chiuso a mezzogiorno)* 25000 – **36 cam** ⇌ 47/81000.

🏨 **Bellevue Syrene** , piazza della Vittoria 5 ℰ 8781024, ≤ golfo di Napoli e Vesuvio, « Giardino, terrazze fiorite ed ascensore per la spiaggia », 🛗 – 🔄 ▤ rist 🅿. 🆎 🚳 ⑩ 🇪 𝘝𝘐𝘚𝘈. ❄ rist **k**
Pas 30/32000 (15%) – 50 cam ⇌ 80/110000 – P 150/190000, b.s. 130/150000.

🏨 **Gran Paradiso** , via Privata Rubinacci ℰ 8782911, ≤ golfo di Napoli e Vesuvio, « Terrazza panoramica con 🏊 e frutteto » – 🔄 ❄⇜ cam ☎ 🅿. 🆎 🚳 ⑩ 🇪 𝘝𝘐𝘚𝘈. ❄ rist per ① **per ①**
aprile-ottobre – Pas 23/32000 – 83 cam ⇌ 72/105000 – P 78/89000, b.s. 58/73000.

🏨 **La Solara,** via del Capo 118 (O : 2 km) ⊠ 80060 Capo di Sorrento ℰ 8783030, Telex 721465, ≤, 🏊, – 🔄 📺 ☎ ⬙ 🅿. 🆎 🚳 ⑩ 🇪 𝘝𝘐𝘚𝘈. ❄ rist per ② **per ②**
Pas 28/33000 – **37 cam** ⇌ 68/120000 – P 120/130000, b.s. 90/100000.

🏨 **Villa di Sorrento** senza rist, via Fuorimura 4 ℰ 8781068 – 🔄 ☎. 🆎 ⑩ 𝘝𝘐𝘚𝘈. ❄ **e**
⇌ 10000 – **20 cam** 52/81000.

🏠 **Désirée** senza rist, via del Capo 31/bis ℰ 8781563, Ascensore per la spiaggia, 🛗, ⇜ – 🅿. ❄ **y**
aprile-ottobre – **22 cam** ⇌ 35/58000.

🏠 **Britannia** senza rist, via del Capo 72 ⊠ 80060 Capo di Sorrento ℰ 8782706, ≤, ⇜ – 🔄. 🚳 𝘝𝘐𝘚𝘈 per ② **per ②**
marzo-ottobre – ⇌ 8500 – **28 cam** 25/38000.

🏠 **Apollo** senza rist, via De Maio 13 ℰ 8783701 – 🔄 ☎. ❄ **r**
23 cam ⇌ 60000.

✕✕ **Caruso,** via Sant'Antonino 12 ℰ 8784176 – ▤. 🆎 🚳 ⑩ 🇪 𝘝𝘐𝘚𝘈 **f**
chiuso lunedì – Pas carta 26/51000.

✕✕ **Kursaal,** via Fuorimura 7 ℰ 8781216, ⇱ – 🆎 🚳 ⑩ 🇪 𝘝𝘐𝘚𝘈. ❄ **x**
chiuso lunedì – Pas carta 28/40000 (15%).

✕✕ **Il Glicine,** via Sant'Antonio 2 ℰ 8772519 – 🆎 🚳 ⑩ 🇪 𝘝𝘐𝘚𝘈. ❄ **z**
chiuso dal 15 gennaio al 1° marzo e mercoledì in bassa stagione – Pas carta 34/49000 (15%).

✕✕ **Al Cavallino Bianco,** via Correale 11/a ℰ 8785809, ⇱ – 🆎 🚳 ⑩ 🇪 𝘝𝘐𝘚𝘈. ❄ **q**
chiuso martedì e dal 15 dicembre al 15 gennaio – Pas carta 21/32000 (15%).

✕ **La Favorita-o' Parrucchiano,** corso Italia 71 ℰ 8781321, « Servizio estivo in giardino » – 🅿 **s**
chiuso mercoledì da novembre a maggio – Pas carta 18/32000 (15%).

✕ **La Tonnarella** con cam, via del Capo 31 ℰ 8781153, ≤ golfo di Napoli e Vesuvio, ⇱, Ascensore per la spiaggia, « Terrazze panoramiche sul mare », 🛗, ⇜ – 🔄 🅿. 🆎 🚳 𝘝𝘐𝘚𝘈 **y**
marzo-novembre – Pas carta 16/28000 (15%) – ⇌ 7000 – **16 cam** 42000 – P 58/60000, b.s. 48/52000.

✕ **La Pentolaccia,** via Fuorimura 8 ℰ 8785077 – ▤. 🆎 🚳 ⑩ 🇪 𝘝𝘐𝘚𝘈. ❄ **w**
chiuso martedì – Pas carta 29/44000 (15%).

✕ **La Minervetta** con cam, via del Capo 25 ℰ 8781098, ≤ golfo di Napoli e Vesuvio, ⇱ – 🅿. 🆎 🚳 ⑩ 𝘝𝘐𝘚𝘈 **c**
Pas *(chiuso mercoledì da novembre a febbraio)* carta 17/33000 – ⇌ 7000 – 12 cam 44000 – P 58/65000, b.s. 50/60000.

✕ **La Lanterna,** via San Cesareo 23 ℰ 8781355, ⇱ – ▤. 🆎 🚳 ⑩ 🇪 𝘝𝘐𝘚𝘈 **p**
chiuso mercoledì da novembre a maggio – Pas carta 26/52000.

✕ **Russo-Zi'ntonio,** via De Maio 11 ℰ 8781623 – ▤. 🆎 🚳 ⑩ 🇪 𝘝𝘐𝘚𝘈 **r**
chiuso giovedì e febbraio – Pas carta 20/32000 (10%).

sulla strada statale 145 per ② :

🏯 **Gd H. Vesuvio,** via Nastro Verde 7 (O : 1 km) ⊠ 80067 Sorrento ℰ 8782645, Fax 8784253, ≤ golfo di Napoli e Vesuvio, 🏊, ⇜ – 🔄 ▤ 📺 ☎ ⬙ ⇜ 🅿 – 🏛 600. 🆎 🚳 ⑩ 🇪 𝘝𝘐𝘚𝘈. ❄ rist
chiuso gennaio e febbraio – Pas 35000 – **194 cam** ⇌ 102/200000 – P 160000.

🏯 **President** , via Nastro Verde 26 (O : 3 km) ⊠ 80067 Sorrento ℰ 8782262, ≤ golfo di Napoli e Vesuvio, « Giardino fiorito e terrazze con 🏊 » – 🔄 📺 ☎ 🅿 – 🏛 100
stagionale – 82 cam.

Vedere anche : *Sant'Agnello* per ① : 2 km.
Piano di Sorrento per ① : 4 km.
Meta per ① : 5 km.
Massa Lubrense per ② : 6 km.

SOSPIRO 26048 Cremona – 3 211 ab. alt. 36 – ✪ 0372.
Roma 529 – Cremona 13 – Mantova 60 – ◆Milano 106 – ◆Parma 44.

　　a Longardore NO : 4 km – ⬛ **26048** Sospiro :
✗　La Bicocca, ℰ 63234 – ℗.

SOSPIROLO 32037 Belluno – 3 403 ab. alt. 457 – ✪ 0437.
Roma 629 – Belluno 13.
✗✗　**Rosolin,** ℰ 89350, ← – ℗. *VISA*. ✦
　　chiuso martedì – Pas carta 22/36000.

SOVANA 58010 Grosseto – alt. 291 – ✪ 0564.
Roma 172 – ◆Firenze 226 – Grosseto 82 – Orbetello 70 – Orvieto 61 – Viterbo 68.
✗　**Taverna Etrusca** con cam, ℰ 616183 – ☎. 昼 ⬢ ⓪ 🖃 *VISA*. ✦
　　Pas carta 25/38000 (10%) – ⇋ 4500 – 7 cam 25/45000 – P 48/55000.

SOVERATO 88068 Catanzaro 🔢🔢🔢 ⓰ – 10 571 ab. – Stazione balneare – ✪ 0967.
🅴 via San Giovanni Bosco 192 ℰ 23586.
Roma 636 – Catanzaro 32 – ◆Cosenza 123 – Crotone 83 – ◆Reggio di Calabria 164.
🏛　**San Domenico,** via della Galleria ℰ 23121, ←, 🐎 – 🛗 ▦ ☎ ℗ – 🔒 200. ⬢ ⓪ 🖃 ✦
　　Pas carta 24/38000 – ⇋ 6500 – **80 cam** 65/95000 – P 92000.
🏛　**Nettuno,** via Magna Grecia 42 ℰ 25371, 🐎 – 🛗 ▦ ☎. ✦ rist
　　giugno-settembre – Pas (solo per clienti alloggiati) 20/25000 – ⇋ 5000 – 45 cam 45/75000 –
　　P 65/78000.
✗✗　**Il Palazzo,** corso Umberto I n° 40 ℰ 25336, 🌤 – ⓪ 🖃 *VISA*
　　chiuso lunedì e dal 1° al 22 novembre – Pas carta 28/39000.
✗　**Sirenetta,** via Cristoforo Colombo 8, 🌤
　　chiuso mercoledì ed ottobre – Pas carta 25/33000.

SPADAROLO Forlì – Vedere Rimini.

SPARTAIA Livorno – Vedere Elba (Isola d') : Marciana Marina.

SPELLO 06038 Perugia 🔢🔢🔢 ⓰ – 7 801 ab. alt. 314 – ✪ 0742.
Vedere Affreschi** del Pinturicchio nella chiesa di Santa Maria Maggiore.
Roma 165 – Assisi 12 – Foligno 5 – ◆Perugia 31 – Terni 66.
✗✗　**Il Molino,** piazza Matteotti 6 ℰ 651305, 🌤 – 昼 ⓪. ✦
　　chiuso martedì – Pas carta 25/43000.
✗　**Il Cacciatore** con cam, via Giulia 42 ℰ 651141, ← – 🚗. ✦
　　chiuso dal 20 giugno al 6 luglio – Pas *(chiuso lunedì)* carta 26/34000 – ⇋ 5000 – **17 cam**
　　35/55000 – P 70/80000.

SPERLONGA 04029 Latina 🔢🔢🔢 ⓰ – 3 780 ab. – a.s. Pasqua e luglio-agosto – ✪ 0771.
Roma 127 – Latina 57 – ◆Napoli 106 – Terracina 18.
🏛　**Parkhotel Fiorelle** 🦶, ℰ 54092, « Giardino », 🏊, 🐎 – ⌾ rist ℗ – 🔒 50. ✦ rist
　　marzo-ottobre – Pas 23000 – ⇋ 5000 – **33 cam** 35/48000 – P 71/80000, b.s. 56/63000.
🏠　**La Sirenella,** ℰ 549186, ←, 🐎 – ☎ ℗. ⬢. ✦
　　Pas *(chiuso giovedì)* 25/30000 – 40 cam ⇋ 40/72000 – P 69/82000, b.s. 52/61000.
🏠　**Major,** ℰ 549245, 🐎 – ▦ ☎ 🚗 ℗. 昼 ⬢ ⓪ *VISA*. ✦
　　Pas (solo per clienti alloggiati) 28/35000 – ⇋ 10000 – 16 cam 33/55000 – P 65/75000,
　　b.s. 48/57000.
✗✗　**Laocoonte-da Rocco,** ℰ 54122, 🌤 – 昼 *VISA*
　　chiuso lunedì dal 15 settembre al 15 giugno – Pas carta 29/55000.

SPEZZANO ALBANESE TERME 87010 Cosenza 🔢🔢🔢 ⓰ – alt. 74 – ✪ 0981.
Roma 477 – ◆Cosenza 50 – ◆Napoli 305 – ◆Taranto 147.
🏛　**San Francesco,** ℰ 953068, ← – 🛗 ☎ ℗. ✦
　　Pas carta 23/32000 – ⇋ 3500 – **36 cam** 35/57000 – P 50/55000.

SPIAZZO 38088 Trento – 1 084 ab. alt. 650 – a.s. febbraio-15 marzo, Pasqua e Natale – ✪ 0465.
Roma 622 – ◆Bolzano 112 – ◆Brescia 96 – Madonna di Campiglio 21 – ◆Milano 187 – Trento 52.
🏛　**Turismo,** ℰ 81058 – 🛗 ☎ 🚗. ✦ rist
→　*21 dicembre-19 aprile e giugno-settembre* – Pas 18/25000 – ⇋ 7000 – 54 cam 50/80000 –
　　P 55/69000, b.s. 32/49000.

SPILAMBERTO 41057 Modena – 10 500 ab. alt. 69 – ✿ 059.

Roma 408 – ◆Bologna 31 – ◆Modena 16.

  ✗   **Da Cesare,** via San Giovanni 38 ✗ 784259, Coperti limitati; prenotare – 🌐 🅱. ✿✿
       chiuso domenica sera e lunedì – Pas carta 25/35000.

   in prossimità casello autostrada A 1 NO : 5 km:

  ✗✗ **Antica Trattoria la Busa** ✉ 41057 ✗ 369422 – 🅿. 🌐 🅱 ⓞ. ✿✿
       chiuso lunedì – Pas carta 26/33000.

FORD via Pilamiglio 24 ✗ 783372

SPILIMBERGO 33097 Pordenone 🤍🤍🤍 ⑤ – 11 129 ab. alt. 132 – ✿ 0427.

Roma 625 – ◆Milano 364 – Pordenone 33 – Tarvisio 97 – Treviso 101 – ◆Trieste 98 – Udine 30.

  🏨   **Gd H. President,** via Cividale ✗ 50050 – 🛗 📺 ☎ & 🅿 – 🅰 120 – 33 cam.

  ✗✗ **Torre Orientale,** via di Mezzo 2 ✗ 2998, Coperti limitati; prenotare – 🌐 🅱 ⓞ 🔵 *VISA*. ✿✿
       chiuso martedì e domenica sera – Pas carta 29/37000.

ALFA-ROMEO via dei Ponti ✗ 2141   FIAT via Ponte Roitero ✗ 3737

SPINAZZOLA 70058 Bari 🤍🤍🤍 ㉘ – 7 961 ab. alt. 435 – ✿ 0883.

Roma 395 – ◆Bari 80 – ◆Foggia 89 – Potenza 78 – ◆Taranto 134.

  🏨   **Golden Ear,** via Coppa 27 ✗ 981525 – 🛗 ⤫ rist ☎. *VISA*. ✿✿
  ◆–   Pas *(chiuso domenica sera)* 18/35000 – ⌓ 10000 – **21 cam** 33/44000 – P 65000.

FIAT viale Aldo Moro 50 ✗ 982222   RENAULT corso Umberto 214 ✗ 981249

SPINO D'ADDA 26016 Cremona 🄰🄻🄽 ㉘ – 4 940 ab. alt. 84 – ✿ 0373.

Roma 558 – ◆Bergamo 40 – Cremona 54 – ◆Milano 29 – Piacenza 51.

  ✗   **Paredes y Cereda,** ✗ 965041 – 🅿
       chiuso lunedì, dal 7 al 26 gennaio e dal 13 al 20 agosto – Pas carta 28/42000.

   Es ist empfehlenswert, in der Hauptsaison und vor allem in Urlaubsorten,
   Hotelzimmer im voraus zu bestellen.

SPOLETO 06049 Perugia 🤍🤍🤍 ⑯㉖ – 37 881 ab. alt. 405 – ✿ 0743.

Vedere Piazza del Duomo★ : Duomo★★ Y – Ponte delle Torri★★ Z – Chiesa di San Gregorio Maggiore★ Y D – Basilica di San Salvatore★ Y B.

Dintorni Strada★ per Monteluco per ②.

🅿 piazza Libertà 7 ✗ 28111.

Roma 130 ② – Ascoli Piceno 123 ① – Assisi 48 ① – Foligno 28 ① – Orvieto 84 ③ – ◆Perugia 65 ① – Rieti 58 ② – Terni 31 ②.

Pianta pagina seguente

  🏩   **Dei Duchi,** viale Matteotti 4 ✗ 44541, ≤, 🏵, 🛋 – 🛗 ⤫ cam 📺 ☎ & 🅿 – 🅰 40. 🌐 🅱
       ⓞ 🔵 *VISA* ✿✿   Z c
       Pas 30/40000 – ⌓ 10000 – 50 cam 50/65000 – P 80/90000.

  🏨   **Gattapone,** senza rist, via del Ponte 6 ✗ 36147, ≤ – ☎ – 🅰 30 – **14 cam**.   Z d

  🏨   **Charleston** senza rist, piazza Collicola 10 ✗ 38135, Telex 563219 – 🛗 📺 ☎ – 🅰 50. 🌐 🅱
       ⓞ 🔵 *VISA*   Z v
       ⌓ 10000 – **19 cam** 45/65000.

  🏨   **Europa** senza rist, viale Trento e Trieste 201 ✗ 46949 – 🛗 🎛 ☎. 🌐 🅱 ⓞ 🔵 *VISA*   Y
       ⌓ 8000 – **24 cam** 47/70000, 🎛 7000.

  🏨   **Nuovo Clitunno,** piazza Sordini 8 ✗ 38240 – 📺 ☎. 🌐 ⓞ 🔵 *VISA*   Z a
       Pas *(chiuso mercoledì)* 20/28000 – ⌓ 7000 – **32 cam** 42/60000 – P 65/80000.

  🏨   **Clarici** senza rist, piazza della Vittoria 32 ✗ 46706 – 🛗 🎛 📺 ☎ 🅿. 🌐 🅱 ⓞ 🔵 *VISA*   Y n
       ⌓ 10000 – **24 cam** 45/65000, 🎛 10000.

  ✗✗ **Il Tartufo,** piazza Garibaldi 24 ✗ 40236 – 🎛. 🌐 🅱 ⓞ 🔵 *VISA*   Y m
       chiuso mercoledì e dal 15 luglio al 5 agosto – Pas carta 26/47000.

  ✗✗ **Sabatini,** corso Mazzini 52/54 ✗ 37233, « Servizio estivo all'aperto »   Z b
       chiuso lunedì, dal 17 al 29 gennaio e dal 1° al 6 agosto – Pas carta 32/46000.

  ✗   **La Barcaccia,** piazza Fratelli Bandiera 3 ✗ 21171, 🏵 – 🌐 ⓞ. ✿✿   Z e
       chiuso martedì e dal 6 al 25 gennaio – Pas carta 20/27000 (15%).

   sulla strada statale 3 - via Flaminia :

  🏨   **MotelAgip,** per ① : 1,5 km ✉ 06049 ✗ 49340 – 🛗 📺 ☎ & ⟷ 🅿. 🌐 🅱 ⓞ 🔵 *VISA*. ✿✿ rist
       Pas *(chiuso venerdì)* 26000 – ⌓ 11000 – **57 cam** 45/64000 – P 94/107000.

  ✗✗ **Il Madrigale,** per ② : 13,5 km ✉ 06040 Strettura ✗ 54144, ≤ – 🅿. ✿✿
       chiuso martedì – Pas carta 20/30000.

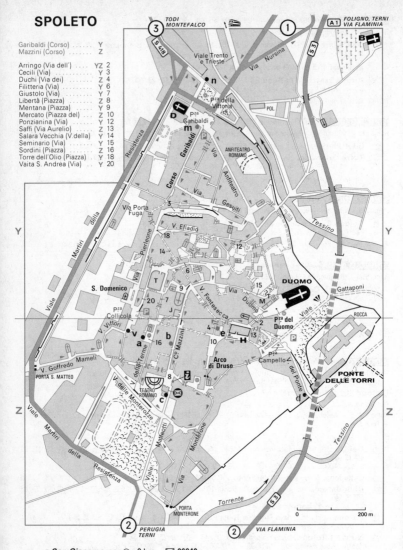

SPOLETO

Garibaldi (Corso) ...... Y
Mazzini (Corso) .... Z

Arringo (Via dell') .... YZ 2
Cecili (Via) .... Y 3
Duchi (Via dei) .... Z 4
Filitteria (Via) .... Y 6
Giustolo (Via) .... Y 7
Libertà (Piazza) .... Z 8
Mentana (Piazza) ...... Y 9
Mercato (Piazza del) ... Z 10
Ponzianina (Via) ...... Y 12
Saffi (Via Aurelio) ..... Z 13
Salara Vecchia (V della) Y 14
Seminario (Via) .... Y 15
Sordini (Piazza) .... Z 16
Torre dell'Olio (Piazza) . Y 18
Vaita S. Andrea (Via) .. Y 20

a San Giacomo per ① : 8 km – ⌨ 06048 :

✕ **Al Palazzaccio-da Piero,** ☎ 520168, 斎 – **Ⓟ**. **ⒶⒺ ⓄⒹ**. ⚄
   chiuso lunedì – **Pas** carta 20/29000.

   Vedere anche : *Monteluco* per ② : 8 km.
   Campello sul Clitunno per ① : 11 km.

FIAT frazione San Sabino 18/e per ① ☎ 48041

SPONDIGNA (SPONDINIG) Bolzano 2️⃣1️⃣8️⃣ ⑱ – alt. 885 – ⌨ 39026 Prato allo Stelvio – a.s. aprile e luglio-settembre – ✆ 0473.

Roma 713 – ◆Bolzano 76 – ◆Milano 261 – Passo di Resia 30 – Passo dello Stelvio 27 – Trento 134.

🏠 **Post Hirsch-Cervo,** ☎ 76021, 斎 – ❄ rist **Ⓟ**. **ⒶⒺ Ⓔ**
    chiuso dal 15 gennaio al 15 febbraio – Pas *(chiuso giovedì)* 15/20000 (10%) – **40 cam**
    ⚏ 30/60000 – P 55000.

564

SPODINIG = Spondigna.

SPOTORNO 17028 Savona 988 ② ③ – 4 496 ab. – Stazione balneare – ✪ 019.

🅱 via Aurelia 43 ♪ 745128.

Roma 560 – Cuneo 105 – ✦Genova 61 – Imperia 61 – ✦Milano 184 – Savona 15.

🏨 **Royal,** lungomare Kennedy 125 ♪ 745074, Telex 283867, Fax 745075, ≼, 🔟, 🐾, 🚗 – 🛗
≣ rist ☎ 🅿 – 🛁 200. 🅰🅴 🔤 🔟 🅴 🆅🅸🆂🅰. ❀ rist
maggio-18 ottobre – Pas 25/40000 – 🖵 12000 – **100 cam** 74/124000 – P 83/110000.

🏨 **Tirreno,** via Aurelia 2 ♪ 745106, ≼, 🐾 – 🛗 ≣ rist ☎ 🅿. 🅰🅴 🔤 🔟 🅴 🆅🅸🆂🅰. ❀ rist
maggio-ottobre – Pas 25/37000 – 🖵 7000 – **40 cam** 50/84000 – P 85000.

🏨 **Ligure,** piazza della Vittoria 1 ♪ 745118, ≼ – 🔟 🐾. ❀ rist
aprile-novembre – Pas *(chiuso mercoledì)* carta 27/37000 – 🖵 8000 – 37 cam 65000 –
P 65/70000.

🏨 **Roma** senza rist, piazza Colombo 7 ♪ 745125 – 🛗 🔟 🐾. 🅰🅴 🔤 🔟 🅴 🆅🅸🆂🅰
chiuso dal 7 gennaio a Pasqua – 🖵 50000 – **19 cam** 50/72000.

🏨 **Premuda,** piazza Rizzo 10 ♪ 745157, ≼, 🐾 – 🐾 🅿. ❀ rist
maggio-settembre – Pas carta 22/37000 – 🖵 8000 – **23 cam** 39/53000 – P 64000.

🏨 **Zunino,** via Serra 23 ♪ 745441 – 🛗 🔟 ☎ 🅿. 🔤 🅴 🆅🅸🆂🅰. ❀
chiuso dal 14 ottobre al 20 dicembre – Pas carta 21/45000 – **29 cam** 🖵 50/60000 – P 55/65000.

🏨 **Aurora,** piazza Rizzo 9 ♪ 745169, 🐾 – 🐾. 🅰🅴 🔤 🔟 🅴 🆅🅸🆂🅰. ❀ rist
Pas *(chiuso mercoledì)* 22/25000 – 🖵 8000 – **33 cam** 40/55000 – P 60/65000.

🏨 **Mediterranée,** via Rapallo 3 ♪ 745189 – 🛗 🔟 ☎. 🅰🅴 🔟 🆅🅸🆂🅰. ❀ rist
◆ *chiuso da ottobre al 20 dicembre* – Pas carta 19/30000 – 🖵 6000 – **35 cam** 40/50000 –
P 47/60000.

🏨 **Vallega,** via 25 Aprile 12 ♪ 745137 – 🛗 ↔ rist ☎. 🅰🅴 🆅🅸🆂🅰. ❀ rist
chiuso dal 15 ottobre al 15 gennaio – Pas *(chiuso mercoledì)* 20/35000 – 🖵 7000 – **27 cam**
40/60000 – P 50/70000.

✕ **A Sigögna,** via Garibaldi 13 ♪ 745016, 🏡 – 🅰🅴 🆅🅸🆂🅰
chiuso martedì e da ottobre al 10 dicembre – Pas carta 27/46000.

STABIO 427 ㉔, 219 ⑧ – Vedere Cantone Ticino alla fine dell'elenco alfabetico.

STAFFOLI 56020 Pisa – alt. 28 – ✪ 0571.

Roma 312 – ✦Firenze 58 – ✦Livorno 46 – Pisa 36 – Pistoia 33 – Siena 85.

✕✕ **Da Beppe,** via Livornese 35/b ♪ 37002, 🏡 – 🔲. 🅰🅴 🔤 🔟 🆅🅸🆂🅰. ❀
chiuso lunedì e dal 1° al 20 agosto – **Pas** carta 20/33000.

STEINEGG = Collepietra.

STELLA Ascoli Piceno – alt. 32 – ✉ 63030 Monsampolo del Tronto – ✪ 0735.

Roma 212 – ✦Ancona 102 – Ascoli Piceno 21 – ✦Pescara 68.

🏨 **Stella,** ♪ 805225 – 🛗 🐾 🅿. ❀
◆ *chiuso dal 23 dicembre al 10 gennaio* – Pas 15/25000 – 🖵 4000 – **32 cam** 32/52000 –
P 50/55000.

STELVIO (Passo dello) (STILFSER JOCH) Bolzano e Sondrio 988 ④, 218 ⑰ ⑱ – alt. 2 757 – a.s.
luglio e agosto – Sport invernali : solo sci estivo (giugno-ottobre) : 2 757/3 420 m ✦1 ⚡12, ⛷.

Roma 740 – ✦Bolzano 103 – Bormio 20 – Merano 75 – ✦Milano 222 – Trento 161.

🏨 **Passo dello Stelvio-Stilfserjoch,** ✉ 39020 Stelvio ♪ (0342) 903162, ≼ gruppo Ortles e
vallata – 🛗 🐾 🚗 🅿. ❀ rist
giugno-4 novembre – Pas carta 21/30000 – 60 cam 🖵 44/87000 – P 65/82000.

sulla strada statale 38 E : 7 km – alt. 2 189 :

🏨 Sottostelvio-Franzenshöhe 🐾, ✉ 39020 Trafoi ♪ (0473) 611768, ≼ monti e vallata, 🔟, ❀ –
🅿
stagionale – 24 cam.

STENICO 38070 Trento – 993 ab. alt. 660 – a.s. 15 dicembre-15 gennaio – ✪ 0465.

Roma 603 – ✦Brescia 103 – ✦Milano 194 – Riva del Garda 29 – Trento 33.

🏨 Flora 🐾, verso Ponte Arche SE : 2,5 km ✉ 38077 Ponte Arche ♪ 71549, ≼, 🚗, ❀ – 🐾 🅿
stagionale – 32 cam.

a Villa Banale E : 3 km – ✉ 38070 :

🏨 **Alpino,** ♪ 71459 – 🛗 🅿. ❀
◆ Pas *(chiuso martedì e da novembre a marzo)* 18/22000 – 🖵 6000 – **33 cam** 34/52000 –
P 44/54000, b.s. 36/38000.

STERZING = Vipiteno.

565

STILFSER JOCH = Stelvio (Passo dello).

STINTINO Sassari 🔢 ㉓ – Vedere Sardegna alla fine dell'elenco alfabetico.

STRADELLA 27049 Pavia 🔢 ⑬ – 11 496 ab. alt. 101 – ✪ 0385.
Roma 547 – Alessandria 62 – ♦Genova 116 – ♦Milano 59 – Pavia 21 – Piacenza 36.

  XX   **Flamingo**, con cam, via Di Vittorio 60 ℘ 40336 – ☎ ❷
       14 cam.

  X   **Gallo** con cam, vicolo Parea 7 ℘ 48323 – ❷. ⚘
  ➡   chiuso dal 6 al 26 agosto – Pas (chiuso lunedì) carta 19/27000 – ⟁ 3000 – **19 cam** 25/45000 –
       P 45000.

ALFA-ROMEO   via Nazionale 94 ℘ 48514   RENAULT   via Nazionale 81 ℘ 40220

STRESA 28049 Novara 🔢 ②, 🔢 ⑦ – 4 837 ab. alt. 200 – Stazione climatica, a.s. Pasqua e
luglio-15 settembre – Sport invernali : vedere Mottarone – ✪ 0323.
Vedere Cornice pittoresca★★ – Villa Pallavicino★ Y.
Escursioni Isole Borromee★★★ : giro turistico da 5 a 30 mn di battello – Mottarone★★★ O : 29 km
(strada di Armeno) o 18 km (strada panoramica di Alpino, a pedaggio da Alpino) o 15 mn di
funivia Y.

🔢 Des Iles Borromeés, ℘ 30243, per ① : 5 km;

🔢 Alpino (aprile-novembre; chiuso martedì in bassa stagione) a Vezzo ✉ 28040 ℘ 20101, per ② :
7,5 km.

⚓ per le Isole Borromee, giornalieri (da 10 a 30 mn) – Navigazione Lago Maggiore, ℘ 30393.

🔢 piazzale Europa 1 (Palazzo dei Congressi) ℘ 30150, Telex 200396.
Roma 657 ① – Brig 108 ③ – Como 75 ① – Locarno 55 ③ – ♦Milano 80 ① – Novara 56 ① – ♦Torino 134 ①.

Pianta pagina a lato

🏨 **Des Iles Borromées,** lungolago Umberto I n° 67 ℘ 30431, Telex 200377, Fax 32405, « Parco
     e giardino fiorito con ≼ isole », ⤓, ⚘ – 劇 📺 ☎ 🕭 ❷ – ♨ 30 a 250. 🆎 🚷 ⓪ 🅴 𝗩𝗜𝗦𝗔.
     ⚘ rist   Y **w**
     Pas 83000 – ⟁ 21500 – **120 cam** 240/361000 appartamenti 540/956000 – P 389/419000.

🏨 **Regina Palace,** lungolago Umberto I n° 27 ℘ 30171, Telex 200381, Fax 30176, ≼ isole
     Borromee, « Parco e giardino fiorito con ⤓ riscaldata », ⚘ – 劇 📺 ☎ 🕭 ❷ – ♨ 30 a 200.
     🆎 🚷 ⓪ 🅴 𝗩𝗜𝗦𝗔. ⚘ rist   Y **b**
     chiuso gennaio – Pas 40/45000 – ⟁ 16000 – **176 cam** 120/200000 appartamenti 200/400000 –
     P 120/180000.

🏨 **Bristol,** lungolago Umberto I n° 73 ℘ 32601, Telex 200217, Fax 24515, ≼ lago e monti,
     « Parco », ⤓, 🔲, 🚿 – 劇 📺 ☎ ❷ – ♨ 30 a 280. 🆎 🚷 ⓪ 🅴 𝗩𝗜𝗦𝗔. ⚘ rist   Y **c**
     15 marzo-20 novembre – Pas carta 49/64000 – ⟁ 18000 – **250 cam** 110/160000 appartamenti
     240/290000 – P 75/160000, b.s. 65/150000.

🏨 **La Palma,** lungolago Umberto I n° 33 ℘ 32401, Telex 200541, Fax 32404, ≼ lago e monti,
     ⤓ riscaldata, 🚿 – 劇 📺 ☎ 🕭 ❷ – ♨ 30 a 200. 🆎 🚷 ⓪ 🅴 𝗩𝗜𝗦𝗔. ⚘ rist   Y **e**
     marzo-25 novembre – Pas 30/38000 – ⟁ 13000 – **118 cam** 100/148000 appartamenti 160/200000
     – P 85/135000, b.s. 75/100000.

🏨 **Astoria,** lungolago Umberto I n° 31 ℘ 32566, Telex 200085, Fax 30259, ≼ lago e monti,
     ⤓ riscaldata, 🚿 – 劇 📺 ☎ ❷ – ♨ 30 a 40. 🆎 🚷 ⓪ 🅴 𝗩𝗜𝗦𝗔. ⚘ rist   Y **d**
     20 marzo-25 ottobre – Pas 35000 – **98 cam** ⟁ 115/160000 – P 75/135000.

🏨 **Milan au Lac,** piazza Imbarcadero ℘ 31190, Telex 200113, ≼ – 劇 ☎ – ♨ 30 a 150. 🆎 🚷
     ⓪ 🅴 𝗩𝗜𝗦𝗔. ⚘ rist   Y **s**
     19 marzo-26 ottobre – Pas 26/32000 – ⟁ 11000 – **80 cam** 75/110000 – P 65/95000.

🏨 **Royal,** strada statale del Sempione 22 ℘ 32777, ≼, 🌱, « Giardino fiorito » – 劇 ☎ ❷ – ♨
     60. ⚘ rist   Y **z**
     aprile-ottobre – Pas 20/28000 – ⟁ 10000 – **45 cam** 60/80000 – P 70/85000, b.s. 65/75000.

🏨 **Speranza au Lac,** piazza Imbarcadero ℘ 31178, ≼ – 劇 ☎ – ♨ 60. 🆎 🚷 ⓪ 🅴 𝗩𝗜𝗦𝗔   Y **s**
     19 marzo-26 ottobre – Pas vedere Hotel Milan au Lac – ⟁ 11000 – **85 cam** 75/110000 –
     P 65/95000.

🏨 **Moderno,** via Cavour 33 ℘ 30468, Telex 200340, Fax 31537, 🌱 – 劇 ☎. 🚷 ⓪ 𝗩𝗜𝗦𝗔. ⚘ rist
     marzo-ottobre – Pas carta 26/38000 (10%) – ⟁ 8000 – **53 cam** 45/80000 – P 60/85000.   Y **r**

🏨 **Meeting** senza rist, via Bonghi 9 ℘ 32741 – 劇 ☎. 🆎 🚷 ⓪ 🅴 𝗩𝗜𝗦𝗔. ⚘   Y **g**
     ⟁ 7000 – **24 cam** 68000.

🏨 **Della Torre,** strada statale del Sempione 45 ℘ 32555, « Giardino fiorito » – 劇 ☎ ❷. 🚷 🅴
  ➡   𝗩𝗜𝗦𝗔. ⚘ rist   Y **a**
     marzo-ottobre – Pas 18/28000 – ⟁ 8000 – **44 cam** 48/75000 – P 50/75000.

🏨 **La Fontana** senza rist, strada statale del Sempione 1 ℘ 32707, ≼, « Piccolo parco ombreg-
     giato » – ☎ ❷. 🆎 🚷 𝗩𝗜𝗦𝗔   Y **f**
     ⟁ 7000 – **20 cam** 50/75000.

🏨 **Flora,** strada statale del Sempione 26 ℘ 30524, ≼, 🚿 – ❷. 🆎 🚷 🅴 𝗩𝗜𝗦𝗔. ⚘ rist   Y **p**
  ➡   chiuso gennaio e febbraio – Pas 18/25000 – ⟁ 6000 – **21 cam** 45/63000 – P 56/65000,
     b.s. 45/54000.

XXX ❀ **Emiliano,** corso Italia 52 ℰ 31396, prenotare – 🆎 🆂 🅾 🅴 𝑉𝐼𝑆𝐴. ⅏ Y **u**
chiuso martedì e dal 15 novembre al 20 dicembre – Pas carta 70/127000 (10%)
Spec. Scaloppa di fegato d'oca su cipolle fondenti all'aceto di lampone, Branzino al vapore su fonduta di pomodoro fresco (estate). Vini Arneis, Dolcetto.

XX **Da Angelo,** via Roma 88 ℰ 31147, 🍽 – 🆎 🆴 🅴 𝑉𝐼𝑆𝐴. ⅏ Y **h**
chiuso lunedì e novembre – Pas carta 27/44000.

X **Ariston** con cam, corso Italia 60 ℰ 31195, ≤ lago e monti, 🍽 – 🛗 🆎 🆂 🅾 🅴 𝑉𝐼𝑆𝐴 Y **q**
chiuso dal 9 dicembre al 28 febbraio – Pas carta 25/40000 – ⴱ 5000 – 13 cam 45/70000 – P 60/70000.

X **Il Triangolo,** via Roma 61 ℰ 32736, 🍽, Rist. e pizzeria – 🆎 🆂 🅴 𝑉𝐼𝑆𝐴. ⅏ Y **k**
chiuso martedì da ottobre a maggio – Pas carta 21/37000.

X **Del Pescatore,** vicolo del Poncivo 3 ℰ 31986 Y **n**
chiuso Natale e mercoledì da ottobre a maggio – Pas carta 21/43000.

X **Luina,** via Garibaldi 21 ℰ 30285 – 🆎 🆂 🅾 🅴 𝑉𝐼𝑆𝐴 Y **x**
19 marzo-ottobre – Pas carta 26/43000 (10%).

segue →

sulla strada statale 33 per ③ : 1,5 km :

🏛 **Villaminta,** strada statale del Sempione 123 ✉ 28049 ☎ 32444, Telex 223316, ≤ isole Borromee, ⅀, « Parco fiorito e terrazza con ⊿ riscaldata », 🐦, 🐎, ✿ – 🛗 ❷ – 🏕 50. 🆊 🕄 ⓸ 🄴 𝘝𝘐𝘚𝘈. ✿ rist
marzo-15 novembre – Pas carta 48/68000 – ⊊ 15000 – **62 cam** 115/140000 appartamenti 130/180000 – P 80/150000.

a Someraro per ③ : 4 km – ✉ **28049** Stresa :

✕✕ **Al Rustico,** ☎ 32172, Coperti limitati; prenotare – ✿
chiuso mercoledì e febbraio – Pas carta 24/40000.

Vedere anche : **Vezzo** per ② : 5 km.
Alpino per ② : 9 km.
Borromee (Isole) N : da 5 a 30 mn di battello.
Mottarone per ② : 20 km per strada a pedaggio o 15 mn di funivia.

STROMBOLI (Isola) Messina 988 ③⑥ – Vedere Sicilia (Eolie, isole) alla fine dell'elenco alfabetico.

STROVE Siena – Vedere Monteriggioni.

STUPINIGI 10040 Torino – alt. 244 – ✪ 011.
Vedere Palazzina Mauriziana★.
🄵 (chiuso lunedì ed agosto) ☎ 343975 NE : 2 km FU (vedere Torino p. 1);
🄵 (marzo-novembre; chiuso lunedì), a Vinovo ✉ 10048 ☎ 9653880 S : 2 km FU (vedere Torino p. 1).
Roma 668 – Cuneo 92 – ✦Milano 161 – Sestriere 81 – ✦Torino 11.

Pianta d'insieme di Torino (Torino p. 2)

✕✕ **Le Cascine,** O : 2 km ☎ 9002581, « Parco fiorito con laghetto », ✿, 🐎 – ▤ ❷. 🕄 🄴 𝘝𝘐𝘚𝘈
15 maggio-settembre; chiuso lunedì e dal 16 al 31 agosto – Pas carta 35/49000 (15%).   FU **v**

STURLA Genova – Vedere Genova.

SUBIACO 00028 Roma 988 ㉖ – 9 115 ab. alt. 408 – Sport invernali : al Monte Livata : 1 350/1 745 m ≰4, ⊿ – ✪ 0774.
Vedere Monastero di San Benedetto★ SE : 3 km.
🄸 via Cadorna 59 ☎ 85397.
Roma 72 – Avezzano 68 – Frosinone 52 – ✦Pescara 174 – Rieti 80 – Tivoli 42.

al monte Livata NE : 16 km – alt. 1 350 :

🏨 **Livata,** ✉ 00028 ☎ 86031, ≤, 🐎, ✿ – 🛗 ❷. 🆊. ✿ rist
Natale-Pasqua e luglio-settembre – Pas 23/27000 – ⊊ 7000 – 84 cam 45/51000 – P 60/75000.

SU GOLOGONE Nuoro – Vedere Sardegna (Oliena) alla fine dell'elenco alfabetico.

SULDEN = Solda.

SULMONA 67039 L'Aquila 988 ㉗ – 24 717 ab. alt. 375 – ✪ 0864.
Vedere Palazzo dell'Annunziata★★ – Porta Napoli★.
Escursioni Massiccio degli Abruzzi★★★.
🄸 via Roma 21 ☎ 53276.
Roma 154 – L'Aquila 73 – Avezzano 57 – Chieti 62 – Isernia 76 – ✦Napoli 186 – ✦Pescara 73.

🏨 **Europa Park Hotel,** strada statale N : 3,5 km ☎ 34641, ⊿, 🐎, ✿ – 🛗 🕿 ❷ – 🏕 40 a 250. 🆊 ⓸ 𝘝𝘐𝘚𝘈. ✿ cam
Pas (chiuso venerdì) carta 20/31000 – ⊊ 5000 – **105 cam** 48/78000 appartamenti 130/136000 – P 76000.

🏦 **Salvador,** viale della Repubblica NO : 2 km ☎ 51276 – 🛗 🕿 ⅙ ❷. 🆊 🕄 ⓸ 🄴 𝘝𝘐𝘚𝘈. ✿
✦ Pas (chiuso dal 20 dicembre al 2 gennaio) 18/20000 – ⊊ 2500 – **34 cam** 20/33000 – P 55000.

🏦 **Armando's,** via Montenero 16 ☎ 31252 – 🛗 🕿 ➡. 🕄 🄴. ✿
✦ Pas 19000 – ⊊ 2000 – 18 cam 28/40000.

✕ **Italia,** piazza 20 Settembre 26 ☎ 33070 – 🆊 ⓸ 🄴 𝘝𝘐𝘚𝘈
✦ chiuso lunedì e luglio – Pas carta 19/27000.

✕ **Cesidio,** piazza Solimo 25 ☎ 52724 – ✦⇦. 🆊 🕄 ⓸ 🄴
✦ chiuso venerdì – Pas carta 13/21000.

FIAT strada statale 17 ☎ 53708
LANCIA-AUTOBIANCHI via Pescara 30 ☎ 53853
PEUGEOT-TALBOT strada statale 17 ☎ 33069

VW-AUDI viale della Repubblica, zona Industriale
☎ 53760

SULPIANO Torino – alt. 175 – ⊠ 10020 Verrua Savoia – ✪ 0161.

Roma 648 – Asti 47 – ♦Milano 122 – ♦Torino 49 – Vercelli 37.

※ **Palter,** ✆ 846193 – 🅿
→ *chiuso lunedì e luglio* – Pas carta 15/30000.

SULZANO 25058 Brescia – 1 337 ab. alt. 205 – a.s. Pasqua e luglio-15 settembre – ✪ 030.

Roma 586 – ♦Bergamo 44 – ♦Brescia 28 – Edolo 72 – ♦Milano 85.

🏛 **Aquila,** ✆ 985383, 🏛, ⚔ – 🅿. ❀
→ *chiuso dicembre e gennaio* – Pas *(chiuso lunedì in bassa stagione)* 15/30000 – ⬡ 6000 –
19 cam 54000 – P 40/48000, b.s. 38/44000.

※※ **Le Palafitte,** S : 1,5 km ✆ 985145, ≼, 🏛, prenotare, « Padiglione sul lago » – 🅿. *VISA*. ❀
chiuso novembre, martedì, anche lunedì sera in bassa stagione – Pas carta 30/68000.

Vedere anche : *Monte Isola* NO : 10 mn di barca.

SUPERGA Torino – alt. 670.

Vedere Basilica★ : ≼★★★, tombe reali★.

Roma 662 – Asti 48 – ♦Milano 144 – ♦Torino 10 – Vercelli 75.

SUSA 10059 Torino 🔢🔢🔢 ⑩, 🔢🔢 ⑨ – 7 029 ab. alt. 503 – a.s. giugno-settembre e Natale – ✪ 0122.

Roma 718 – Briançon 55 – ♦Milano 190 – Col du Mont Cenis 30 – ♦Torino 53.

🏛 **Napoleon,** via Mazzini 44 ✆ 2704, Fax 31900 – 🔲 🕾 ⬅. *VISA*. ❀ rist
chiuso gennaio – Pas *(chiuso sabato da ottobre a giugno)* 24/30000 – ⬡ 8000 – **40 cam**
52/75000 – P 85000, b.s. 80000.

※ **Pesce,** via Montegrappa 25 (statale 24) ✆ 2476, 🏛, solo su prenotazione, ⚔ – 🅿. ❀
chiuso giovedì e dal 20 settembre al 22 ottobre – Pas carta 24/39000.

SUZZARA 46029 Mantova 🔢🔢🔢 ⑭ – 18 112 ab. alt. 20 – ✪ 0376.

Roma 453 – Cremona 74 – Mantova 21 – ♦Milano 167 – ♦Modena 51 – ♦Parma 45 – Reggio nell'Emilia 41.

※※ **Cavallino Bianco** con cam, via Luppi Menotti 11 ✆ 531676, « Raccolta di quadri moderni »
– 🔲 🕾. 🅰. ❀ rist
chiuso agosto – Pas *(chiuso sabato)* carta 23/35000 – ⬡ 4000 – 16 cam 38/58000 – P 60000.

ALFA-ROMEO viale Virgilio 13 ✆ 536340 ⠀⠀⠀⠀⠀⠀⠀⠀ FIAT via 25 Aprile 17/ab ✆ 521258

TABIANO BAGNI 43030 Parma – alt. 162 – Stazione termale (marzo-novembre), a.s. agosto-ottobre – ✪ 0524.

🅱 viale delle Fonti ✆ 66245.

Roma 486 – ♦Bologna 124 – Fidenza 8 – ♦Milano 110 – ♦Parma 31 – Salsomaggiore Terme 5.

🏛🏛 **Astro** ⚓, ✆ 66523, Telex 532297, Fax 66497, ≼, ⚑ – 🔲 📺 🕾 ⬅ 🅿 – 🅰 30 a 600. 🅰 🔲
⑩ 🅴 *VISA*. ❀ rist
Pas carta 40/58000 – ⬡ 15000 – **115 cam** 75/120000 – P 140/150000, b.s. 120/130000.

🏛 **Rossini** ⚓, ✆ 66425 – 🔲 🕾 🅿. ❀ rist
aprile-novembre – Pas 28/30000 – ⬡ 5000 – **57 cam** 35/50000 – P 60000, b.s. 52000.

🏛 **Farnese,** ✆ 66127, ⚔ – 🔲 🕾 🅰 – 🅰 50. 🔲. ❀
aprile-15 novembre – Pas carta 28/43000 – ⬡ 7000 – **58 cam** 50/65000 – P 66/70000,
b.s. 57/60000.

🏛 **Quisisana,** ✆ 66216, ⚔ – 🔲 📺 🕾 🅿. 🔲. ❀ rist
15 aprile-15 novembre – Pas 22/26000 – ⬡ 6000 – **52 cam** 28/44000 – P 58/61000, b.s. 52/54000.

🏛 **Pandos** ⚓, ✆ 66234, ⚔ – 🔲 📺 🕾 🅿. 🅰 🔲 🅴 *VISA*. ❀ rist
15 aprile-4 novembre – Pas 25/32000 – ⬡ 10000 – **57 cam** 55/75000 – P 68/70000, b.s. 63/65000.

🏛 **Ducale,** ✆ 66125, Fax 66541, ≼ – 🔲 🕾 🅿. ❀
15 aprile-5 novembre – Pas carta 26/36000 – ⬡ 6000 – **112 cam** 48/80000 – P 70/76000,
b.s. 58/64000.

🏛 **Napoleon,** ✆ 66621 – 🔲 ⬅ cam 🍽 rist 🕾 🅿. 🔲 *VISA*. ❀
aprile-novembre – Pas 22/30000 – ⬡ 7000 – **48 cam** 38/65000 – P 60/63000, b.s. 55/60000.

🏛 **Royal,** ✆ 66227 – 🔲 ⬅ rist 🕾 🅿 🅰 🔲 🅴 *VISA*. ❀
Pas 25/30000 (15%) – ⬡ 4000 – **35 cam** 34/53000 – P 62/70000, b.s. 57/62000.

🏛 **Panoramik,** ✆ 66423, ≼, 🏊, ⚔ – 🔲 🕾 🅿. 🔲 🅴 *VISA*. ❀
marzo-novembre – Pas carta 25/34000 – ⬡ 6000 – **37 cam** 30/55000 – P 67000, b.s. 55000.

🏛 **Plaza,** ✆ 66121 – 🔲 🍽 rist 🕾. 🔲 🅴 *VISA*. ❀ rist
aprile-novembre – Pas 20/25000 – ⬡ 4500 – **37 cam** 32/46000 – P 56/64000, b.s. 44/54000.

🏛 **Boomerang,** ✆ 66183 – 🔲 🕾 🅿. ❀
→ *aprile-novembre* – Pas 18/20000 – ⬡ 6000 – **22 cam** 30/50000 – P 55000, b.s. 48000.

※ **Locanda del Colle-da Oscar,** al Castello S : 3,5 km ✆ 66148, Coperti limitati; prenotare –
🅿. 🔲 ⑩ *VISA*. ❀
chiuso gennaio e lunedì da novembre a luglio – Pas carta 29/40000.

TAGLIACOZZO 67069 L'Aquila 988 ㉘ – 6 745 ab. alt. 775 – Stazione di villeggiatura – ✪ 0863.
🅕 piazza Argoli 15 ℰ 6318.
Roma 91 – L'Aquila 55 – Avezzano 19 – Frosinone 92 – ◆Pescara 126 – Rieti 79.
  🏠 Miramonti, ℰ 6581 – 🅿 – 17 cam.

TAGLIOLO MONFERRATO 15070 Alessandria – 1 365 ab. alt. 315 – ✪ 0143.
Roma 552 – Acqui Terme 27 – Alessandria 43 – ◆Genova 54 – ◆Milano 117 – Savona 64 – ◆Torino 128.
  ✕ **Gino,** ℰ 89483
    chiuso mercoledì, le sere di lunedì e martedì, gennaio e luglio – Pas carta 27/38000.

TAI DI CADORE 32040 Belluno 988 ⑤ – alt. 850 – ✪ 0435.
Roma 643 – Belluno 42 – Cortina d'Ampezzo 29 – ◆Milano 385 – ◆Venezia 132.
  🏨 **Canadà** ⑤, ℰ 31741, ☞ – ☎ 🅿, 🆎 🕙 *VISA*, ✕ rist
    Pas carta 30/51000 – ⳨ 7000 – **34 cam** 43/72000 – P 65/84000.

  Vedere anche : *Pieve di Cadore* NE : 1,5 km.

FIAT E LANCIA-AUTOBIANCHI via Madonnetta-   RENAULT via degli Alpini 32 ℰ 32254
Nebbiù ℰ 30441

  In questa guida
  uno stesso simbolo, uno stesso carattere
  stampati in rosso o in **nero**, *in magro o in* **grassetto**
  hanno un significato diverso.
  Leggete attentamente le pagine esplicative.

TALAMONE Grosseto – Vedere Fonte Blanda.

TALONNO Novara 219 ⑯ – Vedere Invorio.

TAMBRE Belluno – 1 691 ab. alt. 922 – ⊠ **32010** Tambre d'Alpago – ✪ 0437.
🆚 (aprile-novembre) a Pian del Cansiglio ⊠ 31029 Vittorio Veneto ℰ (0438) 585398, S : 11 km.
🅕 piazza 11 Gennaio 1945 ℰ 49277.
Roma 613 – Belluno 28 – Cortina d'Ampezzo 83 – ◆Milano 352 – Treviso 73 – ◆Venezia 102.
  🏠 **Alle Alpi,** via Campei 32 ℰ 49022, ☞, ✕ – 🛗 🛗 🅿
  ← Pas *(chiuso mercoledì)* 15000 – **24 cam** ⳨ 35/60000 – P 40/60000.
  ✕ **Col Indes** ⑤ con cam, SE : 5 km, alt. 1 250 ℰ 49274, ⬱ – 🚗 🅿
    stagionale – 6 cam.

TAMION Trento – Vedere Vigo di Fassa.

TAORMINA Messina 988 ㊲ – Vedere Sicilia alla fine dell'elenco alfabetico.

TARANTO 74100 🅿 988 ㉘ – 244 845 ab. – ✪ 099.
Vedere Museo Nazionale : ceramiche***, sala degli ori*** – Lungomare Vittorio Emanuele**
– Giardini Comunali* – Cappella di San Cataldo* nel Duomo.
🆚 (chiuso martedì da ottobre a maggio) a Riva dei Tessali ⊠ 74025 Ginosa Marina ℰ 6439251,
Telex 860086, per ③ : 34 km.
🅕 corso Umberto 113 ℰ 21233.
A.C.I. viale Magna Grecia 108 ℰ 335911.
Roma 532 ③ – ◆Bari 94 ③ – ◆Napoli 344 ③.

Pianta pagina seguente

  🏰 **Palace,** viale Virgilio 10 ℰ 94771, Telex 860183, Fax 94771, ⬱ – 🛗 🖭 📺 ☎ 🚗 🅿 – 🅰 150
    a 300. 🆎 🕙 🕙 🄴 *VISA*   **s**
    Pas *(chiuso luglio o agosto)* carta 23/41000 – ⳨ 13000 – **73 cam** 86/124000 – P 135000.
  🏰 Gd H. Delfino, viale Virgilio 66 ℰ 3205, Telex 860113, ⬱, ⬱, ☞ – 🛗 🖭 📺 ☎ 🅿 – 🅰 300 **u**
    198 cam.
  🏰 Park Hotel Mar Grande, viale Virgilio 90 ℰ 330861, ⬱, ⬱ – 🛗 🖭 📺 ☎ 🅿 – 🅰 200 a 300
    93 cam.   per ②
  🏰 **Principe,** senza rist, via Solito 27 ℰ 3201 – 🛗 🖭 📺 ☎ 🚗 🅿 – 🅰 100
    153 cam.   per via Dante Alighieri
  🏨 **Plaza,** via d'Aquino 46 ℰ 91925 – 🛗 🖭 🚗 – 🅰 150 a 250. 🆎 🕙 🕙 🄴 *VISA*. ✕   **z**
    Pas *(chiuso gennaio e febbraio)* 20/30000 – ⳨ 6000 – **112 cam** 62/84000, 🖭 5000.
  🏨 **President,** senza rist, via Campania 136 ℰ 3207 – 🛗 🖭 📺 ☎ 🕭 🅿   per ②
    115 cam.
  🏠 **La Spezia** senza rist, via La Spezia 23 ℰ 337950 – 🛗 🚗. 🆎 🕙 *VISA*   per via Cesare Battisti
    senza ⳨ – **28 cam** 41/70000.

570

TARANTO

Mazzini (Via) 12
Palma (Via di)

Arcivescovado (Piazza)	2
Battisti (Via Cesare)	3
De Cesare (Via G.)	5
Duca d'Aosta (Viale)	6
Ebalia (Piazza)	8
Falanto (Via)	9
Mari (Corso due)	10
Mignogna (Via Nicola)	13
Ponte (Vico del)	14
Porto Mercantile (Via)	16
Pupino (Via)	17
Roma (Via)	18
Vasto (Via del)	19

XX **Al Gambero,** vico del Ponte 4 ℰ 411190, ≤, 綠 – 🅿. 🆎 ⓪ 𝚅𝙸𝚂𝙰. 🛇   **f**
   chiuso lunedì e novembre – Pas carta 27/36000 (15%).

XX **La Lampara,** viale Jonio 198 (località San Vito) ℰ 531051, ≤ – 🗖 🅿. ⓪   per ②
   chiuso lunedì e dal 22 al 31 dicembre – Pas carta 30/50000 (18%).

XX **Hiding,** piazza Ebalia 7/d ℰ 28142 – 🆎 � ⓪ ⋶ 𝚅𝙸𝚂𝙰   **c**
   chiuso domenica e dal 15 al 30 agosto – Pas carta 24/39000 (10%).

XX **L'Assassino,** lungomare Vittorio Emanuele III n° 29 ℰ 92041 – 🗖. � ⓪ 𝚅𝙸𝚂𝙰. 🛇   **a**
   chiuso domenica – Pas carta 28/40000.

XX **Il Caffè,** via d'Aquino 8 ℰ 25097 – 🆎 ⓪ 𝚅𝙸𝚂𝙰   **b**
   chiuso domenica sera e lunedì a mezzogiorno – Pas carta 30/50000 (12%).

X **La Sirenetta-da Emilio,** via Madonna della Pace 3 ℰ 407657 – 🗖   **d**
   chiuso mercoledì – Pas carta 20/35000 (10%).

ALFA-ROMEO via per Talsano per ② ℰ 312892
ALFA-ROMEO via Cesare Battisti 5272 ℰ 791093
BMW via per Talsano 3840 ℰ 311993
CITROEN via per San Giorgio Jonico ℰ 791079
FIAT viale Virgilio 130 per ② ℰ 323166
FIAT viale Magna Grecia 207/209 per via Dante Alighieri ℰ 322091
FORD via Cesare Battisti 730 ℰ 391798
GM-OPEL via lago di Misurina ℰ 337870
LANCIA-AUTOBIANCHI via Cesare Battisti 206 per ③ ℰ 331138

LANCIA-AUTOBIANCHI via Picardi 21 per ② ℰ 312606
MERCEDES-BENZ via Peluso 115 ang. viale Virgilio ℰ 330881, Telex 860092
PEUGEOT-TALBOT via Salinella 83 ℰ 312554
RENAULT via Blandamura ℰ 331471
VW-AUDI via Cesare Battisti 1020 ℰ 791600
VOLVO via Cagliari 118 ℰ 326922

TARCENTO 33017 Udine 🆀🆀🆀 ⑥ – 8 821 ab. alt. 230 – a.s. 15 luglio-15 settembre – ✪ 0432.
Roma 657 – ◆Milano 396 – Tarvisio 76 – ◆Trieste 90 – Udine 19 – ◆Venezia 146.

🏛 **Centrale,** ℰ 785150, 🍽 – 🖩 ⇔ 🅿 𝘝𝘐𝘚𝘈. ⋘
 chiuso dal 6 al 31 gennaio – Pas *(chiuso lunedì)* 20/32000 – ☲ 5000 – **26 cam** 35/55000 –
 P 50/55000, b.s. 45/48000.

✕✕ **Al Mulin Vieri,** ℰ 785076 – 🅿 🖭 🕲 ⑩ 𝘝𝘐𝘚𝘈. ⋘
 chiuso martedì e dal 10 al 30 giugno – Pas carta 28/40000.

✕ **Ostarie di Santine,** località Pradandons SE : 2,5 km ℰ 785119, « Giardino ombreggiato » –
↝ ✧✧ 🅿. ⋘
 chiuso mercoledì e dal 23 agosto al 15 settembre – Pas carta 18/26000.

FIAT strada statale 13 ℰ 791364

TARQUINIA 01016 Viterbo 🆀🆀🆀 ⑳ – 13 851 ab. alt. 133 – ✪ 0766.
Vedere Necropoli Etrusca★★ : pitture★★★ nelle camere funerarie SE : 4 km – Palazzo Vitelleschi★ :
cavalli alati★★★ nel museo Nazionale Tarquiniense★ – Chiesa di Santa Maria in Castello★.
🌀 (chiuso mercoledì) a Marina Velca ✉ 01016 Tarquinia ℰ 812109, O : 6 km.
🅱 piazza Cavour 1 ℰ 856384.
Roma 96 – Civitavecchia 20 – Grosseto 92 – Orvieto 90 – Viterbo 45.

🏨 **Tarconte,** via Tuscia 19 ℰ 856141, Telex 612172, ≼ – 🖩 🕾 ♿ 🅿. 🖭 ⑩. ⋘ rist
 Pas carta 25/37000 – ☲ 7000 – 53 cam 42/71000 – P 87000.

✕✕ **Il Bersagliere,** via Benedetto Croce 2 ℰ 856047, 🍽 – 🅿. 🖭 🕲 ⑩. ⋘
 chiuso domenica sera, lunedì e novembre – Pas carta 25/45000 (10%).

 a Lido di Tarquinia SO : 6 km – ✉ 01016 Tarquinia :

🏩 **Gd H. Helios,** ℰ 88618, Fax 88295, 🏊, 🖩 🗐 🅿 – 🏛 100 a 250. ⋘ rist
 Pas carta 30/45000 – ☲ 8000 – **89 cam** 137000 appartamenti 250000 – P 121000.

🏨 **La Torraccia,** ℰ 88375, 🍽 – 🗐 rist 🕾. 🖭 🕲 ⑩ 🅴 𝘝𝘐𝘚𝘈. ⋘
 chiuso dicembre o gennaio – Pas *(solo per clienti alloggiati e chiuso da ottobre a maggio)*
 22/30000 – ☲ 6000 – 18 cam 50/75000 – P 75000.

🏨 **Velcamare,** ℰ 88024, 🌳, 🍽 – ✧✧ 🗐 rist 🕾 ♿ 🅿. 🕲 🅴 𝘝𝘐𝘚𝘈
 febbraio-ottobre – Pas *(chiuso martedì da ottobre a maggio)* carta 30/46000 (10%) – ☲ 6000
 – 20 cam 60/90000 – P 76000.

FIAT località Orto San Martino ℰ 857632

TARSOGNO 43050 Parma – alt. 822 – a.s. luglio e agosto – ✪ 0525.
Roma 472 – ◆Bologna 182 – ◆Genova 108 – ◆Milano 161 – ◆Parma 86 – Piacenza 97 – ◆La Spezia 77.

🏛 **Sole,** ℰ 89142, ≼ – 🖩 🕾 ♿ 🅿. 🖭. ⋘ rist
 chiuso ottobre – Pas *(chiuso giovedì)* carta 24/32000 – ☲ 5000 – **24 cam** 25/40000 –
 P 55/60000, b.s. 45/50000.

TARVISIO 33018 Udine 🆀🆀🆀 ⑥ – 5 932 ab. alt. 754 – Stazione di villeggiatura, a.s. luglio-agosto e
Natale – Sport invernali : 754/1 760 m ✁1 ✁4, ⚊ – ✪ 0428.
🅱 via Roma 10 ℰ 2135.
Roma 730 – Cortina d'Ampezzo 170 – Gorizia 133 – Klagenfurt 67 – Ljubljana 100 – ◆Milano 469 – Udine 96.

🏨 **Nevada,** ℰ 2332, Telex 450636 – 🖩 🕾 ⇔ 🅿. 🖭 🕲 ⑩ 🅴 𝘝𝘐𝘚𝘈. ⋘ cam
 Pas *(chiuso martedì dal 15 settembre al 15 dicembre e dal 15 gennaio al 15 giugno)*
 carta 30/40000 – ☲ 6000 – **60 cam** 45/70000 – P 70000.

✕ **Italia,** ℰ 2041 – 🅿. 🖭 ⑩ 𝘝𝘐𝘚𝘈. ⋘
 chiuso martedì sera, mercoledì, dal 15 maggio al 15 giugno e dal 15 ottobre al 15 novembre –
 Pas carta 23/34000.

TAUFERS IM MÜNSTERTAL = Tubre.

TAVAGNACCO 33010 Udine – 11 134 ab. alt. 137 – ✪ 0432.
Roma 645 – Tarvisio 84 – ◆Trieste 78 – Udine 8 – ◆Venezia 134.

✕✕ **Al Grop,** ℰ 660240 – 🅿. 🖭 𝘝𝘐𝘚𝘈. ⋘
 chiuso giovedì sera, venerdì e luglio – Pas carta 20/33000.

✕✕ **Antica Locanda al Parco** con cam, ℰ 660898, « Servizio estivo in giardino », 🍽 – 🕾 🅿.
🖭 🕲 ⑩ 🅴 𝘝𝘐𝘚𝘈
 Pas *(chiuso lunedì)* carta 27/38000 – ☲ 7000 – **13 cam** 30/40000 – P 75000.

ALFA-ROMEO via Nazionale 1 ℰ 44183
BMW via Nazionale 17 ℰ 576083
FIAT via Nazionale 157 ℰ 660661
FORD via Nazionale 75/1 ℰ 571988
INNOCENTI a Feletto, via Nazionale 39 ℰ 572814
LANCIA-AUTOBIANCHI a Feletto, via 4 Novembre
76 ℰ 572815

LANCIA-AUTOBIANCHI viale Tricesimo 13 ℰ 680595
MASERATI a Feletto, via Nazionale 39 ℰ 570991
PEUGEOT-TALBOT via Nazionale 97 ℰ 680627
VW-AUDI a Feletto, via 4 Novembre 61 ℰ 572871

TAVAGNASCO 10010 Torino **209** ⑭ – 824 ab. alt. 280 – **۞** 0125.
Roma 693 – Aosta 58 – Ivrea 10 – ♦Milano 125 – ♦Torino 60.

  XX **Miramonti,** *♪* 758213
  ← *chiuso lunedì e gennaio* – Pas carta 17/30000.

TAVARNELLE VAL DI PESA 50028 Firenze **988** ⑭⑮ – 6 767 ab. alt. 378 – **۞** 055.
Roma 268 – ♦Firenze 29 – ♦Livorno 92 – Siena 38.

    a Sambuca E : 4 km – ⊠ **50020** :

  🏠 **Torricelle-Zucchi** senza rist, *♪* 8071780, 🌴 – ☎ **۵** **E**
    ⊊ 6000 – **13 cam** 37/58000.

    in prossimità uscita superstrada Firenze-Siena NE : 5 km :

  🏨 **Park Hotel Chianti,** ⊠ 50028 *♪* 8070106, 🌴 – 🛗 ≣ 📺 ☎ ♿ **۵** 🅑 **E** *VISA*
    Pas vedere rist Pontenovo – ⊊ 8000 – **43 cam** 58/84000 – P 82000.

  X **Pontenovo,** ⊠ 50028 *♪* 6070148, 🍽 – **۵** *VISA* 🎀
    chiuso lunedì e dal 1° al 15 agosto – Pas carta 22/38000.

    a San Donato in Poggio SE : 7 km – ⊠ **50020** :

  X **La Toppa,** *♪* 8072900 – **AE** ⓞ
    chiuso lunedì e dal 2 al 27 gennaio – Pas carta 22/32000.

RENAULT via Vicinale Ponte Nuovo 25 *♪* 8070076

TAVERNE **427** ㉓, **209** ⑧ – Vedere Cantone Ticino alla fine dell'elenco alfabetico.

TAVERNELLE Vicenza – Vedere Altavilla Vicentina.

TEGLIO 23036 Sondrio – 5 129 ab. alt. 856 – **۞** 0342.
Roma 719 – Edolo 37 – ♦ Milano 158 – Sondrio 20 – Passo dello Stelvio 76.

  🏠 **Meden,** *♪* 780080, 🌴 – 🛗 **۵**. 🎀
    dicembre-gennaio e giugno-settembre – Pas *(chiuso lunedì)* carta 26/35000 – ⊊ 4500 –
    38 cam 25/45000 – P 50/60000.

TELLARO La Spezia – Vedere Lerici.

TEMPIO PAUSANIA Sassari **988** ㉓ – Vedere Sardegna alla fine dell'elenco alfabetico.

TENCAROLA Padova – Vedere Padova.

TENNA 38050 Trento – 678 ab. alt. 556 – a.s. 15 dicembre-15 gennaio – **۞** 0461.
🎫 (giugno-settembre) *♪* 706396.
Roma 607 – Belluno 93 – ♦Bolzano 79 – ♦Milano 263 – Trento 19 – ♦Venezia 144.

  🏨 **Margherita** 🦢, NO : 2 km *♪* 706445, « In pineta », 🏊, 🌴, 🎾 – 🛗 ☎ **۵** – 🏛 100. 🎀 cam
    aprile-ottobre – Pas carta 23/33000 – ⊊ 6000 – 55 cam 34/64000 – P 55/60000, b.s. 38/45000.

  🏠 Da Remo, *♪* 706446 – ☎ **۵** – 26 cam.

TENNO 38060 Trento – 1 612 ab. alt. 435 – a.s. 15 dicembre-15 gennaio e Pasqua – **۞** 0464.
Roma 585 – ♦Brescia 84 – ♦Milano 179 – Riva del Garda 9 – Trento 59.

  🏨 **Clubhotel Lago di Tenno,** NO : 3,5 km *♪* 500631, ≤, « Servizio rist. estivo all'aperto », 🏊,
    🌴, 🎾, 🎿 – ☎ **۵**. 🎀 cam
    aprile-ottobre – Pas *(chiuso martedì)* carta 27/39000 – ⊊ 8000 – **44 cam** 40/60000 – P 55/75000,
    b.s. 50/70000.

TEOLO 35037 Padova **988** ⑤ – 7 469 ab. alt. 175 – Stazione di villeggiatura – **۞** 049.
Roma 498 – Abano Terme 14 – ♦Ferrara 83 – Mantova 95 – ♦Milano 240 – ♦Padova 20 – ♦Venezia 57.

  🏠 **Alla Posta-Gastaldello,** *♪* 9925003, ≤, 🍴, 🌴 – 🛗 ⤴ ♿ **۵** – 🏛 200
    Pas *(chiuso mercoledì)* carta 29/40000 – ⊊ 8000 – **27 cam** 40/70000 – P 60000.

TERAMO 64100 **₱** **988** ㉖㉗ – 52 436 ab. alt. 265 – **۞** 0861.
🎫 via del Castello 10 *♪* 54243 – **A.C.I.** corso Cerulli 81 *♪* 53244.
Roma 182 – ♦Ancona 137 – L'Aquila 66 – Ascoli Piceno 35 – Chieti 72 – ♦Pescara 57.

  🏨 **Sporting e Rist. Il Carpaccio,** via De Gasperi 41 *♪* 414723, 🔲 – 🛗 ≣ ☎ **۵** – 🏛 100.
    🅑. 🎀
    Pas *(chiuso lunedì e dal 14 al 21 agosto)* carta 25/37000 – ⊊ 7500 – **55 cam** 50/80000, ≣ 6000
    – P 70/85000.

  🏨 **Abruzzi** senza rist, viale Mazzini 18 *♪* 53043 – 🛗 ≣ ☎ 🚗 – 🏛 80. 🎀
    ⊊ 3500 – **50 cam** 45/68000.

  XX **Duomo,** via Stazio 9 *♪* 321274 – ≣. **AE** 🅑 ⓞ **E** *VISA*. 🎀
    chiuso lunedì ed agosto – Pas carta 22/41000.

sulla strada statale 80 NE : 3 km :

✗ **3 Galli,** ✉ 64100 ☏ 558174 – ✗
chiuso lunedì – Pas carta 20/28000.

ALFA-ROMEO via Po 24 ☏ 414758
BMW a Piano d'Accio ☏ 558326
CITROEN a Piano d'Accio, via Salvo d'Acquisto ☏ 558436
FIAT viale Crispi 311 ☏ 410441
FORD Coste Sant'Agostino ☏ 83649
LANCIA-AUTOBIANCHI a Piano d'Accio ☏ 558433
MERCEDES-BENZ a Piano d'Accio 24 ☏ 558166
PEUGEOT-TALBOT via Po 19 ☏ 413669
RENAULT viale Crispi 257 ☏ 410370
VW-AUDI via Pannella 1 ☏ 411334

TERLAN = Terlano.

TERLANO (TERLAN) 39018 Bolzano 218 ⑳ – 3 034 ab. alt. 246 – a.s. aprile e luglio-15 ottobre – ☎ 0471.

Roma 646 – •Bolzano 9 – Merano 19 – •Milano 307 – Trento 67.

Weingarten, ☏ 57174, « Giardino ombreggiato con piscina riscaldata » – ☎ P
15 marzo-5 novembre – Pas *(chiuso domenica)* carta 20/30000 – **18 cam** ☐ 44/83000 – P 55/66000, b.s. 49/59000.

Vedere anche : *Vilpiano* NO : 4 km.

Europe — Se il nome di un albergo è stampato in carattere magro, chiedete al vostro arrivo le condizioni che vi saranno praticate.

TERME – Vedere qui sotto o al nome proprio della località termale.

TERME LUIGIANE Cosenza 988 ㊴ – alt. 178 – ✉ **87020** Acquappesa – Stazione termale (maggio-ottobre) – ☎ 0982.

ℹ via Santa Lucia ☏ 94056.

Roma 475 – Castrovillari 107 – Catanzaro 110 – •Cosenza 51 – Paola 16.

Parco delle Rose, ☏ 94090, piscina, ✗ – |‡| ☎ P. ◑ VISA. ✗ rist
maggio-ottobre – Pas carta 27/42000 – ☐ 5000 – 50 cam 35/60000 – P 58/68000.

TERMENO (TRAMIN) 39040 Bolzano 218 ⑳ – 2 905 ab. alt. 276 – a.s. aprile e luglio-15 ottobre – ☎ 0471.

Roma 630 – •Bolzano 24 – •Milano 288 – Trento 48.

Arndt, ☏ 860336, ←, piscina riscaldata, 🌳 – |‡| ☎ P. ✗
aprile-10 novembre – Pas 18/30000 – **20 cam** ☐ 46/88000 – P 54/63000.

Traminer Hof, ☏ 860384, piscina riscaldata, 🌳 – |‡| ▤ rist ☎ 🚗 P. ✗ rist
Pasqua-10 novembre – Pas *(chiuso martedì)* 18000 – **39 cam** ☐ 45/87000 – P 55/69000.

TERMINILLO 02017 Rieti 988 ㉖ – alt. 1 620 – Stazione di villeggiatura – Sport invernali : 1 620/2 101 m ⛡1 ⛷10, ⛸ – ☎ 0746.

ℹ a Pian de' Valli ☏ 61121.

Roma 99 – L'Aquila 79 – Rieti 21 – Terni 58 – Viterbo 120.

Cristallo ⛰, ☏ 61112 – |‡| TV ☎ 🚗 P. VISA. ✗
20 dicembre-15 aprile e luglio-15 settembre – Pas 30/35000 – ☐ 15000 – **50 cam** 100/130000 – P 140000.

Togo Palace, ☏ 61272 – |‡| ⇔ cam TV ☎ 🚗. AE ⓑ ◑ E VISA. ✗
5 dicembre-aprile e luglio-15 agosto – Pas carta 36/58000 – ☐ 12000 – **43 cam** 70/115000 – P 80/115000.

Il Bucaneve ⛰, ☏ 61237, ← vallata – P. ✗
dicembre-aprile e luglio-settembre – Pas *(chiuso lunedì)* 25000 – ☐ 8000 – **14 cam** 30/50000 – P 60/70000.

La Lucciola, ☏ 61138 – ◑. ✗
15 dicembre-Pasqua e luglio-settembre – Pas 21/24000 – ☐ 6000 – 18 cam 35/60000 – P 75000.

TERMOLI 86039 Campobasso 988 ㉗㉘ – 26 067 ab. – ☎ 0875.

⛴ per le Isole Tremiti giornaliero (1 h 45 mn) – Adriatica di Navigazione-agenzia Intercontinental, corso Umberto I n° 93 ☏ 491341, Telex 602051; per le Isole Tremiti 15 maggio-settembre giornaliero (1 h 40 mn) – Navigazione Libera del Golfo-agenzia Di Brino, al porto ☏ 4859, Telex 722661.

⛴ per le Isole Tremiti maggio-settembre giornalieri (45 mn) – Adriatica di Navigazione-agenzia Intercontinental, corso Umberto I n° 93 ☏ 491341, Telex 602051.

ℹ piazza Bega ☏ 2754.

Roma 300 – Campobasso 69 – •Foggia 88 – Isernia 112 – •Napoli 200 – •Pescara 100.

🏛️ **Corona e Rist. Bel Ami,** via Mario Milano 2/a ☎ 84041 e rist ☎ 3705, Telex 603060 – ▓ ▤
▦ ☎. 昼 🛇. ⅍ cam
Pas *(chiuso domenica e dal 20 dicembre al 10 gennaio)* carta 34/49000 – ☲ 10000 – **39 cam**
75/105000 appartamenti 105/140000, ▤ 10000.

🏛️ **Rosary,** via Cristoforo Colombo 52 ☎ 84944, ← – ▓ 🕸 🛆 🅿. 昼 🛇
chiuso dicembre – Pas *(chiuso da ottobre a marzo)* carta 25/37000 – ☲ 5000 – **72 cam** 70000
– P 70000.

🏛️ **Meridiano,** via Cristoforo Colombo ☎ 491946, ← – ▓ 🕸 🛆 🅿. ⅍
Pas *(chiuso da ottobre a maggio)* carta 21/30000 – ☲ 3500 – **56 cam** 43/64000 – P 63/70000.

✕✕ **Squalo Blu,** via De Gasperi 49 ☎ 83203 – 昼 🛇 ⓪ ⊑ 𝘝𝘐𝘚𝘈. ⅍
chiuso lunedì – Pas carta 36/45000.

✕✕ **San Carlo,** piazza Duomo ☎ 491295 – 昼 🛇 𝘝𝘐𝘚𝘈. ⅍
chiuso martedì, Natale e gennaio – Pas carta 29/42000.

✕ **Il Drago,** corso Vittorio Emanuele III n° 58 ☎ 491139 – ▤. 昼 ⓪. ⅍
chiuso mercoledì e da ottobre a maggio anche domenica sera – Pas carta 30/41000.

sulla strada statale 16 : O : 4 km :

🏛️ **Jet** senza rist, ✉ 86039 ☎ 52354, ☷, 🐜ₒ – ▓ ▦ 🕸 🛆 🅿. 昼 🛇 ⓪ 𝘝𝘐𝘚𝘈
☲ 9000 – **41 cam** 68/107000.

ALFA-ROMEO contrada Casa la Croce ☎ 84641   RENAULT sulla strada statale 16 Europa ☎ 83143
FIAT sulla strada statale 16 Europa ☎ 83043
LANCIA-AUTOBIANCHI sulla strada statale 16
Europa ☎ 84767

TERNI 05100 🅿 🄰🄱🄱 ㉘ – 110 704 ab. alt. 130 – ✪ 0744.

Dintorni Cascata delle Marmore★★ per ② : 7 km.

🅱 viale Cesare Battisti 7/a ☎ 43047.

A.C.I. viale Cesare Battisti 121/c ☎ 400239.

Roma 103 ④ – ◆Napoli 316 ④ – ◆Perugia 82 ④.

Pianta pagina seguente

🏛️ **Valentino e Rist. La Fontanella,** via Plinio il Giovane 3 ☎ 55246, Telex 660876 – ▓ ▤ ▦
☎ 🛆 🚗 🅿 – 🏛 180. 昼 🛇 ⓪ ⊑ 𝘝𝘐𝘚𝘈. ⅍ rist   BY u
Pas *(chiuso domenica)* carta 27/43000 – **60 cam** ☲ 91/133000 appartamenti 180000 –
P 116/141000.

🏛️ **Garden,** viale Bramante 4 ☎ 300041, Fax 300414, ☷, � – ▓ ▤ ▦ ☎ 🚗 🅿 – 🏛 30 a 300.
昼 🛇 ⓪ 𝘝𝘐𝘚𝘈. ⅍ rist   per ④
Pas *(chiuso lunedì)* 24/30000 – ☲ 8000 – **65 cam** 55/100000 appartamenti 90/120000, ▤ 16000
– P 75/120000.

🏛️ **Allegretti** senza rist, strada Staino ☎ 57747 – ▓ ☎ 🚗 🅿. 昼 ⓪   BZ v
☲ 4000 – **35 cam** 45/65000.

🏛️ **De Paris** senza rist, viale della Stazione 52 ☎ 58047 – ▓ ▤ 🕸. 昼 🛇 ⓪ ⊑ 𝘝𝘐𝘚𝘈. ⅍   BY b
☲ 3500 – **64 cam** 44/63000, ▤ 2000.

🏨 **Brin,** viale Benedetto Brin 148 ☎ 454141 – ☎ 🅿   BY a
9 cam.

✕✕ **Lu Pilottu,** strada delle Grazie 5 ☎ 274412, �, prenotare – 昼 🛇. ⅍
chiuso lunedì ed agosto – Pas carta 20/43000.   per via Montegrappa AZ

✕✕ **San Marco,** via San Marco 4 ☎ 44178 – ⅍⊷. 昼 🛇 ⊑ 𝘝𝘐𝘚𝘈. ⅍   AY x
chiuso lunedì ed agosto – Pas carta 27/49000.

✕✕ **Alfio,** via Galileo Galilei 4 ☎ 420120   AY a
chiuso sabato e dal 1° al 24 agosto – Pas carta 22/30000 (12%).

✕✕ **Lu Somaru,** viale Cesare Battisti 106 ☎ 300486, � – 昼 🛇 ⓪   AY e
chiuso venerdì e dal 28 dicembre al 7 gennaio – Pas carta 20/30000.

✕✕ **L'Erba Dolce,** via Castello 2 ☎ 418297, Coperti limitati; prenotare – ▤. 昼 ⓪. ⅍   BY g
chiuso martedì – Pas carta 32/43000.

✕ **Da Carlino,** via Piemonte 1 ☎ 420163, � – 昼. ⅍   BY x
chiuso lunedì ed agosto – Pas carta 22/33000.

✕ **Da Armando,** viale Brenta 12 ☎ 404193 – 昼. ⅍   AZ n
◆ *chiuso sabato* – Pas carta 18/23000.

sulla strada statale 209 BY :

🏨 **Rossi,** località Casteldilago E : 11 km ✉ 05031 Arrone ☎ 78837 e rist ☎ 78105 – ☎ 🅿. 🛇
◆ 𝘝𝘐𝘚𝘈. ⅍
Pas carta 18/24000 – ☲ 4000 – **16 cam** 30/45000 – P 50000.

✕ **Grottino del Nera,** E : 11 km ✉ 05031 Arrone ☎ 78104 – 🅿. ⅍
◆ *chiuso mercoledì, dal 10 al 24 gennaio e dal 7 al 21 giugno* – Pas carta 19/27000.

TERNI

ALFA-ROMEO via Maratta Bassa 12/b per ④ ℰ 49448
BMW via Maratta Alta 4/b ℰ 420189
CITROEN via Maratta Bassa 15/1 ℰ 300093
FIAT via Di Vittorio 25/27 ℰ 284871
FIAT via Curtatone 15 ℰ 278831
FORD via Maratta Bassa 17/b ℰ 54784
GM-OPEL via degli Artigiani 12 ℰ 813455

INNOCENTI via 20 Settembre 53/a per ③ ℰ 272049
LANCIA-AUTOBIANCHI via Verri 5/7 ℰ 405186
LANCIA-AUTOBIANCHI via Maratta Bassa 24 per ④ ℰ 454148
PEUGEOT-TALBOT via Galvani 13 ℰ 56051
RENAULT via Vocabolo Salara 16/b ℰ 814647
VW-AUDI via Maratta Bassa 22/d ℰ 403134
VOLVO Vocabolo Sabbione 25/b ℰ 814600

TERNO D'ISOLA 24030 Bergamo 2⃞1⃞9⃞ ⑳ – 3 262 ab. alt. 229 – ✿ 035.

Roma 612 – ✦Bergamo 12 – Lecco 29 – ✦Milano 43.

✗ **2 Camini,** strada provinciale ℰ 904165, 🍽 – 🅿 ✗
chiuso martedì sera e mercoledì – Pas carta 26/43000.

Les Bonnes Tables

Gourmets :

Nous distinguons à votre intention

certains hôtels (🏠 ... 🏨) et restaurants (✗ ... ✗✗✗✗✗) par ✿, ✿✿ ou ✿✿✿.

TERRACINA 04019 Latina 988 ⊛ – 38 818 ab. – Stazione balneare, a.s. Pasqua e luglio-agosto – ✪ 0773.

Vedere Tempio di Giove Anxur★ : ✳★★ E : 4 km e 15 mn a piedi AR – Candelabro pasquale★ nel Duomo.

🖬 via Leopardi 𝒫 727759.

Roma 109 – Frosinone 60 – Gaeta 35 – Latina 39 – ◆Napoli 123.

🏛 **River** 🦢, via Pontina al km 106 𝒫 730681, 🏊, 🐎, 🌴 – 🛗 🗐 ☎ 🅿 🖭 🕸
aprile-settembre – Pas (solo per clienti alloggiati) 25000 – 😅 8000 – **94 cam** 45/70000, 🗐 10000 – P 65/80000, b.s. 55/65000.

💥💥 La Tartana-da Mario l'Ostricaro, via Appia al km 102 𝒫 752461, ≼, 😤, Solo piatti di pesce – 🅿

💥💥 Grappolo d'Uva, lungomare Matteotti 1 𝒫 752521, ≼ – 🗐 🅿

💥💥 **Meson Feliz** 🦢 con cam, via Pontina al km 102 𝒫 71026, 😤, 🌴 – 🕸 🅿 🖭 🕸 ⓞ ⋿ 𝘝𝘐𝘚𝘈 🕸
Pas (chiuso lunedì) carta 23/38000 (15%) – 😅 7000 – 14 cam 25/50000 – P 90/100000.

💥💥 Hostaria Porto Salvo, via Appia al km 102 𝒫 752151, ≼, 😤 – 🅿

💥 **Taverna del Porto,** a Porto Badino 𝒫 718434, 😤 – 🅿 🖭 🕸 ⓞ ⋿ 𝘝𝘐𝘚𝘈
chiuso martedì – Pas carta 30/40000.

💥 **Hostaria la Lanterna-Rendez Vous,** piazza della Repubblica 27 𝒫 752527 – 🗐 🖭 🕸 ⓞ. 🕸
chiuso mercoledì – Pas carta 30/40000.

💥 **La Capannina,** via Appia al km 102 𝒫 752539, ≼, 😤 – 🅿 🖭 🕸 ⓞ ⋿ 𝘝𝘐𝘚𝘈
chiuso giovedì e novembre – Pas carta 32/42000 (15%).

💥 **Hostaria Gambero Rosso,** via Lungolinea 82 𝒫 724787 – 🗐 🕸
chiuso martedì e dal 20 dicembre al 10 gennaio – Pas carta 25/35000.

FIAT strada statale 148 al Km 107 𝒫 730085 RENAULT strada statale 148 al km 106 𝒫 71377
FORD via Pontina al km 104 𝒫 71053
LANCIA-AUTOBIANCHI strada statale 148 al km 105 𝒫 718674

*Le nuove **guide verdi turistiche Michelin** offrono :*

– un testo descrittivo più ricco,

– un'informazione pratica più chiara,

– piante, schemi e foto a colori.

...e naturalmente sono delle opere aggiornate frequentemente.

Utilizzate sempere l'ultima edizione.

TERRANUOVA BRACCIOLINI 52028 Arezzo 988 ⑮ – 10 087 ab. alt. 156 – ✪ 055.

Roma 250 – Arezzo 36 – ◆Firenze 50 – ◆Perugia 110 – Siena 50.

🏛 **Motel Michelangelo** senza rist, in prossimità casello autostrada A 1 (O : 2 km) 𝒫 9799393, Telex 574162 – 🗐 📺 ☎ 🛉 🛄 🅿 – 🛄 100. 🖭 🕸 ⓞ ⋿ 𝘝𝘐𝘚𝘈
😅 10000 – **53 cam** 46/75000.

TERRAROSSA Grosseto – Vedere Orbetello.

TERRASINI Palermo – Vedere Sicilia alla fine dell'elenco alfabetico.

TERRUGGIA 15030 Alessandria – 719 ab. alt. 199 – ✪ 0142.

Roma 623 – Alessandria 25 – Asti 38 – ◆Milano 125 – ◆Torino 92.

💥💥 **Ariotto,** 𝒫 801200, « Servizio estivo all'aperto con ≼ » – ⓞ
chiuso mercoledì e novembre – Pas carta 26/41000.

TESERO 38038 Trento – 2 490 ab. alt. 991 – Stazione di villeggiatura, a.s. Pasqua e Natale – Sport invernali : a Pampeago 1 750/2 399 m ≰10, ⍅ a Tesero – ✪ 0462.

🖬 via Roma 35 𝒫 83032.

Roma 653 – Belluno 87 – ◆Bolzano 47 – Canazei 34 – ◆Milano 311 – Trento 71.

🏠 **Alma,** 𝒫 83074, ≼, 🌴 – 🕸 🚗 🅿 🕸
20 dicembre-aprile e 15 giugno-ottobre – Pas (solo per clienti alloggiati) 21000 – 😅 13500 – 30 cam 36/54000 – P 62000.

a Pampeago N : 8 km – alt. 1 750 – ✉ 38038 Tesero :

🏛 **Pampeago** 🦢, 𝒫 83167, Telex 400082, ≼ – 🛗 🕸 🅿 🕸 rist
✦ dicembre-15 aprile e 29 giugno-8 settembre – Pas 18000 – 😅 5000 – **95 cam** 78/123000 – P 62/94000, b.s. 46000.

TESIDO (TAISTEN) Bolzano – Vedere Monguelfo.

TESSERA 30030 Venezia – alt. 3 – ✪ 041.

🚢 Marco Polo, E : 1 km ℰ 661262.

Roma 531 – Mestre 8 – ◆Milano 270 – ◆Padova 40 – Treviso 26 – ◆Trieste 154 – ◆Venezia 12.

🏠 **Da Mario,** via Triestina 170 ℰ 5415022 – 🍽 rist 🅿 🖭 🕄 ⓪ 🅴 𝘝𝘐𝘚𝘈
Pas *(chiuso dal 2 al 15 gennaio)* carta 26/41000 – ⥥ 7000 – **30 cam** 40/62000 – P 45/55000.

VOLVO via Orlanda 218 ℰ 5415026

TESTACCIO Napoli – Vedere Ischia (Isola d') : Barano.

THIENE 36016 Vicenza 🄰🄰🄰 ④⑤ – 19 580 ab. alt. 147 – ✪ 0445.

Roma 559 – Belluno 105 – ◆Milano 241 – Trento 70 – ◆Treviso 72 – ◆Venezia 91 – Vicenza 20.

🏨 **La Torre,** via del Lavoro 2 ℰ 364388 – 🖿 🕿 🕭 🅿 – 🕍 150. 🖭 🕄 ⓪ 🅴 𝘝𝘐𝘚𝘈. 🕸 rist
Pas carta 20/31000 – ⥥ 7500 – **37 cam** 50/70000 – P 60/65000.

🏠 **Belvedere,** via Val Posina 51 ℰ 361605 – 🅿. 🕸
— chiuso dal 28 luglio al 15 agosto – Pas *(chiuso sabato sera e domenica)* carta 17/26000 – ⥥
4000 – **19 cam** 37/57000 – P 56/60000.

✕ **Roma,** via Fogazzaro 8 ℰ 361084 – 🅿. 🕸
chiuso giovedì e domenica sera – Pas carta 20/30000.

✕ **Ai Milanesi-da Elio e Angelo,** via del Costo 57 ℰ 362486, 🏛 – 🅿 🅴 𝘝𝘐𝘚𝘈
chiuso domenica – Pas carta 23/34000.

sulla strada statale 349 NO : 4 km :

✕ **Diana** con cam, ⊠ 36010 Carrè ℰ 365299, 🕸 – ⭙ 🐎 🕭 🚗 🅿
Pas *(chiuso mercoledì e dal 5 al 15 agosto)* carta 20/28000 – ⥥ 5000 – **12 cam** 25/45000 –
P 50/60000.

Vedere anche : *Zugliano* NE : 5 km.

BMW via del Costo 66 ℰ 365616
FIAT via Marconi 23/29 ℰ 362422
INNOCENTI via Santa Rosa 60/62 ℰ 362810

LANCIA-AUTOBIANCHI viale Bassani 7 ℰ 362580
RENAULT via Gombe 12 ℰ 365222

TIERS = Tires.

TIGLIETO 16010 Genova – 599 ab. alt. 510 – ✪ 010.

Roma 550 – Alessandria 54 – ◆Genova 51 – ◆Milano 130 – Savona 52.

🏨 **Pigan,** ℰ 929015, « Boschetto » – ⭙ cam 🅿. 🕸
Pas *(chiuso martedì da ottobre a giugno)* carta 21/31000 – ⥥ 5500 – **12 cam** 26/48000 –
P 57/61000.

TIGLIOLE 14016 Asti – 1 458 ab. alt. 239 – ✪ 0141.

Roma 628 – Alessandria 49 – Asti 14 – Cuneo 91 – ◆Milano 139 – ◆Torino 54.

✕✕ **Vittoria,** ℰ 667123, 🐎 – 🖭. 🕸
chiuso lunedì, gennaio e luglio – Pas carta 32/48000.

TIGNALE 25080 Brescia – 1 261 ab. alt. 560 – a.s. Pasqua e luglio-15 settembre – ✪ 0365.

Roma 574 – ◆Brescia 57 – ◆Milano 152 – Salò 26 – Trento 82.

sulla strada statale 45 bis E : 11,5 km :

🏨 **Forbisicle,** ⊠ 25010 Campione del Garda ℰ 73022, ≼, 🐴, 🐎 – 🅿 🅿 🖭. 🕸
aprile-26 ottobre – Pas carta 25/34000 – ⥥ 5500 – 25 cam 50/76000 – P 62/72000, b.s. 60/64000.

TIONE DI TRENTO 38079 Trento 🄰🄰🄰 ④ – 3 172 ab. alt. 565 – a.s. Natale – ✪ 0465.
Dintorni Valle Rendena★ Nord per la strada S 239.

Roma 613 – ◆Bolzano 103 – ◆Brescia 87 – Merano 129 – ◆Milano 178 – Trento 43.

🏠 Milano, ℰ 21096 – 🖿 🅿
18 cam.

TIRANO 23037 Sondrio 🄰🄰🄰 ③④, 🄯🄰🄱 ⑯ – 8 979 ab. alt. 450 – ✪ 0342.

Roma 725 – Passo del Bernina 35 – ◆Bolzano 163 – ◆Milano 164 – Sondrio 26 – Passo dello Stelvio 58.

✕ **Bernina** con cam, piazza Stazione ℰ 701302 – 🖭
chiuso dal 13 gennaio al 13 febbraio – Pas *(chiuso domenica)* carta 23/46000 (15%) – ⥥ 7000
– **8 cam** 25/47000 – P 59/67000.

a Madonna di Tirano O : 1,5 km – ⊠ 23030 :

✕ **Altavilla** con cam, ℰ 701779 – 🖿 🖭 𝘝𝘐𝘚𝘈. 🕸 cam
chiuso novembre – Pas *(chiuso venerdì)* carta 35/40000 – ⥥ 8000 – 13 cam 25/45000 –
P 65/75000.

ALFA-ROMEO piazza Marinoni 18 ℰ 701238

FIAT via Nazionale 126 ℰ 701797

TIRES (TIERS) 39050 Bolzano – 818 ab. alt. 1 028 – a.s. luglio-settembre e Natale – 🕿 0471.

Roma 658 – ♦Bolzano 17 – Bressanone 40 – ♦Milano 316 – Trento 77.

a San Cipriano (St. Zyprian) E : 3 km – ⊠ 39050 Tires :

🏠 **Stefaner** ⑤, 𝒫 642175, ≤ Catinaccio e pinete, 🐎 – 📶 ⤡ rist 🅿. ⅌ rist
chiuso dal 10 novembre al 15 dicembre – Pas (solo per clienti alloggiati e *chiuso a mezzogiorno*)
– **15 cam** ⊊ 38/70000 – ½ P 42/48000, b.s. 35/40000.

✗ **Zyprianer Hof** ⑤ con cam, 𝒫 642143, ≤ Catinaccio e pinete, 🍴, 🐎 – 🅿. ⅌ rist
chiuso dal 10 novembre al 20 dicembre e dal 10 al 30 gennaio – Pas *(chiuso mercoledì escluso giugno-ottobre)* carta 22/40000 – **12 cam** ⊊ 60/116000 – P 53/60000, b.s. 40/45000.

TIRLI Grosseto – Vedere Castiglione della Pescaia.

TIROL = Tirolo.

TIROLO (TIROL) 39019 Bolzano 𝟤𝟣𝟪 ⑩ – 2 161 ab. alt. 592 – a.s. aprile-maggio e 15 luglio-ottobre – 🕿 0473.

🛈 𝒫 93314, Telex 400083.

Roma 669 – ♦Bolzano 32 – Merano 4 – ♦Milano 330.

🏨 **Castel** ⑤, 𝒫 93693, Telex 400419, ≤, ⊒ riscaldata, ⊠, 🐎, ⅌ – 📶 ≣ rist 📺 🕿 ⇦ 🅿 –
🛁 70. ⅌
marzo-novembre – 30 cam (solo ½ P) 110/133000, b.s. 84/107000.

🏨 **Gartner**, 𝒫 93414, ≤, « Giardino con ⊒ », ⊠ – 📶 ⤡ rist 📺 🕿 ⅌ 🅿. ⓞ. ⅌ rist
marzo-novembre – Pas carta 32/51000 – **30 cam** ⊊ 75/150000 – P 90/120000, b.s. 80/100000.

🏨 **Erika**, 𝒫 93338, ≤, ⊒ riscaldata, ⊠, 🐎, ⅌ – 📶 ≣ rist 🕿 ⇦ 🅿
marzo-novembre – 32 cam (solo ½ P) 77/132000, b.s. 71/106000.

🏨 **Küglerhof** ⑤, 𝒫 93428, ≤, ⊒ riscaldata, 🐎 – 📶 🕿 ⅌ 🅿. 🄴. ⅌
25 marzo-5 novembre – Pas (solo per clienti alloggiati e *chiuso a mezzogiorno*) – ⊊ 10000 –
23 cam 45/75000 – ½ P 65/75000.

🏨 **Lisetta**, 𝒫 93422, ⊒, ⊠, 🐎 – 📶 ≣ rist 📺 🕿 🅿
15 marzo-15 novembre – Pas (solo per clienti alloggiati) – **29 cam** ⊊ 110000 – ½ P 55/75000,
b.s. 45/60000.

🏨 **Marini**, 𝒫 93666, ≤ monti e vallata, ⊒, ⊠, 🐎 – 📶 ⤡ rist 🕿 🅿. 🄴. ⅌
15 marzo-15 novembre – Pas (solo per clienti alloggiati e *chiuso a mezzogiorno*) – **21 cam**
⊊ 50/100000 – ½ P 50/72000, b.s. 40/55000.

🏠 Küchelberg ⑤, Monte Zeno-Zenoberg 15 𝒫 31313, ≤, ⊒ riscaldata, 🐎 – 🕿 🅿
stagionale 23 cam.

TIRRENIA 56018 Pisa 𝟫𝟪𝟪 ⑭ – Stazione balneare, a.s. luglio e agosto – 🕿 050.

🗓 (chiuso martedì dal 15 settembre al 15 giugno) 𝒫 37518.

🛈 (giugno-settembre) largo Belvedere 𝒫 32510.

Roma 332 – ♦Firenze 108 – ♦Livorno 11 – Pisa 16 – Siena 123 – Viareggio 36.

🏨 **Gd H. Golf** ⑤, via dell'Edera 29 𝒫 37545, Telex 502080, « Parco con ⊒ ⅌ », 🐎 – 📶 ≣
📺 🕿 🛁 ⇦ 🅿 – 🛁 80. 🄴 🕃 ⓞ 🄴 𝘷𝘪𝘴𝘢 ⅌ rist
Pas 35/50000 – ⊊ 15000 – **90 cam** 120/180000 – P 140/160000, b.s. 100/120000.

🏨 **Gd H. Continental**, largo Belvedere 𝒫 37031, Telex 500103, ≤, ⊒, 🐎, ⅌ – 📶 ≣ 📺 ⇦
– 🛁 450. 🄴 🕃 ⓞ 🄴 𝘷𝘪𝘴𝘢 ⅌ rist
Pas (solo per clienti alloggiati) 20/35000 – **184 cam** ⊊ 115/170000 appartamenti 220/280000 –
½ P 105/135000, b.s. 85/110000.

🏨 **Il Gabbiano**, via della Bigattiera 14 𝒫 32223, 🐎 – ⊚ 🅿 – 🛁 40. 🕃 ⓞ 🄴 𝘷𝘪𝘴𝘢. ⅌
marzo-ottobre – Pas *(chiuso ottobre e sino al 20 maggio escluso Pasqua)* 22/30000 – ⊊ 7500
– **16 cam** 80000 – P 68000, b.s. 60000.

🏨 **Bristol** senza rist, via delle Felci 38 𝒫 37161, ⅌ – 📶 ≣ 🕿 🅿. 🕃 ⓞ 🄴. ⅌
⊊ 6000 – **36 cam** 50/70000, ≣ 6000.

🏨 **Medusa**, via degli Oleandri 37 𝒫 37125 – 🕿 🅿. 🄴 🕃. ⅌ rist
Pasqua-ottobre – Pas (solo per clienti alloggiati) 20/25000 – ⊊ 7000 – 32 cam 52/78000 –
P 60/68000, b.s. 52/56000.

✗✗ **La Bettola**, via delle Rose 17 𝒫 37657 – 🅿. 🄴 🕃 🄴 𝘷𝘪𝘴𝘢. ⅌
chiuso giovedì, venerdì a mezzogiorno e dal 10 al 30 novembre – Pas carta 36/55000 (15%).

Sono utili complementi di questa guida, per i viaggi in Italia :
— *La carta stradale Michelin n° 𝟫𝟪𝟪 in scala 1/1 000 000;*
— *La guida Verde turistica Michelin ,, Italia '' :*
itinerari regionali,
musei, chiese,
monumenti e bellezze artistiche.

579

TIVOLI 00019 Roma 988 ⊛ – 53 754 ab. alt. 225 – ✪ 0774.

Vedere Località★★★ – Villa d'Este★★★ – Villa Gregoriana★ : grande cascata★★.

Dintorni Villa Adriana★★★ per ③ : 6 km.

🛈 piazza Garibaldi ℰ 21249

Roma 31 ③ – Avezzano 74 ② – Frosinone 79 ③ – ◆Pescara 180 ② – Rieti 76 ③.

XX Sibilla, via della Sibilla 50 ℰ 20281, « Servizio estivo nel giardino dei templi di Vesta e di Sibilla »　　a

XX **5 Statue,** largo Sant'Angelo 1 ℰ 20366 – 🍽 　　x
chiuso venerdì – Pas carta 30/41000 (15%).

a Villa Adriana per ③ : 6 km – ⊠ **00010** :

X **Adriano,** ℰ 529174, « Servizio estivo all'aperto », 🐜, X – 🅿. 🅰 ⓞ 𝗩𝗜𝗦𝗔 ⅏
chiuso lunedì ed agosto – Pas carta 27/36000 (15%).

ALFA-ROMEO viale Trieste 39/63 ℰ 22636
FIAT a Ponte Lucano, via Maremma Inferiore 28 per ③ ℰ 531536
FIAT via Tiburtina 69/71 per ③ ℰ 20007
FORD a Ponte Lucano, via Maremmana Inferiore 28 ℰ 534092
MERCEDES-BENZ via di Ponte Lucano 67 ℰ 526925, Telex 611492
PEUGEOT-TALBOT via Empolitana 109 ℰ 293414
RENAULT via Tiburtina al km 27 ℰ 533331

Trevio (Via del)	24	Parmegiani (Via A.)	10
		Parrozzani (Via A.)	12
Battisti (Largo Cesare)	2	Plebiscito (Piazza)	13
Boselli (Via)	3	Ponte Gregoriano (Via)	14
Collegio (Via del)	4	Rivarola (Piazza)	16
Gesù (Via del)	5	S. Valerio (Via)	18
Lione (Via)	6	Sosi (Via dei)	20
Munazio Planco (Via)	7	Todini (Vicolo)	21
Nazioni Unite (Viale delle)	9	Trento (Piazza)	22

TOANO 42010 Reggio nell'Emilia – 3 955 ab. alt. 844 – a.s. luglio-15 settembre – ✪ 0522.
Roma 455 – ◆Bologna 93 – ◆Milano 205 – ◆Modena 54 – Reggio nell'Emilia 56.

🏠 **Posta,** ℰ 805117, 🏠 – 🛗 𝗩𝗜𝗦𝗔 ⅏ cam
◆ *chiuso dal 1° al 20 ottobre* – Pas *(chiuso martedì)* 15/20000 – ☲ 7000 – 20 cam 28/45000 – P 40/45000, b.s. 35/38000.

TOBLACH = Dobbiaco.

TODI 06059 Perugia 988 ⊛⊛ – 17 006 ab. alt. 411 – ✪ 075.
Vedere Piazza del Popolo★★ : palazzo dei Priori★, palazzo del Capitano★, palazzo del Popolo★ – Chiesa di San Fortunato★★ – ≼★★ sulla vallata da piazza Garibaldi – Duomo★ – Chiesa di Santa Maria della Consolazione★ O : 1 km per la strada di Orvieto.
🛈 piazza del Popolo ℰ 883158 – Roma 130 – Assisi 60 – Orvieto 39 – ◆Perugia 45 – Spoleto 45 – Terni 40.

🏨 **Bramante,** via Orvietana ℰ 8848382, Telex 661043, « Servizio estivo in terrazza con ≼ », 🐜, X – 🛗 🍽 📺 ☎ 🅱 🅿 – 🔬 150. 🅰 ⓞ
Pas *(chiuso lunedì)* carta 27/40000 – ☲ 10000 – **43 cam** 90/120000 appartamenti 150000 – P 90/110000.

🏨 **Villaluisa,** via Cortesi 147 (E : 1 km) ℰ 8848571, « Parco » – 🛗 ☎ 🅱 🅿 – 🔬 40. 🅰 🛐 ⓞ 🖪
𝗩𝗜𝗦𝗔 ⅏ rist
Pas *(chiuso mercoledì da ottobre a marzo)* 20/30000 – ☲ 7000 – 43 cam 45/65000 – P 70/80000.

🏠 **Tuder,** via Maestà dei Lombardi 13 ℰ 882184 – ☎ 🅿 🅰 🛐 ⓞ 🖪 𝗩𝗜𝗦𝗔 ⅏ rist
Pas 18/25000 (10%) – 20 cam ☲ 45/65000 – P 60/65000.

X **Umbria,** via San Bonaventura 13 ℰ 882737, « Servizio estivo in terrazza con ≼ » – 🅰 🛐 ⓞ 🖪 𝗩𝗜𝗦𝗔
chiuso martedì e dal 19 dicembre all'8 gennaio – Pas carta 33/48000.

X **Jacopone-da Peppino,** piazza Jacopone 5 ℰ 882366 – ⅏
chiuso lunedì e dal 5 al 20 luglio – Pas carta 27/45000.

X **Lucaroni,** via Cortesi 57 ℰ 882694
chiuso martedì – Pas carta 24/33000 (10%).

FIAT località Pian di Porto 127 ℰ 8849104

TOFANA DI MEZZO Belluno – alt. 3 244.

Vedere ⁖★★★.

Cortina d'Ampezzo 15 mn di funivia.

TOLMEZZO 33028 Udine 👁👁👁 ⑤⑥ – 10 501 ab. alt. 323 – ✪ 0433.

Roma 688 – Cortina d'Ampezzo 105 – ♦Milano 427 – Tarvisio 63 – ♦Trieste 121 – Udine 52 – ♦Venezia 177.

🏠 **Cimenti,** via della Vittoria 28 ℘ 2926 – ▐⃫ ☎ ℗. ⅏ ▐⃫ ⓞ Ε 𝘝𝘐𝘚𝘈 ⨯⨯
Pas *(chiuso venerdì, domenica sera e dal 25 giugno al 15 luglio)* carta 27/44000 – ⌼ 6000 –
15 cam 49/80000 – P 68/80000.

FIAT via Paluzza 7 ℘ 2151   FORD via della Vittoria 18/a ℘ 2494

TONALE (Passo del) Brescia e Trento 👁👁👁 ④, 🄯🄸🄱 ⑱ – alt. 1 883 – a.s. febbraio, Pasqua,
15 luglio-agosto e Natale – Sport invernali : 1 883/3 016 m ≼1 ≴11 (anche sci estivo), ⚐.

🄱 ℘ (0364) 91343.

Roma 688 – ♦Bolzano 94 – ♦Brescia 130 – ♦Milano 177 – Ponte di Legno 11 – Sondrio 75 – Trento 90.

🏠 **Sporthotel Vittoria,** ⊠ 38020 Passo del Tonale ℘ (0364) 91348, ≼, ▐⃫ – ▐⃫ ℗. ▐⃫ Ε 𝘝𝘐𝘚𝘈.
↔ ⨯⨯
dicembre-aprile e luglio-settembre – Pas 18/24000 – ⌼ 5000 – 41 cam 75/117000 –
P 70/110000, b.s. 40/70000.

🏠 **Redivalle,** ⊠ 38020 Passo del Tonale ℘ (0364) 91349, ≼ – ⇔. ⨯⨯
dicembre-1° maggio e 15 giugno-2 ottobre – Pas carta 20/30000 – ⌼ 6000 – **49 cam** 34/61000
– P 60/95000, b.s. 45/52000.

🏠 **Serodine,** ⊠ 25056 Ponte di Legno ℘ (0364) 91838, ≼ – ☎. ▐⃫ Ε 𝘝𝘐𝘚𝘈. ⨯⨯ rist
Pas 20/30000 – ⌼ 7000 – **23 cam** 34/61000 – P 60/85000, b.s. 45/60000.

TONDI DI FALORIA Belluno – alt. 2 343.

Vedere ⁖★★★.

Cortina d'Ampezzo 20 mn di funivia.

TORBOLE 38069 Trento 👁👁👁 ④ – alt. 85 – Stazione climatica, a.s. 15 dicembre-15 gennaio e
Pasqua – ✪ 0464 – Vedere Guida Verde.

🄱 lungolago Verona 19 ℘ 505177, Telex 401303.

Roma 569 – ♦Brescia 79 – ♦Milano 174 – Trento 46 – ♦Verona 83.

🏠 **Piccolo Mondo,** ℘ 505271, ⤢, ㎡, ⨯⨯ – ▐⃫ 📺 ☎ ℗. ⨯⨯ rist
20 marzo-ottobre – Pas carta 35/49000 – ⌼ 12000 – **36 cam** 60/100000 – P 89000.

🏠 **Caravel,** ℘ 505724, Telex 401191, ⤢, ㎡ – ▐⃫ rist 📺 ☎ ℗. ⓞ 𝘝𝘐𝘚𝘈. ⨯⨯ rist
marzo-novembre – Pas carta 21/30000 – 58 cam ⌼ 51/84000 – P 64000, b.s. 50000.

🏠 **Villa Magnolia** senza rist, ℘ 505050, ⤢, ㎡ – ▐⃫ ⇔ ℗. 𝘝𝘐𝘚𝘈. ⨯⨯
aprile-4 novembre – ⌼ 5000 – **24 cam** 25/44000.

🏠 **Geier,** ℘ 505131, ≼, ㎡ – ℗. ⨯⨯ rist
↔ *aprile-ottobre* – Pas *(chiuso lunedì)* carta 16/26000 – ⌼ 5000 – 34 cam 30/60000 – P 46/50000,
b.s. 40/45000.

sulla strada statale 249 S : 4 km :

🏠 **Villabella** ⌂, località Tempesta ⊠ 38069 ℘ 505100, ≼, « Sulla scogliera », ⤢, ⚲, ㎡ –
↔ ⇔ ℗. ⨯⨯ rist
15 maggio-25 settembre – Pas (solo per clienti alloggiati) 18/30000 – ⌼ 15000 – **12 cam**
50/70000 – P 80/90000.

TORCELLO Venezia 👁👁👁 ⑤ – Vedere Venezia.

TORGIANO 06089 Perugia – 4 828 ab. alt. 219 – ✪ 075.

Vedere Museo del Vino★.

Roma 158 – Assisi 27 – Orvieto 60 – ♦Perugia 16 – Terni 69.

🏠 **Le Tre Vaselle,** ℘ 982447, Telex 564028, Fax 985294, ≼ – ▐⃫ 🍴 ☎ ℗ – 🔏 300. ⅏ ▐⃫ ⓞ Ε
𝘝𝘐𝘚𝘈. ⨯⨯
Pas (prenotare) carta 46/65000 – **47 cam** ⌼ 170/250000 appartamento 360000 – P 200000.

TORGNON 11020 Aosta 🄯🄸🄱 ③ – 472 ab. alt. 1 489 – a.s. 15 febbraio-15 marzo, Pasqua, 15
luglio-agosto e Natale – ✪ 0166.

Roma 737 – Aosta 39 – Breuil-Cervinia 26 – ♦Milano 173 – ♦Torino 102.

🏠 **Panoramique,** ℘ 40215, ≼, ㎡ – ▐⃫ ℗. ⨯⨯ rist
dicembre-aprile e luglio-settembre – Pas carta 23/43000 – ⌼ 5000 – 35 cam 36/63000 –
P 56/62000, b.s. 50/56000.

Per escursioni a nord della Lombardia e nella Valle d'Aosta
utilizzate la carta stradale n. 🄯🄸🄱 in scala 1/200 000.

TORINO 10100 ℙ 🔢 ⑫ – 1 025 390 ab. alt. 239 – ✪ 011.

Vedere Piazza San Carlo★★ CXY – Museo Egizio★★, galleria Sabauda★★ nel palazzo dell'Accademia delle Scienze CX M – Duomo★ CX : reliquia della Sacra Sindone★★★ – Mole Antonelliana★ : ❊★★ DX – Palazzo Madama★ : museo d'Arte Antica★ CX A – Palazzo Reale★ : Armeria Reale★ CDVX – Museo del Risorgimento★ a palazzo Carignano CX M2 – Museo dell'Automobile Carlo Biscaretti di Ruffia★ GU M3 – Borgo Medioevale★ nel parco del Valentino CDZ – **Dintorni** Basilica di Superga★ : ❤★★, tombe reali★ HT – Circuito della Maddalena★ GHTU : ❤★★ sulla città dalla strada Superga-Pino Torinese, ❤★ sulla città dalla strada Colle della Maddalena-Cavoretto.

🏌 e 🏌 I Roveri (marzo-novembre; chiuso lunedì) a La Mandria ✉ 10070 Fiano 𝒫 9235667, per ① : 18 km;

🏌 e 🏌 (chiuso gennaio, febbraio e lunedì), a Fiano ✉ 10070 𝒫 9235440, per ① : 20 km;

🏌 (chiuso lunedì ed agosto), a Stupinigi ✉ 10135 𝒫 343975 FU;

🏌 (marzo-novembre; chiuso lunedì), a Vinovo ✉ 10048 𝒫 9653880 FU.

✈ Città di Torino di Caselle per ① : 15 km 𝒫 5778361 – Alitalia, via Lagrange 35 ✉ 10123 𝒫 55911 – 🚗🚉 𝒫 537766.

🛈 via Roma 222 (piazza C.L.N.) ✉ 10121 𝒫 535901 – Stazione Porta Nuova ✉ 10125 𝒫 531327.

A.C.I. via Giovanni Giolitti 15 ✉ 10123 𝒫 57791.

Roma 669 ⑦ – Briançon 108 ⑪ – Chambéry 209 ⑪ – ◆Genève 252 ③ – ◆Genova 170 ⑦ – Grenoble 224 ⑪ – ◆Milano 140 ③ – ◆Nice 220 ⑨.

Piante : Torino p. 2 a 7

🏨🏨 **Turin Palace Hotel,** via Sacchi 8 ✉ 10128 𝒫 515511, Telex 221411, Fax 5612187 – 🛗 ≣ 📺 🤝 ⛁ – 🔬 30 a 150. 🕮 🕃 ⏰ 🗲 𝖵𝖨𝖲𝖠. ❤ rist CY **u**
Pas *(chiuso del 7 al 20 agosto)* carta 45/78000 – ⚏ 22000 – **125 cam** 240/290000 appartamenti 350/500000 – P 225/350000.

🏨 **Jolly Principi di Piemonte,** via Gobetti 15 ✉ 10123 𝒫 519693, Telex 221120 – 🛗 ≣ 📺 🤝 – 🔬 200. 🕮 🕃 ⏰ 🗲 𝖵𝖨𝖲𝖠. ❤ rist CY **z**
Pas 50000 – **107 cam** ⚏ 220/270000.

🏨 **Jolly Hotel Ligure,** piazza Carlo Felice 85 ✉ 10123 𝒫 55641, Telex 220167, Fax 535438 – 🛗 ≣ 📺 🤝 🖑 – 🔬 30 a 200. 🕮 🕃 ⏰ 🗲 𝖵𝖨𝖲𝖠. ❤ rist CY **b**
Pas 50000 – **156 cam** ⚏ 195/240000.

🏨 **Jolly Ambasciatori,** corso Vittorio Emanuele 104 ✉ 10121 𝒫 5752, Telex 221296, Fax 544978 – 🛗 ≣ 📺 🤝 🚗 – 🔬 400. 🕮 🕃 ⏰ 🗲 𝖵𝖨𝖲𝖠. ❤ rist BX **a**
Pas 50000 – **197 cam** ⚏ 180/230000.

🏨 **Gd H. Sitea,** via Carlo Alberto 35 ✉ 10123 𝒫 5570171, Telex 220229, Fax 548090 – 🛗 ≣ 📺 🤝 – 🔬 150. 🕮 🕃 ⏰ 🗲 𝖵𝖨𝖲𝖠. ❤ rist CY **t**
Pas carta 50/71000 – **116 cam** ⚏ 180/235000 appartamenti 260000 – P 200/220000.

🏨 **Diplomatic** senza rist, via Cernaia 42 ✉ 10122 𝒫 5612444, Telex 225445, Fax 540472 – 🛗 ≣ 📺 🤝 – 🔬 50 a 120. 🕮 🕃 ⏰ 🗲 𝖵𝖨𝖲𝖠. ❤ BX **g**
129 cam ⚏ 170/200000.

🏨 **City** senza rist, via Juvarra 25 ✉ 10122 𝒫 540546, Telex 216228 – 🛗 ≣ 📺 🤝 – 🔬 25. 🕮 🕃 ⏰ 🗲 𝖵𝖨𝖲𝖠. ❤ BV **e**
chiuso agosto, Natale e Capodanno – **44 cam** ⚏ 190/250000.

🏨 **Concord,** via Lagrange 47 ✉ 10123 𝒫 5576756, Telex 221323 – 🛗 ≣ 📺 🤝 🖑 🚗 – 🔬 100. 🕮 ⏰ 🗲 𝖵𝖨𝖲𝖠. ❤ rist CY **s**
Pas 35/45000 – **139 cam** ⚏ 175/220000 – P 170/190000.

🏨 **Majestic** senza rist, corso Vittorio Emanuele II n° 54 ✉ 10123 𝒫 539153, Telex 216260, Fax 534963 – 🛗 ≣ 📺 🤝 🖑 🚗 – 🔬 30 a 150. 🕮 🕃 ⏰ 🗲 𝖵𝖨𝖲𝖠 CY **e**
140 cam ⚏ 190/270000.

🏨 **Royal,** corso Regina Margherita 249 ✉ 10144 𝒫 748444, Telex 220259, Fax 748393, ❊ – 🛗 ❅ ≣ 📺 🤝 🚗 – 🔬 700. 🕮 ⏰ 🗲 𝖵𝖨𝖲𝖠 BV **u**
chiuso dal 1° al 28 agosto – Pas vedere rist La Dea – ⚏ 11000 – **72 cam** 110/160000.

🏨 **Genio** senza rist, corso Vittorio Emanuele II n° 47 ✉ 10125 𝒫 6508264, Telex 220308 – 🛗 ≣ 📺 🤝 🖑 – 🔬 35. 🕮 ⏰ 🗲 𝖵𝖨𝖲𝖠 CYZ **w**
89 cam ⚏ 90/130000, ≣ 10000.

🏨 **Victoria** senza rist, via Nino Costa 4 ✉ 10123 𝒫 553710, Telex 212580 – 🛗 📺 🤝. 🕮 🕃 ⏰ 𝖵𝖨𝖲𝖠. ❤ CY **v**
70 cam ⚏ 85/120000.

🏨 **Stazione e Genova** senza rist, via Sacchi 14 ✉ 10128 𝒫 545323, Telex 224242 – 🛗 📺 🤝 – 🔬 40. 🕮 🕃 ⏰ 🗲 𝖵𝖨𝖲𝖠. ❤ CZ **b**
42 cam ⚏ 84/120000.

🏨 **Alexandra** senza rist, lungo Dora Napoli 14 ✉ 10152 𝒫 858327, Telex 221562 – 🛗 ≣ 📺 🤝 🚗. 🕮 🕃 ⏰ 🗲 𝖵𝖨𝖲𝖠 CV **c**
50 cam ⚏ 115/145000.

🏨 **Boston** senza rist, via Massena 70 ✉ 10128 𝒫 500359 – ≣ 📺 🤝 🚗. 🕮 ⏰ 🗲 𝖵𝖨𝖲𝖠 BZ **c**
⚏ 12000 – **42 cam** 77/100000, ≣ 10000.

🏨 **Luxor,** senza rist, corso Stati Uniti 7 ✉ 10128 𝒫 531529 – 🛗 📺 🤝 – **64 cam**. CZ **s**

🏨 **Venezia** senza rist, via 20 Settembre 70 ✉ 10122 𝒫 513384 – 🛗 📺 🤝 🚗 – 🔬 70. 🕮 🕃 ⏰ 🗲 𝖵𝖨𝖲𝖠 CX **r**
⚏ 12000 – **66 cam** 78/102000.

🏨 **President** senza rist, via Cecchi 67 ⌧ 10152 ℰ 859555, Telex 220417 – 🛗 🗉 🖭 ☎ – 🔬 60. CV **s**
  🖭 🕃 ⓞ 🗲 _VISA_
  ⌾ 10000 – **72 cam** 87/120000.

🏨 **Gran Mogol** senza rist, via Guarini 2 ⌧ 10123 ℰ 513160 – 🛗 🖭 ☎. 🖭 ⓞ 🗲 _VISA_ CY **r**
  chiuso agosto – ⌾ 90/130000.

🏨 **Crimea** senza rist, via Mentana 3 ⌧ 10133 ℰ 6505221, Telex 224276 – 🛗 🖭 ☎ 🚗 🖭 DZ **e**
  ⓞ 🗲 _VISA_.
  39 cam ⌾ 80/105000.

🏨 **Lancaster** senza rist, corso Filippo Turati 8 ⌧ 10128 ℰ 501720 – 🛗 🗉 ☎ BZ **r**
  chiuso agosto – ⌾ 10000 – **81 cam** 83/118000, 🗉 9000.

🏨 **Giotto** senza rist, via Giotto 27 ⌧ 10126 ℰ 637172, Fax 637173 – 🛗 🗉 🖭 ☎ 🕭 🅿. 🖭 🕃 ⓞ
  VISA CZ **c**
  ⌾ 8500 – **45 cam** 73/103000.

🏨 **Cairo** senza rist, via La Loggia 6 ⌧ 10134 ℰ 352003 – 🛗 🖭 🕭 🅿. 🛠 GU **v**
  chiuso dal 1° al 28 agosto – ⌾ 12000 – **44 cam** 77/100000.

🏨 **Goya** senza rist, via Principe Amedeo 41 bis ⌧ 10123 ℰ 874951 – 🛗 🗉 🖭 ☎. 🖭 🕃 ⓞ 🗲
  VISA DY **n**
  chiuso dal 1° al 26 agosto – ⌾ 8000 – **26 cam** 73/103000.

🏛 **Piemontese** senza rist, via Berthollet 21 ⌧ 10125 ℰ 6698101 – 🛗 🖭 🕭 🅿. 🖭 🕃 ⓞ 🗲 _VISA_.
  🛠 CZ **x**
  ⌾ 8000 – **33 cam** 60/75000.

🏛 **Giada** senza rist, via Gasparo Barbera 6 ⌧ 10135 ℰ 3489383 – 🛗 🕭 🅿. _VISA_ FU **u**
  ⌾ 8000 – **24 cam** 52/66000.

🏛 **Cristallo** ⌾ senza rist, corso Traiano 28/9 ⌧ 10135 ℰ 618383 – 🕭. 🛠 GU **b**
  chiuso agosto – ⌾ 5500 – **20 cam** 47/61000.

🏛 **Smeraldo** senza rist, piazza Carducci 169/b ⌧ 10126 ℰ 634577 – 🖭 ☎. 🖭 🕃 ⓞ 🗲 _VISA_. 🛠 CZ **q**
  chiuso dal 7 al 21 agosto – ⌾ 8000 – **12 cam** 47/61000.

🏛 **Universo**, corso Peschiera 166 ⌧ 10138 ℰ 336480 e rist ℰ 386317 – 🛗 🌤 cam 🗉. 🖭 ⓞ
  VISA AY **a**
  Pas (chiuso domenica ed agosto) carta 22/38000 – **33 cam** ⌾ 52/67000 – P 80/95000.

🏦🏦🏦🏦 **Villa Sassi-El Toulà** ⌾ con cam, strada al Traforo del Pino 47 ⌧ 10132 ℰ 890556, 🍽,
  « Villa settecentesca in un grande parco » – 🛗 🗉 rist 🖭 ☎ 🅿 – 🔬 100. 🖭 🕃 ⓞ 🗲 _VISA_. 🛠
  chiuso agosto – Pas (chiuso domenica) carta 63/89000 – ⌾ 18000 – **17 cam** 200/280000
  appartamento 500000 – P 280000. HT **c**

🏦🏦🏦🏦 ⊛ **Vecchia Lanterna,** corso Re Umberto 21 ⌧ 10128 ℰ 537047, Confort accurato; prenotare
  – 🗉. 🕃 ⓞ 🗲 _VISA_. 🛠 CY **x**
  chiuso sabato a mezzogiorno, domenica e dal 10 al 20 agosto – Pas carta 65/88000
  Spec. Tortellone d'aragosta all'essenza di gamberetti, Filetto di branzino in salsa al Barolo, Petto d'anitra al ribes e scalogno. Vini Sauvignon, Barbaresco.

🏦🏦🏦🏦 **Del Cambio,** piazza Carignano 2 ⌧ 10123 ℰ 546690, Gran tradizione; prenotare, « Decorazioni ottocentesche » – 🗉. 🖭 ⓞ 🗲 _VISA_. 🛠 CX **a**
  chiuso domenica e dal 27 luglio al 27 agosto – Pas carta 46/83000 (15%).

🏦🏦🏦🏦 **Tiffany,** piazza Solferino 16/h ⌧ 10121 ℰ 540538 – 🌤 🗉. 🖭 CX **x**
  chiuso sabato a mezzogiorno, domenica ed agosto – Pas carta 39/63000 (15%).

🏦🏦🏦 **Al Saffi,** via Aurelio Saffi 2 ⌧ 10138 ℰ 442213, solo su prenotazione, Confort accurato –
  🌤 🗉. ⓞ _VISA_ AV **n**
  chiuso domenica ed agosto – Pas carta 45/60000.

🏦🏦🏦 ⊛ **Due Lampioni da Carlo,** via Carlo Alberto 45 ⌧ 10123 ℰ 546721 – 🌤 🗉. _VISA_. 🛠 CY **n**
  chiuso domenica – Pas carta 42/66000
  Spec. Terrina di pesce con insalatine di stagione, Agnolotti alla piemontese, Rombo alla crema di porri. Vini Arneis, Dolcetto.

🏦🏦🏦 **Balbo,** via Andrea Doria 11 ⌧ 10123 ℰ 511743 – 🖭 🕃 🗲 _VISA_. 🛠 CY **n**
  chiuso lunedì e luglio – Pas carta 61/94000.

🏦🏦🏦 **Al Gatto Nero,** corso Filippo Turati 14 ⌧ 10128 ℰ 590414 – 🗉. 🖭 🕃 ⓞ 🗲 _VISA_. 🛠 BZ **z**
  chiuso domenica – Pas carta 45/65000.

🏦🏦 **Al Bue Rosso,** corso Casale 10 ⌧ 10131 ℰ 830753 – 🗉. 🖭 ⓞ _VISA_ DY **e**
  chiuso lunedì, sabato a mezzogiorno ed agosto – Pas carta 36/60000 (10%).

🏦🏦 **Della Rocca,** via della Rocca 22/b ⌧ 10123 ℰ 831814, prenotare – 🗉. 🖭 🕃 ⓞ 🗲 _VISA_ DY **a**
  chiuso domenica – Pas carta 30/50000.

🏦🏦 ⊛ **La Smarrita,** corso Unione Sovietica 244 ⌧ 10134 ℰ 390657, Coperti limitati; prenotare –
  🗉 🖭 🕃 ⓞ 🗲 _VISA_. 🛠 GTU **a**
  chiuso lunedì e dal 3 al 27 agosto – Pas carta 55/75000
  Spec. Scampi in salsa, Tortelli ripieni di melanzane, Scaloppine con fonduta e tartufi. Vini Gavi, Nebbiolo.

🏦🏦 **La Cloche,** strada al Traforo del Pino 106 ⌧ 10132 ℰ 894213, Ambiente tipico – 🗉 🅿 – 🔬
  100. 🖭 🕃 ⓞ 🗲 _VISA_. 🛠 HT **v**
  chiuso domenica sera e lunedì – Pas (menu a sorpresa) 40/65000.

🏦🏦 **Al Dragone,** via Pomba 14 ⌧ 10123 ℰ 547019 – 🛠 CY **m**
  chiuso sabato, domenica ed agosto – Pas carta 38/60000.

🏦🏦 **Due Mondi-da Ilio,** via San Pio V n° 3 ⌧ 10125 ℰ 6692056 – 🗉. 🖭 _VISA_ CZ **k**
  chiuso sabato e dal 25 luglio al 20 agosto – Pas carta 32/60000.

TORINO
PIANTA D'INSIEME

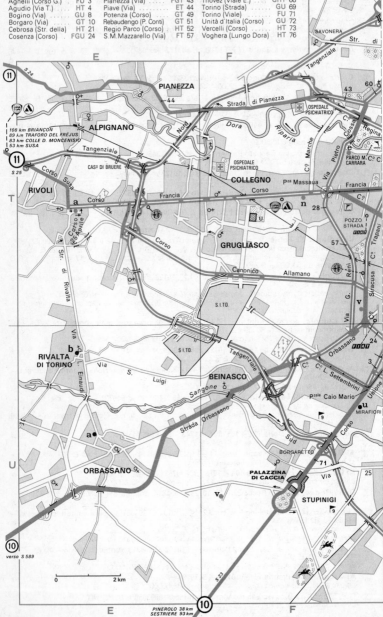

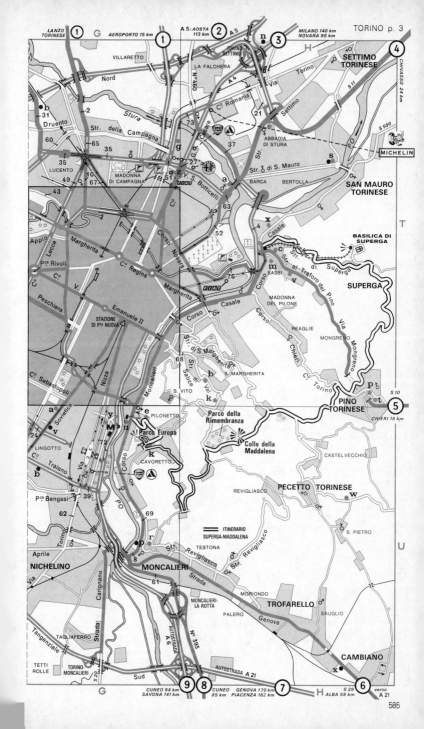

TORINO

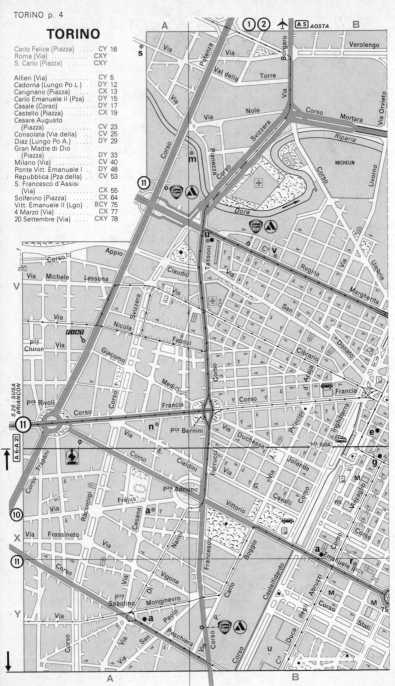

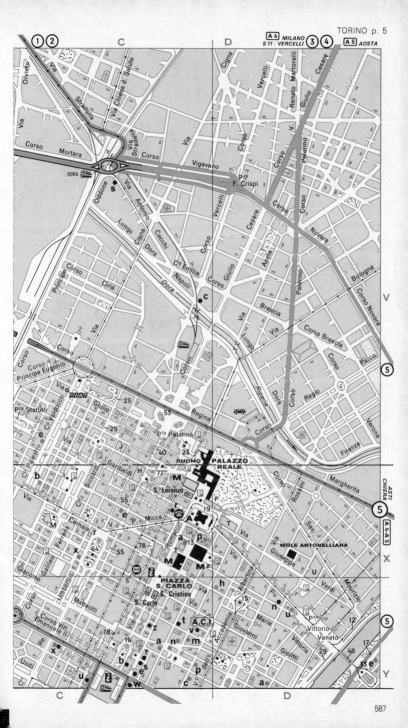

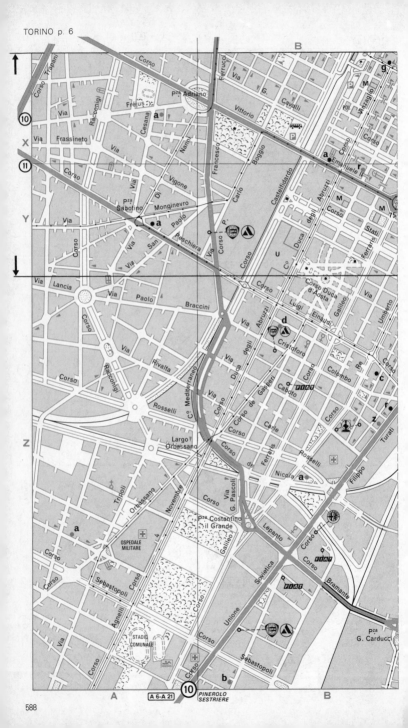

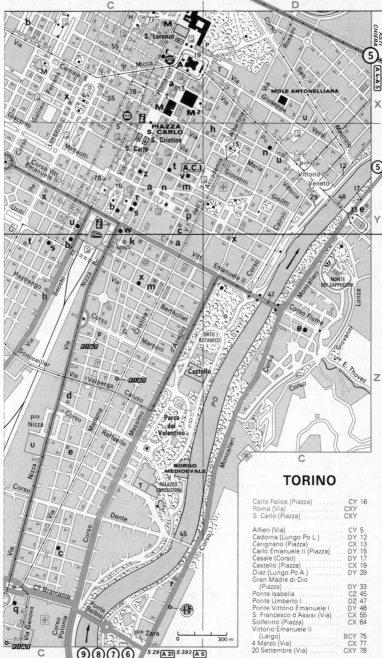

TORINO

XX **Montecarlo,** via San Francesco da Paola 37 ⊠ 10123 𝒫 541234, prenotare – ▤. 🝊 ⓢ ⓪
E 𝘝𝘐𝘚𝘈. ⅋ CY c
chiuso sabato a mezzogiorno, domenica ed agosto – Pas carta 35/53000.

XX **Al Camin,** corso Francia 339 ⊠ 10142 𝒫 4115085, Rist. rustico moderno – ▤. 🝊 ⓢ ⓪ E
𝘝𝘐𝘚𝘈. ⅋ FT n
chiuso sabato a mezzogiorno, domenica ed agosto – Pas carta 30/40000.

XX **Il Porticciolo,** via Barletta 58 ⊠ 10136 𝒫 321601, Rist. con specialità di mare – ▤. 🝊 𝘝𝘐𝘚𝘈.
⅋ AZ a
chiuso lunedì ed agosto – Pas carta 30/55000.

XX **Al Ghibellin Fuggiasco,** via Tunisi 50 ⊠ 10134 𝒫 3196115 – ▤. 🝊 ⓢ ⓪ E 𝘝𝘐𝘚𝘈 BZ b
chiuso sabato, domenica sera ed agosto – Pas carta 30/45000.

XX **Il Papavero,** corso Raffaello 5 ⊠ 10126 𝒫 6505168, 🏶, prenotare – ▤. 🝊 ⓢ ⓪ CZ d
chiuso domenica e dal 20 giugno al 10 luglio – Pas carta 35/63000.

XX **Gianfaldoni,** via Pastrengo 2 ⊠ 10128 𝒫 5575041, Rist. con specialità toscane – ▤. 🝊 ⓪
𝘝𝘐𝘚𝘈 CZ h
chiuso mercoledì ed agosto – Pas carta 34/50000.

XX **3 Colonne,** corso Rosselli 1 ⊠ 10128 𝒫 587029, 🏶, Rist. d'habitués – 🝊 ⓪. ⅋ BZ a
chiuso lunedì e sabato a mezzogiorno – Pas carta 37/59000.

XX **Perbacco,** via Mazzini 31 ⊠ 10123 𝒫 882110 – ▤. 🝊 ⓪ 𝘝𝘐𝘚𝘈 DZ x
chiuso domenica e lunedì a mezzogiorno – Pas carta 31/50000.

XX Arcadia, galleria Subalpina 16 ⊠ 10123 𝒫 532029 CX p

XX **La Capannina,** via Donati 1 ⊠ 10121 𝒫 545405, Rist. con specialità piemontesi – ▤ BXY r
chiuso domenica ed agosto – Pas carta 32/50000.

XX **La Dea,** corso Regina Margherita 251 ⊠ 10144 𝒫 740357 – ⓢ ⓪. ⅋ BV u
chiuso domenica – Pas carta 30/52000.

XX **Galante,** corso Palestro 15 ⊠ 10122 𝒫 544093 – ▤. 🝊 ⓢ ⓪ 𝘝𝘐𝘚𝘈 CX b
chiuso domenica – Pas carta 30/50000.

XX Mara e Felice, via Foglizzo 8 ⊠ 10149 𝒫 731719, Rist. con specialità di mare – ▤ AV s

XX **La Gondola,** corso Moncalieri 190 ⊠ 10133 𝒫 6961105, 🏶 – ▤. 🝊 ⓢ 𝘝𝘐𝘚𝘈. ⅋ CZ r
chiuso domenica, lunedì a mezzogiorno e dall'8 agosto all'8 settembre – Pas (solo piatti di
pesce) carta 41/67000.

XX **Da Benito,** corso Siracusa 142 ⊠ 10137 𝒫 3090353, Rist. con specialità di mare – ▤. 🝊
𝘝𝘐𝘚𝘈. ⅋ FT v
chiuso lunedì ed agosto – Pas (solo piatti di pesce) carta 40/55000.

XX **Mina,** via Ellero 36 ⊠ 10126 𝒫 6963608, Rist. con specialità piemontesi – ▤. 🝊 ⓢ ⓪ E
𝘝𝘐𝘚𝘈 GU y
chiuso lunedì ed agosto – Pas carta 33/51000.

X **Crocetta,** via Marco Polo 21 ⊠ 10129 𝒫 582820, 🏶 – ▤. 🝊 ⓢ ⓪ E 𝘝𝘐𝘚𝘈. ⅋ BZ d
chiuso domenica ed agosto – Pas carta 29/50000.

X **Il Ciacolon,** via 25 Aprile 11 ⊠ 10133 𝒫 6610911, Rist. veneto – 🝊 ⓢ ⓪ E 𝘝𝘐𝘚𝘈 GU e
chiuso a mezzcːgiorno (escluso i giorni festivi), domenica sera, lunedì ed agosto – Pas (menu a
sorpresa) 40000.

X **Ostu Bacu,** corso Vercelli 226 ⊠ 10155 𝒫 264579, Trattoria moderna con specialità piemontesi – ▤. 🝊 GT g
chiuso domenica e dal 25 luglio al 25 agosto – Pas carta 38/48000.

X **Porta Rossa,** corso Appio Claudio 227 ⊠ 10146 𝒫 790963, 🏶, prenotare – 🝊 ⓪ 𝘝𝘐𝘚𝘈. ⅋
chiuso sabato a mezzogiorno, domenica ed agosto – Pas carta 32/65000. FT e

X La Cicala, con cam, strada Fioccardo 3 ⊠ 10133 𝒫 690188, 🏶 – ☎ ⓟ – 9 cam. GU k

X **Da Giovanni,** via Gioberti 24 ⊠ 10128 𝒫 539842 – ▤. ⅋ CZ t
chiuso domenica ed agosto – Pas carta 29/48000 (10%).

X **Alberoni,** corso Moncalieri 288 ⊠ 10133 𝒫 6963255, 🏶, 🛋 – ⓟ. ⅋ GU n
chiuso martedì e gennaio – Pas carta 27/41000.

X Vittoria, via Carlo Alberto 34 ⊠ 10122 𝒫 541923 CY a

X **Taverna delle Rose,** via Massena 24 ⊠ 10128 𝒫 545275 CZ a
chiuso sabato a mezzogiorno, domenica ed agosto – Pas carta 38/63000.

X **La Cuccagna,** corso Casale 371 ⊠ 10132 𝒫 890069, Rist. tipico romagnolo HT x
chiuso lunedì ed agosto – Pas (menu a sorpresa) 30/40000.

X Il Buco, via Lombriasco 4 ⊠ 10139 𝒫 442210, Rist. tipico; prenotare – ▤ AX a

X **Buca di San Francesco,** via San Francesco da Paola 27 ⊠ 10123 𝒫 544576 – ▤. ⅋ CY p
chiuso lunedì e dal 18 luglio al 20 agosto – Pas carta 25/38000.

X **C'era una volta,** corso Vittorio Emanuele II n° 41 ⊠ 10125 𝒫 655498, Rist. con specialità
piemontesi, prenotare – ▤. 🝊 ⓢ ⓪ E 𝘝𝘐𝘚𝘈 CZ k
chiuso a mezzogiorno, domenica ed agosto – Pas 40000.

X **Trômlin,** a Cavoretto, via alla Parrocchia 7 ⊠ 10133 𝒫 697804, Coperti limitati; prenotare
chiuso a mezzogiorno (escluso i giorni festivi), lunedì ed agosto – Pas (menu a sorpresa)
35000. GU k

X **Pollastrini,** corso Palestro 2 ⊠ 10122 𝒫 535031, Rist. d'habitués – ▤. 🝊 ⓢ ⓪ E 𝘝𝘐𝘚𝘈
➜ *chiuso mercoledì e dal 5 al 21 agosto* – Pas carta 18/31000. CV e

X **Firenze,** via San Francesco da Paola 41 ⊠ 10123 𝒫 519071 – ✸ ▤   CZ **a**
  chiuso lunedì, martedì a mezzogiorno e luglio – Pas carta 21/35000.

X **La Pace,** via Galliari 22 ⊠ 10125 𝒫 6505325, Rist. toscano d'habitués – ᴁ ⓞ 𝖵𝖨𝖲𝖠   CZ **m**
  chiuso domenica e lunedì a mezzogiorno – Pas carta 25/38000.

X **Cafasso,** strada Valsalice 178 ⊠ 10131 𝒫 6504534, ⇖, ⚐ – ⓟ ᴁ ▤ ⓞ 𝖵𝖨𝖲𝖠   HT **k**
  chiuso mercoledì e gennaio – Pas carta 33/48000.

X **Angolo Greco,** via Donizetti 12 ⊠ 10126 𝒫 6503948, Rist. con specialità greche, prenotare
  – ▤ Ɛ 𝖵𝖨𝖲𝖠   CZ **e**
  chiuso a mezzogiorno e domenica – Pas 37000.

X **Spada Reale,** via Principe Amedeo 53 ⊠ 10123 𝒫 832835, Rist. toscano – ᴁ ▤ ⓞ 𝖵𝖨𝖲𝖠
  chiuso domenica e dal 20 luglio al 21 agosto – Pas carta 23/42000.   DY **u**

X **Da Mauro,** via Maria Vittoria 21 ⊠ 10123 𝒫 8397811, Trattoria toscana d'habitués – ▤. ✸
➟   *chiuso lunedì e luglio* – Pas carta 19/33000.   DY **h**

X **Anaconda,** via Angiolino 16 (corso Potenza) ⊠ 10143 𝒫 752903, Trattoria rustica, « Servizio
  estivo all'aperto » – ⓟ   AV **m**
  chiuso venerdì sera, sabato ed agosto – Pas 35/40000 bc.

X **Da Giudice,** strada Valsalice 78 ⊠ 10131 𝒫 6692488, « Servizio estivo sotto un pergolato »
  – ⓟ ᴁ ▤ ⓞ 𝖵𝖨𝖲𝖠   HT **b**
  chiuso martedì, mercoledì a mezzogiorno ed agosto – Pas carta 28/43000.

X **Piero e Federico,** via Monte di Pietà 23 ⊠ 10122 𝒫 541062, Rist. con specialità sarde – ᴁ
  ⓞ 𝖵𝖨𝖲𝖠   CX **e**
  chiuso domenica e dal 15 agosto al 15 settembre – Pas carta 21/39000.

X Del Buongustaio, corso Taranto 14 ⊠ 10155 𝒫 263284   GT **z**

X **Trattoria della Posta,** strada Mongreno 16 ⊠ 10132 𝒫 890193, Trattoria d'habitués con
  specialità formaggi piemontesi – ▤. ✸   HT **m**
  chiuso domenica sera, lunedì e dal 10 luglio al 20 agosto – Pas carta 25/38000.

X **Da Babbo,** corso Regina Margherita 252 ⊠ 10144 𝒫 481759, Trattoria d'habitués   BV **v**
➟   *chiuso sabato sera da luglio a settembre, domenica ed agosto* – Pas carta 17/35000.

    Vedere anche : ***Moncalieri*** per ⑧ : 8 km GU.
                     Borgaro Torinese N : 9 km.
                     San Mauro Torinese NE : 9 km HT.
                     Pino Torinese per ⑤ : 10 km HTU.
                     Settimo Torinese NE : 11 km HT.
                     Stupinigi per ⑩ : 11 km FU.
                     Caselle Torinese per ① : 14 km.
                     Orbassano SO : 14 km EU.
                     Rivoli per ⑪ : 14 km ET.
                     Pecetto Torinese SE : 16 km HU.
                     Cambiano per ⑥ : 17 km HU.
                     San Gillio per strada di Druento FT : 17 km.

MICHELIN, corso Giulio Cesare 424 int. 15 (HT Torino p. 3) – ⊠ 10156, 𝒫 2624447.

ALFA-ROMEO   via Botticelli 83/87 HT 𝒫 202222, Telex 221145
ALFA-ROMEO   corso Moncalieri 205/bis CZ 𝒫 630155
ALFA-ROMEO   corso Siracusa 40 FT 𝒫 3299333
ALFA-ROMEO   corso Filippo Turati 63 BZ 𝒫 3193993
ALFA-ROMEO   piazza Derna 299 GT 𝒫 267067
BMW   via Cialdini 44/b 𝒫 443345
CITROEN   corso Vigevano 62 𝒫 857956
FERRARI   corso Vittorio Emanuele 221 𝒫 740838
FIAT   (Sede) corso Marconi 10/20 CZ 𝒫 65651
FIAT   via Forlanini 10 BZ 𝒫 3131
FIAT   via Ardigò 2 BZ 𝒫 632525
FIAT   via Porpora 20/51 GT 𝒫 264463
FIAT   corso Valdocco 15/19 CV 𝒫 5211451
FIAT   corso Monte Cucco 57 FT 𝒫 372661
FIAT   via Madama Cristina 52 BZ 𝒫 6507907
FIAT   via Gorizia 144/146 per corso Orbassano 𝒫 328496
FIAT   corso Belgio 108 HT 𝒫 895771
FIAT   via Cassini 46 BZ 𝒫 505858
FIAT   corso Lecce 52/56 AV 𝒫 761545
FIAT   via Tepice 12 CZ 𝒫 679793
FORD   corso Agnelli 22 𝒫 326232
FORD   corso Principe Eugenio 11 𝒫 7395353
GM-OPEL   corso Traiano 14 𝒫 616622
GM-OPEL   via Nizza 185 𝒫 6966752
INNOCENTI   via Magellano 14 BZ 𝒫 596988
INNOCENTI   corso Vittorio Emanuele 221 AV 𝒫 740838
LANCIA-AUTOBIANCHI   corso Giulio Cesare 334 HT 𝒫 202833

LANCIA-AUTOBIANCHI   via Boggio 52 BY 𝒫 3358878
LANCIA-AUTOBIANCHI   via Ventimiglia 166 GU 𝒫 690358
LANCIA-AUTOBIANCHI   corso Regina Margherita 270 BV 𝒫 751666
LANCIA-AUTOBIANCHI   via Cristoforo Colombo 43 BZ 𝒫 594794
LANCIA-AUTOBIANCHI   corso Potenza 14 𝒫 774831
LANCIA-AUTOBIANCHI   corso Francia 353 FT 𝒫 7730333
MASERATI   via Magellano 14 𝒫 587612
MERCEDES-BENZ   corso Turati 15 𝒫 597670
MERCEDES-BENZ   corso Giulio Cesare 304 𝒫 2053321, Telex 220012
PEUGEOT-TALBOT   via Botticelli 86 𝒫 896336
PEUGEOT-TALBOT   corso Turati 37/a 𝒫 503933
PEUGEOT-TALBOT   largo Francia 113 𝒫 446519
PEUGEOT-TALBOT   via Monginevro 132/c 𝒫 332786
PEUGEOT-TALBOT   via Canelli 112 𝒫 6963067
RENAULT   via De Sanctis 32 𝒫 796407
RENAULT   corso Siracusa 73/c 𝒫 325011
RENAULT   via Masserano 5/a 𝒫 489715
RENAULT   strada San Mauro 51 𝒫 241761
RENAULT   via Galluppi 5 𝒫 630123
VW-AUDI   corso Casale 464/466 𝒫 890079
VW-AUDI   via Malta 10/C 𝒫 3358751
VW-AUDI   corso Marche 74 𝒫 715691
VW-AUDI   via Cialdini 19/G 𝒫 442324
VW-AUDI   corso Sebastopoli 227 𝒫 327777
VW-AUDI   corso Bramante 14 𝒫 6967189
VOLVO   via Trana 2/bis 𝒫 445544
VOLVO   via Cigna 3/5 𝒫 521481

TORNO 22020 Como 🟡🟡🟡 ⑨ – 1 080 ab. alt. 225 – ✪ 031.

Vedere Portale★ della chiesa di San Giovanni.

Roma 633 – Bellagio 23 – Como 8 – ◆Lugano 40 – ◆Milano 56.

🏠 **Villa Flora** 🦢, 𝒫 419222, ≤, 佘, 🦆, 🐎 – ☎ 🅿 🎛 E 𝘝𝘐𝘚𝘈 🛠
   15 marzo-ottobre – Pas *(chiuso martedì)* carta 30/46000 (10%) – 🖙 8000 – 20 cam 45/70000.

XX **Vapore** 🦢 con cam, 𝒫 419311, ≤, « Servizio estivo in terrazza ombreggiata » – 🛠
   marzo-ottobre – Pas *(chiuso mercoledì)* carta 27/41000 (10%) – 🖙 4000 – **10 cam** 25/35000 –
   P 40000.

X **Taverne du Clochard,** strada statale E : 1,5 km 𝒫 419022, Coperti limitati; prenotare, ≤
   lago – 🅿 🛠
   chiuso lunedì e dal 6 gennaio al 15 febbraio – Pas carta 38/50000 (10%).

TORRE A MARE 70045 Bari – ✪ 080.

Roma 463 – ◆Bari 12 – ◆Brindisi 101 – ◆Foggia 144 – ◆Taranto 94.

🏠 **MotelAgip,** E : 2,5 km 𝒫 300001, Telex 812288, ≤ – 🛎 🗏 📺 ☎ 🅿 – 🖾 50 a 100. 🎟 🎛 🎱
   E 𝘝𝘐𝘚𝘈, 🛠 rist
   Pas 32000 – 🖙 13500 – 95 cam 58/87000 – P 108/135000.

🏠 **Apelusion,** 𝒫 300600, 🏊, 🛠 – 🛎 🗏 🕾 🅿 – 🖾 200. 🎟 🎛 🎱 E 𝘝𝘐𝘚𝘈, 🛠 rist
   Pas 25/29000 – 🖙 6000 – **51 cam** 50/72000 – P 80000.

TORRE ANNUNZIATA 80058 Napoli 🟡🟡🟡 ㉗ – 57 157 ab. – a.s. maggio-15 ottobre – ✪ 081.

Vedere Villa romana di Oplonti★★ – Scavi di Pompei★★★ E : 3 km.

Dintorni Vesuvio★★★ N : 9,5 km per strada a pedaggio e 45 mn a piedi AR.

Roma 235 – Avellino 54 – ◆Napoli 22 – Salerno 35 – Sorrento 28.

   sull'autostrada A 3 :

🏠 **Autogrill Hotel Pavesi,** 𝒫 8611401 – 🗏 🕾 🅿. 𝘝𝘐𝘚𝘈. 🛠 rist
   Pas self-service 17/27000 circa – 🖙 3000 – **16 cam** 45000.

FIAT via Castriota 𝒫 8625066   RENAULT via Boselli 3 𝒫 8618454

TORREBELVICINO 36036 Vicenza – 4 848 ab. alt. 260 – ✪ 0445.

Roma 568 – Trento 70 – ◆Verona 77 – Vicenza 26.

XX **Torre,** via Galilei 57 𝒫 660114 – 🗏 🅿. 🎱. 🛠
   chiuso martedì ed agosto – Pas carta 24/40000.

XX **Al Cacciatore,** a Pievebelvicino SE : 2 km 𝒫 661302, Coperti limitati; prenotare – 🅿. 🎛 E
   𝘝𝘐𝘚𝘈. 🛠
   chiuso lunedì e dal 15 luglio al 6 agosto – Pas carta 38/60000.

TORRE BOLDONE 24020 Bergamo – 7 489 ab. alt. 283 – ✪ 035.

Roma 605 – ◆Bergamo 4,5 – ◆Milano 52.

XX **Papillon,** NO : 1,5 km 𝒫 340555, ≤ – 🅿. 🎟
   chiuso martedì sera, mercoledì ed agosto – Pas carta 35/46000.

XX **Don Luis-da Enrica,** 𝒫 341393, 佘 – 🅿. 🎟 𝘝𝘐𝘚𝘈
   chiuso lunedì sera, martedì ed agosto – Pas carta 25/41000.

TORRE CANNE 72010 Brindisi 🟡🟡🟡 ㉙㉚ – Stazione termale (marzo-ottobre), a.s. 15 giugno-agosto
– ✪ 080 – Roma 517 – ◆Bari 67 – ◆Brindisi 48 – ◆Taranto 57.

🏠🏠 **Del Levante** 🦢, 𝒫 720026, Telex 813881, ≤, 佘, 🏊, 🦆, 🐎, 🛠 – 🛎 🗏 🕭 🅿. 🎟 🎛 🎱 E
   𝘝𝘐𝘚𝘈. 🛠
   aprile-ottobre – Pas 35/60000 – 🖙 9000 – **149 cam** 74/95000 appartamenti 190000 –
   P 88/135000. b.s. 78/83000.

   sulla superstrada per Fasano O : 3 km :

XX **La Macina,** ✉ 72010 𝒫 720071, 佘, « In una vecchia masseria », 🐎, 🛠 – 🗏 🅿.

TORRE DEL GRECO 80059 Napoli 🟡🟡🟡 ㉗ – 104 646 ab. – a.s. maggio-15 ottobre – ✪ 081.

Vedere Scavi di Ercolano★★ NO : 3 km.

Dintorni Vesuvio★★★ NE : 13 km e 45 mn a piedi AR.

Roma 227 – Caserta 40 – Castellammare di Stabia 17 – ◆Napoli 14 – Salerno 43.

   in prossimità casello autostrada A 3 :

🏠🏠 **Sakura** 🦢, via De Nicola 26/28 ✉ 80059 𝒫 8810602, Fax 8491122, « Parco » – 🛎 🗏 📺 ☎
   🅿 – 🖾 140. 🎟 🎛 🎱 E 𝘝𝘐𝘚𝘈. 🛠
   Pas 48/53000 – **72 cam** 🖙 108/160000, 🗏 8000 – P 165/175000.

🏠 **Marad,** via San Sebastiano 24 ✉ 80059 𝒫 8828716, 🏊, 🐎 – 🛎 📺 ☎ 🅿 – 🖾 100. 🎟 🎛 E.
   🛠
   Pas 30000 – **80 cam** 🖙 62/87000 – P 86000.

FIAT via Nazionale 56 𝒫 8826954   RENAULT corso Vittorio Emanuele 126/132 𝒫
FORD corso Vittorio Emanuele 28 𝒫 8814361   8817362

TORRE DEL LAGO PUCCINI 55048 Lucca – a.s. febbraio, Pasqua, 15 giugno-15 settembre e Natale – ✪ 0584.
Roma 369 – ♦Firenze 95 – Lucca 25 – Massa 31 – ♦Milano 260 – Pisa 16 – Viareggio 5.

 XX **Lombardi,** ℰ 341044 – 🔳 🅿 🖭 ⑩. 🎇
     chiuso lunedì sera e martedì – Pas carta 21/38000 (12%).

     al lago di Massaciuccoli E : 1 km :

 X   **Da Cecco,** ⊠ 55048 ℰ 341022 – 🔳
     chiuso lunedì e dal 20 novembre al 15 dicembre – Pas carta 22/32000 (10%).

 X   **Butterfly** con cam, ⊠ 55048 ℰ 341024, 🛱 – 🖭 🅿. 🎇
     chiuso ottobre o novembre – Pas *(chiuso giovedì)* carta 19/35000 (15%) – ☲ 6000 – 10 cam 30/45000 – P 50/55000.

TORRE DE' PICENARDI 26038 Cremona – 2 007 ab. alt. 39 – ✪ 0375.
Roma 498 – ♦Brescia 52 – Cremona 23 – Mantova 43 – ♦Parma 48.

 XX **Italia,** ℰ 94108 – 🔃. 🎇
     chiuso venerdì e dal 20 luglio al 12 agosto – Pas carta 30/40000.

TORRE DI SANTA MARIA 23020 Sondrio 208 ⑮ – 992 ab. alt. 796 – ✪ 0342.
Roma 708 – ♦Bergamo 125 – ♦Milano 148 – Sondrio 10.

 XX **Al Prato,** S : 3 km ℰ 454288 – 🅿. 🖭
     chiuso lunedì e dal 1° al 20 giugno – Pas carta 21/33000.

TORRE FORTORE Foggia – Vedere Lesina.

TORREGLIA 35038 Padova – 5 527 ab. alt. 18 – ✪ 049.
Roma 486 – Abano Terme 5 – ♦Milano 251 – ♦Padova 17 – Rovigo 36 – ♦Venezia 54.

 XX **Antica Trattoria Ballotta,** O : 1 km ℰ 5211061, « Servizio estivo all'aperto » – 🅿. 🖭 🔃 ⑩ E
     chiuso martedì, dal 2 al 18 gennaio e dal 24 giugno al 12 luglio – Pas carta 21/34000.

 X   **Al Castelletto-da Tàparo,** S : 1,5 km ℰ 5211060, « Servizio estivo in giardino » – 🅿. ⑩ 𝐕𝐈𝐒𝐀
     chiuso lunedì e gennaio – Pas carta 20/30000.

     a Torreglia Alta SO : 2 km – alt. 300 – ⊠ **35038** Torreglia :

 XX **Rifugio Monte Rua,** S : 1 km ℰ 5211049, « Terrazza con ≤ colli Euganei e pianura » – 🅿. 🎇
     chiuso martedì, gennaio e febbraio – Pas carta 22/37000.

TORRE GRANDE Oristano 988 ㉝ – Vedere Sardegna (Oristano) alla fine dell'elenco alfabetico.

TORREMAGGIORE 71017 Foggia 988 ㉘ – 17 579 ab. alt. 169 – ✪ 0882.
Roma 325 – ♦Bari 161 – ♦Foggia 37 – ♦Pescara 159 – Termoli 67.

 X   **Da Alfonso,** via Costituente 66 ℰ 291324 – 🎇
 ➡   *chiuso lunedì sera, martedì e novembre* – Pas carta 16/24000 (15%).

TORRE PEDRERA Forlì – Vedere Rimini.

TORRE PELLICE 10066 Torino 988 ⑫, 77 ⑳ – 4 463 ab. alt. 516 – ✪ 0121.
Roma 708 – Cuneo 64 – ♦Milano 201 – Sestriere 71 – ♦Torino 54.

 🏨 **Gilly,** corso Lombardini 1 ℰ 932477, Fax 932924, 🔳, 🛱 – 🛗 📺 ☎ 🅿 – 🔏 25 a 150. 🖭 🔃 E 𝐕𝐈𝐒𝐀. 🎇 rist
     Pas carta 36/58000 – ☲ 10000 – **50 cam** 100/130000 appartamenti 150/200000 – P 110/120000.

 XX **Flipot,** corso Gramsci 17 ℰ 91236 – ⬲. 🎇
     chiuso martedì – Pas carta 28/49000.

TORRE SALINAS Cagliari – Vedere Sardegna (Muravera) alla fine dell'elenco alfabetico.

TORRE SAN GIOVANNI Lecce – ⊠ 73059 Ugento – a.s. luglio e agosto – ✪ 0833.
Roma 652 – Gallipoli 24 – Lecce 62 – Otranto 50 – ♦Taranto 117.

 🏛 **Poker d'Assi,** ℰ 931088, ≤, 🛱, ⊼, 🐾 – 🖭 🅿 – 🔏 100. 🎇 rist
 ➡   *maggio-settembre* – Pas 18/22000 – ☲ 5000 – **41 cam** 33/54000 – P 70/80000, b.s. 50/60000.

 🏛 **Tito,** NO : 1,5 km ℰ 931054, Telex 860877, ≤, 🐾 – 🖭 🚗 🅿. 🔃 ⑩. 🎇
     3 giugno-16 settembre – Pas 21/30000 – ☲ 9000 – 26 cam 60000 – P 76/87000, b.s. 64/76000.

TORRETTE Ancona – Vedere Ancona.

TORRE VADO Lecce – ✉ 73040 Morciano di Leuca – a.s. luglio e agosto – ☎ 0833.
Roma 678 – Lecce 78 – Taranto 137.

XX **Il Milanese** con cam, ℰ 741106 – 🖭 ⓪ 𝖵𝖨𝖲𝖠. ⁓
   15 maggio-settembre – Pas carta 21/41000 – **18 cam** ⊡ 40/60000 – P 70000, b.s. 55000.

TORRI DEL BENACO 37010 Verona 🔢🔢🔢 ④ – 2 553 ab. alt. 68 – Stazione climatica – ☎ 045.
⛴ per Toscolano-Maderno giornalieri (30 mn) – a Toscolano Maderno, Navigazione Lago di Garda, Imbarcadero ℰ 641389.
🛈 viale F.lli Lavanda 1 ℰ 7225120.
Roma 535 – ◆Brescia 72 – Mantova 73 – ◆Milano 159 – Trento 81 – ◆Venezia 159 – ◆Verona 47.

🏨 **Gardesana**, ℰ 7225411, Fax 7225771, ≼ – 🛗 ⁓ cam 🍽 ☎ ♿. 🖭 🚫 ⓪ 🄴 𝖵𝖨𝖲𝖠. ⁓
   Pas *(chiuso a mezzogiorno e dal 10 ottobre ad aprile)* 25/35000 – ⊡ 19000 – **34 cam** 50/75000 – ½ P 65/75000.

🏨 **Europa** ⬠, ℰ 7225086, ≼, « Parco-oliveto », ⬛, – ☜ ⓟ. ⁓
   aprile-5 ottobre – Pas *(solo per clienti alloggiati e chiuso a mezzogiorno)* 21/23000 – ⊡ 13000 – 18 cam 58000.

🏨 **Romeo** ⬠, ℰ 7225040, ⬛, riscaldata, ⁓ – 🛗 ☎ ⓟ. 🄷 ⓪ 𝖵𝖨𝖲𝖠. ⁓
   Pasqua-ottobre – Pas 22000 – ⊡ 9000 – 43 cam 38/58000 – P 57000.

🏩 **Astoria**, ℰ 7225322 – ➡. ⁓ rist
⇥ *aprile-settembre* – Pas *(solo per clienti alloggiati)* 16/18000 – ⊡ 7000 – **27 cam** 40/56000 – P 54/58000.

X **Al Caval** con cam, ℰ 7225666 – ☎ ⓟ. 🄷 🄷 ⓪ 🄴 𝖵𝖨𝖲𝖠. ⁓ rist
   chiuso dal 20 gennaio al 28 febbraio e da novembre al 15 dicembre – Pas *(chiuso lunedì)* carta 26/43000 – ⊡ 8000 – **22 cam** 35/55000 – P 50/55000.

X Al Castello, con cam, ℰ 7225065 – ⓟ – 22 cam.

   ad Albisano E : 4,5 km – alt. 309 – ✉ 37010 Torri del Benaco :

X Panorama ⬠ con cam, ℰ 7225102, « Servizio estivo in terrazza con ≼ lago e monti » – ⓟ
   stagionale – 26 cam.

TORRILE 43030 Parma – 4 402 ab. alt. 32 – ☎ 0521.
Roma 470 – Mantova 51 – ◆Milano 134 – ◆Parma 15.

   a San Polo SE : 4 km – ✉ 43056 :

🏨 **Ducathotel,** via Achille Grandi 7 ℰ 819929 – 🛗 🍽 📺 ☎ ⓟ – 🔼 40. 🄷 🄷 ⓪. ⁓
   Pas *(chiuso a mezzogiorno)* 20/27000 – ⊡ 7000 – **18 cam** 42/67000, 🍽 5000.

TORTOLI Nuoro 🔢🔢🔢 ㉞ – Vedere Sardegna alla fine dell'elenco alfabetico.

TORTONA 15057 Alessandria 🔢🔢🔢 ⑬ – 28 354 ab. alt. 114 – ☎ 0131.
Roma 567 – Alessandria 21 – ◆Genova 73 – ◆Milano 73 – Novara 71 – Pavia 52 – Piacenza 76 – ◆Torino 112.

🏨 **Vittoria** senza rist, corso Romita 57 ℰ 861325 – 🛗 📺 ☜ ➡ ⓟ. 🄷 🄷 ⓪ 🄴 𝖵𝖨𝖲𝖠. ⁓
   ⊡ 7000 – **26 cam** 50/70000.

XX **Cavallino San Marziano,** corso Romita 83 ℰ 861750 – 🍽 ⓟ. 𝖵𝖨𝖲𝖠
   chiuso lunedì, dal 1° al 10 gennaio, dal 24 luglio al 24 agosto e Natale – Pas carta 35/58000.

   sulla strada statale 10 NE : 1,5 km :

🏩 **Oasi,** ✉ 15057 ℰ 861356 – 🛗 ⁓ ☜ ⓟ. 🄷 🄷 🄴 𝖵𝖨𝖲𝖠
   Pas *(chiuso venerdì e dal 24 dicembre al 7 gennaio)* carta 26/39000 (12%) – ⊡ 7000 – **27 cam** 37/56000 – P 78/84000.

   sulla strada statale 35 S : 1,5 km :

🏨 **Aurora e Rist. Girarrosto,** ✉ 15057 ℰ 861188, ⁓ – 🛗 ☎ ⓟ – 🔼 60. 🄷. ⁓
   Pas *(chiuso lunedì e dal 6 al 27 agosto)* carta 37/61000 – ⊡ 10000 – **18 cam** 45/57000.

   a Vho SE : 3 km – ✉ 15057 Tortona :

X Trattoria Lampino, ℰ 811633.

   a Mombisaggio SE : 5,5 km – ✉ 15057 Tortona :

XX **Montecarlo,** ℰ 879114 – ⓟ – 🔼 70. ⁓
   chiuso martedì ed agosto – Pas carta 30/50000.

   verso Sale NO : 6 km – ✉ 15057 Tortona :

XX **Hostaria ai Due Gioghi,** ℰ 815369 – ⓟ. 🄷 🄷 ⓪ 🄴 𝖵𝖨𝖲𝖠. ⁓
   chiuso lunedì ed agosto – carta 24/37000.

ALFA-ROMEO via Pilotti 6/b ℰ 862003
FIAT via Ferrari 17 ℰ 815454
FIAT strada statale 10-località Villoria ℰ 811596
FORD Nuova Circonvallazione per Voghera 12 ℰ 866868

RENAULT strada statale 10-Regiona Principe ℰ 862185

TORTORETO 64018 Teramo – 6 715 ab. alt. 227 – a.s. luglio e agosto – ✆ 0861.
🖼 via Archimede 15 ☎ 787726.
Roma 215 – ♦Ancona 108 – L'Aquila 106 – Ascoli Piceno 39 – ♦Pescara 45 – Teramo 33.

 ✗✗ **Amadeus,** ☎ 787474, ≤ – 🖭
chiuso novembre e lunedì (escluso luglio ed agosto) – Pas carta 27/49000.

a Tortoreto Lido E : 3 km – ✉ 64019 :

 🏨 **Costa Verde,** ☎ 787096, ≤, ⊥, 🐾, 🎇 – 🛗 🕾 🖘 🅿. ✼ rist
 maggio-settembre – Pas 18/22000 – ➘ 8000 – **52 cam** 35/65000 – P 50/65000, b.s. 35/50000.

 🏨 **Sayonara,** ☎ 787060, 🐾 – 🛗 🕾. 🖭 🛐 *VISA*. ✼
 aprile-ottobre – Pas (solo per clienti alloggiati) – **60 cam** ➘ 40/65000 – P 55/65000, b.s. 30/42000.

 🏨 **River,** ☎ 786125, 🐾 – 🛗 🕾 🅿. 🛈 *VISA*. ✼
 maggio-settembre – Pas 14/18000 – ➘ 4500 – 27 cam 30/55000 – P 42/55000, b.s. 32/42000.

CITROEN via Adriatica al km 402 ☎ 786475   FIAT contrada Salinello ☎ 71291

TOR VAIANICA 00040 Roma – ✆ 06.
Roma 43 – Anzio 25 – Latina 50 – Lido di Ostia 20.

 🏨 **Miramare e Rist. Biagio,** piazza Ungheria 24 ☎ 9157028, ≤ – 🅿. 🖭 🛐 🛈 *VISA*. ✼ cam
 Pas *(chiuso lunedì e novembre)* carta 29/49000 (10%) – ➘ 5000 – **35 cam** 35/55000.

 ✗✗ **Rendez Vous** con cam, piazza Italia 72 ☎ 9156797, 🎇 – 🕾 🖭 🛐 *VISA*. ✼
 Pas *(chiuso lunedì e gennaio)* carta 34/51000 – ➘ 7000 – **15 cam** 48/66000.

 ✗ **Zi Checco,** lungomare delle Sirene 1 ☎ 9157157, ≤, 🎇, Solo piatti di pesce, 🐾 – 🅿. 🖭 🛐 🛈 E *VISA*
 chiuso giovedì e novembre – Pas carta 30/43000.

TOSCANELLA Bologna – Vedere Dozza.

TOSCOLANO-MADERNO Brescia 🟩🟩🟩 ④ – 6 721 ab. alt. 80 – Stazione climatica, a.s. Pasqua e luglio-15 settembre – ✆ 0365.
⛴ per Torri del Benaco giornalieri (30 mn) – Navigazione Lago di Garda, Imbarcadero ☎ 641389.
🖼 a Maderno, via Lungolago 18 ✉ 25080 ☎ 641330.
Roma 556 – ♦Bergamo 93 – ♦Brescia 39 – Mantova 95 – ♦Milano 134 – Trento 86 – ♦Verona 71.

a Maderno – ✉ 25080 :

 🏨 **Milano,** ☎ 641223, ≤, « Giardino ombreggiato » – 🛗 🅿. 🖭 *VISA*. ✼ rist
 aprile-settembre – Pas (solo per clienti alloggiati) 18000 – ➘ 8000 – **34 cam** 70000 – P 68000, b.s. 55000.

 🏨 **Maderno,** ☎ 641070, Fax 644277, « Giardino ombreggiato », ⊥ – 🅿. 🖭 🛐 🛈 E *VISA*. ✼ rist
 aprile-ottobre – Pas *(chiuso martedì)* 25/30000 – ➘ 11000 – 30 cam 50/80000 – P 70/80000, b.s. 58/70000.

 🏨 **Benaco,** ☎ 641110, ≤, « Giardino ombreggiato », ⊥, ✗ – 🅿. 🖭. ✼ rist
 Pasqua-settembre – Pas *(chiuso mercoledì)* carta 24/35000 – ➘ 8000 – **32 cam** 58/71000 – P 65/70000, b.s. 50/60000.

 🏨 **Eden,** ☎ 641305, « Giardino » – 🅿. ✼ rist
 15 marzo-15 ottobre – Pas 16/23000 – ➘ 5000 – **28 cam** 30/42000 – P 45000, b.s. 38000.

 ✗✗ **Milani,** ☎ 641042, 🎇 – 🖭 *VISA*
 marzo-novembre; chiuso lunedì in bassa stagione – Pas carta 25/45000.

TOSSE Savona – Vedere Noli.

TOSSIGNANO 40020 Bologna – alt. 272 – ✆ 0542.
Roma 382 – ♦Bologna 47 – ♦Firenze 84 – Forlì 44 – ♦Ravenna 59.

 ✗✗✗ ✿ **Locanda della Colonna,** via Nuova 10/11 ☎ 91006, 🎇, Coperti limitati; prenotare, « Costruzione del 15° secolo » – 🖭 🛐 🛈 *VISA*. ✼
 chiuso domenica, lunedì, dal 10 gennaio al 10 febbraio e dal 15 al 31 agosto – Pas carta 47/75000
 Spec. Anelli di salmone fresco e anitra con erbe di campo, Gnocchi di patate con crostacei e molluschi, Magro di anitra spinaci e confettura di cipolle. Vini Rieslin Italico, Cabernet Sauvignon.

TOVEL (Lago di) ✶✶✶ Trento 🟩🟩🟩 ④, 🟦🟦🟦 ⑲ – Vedere Guida Verde.

TOVO SAN GIACOMO 17020 Savona – 1 632 ab. alt. 47 – ✆ 019.
Roma 575 – Imperia 49 – Savona 30 – ♦ Torino 163.

 ✗ **Cà di Giurni,** ☎ 648075 – 🖭 🛐 E *VISA*. ✼
 chiuso mercoledì, dal 15 febbraio al 2 marzo e dal 26 ottobre all'11 novembre – Pas carta 23/36000.

TRADATE 21049 Varese 🢒🢒🢒 ⑱ – 16 227 ab. alt. 303 – ✪ 0331.
Roma 614 – Gallarate 12 – ♦Milano 37 – Varese 14.

  XX **Antico Ostello Lombardo,** via Vincenzo Monti 4 ✆ 842832, Coperti limitati; prenotare –
    🏢. ❄️
    chiuso sabato a mezzogiorno, lunedì ed agosto – Pas carta 40/54000.

  XX **Tradate** con cam, via Volta 20 ✆ 841401 – 🆎 🏢 🅾️ 📧 *VISA*. ❄️ cam
    chiuso dal 24 dicembre al 5 gennaio ed agosto – Pas *(chiuso domenica)* carta 29/50000 – ☄
    5000 – **8 cam** 44/56000 – P 75/85000.

ALFA-ROMEO via Allende ✆ 849547
FIAT corso Europa 6 ✆ 843387
FIAT via Albisetti 9 ✆ 841789

FORD via Rismondo 10 ✆ 843755
LANCIA-AUTOBIANCHI via Passerini 8 ✆ 842666
RENAULT via Albisetti 18 ✆ 841243

TRAFOI 39020 Bolzano 🢒🢒🢒 ④, 🢒🢒🢒 ⑦ – alt. 1 543 – a.s. 15 febbraio-aprile, luglio-agosto e Natale
– Sport invernali : 1 543/2 300 m ✂3 – ✪ 0473.
Roma 726 – ♦Bolzano 89 – Merano 61 – ♦Milano 274 – Passo dello Stelvio 14 – Sondrio 98 – Trento 147.

  🏨 **Tannenheim-Abeti,** ✆ 611704, ← – 🚗 🅿️. 🄴. ❄️
    → *19 dicembre-10 aprile e 20 maggio-5 novembre* – Pas carta 19/32000 – ☄ 6500 – 33 cam
    28/42000 – P 45/60000, b.s. 36/47000.

TRAMIN = Termeno.

TRANA 10090 Torino – 2 803 ab. alt. 372 – ✪ 011.
Roma 685 – Briançon 90 – ♦Milano 167 – ♦Torino 25.

  a San Bernardino E : 3 km – ✉ 10090 Trana

  XX ❀ **La Betulla,** ✆ 933106, prenotare – 📧 🅿️. 🏢 📧 *VISA*. ❄️
    chiuso lunedì sera, martedì e gennaio – Pas carta 51/73000
    Spec. Terrina di coniglio, Ravioli di branzino, Capretto al forno, Petto d'anitra ai tartufi neri. **Vini** Arneis, Barbaresco.

TRANI 70059 Bari 🢒🢒🢒 ㉘ – 48 427 ab. – ✪ 0883.
Vedere Cattedrale★★ – Giardino pubblico★ – 🄱 piazza della Repubblica ✆ 43295.
Roma 414 – ♦Bari 49 – Barletta 13 – ♦Foggia 97 – Matera 78 – ♦Taranto 132.

  🏨 **Royal,** via De Robertis 29 ✆ 41306, 🌫 – 📶 📺 ☎ 🅿️. 🆎 🏢 🅾️ 📧 *VISA*. ❄️ rist
    Pas carta 26/38000 – ☄ 9000 – **42 cam** 56/81000 – P 99000.

  🏨 **Trani,** corso Imbriani 137 ✆ 588010 – 📶 🍴 ← – ⛟ 300. 🆎 🏢 🅾️ 📧 *VISA*. ❄️
    Pas carta 22/36000 – ☄ 6500 – **50 cam** 44/71000 – P 77/87000.

  XX **Cristoforo Colombo,** lungomare Colombo 21 ✆ 41146 – 📧 🅿️. 🅾️. ❄️
    chiuso martedì e novembre – Pas carta 22/30000 (18%).

FIAT strada statale 16 al km 757 ✆ 482081
INNOCENTI via Barletta 46 ✆ 583567

LANCIA-AUTOBIANCHI via Andria 6 ✆ 587706
PEUGEOT-TALBOT via Barletta 38 ✆ 587053

TRAPANI 🄿 🢒🢒🢒 ㉟ – Vedere Sicilia alla fine dell'elenco alfabetico.

TRAVEDONA-MONATE 21028 Varese 🢒🢒🢒 ⑦ – 3 283 ab. alt. 273 – ✪ 0332.
Roma 638 – ♦Milano 61 – Stresa 39 – Varese 19.

  X **Antica Trattoria-da Cesare,** via Aldo Moro 25 ✆ 790136, Coperti limitati; prenotare – ❄️
    chiuso martedì e dal 15 dicembre al 15 gennaio – Pas carta 32/51000.

TRAVERSELLA 10080 Torino – 522 ab. alt. 827 – ✪ 0125.
Roma 703 – Aosta 91 – ♦Milano 14 – ♦Torino 70.

  🏨 **Miniere,** ✆ 749026, ← – ☎. 🆎 🏢. ❄️
    Pas *(chiuso lunedì)* carta 24/44000 – ☄ 3500 – **25 cam** 26/52000 – P 52000.

TREBISACCE 87075 Cosenza 🢒🢒🢒 ㉙ – 8 481 ab. – ✪ 0981.
Roma 484 – Castrovillari 40 – Catanzaro 183 – ♦Cosenza 90 – ♦Napoli 278 – ♦Taranto 115.

  🏨 **Stellato,** ✆ 51546, ←, 🐎 – 📶 🅿️. ❄️
    aprile-settembre – Pas *(chiuso lunedì)* carta 28/36000 – ☄ 6000 – **21 cam** 43/61000 –
    P 64/69000.

FIAT via Lutri 220 ✆ 51027

TRECATE 28069 Novara 🢒🢒🢒 ③, 🢒🢒🢒 ⑦ – 14 637 ab. alt. 136 – ✪ 0321.
Roma 621 – ♦Milano 47 – Novara 10 – ♦Torino 102.

  🏨 **Moderno,** via Mazzini 8 ✆ 71394 – ☎ 🅿️ – 🛎 30. 🏢. ❄️
    Pas *(chiuso martedì)* carta 22/34000 – ☄ 5000 – 13 cam 28/45000 – P 59000.

TREGNAGO 37039 Verona 🢒🢒🢒 ④ – 4 543 ab. alt. 317 – ✪ 045.
Roma 529 – ♦Brescia 95 – ♦Milano 182 – Trento 128 – ♦Verona 26.

  X **Michelin,** ✆ 7808049 – ❄️
    chiuso lunedì e le sere di martedì, mercoledì e giovedì – Pas carta 23/35000.

TREMEZZO 22019 Como 988 ③, 219 ⑨ – 1 355 ab. alt. 245 – Stazione climatica – ☎ 0344.

Vedere Località★★★ – Villa Carlotta★★★ – Parco comunale★.

🔰 piazzale Trieste 3 ☎ 40493.

Roma 655 – Como 30 – ◆Lugano 33 – Menaggio 5 – ◆Milano 78 – Sondrio 73.

🏨 **Tremezzo Palace**, ☎ 40446, Telex 320810, Fax 40201, ≤, 🎇, « Parco », 🔼, 🎾 – 🛗 ☎ – 🔬 300. 🖭 ⑩ E 🚾. 🎇 rist
　　chiuso dicembre e gennaio – Pas carta 43/74000 – **100 cam** 🖙 105/170000 – P 140000.

🏠 **Rusall** ⑤, località Rogaro N : 1,5 km ☎ 40408, ≤ lago e monti, « Giardino » – 🄿. 🖹 E 🚾.
🔸 🎇 rist
　　chiuso dal 7 gennaio al 15 marzo – Pas carta 18/27000 – 🖙 3000 – **19 cam** 35/60000 – P 52/56000.

🍴🍴 **Al Veluu**, località Rogaro N : 1,5 km ☎ 40510, ≤ lago e monti, 🎇 – 🄿. 🖭
　　marzo-ottobre; chiuso martedì – Pas carta 38/55000.

🍴 **La Fagurida**, località Rogaro N : 1,5 km ☎ 40676 – 🄿. 🎇
　　chiuso lunedì e dal 25 dicembre al 7 febbraio – Pas carta 26/40000.

🍴 **La Darsena**, ☎ 40423, ≤ – 🖹 🚾. 🎇
　　chiuso giovedì e dal 15 ottobre al 15 novembre – Pas carta 25/39000.

TREMITI (Isole) ★ Foggia 988 ㉘ – 339 ab. alt. da 0 a 116 – a.s. luglio-15 settembre – ☎ 0882.
La limitazione d'accesso degli autoveicoli è regolata da norme legislative.

Vedere Isola di San Domino★ – Isola di San Nicola★.

🚢 per Termoli giornaliero (1 h 45 mn); per Rodi Garganico aprile-maggio mercoledì, giovedì e giugno-settembre giornaliero (1 h 30 mn); per Punta Penna di Vasto luglio-agosto giornaliero (2 h 30 mn) – Adriatica di Navigazione-agenzia Domenichelli, via degli Abbati 10 ☎ 663008; per Termoli 15 maggio-settembre giornaliero (1 h 40 mn) – a Termoli, Navigazione Libera del Golfo-agenzia Di Brino, al porto ☎ 4859, Telex 722661.

🚢 per Termoli maggio-settembre giornalieri (45 mn); per Ortona giugno-settembre giornaliero (1 h 50 mn); per Punta Penna di Vasto giugno e settembre giornaliero (1 h 10 mn) – Adriatica di Navigazione-agenzia Domenichelli, via degli Abbati 10 ☎ 663008.

San Domino (Isola) – ✉ 71040 San Nicola di Tremiti

🏨 **Kyrie** ⑤, ☎ 663055, « In pineta », 🔼, 🎇, 🎾 – 🖭 ⑩. 🎇 rist
　　27 maggio-settembre – Pas 35/40000 – 🖙 7000 – 63 cam 115/210000 – P 145/160000, b.s. 105/120000.

🏨 **San Domino** ⑤, ☎ 663027 – 🕮. 🎇
　　Pas carta 30/42000 – 29 cam 🖙 55/90000 – P 79000, b.s. 59000.

🏠 **Gabbiano** ⑤, ☎ 663044, ≤ mare e pinete, 🎇 – ✕ rist 🕮. 🖭 🚾. 🎇 rist
　　Pas carta 34/47000 – 35 cam 🖙 40/80000 – P 55/78000, b.s. 50/60000.

TREMOSINE 25010 Brescia – 1 899 ab. alt. 414 – a.s. Pasqua e luglio-15 settembre – ☎ 0365.

Roma 581 – ◆Brescia 64 – ◆Milano 159 – Riva del Garda 19 – Trento 69.

🏨 **Le Balze** ⑤, a Campi-Voltino ☎ 957179, Fax 957053, ≤ lago e monte Baldo, 🔼, 🎇, 🎾 – 🛗 ☎ 🕭 🄿 – 🔬 130. 🎇 rist
　　15 marzo-7 novembre – Pas carta 23/33000 – 🖙 9000 – **69 cam** 51/82000 – P 61/74000, b.s. 41/56000.

🏨 **Pineta Campi** ⑤, a Campi-Voltino ☎ 957158, ≤ lago e monte Baldo, 🔼, 🎇, 🎾 – ☎ 🕭 🄿. 🎇 rist
　　15 marzo-ottobre – Pas carta 20/28000 – 🖙 8000 – **66 cam** 38/55000 – P 57/62000, b.s. 39/44000.

🏨 Faver, a Voltino ☎ 954354, ≤, 🔼, 🎇, 🎾 – 🄿
　　stagionale – 30 cam.

🏠 **Paradiso** ⑤, a Pieve ☎ 953012, « Terrazza panoramica con 🔼 e ≤ lago e monte Baldo », 🎇 – 🄿. 🎇
　　marzo-settembre – Pas *(chiuso mercoledì)* carta 22/40000 – **22 cam** 🖙 45/70000 – P 48/52000, b.s. 45/49000.

🏠 **Benaco e Rist. Miralago**, a Pieve ☎ 953001, ≤ lago e monte Baldo – 🛗 ☎
　　Pas *(chiuso giovedì da settembre a maggio)* carta 20/30000 – 🖙 6000 – **25 cam** 29/46000 – P 48000, b.s. 38000.

TRENTO 38100 ℗ 988 ④ – 100 677 ab. alt. 194 – a.s. dicembre-aprile – Sport invernali : vedere Bondone (Monte) – ☎ 0461.

Vedere Piazza del Duomo★ AZ : Duomo★, museo Diocesano★ – Castello del Buon Consiglio★ BY – Palazzo Tabarelli★ BZ F.

Escursioni Massiccio di Brenta★★★ per ⑤.

🔰 via Alfieri 4 ☎ 983880, Telex 400289 – piazza Duomo (maggio-settembre) ☎ 981289.

A.C.I. via Pozzo 6 ☎ 986969.

Roma 588 ⑥ – ◆Bolzano 57 ⑥ – ◆Brescia 117 ⑤ – ◆Milano 230 ⑤ – ◆Verona 101 ⑥ – Vicenza 96 ③.

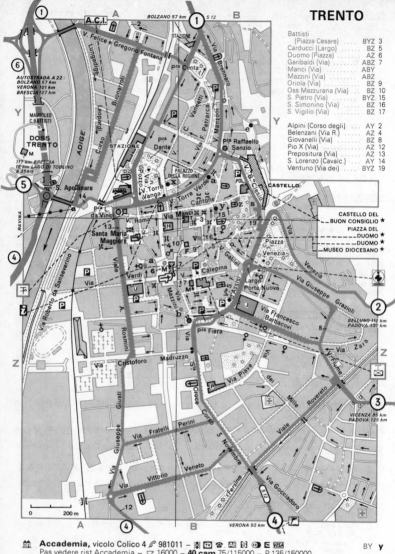

TRENTO

CASTELLO DEL
BUON CONSIGLIO ★

PIAZZA DEL
DUOMO ★
DUOMO ★
MUSEO DIOCESANO ★

🏨 **Accademia,** vicolo Colico 4 ℰ 981011 – 🛗 📺 ☎ 🅰🅴 🕙 ⓞ �ⓔ 𝗩𝗜𝗦𝗔   BY y
  Pas vedere rist Accademia – ⚌ 16000 – **40 cam** 75/115000 – P 135/150000.

🏨 **America,** via Torre Verde 50 ℰ 983010 – 🛗 ▤ rist 📺 ☎ 🅿 – 🔬 60   BY a
  43 cam.

🏨 **Everest,** corso degli Alpini 14 ℰ 825300, Telex 400499 – 🛗 ☜ 🚗 🅿 🅰🅴 🕙 ⓞ ⓔ 𝗩𝗜𝗦𝗔.
  ⚖ rist   AY x
  Pas carta 26/42000 – ⚌ 7000 – **120 cam** 60/85000 – P 70/80000.

🏨 **Monaco e Rist. La Predara** ⟨, via Torre d'Augusto 25 ℰ 983060 – 🛗 📺 ☎ 🅿 – 🔬 25 a
  200. 🕙 🅴 ⚖   BY e
  Pas *(chiuso venerdì)* carta 23/35000 – ⚌ 8000 – **50 cam** 75/124000.

✕✕✕ **Chiesa,** via San Marco 64 ℰ 985577 – 🕙   BY z
  chiuso domenica – Pas carta 36/51000.

✕✕ **Orso Grigio,** via degli Orti 19 ℰ 984400, 🎴, Rist. con cucina francese – 🅰🅴 🕙. ⚖   ABZ b
  chiuso domenica e gennaio – Pas carta 27/37000.

XX **Accademia,** vicolo Colico 6 ☎ 981580 – 🖾 ⑩ Ɛ 𝑽𝑰𝑺𝑨 BY **y**
chiuso lunedì – Pas carta 30/44000.

XX **Le Bollicine,** via dei Ventuno 1 ☎ 983161, Rist.-piano bar a coperti limitati; prenotare – 🛠 BY **s**
chiuso a mezzogiorno, lunedì e dal 10 al 25 agosto – Pas carta 30/48000.

XX **Roma,** via San Simonino 6 ☎ 984150 – 🍽. 🖾 🛞 ⑩ Ɛ 𝑽𝑰𝑺𝑨 BZ **v**
chiuso domenica e dal 1° al 20 agosto – Pas carta 27/37000.

XX **Osteria a le due spade,** via Don Rizzi 11 ☎ 34343, Coperti limitati; prenotare – 🖾 🛞 Ɛ
𝑽𝑰𝑺𝑨 AZ **a**
chiuso domenica e luglio – **Pas** carta 25/39000.

sulla variante della strada statale 47 per ② : 2 km :

X **La Fattoria,** località Piazzina ⊠ 38040 Martignano ☎ 821124, Cucina pugliese a coperti
limitati; prenotare – 🅿. 🖾 🛠
chiuso lunedì – Pas carta 30/45000.

a Ravina SO : 2,5 km AZ – ⊠ **38040** :

🏨 **Castello** 🦢, ☎ 923333 – 🍽 rist ☎ 🅿. 🖾 🛠
Pas *(chiuso domenica sera e lunedì)* carta 23/36000 – ☲ 6000 – **13 cam** 50/78000 – P 70/75000.

a Cognola per ② : 3 km – ⊠ **38050** Cognola di Trento :

🏨 **Villa Madruzzo** 🦢, ☎ 986220, ≼, « Villa ottocentesca in un parco ombreggiato », 🛠 – 🛗
🏧 🕭 🅿 – 🏷 80. 🖾 🛠
Pas 30/35000 – ☲ 8000 – **51 cam** 60/97000 – P 80/90000.

a Gardolo per ① : 3 km – ⊠ **38014** :

🏨 **Capitol,** ☎ 993232 – 🛗 📺 ☎ 🅿. 🛞 Ɛ 𝑽𝑰𝑺𝑨 🛠 rist
Pas carta 22/41000 – ☲ 6000 – **44 cam** 57/85000.

verso Civezzano per ② : 5,5 km – ⊠ **38045** Civezzano :

XX **Maso Cantanghel,** ☎ 858714, Coperti limitati; prenotare – 🅿. 🛠
chiuso domenica, dal 24 dicembre al 2 gennaio ed agosto – Pas 35/50000.

Vedere anche : *Verla di Giovo* per ① : 15 km.
Bondone (Monte) per ⑤ : 23 km.

ALFA-ROMEO via Maccani 88 per ② ☎ 822682
ALFA-ROMEO via Brennero 282 per ① ☎ 821302
BMW via Muredei 55 ☎ 924016
CITROEN via Marighetto 129, località Man ☎ 924444
FIAT via Brennero 262 per ① ☎ 821733
FIAT località Centochiavi 14/15 per ② ☎ 821500
FIAT via De Gasperi 73 per ④ ☎ 920317
FIAT via Brennero 142 per ① ☎ 823555
FORD via Muredei 14 ☎ 930375
FORD via Brennero 151 ☎ 821199

GM-OPEL via Brennero 264 ☎ 822110
INNOCENTI via Galilei 32 ☎ 32320
MERCEDES-BENZ zona Industriale Ravina ☎ 922020, Telex 400561
PEUGEOT-TALBOT via Brennero 41/51 ☎ 824448
RENAULT via Brennero 101 ☎ 821244
RENAULT corso Buonarroti 54 ☎ 26355
VW-AUDI località Stella 42 ☎ 920474
VOLVO via Galilei 32 ☎ 32320

TREPORTI Venezia – Vedere Cavallino.

TRESCORE BALNEARIO 24069 Bergamo 𝟵𝟴𝟴 ③ – 6 840 ab. alt. 271 – a.s. luglio e agosto –
✪ 035.
Roma 593 – ♦Bergamo 14 – ♦Brescia 44 – Lovere 27 – ♦Milano 60.

🏨 **Della Torre,** piazza Cavour 26 ☎ 940021, 🎋, 🐎 – 🚗 🅿 – 🏷 300. 🖾 🛞 ⑩ Ɛ. 🛠
Pas *(chiuso lunedì e dal 15 settembre al 15 giugno anche domenica sera)* carta 29/50000 – ☲
6000 – **30 cam** 28/47000 – P 62000.

X **La Cascina,** via Nazionale 11 ☎ 940138 – 🅿. 🛞. 🛠
chiuso domenica sera, lunedì, dal 1° al 15 gennaio ed agosto – Pas carta 22/33000.

TRESCORE CREMASCO 26017 Cremona – 2 056 ab. alt. 86 – ✪ 0373.
Roma 554 – ♦Brescia 54 – Cremona 45 – ♦Milano 40 – Piacenza 45.

XX ✿ **Trattoria del Fulmine,** ☎ 70203, Coperti limitati; prenotare – 🖾 🛞 ⑩. 🛠
chiuso domenica, lunedì, dal 1° al 10 gennaio ed agosto – Pas carta 41/59000
Spec. Fegato d'oca alla cremasca con polenta, Anitra alle verze (autunno), Torta Margherita con crema di
mascarpone allo zabaione. **Vini** Riesling, Oltrepò Pavese rosso.

X **Bistek,** ☎ 70146 – 🅿. 🛠
chiuso mercoledì, dal 9 al 15 gennaio e dal 24 luglio al 20 agosto – Pas carta 25/40000.

TRESNURAGHES Oristano – Vedere Sardegna alla fine dell'elenco alfabetico.

☞ *Benutzen Sie für weite Fahrten in Europa die* **Michelin-Länderkarten :**
𝟵𝟮𝟬 *Europa,* 𝟵𝟴𝟬 *Griechenland,* 𝟵𝟴𝟰 *Deutschland,* 𝟵𝟴𝟱 *Skandinavien-Finnland,*
𝟵𝟴𝟲 *Großbritannien-Irland,* 𝟵𝟴𝟳 *Deutschland-Österreich-Benelux,* 𝟵𝟴𝟴 *Italien,*
𝟵𝟴𝟵 *Frankreich,* 𝟵𝟵𝟬 *Spanien-Portugal,* 𝟵𝟵𝟭 *Jugoslawien.*

TRESTINA 06018 Perugia – alt. 263 – ✪ 075.
Roma 215 – Arezzo 53 – Assisi 60 – ♦Firenze 137 – ♦Perugia 44 – Pesaro 122.

   🏠 **Mencuccio**, ✆ 854409 – 🏢 ☎ 🅿. 🆎 ⓪ 𝘝𝘐𝘚𝘈
      Pas *(chiuso domenica ed agosto)* carta 21/29000 – ⊐ 4000 – **19 cam** 40/60000.

TREVI 06039 Perugia 𝟵𝟴𝟴 ⑯ – 7 320 ab. alt. 412 – ✪ 0742.
Roma 150 – Foligno 13 – ♦Perugia 50 – Spoleto 21 – Terni 52.

   ✗ **L'Ulivo**, N : 3 km ✆ 78969, 🍽 – 🅿. 🆎 ⓪. ✜
      chiuso lunedì e martedì – **Pas** (menu tipici suggeriti dal proprietario) 30000 bc.
   ✗ **Il Cochetto** con cam, ✆ 78229, ≼ – 🆎 ⓪
      Pas *(chiuso domenica)* carta 26/33000 – ⊐ 6000 – **22 cam** 34/49000 – P 57/66000.

TREVIGLIO 24047 Bergamo 𝟵𝟴𝟴 ③, 𝟮𝟭𝟵 ⑳ – 25 427 ab. alt. 126 – ✪ 0363.
Roma 576 – ♦Bergamo 20 – ♦Brescia
57 – Cremona 62 – ♦Milano 36 –
Piacenza 68.

   🏨 **Treviglio**, piazza Verdi
      37 ✆ 43744 – 🏢 ▤ 📺 ☎
      🅿. 🆎 🅢 🅔 𝘝𝘐𝘚𝘈. ✜
      Pas carta 24/49000 (10%)
      – ⊐ 6000 – **16 cam**
      42/60000, ▤ 3000 –
      P 75000.

   ✗✗ **Taverna Colleoni**, via
      Portaluppi 75 ✆ 43384,
      prenotare, 🍽 – ✜
      chiuso domenica sera,
      lunedì ed agosto – Pas
      carta 33/55000.

   ✗✗ **San Martino**, viale Ce-
      sare Battisti 3 ✆ 49075 –
      ✜
      chiuso lunedì, dal 1° al 15
      gennaio ed agosto – Pas
      carta 36/50000.

      *sulla strada statale
      11* SE : 2,5 km :

   🏨 **La Lepre**, ⊠ 24047 ✆
      48233, 🎱 riscaldata, ✗ –
      🏢 ✜ ▤ 📺 ☎ 🚗 🅿 –
      🅰 200. 🆎 🅢 ⓪ 🅔 𝘝𝘐𝘚𝘈.
      ✜ cam
      Pas *(chiuso lunedì, dal 2
      al 10 gennaio e dal 10 al
      25 agosto)* carta 28/38000
      (10%) – ⊐ 6500 –
      63 cam 35/50000, ▤ 3000
      – P 75000.

ALFA-ROMEO via 20 Settembre 18
✆ 47633
BMW via Bergamo 14/d ✆ 48959
CITROEN viale Ortigara 3/b ✆
49191
FIAT largo 1° Maggio 5 ✆ 48066
FORD via del Bosco 15/a ✆ 47097
GM-OPEL via Caravaggio 51 ✆
49587
INNOCENTI via Milano 23 ✆
419210
PEUGEOT-TALBOT via Carlo Porta
7 ✆ 49223
RENAULT via del Bosco 16/a ✆
49171
VOLVO via Manzoni 16 ✆ 41777

TREVIGNANO ROMANO
00069 Roma 𝟵𝟴𝟴 ㉖ – 3 125 ab.
alt. 166 – ✪ 06.
Roma 46 – Civitavecchia 63 – Terni
86 – Viterbo 45.

   🏠 **Villa Belvedere** ✜
      senza rist, via per Sutri
      NO : 1,5 km ✆ 9017030,
      ≼, 🍽 – ⊜
      chiuso novembre – ⊐
      6000 – **10 cam** 60000.

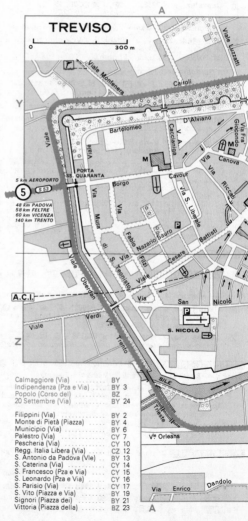

TREVISO

0   300 m

Calmaggiore (Via)	BY
Indipendenza (Pza e Via)	BY 3
Popolo (Corso del)	BZ
20 Settembre (Via)	BY 24
Filippini (Via)	BY 2
Monte di Pietà (Piazza)	BY 4
Municipio (Via)	BY 6
Palestro (Via)	CY 7
Pescheria (Via)	CY 10
Regg. Italia Libera (Via)	CZ 12
S. Antonio da Padova (Vle)	BY 13
S. Caterina (Via)	CY 14
S. Francesco (Pza e Via)	CY 15
S. Leonardo (Pza e Via)	CY 16
S. Parisio (Via)	CY 17
S. Vito (Piazza e Via)	BY 19
Signori (Piazza dei)	BY 21
Vittoria (Piazza della)	BZ 23

✗ **Villa Valentina** con cam, via della Rena 96 ℘ 9019038, ≤, « Servizio estivo all'aperto », ✿
– ☎ ℗. ⚠ ✗
chiuso novembre – Pas *(chiuso mercoledì)* carta 25/37000 – ☷ 5000 – 20 cam 35/60000 –
P 55/60000.

✗ **La Grotta Azzurra,** piazza Vittorio Emanuele 18 ℘ 9019420, ≤, prenotare, « Servizio estivo
in giardino » – ⚠ ✗
*chiuso martedì e dal 24 al 31 dicembre; da novembre a febbraio chiuso la sera (escluso sabato
e domenica)* – Pas carta 28/37000.

TREVISO 31100 ℗ 🆂🆂🆂 ⑤ – 84 745 ab. alt. 15 – ✆ 0422.

Vedere Piazza dei Signori★ BY 21 : palazzo dei Trecento★ A, affreschi★ nella chiesa di Santa Lucia
B – Chiesa di San Nicolò★ AZ – Museo Civico Bailo★ AY M.

✈ San Giuseppe, SO : 5 km AZ ℘ 20393 – Alitalia, via Collalto 3 ℘ 579433.

🛈 via Toniolo 41 ℘ 547632 – **A.C.I.** piazza San Pio X ℘ 547801.

Roma 541 ④ – ◆Bolzano 197 ⑤ – ◆Milano 264 ④ – ◆Padova 50 ④ – ◆Trieste 145 ② – ◆Venezia 30 ④.

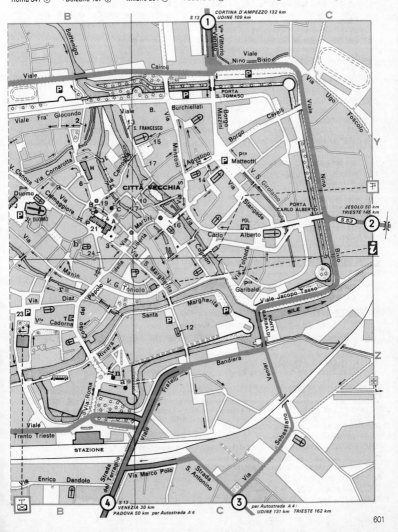

🏩 **Continental** senza rist, via Roma 16 ℰ 57216, Telex 420385, Fax 55054 – 劇 ▤ 🆅 ☎ – 🚗 50
a 100. 🖽 🕄 ⓞ 🖻 𝘝𝘐𝘚𝘈
82 cam ⊆ 102/155000.　　　　　　　　　　　　　　　　　　　　　　　　　　BZ **n**

🏩 **Cà del Galletto**, via Santa Bona Vecchia 30 ℰ 23831, Fax 262872, ℀ – 劇 ⇆ ▤ 🆅 ☎ & ⓞ
– 🚗 25. 🖽 🕄 ⓞ 🖻 𝘝𝘐𝘚𝘈. ℀　　　　　　　　　　　per viale Luzzatti　AY
Pas vedere rist Da Marian – ⊆ 7000 – **50 cam** 61/105000.

🏨 **Al Foghèr**, viale della Repubblica 10 ℰ 20686 – 劇 ▤ 🆅 ☎ ⓟ – 🚗 90. 🖽 🕄 ⓞ 𝘝𝘐𝘚𝘈. ℀
Pas vedere rist Al Foghèr – ⊆ 8000 – **48 cam** 56/92000, ▤ 6000 – P 96/106000.　　per ⑤

🏨 **Carlton** senza rist, largo Porta Altinia 15 ℰ 55221, Telex 410041, Fax 579793 – 劇 ▤ ☎ ⓟ. 🖽
🕄 🖻 𝘝𝘐𝘚𝘈. ℀　　　　　　　　　　　　　　　　　　　　　　　　　　　　BZ **a**
⊆ 7000 – **93 cam** 60/100000, ▤ 5000.

🏨 **Scala**, viale Felissent 1 ℰ 670600 – ▤ 🆅 ☎ ⓟ. 🖽 🕄 ⓞ 🖻 𝘝𝘐𝘚𝘈. ℀ rist　　　　per ①
Pas (chiuso lunedì e dal 2 al 22 agosto) carta 24/36000 – ⊆ 7000 – **20 cam** 60/89000.

🏩 **Campeol**, piazza Ancillotto 10 ℰ 540871 – ☎. 🖽 🕄 ⓞ 🖻 𝘝𝘐𝘚𝘈. ℀　　　　　　BY **c**
Pas vedere rist Beccherie – ⊆ 5000 – **16 cam** 34/61000.

XXX ✿ **Alfredo-Relais El Toulà**, via Collalto 26 ℰ 540275 – ▤. 🖽 🕄 ⓞ 𝘝𝘐𝘚𝘈　　　BZ **r**
chiuso domenica sera, lunedì e dal 26 luglio al 25 agosto – Pas carta 43/60000 (13%)
Spec. Salmone crudo marinato alle erbe aromatiche, Petto d'anatra agli agrumi, Filetti di rombo al Prosecco ed
erba cipollina. **Vini** Venegazzù bianco, Cabernet.

XX **Al Bersagliere**, via Barberia 21 ℰ 541988 – ▤. 🖽 🕄 ⓞ 🖻 𝘝𝘐𝘚𝘈　　　　　　　BY **b**
chiuso domenica e dal 1° al 16 agosto – Pas carta 31/45000.

XX **L'Incontro**, largo Porta Altinia 13 ℰ 547717 – ▤. ℀　　　　　　　　　　　　BZ **a**
chiuso mercoledì, giovedì a mezzogiorno ed agosto – Pas carta 39/51000 (12%).

XX **Beccherie**, piazza Ancillotto 10 ℰ 540871 – ▤. 🖽 🕄 ⓞ 🖻 𝘝𝘐𝘚𝘈. ℀　　　　BY **c**
chiuso giovedì sera, venerdì e dal 14 al 31 luglio – Pas carta 32/44000.

XX **Al Foghèr**, viale della Repubblica 10 ℰ 21687 – ▤ ⓟ. 🖽 🕄 ⓞ 𝘝𝘐𝘚𝘈. ℀　　　per ⑤
chiuso domenica ed agosto – Pas carta 25/38000.

XX **Da Marian**, via Santa Bona Vecchia 30 ℰ 260372 – ▤ ⓟ　　　　per viale Luzzati　AY
chiuso domenica sera, lunedì e dal 1° al 20 agosto – Pas carta 23/36000.

X **All'Antica Torre**, via Inferiore 55 ℰ 53694 – ▤. 🖽 ⓞ 𝘝𝘐𝘚𝘈. ℀　　　　　　BY **a**
chiuso domenica e agosto – Pas carta 32/51000.

Vedere anche : *Preganziol* per ④ : 7 km.

ALFA-ROMEO strada Noalese 72/b per ⑤ ℰ 262401
BMW viale della Repubblica 232 ℰ 670445
CITROEN viale della Repubblica 261 ℰ 63344
FIAT via Monte Grappa 27/a per ⑤ ℰ 21791
FORD viale della Repubblica 265 ℰ 62338
FORD a Villorba, viale della Repubblica 19 ℰ 63725
GM-OPEL a Lancenigo, viale Felissent 58 ℰ 62377
LANCIA-AUTOBIANCHI strada del Terraglio 45/a per
④ ℰ 547309
MERCEDES-BENZ strada Noalese 72/d ℰ 22090

PEUGEOT-TALBOT a Villorba, via Roma 141 ℰ
919053
PEUGEOT-TALBOT viale della Repubblica 14 ℰ
20730
RENAULT via San Francesco di Sales 1 ℰ 260200
RENAULT via Terraglio 150 ℰ 541926
VW-AUDI a Lancenigo, via Roma 153 ℰ 919555
VW-AUDI viale della Repubblica 278 ℰ 65743
VOLVO a Lancenigo, via Roma 2 ℰ 919670

TREZZANO SUL NAVIGLIO 20090 Milano 𝟤𝟣𝟫 ⑱ – 19 709 ab. alt. 116 – ✿ 02.
Roma 577 – ✦Milano 11 – Novara 50 – Pavia 36.

X **El Negher**, via Vittorio Veneto 36 ℰ 4451113, 🌳 – ⓟ. ℀
chiuso sabato ed agosto – Pas carta 37/61000 (12%).

TRICESIMO 33019 Udine 𝟫𝟪𝟪 ⑥ – 6 754 ab. alt. 198 – ✿ 0432.
Roma 650 – ✦Milano 389 – ✦Trieste 83 – Udine 12 – ✦Venezia 139.

🏩 ✿ **Boschetti**, piazza Mazzini 10 ℰ 851230, Fax 851216 – 劇 ▤ rist 🆅 ☎ ⓟ. 🖽 🕄 ⓞ 𝘝𝘐𝘚𝘈.
℀ rist
chiuso dal 5 al 20 agosto – Pas *(chiuso lunedì)* carta 42/61000 (12%) – ⊆ 10000 – **32 cam**
70/100000 – P 120000
Spec. Zuppa di orzo fagioli e trippe, Spaghetti alla Boschetti, Capesante alla gradese. **Vini** Tocai, Cabernet.

TRIESTE 34100 𝗣 𝟫𝟪𝟪 ⑥ – 237 191 ab. – ✿ 040.
Vedere Colle San Giusto✶✶ AY – Piazza della Cattedrale✶ AY **9** – Basilica di San Giusto✶ AY :
mosaico✶✶ nell'abside, ⇐✶ su Trieste dal campanile – Collezioni di armi antiche✶ nel castello AY –
Vasi greci✶ e bronzetti✶ nel museo di Storia e d'Arte AY **M1** – Piazza dell'Unità d'Italia✶ AY –
Museo del Mare✶ AY : sezione della pesca✶✶.

Dintorni Castello di Miramare✶ : giardino✶ per ① : 8 km – ⇐✶✶ su Trieste e il golfo dal Belvedere
di Villa Opicina per ③ : 9 km – ✶✶ dal santuario del Monte Grisa per ① : 10 km.

🔝 (chiuso martedì), ℰ 226159, per ② : 7 km – 🛫 di Ronchi dei Legionari per ① : 32 km ℰ (0481)
7731 – Alitalia, Agenzia Cosulich, piazza Sant'Antonio 1 🖂 34122 ℰ 68017.

🛈 Castello di San Giusto 🖂 34121 ℰ 762032 – Stazione Centrale 🖂 34135 ℰ 420182.

A.C.I. via Cumano 2 🖂 34139 ℰ 393225.

Roma 669 ① – Ljubljana 100 ② – ✦Milano 408 ① – ✦Venezia 158 ① – ✦Zagreb 236 ②.

Pianta pagine seguenti

🏨 **Duchi d'Aosta e Rist. Harry's Grill,** via dell'Orologio 2 ⊠ 34121 𝒫 62081, Telex 460358, Fax 62251 – |≱| ▤ 🗺 ☎ – 🅰 30. 🆎 🔃 ⓞ ⴹ 𝘝𝘐𝘚𝘈. 𝒮𝒮 rist AY r
Pas carta 48/85000 – 🖙 17500 – **52 cam** 155/210000 appartamenti 380000 – P 198/285000.

🏨 **Savoia Excelsior Palace,** riva del Mandracchio 4 ⊠ 34124 𝒫 7690, Telex 460503, Fax 77733, ⟨ – |≱| ▤ 🗺 ☎ – 🅰 25 a 200. 🆎 🔃 ⓞ ⴹ 𝘝𝘐𝘚𝘈. 𝒮𝒮 rist AY e
Pas (chiuso domenica) carta 37/51000 – **154 cam** 🖙 160/220000 – P 152/174000.

🏨 **Jolly,** Corso Cavour 7 ⊠ 34132 𝒫 7694, Telex 460139, Fax 362699 – |≱| ▤ 🗺 ☎ – 🅰 50 a 300. 🆎 🔃 ⓞ ⴹ 𝘝𝘐𝘚𝘈. 𝒮𝒮 rist AX y
Pas 44000 – **163 cam** 🖙 150/210000.

🏨 **Colombia** senza rist, via della Geppa 18 ⊠ 34132 𝒫 69434, Fax 68729 – |≱| ☎ 🕭. 🆎 🔃 ⓞ ⴹ 𝘝𝘐𝘚𝘈 AX a
🖙 11500 – **40 cam** 59/92000.

🏨 **San Giusto,** via Belli 3 ⊠ 34137 𝒫 764824 – |≱| ☎ ↤. 🆎 ⓞ. 𝒮𝒮 rist BZ b
Pas (solo per clienti alloggiati e chiuso a mezzogiorno) carta 26/38000 – 🖙 8000 – **60 cam** 59/92000.

🏨 **Abbazia** senza rist, via della Geppa 20 ⊠ 34132 𝒫 61330 – |≱| ☎. 🆎 🔃 ⓞ ⴹ 𝘝𝘐𝘚𝘈 AX a
🖙 8000 – **21 cam** 57/88000.

XX **Antica Trattoria Suban,** via Comici 2 ⊠ 34128 𝒫 54368, « Servizio estivo sotto un pergolato » – 🆎 🔃 ⴹ 𝘝𝘐𝘚𝘈. 𝒮𝒮 per via Giulia CX
chiuso lunedì a mezzogiorno, martedì, dal 26 dicembre al 7 gennaio e dal 1° al 15 agosto – Pas carta 36/60000.

XX **Grifone,** viale Miramare 133 ⊠ 34136 𝒫 414274, « Servizio estivo sotto un pergolato » – 🆎 🔃 ⓞ ⴹ 𝘝𝘐𝘚𝘈. 𝒮𝒮 per ① CX
chiuso martedì e gennaio – Pas carta 27/40000.

XX **L'Ambasciata d'Abruzzo,** via Furlani 6 ⊠ 34149 𝒫 730330, Specialità abruzzesi – Ⓟ. 🆎 ⓞ CZ x
chiuso lunedì – Pas carta 27/36000.

XX **Al Bragozzo,** via Nazario Sauro 22 ⊠ 34123 𝒫 303001, 🍴 – ▤. 🔃 ⓞ ⴹ 𝘝𝘐𝘚𝘈. 𝒮𝒮 AY a
chiuso lunedì, dal 20 dicembre al 10 gennaio e dal 20 giugno al 10 luglio – Pas carta 28/42000 (12%).

XX **Al Granzo,** piazza Venezia 7 ⊠ 34123 𝒫 306788, 🍴 – 🆎 🔃 ⓞ 𝘝𝘐𝘚𝘈 AY a
chiuso mercoledì – Pas carta 28/42000.

X **Menarosti,** via del Toro 12 ⊠ 34125 𝒫 730256 – ▤. 🆎 🔃 ⴹ 𝘝𝘐𝘚𝘈. 𝒮𝒮 BXY r
chiuso venerdì sera, sabato ed agosto – Pas carta 23/40000.

X **Trattoria alle Cave-da Mario,** via Valerio 142 ⊠ 34128 𝒫 54555, 🍴 – Ⓟ. 𝒮𝒮 per ②
chiuso martedì – Pas carta 35/48000.

X **Allo Squero,** viale Miramare 42 ⊠ 34135 𝒫 410884, « Servizio estivo all'aperto con ⟨ » – Ⓟ. 𝒮𝒮 per ①
chiuso domenica sera, lunedì e da gennaio al 1° marzo – Pas carta 25/36000 (10%).

X ⊛ **Tavernetta da Silvio,** via del Lloyd 15 ⊠ 34143 𝒫 304403, Coperti limitati; prenotare
chiuso dal 15 luglio al 28 agosto, domenica e dal 15 maggio al 30 settembre anche sabato – Pas carta 50/60000 AZ s
Spec. Antipasto di frutti di mare, Crostacei caldi, Spaghetti e scampi in Busara (sugo di scampi freschi). Vini Pinot Grigio, Refosco.

X **Da Dino,** salita Promontorio 2 ⊠ 34123 𝒫 305094 – 𝒮𝒮 AY c
chiuso domenica e dal 25 luglio al 25 agosto – Pas carta 24/38000.

Vedere anche : **Prosecco** per ① : 9 km.
Villa Opicina N : 11 km.
Muggia per ③ : 11 km.
Pese per ② : 13 km.
Monrupino N : 16 km.
Sistiana per ① : 19 km.
Duino Aurisina per ① : 22 km.

ALFA-ROMEO via Caboto 22 per ③ 𝒫 823415
BMW via Flavia-zona Industriale 𝒫 827032
CITROEN strada della Rosandra 2 𝒫 281187
FIAT via di Campo Marzio 18 𝒫 304301
FIAT via-Flavia 120 per ③ 𝒫 281166
FIAT via dei Giacinti 2 per ① 𝒫 411950
FIAT via Flavia 104 per ③ 𝒫 827231
FORD via Caboto 24 𝒫 826181
GM-OPEL via della Ginnastica 56 𝒫 724211
GM-OPEL strada della Rosandra 2 𝒫 820256
INNOCENTI via Fabio Severo 42/48 𝒫 569121

LANCIA-AUTOBIANCHI via Flavia 55 per ③ 𝒫 820204
LANCIA-AUTOBIANCHI via Piccardi 16 𝒫 360966
MASERATI via Fabio Severo 46 𝒫 569122
PEUGEOT-TALBOT via Flavia 47 𝒫 827782
RENAULT salita Promontorio 8 𝒫 303220
RENAULT via Flavia 118 𝒫 281212
VW-AUDI via Fabio Severo 50/52 𝒫 568332
VW-AUDI strada della Rosandra 2 𝒫 281181
VOLVO strada della Rosandra 50 𝒫 830308

TRIESTE

★ PZA DELL'UNITÀ D'ITALIA
★★ COLLE SAN GIUSTO
★ MUSEO DEL MARE

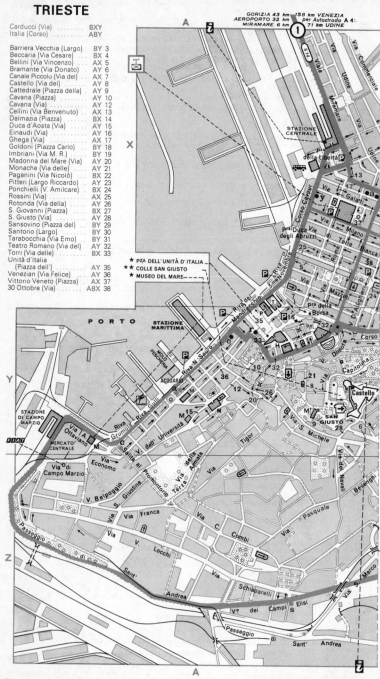

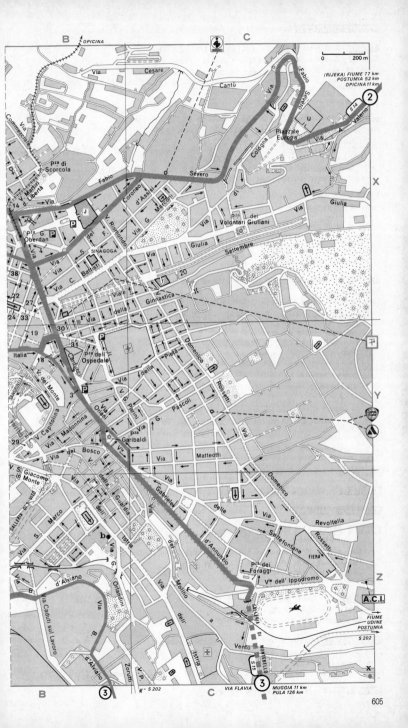

TRINITÀ D'AGULTU Sassari 988 ㉓ – Vedere Sardegna alla fine dell'elenco alfabetico.

TRINO 13039 Vercelli 988 ⑫ – 8 421 ab. alt. 130 – ✆ 0161.
Roma 623 – Alessandria 42 – ◆Milano 103 – ◆Torino 58 – Vercelli 19.

   ✗ **Massimo** con cam, via Giolito Ferrari 7 ✆ 81325 – 🖭
   ◆ chiuso agosto – Pas (chiuso lunedì) carta 17/35000 – � 2500 – **11 cam** 20/45000, 🖾 3000 –
      P 48000.

FIAT strada statale 31 bis al km 30 ✆ 81375

TRIORA 18010 Imperia 988 ⑫, 195 ㉒ – 449 ab. alt. 776 – ✆ 0184.
Roma 661 – ◆Genova 162 – Imperia 45 – ◆Milano 285 – San Remo 37.

   🏛 **Colomba d'Oro,** ✆ 94051, ≼, 🍴 – 🍴 🅿. 🛳
      Pas (chiuso lunedì, martedì e dall' 8 gennaio a Pasqua) carta 25/35000 – � 4500 – **28 cam**
      (15 aprile-ottobre) 25/40000 – P 42/47000.
   ✗ **Santo Spirito,** a Molini di Triora E : 5 km ✆ 94019 – ≼≽. 🆎 ⑧ ⑩ Ⓔ 𝘝𝘐𝘚𝘈
   ◆ chiuso mercoledì da maggio a settembre – Pas carta 16/25000.

TRISSINO 36070 Vicenza – 7 257 ab. alt. 221 – ✆ 0445.
Roma 550 – ◆Milano 204 – ◆Verona 51 – Vicenza 21.

   XXX ❀ **Cà Masieri** 🦐 con cam, O : 2 km ✆ 962100, prenotare, « Servizio estivo all'aperto » – 📺
      ☎ 🅿. 🆎 ⑩. 🛳
      chiuso dal 24 dicembre al 10 gennaio – Pas (chiuso domenica e lunedì a mezzogiorno)
      carta 41/62000 – ⊏byr 10000 – **8 cam** 65/95000
      Spec. Insalata di funghi capesante e gamberi allo zenzero, Tortelli di fonduta con crescione, Petto d'anitra con
      finferli e ribes. Vini Ribolla Gialla, Cabernet.

TROPEA 88038 Catanzaro 988 ㊲㊳ – 7 215 ab. – ✆ 0963.
Vedere Cattedrale★.
Roma 636 – Catanzaro 92 – ◆Cosenza 121 – Gioia Tauro 77 – ◆Reggio di Calabria 140.

   🏨 **La Pineta,** ✆ 61700, 🛳 – 🖾 ☎ 🅿 – 🔬 60. 𝘝𝘐𝘚𝘈. 🛳 rist
      aprile-ottobre – Pas 25/35000 – ⊏byr 5000 – **59 cam** 120000 – P 83/115000.
   🏛 **Virgilio,** ✆ 61978 – 🛗 ☞ 🚗. 🆎 ⑧ ⑩ Ⓔ 𝘝𝘐𝘚𝘈. 🛳 rist
   ◆ Pas 15/19000 – ⊏byr 4000 – **48 cam** 49/82000 – P 65/75000.
   XX **Pimm's,** ✆ 61903, Coperti limitati; prenotare
      aprile-settembre – Pas carta 24/36000 (10%).

     a San Nicolò di Ricadi SO : 9 km – ✉ 88030 :

   ✗ **La Fattoria,** località Torre Ruffa ✆ 63070 – 🅿. 🛗 ⑩. 🛳
      giugno-settembre – Pas carta 22/28000.

     a Capo Vaticano SO : 10 km – ✉ 88030 San Nicolò di Ricadi :

   🏨 **Park Hotel-Santa Maria** 🦐, ✆ 63121, ≼, 🔬, 🍴, 🛳 – 🛗 ☞ 🅿. 🛳 rist
      maggio-settembre – Pas (solo per clienti alloggiati) 26/36000 – ⊏byr 5000 – **53 cam** 50/76000 –
      P 65/95000.
   🏛 **Punta Faro** 🦐, ✆ 63139 – ≼≽ cam 🅿. 🛗 Ⓔ. 🛳
   ◆ giugno-settembre – Pas carta 18/24000 – 25 cam ⊏byr 30/60000 – P 60/62000.

     Vedere anche : **Drapia** SE : 4 km.

TRUCCO Imperia 195 ⑲, 84 ㉒ – Vedere Ventimiglia.

TRULLI (Regione dei) ★★★ Bari e Taranto – Vedere Guida Verde.

TUBRE (TAUFERS IM MÜNSTERTAL) 39020 Bolzano 988 ④, 218 ⑦⑰ – 947 ab. alt. 1 230 – a.s.
aprile e luglio-settembre – ✆ 0473.
Roma 728 – ◆Bolzano 91 – Merano 63 – ◆Milano 246 – Passo di Resia 37 – Trento 149.

   🏨 **Agnello-Lamm,** ✆ 82168, ≼, 🗔 – 🛗 ☎ 🅿. 🛳 rist
      chiuso dal 12 gennaio al 1° febbraio e dal 10 novembre al 20 dicembre – Pas (chiuso mercoledì)
      carta 21/30000 – **29 cam** ⊏byr 35/65000 – P 54/59000, b.s. 50/53000.

TUENNO 38019 Trento 218 ⑲ – 2 216 ab. alt. 629 – a.s. dicembre-aprile – ✆ 0463.
Dintorni Lago di Tovel★★★ SO : 11 km.
Roma 621 – ◆Bolzano 59 – ◆Milano 275 – Trento 37.

TRAVERSELLA 10080 Torino – 522 ab. alt. 827 – ✆ 0125.
Roma 703 – Aosta 91 – ◆Milano 14 – ◆Torino 70.

   🏛 **Tuenno,** ✆ 40454 – 🛗 ☞. 🛳
      chiuso dal 7 al 14 gennaio – Pas carta 21/31000 – ⊏byr 5000 – **19 cam** 35/60000 – P 50000.

TULVE (TULFER) Bolzano – Vedere Vipiteno.

TURBIGO 20029 Milano **219** ⑰ – 7 170 ab. alt. 146 – ✿ 0331.

Roma 624 – Como 69 – ♦Milano 50 – Novara 14 – Stresa 58 – Varese 37.

🏠 **Le Giare,** via Stazione ⌖ 890205 – 🛉 – 🏧 90. 🝢 ⓞ. ⚘
chiuso dall'8 al 28 agosto – Pas *(chiuso domenica)* carta 24/36000 – ⋤ 5000 – **18 cam** 27/45000 – P 57000.

PEUGEOT-TALBOT via 25 Aprile 39 ⌖ 899374

TUSCANIA 01017 Viterbo **988** ㉕ – 7 642 ab. alt. 166 – ✿ 0761.

Vedere Chiesa di San Pietro★★ : cripta★★ – Chiesa di Santa Maria Maggiore★ : portali★★.

Roma 89 – Civitavecchia 44 – Orvieto 54 – Siena 144 – Tarquinia 25 – Viterbo 24.

✕ **Al Gallo** con cam, via del Gallo 24 ⌖ 435028, 🏖 – 🖲 ⓞ. ⚘ cam
Pas *(chiuso martedì)* carta 20/30000 – ⋤ 4000 – 19 cam 20/37000 – P 50000.

Entrez à l'hôtel le Guide à la main, vous montrerez ainsi
qu'il vous conduit là en confiance.

UDINE 33100 🄿 **988** ⑥ – 99 883 ab. alt. 114 – ✿ 0432.

Vedere Piazza della Libertà★★ AY 14 – Decorazioni interne★ nel Duomo ABY B – Affreschi★ nel palazzo Arcivescovile BY A.

🛆 (chiuso martedì) a Fagagna ⌖ 33034 ⌖ 800418, O : 15 km per via Martignacco AY.

✈ di Ronchi dei Legionari per ③ : 37 km ⌖ (0481) 7731 – Alitalia, Agenzia Paretti, via Cavour 1 ⌖ 293940.

🯄 piazza Patriarcato angolo via dei Missionari ⌖ 295972.

A.C.I. viale Tricesimo 46 per ① ⌖ 482565.

Roma 638 ④ – ♦Milano 377 ④ – ♦Trieste 71 ④ – ♦Venezia 127 ④.

Pianta pagina seguente

🏨 **Astoria Hotel Italia,** piazza 20 Settembre 24 ⌖ 505091, Telex 450120, Fax 505091 – 🛉 🔲
📺 🕿 🕭, ⇌ – 🏧 50 a 400. 🝢 🖲 ⓞ ⋿ 🝡. ⚘ rist   AZ **a**
Pas carta 30/49000 (15%) – ⋤ 15000 – **80 cam** 114/149000 appartamento 220000 –
P 144/174000.

🏨 **Ambassador Palace,** via Carducci 46 ⌖ 503777, Telex 450538 – 🛉 🔲 📺 🕿 ⇌ – 🏧 200.
🝢 🖲 ⓞ ⋿ 🝡. ⚘ rist   BZ **b**
Pas carta 32/54000 – ⋤ 15000 – **87 cam** 114/149000 appartamento 149/250000 – P 155/195000.

🏨 **Là di Moret,** viale Tricesimo 276 ⌖ 471250, Fax 471250, 🚙, ⚘ – 🛉 ⇆ 📺 🕿 ⇌ 🅿 – 🏧
200. 🖲 ⓞ ⋿ 🝡. ⚘ rist   per ①
Pas carta 25/40000 – ⋤ 6000 – **46 cam** 49/80000 – P 86000.

🏨 **Cristallo,** piazzale D'Annunzio 43 ⌖ 501919 – 🛉 🕭 ⇌ – 🏧 90. 🝢 🖲 ⓞ 🝡. ⚘ rist   BZ **x**
Pas *(chiuso domenica)* carta 26/42000 – ⋤ 6000 – **81 cam** 44/78000 – P 70/87000.

🏨 **President** senza rist, via Duino 8 ⌖ 292905 – 🛉 🕭 🕭, ⇌ – 🏧 30. 🝢 🖲 ⓞ ⋿ 🝡. ⚘
⋤ 9000 – **67 cam** 50/82000, 🔲 6000.   BY **b**

🏨 **Continental,** viale Tricesimo 73 ⌖ 46969 – 🛉 🕭 🕭, ⇌ 🅿 – 🏧 100. ⚘ rist   per ①
Pas 25000 – ⋤ 9000 – **60 cam** 45/75000 – P 70000.

🏨 **San Giorgio,** piazzale Cella 4 ⌖ 505577 – 🛉 🕿 🅿. 🝢 🖲 ⓞ ⋿ 🝡. ⚘ rist   AZ **c**
Pas *(chiuso lunedì)* carta 21/38000 – ⋤ 7000 – **37 cam** 49/80000 – P 60/70000.

🏨 **Principe,** viale Europa Unita 51 ⌖ 501625 – 🛉 🕿 🅿. 🝢 🖲 ⓞ ⋿ 🝡. ⚘
Pas carta 20/29000 – ⋤ 6000 – 29 cam 48/80000 – P 65/70000.   BZ **u**

🏠 **Quo Vadis e Rist. Al Cavallino,** piazzale Cella 28 ⌖ 21091 – 🕿 🅿. ⚘   AZ **b**
Pas carta 20/31000 – ⋤ 5000 – **14 cam** 30/48000 – P 50/45000.

✕✕ **Antica Maddalena,** via Pelliccerie 4 ⌖ 25111 – 🝢 🖲 ⋿ 🝡. ⚘   AY **e**
chiuso domenica, lunedì a mezzogiorno e dal 10 al 30 agosto – Pas carta 26/42000 (15%).

✕✕ **Alla Buona Vite,** via Treppo 10 ⌖ 21053 – 🔲. 🝢 ⓞ 🝡   BY **a**
chiuso domenica sera, lunedì ed agosto – Pas carta 31/51000 (12%).

✕ **Alla Vedova,** via Tavagnacco 9 ⌖ 470291, « Servizio estivo in giardino » – 🅿. ⚘   per ①
chiuso domenica sera, lunedì e dal 1° al 21 agosto – Pas carta 26/37000.

✕ **Vitello d'Oro,** via Valvason 4 ⌖ 291982, 🏖 – 🔲. 🝢 🖲 ⓞ ⋿ 🝡   AY **n**
chiuso mercoledì e luglio – Pas carta 25/40000 (12%).

✕ **Gambrino,** via Aquileia 19 ⌖ 295486 – ⚘   BZ **a**
chiuso agosto, sabato e in luglio anche domenica sera – Pas carta 22/42000.

✕ **Al Lepre,** via Poscolle 27 ⌖ 295798 – 🝢 ⓞ 🝡. ⚘   AZ **r**
chiuso domenica ed agosto – Pas carta 22/33000.

ALFA-ROMEO via dei Tre Galli-angolo viale Palma-
nova 241 per ③ ⌖ 601381
CITROEN via San Rocco 10 ⌖ 530692
FIAT viale Tricesimo 2 per ① ⌖ 470321

FIAT viale Venezia 14 ⌖ 35707
GM-OPEL via Marano Lagunare 31 ⌖ 602523
RENAULT via Cividale, ang. via Tolmino ⌖ 284286

UDINE

Libertà (Piazza della)	AY 14
Mercato Vecchio (Via)	AY 19
Vittorio Veneto (Via)	BY 23

Bartolini (Via)	AY 3
Calzolai (Via)	BZ 4
Carducci (Via)	BZ 5
Cavour (Via)	AY 7
Cavedalis (Piazzale G. B.)	AY 6
D'Annunzio (Piazzale)	BZ 8
Diacono (Piazzale Paolo)	AY 9
Gelso (Via del)	AZ 12
Leopardi (Viale G.)	BZ 13
Manin (Via)	BY 16
Marconi (Piazza)	AY 17
Matteotti (Piazza)	AY 18
Patriarcato (Piazza)	BY 20
Piave (Via)	BYZ 21
Rialto (Via)	AY 22
26 Luglio (Piazzale)	AZ 24

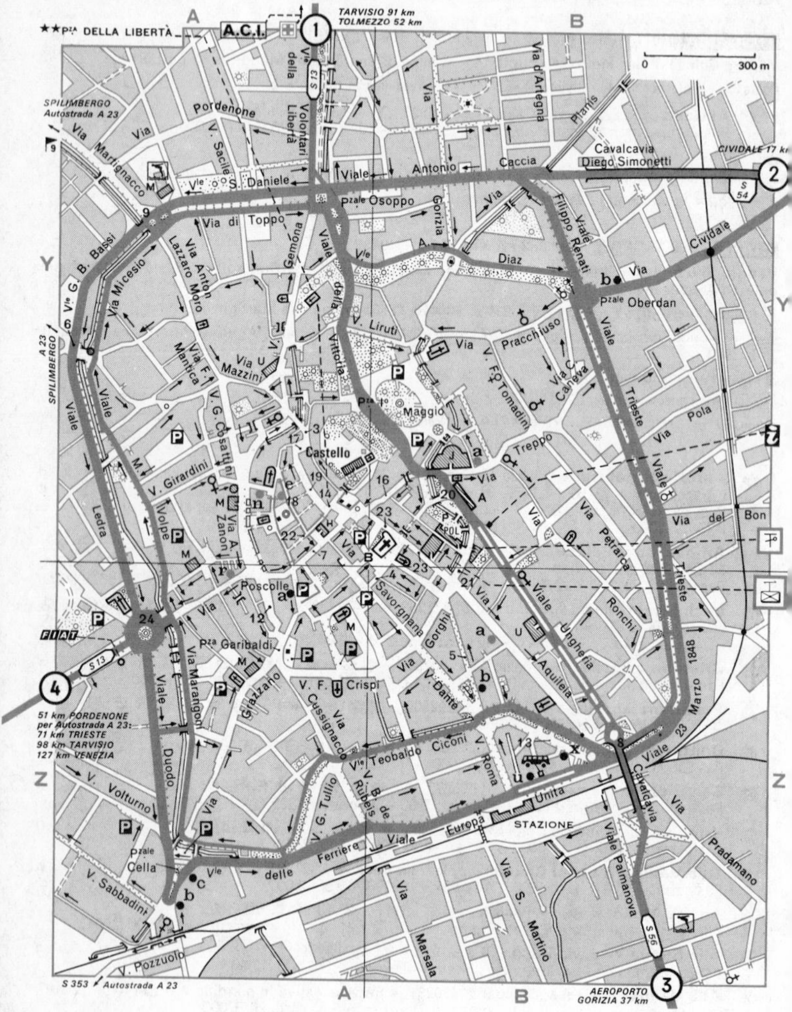

« Scoprite » l'**Italia** con la guida Verde Michelin :

descrizione dettagliata dei paesaggi pittoreschi e delle "curiosità" ;
storia e geografia ;
musei e belle arti ;
itinerari regionali ;
piante topografiche di città e monumenti.

ULTEN = Ultimo.

ULTIMO (ULTEN) Bolzano 🗠🗠 ⑲ – 2 957 ab. alt. (frazione Santa Valburga) 1 190 – a.s. febbraio-aprile, luglio-settembre e Natale – 🕿 0473.

Da Santa Valburga : Roma 680 – ◆Bolzano 43 – Merano 28 – ◆Milano 341 – Trento 102.

a San Nicolò (St. Nikolaus) SO : 8 km – alt. 1 256 – ⊠ 39010 :

🏛 **Waltershof** 🗠, ℰ 79144, ≼, 🗠, 🗠, 🗠 – 🕿 🅿, 🗠. 🗠 rist
chiuso dal 2 aprile al 15 maggio e da novembre al 19 dicembre – Pas *(chiuso a mezzogiorno)* – 20 cam (solo ½ P) 70000, b.s. 52/64000.

a Santa Gertrude (St. Gertraud) SO : 13 km – alt. 1 501 – ⊠ 39010 :

✗ 🕸 **Genziana-Enzian** 🗠 con cam, al lago di Fontana Bianca O : 6 km, alt. 1 870, ℰ 79133, ≼, 🗠, Coperti limitati; prenotare – 🅿. 🗠
chiuso da novembre al 26 dicembre – Pas *(chiuso giovedì sera e venerdì)* carta 25/42000 – **8 cam** 🗠 24/45000 – ½ P 40/45000, b.s. 38/40000
Spec. Biscotto di salmone, Capriolo alla moda dello chef (autunno-inverno), Soufflè di papavero. Vini Weissburgunder, Santa Magdalena.

UMBERTIDE 06019 Perugia 🗠🗠🗠 ⑮ – 14 398 ab. alt. 247 – 🕿 075.

Roma 200 – Arezzo 63 – ◆Perugia 31 – Siena 109.

🏛 **Rio**, strada statale S : 1 km ℰ 935033 – 🗠 🕿 🗠 🗠 🅿 – 🗠 500. 🗠 🗠 🗠. 🗠
Pas *(chiuso lunedì)* carta 21/37000 – 🗠 4000 – **40 cam** 45/65000 – P 60/67000.

a Santa Maria di Sette N : 3 km – ⊠ 06014 Montone :

✗ **Il Rustichello,** ℰ 935291 – 🅿
chiuso martedì – **Pas** carta 24/35000.

URBINO 61029 Pesaro e Urbino 🗠🗠🗠 ⑮⑯ – 15 582 ab. alt. 451 – 🕿 0722.

Vedere Palazzo Ducale★★ : studiolo★★★, galleria nazionale delle Marche★★ M – Strada panoramica★★ : ≼★★ – Affreschi★★ nella chiesa-oratorio di San Giovanni Battista F – Presepio★ nella chiesa di San Giuseppe B – Casa di Raffaello★ A – 🗠 via Puccinotti 35 ℰ 2441.

Roma 270 ② – ◆Ancona 103 ① – Arezzo 107 ③ – Fano 47 ② – ◆Perugia 101 ② – Pesaro 36 ①.

URBINO

Non fate rumore
negli alberghi :
i vicini vi saranno
riconoscenti.

Ne faites pas de bruit
à l'hôtel,
vos voisins
vous en sauront gré.

🏨 **Bonconte** senza rist, via delle Mura 28 ℰ 2463 – 📺 ☎. 🖭 ⓪   n
　　 ⌖ 9000 – **20 cam** 58/79000.

🏠 **Raffaello** senza rist, via Santa Margherita 40 ℰ 4896 – ⧫ ☎   y
　　 ⌖ 8000 – **16 cam** 48/63000.

%% **Vecchia Urbino,** via dei Vasari 3/5 ℰ 4447 – 🖭 🛐 ⓪ 📧 𝘝𝘐𝘚𝘈. ⋙   b
　　 chiuso martedì da ottobre a marzo – Pas carta 30/46000.

% **Nuovo Coppiere,** via Porta Maja 20 ℰ 320092 – 🖭 🛐 ⓪ 📧 𝘝𝘐𝘚𝘈   e
　　 chiuso mercoledì e febbraio – Pas carta 25/38000 (10%).

USMATE VELATE 20040 Milano 🗺🗺🗺 ⑱ – 6 738 ab. alt. 231 – ✪ 039.
Roma 596 – ✦Bergamo 30 – Lecco 26 – ✦Milano 26 – Monza 9,5.

%% **Il Chiodo,** ℰ 674275 – ▦ ⓪
　　 chiuso mercoledì e dal 10 al 20 agosto – Pas carta 43/56000.

USSITA 62030 Macerata – 463 ab. alt. (frazione Fluminata) 737 – a.s. luglio-agosto e Natale –
Sport invernali : a Frontignano : 1 342/2 155 m ≼5 ≼5 (anche sci estivo) – ✪ 0737.
Roma 184 – ✦Ancona 132 – Macerata 71 – Spoleto 54 – Terni 74.

🏠 **Ussita,** ℰ 99171, ⋙ – ⧫ 🕮. 🛐 ⓪ 𝘝𝘐𝘚𝘈. ⋙
➡   chiuso dal 24 settembre al 22 ottobre – Pas (20 dicembre-25 aprile e 10 giugno-23 settembre)
　　 carta 17/26000 – ⌖ 4500 – **24 cam** 32/52000 – P 45/55000.

a Frontignano S : 9 km – alt. 1 342 – ✉ **62030** Ussita :

🏠 **Bove,** ℰ 90126, ≼ – 🕮 🅿. ⓪
➡   20 dicembre-15 aprile e 20 giugno-agosto – Pas 19000 – ⌖ 5000 – **45 cam** 31/50000 –
　　 P 52000, b.s. 45000.

USTICA (Isola di) Palermo 🗺🗺🗺 ㉟ – Vedere Sicilia alla fine dell'elenco alfabetico.

VACALLO 🗺🗺🗺 ⑧ – Vedere Cantone Ticino alla fine dell'elenco alfabetico.

VADA 57018 Livorno – a.s. 15 giugno-15 settembre – ✪ 0586.
Roma 292 – ✦Firenze 143 – ✦Livorno 29 – Piombino 53 – Pisa 48 – Siena 101.

🏠 Quisisana, via del Mare 37 ℰ 788220, ⇌ – 🅿
　　 24 cam.

%% **Le Volte del Cio,** via Aurelia Sud 20 (S : 1 km) ℰ 787349 – 🅿. ⋙
　　 chiuso mercoledì – Pas carta 26/40000.

VAGLIA 50030 Firenze – 4 132 ab. alt. 308 – ✪ 055.
Roma 295 – ✦Bologna 88 – ✦Firenze 18 – ✦Milano 282.

🏠 **Padellino** 🞜, ℰ 407902, ⇌ – 🅿. 🖭 🛐 𝘝𝘐𝘚𝘈. ⋙ rist
　　 Pas (chiuso venerdì) carta 18/30000 (15%) – ⌖ 6500 – **15 cam** 40/55000 – P 55/65000.

VAGLIAGLI Siena – Vedere Siena.

VAGLIO Vercelli 🗺🗺🗺 ⑮ – Vedere Biella.

VALBREMBO 24030 Bergamo 🗺🗺🗺 ⑳ – 3 021 ab. alt. 260 – ✪ 035.
Roma 606 – ✦Bergamo 8 – Lecco 29 – ✦Milano 52.

%% **Ponte di Briolo,** ℰ 611197, 🍽 – 🅿. 🖭 𝘝𝘐𝘚𝘈. ⋙
　　 chiuso mercoledì ed agosto – Pas carta 34/53000.

VALCANALE Bergamo – Vedere Ardesio.

VAL CANALI Trento – Vedere Fiera di Primiero.

VALDAGNO 36078 Vicenza – 27 725 ab. alt. 266 – ✪ 0445.
Roma 561 – ✦Milano 219 – Trento 86 – ✦Verona 54 – Vicenza 34.

🏨 **Pasubio** 🞜, via dello Sport 6 ℰ 408042 – ⧫ 📺 ☎ ⅙ 🅿. 🖭 ⓪ 𝘝𝘐𝘚𝘈. ⋙
　　 Pas (chiuso domenica) carta 20/34000 – ⌖ 5000 – **35 cam** 50/75000 – P 60/70000.

LANCIA-AUTOBIANCHI via Cristoforo Colombo 22/a ℰ 401166

Dans ce guide
un même symbole, un même mot,
imprimé en rouge ou en noir, en maigre ou en **gras**,
n'ont pas tout à fait la même signification
Lisez attentivement les pages explicatives.

VALDAORA (OLANG) 39030 Bolzano – 2 466 ab. alt. 1 083 – a.s. febbraio-aprile, 15 luglio-15 settembre e Natale – Sport invernali : a Plan de Corones : 1 083/2 275 m ⊀4 ≰23, ⊀ – ◎ 0474.

Roma 726 – ◆Bolzano 88 – Brunico 11 – Cortina d'Ampezzo 50 – Dobbiaco 19 – ◆Milano 387 – Trento 148.

- 🏨 **Mirabell**, a Valdaora di Mezzo ℰ 46191, ≼, ⌧, 🛲, 🛪 – ⥸ rist ☎ 🛲 ℗. 𝘝𝘐𝘚𝘈. 🛪 rist
  15 dicembre-10 aprile e 20 maggio-10 ottobre – Pas 19/28000 – � 8000 – **32 cam** 45/76000 – P 65/78000, b.s. 54/62000.

- 🏨 **Villa Tirol**, a Valdaora di Mezzo ℰ 46422, ≼, ⌧, 🛲 – ☎ 🛲 ℗. 🛪 rist
  15 dicembre-Pasqua e 15 maggio-15 ottobre – Pas carta 23/41000 – ⊆ 8000 – **22 cam** 59/98000 – P 77/100000, b.s. 54/72000.

- 🏨 **Messenerwirt**, a Valdaora di Sopra ℰ 46178 – ☜ ℗
  20 cam.

- 🏨 **Post**, a Valdaora di Sopra ℰ 46127, ≼, ⅃ riscaldata – ⧉ ☎ ℗
  3 dicembre-9 aprile e 6 maggio-25 ottobre – Pas (chiuso mercoledì) carta 23/36000 – **38 cam** ⊆ 60/120000 – P 69/76000, b.s. 52/63000.

- 🏨 **Berghotel Zirm** ⍄, a Sorafurcia, alt. 1 360 ℰ 46054, ≼ vallata e monti, ⌧ – ☜ ⇐ ℗. ⓪. 🛪 rist
  dicembre-10 aprile e giugno-10 ottobre – Pas (solo per clienti alloggiati) 18000 – 23 cam ⊆ 75/120000 – P 61/86000, b.s. 44/58000.

- 🏨 **Markushof** ⍄, a Valdaora di Sopra ℰ 46250, ≼, 🛲 – ⥸ ☎ 🛲 ℗. 🛪 rist
  18 dicembre-10 aprile e 25 maggio-20 ottobre – Pas (chiuso giovedì) carta 21/28000 – ⊆ 7000 – **26 cam** 33/66000 – P 75/80000, b.s. 54/56000.

- 🏨 **Hubertus** ⍄, a Sorafurcia, alt. 1 360, ℰ 46104, ≼ vallata e monti – ☎ ℗
  dicembre-marzo e 10 giugno-25 settembre – 25 cam (solo pens) – P 48/61000.

VALDENGO 13060 Vercelli 🖫🖫🖫 ⑮ – 2 434 ab. alt. 364 – ◎ 015.

Roma 675 – Biella 8 – ◆Milano 122 – Vercelli 42.

- ✕✕ **'l Cup** con cam, ℰ 680083 – ℗ – ⚕ 40. ⧮ 𝘝𝘐𝘚𝘈. 🛪
  Pas (chiuso lunedì e dal 16 al 27 agosto) carta 28/44000 – ⊆ 3000 – 6 cam 28/45000 – P 60000.

VALDERICE Trapani – Vedere Sicilia alla fine dell'elenco alfabetico.

VALDIDENTRO 23038 Sondrio 🖫🖫🖫 ⑰ – 3 660 ab. alt. (frazione Isolaccia) 1 345 – ◎ 0342.

Roma 774 – Bormio 11 – ◆Milano 213 – Sondrio 75.

ad Isolaccia – ⌧ **23038** Valdidentro :

- 🏨 **Cima Piazzi**, ℰ 985050, ≼ – 🛲 ℗. 🛪
  Pas (chiuso mercoledì) carta 18/30000 – ⊆ 4500 – **20 cam** 22/40000 – P 40/50000.

a Semogo O : 2 km – ⌧ **23030** :

- 🏨 **Del Cardo**, località San Carlo S : 1,5 km ℰ 985290, ≼ – ☜ 🛲 ℗. ⧮ 𝘝𝘐𝘚𝘈 ⧮ ⓪ ℰ 𝘝𝘐𝘚𝘈. 🛪
  dicembre-aprile e 15 giugno-15 ottobre – Pas (chiuso mercoledì) carta 20/27000 – ⊆ 4000 – **28 cam** 24/41000 – P 41/48000.

VAL DI GENOVA Trento 🖫🖫🖫 ④

Vedere Vallata★★★ – Cascata di Nardis★★.

Roma 636 – ◆Bolzano 106 – ◆Brescia 110 – Madonna di Campiglio 17 – ◆Milano 201 – Trento 66.

- ✕✕ **Cascata Nardis**, alt. 945 ⌧ 38080 Carisolo ℰ (0465) 51454, ≼ cascata – ℗. 🛪
  maggio-ottobre – Pas carta 24/37000.

VAL DI SOGNO Verona – Vedere Malcesine.

VALDOBBIADENE 31049 Treviso 🖫🖫🖫 ⑤ – 10 841 ab. alt. 252 – Sport invernali : a Pianezze : 1 070/1 496 m ⊀1 ≰2, ⊀ – ◎ 0423.

Roma 563 – Belluno 46 – ◆Milano 268 – Trento 105 – Treviso 36 – Udine 112 – ◆Venezia 66.

- 🏨 **Diana**, via Roma 49 ℰ 972662, 🛲 – ⧉ ☎ 🛲 ℗ – ⚕ 60
  chiuso gennaio – Pas (chiuso sabato sera e domenica) 18/26000 – ⊆ 4000 – **34 cam** 30/45000 – P 43000.

a Bigolino S : 5 km – ⌧ **31030** :

- ✕✕ **Tre Noghere**, ℰ 980316 – ℗. 🛪
  chiuso domenica sera, lunedì e dal 10 al 30 agosto – Pas carta 29/38000 (10%).

VALEGGIO SUL MINCIO 37067 Verona 🖫🖫🖫 ④⑭ – 9 284 ab. alt. 88 – ◎ 045.

Roma 496 – ◆Brescia 56 – Mantova 25 – ◆Milano 143 – ◆Venezia 147 – ◆Verona 25.

- ✕✕ **Lepre**, via Marsala 5 ℰ 7950011 – ⧮ 𝘝𝘐𝘚𝘈
  chiuso mercoledì, giovedì a mezzogiorno, dal 15 al 31 gennaio e dal 6 al 26 luglio – Pas carta 31/41000.

- ✕✕ **Borsa**, via Goito 2 ℰ 7950093 – ▤ ℗. ⧮ 𝘝𝘐𝘚𝘈. 🛪
  chiuso martedì sera, mercoledì e dal 10 luglio al 10 agosto – Pas carta 24/33000.

a Borghetto O : 1 km – alt. 68 – ⊠ 37067 Valeggio sul Mincio :

XX **Antica Locanda Mincio,** ℰ 7950059, « Servizio estivo in terrazza ombreggiata in riva al fiume » – **Ⓟ**
chiuso dal 3 al 17 marzo, dal 13 al 27 ottobre, giovedì e da ottobre a maggio anche mercoledì sera – Pas carta 28/44000.

a Santa Lucia dei Monti NE : 5 km – alt. 145 – ⊠ 37067 Valeggio sul Mincio :

X **Belvedere** ⤳ con cam, ℰ 7903019, ≤, « Servizio estivo in giardino » – 🍽 cam ☎ **Ⓟ**. 📶 🆎
VISA. ⚘
chiuso dal 15 giugno al 10 luglio – Pas *(chiuso mercoledì sera e giovedì)* carta 21/29000 – ⚏ 5000 – **7 cam** 34/48000 – P 45/60000.

VALENZA 15048 Alessandria 🔢 ③ – 21 874 ab. alt. 125 – ☻ 0131.
🗲 La Serra (marzo-novembre; chiuso lunedì), ℰ 954778, SO : 4 km.
Roma 592 – Alessandria 14 – ◆Milano 84 – Novara 59 – Pavia 56 – ◆Torino 102 – Vercelli 47.

XX **Italia,** via del Castagnone 26 ℰ 91262 – 📶 Ⓔ *VISA*. ⚘
chiuso domenica ed agosto – Pas carta 23/35000.

X Il Caminetto, via Alfieri 13/e ℰ 91540.

ALFA-ROMEO viale Dante 31 ℰ 91479
FIAT largo Curiel 2 ℰ 91744

GM-OPEL zona Artigianale D3 ℰ 953993
RENAULT strada Valenza 37 ℰ 970257

VAL FERRET Aosta 🔢 ①, 🔢 ⑨ – Vedere Courmayeur.

VALGIOIE 10094 Torino 🔢 ⑩ – 451 ab. alt. 860 – ☻ 011.
Roma 702 – Cuneo 101 – ◆Milano 176 – Sestriere 89 – ◆Torino 39.

🏠 **Centrale-Maritano,** ℰ 937944, ≤ – 📶 **Ⓟ**. ⚘
Pas *(chiuso martedì)* 35/40000 (15%) – ⚏ 5000 – 24 cam 30/50000 – P 50/55000.

VALGRISENCHE 11010 Aosta 🔢 ⑩ – 200 ab. alt. 1 664 – a.s. luglio e agosto – ☻ 0165.
Roma 776 – Aosta 30 – Courmayeur 39 – ◆Milano 215 – Colle del Piccolo San Bernardo 57.

🏠 **Grande Sassière** ⤳, frazione Gerbelle N : 1 km ℰ 97113, ≤ – **Ⓟ**. ⚘ rist
Pas *(chiuso lunedì)* carta 22/31000 – ⚏ 6000 – 25 cam 35/62000 – P 44/60000.

X **Maison des Myrtilles,** ⤳ con cam, frazione Chez Carral NE : 1,5 km ℰ 97118, ≤ – **Ⓟ**
stagionale – 10 cam.

a Planaval NE : 5 km – alt. 1 557 – ⊠ 11010 Valgrisenche :

🏠 **Paramont** ⤳, ℰ 97106, ≤ – 🚗 **Ⓟ**. ⚘
◆ Pas 16000 – ⚏ 5000 – 20 cam 30/50000 – P 50000, b.s. 45000.

VALLADA AGORDINA 32020 Belluno – 629 ab. alt. 969 – a.s. 15 luglio-agosto e Natale – ☻ 0437.
Roma 660 – Belluno 43 – ◆Bolzano 71 – ◆Milano 361 – Trento 115 – ◆Venezia 149.

X Val Biois, frazione Celat ℰ 51233 – **Ⓟ**.

VALLE AURINA (AHRNTAL) Bolzano – 5 250 ab. – a.s. febbraio-aprile, luglio-15 settembre e Natale – Sport invernali : 1 052/2 350 m ⛷11, ⛷ – ☻ 0474.
Da Lutago : Roma 734 – ◆Bolzano 96 – Brennero 87 – Dobbiaco 47 – ◆Milano 395 – Trento 156.

a Casere (Kasern) NE : 21 km – alt. 1 600 – ⊠ 39030 Predoi :

🏠 **Alpenhof-Kasern** ⤳, ℰ 64114, ≤ – **Ⓟ**. ⚘ cam
◆ *chiuso novembre* – Pas *(chiuso martedì)* 10/15000 – **25 cam** ⚏ 28/48000 – P 36/42000. b.s. 32/35000.

VALLECROSIA 18019 Imperia 🔢 ⑳, 🔢 ⑳ – 7 656 ab. – ☻ 0184.
Roma 654 – ◆Genova 155 – Imperia 41 – ◆Milano 277 – San Remo 14.

X **Pescatori-da Antonio,** lungomare Marconi 31 ℰ 292301
chiuso lunedì – Pas carta 24/49000

VALLES (VALS) Bolzano – Vedere Rio di Pusteria.

VALLE SAN FLORIANO Vicenza – Vedere Marostica.

VALLOMBROSA 50060 Firenze 🔢 ⑮ – alt. 958 – Stazione di villeggiatura – ☻ 055.
Roma 263 – Arezzo 71 – ◆Firenze 33 – Forlì 106 – ◆Milano 332 – Siena 81.

a Saltino O : 1 km – ⊠ 50060 – 🅑 (15 giugno-15 settembre) ℰ 862003 :

🏨 **Gd H. Vallombrosa** ⤳, ℰ 862012, ≤ vallata, « Parco ombreggiato » – 📶 ⤝ ⚙ **Ⓟ**. 🆎 ⚘
luglio-agosto – Pas 30/40000 – ⚏ 12000 – **76 cam** 70/110000 – P 80/110000.

🏠 **Croce di Savoia** ⤳, ℰ 862035, 🏠, ⚘ – 📶 ≤ **Ⓟ**. 🆎 ⚘
luglio-agosto – Pas 25/30000 – ⚏ 10000 – **82 cam** 45/65000 – P 60/80000.

VALLONGA Trento – Vedere Vigo di Fassa.

VALMADRERA 22049 Como 219 ⑨ – 10 192 ab. alt. 237 – ☎ 0341.
Roma 633 – Como 26 – Lecco 3 – ♦Milano 56.

a Parè NE : 1,5 km – ✉ 22020 :

XX **Al Terrazzo** con cam, ☎ 583106, « Servizio estivo in terrazza sul lago », – rist TV ☎ P – 30. AE E O VISA.
Pas *(chiuso giovedì dal 21 settembre al 19 giugno)* carta 40/70000 – ☐ 8000 – **12 cam** 58/85000 – P 106000.

VALSAVARENCHE 11010 Aosta 988 ①②, 219 ⑫ – 214 ab. alt. 1 540 – a.s. luglio e agosto – ☎ 0165.
Roma 776 – Aosta 29 – Courmayeur 42 – ♦Milano 214.

Parco Nazionale, località Degioz ☎ 95706, ←
luglio-settembre – Pas *(chiuso giovedì)* 15/19000 – ☐ 4000 – **21 cam** 27/54000 – P 44/50000, b.s. 39/45000.

a Pont S : 9 km – alt. 1 946 – ✉ 11010 Valsavarenche :

Genzianella, ☎ 95709, ← Gran Paradiso – ☎ P. rist
20 giugno-20 settembre – Pas carta 26/39000 – ☐ 7000 – 26 cam 37/63000 – P 65/70000, b.s. 55/60000.

VALSOLDA 22010 Como 219 ⑧ – 1 985 ab. alt. (frazione San Mamete) 265 – ☎ 0344.
Roma 664 – Como 42 – ♦Lugano 9,5 – Menaggio 18 – ♦Milano 87.

ad Oria :

XX **Ombretta** con cam, ☎ 68275, ←, « Terrazza-giardino sul lago », – P. E E VISA
22 marzo-ottobre – Pas *(chiuso lunedì)* carta 27/39000 – ☐ 6000 – **12 cam** 32/52000 – P 59000.

a San Mamete :

Stella d'Italia, ☎ 68139, ←, « Terrazza-giardino sul lago », – ☎ . AE E O E VISA. rist
aprile-ottobre – Pas *(chiuso mercoledì)* 24/27000 – ☐ 8500 – **35 cam** 45/70000 – P 55/72000.

VALTOURNENCHE 11028 Aosta 988 ②, 219 ③ – 2 164 ab. alt. 1 524 – Stazione di villeggiatura, a.s. febbraio-Pasqua, 15 luglio-agosto e Natale – Sport invernali : 1 524/3 085 m 1 5, – ☎ 0166.
ℹ via Roma 48 ☎ 92029, Telex 226620.
Roma 740 – Aosta 44 – Breuil-Cervinia 9 – ♦Milano 178 – ♦Torino 107.

Bijou, ☎ 92109, ← – ☎ P.
chiuso maggio ed ottobre – Pas *(chiuso lunedì in bassa stagione)* 19/23000 – ☐ 5000 – 20 cam 36/60000 – P 45/55000, b.s. 38/48000.

Tourist, ☎ 92070, ← – ☎ P. E. rist
dicembre-aprile e luglio-agosto – Pas *(chiuso giovedì)* 20/25000 – ☐ 7000 – **36 cam** 44/60000 – P 58000.

Delle Alpi, ☎ 92053, ← – P. VISA. rist
chiuso dal 15 maggio al 15 giugno – Pas *(chiuso giovedì)* 18000 – ☐ 4500 – **26 cam** 35/60000 – P 50/55000, b.s. 40/45000.

Al Caminetto, ☎ 92150, ←
Pas *(chiuso giovedì)* 16000 – **15 cam** ☐ 23/48000 – P 38/46000, b.s. 36/42000.

X **Jaj Alaj,** ☎ 92185 – VISA.
chiuso giovedì in bassa stagione – Pas carta 24/36000.

VAL VENY Aosta 219 ①, 74 ⑨ – Vedere Courmayeur.

VALVERDE Forlì – Vedere Cesenatico.

VANEZE Trento – Vedere Bondone (Monte).

VAPRIO D'ADDA 20069 Milano 219 ⑳ – 6 016 ab. alt. 161 – ☎ 02.
Roma 602 – ♦Bergamo 20 – ♦Brescia 66 – Lecco 43 – ♦Milano 31 – Piacenza 73.

XX **Terrazza Belvedere,** ☎ 9097467, « Servizio estivo in terrazza ombreggiata » – P.
chiuso mercoledì, dal 26 dicembre al 15 gennaio e dal 16 al 31 agosto – Pas carta 33/49000.

Pour voyager rapidement, utilisez les cartes Michelin *"Grandes Routes" :*
920 *Europe,* 980 *Grèce,* 984 *Allemagne,* 985 *Scandinavie-Finlande,*
986 *Grande-Bretagne-Irlande,* 987 *Allemagne-Autriche-Benelux,* 988 *Italie,*
989 *France,* 990 *Espagne-Portugal,* 991 *Yougoslavie.*

VARALLO 13019 Vercelli 988 ②, 219 ⑤⑥ – 8 031 ab. alt. 451 – a.s. luglio-agosto e Natale – ✪ 0163 – Vedere Sacro Monte★★.

🛈 corso Roma 38 ℘ 51280.

Roma 679 – Biella 59 – ◆Milano 105 – Novara 59 – ◆Torino 121 – Vercelli 65.

- 🏨 **Ellebi Club Hotel,** ℘ 53992 e rist ℘ 52801, Fax 53992 – 🛗 ☎ ❷. ⬩
  chiuso gennaio – Pas *(chiuso mercoledì)* carta 21/35000 – ⌧ 8000 – **38 cam** 48/79000 – P 75/85000.

- ✕✕ **Piane Belle,** località Pianebelle ℘ 51320 – ❷. ⬩
  chiuso lunedì e dal 1° al 20 settembre – Pas carta 21/32000.

  a Crosa E : 3 km – ✉ 13019 Varallo :

- ✕ **Delzanno,** ℘ 51439, 🎍 – 🆎 🅱 ⓋⓈⒶ
  chiuso lunedì e dal 1° al 10 settembre – Pas carta 20/30000.

VARALLO POMBIA 28040 Novara 219 ⑦ – 4 119 ab. alt. 299 – ✪ 0321.

Roma 639 – Biella 63 – ◆Milano 62 – Novara 30 – ◆Torino 119 – Varese 30.

- ✕✕ **Hostaria del Castello-da Pinin,** ℘ 95240, « Giardino fiorito » – ❷
  chiuso lunedì, martedì, dal 6 al 30 gennaio e dal 16 al 27 agosto – Pas carta 32/48000.

VARAZZE 17019 Savona 988 ⑬ – 14 395 ab. – Stazione balneare – ✪ 019.

🛈 viale Nazioni Unite (Palazzo Municipio) ℘ 97298.

Roma 534 – Alessandria 82 – Cuneo 112 – ◆Genova 35 – ◆Milano 158 – Savona 12 – ◆Torino 153.

- 🏨 **El Chico,** via Aurelia 63 (E : 1 km) ℘ 96491, Fax 932423, ≤, « Parco ombreggiato con ⤢ » – ☎ ❷ – 🅰 150. 🆎 ⓋⓈⒶ. ⬩
  chiuso dal 20 dicembre al 31 gennaio – Pas 30000 – ⌧ 6000 – **45 cam** 50/90000 – P 88/93000.

- 🏨 **Savoy,** via Marconi 4 ℘ 97056, ≤, 🐾 – 🛗 ⇄ cam ☎ ❷. 🆎 🅱 ⓞ Ⓔ ⓋⓈⒶ. ⬩ rist
  chiuso dicembre e gennaio – Pas *(chiuso da ottobre a marzo)* 25/35000 – ⌧ 10000 – **45 cam** 50/100000 – P 80/100000.

- 🏨 **Cristallo,** via Cilea 4 ℘ 97264, Fax 97265, 🐾 – 🛗 🖃 rist 📺 ☎ 🚗 ❷ – 🅰 60. 🆎 🅱 ⓞ Ⓔ ⓋⓈⒶ. ⬩ rist
  chiuso novembre e dicembre – Pas *(chiuso ottobre)* carta 26/37000 – ⌧ 7500 – **47 cam** 55/80000 – P 70/80000.

- 🏨 **Royal,** via Cavour 25 ℘ 97641, ≤ – 🛗 🖃 📺 ☎ ❷. 🆎 🅱 ⓞ Ⓔ ⓋⓈⒶ. ⬩ rist
  chiuso gennaio – Pas carta 23/48000 – ⌧ 7000 – **31 cam** 60/80000 – P 65/75000.

- 🏨 **Palace,** via Gaggino 37 ℘ 97706 – 🛗 📺 ☎ ❷. 🆎 🅱 ⓞ Ⓔ ⓋⓈⒶ. ⬩
  chiuso novembre – Pas 20/5000 – ⌧ 10000 – **42 cam** 45/70000 – P 72000.

- 🏛 **Manila,** via Villagrande 3 ℘ 97137, 🎍 – ☎ ❷. 🅱 Ⓔ ⓋⓈⒶ. ⬩ rist
  chiuso dal 15 settembre al 20 dicembre – Pas carta 24/45000 – ⌧ 4500 – 14 cam 34/40000 – P 42/58000.

- ✕✕ **Cavetto,** piazza Santa Caterina 7 ℘ 97311 – 🖃. 🆎 🅱 ⓞ
  chiuso giovedì, dal 15 al 30 gennaio e dal 1° al 15 novembre – Pas carta 32/52000 (15%).

  ad Alpicella NO : 8,5 km – alt. 550 – ✉ 17010 :

- ✕ **Ai Marmi,** ℘ 918002, 🎍 – ❷. 🆎 🅱 ⓞ Ⓔ ⓋⓈⒶ
  chiuso lunedì e martedì – Pas carta 30/40000.

FIAT via Parasio 46/52 ℘ 931793

VARENNA 22050 Como 988 ③, 219 ⑨ – 779 ab. alt. 220 – ✪ 0341.

Vedere Giardini★★ di villa Monastero.

🚢 per Bellagio (15 mn), Cadenabbia (30 mn) e Menaggio (15 mn), giornalieri – Navigazione Lago di Como, ℘ 830270.

Roma 642 – ◆Bergamo 55 – Chiavenna 45 – Como 51 – Lecco 22 – ◆Milano 78 – Sondrio 60.

- 🏨 **Royal Victoria,** ℘ 830102, Telex 326170, Fax 830722, ≤, 🎍 – 🛗 📺 ☎ ⚥ – 🅰 40 a 80. 🆎 🅱 ⓞ Ⓔ ⓋⓈⒶ. ⬩ rist
  Pas carta 22/46000 – ⌧ 10000 – **43 cam** 110/125000 – P 115/170000.

- 🏨 **Du Lac** ⬩, ℘ 830238, Fax 831081, ≤, 🎍 – 🛗 📺 🚗 ❷. 🆎 🅱 ⓞ Ⓔ ⓋⓈⒶ. ⬩ rist
  chiuso gennaio e febbraio – Pas *(chiuso da ottobre a marzo)* 35000 – ⌧ 10000 – **18 cam** 88/125000 – P 110/125000.

  a Perledo E : 4 km – alt. 409 – ✉ 22050 :

- ✕ **Il Caminetto,** località Gittana ℘ 830626, prenotare – ❷. ⬩
  chiuso mercoledì, gennaio o febbraio – Pas carta 21/36000.

VARESE 21100 📮 988 ③, 219 ⑧ – 88 132 ab. alt. 382 – ✪ 0332.

Dintorni Sacro Monte★★ : ≤★★ NO : 8 km – Campo dei Fiori★★ : ☀★★ NO : 10 km.

🛇 (chiuso lunedì) a Luvinate ✉ 21020 ℘ 229302, per ⑤ : 6 km.

🛈 piazza Monte Grappa 5 ℘ 283604 – viale Ippodromo 9 ℘ 284624.

A.C.I. viale Milano 25 ℘ 285150.

Roma 633 ④ – Bellinzona 65 ② – Como 27 ② – ◆Lugano 32 ② – ◆Milano 56 ④ – Novara 53 ③ – Stresa 48 ③.

614

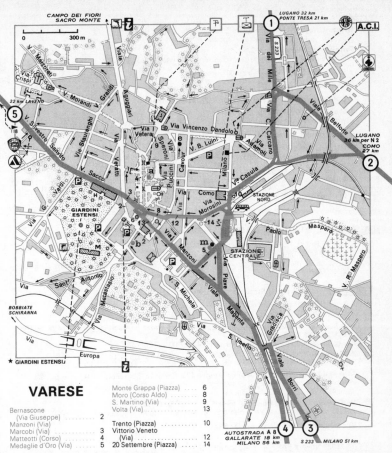

VARESE

Bernascone (Via Giuseppe)	2
Manzoni (Via)	
Marcobi (Via)	3
Matteotti (Corso)	4
Medaglie d'Oro (Via)	5

Monte Grappa (Piazza)	6
Moro (Corso Aldo)	8
S. Martino (Via)	9
Volta (Via)	13
Trento (Piazza)	10
Vittorio Veneto (Via)	12
20 Settembre (Piazza)	14

Palace Hotel ⑤, a Colle Campigli ℰ 312600, Telex 380163, Fax 312870, « Parco », ⚒ – 📶 📺 ✆ 🅿 – 🛎 30 a 150. 🆎 🛐 ⑩ 𝐕𝐼𝐒𝐀. ⚒ rist per ⑤
Pas 46000 – � 13000 – **109 cam** 115/157000 appartamento 210000 – P 155/182000.

City Hotel senza rist, via Medaglie d'Oro 35 ℰ 281304, Fax 232882 – 📶 📺 ✆ 🚗 – 🛎 25 a 50. 🆎 🛐 ⋿ 𝐕𝐼𝐒𝐀 m
⊊ 10000 – **47 cam** 83/110000.

Crystal Hotel senza rist, via Speroni 10 ℰ 231145 – 📶 📺 ☎. 🆎 🛐 ⑩ ⋿ 𝐕𝐼𝐒𝐀 e
chiuso agosto – ⊊ 15000 – **45 cam** 90/120000.

Acquario senza rist, via Giusti 7 ℰ 260550 – ☎ 🅿 – 🛎 50 a 200. 🆎 🛐 ⑩ ⋿ 𝐕𝐼𝐒𝐀 per ③
⊊ 8500 – **41 cam** 57/76000.

❀ Lago Maggiore, via Carrobbio 19 ℰ 231183, prenotare – 🍽. 🆎 🛐 ⑩ ⋿ 𝐕𝐼𝐒𝐀. ⚒ b
chiuso domenica, lunedì a mezzogiorno, dal 29 giugno al 20 luglio, 25-26 dicembre e 1° gennaio – Pas carta 42/71000
Spec. Insalata di storione fresco all'Estense (primavera-estate), Risotto ai frutti di bosco (primavera-estate), Suprême di rombo al Riesling e melanzane. Vini Franciacorta, Sassella.

Montello, via Montello 8 ℰ 286181, 🏡 – 🅿. 🆎 🛐 ⑩ 𝐕𝐼𝐒𝐀 per viale Aguggiari
chiuso lunedì, dal 1° al 15 febbraio e dal 3 al 18 agosto – Pas carta 28/42000.

Teatro, via Croce 3 ℰ 241124 – 🍽. 🆎 🛐 ⑩ ⋿ 𝐕𝐼𝐒𝐀 a
chiuso lunedì sera e martedì – Pas carta 40/50000.

Centenate, via Centenate 15 ℰ 310036, 🏡 – ✂ 🅿. 🆎. ⚒ per via Sant'Antonio
chiuso domenica sera e lunedì – Pas carta 31/45000.

Ai Tigli, viale Valganna 128 ℰ 283170, prenotare – 🅿. ⚒ per viale dei Mille
chiuso martedì sera, mercoledì ed agosto – Pas carta 25/46000.

615

X **Brigantino,** via Medaglie d'Oro 33 ℰ 235594 – 🗐. 𝔸𝔼 ⑤ ⓪   **m**
    chiuso lunedì e dal 20 luglio all'8 agosto – Pas carta 24/36000.

X **Papik,** via Daverio 3 ℰ 312240   per via Sant' Antonio
    chiuso giovedì e dal 16 agosto al 16 settembre – Pas carta 30/43000.

    a Capolago SO : 5 km – ✉ 21100 Varese :

XX Da Annetta, ℰ 285420, 🍴.

    a Calcinate del Pesce per ⑤ : 7 km – ✉ 21100 Varese :

XX **4 Mori,** ℰ 310093 – 🗐 🅿. 𝔸𝔼 ⑤. ❄
    chiuso mercoledì e dal 9 al 30 gennaio – Pas carta 32/60000.

    Vedere anche : *Sacro Monte* NO : 8 km.

ALFA-ROMEO viale Borri 91 per ③ ℰ 264005
ALFA-ROMEO viale Dandolo 55 ℰ 288859
BMW via Gondar 9 ℰ 238561
CITROEN viale Belforte 244 ℰ 235034
FIAT viale Belforte 155 per ② ℰ 280278
FIAT viale Borri 132 per ③ ℰ 260338
FIAT viale Borri 178 per ③ ℰ 260470
FORD via Vetera 5 ℰ 234390
GM-OPEL viale Valganna 61 ℰ 283412

INNOCENTI via Gondar 9 ℰ 282716
LANCIA-AUTOBIANCHI via Sanvito Silvestro 23 ℰ 282054
MASERATI viale Aguggiari 213 ℰ 227310
MERCEDES-BENZ via Sanvito Silvestro 105 ℰ 229272
PEUGEOT-TALBOT via Robbioni 5/7 ℰ 242575
RENAULT via Crispi 13 ℰ 224567
VW-AUDI via Sanvito Silvestro 81 ℰ 229202

VARESE LIGURE 19028 La Spezia 𝟵𝟴𝟴 ⑬ – 2 879 ab. alt. 353 – ✪ 0187.

Roma 457 – Bologna 194 – ◆Genova 90 – ◆Milano 203 – ◆Parma 98 – Piacenza 139 – ◆La Spezia 59.

🏛 **Amici,** via Garibaldi 80 ℰ 842139 – ☎ 🅿
← *chiuso dal 24 dicembre al 2 gennaio* – Pas carta 17/23000 – 🖵 4500 – **31 cam** 24/35000 – P 36/44000.

VARIGOTTI 17029 Savona – Stazione balneare – ✪ 019.

🛈 (maggio-settembre) via Aurelia 79 ℰ 698013.

Roma 567 – ◆Genova 68 – Imperia 58 – ◆Milano 191 – Savona 22.

🏨 **Nik Mehari,** via Aurelia 104 ℰ 698096, « Piccola terrazza fiorita », 🏖, – ⬢ ⥇ 🗐 rist 📺 ☎
← 𝔸𝔼 ⑤ ⓪ 𝙀 𝘝𝘐𝘚𝘈. ❄ rist
Pas carta 43/60000 – 🖵 18000 – **40 cam** 94/120000 – P 80/120000.

🏨 **Al Saraceno,** via al Capo 2 ℰ 698092, ≤, 🏖, – ⬢ 🗐 rist 📺 ☎ 🅿. ❄
giugno-settembre – Pas 50000 – 🖵 16000 – 66 cam 82/110000 – P 110/140000.

XX **Muraglia-Conchiglia d'Oro,** via Aurelia 133 ℰ 698015, Solo piatti di pesce – 🅿. 𝘝𝘐𝘚𝘈. ❄
chiuso dal 15 dicembre al 15 gennaio, mercoledì e da ottobre a maggio anche martedì – Pas carta 41/67000.

X **La Caravella,** via Aurelia 56 ℰ 698028, ≤ – ⥇ 🅿. 𝙀. ❄
chiuso martedì da giugno a settembre e lunedì negli altri mesi – Pas carta 26/46000.

    Vedere anche : *Finale Ligure* O : 5 km.

VARZO 28039 Novara 𝟮𝟭𝟳 ⑬ – 2 449 ab. alt. 568 – ✪ 0324.

Roma 711 – Domodossola 13 – Iselle 5 – ◆Milano 135 – Novara 104 – ◆Torino 176.

🏛 **Tronconi,** ℰ 72791, 🍴 – ☎ 🅿. 𝔸𝔼 ⑤ ⓪ 𝙀 𝘝𝘐𝘚𝘈. ❄
Pas *(chiuso lunedì)* carta 22/37000 – 🖵 4000 – **33 cam** 35/55000 – P 46/52000.

    a San Domenico NO : 11 km – alt. 1 420 – ✉ 28039 Varzo :

🏛 **Cuccini** ⬡, ℰ 7061, ≤, 🍴 – 🅿. ❄
20 dicembre-10 aprile e giugno-settembre – Pas *(chiuso mercoledì)* carta 19/30000 (10%) – 🖵 5000 – **27 cam** 25/50000 – P 45/50000.

VASON Trento – Vedere Bondone (Monte).

VASTO 66054 Chieti 𝟵𝟴𝟴 ㉗ – 32 932 ab. alt. 144 – a.s. 15 giugno-agosto – ✪ 0873.

🚢 da Punta Penna per le Isole Tremiti luglio-agosto gionaliero (2 h 30 mn) – Adriatica di Navigazione-agenzia Massacesi, piazza Diomede 3 ℰ 516180, Telex 600205.

🚢 da Punta Penna per le Isole Tremiti giugno e settembre giornaliero (1 h 10 mn) – Adriatica di Navigazione-agenzia Massacesi, piazza Diomede 3 ℰ 516180, Telex 600205.

🛈 piazza del Popolo 18 ℰ 2312.

Roma 271 – L'Aquila 166 – Campobasso 96 – Chieti 75 – ◆Foggia 118 – ◆Pescara 68.

XX Jeannot, loggia Amblingh (centro storico) ℰ 55000, 🍴.

X **Lo Scudo,** via Garibaldi 39 ℰ 2782, 🍴, 🍴 – ⥇ 🅿. 𝔸𝔼 ⑤ ⓪ 𝙀 𝘝𝘐𝘚𝘈
chiuso lunedì in bassa stagione e dal 24 dicembre al 3 gennaio – Pas carta 30/40000.

FIAT via De Nardis ℰ 801348
INNOCENTI via Santa Lucia 2 ℰ 2974

LANCIA-AUTOBIANCHI via del Porto 4 ℰ 2789
RENAULT via Ciccarone 220 ℰ 2860

VASTO (Marina di) 66055 Chieti – Stazione balneare, a.s. 15 giugno-agosto – ☎ 0873.

🛈 (15 giugno-settembre) viale Dalmazia ℰ 801751.

Roma 275 – Chieti 78 – ◆Pescara 74 – Vasto 3.

🏨 **Caravel** senza rist, viale Dalmazia 126 ℰ 801477, 🏖 – ☜ 🅿 🖭 ⓪ 𝚅𝙸𝚂𝙰. ⅋
⚏ 6000 – **18 cam** 35/48000.

🏨 **President,** viale Dalmazia 136 ℰ 801444, 🏖 – 🛗 ☜ ⇔ 🅿 🖭 ⓪ 🄴 𝚅𝙸𝚂𝙰. ⅋
◆ Pas 17/20000 – ⚏ 6000 – **67 cam** 38/48000 – P 45/55000, b.s. 35/45000.

🏨 **Royal,** viale Dalmazia 132 ℰ 801950, ⅋ – ☜ 🅿
stagionale – 26 cam.

🏨 **Baiocco,** viale Dalmazia 137 ℰ 801976, 🏖 – ☜ 🅿 🖭 🖻 🄴 𝚅𝙸𝚂𝙰. ⅋ rist
◆ Pas carta 18/26000 – ⚏ 4000 – **32 cam** 32/50000 – P 55/60000, b.s. 40/50000.

🏨 **Principe,** viale Dalmazia 124 ℰ 801457 – ☜ 🅿 🖻 ⓪. ⅋ rist
maggio-settembre – Pas 22/25000 (10%) – ⚏ 7000 – 38 cam 38/52000 – P 48/62000,
b.s. 38/48000.

sulla strada statale 16 :

🏨 **Sabrina,** S : 1,5 km ⊠ 66055 ℰ 801449, ≤, 🏖 – ▤ rist 🅿 – 🔬 100 a 1000. 🖭 🖻 ⓪ 🄴
𝚅𝙸𝚂𝙰. ⅋ rist
Pas carta 20/40000 – ⚏ 5000 – **73 cam** 38/55000 – P 65/70000, b.s. 55/60000.

🏨 **Sporting,** S : 2,5 km ⊠ 66055 ℰ 801404, « Terrazza-giardino fiorita », ⅋ – ⇆ cam ☜ ⇔
🅿 🖭 𝚅𝙸𝚂𝙰. ⅋
Pas carta 24/36000 – ⚏ 6000 – **22 cam** 38/52000 – P 50/60000, b.s. 40/45000.

XX **Il Corsaro,** località Punta Penna-Porto di Vasto N : 6 km ⊠ 66054 Vasto ℰ 310113, ≤, 🍽,
Solo piatti di pesce, 🏖 – 🅿 🖭 🖻 ⓪. ⅋
chiuso lunedì da novembre a marzo – Pas carta 30/50000 (15%).

X **Zi Nicola,** località Casarsa N : 3 km ⊠ 66054 Vasto ℰ 2648, ≤, 🍽 – 🅿.

FORD via Ragusa 10/12 ℰ 801572   VW-AUDI strada statale 16 al km 523 ℰ 52331
PEUGEOT-TALBOT via Ragusa 29 ℰ 59283

VATTARO 38040 Trento – 771 ab. alt. 676 – a.s. 15 dicembre-15 gennaio – ☎ 0461.

Roma 593 – Trento 15 – Vicenza 79.

🏨 **Dolomiti,** ℰ 848540 – 🖭 🖻 ⓪ 🄴 𝚅𝙸𝚂𝙰. ⅋
◆ *chiuso novembre* – Pas 15/25000 – **23 cam** ⚏ 25/45000 – P 40/45000.

VELESO 22020 Como 𝟤𝟣𝟫 ⑨ – 240 ab. alt. 828 – ☎ 031.

Roma 649 – Como 24 – ◆Milano 72.

X **Bella Vista** 🏖 con cam, ℰ 917920, 🍽, « Servizio estivo in terrazza con ≤ su lago e monti »
◆ – 🅿
Pas *(chiuso martedì)* carta 17/29000 – ⚏ 5000 – **11 cam** 24/55000 – P 38/44000.

VELLETRI 00049 Roma 𝟫𝟪𝟪 ㉘ – 44 385 ab. alt. 352 – ☎ 06.

Escursioni Castelli romani★★ NO per la via dei Laghi o per la strada S 7, Appia Antica (circuito di
60 km).

🛈 viale dei Volsci 8 ℰ 9630896.

Roma 40 – Anzio 43 – Frosinone 61 – Latina 29 – Terracina 63 – Tivoli 56.

XX **Da Benito,** via Lata 83 ℰ 9632220 – ⅋
chiuso lunedì ed agosto – Pas carta 22/35000.

ALFA-ROMEO via Fontane delle Rose 93 ℰ 9630333
BMW via dei Volsci ℰ 9632093
FIAT via Lata 15 ℰ 9630025
FIAT via Appia al km 40 ℰ 9630301
FORD via Nettunese al km 7 ℰ 9342651
GM-OPEL via Mammucari 18/20 ℰ 9638431

LANCIA-AUTOBIANCHI via Appia al Km 38 ℰ
9631287
PEUGEOT-TALBOT via Vittorio Veneto 3 ℰ 9630251
RENAULT via Sant'Alba 183/187 ℰ 9635076
VW-AUDI via dei Bastioni ℰ 9634221

VELLO Brescia – alt. 190 – ⊠ 25054 Marone – ☎ 030.

Roma 591 – ◆Brescia 34 – ◆Milano 100.

X **Glisenti,** ℰ 987222, Specialità pesce di lago – ⅋
chiuso giovedì e gennaio – Pas carta 20/30000.

VENARIA 10078 Torino – 30 330 ab. alt. 258 – ☎ 011.

Roma 685 – Aosta 116 – ◆Milano 142 – ◆Torino 9.

Pianta d'insieme di Torino (Torino p. 2)

🏨 Galant, senza rist, corso Garibaldi 155 ℰ 210854 – 🛗 ▤ ☎ ⇔ 🅿 – 🔬 50 – **35 cam**. GT **b**

VENEGONO INFERIORE 21040 Varese 𝟤𝟣𝟫 ⑱ – 5 571 ab. alt. 327 – ☎ 0331.

Roma 618 – Como 23 – ◆Milano 42 – Varese 14.

XX **Aero Club,** all'aeroporto ℰ 864292, ≤, prenotare – 🅿 🖭 ⓪. ⅋
chiuso lunedì ed agosto – Pas carta 43/58000.

VENEZIA 30100 🄿 🤍98🤍 ⑤ – 327 700 ab. – a.s. 15 marzo-ottobre e Natale – 🅑 041.

Vedere Piazza San Marco*** FGZ :

Basilica*** GZ – Palazzo Ducale*** GZ – Campanile** : ☀️** FGZ F – Procuratie** FZ – Libreria Vecchia* GZ – Museo Correr* FZ M – Torre dell'Orologio* FZ K – Ponte dei Sospiri* GZ

Canal Grande*** :

Ponte di Rialto** FY – Riva destra : Cà d'Oro*** : galleria Franchetti** EX – Palazzo Vendramin-Calergi** BT R – Cà Loredan** EY H – Palazzo Grimani** EY Q – Palazzo Corner-Spinelli** BTU D – Riva sinistra : galleria dell'Accademia*** BV – Palazzo Dario** BV S – Collezione Peggy Guggenheim** nel palazzo Venier dei Leoni BV M2 – Palazzo Rezzonico** AU : capolavori del Guardi**, affreschi** del Tiepolo nel museo del Settecento Veneziano** – Palazzo Giustinian** AU X – Cà Foscari** AU Y – Palazzo Bernardo** BT Z – Palazzo dei Camerlenghi** FX A – Palazzo Pesaro** : museo d'arte moderna* EX.

Chiese :

Santa Maria della Salute** : Nozze di Cana*** del Tintoretto BV – San Giorgio Maggiore** : ☀️** dal campanile**, opere del Tintoretto*** CV – San Zanipolo** : polittico*** di San Vincenzo Ferrari, soffitto*** della cappella del Rosario GX – Santa Maria Gloriosa dei Frari** : opere di Tiziano*** AT – San Zaccaria* : pala*** del Bellini, pale** dei Vivarini e di Ludovico da Forlì GZ – Decorazione interna** del Veronese nella chiesa di San Sebastiano AU – Dipinti* del Guardi nella chiesa dell'Angelo Raffaele AU – Soffitto* della chiesa di San Pantaleone AT – Santa Maria dei Miracoli* FGX – Madonna col Bambino* nella chiesa di San Francesco della Vigna DT – Madonna col Bambino* nella chiesa del Redentore (isola della Giudecca) AV

Scuola di San Rocco*** AT – Scuola dei Carmini* : dipinti** del Tiepolo AU – Scuola di San Giorgio degli Schiavoni* : dipinti** del Carpaccio DT – Palazzo Querini-Stampalia* GY – Rio dei Mendicanti* GX – Facciata* della scuola di San Marco GX – Affreschi* del Tiepolo nel palazzo Labia AT.

Lido** – Murano** : museo Vetrario***, chiesa dei Santi Maria e Donato** – Burano** – Torcello** : mosaici*** nella cattedrale di Santa Maria Assunta**, portico esterno** e colonne** all'interno della chiesa di Santa Fosca*.

🏌️ (chiuso lunedì) al Lido Alberoni ⊠ 30011 ✆ 731333, 15 mn di vaporetto e 9 km;

🏌️ e 🏌️ Villa Grimani Morosini (chiuso martedì), a Martellago ⊠ 30030 ✆ 5401555, Fax 5400543, NO : 12 km.

✈️ Marco Polo di Tessera, NE : 13 km ✆ 661262 – Alitalia, campo San Moisè 1463 ⊠ 30124 ✆ 5216222.

🚢 da piazzale Roma (Tronchetto) per il Lido-San Nicolò giornalieri (35 mn); da Riva degli Schiavoni per Punta Sabbioni giornalieri (45 mn); dal Lido Alberoni per l'Isola di Pellestrina-Santa Maria del Mare giornalieri (10 mn); dalle Fondamenta Nuove per le Isole di Murano (10 mn), Burano (50 mn), Torcello (45 mn), giornalieri; dalle Fondamenta Nuove per Treporti di Cavallino giornalieri (1 h 10 mn) – Informazioni: ACTV-Azienda Consorzio Trasporti Veneziano, piazzale Roma ⊠ 30124 ✆ 5287886, Telex 223487.

🛈 San Marco Ascensione 71/c ⊠ 30124 ✆ 5226356 – piazzale Roma 540/d ⊠ 30125 ✆ 5227402 – Stazione Santa Lucia ⊠ 30121 ✆ 715016.

A.C.I. fondamenta Santa Chiara 518/a ⊠ 30125 ✆ 5200300.

Roma 528 ① – ♦Bologna 152 ① – ♦Milano 267 ① – ♦Trieste 158 ①.

Pianta pagine seguenti

🏨🏨 **Cipriani** 🦢, isola della Giudecca 10 ⊠ 30133 ✆ 5207744, Telex 410162, Fax 5203930, ≤, « Giardino fiorito con 🏊 riscaldata », ☀️ – 🛗 🔲 📺 ☎ 👌 – 🔬 60. 🖽 🛅 ⓞ 🅴 🆅🆂🅰. 🕏 rist *15 marzo-10 novembre* – Pas carta 100/150000 – **98 cam** ☲ 505/745000 appartamenti 1240/2050000.   CV **h**

🏨🏨 **Gritti Palace,** campo Santa Maria del Giglio 2467 ⊠ 30124 ✆ 794611, Telex 410125, Fax 5200942, ≤ Canal Grande – 🛗 🔲 📺 ☎ 👌 – 🔬 50. 🖽 🛅 ⓞ 🅴 🆅🆂🅰. 🕏 rist   EZ **a** Pas carta 90/130000 – **96 cam** ☲ 445/653000 appartamenti 1125/1597000.

🏨🏨 **Danieli,** riva degli Schiavoni 4196 ⊠ 30122 ✆ 5226480, Telex 410077, Fax 5200208, ≤ canale di San Marco, « Hall in cortiletto stile veneziano » – 🛗 🔲 📺 ☎ – 🔬 70 a 150. 🖽 🛅 ⓞ 🅴 🆅🆂🅰. 🕏 rist   GZ **a** Pas carta 83/133000 – ☲ 24000 – **232 cam** 331/520000 appartamenti 944/1416000.

🏨🏨 **Bauer Grünwald e Grand Hotel,** campo San Moisè 1459 ⊠ 30124 ✆ 5231520, Telex 410075, Fax 5207557, ≤ Canal Grande, 🍽 – 🛗 🕏▷ cam 🔲 ☎ 👌 – 🔬 25 a 180. 🖽 ⓞ 🅴 🆅🆂🅰. 🕏 rist   FZ **h** Pas carta 75/105000 – **214 cam** ☲ 250/393000 appartamenti 712/889000.

🏨🏨 **Londra Palace,** riva degli Schiavoni 4171 ⊠ 30122 ✆ 5200533, Telex 431315, ≤ canale di San Marco – 🛗 🔲 📺 ☎ – 🔬 200. 🖽 🛅 ⓞ 🅴 🆅🆂🅰. Pas vedere rist Do Leoni – ☲ 19000 – **69 cam** 230/360000.   GZ **t**

🏨🏨 **Europa e Regina,** San Marco 2159 ⊠ 30124 ✆ 5200477, Telex 410123, Fax 5231533, ≤ Canal Grande – 🛗 🔲 📺 ☎ 👌 – 🔬 30 a 140. 🖽 🛅 ⓞ 🅴 🆅🆂🅰. 🕏 rist   FZ **d** Pas 65/83000 – ☲ 22500 – **197 cam** 250/393000 appartamenti 653/830000.

🏨🏨 **Monaco e Grand Canal,** calle Vallaresso 1325 ⊠ 30124 ✆ 5200211, Telex 410450, Fax 5200501, ≤ Canal Grande, 🍽 – 🛗 🔲 📺 ☎ 👌 – 🔬 40. 🖽 🛅 ⓞ 🅴 🆅🆂🅰. 🕏 rist   FZ **e** Pas al Rist. **Grand Canal** carta 72/110000 – **72 cam** ☲ 220/340000.

🏨🏨 **Metropole** senza rist, riva degli Schiavoni 4149 ⊠ 30122 ✆ 5205044, Telex 410340, Fax 5223679, ≤ canale di San Marco – 🛗 🔲 📺 ☎ – 🔬 40. 🖽 🛅 ⓞ 🅴 🆅🆂🅰.   DU **t** ☲ 12000 – **64 cam** 196/275000.

🏨🏨 **Splendid-Suisse,** San Marco-Mercerie 760 ⊠ 30124 ℰ 5200755, Telex 410590, Fax 5286498
– 🛗 🗖 📺 ☎ 🕭 – 🛦 150. 🆎 🕭 ⓘ Ε 𝕍𝕀𝕊𝔸. 🛠 rist   FY **n**
Pas carta 45/62000 – **157 cam** ⊑ 200/325000 appartamenti 220/365000 – P 263/283000,
b.s. 180/190000.

🏨🏨 **Pullman Park Hotel,** giardini Papadopoli ⊠ 30125 ℰ 5285394, Telex 410310, Fax 5230043 –
🛗 🗖 📺 ☎ – 🛦 100. 🆎 🕭 ⓘ   AT **k**
Pas carta 48/72000 – **100 cam** ⊑ 180/300000 appartamenti 400000.

🏨🏨 **Luna Hotel Baglioni,** calle larga dell'Ascensione 1243 ⊠ 30124 ℰ 5289840, Telex 410236 –
🛗 🗖 📺 ☎ – 🛦 70 a 150. 🆎 🕭 ⓘ Ε 𝕍𝕀𝕊𝔸. 🛠   FZ **p**
Pas 60000 – **125 cam** ⊑ 230/370000.

🏨 **Saturnia-International e Rist. Il Cortile,** calle larga 22 Marzo 2398 ⊠ 30124 ℰ 5208377,
Telex 410355, Fax 5207131, « Palazzo patrizio del 14° secolo; servizio rist. estivo all'aperto »
– 🛗 🗖 📺 ☎ – 🛦 60. 🆎 🕭 ⓘ Ε 𝕍𝕀𝕊𝔸. 🛠 rist   EZ **n**
Pas (chiuso mercoledì) carta 52/74000 – **95 cam** ⊑ 200/330000.

🏨 **Gabrielli Sandwirth,** riva degli Schiavoni 4110 ⊠ 30122 ℰ 5231580, Telex 410228, Fax
5209455, ≤ canale di San Marco, « Cortiletto e piccolo giardino » – 🛗 Ε rist ☎. 🆎 🕭 ⓘ Ε
𝕍𝕀𝕊𝔸. 🛠 rist   DU **b**
27 gennaio-8 febbraio e 17 marzo-15 novembre – Pas 38/55000 – **110 cam** ⊑ 205/340000 –
P 150/280000.

🏨 **La Fenice et des Artistes** senza rist, campiello de la Fenice 1936 ⊠ 30124 ℰ 5232333,
Telex 411150, Fax 5203721 – 🛗 🗖. 🕭 Ε 𝕍𝕀𝕊𝔸. 🛠   EZ **v**
67 cam ⊑ 114/173000 appartamenti 240/295000, 🗖 10000.

🏨 **Cavalletto e Doge Orseolo,** calle del Cavalletto 1107 ⊠ 30124 ℰ 5200955, Telex 410684,
Fax 5238184, ≤ – 🛗 🗖 📺 ☎. 🆎 🕭 ⓘ Ε 𝕍𝕀𝕊𝔸. 🛠   FZ **f**
Pas 65000 – **81 cam** ⊑ 168/286000.

🏨 **Concordia** senza rist, calle larga San Marco 367 ⊠ 30124 ℰ 5206866, Telex 411069, Fax
5206775 – 🛗 🗖 ☎. 🆎 🕭 𝕍𝕀𝕊𝔸   GZ **r**
⊑ 12000 – **55 cam** 148/260000.

🏨 **Santa Chiara,** senza rist, Santa Croce 548 ⊠ 30125 ℰ 5206955, Telex 215621 – 🛗 🗖 📺 ☎ 🕭
28 cam ⊑.   AT **c**

🏨 **Flora** 🝓 senza rist, calle larga 22 Marzo 2283/a ⊠ 30124 ℰ 5205844, Telex 410401, « Piccolo
giardino fiorito » – 🛗 ☎ 🕭. 🆎 🕭 ⓘ Ε 𝕍𝕀𝕊𝔸   EZ **t**
chiuso dal 15 novembre al 27 gennaio – **44 cam** ⊑ 114/177000.

🏨 **Panada** senza rist, San Marco-calle dei Specchieri 646 ⊠ 30124 ℰ 5209088, Telex 410153,
Fax 5209619 – 🛗 ☎. 🆎 🕭 ⓘ Ε 𝕍𝕀𝕊𝔸   GY **v**
46 cam ⊑ 115/180000.

🏨 **Rialto,** riva del Ferro 5149 ℰ 5209166, Telex 223448 – 🗖 📺 ☎. 🆎 🕭 ⓘ Ε 𝕍𝕀𝕊𝔸. 🛠 rist
Pas carta 29/48000 – **63 cam** ⊑ 115/175000.   FY **v**

🏨 **San Cassiano** senza rist, Santa Croce 2232 ⊠ 30125 ℰ 5241733, Telex 223479, ≤ – 🛗 🗖 📺
☎. 🆎 ⓘ 𝕍𝕀𝕊𝔸. 🛠 – **35 cam** ⊑ 115/175000.   EX **f**

🏨 **Ala** senza rist, campo Santa Maria del Giglio 2494 ⊠ 30124 ℰ 5208333, Telex 410275, Fax
5206390 – 🛗 🗖 ☎. 🆎 🕭 ⓘ Ε 𝕍𝕀𝕊𝔸   EZ **e**
77 cam ⊑ 120/190000.

🏨 **Torino** senza rist, calle delle Ostreghe 2356 ⊠ 30124 ℰ 5205222 – 🗖 ☎. 🆎 🕭 ⓘ Ε 𝕍𝕀𝕊𝔸
20 cam ⊑ 120/185000, 🗖 12500.   EZ **z**

🏨 **Casanova** senza rist, San Marco-Frezzeria 1284 ⊠ 30124 ℰ 5206855, Telex 223553 – 🛗 🗖
☎. 🆎 🕭 ⓘ Ε 𝕍𝕀𝕊𝔸   FZ **u**
43 cam ⊑ 132/180000 appartamenti 219000, 🗖 7000.

🏨 **Montecarlo** senza rist, calle dei Specchieri 463 ⊠ 30124 ℰ 5207144, Telex 411098 – 🛗 🗖
☎. 🆎 🕭 ⓘ Ε 𝕍𝕀𝕊𝔸 – **48 cam** ⊑ 112/171000.   GY **q**

🏨 **San Marco,** calle dei Fabbri 877 ⊠ 30124 ℰ 5204277, Telex 215660 – 🛗 🗖 ☎   FZ **r**
60 cam.

🏨 **Bisanzio** 🝓 senza rist, calle della Pietà 3651 ⊠ 30122 ℰ 5203100, Telex 420099, Fax 5204114
– 🛗 🗖 ☎. 🆎 🕭 ⓘ Ε 𝕍𝕀𝕊𝔸   DU **d**
⊑ 12000 – **39 cam** 100/140000.

🏨 **Savoia e Jolanda,** riva degli Schiavoni 4187 ⊠ 30122 ℰ 5224130, Telex 410620, Fax 5207494,
≤ canale di San Marco – 🛗 ☎. 🆎 🕭 Ε 𝕍𝕀𝕊𝔸. 🛠 rist   GZ **x**
Pas (chiuso martedì) 30/48000 – ⊑ 16000 – **56 cam** 98/141000 – P 149/163000, b.s. 134/145000.

🏨 **Carpaccio** 🝓 senza rist, calle Corner 2765 ⊠ 30125 ℰ 5235946, ≤ Canal Grande – 🗖 🕭
Ε 𝕍𝕀𝕊𝔸   BT **c**
9 marzo-13 novembre – **17 cam** ⊑ 110/170000.

🏨 **Castello** senza rist, Castello-calle Figher 4365 ⊠ 30122 ℰ 5230217, Telex 311879 – 🗖 🐾. 🆎
🕭 ⓘ Ε 𝕍𝕀𝕊𝔸. 🛠   GY **b**
26 cam ⊑ 115/170000, 🗖 15000.

🏨 **Pausania San Barnaba** senza rist, Dorsoduro 2824 ⊠ 30123 ℰ 5222083, Telex 420178 – 🗴🝓
🗖 📺 ☎. 🆎 🕭 Ε 𝕍𝕀𝕊𝔸   AU **a**
25 cam ⊑ 110/167000.

🏨 **Do Pozzi** 🝓, calle larga 22 Marzo 2373 ⊠ 30124 ℰ 5207855, Telex 420042 – 🛗 🗖 ☎. 🆎 🕭
ⓘ Ε 𝕍𝕀𝕊𝔸   EZ **h**
chiuso gennaio e febbraio – Pas vedere rist Da Raffaele – **29 cam** ⊑ 115/185000.

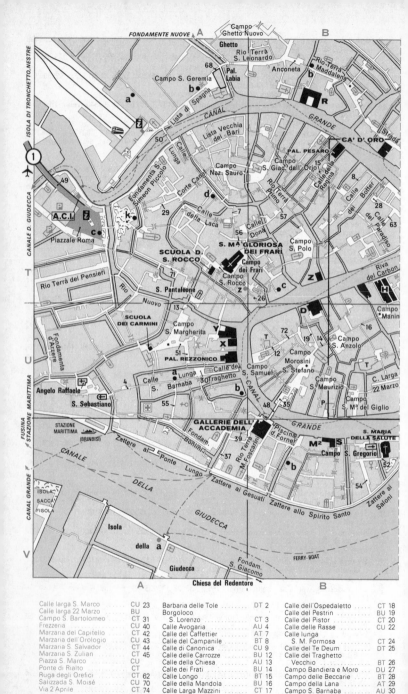

620

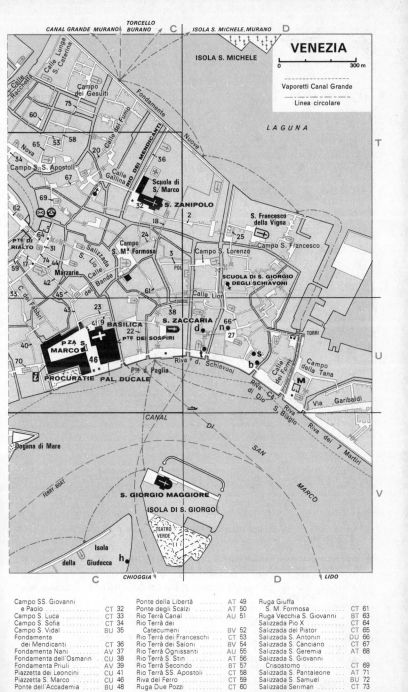

VENEZIA

0 _____ 300 m

--------- Vaporetti Canal Grande
--------- Linea circolare

CANAL GRANDE MURANO
TORCELLO BURANO
ISOLA S. MICHELE, MURANO

ISOLA S. MICHELE

LAGUNA

Calle Lunga S. Caterina
Calle Racchetta
Campo dei Gesuiti
Fondamente dei Gesuiti
Nova
Calle del Fumo
Fondamente Nuove
Campo S. S. Apostoli
Calle Gallina
RIO DEL MENDICANTI
Scuola di S. Marco
S. ZANIPOLO
S. Francesco della Vigna
Campo S. M⁰. Formosa
Campo S. Lorenzo
Campo S. Francesco
PTE DI RIALTO
Salizzada
S. Lio
Marzarie
Calle
Calle della Bande
SCUOLA DI S. GIORGIO DEGLI SCHIAVONI
Campo S. Lio
POL
Calle Lion
C. dei Fabbri
BASILICA
S. ZACCARIA
PTE DEI SOSPIRI
d
n
TORRI
PZA S. MARCO
PAL. DUCALE
PROCURATIE
Pte d. Paglia
t
s
b
Riva d. Schiavoni
M
Campo della Tana
Via Garibaldi
Riva Ca' di Dio
Riva S. Biagio
Riva dei 7 Martiri
CANAL
DI
SAN
MARCO
Dogana di Mare
FERRY-BOAT
S. GIORGIO MAGGIORE
ISOLA DI S. GIORGIO
TEATRO VERDE
Isola della Giudecca
h
CHIOGGIA
LIDO

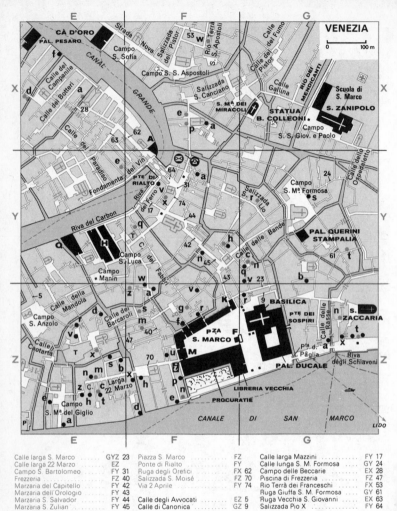

🏨 **Kette** senza rist, piscina San Moisè-San Marco 2053 ⊠ 30124 ☎ 5207766, Telex 311877 – 🛗
📺 ☎ 🕃 ⇗
EZ **s**
51 cam ⊑ 112/170000.

🏨 **Bonvecchiati**, calle Goldoni 4488 ⊠ 30124 ☎ 5285017, Telex 410560, « Raccolta di quadri
d'arte contemporanea » – 🛗 ☎ ⅍ E 🎟 ⇗
FZ **a**
Pas carta 38/49000 – ⊑ 16000 – **86 cam** 98/141000, ▦ 14000 – P 149/180000, b.s. 127/150000.

🏨 **American** senza rist, San Vio 628 ⊠ 30123 ☎ 5204733, Telex 410508, Fax 5204048 – ▦ 📺
☎ ⅍ 🕃 ⑩ E 🎟
BV **b**
29 cam ⊑ 120/180000.

🏨 **Accademia**, senza rist, Dorsoduro-fondamenta Bollani 1058 ⊠ 30123 ☎ 5237846 – ☎ AU **b**
25 cam.

🏨 **Scandinavia**, senza rist, Santa Maria Formosa 5240 ⊠ 30122 ☎ 5223507 – ☎
GY **s**
27 cam.

🏨 **Al Malibran**, Cannaregio-corte del Milion 5864 ⊠ 30131 ☎ 5228028, Telex 420337 – 🛗
⇔ cam ☎. ⅍ 🕃 ⑩ E 🎟
FX **a**
Pas *(chiuso martedì sera e mercoledì in bassa stagione)* carta 28/44000 – 29 cam ⊑ 103/158000
– P 149000, b.s. 131000.

🏠 **San Moisè** senza rist, San Marco 2058 ⊠ 30124 ℰ 5203755, Telex 223534 – ☎. 🅰🅴 🅱 🅾 🇪
🆅🅸🆂🅰 – **16 cam** ⚏ 114/173000.　　　　　　　　　　　　　　　　　　　　　　　EZ **b**

🏠 **Ateneo** senza rist, San Marco 1876-calle Minelli ⊠ 30124 ℰ 5200588 – 🗐 📨. 🅰🅴 🅱 🆅🅸🆂🅰
20 cam ⚏ 114/173000, 🗐 10000.　　　　　　　　　　　　　　　　　　　　　　　　EZ **d**

🏠 **Nuovo Teson** senza rist, calle de la Pescaria 3980 ⊠ 30122 ℰ 5205555 – 📨 ⅙. 🅰🅴 🅱 🇪 🆅🅸🆂🅰
🛇 – **30 cam** ⚏ 56/98000.　　　　　　　　　　　　　　　　　　　　　　　　　　DU **s**

🏠 **Serenissima** senza rist, calle Goldoni 4486 ⊠ 30124 ℰ 5200011 – ☎. 🅱 🆅🅸🆂🅰　　FYZ **w**
24 febbraio-5 novembre – **34 cam** ⚏ 55/96000.

🏠 **Basilea** senza rist, rio Marin 817 ⊠ 30135 ℰ 718477, Telex 420320 – 🗐 🆅🅸🆂🅰. 🛇　　AT **d**
30 cam ⚏ 58/98000.

🏠 **La Residenza** senza rist, campo Bandiera e Moro 3608 ⊠ 30122 ℰ 5285315, « Edificio del
14° secolo » – 🗐 📺 ☎. 🅰🅴 🅱 🅾 🆅🅸🆂🅰. 🛇　　　　　　　　　　　　　　　　　DU **n**
chiuso dall'8 gennaio al 2 febbraio e dal 7 novembre al 7 dicembre – **17 cam** ⚏ 60/100000,
🗐 5000.

🏠 **Paganelli,** riva degli Schiavoni 4687 ⊠ 30122 ℰ 5224324 – 🗐 rist ☎. 🅰🅴 🅱 🇪 🆅🅸🆂🅰. 🛇
Pas *(chiuso mercoledì e dal 15 novembre al 16 marzo)* carta 33/50000 – **23 cam** ⚏ 60/100000
– P 95/100000, b.s. 86/95000.　　　　　　　　　　　　　　　　　　　　　　　　　GZ **t**

🏠 **Abbazia** senza rist, calle Priuli 66 ⊠ 30121 ℰ 717333, Telex 433249 – ☎. 🅰🅴 🅱 🅾 🇪 🆅🅸🆂🅰. 🛇
37 cam ⚏ 57/99000.　　　　　　　　　　　　　　　　　　　　　　　　　　　　　AT **a**

🏠 **Bartolomeo** senza rist, San Marco-Rialto 5494 ⊠ 30124 ℰ 5235387 – 📨. 🅰🅴 🅱 🅾 🇪 🆅🅸🆂🅰
chiuso dal 6 gennaio al 10 febbraio – **30 cam** ⚏ 57/98000.　　　　　　　　　　　FY **a**

🏠 **San Zulian** senza rist, San Marco 535 ⊠ 30124 ℰ 5225872 – ☎. 🅰🅴 🅱 🅾 🇪 🆅🅸🆂🅰　　FY **h**
18 cam ⚏ 59/103000.

🏠 **Lisbona** senza rist, calle larga 22 Marzo 2153 ⊠ 30124 ℰ 5286774 – ☎. 🅱 🇪 🆅🅸🆂🅰　　FZ **x**
15 cam ⚏ 58/99000.

🏠 **La Forcola** senza rist, Cannaregio-Ponte dell'Anconeta 2356 ⊠ 30121 ℰ 720277 – 📨. 🅰🅴 🅱
🅾 🇪 🆅🅸🆂🅰　　　　　　　　　　　　　　　　　　　　　　　　　　　　　　　　BT **b**
⚏ 9500 – **22 cam** 45/75000.

🏠 **Caprera** senza rist, lista di Spagna 219 ⊠ 30121 ℰ 715271　　　　　　　　　　AT **b**
⚏ 8000 – **20 cam** 33/76000.

🏠 **San Fantin** senza rist, campiello de la Fenice 1930/a ⊠ 30124 ℰ 5231401 – 🛇　　EZ **r**
aprile-10 novembre – **14 cam** ⚏ 44/98000.

🏠 **Astoria** senza rist, calle Fiubera 951 ⊠ 30124 ℰ 5225381 – 🅰🅴 🅱 🅾 🇪 🆅🅸🆂🅰. 🛇　　FZ **v**
⚏ 9500 – **29 cam** 45/76000.

XXXX **Antico Martini,** campo San Fantin 1983 ⊠ 30124 ℰ 5224121, Gran classe – 🗐. 🅰🅴 🅱 🅾 🇪
🆅🅸🆂🅰. 🛇　　　　　　　　　　　　　　　　　　　　　　　　　　　　　　　　　　　EZ **x**
chiuso martedì, mercoledì a mezzogiorno, dal 10 gennaio al 15 marzo e dal 12 al 21 dicembre –
Pas carta 63/99000 (15%).

XXX ❀❀ **Harry's Bar,** calle Vallaresso 1323 ⊠ 30124 ℰ 5236797, Rist.-american bar – 🗐. 🅰🅴 🅾
🇪 🆅🅸🆂🅰　　　　　　　　　　　　　　　　　　　　　　　　　　　　　　　　　　　FZ **n**
chiuso lunedì e dal 3 gennaio al 3 febbraio – Pas carta 69/93000 (20%)
Spec. Taglierini o risotto alle seppioline (15 luglio-15 ottobre), San Pietro ai carciofi o agli zucchini (febbraio-luglio),
Pasticceria della Casa. Vini Tocai, Merlot.

XXX **Do Leoni,** riva degli Schiavoni 4175 ⊠ 30122 ℰ 5225032, Rist. elegante a coperti limitati;
prenotare, « Servizio estivo sulla riva » – 🗐. 🅰🅴 🅱 🅾 🇪 🆅🅸🆂🅰. 🛇　　　　　　　GZ **t**
chiuso martedì dal 21 ottobre al 19 giugno – Pas carta 76/111000.

XXX ❀ **La Caravella,** calle larga 22 Marzo 2397 ⊠ 30124 ℰ 5208901, Rist. caratteristico a coperti
limitati; prenotare – 🗐. 🅰🅴 🅱 🅾 🇪 🆅🅸🆂🅰. 🛇　　　　　　　　　　　　　　　　　EZ **m**
chiuso mercoledì – Pas carta 65/98000
Spec. Bigoli in salsa, Scampi allo Champagne, Filetto di bue Caravella. Vini Chardonnay, Merlot.

XXX **Taverna La Fenice,** San Marco 1938 ⊠ 30124 ℰ 5223856, 🌫, Rist. elegante – 🗐. 🅰🅴 🅱
🅾 🇪 🆅🅸🆂🅰. 🛇　　　　　　　　　　　　　　　　　　　　　　　　　　　　　　　　EZ **v**
chiuso domenica, lunedì a mezzogiorno e dal 25 gennaio al 7 marzo – Pas carta 44/80000
(15%).

XXX **Malamocco,** campiello del Vin 4650 ⊠ 30122 ℰ 5227438, Rist. elegante-confort accurato –
🗐　　　　　　　　　　　　　　　　　　　　　　　　　　　　　　　　　　　　　　　GZ **n**

XXX **Al Campiello,** calle dei Fuseri 4346 ⊠ 30124 ℰ 5206396, Rist.-american-bar-soupers a
coperti limitati; prenotare – 🗐. 🅰🅴 🅱 🅾 🇪 🆅🅸🆂🅰　　　　　　　　　　　　　　　FZ **z**
chiuso lunedì – Pas carta 36/64000 (13%).

XXX **La Regina,** Santa Croce-calle della Regina 2330 ⊠ 30125 ℰ 5241402, Coperti limitati;
prenotare – 🗐. 🅰🅴 🅱 🆅🅸🆂🅰. 🛇　　　　　　　　　　　　　　　　　　　　　　　EX **d**
chiuso lunedì ed agosto – Pas carta 43/66000.

XX **Do Forni,** calle dei Specchieri 457/468 ⊠ 30124 ℰ 5237729, Telex 433072, Rist. rustico
moderno – 🗐. 🅰🅴 🅱 🅾 🇪 🆅🅸🆂🅰　　　　　　　　　　　　　　　　　　　　　　　GY **c**
chiuso dal 22 novembre al 5 dicembre e giovedì (escluso luglio-ottobre) – Pas carta 50/72000.

XX ❀ **Al Graspo de Ua,** calle dei Bombaseri 5094 ⊠ 30124 ℰ 5223647, Taverna caratteristica –
🗐. 🅰🅴 🅱 🅾 🇪 🆅🅸🆂🅰　　　　　　　　　　　　　　　　　　　　　　　　　　　　FY **x**
chiuso lunedì, martedì e dal 20 dicembre al 3 gennaio – Pas carta 44/66000 (16%)
Spec. Zuppa di pesce alla chioggiotta con crostoni, Trancio di cernia alla bragoseto, Braciola di vitello alla vetraria.
Vini Pinot Grigio, Cabernet.

XX **La Colomba**, piscina di Frezzeria 1665 ⊠ 30124 🖉 5221175, 🛱, « Raccolta di quadri d'arte contemporanea » – ▤
FZ **m**

XX **Harry's Dolci,** Giudecca 773 ⊠ 30133 🖉 5224844, « Servizio estivo all'aperto sul Canale della Giudecca » – ▤
AV **a**
chiuso domenica sera, lunedì e dal 28 novembre al 28 febbraio – Pas carta 28/44000 (13%).

XX **Noemi** con cam, calle dei Fabbri 909 ⊠ 30124 🖉 5225238 e hotel 🖉 5238144 – ▤ rist. 🖭 ⑧ ⑩ 🖃 ☑☑☑
FZ **g**
Pas carta 48/70000 (15%) – ☲ 7000 – **15 cam** 32/55000.

XX **Da Ivo,** calle dei Fuseri 1809 ⊠ 30124 🖉 5285004, Coperti limitati; prenotare – ▤ 🖭 ⑧ ⑩ 🖃 ☑☑☑. ⁂
FZ **s**
chiuso domenica e gennaio – Pas carta 45/67000 (12%).

XX **Antico Pignolo,** calle dei Specchieri 451 ⊠ 30124 🖉 5228123, 🛱, Rist. rustico moderno – 🖭 ⑧ ⑩ 🖃 ☑☑☑
GY **n**
chiuso martedì e dal 10 al 31 gennaio – Pas carta 45/64000.

XX **Osteria di Fiore,** San Polo-calle del Scaleter 2202 ⊠ 30125 🖉 721308, Solo piatti di pesce, Coperti limitati, prenotare – ▤ 🖭 ⑩. ⁂
FX **e**
chiuso domenica, lunedì, da Natale al 6 gennaio e dal 1° al 22 agosto – Pas carta 39/59000 (10%).

XX Al Conte Pescaor, piscina San Zulian 544 ⊠ 30124 🖉 5221483, Rist. rustico – ▤
FY **h**

XX **Da Raffaele,** calle larga 22 Marzo 2347 ⊠ 30124 🖉 5232317, 🛱 – ▤. 🖭 ⑧ ⑩ 🖃 ☑☑☑
EZ **c**
chiuso giovedì e dal 10 dicembre al 25 gennaio – Pas carta 30/60000 (12%).

XX **Fiaschetteria Toscana,** San Giovanni Crisostomo 5719 ⊠ 30121 🖉 5285281 – 🖭 ⑧ ⑩ 🖃 ☑☑☑
FX **p**
chiuso dal 1° al 15 luglio e martedì (escluso 16 luglio-ottobre) – Pas carta 27/47000 (12%).

X **Madonna,** calle della Madonna 594 ⊠ 30125 🖉 5223824, Trattoria veneziana – ▤. 🖭
EY **e**
chiuso mercoledì, dal 24 dicembre al 31 gennaio e dal 4 al 17 agosto – Pas carta 25/42000 (12%).

X **A la Vecia Cavana,** rio Terrà SS. Apostoli 4624 ⊠ 30121 🖉 5287106 – ▤. 🖭 ⑧ ⑩ 🖃 ☑☑☑. ⁂ – *chiuso martedì* – Pas carta 32/42000 (12%).
FX **w**

X **Da Bruno,** Castello-calle del Paradiso 5731 ⊠ 30122 🖉 5221480, Trattoria d'habitués – ⁂ ▤. 🖭 – *chiuso martedì e dal 15 al 30 luglio* – Pas carta 24/33000 (10%).
GY **r**

X **Antica Carbonera,** calle Bembo 4648 ⊠ 30124 🖉 5225479, Trattoria veneziana – ▤. 🖭 ⑧ 🖃 ☑☑☑
FY **q**
chiuso martedì e dal 1° al 20 luglio – Pas carta 27/45000 (12%).

X **Antica Trattoria Poste Vecie,** Pescheria 1608 ⊠ 30125 🖉 721822, Tipica trattoria veneziana – 🖭 ⑩ 🖃 ☑☑☑
EX **a**
chiuso martedì escluso luglio, agosto e settembre – Pas carta 33/57000.

X **Al Giardinetto-da Severino,** ruga Giuffa 4928 ⊠ 30122 🖉 5285332, 🛱 – 🖭 ⑧ ⑩ 🖃 ☑☑☑
GY **t**
chiuso sabato e dal 10 gennaio al 10 febbraio – Pas carta 27/40000 (12%).

X **Trattoria S. Tomà,** campo San Tomà 2864/a ⊠ 30125 🖉 5238819, Rist. e pizzeria
ABT **z**
chiuso martedì – Pas carta 23/40000 (12%).

X **Nono Risorto,** sottoportego Siora Bettina 2337 ⊠ 30125 🖉 5241169, Trattoria con pergolato – 🖭 ⑩
EX **d**
chiuso martedì escluso luglio, agosto e settembre – Pas carta 23/36000.

al Lido : 15 mn di vaporetto da San Marco FZ – ⊠ **30126** Venezia Lido.
Accesso consentito agli autoveicoli durante tutto l'anno.
🅱 Gran Viale S. M. Elisabetta 6 🖉 765721 :

🏨🏨🏨 **Excelsior,** lungomare Marconi 41 🖉 5260201, Telex 410023, ≤, 🏖, 🏖⊚, ⁂, 🖂 – 🛗 ▤ ☑ 🖭 ⑧ ⑩ 🖃 ☑☑☑. ⁂ rist ৬ – ▱ 40 a 600. 🖭 ⑧ ⑩ 🖃 ☑☑☑. ⁂ rist
s
15 aprile-20 ottobre – Pas carta 90/135000 – ☲ 25000 – **231 cam** 415/546000 – P 355/600000.

🏨🏨🏨 **Des Bains,** lungomare Marconi 17 🖉 765921, Telex 410142, Fax 5260113, ≤, « Parco fiorito con 🏊 riscaldata e ⁂ », 🏖⊚, 🖂 – 🛗 ▤ ☑ ☎ 🅿 – ▱ 90 a 380. 🖭 ⑧ ⑩ 🖃 ☑☑☑. ⁂
k
aprile-ottobre – Pas 71/93000 – ☲ 20000 – **204 cam** 241/373000 appartamento 766000 – P 318/383000.

🏨🏨 **Quattro Fontane** ⌂, via 4 Fontane 16 🖉 5260227, Telex 411006, 🏖, ⁂ – ☎ 🅿. 🖭 ⑧ 🖃 ☑☑☑. ⁂ rist
r
21 aprile-1° ottobre – Pas carta 58/91000 – ☲ 17000 – **70 cam** 160/250000 – ½ P 190/220000, b.s. 170/200000.

🏨🏨 **Le Boulevard e Rist. Grimod,** Gran Viale S. M. Elisabetta 41 🖉 5261990, Telex 410185 – 🛗 ⁂ – ▤ ☑ ☎ 🅿 – ▱ 60. 🖭 ⑧ ⑩ 🖃 ☑☑☑. ⁂ rist
x
chiuso gennaio – Pas carta 28/52000 – **45 cam** ☲ 165/300000 – P 190/230000, b.s. 150/190000.

🏨🏨 **Villa Mabapa,** riviera San Nicolò 16 🖉 5260590, Telex 440170, Fax 5269441, « Rist. estivo in giardino », 🏖 – 🛗 ▤ ☎ 🅿 ৬. 🖭 ⑧ ⑩ 🖃 ☑☑☑. ⁂ rist
a
Pas *(chiuso dal 3 novembre al 15 marzo)* 32/35000 – **62 cam** ☲ 140/220000 – P 130/170000, b.s. 110/140000.

🏨 **Villa Otello** senza rist, via Lepanto 12 🖉 5260048 – 🛗 ⊚ 🅿
m
22 aprile-15 ottobre – ☲ 12000 – **34 cam** 92/133000.

DINTORNI DI VENEZIA CON RISORSE ALBERGHIERE

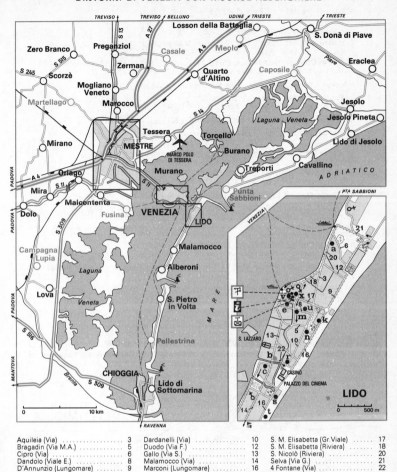

Aquileia (Via)	3	Dardanelli (Via)	10	S. M. Elisabetta (Gr.Viale)	17
Bragadin (Via M.A.)	5	Duodo (Via F.)	12	S. M. Elisabetta (Riviera)	18
Cipro (Via)	6	Gallo (Via S.)	13	S. Nicolò (Riviera)	20
Dandolo (Viale E.)	8	Malamocco (Via)	14	Selva (Via G.)	21
D'Annunzio (Lungomare)	9	Marconi (Lungomare)	16	4 Fontane (Via)	22

🏨 **Helvetia** senza rist, Gran Viale S. M. Elisabetta 4 ℰ 5260105, Telex 420045, 🚗 – ⧈ ☜ ℗. ⋘
v
aprile-ottobre – **56 cam** ⚏ 110/160000.

🏨 **Adria Urania, Villa Nora, Villa Ada-Biasutti,** viale Dandolo 29 ℰ 5260120, Telex 410666, 🚗 – ⧈ ▤ cam ☎ ℗. 🆎 ⅍ ⓸ ⋐ 𝚅𝙸𝚂𝙰. ⋘ rist
u
Pas *(chiuso da novembre a marzo)* 35000 – **88 cam** ⚏ 115/180000, ▤ 5000.

🏨 **Rigel** senza rist, viale Dandolo 13 ℰ 768810 – ⧈ ▤ ☎. 🆎 ⅍ ⓸ ⋐ 𝚅𝙸𝚂𝙰
e
aprile-ottobre – **42 cam** ⚏ 102/152000, ▤ 13000.

🏦 **Petit Palais** senza rist, lungomare Marconi 54 ℰ 5261707, ← – ⧈ ☎. 🆎 ⅍ ⓸ ⋐ 𝚅𝙸𝚂𝙰
t
15 marzo-6 novembre – **26 cam** ⚏ 115/175000.

🏦 **Byron Central Hotel,** via Bragadin 30 ℰ 5260052, Telex 433109, 🚗 – ⧈ ▤ ☜. 🆎 𝚅𝙸𝚂𝙰. ⋘ rist
n
marzo-ottobre – Pas 22/32000 – ⚏ 15000 – **36 cam** 80/120000, ▤ 10000 – P 100/120000, b.s. 75/90000.

🏦 **Villa Parco** senza rist, via Rodi 1 ℰ 5260015 – ☎ ℗. 🆎 𝚅𝙸𝚂𝙰. ⋘
c
chiuso dal 15 novembre a gennaio – **22 cam** ⚏ 90/135000.

🏦 **Vianello,** località Alberoni ✉ 30011 Alberoni ℰ 731072, 🚗 – ⋘ rist
◆ *15 marzo-15 ottobre* – Pas *(chiuso da settembre a maggio)* 15/18000 – ⚏ 7000 – **20 cam** 42/72000 – P 55/60000, b.s. 50/55000.

- ⚡⚡ Ai Murazzi, località Cà Bianca 𝒫 767278, ← – 🔲 ⓟ
  stagionale.

- ⚡ Da Valentino, via Sandro Gallo 81 𝒫 5260128, 🏠   **b**

- ⚡ **Trattoria da Ciccio,** via S.Gallo 241-verso Malamocco 𝒫 765489, 🏠 – ⓟ
  chiuso martedì e dal 15 al 30 novembre – Pas carta 26/41000 (12%).

- ⚡ **Al Vecio Cantier,** località Alberoni ⊠ 30011 Alberoni 𝒫 731130, 🏠, prenotare – 🅰🅴
  chiuso lunedì e da febbraio a maggio anche martedì – Pas carta 34/50000.

  a Murano 10 mn di vaporetto dalle fondamenta Nuove CT – ⊠ **30121** :

- ⚡ **Ai Frati,** 𝒫 736694, Trattoria marinara, 🏠
  chiuso giovedì e febbraio – Pas carta 27/45000 (12%).

  a Burano 50 mn di vaporetto dalle fondamenta Nuove CT – ⊠ **30012** :

- ⚡ **Ai Pescatori,** 𝒫 730650, Trattoria marinara – 🅱 ⓞ 🄴 𝐕𝐼𝐒𝐀
  chiuso lunedì e gennaio – Pas carta 35/60000 (10%).

- ⚡ **Al Gatto Nero-da Ruggero,** 𝒫 730120, 🏠, Trattoria tipica – ⓞ 𝐕𝐈𝐒𝐀
  chiuso lunedì e dal 20 ottobre al 20 novembre – Pas carta 32/55000.

- ⚡ **Galuppi,** via Galuppi 468 𝒫 730081, 🏠
  chiuso giovedì e dal 15 gennaio al 15 febbraio – Pas carta 31/46000 (10%).

  a Torcello 45 mn di vaporetto dalle fondamenta Nuove CT – ⊠ **30012** Burano :

- ⚡⚡ ❀ **Locanda Cipriani,** 𝒫 730150, « Servizio estivo in giardino » – 🅰🅴 🅱 🄴 𝐕𝐈𝐒𝐀
  19 marzo-10 novembre; chiuso martedì – Pas carta 63/92000 (15%)
  Spec. Risotto alla torcellana (con verdure), Scampi alla Carlina, Scaloppine di vitello alle erbe. **Vini** Soave, Cabernet.

- ⚡⚡ **Ostaria al Ponte del Diavolo,** 𝒫 730401, 🏠 – 🅰🅴 🅱
  marzo-15 novembre; chiuso giovedì e la sera (escluso sabato) – Pas carta 42/58000 (10%).

  a Pellestrina - San Pietro in Volta 1 h e 10 mn di vaporetto da riva degli Schiavoni GZ –
  ⊠ **30010** :

- ⚡ **Da Nane,** 𝒫 688100, Trattoria marinara con ← – 🦐
  chiuso lunedì e dal 7 gennaio al 28 febbraio – Pas carta 32/41000.

  Vedere anche : *Mestre* per ① : 9 km.

OFFICINE AUTO : vedere Mestre.

VENTIMIGLIA 18039 Imperia 𝟵𝟴𝟴 ⑫, 𝟭𝟵𝟱 ㉙, 𝟴𝟰 ⑳ – 25 802 ab. – ✆ 0184.

Dintorni Giardini Hanbury★★ a Mortola Inferiore O : 6 km – **Escursioni** Riviera di Ponente★ Est.

🄸 via Cavour 61 𝒫 351183 – Stazione Ferrovie Stato 𝒫 358197.

Roma 658 ① – Cuneo 89 ① – ◆Genova 159 ① – ◆Milano 282 ① – ◆Nice 40 ① – San Remo 17 ②.

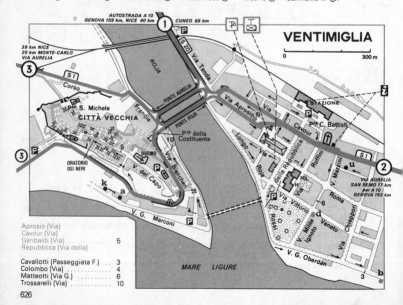

Sea Gull e Rist. La Capannina, via Marconi 13 ✆ 351726, ←, – |‡| Ⓟ. AE Ⓢ ⊙ E VISA. ✻ cam — k
Pas *(chiuso lunedì da ottobre a maggio)* carta 35/70000 – ☐ 6000 – **26 cam** 23/53000 – P 65000.

Sole Mare senza rist, via Marconi 12 ✆ 351855, ← – |‡|. AE Ⓢ ⊙ E VISA. ✻ — a
chiuso dal 15 novembre al 15 dicembre – ☐ 7000 – **28 cam** 33/54000.

Posta senza rist, via Sottoconvento 15 ✆ 351218 – |‡|. ✻ — u
chiuso dal 7 gennaio al 28 febbraio – ☐ 5000 – **18 cam** 30/52000.

XX **Marco Polo,** passeggiata Cavallotti ✆ 352678, ← – AE Ⓢ ⊙ E VISA — b
chiuso dal 15 gennaio al 28 febbraio, dal 10 al 17 novembre e domenica sera-lunedì dal 30 settembre al 30 giugno – Pas carta 45/60000.

X **Nanni,** via Milite Ignoto 2 ✆ 33230 – AE Ⓢ ⊙ E VISA — d
chiuso domenica sera, lunedì, dal 15 al 30 giugno e dal 15 al 30 ottobre – Pas carta 25/40000.

X **Bolognese,** via Aprosio 21/a ✆ 351779 — s
chiuso la sera e dal 10 dicembre al 20 gennaio – Pas carta 20/32000 (12%).

a Castel d'Appio per ③ : 5 km – alt. 344 – ✉ **18039** Ventimiglia :

La Riserva ✆ 39533, ← mare e costa, « Giardino ombreggiato », – ☎ Ⓟ. Ⓢ. ✻ cam
Pasqua-20 settembre e 18 dicembre-6 gennaio – Pas carta 30/50000 (15%) – ☐ 7500 – **29 cam** 60/80000 – ½P 75000.

a Trucco per ① : 7 km – alt. 52 – ✉ **18039** :

XX **Pallanca,** ✆ 31009 – Ⓟ. AE Ⓢ E VISA
chiuso mercoledì e novembre – Pas carta 21/39000.

Vedere anche : ***Ponte San Ludovico*** per ③ : 8 km.

ALFA-ROMEO corso Limone Piemonte 11/b per ① ✆ 356644
FIAT corso Limone Piemonte per ① ✆ 356225
INNOCENTI via Nervia 2 per ② ✆ 292784

VENTURINA 57029 Livorno 988 ⑭ – alt. 11 – ✆ 0565.

Roma 250 – ♦Firenze 157 – Grosseto 63 – ♦Livorno 71 – Piombino 14 – Siena 99.

Rossi senza rist, ✆ 851256 – . ✻
☐ 5000 – **15 cam** 35/48000.

X **Otello,** ✆ 851212 – Ⓟ. Ⓢ E VISA
chiuso venerdì e settembre – Pas carta 17/26000.

VERBANIA Novara 988 ②, 219 ⑦ – 31 007 ab. alt. 197 (frazione Pallanza) – Stazione climatica, a.s. Pasqua e luglio-15 settembre – ✆ 0323.

Vedere Pallanza** – Lungolago** – Villa Taranto**.

Escursioni Isole Borromee*** (giro turistico : da Intra 25-50 mm di battello e da Pallanza 10-30 mm di battello).

Piandisole (aprile-novembre) a Premeno ✉ 28057 ✆ 47100, NE : 11 km.

da Intra per Laveno-Mombello giornalieri (20 mm); da Pallanza per le Isole Borromee giornalieri (da 10 a 30 mn) – Navigazione Lago Maggiore: a Intra ✆ 42321 e a Pallanza ✆ 503220.

a Pallanza, corso Zannitello 8 ✆ 503249.

Roma 674 – Domodossola 38 – Locarno 42 – ♦Milano 95 – Novara 72 – Stresa 15 – ♦Torino 146.

a Pallanza – ✉ **28048** :

Majestic e Rist. La Beola, via Vittorio Veneto 32 ✆ 504305, Telex 200644, Fax 59585, ←, « Giardino in riva al lago », – |‡| rist Ⓟ – 30 a 200. AE Ⓢ ⊙ E VISA. ✻ rist
23 marzo-10 ottobre – Pas carta 40/60000 – ☐ 16000 – **119 cam** 110/180000 appartamenti 185000 – P 110/170000, b.s. 100/120000.

Europalace, viale delle Magnolie 16 ✆ 506441, Fax 44546, ← – |‡| ☎ Ⓟ – 25. AE Ⓢ ⊙ E VISA
Pas vedere rist La Cave – ☐ 10000 – **44 cam** 90/146000 appartamenti 146/189000 – P 110/130000.

Astor, via Vittorio Veneto 17/b ✆ 504261, ←, – |‡| Ⓟ. AE Ⓢ E VISA. ✻ rist
20 marzo-10 ottobre – Pas 30000 – ☐ 12000 – **52 cam** 55/77000 – P 60/75000, b.s. 55/65000.

San Gottardo, piazza Imbarcadero ✆ 504465, ← – |‡|. AE Ⓢ ⊙ E VISA. ✻ rist
aprile-settembre – Pas *(chiuso giovedì)* 20/25000 – ☐ 5000 – **39 cam** 56/78000 – P 65/78000, b.s. 60/70000.

Belvedere, piazza Imbarcadero ✆ 503202, Telex 200269, ← – |‡|. AE Ⓢ ⊙ E VISA. ✻ rist
25 marzo-10 ottobre – Pas *(chiuso venerdì)* 20/25000 – ☐ 5000 – **52 cam** 56/78000 – P 65/78000, b.s. 60/70000.

Italia senza rist, viale delle Magnolie 10 ✆ 503206
marzo-10 novembre – ☐ 6000 – **14 cam** 45/64000.

XX **Milano,** corso Zannitello 2 ☎ 506816, « Terrazza sul lago » – Ⓟ. AE ⓢ ⓞ E VISA
chiuso martedì e gennaio – Pas carta 37/50000 (10%).

XX ✿ **Il Torchio,** via Manzoni 20 ☎ 503352, Coperti limitati; prenotare – AE ⓢ ⓞ E VISA
chiuso lunedì, dal 15 al 30 giugno e dal 10 al 20 dicembre – Pas carta 28/46000
Spec. Patè di coniglio, Tortelloni ai funghi, Filetti di coregone alla Verbano. **Vini** Erbaluce di Caluso.

XX **La Cave,** viale delle Magnolie 16 ☎ 506441 – ▤. AE ⓢ ⓞ E VISA. ✻
chiuso mercoledì – Pas carta 27/35000 (10%).

X **Bella Pallanza,** via Manzoni 12 ☎ 506332, 🏖 – AE ⓢ E VISA
chiuso mercoledì da novembre a marzo – Pas carta 23/38000 (10%).

a Intra NE : 3 km – ✉ **28044** :

🏨 **Miralago,** corso Mameli 173 ☎ 44080, ≤ – |‡| ▤ rist ☎. VISA
Pas *(chiuso venerdì)* carta 18/40000 (15%) – ☕ 6000 – **41 cam** 50/76000 – P 60/75000, b.s. 50/70000.

a Fondotoce NO : 6 km – ✉ **28040** :

XX **Piccolo Lago** con cam, NO : 2 km ☎ 496045, ≤, 🏖, ⛵, 🏖 – TV ☎ Ⓟ. AE ⓢ E VISA
Pas *(chiuso mercoledì da novembre a marzo)* carta 33/51000 (10%) – ☕ 10000 – **18 cam** 45/69000 – P 69000, b.s. 59000.

Vedere anche : ***Borromee (Isole)*** **SO : da 10 a 50 mm di battello.**

FIAT a Trobaso, via Renco 41 ☎ 571671
FORD ad Intra, via Renco 59 ☎ 571350
GM-OPEL ad Intra, via Annibale Rosa 23/27 ☎ 41412
LANCIA-AUTOBIANCHI ad Intra, piazza Matteotti 29 ☎ 41545
PEUGEOT-TALBOT ad Intra, corso Cairoli 63 ☎ 45016

VERBANO Vedere Lago Maggiore.

VERCELLI

Cavour (Piazza)
Dante Alighieri (Via)
Ferraris (Via G.)
Libertà (Corso)

Borgogna (Via Antonio) 2
Brigata Cagliari (Via) 3
Cagna (Via G. A.) 4
D'Angennes (Piazza Alessandro) 8
De Amicis (Via Edmondo) 10
Fratelli Ponti (Via) 12
Goito (Via) 13
Martiri della Libertà (Piazza) 15
Matteotti (Corso) 16
Mazzucchelli (Piazza) 17
Monte di Pietà (Via) 18
S. Eusebio (Piazza) 19
Vallotti (Via) 21
20 Settembre (Via) 22

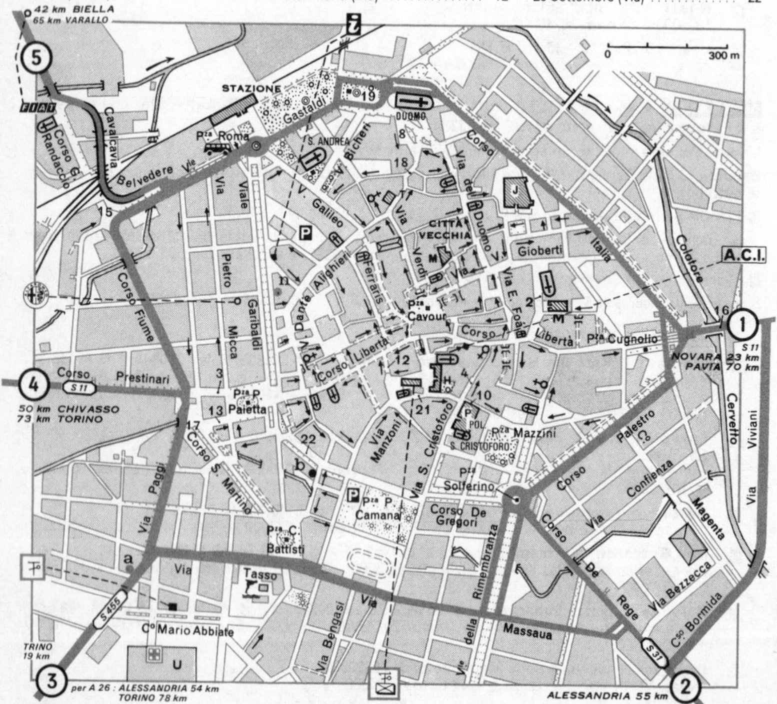

VERCELLI 13100 🅿 988 ②②, 219 ⑯ − 50 709 ab. alt. 131 − ✪ 0161.
🇮 viale Garibaldi 90 ℘ 64632.
A.C.I. piazza Alciati 11 ℘ 65031.
Roma 633 ⑤ − Alessandria 54 ③ − Aosta 121 ③ − ♦Milano 74 ⑤ − Novara 23 ① − Pavia 70 ① − ♦Torino 80 ③.

Pianta pagina a lato

🏨 **Modo Hotel e Rist. Il Faro,** piazza Medaglie d'Oro 21 ℘ 57481 − 🛗 🗖 📺 ☎ 🔥 🚙 🄿 🄰🄴
　 ⓘ 𝗩𝗜𝗦𝗔. ✆ rist　　　　　　　　　　　　　　　　　　　　per via Bengasi
　 Pas (chiuso sabato e dal 1° al 25 agosto) carta 26/38000 − ⊊ 8000 − **32 cam** 50/80000.

🏠 **Europa e Rist. 'L Nos Gal,** via Santorre di Santarosa 16 ℘ 66847 − 🛗 🗖 rist ☎. ✆　　　　**b**
　 Pas (chiuso mercoledì) carta 25/35000 − ⊊ 7000 − **25 cam** 44/75000 − P 70000.

🏠 **Cerruti** senza rist, strada per Novara ℘ 54147 − 🄿 🄱 🄴 𝗩𝗜𝗦𝗔　　　　　　3 km per ①
　 ⊊ 4500 − **10 cam** 30/45000.

XX **Il Paiolo,** viale Garibaldi 74 ℘ 53577 − 🄰🄴 🄱 ⓘ 🄴 𝗩𝗜𝗦𝗔　　　　　　　　　　　　**n**
　 chiuso giovedì e dal 20 luglio al 20 agosto − Pas carta 28/39000.

X **Da Giuseppe,** via Trino 18 ℘ 65369 − 🗖. 🄱 𝗩𝗜𝗦𝗔　　　　　　　　　　　　　　　**a**
♦ chiuso lunedì ed agosto − Pas carta 17/30000.

X **Trattoria San Giovanni,** via Trino 84 ℘ 392073 − 🗖 🄿. ✆　　　　　　　per ③
♦ chiuso lunedì ed agosto − Pas carta 17/30000.

ALFA-ROMEO via Oldoni 17 ℘ 53963　　　　　　FIAT via Walter Manzone 104/110 ℘ 58688
BMW via Grivola 35 ℘ 392282　　　　　　　　　GM-OPEL via Walter Manzone 115 ℘ 53558
CITROEN via Walter Manzone 179 ℘ 65095　　　INNOCENTI via Grivola 35 per ④ ℘ 392282
FIAT tangenziale angolo via per Trino per ③ ℘　RENAULT corso Fiume 61 ℘ 62490
392201　　　　　　　　　　　　　　　　　　　　　VW-AUDI statale per Biella ℘ 56823

VERCURAGO 24030 Bergamo 219 ⑩ − 2 795 ab. alt. 241 − ✪ 0341.
Roma 617 − ♦Bergamo 27 − Como 35 − Lecco 6 − ♦Milano 49.

X **Pesce d'Oro,** Lungolago 13 ℘ 420226, ≤, 🏠 − 🗖. ✆
　 chiuso martedì − Pas carta 24/36000.

VERDUNO 12060 Cuneo − 435 ab. alt. 378 − ✪ 0172.
Roma 645 − Asti 45 − Cuneo 56 − ♦Milano 165 − Savona 98 − ♦Torino 60.

XX **Falstaff,** ℘ 459244, solo su prenotazione − 🄰🄴 ⓘ 𝗩𝗜𝗦𝗔. ✆
　 chiuso lunedì e gennaio − Pas 35/47000.

VEREZZI Savona − Vedere Borgio Verezzi.

VERGHERETO 47028 Forlì − 2 375 ab. alt. 812 − ✪ 0543.
Roma 287 − Arezzo 72 − ♦Firenze 97 − Forlì 72 − ♦Milano 354 − ♦Ravenna 96.

　a Balze SE : 12,5 km − alt. 1 091 − ✉ 47020 :

🏠 **Monte Fumaiolo** ⚇, NO : 1,5 km, alt. 1 227, ℘ 906614, ≤, 🌳 − 🄿 𝗩𝗜𝗦𝗔. ✆
♦ giugno-settembre − Pas 16/20000 − ⊊ 4500 − **49 cam** 27/55000 − P 40/50000.

🏠 **Paradiso** ⚇, NO : 3 km, alt. 1 408, ℘ 906653, ≤, 🌳 − 🚙 🄿 ⓘ 𝗩𝗜𝗦𝗔. ✆
　 chiuso dal 1° al 15 giugno e dal 1° al 15 novembre − Pas carta 23/35000 − ⊊ 5000 − 14 cam
　 60000 − P 40/60000.

VERITÀ (Monte) 219 ⑦ − Vedere Cantone Ticino (Ascona) alla fine dell'elenco alfabetico.

VERLA DI GIOVO 38030 Trento − alt. 496 − a.s. dicembre-aprile − ✪ 0461.
Roma 603 − ♦Bolzano 55 − ♦Milano 259 − Trento 15.

X **Doss Pules** ⚇ con cam, NE : 1 km ℘ 684046, « In pineta » − 🄿
　 8 cam.

VERMEZZO 20081 Milano 219 ⑱ − 1 712 ab. alt. 116 − ✪ 02.
Roma 589 − ♦Milano 21 − Novara 36 − Pavia 33.

X **Cacciatori,** ℘ 9440312, 🏠, 🌳 − 🄿. 🄰🄴. ✆
　 chiuso giovedì ed agosto − Pas carta 29/44000.

FORD statale Vigevanese 494 ℘ 9440676

VERNAGO (VERNAGT) Bolzano 218 ⑨ − Vedere Senales.

VERNANTE 12019 Cuneo − 1 512 ab. alt. 799 − a.s. febbraio-aprile, luglio-15 settembre e Natale −
✪ 0171.
Roma 663 − Cuneo 20 − ♦Milano 236 − Colle di Tenda 13 − ♦Torino 114.

🏠 **Nazionale,** ℘ 920181 − 🄿
♦ Pas (chiuso mercoledì e dal 2 al 30 novembre) carta 19/28000 − ⊊ 3000 − **23 cam** 35/50000 −
　 P 45/50000, b.s. 40/45000.

VERNAZZA 19018 La Spezia – 1 295 ab. – ☺ 0187.

Vedere Località★★.

Dintorni Regione delle Cinque Terre★★ SE e O per ferrovia.

Monterosso al Mare 5 mn di ferrovia – Riomaggiore 10 mn di ferrovia.

- ✗ **Gambero Rosso,** 𝒫 812265, ≤ porticciolo e costa, 🏤 – 🖭 🕄 𝗩𝗜𝗦𝗔
  chiuso lunedì, febbraio e dal 1° al 20 novembre – Pas carta 32/54000.
- ✗ **Gianni Franzi,** 𝒫 812228, ≤ porticciolo e costa, 🏤 – 🕄 🗲 𝗩𝗜𝗦𝗔
  chiuso mercoledì e dall'8 gennaio all'8 marzo – Pas carta 31/66000.

VEROLI 03029 Frosinone 🄈🄇🄇 ㉙ – 19 250 ab. alt. 570 – ☺ 0775.

Roma 97 – Avezzano 76 – Frosinone 14 – ◆Napoli 159.

sulla strada statale 214 :

- 🏠 **Sora Laura,** località Giglio S : 6 km ⌧ 03020 Giglio 𝒫 335016 – 🛗 ⟨⟩ ⓟ. 🖭 🕄 ⑩ 𝗩𝗜𝗦𝗔. ⋘
  Pas *(chiuso lunedì)* carta 29/42000 – ⌑ 5000 – **34 cam** 27/40000 – P 55/65000.
- ✗ **Mensa de la Posta,** località Castelmassimo S : 8 km ⌧ 03020 Castelmassimo 𝒫 308680,
  « Ambiente tipico », 🌫 – ⓟ. ⋘
  chiuso agosto, domenica e il mezzogiorno di lunedì-martedì-mercoledì – Pas carta 26/45000.

VERONA 37100 🄿 🄈🄇🄇 ④ – 258 523 ab. alt. 59 – ☺ 045.

Vedere Chiesa di San Zeno Maggiore★★ : porte★★★, trittico del Mantegna★★ AY – Piazza delle Erbe★★ CY – Piazza dei Signori★★ CY – Arche Scaligere★★ CY – Arena★★ : ✳★★ BCYZ – Castelvecchio★★ : museo d'Arte★★ BY – Ponte Scaligero★★ BY – Chiesa di Sant'Anastasia★ : affresco★★ di Pisanello CY F – ≤★★ dalle terrazze di Castel San Pietro CY D – Teatro Romano★ CY C – Duomo★ CY A – Chiesa di San Fermo Maggiore★ CYZ B.

🏌 (chiuso martedì) a Sommacampagna ⌧ 37066 𝒫 510060, O : 13 km.

✈ di Villafranca, per ③ : 12 km 𝒫 513039 – Alitalia, corso Porta Nuova 61 ⌧ 37122 𝒫 594222.

🚗 𝒫 28312.

🄳 via della Valverde 34 ⌧ 37122 𝒫 30086 – via Dietro Anfiteatro 6 ⌧ 37121 𝒫 592828.

A.C.I. via della Valverde 34 ⌧ 37122 𝒫 595333.

Roma 503 ③ – ◆Milano 157 ③ – ◆Venezia 114 ②.

Pianta pagine seguenti

- 🏨 **Due Torri e Rist. L'Aquila,** piazza Sant'Anastasia 4 ⌧ 37121 𝒫 595044 e rist 𝒫 595381,
  Telex 480524, « Elegante arredamento » – 🛗 ⟨⟩ cam 🔲 📺 ☎ – 🔬 50 a 200. 🖭 🕄 ⑩ 🗲
  𝗩𝗜𝗦𝗔. ⋘ rist   CY x
  Pas carta 55/70000 – ⌑ 19000 – **96 cam** 210/309000 appartamenti 320/480000.
- 🏨 **Accademia,** via Scala 12 ⌧ 37121 𝒫 596222, Telex 480874, Fax 596222 – 🛗 🔲 📺 ☎ – 🔬
  70. 🖭 🕄 ⑩ 🗲 𝗩𝗜𝗦𝗔. ⋘   CY d
  Pas vedere rist Accademia – **106 cam** ⌑ 120/200000 appartamenti 250/280000.
- 🏨 **Montresor** senza rist, via Giberti 7 ⌧ 37122 𝒫 8006900, Telex 434448, Fax 8006900 – 🛗 ⟨⟩
  🔲 📺 ☎ 🕭 🚗. 🖭 🕄 ⑩ 🗲 𝗩𝗜𝗦𝗔   BZ e
  ⌑ 15000 – **80 cam** 115/160000.
- 🏨 **Leopardi** senza rist, via Leopardi 16 ⌧ 37138 𝒫 575444, Telex 351817, Fax 568723 – 🛗 🔲 📺
  ☎ 🚗 ⓟ – 🔬 30 a 80. 🖭 🕄 ⑩ 🗲 𝗩𝗜𝗦𝗔. ⋘   AY a
  ⌑ 13000 – **54 cam** 92/126000.
- 🏨 **Victoria** ⌂ senza rist, via Adua 6 ⌧ 37121 𝒫 590566, Telex 431109, Fax 590155 – 🛗 🔲 📺
  ☎ 🚗. 🖭 ⑩ 𝗩𝗜𝗦𝗔. ⋘   BY r
  ⌑ 16000 – **44 cam** 100/141000 appartamenti 196/259000.
- 🏨 **Colomba d'Oro** senza rist, via Cattaneo 10 ⌧ 37121 𝒫 595300, Telex 480872 – 🛗 🔲 📺 ☎
  🚗 – 🔬 50 a 90. 🖭 🕄 ⑩ 🗲 𝗩𝗜𝗦𝗔   BY n
  ⌑ 14500 – **49 cam** 101/137000.
- 🏨 **Nuovo San Pietro** senza rist, via Santa Teresa 1 ⌧ 37135 𝒫 582600, Telex 480523, Fax
  582600 – ⟨⟩ 🔲 📺 🕭 ⓟ. 🖭 🕄 ⑩ 🗲 𝗩𝗜𝗦𝗔. ⋘   1 km per ③
  ⌑ 12000 – **56 cam** 88/126000.
- 🏨 **Firenze** senza rist, corso Porta Nuova 88 ⌧ 37122 𝒫 590299, Telex 431111 – 🛗 🔲 📺 ☎ –
  🔬 80. 🖭 🕄 ⑩ 🗲 𝗩𝗜𝗦𝗔. ⋘   BZ d
  chiuso dal 20 dicembre al 2 gennaio – ⌑ 18000 – **60 cam** 99/132000.
- 🏨 **San Marco** senza rist, via Longhena 42 ⌧ 37138 𝒫 569011, Telex 481562, Fax 953166, 🔲
  🛗 🔲 📺 ☎ 🕭 🚗 – 🔬 80. 🖭 🕄 ⑩ 🗲 𝗩𝗜𝗦𝗔. ⋘   AY n
  ⌑ 14000 – **34 cam** 99/136000.
- 🏨 **Grand Hotel,** corso Porta Nuova 105 ⌧ 37122 𝒫 595600, Telex 481198, « Giardino » – 🛗
  🔲 cam 📺 ☎. 🖭 🕄 ⑩ 🗲 𝗩𝗜𝗦𝗔. ⋘ rist   BZ b
  Pas (solo per clienti alloggiati e *chiuso da novembre a febbraio*) carta 35/55000 – **48 cam**
  ⌑ 120/170000, 🔲 10000.
- 🏨 **Rossi** senza rist, via delle Coste 2 ⌧ 37138 𝒫 569022 – 🛗 🔲 📺 🕭 🚗 ⓟ. 🖭 🕄 ⑩ 🗲 𝗩𝗜𝗦𝗔
  ⌑ 10000 – **39 cam** 63/91000.   AZ a
- 🏨 **Italia,** via Mameli 58/64 ⌧ 37126 𝒫 918088, Telex 431064 – 🛗 📺 ☎ 🚗. 🖭 🕄 ⑩ 🗲 𝗩𝗜𝗦𝗔.
  ⋘ cam   BY p
  Pas *(chiuso domenica)* carta 26/36000 – ⌑ 10000 – **53 cam** 53/79000.

🏛 **Giulietta e Romeo** senza rist, vicolo Tre Marchetti 3 ⊠ 37121 ℰ 8003554 – 🛗 📨. 🍴
⟷ 10000 – **29 cam** 56/80000.　　　　　　　　　　　　　　　　　　　　　CY **z**

🏛 **Mastino** senza rist, corso Porta Nuova 16 ⊠ 37122 ℰ 595388 – 🛗 🍽 📺 ☎ – 🔒 50. 🍴
chiuso dal 22 dicembre al 7 gennaio – ⟷ 10000 – **31 cam** 61/89000.　　　　BZ **x**

🏛 **San Luca** senza rist, vicolo Volto San Luca 8 ⊠ 37122 ℰ 591333 – 🛗 🍽 📺 ☎. 🆎 🕚 ⓪ 🖪
𝖵𝖨𝖲𝖠.
chiuso dal 20 dicembre al 5 gennaio – ⟷ 12000 – **39 cam** 87/120000.　　BZ **a**

🏛 **Milano** senza rist, vicolo Tre Marchetti 11 ⊠ 37121 ℰ 596011 – 🛗 📨 🚗
⟷ 10000 – **49 cam** 70/88000.　　　　　　　　　　　　　　　　　　　　　CY **z**

🏛 **Bologna,** via Alberto Mario 18 ⊠ 37121 ℰ 8006990, Telex 480838 – 🛗 ⟷ 📺 ☎. 🆎 🕚 ⓪ 🖪
𝖵𝖨𝖲𝖠. 🍴
Pas vedere rist Rubiani – ⟷ 10000 – **33 cam** 60/88000 – P 108000.　　　　BY **x**

🏛 **Antica Porta Leona** senza rist, corticella Leoni 3 ⊠ 37121 ℰ 595499 – 🛗 🍽 📨. 🆎 🕚 ⓪
🖪. 🍴
chiuso dal 15 dicembre al 15 febbraio – ⟷ 12000 – **36 cam** 54/78000, 🍽 10000.　CY **c**

🏛 **Torcolo** senza rist, vicolo Listone 3 ⊠ 37121 ℰ 8007512 – 🛗 🍽 📨
⟷ 10000 – **19 cam** 45/68000.　　　　　　　　　　　　　　　　　　　　BY **s**

🏛 **De' Capuleti** senza rist, via del Pontiere 26 ⊠ 37122 ℰ 8000154, Telex 351609 – 🛗 🍽 📺 ☎.
🆎 🕚 ⓪ 🖪. 🍴
chiuso dal 6 al 20 gennaio – ⟷ 10000 – **36 cam** 61/90000.　　　　　　　CZ **s**

🏛 **Piccolo Hotel** senza rist, via Camuzzoni 3 ⊠ 37138 ℰ 569128, Telex 223605 – 🍽 📨 ⓟ. 🆎
🕚 ⓪ 🖪 𝖵𝖨𝖲𝖠
chiuso dal 22 dicembre all'8 gennaio – ⟷ 10000 – **60 cam** 47/68000.　　AZ **p**

🏛 **Scalzi** senza rist, via Carmelitani Scalzi 5 ⊠ 37122 ℰ 590422 – 🍽 ☎. 🆎 🕚 ⓪ 🖪. 🍴
chiuso dal 25 dicembre al 3 gennaio – ⟷ 8500 – **23 cam** 47/68000.　　　BZ **c**

🏛 **Cavour** senza rist, vicolo Chiodo 4 ⊠ 37121 ℰ 590508 – 🍽 📨. 🍴
⟷ 8000 – **17 cam** 48/59000, 🍽 8000.　　　　　　　　　　　　　　　　　BY **c**

XXX ❀ **Il Desco,** via Dietro San Sebastiano 7 ⊠ 37121 ℰ 595358 – 🍽. 🆎 🕚 ⓪ 🖪 𝖵𝖨𝖲𝖠. 🍴
chiuso domenica, dal 1° al 10 gennaio e dal 12 al 28 giugno – Pas carta 51/70000 (15%)
Spec. Tortino di carciofi con passato di pomodoro (settembre-giugno), Ravioli di porri e ricotta, Filetto di San
Pietro al papavero. **Vini** Soave, Amarone.　　　　　　　　　　　　　　CY **q**

XXX ❀ **12 Apostoli,** corticella San Marco 3 ⊠ 37121 ℰ 596999 – 🍽. 🍴　　　　CY **v**
chiuso domenica sera, lunedì e dal 16 giugno al 6 luglio – Pas carta 50/73000 (15%)
Spec. Palombo al funghetto, Tortelli in sapor verde (salsa con gorgonzola ed erbe), Filetto alla Capuleti. **Vini**
Soave, Valpolicella.

XXX **Maffei,** piazza delle Erbe ⊠ 37121 ℰ 591206 – 🍽 – 🔒 80. 🆎 🕚 ⓪ 🖪 𝖵𝖨𝖲𝖠. 🍴　CY **u**
chiuso febbraio, lunedì in luglio-agosto e mercoledì negli altri mesi – Pas carta 40/67000
(15%).

XXX ❀ **Arche,** via Arche Scaligere 6 ⊠ 37121 ℰ 8007415, Coperti limitati; prenotare　CY **y**
chiuso domenica, lunedì a mezzogiorno e dal 25 giugno al 17 luglio – Pas (solo piatti di pesce)
carta 50/65000 (16%)
Spec. Saor di sardelle e scampi, Ravioli di branzino con sugo di vongole veraci e capesante, Scorfanetto al forno
con olive nere. **Vini** Bianco di Custoza, Ribolla Gialla.

XXX ❀ **Nuovo Marconi,** via Fogge 4 ⊠ 37121 ℰ 595295, 🍴, prenotare – 🍽. 🆎 🕚 ⓪ 🖪 𝖵𝖨𝖲𝖠
chiuso domenica – Pas carta 52/69000 (13%)　　　　　　　　　　　　　　CY **r**
Spec. Trota del Garda affumicata, Lasagnette all'anitra, Grigliata di pesce, Rognoncino alla Marconi. **Vini** Soave,
Fratta Maculan.

XX **Torcolo,** via Cattaneo 11 ⊠ 37121 ℰ 30018 – 🆎 🕚 ⓪ 𝖵𝖨𝖲𝖠　　　　　　　BY **u**
chiuso mercoledì – Pas carta 29/40000 (15%).

XX **Accademia,** via Scala 10 ⊠ 37121 ℰ 8006072 – 🍽. 🆎 🕚 ⓪ 🖪 𝖵𝖨𝖲𝖠　　　　CY **d**
chiuso domenica sera e mercoledì – Pas 36/59000.

XX **La Ginestra,** corso Milano 101 ⊠ 37138 ℰ 575455 – 🍽. 🆎 🕚 ⓪ 🖪 𝖵𝖨𝖲𝖠. 🍴　AY **a**
chiuso domenica, dal 1° al 10 gennaio e dal 1° al 24 agosto – Pas carta 39/56000.

XX **Greppia,** vicolo Samaritana 3 ⊠ 37121 ℰ 8004577 – 🆎 ⓪ 𝖵𝖨𝖲𝖠　　　　　　CY **m**
chiuso lunedì e dal 15 al 30 giugno – Pas carta 25/33000.

XX **VeronAntica,** via Sottoriva 10/a ⊠ 37121 ℰ 8004124, Coperti limitati; prenotare – 🍽. 🍴
chiuso domenica, lunedì a mezzogiorno e dal 15 luglio al 20 agosto – Pas carta 40/50000
(15%).　　　　　　　　　　　　　　　　　　　　　　　　　　　　　　　CY **g**

XX **Diga,** lungadige Attiraglio 65 ⊠ 37124 ℰ 942942, 🍴 – ⓟ. 🆎 🕚 ⓪ 🖪 𝖵𝖨𝖲𝖠　　4,5 km per ①
chiuso dal 1° al 15 novembre, lunedì e da settembre a giugno anche domenica sera – Pas
carta 27/42000 (10%).

XX **Re Teodorico,** piazzale Castel San Pietro ⊠ 37129 ℰ 49990, ≼ città e fiume Adige, « Servizio
estivo in terrazza »　　　　　　　　　　　　　　　　　　　　　　　　　CY **k**

XX **Il Cenacolo,** via Teatro Filarmonico 10 ⊠ 37121 ℰ 592288, prenotare – 🆎 ⓪ 𝖵𝖨𝖲𝖠. 🍴
chiuso martedì e sabato a mezzogiorno – Pas 40/60000.　　　　　　　　　BYZ **u**

XX **Torcoloti,** via Zambelli 24 ⊠ 37121 ℰ 8006777 – 🍽. 🆎 🕚 ⓪ 🖪 𝖵𝖨𝖲𝖠　　　CY **f**
chiuso domenica, lunedì sera, dal 6 giugno al 4 luglio e dal 23 dicembre al 2 gennaio – Pas
carta 34/48000.

XX **Rubiani,** piazzetta Scaletta Rubiani 3 ⊠ 37121 ℰ 8006990, 🍴 – 🆎 🕚 ⓪ 🖪 𝖵𝖨𝖲𝖠. 🍴　BY **x**
chiuso venerdì – Pas carta 30/48000 (15%).

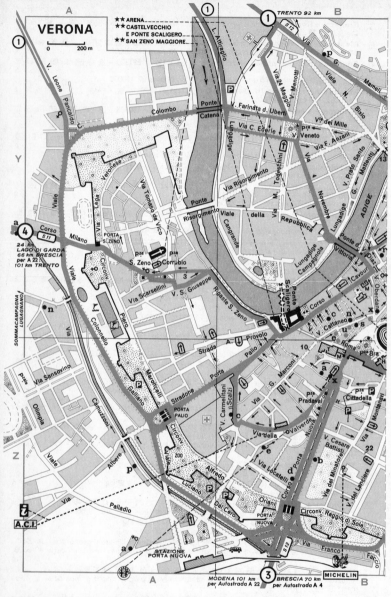

VERONA

0   200 m

★★ ARENA
★★ CASTELVECCHIO
    E PONTE SCALIGERO
★★ SAN ZENO MAGGIORE

TRENTO 92 km

SOMMACAMPAGNA
LUGAGNANO

24 km
LAGO DI GARDA
66 km BRESCIA
per A 22
101 km TRENTO

MODENA 101 km   BRESCIA 70 km
per Autostrada A 22   per Autostrada A 4

MICHELIN

XX **Baracca,** via Legnago 120 ⊠ 37134 ℰ 500013 – ℗. ᴁ 🕃 ① ⴹ 𝗩𝗜𝗦𝗔. ⚘   2,5 km per ③
   chiuso martedì – Pas (solo piatti di pesce) carta 44/60000.

XX **Da Pietro,** via dell'Esperanto 2 ⊠ 37135 ℰ 504747 – ▤. ᴁ   1,5 km per ③
   chiuso lunedì ed agosto – Pas (solo piatti di pesce) carta 38/60000.

XX **La Serra di Mamma Sinico,** via Leoncino 11/b ⊠ 37121 ℰ 8006150 – ▤. ᴁ 🕃 ① ⴹ 𝗩𝗜𝗦𝗔
   chiuso martedì sera e mercoledì – Pas carta 33/52000.   CY **e**

XX **Al Bragozzo,** via del Pontiere 13 ⊠ 37122 ℰ 30035, 🍴 – ᴁ ①
   chiuso lunedì e dal 26 giugno al 17 luglio – Pas carta 30/47000 (12%).   CZ **h**

632

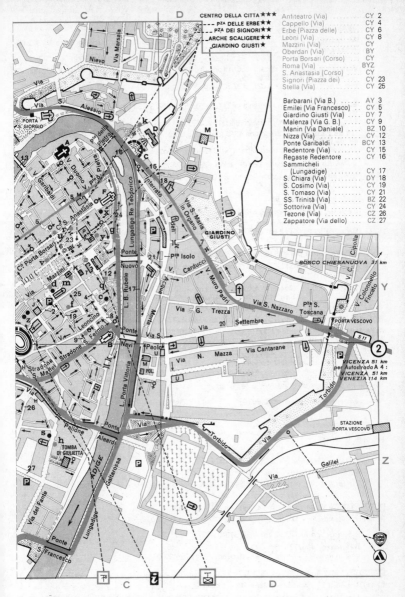

✗ **Alla Fiera,** via Scopoli 9 ⊠ 37136 ℰ 508808, 🐦 – ▤ – 🏛 80. 🖪. 🛠 1 km per ③
chiuso domenica – Pas carta 31/54000.

✗ **Hong-Kong,** via Cattaneo 25 ⊠ 37121 ℰ 30544, Rist. cinese – 🆔 🖪 ⓪ 🗲 *VISA* BY e
Pas carta 25/35000.

✗ **Ciopeta** con cam, vicolo Teatro Filarmonico 2 ⊠ 37121 ℰ 8006843, 🐦 – 🛠 cam BYZ e
chiuso dal 20 dicembre al 15 gennaio – Pas *(chiuso venerdì sera e sabato escluso luglio-agosto)*
carta 25/40000 (12%) – **5 cam** 🖙 32/50000 – P 70/86000.

segue →
633

sulla strada statale 11 :

🏨 **MotelAgip,** via Unità d'Italia 346 (per ② : 4 km) ⊠ 37037 San Michele Extra 𝒫 972033, Telex 223833 – 📳 🗐 📺 ☎ 🅿 – 🔬 50 a 140. 🖭 🕃 ◑ 🗲 *VISA*. ⇜ rist
Pas *(chiuso domenica)* 30000 – ⊊ 13000 – **116 cam** 61/88000 – P 114/133000.

🏨 **Gardenia,** via Unità d'Italia 350/A (per ② : 4 km) ⊠ 37132 San Michele Extra 𝒫 972122, 🚗 – 🗐 ☎ 🅿. 🖭 🕃 ◑ 🗲 *VISA*
Pas *(chiuso domenica e dal 13 al 30 giugno)* carta 23/34000 – ⊊ 7000 – **28 cam** 46/68000 – P 75000.

XX **Elefante** con cam, via Bresciana 27 (per ④ : 5 km) ⊠ 37139 Verona 𝒫 573300, 🏤, 🚗 – 🅿. 🖭 🕃 ◑ 🗲 *VISA*. ⇜
Pas *(chiuso domenica)* carta 26/34000 – ⊊ 7000 – **9 cam** 45/57000.

XX **Cà de l'Ebreo,** via Bresciana 48/B (per ④ : 5,5 km) ⊠ 37139 Verona 𝒫 989240, 🏤 – 🅿. 🖭 🕃 ◑ 🗲 *VISA*. ⇜
chiuso lunedì sera, martedì e dal 1° al 20 agosto – Pas carta 27/38000.

a Parona di Valpolicella per ① : 6 km – ⊠ 37025 :

🏨 **Brennero Mini Hotel** senza rist, via Brennero 3 𝒫 941100 – 📳 📨
⊊ 6000 – **20 cam** 41/61000.

sulla strada statale 62 :

XX **Cavour,** per ③ : 10 km ⊠ 37062 Dossobuono 𝒫 513038 – 🅿. ⇜
chiuso domenica sera, mercoledì ed agosto – Pas carta 31/40000.

X **Ciccarelli,** per ③ : 8 km ⊠ 37062 Dossobuono 𝒫 953986, Trattoria di campagna – 🗐 🅿. ⇜
chiuso venerdì sera, sabato e dal 20 luglio al 20 agosto – Pas carta 27/41000.

a Pedemonte per ① : 10,5 km – ⊠ 37020 :

🏨 **Gran Can,** 𝒫 7701911, 🔲 – 🗐 📺 ☎ 🛎 🅿 – 🔬 100
24 cam.

Vedere anche : *Castel d'Azzano* S : 10 km.
San Martino Buon Albergo - Marcellise per ② : 13 km.
Sommacampagna SO : 16 km.

MICHELIN, via del Minatore 3 BZ – ⊠ 37122, 𝒫 595377.

ALFA-ROMEO largo Valverde 1 BZ 𝒫 562966
ALFA-ROMEO via Basso Acquar 14 per via Franco Faccia BZ 𝒫 591922
BMW viale delle Nazioni 17/19 𝒫 505595
CITROEN via Basso Acquar 10 𝒫 594444
FIAT viale delle Nazioni 10 per ③ 𝒫 509703
FIAT corso Milano 88/b per ④ 𝒫 562122
FIAT a Cà di Davide, via Forte Tomba 16 per ③ 𝒫 540301
FIAT via Roncisvalle 78 per ③ 𝒫 505200
FIAT via Zeila 10 per ② 𝒫 975888
FORD via Torricelli Zai 3 𝒫 508088
GM-OPEL via Meucci 8 𝒫 505411
INNOCENTI via Basso Acquar 30 per via Franco Faccia BZ 𝒫 596444

LANCIA-AUTOBIANCHI via Garbini 5 per ③ 𝒫 500624
LANCIA-AUTOBIANCHI via Torbido 17 DZ 𝒫 528744
LANCIA-AUTOBIANCHI via Basso Acquar 16 per via Franco Faccia BZ 𝒫 595888
MASERATI via Basso Acquar 30 𝒫 596444
MERCEDES-BENZ via del Lavoro 35 𝒫 580777, Telex 434014
PEUGEOT-TALBOT viale delle Nazioni 6 𝒫 501999
RENAULT via Basso Acquar 18 𝒫 590433
RENAULT via Garbini, ang. via Commercio 𝒫 582422
VW-AUDI stradone Santa Lucia 21 𝒫 500344
VW-AUDI corso Milano 92 𝒫 562466
VOLVO via Forte Tomba 58 𝒫 541900

Si vous cherchez un hôtel tranquille,
consultez d'abord les cartes de l'introduction
ou repérez dans le texte les établissements indiqués avec le signe ⑤

VERONELLA 37040 Verona – 3 420 ab. alt. 22 – ✆ 0442.
Roma 512 – Mantova 62 – ♦Milano 184 – ♦Padova 62 – ♦Verona 31 – Vicenza 38.

a San Gregorio NO : 2 km – ⊠ 37040 :

X **Bassotto,** 𝒫 47177, 🏤 – 🅿
chiuso lunedì – Pas (solo piatti di pesce) carta 26/40000.

VERRÈS 11029 Aosta 🟨🟨🟨 ②, 🟥🟥🟥 ⑭ – 2 733 ab. alt. 395 – a.s. luglio e agosto – ✆ 0125.
Roma 711 – Aosta 37 – Ivrea 35 – ♦Milano 149 – ♦Torino 78.

🏨 **Evançon,** via Circonvallazione 9 𝒫 929035, « Giardino » – ⤢ 📨 🅿 – 🔬 100. 🖭 🕃 ◑ 🗲 *VISA*. ⇜ rist
chiuso dal 25 ottobre al 10 novembre – Pas *(chiuso lunedì)* carta 22/40000 – ⊊ 6500 – **20 cam** 45/63000 – P 57/67000, b.s. 45/61000.

XX **Da Pierre** con cam, via Martorey 73 𝒫 929376, Telex 222314, 🏤 – 📺 ☎ 🅿. 🖭 🕃 ◑ 🗲 *VISA*. ⇜
chiuso dal 1° al 15 giugno e dal 9 al 24 novembre – Pas *(chiuso martedì escluso agosto)* carta 46/66000 – ⊊ 8000 – **12 cam** 40/70000 – P 95000.

VERSCIACO (VIERSCHACH) Bolzano – Vedere San Candido.

VERUCCHIO 47040 Forlì 988 ⑮ – 6 917 ab. alt. 333 – ☎ 0541.
Roma 351 – ♦Bologna 125 – Forlì 64 – ♦Milano 336 – ♦Ravenna 66 – Rimini 17.

   ✗ **La Rocca,** ℰ 668122, ≼ – ⒶⒺ ⑩, ⅀⅀
      chiuso martedì – Pas carta 20/27000.

   a Villa Verucchio NE : 3 km – ✉ 47040 :

   ✗ **Zanni,** ℰ 678449, 😋, « Ambiente caratteristico » – ⒫. ⒶⒺ ⒮ ⑩ 𝘝𝘐𝘚𝘈. ⅀⅀
      chiuso venerdì dal 15 settembre al 15 giugno – Pas carta 21/32000.

   ✗ **Hostaria Rò e Bunì,** ℰ 678484, « Insieme rustico », 🚃 – ⒫. ⒶⒺ
      *chiuso lunedì, dal 10 al 25 gennaio, dal 9 al 22 ottobre e in luglio-agosto a mezzogiorno escluso
      domenica* – Pas 23/25000 bc.

   ✗ Pesce Azzurro, ℰ 678237, 😋, Solo piatti di pesce azzurro – ⒫.

VERVÒ 38010 Trento 218 ⑳ – 630 ab. alt. 886 – a.s. dicembre-aprile – ☎ 0463.
Roma 626 – Bolzano 55 – Milano 282 – Trento 42.

   a Predaia E : 3 km – alt. 1 250 – ✉ 38010 Vervò :

   ✗ **Rifugio Sores** 👁 con cam, ℰ 43147, 🚃 – ⒫. ⅀⅀
      chiuso novembre – Pas *(chiuso martedì)* carta 22/32000 – 30 cam (solo pens) – P 50000.

VESCOVADO Siena – alt. 317 – ✉ 53016 Murlo – ☎ 0577.
Roma 233 – Grosseto 64 – Siena 24.

  🏨 **Di Murlo,** via Martiri di Rigosecco 1/3 ℰ 814033, ≼, 🏊, ✗✗ – 📺 ☎ ⒫. ⒮ 𝘝𝘐𝘚𝘈. ⅀⅀
  ← Pas *(chiuso lunedì)* carta 17/24000 – 🖵 7000 – **24 cam** 35/60000 – P 60/70000.

VESCOVATO 26039 Cremona – 3 320 ab. alt. 46 – ☎ 0372.
Roma 523 – ♦Brescia 55 – Cremona 11 – Mantova 57 – ♦Milano 102 – ♦Parma 73.

   ✗ Spedini, al Crocevia ✉ 26030 Cà de' Stefani ℰ 81021, 🚃 – ⒫.

VESUVIO ✶✶✶ Napoli 988 ㉗ – Vedere Guida Verde.

VETRIOLO TERME Trento 988 ④ – Vedere Levico Terme.

VEZIA 219 ⑧ – Vedere Cantone Ticino (Lugano) alla fine dell'elenco alfabetico.

VEZZA D'ALBA 12040 Cuneo – 1 975 ab. alt. 353 – ☎ 0173.
Roma 641 – Asti 30 – Cuneo 68 – ♦Milano 170 – ♦Torino 54.

   a Borbore E : 2 km – ✉ 12040 Vezza d'Alba :

  ✗✗ **Trifula Bianca,** ℰ 65110 – ⒫
     chiuso mercoledì e dal 3 al 13 agosto – Pas carta 20/35000.

VEZZANO (VEZZAN) Bolzano 218 ⑱⑲ – Vedere Silandro.

VEZZANO 38070 Trento 988 ④ – 1 710 ab. alt. 385 – a.s. dicembre-aprile – ☎ 0461.
Vedere Lago di Toblino✶ S : 4 km.
Roma 599 – ♦Bolzano 68 – ♦Brescia 104 – ♦Milano 197 – Trento 13.

  ✗✗ **Al Vecchio Mulino,** E : 2 km ℰ 44277, « Laghetto con pesca sportiva » – ⒫. ⅀⅀
     chiuso mercoledì e dall'8 al 30 gennaio – Pas carta 24/33000.

   ✗ **Fior di Roccia,** località Lon N : 2 km ℰ 44029, prenotare – ⒫. ⅀⅀
      chiuso lunedì, dal 10 al 20 gennaio e luglio – Pas carta 22/35000.

VEZZANO SUL CROSTOLO 42030 Reggio nell'Emilia – 3 343 ab. alt. 165 – ☎ 0522.
Roma 441 – ♦Milano 163 – Reggio nell'Emilia 14 – ♦La Spezia 114.

   ✗ **Antica Locanda Posta,** ℰ 601141 – ⒮ 🅔. ⅀⅀
      chiuso martedì, mercoledì e dal 10 luglio al 20 agosto – Pas carta 24/40000.

VEZZO 28040 Novara 219 ⑥⑦ – alt. 530 – ☎ 0323.
🔎 Alpino (aprile-novembre; chiuso martedì in bassa stagione) ℰ 20101, O : 2,5 km.
Roma 662 – ♦Milano 85 – Novara 61 – Stresa 5 – ♦Torino 139.

  🏨 **Bel Soggiorno** 👁, ℰ 20226, 🚃 – ☎ ⒫. ⒮ 𝘝𝘐𝘚𝘈. ⅀⅀ rist
  ← *aprile-settembre* – Pas *(chiuso lunedì)* 18/20000 – 🖵 6500 – 26 cam 35/55000 – P 50/60000.

  ✗✗ **Bardelli,** ℰ 20329, prenotare, « Servizio estivo all'aperto » – ⒫
     chiuso lunedì – Pas carta 29/49000.

VHO Alessandria – Vedere Tortona.

VIADANA 46019 Mantova 988 ⑭ – 15 764 ab. alt. 26 – ☎ 0375.
Roma 458 – Cremona 52 – Mantova 39 – •Milano 149 – •Modena 56 – •Parma 26 – Reggio nell'Emilia 33.

Europa, vicolo Ginnasio 9 ☎ 81034 – ▤ rist Ⓟ. AE E VISA. ✀
chiuso agosto – Pas *(chiuso martedì)* carta 24/38000 – ☕ 8000 – **17 cam** 33/55000 – P 65000.

a Cicognara NO : 2 km – ✉ **46015** :

Vittoria e Rist. Da Franco, ☎ 88353 – ☎ Ⓟ – 🏃 70
Pas *(chiuso mercoledì)* carta 20/36000 – **11 cam** ☕ 51/85000 – P 60/80000.

FIAT via Gonzaga 9/11 ☎ 81356

VIANO 42030 Reggio nell'Emilia – 2 530 ab. alt. 275 – ☎ 0522.
Roma 435 – •Milano 171 – •Modena 35 – Reggio nell'Emilia 22.

✗ **La Capannina,** ☎ 988526 – Ⓟ. AE ⓢ ⓞ
chiuso domenica, lunedì, dal 24 dicembre al 6 gennaio e dal 19 luglio al 22 agosto – Pas carta 24/36000.

VIAREGGIO 55049 Lucca 988 ⑭ – 59 713 ab. – Stazione balneare, a.s. febbraio, Pasqua, 15 giugno-15 settembre e Natale – ☎ 0584 – ℹ viale Carducci 10 ☎ 962233.
Roma 371 – •Bologna 180 – •Firenze 97 – •Livorno 39 – Lucca 27 – Massa 26 – •Milano 255 – Pisa 20 – •La Spezia 55.

Astor, viale Carducci 54 ☎ 50301, Telex 501031, ⛱ – ⇅ ▤ TV ☎ ♿ 🚗 – 🏃 120. AE ⓢ ⓞ E VISA. ✀
Pas *(chiuso novembre, domenica sera e lunedì in bassa stagione)* 45/60000 – ☕ 13000 – **68 cam** 180/280000 appartamenti 400000 – P 190000, b.s. 150000.

Palace Hotel e Rist. Il Cancello, via Flavio Gioia 2 ☎ 46134 e rist ☎ 31320, Telex 501044, Fax 47351 – ⇅ ▤ TV ☎ – 🏃 200. AE ⓢ ⓞ E VISA. ✀ rist
Pas *(chiuso lunedì in bassa stagione)* carta 30/48000 (15%) – ☕ 15000 – **68 cam** 130/200000 appartamento 300000 – P 130/170000, b.s. 120/150000.

Excelsior, viale Carducci 88 ☎ 50726, Fax 50729, ← – ⇅ TV ☎ 🚗. AE ⓢ ⓞ E VISA. ✀ rist
29 aprile-ottobre – Pas 27/40000 – **78 cam** ☕ 130/180000 – P 120/140000, b.s. 90/120000.

Principe di Piemonte, piazza Puccini 1 ☎ 50122, Telex 501285, ←, ⛱ – ⇅ ▤ rist ☎ Ⓟ. AE ⓞ. ✀
maggio-settembre – Pas 45000 – ☕ 15000 – **123 cam** 140/250000 appartamenti 360000 – P 150/220000.

Eden senza rist, viale Manin 27 ☎ 30902, Fax 30905 – ⇅ ☎. AE ⓢ ⓞ E VISA
☕ 9000 – **42 cam** 55/80000.

Bristol senza rist, viale Manin 14 ☎ 46441 – ⇅ ☎. AE ⓢ ⓞ E VISA
☕ 8000 – **35 cam** 55/78000.

American Hotel senza rist, piazza Mazzini 6 ☎ 47041 – ⇅ ▤ ☎. AE ⓢ ⓞ E VISA
☕ 8000 – **30 cam** 55/81000, ▤ 10000.

Garden, via Ugo Foscolo 70 ☎ 44025 – ⇅ ☎. AE ⓢ ⓞ E VISA. ✀
Pas *(chiuso lunedì)* carta 29/40000 – ☕ 8000 – 41 cam 50/74000 – P 80/95000, b.s. 65/80000.

San Francisco senza rist, viale Carducci 68 ☎ 52666 – ⇅ ▤ ☎. AE ⓢ ⓞ E VISA
chiuso novembre e dicembre – ☕ 8000 – **31 cam** 53/77000, ▤ 3000.

Lupori senza rist, via Galvani 9 ☎ 962266 – ⇅ ☎ 🚗. AE ⓞ E VISA. ✀
☕ 6500 – **20 cam** 37/59000.

Metropol, via Aurelio Saffi 2 ☎ 44450 – ⇅ ☎. VISA. ✀ rist
febbraio-ottobre – Pas *(chiuso sino a maggio)* 30000 – ☕ 8000 – **17 cam** 38/58000 – P 60/65000.

✗✗✗ ✿ **Il Patriarca,** viale Carducci 79 ☎ 53126, prenotare – ▤. AE ⓢ ⓞ E VISA
chiuso mercoledì escluso dal 14 giugno al 15 settembre – Pas carta 54/89000
Spec. Risotto al curry con lupicante o aragosta, Gallinella di mare con tagliatelle fresche alla partenopea, Pesce al sale. **Vini** Ronco delle Acacie, Rosso di Cercatoia.

✗✗✗ **Tito del Molo,** lungomolo Corrado del Greco 3 ☎ 962016, ⛱ – 🏃 50. AE ⓢ ⓞ E VISA. ✀
chiuso mercoledì e gennaio – Pas carta 47/71000.

✗✗✗ **Margherita,** lungomare Margherita 30 ☎ 962553 – 🏃 100. AE ⓢ ⓞ E VISA. ✀
chiuso mercoledì – Pas carta 35/56000.

✗✗ ✿ **Romano,** via Mazzini 120 ☎ 31382 – ▤. AE ⓢ ⓞ E VISA
chiuso lunedì, dal 9 al 27 gennaio e dal 3 al 10 luglio – Pas carta 46/68000 (10%)
Spec. Sparnocchi con fagioli pomodori e basilico, Spaghetti con frutti di mare e pesce, Rombo al forno con patate. **Vini** Montecarlo, Chianti.

✗✗ **Montecatini,** viale Manin 8 ☎ 962129, ⛱ – AE ⓢ ⓞ E VISA
chiuso lunedì escluso da luglio al 15 settembre – Pas carta 43/57000 (12%).

✗✗ **Gusmano,** via Regia 58/64 ☎ 31233 – ▤. AE ⓢ ⓞ E VISA. ✀
chiuso a mezzogiorno dal 15 luglio al 15 agosto, martedì e dal 6 al 20 novembre – Pas carta 47/65000.

✗✗ **Mirage** con cam, via Zanardelli 12/14 ☎ 32222 – ⇅ ▤ TV ☎. AE VISA
Pas *(chiuso martedì e novembre)* carta 35/50000 – ☕ 6000 – **10 cam** 67/98000.

✗✗ **Dei Gigli** con cam, via Giusti 13 ☎ 50145 – ☎. ⓢ. ✀ cam
chiuso dal 15 novembre al 15 dicembre – Pas *(chiuso mercoledì)* carta 27/43000 – **10 cam** ☕ 38/60000 – P 60/65000, b.s. 45/50000.

✗ **Da Giorgio,** via Zanardelli 71 ✆ 44493 – AE ⓢ ◑ E VISA
chiuso mercoledì e novembre – Pas carta 26/48000.

✗ **Fedi-da Michelangelo,** via Verdi 111 ✆ 48519 – AE ⓢ ◑ E VISA
chiuso mercoledì (escluso da luglio al 15 settembre) e dal 6 al 25 ottobre – Pas carta 23/46000.

✗ **Bombetta,** via Fratti 27 ✆ 961380
chiuso lunedì sera, martedì e novembre – Pas carta 45/52000.

✗ Da Remo, via Paolina 49 ✆ 48440.

sulla strada statale 1-via Aurelia N : 3 km :

✗✗✗ **L'Oca Bianca,** ✉ 55049 ✆ 64191, prenotare – Ⓟ. AE ⓢ E VISA
chiuso dal 15 novembre al 15 dicembre, mercoledì, giovedì a mezzogiorno e in luglio-agosto aperto solo la sera – Pas carta 40/53000 (10%).

ALFA-ROMEO via Montramito 78 ✆ 45510
ALFA-ROMEO via Aurelia Nord 170 ✆ 961844
FIAT via Santa Maria Goretti ✆ 51241
FIAT piazza Dante 5 ✆ 46127
FORD via Aurelia Nord 73 ✆ 32169
PEUGEOT-TALBOT via Bottego 20 ✆ 43080
RENAULT largo Risorgimento 1 ✆ 43464
VW-AUDI località Piano del Quercione ✆ 93228
VOLVO via Nicolo Pisano 16 ✆ 395962

VIAROLO 43010 Parma – alt. 41 – ☎ 0521.

Roma 469 – •Milano 133 – •Parma 11.

✗✗ **Gelmino,** ✆ 605123, 🚗 – ▤ Ⓟ. AE ⓢ ◑ E VISA. ✻
chiuso mercoledì, dal 2 al 9 gennaio e dal 1° al 20 agosto – Pas carta 22/43000.

VIBO VALENTIA 88018 Catanzaro 988 ㊴ – 33 381 ab. alt. 476 – ☎ 0963.

ℹ via Forgiari ✆ 42008.

Roma 613 – Catanzaro 69 – •Cosenza 98 – Gioia Tauro 40 – •Reggio di Calabria 106.

🏨 **501 Hotel,** via Madonnella ✆ 43951, Telex 912564, Fax 43400, ≤, 🏊, ✻ – |$| ▤ TV ☎ Ⓟ – 🏛 250. VISA. ✻ rist
Pas 28/44000 – ☕ 8500 – **124 cam** 85/130000 appartamenti 160/190000 – P 125/135000.

a Vibo Valentia Marina N : 10 km – ✉ **88019.**

⛴ per le Isole Eolie luglio-15 settembre giornaliero escluso lunedì e martedì (da 2 a 3 h) – a Lamezia Terme, Aliscafi SNAV-agenzia Foderaro, via Carducci 14 ✆ 23321.

✗✗ **Maria Rosa,** ✆ 240538 – ⓢ ◑
chiuso dal 15 dicembre al 15 gennaio e domenica dal 15 settembre al 15 giugno – Pas carta 28/41000.

✗✗ **L'Approdo,** ✆ 240640, 🍽 – ▤ Ⓟ. AE ⓢ ◑ E VISA. ✻
chiuso lunedì – Pas carta 21/30000.

✗ **Il Fortino,** ✆ 240591 – AE ⓢ ◑ E VISA
chiuso martedì e novembre – Pas carta 20/28000.

ALFA-ROMEO via Santa Ruba ✆ 45184
FIAT viale Protetti 21/29 ✆ 41085
GM-OPEL via della Pace 42/46 ✆ 45404
PEUGEOT-TALBOT via Manzoni 16 ✆ 591264
VW-AUDI viale De Gasperi (Palazzo D'Urzo) ✆ 41520

VICENO Novara 217 ⑲ – Vedere Crodo.

VICENZA 36100 Ⓟ 988 ④⑤ – 109 932 ab. alt. 40 – ☎ 0444.

Vedere Teatro Olimpico** BY : scena*** – Piazza dei Signori** BYZ : Basilica** **A**, Torre Bissara* **B**, Loggia del Capitanio* – Museo Civico* BY : Crocifissione** di Memling – Battesimo di Cristo** del Bellini, Adorazione dei Magi** del Veronese, soffitto* nella chiesa della Santa Corona BY **C** – Corso Andrea Palladio* ABYZ – Polittico* nel Duomo AZ – Villa Valmarana ai Nani** : affreschi del Tiepolo*** per ④ : 2 km – La Rotonda* del Palladio per ④ : 2 km – Basilica di Monte Berico* : ☀** 2 km BZ.

ℹ piazza Matteotti ✆ 528944 – piazza Duomo 5 ✆ 544805.

A.C.I. viale della Pace 258/260 ✆ 510855.

Roma 523 ③ – •Milano 204 ⑤ – •Padova 32 ③ – •Verona 51 ⑤.

Pianta pagina seguente

🏨 **Europa,** viale San Lazzaro ✆ 564111, Telex 341138, Fax 564382 – |$| ▤ TV ☎ Ⓟ – 🏛 25 a 90. AE ⓢ ◑ E VISA. ✻ rist — 2 km per ⑤
Pas *(chiuso a mezzogiorno, sabato e domenica)* carta 25/35000 – **72 cam** ☕ 85/130000, ▤ 2500.

🏨 **Campo Marzio,** viale Roma 21 ✆ 545700, Fax 320495 – |$| ▤ TV ☎ Ⓟ. AE ⓢ ◑ E VISA. ✻
Pas *(chiuso a mezzogiorno, sabato, domenica ed agosto)* carta 25/41000 – **35 cam** ☕ 91/132000. — AZ **a**

🏨 **Continental,** viale Trissino 89 ✆ 505478, Telex 434154 – |$| ▤ cam TV ☎. AE ⓢ E VISA. ✻ — BZ **a**
Pas *(chiuso sabato, domenica ed agosto)* carta 24/37000 (10%) – ☕ 8500 – **55 cam** 59/85000 – P 75/95000.

🏨 **Cristina** senza rist, corso SS. Felice e Fortunato 32 ✆ 234280 – |$| ▤ TV ☎ Ⓟ. AE ⓢ ◑ E VISA — AZ **r**
☕ 8000 – **30 cam** 60/85000.

XX **Scudo di Francia,** contrà Piancoli 4 ☏ 228655 – 🆎 🆂 ⓪ 𝑽𝑰𝑺𝑨, ⚶　　　　　　　BZ **c**
　　　chiuso domenica sera, lunedì ed agosto – Pas carta 28/44000.

XX ❀ **Cinzia e Valerio,** piazzetta Porta Padova 65/67 ☏ 505213 – 🔳 🆎 ⓪ 𝑽𝑰𝑺𝑨, ⚶　　BY **s**
　　　chiuso lunedì ed agosto – Pas (solo piatti di pesce) carta 40/70000
　　　Spec. Seppioline ripiene, Spaghetti con vongole veraci, Coda di rospo in casseruola. **Vini** Soave, Breganze.

XX　Gran Caffè Garibaldi, piazza dei Signori 5 ☏ 544147 – 🔳　　　　　　　　　　　BZ **e**

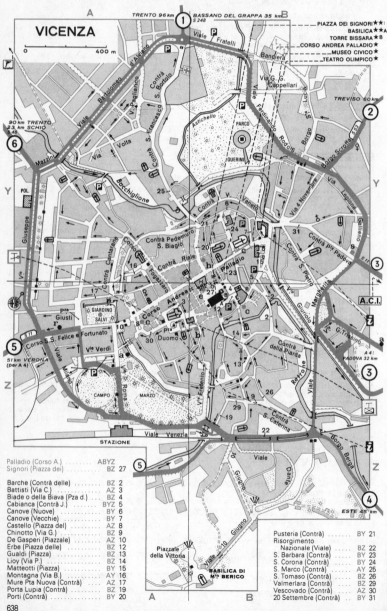

PIAZZA DEI SIGNORI ★★ :
BASILICA ★★ A
TORRE BISSARA ★ B
CORSO ANDREA PALLADIO ★
MUSEO CIVICO ★
TEATRO OLIMPICO ★

XX **Tre Visi**, contrà Porti 6 ℘ 238677 – ⬨⬨. ᴁ 🔀 ① E 𝗩𝗜𝗦𝘼. 𝒮𝒮   BY **h**
chiuso domenica sera, lunedì, dal 25 dicembre al 1° gennaio e dal 15 luglio all'8 agosto – Pas
carta 32/52000 (10%).

XX **Al Pozzo**, via Sant'Antonio 1 ℘ 221411 – ▤. ᴁ 🔀 ① E 𝗩𝗜𝗦𝘼. 𝒮𝒮   BZ **b**
chiuso martedì – Pas carta 33/45000.

XX Pedavena, viale Verona 93 ℘ 563064, 🛋 – ▤ 🅿 – 🏛 70   per ⑤

XX **Da Remo**, via Caimpenta 14 ℘ 911007, « Casa colonica con servizio estivo all'aperto » – 🅿.
ᴁ 🔀 ① E 𝗩𝗜𝗦𝘼. 𝒮𝒮   2 km per ③
chiuso domenica sera, lunedì, dal 27 dicembre al 12 gennaio e dal 25 luglio al 22 agosto – Pas
carta 30/50000.

XX **Robina**, via Alessandro Rossi 84 ℘ 566506, prenotare – ᴁ 🔀 ① E 𝗩𝗜𝗦𝘼. 𝒮𝒮   per ⑤
chiuso domenica e dal 15 al 20 agosto – Pas carta 50/70000.

XX Al Dinosauro, via Edolo 54 ℘ 564463, 🍽 – 🅿 – 🏛 200   1 km per ⑥

X **Il Tinello**, corso Padova 181 ℘ 500325 – 🅿. ᴁ 🔀 ① E 𝗩𝗜𝗦𝘼   2 km per ③
chiuso domenica sera, lunedì ed agosto – Pas carta 22/38000.

X **Agli Schioppi**, via del Castello 26 ℘ 543701 – ᴁ 🔀 ① E 𝗩𝗜𝗦𝘼. 𝒮𝒮   AZ **c**
chiuso domenica e dal 1° al 16 agosto – Pas carta 23/32000.

sulla strada statale 11 per ⑤ : 2 km

🏠 **Nord Hotel** senza rist, ⬜ 36051 Creazzo ℘ 522775 – 🛗 🚗 🚙 🅿. 🔀 ① E 𝗩𝗜𝗦𝘼
56 cam 🖵 48/83000.

in prossimità casello autostrada A 4 - Vicenza Ovest per ⑤ : 3 km :

🏨 **MotelAgip**, viale degli Scaligeri 68 ⬜ 36100 ℘ 554711, Telex 223102 – 🛗 ▤ 📺 ☎ 🔥 🅿 –
🏛 50 a 120. ᴁ 🔀 ① E 𝗩𝗜𝗦𝘼. 𝒮𝒮 rist
Pas 36000 – 🖵 13000 – **116 cam** 61/88000 – P 114/133000.

🏨 **Alfa Hotel e Rist. L'Incontro**, via dell'Oreficeria 50 ⬜ 36100 ℘ 565455 e rist ℘ 571577,
Telex 434550 – 🛗 ⬨⬨ cam ▤ 📺 ☎ 🔥 🅿 – 🏛 40 a 300. ᴁ 🔀 ① E 𝗩𝗜𝗦𝘼. 𝒮𝒮
chiuso dal 20 al 30 dicembre – Pas *(chiuso domenica)* 22/38000 – **87 cam** 🖵 76/115000
appartamenti 115/170000 – P 105/127000.

ad Olmo per ⑤ : 4 km – ⬜ 36050 :

X **De Gobbi**, ℘ 520509 – 🅿. 𝒮𝒮
chiuso venerdì, sabato a mezzogiorno e dal 1° al 25 agosto – Pas carta 26/37000.

X **Story**, ℘ 521065 – 🅿. ᴁ 🔀 ① 𝗩𝗜𝗦𝘼. 𝒮𝒮
chiuso lunedì e dal 1° al 22 agosto – Pas carta 22/45000.

a Cavazzale per ① : 7 km – ⬜ 36010 :

🏠 **Rizzi e Rist. Da Giancarlo**, ℘ 597326 – 🛗 ☎. ᴁ 🔀 ① E 𝗩𝗜𝗦𝘼. 𝒮𝒮
Pas *(chiuso martedì)* carta 18/26000 – 🖵 4000 – **14 cam** 48/60000 – P 52/58000.

X **Al Giardinetto**, ℘ 595044 – 🅿. 𝒮𝒮
chiuso mercoledì e dal 20 luglio al 20 agosto – Pas carta 15/25000.

ALFA-ROMEO viale Mazzini 29 ℘ 236597
ALFA-ROMEO via Marosticana 194 per ① ℘ 597644
AUDI viale Verona 92 ℘ 569477
BMW viale della Pace 250 ℘ 500348
CITROEN viale Crispi 136 ℘ 562077
FIAT corso Padova 85 per ③ ℘ 500166
FIAT via Monte Zovetto 43 per ⑥ ℘ 566199
FIAT viale del Lavoro 56 per ⑤ ℘ 563100
FORD viale Verona 108/112 ℘ 564388
GM-OPEL viale San Lazzaro 15 ℘ 563101
INNOCENTI via Vecchia Ferriera 29/37 per ⑤ ℘ 570255

INNOCENTI viale San Lazzaro 122 per ⑤ ℘ 563395
LANCIA-AUTOBIANCHI viale Verona 103 per ⑤ ℘ 563005
LANCIA-AUTOBIANCHI viale San Lazzaro 21 per ⑤ ℘ 563008
MASERATI viale San Lazzaro 122 ℘ 563395
PEUGEOT-TALBOT viale del Lavoro 29 ℘ 566413
RENAULT via dei Pioppi 1 ℘ 522600
VW-AUDI via del Commercio 27 ℘ 563859
VOLVO viale dell'Industria 22 ℘ 565110

If you find you cannot take up a hotel booking you have made,
please let the hotel know immediately.

VICO 219 ⑧ – Vedere Cantone Ticino (Morcote) alla fine dell'elenco alfabetico.

VICO EQUENSE 80069 Napoli 988 ㉗ – 18 533 ab. – Stazione climatica, a.s. luglio-settembre –
✆ 081.

Dintorni Monte Faito✱✱ : 🌲✱✱✱ dal belvedere dei Capi e 🌲✱✱✱ dalla cappella di San Michele E :
14 km.

🄳 corso Umberto I n° 10 ℘ 8798343.

Roma 248 – Castellammare di Stabia 10 – ◆Napoli 39 – Salerno 41 – Sorrento 9.

🏨 **Aequa**, ℘ 8798000, « Terrazza ombreggiata », 🏊, 🛋 – 🛗 ▤ rist 🚗 🚙 – 🏛 50 a 100.
𝒮𝒮 rist
Pas 26/30000 – **57 cam** 🖵 70/100000 – P 85/95000, b.s. 60/70000.

XX **San Vincenzo**, località Montechiaro S : 3 km ℘ 8027182, 🍽, prenotare – ᴁ 🔀 𝗩𝗜𝗦𝘼. 𝒮𝒮
chiuso mercoledì dal 15 settembre al 15 giugno – Pas carta 35/60000.

a Marina Equa S : 2,5 km – ⊠ **80069** Vico Equense :

⚘ **Le Axidie** ॐ, ℰ 8798181, Telex 722650, ≼, 🏡, ⌁, 🐾, ⌖, ✗ – ☎ ❷. 🕏 *VISA*. ⫽ rist
25 aprile-ottobre – Pas 35000 – ⌓ 12000 – **30 cam** 100/150000 appartamenti 150/200000 –
P 150/170000, b.s. 120/150000.

a Capo la Gala N : 3 km – ⊠ **80069** Vico Equense :

⚘ **Capo la Gala** ॐ, ℰ 8798278, ≼ mare, 🏡, « Sulla scogliera », ⌁, 🐾, ⌖ – ▤ ⫻ ❷. 🕮
VISA
aprile-ottobre – Pas *(chiuso aprile)* carta 38/61000 (12%) – ⌓ 15000 – 18 cam 140/170000 –
P 200000, b.s. 170000.

VIDICIATICO Bologna – Vedere Lizzano in Belvedere.

VIESTE 71019 Foggia 988 ㉘ – 13 606 ab. – Stazione balneare, a.s. luglio-15 settembre – ✪ 0884.
Vedere ≼* sulla cala di San Felice dalla Testa del Gargano S : 8 km.
Escursioni Strada panoramica** per Mattinata SO.
🛈 piazza Santa Maria delle Grazie 8/9 ℰ 76482.
Roma 420 – ♦Bari 179 – ♦Foggia 100 – San Severo 101 – Termoli 127.

🏨 **Pizzomunno Vieste Palace Hotel** ॐ, ℰ 78741, Telex 810267, Fax 77325, ⌁, 🐾, ⌁, ⫽
– ▤ ▤ ☎ ❷ – 🅰 250. 🕮 🕏 ⓞ 🖻 *VISA*. ⫽ rist
23 marzo-ottobre – Pas 50/65000 – 183 cam ⌓ 155/265000 – P 190/270000, b.s. 150/170000.

🏨 **Mediterraneo,** via Madonna della Libera ℰ 77025, Telex 810531, ⌁, 🐾, ⌖ – ▤ ❀ ❷. 🕏
🖻 *VISA*. ⫽ rist
chiuso gennaio e febbraio – Pas 20/28000 – 85 cam ⌓ 50/77000 – P 110000, b.s. 62/77000.

✗ **Vecchia Vieste,** via Mafrolla 32 ℰ 77083 – 🕏 ⓞ 🖻 *VISA*
aprile-20 ottobre; chiuso lunedì in bassa stagione – Pas carta 22/33000 (10%).

✗ **La Kambusa,** viale 24 Maggio 13 ℰ 78625 – 🕮 🕏 *VISA*. ⫽
marzo-ottobre; chiuso giovedì in bassa stagione – Pas carta 19/28000 (10%).

✗ **San Michele,** viale 24 Maggio 72 ℰ 78143, 🏡 – 🕮 🕏 ⓞ 🖻 *VISA*
chiuso giovedì in bassa stagione e dall'8 gennaio al 7 febbraio – Pas carta 29/48000.

a Lido di Portonuovo SE : 5 km – ⊠ **71019** Vieste :

🏨 **Gargano,** ℰ 78685, ≼ mare, isolotti e Vieste, ⌁, 🐾, ⌁, ⌖ – ▤ ▤ ❀ ♿ ❷. ⫽ rist
aprile-settembre – Pas carta 31/45000 – ⌓ 15000 – 71 cam 65/120000 – P 95/131000,
b.s. 65/85000.

a Faro di Pugnochiuso S : 19 km – ⊠ **71019** Vieste :

⚘ **Del Faro** ॐ, ℰ 79011, Telex 810122, ≼ mare e scogliere, « Su un promontorio verdeggiante », ⌁, 🐾, ⌖, ⌁ – ▤ ♿ ❷ – 🅰 100 a 500
Pas 64000 – ⌓ 21000 – 191 cam 67/110000 – P 168/201000, b.s. 119/161000.

VIETRI SUL MARE 84019 Salerno 988 ㉗㉘ – 10 147 ab. – a.s. Pasqua, giugno-settembre e
Natale – ✪ 089.
Vedere ≼* sulla costiera amalfitana.
Roma 259 – Amalfi 20 – Avellino 41 – ♦Napoli 50 – Salerno 5.

🏛 **Bristol,** ℰ 210800, ≼ golfo di Salerno – ▤ ❀ ♿ ❷. 🕮 ⓞ *VISA*. ⫽
➡ – Pas 16/25000 – ⌓ 7000 – 20 cam 35/53000 – P 60/70000, b.s. 50/60000.

a Raito O : 3 km – alt. 100 – ⊠ **84010** :

⚘ **Raito** ॐ, ℰ 210033, Telex 770125, Fax 211434, ≼ golfo di Salerno, ⌁ – ▤ ⫻ ▤ 📺 ☎ ♿
🍽 ❷ – 🅰 100. 🕮 🕏 ⓞ 🖻 *VISA*
Pas carta 40/64000 – ⌓ 10000 – **50 cam** 100/140000, ▤ 5000 – P 150000, b.s. 110000.

VIGANO 22060 Como 219 ⑨ – 1 455 ab. alt. 395 – ✪ 039.
Roma 607 – ♦Bergamo 33 – Como 30 – Lecco 20 – ♦Milano 33.

✗✗ ✿ **Pierino,** ℰ 956020, ≼ – ❷ – 🅰 50. 🕮. ⫽
chiuso domenica sera, lunedì, dal 2 al 9 gennaio e dal 31 luglio al 21 agosto – Pas carta 36/54000
Spec. Insalata di salmone fresco (estate), Risotto giallo al nero di seppie, Cosciotto di coniglio ai lamponi e
scarola. **Vini** Franciacorta bianco e rosso.

VIGARANO MAINARDA 44049 Ferrara – 6 640 ab. alt. 11 – ✪ 0532.
Roma 435 – ♦Bologna 59 – ♦Ferrara 12 – ♦Milano 230 – ♦Modena 60 – ♦Padova 80.

✗ **Elsa** con cam, via Cento 318 ℰ 43222, 🏡, 🐾 – ❷. ⫽
➡ *chiuso dal 1° al 15 agosto* – Pas *(chiuso martedì)* carta 19/45000 – ⌓ 3500 – **16 cam** 20/37000
– P 40000.

La carta stradale Michelin è costantemente aggiornata.

VIGEVANO 27029 Pavia 🔢🔢🔢 ③⑬ – 62 580 ab. alt. 116 – ✪ 0381.

Vedere Piazza Ducale★★.

🛫 Santa Martretta (chiuso lunedì) 𝒫 76872, SE : 3 km.

A.C.I. viale Mazzini 40 𝒫 85129.

Roma 601 – Alessandria 61 – ♦Milano 35 – Novara 27 – Pavia 37 – ♦Torino 106 – Vercelli 44.

🏨 **Europa** senza rist, via Trivulzio 8 𝒫 82255, Fax 87054 – 📳 📺 ☞ ⟸. ﹣ 𝘼𝙀 𝙑𝙄𝙎𝘼
　 chiuso dal 3 al 23 agosto – ⊑ 8000 – **39 cam** 75/95000.

✕ **Caravel,** via Pompei 6 𝒫 84371 – 🗐 🅿. ⓞ. ⚘
　 chiuso domenica sera, lunedì ed agosto – Pas carta 24/30000.

ALFA-ROMEO viale delle Industrie 164 𝒫 84132
BMW via Duse 16 𝒫 83163
CITROEN corso Genova 99 𝒫 75134
FIAT via Trivulzio 13 𝒫 82275
FIAT viale Montegrappa 15 𝒫 22787
FORD via Leopardi 15 𝒫 81116
GM-OPEL corso Novara 67 𝒫 23515

INNOCENTI corso Milano 51 𝒫 82763
LANCIA-AUTOBIANCHI via Sacchetti 26 𝒫 23384
PEUGEOT-TALBOT via Leopardi 21 𝒫 81551
RENAULT corso Pavia 59 𝒫 82017
VW-AUDI via Giovane Italia 2 𝒫 42111
VOLVO via dei Mille 49 𝒫 70411

VIGGIANO 85059 Potenza 🔢🔢🔢 ㉘ – 3 187 ab. alt. 975 – ✪ 0975.

Roma 389 – ♦Cosenza 184 – ♦Napoli 194 – Potenza 79.

🏨 **Kiris,** località Case Rosse O : 6 km 𝒫 61377, ⬛, ⚘ – 📳 ⟷ rist 🗐 ☞ 🅿 – 🏛 1000. 𝘼𝙀 ⓞ
　 Pas carta 18/27000 – ⊑ 4000 – **60 cam** 25/45000 – P 55/60000.

🏨 **Dell'Arpa,** 𝒫 61091 – 📳 ☞ 🅿 𝘼𝙀 ⓞ 𝙀 𝙑𝙄𝙎𝘼 ⚘
　 Pas carta 24/34000 – ⊑ 6000 – **24 cam** 30/42000 – P 50/65000.

VIGNOLA 41058 Modena 🔢🔢🔢 ⑭ – 19 999 ab. alt. 125 – ✪ 059.

Roma 398 – ♦Bologna 33 – ♦Milano 192 – ♦Modena 22 – Pistoia 110 – Reggio nell'Emilia 47.

a Campiglio SO : 2 km – ⊠ **41058** Vignola :

✕✕ **Sagittario,** S : 2 km 𝒫 772747, ⚐, ⚘, 🐎 – 🅿. 𝘼𝙀 🗒 ⓞ 𝙀 𝙑𝙄𝙎𝘼 ⚘
　 chiuso martedì, mercoledì e gennaio – Pas carta 26/34000.

ALFA-ROMEO via per Spilamberto 1695 𝒫 773009
FIAT via dell'Artigianato 520 𝒫 771631

LANCIA-AUTOBIANCHI via De Gasperi 42 𝒫 771407
RENAULT via per Spilamberto 1580 𝒫 771070

VIGO DI CADORE 32040 Belluno – 1 730 ab. alt. 951 – Stazione di villeggiatura – ✪ 0435.

🛈 (giugno-15 settembre) 𝒫 77058.

Roma 658 – Belluno 57 – Cortina d'Ampezzo 44 – ♦Milano 400 – ♦Venezia 147.

🏨 **Sporting** ⬥, a Pelos 𝒫 77103, ≤, ⬛ riscaldata, ⚐ – ☎ 🅿. ⚘
　 15 giugno-15 settembre – Pas carta 23/39000 – ⊑ 12000 – **24 cam** 66/82000 – P 52/72000.

VIGO DI FASSA 38039 Trento 🔢🔢🔢 ④⑤ – 911 ab. alt. 1 382 – Stazione di villeggiatura, a.s. febbraio-15 aprile e Natale – Sport invernali : 1 382/2 096 m ⛷1⛷7, ⛷ (vedere anche Pozza di Fassa) – ✪ 0462.

Vedere Guida Verde.

🛈 via Roma 2 𝒫 64093, Telex 400540.

Roma 676 – ♦Bolzano 38 – Canazei 13 – Passo di Costalunga 9 – ♦Milano 334 – Trento 94.

🏩 **Park Hotel Corona,** 𝒫 64211, Telex 400180, Fax 64533, ≤, ⬛, ⚐, ⚘ – 📳 🗐 rist ☎ 🅿. 𝘼𝙀
　 ⚘ rist
　 18 dicembre-10 aprile e 18 giugno-9 ottobre – Pas carta 29/44000 – **70 cam** ⊑ 96/156000
　 appartamenti 186000 – P 85/125000, b.s. 65/95000.

🏨 **Catinaccio,** 𝒫 64209, ≤, ⚐ – ☎ 🅿. ⚘
　 dicembre-20 aprile e giugno-25 settembre – Pas (chiuso venerdì a mezzogiorno) 17/27000 –
　 ⊑ 7000 – **26 cam** 41/65000 – P 50/80000, b.s. 39/44000.

🏨 **Andes,** 𝒫 64575, ≤ – 📳 ☎ ⟸ 🅿. ⚘
　 Pas (chiuso lunedì in bassa stagione) carta 19/27000 – ⊑ 7500 – **24 cam** 54/90000 – P 48/68000,
　 b.s. 39/50000.

🏨 **Olympic,** 𝒫 64225, ≤ – 🅿. ⚘ rist
　 chiuso novembre – Pas (chiuso martedì a mezzogiorno) carta 17/24000 – ⊑ 7000 – **15 cam**
　 30/52000 – P 49/67000, b.s. 40/49000.

a Vallonga SO : 2,5 km – ⊠ **38039** Vigo di Fassa :

🏨 **Mille Fiori,** 𝒫 64644, ≤ Dolomiti e pinete – ☎ 🅿
　 Pas 15000 – ⊑ 5000 – **12 cam** 25/50000 – P 43/50000, b.s. 40/47000.

a Tamion SO : 3,5 km – ⊠ **38039** Vigo di Fassa :

🏨 **Gran Mugon** ⬥, 𝒫 64208, ≤ – ☎ 🅿. ⚘ rist
　 20 dicembre-24 aprile e 25 giugno-15 ottobre – Pas (solo per clienti alloggiati) 14/16000 –
　 17 cam ⊑ 45/62000 – P 50/52000, b.s. 46/48000.

Vedere anche : *Costalunga (Passo di)* O : 10,5 km.

VIGONE 10067 Torino 988 ⑫ – 5 007 ab. alt. 260 – ✆ 011.

Roma 691 – Cuneo 58 – •Milano 185 – Pinerolo 15 – •Torino 33.

XX **Ippocampo,** via Bosca 22 ✆ 9809893 – P. ✻
chiuso lunedì sera e martedì – Pas carta 23/42000.

VILLA Brescia – Vedere Gargnano.

VILLA ADRIANA Roma 988 ㉖ – Vedere Tivoli.

VILLA AGNEDO 38050 Trento – 636 ab. alt. 351 – a.s. dicembre-aprile – ✆ 0461.

Roma 591 – Belluno 71 – Trento 41 – Treviso 100 – Venezia 130.

Cà Bianca 2, NE : 2 km ✆ 762788, ≤ vallata – P. AE VISA. ✻
Pas carta 28/48000 – ☕ 5000 – 15 cam 25/40000 – P 67/70000.

VILLA BANALE Trento – Vedere Stenico.

VILLABASSA (NIEDERDORF) 39039 Bolzano – 1 218 ab. alt. 1 158 – a.s. 15 luglio-agosto e Natale – Sport invernali : 1 158/1 212 m ≰1, ⛷ (vedere anche Dobbiaco) – ✆ 0474.

Roma 738 – •Bolzano 100 – Brunico 23 – Cortina d'Ampezzo 36 – •Milano 399 – Trento 160.

Aquila-Adler, ✆ 75128, Telex 401402, Fax 75278, ▣ – |♦| ☎ P. ✻ rist
chiuso dal 3 novembre al 15 dicembre – Pas *(chiuso martedì in bassa stagione)* carta 24/34000 – ☕ 5000 – **45 cam** 38/70000 – P 70/80000, b.s. 57/67000.

Vivaio-Weiherbad, ✆ 75106, 🌳 – P
chiuso dal 15 aprile al 15 maggio – Pas *(chiuso sabato)* 13/18000 – 22 cam ☕ 14/32000 – P 37/41000.

XX **Friedlerhof,** ✆ 75003 – P. ✻
chiuso martedì e giugno – Pas carta 26/43000.

VILLA DEL BOSCO 13060 Vercelli 219 ⑯ – 402 ab. alt. 290 – ✆ 0163.

Roma 663 – Biella 25 – •Milano 89 – Novara 43 – •Torino 85 – Vercelli 45.

ad Orbello SE : 6 km – ✉ **13060** Villa del Bosco :

XX Al Torciu, ✆ 860269 – P.

VILLA DI CHIAVENNA 23029 Sondrio – 1 225 ab. alt. 625 – ✆ 0343.

Roma 692 – Chiavenna 8 – •Milano 131 – Saint Moritz 41 – Sondrio 69.

X **La Lanterna Verde,** a San Barnaba SE : 2 km ✆ 40559, 🌳 – P. AE VISA. ✻
chiuso novembre e mercoledì da settembre a giugno – Pas carta 25/40000.

VILLAFRANCA DI VERONA 37069 Verona 988 ④ – 26 031 ab. alt. 52 – ✆ 045.

✈ NE : 1 km ✆ 513039.

Roma 492 – •Brescia 63 – Mantova 23 – •Milano 150 – •Venezia 131 – •Verona 16.

XX **Cà 21,** ✆ 7900986 – ▤ P. AE ⓑ ⓞ E VISA
chiuso lunedì e dal 15 al 31 luglio – Pas carta 26/40000.

LANCIA-AUTOBIANCHI via del Lavoro 1/b ✆ 7901600

RENAULT via Postumia 18 ✆ 7900344

VILLAGRAZIA Palermo – Vedere Sicilia (Carini) alla fine dell'elenco alfabetico.

VILLAMARINA Forlì – Vedere Cesenatico.

VILLAMMARE 84070 Salerno – a.s. luglio e agosto – ✆ 0973.

Roma 411 – •Napoli 205 – Salerno 154 – Sapri 4.

Rivamare, ✆ 365282, ≤, ⛱, 🌳 – ☎ P. AE E. ✻
15 giugno-15 settembre – Pas (solo per clienti alloggiati) – ☕ 5500 – 20 cam 30/37000 – P 53/63000, b.s. 50/53000.

VILLANOVA Bologna – Vedere Bologna.

VILLANOVA 65010 Pescara – alt. 55 – ✆ 085.

Roma 199 – L'Aquila 88 – Chieti 9 – •Pescara 15.

XX La Lanterna, ✆ 9771700, 🌳 – ▤ P – 🏛 100.

VILLANOVA Pordenone – Vedere Prata di Pordenone.

VILLANUOVA SUL CLISI 25089 Brescia – 4 399 ab. alt. 216 – ☎ 0365.

Roma 576 – ♦Brescia 25 – ♦Milano 119 – Trento 92.

   a Prandaglio NE : 4,5 km – ⊠ 25089 Villanuova sul Clisi :

XX **Il Palazzo,** ℰ 35717, ≼ vallata e lago – **Ⓟ**. ❀
   chiuso lunedì e dal 1° al 18 gennaio – Pas carta 25/38000.

VILLA OPICINA 34016 Trieste 🗺 ⑥ – alt. 348 – ☎ 040.

Vedere ≼** su Trieste e il golfo – Grotta Gigante★ NO : 3 km.

Roma 664 – Gorizia 40 – ♦Milano 403 – ♦Trieste 11 – Udine 66 – ♦Venezia 153.

X **Daneu** con cam, ℰ 214214, « Servizio estivo all'aperto », 🚗 – ☎ **Ⓟ**. 🖭 🕄 ⓪ 🖃 𝗩𝗜𝗦𝗔. ❀
↠ Pas *(chiuso giovedì e dal 15 gennaio al 15 febbraio)* carta 19/33000 – ⇋ 4500 – **17 cam**
   27/44000 – P 60/70000.

VILLA ROSA Teramo – Vedere Martinsicuro.

VILLAR PEROSA 10069 Torino – 4 213 ab. alt. 530 – ☎ 0121.

Roma 707 – Cuneo 74 – ♦Milano 195 – Sestriere 44 – ♦Torino 49.

XX **Da Milio Osteria dei Viaggiatori,** frazione Caserme ℰ 51103, Coperti limitati; prenotare
   chiuso lunedì, martedì e a mezzogiorno esclusi i giorni festivi – Pas 46000.

VILLA SAN GIOVANNI 89018 Reggio di Calabria 🗺 ㊲㊴ – 12 798 ab. – ☎ 0965.

Escursioni Costa Viola★ a Nord per la strada S 18.

🚢 ℰ 751026 – 🚢 per Messina giornalieri (20 mn) – Società Caronte, via Marina 30 ℰ 751413 e
Stazione Ferrovie Stato, via Garibaldi ℰ 751463.

Roma 694 – Catanzaro 150 – ♦Cosenza 179 – ♦Napoli 488 – ♦Reggio di Calabria 15.

   a Cannitello NE : 2 km – ⊠ 89010 :

X Al Boccaccio, per via Marina ℰ 759173.

FIAT via Nazionale Acciarello 654 ℰ 752251

VILLASIMIUS Cagliari 🗺 ㉞ – Vedere Sardegna alla fine dell'elenco alfabetico.

VILLASTRADA 46030 Mantova – alt. 22 – ☎ 0375.

Roma 461 – Mantova 33 – ♦Milano 161 – ♦Modena 58 – ♦Parma 39 – Reggio nell'Emilia 38.

XX **Nizzoli,** ℰ 89150 – 🖭. ❀
   chiuso mercoledì – Pas carta 33/47000.

VILLA VERUCCHIO Forlì – Vedere Verucchio.

VILLE SUR SARRE Aosta 🗺 ③, 🗺 ⑳ – Vedere Sarre.

VILLETTA BARREA 67030 L'Aquila 🗺 ㉗ – 630 ab. alt. 990 – ☎ 0864.

Roma 179 – L'Aquila 151 – Isernia 50 – ♦Pescara 138.

X **Il Pescatore,** ℰ 89347, prenotare – 🖭. ❀
   Pas carta 21/32000.

VILLNOSS = Funes.

VILLORBA 31050 Treviso – 15 226 ab. alt. 38 – ☎ 0422.

Roma 558 – Belluno 72 – Treviso 10 – ♦Venezia 47.

   sulla strada statale 13 NE : 4 km :

XX Albertini, ⊠ 31050 ℰ 928102 – **Ⓟ**.

   a Visnadello NE : 5 km – ⊠ 31050 :

XX **Da Nano,** ℰ 928911 – **Ⓟ**. 🖭 🕄
   chiuso domenica sera, lunedì ed agosto – Pas carta 30/60000.

VILPIAN = Vilpiano.

VILPIANO (VILPIAN) 39010 Bolzano 🗺 ⑳ – alt. 264 – a.s. aprile e luglio-15 ottobre – ☎ 0471.

Roma 650 – ♦Bolzano 13 – Merano 15 – ♦Milano 310 – Trento 71.

🏠 **Sparerhof,** via Nazionale 91 ℰ 678671, « Galleria d'arte contemporanea », ☒ riscaldata, 🚗
↠ – **Ⓟ**. ❀ rist
   Pas *(chiuso lunedì e da novembre a marzo)* carta 18/30000 – ⇋ 5000 – **21 cam** 25/50000 –
   P 50000, b.s. 40000.

XXX **Andreas** con cam, via Nazionale 114 (S : 1 km) ℰ 678816, prenotare – **Ⓟ**. ❀ rist
   Pas *(chiuso lunedì e in bassa stagione anche domenica sera)* carta 39/65000 – **8 cam** ⇋ 75000
   – P 65/70000, b.s. 60/65000.

VINADIO 12010 Cuneo 🔢 ⑫, 🔢 ⑩ – 821 ab. alt. 904 – ✪ 0171.
Roma 680 – Barcellonnette 64 – Cuneo 36 – ◆Milano 252 – Colle di Tenda 53 – ◆Torino 130.

  🏠 **Italia,** ℰ 959148, 🍴 – ☜ 🚗. 🅱. ⚸
    Pas *(chiuso lunedì dal 15 settembre al 15 giugno)* carta 23/40000 – ⚏ 7500 – **20 cam** 42/75000
    – P 60/65000.

VINTEBBIO Vercelli 🔢 ⑯ – Vedere Serravalle Sesia.

VIPITENO (STERZING) 39049 Bolzano 🔢 ④ – 5 414 ab. alt. 948 – Stazione di villeggiatura, a.s.
15 febbraio-aprile, luglio-settembre e Natale – Sport invernali : 948/2 134 m ⚹1 ⚹3, ⚿ – ✪ 0472.
Vedere Via Città Nuova★.
🛈 piazza Città ℰ 765325.
Roma 708 – ◆Bolzano 70 – Brennero 13 – Bressanone 30 – Merano 58 – ◆Milano 369 – Trento 130.

  🏨 **Aquila Nera-Schwarzer Adler,** ℰ 764064, 🎱 – 🛗 ⇌ cam 📺 ☎ 🅿 🕮 🅱 E 🆅🆂🅰
    chiuso dal 27 giugno al 7 luglio e dall'8 novembre al 20 dicembre – Pas *(chiuso lunedì)*
    carta 39/58000 (10%) – 42 cam ⚏ 63/102000 – P 79/89000, b.s. 74/85000.

  🏨 **Corona-Krone e Maria,** ℰ 765210, 🍴 – ☎ 🚗 🅿 🕮 🅱 ⓪ E 🆅🆂🅰
    chiuso dal 7 gennaio al 7 febbraio – Pas *(chiuso giovedì)* carta 31/42000 – **23 cam** ⚏ 38/76000
    – P 65/85000.

  🏠 Agnello-Lamm, ℰ 765127 – 🛗 🅿 – 43 cam.

  a Casateia (Gasteig) SO : 2,5 km – alt. 970 – ✉ 39040 Racines :

  🏠 **Gasteigerhof,** ℰ 765701, ≤, 🍴, 🎱, 🌳 – ☎ 🅿 🕮 🅱 E, ⚸ rist
    Pas carta 24/41000 – 25 cam ⚏ 31/62000 – P 48/52000, b.s. 44/48000.

  a Prati (Wiesen) E : 3 km – alt. 948 – ✉ 39049 Vipiteno :

  🏨 **Wiesnerhof,** ℰ 765222, ≤, 🌳, ⚸ – 🛗 ☎ 🅿 🆅🆂🅰 ⚸ rist
 ➜ *chiuso dal 10 novembre al 20 dicembre* – Pas *(chiuso lunedì)* 16/25000 – **34 cam** ⚏ 40/70000
    – P 55/60000, b.s. 50/55000.

  a Tulve (Tulfer) E : 8 km – alt. 1 280 – ✉ 39049 Vipiteno :

  %% **Pretzhof,** ℰ 764455, « Ambiente caratteristico »
    chiuso lunedì, martedì a mezzogiorno, gennaio, dal 20 giugno al 1° luglio e dal 19 al 25
    dicembre – Pas carta 21/40000.

  a Calice (Kalch) SO : 10 km – alt. 1 443 – ✉ 39040 Racines :

  🏨 **Kalcherhof** ⚸, ℰ 66615, ≤, 🎱 – 🛗 ☎ 🚗 🅿
    chiuso da novembre al 15 dicembre – Pas carta 22/30000 – **30 cam** ⚏ 40/60000 – P 44/52000,
    b.s. 39/45000.

  a Ridanna (Ridnaun) O : 12 km – alt. 1 342 – ✉ 39040 :

  🏨 **Sonklarhof** ⚸, ℰ 66212, ≤, 🎱, 🌳 – ⇌ cam ☎ 🅿, ⚸ rist
    20 dicembre-10 aprile e 25 maggio-15 ottobre – Pas carta 25/35000 – **36 cam** ⚏ 75000 –
    P 55/58000, b.s. 48/50000.

VIRA-GAMBAROGNO 🔢 ㉔, 🔢 ⑧ – Vedere Cantone Ticino alla fine dell'elenco alfabetico.

VISERBA e VISERBELLA Forlì 🔢 ⑮ – Vedere Rimini.

VISNADELLO Treviso – Vedere Villorba.

VITERBO 01100 🅿 🔢 ㉖ – 59 474 ab. alt. 327 – ✪ 0761.
Vedere Piazza San Lorenzo★★ Z – Palazzo dei Papi★★ Z – Quartiere San Pellegrino★★ Z
Dintorni Villa Lante★★ a Bagnaia per ① : 5 km – Teatro romano★ di Ferento 9 km a Nord per viale
Baracca Y
🛈 piazzale dei Caduti 14 ℰ 234795 – piazza Verdi 4/a ℰ 226666.
A.C.I. via Marini 16 ℰ 224806.
Roma 104 ③ – Chianciano Terme 100 ④ – Civitavecchia 58 ③ – Grosseto 123 ③ – ◆Milano 508 ④ – Orvieto 45 ④
– ◆Perugia 127 ④ – Siena 143 ④ – Terni 62 ①.

Pianta pagina a lato

  🏛 **Mini Palace Hotel** senza rist, via Santa Maria della Grotticella 2 ℰ 239742, Fax 341930 – 🛗
    📺 ☎ – 🏛 25. 🕮 🅱 ⓪ E 🆅🆂🅰. ⚸   Z **n**
    38 cam ⚏ 70/115000.

  🏨 **Leon d'Oro** senza rist, via della Cava 36 ℰ 344444 – 🛗 ⇌ ☎. 🕮 🅱 ⓪ E 🆅🆂🅰. ⚸   Y **u**
    chiuso dal 20 dicembre al 15 febbraio – ⚏ 7500 – **44 cam** 44/60000.

  🏠 **Tuscia** senza rist, via Cairoli 41 ℰ 223377 – ☜. 🅱 ⓪. ⚸   Y **r**
    ⚏ 5000 – **45 cam** 35/62000.

  ✕ **I 2 L,** via Cairoli 24 ℰ 235921 – 🕮 🅱   Y **a**
    chiuso domenica e dal 25 giugno al 10 luglio – Pas carta 25/40000.

VITERBO

Italia (Corso) .... Y
Marconi (Via G.) .... Y
Matteotti (Via G.) .... Y

Ascenzi (Via F.) .... Y 2
Caduti (Piazza dei) .... Y 3
Cardinale La Fontaine (Via) .... Z 4
Carmine (Via del) .... Z 6
Crispi (Piazza F.) .... Y 7
Fabbriche (Via delle) .... Z 10
Gesù (Piazza del) .... Z 12
Lorenzo da Viterbo (Via) .... Z 13
Maria SS. Liberatrice (Via) .... Y 15
Meone (Via del) .... Z 16
Mille (Via dei) .... Z 17
Morte (Piazza della) .... Z 18
Orologio Vecchio (Via) .... Y 19
Pace (Via della) .... Z 20
Piaggiarelle (Via d.) .... Z 23
Pianoscarano (Via di) .... Z 24
Pietra del Pesce (Via) .... Z 25
Plebiscito (Piazza del) .... Y 26
Roma (Via) .... Y 27
Rosselli (Via Fratelli) .... Y 28
Saffi (Via) .... YZ 29
San Bonaventura (Via) .... Y 32
San Carluccio (Piazza) .... Z 33
San Leonardo (Via) .... Z 36
San Pellegrino (Piazza) .... Z 37
San Pellegrino (Via) .... Z 39
Trinità (Piazza della) .... Y 40
Vallepiatta (Via) .... Y 41
Verità (Via della) .... Y 43

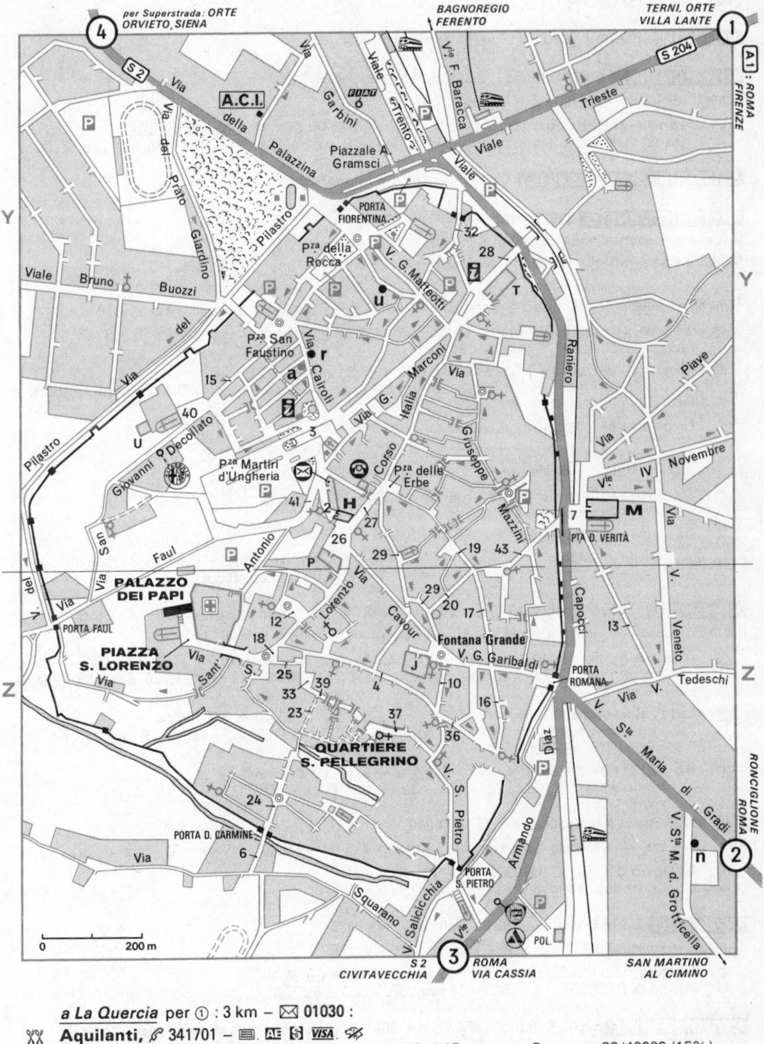

a La Quercia per ① : 3 km – ✉ 01030 :

Aquilanti, ✆ 341701 – AE VISA.
chiuso martedì, dal 22 febbraio al 7 marzo e dal 1° al 15 agosto – Pas carta 26/40000 (15%).

a San Martino al Cimino S : 6,5 km Z – alt. 561 – ✉ 01030 :

Balletti Park Hotel, ✆ 379777, Telex 623059, ←, riscaldata, – 30 a 350. AE VISA.
Pas carta 28/42000 – 12000 – **136 cam** 71/138000 appartamenti 178000 – P 94/134000.

Vedere anche : *Bagnaia* per ① : 5 km.

VITERBO

ALFA-ROMEO a Villanova per via Garbini ℰ 250134
ALFA-ROMEO via San Giovanni Decollato 4/6 ℰ 352179
BMW via Cassia Nord al km 86 ℰ 250136
CITROEN via Villanova ang. via Garbini ℰ 250962
FIAT via Garbini 23 ℰ 31861
FIAT strada Tuscanese al km 1,700 per ④ ℰ 250343
FIAT via Cassia Nord al km 88 per ③ ℰ 352392
FORD strada Tuscanese al km 3,200 ℰ 250767
GM-OPEL strada Tuscanese 55/D ℰ 250422
INNOCENTI via Cassia Nord al km 88 per ③ ℰ 250186
LANCIA-AUTOBIANCHI viale Diaz 23 ℰ 30736
LANCIA-AUTOBIANCHI strada Tuscanese al km 1,400 per ④ ℰ 250635
PEUGEOT-TALBOT strada Tuscanese ℰ 250718
RENAULT via Cassia Nord al km 85 ℰ 251314
VW-AUDI via Cassia Nord al km 88 ℰ 250366
VOLVO via Cassia Nord al km 88.5 ℰ 250186

VITICCIO Livorno – Vedere Elba (Isola d') : Portoferraio.

VITORCHIANO 01030 Viterbo – 2 363 ab. alt. 285 – ✪ 0761.
Roma 113 – Orvieto 45 – Terni 55 – Viterbo 9.

XX **Nando-al Pallone,** al quadrivio S : 3 km ℰ 370344, 龕, 굛 – ❷. 🖭 ⓪ 𝘝𝘐𝘚𝘈
chiuso martedì sera, mercoledì, dal 7 al 19 gennaio e dall'8 al 20 luglio – Pas carta 28/38000.

VITTORIA (Santuario della) Genova – Vedere Mignanego.

VITTORIO VENETO 31029 Treviso 𝟿𝟪𝟪 ⑤ – 29 483 ab. alt. 136 – ✪ 0438.
Vedere Affreschi★ nella chiesa di San Giovanni.
🛅 (aprile-novembre) a Pian del Cansiglio ✉ 31029 Vittorio Veneto ℰ 585398, NE : 21 km.
🇧 piazza del Popolo ℰ 57243.
Roma 581 – Belluno 37 – Cortina d'Ampezzo 92 – ◆Milano 320 – Treviso 41 – Udine 80 – ◆Venezia 70.

🏤 **Terme,** viale della Vittoria ℰ 554345, 굛 – 🛗 ▤ 🖭 ⓦ ☜ – 🔏 200. 🖭 🅸 𝘝𝘐𝘚𝘈. 🎕
Pas (chiuso lunedì) 35/40000 – **39 cam** ⊐ 70/110000 – P 80000.

🏠 **Flora,** viale Trento e Trieste 28 ℰ 53142 – 🛗 ☎ ☜ ❷. 🅸 🄴 𝘝𝘐𝘚𝘈
chiuso novembre – Pas (chiuso domenica) carta 24/32000 – ⊐ 7000 – **21 cam** 40/65000 – P 62000.

XX **Locanda al Postiglione,** via Cavour 39 ℰ 556924, 龕 – ❷. 🖭 🅸 𝘝𝘐𝘚𝘈. 🎕
chiuso martedì e dal 15 giugno all'8 luglio – Pas carta 23/34000.

a San Giacomo di Veglia SE : 2,5 km – ✉ 31020 :

🏠 **Sanson** senza rist, ℰ 500161 – ☜ ❷. 🖭 𝘝𝘐𝘚𝘈. 🎕
⊐ 7000 – **28 cam** 45/60000.

X Da Carlo ℰ 500319 – ❷.

FIAT via Dante 65 ℰ 551441

PEUGEOT-TALBOT a San Giacomo di Veglia, via Sant'Antonio 225 ℰ 500379

VIVERONE 13040 Vercelli 𝟸𝟷𝟿 ⑮ – 1 344 ab. alt. 407 – a.s. luglio-15 settembre – ✪ 0161.
Roma 661 – Biella 23 – Ivrea 16 – ◆Milano 97 – Novara 51 – ◆Torino 59 – Vercelli 32.

🏤 **Marina** ⌕, frazione Comuna ℰ 98079, ≤, ⤓, ✍, 굛, ✗ – ▤ 🖭 ☜ ❷. 𝘝𝘐𝘚𝘈. 🎕
chiuso gennaio – Pas (chiuso martedì) carta 22/32000 – ⊐ 8000 – **20 cam** 48/78000 – P 65/75000, b.s. 58/65000.

🏠 **Lido,** al lido ℰ 98024, ≤, 굛 – 🖭 ☜ ☜ ❷ – 🔏 70. 🖭 🅸 🄴 𝘝𝘐𝘚𝘈. 🎕 rist
Pas (chiuso lunedì da ottobre ad aprile) carta 26/41000 – ⊐ 8000 – **25 cam** 50/70000 – P 65/70000, b.s. 55/60000.

🏠 **Royal,** al lido ℰ 98038, ≤, 굛 – 🛗 🖭 ☎ ☜ ❷. 🖭 🅸 🄴 𝘝𝘐𝘚𝘈. 🎕
Pas (chiuso martedì) carta 23/35000 – ⊐ 5000 – **35 cam** 50/75000 – P 65/70000.

VÒ 35030 Padova – 3 490 ab. alt. 12 – ✪ 049.
Roma 494 – Este 14 – ◆Milano 235 – ◆Padova 25 – Rovigo 43 – ◆Venezia 62 – ◆Verona 82 – Vicenza 35.

X **Al Speo d'Oro,** ℰ 9940021, 굛 – ❷. 🎕
◆ chiuso venerdì e luglio – Pas carta 16/22000.

VOBARNO 25079 Brescia – 7 523 ab. alt. 246 – ✪ 0365.
Roma 555 – ◆Brescia 33 – ◆Milano 126 – Trento 96 – ◆Verona 69.

🏠 **Eureka,** località Carpeneda NO : 2 km ℰ 61067 – 🖭 ☜ ❷
Pas carta 20/29000 – ⊐ 5500 – **17 cam** 35/50000 – P 55000.

VODO CADORE 32040 Belluno – 959 ab. alt. 901 – a.s. 15 luglio-agosto e Natale – ✪ 0435.
Roma 654 – Belluno 49 – Cortina d'Ampezzo 22 – ◆Milano 392 – ◆Venezia 139.

XX Al Capriolo, ℰ 89207 – ❷
stagionale.

VOGHERA 27058 Pavia 988 ⑬ – 41 339 ab. alt. 93 – ✦ 0383.

Roma 574 – Alessandria 38 – ✦Genova 94 – ✦Milano 64 – Pavia 32 – Piacenza 64.

🏨 **Domus** senza rist, via Matteotti 40 ℰ 49630 – 📶 ▤ 📺 ☎. ℻ ⑤ ⓪ Ɇ 𝘝𝘐𝘚𝘈. ⚛
⚏ 7000 – **27 cam** 40/65000.

✗ **Cristina,** via Ricotti 36 ℰ 48436, ⌂
✦ chiuso sabato sera, domenica e dal 1° al 25 agosto – Pas carta 18/29000.

sulla strada statale 10 SO : 2 km :

🏨 **Rallye,** via Tortona 51 ✉ 27058 ℰ 47935, ⚘ – 📺 ☎ ⓟ. ℻ ⑤ ⓪ Ɇ 𝘝𝘐𝘚𝘈
chiuso dal 2 al 20 gennaio – Pas *(chiuso domenica)* carta 24/37000 – ⚏ 7000 – **32 cam**
40/65000 – P 70000.

CITROEN viale Kennedy 60 ℰ 41192
FIAT via Piacenza 56/58 ℰ 645144
FORD via Piacenza 32 ℰ 47336

GM-OPEL via Martiri della Libertà 41 ℰ 212179
INNOCENTI via Barenghi 28/32 ℰ 642111
PEUGEOT-TALBOT via Lomellina 13 ℰ 645111

VOLPIANO 10088 Torino 988 ⑫ – 11 685 ab. alt. 219 – ✦ 011.

Roma 687 – Aosta 97 – ✦Milano 126 – ✦Torino 18.

✗✗ **La Noce,** corso Regina Marherita 19 ℰ 9882383, Coperti limitati; prenotare – ℻ ⑤ ⓪. ⚛
chiuso sabato a mezzogiorno, domenica, dal 7 al 16 gennaio, dal 1° all'8 giugno e dal 10 al
20 agosto – Pas carta 49/80000.

VÖLS AM SCHLERN = Fiè allo Sciliar.

Don't get lost, use **Michelin Maps** which are kept up to date.

VOLTERRA 56048 Pisa 988 ⑭ – 13 237 ab. alt. 531 – ✦ 0588.

Vedere Quartiere Medioevale✶✶ : piazza dei Priori✶✶, Duomo✶ e Battistero✶ A – ≼✶✶ dal viale dei
Ponti – Museo Etrusco Guarnacci✶ M1 – Porta dell'Arco✶.

🛈 via Turazza 2 ℰ 86150.

Roma 287 ② – ✦Firenze 81 ② – ✦Livorno 73 ③ – ✦Milano 377 ② – Pisa 64 ① – Siena 57 ②.

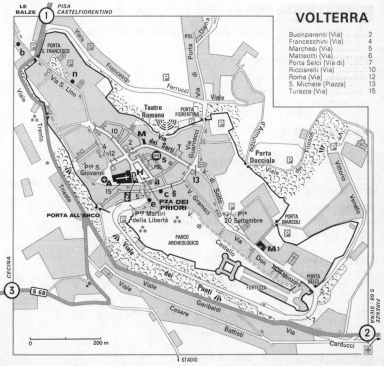

VOLTERRA

Buonparenti (Via)	2
Franceschini (Via)	4
Marchesi (Via)	5
Matteotti (Via)	6
Porta Selci (Via di)	7
Ricciarelli (Via)	10
Roma (Via)	12
S. Michele (Piazza)	13
Turazza (Via)	15

647

🏨 **San Lino,** via San Lino 26 *&* 85250, Telex 502017, ⌁ – |⋟| ☞ ⟵ 🅰🅴 🛅 ⦿ 🄴 𝘝𝘐𝘚𝘈, 🕱 rist **n**
Pas *(chiuso mercoledì e dal 3 novembre al 15 marzo)* carta 23/34000 – ⭤ 7000 – **44 cam**
60/90000 – P 85/95000.

🏨 **Villa Nencini** 🕭 senza rist, borgo Santo Stefano 55 *&* 86386, ⩽, « Giardino e boschetto »
– ☞ 🅿 🛅 🄴 𝘝𝘐𝘚𝘈 **b**
⭤ 7000 – **14 cam** 45/68000.

🏨 **Nazionale,** via dei Marchesi 11 *&* 86284 – |⋟| ☎ ⟓. 🛅 ⦿ 🄴 𝘝𝘐𝘚𝘈 **e**
Pas *(chiuso venerdì)* carta 18/25000 (12%) – ⭤ 7000 – **33 cam** 45/68000 – P 60/65000.

🏨 **Etruria** senza rist, via Matteotti 32 *&* 87377, 🍽 – ☞. 𝘝𝘐𝘚𝘈 **c**
chiuso gennaio e febbraio – ⭤ 7000 – **22 cam** 40/62000.

🗙🗙 **Etruria,** piazza dei Priori 6 *&* 86064 – 🅰🅴 🛅 ⦿ 🄴 𝘝𝘐𝘚𝘈 **a**
chiuso giovedì, dal 10 al 30 giugno e novembre – Pas carta 24/39000 (15%).

🗙 **Da Beppino,** via delle Prigioni 15/19 *&* 86051 – 🅰🅴 🛅 ⦿ 🄴 𝘝𝘐𝘚𝘈 **s**
chiuso mercoledì e dal 10 al 20 gennaio – Pas carta 20/29000 (10%).

VOZE Savona – Vedere Noli.

VULCANO (Isola) Messina 🆀🇧🇧 ③⑧ – Vedere Sicilia (Eolie,isole) alla fine dell'elenco alfabetico.

WELSBERG = Monguelfo.

WELSCHNOFEN = Nova Levante.

WOLKENSTEIN IN GRÖDEN = Selva di Val Gardena.

ZADINA PINETA Forlì – Vedere Cesenatico.

ZAFFERANA ETNEA Catania – Vedere Sicilia alla fine dell'elenco alfabetico.

ZELATA Pavia – Vedere Bereguardo.

ZELO BUON PERSICO 20060 Milano 🇵🇵🇫 ㉘ – 3 822 ab. alt. 93 – 🕲 02.
Roma 564 – ◆Bergamo 46 – Lodi 16 – ◆Milano 23 – Pavia 43.

🗙🗙 **La Cascinetta,** E : 3,5 km in riva all'Adda *&* 9065027, 🍴, 🍽 – 🅿. 🕱
chiuso martedì e gennaio – Pas carta 26/37000.

ZERMAN Treviso – Vedere Mogliano Veneto.

ZERO BRANCO 31059 Treviso – 7 510 ab. alt. 18 – 🕲 0422.
Roma 538 – ◆Milano 271 – ◆Padova 35 – Treviso 13 – ◆Venezia 27.

🗙🗙 **Da Sauro,** *&* 97116 – ▤. 🅰🅴 ⦿ 𝘝𝘐𝘚𝘈. 🕱
chiuso lunedì sera, martedì e dal 13 luglio al 15 agosto – Pas carta 27/38000.

ZIANO DI FIEMME 38030 Trento – 1 367 ab. alt. 953 – Stazione di villeggiatura, a.s. febbraio-
Pasqua e Natale – 🕲 0462.
🄱 piazza Italia *&* 55133.
Roma 657 – Belluno 83 – ◆Bolzano 51 – Canazei 30 – ◆Milano 315 – Trento 75.

🏨 **Polo,** *&* 55131, 🍽 – |⋟| ⋉⋉ ☎ ⟓ 🅿. 🛅 🄴 𝘝𝘐𝘚𝘈. 🕱
⟵ *18 dicembre-25 aprile e giugno-20 ottobre* – Pas *(chiuso giovedì)* carta 19/29000 – **44 cam**
⭤ 55/94000 – P 55/60000, b.s. 45/50000.

ZIBELLO 43010 Parma – 2 251 ab. alt. 35 – 🕲 0524.
Roma 493 – Cremona 28 – ◆Milano 103 – ◆Parma 35 – Piacenza 41.

🗙 **Trattoria la Buca,** *&* 99214, prenotare – 🅿. 🕱
chiuso martedì – Pas carta 28/45000.

ZINGONIA 24040 Bergamo 🇵🇵🇫 ㉘ – alt. 173 – 🕲 035.
Roma 604 – ◆Bergamo 15 – ◆Brescia 62 – ◆Milano 35 – Piacenza 78.

🏨🏨 **Gd H. Zingonia,** *&* 883225, Telex 300242, Fax 885699 – |⋟| ▤ 📺 ⟵ 🅿 – 🕭 40 a 250. 🅰🅴
🛅 ⦿ 🄴 𝘝𝘐𝘚𝘈. 🕱
chiuso agosto – Pas vedere rist Le Giromette – ⭤ 10000 – **100 cam** 81/121000 – P 126/136000.

🗙🗙🗙 **Le Giromette,** ⌁ – ▤ 🅿. 🅰🅴 🛅 ⦿ 🄴 𝘝𝘐𝘚𝘈. 🕱
chiuso domenica ed agosto – Pas carta 28/40000.

MERCEDES-BENZ via Vienna 85 *&* 882426. Telex
301396

ZINZULUSA (Grotta) Lecce – Vedere Castro Marina.

ZOCCA 41059 Modena – 4 149 ab. alt. 758 – a.s. 15 luglio-agosto e Natale – ✆ 059.
Roma 385 – ◆Bologna 57 – ◆Milano 218 – ◆Modena 49 – Pistoia 84 – Reggio nell'Emilia 75.

🏠 **Panoramic,** via Tesi 690 ✆ 987010, ≼, 🛋 – 🛗 🕿 🅿. ⑩. ⬤
◆ *chiuso dal 6 gennaio al 6 febbraio* – Pas *(chiuso lunedì in bassa stagione)* carta 19/28000
– ☞ 4500 – **28 cam** 34/54000 – P 40/57000.

ZOGNO 24019 Bergamo – 8 583 ab. alt. 334 – ✆ 0345.
Roma 619 – ◆Bergamo 18 – ◆Brescia 70 – Como 64 – ◆Milano 60 – San Pellegrino Terme 7.

ad Ambria NE : 2 km – ✉ **24019** Zogno :

✕ **Da Gianni** con cam, ✆ 91093 – 🕿 ⇔ 🅿. 🅰🅴 🚻 🄴. ⬤
◆ *chiuso dal 1° al 20 settembre* – Pas *(chiuso lunedì dal 21 settembre al 15 giugno)* carta 17/32000
– ☞ 8000 – **9 cam** 20/30000 – P 40000.

ZOLA PREDOSA 40069 Bologna – 15 302 ab. alt. 82 – ✆ 051.
Roma 378 – ◆Bologna 13 – ◆Milano 209 – ◆Modena 33.

🏨 **Zolahotel** senza rist, via Risorgimento 186 ✆ 751101, Fax 751101 – 🛗 🗏 📺 🕿 ⇔ – 🛗 50
a 200. 🅰🅴 🚻 ⑩ 🄴 *VISA*
☞ 7000 – **108 cam** 130/200000.

✕ **Masetti,** via Gesso 70 ✆ 755131, 🍽 – 🅿. 🅰🅴 🚻 ⑩ *VISA*. ⬤
chiuso venerdì, sabato a mezzogiorno ed agosto – Pas carta 24/30000.

FIAT via Rigosa 8/a ✆ 755473

ZOLDO ALTO 32010 Belluno – 1 324 ab. alt. (frazione Fusine) 1 177 – a.s. febbraio-15 aprile,
15 luglio-agosto e Natale – Sport invernali : 1 177/1 829 m ≰10, ⤵ (vedere anche Alleghe) –
✆ 0437.
Roma 646 – Belluno 45 – Cortina d'Ampezzo 52 – ◆Milano 388 – Pieve di Cadore 39 – ◆Venezia 135.

🏨 **Valgranda,** frazione Pecol, alt. 1 375, ✆ 789142, ≼, 🗔 – 🛗 🕿 🅿 – 🛗 80. ⬤ rist
5 dicembre-10 aprile e 15 luglio-6 settembre – Pas 20/25000 – ☞ 6000 – **29 cam** 45/80000 –
P 56/90000, b.s. 44/60000.

🏨 **Sporting,** frazione Pecol, alt. 1 375 ✆ 789219, ≼, 🗔 – 🕿 ⇔ 🅿. ⬤
◆ *15 dicembre-15 aprile e 5 luglio-15 settembre* – Pas 18/25000 – ☞ 5000 – 22 cam 40/70000 –
P 48/85000.

🏠 **Bosco Verde** 🐾, frazione Pecol, alt. 1 375, ✆ 789151 – 🅿. ⬤
◆ *dicembre-10 aprile e luglio-20 settembre* – Pas 17/20000 – ☞ 5500 – 24 cam 36/56000 –
P 54/63000, b.s. 43/47000.

🏠 **Maè,** frazione Mareson, alt. 1 338, ✆ 789189 – 🅿. ⬤
◆ *4 dicembre-15 aprile e luglio-15 settembre* – Pas 16/20000 – ☞ 6000 – 19 cam 36/65000 –
P 49/65000, b.s. 38/45000.

ZOMPITTA Udine – Vedere Reana di Roiale.

ZORZINO Bergamo – Vedere Riva di Solto.

ZUGLIANO 36030 Vicenza – 5 425 ab. alt. 198 – ✆ 0445.
Roma 563 – ◆Milano 234 – Trento 234 – Vicenza 25.

a Centrale O : 3 km – ✉ **36030** Zugliano :

✕✕ Roncaglia, ✆ 368891 – 🅿.

ZWISCHENWASSER = Longega.

SARDEGNA

988 ㉓ ㉔ ㉝ ㉞ – 1 651 218 ab. alt. da 0 a 1 834 (Punta La Marmora, monti del Gennargentu).

🚗 vedere : Alghero, Cagliari, Olbia e Sassari.

⚓ per la Sardegna vedere : Civitavecchia, Genova, Livorno, Napoli, Palermo, Trapani; dalla Sardegna vedere : Cagliari, Olbia, Porto Torres, Tortolì (Arbatax).

ALGHERO 07041 Sassari 988 ㉝ – 40 159 ab. – Stazione balneare, a.s. luglio-15 settembre – ✆ 079.

Vedere Città vecchia★.

🚗 di Fertilia NO : 11 km 𝒫 935048.

🖥 piazza Porta Terra 9 𝒫 979054.

♦Cagliari 227 – ♦Nuoro 136 – ♦Olbia 137 – Porto Torres 35 – ♦Sassari 35.

🏨 **Carlos V,** lungomare Valencia 24 𝒫 979501, Telex 791054, ≤, ⌿, 🏖, ※ – 🔲 ▤ 📺 ☎ ❷ – 🔬 60 a 250 – 110 cam.

🏨 **Calabona,** località Calabona 𝒫 975728, Telex 790242, Fax 975728, ≤, ⌿, 🏖 – 🔲 ▤ ☎ ᶑ ❷ – 🔬 30 a 400. 🔼 🔟 🜲 ᴇ *VISA*. ※ rist
aprile-ottobre – Pas 26000 – **113 cam** ⌸ 89/120000 – P 109/138000, b.s. 77/98000.

🏨 **Villa Las Tronas** ⚓, lungomare Valencia 1 𝒫 975390, ≤ mare e scogliere, « Giardino », ⌿, 🏖 – 🔲 🔟 ❷. 🔼 🔟 🜲 ᴇ *VISA*. ※
Pas *(chiuso mercoledì e dal 20 settembre al 15 maggio)* 36/44000 – ⌸ 18000 – **30 cam** 95/180000 – P 140/180000, b.s. 125/135000.

🏨 **Florida,** via Lido 15 𝒫 950535, ⌿, 🏖 – 🔲 ᶑ ❷. ※ rist
aprile-15 ottobre – Pas (solo per clienti alloggiati) 22000 – ⌸ 8000 – 47 cam 57/83000 – P 95/105000, b.s. 70/80000.

🏨 **Continental** senza rist, via Fratelli Kennedy 66 𝒫 975250, 🏖 – 🔲 ᶑ ❷. 🔼 🔟 🜲 ᴇ *VISA*
maggio-settembre – **32 cam** ⌸ 63/86000.

🏨 Il Gabbiano, via Garibaldi 97 𝒫 950407, Telex 792143, ≤ – 🔲 ᶑ
stagionale – **48 cam**.

※※ **Il Pavone,** piazza Sulis 3/4 𝒫 979584, 🌳 – 🔼 🔟 🜲 ᴇ *VISA*. ※
chiuso mercoledì e dal 20 dicembre al 20 gennaio – Pas carta 36/64000.

※ **Rafel,** via Lido 20 𝒫 950385, ≤ – ※
chiuso novembre e giovedì in bassa stagione – Pas carta 40/60000.

※ **Dieci Metri,** vicolo Adami 37 𝒫 979023 – 🔼 🔟 🜲 ᴇ *VISA*. ※
chiuso mercoledì e dal 10 gennaio al 28 febbraio – Pas carta 23/36000 (10%).

※ **Riu,** piazza Civica 2 𝒫 977240 – 🔼 🔟 🜲 ᴇ *VISA*. ※
chiuso giovedì, domenica sera e novembre – Pas carta 26/42000.

a Fertilia NO : 6 km – ✉ 07040 :

🏩 **Bellavista,** 𝒫 930124, ≤ – 🔲 ▤. 🔟 🜲 ᴇ *VISA*. ※ rist
Pas carta 21/37000 – ⌸ 6500 – **43 cam** 36/59000 – P 66000, b.s. 58000.

Vedere anche : *Porto Conte* NO : 13 km.

ALFA-ROMEO via Brigata Sassari 46 𝒫 978378   GM-OPEL via Don Minzoni 2/6 𝒫 950513

ARBATAX Nuoro 988 ㉞ – Vedere Tortolì.

ARBOREA 09092 Oristano 988 ㉝ – 3 704 ab. alt. 7 – a.s. luglio-15 settembre – ✆ 0783.

♦Cagliari 85 – ♦Olbia 210 – ♦Oristano 17 – Porto Torres 154.

al mare NO : 4,5 km :

🏨 **Ala Birdi** ⚓, ✉ 09092 𝒫 800512, Telex 791167, Fax 801086, ⌿, 🏖, 🏖, ※, 🐎 – ☎ ❷ – 🔬 200. 🔟 🜲 *VISA*. ※ rist
Pas carta 25/45000 – ⌸ 7000 – 30 cam 52/82000 – P 108/130000, b.s. 70/80000.

ARITZO 08031 Nuoro 988 ㉝ – 1 731 ab. alt. 796 – a.s. luglio-15 settembre – ✆ 0784.

Escursioni Monti del Gennargentu★★ NE – Strada per Villanova Tulo : ≤★★ sul lago di Flumendosa.

♦Cagliari 114 – ♦Nuoro 80 – ♦Olbia 137 – ♦Oristano 85 – Porto Torres 177.

🏩 **Park Hotel,** 𝒫 629201, ≤ – ※
⏩ Pas *(chiuso venerdì)* 16/22000 – ⌸ 3000 – 22 cam 25/45000 – P 50000.

ARZACHENA 07021 Sassari 988 ㉓ – 8 901 ab. alt. 83 – a.s. luglio e agosto – ✆ 0789.

Dintorni Costa Smeralda★★ – Tomba dei Giganti di Li Muri★ SO : 10 km per la strada di Luogosanto.

🖼 Pevero, a Porto Cervo (Costa Smeralda) ✉ 07020 ℰ 96072, Telex 790037, NE : 18,5 km.

🏌 della Costa Smeralda : vedere Olbia.

🯄 piazza Risorgimento ℰ 82624.

♦Cagliari 311 – ♦Olbia 26 – Palau 14 – Porto Torres 147 – ♦Sassari 129.

🏠 **Citti** senza rist, ℰ 82662, 🏊, – 🕿 🕭 🅿. 🛇
　　🗳 4000 – **41 cam** 33/53000.

🍴 **Vecchia Arzachena**, ℰ 82723, Coperti limitati; prenotare – 🕭 ⓞ 🄴 𝐕𝐈𝐒𝐀 🛇
　　Pasqua-settembre; chiuso lunedì – Pas carta 50/88000 (12%).

a Cannigione NE : 8,5 km – ✉ 07020 :

🍴🍴 **La Sciumara**, ℰ 88150, ⟨ – 🅿. 🄰🄴 🕭 ⓞ 🄴 𝐕𝐈𝐒𝐀
　　aprile-ottobre; chiuso lunedì in bassa stagione – Pas carta 28/46000.

sulla strada per Baia Sardinia NE : 8,5 km :

🍴🍴🍴 ✿ **Grazia Deledda** con cam, ✉ 07021 Arzachena ℰ 98988, prenotare – ↰ cam 🔳 cam 📺
　　🕿 🅿. 🄰🄴 🕭 ⓞ 𝐕𝐈𝐒𝐀 🛇
　　chiuso dal 30 dicembre al 30 gennaio – Pas carta 50/76000 – 🗳 20000 – 11 cam 70/130000
　　appartamento 160000 – P 180/205000, b.s. 160/180000
　　Spec. Corbaglio (pesce di mare) al profumo di pomodori, Sogliola alla sarda, Costolette di capretto al mirto. **Vini** Cala Luna, Cannonau.

a Baia Sardinia NE : 16,5 km – ✉ 07021 Arzachena – a.s. 15 giugno-15 settembre :

🏨 **Club Hotel e Rist. Casablanca,** ℰ 99006, ⟨, 🍽, « Terrazze fiorite », 🐾 – 🛗 🕿 🅿. 🄰🄴
　　🕭 ⓞ 🄴 𝐕𝐈𝐒𝐀 🛇 rist
　　Pasqua-15 ottobre – Pas *(chiuso sino al 15 maggio e dal 20 settembre al 15 ottobre)*
　　carta 63/90000 – 🗳 18000 – 83 cam 96/155000 – P 187/207000, b.s. 110/130000.

🏨 **La Bisaccia,** ℰ 99002, Fax 99002, ⟨ arcipelago della Maddalena, 🏊, 🐾 – 🛗 🕿 🅿 – 🏧
　　60. 🄰🄴 🕭 ⓞ 🄴 𝐕𝐈𝐒𝐀 🛇 rist
　　aprile-10 ottobre – Pas 66000 – 🗳 18000 – 62 cam 83/119000 – P 189/209000, b.s. 110/130000.

🏨 **Mon Repos,** ℰ 99011, ⟨, 🏊, 🐾, 🝙 – 🔳 rist 🕮 🅿. 🕭 ⓞ 𝐕𝐈𝐒𝐀 🛇
　　Pasqua-15 ottobre – Pas 30/40000 – 🗳 20000 – 44 cam 80/130000 – P 120/140000,
　　b.s. 110/120000.

🏠 **Olimpia** 🍴 senza rist, ℰ 99176, 🏊 – 🅿. 🄰🄴 ⓞ 𝐕𝐈𝐒𝐀
　　10 maggio-10 ottobre – 🗳 9000 – **17 cam** 48/86000.

sulla Costa Smeralda – ✉ 07020 Porto Cervo – a.s. 15 giugno-15 settembre :

🏨🏨 **Cala di Volpe** 🍴, a Cala di Volpe E : 16,5 km ℰ 96083, Telex 790274, ⟨ baia e porticciolo,
　　🏊, 🐾, 🝙, 🍽 – 🔳 🕿 🅿. 🄰🄴 ⓞ 🄴 𝐕𝐈𝐒𝐀 🛇
　　13 maggio-settembre – Pas 90000 – 123 cam (solo pens) – P 488/502000, b.s. 339/353000.

🏨🏨 **Romazzino** 🍴, a Romazzino E : 19 km ℰ 96020, Telex 790059, ⟨ mare ed isolotti, « Giardino
　　con 🏊 », 🐾, 🍽 – 🔳 🕿 🅿. 🄰🄴 ⓞ 🄴 𝐕𝐈𝐒𝐀 🛇
　　15 maggio-15 ottobre – 90 cam (solo pens) – P 490000, b.s. 335000.

🏨 **Pitrizza** 🍴, a Pitrizza NE : 19 km ℰ 91500, Telex 792079, ⟨ baia, « Ville indipendenti », 🏊,
　　🐾, 🝙 – 🔳 📺 🅿. 🄰🄴 ⓞ 🄴 𝐕𝐈𝐒𝐀 🛇
　　15 maggio-settembre – 28 cam (solo pens) – P 514000, b.s. 365000.

🏨 **Cervo** 🍴, a Porto Cervo NE : 18,5 km ℰ 92003, Telex 790037, ⟨, « Piccolo patio », 🏊 riscal-
　　data – 🔳 📺 🅿. 🄰🄴 ⓞ 🄴 𝐕𝐈𝐒𝐀 🛇
　　aprile-ottobre – 92 cam (solo pens) – P 341000, b.s. 228000.

🏨🏨 **Le Ginestre** 🍴, verso Porto Cervo NE : 17 km ℰ 92030, Telex 792163, ⟨, 🏊, 🝙, 🍽 – 🔳 🕿
　　🅿 – 🏧 80. 🄰🄴 🕭 ⓞ 🄴 𝐕𝐈𝐒𝐀 🛇
　　aprile-settembre – Pas carta 59/79000 (10%) – 🗳 18000 – 79 cam 218/276000 – P 235000,
　　b.s. 135000.

🏨🏨 **Cervo Tennis Club** 🍴 senza rist, a Porto Cervo NE : 18,5 km ℰ 92244, Fax 96020, ⟨, 🏊, ▨,
　　🝙, 🍽 – 🔳 🕿 🅿 – 🏧 80 a 200. 🄰🄴 🕭 ⓞ 🄴 𝐕𝐈𝐒𝐀 🛇
　　16 cam 🗳 145/240000.

🏨 **Luci di la Muntagna,** a Porto Cervo NE : 18,5 km ℰ 92051, Telex 791114, Fax 92290,
　　⟨ porto, 🏊 – 🛗 🕿 🅿. 🄰🄴 🕭 ⓞ 🄴 𝐕𝐈𝐒𝐀 🛇 rist
　　marzo-ottobre – Pas carta 39/50000 – 70 cam 🗳 190000 – P 254000, b.s. 220000.

🏨 **Balocco** 🍴, a Liscia di Vacca NE : 20 km ℰ 91555, ⟨ mare e porto, 🏊, 🝙 – 🔳 🕿 🅿. 🄰🄴 🕭
　　ⓞ 🄴 𝐕𝐈𝐒𝐀 🛇
　　aprile-15 ottobre – Pas 50000 – 35 cam 🗳 100/170000 – P 170000, b.s. 130000.

🏨 **Nibaru** 🍴 senza rist, a Cala di Volpe E : 16,5 km ℰ 96038, 🏊 – 🕿 🕭 🅿. 🄰🄴 ⓞ 𝐕𝐈𝐒𝐀 🛇
　　maggio-10 ottobre – 🗳 15000 – **45 cam** 100/150000.

🍴🍴 **Il Pescatore,** a Porto Cervo NE : 18,5 km ℰ 92296, 🍽
　　10 maggio-15 ottobre; chiuso a mezzogiorno – Pas carta 48/74000.

BAIA SARDINIA Sassari 988 ㉓ ㉔ – Vedere Arzachena.

BONORVA 07012 Sassari 🌐 ③ – 4 708 ab. alt. 508 – ✿ 079.

Alghero 67 – ◆Nuoro 74 – ◆Olbia 108 – ◆Sassari 51.

   a Rebeccu E : 7 km – ✉ 07012 :

✗   Su Lumarzu, ✎ 867933 – 🅿.

BOSA MARINA 08013 Nuoro 🌐 ③ – a.s. luglio-15 settembre – ✿ 0785.

Alghero 64 – ◆Cagliari 172 – ◆Nuoro 86 – ◆Olbia 151 – ◆Oristano 64 – Porto Torres 99 – ◆Sassari 99.

🏠   **Al Gabbiano,** ✎ 374123 – ⌦. 🖭 🕃 E. ✺
      Pas *(chiuso da novembre a marzo)* carta 30/44000 (10%) – ⌸ 6000 – 30 cam 40/55000 –
      P 60/70000, b.s. 55/60000.

BUDONI 08020 Nuoro – 3 291 ab. – a.s. luglio-15 settembre – ✿ 0784.

◆Cagliari 248 – ◆Nuoro 67 – ◆Olbia 37 – Porto Torres 154 – ◆Sassari 136.

🏠   **Motel Isabella,** ✎ 844048, ⊸, ✾ – ▤ rist ⊜ 🅿. ✺ rist
      chiuso ottobre – Pas carta 24/30000 – **26 cam** ⌸ 40/55000 – P 62/72000, b.s. 55/65000.

CAGLIARI 09100 🄿 🌐 ③ – 221 790 ab. – ✿ 070.

Vedere Museo Nazionale Archeologico★ : bronzetti★★★ Y – ≼★★ dalla terrazza Umberto I Z –
Pulpiti★★ nella Cattedrale Y – Torre di San Pancrazio★ Y B – Torre dell'Elefante★ Y A.

Escursioni Strada★★★ per Muravera per ①.

✈ di Elmas per ③ : 6 km ✎ 240047 – Alitalia, via Caprera 14 ✉ 09123 ✎ 6010.

⚓ per Civitavecchia giornaliero (13 h), Genova giugno-settembre lunedì, mercoledì e venerdì,
negli altri mesi giovedì e sabato (20 h 30 mn) e Napoli lunedì e mercoledì (15 h 45 mn); per Arbatax
domenica (4 h 30 mn); per Palermo venerdì (13 h) e Trapani giugno-settembre martedì, negli altri
mesi lunedì (11 h) – Tirrenia Navigazione-agenzia Agenave, via Campidano 1 ✎ 666065, Telex
790013.

🛈 piazza Matteotti 9 ✉ 09123 ✎ 669255 – Aeroporto di Elmas ✉ 09132 ✎240200.

A.C.I. via Carboni Boi 2 ✉ 09129 ✎ 492881.

◆Nuoro 182 ③ – Porto Torres 229 ③ – ◆Sassari 211 ③.

Pianta pagina a lato

🏩   **Regina Margherita,** viale Regina Margherita 44 ✉ 09124 ✎ 670342, Telex 792156, Fax
      668325 – 🛗 ▤ 📺 ☎ ⇌ – ⚐ 30 a 350. 🖭 🕃 ⓞ. ✺   Z g
      Pas carta 35/60000 – **99 cam** ⌸ 141/174000 – P 195/210000.

🏨   **Mediterraneo,** lungomare Cristoforo Colombo ✉ 09125 ✎ 301271, Telex 613572, Fax 301274,
      ≼, ⊸ – 🛗 ▤ 📺 ☎ 👍 🅿 – ⚐ 50 a 650. 🖭 🕃 ⓞ E. �_VISA_. ✺ rist   Z s
      Pas al Rist. **Al Golfo** *(chiuso domenica)* carta 43/64000 – **136 cam** ⌸ 118/146000 appartamenti
      171/199000 – P 140/170000.

🏨   **Panorama,** viale Armando Diaz 231 ✉ 09126 ✎ 307691, Telex 791119, ⊒ – 🛗 ▤ 📺 ☎ ⇌
      – ⚐ 30 a 150. 🖭 🕃 ⓞ E. _VISA_. ✺ rist   Z a
      Pas *(chiuso domenica sera e lunedì)* carta 40/59000 – **97 cam** ⌸ 112/143000 appartamenti
      157/188000 – P 140/225000.

🏨   **Moderno** senza rist, via Roma 159 ✉ 09124 ✎ 653971, Telex 792131, ≼ – 🛗 ▤ ☎ 👍 –
      25. 🖭 🕃 E _VISA_   Z a
      ⌸ 9500 – **93 cam** 65/90000.

🏨   **Italia** senza rist, via Sardegna 31 ✉ 09124 ✎ 655772 – 🛗 ▤ 📺 ☎ – ⚐ 50. 🖭 🕃 ⓞ _VISA_. ✺
      113 cam ⌸ 62/90000.   Z c

🏨   **MotelAgip,** circonvallazione Nuova ✉ 09134 Pirri ✎ 521373, Telex 792104 – 🛗 ▤ 📺 ☎ 🅿.
      🖭 🕃 ⓞ E _VISA_. ✺ rist   3 km per via Baccaredda   Y
      Pas *(chiuso sabato)* 30000 – ⌸ 13000 – **57 cam** 46/70000 – P 107/118000.

🏨   **Quadrifoglio,** circonvallazione Quadrifoglio ✉ 09134 Pirri ✎ 543093 – 🛗 ▤ 📺 ☎ 🅿 – ⚐ 30
      63 cam.   3.5 km per via Baccaredda   Y

🏠   **Al Solemar** senza rist, viale Armando Diaz 146 ✉ 09126 ✎ 301360 – 🛗 ⊜ 🅿 – ⚐ 80. 🖭
      ⓞ. ✺   Z
      ⌸ 6000 – **42 cam** 55/94000.

✗✗✗   ✿ **Dal Corsaro,** viale Regina Margherita 28 ✉ 09124 ✎ 664318 – ▤. 🖭 🕃 ⓞ _VISA_. ✺
      chiuso martedì – Pas carta 45/60000 (15%)   Z e
      Spec. Minestra cocciula (vongole veraci e semola), Risotto ai frutti di mare, Branzino agli stami di zafferano. Vini
      Vermentino, Cannonau.

✗✗   **Antica Hostaria,** via Cavour 60 ✉ 09124 ✎ 665870, « Raccolta di quadri » – ▤. 🖭 🕃 ⓞ
      E _VISA_. ✺   Z x
      chiuso domenica ed agosto – Pas carta 30/49000 (12%).

✗✗   St. Remy, via Torino 16 ✉ 09124 ✎ 657377   Z v

✗✗   **Italia,** via Sardegna 26 ✉ 09124 ✎ 657987 – ≼⇌ ▤. 🖭. ✺   Z r
      chiuso domenica e dal 15 dicembre al 15 gennaio – Pas carta 19/30000 (12%).

✗✗   **La Pineta,** via della Pineta 108 ✉ 09126 ✎ 303313 – ▤. ✺   per via Pessina Z
      chiuso lunedì e settembre – Pas carta 24/36000 (12%).

※ **Da Bruno 74,** via Cavour 17 ⊠ 09124 ℰ 654354 – ▤. ⌘   Z **n**
  chiuso domenica – Pas carta 25/37000.

※ **La Lanterna,** via Cugia 7 ⊠ 09129 ℰ 308207 – ▤. ⌘   per via Pessina   Z
  chiuso domenica, agosto o settembre – Pas carta 23/39000 (14%).

※ **La Rosetta,** via Sardegna 44 ⊠ 09124 ℰ 663131 – ▤. 🆀 🔃 ⓪ 🄴 𝗩𝗜𝗦𝗔. ⌘   Z **b**
  chiuso lunedì – Pas carta 22/40000 (12%).

  a Poetto SE : 9 km Z – ⊠ **09126** :

※※ Ottagono, ℰ 372879, ≤.

  a Sant'Elia SE : 5 km per viale Armando Diaz Z – ⊠ **09126** :

※※ **Lo Scoglio,** ℰ 371927, Solo piatti di pesce – ℗. ⌘
  chiuso domenica, agosto e Natale – Pas carta 40/80000.

  al bivio per Capoterra per ② : 12 km :

※※ **Sa Cardiga e Su Schironi,** ⊠ 09012 Capoterra ℰ 71652 – ▤ ℗. 🆀 ⓪ 𝗩𝗜𝗦𝗔
  chiuso lunedì e dal 24 ottobre al 12 novembre – Pas (solo piatti di pesce suggeriti dal proprietario) carta 30/48000.

  Vedere anche : *Quartu Sant'Elena* E : 7 km.

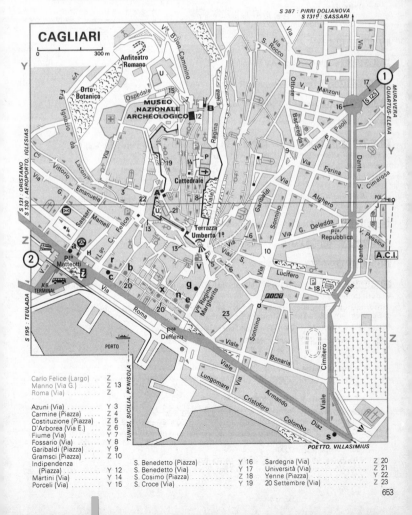

SARDEGNA - Cagliari

MICHELIN, strada statale 131 al km 7,200 per ③ – ✉ 09028 Sestu, ℰ 22122.

ALFA-ROMEO   viale Elmas 149 per ③ ℰ 240334
ALFA-ROMEO   viale Marconi ang. via Newton per ① ℰ 400998
BMW   viale Monastir al km 5 ℰ 530617
FIAT   viale Monastir 102 per ③ ℰ 280801
FIAT   via Sonnino 67 ℰ 656300
FIAT   via Calamattia 2 per via Ottone Baccaredda ℰ 55051
FORD   via De Giovannis 21 ℰ 305745
GM-OPEL   viale Marconi 163 ℰ 498156
INNOCENTI   viale Monastir per ③ ℰ 530600
INNOCENTI   via Francoforte 8/B per via Cimarosa Y ℰ 495980

LANCIA-AUTOBIANCHI   via Po 4 per ③ ℰ 290083
LANCIA-AUTOBIANCHI   circonvallazione Quadrifoglio Pirri per via Ottobre Baccaredda Y ℰ 503306
MERCEDES-BENZ   viale Elmas ℰ 240406
PEUGEOT-TALBOT   viale Marconi 173 ℰ 496951
PEUGEOT-TALBOT   via dei Carroz 10 - Pirri ℰ 502341
RENAULT   via Abruzzi 22 ℰ 290495
RENAULT   via Pierluigi da Palestrina 28 ℰ 487770
RENAULT   via Dante 95 ℰ 485574
RENAULT   via Castiglione 43 ℰ 485105
VW-AUDI   via Santa Gilla 44 ℰ 283700
VOLVO   viale Marconi 165 ℰ 442110

CALA GONONE Nuoro 988 ㉞ – Vedere Dorgali.

CALASETTA 09011 Cagliari 988 ㉝ – 2 801 ab. alt. 10 – a.s. luglio e agosto – ✪ 0781.
⛴ per Carloforte giornalieri (30 mn) – Saremar-agenzia Ser.Ma.Sa., ℰ 88430.
◆Cagliari 105 – ◆Oristano 145.

X   **Bellavista** con cam, ℰ 88211, ≼ – ▤. 🅱. ✦
chiuso dal 4 novembre al 15 dicembre – Pas *(chiuso lunedì da ottobre ad aprile)* carta 26/40000 – ⬭ 8000 – **12 cam** 36/50000, ▤ 4000 – P 75/79000, b.s. 64/70000.

CANNIGIONE Sassari – Vedere Arzachena.

CAPO BOI Cagliari – Vedere Villasimius.

CAPO CERASO Sassari – Vedere Olbia.

CAPO D'ORSO Sassari – Vedere Palau.

CARLOFORTE Cagliari 988 ㉝ – Vedere San Pietro (Isola di).

CASTELSARDO 07031 Sassari 988 ㉝ – 5 437 ab. – a.s. luglio-15 settembre – ✪ 079.
◆Cagliari 243 – ◆Nuoro 152 – ◆Olbia 100 – Porto Torres 34 – ◆Sassari 32.

🏠   **Riviera da Fofò,** ℰ 470143, ≼ – 📺 ☎ 🅿. 🇦🇪 🅱 ③ ⊟ 𝗩𝗜𝗦𝗔. ✦ rist
Pas *(chiuso mercoledì da novembre ad aprile)* carta 25/37000 – ⬭ 6000 – **26 cam** 27/45000 – P 75000.

XX   **Sa Ferula,** località Lu Bagnu SO : 4 km ℰ 474049, ≼ – 🅿. 🇦🇪 🅱 ① 𝗩𝗜𝗦𝗔. ✦
chiuso mercoledì e dal 15 al 30 novembre – Pas carta 26/43000.

COSTA DORATA Sassari – Vedere Porto San Paolo.

COSTA PARADISO Sassari – Vedere Trinità d'Agultu.

COSTA SMERALDA Sassari 988 ㉝㉞ – Vedere Arzachena.

DORGALI 08022 Nuoro 988 ㉞ – 7 893 ab. alt. 387 – a.s. luglio-15 settembre – ✪ 0784.
Vedere Dolmen Motorra★ N : 4 km.
Dintorni Grotta di Ispinigoli : colonna★★ N : 8 km – Strada★★ per Cala Gonone E : 10 km – Nuraghi di Serra Orios★ NO : 10 km – Strada★★★ per Arbatax Sud.
◆Cagliari 213 – ◆Nuoro 32 – ◆Olbia 114 – Porto Torres 170 – ◆Sassari 152.

🏦   **Il Querceto,** NO : 1 km ℰ 96509, ✿, ✦ – 🅿. ✦ rist
aprile-ottobre – Pas carta 20/30000 (10%) – ⬭ 6500 – 20 cam 33/45000 – P 64/70000, b.s. 60/64000.

X   **Colibrì,** ℰ 96054 – ✦
chiuso dal 15 dicembre al 15 gennaio e domenica da ottobre a maggio – Pas carta 22/33000 (10%).

a Cala Gonone E : 9 km – ✉ 08020 :

🏦   **Costa Dorada** ♨, ℰ 93332, ≼ – 📺 ☎. 🇦🇪 🅱 ① 𝗩𝗜𝗦𝗔. ✦ rist
aprile-ottobre – Pas carta 23/35000 (10%) – ⬭ 8000 – **25 cam** 45/62000 – P 85/95000.

🏦   **L'Oasi** ♨, ℰ 93111, ≼ mare e costa, 🌇, « Giardino fiorito a terrazze » – 🅿. 🇦🇪 🅱 𝗩𝗜𝗦𝗔. ✦
Pasqua-settembre – Pas (solo per clienti alloggiati) 20000 – ⬭ 6500 – **27 cam** 47000 – P 60/70000, b.s. 55/60000.

🏠   **Miramare,** ℰ 93140, ≼ – 📺 ☎ 🅿. 🅱 ① 𝗩𝗜𝗦𝗔. ✦
aprile-15 ottobre – Pas *(chiuso sino a maggio e dal 1° al 15 ottobre)* carta 22/37000 (10%) – ⬭ 7000 – 36 cam 35/48000 – P 76000, b.s. 59000.

FERTILIA Sassari 988 ㉝ – Vedere Alghero.

FONNI 08023 Nuoro 988 ㉝ – 4 811 ab. alt. 1 000 – a.s. Pasqua, 15 luglio-agosto e Natale – ✿ 0784 – **Escursioni Monti del Gennargentu** ★ ★ Sud.
♦Cagliari 161 – ♦Nuoro 33 – ♦Olbia 137 – Porto Torres 149 – ♦Sassari 131.

🏨 **Cualbu,** via del Lavoro 21 ℰ 57054 – 🏢 🕭 🕭 & ⊕. ✾
➡ Pas 18/25000 – 🖵 5000 – **61 cam** 42/58000 – P 65/70000, b.s. 60/65000.

FOXI Cagliari – Vedere Quartu Sant'Elena.

GAVOI 08020 Nuoro 988 ㉝ – 3 504 ab. alt. 777 – ✿ 0784.
♦Nuoro 46 – ♦Oristano 86 – ♦Sassari 144.

　　al lago di Gusana S : 7 km :
🏚 Taloro, ✉ 08020 ℰ 57174 – 🕭 ⊕ – 45 cam.

GOLFO ARANCI 07020 Sassari 988 ㉔ – 2 006 ab. – a.s. 15 giugno-15 settembre – ✿ 0789.
♦Cagliari 304 – ♦Olbia 19 – Porto Torres 140 – ♦Sassari 122 – Tempio Pausania 64.

🏚 **Margherita e Rist. La Taverna del Lupo di Mare,** ℰ 46906, ≤, 🛲 – 🏢 📺 🕭 ⊕. 🖭 🕃 ① **E** 𝓥𝓘𝓢𝓐
Pas *(chiuso dal 15 settembre al 15 giugno)* carta 31/48000 – 🖵 10000 – 26 cam 50/74000 – P 85/100000, b.s. 70/78000.

GOLFO DI MARINELLA Sassari – Vedere Olbia.

GUSANA (Lago di) Nuoro – Vedere Gavoi.

LA CALETTA Nuoro – Vedere Siniscola.

LACONI 08034 Nuoro 988 ㉝ – 2 568 ab. alt. 555 – ✿ 0782.
♦Cagliari 86 – ♦Nuoro 108 – ♦Olbia 212 – ♦Oristano 59 – Porto Torres 189 – ♦Sassari 171.

✕ **Sardegna** con cam, ℰ 869033 – ✾
Pas carta 20/29000 – 🖵 4000 – **10 cam** 37000 – P 48/52000.

LOTZORAI 08040 Nuoro – 1 919 ab. alt. 16 – a.s. luglio-15 settembre – ✿ 0782.
♦Cagliari 145 – Arbatax 9,5 – ♦Nuoro 91.

✕ **L'Isolotto,** ℰ 669431 – ⊕. 🖭 ① 𝓥𝓘𝓢𝓐. ✾
chiuso da gennaio al 15 febbraio, lunedì e da ottobre a maggio anche la sera (escluso sabato e domenica) – Pas carta 21/40000 (10%).

MACOMER 08015 Nuoro 988 ㉝ – 11 509 ab. alt. 551 – ✿ 0785.
Alghero 85 – ♦Cagliari 141 – ♦Nuoro 55 – ♦Olbia 124 – ♦Oristano 51 – Porto Torres 87 – ♦Sassari 69.

🏨 **MotelAgip,** ℰ 71066 – ☎ ⊕ – 🏛 200. 🖭 🕃 ① **E** 𝓥𝓘𝓢𝓐. ✾ rist
Pas *(chiuso lunedì)* 30000 – 🖵 13000 – **96 cam** 56000.

ALFA-ROMEO piazza San Francesco 2 ℰ 20853　　　　LANCIA-AUTOBIANCHI via Capri 4/c ℰ 71641
FERRARI zona Industriale Bonu Trau ℰ 20240　　　PEUGEOT-TALBOT viale Sant'Antonio 13 ℰ 70161
GM-OPEL zona Industriale Bonu Trau ℰ 20605　　　RENAULT via Pio XII ℰ 71527

MADDALENA (Arcipelago della) ★ ★ Sassari 988 ㉓ ㉔ – alt. da 0 a 212 (monte Teialone).
Vedere Isola della Maddalena ★ ★ – Isola di Caprera ★ : casa-museo ★ di Garibaldi.

　　La Maddalena Sassari 988 ㉓ ㉔ – 11 922 ab. – ✉ 07024 – a.s. 15 giugno-15 settembre – ✿ 0789.
🚢 per Palau (15 mn) e Santa Teresa Gallura (1 h), giornalieri – Saremar-agenzia Contemar, via Amendola 5 ℰ 737660, Telex 630514.
🛈 via XX Settembre 24 ℰ 736321

🏨 **Cala Lunga** ≫, a Porto Massimo N : 6 km ℰ 737389, ≤, 🏊, 🏖 – 🏢. 🖭. ✾
maggio-settembre – Pas 30/45000 – 🖵 9000 – **72 cam** 140000 – P 110/140000, b.s. 90/100000.
🏨 **Nido d'Aquila** ≫, O : 3 km ℰ 722130, Fax 722159, ≤ mare e costa, 🛲 – 🏢 🍽 ☎ ⊕. 🖭 🕃 ① **E** 𝓥𝓘𝓢𝓐. ✾
Pas *(solo per clienti alloggiati e chiuso dal 15 settembre al 20 giugno)* – 🖵 8000 – 44 cam 68/104000, 🍽 3000 – P 63/106000.
🏨 **Garibaldi** ≫ senza rist, ℰ 737314 – 🏢 📺 ☎. 🖭 🕃 ① **E** 𝓥𝓘𝓢𝓐. ✾
chiuso dal 20 dicembre al 5 gennaio – 🖵 8000 – **19 cam** 70/102000.
✕✕ **Mistral,** ℰ 738088 – 🍽. 🖭 🕃 ① **E** 𝓥𝓘𝓢𝓐. ✾
chiuso novembre e venerdì in bassa stagione – Pas carta 34/55000 (15%).
✕ **Mangana,** ℰ 738477 – 🖭 🕃 ① **E** 𝓥𝓘𝓢𝓐. ✾
chiuso mercoledì e dal 20 dicembre al 20 gennaio – Pas carta 28/50000.

MARAZZINO Sassari – Vedere Santa Teresa Gallura.

MURAVERA 09043 Cagliari 𝟵𝟴𝟴 ㉞ – 4 296 ab. alt. 11 – ✿ 070.

Escursioni Strada★★★ per Cagliari SO – 🛱 via Europa 22 ☎ 9930760.

◆Cagliari 64 – ◆Nuoro 166 – ◆Olbia 253 – Porto Torres 288.

a Torre Salinas SE : 10,5 km – ⊠ 09043 Muravera – a.s. luglio-15 settembre :

🏥 **Colostrai** ⌂, ☎ 9930496, ≼, 🐎, 🚤, ⅌ – 🛗 ☎ 🕭 🅿 🖭 🕃 🕥 E 𝐕𝐈𝐒𝐀. ⋘
chiuso sino a maggio – Pas 28/38000 – ⥳ 15000 – 31 cam 49/69000 – P 100/125000,
b.s. 55/65000.

NETTUNO (Grotta di) ★★★ Sassari 𝟵𝟴𝟴 ㉒㉓ – Vedere Guida Verde.

NUORO 08100 🄿 𝟵𝟴𝟴 ㉓ – 37 784 ab. alt. 553 – ✿ 0784.

Vedere Museo della vita e delle tradizioni popolari sarde★.

Dintorni Monte Ortobene★ E : 9 km.

🛱 piazza Italia 9 ☎ 30083 – **A.C.I.** via Sicilia 39 ☎ 30034.

◆Cagliari 182 – ◆Sassari 120.

🏥 **Grazia Deledda,** via Lamarmora 175 ☎ 31257 – 🛗 🍽 🕮 – 🔬 200. 🖭 🕃 🕥 E 𝐕𝐈𝐒𝐀. ⋘ rist
Pas carta 29/43000 – ⥳ 8000 – **72 cam** 45/80000 – P 89000.

🏥 **MotelAgip,** via Trieste 44 ☎ 34071, Telex 630585 – 🛗 🍽 ☎ 🅿. 🖭 🕃 🕥 E 𝐕𝐈𝐒𝐀. ⋘ rist
Pas *(chiuso sabato sera e domenica)* 26000 – ⥳ 11000 – **51 cam** 41/56000 – P 90/103000.

🔲 **Grillo,** via Monsignor Melas 14 ☎ 32005 – 🛗 ☎. 🕃 E 𝐕𝐈𝐒𝐀. ⋘
➡ Pas carta 17/29000 (10%) – ⥳ 6000 – **46 cam** 39/55000 – P 55/70000.

✗ **Canne al Vento,** viale Repubblica 66 ☎ 201762 – ⋘
chiuso domenica, dal 18 dicembre al 7 gennaio e dal 10 al 21 agosto – Pas carta 21/40000
(10%).

al monte Ortobene E : 9 km – alt. 955 :

✗✗ F.lli Sacchi ⌂ con cam, ⊠ 08100 Nuoro ☎ 34030 – 🕮 🅿 – 🔬 30 – 21 cam.

ALFA-ROMEO via Redipuglia 9 ☎ 30330	INNOCENTI via Monsignor Melas 1/3 ☎ 30266
CITROEN via Mannironi ☎ 232047	LANCIA-AUTOBIANCHI via Ciusa 5/6 ☎ 32200
FIAT via Lamarmora 173/175 ☎ 33047	PEUGEOT-TALBOT via Dalmazia 23/27 ☎ 36313
FIAT via Convento 39 ☎ 232018	RENAULT via Monsignor Cogoni 15 ☎ 34203
FORD via Ragazzi del 99 n° 75 ☎ 200453	VW-AUDI via Biasi 2 ☎ 200039
GM-OPEL via Cervia 1 ☎ 30595	

OLBIA 07026 Sassari 𝟵𝟴𝟴 ㉓㉔ – 35 943 ab. – Stazione balneare, a.s. 15 giugno-15 settembre –
✿ 0789.

🏌 della Costa Smeralda SO : 4 km ☎ 52600 – Alisarda, corso Umberto 193/195 ☎ 52600.

🚢 per Livorno marzo-ottobre giornalieri (9 h) – Sardinia Ferries, corso Umberto 4 ☎ 25200,
Telex 790297; per Civitavecchia giornaliero (8 h); per Genova martedì, giovedì e sabato (13 h); per
Arbatax giugno, luglio e settembre giovedì e sabato (4 h 30 mn) – Tirrenia Navigazione, corso
Umberto I n° 17/19 ☎ 24691, Telex 790023.

🛱 via Catello Piro 1 ☎ 21453.

◆Cagliari 268 – ◆Nuoro 102 – ◆Sassari 103.

🏨 **Mediterraneo,** via Montello 3 ☎ 24173, Telex 792017, Fax 24162 – 🛗 🍽 📺 ☎. 🖭 🕃 🕥 E
𝐕𝐈𝐒𝐀. ⋘
Pas *(chiuso lunedì in bassa stagione)* 24000 – ⥳ 7000 – **80 cam** 65/97000 – P 120000,
b.s. 112000.

🔲 **Centrale** senza rist, corso Umberto 85 ☎ 23017 – ⅋ 🕮. ⋘
⥳ 6000 – **22 cam** 34/51000.

✗ Da Bartolo, viale Aldo Moro 133 ☎ 51348 – 🍽.

✗ **Canne al Vento,** viale Repubblica 66 ☎ 51609 – 🅿. ⋘
chiuso domenica, dal 5 al 19 marzo e al 1° al 15 novembre – Pas carta 20/40000 (10%).

sulla via Panoramica :

✗✗ **Da Nino's,** località Pittulongu NE : 4 km ⊠ 07026 ☎ 39027 – 🅿. 🖭 ⋘
chiuso mercoledì, dicembre e gennaio – Pas carta 75/90000 (10%).

sulla strada statale 125 N : 2 km :

🏥 **Royal,** ⊠ 07026 ☎ 50253, ⅃ – 🛗 🍽 🕮 🅿. 🖭 🕥 𝐕𝐈𝐒𝐀. ⋘
Pas 25/30000 – ⥳ 10000 – 65 cam 62/94000 – P 132000, b.s. 126000.

a Golfo di Marinella NE : 13 km – ⊠ 07026 Olbia :

🏨 **Abi d'Oru** ⌂, ☎ 32001, Telex 790135, Fax 32044, ≼ baia, « Giardino fiorito con ⅃ », 🐎,
⅌ – 🛗 🍽 📺 ☎ 🅿. 🖭 🕥 E 𝐕𝐈𝐒𝐀. ⋘ rist
12 maggio-2 ottobre – Pas 48/60000 – 60 cam ⥳ 132/252000 appartamenti 352/382000 –
P 185/235000, b.s. 105/130000.

a Capo Ceraso E : 13 km – ⊠ **07026** Olbia :

🏨 **Li Cuncheddi** ⌂, 𝒫 36126, Telex 791163, ≤ mare e costa, 🗾, 🐾, ☞, ⚒ – 🔲 ☎ 🅿 – 🏖 180. 🖭 🕄 ⓪ 🖻 𝐕𝐈𝐒𝐀. ⚒ rist
maggio-settembre – Pas 40/50000 – 75 cam (solo pens) – P 245000, b.s. 130000.

a Porto Rotondo N : 15,5 km – ⊠ **07020** :

🏨 Sporting ⌂, 𝒫 34005, Telex 790113, ≤ mare e costa, 🗾, 🗾, 🐾, ☞ – 🔲 ☎ 🅿
stagionale – 27 cam.

🏨 San Marco, senza rist, 𝒫 34110 – 🔲 ☎ 🅿
satgionale – **27 cam**.

Vedere anche : *Porto San Paolo* SE : 15 km.
Golfo Aranci NE : 19 km.

ALFA-ROMEO viale Aldo Moro 129 𝒫 51415
CITROEN corso Vittorio Veneto 60 𝒫 22331
FIAT via Estonia, ang. via Roma 𝒫 24678
FIAT via D'Annunzio 1 𝒫 50688
FORD via Genova 37 𝒫 25371
GM-OPEL via Bari 6 𝒫 21314
INNOCENTI via Roma 165 𝒫 69297

LANCIA-AUTOBIANCHI sulla statale 125 al km 313 𝒫 69182
MERCEDES-BENZ via Roma 165 𝒫 69297
PEUGEOT-TALBOT via Mameli 35 𝒫 22278
RENAULT via Gramsci 36 𝒫 50156
VW-AUDI via Aldo Moro 96 𝒫 51025

OLIENA 08025 Nuoro 𝟵𝟴𝟴 ㉝㉞ – 7 557 ab. alt. 378 – a.s. luglio-15 settembre – 🕿 0784.
Dintorni Sorgente Su Gologone★ NE : 8 km.
♦Cagliari 193 – ♦Nuoro 12 – ♦Olbia 116 – Porto Torres 150.

alla sorgente Su Gologone NE : 8 km :

🕱🕱 **Su Gologone** ⌂ con cam, ⊠ 08025 𝒫 287512, Telex 792110, ≤, 🗾, 🗾, ☞, ⚒, 🐎 – 🔲 ☎ 🅿 – 🏖 200. 🖭 🕄 🖻 𝐕𝐈𝐒𝐀
chiuso novembre – Pas carta 25/36000 (10%) – 🗷 8000 – **65 cam** 65000 – P 95000, b.s. 76000.

ORISTANO 09170 ℙ 𝟵𝟴𝟴 ㉝ – 32 174 ab. alt. 9 – 🕿 0783.
Vedere Opere d'arte★ nella chiesa di San Francesco – Basilica di Santa Giusta★ S : 3 km.
🖪 via Cagliari 278 𝒫 74191.
A.C.I. via Cagliari 50 𝒫 212453.
Alghero 137 – ♦Cagliari 93 – Iglesias 97 – ♦Nuoro 92 – ♦Sassari 121.

🏨 **Mistral,** via Martiri di Belfiore 𝒫 212505, Fax 210058 – 🛗 🔲 🔲 ☎ 🅿 – 🏖 70. 🖭 🕄 ⓪ 🖻 𝐕𝐈𝐒𝐀. ⚒ rist
Pas carta 23/39000 – 🗷 6500 – **49 cam** 46/70000 – P 80000.

🏨 **CA.MA.,** via Vittorio Veneto 119 𝒫 74374 – 🛗 🔲 🔲 ☎ 🅿 – 🏖 200. 🕄 𝐕𝐈𝐒𝐀. ⚒
Pas *(chiuso domenica)* 23/28000 – 🗷 8000 – **54 cam** 40/65000 – P 85000.

🕱🕱🕱 🕄 **Il Faro,** via Bellini 25 𝒫 70002 – 🔲. 🖭 ⓪. ⚒
chiuso domenica sera, lunedì, dal 2 al 15 gennaio e dal 26 giugno al 10 luglio – Pas carta 40/60000 (15%)
Spec. Impanatine di stagione, Tagliolini con pecorino fresco e zafferano, Cosciotto di capra alla Vernaccia (agosto-ottobre). **Vini** Nuragus di Cagliari, Rosso del Giudicato.

🕱🕱 **La Forchetta d'Oro,** via Giovanni XXIII 𝒫 70462 – 🔲. ⚒
chiuso domenica – Pas carta 20/31000.

🕱 Da Salvatore, vico Mariano 2 𝒫 71309 – 🔲.

a Torre Grande O : 8,5 km – ⊠ **09072** – a.s. luglio e agosto :

🏨 Del Sole, 𝒫 22000, ≤, 🗾 – 🛗 🔲 rist ☎ 🕭 🅿
stagionale – 54 cam.

sulla strada statale 131 al bivio per Siamaggiore NE : 7,5 km :

🕱🕱 **Da Renzo,** ⊠ 09170 Oristano 𝒫 33658 – 🔲 🅿. 🖭 🕄 🖻 𝐕𝐈𝐒𝐀
chiuso domenica sera, lunedì, dal 1° al 20 gennaio e dal 1° al 15 luglio – Pas carta 40/50000.

ALFA-ROMEO a Santa Giusta, via Giovanni XXIII 𝒫 259100
CITROEN sulla statale per Santa Giusta 𝒫 259168
FIAT via Cagliari 67/69 𝒫 212012
FIAT via Valle d'Aosta 𝒫 212249
FORD via Doria 35 𝒫 73989

GM-OPEL via Tirso 146 𝒫 212471
INNOCENTI via Liguria 6 𝒫 212476
LANCIA-AUTOBIANCHI via Liguria 14 𝒫 212508
PEUGEOT-TALBOT via Sardegna 45/47 𝒫 211869
RENAULT via Cagliari 24 𝒫 210116
VW-AUDI zona Industriale Nord 𝒫 74203

OROSEI 08028 Nuoro 𝟵𝟴𝟴 ㉞ – 5 121 ab. alt. 19 – a.s. luglio-15 settembre – 🕿 0784.
Dorgali 18 – ♦Nuoro 40 – ♦Olbia 93.

🏨 **Maria Rosaria,** via Grazia Deledda 1 𝒫 98657 – 🕭 🅿. 🖭. ⚒
Pas 22/32000 – 🗷 5000 – **22 cam** 35/54000 – P 68/75000, b.s. 58/63000.

ORTOBENE (Monte) Nuoro – Vedere Nuoro.

PALAU 07020 Sassari 988 ㉓ – 2 642 ab. – a.s. luglio e agosto – ✪ 0789.
Dintorni Arcipelago della Maddalena★★ – Costa Smeralda★★.

⬛ per La Maddalena giornalieri (15 mn) – Saremar-agenzia D'Oriano, piazza del Molo 2 ℰ 709270.

🅱 via Nazionale 94 ℰ 709570.

♦Cagliari 325 – ♦Nuoro 144 – ♦Olbia 40 – Porto Torres 127 – ♦Sassari 117 – Tempio Pausania 48.

🏨 **Altura** ⚲, O : 1,5 km ℰ 709655, ≼, 🚗 – ☎ 🅿. ⚬⚬
    Pasqua-ottobre – Pas carta 23/37000 – ⚏ 6000 – 60 cam 45/75000 – P 85/98000, b.s. 65/70000.

🏨 **Del Molo** senza rist, ℰ 708042 – ▤ 🕮 🕭. ⓞ 🆅🆂🅰
    ⚏ 5500 – **14 cam** 50/61000, ▤ 1500.

🏨 **Piccada** senza rist, ℰ 709344 – 🕭 🚙. 🅱. ⚬⚬
    ⚏ 5000 – **18 cam** 58000.

🏨 La Roccia, senza rist, ℰ 709528 – 🕭 🅿 – **22 cam**

🍴🍴 **Da Franco,** ℰ 709558 – 🅿. 🆎 🕃 ⓞ 🅴 🆅🆂🅰. ⚬⚬
    chiuso dicembre e lunedì da ottobre a marzo – Pas carta 45/67000 (15%).

🍴 **Da Robertino,** via Nazionale 20 ℰ 709670 – ▤. 🆎 🕃 ⓞ 🆅🆂🅰
    chiuso gennaio e lunedì in bassa stagione – Pas carta 31/41000.

🍴 **La Griglia,** S : 2 km ℰ 708143, 🍴 – 🅿. ⚬⚬
    aprile-ottobre; chiuso lunedì e a mezzogiorno in alta stagione – Pas carta 38/52000.

🍴 **Vecchia Gallura,** sulla strada statale 133 (SO : 3 km) ℰ 708194 – 🅿. 🆎 🕃 ⓞ 🅴 🆅🆂🅰. ⚬⚬
    maggio-settembre – Pas carta 30/51000.

    a Capo d'Orso E : 5 km – ✉ 07020 Palau :

🏨 **Capo d'Orso** ⚲, ℰ 708100, Telex 791124, ≼, « In pineta », ⚟ riscaldata, 🐾, 🚗, ⚒, 🎋 –
    ▤ 📺 🕭 ☎. 🆎 🕃 ⓞ 🅴 🆅🆂🅰. ⚬⚬
    maggio-ottobre – Pas carta 50/60000 – ⚏ 20000 – **61 cam** 180/350000 – P 200/245000,
    b.s. 130/160000.

POETTO Cagliari – Vedere Cagliari.

PORTO ALABE Oristano – Vedere Tresnuraghes.

PORTO CONTE Sassari – ✉ 07041 Alghero – a.s. luglio-15 settembre – ✪ 079.
Vedere Nurghe Palmavera★ E : 2 km.
Dintorni Grotta di Nettuno★★★ SO : 9 km – Strada per Capo Caccia : ≼★★.
Alghero 13 – ♦Cagliari 240 – ♦Nuoro 149 – ♦Olbia 142 – Porto Torres 41 – ♦Sassari 41.

🏨 **El Faro** ⚲, ℰ 942010, Telex 790107, ≼ golfo, 🍴, ⚟, 🐾 – 🛗 ▤ ☎ 🅿 – 🛋 150. 🆎 🕃 ⓞ
    🅴 🆅🆂🅰. ⚬⚬ rist
    aprile-ottobre – Pas 45000 – **92 cam** ⚏ 122/200000 – P 140/200000, b.s. 90/125000.

🏨 **Corte Rosada** ⚲, ℰ 942038, Telex 613565, Fax 942158, « Ville indipendenti in pineta », ⚟,
    🐾, ⚒ – ▤ ☎ 🅿 – 🛋 220. 🆎 🕃 ⓞ 🅴 🆅🆂🅰. ⚬⚬
    aprile-ottobre – Pas 30000 – 160 cam ⚏ 76/125000 – P 127/152000, b.s. 83/119000.

PORTO ROTONDO Sassari 988 ㉔ – Vedere Olbia.

PORTO SAN PAOLO Sassari – ✉ 07020 Vaccileddi – a.s. luglio e agosto – ✪ 0789.
♦Cagliari 268 – ♦Nuoro 87 – ♦Olbia 15 – ♦Sassari 114.

🏨 **San Paolo,** ℰ 40001, ≼ mare ed isola di Tavolara, 🐾, 🚗 – 🕭 🅿. 🆎. ⚬⚬
    giugno-settembre – Pas 57000 – ⚏ 15500 – 39 cam 50/91000 – P 110/161000.

    a Costa Dorata SE : 1,5 km – ✉ 07020 Vaccileddi :

🏨 **Don Diego** ⚲, ℰ 40007, Fax 40026, ≼ mare ed isola di Tavolara, « Villini indipendenti e
    terrazze fiorite con ⚟ », 🐾, ⚒ – 📺 ☎ 🅿. ⚬⚬ rist
    Pas 40000 (15%) – ⚏ 20000 – **49 cam** 100/200000 – P 165/200000, b.s. 145/155000.

PORTOSCUSO 09010 Cagliari 988 ㉝ – 6 022 ab. – a.s. luglio e agosto – ✪ 0781.

⬛ da Portovesme per l'Isola di San Pietro-Carloforte giornalieri (40 mn) – a Portovesme,
Saremar-agenzia Ser.Ma.Sa., ℰ 509065.

♦Cagliari 77 – ♦Oristano 119.

🏠 Panorama, senza rist, via Giulio Cesare 42 ℰ 509327 – 🛗 ▤ 🕭 – **37 cam.**

🍴🍴🍴 **La Ghinghetta,** via Cavour 28 ℰ 508143, ≼, Coperti limitati; prenotare – ▤. 🆎 🕃 ⓞ 🅴
    🆅🆂🅰. ⚬⚬
    chiuso domenica e dal 18 dicembre al 10 gennaio – Pas carta 42/56000.

PORTO TORRES 07046 Sassari 988 ② ③ – 21 823 ab. – a.s. luglio e agosto – ⓒ 079.

Vedere Chiesa di San Gavino★.

⚓ per Genova giornaliero (12 h 30 mn); per Livorno mercoledì, venerdì e domenica (12 h) – Tirrenia Navigazione, Stazione Marittima ✆ 514107, Telex 790019.

Alghero 35 – ◆Sassari 19.

🏨 Torres, via Sassari 75 ✆ 501604 – 🛗 🗏 🕾 🅿 – 70 cam.

🏚 La Casa, senza rist, via Petrarca 8 ✆ 514288 – 🛗 🕾 – **52 cam**.

sulla strada statale 131 :

🏨 **Libyssonis,** SE : 2 km ⊠ 07046 ✆ 501613, 🔟, 🐎, ❨ – 🛗 🕾 🅿 🛵
Pas 24000 – ☞ 7000 – **42 cam** 47/64000 – P 70/82000.

✗ Li Lioni, SE : 3 km ⊠ 07046 ✆ 502286, 🐎 – 🅿.

PULA 09010 Cagliari 988 ③ – 5 851 ab. alt. 10 – a.s. luglio-15 settembre – ⓒ 070.

🔓 Is Molas, a Santa Margherita di Pula, Casella Postale 49 ⊠ 09010 Pula ✆ 9209062, SO : 6 km.
◆Cagliari 29 – ◆Nuoro 210 – ◆Olbia 314 – ◆Oristano 122 – Porto Torres 258.

a Santa Margherita SO : 6 km – ⊠ 09010 Pula :

🏨 **Is Morus** 🐧, ✆ 921424, Telex 791053, ≼, « In pineta », 🔟, 🐜, ❨ – 🕾 🖐 🅿. 🖭 🚱 ① ☰ 𝓥𝓘𝓢𝓐. 🛵
Pasqua-ottobre – Pas 60/80000 – ☞ 30000 – 83 cam 141/260000 – P 260/300000, b.s. 170000.

🏨 **Flamingo** 🐧, ✆ 9208361, Telex 790115, ≼, 🔟, 🐜, 🐎, ❨ – 🅿. 🛵 rist
6 maggio-10 ottobre – Pas 20/35000 – 122 cam ☞ 70/110000 appartamenti 160000 – P 150000, b.s. 90000.

🏚 **Abamar** 🐧, ✆ 921555, Telex 790145, ≼, « In pineta », 🔟, 🐜, ❨ – 🛗 🗏 🕾 🅿
stagionale – 79 cam.

✗✗ **Urru,** ✆ 921491, « Servizio estivo in terrazza », 🐎 – 🅿. 🖭 ① . 🛵
chiuso lunedì dal 15 settembre al 15 giugno – Pas carta 21/36000 (12%).

PUNTALDIA Nuoro – Vedere San Teodoro.

QUARTU SANT'ELENA 09045 Cagliari 988 ③ – 55 198 ab. alt. 6 – ⓒ 070.
◆Cagliari 7 – ◆Nuoro 184 – ◆Olbia 288 – Porto Torres 232 – ◆Sassari 214.

🏨 **Diran,** ✆ 815271, Telex 791127, Fax 505157 – 🛗 🗏 🕾 🖐 🚗 🅿 – 🔬 330. 🖭 🚱 ① ☰ 𝓥𝓘𝓢𝓐. 🛵 rist
Pas *(chiuso domenica)* 35/50000 – ☞ 12000 – **141 cam** 77/115000, 🗏 3000 – P 150000.

a Foxi E : 6 km – ⊠ 09045 Quartu Sant'Elena :

🏚 **Califfo,** ✆ 890131, 🔟, 🐎, ❨ – 🛗 🗏 📺 🕾 🖐 🅿 – 🔬 100 a 200. 🖭 🚱 ① ☰ 𝓥𝓘𝓢𝓐. 🛵
Pas 20000 – ☞ 6000 – 99 cam 63/86000 – P 95000.

a Sant'Andrea E : 8 km – ⊠ 09045 Quartu Sant'Elena :

✗✗ **Su Meriagu,** ✆ 890842, 🌇 – 🗏 🅿. 🛵
chiuso dal 10 al 30 novembre e martedì da settembre a maggio – Pas carta 23/34000.

CITROEN sulla strada statale 125 ✆ 882688

REBECCU Sassari – Vedere Bonorva.

SANLURI 09025 Cagliari 988 ③ – 8 560 ab. alt. 135 – ⓒ 070.
◆Cagliari 45 – Iglesias 54 – ◆Nuoro 136 – ◆Olbia 240 – Porto Torres 184 – ◆Sassari 166.

sulla strada statale 131 SE : 1,5 km :

🏚 **Motel Ichnusa,** ⊠ 09025 ✆ 9307073 – 🕾 🅿. 🛵 rist
Pas carta 20/31000 (9%) – ☞ 2500 – **18 cam** 28/42000 – P 50/56000.

FIAT via Carlo Felice 32 ✆ 9307220

SAN PANTALEO 07020 Sassari – alt. 169 – a.s. 15 giugno-15 settembre – ⓒ 0789.
◆Cagliari 306 – ◆Olbia 21 – ◆Sassari 124.

🏚 **Rocce Sarde** 🐧, SE : 3 km ✆ 65265, Telex 790276, ≼ costa Smeralda, 🔟, 🐎, ❨ – 🕾 🅿. 🖭 🚱 ① ☰ 𝓥𝓘𝓢𝓐. 🛵
aprile-ottobre – Pas 25000 – **70 cam** ☞ 81/102000 – P 103000, b.s. 74000.

📨 *When in a hurry use the* Michelin Main Road Maps :
920 *Europe,* **980** *Greece,* **984** *Germany,* **985** *Scandinavia-Finland,*
986 *Great Britain and Ireland,* **987** *Germany-Austria-Benelux,* **988** *Italy,*
989 *France,* **990** *Spain-Portugal and* **991** *Yugoslavia.*

SAN PIETRO (Isola di) Cagliari 988 ㉝ – 6 653 ab. alt. da 0 a 211 (monte Guardia dei Mori) – ✪ 0781.

Carloforte 988 ㉝ – ✉ 09014 – a.s. 15 giugno-15 settembre.

⚓ per Portovesme di Portoscuso (40 mn) e Calasetta (30 mn), giornalieri – Saremar-agenzia Ser.Ma.Sa., corso Carlo Emanuele 20 ℘ 854005.

🏛 **Hieracon,** ℘ 854028, ≤, 🛥 – 🗎 ❦ ❶ 🕮 🚿 ⓞ
Pas 20/30000 – ☲ 5000 – **17 cam** 43/74000 – P 85000, b.s. 80000.

🏛 **Paola-Primo Maggio** 🦆, località Tacca Rossa N : 3 km ℘ 854898, ≤, 🏠 – ❶ 🕮
Pasqua-ottobre – Pas 25/32000 – ☲ 5000 – **16 cam** 30/45000 – P 48/58000, b.s. 42/48000.

✕ Da Nicolo, ℘ 854048.

SANTA CATERINA PITTINURI Oristano 988 ㉝ – ✉ 09073 Cùglieri – ✪ 0785.

♦Cagliari 118 – ♦Nuoro 106 – ♦Olbia 174 – ♦Oristano 25 – Porto Torres 135 – ♦Sassari 117.

🏛 **La Baja** 🦆, ℘ 38105, ≤ mare e costa – 🍴 ❶. 🚿
chiuso dal 20 novembre al 20 dicembre – Pas 25000 – ☲ 6500 – 24 cam 33/54000 – P 70000.

SANTA MARGHERITA Cagliari 988 ㉝ – Vedere Pula.

SANT'ANDREA Cagliari – Vedere Quartu Sant'Elena.

SANT'ANTIOCO 09017 Cagliari 988 ㉝ – 12 656 ab. – a.s. luglio e agosto – ✪ 0781.

Vedere Vestigia di Sulcis★ : tophet★, collezione di stele★ nel museo.

♦Cagliari 92 – Calasetta 9 – ♦Nuoro 224 – ♦Olbia 328 – Porto Torres 272 – ♦Sassari 254.

🏛 **Moderno,** ℘ 83105 – ❶. 🚿
◆ chiuso dal 20 dicembre al 10 gennaio – Pas (chiuso domenica) carta 17/29000 – ☲ 4000 – 10 cam 26/39000.

SANTA TERESA GALLURA 07028 Sassari 988 ㉝ – 4 121 ab. – Stazione balneare, a.s. 15 giugno-15 settembre – ✪ 0789.

Escursioni Arcipelago della Maddalena★★.

⚓ per La Maddalena giornaliero (1 h) – Saremar-agenzie Marittime Sarde, via del Porto 51 ℘ 754156, Telex 780175.

🚩 piazza Vittorio Emanuele 24 ℘ 754127.

♦Olbia 61 – Porto Torres 105 – ♦Sassari 103.

🏛 **Li Nibbari** 🦆, località La Testa S : 2 km ℘ 754453, 🏊, 🛥, 🚿 – ❶. 🚿
15 giugno-20 settembre – Pas (solo per clienti alloggiati) 28000 – ☲ 7500 – **38 cam** 47/62000 – P 68/85000, b.s. 51/68000.

🏛 **Bacchus,** ℘ 754556 – ❦. 🕮 🚿 ⓞ ☰ 𝑽𝑰𝑺𝑨. 🚿
chiuso gennaio – Pas carta 30/47000 – ☲ 10000 – **14 cam** 37/54000 – P 88000, b.s. 66000.

🏛 **Belvedere,** ℘ 754160, ≤ – ❦. 🕮 🚿 ⓞ ☰ 𝑽𝑰𝑺𝑨. 🚿
chiuso dal 20 dicembre al 4 gennaio – Pas (chiuso martedì) carta 27/46000 – ☲ 7500 – 22 cam 37/57000 – P 69/75000, b.s. 62000.

🏛 **Esit-Miramare** 🦆, ℘ 754103, ≤ mare e Corsica – ❦ ❶. 🚿 ⓞ ☰ 𝑽𝑰𝑺𝑨. 🚿
maggio-ottobre – Pas (chiuso maggio ed ottobre) 28000 – ☲ 7500 – **14 cam** 35/57000 – P 70/75000, b.s. 58/62000.

🏛 **Marinaro,** ℘ 754112 – 🕮 🚿 ⓞ ☰ 𝑽𝑰𝑺𝑨. 🚿
aprile-settembre – Pas (chiuso venerdì) carta 25/40000 – ☲ 8000 – **20 cam** 33/48000 – P 60/68000, b.s. 53/58000.

✕✕ **Riva Vittorio,** ℘ 754392 – 🕮 🚿 ⓞ ☰ 𝑽𝑰𝑺𝑨. 🚿
chiuso mercoledì e dal 18 ottobre al 30 dicembre – Pas carta 34/57000.

✕ **Canne al Vento-da Brancaccio,** ℘ 754219 – ❶. 🚿
chiuso ottobre, novembre e sabato in bassa stagione – Pas carta 28/44000.

✕ **Thomas,** ℘ 754237
chiuso gennaio e domenica in bassa stagione – Pas carta 25/40000.

verso Capo Testa :

🏨 **Shardana** 🦆, O : 2,5 km ✉ 07028 ℘ 754031, Telex 613561, ≤ mare e scogliere, 🏊, 🚿 – 🍴 rist ❶. 🕮. 🚿 rist
27 maggio-24 settembre – Pas (solo per clienti alloggiati) 46000 – ☲ 10000 – 51 cam 71/94000 – P 145/155000, b.s. 90/115000.

a Marazzino E : 5 km – ✉ 07028 Santa Teresa Gallura :

✕ **La Stalla,** ℘ 751514, 🏠 – ❶. 🚿 ⓞ ☰ 𝑽𝑰𝑺𝑨
maggio-settembre – Pas carta 25/46000.

SANT'ELIA Cagliari – Vedere Cagliari.

SAN TEODORO 08020 Nuoro – 2 392 ab. – a.s. luglio-15 settembre – ✆ 0784.

♦Cagliari 258 – ♦Nuoro 77 – ♦Olbia 29 – Porto Torres 146 – ♦Sassari 128.

Bungalow Hotel ﹐ ℘ 865786, « Villini indipendenti fra il verde », ⏋, ✿, ♨, ✖ – ☎
🅿
stagionale – 118 cam.

a Puntaldia N : 6 km – ⊠ 08020 San Teodoro :

Due Lune ﹐ ℘ 864076, Telex 791043, ≤ mare e golfo, ⏋, ✿, ♨, ✖ – ▤ TV ☎ 🅿 – ⚒
120
stagionale – 25 cam.

SASSARI 07100 🅿 ⑨⑧⑧ ㉓ – 120 497 ab. alt. 225 – ✆ 079.

Vedere Museo Nazionale Sanna★ Z M – Facciata★ del Duomo Y.

Dintorni Chiesa della Santissima Trinità di Saccargia★★ per ③ : 15 km.

✈ di Alghero-Fertilia, SO : 30 km ℘ 935048 – Alitalia, Agenzia Sardaviaggi, via Cagliari 30 ℘ 234498.

🛈 viale Caprera 36 ℘ 233751 – via Brigata Sassari 19 ℘ 233534 – via Molescot 1 ℘ 231777.

A.C.I. viale Adua 32 ℘ 272107 – ♦Cagliari 211.

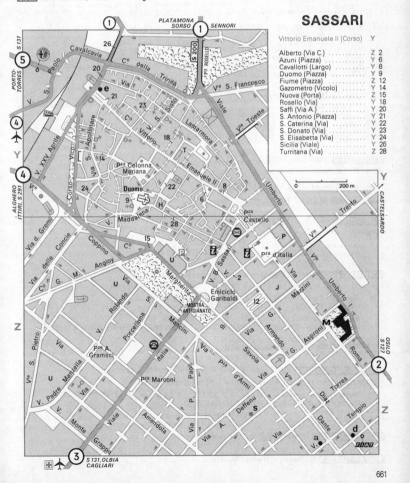

SASSARI

Vittorio Emanuele II (Corso) ...... Y

Alberto (Via C.)	Z 2
Azuni (Piazza)	Y 6
Cavallotti (Largo)	Y 8
Duomo (Piazza)	Y 9
Fiume (Piazza)	Z 12
Gazometro (Vicolo)	Y 14
Nuova (Porta)	Z 15
Rosello (Via)	Y 18
Saffi (Via A.)	Y 20
S. Antonio (Piazza)	Y 21
S. Caterina (Via)	Y 22
S. Donato (Via)	Y 23
S. Elisabetta (Via)	Y 24
Sicilia (Viale)	Y 26
Turritana (Via)	Z 28

🏨 **Grazia Deledda,** viale Dante 47 ✆ 271235, Telex 790056, Fax 280884 – 📶 🖹 📺 ☎ 🅿 – ⚒
40 a 250. 🖭 ① 🖪 *VISA*   Z **a**
Pas 30000 – 🍽 10000 – **136 cam** 90/145000 – P 118/170000.

🏨 **MotelAgip,** località Serra Secca ⊠ 07100 ✆ 271440, Telex 792095 – 📶 🖹 📺 ☎ 🅿 – ⚒
150. 🖭 🛐 ① 🖪 *VISA* ⚄ rist   per ②
Pas 30000 – 🍽 13000 – **57 cam** 58/86000 – P 105/130000.

🏨 Frankhotel, via Armando Diaz 20 ✆ 276456 – 📶 📺 ☎ – 103 cam.   Z **d**

🏨 Marini 2, via Chironi ✆ 277282 – 📶 📺 ☎ ♿ 🅿 – ⚒ 30 a 120 – 73 cam.   per ②

🏨 Giusy senza rist, piazza Sant'Antonio 21 ✆ 233327 – 📶 🕬. ⚄   Y **e**
24 cam 🍽 29/49000.

✖ **Trattoria del Giamaranto di Gianni e Amedeo,** via Alghero 69 ✆ 274598 – 🖹. 🖭 🛐 🖪
VISA.   Z **s**
chiuso domenica e dal 22 luglio al 22 agosto – Pas carta 29/48000.

sulla strada statale 131 : NO : 10 km :

🏨 Marini, regione Ottava ⊠ 07040 San Giovanni ✆ 20716, ⚄ – 📶 🖹 📺 ☎ 🅿 – ⚒ 200
31 cam.

ALFA-ROMEO viale Porto Torres-Santa Barbara ✆ 260179	LANCIA-AUTOBIANCHI via Venezia 7 per via Tempio Z ✆ 273211
ALFA-ROMEO regione Predda Niedda per ④ ✆ 260684	LANCIA-AUTOBIANCHI via Carlo Felice 46 per via Roma Z ✆ 275386
BMW via Garzia 5 ✆ 270056	MASERATI viale Porto Torres 48 ✆ 260133
CITROEN statale per Fertilia ✆ 236725	MERCEDES-BENZ via Venezia angolo via Verona ✆ 274122
FIAT via Catalocchino 70 ✆ 270261	
FIAT viale Porto Torres 38 per ⑤ ✆ 260388	PEUGEOT-TALBOT regione Predda Niedda ✆ 235681
FIAT regione Predda Niedda per ④ ✆ 271493	
FIAT regione Santa Barbara per ⑤ ✆ 399409	RENAULT viale Porto Torres 8 ✆ 260318
FIAT via Baldedda 9 per ③ ✆ 246555	RENAULT via Chironi 2 ✆ 270479
FORD viale Porto Torres 48 ✆ 260334	VW-AUDI regione Predda Niedda ✆ 260501
GM-OPEL regione Predda Niedda ✆ 260536	VOLVO viale Porto Torres 66 ✆ 399999
INNOCENTI viale Porto Torres per ⑤ ✆ 260133	

Die im Michelin-Führer
verwendeten Zeichen und Symbole haben
- dünn oder **fett** *gedruckt, rot oder* **schwarz**
jeweils eine andere Bedeutung.
Lesen Sie daher die Erklärungen aufmerksam durch.

SINISCOLA 08029 Nuoro 988 ㉞ – 9 774 ab. alt. 42 – ✪ 0784.
♦Nuoro 47 – ♦Olbia 57.

a La Caletta NE : 6,5 km – ⊠ 08029 Siniscola :

🏨 L'Aragosta ⚄, ✆ 810046, ⛵ – 🕬 🅿 – ⚒ 60 – 30 cam.

SORGONO 08038 Nuoro 988 ㉝ – 2 164 ab. alt. 688 – ✪ 0784.
♦Cagliari 124 – ♦Nuoro 70 – ♦Olbia 174 – Porto Torres 155 – ♦Sassari 137.

✖ **Da Nino** con cam, ✆ 60127 – 🅿. ⚄
Pas carta 23/32000 – 🍽 4000 – **24 cam** 23/45000 – P 48/55000.

STINTINO 07040 Sassari 988 ㉝ – a.s. luglio e agosto – ✪ 079.
Alghero 53 – ♦Cagliari 258 – ♦Nuoro 167 – ♦Olbia 150 – Porto Torres 29 – ♦Sassari 48.

🏨 **Geranio Rosso,** ✆ 523292 – 📺 ☎. 🖭 🛐 ① *VISA*. ⚄
Pas carta 32/49000 – 🍽 8000 – 7 cam 50/80000 appartamento 160000 – P 95000, b.s. 80000.

✖ **Silvestrino** con cam, ✆ 523007 – ☎. 🖭 🛐 ① 🖪 *VISA*. ⚄
marzo-ottobre – Pas carta 36/49000 – 🍽 8000 – **13 cam** 27/52000 – P 83000, b.s. 77000.

SU GOLOGONE Nuoro – Vedere Oliena.

TEMPIO PAUSANIA 07029 Sassari 988 ㉝ – 13 679 ab. alt. 566 – ✪ 079.
♦Cagliari 253 – ♦Nuoro 135 – ♦Olbia 45 – Palau 48 – Porto Torres 89 – ♦Sassari 69.

🏨 **Petit Hotel,** piazza De Gasperi 10 ✆ 631134 – 📶 🕬 ♿ 🚗. 🖭 🛐 ① 🖪 *VISA*. ⚄
Pas carta 21/42000 – 🍽 6000 – 40 cam 40/55000.

FIAT via Amendola, Traversa viale Don Sturzo ✆ 630438

TORRE GRANDE Oristano 988 ㉝ – Vedere Oristano.

TORRE SALINAS Cagliari – Vedere Muravera.

TORTOLI 08048 Nuoro 988 ㉞ – 8 745 ab. alt. 15 – a.s. luglio-15 settembre – ☎ 0782.
Dintorni Strada per Dorgali*** Nord.
⛴ da Arbatax per: Cagliari sabato (4 h 30 mn), Olbia giugno-luglio e settembre giovedì e sabato (4 h 30 mn), Civitavecchia domenica (9 h) e Genova giovedì e sabato (18 h 30 mn) – Tirrenia Navigazione-agenzia Torchiani, lungomare 40 ✆ 667268, Telex 790168.
♦Cagliari 140 – Muravera 76 – ♦Nuoro 96 – ♦Olbia 177 – Porto Torres 234 – ♦Sassari 216.

Victoria, ✆ 623457 – ▤ TV ☎ P – 🏛 35. AE ⓢ E VISA. ✗
chiuso dal 22 dicembre al 7 gennaio – Pas *(chiuso domenica)* carta 22/32000 – ☕ 7000 – **40 cam** 50/70000 – P 79/91000, b.s. 62/73000.

ad Arbatax E : 5 km – ✉ **08041** :

✗ La Bitta ✿ con cam, a Porto Frailis E : 1,5 km ✆ 667080, ≤ – ☎ P – 🏛 70
28 cam.

ALFA-ROMEO viale Arbatax 131 ✆ 622708
FIAT sulla statale 125 al km 138 ✆ 623356
INNOCENTI via Vittorio Emanuele 73 ✆ 623372
LANCIA-AUTOBIANCHI via Michelangelo 23 ✆ 622194

TRESNURAGHES 09079 Oristano – 1 494 ab. alt. 257 – a.s. luglio-15 settembre – ☎ 0785.
♦Cagliari 144 – ♦Nuoro 83 – ♦Oristano 51 – ♦Sassari 88.

a Porto Alabe O : 5,5 km – ✉ **09079** Tresnuraghes :

Porto Alabe, ✆ 359056, ≤, 🏖, ✗ – ☎ P. E. ✗ rist
Pas carta 22/33000 – ☕ 8000 – 20 cam 36/60000 – P 65/73000, b.s. 55000.

TRINITÀ D'AGULTU 07038 Sassari 988 ㉓ – 1 922 ab. alt. 365 – a.s. luglio e agosto – ☎ 079.
♦Cagliari 271 – ♦Nuoro 180 – ♦Olbia 73 – Porto Torres 62 – ♦Sassari 60.

sulla Costa Paradiso NE : 16 km :

Li Rosi Marini ✿, ✉ 07038 ✆ 689731, ≤ mare e scogliere, 🏊, 🏖, ✗ – ☎ P. ✗ rist
aprile-ottobre – Pas *(chiuso martedì)* carta 33/44000 – ☕ 10000 – 30 cam 60/90000 – P 105/128000, b.s. 83/99000.

VILLASIMIUS 09049 Cagliari 988 ㉞ – 2 652 ab. alt. 44 – a.s. luglio-15 settembre – ☎ 070.
♦Cagliari 49 – Muravera 43 – ♦Nuoro 225 – ♦Olbia 296 – Porto Torres 273 – ♦Sassari 255.

Cormoran ✿, località Campus O : 3,5 km ✆ 791401, Telex 792062, Fax 791633, ≤, 🏊, 🏖, 🌳, ✗ – ▤ rist ☎ P. AE. ✗
21 maggio-2 ottobre – Pas 50000 – **66 cam** ☕ 90/147000 – P 140/180000, b.s. 80/105000.

a Capo Boi O : 6 km – ✉ **09049** Villasimius :

Gd H. Capo Boi ✿, ✆ 791515, Telex 790266, ≤ mare, « Parco ombreggiato », 🏊, 🏖, ✗ – |‡| ▤ ☎ P – 🏛 40 a 500. ✗
20 maggio-settembre – Pas 45/55000 – ☕ 25000 – **180 cam** 140/225000 – P 135/230000, b.s. 115/190000.

SICILIA

988 ㉟㊱㊲ – 5 141 343 ab. alt. da 0 a 3 340 (monte Etna).

🛫 vedere : Catania, Lampedusa, Marsala, Palermo, Pantelleria, Trapani.

🚢 per la Sicilia vedere : Cagliari, Genova, Livorno, Napoli, Reggio di Calabria, Villa San Giovanni; dalla Sicilia vedere : Catania, Isole Eolie, Messina, Palermo, Siracusa Trapani.

ACI CASTELLO 95021 Catania **988** ㊲ – 17 800 ab. – ✪ 095.

◆Catania 9 – Enna 92 – ◆Messina 95 – ◆Palermo 217 – ◆Siracusa 68.

XX **Villa delle Rose,** strada statale 𝒫 271024, ≼ – **Ɵ**. ᴀᴇ ⑤ ⓪ Ɛ 𝘝𝘐𝘚𝘈. 🕊
chiuso lunedì – Pas carta 23/37000 (15%).

Vedere anche : *Cannizzaro* SO : 2 km.

ACIREALE 95024 Catania **988** ㊲ – 46 753 ab. alt. 161 – Stazione termale – ✪ 095.
Vedere Facciata* della chiesa di San Sebastiano.
🛈 corso Umberto 179 𝒫 604521 – **A.C.I.** via Mancini 60 𝒫 601085.

◆Catania 17 – Enna 100 – ◆Messina 86 – ◆Palermo 225 – ◆Siracusa 76.

🏨 Grande Alb. Maugeri, piazza Garibaldi 𝒫 608666 – ▐▌ ☎ ⇆ – 🔬 30 a 50 – 40 cam.

sulla strada statale 114 :

🏨 **Orizzonte Acireale Hotel,** N : 2,5 km ⊠ 95024 𝒫 886006, Telex 971515, Fax 886006, ≼, 🍴, ⏋ riscaldata, 🐎 – ▐▌ 🔲 ☎ **Ɵ** – 🔬 30 a 200. ᴀᴇ ⓪ 𝘝𝘐𝘚𝘈. 🕊
Pas 25/50000 – **125 cam** ⊡ 87/134000 – P 90/101000.

XX **Panoramico,** N : 3 km ⊠ 95024 𝒫 885291, ≼, 🍴 – **Ɵ**. ᴀᴇ ⑤ ⓪ Ɛ 𝘝𝘐𝘚𝘈. 🕊
chiuso lunedì e novembre – Pas carta 29/41000 (15%).

a Santa Tecla N : 3 km – ⊠ 95020 :

🏨 Santa Tecla Palace ⑤, 𝒫 604933, Telex 911548, ≼, ⏋, 🐾, 🕱 – ▐▌ 🔲 ☎ **Ɵ** – 🔬 30 a 400 240 cam.

ALFA-ROMEO corso Italia 37 𝒫 7647383
FIAT via Vigo 101 𝒫 608333
LANCIA-AUTOBIANCHI via delle Terme 173 𝒫 608988

MASERATI via delle Terme 173 𝒫 608975
RENAULT corso Italia 144 𝒫 891782

ACI TREZZA 95026 Catania **988** ㊲ – ✪ 095.

◆Catania 11 – Enna 94 – ◆Messina 92 – ◆Palermo 219 – ◆Siracusa 70.

🏨 **I Malavoglia,** via Provinciale 3 𝒫 276711, 🍴, ⏋, 🕱 – ▐▌ 🔲 ☎ ⇆ – 🔬 70. ᴀᴇ ⑤ ⓪ Ɛ
𝘝𝘐𝘚𝘈. 🕊 rist
Pas carta 27/43000 – ⊡ 8500 – **86 cam** 47/71000, 🔲 7500 – P 68/83000.

X **La Cambusa del Capitano,** via Marina 65 𝒫 276298 – 🔲. ᴀᴇ ⑤ ⓪ Ɛ
chiuso mercoledì – Pas carta 30/40000 (15%).

AGRIGENTO 92100 ℗ **988** ㊱ – 55 347 ab. alt. 326 – ✪ 0922.
Vedere Valle dei Templi*** BY : Tempio della Concordia*** A, Tempio di Giunone** B, Tempio d'Ercole** C, Tempio di Giove** D, Tempio dei Dioscuri** E – Museo Archeologico Regionale*
BY M1 – Oratorio di Falaride* BY F – Quartiere ellenistico-romano* BY G – Tomba di Terone*
BY K – Sarcofago romano* e ≼* dalla chiesa di San Nicola BY N – Città moderna* : bassorilievi*
nella chiesa di Santo Spirito BZ.
🛈 viale della Vittoria 255 𝒫 26926 – piazzale Aldo Moro 5 𝒫 20454 – **A.C.I.** via San Vito 25 𝒫 26501.

◆Caltanissetta 58 ③ – ◆Palermo 128 ② – ◆Siracusa 212 ③ – ◆Trapani 175 ⑤.

Pianta pagina a lato

🏨 **Colleverde,** via dei Templi 𝒫 29555, ≼ – 🔲 ☎ **Ɵ**. ᴀᴇ ⑤ ⓪ Ɛ 𝘝𝘐𝘚𝘈   BY m
Pas carta 22/33000 – ⊡ 6500 – **31 cam** 40/65000 – P 47/71000.

🏨 **Pirandello** senza rist, via Giovanni XXIII n° 5/7 𝒫 595666, ≼ vallata dei Templi e mare – ☎.
ᴀᴇ ⑤ ⓪ Ɛ 𝘝𝘐𝘚𝘈. 🕊   BY r
⊡ 6000 – **28 cam** 40/67000.

XX **Del Vigneto,** via Cavaleri Magazzeni 11 𝒫 414319, ≼ Templi, 🍴 – **Ɵ**   BY x
chiuso martedì ed ottobre – Pas carta 23/34000 (15%).

X **Le Caprice,** strada Panoramica dei Templi 51 𝒫 26469, ≼ – 🔲 **Ɵ**. ᴀᴇ ⑤ ⓪ Ɛ 𝘝𝘐𝘚𝘈   BY e
chiuso luglio e venerdì da settembre a giugno – Pas carta 31/40000 (15%).

X **Black Horse,** via Celauro 8 𝒫 23223, prenotare – ⓪   BZ a
chiuso domenica e dal 24 dicembre al 6 gennaio – Pas carta 18/30000 (15%).

sulla strada statale 115 :

🏨 **Jolly dei Templi,** per ④ : 8 km ⊠ 92100 𝒫 606144, Telex 910086, ⏋ – ▐▌ 🔲 📺 **Ɵ** – 🔬 40
a 750. ᴀᴇ ⑤ ⓪ Ɛ 𝘝𝘐𝘚𝘈. 🕊 rist
Pas 35000 – **146 cam** ⊡ 100/160000.

🏛 **Tre Torri,** per ④ : 8 km ⊠ 92100 ℰ 76733, Telex 910546, 🏊 – 🛗 🗐 🕾 🅿 – 🔏 300. 🖭 🕃 E *VISA*. 🎤 rist
Pas 28000 – **118 cam** ⊊ 54/98000 – P 84000.

🟉🟉 **Cioffi,** per ④ : 8 Km ⊠ 92100 ℰ 606333, 🛱 – 🅿. 🖭 🕃 ① E *VISA*
chiuso lunedì – Pas carta 26/43000 (15%).

a San Leone S : 7 km BY – ⊠ 92100 Agrigento :

🏨 **Pirandello Mare,** ℰ 412333 – 🛗 🕾 🅿 *VISA*. 🎤
Pas carta 22/39000 – ⊊ 7500 – 45 cam 41/70000 – P 64/70000.

segue →

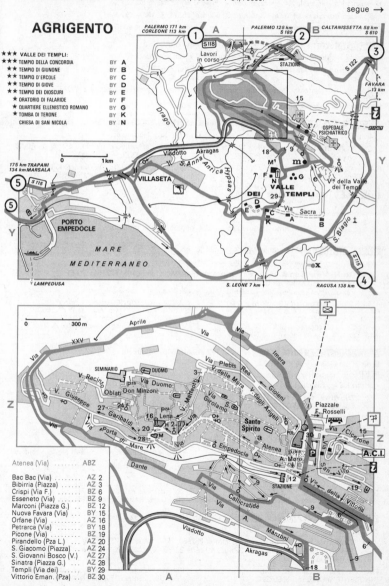

AGRIGENTO

★★★ VALLE DEI TEMPLI:
★★★ TEMPIO DELLA CONCORDIA BY A
★★ TEMPIO DI GIUNONE BY B
★★ TEMPIO D'ERCOLE BY C
★★ TEMPIO DI GIOVE BY D
★★ TEMPIO DEI DIOSCURI BY E
★ ORATORIO DI FALARIDE BY F
★ QUARTIERE ELLENISTICO ROMANO BY G
★ TOMBA DI TERONE BY K
CHIESA DI SAN NICOLA BY N

SICILIA - Agrigento

ALFA-ROMEO sulla statale 189-contrada Minaga per ② ℘ 602264
FIAT via Crispi 134 ℘ 25499
FORD via Dante 113 ℘ 21255
GM-OPEL contrada San Benedetto ℘ 51102
INNOCENTI sulla statale 115-villaggio Mosè per ④ ℘ 606005

PEUGEOT-TALBOT sulla statale 115-villaggio Mosè ℘ 607200
RENAULT contrada San Benedetto ℘ 591200
VW-AUDI via Pindaro 4 ℘ 25603

ALCAMO 91011 Trapani 988 ⑮ – 43 231 ab. alt. 256 – ✆ 0924.
♦Agrigento 145 – ♦Catania 254 – ♦Messina 280 – ♦Palermo 46 – ♦Trapani 52.

  ✗ La Funtanazza, al Monte Bonifato S : 6 km ℘ 25314, ≤, 🚗 – ℗.

ALFA-ROMEO corso dei Mille 46 ℘ 21094   FIAT sulla statale 113 al km 327 ℘ 24149

AUGUSTA 96011 Siracusa 988 ⑰ – 39 781 ab. – ✆ 0931.
♦Catania 42 – ♦Messina 139 – ♦Palermo 250 – Ragusa 103 – ♦Siracusa 32.

  ✗✗ Donna Ina, località Faro Santa Croce E : 6,5 km ℘ 983422 – ℗. ✎
         chiuso lunedì e dal 2 all'8 gennaio – Pas carta 29/37000 (15%).

ALFA-ROMEO contrada Cozzo delle Forche ℘ 993695
FIAT contrada Cozzo delle Forche ℘ 991310

RENAULT contrada Scardina ℘ 992777

BARCELLONA POZZO DI GOTTO 98051 Messina 988 ⑰⑱ – 39 461 ab. alt. 60 – ✆ 090.
♦Catania 130 – Enna 181 – ♦Messina 41 – Milazzo 12 – ♦Palermo 195 – Taormina 85.

  🏠 S. Andrea, via Sant'Andrea 12 ℘ 9796684, « Servizio rist. estivo in giardino » – 🗐 ☎ ℗. ✎
         Pas (chiuso lunedì) carta 28/37000 – ☲ 12000 – 22 cam 26/52000 – P 70/100000.

FIAT via Carducci 30 ℘ 9795075
GM-OPEL via La Pira 2/8 ℘ 9743228

LANCIA-AUTOBIANCHI via Gramsci 13 ℘ 9723078
RENAULT via Kennedy 159 ℘ 9723088

BONAGIA Trapani – Vedere Valderice.

┌──────────┐
│ I prezzi │ Per ogni chiarimento sui prezzi qui riportati
└──────────┘ consultate le spiegazioni alle pagine dell'introduzione.

CALTAGIRONE 95041 Catania 988 ⑯⑰ – 38 383 ab. alt. 608 – ✆ 0933.
♦Agrigento 153 – ♦Catania 64 – Enna 75 – Ragusa 71 – ♦Siracusa 100.

  🏨 Gd H. Villa San Mauro, via Portosalvo 18 ℘ 26500, Telex 911420, Fax 31661, ⤵ – 🗐 🗏 📺
         ☎ ℗ – 🛦 300. 🖭 🕦 ⓪ 𝘝𝘐𝘚𝘈. ✎
         Pas 30/45000 – ☲ 12000 – 92 cam 74/105000, 🗏 14000 – P 121000.

ALFA-ROMEO via Giovanni Burgio 57 ℘ 24311
FIAT via Santa Caterina 4 ℘ 26714
FORD via Toniolo 3 ℘ 22988
GM-OPEL via Madonna della Via 164 ℘ 22068
INNOCENTI via Beata Lucia 4/6 ℘ 24745

LANCIA-AUTOBIANCHI via Bardella ℘ 21059
PEUGEOT-TALBOT via Morretta 19 ℘ 22667
RENAULT viale Milazzo 9/21 ℘ 31513
VW-AUDI piazza Risorgimento 23/26 ℘ 21165

CALTANISSETTA 93100 🄿 988 ⑯ – 62 289 ab. alt. 588 – ✆ 0934.
🄴 viale Conte Testasecca 20 ℘ 21089.
A.C.I. contrada Sant'Elia ℘ 35911.
♦Catania 109 – ♦Palermo 127.

  🏠 Diprima, via Kennedy 16 ℘ 26088 – 🗐 🗏 rist ☎ – 🛦 30 a 200. 🖭 🕦 ⓪ 𝘝𝘐𝘚𝘈. ✎ rist
         Pas carta 20/28000 (15%) – ☲ 5000 – **115 cam** 35/60000 – P 77000.
  ✗✗ Cortese, viale Sicilia 166 ℘ 31686 – 🗏 – 🛦 80
         chiuso lunedì – Pas carta 20/30000.

         Vedere anche : San Cataldo SO : 8 km.

ALFA-ROMEO via Kennedy 21 ℘ 20814
CITROEN contrada 2 Fontane ℘ 38448
FIAT via Xiboli 22/24 ℘ 66522
FIAT via Pietro Leone 6 ℘ 35980
FORD contrada 2 Fontane 15 ℘ 35151
GM-OPEL via Aretusa 1 ℘ 29025
INNOCENTI via Rosso di San Secondo 8/12 ℘ 32544

LANCIA-AUTOBIANCHI via Fasci Siciliani-contrada Tucarbo ℘ 31919
PEUGEOT-TALBOT contrada 2 Fontane ℘ 35137
PEUGEOT-TALBOT via Luigi Monaco 21 ℘ 32786
RENAULT via Empedocle-zona Industriale ℘ 81028
VW-AUDI via Paladini 171 ℘ 21577
VOLVO via Pietro Leone 27 ℘ 36258

CANICATTÌ 92024 Agrigento 988 ⑯ – 34 318 ab. alt. 470 – ✆ 0922.
♦Agrigento 39 – ♦Caltanissetta 28 – ♦Catania 137 – Ragusa 133.

  🏠 Collina e Rist. Al Faro, via Puccini ℘ 852550, 🚗 – 🗏 ☎ ℗. 🖭 🕦. ✎
         Pas (chiuso lunedì e dal 10 al 22 agosto) carta 22/30000 – ☲ 5000 – **27 cam** 20/30000, 🗏 8500 – P 48000.

FIAT viale Regina Elena 46 ℘ 851674
INNOCENTI via Mozart 1 ℘ 857294

RENAULT contrada Cucca Vecchia ℘ 852789
VW-AUDI contrada Fiumarella ℘ 856369

CANNIZZARO 95020 Catania – ✪ 095.

♦Catania 7 – Enna 90 – ♦Messina 97 – ♦Palermo 215 – ♦Siracusa 66.

🏨 **Catania Sheraton Hotel**, ℘ 271557, Telex 971438, Fax 271380, ≤, 佘, ⊥, ♠⃞, ❤ – 🛗 ▤
🆃🆅 ☎ 🕭 ❀ – 🔬 600. 🆀🅴 🛅 ❀ ☑ 🅴 *VISA*. ❤
Pas carta 40/52000 – **166 cam** ⇆ 130/192000 appartamenti 450/650000 – P 168000.

🏨 **Gd H. Baia Verde**, ℘ 491522, Telex 970285, ≤, 佘, « Sulla scogliera », ⊥, ♠⃞, ❦, ❤ –
🛗 ▤ 🆃🆅 ♠⃞ ❀ ❶ – 🔬 200. 🆀🅴 🛅 ❀ ☑ 🅴 *VISA*. ❤ rist
Pas carta 50/70000 – **127 cam** ⇆ 145/220000 – P 178/223000.

✕✕ **Selene**, via Mollica 24/26 ℘ 494444, ≤, « Servizio estivo in terrazza sul mare » – ❶. 🆀🅴 🛅
❀ 🅴 *VISA*. ❤
chiuso martedì e dal 4 al 27 agosto – Pas carta 29/44000 (15%).

CAPO D'ORLANDO 98071 Messina 🆈🅸🆁 ❀❀❀❀ – 11 595 ab. – ✪ 0941.

⛴ per le Isole Eolie giugno-settembre giornalieri (1 h) – Aliscafi SNAV, al porto.

♦Catania 135 – Enna 143 – ♦Messina 88 – ♦Palermo 149 – Taormina 132.

🏨 **Il Mulino**, via Andrea Doria 46 ℘ 902431, ≤ – 🛗 ▤ ☎. 🆀🅴 🛅 ❀ 🅴 *VISA*. ❤
Pas *(chiuso domenica da novembre a marzo)* carta 22/39000 – ⇆ 8000 – **40 cam** 47/75000,
▤ 4000 – P 89000.

🏨 **Nettuno**, via Trazzera Marina 346 (SO : 3 km) ⊠ 98070 Piana di Capo d'Orlando ℘ 901890,
≤, 🏠, ♠⃞, ❤ – 🛗 ▤ 🛅 ❀ 🅴 *VISA*. ❤ rist
15 giugno-15 settembre – Pas carta 28/38000 – ⇆ 6000 – 26 cam 59000 – P 68/99000.

🏩 **Bristol**, via Umberto 37 ℘ 901390 – 🛗 ❀ ⇔. *VISA*
Pas *(chiuso sabato)* carta 20/35000 – ⇆ 4500 – **75 cam** 25/47000 – P 58/65000.

a Fiumara SE : 10 km – ⊠ **98074** Naso :

✕✕ **Bontempo**, ℘ 961065, 佘 – 🛗 ❶. 🆀🅴 🛅 ❀ *VISA*. ❤
chiuso lunedì – Pas 32000 bc.

BMW via Consolare Antica-Palazzo Cogit ℘ 902719
CITROEN via della Fonte 46/b ℘ 902513
INNOCENTI via Roma 5/7 ℘ 901213
LANCIA-AUTOBIANCHI via Tripoli angolo via 27
Settembre ℘ 901249

PEUGEOT-TALBOT via Consolare Antica 206 ℘
901597
RENAULT via della Fonte 25 ℘ 901228

CAPO TAORMINA Messina – Vedere Taormina.

CARINI 90044 Palermo 🆈🅸🆁 ❀ – 19 681 ab. alt. 181 – ✪ 091.

♦Catania 234 – ♦Messina 260 – ♦Palermo 26 – Punta Raisi 15 – ♦Trapani 88.

a Villagrazia NO : 7 km – ⊠ **90040** :

🏨 **Residence Hotel Azzolini** ⌂, ℘ 8674755, Telex 910355, ⊥, ♠⃞, ❦, ❤ – 🛗 ▤ cam ☎
❶ – 🔬 30 a 300. 🆀🅴 🛅 🅴 *VISA*. ❤
Pas carta 27/38000 – **67 cam** ⇆ 68/105000 – P 87/95000.

CASTELLAMMARE DEL GOLFO 91014 Trapani 🆈🅸🆁 ❀ – 14 525 ab. – ✪ 0924.
Dintorni Rovine di Segesta*** S : 16 km.

♦Agrigento 144 – ♦Catania 269 – ♦Messina 295 – ♦Palermo 61 – ♦Trapani 34.

a Scopello NO : 10 km – ⊠ **91010** :

✕ **Torre Bennistra** ⌂ con cam, ℘ 596003, ≤ – ❤
Pas carta 24/30000 – ⇆ 4000 – **8 cam** 25/37000 – P 68000.

CASTELMOLA Messina – Vedere Taormina.

CASTELVETRANO 91022 Trapani 🆈🅸🆁 ❀ – 31 897 ab. alt. 190 – ✪ 0924.
Dintorni Rovine di Selinunte** S : 14 km.

♦Agrigento 96 – ♦Catania 263 – ♦Messina 338 – ♦Palermo 104 – ♦Trapani 55.

🏨 **Selinus**, via Bonsignore 22 ℘ 902638 – 🛗 ▤ rist ❀ ⇔. 🆀🅴 ❀ 🅴 *VISA*. ❤
Pas carta 20/34000 – ⇆ 7000 – 46 cam 38/58000.

FIAT viale Roma 68/bc ℘ 81166
LANCIA-AUTOBIANCHI via Campobello 81 ℘ 41255
MERCEDES-BENZ strada statale 115 al km 76 ℘
41068, Telex 902068

RENAULT via Bresciana 1 ℘ 41102
VW-AUDI via Luna 20 ℘ 44470

We suggest :
for a successful tour, that you prepare it in advance.
Michelin maps *and* **guides,** *will give you much useful information on route planning,*
places of interest, accommodation, prices etc.

SICILIA

CATANIA 95100 ℗ 🄐🄑🄒 ☎ – 372 212 ab. – ⊙ 095.

Vedere Via Etnea★ : villa Bellini★ DXY – Piazza del Duomo★ DZ – Castello Ursino★ DZ.

Escursioni Etna★★★ Nord per Nicolosi.

✈ di Fontana Rossa S : 4 km BV ℰ 252111 – Alitalia, corso Sicilia 111 ☒ 95131 ℰ 252222.

🚢 per Reggio di Calabria lunedì, mercoledì e sabato (3 h 15 mn); per Napoli mercoledì (15 h 15 mn) e Siracusa martedì, venerdì e domenica (2 h 15 mn) – Tirrenia Navigazione-agenzia Nicotra, piazza Grenoble 26 ☒ 95131 ℰ 316394, Telex 970326.

🛈 largo Paisiello 5 ☒ 95124 ℰ 317720 – Stazione Ferrovie Stato ☒ 95129 ℰ 322440 – Aeroporto Fontana Rossa ℰ 311711.

A.C.I. via Sabotino 1 ☒ 95129 ℰ 533380.

◆Messina 97 ① – ◆Siracusa 59 ③.

Pianta pagine seguenti

🏨🏨 **Excelsior,** piazza Verga ☒ 95129 ℰ 325733, Telex 912250 – 🛗 🧺 📺 ☎ 👤 ⟷ – 🏛 300. 🄰🄴
🅱 ⓪ Ɛ 𝘝𝘐𝘚𝘈. ⅏ — EX **c**
Pas 45000 – **161 cam** ⊏⊐ 120/190000 – P 185000.

🏨🏨 **Jolly,** piazza Trento 13 ☒ 95129 ℰ 316933, Telex 970080 – 🛗 🧺 📺 ☎ 👤 – 🏛 200. 🄰🄴 🅱
⓪ Ɛ 𝘝𝘐𝘚𝘈. ⅏ rist — EX **n**
Pas 38000 – **159 cam** ⊏⊐ 125/160000.

🏨 **Central Palace,** via Etnea 218 ☒ 95131 ℰ 325344, Telex 911383 – 🛗 🧺 📺 ☎ ⟷ – 🏛 200
111 cam. DY **e**

🏨 **Nettuno,** viale Ruggero di Lauria 121 ☒ 95127 ℰ 493533, Telex 911451, ≤, ⅃ – 🛗 🧺 📺 ☎
👤 – 🏛 200. 🄰🄴 🅱 ⓪ Ɛ 𝘝𝘐𝘚𝘈. ⅏ — CU **s**
Pas carta 29/45000 – **80 cam** ⊏⊐ 83/125000, 🧺 6500 – P 124000.

🏠 **Villa Dina** senza rist, via Caronda 129 ☒ 95128 ℰ 447103, 🌺 – 📺 ⊜ 👤. 🄰🄴 🅱 ⓪ 𝘝𝘐𝘚𝘈
30 cam ⊏⊐ 57/85000. DX **a**

🆇🆇 **La Siciliana,** viale Marco Polo 52 ☒ 95126 ℰ 376400, « Servizio estivo in giardino » – 🅱
⓪ Ɛ 𝘝𝘐𝘚𝘈 — CU **x**
chiuso domenica sera, lunedì e dal 15 al 31 luglio – Pas carta 28/41000 (15%).

🆇🆇 **Enzo 2,** via Malta 26 ☒ 95127 ℰ 370878 – 🧺 CU **y**

🆇 **La Lampara,** via Pasubio 49 ☒ 95127 ℰ 383237 – 🧺 CU **d**

🆇 **Pagano,** via De Roberto 37 ☒ 95129 ℰ 322720 – 🧺. ⅏ EX **t**
chiuso sabato e ad agosto anche la sera – **Pas** carta 23/33000 (15%).

🆇 **Il Commercio,** via Francesco Riso 8/10 ☒ 95128 ℰ 447289 – 🧺. 🄰🄴 🅱 ⓪ Ɛ 𝘝𝘐𝘚𝘈. ⅏
chiuso sabato e Ferragosto – Pas carta 21/33000. EX **e**

🆇 **Da Rinaldo,** via Simili 59 ☒ 95129 ℰ 532312 – 🅱 EX **u**
chiuso martedì ed agosto – Pas carta 20/31000 (15%).

ad Ognina NO : 4 km CU – ☒ **95126** Catania :

🏨 **MotelAgip** senza rist, via Messina 626 ℰ 494003, Telex 912379 – 🛗 🧺 📺 ⊜ 👤 – 🏛 50. 🄰🄴
🅱 ⓪ Ɛ 𝘝𝘐𝘚𝘈 CU **a**
⊏⊐ 11000 – **45 cam** 50/85000, 🧺 6500.

🆇🆇 **Costa Azzurra,** via De Cristofaro 4 ℰ 494920, ≤, « Servizio estivo all'aperto » – 👤. 🄰🄴 🅱
⓪ Ɛ 𝘝𝘐𝘚𝘈. ⅏ CU **a**
chiuso lunedì – Pas carta 34/44000 (15%).

🆇🆇 **Sporting Mignemi,** viale Artale Alagona 4 ℰ 491117, ≤, 🌂 – 👤. 🄰🄴 🅱 ⓪ 𝘝𝘐𝘚𝘈. ⅏ CU **b**
chiuso lunedì – Pas carta 29/49000 (15%).

verso Gravina N : 5 km – ☒ **95030** Gravina :

🏨 Hotel Sport Rasula Alta, ℰ 417023, ⅃ – 🛗 📺 ⊜ 👤 per via del Bosco
32 cam.

Vedere anche : *Cannizzaro* per ② : 7 km.

MICHELIN, a Misterbianco, per ⑤ : 5 km, corso Carlo Marx 71 – ☒ 95045 Misterbianco, ℰ 471133.

CATANIA

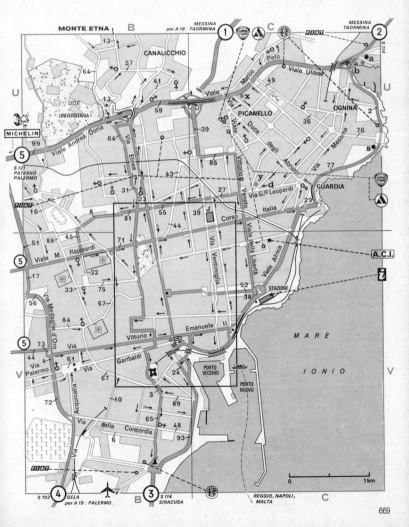

CATANIA

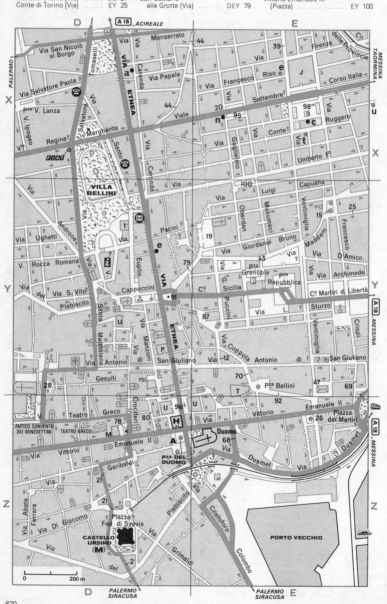

CEFALÙ 90015 Palermo 988 ⊛ – 14 490 ab. – Stazione balneare – ✿ 0921.

Vedere Posizione pittoresca★★ – Cattedrale★★.

🖪 corso Ruggero 77 ℘ 21050 Telex 910294.

◆Agrigento 140 – ◆Caltanissetta 101 – ◆Catania 182 – Enna 107 – ◆Messina 166 – ◆Palermo 68.

🏨 **Carlton H. Riviera,** località Capo Plaia O : 8 km ℘ 20004, Telex 910040, ≼, ⌁, ▲ₒ, ⚓ – 🛗
📺 🕾 🅿. 🖽 VISA. ⋘
marzo-ottobre – Pas carta 25/35000 – 144 cam ⊆ 68/120000 – P 120000.

🏨 **Tourist,** viale Lungomare O : 1 km ℘ 21750, ≼, 🏦, ⌁ – 🛗 📺. 🖽 ◍. ⋘
maggio-15 ottobre – Pas carta 23/30000 – **46 cam** ⊆ 50/80000 – P 100000.

🏠 **Baia del Capitano** ♧, località Mazzaforno O : 5 km ℘ 20003, ⌁, ▲ₒ, ⚓, ⋘ – 🛗 🗏 rist
📺 🅿. ◍ 🗉 VISA. ⋘ rist
Pas carta 22/40000 (10%) – 34 cam ⊆ 52/102000 – P 105000.

XX **Kentia,** via Nicola Botta 15 ℘ 23801, « Servizio estivo all'aperto » – 🖽 🗉. ⋘
chiuso lunedì e novembre – Pas carta 24/50000.

X **La Brace,** via 25 Novembre 10 ℘ 23570, prenotare – 🖽 ◍ VISA
chiuso a mezzogiorno, lunedì, gennaio e dicembre – Pas carta 21/40000.

X **Ostaria del Duomo,** via Seminario 5 ℘ 21838, 🏦 – 🖽 🗉 E VISA. ⋘
chiuso lunedì e dicembre – Pas carta 29/44000.

in prossimità strada statale 113 O : 7 km :

🏨 Costa Verde, ⊠ 90015 ℘ 20300, Telex 911291, ≼, ⌁, ◩, ▲ₒ, ⚓, ⋘ – 🛗 🗏 🕾 🅿 – 🏸 30
a 800 – *stagionale* – 373 cam.

ALFA-ROMEO via Roma 31/35 ℘ 24340
FIAT via Roma 91 ℘ 21155
LANCIA-AUTOBIANCHI via Vincenzo Bellini 13/15
℘ 23621

PEUGEOT-TALBOT via Roma 111/113 ℘ 21186

CHIARAMONTE GULFI 97012 Ragusa 988 ⊛ – 8 131 ab. alt. 668 – ✿ 0932.

◆Agrigento 133 – ◆Catania 88 – ◆Messina 185 – ◆Palermo 257 – Ragusa 20 – ◆Siracusa 77.

X **Majore,** ℘ 923019
➜ *chiuso lunedì* – Pas carta 13/21000 (20%).

DONNALUCATA 97010 Ragusa – ✿ 0932.

◆Agrigento 139 – ◆Catania 136 – ◆Messina 233 – ◆Palermo 268 – Ragusa 32 – ◆Siracusa 85.

X **Al Sorcio** con cam, ℘ 937615, ≼, 🏦 – 🗏 📺 🅿. ⋘
Pas carta 21/33000 – ⊆ 5000 – **22 cam** 24/39000 – P 60000.

EGADI (Isole) Trapani 988 ⊛ – 4 723 ab. alt. da 0 a 686 (monte Falcone nell'isola di Marettimo) –
✿ 0923 – **Vedere** Favignana★ : cave di Tufo★, grotta Azzurra★ – Levanzo★ – Marettimo★ : porto★.

Favignana (Isola) 988 ⊛ – ⊠ 91023.
Vedere Cave di tufo★, Grotta Azzurra★.
⚓ per Trapani giornalieri (1 h) – Siremar-agenzia Media, molo San Leonardo ℘ 921368.
⚓ per Trapani giornalieri (20 mn) – Siremar-agenzia Media, molo San Leonardo ℘ 921368.

🏠 **Egadi,** ℘ 921232 – ⋘
Pas *(maggio-settembre: chiuso a mezzogiorno)* 36000 – ⊆ 4000 – **11 cam** 25/36000 – P 58000.

X **Rais,** ℘ 921233, 🏦
chiuso mercoledì – Pas carta 31/36000 (10%).

ENNA 94100 🅿 988 ⊛ – 29 245 ab. alt. 942 – ✿ 0935.

Vedere Posizione pittoresca★★ – Castello★ : ⋇★★★ – ≼★ dal belvedere.

🖪 piazza Garibaldi 1 ℘ 21184 – piazza Colaianni ℘ 26119 – **A.C.I.** via Roma 200 ℘ 26365.

◆Agrigento 92 – ◆Caltanissetta 34 – ◆Catania 83 – ◆Messina 180 – ◆Palermo 133 – Ragusa 138 – ◆Siracusa 136 –
◆Trapani 237.

🏨 Grande Albergo Sicilia, piazza Colaianni 7 ℘ 21644 – 🛗 🕾 ⟺ – 80 cam.

X Centrale, piazza 6 Dicembre 9 ℘ 21025.

X Ariston, via Roma 365 ℘ 26038.

al lago di Pergusa S : 10 km – alt. 667 :

🏨 **Riviera,** ⊠ 94010 Pergusa ℘ 36267, ≼, ⌁ – 📺 🅿. 🗉 VISA. ⋘
Pas carta 29/41000 – **26 cam** ⊆ 41/61000 – P 68000.

🏠 **Park Hotel la Giara** ♧, ⊠ 94010 Pergusa ℘ 42287, ≼, ⌁, ⚓ – 📺 🅿. ⋘
Pas *(chiuso venerdì)* carta 27/38000 – **20 cam** ⊆ 30/48000 – P 58/69000.

ALFA-ROMEO bivio Misericordia ℘ 21620
CITROEN via degli Astronauti 3/5 ℘ 25810
FORD via Leonardo da Vinci 14 ℘ 41510
GM-OPEL contrada Santa Lucia ℘ 37655

INNOCENTI via San Francesco d'Assisi 22 ℘ 26036
MERCEDES-BENZ corso Sicilia 16 ℘ 24289
PEUGEOT-TALBOT viale della Libertà 45 ℘ 37210
VW-AUDI via Pergusa ℘ 510048

EOLIE o LIPARI (Isole) ★★★ Messina 🗷🗷🗷 ㉚㊲㊳ – 12 972 ab. alt. da 0 a 962 (monte Fossa delle Felci nell'isola di Salina) – Stazione balneare – ✪ 090.

Vedere Vulcano★★★ : gran cratere★★★ (2-3 h a piedi AR) – Stromboli★★★ – Lipari★★ : ☀️★★★ dal belvedere di Quattrocchi, giro dell'isola in macchina★★, escursione in battello★★ lungo la costa SO, museo★.

🚢 per Milazzo giornalieri (da 1 h 15 mn a 6 h) – a Lipari, Siremar-agenzia Eolian Tours, via Amendola ℘ 9811312, Telex 980120.

🚢 per Milazzo giornalieri (da 30 mn a 2 h) – a Lipari, Siremar-agenzia Eolian Tours, via Amendola ℘ 9811312, Telex 980120 e Aliscafi SNAV-agenzia Eoltravel, via Vittorio Emanuele 116 ℘ 9811122; per Messina giornalieri (da 15 mn a 2 h), Capo d'Orlando giugno-settembre giornalieri (1 h) e Cefalù-Palermo giugno-settembre giornaliero escluso sabato (3 h circa); per Vibo Valentia Marina luglio-15 settembre giornaliero esclusi lunedì e martedì (da 2 a 3 h) e Napoli giugno-settembre giornaliero (da 3 a 5 h) – a Lipari, Aliscafi SNAV-agenzia Eoltravel, via Vittorio Emanuele 116 ℘ 9811122.

Lipari (Isola) 🗷🗷🗷 ㊲㊳ – 10 626 ab. – ✉ 98055.
🛈 via Vittorio Emanuele 253 ℘ 9811580, Telex 980133 – a Marina Corta (giugno-settembre) ℘ 9811108

🏨 **Carasco** 🌊, a Porto delle Genti ℘ 9811605, Telex 980095, ≤ mare e costa, 🏊, 🐎, 🎾 – 📶 ✀ cam 🍽 rist 🅿. 🕊
aprile-27 settembre – Pas 55000 – ☷ 15000 – 89 cam 52/91000 – P 145000.

🏨 **Meligunis,** via Marte ℘ 9812426, Telex 981117 – 📶🍽 📺 ☎. 🖭 🅱 ⓞ 🄴 𝘝𝘐𝘚𝘈. 🕊 rist
Pas (chiuso da novembre a febbraio) 25/38000 – **33 cam** ☷ 110/128000 appartamenti 120/188000 – P 135000.

🏩 **Gattopardo Park Hotel** 🌊, via Marconi ℘ 9811035, Telex 911574, Fax 9812580, « Terrazze fiorite », 🎾 – ☎. 🅱 🄴 𝘝𝘐𝘚𝘈. 🕊
Pas (aprile-ottobre) carta 20/30000 – ☷ 6500 – 53 cam 47/82000 – P 110000.

🏩 **Giardino sul Mare** 🌊, via Maddalena 65 ℘ 9811004, ≤ mare e costa, 🍴, « 🏊 su terrazza fiorita », 🐎 – 📶 🏖. 🖭 🅱 ⓞ 🄴 𝘝𝘐𝘚𝘈. 🕊 rist
aprile-ottobre – Pas 20/30000 – ☷ 10000 – 30 cam 80000 – P 90/110000.

🏩 **Oriente** senza rist, via Marconi 35 ℘ 9811493, « Giardino ombreggiato » – ✀ 🏖. 🖭 🅱 ⓞ 🄴 𝘝𝘐𝘚𝘈
Pasqua-ottobre – **25 cam** ☷ 37/68000.

🏠 La **Filadelfia**, senza rist, via Tronco ℘ 9812795 – 📶 ☎ 🅿 – **47 cam**.

%% ✿ **Filippino,** piazza Municipio ℘ 9811002, Telex 981055, 🍴 – 🖭 🅱 ⓞ 🄴 𝘝𝘐𝘚𝘈. 🕊
chiuso dal 10 novembre al 26 dicembre e lunedì da ottobre a maggio – Pas carta 33/44000 (12%)
Spec. Maccheroni alla Filippino, Ravioloni di cernia in salsa paesana (marzo-ottobre), Aragosta alla liparota (marzo-ottobre). Vini Salina, Nustrali.

%% **E Pulera,** via Diana ℘ 9811158, 🍴, « Giardino fiorito con pergolato » – 🖭 🄴 𝘝𝘐𝘚𝘈. 🕊
giugno-ottobre; chiuso a mezzogiorno – Pas (cucina tipica isolana) carta 35/45000 (14%).

Panarea (Isola) 🗷🗷🗷 ㊲㊳ – ✉ 98050.
La limitazione d'accesso degli autoveicoli è regolata da norme legislative.

🏩 **Cincotta** 🌊, ℘ 983014, ≤ mare ed isolotti, 🍴, 🏊 – ☎. 🕊
Pasqua-settembre – Pas 25/30000 – 19 cam ☷ 100000 – P 110000.

🏠 **Lisca Bianca** 🌊 senza rist, ℘ 983004, ≤ mare ed isolotti – 🏖
Pasqua-20 ottobre – **25 cam** ☷ 100000.

Salina (Isola) 🗷🗷🗷 ㉚㊲㊳ – 2 346 ab. – ✉ 98050 Leni – 🛈 (giugno-settembre) ℘ 9843003

🏠 **Punta Scario** 🌊, a Malfa ℘ 9844139, ≤ mare, Panarea e Stromboli, 🍴 – 🕊
giugno-settembre – Pas (solo per clienti alloggiati e chiuso a mezzogiorno) 23000 – ☷ 9000 – **17 cam** 42000 – ½ P 50/53000.

🏠 **Villa Orchidea,** a Malfa ℘ 9844079 – 🏖. 🖭 𝘝𝘐𝘚𝘈. 🕊
Pas carta 29/48000 – 18 cam ☷ 55000 – P 91000.

% **Porto Bello,** a Santa Marina ℘ 9843125, ≤, « Servizio estivo sotto un pergolato » – 🕊
chiuso novembre – Pas carta 30/42000.

% **La Marinara** 🌊 con cam, a Lingua ℘ 9843022, 🍴 – 🖭 🅱 ⓞ 🄴 𝘝𝘐𝘚𝘈. 🕊
Pas carta 23/32000 – ☷ 10500 – **14 cam** 20/33000 – P 75000.

Stromboli (Isola) 🗷🗷🗷 ㊲㊳ – ✉ 98050.
La limitazione d'accesso degli autoveicoli è regolata da norme legislative.
🛈 (giugno-settembre) ℘ 986023

🏨 **La Sciara Residence** 🌊, a Piscità ℘ 986004, Fax 986004, 🍴, 🏊, 🐎, 🎾, %% – 🏖. 🖭 ⓞ 𝘝𝘐𝘚𝘈. 🕊
aprile-15 ottobre – Pas 35/50000 – 62 cam ☷ 78/126000 appartamenti 400/550000 – P 140/157000.

🏨 **La Sirenetta-Park Hotel** 🌊, a Ficogrande ℘ 986025, Telex 980020, ≤, 🍴, 🏊, 🐎 – 🏖. 🖭 🅱 🄴 𝘝𝘐𝘚𝘈. 🕊
aprile-20 ottobre – Pas 28/38000 – ☷ 18000 – 43 cam 47/88000 – P 118000.

🏠 **Villaggio Stromboli** 🌊 ℘ 986018, ≤, 🐎 – 🖭 𝘝𝘐𝘚𝘈
➤ 15 marzo-ottobre – Pas 18/22000 – 30 cam ☷ 30/60000 – P 70/80000.

Vulcano (Isola) 988 ㊲㊳ – ✉ 98050.
La limitazione d'accesso degli autoveicoli è regolata da norme legislative.
🛈 (giugno-settembre) a Porto Ponente ☎ 9852028

🏥 Arcipelago ♨, a Vulcanello ☎ 9852002, Telex 980162, ≤ mare e Lipari, 🍴, ⊥ – 🛗 ☞ ❷
stagionale – 80 cam.

🏥 **Eolian** ♨, a Porto Ponente ☎ 9852152, Telex 980119, 🍴, 🐾, 🖃 – ☞ ❷. 🆎 🛇 ⓞ 🆅🆂🅰
🍴 rist
15 maggio-settembre – Pas 36000 – � 9000 – 86 cam 49/89000 – P 120000.

🏥 Garden Vulcano ♨, a Porto Ponente ☎ 9852069, 🖃 – ☞ ❷
stagionale – 30 cam.

🏛 Conti ♨, ☎ 9852012 – ☞ 🚻
stagionale – 62 cam.

✗ **Lanterna Bleu**, a Porto Ponente ☎ 9852287, 🍴 – ❷
Pas carta 26/39000.

ERICE 91016 Trapani 988 �35 – 29 136 ab. alt. 751 – Stazione di villeggiatura – ⊙ 0923.
Vedere Posizione pittoresca★★★ – ≤★★ dal castello di Venere.
🛈 viale Conte Pepoli 56 ☎ 869173.
♦Catania 304 – Marsala 45 – ♦Messina 330 – ♦Palermo 96 – ♦Trapani 14 .

🏥 **Ermione** ♨, via Pineta Comunale 43 ☎ 869138, ≤ Trapani, Saline, Isole Egadi, ⊥, 🖃 – 🛗
🍴 ☞ ❷. 🆎 🛇 ⓞ ⓔ 🆅🆂🅰. 🍴 rist
Pas 39/70000 – **48 cam** ⊍ 81/111000 – P 111/122000.

🏥 **Moderno**, via Vittorio Emanuele 63 ☎ 869300, Fax 869139 – 🛗 📺 ☎ 🚗. 🆎 🛇 ⓞ ⓔ 🆅🆂🅰.
🍴 rist
Pas (solo per clienti alloggiati) 25/30000 – **40 cam** ⊍ 55/90000 – P 100/110000.

🏛 **Edelweiss**, cortile Padre Vincenzo ☎ 869420 – 🚻. 🍴
Pas vedere rist Nuovo Edelweiss – **15 cam** ⊍ 32/58000 – P 68/75000.

✗✗ **Taverna di Re Aceste**, viale Conte Pepoli ☎ 869084 – 🆎 🛇 ⓞ ⓔ 🆅🆂🅰. 🍴
chiuso mercoledì e novembre – Pas carta 27/42000.

✗ **Nuovo Edelweiss**, piazza Umberto I ☎ 869158 – 🆎 🛇 ⓔ 🆅🆂🅰. 🍴
chiuso lunedì – Pas carta 33/44000.

VOLVO contrada San Consumano, II strada ☎ 63695

ETNA ★★★ Catania 988 ㊲ – Vedere Guida Verde.

FAVIGNANA (Isola di) Trapani 988 �35 – Vedere Egadi (Isole).

FIUMARA Messina – Vedere Capo d'Orlando.

FONTANE BIANCHE Siracusa – Vedere Siracusa.

FURCI SICULO 98023 Messina – 3 263 ab. – ⊙ 0942.
♦Catania 65 – ♦Messina 34 – ♦Palermo 260 – Taormina 20.

🏛 **Foti,** ☎ 791815, Telex 981066 – 🛗 🍴 ☎ 🆎 🛇 ⓞ ⓔ 🆅🆂🅰. 🍴
Pas carta 21/33000 – ⊍ 8000 – 27 cam 35/55000 – P 65/75000.

GELA 93012 Caltanissetta 988 ㊳ – 79 534 ab. – Stazione balneare – ⊙ 0933.
Vedere Fortificazioni greche★★ a Capo Soprano – Museo Archeologico Regionale★.
🛈 via Giacomo Navarra Bresmes 105 ☎ 913788.
♦Agrigento 77 – ♦Caltanissetta 82 – ♦Catania 97 – ♦Messina 194 – ♦Palermo 206 – Ragusa 61 – ♦Siracusa 146.

🏥 **MotelAgip**, località Giardinelli ☎ 911144 – 🛗 🍴 📺 ☞ ❷ – 🚲 80. 🆎. 🍴 rist
Pas 30000 – ⊍ 13000 – **91 cam** 40/74000. 🍴 5500 – P 109/112000.

ALFA-ROMEO via Niscemi 24 ☎ 912866
CITROEN via Palazzi 183 ☎ 930240
FIAT strada statale 115 al km 265 ☎ 936611
FORD strada statale 117 bis al km 90 ☎ 912022

GM-OPEL via Palazzi 175 ☎ 935887
INNOCENTI via Venezia 3344 ☎ 936794
LANCIA-AUTOBIANCHI via Venezia 23/29 ☎ 913608

Gli alberghi o ristoranti ameni sono indicati nella guida
con un simbolo rosso.
Contribuite a mantenere
la guida aggiornata segnalandoci
gli alberghi e ristoranti dove avete soggiornato piacevolmente.

🏚🏚 … 🏛

✗✗✗✗✗ … ✗

SICILIA

GIARDINI-NAXOS Messina 988 ③ – 8 882 ab. – ✪ 0942.

🛈 via Tysandros 76/e ☎ 51010.

◆Catania 47 – ◆Messina 54 – ◆Palermo 257 – Taormina 5.

   a Giardini – ✉ 98035 :

🏨 **La Riva,** ☎ 51329, ≤ – 🛗 🕾 🚗. 🕼 VISA. 🦐 rist
   chiuso novembre – Pas (solo per clienti alloggiati) 20/25000 – 38 cam ⋤ 40/60000.

🏠 **Palladio** senza rist, ☎ 52267 – 🛗 🕾. 🕼 E VISA
   15 dicembre-10 gennaio e 24 marzo-ottobre – ⋤ 5000 – **15 cam** 30/44000.

🏠 **La Sirenetta,** ☎ 53637, ≤ – 🍽 rist. ㄸ 🕄 ⓞ E VISA. 🦐
➡   *chiuso dal 20 novembre al 15 febbraio* – Pas 17/22000 – 15 cam ⋤ 46000 – P 52000.

   a Naxos – ✉ 98030 :

🏨 **Arathena Rocks** ⑤, ☎ 51349, ≤, ⊼, 🐝, 🖾, 🖄 – 🛗 ☎ ℗. 🕼 E VISA. 🦐 rist
   aprile-ottobre – Pas 27/40000 – ⋤ 12000 – 49 cam 37/71000.

🏨 **Kalos Hotel** ⑤, ☎ 52116, ≤, 🐝 🕾 ℗. ㄸ 🕄 ⓞ E VISA. 🦐 rist
   aprile-ottobre – Pas (solo per clienti alloggiati) 25000 – ⋤ 6500 – 27 cam 33/65000 – P 75000.

🏨 **Hellenia Yachting Hotel,** ☎ 51737, Telex 980104, ≤, ⊼, 🐝, 🖾 – 🛗 🍽 🕾. 🦐
   aprile-ottobre – Pas 40000 – ⋤ 12000 – 90 cam 63/80000, 🍽 1000.

✗ **La Cambusa,** ☎ 51437, ≤ mare e Taormina, ㅠ – ↤. ㄸ 🕄 ⓞ E VISA
   chiuso dal 16 al 31 gennaio, dal 6 al 20 dicembre e martedì da ottobre a giugno – Pas
   carta 24/38000.

RENAULT via Nazionale 90 ☎ 51503

LAMPEDUSA (Isola di) Agrigento – 5 373 ab. alt. da 0 a 133 (Albero Sole) – ✪ 0922.

   Lampedusa – ✉ 92010.
   ✈ ☎ 970299.

🏠 **Vega** senza rist, ☎ 970099 – 🕾 🕹. 🦐
   ⋤ 3000 – **13 cam** 28/50000.

LETOJANNI 98037 Messina – 2 445 ab. – ✪ 0942.

◆Catania 53 – ◆Messina 47 – ◆Palermo 274 – Taormina 8.

🏨 **Park Hotel Silemi** ⑤, NE : 1 km ☎ 36228, Telex 981063, ≤, ⊼, 🐝 – 🛗 🍽 ☎ ℗. ㄸ 🕄
   VISA. 🦐
   15 marzo-15 novembre – Pas 35/50000 – 48 cam ⋤ 120000, 🍽 5000 – P 100/120000.

🏨 **Antares** ⑤, ☎ 36477, Telex 980079, ≤, ⊼ – 🛗 🍽 🕾 🕹 ℗
   stagionale – 74 cam.

✗ **Peppe** con cam, ☎ 36159, ㅠ, 🐝, 🖾 – 🛗. ㄸ 🕄 ⓞ E VISA
   15 marzo-15 novembre – Pas carta 23/42000 – ⋤ 5000 – 26 cam 30/46000 – P 70000.

LIDO DI SPISONE Messina – Vedere Taormina.

LIPARI (Isola) Messina 988 ③⑧ – Vedere Eolie (Isole).

MARINA DI PATTI 98060 Messina – ✪ 0941.

◆Catania 155 – ◆Messina 66 – ◆Palermo 174.

🏨 La Playa, ☎ 361326, ≤, ⊼, 🐝, 🖾, 🖄 – 🛗 🕾 ℗
   stagionale – 42 cam.

🏨 **Park Philip Hotel,** via Capitano Zuccarello ☎ 361332, ⊼ – 🛗 🍽 📺 🕾 – 🔬 150. ㄸ 🕄 ⓞ
   E VISA
   Pas 22/26000 – ⋤ 7000 – **43 cam** 40/60000, 🍽 3000 – P 65/75000.

✗✗ **Cani Cani,** località Saliceto ☎ 361022, ㅠ – ℗. ㄸ 🕄 ⓞ E VISA
   chiuso martedì dal 15 settembre al 15 giugno – Pas carta 21/40000.

MARINELLA Trapani 988 ③ – Vedere Selinunte.

Le guide Vert Michelin **ITALIE** (nouvelle présentation en couleur)

Paysages, monuments
Routes touristiques
Géographie
Histoire, Art
Itinéraires de visite
Plans de villes et de monuments.

MARSALA 91025 Trapani 988 ㉟ – 80 662 ab. – ✪ 0923.

Vedere Relitto di una nave da guerra punica★ al museo Archeologico.

✈ di Birgi N : 15 km ✗ 841124 – Alitalia, Agenzia Ruggieri, via Mazzini 111 ✗ 951444.

🛈 via Garibaldi 45 ✗ 958097.

♦Agrigento 134 – ♦Catania 301 – ♦Messina 358 – ♦Palermo 124 – ♦Trapani 31.

🏨 **President,** via Nino Bixio 1 ✗ 999333, ⌁, – 🛗 ☰ 📺 ☎ ⅋ ℗ – 🔬 50 a 600. 🖭 🖻 🗉 𝖵𝖨𝖲𝖠. ⚘ rist
Pas 22000 – ⎓ 7000 – **68 cam** 53/85000 appartamenti 144000 – P 89/99000.

🏨 **Stella d'Italia,** via Rapisardi 7 ✗ 953003 – 🛗 ☰ 📺 ☎ ⅋ ⟵ – 🔬 80. 🖭 🖻 🗉 ⓞ 🗉 𝖵𝖨𝖲𝖠
Pas 20/23000 – ⎓ 8000 – **51 cam** 48/84000, ☰ 6000 – P 76/88000.

🏨 **Cap 3000,** via Trapani 161 ✗ 989055, Telex 910460, ⌁ – 🛗 ☰ 📺 ☎ ℗ – 🔬 200. 🖻 ⓞ 🗉 𝖵𝖨𝖲𝖠. ⚘ rist
Pas carta 20/30000 – ⎓ 3500 – **50 cam** 45/70000, ☰ 3500 – P 70/80000.

🏨 **MotelAgip,** via Mazara 14 ✗ 999166 – 🛗 ☰ rist ☎ ℗. 🖭 🖻 ⓞ 🗉 𝖵𝖨𝖲𝖠. ⚘ rist
Pas 26000 – ⎓ 11000 – **41 cam** 42/65000 – P 94/104000.

🏛 **Delfino,** lungomare Mediterraneo S : 4 km ✗ 998188, 🌤 – ℗. 🖭 🖻 𝖵𝖨𝖲𝖠
chiuso martedì da ottobre a maggio – Pas carta 24/38000.

ALFA-ROMEO via Mario Nuccio 91 ✗ 958444   RENAULT corso Calatafimi 59 ✗ 999138
PEUGEOT-TALBOT via Gandolfo 18 ✗ 951495

MAZARA DEL VALLO 91026 Trapani 988 ㉟ – 48 371 ab. – ✪ 0923.

♦Agrigento 116 – ♦Catania 283 – Marsala 22 – ♦Messina 361 – ♦Palermo 127 – ♦Trapani 53.

🏛 **Del Pescatore,** via Castelvetrano 191 ✗ 947580 – ☰ ℗. 🖭 🖻 ⓞ 🗉 𝖵𝖨𝖲𝖠. ⚘
chiuso lunedì e dal 12 luglio al 3 agosto – Pas carta 24/35000 (10%).

🏛 **Papaya,** via Romano 1 ✗ 946221 – ☰
chiuso mercoledì da ottobre a maggio – Pas carta 30/40000 (10%).

🏛 **La Bettola,** corso Diaz 20 ✗ 946203 – ☰ 🖻 ⓞ 🗉 𝖵𝖨𝖲𝖠. ⚘
chiuso lunedì da ottobre a maggio – Pas carta 28/39000 (10%).

🏛 **La Chela,** via Mattarella 9 ✗ 946329 – ☰. ⚘
chiuso sabato da ottobre a marzo – Pas carta 25/30000.

ALFA-ROMEO via Cavour 3 ✗ 948466   FORD via Castelvetrano 24 ✗ 941159
CITROEN via Salemi ✗ 947068   INNOCENTI via Granchi 24 ✗ 949328
FIAT viale Africa ✗ 932444

MAZZARÒ Messina 988 ㊲ – Vedere Taormina.

MAZZEO Messina – Vedere Taormina.

MENFI 92013 Agrigento 988 ㉟ – 13 691 ab. alt. 119 – ✪ 0925.

♦Agrigento 79 – ♦Palermo 122 – ♦Trapani 100.

in prossimità del bivio per Porto Palo E : 2 km :

🏛 **Il Vigneto** ✉ 92013 ✗ 71732, 🌤 – ℗. 🖻 🗉
chiuso domenica sera e lunedì da ottobre a maggio – Pas carta 21/32000 (10%).

MESSINA 98100 🄿 988 ㊲㊳ – 270 546 ab. – ✪ 090.

Vedere Museo Nazionale★ – Portale★ del Duomo e orologio astronomico★ sul campanile.

🚢 per Reggio di Calabria (45 mn) e Villa San Giovanni (35 mn), giornalieri – Stazione Ferrovie Stato, ✗ 675234 int. 552; per Villa San Giovanni giornalieri (20 mn) – Società Caronte, largo San Francesco da Paola ✗ 44982.

🚢 per le Isole Eolie giornalieri (da 15 mn a 2 h) – Aliscafi SNAV, via Vittorio Emanuele II ✗ 364044.

🛈 piazza Stazione ✗ 7770731, Telex 980112 – piazza Cairoli 45 ✗ 2933541.

A.C.I. via Manara 125 ✗ 2933031.

♦Catania 97 ④ – ♦Palermo 235 ⑤.

Pianta pagina seguente

🏨 **Royal Palace Hotel** senza rist, via Tommaso Cannizzaro is. 224 ✗ 2921161, Telex 981080, Fax 2921075 – 🛗 ☰ 📺 ☎ ⟵ – 🔬 400. 🖭 🖻 ⓞ 🗉 𝖵𝖨𝖲𝖠. ⚘   BZ **e**
83 cam ⎓ 124000 appartamenti 148000.

🏨 **Jolly,** corso Garibaldi 126 ✗ 43401, Telex 980074, ≼ – 🛗 ☰ 📺 – 🔬 180. 🖭 🖻 ⓞ 🗉 𝖵𝖨𝖲𝖠. ⚘ rist   BY **v**
Pas 35000 – **99 cam** ⎓ 95/160000.

🏛 **Paradis** senza rist, via Pompea 441 ✗ 650682, Telex 981047, ≼ – 🛗 ☰ ☎ ⟵ ℗. 🖭 ⓞ 𝖵𝖨𝖲𝖠. ⚘
N : 3 km per viale della Libertà   BY
⎓ 7000 – **92 cam** 50/86000.

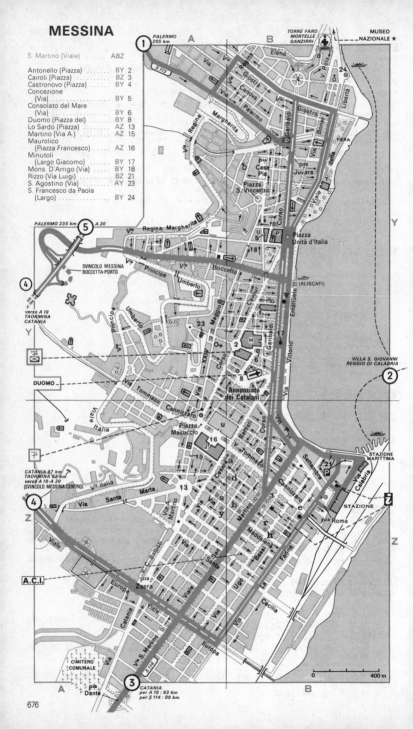

MESSINA

PALERMO 265 km
TORRE FARO
MORTELLE
GANZIRRI
MUSEO
NAZIONALE ★

PALERMO 235 km   A 20

SVINCOLO MESSINA
BOCCETTA-PORTO

verso A 18
TAORMINA
CATANIA

DUOMO

CATANIA 97 km
TAORMINA 52 km
verso A 18-A 20
(SVINCOLO MESSINA-CENTRO)

A.C.I.

VILLA S. GIOVANNI
REGGIO DI CALABRIA

STAZIONE
MARITTIMA

STAZIONE

CIMITERO
COMUNALE

CATANIA
per A 18 : 93 km
per S 114 : 99 km

0   400 m

676

XXXX ❀ **Alberto,** via Ghibellina 95 ℰ 710711 – ▤. 🔤 ⓞ 𝘝𝘐𝘚𝘈. ⸘   BZ **d**
chiuso domenica e dal 30 luglio al 1° settembre – Pas carta 38/64000
Spec. Carpaccio di pesce spada alle erbe, Fettuccine fresche con cozze rucola e zafferano, Involtini di pesce
spada alla brace (aprile-settembre). **Vini** Alcamo.

XXX ❀ **Pippo Nunnari,** via Ugo Bassi is. 157 ℰ 2938584 – ▤. 🔤 𝘝𝘐𝘚𝘈. ⸘   BZ **h**
chiuso lunedì e dal 1° al 15 luglio – Pas carta 30/46000
Spec. Fettuccine alla Nunnari, Pennette con gamberetti, Spiedini di bracioletine di pesce spada. **Vini** Regaleali,
Libecchio.

XXX **Belle Epoque,** via Tommaso Cannizzaro 155 ℰ 718040, prenotare – 🔤 🈁 𝘝𝘐𝘚𝘈   BZ **a**
chiuso domenica ed agosto – Pas carta 43/61000.

XXX **Agostino,** via Maddalena 70 ℰ 718396, Coperti limitati; prenotare – ▤. ⸘   BZ **b**
chiuso lunedì ed agosto – Pas carta 45/65000.

XX **Piero,** via Ghibellina 121 ℰ 718365 – ▤. 🔤 🈁 𝘝𝘐𝘚𝘈. ⸘   AZ **s**
chiuso domenica ed agosto – Pas carta 28/42000.

XX **Antonio,** via Maddalena is. 156 ℰ 2939853 – 🔤 ⓞ 𝘝𝘐𝘚𝘈. ⸘   BZ **r**
chiuso sabato – Pas carta 21/35000.

X **Orchidea,** via Risorgimento 106/108 ℰ 771537 – ▤. 🔤 🈁 ⓞ 🄴 𝘝𝘐𝘚𝘈. ⸘   AZ **y**
chiuso venerdì – Pas carta 25/40000.

    sulla strada statale 114 per ③ : 5,5 km :

🏨 **Europa,** ⊠ 98013 Pistunina ℰ 2711601, Telex 980151, Fax 2711768, ⊠, ⸘ – 🛗 ▤ 📺 ☎ 🅿
– 🏊 30 a 200. 🔤 🈁 ⓞ 🄴 𝘝𝘐𝘚𝘈. ⸘
Pas carta 24/33000 – ☲ 10000 – **115 cam** 55/93000 – P 127000.

    al colle San Rizzo per ① : 9 km – alt. 465 – ⊠ **98100** Messina :

🏠 **Panoramic,** ℰ 370228, ≼ – 🛗 ☎ 🅿. ⓞ 𝘝𝘐𝘚𝘈. ⸘ rist
Pas carta 20/31000 – ☲ 5000 – 12 cam 25/43000 – P 51/52000.

    a Mortelle NE : 12 km BY – ⊠ **98019** Torre Faro :

XX **Sporting-Alberto,** ℰ 321009, ≼, 🍽 – 🅿. 🔤 ⓞ. ⸘
chiuso venerdì e novembre – Pas carta 48/68000.

ALFA-ROMEO via La Farina 283 BZ ℰ 2931062
ALFA-ROMEO località Pistunina per ③ ℰ 2714813
BMW via Taormina ℰ 2931030
CITROEN via Maregrosso 14 ℰ 2930671
FIAT viale Regina Elena 135 BY ℰ 42122
FIAT strada statale 114-località Contesse per ③ ℰ 2711805
FIAT strada statale 114-contrada Roccamatore per ③ ℰ 2713368
FIAT strada statale 114-località Tremestieri per ③ ℰ 2714116
FORD località Contesse 104 ℰ 2711418
GM-OPEL strada statale 114-località Pistunina ℰ 2713959

INNOCENTI via Principessa Mafalda is. 511 ℰ 44107
LANCIA-AUTOBIANCHI via Edison 2-località Contesse per ③ ℰ 2930562
MASERATI via Principessa Mafalda 511 ℰ 44107
MERCEDES-BENZ località Tremestieri ℰ 2711301, Telex 980157
PEUGEOT-TALBOT strada statale 114-località Pistunina ℰ 2711615
RENAULT via Acireale-zona Industriale Regionale ℰ 2938451
VW-AUDI strada statale 114-contrada Vetro ℰ 2714908
VOLVO via Comunale-piazza Chiesa Sperone ℰ 392919

� **MILAZZO** 98057 Messina 𝟵𝟴𝟴 ⑦⑧ – 32 049 ab. – ❀ 090.
Escursioni Isole Eolie★★★ per motonave o aliscafo.

⚓ per le Isole Eolie giornalieri (da 1 h 15 mn a 6 h) – Siremar-agenzia Alliatur, via dei Mille ℰ 9283242, Telex 980090.

⚓ per le Isole Eolie giornalieri (da 30 mn a 2 h) – Siremar-agenzia Alliatur, via dei Mille ℰ 9283242, Telex 980090 – e Aliscafi SNAV, via Rizzo 14 ℰ 9284509.

♦Catania 130 – Enna 193 – ♦Messina 41 – ♦Palermo 209 – Taormina 85.

🏨 **Eolian Inn Park Hotel** ⌂, ℰ 9286133, Telex 980179, ≼, 🍽, 🏊, 🏄, ⸘ – 🛗 ▤ ☎ 🅿 – 🏊 40 a 250
stagionale – 250 cam.

🏨 **Saverly** senza rist, via Colonnello Magistri ℰ 9281002 – 🛗 ☎ 🚗. 🔤 🈁 ⓞ 🄴 𝘝𝘐𝘚𝘈
☲ 11000 – **37 cam** 37/70000.

🏠 **Flora** senza rist, via Tenente Nino La Rosa 1 ℰ 9281882 – 🛗 ☎. 🔤 🈁 𝘝𝘐𝘚𝘈. ⸘
☲ 5000 – **23 cam** 29/45000.

🏠 **Mignon Riviera,** via Tono 68 ℰ 9283150, ≼ – 🅿. ⓞ. ⸘ cam
15 marzo-15 ottobre – Pas 14/16000 – ☲ 3000 – 10 cam 21/38000 – P 42/45000.

XXX **Villa Marchese,** strada panoramica N : 3,5 km ℰ 9282514, ≼, « Servizio estivo in terrazza panoramica » – 🅿. 🔤 🈁 🄴 𝘝𝘐𝘚𝘈
chiuso lunedì e novembre – Pas carta 40/60000 (15%).

XX **Il Covo del Pirata,** via Marina Garibaldi ℰ 9284437 – ▤. 🔤 🈁 ⓞ 🄴 𝘝𝘐𝘚𝘈. ⸘
chiuso mercoledì – Pas carta 23/38000 (15%).

X **Al Pescatore,** via Marina Garibaldi 119 ℰ 9286595, 🍽 – 🛗 🄴 𝘝𝘐𝘚𝘈
chiuso giovedì dal 15 settembre al 15 giugno – Pas carta 23/40000 (10%).

ALFA-ROMEO via San Paolino ℰ 9284837
FORD via 20 Luglio 43 ℰ 9282983

PEUGEOT-TALBOT via Migliacca 19 ℰ 9287325
VW-AUDI via 20 Luglio 43 ℰ 9287786

MODICA 97015 Ragusa 回回回 ⑰ – 49 872 ab. alt. 381 – ✪ 0932.
♦Agrigento 153 – ♦Catania 119 – ♦Messina 216 – ♦Palermo 282 – Ragusa 15 – ♦Siracusa 71.

🏨 **Motel di Modica,** corso Umberto ⌀ 941022 – ☞ 🅿. 🖭 ⓪ 𝘷𝘪𝘴𝘢. ℅ rist
Pas carta 17/24000 – 🗜 6000 – **36 cam** 32/48000 – P 60/68000.

FIAT contrada Cisterna Salemi ⌀ 903133   VW-AUDI via Nazionale 274/A/N ⌀ 905955

MODICA (Marina di) 97010 Ragusa – ✪ 0932.
Agrigento 155 – ♦Catania 121 – Ragusa 24.

✗ **Le Alghe,** piazza Mediterraneo 10 ⌀ 902282, ≤, 🏡 – ⓪
chiuso martedì – Pas carta 23/33000 (20%).

MONDELLO Palermo 回回回 ㉟ – ✉ Palermo – Stazione balneare – ✪ 091.
♦Catania 219 – Marsala 117 – ♦Messina 245 – ♦Palermo 11 – ♦Trapani 97.

Pianta di Palermo : pianta d'insieme

🏨 **Mondello Palace,** viale Principe di Scalea 2 ✉ 90151 ⌀ 450001, Telex 911097, Fax 450657,
« Piccolo parco con 🏊 », 🏖 – 🕴 ▤ 🖭 🕿 🅿 – 🔬 30 a 300. 🖭 𝘷𝘪𝘴𝘢. ℅   EU c
Pas 46/55000 – 83 cam 🗜 120/180000 appartamenti 270000 – P 145/165000.

🏨 **La Torre** ⤳, via Piano di Gallo 11 ✉ 90151 ⌀ 450222, Telex 910183, Fax 450033, ≤, 🏡,
« Scogliere », 🏊, 🏖, ✗ – 🕴 ✂ rist ▤ 🕿 🅿 – 🔬 30 a 300. 🖭 🕃 ⓪ ⋿ 𝘷𝘪𝘴𝘢. ℅ rist   EU z
Pas carta 36/52000 – 177 cam 🗜 64/107000 – P 96/104000.

🏨 **Esplanade,** via Gallo 22 ✉ 90151 ⌀ 450003, ≤ – 🕴 ☜ ⟵. 🖭 🕃 ⋿ 𝘷𝘪𝘴𝘢. ℅   EU d
chiuso dal 15 dicembre al 15 gennaio – Pas (chiuso mercoledì) carta 30/47000 (15%) – 🗜 6000
– 32 cam 33/55000 – P 70/80000.

✗✗✗ ✿ **Charleston le Terrazze,** viale Regina Elena ✉ 90151 ⌀ 450171, ≤, 🏡, « Terrazza sul
mare » – 🖭 🕃 ⓪ ⋿ 𝘷𝘪𝘴𝘢. ℅   EU v
giugno-settembre – Pas carta 50/70000
Spec. Insalata di gamberetti esotica, Spiedino di pesce del Mediterraneo, Parfait di mandorla con salsa di
cioccolata calda. Vini Regaleali, Corvo.

✗ **Al Gabbiano,** via Piano di Gallo 🖂 90151 ⌀ 450313, ≤, 🏡 – 🅿. 🖭 🕃 ⓪ ⋿ 𝘷𝘪𝘴𝘢. ℅
chiuso mercoledì e novembre – Pas carta 28/42000 (15%).   EU e

✗ **La Barcaccia,** via Piano di Gallo 4/6 🖂 90151 ⌀ 454079 – 🖭 🕃 ⓪ ⋿ 𝘷𝘪𝘴𝘢. ℅   EU a
chiuso martedì – Pas carta 30/40000.

MONREALE 90046 Palermo 回回回 ㉟ – 26 951 ab. alt. 301 – ✪ 091.
Vedere Località★★★ – Duomo★★★ – Chiostro★★★ – ≤★★ dalle terrazze.
♦Agrigento 136 – ♦Catania 216 – Marsala 108 – ♦Messina 242 – ♦Palermo 8 – ♦Trapani 88.

sulla strada statale 186 :

✗✗ **La Botte,** SO : 3 km 🖂 90046 ⌀ 414051, « Servizio estivo all'aperto » – 🅿. 🖭 ⓪. ℅
chiuso lunedì, luglio ed agosto – Pas carta 28/40000.

✗ **Villa 3 Fontane,** NE : 4,5 km 🖂 90046 ⌀ 411274, ≤ – 🅿. 🕃 𝘷𝘪𝘴𝘢. ℅
chiuso martedì – Pas carta 22/40000.

✗ **Conca d'Oro,** NE : 4 km 🖂 90046 ⌀ 6402297, 🏡 – 🅿
chiuso lunedì – Pas carta 19/32000 (10%).

MORTELLE Messina – Vedere Messina.

NAXOS Messina – Vedere Giardini-Naxos.

NICOSIA 94014 Enna 回回回 ㉟ – 15 580 ab. alt. 700 – ✪ 0935.
♦Catania 103 – Enna 48 – ♦Messina 174 – ♦Palermo 150.

🏨 Pineta ⤳, ⌀ 647002, ≤ – 🕴 ☜ ⅙ 🅿 – 🔬 60
48 cam.

NOTO 96017 Siracusa 回回回 ⑰ – 23 125 ab. alt. 159 – ✪ 0931.
Vedere Corso Vittorio Emanuele★★ – Via Corrado Nicolaci★.
♦Catania 91 – ♦Messina 188 – ♦Palermo 299 – Ragusa 53 – ♦Siracusa 32.

✗ Trieste, via Napoli 21 ⌀ 835495.

OGNINA Catania – Vedere Catania.

Das italienische Straßennetz wird laufend verbessert.
*Die rote **Michelin-Straßenkarte Nr.** 回回回 im Maßstab 1:1 000 000*
trägt diesem Rechnung.
Beschaffen Sie sich immer die neuste Ausgabe.

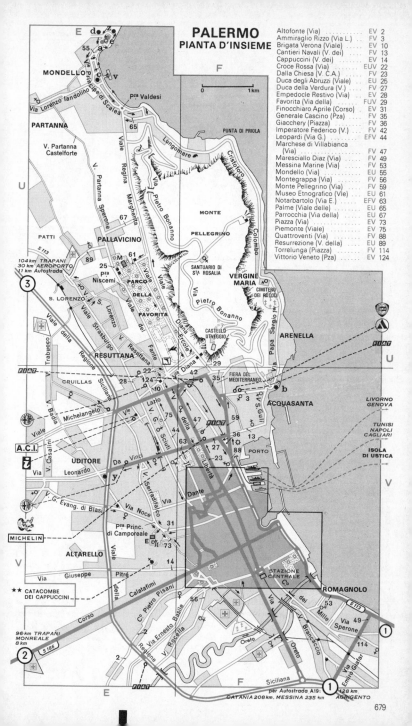

PALERMO
PIANTA D'INSIEME

679

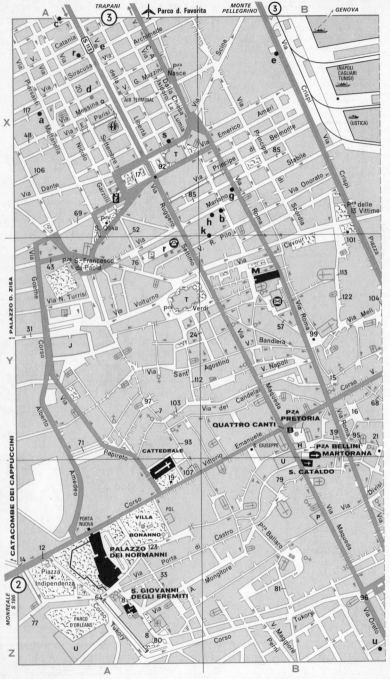

PALERMO

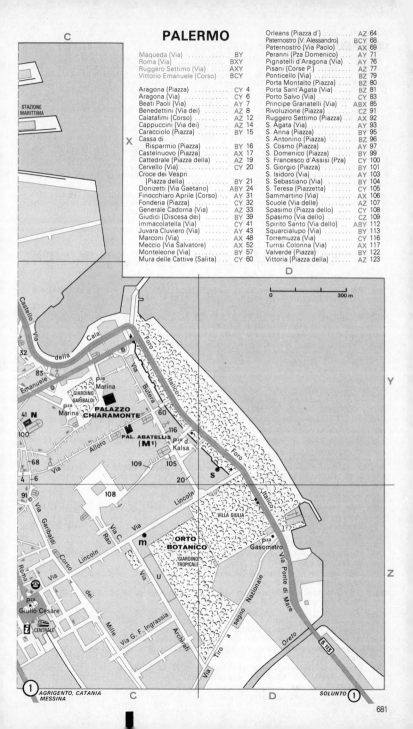

PALERMO 90100 🅿 9️⃣8️⃣8️⃣ ㉟ – 728 843 ab. – 🅾 091.

Vedere Palazzo dei Normanni★★ : cappella Palatina★★★, mosaici★★★ AZ – Galleria Regionale della Sicilia★★ nel palazzo Abbatellis★ : Trionfo della Morte★★★ di Antonello da Messina CY **M1** – Piazza Bellini★★ BY : chiesa della Martorana★★, chiesa di San Cataldo★★ – Chiesa di San Giovanni degli Eremiti★★ AZ – Catacombe dei Cappuccini★★ EV – Piazza Pretoria★ BY : fontana★★ B – Museo Archeologico★ : metope dei Templi di Selinunte★★, ariete★★ BY **M** – Palazzo Chiaramonte★ : ficus magnolioides★★ nel giardino Garibaldi CY – Oratorio di San Lorenzo★ CY **N** – Quattro Canti★ BY – Cattedrale★ AYZ – Villa Bonanno★ AZ – Palazzo della Zisa★ EV **E** – Orto Botanico★ CDZ – Carretti siciliani★ al museo Etnografico EU **M**.

Dintorni Monreale★★★ per ② : 8 km – Monte Pellegrino★★ FU per ③ : 14 km.

✈️ di Punta Raisi per ③ : 30 km 𝒫 591600 – Alitalia, via della Libertà 29 ⊠ 90139 𝒫 6019200.

🚢 per Genova martedì e venerdì (22 h) e Livorno lunedì, mercoledì e venerdì (18 h) – Grandi Traghetti, via Mariano Stabile 179 ⊠ 90141 𝒫 587832, Telex 910098; per Napoli giornaliero (10 h 30 mn), Genova lunedì, mercoledì, venerdì e sabato (23 h) e Cagliari domenica (13 h) – Tirrenia Navigazione, via Roma 385 ⊠ 90133 𝒫 333300, Telex 910020; per Ustica giornaliero (2 h 50 mn) – Siremar-agenzia Prestifilippo, via Crispi 118 ⊠ 90133 𝒫 582403.

🚢 per Ustica giornaliero (1 h 15 mn) – Siremar-agenzia Prestifilippo, via Crispi 118 ⊠ 90133 𝒫 582403; per Cefalù-Isole Eolie giugno-settembre giornaliero escluso domenica (3 h circa) – Aliscafi SNAV-agenzia Barbaro, piazza Principe di Belmonte 51 ⊠ 90139 𝒫 586533.

🅱 piazza Castelnuovo 34 ⊠ 90141 𝒫 583847. Telex 910179 – Aeroporto Punta Raisi 𝒫 591698 – Stazione Centrale ⊠ 90127 𝒫 6166000 int. 3010 – **A.C.I.** via delle Alpi 6 ⊠ 90144 𝒫 300471 – ♦Messina 235 ①.

Piante pagine precedenti

🏨 **Villa Igiea Gd H.** 🦢, salita Belmonte 43 ⊠ 90142 𝒫 543744, Telex 910092, Fax 543744, ≼, 🏛, « Terrazze fiorite sul mare », ⊼, 🏖, ⚒ – 🛗 ☰ 📺 ☎ 🔌 🅿 – 🛗 50 a 500. 🆎 🚫 ⓪ 🅴.
🍴 rist FV **b**
Pas 65000 – **117 cam** ⊐ 220/355000 appartamenti 555000 – P 290000.

🏨 **Gd H. et des Palmes,** via Roma 398 ⊠ 90139 𝒫 583933, Telex 911082, Fax 331545, « Rist. roof-garden serale » – 🛗 ☰ 📺 ☎ – 🛗 30 a 250. 🆎 🚫 ⓪ 🅴 🆅🅸🆂🅰. 🍴 rist BX **g**
Pas (chiuso domenica) 45/65000 – 184 cam ⊐ 105/150000 appartamenti 250/280000 – P 190000.

🏨 **President,** via Crispi 230 ⊠ 90133 𝒫 580733, Telex 910359, ≼, « Rist. roof-garden » – 🛗 ☰ 📺 ☎ – 🛗 30 a 150. 🆎 🚫 ⓪ 🅴 🆅🅸🆂🅰. 🍴 BX **e**
Pas 21000 – ⊐ 8000 – **129 cam** 83/108000 – P 95/120000.

🏨 **Jolly,** Foro Italico 22 ⊠ 90133 𝒫 6165090, Telex 910076, Fax 6161441, 🏛, ⊼, 🏖 – 🛗 ☰ 📺 ☎ 🅿 – 🛗 50 a 500. 🆎 🚫 ⓪ 🅴 🆅🅸🆂🅰. 🍴 rist DY **s**
Pas 40000 – **290 cam** ⊐ 125/160000.

🏦 **Excelsior Palace,** via Marchese Ugo 3 ⊠ 90141 𝒫 266155, Telex 911149 – 🛗 ☰ 📺 ☎ AX **c**
86 cam.

🏦 **Politeama Palace,** piazza Ruggero Settimo 15 ⊠ 90139 𝒫 322777, Telex 911053 – 🛗 ☰ 📺 ☎ – 🛗 50 a 200. 🆎 🚫 ⓪ 🅴 🆅🅸🆂🅰. 🍴 AX **s**
Pas 23/30000 – ⊐ 10000 – **102 cam** 85/110000 – P 125000.

🏦 **Europa,** via Agrigento 3 ⊠ 90141 𝒫 6256323, Fax 6256323 – 🛗 ☰ 📺 ☎. 🆎 🚫 ⓪ 🅴 🆅🅸🆂🅰. 🍴 AX **r**
Pas (solo per clienti alloggiati) 24000 – ⊐ 8000 – **73 cam** 58/93000 – P 87/96000.

🏦 **Mediterraneo,** via Rosolino Pilo 43 ⊠ 90139 𝒫 581133 – 🛗 ☰ 📺 ☎ – 🛗 50. 🆎 🚫 ⓪ 🅴 🆅🅸🆂🅰 BX **k**
Pas 26000 – ⊐ 9000 – **106 cam** 55/90000 – P 90/99000.

🏛 **MotelAgip,** viale della Regione Siciliana 2620 ⊠ 90145 𝒫 552033, Telex 911196 – 🛗 ☰ 📺 ☎ 🅿 – 🛗 50. 🆎 🚫 ⓪ 🅴 🆅🅸🆂🅰. 🍴 rist EV **y**
Pas 30000 – ⊐ 13500 – **105 cam** 52/92000 – P 121/127000.

🏛 **Metropol,** via Turrisi Colonna 4 ⊠ 90141 𝒫 588608 – ☰ 📼 – 44 cam. AX **a**

🏠 **Villa Archirafi** senza rist, via Lincoln 30 ⊠ 90133 𝒫 285827, 🌳 – 🛗 ✳ 📼 🅿. 🆎 🚫 ⓪ 🅴 ⊐ 6000 – **30 cam** 34/51000. CZ **m**

🏠 **Sausele** senza rist, via Vincenzo Errante 12 ⊠ 90127 𝒫 6161308 – 🛗 ✳ 📼 🚗 🆎 🚫 ⓪ 🅴 🆅🅸🆂🅰 BZ **u**
⊐ 7000 – **39 cam** 35/53000.

🏠 **Touring** senza rist, via Mariano Stabile 136 ⊠ 90139 𝒫 584444 – 🛗 ☰ 📼. 🆎 🆅🅸🆂🅰. 🍴 BX **h**
⊐ 6500 – **22 cam** 45/65000, 🛗 10000.

🏠 **Liguria** senza rist, via Mariano Stabile 128 ⊠ 90139 𝒫 581588 – 📼. 🆎 ⓪. 🍴 BX **b**
⊐ 4000 – **16 cam** 50000.

🍽🍽🍽🍽 ❀ **Charleston,** piazzale Ungheria 30 ⊠ 90141 𝒫 321366 – ☰. 🆎 🚫 ⓪ 🅴 🆅🅸🆂🅰. 🍴 AY **r**
chiuso domenica e dal 16 giugno al 25 settembre – Pas carta 46/70000
Spec. Margherita Charleston, Costoletta di vitello Vecchio Florio, Cassata siciliana al forno. Vini Corvo, Regaleali.

🍽🍽🍽🍽 ❀ **Gourmand's,** via della Libertà 37/e ⊠ 90139 𝒫 323431 – ☰. 🆎 🚫 ⓪ 🅴 🆅🅸🆂🅰. 🍴 AX **e**
chiuso domenica – Pas carta 42/63000
Spec. Pesce spada affumicato, Trenette del corallaro, Rosette di bue Conca d'Oro. Vini Rapitalà.

🍽🍽🍽 ❀ **Friend's Bar,** via Brunelleschi 138 ⊠ 90145 𝒫 201401, 🏛 – ☰. 🆎 🚫 ⓪
chiuso lunedì ed agosto – Pas carta 30/41000. per viale Michelangelo EV

🍽🍽 **Regine,** via Trapani 4/a ⊠ 90141 𝒫 586566 – ☰. 🆎 🚫 ⓪ 🆅🅸🆂🅰. 🍴 AX **d**
chiuso domenica ed agosto – Pas carta 25/35000.

Vedere anche : *Monreale* per ② : 8 km.
Mondello N : 11 km EU.

MICHELIN, via Duca della Verdura 28 FV – ✉ 90143, ℰ 343300.

ALFA-ROMEO viale Michelangelo 91 EV ℰ 204028
ALFA-ROMEO via Campania 47 EV ℰ 502520
ALFA-ROMEO via Messina 17/a AX ℰ 583944
ALFA-ROMEO via Galileo Galilei 149 EV ℰ 306876
BMW via Cardinal Rampolla 10 ℰ 6372244
CITROEN via Messina 135 ℰ 540242
CITROEN via Mozart 25 ℰ 201581
FERRARI via Roma ℰ 206786
FIAT via Imperatore Federico 79 FV ℰ 543381
FIAT via Ammiraglio Rizzo 43/45 FV ℰ 6372034
FIAT via Ciullo d'Alcamo 15 FV ℰ 547483
FIAT via De Gasperi 181 EV ℰ 513988
FIAT via degli Orti 57 FV ℰ 250211
FIAT viale della Regione Siciliana 777 EV ℰ 421011
FIAT via Ugo La Malfa 61/83 per ③ ℰ 516588
FIAT via Ugo La Malfa 166 per ③ ℰ 461479
FORD viale Michelangelo 2040 ℰ 315700
FORD via Casella 66 ℰ 577560
GM-OPEL via Aquileia 82/c ℰ 206145
GM-OPEL via D'Amelio 42/b-c ℰ 6371940

INNOCENTI viale Lazio 130/132 EV ℰ 205058
LANCIA-AUTOBIANCHI corso Calatafimi 1039 per ② ℰ 592344
LANCIA-AUTOBIANCHI via Ammiraglio Rizzo 41 ℰ 362557
LANCIA-AUTOBIANCHI via delle Magnolie 23 EV ℰ 227203
LANCIA-AUTOBIANCHI via Campania 20 EV ℰ 526659
MASERATI via Sanpolo 220 ℰ 6253617
MERCEDES-BENZ via Michelangelo 1822 ℰ 315722
PEUGEOT-TALBOT via Marturano 10 ℰ 543185
PEUGEOT-TALBOT via Leonardo da Vinci 212/216 ℰ 403102
PEUGEOT-TALBOT via Olanda 17/19 ℰ 517723
RENAULT via Stazzone 8 ℰ 282161
RENAULT via Ferdinando Di Giorgi ℰ 401434
RENAULT via Ugo La Malfa 6601 ℰ 510555
VW-AUDI via dei Leoni 39/77 ℰ 527844
VW-AUDI corso dei Mille 1660 ℰ 6211499

PALMA DI MONTECHIARO 92020 Agrigento 988 ㊱ – 25 047 ab. alt. 165 – ✪ 0922.

♦Agrigento 25 – ♦Caltanissetta 53 – Ragusa 112.

　XX **Da Vittorio,** sulla strada statale 115 S : 2 km ℰ 968677 – ⬅🖙 ℗. ⬜
　　chiuso domenica ed agosto – Pas carta 21/35000.

PANAREA (Isola) Messina 988 ㊲㊳ – Vedere Eolie (Isole).

PANTELLERIA (Isola di) ★★ Trapani 988 ㊳ – 7 673 ab. alt. da 0 a 836 (Montagna Grande) – ✪ 0923.

Vedere ⩻★★ da Dietro Isola – Montagna Grande★★ SE : 13 km.

Escursioni Giro dell'isola in macchina★★.

⬱ SE : 4 km ℰ 911037 – Alitalia, Agenzia La Cossira, via Borgo Italia ℰ 911078.

🚢 per Trapani giornaliero (4 h 30 mn) – Siremar-agenzia Rizzo, via Borgo Italia 12 ℰ 911104, Telex 910109.

🚢 per Trapani giugno-settembre martedì, venerdì e domenica (2 h 15 mn) – Aliscafi SNAV-agenzia La Cossira, via Borgo Italia 21 ℰ 911566.

🛈 via San Nicola ℰ 911838

　　Pantelleria – ✉ 91017

　🏨 **Del Porto,** ℰ 911257, ⩻ – 🛗 🍽 🐎
　　42 cam.

　🏠 **Bue Marino** senza rist, E : 2 km ℰ 911054, ⩻, ⒌ – 🐎 ℗
　　⬜ 6500 – **28 cam** 33/50000.

PEDARA 95030 Catania – 7 323 ab. alt. 610 – ✪ 095.

♦Catania 17 – Enna 93 – ♦Messina 84 – ♦Palermo 220 – Taormina 43.

　X **La Bussola,** ℰ 915477, 🎪 – 🍽. 🆀 ⓞ VISA. ⬜
　　chiuso lunedì da ottobre a marzo – Pas carta 21/34000.

PERGUSA (Lago di) Enna – Vedere Enna.

PIANO ZUCCHI Palermo – alt. 1 105 – ✉ 90010 Isnello – ✪ 0921.

♦Agrigento 137 – ♦Caltanissetta 79 – ♦Catania 160 – ♦Messina 207 – ♦Palermo 80.

　🏨 **La Montanina** 🍃, ℰ 62030, ⩻, 🍴 – ℗. ⬜
　　Pas carta 22/33000 – ⬜ 5000 – 42 cam 30/55000 – P 60/65000.

　X **Rifugio Orestano,** ℰ 62159, ⩻ – ℗. ⬜
　━ Pas carta 18/25000.

PIAZZA ARMERINA 94015 Enna 988 ㊱ – 22 288 ab. alt. 697 – ✪ 0935.

Dintorni Villa romana del Casale★★ SO : 6 km.

🛈 piazza Garibaldi ℰ 81201.

♦Caltanissetta 49 – ♦Catania 84 – Enna 34 – ♦Messina 181 – ♦Palermo 164 – Ragusa 103 – ♦Siracusa 134.

　🏨 **Selene,** senza rist, via Generale Gaeta 30 ℰ 80254 – 🛗 🐎
　　42 cam.

　X **Da Battiato,** contrada Casale O : 3,5 km ℰ 82453 – ℗. ⬜
　　chiuso la sera – Pas carta 21/31000.

　X **Pepito,** via Roma 138 ℰ 82737 – VISA
　━ chiuso martedì e dicembre – Pas carta 18/30000.

PORTICELLO Palermo – Vedere Santa Flavia.

POZZALLO 97016 Ragusa 988 ⑰ – 16 661 ab. – ✿ 0932.

♦Catania 120 – Ragusa 33 – ♦Siracusa 61.

  🏡 **Villa Ada,** corso Vittorio Veneto 3 ♪ 953234 – 🛗 🕾. *VISA*. ⚘
  → Pas 15/18000 – ☲ 5000 – **27 cam** 25/40000 – P 60/65000.

PRIOLO GARGALLO 96010 Siracusa – 11 776 ab. alt. 30 – ✿ 0931.

♦Catania 45 – ♦Siracusa 14.

  XX **La Bussola,** sulla strada statale SE : 1 km ♪ 761115 – 🍽 **Ⓟ** ⒶⒺ 🕃 **E** *VISA*. ⚘
  chiuso lunedì sera – Pas carta 20/36000.

RAGUSA 97100 **P** 988 ⑰ – 68 110 ab. alt. 498 – a.s. luglio e agosto – ✿ 0932.

Vedere ≤★★ sulla città vecchia dalla strada per Siracusa – Posizione pittoresca★ – Ragusa Ibla★ : chiesa di San Giorgio★.

🛈 via Natalelli 131 ♪ 21421.

A.C.I. via Ercolano 22 ♪ 21183.

♦Agrigento 138 – ♦Caltanissetta 143 – ♦Catania 104 – ♦Palermo 267 – ♦Siracusa 79.

  🏨 **Montreal,** via San Giuseppe 6 ♪ 21133 – 🛗 🍽 📺 🕾 🚗 🚞
  → Pas (chiuso domenica e dal 1° al 15 agosto) 14/18000 – ☲ 3000 – **63 cam** 35/55000, 🍽 3000 –
  P 50000, b.s. 45000.

  XX **U' Saracinu,** via del Convento 9 (IBLA) ♪ 46976 – 🍽. 🕃 ⓞ **E** *VISA*
  chiuso mercoledì da ottobre a maggio – Pas carta 20/31000.

  X **Orfeo,** via Sant'Anna 117 ♪ 21035
  → chiuso sabato sera, domenica e dal 1° al 15 agosto – Pas carta 16/24000.

  sulla strada provinciale per Marina di Ragusa SO : 5 km :

  XX **Villa Fortugno,** ⊠ 97100 ♪ 28656, « In un'antica dimora nobiliare » – **Ⓟ**
  chiuso lunedì e dal 1° al 20 agosto – Pas carta 24/34000.

ALFA-ROMEO via per Marina di Ragusa ♪ 45944
BMW via Archimede 394 ♪ 51522
CITROEN via Morandi 1/23 ♪ 24047
FIAT via Grandi-zona Industriale ♪ 29737
FORD via Paestum 2 ♪ 27760
GM-OPEL via per Marina di Ragusa ♪ 28112
INNOCENTI via Quarantotto 9/13 ♪ 45188
LANCIA-AUTOBIANCHI viale Europa 351 ♪ 641154

LANCIA-AUTOBIANCHI via Respighi 46 ♪ 46921
MERCEDES-BENZ via per Marina di Ragusa ♪ 47313
PEUGEOT-TALBOT via Grandi 22 ♪ 21447
RENAULT via Achille Grandi ♪ 46611
VW-AUDI via Grandi 41/B-zona Industriale ♪ 28987
VOLVO via Di Vittorio 187/189 ♪ 45002

RAGUSA (Marina di) 97010 Ragusa 988 ㉘⑰ – ✿ 0932.

♦Agrigento 131 – ♦Catania 128 – ♦Messina 225 – ♦Palermo 260 – Ragusa 24 – ♦Siracusa 93.

  X **Alberto,** lungomare Doria 48 ♪ 39023, ≤, 🍽 – ⒶⒺ *VISA*. ⚘
  chiuso mercoledì e dal 1° al 20 novembre – Pas carta 20/30000 (15%).

RANDAZZO 95036 Catania 988 ⑰ – 11 744 ab. alt. 754 – ✿ 095.

♦Catania 69 – ♦Caltanissetta 133 – ♦Messina 88 – Taormina 45.

  X **Trattoria Veneziano,** via del Santuario 46 ♪ 921418, Coperti limitati; prenotare – ⚘
  → chiuso domenica sera e dal 1° al 15 luglio – Pas carta 17/27000.

SALINA (Isola) Messina 988 ㉕⑰㉘ – Vedere Eolie (Isole).

SAN CALOGERO Agrigento – Vedere Sciacca.

SAN CATALDO 93017 Caltanissetta 988 ㉘ – 23 043 ab. alt. 625 – ✿ 0934.

♦Messina 214 – ♦Agrigento 55 – Caltanissetta 8 – ♦Catania 117 – ♦Palermo 135.

  🏡 **Helios,** contrada Zubi San Leonardo ♪ 44500, ≤ – 📺 🕾 **Ⓟ**. 🕃 **E** *VISA*. ⚘
  Pas carta 20/31000 (15%) – ☲ 5000 – 36 cam 40/51000 – P 70/80000.

  sulla strada di scorrimento Caltanissetta-Agrigento S : 2 km :

  XX **Al 124,** bivio Stazione di San Cataldo ⊠ 93017 ♪ 68037 – 🍽 **Ⓟ**. ⚘
  chiuso lunedì e dal 1° al 15 agosto – Pas carta 20/35000 (15%).

SAN GIOVANNI LA PUNTA 95037 Catania – 16 673 ab. alt. 355 – ✿ 095.

♦Catania 9 – Enna 92 – ♦Messina 88.

  XX **Nuovo Calatino,** via della Regione 62 ♪ 822005, 🍽 – **Ⓟ**
  chiuso martedì – Pas carta 20/30000 (15%).

SAN LEONE Agrigento – Vedere Agrigento.

SAN RIZZO (Colle) Messina – Vedere Messina.

SANTA FLAVIA 90017 Palermo – 8 139 ab. – ۞ 091.
Vedere Rovine di Solunto★ : posizione pittoresca★★, ≼★★ dalla cima del colle NO : 2,5 km – Sculture★ di Villa Palagonia a Bagheria SO : 2,5 km.
◆Agrigento 130 – ◆Caltanissetta 116 – ◆Catania 197 – ◆Messina 223 – ◆Palermo 18.

    a Porticello NE : 1 km – ⊠ **90010** :

XX **La Muciara-Nello el Greco,** ℰ 957868, 佘 – ⑤ ⅏
    chiuso giovedì da ottobre a marzo – Pas carta 32/53000 (10%).

    a Sant'Elia NE : 2 km – ⊠ **90010** :

🏨 Kafara 🦢, ℰ 957377, Telex 910264, ≼, 佘, « Terrazze fiorite con 🏊 », 🐎, 🚗, ⅏ – ⑤ 🗐
    ☎ ❷
    stagionale – 63 cam.

SANT'AGATA DI MILITELLO 98076 Messina 𝟵𝟴𝟴 ㊲ – 12 925 ab. – ۞ 0941.
◆Catania 122 – Enna 126 – ◆Messina 102 – ◆Palermo 132 – Taormina 148.

🏨 **Roma Palace Hotel,** via Nazionale ℰ 703516 – ⑤ 🗐 ☎ ❷ 𝐀𝐄 ⑤ ⓪ 𝐄 𝘝𝘐𝘚𝘈 ⅏
    Pas carta 22/35000 – � 6000 – **48 cam** 60000, 🗐 6000 – P 80000.

SANT'ALESSIO SICULO 98030 Messina – 1 419 ab. – ۞ 0942.
◆Catania 60 – ◆Messina 40 – ◆Palermo 266 – Taormina 15.

🏨 **Kennedy,** ℰ 751176, Telex 980184, ≼, 🏊, 🐎 – ⑤ 🗐 ☎ ❷ ⑤ 𝘝𝘐𝘚𝘈 ⅏ rist
    23 dicembre-7 gennaio e marzo-ottobre – Pas 27/30000 – � 6500 – 79 cam 37/63000 –
    P 85000.

SANTA TECLA Catania – Vedere Acireale.

SANT'ELIA Palermo – Vedere Santa Flavia.

SAN VITO LO CAPO 91010 Trapani 𝟵𝟴𝟴 ㊱ – 3 921 ab. – ۞ 0923.
◆Palermo 108 – ◆Trapani 38.

🏨 **Egitarso,** ℰ 972111, ≼ – 🗐 ☎ 🚗. 𝐀𝐄 ⑤ ⓪ 𝐄 𝘝𝘐𝘚𝘈
    marzo-ottobre – Pas carta 28/35000 – � 10000 – 17 cam 32/53000, 🗐 4500 – P 80/98000.

X **Simpathy,** ℰ 972037, ≼, 佘
    chiuso martedì ed ottobre – Pas carta 23/40000 (10%).

SCIACCA 92019 Agrigento 𝟵𝟴𝟴 ㊱ – 39 811 ab. alt. 60 – Stazione termale (15 aprile-15 novembre)
– ۞ 0925.
🛈 corso Vittorio Emanuele 84 ℰ 22744.
◆Agrigento 63 – ◆Catania 230 – Marsala 71 – ◆Messina 327 – ◆Palermo 134 – ◆Trapani 112.

🏨 **Grande Alb. Terme,** lungomare Nuove Terme ℰ 23133, Telex 911240, ≼, 斗, 🏊 riscaldata,
    🐎 – ⑤ ☎ ❷. 𝐀𝐄 ⑤ ⓪ 𝐄 𝘝𝘐𝘚𝘈. ⅏
    Pas *(chiuso dicembre e gennaio)* 22000 – **72 cam** � 41/68000 – P 62000.

    a San Calogero NE : 8 km – alt. 386 – ⊠ **92019** Sciacca :

🏠 Kronio 🦢 senza rist, ℰ 21840, ≼ monti e mare – ☎ ❷
    stagionale – **27 cam**.

    sulla strada statale 115 SE : 9 km :

🏨 **Club Hotel Torre Macauda** 🦢, ℰ 26800, Telex 910108, Fax 992499, ≼, 🏊, 🏊, 🐎, 🐎,
    ⅏ – ⑤ 🗐 ☎ ❷ – 🔏 30 a 300. 𝐀𝐄 ⑤ ⓪ 𝐄 𝘝𝘐𝘚𝘈. ⅏ rist
    chiuso da novembre a gennaio – Pas carta 30/40000 – 294 cam � 55/100000 – P 110/120000.

FIAT via Cappuccini 158 ℰ 23733
FORD contrada Tabasi Seniazza ℰ 26077
LANCIA-AUTOBIANCHI via dei Lillà 7 ℰ 22429

PEUGEOT-TALBOT via Stazione 17 ℰ 21743
RENAULT via De Gasperi 257/261 ℰ 21670

SCOPELLO Trapani – Vedere Castellammare del Golfo.

SEGESTA ★★★ Trapani 𝟵𝟴𝟴 ㊱ – alt. 318 (Ruderi di un'antica città ellenistica).
Vedere Rovine★★★ – Tempio★★★ – ≼★★ dalla strada per il Teatro – Teatro★.
◆Agrigento 146 – ◆Catania 283 – ◆Messina 305 – ◆Palermo 75 – ◆Trapani 35.

SELINUNTE Trapani 𝟵𝟴𝟴 ㊱ (Ruderi di un'antica città sorta attorno al 500 avanti Cristo).
Vedere Rovine★★.
◆Agrigento 102 – ◆Catania 269 – ◆Messina 344 – ◆Palermo 114 – ◆Trapani 92.

    a Marinella S : 1 km – ⊠ **91020** :

🏨 **Alceste,** ℰ (0924) 46184, ≼, 佘 – ⑤ ☎ ❷. 𝘝𝘐𝘚𝘈 ⅏ cam
    marzo-novembre – Pas carta 20/31000 (10%) – � 6000 – **26 cam** 34/53000 – P 58/64000.

SIRACUSA 96100 ℗ 🔢🔢🔢 ㊲ – 123 706 ab. – ✆ 0931.

Vedere Zona archeologica★★★ AY : Teatro Greco★★★, Latomia del Paradiso★★★ L (Orecchio di Dionisio★★★ B, grotta dei Cordari★★ G), Anfiteatro Romano★ AY C – Museo Archeologico Nazionale★★ AY M1 – Catacombe di San Giovanni★★ AY – Latomia dei Cappuccini★★ BY F – Città vecchia★★ BZ : Duomo★ D, Fonte Aretusa★ E – Museo Regionale di palazzo Bellomo★ BZ M.

Escursioni Passeggiata in barca sul fiume Ciane★★ fino a Fonte Ciane★ SO : 4 h di barca (a richiesta) o 8 km.

🚢 per Catania (2 h 15 mn) e Reggio di Calabria (6 h 45 mn) lunedì, mercoledì e sabato; per Napoli mercoledì (18 h 45 mn) – Tirrenia Navigazione-agenzia Servizi Marittimi, viale Mazzini 5 ✆ 66956, Telex 970283.

🛈 via San Sebastiano 43 ✆ 67710 – via Paradiso (zona archeologica) ✆ 60510 – via della Maestranza 33 ✆ 66932 – Stazione Centrale ✆ 24411, Telex 911448 – **A.C.I.** Foro Siracusano 27 ✆ 66656 – ◆Catania 59 ①.

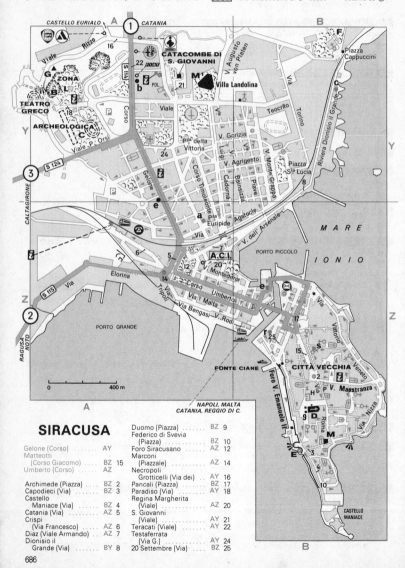

SIRACUSA

🏨🏨 **Jolly,** corso Gelone 43 🖉 64744, Telex 970108 – 🛎 🖾 📺 ☎ 🅿 – 🛣 100. 🆎 🕃 ⓞ 𝐄 𝘝𝘐𝘚𝘈.
🕉 rist – Pas 39000 – **100 cam** ⯐ 115/160000.
　　　　　　　　　　　　　　　　　　　　　　　　　　　　　　AYZ **e**

🏨 **MotelAgip,** viale Teracati 30 🖉 66944, Telex 912480 – 🛎 🖾 📺 ⊛ 🅿. 🆎 🕃 ⓞ 𝐄 𝘝𝘐𝘚𝘈.
🕉 rist – Pas 30000 – ⯐ 13000 – **76 cam** 52/79000 – P 112/124000.
　　　　　　　　　　　　　　　　　　　　　　　　　　　　　　AY **b**

🏨 **Panorama** senza rist, via Necropoli Grotticelle 33 🖉 32122 – 🛎 ☎ 🅿. 🕃 𝐄 𝘝𝘐𝘚𝘈. 🕉 AY
⯐ 5000 – **51 cam** 37/56000.

✗✗ **Minosse,** via Mirabella 6 🖉 66366 – 🖾 BZ **s**
chiuso lunedì – Pas carta 23/45000.

✗✗ **Arlecchino,** via dei Tolomei 5 🖉 66386, 🍽 – 🕃 ⓞ 𝘝𝘐𝘚𝘈. 🕉 AZ **a**
chiuso domenica – Pas carta 32/49000 (10%).

✗✗ **Jonico-a Rutta e Ciauli,** riviera Dionisio il Grande 194 🖉 65540, « Servizio estivo in
terrazzo con ≤ mare e scogliera » – 🆎 🕃 ⓞ 𝐄 𝘝𝘐𝘚𝘈　　　　　　　　　　BY **c**
chiuso martedì, Natale, Capodanno, Pasqua e Ferragosto – Pas (cucina tipica siciliana)
carta 38/48000 (15%).

✗✗ **Darsena-da Ianuzzo,** riva Garibaldi 6 🖉 66104, ≤ – 🖾. 🆎 🕃 ⓞ 𝐄 𝘝𝘐𝘚𝘈. 🕉 BZ **r**
chiuso mercoledì – Pas carta 32/45000 (10%).

✗ **Bandiera-da Lino,** via Eritrea 2 🖉 68546, 🍽 BZ **e**
chiuso mercoledì – Pas carta 23/31000 (20%).

a Fontane Bianche per ② : 15 km – ⊠ **96010** Cassibile :

🏨 **Fontane Bianche,** 🖉 790611, Fax 790571, 🏊, 🏖, 🎾 – 🛎 🖾 ⊛ 🅿 – 🛣 40 a 300. 🆎 🕃
ⓞ 𝐄 𝘝𝘐𝘚𝘈. 🕉
10 marzo-ottobre – Pas self-service 25/30000 – ⯐ 7500 – 120 cam 48/84000 – P 78/85000.

✗ **La Spiaggetta,** 🖉 790334, ≤ – 🖾 🅿. 🆎 🕃 ⓞ
chiuso martedì e novembre – Pas carta 20/27000.

ALFA-ROMEO via Columba 73 per ② 🖉 66044
ALFA-ROMEO via Teracati 90 🖉 441943
BMW viale Teracati 104 🖉 39506
CITROEN viale Teocrito 21/29 🖉 68592
FIAT via Juvarra ang. via Ferrero per ① 🖉 31012
FIAT viale Teracati 34 🖉 65144
FIAT viale Pantanelli 3 per ② 🖉 69200
FORD via Elorina 13/a 🖉 64974
GM-OPEL viale Metodio 20 🖉 39171
INNOCENTI via San Metodio 20/G 🖉 32860

LANCIA-AUTOBIANCHI via Columba 95 per ② 🖉 61966
LANCIA-AUTOBIANCHI via Necropoli Grotticelle 17 🖉 35501
MASERATI via San Metodio 10 🖉 32860
MERCEDES-BENZ via Elorina 51 🖉 66027
PEUGEOT-TALBOT via Politi Laudien 1 🖉 67634
RENAULT via Columba 13/15 🖉 64360
RENAULT via Arno 44 🖉 21978
VW-AUDI viale Paolo Orsi 6 🖉 66666

STROMBOLI (Isola) Messina 🔢🔢🔢 ㊲㊳ – Vedere Eolie (Isole).

TAORMINA 98039 Messina 🔢🔢🔢 ㊲ – 10 581 ab. alt. 250 – Stazione climatica e balneare (a Mazzarò)
– 🟢 0942 – **Vedere Località★★★** – Teatro Greco★★ : ≤★★★ B – Giardino pubblico★★ B – 🌸★★
dalla piazza 9 Aprile A9 – Corso Umberto★ A – Belvedere★ B – Castello★ : ≤★ A.

Escursioni Etna★★★ SO per Linguaglossa.

🅱 (giugno-settembre) largo Santa Caterina (Palazzo Corvaja) 🖉 23243, Telex 980062.

◆Catania 52 ② – Enna 135 ② – ◆Messina 52 ① – ◆Palermo 255 ② – ◆Siracusa 111 ② – ◆Trapani 359 ②.

Pianta pagina seguente

🏨🏨🏨 **San Domenico Palace** 🏖, piazza San Domenico 5 🖉 23701, Telex 980013, Fax 25506,
« Giardino fiorito con ≤ mare, costa ed Etna », 🏊 riscaldata – 🛎 🖾 📺 ☎ – 🛣 400. 🆎 🕃
ⓞ 𝐄 𝘝𝘐𝘚𝘈. 🕉 rist　　　　　　　　　　　　　　　　　　　　　　　A **m**
Pas 90000 – **117 cam** ⯐ 250/425000 appartamenti 610/665000 – P 300/330000.

🏨🏨 **Excelsior Palace** 🏖, via Toselli 8 🖉 23975, Telex 980185, ≤ mare, costa ed Etna, « Piccolo
parco e 🏊 riscaldata su terrazza panoramica » – 🛎 🖾 📺 ☎ 🅿 – 🛣 100　　　A **v**
stagionale – 89 cam.

🏨🏨 **Jolly Diodoro** 🏖, via Bagnoli Croce 75 🖉 23312, Telex 980028, Fax 23391, ≤ mare, costa ed
Etna, « 🏊 su terrazza panoramica », 🍽 – 🛎 🖾 ☎ 🅿 – 🛣 250. 🆎 🕃 ⓞ 𝐄 𝘝𝘐𝘚𝘈. 🕉 rist
Pas 55000 – **103 cam** ⯐ 120/179000.　　　　　　　　　　　　　　　　　B **q**

🏨🏨 **Bristol Park Hotel,** via Bagnoli Croce 92 🖉 23006, Telex 980005, ≤ mare, costa ed Etna, 🏊
– 🛎 🖾 📺 ☎ 🖘. 🆎 ⓞ 𝐄 𝘝𝘐𝘚𝘈. 🕉 rist　　　　　　　　　　　　　　　　B **r**
marzo-ottobre – Pas 35/60000 – ⯐ 18000 – 54 cam 69/137000 appartamenti 150/164000 –
P 150/180000.

🏨🏨 **Vello d'Oro,** via Fazzello 2 🖉 23788, Telex 980186, ≤ – 🛎 🖾. 🆎 🕃 ⓞ 𝐄 𝘝𝘐𝘚𝘈. 🕉　A **r**
15 marzo-ottobre – Pas *(chiuso a mezzogiorno)* 26/30000 – ⯐ 10000 – **57 cam**
50/84000 – ½ P 80000.

🏨🏨 **Villa Paradiso,** via Roma 2 🖉 23922, ≤ mare, costa ed Etna – 🛎 🖾 📺 ☎. 🆎 🕃 ⓞ 𝐄 𝘝𝘐𝘚𝘈.
🕉 rist　　　　　　　　　　　　　　　　　　　　　　　　　　　　　　B **h**
chiuso da novembre al 18 dicembre – Pas 30/38000 – 33 cam ⯐ 68/135000 – P 100/140000.

🏨 **Villa Fiorita** senza rist, via Pirandello 39 🖉 24122, ≤ mare e costa, 🏊, 🍽 – 🛎 🖾 📺 ⊛
🖘. 🆎 🖾 B **s**
⯐ 6500 – **24 cam** 74000.

🏨 **Villa Riis** 🏖, via Rizzo 13 🖉 24874, ≤ mare, costa ed Etna, 🏊, 🍽 – 🛎 🖾 ☎ 🕁 🅿. 🆎 🕃 𝐄
𝘝𝘐𝘚𝘈. 🕉 rist　　　　　　　　　　　　　　　　　　　　　　　　　　　A **b**
marzo-ottobre – Pas *(chiuso a mezzogiorno)* carta 35/55000 – ⯐ 15000 – 30 cam 70/135000.

TAORMINA

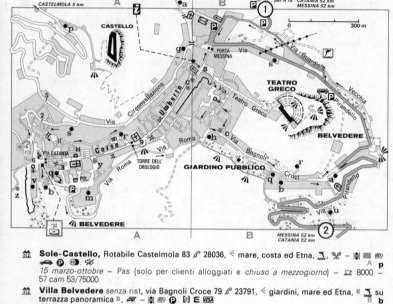

🏨 **Sole-Castello,** Rotabile Castelmola 83 ℰ 28036, ≤ mare, costa ed Etna, ⤴, ✗ – ⓢ 🗮 ⚏
🚗 ℗ ⑩ ⫶ ✗
    15 marzo-ottobre – Pas (solo per clienti alloggiati e *chiuso a mezzogiorno*) – ⫶ 8000 –
57 cam 53/75000.
  A **p**

🏨 **Villa Belvedere** senza rist, via Bagnoli Croce 79 ℰ 23791, ≤ giardini, mare ed Etna, « ⤴ su
terrazza panoramica », ⏶ – ⓢ ⚏ ℗ ⓢ ⑤ 🄴 **VISA**
    25 marzo-ottobre – **40 cam** 58/100000.
  B **b**

🏨 **Continental,** via Dionisio I n° 2/a ℰ 23805, Telex 981144, ⏶ – 🗮 ⚏ 🄰🄴 ⓢ ⑩ 🄴 **VISA**
✗ rist
    Pas *(chiuso a mezzogiorno)* 20/35000 – ⫶ 10000 – **43 cam** 50/90000 – ½ P 60/75000.
  A **s**

🏨 **Villa San Michele** senza rist, via Damiano Rosso 11 bis ℰ 24327, ≤ mare e baia di Naxos –
ⓢ 🗮 ⚏ 🄰🄴 ⓢ ⑩ 🄴 **VISA**
    23 cam ⫶ 58/110000.
  A **q**

🏠 **La Campanella** senza rist, via Circonvallazione 3 ℰ 23381, ≤ – ✗
    12 cam ⫶ 35/62000.
  A **g**

🏠 **Villa Carlotta** senza rist, via Pirandello 81 ℰ 23732, ≤ mare e costa, ⏶ – 🗮 ☎
    15 marzo-ottobre – ⫶ 10500 – **21 cam** 31/57000, 🗮 5500.
  B **a**

🏠 **Condor** senza rist, via Cappuccini 25 ℰ 23124, ≤ – ✗ ☎ ✗
    12 cam ⫶ 36/60000.
  A **a**

🏠 **Belsoggiorno,** via Pirandello 60 ℰ 23342, ≤, ⏶ – ℗ 🄰🄴 ⓢ ⑩ **VISA** ✗ rist
    Pas (solo per clienti alloggiati e *chiuso da novembre a febbraio)* 20/22000 – ⫶ 6000 – **19 cam**
36/68000 – P 60/74000.
  B **u**

✗✗ **La Griglia,** corso Umberto 54 ℰ 23980 – 🄰🄴 ⓢ ⑩ 🄴 **VISA** ✗
    chiuso martedì – Pas carta 32/48000.
  A **c**

✗✗ **Giova Rosy Senior,** corso Umberto 38 ℰ 24411, 🔆 – 🄰🄴 ⓢ ⑩ 🄴 **VISA**
    chiuso lunedì e dall'8 gennaio al 14 febbraio – Pas carta 31/52000.
  A **c**

✗✗ **Quattropini,** contrada Sant'Antonio ℰ 24832, 🔆 – 🄰🄴 ⓢ ⑩ 🄴 **VISA**
    chiuso lunedì – Pas carta 29/46000.
  1 km per ①

✗ **'u Bossu,** via Bagnoli Croci 50 ℰ 23311, Coperti limitati; prenotare – ⓢ ⑩ 🄴 **VISA**
    chiuso lunedì – Pas carta 20/30000.
  B **c**

✗ **Ciclope,** corso Umberto ℰ 23263, 🔆 – 🗮 🄰🄴 ⓢ 🄴 **VISA**
    chiuso mercoledì e dal 10 al 31 gennaio – Pas carta 23/33000.
  A **y**

✗ **Antonio,** via Crocifisso ℰ 24570 – ℗
  A **z**

a Capo Taormina per ② : 3 km – ⊠ 98030 Mazzarò :

🏨 **Grande Alb. Capotaormina,** ℰ 24000, Telex 980147, Fax 25467, ≤ mare e costa, ⤴, ⚏⚏
ⓢ 🗮 ⚏ 🚗 ℗ – ⚿ 500. 🄰🄴 ⓢ ⑩ 🄴 **VISA** ✗ rist
    aprile-ottobre – Pas 75000 – ⫶ 27500 – 208 cam 104/148000 – P 248000.

a Castelmola NO : 5 km ᴬ – alt. 550 – ⊠ 98030 :

✗ **Il Faro,** contrada Petralia ℰ 28193, ≤ mare e costa, 🔆 – ℗
    chiuso mercoledì – Pas carta 20/30000.

a Mazzarò per ② : 5,5 km – ✉ 98030 :

🏨 **Mazzarò Sea Palace,** 🏠 24004, Telex 980041, Fax 24004, ≤ piccola baia, ⌇ riscaldata, ⚓ – 🕎 🍴 📺 ☎ ⬢ – 🎱 200. 🖭 🔂 ⑩ ⋿ 𝘝𝘐𝘚𝘈. ⫷ rist
aprile-ottobre – Pas 65000 – ⇌ 23000 – 81 cam 210/330000 appartamenti 530/580000 – P 250000.

🏨 **Villa Sant'Andrea e Rist. Oliviero,** 🏠 23125, Telex 980077, ≤ piccola baia, « Terrazze ombreggiate », ⚓, 🚗 – 🍴 🅿. 🖭 🔂 ⑩ ⋿ 𝘝𝘐𝘚𝘈. ⫷
Pas (prenotare) 55/60000 – ⇌ 15000 – **48 cam** 74/147000, 🛏 5000 – P 205000.

✕ **Il Pescatore,** 🏠 23460, ≤ mare, scogliere ed Isolabella – 🅿
3 marzo-ottobre; chiuso lunedì – Pas carta 24/42000.

✕ **Il Delfino-da Angelo,** 🏠 23004, ≤ piccola baia, 🍽 – 🖭 🔂 ⑩ ⋿ 𝘝𝘐𝘚𝘈
15 marzo-ottobre – Pas carta 25/39000.

✕ **Da Giovanni,** 🏠 23531, ≤ mare ed Isolabella – 🖭 🔂 ⑩ ⋿ 𝘝𝘐𝘚𝘈. ⫷
chiuso lunedì e dal 7 gennaio al 7 febbraio – Pas carta 30/52000.

a Mazzeo per ② : 6 km – ✉ 98030 Mazzarò :

✕ Il Ficodindia, 🏠 36301, « Servizio estivo in giardino ».

a Lido di Spisone per ② : 7 km – ✉ 98030 Mazzarò :

🏨 **Lido Mèditerranèe,** 🏠 24422, Telex 980175, Fax 24774, ≤ mare, 🍽, ⚓ – 🕎 🛏 🅿. 🖭 🔂 ⑩ 𝘝𝘐𝘚𝘈. ⫷ rist
20 marzo-ottobre – Pas 50000 – 72 cam ⇌ 170000 – P 160000.

Vedere anche : *Giardini-Naxos* per ② : 5 km.
Letojanni per ② : 8 km.

FIAT via Traversa Francavilla 6 per ② 🖉 59131

TERRASINI 90049 Palermo – 9 981 ab. alt. 35 – 🖨 091.
♦Palermo 29 – ♦Trapani 71.

in prossimità strada statale S : 6 km :

🏨 Perla del Golfo, ✉ 90049 🖉 86647170, Telex 910634, ≤, ⌇, ⚓, ⫷ – 🛏 ☎ 🅿 – 🎱 30 a 500
162 cam.

TRAPANI 91100 🅿 🐙🐙🐙 ㉟ – 73 031 ab. – 🖨 0923.
Vedere Museo Pepoli★ ∀ M – Cappella della Madonna★ nel santuario dell'Annunziata ∀.

Escursioni Isola di Pantelleria★★ Sud per motonave – Isole Egadi★ Ovest per motonave o aliscafo.

✈ di Birgi S : 15 km ∀ 🖉 841124 – Alitalia, Agenzia Salvo, corso Italia 52/56 🖉 27480.

🚢 per Cagliari giugno-settembre giovedì e mercoledì negli altri mesi (11 h) – Tirrenia Navigazione-agenzia Salvo, corso Italia 42/46 🖉 23819, Telex 910132; per le Isole Egadi giornalieri (1 h) e Pantelleria giornaliero (4 h 30 mn) – Siremar-agenzia Salvo, molo Sanità 🖉 40515, Telex 910132.

🚢 per le Isole Egadi giornalieri (20 mn) – Siremar-agenzia Salvo, molo Sanità 🖉 40515, Telex 910132; per l'Isola di Pantelleria giugno-settembre martedì, venerdì e domenica (2 h 15 mn) – Aliscafi SNAV-agenzia Sud-Ovest, via Torre Arsa 11 🖉 27101.

🛈 piazza Saturno 🖉 29000 – **A.C.I.** via Virgilio 71/81 🖉 27292.
♦Palermo 104 ②.

Pianta pagina seguente

🏨 **Astoria Park Hotel,** lungomare Dante Alighieri 🖉 62400, Telex 911228, ≤, ⌇, ⚓, ⫷ – 🕎 🛏 📺 ☎ 🅿 – 🎱 30 a 400. 🖭 🔂 ⑩ ⋿ 𝘝𝘐𝘚𝘈. ⫷ rist   Y **c**
Pas carta 38/50000 – ⇌ 13000 – **92 cam** 60/99000, 🛏 16000 – P 117/130000.

🏨 **Vittoria** senza rist, via Crispi 4 🖉 27244 – 🕎 🚗. 🖭 ⑩   BZ **s**
⇌ 3000 – **56 cam** 32/53000.

🏨 **Cavallino Bianco,** lungomare Dante Alighieri 🖉 21549, ≤ – 🕎 🚗. 🔂 ⑩ ⋿ 𝘝𝘐𝘚𝘈   Y **a**
Pas carta 17/23000 – ⇌ 7000 – **56 cam** 34/55000 – P 60/68000.

✕✕ **P e G,** via Spalti 1 🖉 47701, Coperti limitati; prenotare – 🛏. 🖭 🔂 ⑩ 𝘝𝘐𝘚𝘈   BZ **e**
chiuso domenica ed agosto – Pas carta 21/33000 (12%).

✕✕ La Carbonella, prolungamento Giovan Battista Fardella 7/9 🖉 23949   BZ **x**

✕ **Trattoria del Porto,** via Ammiraglio Staiti 45 🖉 47822 – ⫷   BZ **a**
chiuso lunedì – Pas carta 22/38000.

Vedere anche : *Erice* NE : 14 km.

ALFA-ROMEO via Virgilio 64 🖉 22080
BMW via Marsala 189 🖉 21766
CITROEN via Cap. Sergio Fontana 3 🖉 22127
FIAT piazza 21 Aprile 🖉 22655
FIAT via Tripoli 🖉 27202
FORD San Giuliano IV Strada 🖉 62211

GM-OPEL via Archi 56/58 🖉 29990
INNOCENTI via 11 Maggio 28/d 🖉 21039
LANCIA-AUTOBIANCHI via Virgilio 82/84 🖉 24480
PEUGEOT-TALBOT a Xitta, via Marsala 375 🖉 32000
RENAULT via Virgilio 54 🖉 22353
VW-AUDI via Libica, strada provinciale 21 🖉 51361

TRAPANI

Fardella (Via G.B.) .... BZ 13
Vittorio Emanuele (Corso) . . AZ

Bixio (Via Nino) .... Y 2
Crociferi (Via dei) .... BZ 6
Cuba (Via della) .... AZ 8
Duca d'Aosta (Viale) .... AZ 9
Fardella (Prolungamento Giovan Battista) .... Y 12
Madonna di Fatima (Via) .... Y 19
Malta (Via) .... BZ 21
Mercè (Via) .... BZ 25
Monte S. Giuliano (Via) ..... Y 27
Ninfe (Largo delle) .... AZ 28
Pepoli (V. Conte Agostino) .. Y 33
Portogalli (Largo) .... BZ 35
Procida (Via Giovanni da) .. AZ 36
Regina Margherita (Viale) . BZ 37
S. Francesco di Paola (V.) .. BZ 38
S. Giovanni Bosco (Via) .... BZ 39
Scalo d'Alaggio (Pza) ...... AZ 40
Scarlatti (Piazza) .... AZ 41
Scio (Pza Generale) .... AZ 42
Scontrino (Via A.) .... BZ 44
Serisso (Via) .... AZ 45
Tartaglia (Via Giacomo) .... AZ 48
Torre di Ligny (Viale) ...... AZ 49
Torrearsa (Via) .... AZ 50
Umberto I (Piazza) .... BZ 52
Vespri (Via) .... Y 55
Vittorio Veneto (Piazza) .... BZ 57

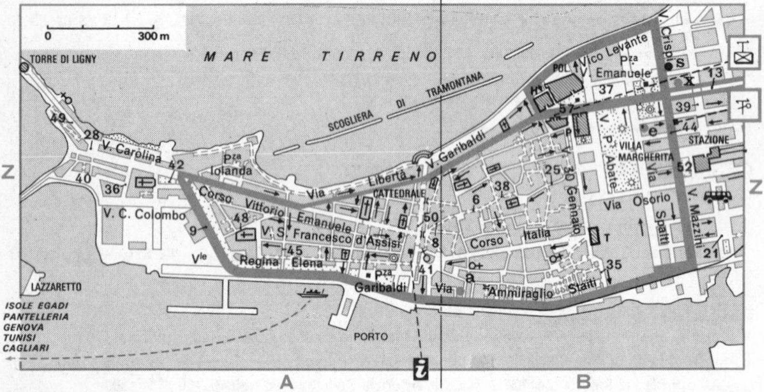

USTICA (Isola di) Palermo 988 ㉟ – 1 220 ab. alt. da 0 a 238 (Monte Guardia dei Turchi) – 091.
La limitazione d'accesso degli autoveicoli è regolata da norme legislative.

per Palermo giornaliero (2 h 50 mn) – Siremar-agenzia Militello, piazza Longo 3 8449002, Telex 910586.

per Palermo giornaliero (1 h 15 mn) – Siremar-agenzia Militello, piazza Longo 3 8449002, Telex 910586.

Ustica – 90010.

Grotta Azzurra, 8449048, ← mare, « Costruzione mediterranea con terrazze sulla scogliera », – .
giugno-settembre – Pas 35/38000 – 8000 – 52 cam 40/77000 – P 100/115000.

Trattoria le Campanelle, 8449136 – AE.
chiuso dicembre – Pas carta 35/50000.

VALDERICE 91019 Trapani – 10 675 ab. alt. 250 – 0923.
•Agrigento 99 – •Palermo 184 – •Trapani 9.

a Bonagia N : 6 km – alt. 2 – 91010 :

Sirena, 73176, ←.

VILLAGRAZIA Palermo – Vedere Carini.

VULCANO (Isola) Messina 988 ㊲㊳ – Vedere Eolie (Isole).

ZAFFERANA ETNEA 95019 Catania – 7 084 ab. alt. 600 – 095.
•Catania 24 – Enna 104 – •Messina 79 – •Palermo 231 – Taormina 35.

Primavera dell'Etna, O : 1,5 km 7082348, ←, – – 150 a 600. VISA.
Pas carta 16/23000 (15%) – 5000 – 50 cam 26/45000 – P 55/60000.

CANTONE TICINO (Svizzera)

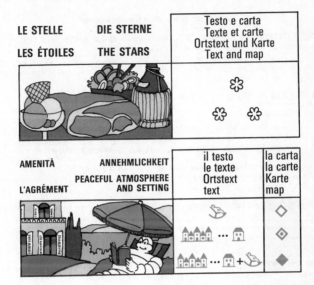

	LE STELLE LES ÉTOILES	DIE STERNE THE STARS	Testo e carta Texte et carte Ortstext und Karte Text and map
			✿ ✿ ✿

| | AMENITÀ
L'AGRÉMENT | ANNEHMLICHKEIT
PEACEFUL ATMOSPHERE
AND SETTING | il testo
le texte
Ortstext
text | la carta
la carte
Karte
map |

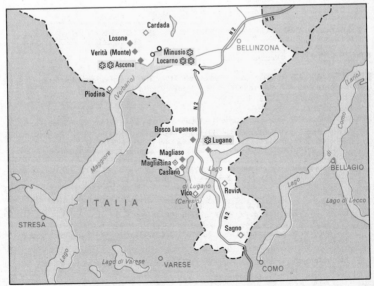

CANTONE TICINO
(Svizzera)

427 ⑮㉔㉙, **219** ⑦⑧, **218** ⑪⑫ – 277 220 ab. alt. da 210 (Ascona) a 3 402 (monte Rheinwald-horn)

I prezzi sono indicati in franchi svizzeri.

AGARONE 6597 **219** ⑧ – alt. 400 – a.s. luglio-ottobre – ☎ 092, dall'Italia 00.41.92.
Roma 690 – Bellinzona 13 – ◆Lugano 37 – Locarno 10 – ◆Milano 112.

  ✗ **Grotto Romitaggio**, ☎ 641577, « Servizio estivo in terrazza panoramica » – **P**. **E** **VISA**. ⚞
     chiuso dal 7 gennaio al 28 febbraio, da marzo a settembre lunedì a mezzogiorno e negli altri mesi anche la sera – Pas carta 29/48.

AGNO 6982 **427** ㉔, **219** ⑧ – 3 020 ab. alt. 274 – a.s. Pasqua, luglio-agosto e ottobre – ☎ 091, dall'Italia 00.41.91.

  ✈ E : 3 km ☎ 505001 – a Lugano, Swissair, via Pretorio 9 ☎ 236331.
Roma 660 – Bellinzona 32 – ◆Bern 263 – ◆Lugano 6 – Luino 17 – ◆Milano 83 – Varese 26.

  🏨 **La Perla**, ☎ 593921, Telex 844593, Fax 594039, « Servizio rist. estivo in terrazza ombreggiata »,
     ⊥ riscaldata, ⊠, 🏖, ✗ – 🛗 TV ☎ 🕭 **P** – 🔼 300. **AE** ⓞ **E** **VISA**. ⚞ rist
     Pas carta 59/88 – **140 cam** ⊇ 155/230 appartamenti 240/300 – P 190/210. b.s. 160/180.

  ✗✗✗ **San Marco**, ☎ 591921, 🍽, prenotare – **P**. **AE** 🕭 ⓞ **E** **VISA**. ⚞
     chiuso dal 15 gennaio al 3 marzo e martedì dal 1° dicembre al 14 gennaio – Pas carta 69/85.

ALFA-ROMEO via Lugano ☎ 591212

AGNUZZO **219** ⑧ – alt. 305 – ✉ 6933 Muzzano-Piodella – a.s. luglio e agosto – ☎ 091, dall'Italia 00.41.91.
Roma 655 – Bellinzona 34 – ◆Bern 265 – ◆Lugano 4 – Luino 19 – ◆Milano 81 – Varese 28.

  ✗✗ **La Piodella**, ☎ 546306 – **P**. **AE** ⓞ **E** **VISA**. ⚞
     chiuso mercoledì e dal 15 dicembre al 15 febbraio – Pas carta 44/54.

AIROLO 6780 **427** ⑮, **218** ⑪ – 1 783 ab. alt. 1 142 – a.s. gennaio-febbraio e luglio-agosto –
Sport invernali : 1 142/2 100 m ≼1 ≼2 – ☎ 094, dall'Italia 00.41.94.

Escursioni Strada★★ del passo della Novena Ovest – Strada★ del San Gottardo Nord verso Andermatt e SE verso Giornico.
Roma 738 – Bellinzona 36 – Locarno 77 – ◆Milano 164.

  🏠 **Delle Alpi**, ☎ 881722, ≼ – 🛗 🍴 **P**. **AE** **E** **VISA**. ⚞ rist
  ➘ *chiuso dal 1° gennaio al 15 marzo* – Pas 20/40 – ⊇ 8 – **24 cam** 55/90 – P 74/80, b.s. 70/75.

  🏠 **Forni**, ☎ 881297, Fax 881523, ≼ – 🛗 ✒ cam ☎ – 🔼 30. **AE** ⓞ **E** **VISA**. ⚞ rist
     chiuso dal 29 ottobre al 7 dicembre – Pas carta 25/48 – **18 cam** ⊇ 60/98 – P 70/88, b.s. 60/78.

ALDESAGO **219** ⑧ – Vedere Lugano.

ASCONA 6612 **427** ㉔, **219** ⑦⑧ – 4 794 ab. alt. 210 – Stazione di villeggiatura, a.s. Pasqua e luglio-ottobre – ☎ 093, dall'Italia 00.41.93 – Vedere Guida Verde Svizzera.
🏌 (marzo-novembre) ☎ 352132, E : 1,5 km.
🔰 via Papio ☎ 355544, Telex 846085.
Roma 698 – Bellinzona 22 – ◆Bern 253 – Como 74 – Locarno 3 – ◆Lugano 43 – ◆Milano 119 – Stresa 52.

  🏨 **Eden Roc** ⚓, via Albarelle ☎ 350171, Telex 846164, Fax 351571, ≼, 🍽, « Giardino in riva al
     lago con ⊥ riscaldata », ⊠, 🛥 – 🛗 TV ☎ 🕭 ➘ **P**. **AE** ⓞ **E** **VISA**. ⚞
     chiuso da dicembre al 10 marzo – Pas carta 48/64 – **50 cam** ⊇ 300/420 appartamenti 460/580
     – P 190/340.

  🏨 **Europe au Lac** ⚓, via Albarelle ☎ 352881, Telex 846075, ≼, 🍽, « Giardino in riva al lago
     con ⊥ riscaldata », ⊠, 🛥 – 🛗 🕭 ➘ **P**. **AE** ⓞ **E** **VISA**
     15 marzo-ottobre – Pas carta 57/89 – **52 cam** ⊇ 195/375 appartamenti 410/520 – P 155/230,
     b.s. 145/220.

  🏨 **Ascona** ⚓, via Collina ☎ 351135, Telex 846035, ≼ lago e monti, 🍽, « Giardino e terrazza
     fiorita con ⊥ riscaldata » – 🛗 🕭 **P**. **AE** ⓞ **E** **VISA**. ⚞ rist
     chiuso gennaio e febbraio – Pas carta 35/58 – **75 cam** ⊇ 115/310 – ½ P 145/185.

  🏨 **Sasso Boretto**, via Locarno 45 ☎ 357115, Telex 846026, 🍽, ⊥, ⊠ – 🛗 🕭 🕭 ➘ **P**. **AE**
     ⓞ **E** **VISA**. ⚞ rist
     15 marzo-ottobre – Pas 25/40 – **47 cam** ⊇ 115/190 – P 98/110, b.s. 90/98.

  🏨 **Michelangelo,** strada della Collina 81 ☎ 358042, ≼, 🍽, ⊥ riscaldata – 🛗 TV ☎ 🕭 ➘. **AE**
     ⓞ **E** **VISA**. ⚞ rist
     Pas *(chiuso giovedì)* carta 40/56 – **17 cam** ⊇ 125/200.

🏛 **Riposo** ॐ, via Borgo 🖋 353164, « Terrazza-solarium panoramica con ⤢ riscaldata » – 🛗 ☎ 🅿. 🎬 rist
20 marzo-25 ottobre – Pas 28/38 – **30 cam** ⚏ 85/170 – P 93/102, b.s. 88/97.

🏛 **Tamaro,** piazza Motta 🖋 350282, Telex 846132, ≼, 🛱 – 🛗 ☎. ﹠ 🎫 Ε 𝖵𝖨𝖲𝖠
15 marzo-15 novembre – Pas carta 31/49 – **51 cam** ⚏ 120/210 – P 99/139, b.s. 94/124.

🏛 **Moro,** strada della Collina 🖋 351081, 🔲, 🚗 – 🛗 ▤ rist 🆃🆅 ☎ 🅿. 🎬 rist
← *marzo-novembre* – Pas 22/35 – 36 cam ⚏ 85/190 – P 99/110, b.s. 89/99.

🏠 **La Perla,** strada della Collina 14 🖋 353577, Telex 846088, ≼ lago e monti, 🚗 – 🛗 ☎ 🅿
stagionale – 30 cam.

XXX ✿ **Ascolago** ॐ con cam, via Albarelle 🖋 352055, Telex 846155, ≼, 🛱, « Giardino in riva al lago », ⤢ riscaldata, 🔲 – 🛗 🆃🆅 ☎ 🅿. ﹠ 🎫 Ε 𝖵𝖨𝖲𝖠. 🎬 rist
chiuso dal 3 novembre al 20 dicembre – Pas *(chiuso sino al 1° marzo e lunedì in bassa stagione)* carta 50/85 – ⚏ 15 – 22 cam 210/310 appartamenti 280/500
Spec. Cappelletti farciti ai carciofi, Rombo grigliato con burro alla salvia, Flan alle mele con zabaione al Ratafià.
Vini Epesses, Merlot del Ticino.

XX **Al Porto** con cam, piazza Motta 🖋 351321, Telex 846126, ≼, 🛱, 🚗 – 🛗 ☎ ﹠. 🎫 ⑪ Ε 𝖵𝖨𝖲𝖠.
🎬 rist
Pas carta 32/54 – **35 cam** ⚏ 100/200.

XX **Al Pontile,** piazza Motta 31 🖋 354604, ≼, 🛱 – ▤. 🎫. 🎬
Pas carta 32/56.

all'Aerodromo NE : 1,5 km :

🏰 **Castello del Sole** ॐ, O : 0,5 km ✉ 6612 🖋 350202, Telex 846138, 🛱, « Parco-giardino », ⤢ riscaldata, 🔲, 🐎, 🎿 – 🛗 🆃🆅 ☎ ﹠ 🅿. 🎬
21 marzo-28 ottobre – Pas carta 65/94 – **70 cam** ⚏ 225/380 appartamenti 270 – P 265/640.

🏨 **Giardino** ॐ, O : 0,5 km ✉ 6612 🖋 350101, Telex 846223, Fax 361094, 🛱, ⤢ riscaldata, 🎿 – 🛗 🆃🆅 ☎ ⟷ 🅿. 🎫 ⑪ Ε 𝖵𝖨𝖲𝖠. 🎬 rist
marzo-novembre – Pas 60/80 – **54 cam** ⚏ 280/500 appartamenti 640/700 – P 240/270.

🏨 **Delta** ॐ, E : 0,5 km ✉ 6612 🖋 350105, Telex 846101, 🛱, « Giardino con ⤢ riscaldata », 🔲, 🎿 – 🛗 🆃🆅 ☎ ﹠ 🅿. 🎫 ⑪ Ε 𝖵𝖨𝖲𝖠. 🎬 rist
aprile-ottobre – Pas 55/90 (vedere anche rist Giardino) – **45 cam** ⚏ 300/450 appartamenti 500/800.

XXX ✿✿ **Giardino,** O : 0,5 km ✉ 6612 🖋 361441, Coperti limitati; prenotare – ▤ 🅿. 🎫 ⑪ Ε 𝖵𝖨𝖲𝖠. 🎬
marzo-novembre; chiuso a mezzogiorno, lunedì e martedì – Pas 100/120
Spec. Mousse de canette, Suprême de caille en chemise de pommes de terre, Scodella Dimitri. **Vini** Vernaccia, Pergole Torte.

X **Aerodromo,** ✉ 6612 🖋 351373, 🛱, ⤢ – 🅿. 🎬
chiuso febbraio e mercoledì da ottobre a marzo – Pas carta 35/55.

a Losone N : 2 km – ✉ 6616 :

🏨 **Losone** ॐ, 🖋 350131, Telex 846080, 🛱, « Giardino con ⤢ riscaldata » – 🛗 🆃🆅 ☎ ﹠ 🅿 – 🏊 30. 🎫 Ε 𝖵𝖨𝖲𝖠. 🎬 rist
15 marzo-10 novembre – Pas carta 41/77 – 78 cam ⚏ 195/330.

🏛 **Alle Arcate,** 🖋 354242, 🛱, ⤢ riscaldata, 🚗 – 🛗 🆃🆅 ☎ 🅿. 🎫 ⑪ Ε 𝖵𝖨𝖲𝖠
Pas *(chiuso domenica e gennaio)* carta 31/50 – **15 cam** ⚏ 85/140 – P 120/190, b.s. 100/120.

🏛 **Elena** ॐ senza rist, 🖋 356326, « Giardino con ⤢ riscaldata » – 🆃🆅 ﹠ 🅿
15 marzo-15 novembre – **20 cam** ⚏ 75/150.

XX **Osteria Delea,** 🖋 357817, Coperti limitati; prenotare, « Servizio estivo sotto un pergolato » – 🎫 Ε 𝖵𝖨𝖲𝖠
chiuso lunedì, martedì a mezzogiorno, gennaio, febbraio e marzo – Pas carta 64/98.

X **Grotto Broggini,** 🖋 351567, 🛱, « Ambiente tipico ticinese », 🚗 – 🅿. 🎫 ⑪ Ε 𝖵𝖨𝖲𝖠
← *aprile-ottobre* – Pas carta 15/35.

al Monte Verità NO : 2 km – alt. 350 :

🏨 **Monte Verità e Villa Semiramis** ॐ, ✉ 6612 🖋 350181, Telex 846209, Fax 356121, ≼ lago e monti, 🛱, « Parco ombreggiato con ⤢ riscaldata e 🎿 » – 🛗 🅿 – 🏊 300. 🎫 ⑪ Ε 𝖵𝖨𝖲𝖠. 🎬 rist
aprile-ottobre – Pas carta 38/55 – **44 cam** ⚏ 185/290 – P 150/225, b.s. 135/205.

sulla strada panoramica di Ronco O : 3 km :

🏨 **Casa Berno** ॐ, ✉ 6612 🖋 353232, Telex 846167, ≼ lago e monti, 🛱, « Terrazza con ⤢ riscaldata », 🚗 – 🛗 ☎ ﹠ 🅿. 🎫 Ε 𝖵𝖨𝖲𝖠. 🎬 rist
marzo-novembre – Pas 40/60 – **60 cam** ⚏ 155/300 appartamenti 340/400 – P 165/195.

Vedere anche : *Ronco Sopra Ascona* SO : 4,5 km.

ALFA-ROMEO e FERRARI via Circonvallazione 27 🖋 351320
RENAULT via Delta 🖋 354324

VW-AUDI via Locarno 124 🖋 352414
VW-PORSCHE-AUDI via Circonvallazione 🖋 357766

693

BELLINZONA 6500 ❹❷❼ ㉘㉙, ❷❶❾ ⑧, ❷❶❽ ⑫ – 16 870 ab. alt. 233 – a.s. luglio-settembre – ✆ 092, dall'Italia 00.41.92.

Vedere Castelli★ : castello di Montebello★, ≼★ dal castello di Sasso Corbaro.

🛈 via Lugano 21 (Villa Turrita) 𝓟 257056, Telex 846260 – via Camminata 6 𝓟 252131.

Roma 681 – ◆Bern 232 – Como 62 – ◆Genève 347 – Locarno 19 – ◆Lugano 31 – ◆Milano 107 – Varese 58.

🏨 **Unione,** via Generale Guisan 1 𝓟 255577, Telex 846277, ☞ – 🛗 📺 ☎ 👌 – 🔬 120. 🆎 ⓿ 🇪
 VISA. 🍴 rist
 chiuso dal 20 dicembre al 15 gennaio – Pas *(chiuso domenica)* carta 40/63 – **35 cam** ⤢ 80/140
 – P 95/125.

🏨 **Internazionale** senza rist, piazza Stazione 𝓟 254333, Telex 846474 – 🛗 📺 ☎ 🅿. 🆎 ⓿ 🇪
 VISA
 20 cam ⤢ 90/130.

🏠 Gamper, viale Stazione 29 𝓟 253792 – 🛗 ☜
 28 cam.

🍽🍽 **Corona,** via Camminata 5 𝓟 252844 – 🆎 ⓿ 🇪 VISA. 🍴
 chiuso domenica – Pas carta 38/59.

 a Sementina SO : 3,5 km – ✉ 6514 – a.s. Pasqua e luglio-settembre :

🏠 **Cereda,** 𝓟 272431, ⤳ riscaldata, ☞ – ☜ 🅿. 🆎 🚿 ⓿ 🇪 VISA
 chiuso dal 26 dicembre al 28 febbraio – Pas *(chiuso lunedì)* carta 36/53 – **21 cam** ⤢ 80/110 –
 P 100/120, b.s. 80/100.

CITROEN via San Gottardo 120 𝓟 292402   PEUGEOT via Lugano 18 𝓟 255274
GM-OPEL via F.Zorzi 43 𝓟 251573   VW-PORSCHE-AUDI via San Gottardo 71 𝓟 253545

BIASCA 6710 ❹❷❼ ⑤, ❷❶❾ ⑫ – 5 694 ab. alt. 304 – Vedere Guida Verde Svizzera – a.s. giugno-settembre – ✆ 092, dall'Italia 00.41.92.

Dintorni Malvaglia : campanile★ della chiesa N : 6 km.

🛈 𝓟 723327.

Roma 701 – Bellinzona 21 – Locarno 40 – ◆Milano 127.

🍽🍽 **Della Posta** con cam, 𝓟 722121 – ☎ 🅿. 🆎 🚿 ⓿ 🇪 VISA. 🍴
 chiuso dal 1° al 15 marzo – Pas carta 49/77 – ⤢ 9 – **11 cam** 70/130 – P 75/95.

🍽 **Al Giardinetto** con cam, 𝓟 721771, 🌴 – 🅿. 🆎 ⓿ 🇪 VISA
 chiuso gennaio – Pas carta 29/51 – **15 cam** ⤢ 50/92 – P 63/80, b.s. 58/75.

FIAT via Chiasso 𝓟 722128   VOLKSWAGEN via Chiasso 𝓟 721855

BIOGGIO 6934 ❹❷❼ ㉘, ❷❶❾ ⑧ – 1 210 ab. alt. 321 – a.s. Pasqua, luglio-agosto e ottobre – ✆ 091, dall'Italia 00.41.91.

Roma 661 – Bellinzona 31 – ◆Bern 264 – ◆Lugano 8 – Luino 19 – ◆Milano 85 – Varese 28.

🍽🍽 **Grotto Antico,** 𝓟 591239, prenotare, « Servizio estivo in giardino ombreggiato » – 🅿. 🆎
 ⓿ 🇪 VISA
 Pas carta 42/62.

BISSONE 6816 ❹❷❼ ㉘, ❷❶❾ ⑧ – 726 ab. alt. 274 – a.s. Pasqua, luglio-settembre – ✆ 091, dall'Italia 00.41.91.

Roma 646 – Bellinzona 38 – ◆Bern 270 – Como 24 – ◆Lugano 8 – ◆Milano 69.

🍽🍽 **Elvezia,** 𝓟 687374, 🌴 – 🅿 ⓿ 🇪 VISA
 chiuso lunedì e febbraio – Pas carta 30/47.

BOSCO LUGANESE 6935 ❷❶❾ ⑧ – 271 ab. alt. 533 – a.s. Pasqua, luglio-agosto e ottobre – ✆ 091, dall'Italia 00.41.91.

Roma 667 – ◆Lugano 11 – ◆Milano 88.

🏨 **Villa Margherita** 🦢, 𝓟 591431, Telex 844547, ≼ lago di Lugano e monti, « Parco-giardino
 con ⤳ riscaldata », 🔲 – 📺 ☎ ☜ 🅿 – 🔬 60. 🆎 ⓿ 🇪 VISA. 🍴 rist
 aprile-20 ottobre – Pas carta 48/82 – **39 cam** ⤢ 140/270 appartamenti 300/380.

BREGANZONA 6932 ❷❶❾ ⑧ – 3 932 ab. alt. 439 – a.s. luglio e agosto – ✆ 091, dall'Italia 00.41.91.

Roma 655 – Bellinzona 27 – ◆Lugano 4 – ◆Milano 81.

🏠 **Villa Marita,** 𝓟 560561, « Giardino con ⤳ riscaldata » – ☜ 🅿. VISA. 🍴 rist
➡ *chiuso dal 22 dicembre al 1° febbraio* – Pas *(chiuso a mezzogiorno)* 20/24 – 19 cam ⤢ 65/110.

BRIONE ❹❷❼ ㉘, ❷❶❾ ⑧, ❷❶❽ ⑫ – Vedere Locarno.

BRISSAGO 6614 🔢 ㉘, 🔢 ⑦ – 1 856 ab. alt. 210 – Stazione di villeggiatura, a.s. luglio e agosto – ☯ 093, dall'Italia 00.41.93.

🛈 via Cantonale ✆ 651170.

Roma 706 – Bellinzona 30 – ◆Bern 262 – Locarno 11 – ◆Milano 127 – Stresa 44.

🏨 **Villa Caesar** ⑤, ✆ 652766, Telex 846144, Fax 653104, ≤ lago e monti, 🍽, ⌇ riscaldata, 🔲 – ▮ ▤ rist 📺 ☎ 🚗 🅿 – 🛗 35. 🖭 ⑩ 🗲 𝗩𝗜𝗦𝗔, ℠ rist
aprile-ottobre – Pas carta 45/70 – 32 cam ⬚ 260/390 appartamenti 360/440.

🏨 **Mirto au Lac** ⑤, ✆ 651328, Fax 651333, ≤ – ▮ ⤢ ☎ ⅙, 𝗩𝗜𝗦𝗔. ℠
aprile-novembre – Pas carta 27/45 – **24 cam** ⬚ 65/140.

🏨 **Rivabella** senza rist, ✆ 651137, ≤, « Terrazza-giardino sul lago » – ▮ ☎ 🅿. ℠
aprile-ottobre – **18 cam** ⬚ 80/100.

🏠 **Mirafiori**, ✆ 651234, ≤, « Terrazza ombreggiata sul lago », 🚣 – ▮ ⤢ cam 🅿. ℠ rist
20 marzo-ottobre – Pas 20/40 – 17 cam ⬚ 60/130.

🏠 **Verbano** senza rist, ✆ 651232, ≤ – ▮ ⅙ 🅿. ⑩ 𝗩𝗜𝗦𝗔
chiuso dal 21 dicembre al 27 gennaio – **19 cam** ⬚ 80.

a Piodina SO : 3 km – alt. 360 – ✉ 6614 Brissago :

🏨 **La Favorita** ⑤, ✆ 652061, ≤ lago e monti, 🍽, ⌇ riscaldata, 🛋 – ▮ 📺 ☎ 🅿. 🖭 ⑩ 𝗩𝗜𝗦𝗔
chiuso febbraio – Pas carta 30/58 – **16 cam** ⬚ 110/150 – P 125/160.

CADEMARIO 6936 🔢 ⑧ – 472 ab. alt. 770 – a.s. Pasqua, luglio-agosto e ottobre – ☯ 091, dall'Italia 00.41.91.

Dintorni Monte Lema★ : ⹇★★ per seggiovia da Miglieglia.

Roma 666 – Bellinzona 35 – ◆Bern 268 – ◆Lugano 13 – Luino 24 – ◆Milano 90 – Varese 33.

🍴 **Cacciatori** ⑤ con cam, NE : 1,5 km ✆ 592236, ≤, « Servizio estivo all'aperto », 🚣 – 📺 🕾 🅿. 🖭 ⑩ 🗲 𝗩𝗜𝗦𝗔
20 marzo-3 novembre – Pas carta 42/67 – **16 cam** ⬚ 65/140.

CARDADA 🔢 ⑦⑧, 🔢 ⑪ – Vedere Locarno.

CARONA 6914 🔢 ⑧ – 589 ab. alt. 602 – ☯ 091, dall'Italia 00.41.91.

Roma 663 – Bellinzona 39 – ◆Bern 295 – Como 40 – ◆Lugano 8,5 – ◆Milano 86.

🍴 **Pan Perdü,** ✆ 689192, 🍽 – 🅿. 🖭 ⑩ 𝗩𝗜𝗦𝗔. ℠
15 marzo-15 novembre ; chiuso martedì – Pas carta 40/60.

CASLANO 🔢 ㉘, 🔢 ⑧ – Vedere Ponte Tresa.

CASTAGNOLA 🔢 ⑧ – Vedere Lugano.

CERESIO Vedere Lugano (Lago di).

CHIASSO 6830 🔢 ㉘㉙, 🔢 ⑧ – 8 606 ab. alt. 236 – a.s. Pasqua e luglio-settembre – ☯ 091, dall'Italia 00.41.91.

Roma 627 – Como 5 – ◆Lugano 26 – Menaggio 34 – ◆Milano 50.

🏨 **Corso,** via Valdani ✆ 445701, Telex 842309 – ▮ ▤ 📺 ☎ ⅙ – 🛗 90. 🖭 ⑩ 🗲 𝗩𝗜𝗦𝗔
Pas *(chiuso domenica ed agosto)* carta 41/61 – **26 cam** ⬚ 80/140.

🏨 **Centro** senza rist, corso San Gottardo 80 ✆ 434402 – 📺 ☎ 🚗. 🖭 ⑩ 🗲 𝗩𝗜𝗦𝗔
18 cam ⬚ 70/110.

🍴🍴🍴 Antico, con cam, via Favre 12 ✆ 447221, 🍽, 🚣 – ☎ 🅿 – 18 cam.

CHIGGIOGNA 6799 🔢 ⑤, 🔢 ⑫ – 394 ab. alt. 668 – ☯ 094, dall'Italia 00.41.94.

Roma 725 – Bellinzona 41 – Locarno 60 – ◆Milano 147.

🍴🍴 **La Conca,** ✆ 382366, 🍽, « Ambiente tipico ticinese » – 🅿
chiuso mercoledì – Pas carta 29/45.

CUREGLIA 🔢 ⑧ – Vedere Lugano.

FAIDO 6760 🔢 ⑤, 🔢 ⑫ – 1 579 ab. alt. 717 – a.s. luglio e agosto – ☯ 094, dall'Italia 00.41.94.

Vedere Guida Verde Svizzera.

🛈 piazza Franscini ✆ 381616.

Roma 722 – Bellinzona 41 – Locarno 60 – ◆Milano 147.

🏠 **Pedrinis,** ✆ 381241 – 🖭 ⑩ 🗲 𝗩𝗜𝗦𝗔
chiuso dal 23 dicembre al 30 gennaio – Pas *(chiuso domenica e lunedì sera da ottobre a Pasqua)* 20/26 – **17 cam** ⬚ 38/68 – P 62/65.

GANDRIA 6978 **427** ㉔, **219** ⑧ – 200 ab. alt. 295 – ✆ 091, dall'Italia 00.41.91.

Vedere Guida Verde Svizzera.

Roma 659 – Bellinzona 36 – ◆Bern 269 – Como 37 – ◆Lugano 5 – Luino 28 – ◆Milano 82.

　✗　**Antico-da Bartolini,** ℘ 514871, « Terrazza con ≤ »
　　chiuso mercoledì da novembre a marzo e dal 10 gennaio al 15 febbraio – Pas carta 40/52.

　✗　**Locanda Gandriese,** ℘ 518573, ≤ – 🆎 **E** 𝘝𝘐𝘚𝘈
　　chiuso gennaio, febbraio e martedì da novembre ad aprile – Pas carta 32/68.

GENEROSO (Monte) 427 ㉔㉕, 219 ⑧ – alt. 1 703 – a.s. Pasqua e luglio-settembre.

Vedere ❄★★★.

Capolago 50 mn di ferrovia a cremagliera.

da Capolago : Roma 641 – Bellinzona 45 – ◆Bern 278 – Como 19 – ◆Lugano 13 – ◆Milano 64 – Varese 22.

　✗　**Vetta** con cam, ☒ 6825 Capolago ℘ (091) 687722, ❄ Alpi e laghi – 🛗
　◆　*15 marzo-15 novembre* – Pas 22/32 – 7 cam ☲ 30/60.

GIUBIASCO 6512 **427** ㉔㉕, **219** ⑧ – 6 791 ab. alt. 239 – a.s. Pasqua e luglio-settembre –
✆ 092, dall'Italia 00.41.92.

Roma 679 – Bellinzona 2 – ◆Bern 235 – Locarno 18 – ◆Lugano 31 – ◆Milano 105.

　✗✗　**San Giobbe,** con cam, ℘ 272972, 🌳 – ❷
　　10 cam.

　✗　**Unione** con cam, ℘ 271616, 🌳, 🛏 – 𝘝𝘐𝘚𝘈, ⅗ rist
　　chiuso dal 21 dicembre al 15 gennaio – Pas *(chiuso sabato)* carta 28/38 – **8 cam** ☲ 35/65.

FIAT via Olgiati 26 ℘ 272541　　　　　　　　　　RENAULT via Monte Ceneri 20 ℘ 271361

GNOSCA 6525 **427** ㉔ ㉕, **218** ⑫ – 417 ab. alt. 277 – ✆ 092, dall'Italia 00.41.92.

Roma 688 – Bellinzona 8 – ◆Milano 115.

　✗　**Lessy-da Mano,** ℘ 291941, 🌳, 🛏 – ❷, 🆎 ⓪ 𝘝𝘐𝘚𝘈, ⅗
　　chiuso lunedì e dal 26 luglio al 14 agosto – Pas carta 25/40.

INTRAGNA 6655 **427** ㉔, **219** ⑦, **218** ⑪ – 835 ab. alt. 362 – a.s. Pasqua e luglio-ottobre –
✆ 093, dall'Italia 00.41.93.

Roma 704 – Domodossola 40 – Locarno 9 – ◆Milano 125.

　✗✗　**Stazione-da Agnese** con cam, ℘ 811212, ≤, 🏊 riscaldata, 🛏 – 📺 ❷, **E** 𝘝𝘐𝘚𝘈
　　chiuso gennaio e febbraio – Pas carta 45/59 – ☲ 13 – **10 cam** 70/100.

LAGO MAGGIORE o VERBANO ★★★ Cantone Ticino, Novara e Varese 427 ㉔, 219 ⑤⑦⑧⑰ –
Vedere Guida Verde Italia.

LAVORGO 6746 **427** ⑮, **218** ⑫ – alt. 622 – a.s. febbraio e dicembre – ✆ 094, dall'Italia
00.41.94.

Dintorni Chiesa di San Nicolao★ a Giornico S : 5,5 km.

Roma 715 – Bellinzona 35 – Locarno 54 – ◆Milano 141.

　🏠　**Defanti,** ℘ 391434 – ⬾ cam. **E** 𝘝𝘐𝘚𝘈, ⅗ rist
　◆　*chiuso gennaio* – Pas 15/30 – **28 cam** ☲ 38/68 – P 60/69, b.s. 55/64.

LOCARNO 6600 **427** ㉔, **219** ⑧, **218** ⑪⑫ – 14 286 ab. alt. 214 – Stazione di villeggiatura, a.s.
Pasqua e luglio-ottobre – Sport invernali : a Cardada : 1 350/1 720 m ⚡4 – ✆ 093, dall'Italia
00.41.93.

Vedere Lago Maggiore★★★ – Santuario della Madonna del Sasso★ : ≤★ AY per via ai Monti della
Trinità o per funicolare (6 mn) – ≤★★ dall'Alpe di Cardada Nord per funivia – Monte Cimetta★★ :
❄★★ Nord per seggiovia.

Escursioni Circuito di Ronco★★ : ≤★★ sul lago dalla strada per Losone e Ronco.

🏌 (marzo-novembre) ad Ascona ☒ 6612 ℘ 352132, per ② : 6,5 km.

🛈 via Balli 2 ℘ 318633, Telex 8646147.

Roma 695 ① – Bellinzona 19 ① – ◆Bern 252 ① – ◆Genève 327 ② – ◆Lugano 40 ① – ◆Milano 116 ①.

Pianta pagina a lato

　🏨　**La Palma au Lac,** viale Verbano 29 ℘ 330171, Telex 846124, Fax 333974, ≤, 🏊, 🐾 – 🛗 📺
　　☎ ❷ – 🛗 80. 🆎 ⓪ **E** 𝘝𝘐𝘚𝘈, ⅗ rist　　　　　　　　　　　　　　　　　　　　　BY **u**
　　Pas 35/48 (vedere anche rist Coq d'Or) – **59 cam** ☲ 190/320 appartamenti 400 – P 250.

　🏨　**Reber au Lac,** viale Verbano 55 ℘ 330202, Telex 846074, ≤, 🌳, « Terrazza fiorita », 🏊 ris-
　　caldata, 🐾, 🛏, ✗ – 🛗 📺 ❷ – 🛗 100. 🆎 ⓪ **E** 𝘝𝘐𝘚𝘈, ⅗ rist　　　　　　　　　　　BY **s**
　　Pas 45/75 – **90 cam** ☲ 180/320 appartamenti 300/530 – P 155/245, b.s. 140/215.

LOCARNO

0 — 300 m

Gd H. Locarno, via Sempione 17 ℰ 330282, Telex 846143, ≤, « Parco con ⌁ riscaldata », ⁂ – 📶 📺 ☎ 🅿 – 🔬 80. 🆎 ⑩ Ɛ 𝒱𝐼𝑆𝐴. 🏵 rist   BY e
15 marzo-ottobre – Pas al Rist. **Alle Grotte** carta 20/57 – **83 cam** ⊇ 125/250 – P 140/180, b.s. 130/170.

Muralto, piazza Stazione ℰ 330181, Telex 846126, ≤ – 📶 ▤ rist 📺 ☎ – 🔬 200. 🆎 ⑩ Ɛ 𝒱𝐼𝑆𝐴   BY z
Pas carta 50/67 – **76 cam** ⊇ 165/270 – P 165/195.

Arcadia, lungolago Motta ℰ 310282, Telex 846005, Fax 315803, ≤, ⌁ riscaldata, 🐴 – 📶 ☎ 🕹 🚗 🅿. 🆎 ⑩ Ɛ 𝒱𝐼𝑆𝐴. 🏵 rist   BZ a
chiuso gennaio e febbraio – Pas 24/49 – **90 cam** ⊇ 150/217 – P 131/185, b.s. 103/120.

Quisisana, via del Sole 17 ℰ 330141, Telex 846020, ≤, « Terrazze fiorite », 🔲, 🐴, ⁂ – 📶 ▤ rist 🕹 🅿. 🆎 ⑩ Ɛ 𝒱𝐼𝑆𝐴. 🏵 rist   BY a
Pas 35/50 – **70 cam** ⊇ 130/240 – P 130/150, b.s. 120/140.

Beau Rivage, lungolago Motta ℰ 331355, Telex 846152, ≤ – 📶 ☎ 🅿. 🆎 🕙 ⑩ Ɛ 𝒱𝐼𝑆𝐴. 🏵 rist   BY u
marzo-ottobre – Pas 25 – **50 cam** ⊇ 85/170 – P 95/125.

Du Lac senza rist, via Ramogna 3 ℰ 312921, ≤ – 📶 🕸 🕹. 🆎 🕙 ⑩ Ɛ 𝒱𝐼𝑆𝐴   BY d
marzo-15 novembre – **31 cam** ⊇ 65/120.

Dell'Angelo, piazza Grande ℰ 318175, Telex 846544 – 📶 ☎. 🆎 🕙 ⑩ Ɛ 𝒱𝐼𝑆𝐴. 🏵 rist   AY a
Pas carta 28/48 – **50 cam** ⊇ 75/140 – P 98/115, b.s. 90/105.

Zurigo, lungolago Motta ℰ 331617, ≤, 🌳 – 📶 🕸 rist ☎ – 🔬 40. 🆎 ⑩ Ɛ 𝒱𝐼𝑆𝐴   BY w
Pas carta 27/50 – **28 cam** ⊇ 95/178.

Palmiera, via del Sole 1 ℰ 331441, « Piccolo giardino fiorito » – 📶 🕸 🅿. 🆎 𝒱𝐼𝑆𝐴   BY f
chiuso dal 15 novembre al 1° marzo – Pas 22/26 – **25 cam** ⊇ 65/116 – P 75/94, b.s. 70/88.

Montaldi senza rist, piazza Stazione 7 ℰ 330222 – 📶 🕹 🅿. 🆎 ⑩ Ɛ 𝒱𝐼𝑆𝐴   BY n
chiuso dal 10 gennaio al 10 marzo – **56 cam** ⊇ 53/106.

XXXX ✿ **Coq d'Or,** viale Verbano 29 ℘ 330171 – 🖭 🅿 ⅀ⅇ Ⓞ ℇ 𝗩𝗜𝗦𝗔. 🗶 BY **u**
chiuso a mezzogiorno, lunedì, martedì e gennaio – Pas carta 55/90
Spec. Petite salade au foie gras de canard sauté, Filet d'agneau farci aux courgettes aubergines et tomates, Soufflé aux fruits de saison. **Vini** Merlot del Ticino.

XXX ✿✿ **Centenario,** lungolago Motta 17 ℘ 338222, prenotare – ⅀ⅇ 🗑 Ⓞ ℇ 𝗩𝗜𝗦𝗔. 🗶 BY **m**
chiuso domenica, lunedì (escluso i festivi), dal 4 al 24 febbraio e dal 1° al 15 luglio – Pas carta 57/98
Spec. Tartare de loup et saumon au caviar, Carré d'agneau à la moutarde, Soufflé aux fruits de saison. **Vini** Mattirolo, Merlot del Ticino.

XX **La Cittadella,** via Cittadella 12 ℘ 315885 – 🖭. ⅀ⅇ ℇ 𝗩𝗜𝗦𝗔 AY **r**
chiuso lunedì e martedì a mezzogiorno – Pas carta 40/74.

XX **Cervo** con cam, via Torretta 11 ℘ 314131 AY **g**
← Pas *(chiuso domenica sera, lunedì e novembre)* carta 22/50 – **6 cam** ⊆ 60/100 – P 75/90.

X **Antica Osteria,** via dei Pescatori 8 ℘ 338794, 🌦 BY **b**
chiuso dal 10 al 20 febbraio, dal 25 giugno al 15 luglio, mercoledì a mezzogiorno in alta stagione, tutto il giorno negli altri mesi – Pas carta 32/55.

ad Orselina N : 2 km ABY – alt. 456 – ✉ 6644 :

🏨 **Orselina** 🦢, ℘ 330232, Telex 846161, Fax 336221, ≤ lago e monti, 🌦, « Giardino con ⤳
riscaldata », ⬛ – 🛗 📺 ♿ 🅿 🗶 rist AY **c**
marzo-novembre – Pas 35/45 – 76 cam ⊆ 135/270 appartamenti 340/390.

🏨 **Mirafiori,** ℘ 331877, Fax 337739, ≤, « Servizio rist. estivo all'aperto », ⤳ riscaldata, 🛏 – 🛗
☎ 🅿. ⅀ⅇ Ⓞ ℇ 𝗩𝗜𝗦𝗔. 🗶 rist AY **h**
marzo-10 novembre – Pas carta 28/44 – **28 cam** ⊆ 80/140.

X **Della Posta,** ℘ 334645, Coperti limitati; prenotare – ⅀ⅇ Ⓞ ℇ 𝗩𝗜𝗦𝗔 AY **b**
← *chiuso mercoledì e febbraio* – Pas carta 13/60.

a Minusio per ① : 2 km – alt. 246 – ✉ 6648 :

🏨 **Remorino** senza rist, ℘ 331033, « Giardino con ⤳ riscaldata » – 🛗 ☎ 🅿
10 marzo-ottobre – **25 cam** ⊆ 90/180.

XXX ✿ **Pierre de Lusi-Le Petit Champignon,** ℘ 331166, solo su prenotazione, 🛏 – 🅿. ⅀ⅇ ℇ
𝗩𝗜𝗦𝗔. 🗶
chiuso martedì – Pas carta 60/98
Spec. Feuilleté de langoustines (ottobre-aprile), Truite du lac au basilic (aprile-settembre), Noisettes de chevreuil aux raisins à l'Armagnac (autunno). **Vini** Dezaley, Merlot del Ticino.

XX **Navegna** con cam, ℘ 332222, ≤, « Terrazza ombreggiata in riva al lago » – 🕾 🅿. Ⓞ ℇ 𝗩𝗜𝗦𝗔.
🗶 rist
marzo-ottobre – Pas carta 47/65 – **20 cam** ⊆ 55/140 – ½ P 70/85, b.s. 60/75.

X **Campagna** con cam, ℘ 332054, ≤, « Insieme rustico ticinese con servizio estivo all'aperto »
– 🕾 🅿. ℇ
marzo-ottobre – Pas carta 30/40 – **15 cam** ⊆ 48/86.

a Brione per ① : 4,5 km – alt. 450 – ✉ 6645 :

🏨 **Dellavalle e Rist. Landò** 🦢, ℘ 330121, Telex 846153, Fax 333517, ≤ lago e monti, « Terrazza
panoramica con ⤳ riscaldata », 🛏, 🗶 – 🛗 🖭 rist 📺 ☎ 🅿. ⅀ⅇ Ⓞ ℇ 𝗩𝗜𝗦𝗔
chiuso da gennaio al 15 marzo – Pas carta 28/46 – **50 cam** ⊆ 140/230 appartamenti 270/330
– ½ P 150/175.

a Cardada NO : 5 mn di funicolare e 10 mn di funivia AY – alt. 1 350 – ✉ 6611 :

X **Cardada** 🦢 con cam, ℘ 315591, ≤ monti e lago
14 cam.

ALFA-ROMEO piazza Cinque Vie ℘ 311616   PEUGEOT piazza Castello ℘ 314493
BMW a Minusio, via Simen 56 ℘ 334056
FIAT e LANCIA-AUTOBIANCHI via Ciseri 19 ℘
314880

▮**LOSONE** 𝟒𝟐𝟳 ㉔, 𝟮𝟭𝟵 ⑦, 𝟮𝟭𝟴 ⑪ – Vedere Ascona.

▮**LUGANO** 6900 𝟒𝟮𝟳 ㉔, 𝟮𝟭𝟵 ⑧ – 27 023 ab. alt. 273 – Stazione di villeggiatura e climatica, a.s.
Pasqua-ottobre – ✪ 091, dall'Italia 00.41.91.

Vedere Pinacoteca★★★ nella Villa Favorita BX – Lago★★ BX – Parco Civico★★ ABX – Affreschi★★
nella chiesa di Santa Maria degli Angeli Z.

Dintorni Monte San Salvatore★★★ 15 mn di funicolare AX – Monte Brè★★ E : 10 km o 20 mn di
funicolare BVX – ≤★★ dalla strada per Morcote – Morcote★★ : santuario di Santa Maria del
Sasso★★ S : 12 km.

🛦 a Magliaso ✉ 6983 ℘ 711557, per ⑤ : 10 km.

✈ di Agno SO : 6 km AX ℘ 505001 – Swissair via Pretorio 9 ℘ 236331.

🚃 riva Albertolli 5 ℘ 214664, Telex 73170.

Roma 654 ④ – ◆Bergamo 90 ④ – Como 34 ④ – Locarno 40 ① – ◆Milano 77 ④ – Novara 105 ④.

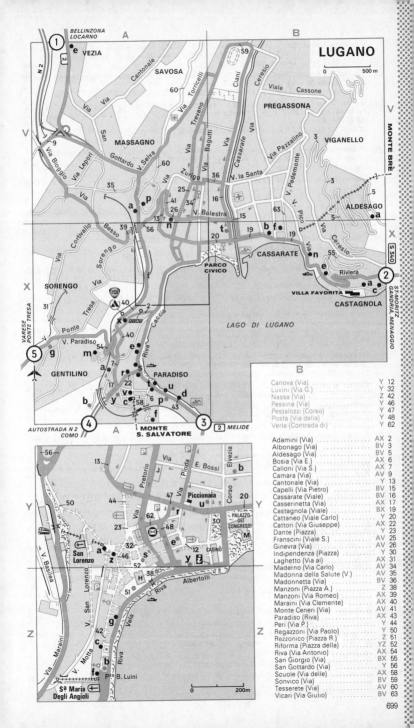

LUGANO

0   500 m

699

Principe Leopoldo ⚜, via Montalbano 5 ☎ 558855, Telex 843250, Fax 542538, ≤ lago e monti, « Giardino con ⤰ riscaldata », ❄ – ⧉ TV ☎ ⇌ Ⓟ – 🛗 60. ⅀ ⓞ ⅀ ⅀. ❄ rist
Pas carta 78/101 – **24 cam** ⧠ 350/400.
AX **m**

Splendide Royal, riva Caccia 7 ☎ 542001, Telex 844273, Fax 548931, ≤ lago e monti, 🔲 – ⧉
⧉ TV ☎ ⇌ Ⓟ – 🛗 200. ⅀ ⓞ ⅀ ⅀. ❄ rist
Pas carta 64/98 – **115 cam** ⧠ 220/390 appartamenti 600/900 – P 260/310, b.s. 220/260.
AX **e**

Gd H. Villa Castagnola ⚜, viale Castagnola 31 ⊠ 6906 Lugano-Cassarate ☎ 512213, Telex 841200, Fax 527271, ⛲, « Parco fiorito », 🔲, 🐾, ❄ – ⧉ TV ☎ ⇌ Ⓟ – 🛗 30.
ⓞ ⅀ ⅀. ❄ rist
BX **n**
chiuso gennaio e febbraio – Pas 30/40 – **97 cam** ⧠ 190/280 appartamenti 350/600 – P 145/250, b.s. 135/170.

Pullman Commodore e Rist. Nettuno, riva Caccia 6 ☎ 543921, Telex 844353, Fax 543744, ≤ lago e monti – ⧉ ⧉ TV ☎ 🛗 – 🛗 50. ⅀ ⓞ ⅀ ⅀. ❄ rist
AX **e**
Pas carta 48/73 – **58 cam** ⧠ 150/240 appartamenti 280/310.

Bellevue au Lac, riva Caccia 10 ☎ 543333, Telex 844348, Fax 541273, ≤ lago e monti, « Servizio rist. estivo in terrazza », ⤰ riscaldata – ⧉ ☎ Ⓟ – 🛗 40. ⅀ 🕻 ⅀ ⅀. ❄ rist
AX **s**
aprile-ottobre – Pas carta 29/52 – **70 cam** ⧠ 140/260 – P 190/200.

Lugano-Dante ⚜, senza rist, piazza Cioccaro 5 ☎ 229561, Telex 844149, Fax 226402 – ⧉
TV ☎ ⅀ ⓞ ⅀ ⅀. ❄
55 cam ⧠ 140/210.
Y **a**

Excelsior e Grill Riviera, riva Vela 4 ☎ 228661, Telex 844187, Fax 228189, ≤ lago e monti –
⧉ ⧉ rist TV ☎ – 🛗 120. ⅀ ⓞ ⅀ ⅀
Z **g**
Pas carta 58/85 – **81 cam** ⧠ 130/180 appartamenti 250 – P 155/195.

De la Paix, via Cattori 18 ☎ 542331, ≤, ⤰ riscaldata, 🐎 – ⧉ ⧉ cam TV ☎ Ⓟ
– 🛗 100 a 180. ❄ rist
AX **r**
Pas carta 40/73 – **85 cam** ⧠ 150/270 appartamenti 400/600 – P 205/220, b.s. 200/215.

International au Lac, via Nassa 68 ⊠ 6901 ☎ 227541, Telex 840017, ≤, 🐎 – ⧉ ⅀. ⅀ ⓞ
⅀ ⅀. ❄ rist
Z **f**
marzo-ottobre – Pas 19/26 – **80 cam** ⧠ 108/184 – P 93/138.

Delfino, via Casserinetta 6 ⊠ 6902 Lugano-Paradiso ☎ 545333, Telex 844359, ⤰ riscaldata
– ⧉ ⧉ rist ⅀ ⅀. ⅀ ⓞ ⅀ ⅀. ❄ rist
AX **a**
marzo-ottobre – Pas 25/35 – 50 cam ⧠ 90/160 – P 95/110.

Cassarate Lago, viale Castagnola 21 ⊠ 6906 Lugano-Cassarate ☎ 522412, Telex 841252,
⤰ riscaldata – ⧉ ⧉ TV ☎ 🛗. ⅀ ⓞ ⅀ ⅀
BX **b**
Pas carta 35/93 – **44 cam** ⧠ 110/180 – P 155, b.s. 135.

Ticino ⚜, piazza Cioccaro 1 ☎ 227772, Telex 841324 – ⧉ ⧉ cam ☎. ⅀ ⅀ ⅀. ❄ rist Y **z**
chiuso dal 1° gennaio al 15 febbraio – Pas carta 66/87 – **23 cam** ⧠ 160/280 – P 180/200.

La Residenza, piazza della Riscossa 16 ⊠ 6906 Lugano-Cassarate ☎ 521831, Telex 841154
– ⧉ TV ☎ Ⓟ. ⅀ ⅀ ⅀. ❄ rist
BX **f**
Pas 22/30 – **40 cam** ⧠ 95/150 – P 117/137.

Arizona, via Massagno 20 ☎ 229343, Telex 844179, ⤰ riscaldata – ⧉ ☎ Ⓟ. ⅀ 🕻 ⓞ ⅀ ⅀.
❄
AV **p**
Pas carta 30/49 – 50 cam ⧠ 110/180 – P 95/105, b.s. 80/95.

Washington, via San Gottardo 55 ⊠ 6903 ☎ 564136, « Parco ombreggiato » – ⧉ ❄ ⧉ rist
☎ 🛗 Ⓟ. ⅀ ⓞ ⅀ ⅀. ❄
AV **a**
20 marzo-ottobre – Pas 18/24 – **41 cam** ⧠ 72/124 – P 76/96.

Colorado, via Maraini 19 ⊠ 6901 ☎ 541631, Telex 844356, Fax 549065 – ⧉ TV ☎ Ⓟ – 🛗 90.
⅀ ⓞ ⅀ ⅀. ❄
AX **x**
Pas (chiuso luglio) carta 45/65 – **32 cam** ⧠ 90/160 appartamento 250 – P 150/200, b.s. 140/190.

Everest senza rist, via Ginevra 7 ☎ 229555, Telex 840057 – ⧉ TV ⅀. ⅀ ⅀ ⅀
AV **n**
50 cam ⧠ 100/175.

Nassa senza rist, via Nassa 62 ☎ 232833, ≤ – ⧉ ⅀ 🛗. ⅀ ⓞ ⅀ ⅀
Z **c**
30 cam ⧠ 100/170.

XXX ❀ **Al Portone**, viale Cassarate 3 ☎ 235995, Coperti limitati; prenotare – ❄
BX **t**
chiuso domenica, lunedì a mezzogiorno, dal 1° al 15 gennaio e dal 1° al 28 agosto – Pas carta 75/111
Spec. Carpaccio di pescatrice con insalatina di scampi, Tagliatelle al fegato d'anitra, Schiena di coniglio alle erbe fresche. **Vini** Epesses, Merlot del Ticino.

XX **Galleria**, via Vegezzi 4 ☎ 236288, prenotare – ⅀. ⅀ ⓞ ⅀ ⅀. ❄
Y **e**
chiuso domenica e dal 7 al 20 agosto – Pas carta 45/77.

XX **Huguenin**, riva Albertolli 1 ☎ 228801 – ⅀ ⓞ ⅀ ⅀
YZ **y**
chiuso lunedì da novembre a marzo – Pas carta 47/58.

XX **Orologio**, via Nizzola 2 ☎ 232338 – ⅀. ⅀ ⓞ ⅀ ⅀. ❄
Y **r**
chiuso sabato e dal 2 al 21 agosto – Pas carta 30/59.

XX **Da Armando**, via Luigi Canonica 5 ☎ 233766, Coperti limitati; prenotare – ⅀ ⓞ ⅀
⅀
Y **b**
chiuso sabato a mezzogiorno, domenica ed agosto – Pas carta 49/78.

XX **Scala,** via Nassa 29 ☎ 220958 – ▤. AE ⓞ E VISA. ✻ Z **b**
chiuso domenica – Pas carta 39/57.

XX **Gambrinus,** piazza della Riforma ☎ 231955, 余 – ▤. AE ⓞ E VISA Y **s**
chiuso febbraio – Pas carta 33/64.

X **Locanda del Boschetto,** via al Boschetto 8 (Cassarina) ☎ 542493, « Servizio estivo all'aperto » – ⓟ. AE ⓞ E VISA AX **b**
chiuso lunedì e gennaio – Pas carta 35/57.

X **Cyrano,** corso Pestalozzi 27 ☎ 232879, prenotare – ⓟ. AE ⓞ E VISA Y **u**
chiuso domenica e da maggio a settembre anche sabato a mezzogiorno – Pas carta 27/53.

a Lugano-Paradiso S : 1,5 km AX – ✉ **6902** :

Gd H. Eden e Rist. L'Oasis, riva Paradiso 7 ☎ 550121, Telex 844330, Fax 542895, ≤ lago e monti, 余, « Terrazza sul lago con ▣ », ⛵ – ▣ ▤ TV ☎ ⇔ ⓟ – 🏛 120. AE ⓞ E VISA. ✻ rist AX **t**
Pas carta 45/65 – **130 cam** ▭ 190/370 appartamenti 740/1200 – P 275/280.

Du Lac-Seehof e Rist. L'Arazzo, riva Paradiso 3 ☎ 541921, Telex 844355, Fax 546173, ≤ lago e monti, « Terrazza sul lago con ⛱ riscaldata » – ▣ TV ☎ ♿ ⓟ – 🏛 40. AE ⓞ E VISA. ✻ AX **u**
chiuso dal 5 gennaio al 20 marzo – Pas carta 45/70 – **53 cam** ▭ 150/250 appartamenti 300/370 – P 185/210.

Admiral e Rist. Nelson Grill, via Geretta 15 ☎ 542324, Telex 844281, Fax 542548, « ⛱ su terrazza panoramica », ▣ – ▣ ☎ ♿ ⇔ – 🏛 70. AE ⓞ E VISA. ✻ rist AX **v**
Pas carta 42/84 – **92 cam** ▭ 175/270 appartamenti 300/540 – P 215/255.

Europa au Lac, via Cattori 1 ☎ 550171, Telex 844333, Fax 542757, ≤ lago e monti, ▣ – ▣ ▤ cam TV ☎ ⓟ – 🏛 30 a 120. AE ⓢ ⓞ E VISA. ✻ rist AX **s**
Pas carta 43/61 – **100 cam** ▭ 175/270 appartamenti 320/540 – P 215/255.

Alba, via delle Scuole 11 ☎ 543731, Telex 844371, « Giardino fiorito » – ▣ ▤ rist TV ☎. AE ⓞ E VISA. ✻ rist AX **c**
Pas carta 38/60 – **21 cam** ▭ 130/208 – P 130/165.

Conca d'Oro, riva Paradiso 7 ☎ 543131, Telex 841308, ≤ lago e monti, 余 – ▣ ☎ ⓟ. AE ⓞ E VISA. ✻ rist AX **d**
marzo-3 novembre – Pas carta 38/60 – **35 cam** ▭ 100/160 – P 85/120, b.s. 75/95.

Nizza ⛰, via Guidino 14 ☎ 541771, Telex 844305, ≤ lago e monti, « Giardino ombreggiato con ⛱ riscaldata » – ▣ ☎ ⓟ. VISA. ✻ rist AX **f**
aprile-15 ottobre – Pas *(chiuso a mezzogiorno)* 24/40 – **36 cam** ▭ 94/176 – ½ P 85/100, b.s. 77/92.

XX **Al Faro,** riva Paradiso 36 ☎ 545141 – ▤ ⓟ. AE ⓞ E VISA. ✻ AX **p**
Pas (solo piatti di pesce) carta 60/70.

X **Geretta-da Erika e Nicola,** via Geretta 2 ☎ 543151, 余 – AE ⓢ ⓞ E VISA. ✻ AX **y**
chiuso agosto, domenica e i giorni festivi – Pas carta 31/62.

a Lugano-Castagnola E : 3 km BX – ✉ **6976** :

Belmonte, via Serenella 29 ☎ 514033, Telex 844461, ≤ lago e monti, 余, ⛱ riscaldata – ▣ TV ☎ ⇔ ⓟ – 🏛 80. AE ⓞ E VISA. ✻ rist BX **e**
marzo-novembre – Pas carta 47/67 – **45 cam** ▭ 140/230 – ½ P 145/170.

Carlton Hotel Villa Moritz ⛰, via Cortivo 9 ☎ 513812, Telex 840003, ≤, 余, « ⛱ riscaldata su terrazza panoramica », 🌳 – ▣ ☎ ♿ ⇔. AE E VISA. ✻ rist BX **a**
25 marzo-25 ottobre – Pas 25/34 – **60 cam** ▭ 72/140 – P 92/100, b.s. 88/94.

Aniro ⛰, via Violetta 1 ☎ 525031, ≤, 余, « Giardino con ⛱ riscaldata » – ▣ ⇹ rist ☎ ⇔ ⓟ. AE ⓞ E VISA BX **c**
marzo-novembre – Pas carta 25/33 – **38 cam** ▭ 73/144 – P 106.

a Sorengo O : 3 km AX – alt. 385 – ✉ **6924** :

XXX **Santabbondio,** via ai Grotti di Gentilino ☎ 548535, 余, prenotare – ⓟ. AE ⓞ E VISA. ✻
chiuso sabato a mezzogiorno, domenica sera, lunedì, dal 1° al 15 gennaio e dal 1° al 15 agosto – Pas carta 69/102. AX **g**

a Vezia N : 3,5 km AV – alt. 368 – ✉ **6943** :

Motel Vezia, ☎ 563631, Fax 567022, ⛱ riscaldata, 🌳 – TV ☎ ♿ ⇔ ⓟ. AE ⓞ E VISA. ✻
marzo-15 novembre – Pas carta 20/41 – ▭ 8 – **60 cam** 88/126. AV **e**

a Cureglia N : 5 km – alt. 433 – ✉ **6951** :

X **Della Posta,** ☎ 562140, Coperti limitati; prenotare – E VISA per ①
chiuso giovedì e da luglio al 15 agosto – Pas carta 50/60.

ad Aldesago E : 6 km BV verso Brè – alt. 600 – ✉ **6974** :

Colibrì, ☎ 514242, Telex 843211, ≤ lago e città, « ⛱ su terrazza panoramica » – ▣ TV ☎ ⓟ. AE ⓞ E VISA. ✻ rist BV **a**
chiuso dal 15 gennaio al 15 febbraio – Pas carta 36/55 – **22 cam** ▭ 140 – P 100/105, b.s. 80/90.

Vedere anche : *Gandria* per ② : 5 km.
Taverne per ① : 8 km.

CITROEN via Sorengo 11 ☎ 563176
FIAT via Adamini 4 ☎ 543521
LANCIA-AUTOBIANCHI via Maraini 14 ☎ 541821
RENAULT via Generale Guisan 10 ☎ 541861
VW-AUDI via Monte Boglia 24 ☎ 516232

MAGLIASINA e MAGLIASO 219 ⑧ – Vedere Ponte Tresa.

MELIDE 6815 427 ㉔, 219 ⑧ – 1 295 ab. alt. 277 – ✪ 091, dall'Italia 00.41.91.
Vedere Svizzera in miniatura★.
🛈 via Pocobelli 14 ✆ 686383.
Roma 653 – Bellinzona 38 – ♦Bern 271 – Como 26 – ♦Lugano 7 – ♦Milano 71.

🏨 **Seehotel Riviera,** ✆ 687912, ⬚, 🍽, 🐎 – 🛗 🕾. ① Ε 𝘝𝘐𝘚𝘈. 🕸 rist
16 aprile-25 ottobre – Pas carta 32/51 – **25 cam** ⬚ 80/130 – P 65/77.

Vedere anche : *Carona* SO : 15 km o 5 mn di funivia.

MENDRISIO 6850 427 ㉔, 219 ⑧ – 6 535 ab. alt. 355 – a.s. Pasqua e luglio-settembre –
✪ 091, dall'Italia 00.41.91.
🛈 via Zorzi, uscita autostrada ✆ 465761, Telex 842236.
Roma 637 – Bellinzona 49 – ♦Bern 281 – Como 15 – ♦Lugano 19 – ♦Milano 60 – Varese 17.

🏨 **Milano,** ✆ 465741, Telex 842227, ⬚ riscaldata – 🛗 🗏 📺 🕾 🕭 ⬅. 🕰 ① Ε 𝘝𝘐𝘚𝘈. 🕸
Pas carta 38/70 – **25 cam** ⬚ 85/120 – P 110.

XX **Stazione** con cam, ✆ 462244, 🍽 – 🛗 📺 🕾 🕭. 🕰 ① Ε 𝘝𝘐𝘚𝘈. 🕸 rist
Pas *(chiuso domenica sera)* carta 29/81 – **25 cam** ⬚ 71/112.

FIAT via Motta 8 ✆ 462412   PEUGEOT-TALBOT via Franchini 6 ✆ 461768
RENAULT via Maderno ✆ 462448

MEZZOVICO 6849 427 ㉔, 219 ⑧ – 721 ab. alt. 465 – a.s. luglio e agosto – ✪ 091, dall'Italia
00.41.91.
Roma 665 – Bellinzona 17 – Lugano 11 – ♦Milano 87.

XX Della Palazzina, strada Cantonale E : 1 km ✆ 951172 – ℗.

MINUSIO 427 ㉔, 219 ⑧, 218 ⑫ – Vedere Locarno.

MONTE Vedere nome proprio del monte.

MORCOTE 6922 427 ㉔, 219 ⑧ – 654 ab. alt. 277 – ✪ 091, dall'Italia 00.41.91.
Vedere Località★★ – Santuario di Santa Maria del Sasso★★.
Dintorni Strada per Lugano : ≤★★.
Roma 658 – Bellinzona 42 – ♦Bern 275 – Como 30 – ♦Lugano 12 – ♦Milano 75.

🏩 **Olivella au Lac e Rist. Voile d'Or,** NE : 1,5 km ✆ 691001, Telex 844786, Fax 691960, ≤
lago e monti, « Terrazze-giardino con ⬚ riscaldata », 🏊, 🐎 – 🛗 📺 🕾 ℗ – 🕍 60. 🕰 ①
Ε 𝘝𝘐𝘚𝘈. 🕸 rist
chiuso da gennaio al 4 marzo – Pas carta 66/87 – **92 cam** ⬚ 200/320 appartamenti 380/480.

🏨 **Carina,** ✆ 691131, ≤, 🍽, ⬚ riscaldata, 🐎 – 📺 🕾
stagionale – 23 cam.

X **Posta,** ✆ 691127, ≤, 🍽 – 🕰 𝘝𝘐𝘚𝘈
marzo-ottobre – Pas carta 28/49.

X **Grotto del Parco,** ✆ 692227, ≤, 🍽 – 🕰 𝘝𝘐𝘚𝘈
15 marzo-novembre – Pas carta 39/57.

a Vico N : 4 km – alt. 420 – ✉ 69201 :

XX **Bellavista** 🐾 con cam, ✆ 691143, prenotare, « Servizio estivo in terrazza con ≤ lago e
monti » – 📺 🕾. 🕰 Ε 𝘝𝘐𝘚𝘈. 🕸
Pas *(chiuso dal 4 gennaio al 14 febbraio e lunedì da ottobre a luglio)* carta 44/60 – ⬚ 10 –
5 cam 110 appartamento 250.

OLIVONE 6718 427 ⑮, 218 ⑫ – 781 ab. alt. 893 – ✪ 092, dall'Italia 00.41.92.
Dintorni Chiesa del Negrentino★ a Prugiasco : affreschi★★ S : 8 km e 30 mn a piedi AR.
Escursioni Strada★ del passo del Lucomagno Ovest.
Roma 723 – Bellinzona 43 – Locarno 62 – ♦Milano 149.

🏨 **Olivone e Posta,** ✆ 701366, 🍽 – 🕾 ℗. 🕰 ① Ε 𝘝𝘐𝘚𝘈
Pas carta 28/51 – **25 cam** ⬚ 51/97 – P 85.

🏨 **San Martino,** ✆ 701521, ≤ – 🕾 ℗. 🕰 𝘝𝘐𝘚𝘈. 🕸
Pas carta 32/51 – **15 cam** ⬚ 40/80 – P 75.

X **Arcobaleno** con cam, ✆ 701362, ≤ – ℗
Pas carta 40/54 – **5 cam** ⬚ 48/90 – P 70.

L'EUROPA su un solo foglio
Carta Michelin n° **920**.

ORIGLIO 6945 **2|1|9** ⑧ – 856 ab. alt. 420 – a.s. luglio e agosto – ✪ 091, dall'Italia 00.41.91.

Roma 664 – Bellinzona 26 – Como 43 – Locarno 35 – ♦Lugano 8 – ♦Milano 88.

🏨 **Origlio Country Club** ⏃, 𝄞 931921, Telex 844735, Fax 931031, « Servizio estivo all'aperto », ⤳ riscaldata, 🔲, 🛥, ✗ – 🛎 ☎ 🚗 🅿 – 🛆 100. 🖭 ⓞ 🗲 𝘝𝘐𝘚𝘈 ⚘ rist
chiuso dal 18 dicembre al 17 marzo – Pas *(chiuso mercoledì)* carta 49/84 – **60 cam** ⊆ 160/320 appartamento 500 – P 202.

✗✗ **Deserto,** 𝄞 931216, « Servizio estivo all'aperto », 🛥 – 🅿 🖭 ⓞ 🗲 𝘝𝘐𝘚𝘈
chiuso mercoledì – Pas carta 43/68.

ORSELINA **2|1|9** ⑦⑧, **2|1|8** ⑫ – Vedere Locarno.

PARADISO – Vedere Lugano.

PIODINA **2|1|9** ⑦ – Vedere Brissago.

PONTE TRESA 6988 **4|2|7** ㉘, **2|1|9** ⑧ – 771 ab. alt. 275 – a.s. Pasqua, luglio-agosto ed ottobre – ✪ 091, dall'Italia 00.41.91.

🏌 a Magliaso ✉ 6983 𝄞 711557, NE : 2,5 km.

🎱 a Caslano 𝄞 712986.

Roma 654 – Bellinzona 37 – ♦Bern 270 – ♦Lugano 11 – Luino 12 – ♦Milano 77 – Varese 21.

    a Magliasina NE : 1,5 km – ✉ **6987** :

✗✗ **Locanda Estérel** con cam, 𝄞 714313, Coperti limitati; prenotare, ⤳ riscaldata, 🛥 – 📺 ☎ 🅿 🖭 🅛🅢 ⓞ 🗲 𝘝𝘐𝘚𝘈 ⚘ rist
Pas *(chiuso mercoledì sera da novembre a marzo)* carta 39/73 – **10 cam** ⊆ 110/210 – P 175/180.

    a Caslano E : 2 km – ✉ **6987** :

🏨 **Gardenia,** 𝄞 711716, Telex 844651, « Giardino fiorito con ⤳ riscaldata » – 🛎 ▤ rist 📺 ☎ 🅿 🖭 🅛🅢 🗲 𝘝𝘐𝘚𝘈 ⚘
Pas carta 28/48 – **23 cam** ⊆ 125/250 – ½ P 140/155, b.s. 125/145.

    a Magliaso NE : 2,5 km – ✉ **6983** :

🏨 **Golf Hotel e Rist. Villa Magliasina** ⏃, 𝄞 713471, Telex 844640, 🌴, « Giardino fiorito con ⤳ riscaldata » – 📺 ☎ 🅿, 🖭 ⓞ 𝘝𝘐𝘚𝘈 ⚘ rist
20 marzo-ottobre – Pas carta 40/70 – **25 cam** ⊆ 130/260 appartamento 260 – P 170.

PEUGEOT via Magliaso 𝄞 711036

RANCATE 6862 **2|1|9** ⑧ – 1 229 ab. alt. 359 – a.s. Pasqua e luglio-settembre – ✪ 091, dall'Italia 00.41.91.

Roma 638 – Como 17 – ♦Lugano 21 – ♦Milano 58 – Varese 17.

✗ Grotto del Bosco, N : 1 km 𝄞 463693, ≤ – 🅿.

RONCO SOPRA ASCONA 6622 **4|2|7** ㉘, **2|1|9** ⑦ – 754 ab. alt. 351 – ✪ 093, dall'Italia 00.41.93.
Vedere Posizione pittoresca★★.
Escursioni Circuito di Ronco★★ : ≤★★ sul lago Maggiore dalla strada di Losone, verso Locarno.

🎱 piazza della Madonna 𝄞 354650.

Roma 705 – Bellinzona 29 – ♦Bern 262 – Locarno 10 – ♦Lugano 50 – ♦Milano 126 – Stresa 50.

🏨 **La Rocca** ⏃, S : 1 km ✉ 6613 Porto Ronco 𝄞 355344, ≤ lago e monti, 🌴, 🔲, 🛥 – ☎. 𝘝𝘐𝘚𝘈 ⚘
15 marzo-22 ottobre – Pas *(chiuso a mezzogiorno)* 28/35 – **20 cam** ⊆ 106/216 – ½ P 96/129.

✗ **Ronco** ⏃ con cam, 𝄞 355265, ≤ lago e monti, 🌴, ⤳ riscaldata, 🛥 – ⇔ 🖭 🗲 𝘝𝘐𝘚𝘈 ⚘ cam
chiuso da dicembre a febbraio – Pas carta 30/50 – **21 cam** ⊆ 85/180 – P 85/110.

ROVIO 6821 **4|2|7** ㉘, **2|1|9** ⑧ – 522 ab. alt. 500 – a.s. Pasqua e luglio-settembre – ✪ 091, dall'Italia 00.41.91.

Roma 646 – Como 24 – ♦Lugano 13 – ♦Milano 69.

🏨 **Park Hotel** ⏃, 𝄞 687372, Telex 844685, ≤ lago e monti, « Parco ombreggiato con ⤳ riscaldata » – 🛎 ☏ 🅿 – 🛆 50. 🖭 ⓞ 🗲 𝘝𝘐𝘚𝘈 ⚘ rist
marzo-15 novembre – Pas carta 31/36 – **48 cam** ⊆ 77/148 – P 77/104, b.s. 71/100.

SAGNO 6831 **2|1|9** ⑧ – 229 ab. alt. 700 – ✪ 091, dall'Italia 00.41.91.

Roma 639 – Como 15 – ♦Bern 295 – ♦Lugano 32 – ♦Milano 61.

✗✗ **San Michele** ⏃ con cam, 𝄞 431212, 🌴, 🛥 – ⇔ 🅿 🖭 ⓞ 𝘝𝘐𝘚𝘈 ⚘ rist
chiuso dal 15 dicembre al 15 marzo – Pas *(chiuso lunedì da novembre a giugno)* carta 30/57 – **10 cam** ⊆ 50/86 – P 85/121.

SAN SALVATORE (Monte) ★★★ 图27 ㉔, 图19 ⑧ – Vedere Guida Verde Svizzera.

SEMENTINA 图27 ㉔, 图19 ⑧, 图18 ⑫ – Vedere Bellinzona.

SORENGO 图19 ⑧ – Vedere Lugano.

STABIO 6855 图27 ㉔, 图19 ⑧ – 3 061 ab. alt. 374 – a.s. Pasqua e luglio-settembre – ☺ 091, dall'Italia 00.41.91.

Roma 641 – Como 16 – ◆Lugano 23 – ◆Milano 61 – Varese 13.

　XX　**Montalbano,** località San Pietro N : 1 km ℰ 471206, 🍴 – **ℙ**. 🆎 🅱 ⓪ 🅴 𝘝𝘐𝘚𝘈. ⚄
　　　chiuso sabato a mezzogiorno, domenica sera e lunedì – Pas carta 46/70.

TAVERNE 6807 图27 ㉔, 图19 ⑧ – 2 028 ab. alt. 450 – a.s. luglio e agosto – ☺ 091, dall'Italia 00.41.91.

Roma 662 – Bellinzona 23 – Locarno 32 – ◆Lugano 8 – ◆Milano 86.

　XXX　**Motto del Gallo,** ℰ 932871, Coperti limitati; prenotare, « Servizio estivo all'aperto » – **ℙ**.
　　　🆎 ⓪ 🅴 𝘝𝘐𝘚𝘈
　　　chiuso domenica e dal 21 dicembre al 15 gennaio – Pas carta 65/86.

RENAULT ℰ 932314

VACALLO 6833 图19 ⑧ – 2 723 ab. alt. 375 – a.s. Pasqua e luglio-settembre – ☺ 091, dall'Italia 00.41.91.

Roma 632 – Como 7,5 – ◆Milano 53.

　XX　**Conca Bella** con cam, ℰ 437474, ≼, 🍴 – **ℙ**. 🆎 ⓪ 🅴 𝘝𝘐𝘚𝘈. ⚄
　　　Pas (chiuso domenica sera e lunedì) carta 42/71 – **10 cam** ⊊ 55/90 – ½ P 56/64.

VERITÀ (Monte) 图19 ⑦ – Vedere Ascona.

VEZIA 图19 ⑧ – Vedere Lugano.

VICO 图19 ⑧ – Vedere Morcote.

VIRA-GAMBAROGNO 6574 图27 ㉔, 图19 ⑧ – 607 ab. alt. 209 – a.s. Pasqua e luglio-ottobre – ☺ 093, dall'Italia 00.41.93.

🛈 ℰ 611866.

Roma 687 – Bellinzona 17 – ◆Bern 249 – Locarno 14 – ◆Lugano 34 – ◆Milano 110.

　🏨　**Touring-Bellavista** 🝍, S : 1 km ℰ 611116, ≼ lago e monti, « Parco e terrazza con 🛝
　　　riscaldata » – 🛗 ⇆ rist ☎ **ℙ** ⓪ 🅴 𝘝𝘐𝘚𝘈. ⚄ rist
　　　15 marzo-15 novembre – Pas carta 33/49 – **62 cam** ⊊ 81/168 – ½ P 82/104. b.s. 75/96.

Piante di Locarno e Lugano
con l'autorizzazione della Direzione Federale delle Misurazioni Catastali del 2 gennaio 1988.

DA DOVE VIENE QUESTA VETTURA ?

L'immatricolazione delle vetture italiane è suddivisa per provincia.
Le lettere che precedono il numero di immatricolazione rappresentano la sigla della provincia d'origine del veicolo. I numeri di immatricolazione iniziano o terminano con lettere convenzionali quando superano il milione.

D'OÙ VIENT CETTE VOITURE ?

En Italie, les lettres qui précédent le numéro d'immatriculation indiquent la province d'origine du véhicule. Quand le numéro atteint le million, les premiers ou les derniers chiffres sont remplacés par des lettres.

WOHER KOMMT DIESER WAGEN ?

In Italien geben die Buchstaben, die vor dem amtlichen Kennzeichen stehen, die Herkunfts-Provinz des Fahrzeuges an. Wenn die Erkennungsnummer eine Million erreicht, werden die ersten oder die letzten Zahlen durch Buchstaben ersetzt.

WHERE DOES THAT CAR COME FROM ?

In Italy, the letters preceding the registration number indicate the province of origin of the car. For numbers from one million upwards, the initial or the last figures are replaced by letters.

Sigla	Provincia	Sigla	Provincia	Sigla	Provincia
AG	Agrigento	FO	Forlì	PT	Pistoia
AL	Alessandria	FR	Frosinone	PV	Pavia
AN	Ancona			PZ	Potenza
AO	Aosta	GE	Genova		
AP	Ascoli Piceno	GO	Gorizia	RA	Ravenna
AQ	L'Aquila	GR	Grosseto	RC	Reggio di Calabria
AR	Arezzo			RE	Reggio nell' Emilia
AT	Asti	IM	Imperia	RG	Ragusa
AV	Avellino	IS	Isernia	RI	Rieti
		LE	Lecce	RO	Rovigo
BA	Bari	LI	Livorno	Roma	Roma
BG	Bergamo	LT	Latina		
BL	Belluno	LU	Lucca	SA	Salerno
BN	Benevento			SI	Siena
BO	Bologna	MC	Macerata	SO	Sondrio
BR	Brindisi	ME	Messina	SP	La Spezia
BS	Brescia	MI	Milano	SR	Siracusa
BZ	Bolzano	MN	Mantova	SS	Sassari
		MO	Modena	SV	Savona
CA	Cagliari	MS	Massa-Carrara		
CB	Campobasso	MT	Matera	TA	Taranto
CE	Caserta			TE	Teramo
CH	Chieti	NA	Napoli	TN	Trento
CL	Caltanissetta	NO	Novara	TO	Torino
CN	Cuneo	NU	Nuoro	TP	Trapani
CO	Como			TR	Terni
CR	Cremona	OR	Oristano	TS	Trieste
CS	Cosenza			TV	Treviso
CT	Catania	PA	Palermo		
CZ	Catanzaro	PC	Piacenza	UD	Udine
		PD	Padova		
EN	Enna	PE	Pescara	VA	Varese
		PG	Perugia	VC	Vercelli
FE	Ferrara	PI	Pisa	VE	Venezia
FG	Foggia	PN	Pordenone	VI	Vicenza
FI	Firenze	PR	Parma	VR	Verona
		PS	Pesaro-Urbino	VT	Viterbo

Munite la vostra vettura
di **carte stradali Michelin** aggiornate.

Equipez votre voiture de **cartes Michelin** à jour.

INDICATIVI TELEFONICI DEI PAESI EUROPEI

INDICATIFS TÉLÉPHONIQUES EUROPÉENS

EUROPEAN DIALLING CODES

TELEFON-VORWAHLNUMMERN EUROPÄISCHER LÄNDER

	da de from von		in en to nach	dall' de from von		in en to nach
A	Austria	04039 ——→	Italia	—— 0043 ——→	Austria
B	Belgio	0039 ——→	»	—— 0032 ——→	Belgio
DK	Danimarca	00939 ——→	»	—— 0045 ——→	Danimarca
SF	Finlandia	99039 ——→	»	—— 00358 ——→	Finlandia
F	Francia	1939 ——→	»	—— 0033 ——→	Francia
D	Germania	0039 ——→	»	—— 0049 ——→	Germania
GB	Gran Bretagna	01039 ——→	»	—— 0044 ——→	Gran Bretagna
GR	Grecia	0039 ——→	»	—— 0030 ——→	Grecia
YU	Jugoslavia	9939 ——→	»	—— 0038 ——→	Jugoslavia
FL	Liechtenstein	0039 ——→	»	—— 0041 ——→	Liechtenstein
L	Lussemburgo	0039 ——→	»	—— 00352 ——→	Lussemburgo
N	Norvegia	09539 ——→	»	—— 0047 ——→	Norvegia
NL	Olanda	0939 ——→	»	—— 0031 ——→	Olanda
P	Portogallo	0139 ——→	»	—— 00351 ——→	Portogallo
E	Spagna	0739 ——→	»	—— 0034 ——→	Spagna
S	Svezia	00939 ——→	»	—— 0046 ——→	Svezia
CH	Svizzera	0039 ——→	»	—— 0041 ——→	Svizzera

Importante : Per comunicare con l'Italia da un paese straniero non bisogna comporre lo zero (0) iniziale dell'indicativo interurbano.

Important : Pour les communications d'un pays étranger vers l'Italie, le zéro (0) initial de l'indicatif interurbain n'est pas à chiffrer.

Note : When making an international call to Italy do not dial the first "0" of the city codes.

Wichtig : Bei Gesprächen vom Ausland nach Italien darf die voranstehende Null (0) der Ortsnetzkennzahl nicht gewählt werden.

MANUFACTURE FRANÇAISE DES PNEUMATIQUES MICHELIN

Société en commandite par actions au capital de 875 000 000 de F.

Place des Carmes-Déchaux - 63 Clermont-Ferrand (France)

R.C.S. Clermont-Fd B 855 200 507

© MICHELIN et Cie, Propriétaires-Éditeurs 1989

Dépôt légal 12-88 — ISBN 2.06.006.798.7

Printed in France 11-88-300

Carte e piante disegnate dall' Ufficio Cartografico Michelin
Piante topografiche : autorizzazione I.G.M. Nr. 34 del 15-1-1988
Photocomposition programmée : Imprimerie S.C.I.A. - La Chapelle d'Armentières
Impression - Reliure : AUBIN Imprimeur à Ligugé - Poitiers N° P 28945.

Les cartes et les guides Michelin sont complémentaires, utilisez-les ensemble.

Michelin maps and guides are complementary publications. Use them together.

De Michelin kaarten en gidsen vullen elkaar aan. Gebruik ze samen.

Die Karten, Reise- und Hotelführer von Michelin ergänzen sich. Benutzen Sie sie zusammen.

Los mapas y las guías Michelin se complementan, utilícelos juntos.

Le carte e le guide Michelin sono complementari : utilizzatele insieme.

GUIDE VERDI TURISTICHE

ITALIA
ITALIE
ITALY
ITALIEN

ROME

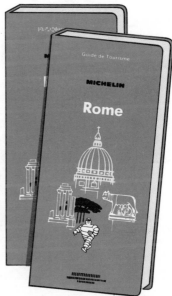

CARTE STRADALI